G SPEZIELLE RETTUNGSDIENSTLICHE MASSNAHMEN 1

H ALGORITHMEN UND EINSATZKONZEPTE 1183

I ORGANISATION UND STRUKTUR 1241

J QUALITÄTSMANAGEMENT UND RECHT 1387

ANHANG 1459

J. Luxem, K. Runggaldier, H. Karutz, F. Flake (Hrsg.)

Notfallsanitäter Heute

Jürgen Luxem, Klaus Runggaldier, Harald Karutz, Frank Flake (Hrsg.)

NOTFALLSANITÄTER HEUTE

8. Auflage

Mit Beiträgen von: T. Alberding, V. Blank-Gorki, C. Buschmann, S. Casu, S. Dönitz, S. Dreesen, F. Flake, M. Grönheim, D. Häske, A. Hammerl, C. Hausmann, J. Henke, M. Jacob, H. Karutz, M. Klausmeier, D. Lentz, S. Linck, K. Linder, J. Luxem, T. Moeser, C. Niehues, C. Oberließen, K. Püschel, C. Redelsteiner, M. Rhiem, K. Runggaldier, T. Sambale, T. Semmel, A. Thamm, T. Uhing, U. Wagner, M. Wilhelm

In Teilen basierend auf Beiträgen von Autoren der 7. Auflage „Notfallsanitäter Heute“ (siehe S. X)

Mit einem Geleitwort von: Deutscher Berufsverband Rettungsdienst, e.V. (DBRD), Lübeck

Gutachter/fachredaktionelle Beratung: A. Fromm, Hamburg

ELSEVIER

Elsevier GmbH, Bernhard-Wicki-Str. 5, 80636 München, Deutschland
Wir freuen uns über Ihr Feedback und Ihre Anregungen an kundendienst@elsevier.com

ISBN 978-3-437-46212-2
eISBN 978-3-437-05478-5

8. Auflage 2024

Wichtiger Hinweis
Die medizinischen Wissenschaften unterliegen einem sehr schnellen Wissenszuwachs. Der stetige Wandel von Methoden, Wirkstoffen und Erkenntnissen ist allen an diesem Werk Beteiligten bewusst. Sowohl der Verlag als auch die Autorinnen und Autoren und alle, die an der Entstehung dieses Werkes beteiligt waren, haben große Sorgfalt darauf verwandt, dass die Angaben zu Methoden, Anweisungen, Produkten, Anwendungen oder Konzepten dem aktuellen Wissensstand zum Zeitpunkt der Fertigstellung des Werkes entsprechen.
Der Verlag kann jedoch keine Gewähr für Angaben zu Dosierung und Applikationsformen übernehmen. Es sollte stets eine unabhängige und sorgfältige Überprüfung von Diagnosen und Arzneimitteldosierungen sowie möglicher Kontraindikationen erfolgen. Jede Dosierung oder Applikation liegt in der Verantwortung der Anwenderin oder des Anwenders. Die Elsevier GmbH, die Autorinnen und Autoren und alle, die an der Entstehung des Werkes mitgewirkt haben, können keinerlei Haftung in Bezug auf jegliche Verletzung und/oder Schäden an Personen oder Eigentum, im Rahmen von Produkthaftung, Fahrlässigkeit oder anderweitig übernehmen.

Für die Vollständigkeit und Auswahl der aufgeführten Medikamente übernimmt der Verlag keine Gewähr.
Geschützte Warennamen (Warenzeichen) werden in der Regel besonders kenntlich gemacht (®). Aus dem Fehlen eines solchen Hinweises kann jedoch nicht automatisch geschlossen werden, dass es sich um einen freien Warennamen handelt.

Bibliografische Information der Deutschen Nationalbibliothek
Die Deutsche Nationalbibliothek verzeichnet diese Publikation in der Deutschen Nationalbibliografie; detaillierte bibliografische Daten sind im Internet über https://www.dnb.de abrufbar.

24 25 26 27 28 5 4 3 2 1

In ihren Veröffentlichungen verfolgt die Elsevier GmbH das Ziel, genderneutrale Formulierungen für Personengruppen zu verwenden. Um jedoch den Textfluss nicht zu stören sowie die gestalterische Freiheit nicht einzuschränken, wurden bisweilen Kompromisse eingegangen. Selbstverständlich sind **immer alle Geschlechter** gemeint.

Planung: Katharina Frank, München; Anna-Marie Salaja, München
Projektmanagement: Anke Drescher, München; Julia Stängle, München
Redaktion: Sigrid Schäfer, Sindelfingen; Dr. Nikola Schmidt, Berlin
Bildredaktion und Rechteklärung: Katja Sieger-Schauer, München
Herstellung: Hildegard Graf, Germering
Satz: STRAIVE, Puducherry/Indien
Druck und Bindung: Drukarnia Dimograf Sp. z o. o., Bielsko-Biała/Polen
Umschlaggestaltung: Sanitäterin Vorderseite © Carsten Dammann, Hamburg, www.carstendammann.com, Vorderseite rechts © iStock.com/gorodenkoff, Rettungswagen Rückseite © Tobias Seeliger – stock.adobe.com, Hubschrauber Rückseite © DRF Stiftung Luftrettung gemeinnützige AG, Filderstadt, und SpieszDesign, Neu-Ulm

Aktuelle Informationen finden Sie im Internet unter www.elsevier.de

GELEITWORT

Mit Erscheinen dieser 8. Auflage von „Notfallsanitäter Heute“ feiern wir ein Jubiläum: Der Beruf des Notfallsanitäters/der Notfallsanitäterin ist genau zehn Jahre alt. Lange haben wir für diesen Beruf gerungen, und wir können uns noch an viele zum Teil hitzige Diskussionen um die Ausgestaltung erinnern. In vielen Sitzungen im Bundesministerium für Gesundheit wurden die Rahmenbedingungen gesteckt und der Notfallsanitäter bzw. die Notfallsanitäterin dann letztlich aus der Taufe gehoben.

Mit diesem neuen Beruf waren auch viele Hoffnungen verknüpft. Von ausgeweiteten einheitlichen Kompetenzen bis zu möglichen Weiterqualifizierungen gab es so einiges, was im Jahr 2014 im Kopf herumspukte. Vieles davon ist eingetreten. Vieles aber leider auch nicht.

Wer also im Jahr 2014 glaubte, dass die berufspolitische Arbeit nun endet, der hat sich getäuscht. Es wird von Jahr zu Jahr mehr, und es sind noch einige „Bretter“ zu bohren. Grundsätzlich befinden wir uns aber auf einem guten Weg, wir müssen nur gemeinsam daran arbeiten. Das vorliegende Buch ist sicher eines der geeigneten Tools, um den Rettungsdienst insgesamt zu verbessern.

Wie viele andere, so ist auch der Beruf des Notfallsanitäters bzw. der Notfallsanitäterin von Fachkräftemangel und Überlastung geprägt. Dies hat vor allem nach der Pandemie deutlich zugenommen. Im Moment, so scheint es, schaffen wir es nicht, einen Großteil der Auszubildenden dazu bewegen zu können, lange in diesem Beruf zu bleiben. Das müssen wir ändern, um dem Beruf des Notfallsanitäters und der Notfallsanitäterin die Attraktivität zu geben, die ihm zusteht. Hierzu müssen wir die Rahmenbedingungen verändern. Dazu gehört es, die Einsätze des Rettungsdienstes, für die dieser nicht zuständig ist, in andere Bereiche zu transferieren, den inflationären Umgang mit Rettungsmitteln zu unterbinden und die Arbeitszeit von meist noch 48 Stunden pro Woche schrittweise auf ein übliches Maß von 40 Stunden abzusenken.

Was wir zusätzlich benötigen, sind neue Konzepte, die uns die Veränderung der oben genannten Rahmenbedingungen erst möglich machen. Eines der vielversprechendsten ist hier sicher der Gemeindenotfallsanitäter bzw. die Gemeindenotfallsanitäterin, aber auch das Rettungs-Einsatz-Fahrzeug (REF) oder die konsequente Einführung von nicht qualifiziertem Krankentransport. Wir benötigen Steuerungswerkzeuge auf den Leitstellen wie die standardisierte, strukturierte Notrufabfrage und vieles mehr.

Was wir aber am allermeisten benötigen, sind Menschen, die gemeinsam für diese Veränderungen sorgen und dafür kämpfen. Wir benötigen Mitstreiter, die Verantwortung übernehmen möchten und dies am Ende auch tun. Was wir nicht brauchen, sind Bedenkenträger und Standesdünkel auf allen Seiten. Denn Veränderungen können wir nur gemeinsam mit allen am Rettungsdienst beteiligten Berufsgruppen bewirken: Von dem/der Einsatzsanitäter/in über den/die Rettungs- und Notfallsanitäter/in bis zum Notarzt und der Notärztin.

Diese Brücke schlägt auch das vorliegende Buch, welches in dieser Ausgabe nochmal um die neuesten Entwicklungen erweitert wurde. Das Buch soll ein Motivator sein, darin zu lesen und neugierig zu machen auf das, was kommt.

Wir alle sind also diejenigen, die verändern können. Wir wünschen dem vorliegenden Buch, dass es hierzu die erforderlichen Grundlagen liefert, und den Auszubildenden ein gutes Gelingen während der Ausbildungszeit.

Lübeck, im April 2024
Marco K. König, Frank Flake
Der Vorstand des Deutschen Berufsverbandes Rettungsdienst e. V. (DBRD)

VORWORT

Schon wieder sind gut vier Jahre vergangen und es liegt nun die 8. Auflage unseres bewährten Lehrbuchs auf dem Tisch. Die Ausbildung zur Notfallsanitäterin bzw. zum Notfallsanitäter ist inzwischen Standard, und die anfänglichen Probleme und Unsicherheiten gehören nicht mehr zum Alltag. Nur ein Problem haben wir bisher nicht lösen können, die Anzahl der Auszubildenden ist zu gering und zu viele gut ausgebildete Notfallsanitäterinnen und Notfallsanitäter verlassen noch immer diesen Beruf. An der Umkehrung dieser Tendenz müssen wir alle arbeiten, wie auch an den mannigfaltigen Problemen des Gesundheitswesens und damit auch des Rettungsdienstes insgesamt. Zetern, Jammern und Meckern allein bringen uns nicht weiter, genauso wenig, wie frustriert den Job zu wechseln. Deshalb lassen Sie uns gemeinsam dafür sorgen, den Beruf attraktiver zu gestalten.

Ergänzungsprüfungen gehören der Vergangenheit an und mittlerweile haben alle Notfallsanitäterinnen und Notfallsanitäter wohl einen weitgehend einheitlichen Ausbildungsstand erreicht. Von Anfang an hat das vorliegende Buch Lehrkräften sowie angehenden Notfallsanitäterinnen und Notfallsanitätern gleichermaßen zur Verfügung gestanden. Es gilt – wie schon zu Zeiten der Rettungsassistentenausbildung – längst als *das* Standardwerk für die Ausbildung des Rettungsfachpersonals in Deutschland. Uns war und ist es auch weiterhin wichtig, hier für eine konsequente Weiterentwicklung dieses jungen Berufes zu sorgen. Offenbar haben wir dies mit unserem Buch geschafft und für die enorme Zustimmung, die wir für dieses Werk erhalten haben, sind wir von Herzen dankbar! Gerne haben wir aber auch wertvolle Kritik aufgegriffen und diese bei den Modifikationen und Ergänzungen für die nunmehr 8. Auflage berücksichtigt.

Unser Anliegen war es immer, das Buch noch stärker auf die Bedürfnisse der Auszubildenden auszurichten und es damit zu einem Lernbuch, zu einem ständigen Begleiter zu machen. Mit zusätzlichen didaktischen Elementen, einem modernisierten und verbesserten Layout sowie einer Vielzahl weiterer Schemata und Abbildungen soll das Textverständnis noch eingängiger und leserfreundlicher sein als bisher. Zugleich haben wir aber auch Bewährtes beibehalten, insbesondere die konsequente Ausrichtung an den zehn Themenbereichen der Ausbildungs- und Prüfungsverordnung für Notfallsanitäterinnen und Notfallsanitäter. Wer bisher schon mit diesem Buch gearbeitet bzw. unterrichtet hat, wird die vertraute und geschätzte Sektionen- bzw. Kapitelstruktur wiederfinden. Und wer erstmals zu diesem Buch greift, wird die übersichtliche Gliederung rasch zu schätzen wissen. Den Umfang vieler Kapitel haben wir – wie immer bei einer Neuauflage – etwas erweitert: Aktuelle Erkenntnisse aus der notfallmedizinischen bzw. pharmakologischen Forschung sind in die Überarbeitung ebenso eingeflossen wie die neuesten Entwicklungen im Bereich der Rettungstechniken und der Einsatztaktik.

Da wir zur Entwicklung umfassender beruflicher Handlungskompetenz beitragen möchten, haben die Ausführungen zu psychosozialen und ethischen Aspekten der Notfallversorgung auch weiterhin einen hohen Stellenwert: Als Notfallsanitäterin oder Notfallsanitäter tätig zu werden, ist eben mehr als nur „Vitalfunktionsmechanik". Um wirklich professionell handeln zu können, reicht allein fachliche Kompetenz schlichtweg nicht aus. Dies ist vor allem auch vor dem Hintergrund der zunehmenden Kompetenz- und Maßnahmenübertragung zu sehen: Sicher ein wichtiger und überfälliger Schritt. Man muss damit aber auch umgehen können und dafür benötigt es Kompetenzen auf allen Seiten.

Nicht unerwähnt bleiben soll an dieser Stelle, dass die alltägliche Berufsausübung von Notfallsanitäterinnen und Notfallsanitätern bundesweit immer noch recht unterschiedlich geregelt ist. Von einheitlichen Versorgungsstandards kann aus den verschiedensten Gründen noch immer keine Rede sein. Auch auf diese berufsrechtlichen bzw. berufspolitischen Herausforderungen gehen wir ausführlich ein und hoffen, dass unsere Ausführungen für die weiterhin laufenden Klärungsprozesse hilfreich sind. Vielleicht wird es – im Sinne der uns anvertrauten Patientinnen und Patienten – doch irgendwann einmal bundeseinheitliche Versorgungsstandards geben; das wünschen wir uns jedenfalls sehr und glauben, dass wir auf einem guten Weg sind.

Überzeugt sind wir schon jetzt davon, mit dem vorliegenden Buch auch in den kommenden Jahren zur Weiterentwicklung des Berufsbilds von Notfallsanitäterinnen und Notfallsanitätern beitragen zu können. Lehrkräften, die mit diesem Buch unterrichten, wünschen wir eine stets gelingende Kompetenzförderung – und Auszubildenden, die dieses Buch durch ihre Ausbildung begleitet, wünschen wir die bestmögliche Einsatzvorbereitung, die es überhaupt geben kann.

Aschaffenburg, Herne, Mülheim an der Ruhr und Oldenburg,
im Frühjahr 2024
Jürgen Luxem, Klaus Runggaldier, Harald Karutz, Frank Flake

DANKSAGUNG

Liebe Leserinnen und Leser,
auch diese, nun 8. Auflage unseres bewährten Lehrbuchs bereitete uns viel Freude beim Schreiben, kostete alle Beteiligten aber auch eine Menge Kraft. Wieder einmal waren bei diesem Buchprojekt beide Seiten besonders ausgeprägt. Auf der einen Seite galt es, einen sehr „sportlichen" Zeitplan einzuhalten; ein enormer Kraft - und Arbeitsaufwand. Auf der anderen Seite macht es auch tatsächlich Spaß, das Manuskript von Tag zu Tag wachsen zu sehen und bis zur Fertigstellung zu begleiten. Dass wir alle gemeinsam dieses Mammutprojekt erfolgreich abgeschlossen haben und das Buch in unseren Händen halten können, wäre ohne die hilfreiche und motivierende Unterstützung vieler Menschen nicht möglich gewesen. Deshalb möchten wir an dieser Stelle unseren herzlichen Dank aussprechen:

- Unseren Familien, insbesondere Anja, Marianne und Philipp Luxem; Johanna, Niklas und Kerstin Runggaldier; Lena, Florian und Antje Karutz sowie Petra, Niklas, Annika und Jule Flake für ihr enormes Verständnis und ihre permanente Rückendeckung (da ihr uns kennt, macht Besserung zu geloben inzwischen wohl keinen Sinn mehr)
- Unseren engagierten Alt- und Neuautorinnen und -autoren für das Mitdenken, Mitarbeiten und die hervorragenden Manuskripte, vor allem auch für die vielen kritisch-konstruktiven Anregungen und Rückmeldungen
- Allen Kolleginnen und Kollegen sowie Freundinnen und Freunden für das Gegenlesen sowie die vielen Tipps und Tricks während der gesamten Bearbeitungszeit. Besonderer Dank gilt nicht zuletzt dem Elsevier-Verlag, der uns mit Rat und Tat zur Seite stand und uns die Möglichkeit gab, das bisherige Buch „Notfallsanitäter Heute, 7. A." wieder einmal komplett neu zu gestalten. Erwähnen wollen wir vor allem:
- Anke Drescher und Julia Stängle für das umsichtige Projektmanagement, Dr. Nikola Schmidt, Sigrid Schäfer, Katja Sieger-Schauer und Hildegard Graf für das sorgfältige Lektorat und Abbildungsmanagement
- Katharina Frank und Anna-Marie Salaja für die vielen Stunden der Konzeptarbeit und ihre immerwährende Motivation, vor allem auch in schwierigen Arbeitsphasen
- Allen, die wir hier vergessen haben oder aus Platzgründen nicht nennen können, die aber ebenfalls emsig und überaus zuverlässig an diesem Projekt mitgearbeitet haben

Wie immer möchten wir Sie, liebe Leserinnen und Leser, dazu auffordern, uns bei der Verbesserung des Buchs zu unterstützen. Scheuen Sie sich nicht, uns zu schreiben, wenn Ihnen etwas gefällt, aber auch, wenn Sie Fehler entdecken oder Themen vermissen. Wir freuen uns auf Ihre Rückmeldungen.

Aschaffenburg, Herne, Mülheim an der Ruhr und Oldenburg,
im Frühjahr 2024
Jürgen Luxem, Klaus Runggaldier, Harald Karutz, Frank Flake

HERAUSGEBER

Dr. Univ. Budapest Dr. med. Jürgen Luxem
Facharzt für Anästhesie, Notfallmedizin, Ärztliches Qualitätsmanagement; Leitender Notarzt des ZRF Bayerischer Untermain, Kreisfeuerwehrarzt Landkreis Aschaffenburg. Ärztlicher Leiter Rettungsdienst des Zweckverbands für Rettungsdienst und Feuerwehralarmierung (ZRF) Bayerischer Untermain a. D.

Prof. Dr. phil. Harald Karutz
Notfallsanitäter, Diplom-Pädagoge und Notfallseelsorger; von 1999 bis 2019 Leiter einer staatlich anerkannten Berufsfachschule für den Rettungsdienst, aktuell Professor für Psychosoziales Krisenmanagement an der MSH Medical School Hamburg, Lehrbeauftragter der Universität Bonn und Dozent an der Deutschen Psychologenakademie in Berlin. Mitglied in zahlreichen Fachgesellschaften. Autor und Herausgeber diverser Veröffentlichungen, insbesondere zur beruflichen Bildung von Einsatzkräften, zur psychosozialen Notfallversorgung sowie zum psychosozialen Krisenmanagement.

Prof. Dr. phil. Klaus Runggaldier
Notfallsanitäter, Berufs- und Wirtschaftspädagoge, Diplom-Gesundheitslehrer; Dekan und Professor für Medizinpädagogik an der Medical School Hamburg, University of Applied Sciences and Medical University, Geschäftsführer der Falck Rettungsdienst und Krankentransport GmbH, Fachzeitschriftenautor und Herausgeber zahlreicher Buchveröffentlichungen, Lehraufträge an nationalen und internationalen Hochschulen; Assessor und Gutachter für die Akkreditierungsagentur im Bereich Gesundheit und Soziales (AHPGS).

Frank Flake
Kaufmann und Notfallsanitäter; Praxisanleiter, Dozent im Rettungsdienst, Leiter Rettungsdienst beim Landkreis Oldenburg, 2. Vorsitzender der Deutscher Berufsverband Rettungsdienst, ERC-ALS-Instruktor und Kursdirektor, PHTLS-, AMLS- und EPC-Kurskoordinator und Instruktor, EFQM-Assessor, externer Auditor, Organisatorischer Leiter Rettungsdienst, Mitarbeiter verschiedener Fachzeitschriften sowie Autor und Herausgeber zahlreicher einschlägiger Buchveröffentlichungen und Fachzeitschriftenbeiträge.

AUTORINNEN UND AUTOREN

Timo Alberding
Notfallsanitäter, bestellter Organisatorischer Leiter Rettungsdienst im Landkreis Cloppenburg; tätig als Projektmitarbeiter bei der Firma CKS Systeme GmbH, Meppen.

Verena Blank Gorki, Dipl.-Sozialwissenschaftlerin
Wissenschaftliche Referentin in der Bundeszentrale für gesundheitliche Aufklärung im Nationalen Zentrum Frühe Hilfen. Fachautorin und -dozentin für psychosoziale Notfallversorgung, Ethik im Rettungsdienst und sozialwissenschaftliche Aspekte im Bevölkerungsschutz.

Prof. Dr. med. Claas Buschmann
Facharzt für Rechtsmedizin, Stellvertretender Institutsdirektor am Institut für Rechtsmedizin des Universitätsklinikums Schleswig-Holstein.

Dr. med. Sebastian Casu
Facharzt für Anästhesiologie, Intensivmedizin, klinische Akut- & Notfallmedizin, Palliativmedizin, Notfallmedizin. Chefarzt Zentrum für klinische Notfall- & Akutmedizin der Asklepios Klinik Wandsbek, Hamburg.

Stephan Dönitz
Notfallsanitäter, langjährige Tätigkeit als TC-HEMS (ADAC Luftrettungszentrum Hamburg), Fachkrankenpfleger für Anästhesie und Intensivmedizin sowie Praxisanleiter (BG Klinikum Hamburg, Abteilung für Anästhesie, Intensiv-, Rettungs- und Schmerzmedizin), E-Learning-Autor Firma Smedex (Schweiz), Dozent in der Erwachsenenbildung, ERC-ALS-Instruktor, freier Mitarbeiter bei der Fachzeitschrift „PflegenIntensiv" sowie Buchautor und -herausgeber. Langjährige Tätigkeit als AMLS- und PHTLS-Instruktor.

Dr. med. Stefan Dreesen
Facharzt für Innere Medizin und Kardiologie, Notfallmedizin, Intensivmedizin, Klinische Akut- und Notfallmedizin. Ltd. Arzt der zentralen Notaufnahme St. Josef-Krankenhaus Essen-Werden, Universitätsmedizin Essen. Ortsarzt der Malteser in Mülheim an der Ruhr.

Michael Grönheim
Notfallsanitäter, Verbandführer, Praxisanleiter, Berufspädagoge (IHK), B. A. Betriebliche Bildung, leitender Auditor, Unternehmensberater (IHK), BDSH-geprüfter Sachverständiger, Lehrbeauftragter für verschiedene Hochschulen, Geschäftsführer intellexi, Leiter des kommunalen Teils der Kooperativen Regionalleitstelle Ostfriesland.

Dr. sc. hum. David Häske, MSc MBA
Notfallsanitäter, Studium Mangament im Gesundheitswesen, Promotion in Humanwissenschaften, Instruktorentätigkeit in der Notfallmedizin, tätig im Bereich Lehre, Qualitätsmanagement und Forschung im Bereich (notfallmedizinischer) Versorgungsforschung und öffentliches Gesundheitswesen.

Angela Hammerl
Diplom-Pädagogin und Traumafachberaterin /-pädagogin (Degpt), seit 2005 in der Psychosozialen Notfallversorgung tätig, leitet seit 2012 das PSNV-E-Team für die Feuerwehren im Landkreis Aichach-Friedberg, Miterstellung des Curriculums und des pädagogischen Konzepts der Ausbildung zum Leiter und Fachberater PSNV in Bayern, Leitung des Dozententeams der Landeszentralstelle PSNV in Bayern sowie wissenschaftliche Mitarbeiterin am Institute for Psychosocial Crisis Management der Medical School Hamburg.

Prof. Dr. phil. Clemens Hausmann
Klinischer Psychologe am Kardinal Schwarzenberg Klinikum/Schwarzach i. P., Notfallpsychologe, Lehrbeauftragter an der Universität Salzburg und der FH Gesundheitsberufe Oberösterreich.

Dr. med. Julia Henke
Fachärztin für Neurologie, Oberärztin in der Zentralen Notaufnahme am Klinikum Aschaffenburg.

Prof. Dr. med. Matthias Jacob
Landesarzt der Bergwacht Bayern (aktive Bergwacht- und Hubschraubernotarzt), Professor für Anästhesiologie der Ludwig-Maximilians-Universität München und Chefarzt der Klinik für Anästhesiologie, Operative Intensivmedizin und Schmerzmedizin des Barmherzige Brüder Klinikums St. Elisabeth, Straubing. Zudem ärztlicher Leiter des DIMM-Formats der Bergwacht Bayern, vertritt die Bergwacht Bayern in der ICAR MedCom und im Rettungsdienstausschuss des Bayerischen Innenministeriums, sowie Leiter der AG „Alpine Notfallmedizin" der Sektion Notfall- und Katastrophenmedizin der DIVI. Forschungsschwerpunkte liegen auf den Grundlagen von Kreislauf, Mikrozirkulation und Schock; der klinische Arbeitsschwerpunkt ist die Volumentherapie. Herausgeber und Autor zahlreicher wissenschaftlicher Publikationen, Bücher und Buchbeiträge.

Matthias Klausmeier
Speditionskaufmann, Notfallsanitäter, Praxisanleiter, derzeit Dozent mit pädagogischer Weiterbildung an der Franz-Anton-Mai-Schule Landesschule des Arbeiter-Samariter-Bundes Baden-Württemberg, AHA BLS-, ACLS- und PALS-Kursdirektor und Instruktor, AMLS-Instruktor, EPC Kurskoordinator und Instruktor, Nationaler Koordinator EPC Deutschland, GEMS Kurskoordinator und Instruktor, stellvertretender Nationaler Koordinator GEMS Deutschland, PHTLS-Kurskoordinator und Instruktor, Trainer und Operator für Simulation am RKH Simulationszentrum Vaihingen an der Enz, Herausgeber und Autor einschlägiger Buchveröffentlichungen und Fachzeitschriften.

Dennis Lentz
Rechtsanwalt, Fachanwalt für Medizinrecht, Leiter Recht & Governance bei der Labor Berlin - Charité Vivantes GmbH in Berlin, Fachdozent und Fachautor für Rettungsdienstrecht, Arbeiter-Samariter-Bund Baden-Württemberg e.V. Region Heilbronn-Franken, Potsdam.

Sven Linck, Dipl.-Kaufmann, Dipl.-Verwaltungswirt (FH)
Brandamtmann, Bereichsleiter Gefahrenabwehr und Ausbildungsbeauftragter Berufsfeuerwehr Oldenburg.

Klaus Lindner
Rettungsassistent, Leitstellendisponent, stv. Leiter des kommunalen Teiles der KRLS Nord in Harrislee.

Torsten Moeser, M. A.
Derzeit tätig als Erwachsenenpädagoge, Notfallsanitäter und Praxisanleiter, Leiter der internen Aus- und Weiterbildung und interner Auditor bei der Malteser Rettungsdienst gGmbH im Bezirk Neckar-Alb. Dozent an einer staatlich anerkannten Berufsfachschule für Notfallsanitäter*innen, der Akademie der Kreiskliniken Reutlingen und der Akademie der medius Kliniken in Kirchheim/Teck. Autor zahlreicher einschlägiger Veröffentlichungen in diversen Fachzeitschriften und Fachbüchern.

Prof. Dr. rer. pol. Christopher Niehues, Dipl.-Kaufmann, Master of Laws (Medizinrecht)
Professor für Betriebswirtschaftslehre im Gesundheitswesen an der Fachhochschule Münster.

Carina Oberließen, Dipl.-Pädagogin
Berufsfeuerwehr Köln, Berufsfachschule für NotfallsanitäterInnen, Fachdozentin im Rettungsdienst und Autorin, Rettungssanitäterin, PSU-Assistentin, Notfallseelsorgerin.

Prof. Dr. med. Klaus Püschel
Em. Direktor des Instituts für Rechtsmedizin, Universitätsklinikum Hamburg-Eppendorf.

Prof. Dr. Christoph Redelsteiner, Ph.Dr.
Lehrrettungsassistent, Paramedic (USA), Notfallsanitäter-NKI (A), Sozialarbeiter, Gesundheitswissenschaftler. Fachhochschule St. Pölten Department Soziales, Studiengangsleiter Master Soziale Arbeit. Dozent Digital Healthcare und Präklinische Versorgung und Pflege; Projektleiter „Health Care Management mit der Vertiefung Rettungsdienstmanagement“ Universität für Weiterbildung Krems.

Maximilian Rhiem
Facharzt für Anästhesie, ZB Intensiv- und Notfallmedizin, Helios Universitätsklinikum Wuppertal, Telenotarzt Fa. umlaut Part of Accenture, Notarzt, Rettungsassistent, ERC-ALS-Kursdirektor, Medizinischer Direktor EPC Deutschland, PHTLS-Kursdirektor, AMLS-Kursdirektor.

Tobias Sambale
Notfallsanitäter und Autor. Er arbeitet neben seiner rettungsdienstlichen Tätigkeit für einen Trainingsanbieter und Simulationstechnologie-Hersteller. Seit einigen Jahren studiert er Humanmedizin und widmet sich in seiner Freizeit dem Reisen.

Thomas Semmel
Notfallsanitäter, Dozent im Rettungsdienst, ERC ALS-Instruktor, Clinical Education Manager bei VBM Medizintechnik GmbH, Mitarbeiter verschiedener Fachzeitschriften sowie Autor und Herausgeber zahlreicher Fachbuchveröffentlichungen.

Achim Thamm
Notfallsanitäter, Praxisanleiter (D) und Rettungssanitäter HF (CH), Instruktor (AMLS, EPC, PHTLS, PALS, ACLS); Fachdozent in der Notfallmedizin, Fachgruppenkoordinator Bildung und Wissen im Rettungsdienst Kantonsspital Altdorf (Uri); Autor von Fachartikeln und Fachbüchern.

Dr. med. Tobias Uhing
Facharzt Anästhesie, Notfallmedizin, Intensivmedizin, ÄLRD Hochfranken, Oberarzt Helios Vogtland-Klinikum Plauen, Zugführer und Einsatzleiter Wasserrettung.

Ulf Wagner, PhD, BSc (Hons), PgCert HealthEd
Lehrrettungsassistent, Fachdozent im Gesundheitswesen, Skills Coordinator, Coventry University.

Dr. med. Manuel Wilhelm
Facharzt für Kinder- und Jugendmedizin, Neonatologie, Notfallmedizin, Ärztliches Qualitätsmanagement. Leiter des Sachgebietes Rettungsdienst und ÄLRD im Main-Kinzig-Kreis.

AUTORINNEN UND AUTOREN DER 7. AUFLAGE

Cay Cordes (→ Kap. 33), Herbert Forster (→ Kap. 52.2), Boris A. Hoffmann (→ Kap. 17), Stefan Neppl (→ Kap. 52.1), Oliver Peters (→ Kap. 47 und → Kap. 48.5), Christian Pietsch (→ Kap. 16.1–16.2), Christoph Redelsteiner (→ Kap. 15.5, → Kap. 15.8.2–15.9.3), Hanne Shah (→ Kap. 45.1, → Kap. 45.3.2) Matthias Thöle (→ Kap. 25.7 und → Kap. 46)

GUTACHTERINNEN UND GUTACHTER

Peter Benöhr, Andreas Fromm, Angela Hammerl, Dorothea Hempel, André Höhle, Thomas Hofmann, Oliver Krüger, Olaf Olberding, Philipp Rocker, Michael Schäfers, Lukas Schmitt, Heiko Schumann, Thomas Semmel, Dr. Peter Tendahl

BENUTZERHINWEISE

Das Lehrbuch „Notfallsanitäter Heute“ ist ein **Lehrwerk für die Ausbildung zum Notfallsanitäter.** Es umfasst alle Inhalte, die für die Ausbildung und den Beruf als Notfallsanitäter erforderlich sind. Entsprechend dem Ausbildungsverlauf wird der Leser im Buch zunächst an den Beruf und das Berufsbild des Notfallsanitäters herangeführt und dann mit dem komplexen Handlungsfeld im Rettungsdienst vertraut gemacht. Als Grundlagen des Buches dienen das **Gesetz über den Beruf der Notfallsanitäterin und des Notfallsanitäters (NotSanG)** sowie die **Ausbildungs- und Prüfungsverordnung für Notfallsanitäterinnen und Notfallsanitäter (NotSan-APrV).**

Im Vordergrund steht die Ausbildung von **beruflicher Handlungskompetenz.** Denn der Auszubildende soll in der Lage sein, im Notfalleinsatz die Gesamtsituation im Blick zu behalten und adäquat zu handeln. Neben der **medizinischen Fachkompetenz** werden deshalb auch Inhalte dargestellt, die zur Ausbildung von **Sozial-, Personal- und Methodenkompetenz** dienen. Zielsetzungen sind **Lernfeldorientierung** sowie die **Vernetzung von Theorie und Praxis.**

Als ergänzendes Lehrbuch für die Ausbildungsinhalte Anatomie, Physiologie und Chemie eignet sich das Werk *Mensch, Körper, Krankheit für den Rettungsdienst.*

Um sich schnell in *Notfallsanitäter Heute* zurechtzufinden, sind folgende Besonderheiten dieses Lern- und Arbeitsbuches zu berücksichtigen:

Gliederung des Buches Zur leichten und schnellen Orientierung ist der Inhalt in *Notfallsanitäter Heute* in zehn Abschnitte untergliedert, die sich an die **Themenbereiche der NotSan-APrV** anlehnen. Jedem Abschnitt sind die Lehr- und Lernziele der APrV und kurze Inhaltszusammenfassungen der in diesem Abschnitt behandelten Kapitel vorangestellt. So wird eine enge Verknüpfung der Buchinhalte mit den Vorgaben der APrV geschaffen und die Ausbildung gemäß der neuen Rahmenbedingungen erleichert. Schließlich beginnt jedes einzelne Kapitel mit einer umfassenden Gliederung.

Farbleitsystem Die Teile A bis J sind mit verschiedenen Farben gekennzeichnet. Die Markierungen sind am Buchrand von Kapitel zu Kapitel versetzt als Griffregister gut zu erkennen und unterstützen das schnellere Auffinden der gesuchten Seite.

Struktur der Kapitel Der Aufbau der einzelnen Kapitel folgt einer einheitlichen Struktur:

- Fallbeispiel/Szenario
- Inhaltsübersicht
- Inhalte des Kapitels
- Wiederholungsfragen
- Auflösung des Fallbeispiels/Fortsetzung des Szenarios

Dieses durchgängige Konzept unterstützt den Lernprozess und das fallorientierte Denken.

Kästen Im Text sind wichtige Informationen besonders gekennzeichnet. Für die Kästen wird dabei ein durchgängiges Farbleitsystem genutzt (s. rechts).

Abkürzungen Häufig wiederkehrende Begriffe werden im Text abgekürzt. Im Anhang findet sich ein ausführliches Verzeichnis der verwendeten Abkürzungen.

Abbildungen und Tabellen Mehr als 950 Abbildungen veranschaulichen z. B. medizinische oder rettungsdienstliche Gegebenheiten, zeigen wichtige Zusammenhänge oder typische Situationen aus dem praktischen Berufsalltag des Rettungsdienstes.

Zahlreiche Tabellen fassen bestimmte Sachverhalte in einer schnell zu überschauenden Weise zusammen und erleichtern dadurch das Lernen in besonderem Maße.

Die Abbildungen und Tabellen sind jeweils kapitelweise nummeriert. An den entsprechenden Textstellen wird auf die dazugehörige Abbildung oder Tabelle verwiesen.

Register Besonders schnell lassen sich gesuchte Informationen über die detaillierten Sach- und Arzneimittelregister am Ende des Buches finden.

Vernetzungen und Querverweise Die Texte eines Lehrbuches lassen sich nicht wie eine Perlenkette Fakt für Fakt und Satz für Satz aneinanderreihen. Viele Themen werden während der Ausbildung von verschiedenen Seiten beleuchtet. Jede Disziplin hat ihre eigene Sicht und betont andere Schwerpunkte bei ein und demselben Thema. Um Wiederholungen zu vermeiden, beziehen sich die entsprechenden Textstellen der einzelnen Kapitel aufeinander, indem sie durch Verweise miteinander vernetzt sind.

Online-Anbindung Ergänzend zum Buch finden Sie online auf der Plattform www.plus-im-web.de weitere Materialien zum Lernen und Lehren, sowie Unterrichtspräsentationen und Arbeitsblätter. Sie erhalten darauf Zugriff mit dem Pincode auf der hinteren Buchdeckelinnenseite.

Diese Kästen begleiten Sie durch das ganze Buch:

ACHTUNG! Warnhinweise, häufig vermeidbare Fehler bei der Arbeit im Rettungsdienst und Hinweise auf besonders zu beachtende Umstände.

MERKE

Sehr wichtige Informationen zu einem Thema.

PRAXISTIPP

Praxisrelevante Informationen für die Arbeit im Rettungsdienst.

IM FOKUS

Stichwortartige Zusammenfassung, z. B. der Ursachen, Symptome, Maßnahmen und Therapie eines typischen Krankheitsbildes *oder* des Vorgehens bei einem Notfall oder Überblick über Systeme *oder* Theorien im Rettungsdienst u. ä.

DEFINITION

Kurzbeschreibung wichtiger Begriffe o. ä.

INHALTSÜBERSICHT

Die Inhaltsübersichten führen im Sinne einer Zusammenfassung des Kapitels in das Thema ein. Darüber hinaus weisen sie auf wichtige Inhalte hin, die nach Studium des Kapitels als bekannt vorausgesetzt werden.

WIEDERHOLUNGSFRAGEN

Die Wiederholungsfragen am Ende des Kapitels geben Gelegenheit, den gelesenen bzw. gelernten Inhalt zu reflektieren. Verweise auf die entsprechenden Textstellen, in denen die Antworten zu finden sind, ermöglichen eine selbstständige Lernkontrolle.

FALLBEISPIEL/SZENARIO

Die Fallbeispiele und Szenarien geben Einsicht in authentische Situationen der Notfallpraxis und des Rettungsdienstalltags. Hiermit wird eine Brücke geschlagen zwischen der im Kapitel vermittelten Theorie und ihrer Ausgestaltung in der Realität. Die eingangs vorgestellte Praxissituation wird am Ende des Kapitels wieder aufgegriffen und in einer Fortsetzung oder Auflösung, ggf. mit Handlungsempfehlungen, erläutert.

Effektiv lernen? Klar, so geht's

Planen Sie feste Lernzeiten ein, und überlegen Sie, wie Sie das Lernpensum auf diese Zeit verteilen, z. B. auch im Hinblick auf eine anstehende Prüfung.
Bevor Sie sich an die Arbeit machen, blättern Sie kurz den betreffenden Abschnitt durch bzw. überfliegen Sie die Lernzielübersicht zu Beginn des Kapitels und überlegen Sie, was Sie vom Inhalt schon wissen und wo Sie noch Lücken haben.
Lesen Sie nun die entsprechenden Texte. Vielen hilft es dabei, die wichtigsten Stellen zu markieren.
Vergessen Sie nicht, die Abbildungsbeschriftungen oder die näheren Erklärungen zum Bild im Text zu lesen. Durch deren Bezug zum Bild sind gerade schwierige Zusammenhänge oft am einfachsten zu verstehen.
Gehen Sie den für Sie wichtigsten Querverweisen nach.
Wiederholen Sie zum Schluss kurz das Gelesene und überprüfen Sie anhand der Wiederholungsfragen am jeweiligen Kapitelende Ihr Wissen. Lesen Sie auch in → Kap. 8.6.3 nach.

Fehler gefunden?

https://else4.de/978-3-437-46212-2

An unsere Inhalte haben wir sehr hohe Ansprüche. Trotz aller Sorgfalt kann es jedoch passieren, dass sich ein Fehler einschleicht oder fachlich-inhaltliche Aktualisierungen notwendig geworden sind.

Sobald ein relevanter Fehler entdeckt wird, stellen wir eine Korrektur zur Verfügung. Mit diesem QR-Code gelingt der schnelle Zugriff.

Wir sind dankbar für jeden Hinweis, der uns hilft, dieses Werk zu verbessern. Bitte richten Sie Ihre Anregungen, Lob und Kritik an folgende E-Mail-Adresse: kundendienst@elsevier.com

ABKÜRZUNGSVERZEICHNIS

A	
a	Beschleunigung
A	Ampere
A	Amplitude
A	Fläche
A.	Arteria
Aa.	Arterien
AA	Arbeitsanweisung
AAO	Alarm- und Ausrückeordnung
AB	Abrollbehälter
ABS	Antiblockiersystem
Abs.	Absatz
ACD	Automatic Call Distribution
ACE	Angiotensin-Converting-Enzym
ACLS	Advanced Cardiac Life Support – Reanimation
ACRM	Aeromedical Crew Resource Management
ACS	akutes Koronarsyndrom
ACTH	adrenocorticotropes Hormon
A. d. A.	Anmerkung der Autoren / des Autors
ADAC	Allgemeiner Deutscher Automobilclub
ADH	antidiuretisches Hormon
ADNR	Verordnung über die Beförderung gefährlicher Güter auf dem Rhein
ADP	Adenosindiphosphat
ADR	Europäisches Übereinkommen für die internationale Beförderung gefährlicher Güter auf der Straße
AECOPD	akut exazerbierte chronisch obstruktive Lungenerkrankung
AED	automatische externe Defibrillation
AEDL	Aktivitäten und existenzielle Erfahrungen des Lebens
AF	Atemfrequenz
AFZ	Ambulanzflugzeug
AGBF	Arbeitsgemeinschaft der Leiter der Berufsfeuerwehren
AGE	arterielle Gasembolie
AGNN	Arbeitsgemeinschaft in Norddeutschland tätiger Notärzte
AHA	American Heart Association
AHF	akute Herzinsuffizienz
AHRQ	Agency for Healthcare Research and Quality
AICD	automatischer implantierter Kardioverter/Defibrillator
AIDS	Acquired Immune Deficiency Syndrome
ÄLRD	Ärztlicher Leiter Rettungsdienst
ALS	Advanced Life Support, amyotropher Lateralsklerose
AMG	Arzneimittelgesetz
AMI	akuter Myokardinfarkt
AMLS	Advanced Medical Life Support
AMPDS	Advanced Medical Priority Dispatch
AMS	Acute Mountain Sickness
AMV	Atemminutenvolumen
ÄND	Ärztlicher Notdienst
ANV	akutes Nierenversagen
ANZCOR	Australian and New Zealand Committee on Resuscitation
AP	Angina pectoris, Aktionspotenzial
APORettSan	Hessische Ausbildungs- und Prüfungsordnung für Rettungssanitäterinnen und Rettungssanitäter
APORettSan LSA	Ausbildungs- und Prüfungsordnung für Rettungssanitäterinnen und Rettungssanitäter im Land Sachsen-Anhalt
APSAC	p-anisoylierter Lys-Plasminogen-Streptase-Aktivator-Komplex
APVO-RettSan	Ausbildungs- und Prüfungsverordnung für Rettungssanitäter
ArbMedVV	Verordnung zur arbeitsmedizinischen Vorsorge
ArbSchG	Arbeitsschutzgesetz
ArbStättV	Arbeitsstättenverordnung
ArbZG	Arbeitszeitgesetz
ARDS	Acute Respiratory Distress Syndrome
ARI	akute respiratorische Insuffizienz
Art.	Artikel
AS	autorisierte Stellen
ASA	Arbeitsschutzausschuss
ASB	Arbeiter-Samariter-Bund, Assisted Spontaneous Breathing
ASR	Achillessehnenreflex
ASR	Technische Regeln für Arbeitsstätten (auch Arbeitsstättenregeln)
ASS	akutes Strahlensyndrom
ASS	Acetylsalicylsäure
ATLS	Advanced Trauma Life Support
ATP	Adenosintriphosphat
ATV	All Terrain Vehicles
ATV	Attached Tube-channel Videolaryngoscope
AV-Block	atrioventrikulärer Block
AV-Knoten	Atrioventrikularknoten
AWMF	Arbeitsgemeinschaft der Wissenschaftlichen Medizinischen Fachgesellschaften
AZV	Atemzugvolumen
B	
BAA	Bauchaortenaneurysma
BAB	Bundesautobahn
BAFzA	Bundesamt für Familie und zivilgesellschaftliche Aufgaben
BAG	Bundesarbeitsgericht
BAGEH	Bundesarbeitsgemeinschaft Erste Hilfe
BAK	Blutalkoholkonzentration
BÄK	Bundesärztekammer
BAK-Schema	elementarer Basischeck (Bewusstsein, Atmung, Kreislauf)
BAND	Bundesvereinigung der Arbeitsgemeinschaften der Notärzte Deutschlands
BAST	Bundesanstalt für das Straßenwesen
BayRDG	Bayerisches Rettungsdienstgesetz
BayRettSanV	Bayerische Rettungssanitäterverordnung
BAZ	Bundesamt für Zivildienst
BB	Brandenburg
BbgRettG	Brandenburgisches Rettungsdienstgesetz
BBiG	Berufsbildungsgesetz
BBK	Bundesamt für Bevölkerungsschutz und Katastrophenhilfe
BDBOS	Bundesanstalt für den Digitalfunk der Behörden und Organisationen mit Sicherheitsaufgaben
BDSG	Bundesdatenschutzgesetz
BE	Basenüberschuss, Berlin
BetrSichV	Betriebssicherungsverordnung
BfArM	Bundesinstitut für Arzneimittel und Medizinprodukte
BFD	Bundesfreiwilligendienst
BFDG	Gesetz über den Bundesfreiwilligendienst, Bundesfreiwilligendienstgesetz
bG	bedingter Gegenverkehr
BG	Berufsgenossenschaft
BGA	Blutgasanalyse
BGB	Bürgerliches Gesetzbuch
BGBl.	Bundesgesetzblatt
BGF	betriebliche Gesundheitsförderung
BGH	Bundesgerichtshof
BGR	Berufsgenossenschaftliche Regeln
BGS	Bundesgrenzschutz
BGW	Berufsgenossenschaft für Gesundheitsdienst und Wohlfahrtspflege
BIPAP	Biphasic Positive Airway Pressure
BKS	Unternehmerverband privater Rettungsdienste e. V.
BLAR	Bund-Länder-Ausschuss Rettungswesen
BLS	Basic Life Support (Basismaßnahmen der Reanimation)
BM	Bone Marrow
BMB	Beutel-Masken-Beatmung
BMI	Bundesministerium des Inneren
BMV	Beutel-Masken-Ventilation
BMVBW	Bundesministerium für Verkehr, Bau- und Wohnungswesen

ABKÜRZUNGSVERZEICHNIS

BOKraft Verordnung über den Betrieb von Kraftfahrunternehmen im Personenverkehr
BOS Behörden und Organisationen mit Sicherheitsaufgaben
BRD Bundesrepublik Deutschland
BremHilfeG Bremisches Hilfeleistungsgesetz
BRK Bayerisches Rotes Kreuz
BSG Bundesseuchengesetz
BSI Bundesamt für Sicherheits- und Informationstechnik
BtM Betäubungsmittel
BtMG Betäubungsmittelgesetz
BtMVV Betäubungsmittel-Verschreibungsverordnung
BURP Backward Upward Rightward Pressure
BvB Maßnahmen der Arbeitsagentur
BVJ Berufsvorbereitungsjahr
BVK Bezirksverbindungskommandos
BVRD Berufsverband für den Rettungsdienst e. V.
BW Baden-Württemberg
BW Bundeswehr
BWS Brustwirbelsäule
BY Bayern
BZ Blutzucker
BZgA Bundeszentrale für gesundheitliche Aufklärung
bzw. beziehungsweise

C

C Celsius, Compliance
ca. circa
CAGE zerebrale Gasembolie
CBF zerebraler Blutfluss
CEN Commité Européen de Normalisation
Ch Charrière
CHEOPS Children's Hospital of Eastern Ontario Pain Scale
CISD Critical Incident Stress Debriefing
CISM Critical Incident Stress Management
CIRS Critical Incident Reporting System
CK Kreatinkinase
CLP Classification, Labelling and Packaging
CMV Continuous Mandatory Ventilation
CNI chronische Niereninsuffizienz
C. N. S. A. S Corpo Nazionale Soccorso Alpino e Speleologico
CO Kohlenmonoxid
CO_2 Kohlendioxid
CoA Coenzym A
COPD Chronic Obstructive Pulmonary Disease (chronisch obstruktive Lungenerkrankung)
CoSTR Consensus on Science with Treatment Recommendations
CPAP Continuous Positive Airway Pressure (Beatmungsform)
CPK Kreatininphosphokinase
CPP zerebraler Perfusionsdruck
CPPV Continuous Positive Pressure Ventilation
CPR kardiopulmonale Reanimation
CPU Chest Pain Unit
CRIES Crying, Requires Oxygen Administration, Increased Vital Signs, Expression, Sleeplessness
CRM Crew Resource Management
CRT kardiale Resynchronisationstherapie, kapilläre Füllungszeit
CT Computertomografie
CuS Chemie- und Strahlenschutz
CVCO Cannot Ventilate Cannot Oxygenate
CVR zerebraler Gefäßwiderstand

D

d. h. das heißt
Da Dalton (Einheit der Molekülmasse, Molekulargewicht)
DAG Deutsche Angestellten-Gewerkschaft
DAG digitaler Alarmgeber
DAU digitale Alarmumsetzung
dB Dezibel
DBRD Deutscher Berufsverband für den Rettungsdienst e. V.
DCM dilatative Kardiomyopathie
DCS Decompression Sickness, Dekompressionskrankheit
DDR Deutsche Demokratische Republik
DESC Diplôme des Etudes Specialisés Complémentaires de Médecine d'Urgence
DGAI Deutsche Gesellschaft für Anästhesiologie und Intensivmedizin e. V.
DGHM Deutsche Gesellschaft für Hygiene und Mikrobiologie
DGHWi Deutsche Gesellschaft für Hebammenwissenschaft
DGINA Deutsche Gesellschaft interdisziplinäre Notfall- und Akutmedizin e. V.
DGRN Deutsche Gesellschaft für Rettungsdienst und präklinische Notfallmedizin
DGSV Deutsche Gesellschaft für Supervision
DGU Deutsche Gesellschaft für Unfallchirurgie
DGUV Deutsche Gesetzliche Unfallversicherung
DGzRS Deutsche Gesellschaft zur Rettung Schiffsbrüchiger
DHD Dringlicher Hausbesuchsdienst
DHS Deutsche Hauptstelle für Suchtfragen
DIC Disseminated Intravascular Coagulation
DIN Deutsche Industrienorm
DINK Deutscher Interdisziplinärer Notfallmedizin Kongress
DIVI Deutsche Interdisziplinäre Vereinigung für Intensivmedizin
DK Dringlichkeitskategorie
DKG Deutsche Krankenhausgesellschaft
DkHD Dringlicher kinderärztlicher Hausbesuchsdienst
DKOU Deutsche Kongress für Orthopädie und Unfallchirurgie
dl Deziliter
DLA (K) Drehleitern mit Rettungskorb
DLRG Deutsche Lebensrettungsgesellschaft
DMAP Dimethylaminophenol
DMH Dringliche Medizinische Hilfe
DMO Direct Mode Operation
dMR depolarisierende Muskelrelaxanzien
DNA Deutscher Normenausschuss
DNS Desoxyribonukleinsäure
DPS Dynamische Patientensimulation
DQR Deutscher Qualifikationsrahmen
DRF Deutsche Rettungsflugwacht
DRK Deutsches Rotes Kreuz
DSL Digital Subscriber Line
DV Dienstvorschrift

E

E Einheit
EA Emergency Ambulance
EASA European Aviation Safety Agency
EBM evidenzbasierte Medizin
EBV Epstein-Barr-Virus
ECLS extrakorporaler Life Support
ECMO extrakorporale Membranoxigenierung
ED50 Effektivdosis
EDH epidurales Hämatom
EDV elektronische Datenverarbeitung
EEG Elektroenzephalogramm
EFQM European Foundation for Quality Management
EGA extraglottische Atemwege
eGBR Fachbeirat für den Aufbau eines elektronischen Gesundheitsberuferegisters
eGK elektronische Gesundheitskarte
EHA Erste-Hilfe-Aufbaulehrgang
EK Erythrozytenkonzentrat
EKG Elektrokardiogramm
ELA wachinterne Alarmierungs- und Durchsageanlage
ELBR Einsatzleiter Berg- und Höhlenrettung
ELS erweiterte lebensrettende Maßnahmen
ELRD Einsatzleiter Rettungsdienst
ELW Einsatzleitwagen
EMA Europäische Arzneimittel-Agentur
EMD elektromechanische Dissoziation
EMS Emergency Medical Services

ABKÜRZUNGSVERZEICHNIS

EMT-A	Emergency Medical Technician – Ambulance
EMT-B	Emergency Medical Technician – Basic
EMT-I	Emergency Medical Technician – Intermediate
EMT-P	Emergency Medical Technician – Paramedic
EN	Europäische Norm
EPAMU	Ecole Provinciale d'Aide Médicale Urgente
EPC	Emergency Pediatric Care
EPLS	European Pediatric Life Support
EQ	Einstiegsqualifizierung
EQR	Europäischer Qualifikationsrahmen
ER	endoplasmatisches Retikulum
ERC	European Resuscitation Council
ERC ALS	European Resuscitation Council Advanced Life Support
ERV	exspiratorisches Reservevolumen
ESBL	Extended-Spectrum-Betalaktamase
ESC	Europäische Gesellschaft für Kardiologie (European Society of Cardiology)
ET	endotracheale Intubation
$etCO_2$	exspiratorischer CO_2-Wert
ETI	endotracheale Intubation
ETSI	Europäisches Institut für Telekommunikationsnormen
ETT	Endotrachealtubus
EU	Europäische Union
EUG	Extrauteringravidität
EuGH	Europäischer Gerichtshof
EuSEM	European Society for Emergency Medicine
eVM	erweiterte Versorgungsmaßnahmen
evtl.	eventuell
EWR	Europäischer Wirtschaftsrat
EZR	Extrazellulärraum

F

f	(Beatmungs-)Frequenz
F	Kraft
FAD	Flavin-Adenin-Dinukleotid
FAST	Face-Arm-Speech-Test
fdGO	freiheitlich-demokratische Grundordnung
FeV	Fahrerlaubnis-Verordnung
FEZ	Feuerwehreinsatzzentrale
FG	Frühgeborene(s)
F_iO_2	inspiratorische Sauerstoffkonzentration
FLSt	Feuerwehrleitstelle
FME	Funkmeldeempfänger
FMS	Funkmeldesystem, Flight Management System
FPIS	First-Pass Intubation Success
FPS	First-Pass Success
Fr.	French
FRC	funktionelle Residualkapazität
FRT	Fixed Radio Terminal (Einbaufunkgerät Leitstelle)
FSD	Freiwilliger Seenot-Dienst
FSH	follikelstimulierendes Hormon
FSJ	Freiwilliges Soziales Jahr
FSME	Frühsommer-Meningoenzephalitis
ft	foot (1 ft = 30,48 cm)
FuG	Funkgerät
FwDV	Feuerwehr-Dienstvorschrift

G

G	Fallbeschleunigung, Gauge, Gegenverkehr
g	Gramm
GABA	Gammaaminobuttersäure
G-BA	Gemeinsamer Bundesausschuss
GCS	Glasgow Coma Scale
GEL	Gesamteinsatzleiter
GEMS	Geriatric Education for Emergency Medical Services
GG	Grundgesetz
ggf.	gegebenenfalls
GGVE	Verordnung für die Beförderungen gefährlicher Güter mit Eisenbahnen
GGVS	Verordnung für die Beförderungen gefährlicher Güter auf der Straße
GGVSEB	Gefahrgutverordnung Straße, Eisenbahn und Binnenschifffahrt
GGVSee	Verordnung für die Beförderungen gefährlicher Güter mit Seeschiffen
GHB	Gammahydroxybuttersäure
GHS	Globally Harmonised System
GHz	Gigahertz
GI-Blutung	gastrointestinale Blutung
GKTW	Großraum-Krankentransportwagen
GKV	gesetzliche Krankenversicherung
GMG	Gesetz zur Modernisierung der Gesetzlichen Krankenversicherung
GMN	Gesellschaft für Maritimes Notfallmanagement
GOT	Glutamat-Oxalacetat-Transaminase
GPS	Global Positioning System
GRC	German Resuscitation Council – Deutscher Rat für Wiederbelebung
G-RTW	Großraum-Rettungswagen
GSG	Grenzschutzgruppe
GSM	Global System for Mobile Communications
GVG	Gerichtsverfassungsgesetz
Gx	horizontale Beschleunigung
Gy	Gray
Gy	laterale Beschleunigung
Gz	vertikale Beschleunigung

H

h	Stunde
H_2O	Wasserstoffoxid, Wasser
HACE	High Altitude Cerebrale Edema
HAES/HES	Hydroxyäthylstärke
HAI	Hauptstadtanästhesiekongress
HAPE	High Altitude Pulmonary Edema
HART	Hazardous Area Response Team
HAV	Hepatitis-A-Virus
HB	Bremen
Hb	Hämoglobin
$HbCO_2$	Carboxyhämoglobin
HBO	hyperbare Oxygenierung
HbO2	Oxyhämoglobin
HBV	Hepatitis-B-Virus
HCG	humanes Choriongonadotropin
HCM	Helicopter Crew Member
HCPC	Health and Care Professions Council
HDM	Herzdruckmassage
HE	Hessen
HeilprG	Heilpraktikergesetz
HES	Hydroxethylstärke
HEMS	Helicopter Emergency Medical Service
HEMS-TC	Helicopter Emergency Medical Service – Technical Crew
HES	Hydroyethylstärke
HF	Herzfrequenz
HH	Hamburg
HI	Herzinfarkt
HIV	humanes Immundefizienz-Virus
Hkt	Hämatokrit
HLF	Hilfeleistungslöschfahrzeug
HLW	Herz-Lungen-Wiederbelebung
HmbRDG	Hamburgisches Rettungsdienstgesetz
HmbRett-SanAPO	Hamburgische Ausbildungs- und Prüfungsordnung für Rettungssanitäterinnen und Rettungssanitäter
HME	Heat and Moisture Exchanger, Wärme- und Feuchtigkeitsaustauscher
HMV	Herzminutenvolumen
HN	Hirnnerven
HNO	Hals-Nasen-Ohren
HOPS	hirnorganisches Psychosyndrom
HPT	Hyperparathyreoidismus
HRDG	Hessisches Rettungsdienstgesetz
HRST	Herzrhythmusstörungen

HRT	Handheld Radio Terminal (Handfunkgerät)
HSFC	Heart and Stroke Foundation of Canada
HSM	Herzschrittmacher
HSV	Herzschlagvolumen
HSV-1	Herpes-simplex-Virus Typ 1
HVB	Hauptverwaltungsbeamter
HWS	Halswirbelsäule
HWZ	Halbwertszeit
Hz	Hertz
HZV	Herzzeitvolumen

I

I	Stromstärke
i. a.	intraarteriell
i. d. R.	in der Regel
I. E.	Internationale Einheit
i. m.	intramuskulär
i. o.	intraoral
i. P.	im Praktikum
i. v.	intravenös
i. V. m.	in Verbindung mit
IA	Inspiratory Assist
IABP	intraaortale Ballongegenpulsation
IAG	Interdisziplinäre Arbeitsgruppe
IAHF	Inter American Heart Foundation
iAP	instabile Angina pectoris
IASP	International Association for the Study of Pain
IATA	Internationaler Verband der Luftverkehrsgesellschaften
IBP	invasive Blutdruckmessung
ICAO	International Civil Aviation Organisation
ICB	intrazerebrale Blutung, intrakranielle Blutung
ICD	implantierter Kardioverter-Defibrillator
ICHD	Inter-Society Commission for Heart Disease
ICP	intrazerebraler Druck
ICR	Interkostalraum
ID	Innendurchmesser
IDDM	Insulin Dependent Diabetes Mellitus
IFA	Internationale Flugwacht, Inspiratory Flow Assistance
IfSG	Infektionsschutzgesetz
ILA	interventionelle extrakorporale Lungenunterstützung
ILCOR	International Liaison Committee on Resuscitation
ILS	integrierte Leitstelle
InfSG	Infektionsschutzgesetz
Inj.	Injektion, Injektions-
INN	Internationaler Freiname (International Nonproprietary Name)
IPPAF-	Untersuchungsschema (Inspektion, Palpation, Perkussion,
Schema	Auskultation, Funktionskontrolle)
IPPV	Intermittent Positive Pressure Ventilation
IPS	Inspiratory Pressure Support
IRLS	integrierte Regionalleitstelle
IRV	inspiratorisches Reservevolumen
ISDN	Integrated Service Digital Network
ISO	Internationale Standardisierungs-Organisation
ITH	Intensivtransporthubschrauber
ITLS	International Trauma Life Support
ITN	Intubationsnarkose
ITW	Intensivtransportwagen
IVR	Interverband für Rettungswesen
IZR	Intrazellulärraum

J

J	Joule
JAA	Joint Aviation Authorities
JAR-OPS	Joint Aviation Requirements-Operations (Betriebsvorschriften)
JEMS	Journal of Emergency Medical Service
JFDG	Gesetz zur Förderung von Jugendfreiwilligendiensten (Jugendfreiwilligendienstegesetz)
JUH	Johanniter-Unfall-Hilfe

K

K	Kelvin
KatS	Katastrophenschutz(-einheiten)
kbit	Kilobit
KBV	Kassenärztliche Bundesvereinigung
kByte	Kilobyte
kcal	Kilokalorie
Kfz	Kraftfahrzeug
kg	Kilogramm
KG	Körpergewicht
KHK	koronare Herzkrankheit
kHz	Kilohertz
KI	Kontraindikation
KIT	Kriseninterventionsteam
kJ	Kilojoule
KKK	Körperkerntemperatur
km/h	Stundenkilometer, Kilometer pro Stunde
KMK	Kultusministerkonferenz
KOD	kolloidosmotischer Druck
KOF	Körperoberfläche
Kps.	Kapsel
KrKw	Krankenkraftwagen
KRLS	kooperative Leitstelle
KrPflG	Krankenpflegegesetz
KSL	Katastrophenschutzleitung
KTQ	Kooperation für Transparenz und Qualität im Gesundheitswesen
KTW	Krankentransportwagen
KUSS	kindliche Unbehagens- und Schmerzskala
KV	Kassenärztliche Vereinigung
KVK	Kreisverbindungskommando
KZBV	Kassenzahnärztliche Bundesvereinigung

L

l	Länge
l	Liter
LAE	Lungenarterienembolie
LAG	Landesarbeitsgericht
LAH	linksanteriorer Hemiblock
LAN	lokales Netzwerk
LBA	Luftfahrt-Bundesamt
LBKG	Landesgesetz über den Brandschutz, die allgemeine Hilfe und den Katastrophenschutz
LD_{50}	Letaldosis
LDH	Laktat-Dehydrogenase
LF	Löschgruppenfahrzeug
LH	luteinisierendes Hormon
Lig.	Ligamentum
LKdo	Landeskommando
LMA	Larynxmaske
LNA	Leitender Notarzt
LNG	Leitende Notarztgruppe
LOT/LTOT	Long-Term Oxygen Therapy
LOX	Liquid Oxygen
LPH	linksposteriorer Hemiblock
LPR	Lotnicze Pogotowie Ratunkowe
L PSNV	Leiter psychosoziale Notfallversorgung
LRA	Lehrrettungsassistent
LRDG	Landes-Rettungsdienstgesetz
LRW	Lehrrettungswache
LSB	Linksschenkelblock
Lsg.	Lösung
LT/LTS-D	Larynx-Tubus
LTH	luteotropes Hormon
LWS	Lendenwirbelsäule

M

µm	Mikrometer
m	Masse
m	Meter

M. Morbus
M. Musculus
mA Milliampere
MAAS-BGW Managementanforderungen der BGW zum Arbeitsschutz
MAD Muscosal Atomization Device
MAK maximale Arbeitsplatzkonzentration
MAL mittlere Axillarlinie
MANV Massenanfall von Verletzten
MAP mittlerer arterieller Blutdruck
MAT maschinelle Autotransfusion
max. maximal
mbar Millibar
MBO-Ä (Muster-)Berufsordnung der deutschen Ärztinnen und Ärzte
MCL Medioklavikularlinie
MCP Metoclopramid
MdB Mitglied des Bundestages
MDMA Methyldioxymethamphetamin
MedEvac Medical Evacuation
MEES Mainzer Emergency Evaluation Score
MER Muskeleigenreflex
mg Milligramm
MHD Malteser-Hilfsdienst
MHz Megahertz
MICU Mobile Intensive Care Unit
MIT modifizierte Insertionstechnik
Min. Minute
MIND Minimaler Datensatz
ml Milliliter
mmHg Millimeter Quecksilbersäule
MODS Multiorgandysfunktionssyndrom
MOV Multiorganversagen
MPBetreibV Medizinprodukte-Betreiberverordnung
MPG Medizinproduktegesetz
MPSV Medizinprodukte-Sicherheitsplanverordnung
MRCC Maritime Rescue Coordination Center
MRGN multiresistente gramnegative Erreger
MRSA Methicillin-multiresistenter Staphylococcus aureus
MRT Mobile Radio Terminal (Einbaufunkgerät Fahrzeug)
ms Millisekunde
MSH Melanozyten-stimulierendes Hormon
MTAF medizinisch-technische/r Assistent/in für Funktionsdiagnostik
MTF Medical Task Force
MTK messtechnische Kontrolle
MTLA medizinisch-technische/r Laborassistent/in
MTRA medizinisch-technische Radiologieassistent/in
MV Mecklenburg-Vorpommern
MZF Mehrzweckfahrzeug

N

N Newton
N. Nervus
NACA National Advisory Committee for Aeronautics
NAD Nikotinamid-Adenin-Dinukleotid
NAD Notarztdienst
NAEMT National Association of Emergency Medical Technicians
NARK Normenausschuss Rettungsdienst und Krankenhaus
NAS numerische Analogskala
NATO North Atlantic Treaty Organization
NAW Notarztwagen
ndMR nicht depolarisierende Muskelrelaxanzien
NEF Notarzteinsatzfahrzeug
NFS Notfallsanitäter, Notfallseelsorger
NFZ Narodowy Fundusz Zdrowia
NG Neugeborene(s)
NHS National Health Service
NI Niedersachsen
NIBP nichtinvasive Blutdruckmessung
NIDDM Non-Insulin-Dependent Diabetes mellitus
NIPPV Non-invasive Positive Pressure Ventilation
NIPS Neonatal Infant Pain Scale
NIV nichtinvasive Beatmung (Non-invasive Ventilation)
N(K)TW Notfall(kranken)transportwagen
NLS New Born Life Support
Nn. Nervi
NNM Nebennierenmark
NNR Nebennierenrinde
NO Stickoxid, Stickstoffmonoxid
NOAK neueres orales Antikoagulans
NotSan Notfallsanitäter
NotSan-APrV Ausbildungs- und Prüfungsverordnung für Notfallsanitäterinnen und Notfallsanitäter
NotSanG Gesetz über den Beruf der Notfallsanitäterin und des Notfallsanitäters, Notfallsanitätergesetz
NPV Negative Pressure Ventilation (Negativdruckbeatmung)
NRettDG Niedersächsisches Rettungsdienstgesetz
NRW Nordrhein-Westfalen
NRS numerische Rating-Skala
NS Nervensystem
NSAR nichtsteroidales Antirheumatikum
NSTEMI Nicht-ST-Strecken-Hebungsinfarkt (Myokardinfarkt ohne ST-Hebung)

O

o. ä. (Ä.) oder ähnlich (Ähnliches)
o. g. oben genannt(e)
O_2 Sauerstoff
OECD Organization for Economic Cooperation and Development
ÖAMTC Österreichischer Automobil-, Motorrad- und Touring Club
ÖEL Örtliche Einsatzleitung
OHS Obesitas-Hypoventilationssyndrom
OHSAS Occupational Health- and Safety Assessment Series
OP Operationssaal
OPTA Operativ-taktische Adresse
OrgL Organisatorischer Leiter
OrgLRD Organisatorischer Leiter Rettungsdienst
ORVC Pressure Regulated Volume Controlled Ventilation
OSA obstruktive Schlafapnoe
ÖTV Gewerkschaft Öffentliche Dienste, Transport und Verkehr
OWiG Ordnungswidrigkeitengesetz
OZ Ordnungszahl

P

p Druck
P_{max} maximaler inspiratorischer Atemwegsdruck
$p(a)CO_2$ (arterieller) Kohlendioxidpartialdruck
$p(a)O_2$ (arterieller) Sauerstoffpartialdruck
p. o. per os
P. p. Placenta praevis
Pa Pascal
PAI Plasminogen-Aktivator-Inhibitor
PALS Pediatric Advanced Life Support
$p_{alv}O_2$ alveolärer Sauerstoffpartialdruck
pAVK periphere arterielle Verschlusskrankheit
PBefG Personenbeförderungsgesetz
PBLS Pediatric Basic Life Support
PBT pulmonales Barotrauma
PC-CMV Pressure Controlled Continuous Mandatory Ventilation
PCI perkutane Koronarintervention
PCV Pressure Controlled Ventilation
PDCA Plan, Do, Check, Act
PDE 5 Phosphodiesterase-5-Hemmstoffe
PDF Portable Document Format
PDT perkutane Dilatationstracheotomie
PEA pulslose elektrische Aktivität
PECLA Pumpless Extra Corporeal Lung Assist
PEEP positiver endexspiratorischer Druck (Positive End Expiratory Pressure)
PEG perkutane endoskopische Gastrostomie

PEH psychische Erste Hilfe
PFO persistierendes Foramen ovale
PhD Doctor of Philosophy
PHTLS Prehospital Trauma Life Support
PIPP Premature Infant Pain Profile
PIT Paramedisch Interventie Team
PLS Patienten-Leit-System, Pediatric Life Support
PNS peripheres Nervensystem
PONV postoperative Nausea und Vomitus
PPV Positive Pressure Ventilation
(P)RIND (prolongiertes) reversibles ischämisches neurologisches Defizit
ppm parts per million (Konzentrationsangabe)
PRG Patientenrechtegesetz
PRIOR Primäres Ranking zur Initialen Orientierung im Rettungsdienst
PS Pressure Support
PSA persönliche Schutzausrüstung
PSE Periodensystem der Elemente
PSNV Psychosoziale Notfallversorgung
PSU Psychosoziale Unterstützung
PSV Pressure Support Ventilation
PsychKG Landesgesetze für psychisch kranke Personen
PTA Patient Transport Ambulance, pharmazeutisch-technische/r Assistent/in
PTBS posttraumatische Belastungsstörung
PTC Patient Transportion Compartment
PTCA perkutane transluminale Koronarangioplastie
PTH Parathormon
PTSD Posttraumatic Stress Disorder
PTV perkutane transtracheale Ventilation
PVC Polyvinylchlorid
pVT pulslose ventrikuläre Tachykardie

Q

QB Qualitätsbeauftragter
QM Qualitätsmanagement
QMB Qualitätsmanagementbeauftragter
QMH Qualitätsmanagementhandbuch
QSH Qualitätssicherungshandbuch

R

R Gaskonstante, Relaisverkehr, Widerstand (Resistance)
RA Rettungsassistent
RAEP Rahmenalarm- und Einsatzplan
RCA Resuscitation Council of Asia, rechte Koronararterie
RCSA Resuscitation Council of Southern Africa
RCX Ramus circumflexus
RD Rettungsdienst
RDG Rettungsdienstgesetz
RDG M-V Gesetz über den Rettungsdienst für das Land Mecklenburg-Vorpommern
REBOA Resuscitative Endovascular Balloon Occlusion of the Aorta
Rega Schweizerische Rettungsflugwacht
RettAPO Ausbildungs- und Prüfungsordnung für Rettungssanitäterinnen und Rettungssanitäter und Rettungshelferinnen und Rettungshelfer
RettAss Rettungsassistent
RettAssAPrV Rettungsassistenten-Ausbildungs- und Prüfungsverordnung
RettAssG Rettungsassistentengesetz
RettASS i. P. Rettungsassistent im Praktikum
RettDG Rettungsdienstgesetz
RettDG LSA Rettungsdienstgesetz des Landes Sachsen-Anhalt
RettG Rettungsdienstgesetz
RettG NRW Rettungsdienstgesetz Nordrhein-Westfalen
RettHelf Rettungshelfer
RettHelfAPO Ausbildungs- und Prüfungsverordnung für Rettungshelferinnen und Rettungshelfer
RettSan Rettungssanitäter
RettSanAPrV Rettungssanitäterausbildungs- und Prüfungsverordnung
RettSan-APVO Landesverordnung über die Ausbildung und Prüfung von Rettungssanitäterinnen und Rettungssanitäter
RH Rettungshelfer
RID Internationale Verordnung für die Beförderung gefährlicher Güter mit der Eisenbahn
RIND reversibles ischämisches neurologisches Defizit
RIVA Ramus interventricularis anterior
RKI Robert-Koch-Institut
RLSt Rettungsleistelle
RNS Ribonukleinsäure
ROSC Return of Spontaneous Circulation (Spontankreislauf)
RP Rheinland-Pfalz
RR Riva Rocci (Blutdruckmessung)
RS Rettungssanitäter
RSB Rechtsschenkelblock
RSI Rapid Sequence Induction
RSII Rapid Sequence Induction and Intubation
RTH Rettungstransporthubschrauber
RTW Rettungswagen
RTZ Rettungszug
RV Residualvolumen
RW Rüstwagen

S

s Strecke
s. siehe
s. a. siehe auch
s. c. subkutan
s. o. siehe oben
s. u. siehe unten
SAB Subarachnoidalblutung
SA-Block sinuatrialer Block
SächsBRKG Sächsisches Gesetz über den Brandschutz, Rettungsdienst und Katastrophenschutz
SAMU Service d'Aide Médicale Urgente
SanEL Sanitätseinsatzleitung
SanH Sanitätshelfer
SAR Search and Rescue
SbE Stressbearbeitung nach belastenden Einsätzen
S-CMV Synchronized Continuous Mandatory Ventilation
SDH subdurales Hämatom
SDL Sanitätsdienstlehrgang
SDS Short Data Service
SEEBA Schnelle Einsatzeinheit Bergung im Ausland
SEEWA Schnelle Einsatzeinheit Wasseraufbereitung im Ausland
SEG Schnelleinsatzgruppe
Sek. (s) Sekunde
SEK Spezialeinsatzkommando
SEL Sanitätseinsatzleitung
SGA supraglottische Atemwege
SGB Sozialgesetzbuch
SGNOR Schweizerischen Gesellschaft für Notfall- und Rettungsmedizin
SH Schleswig-Holstein
SHL Sanitätshelferlehrgang
SHT Schädel-Hirn-Trauma
SI Système international d'unités
SiB Sicherheitsbeauftragter
SIDS Sudden Infant Death Syndrome
SIH schwangerschaftsinduzierte Hypertonie
S-IPPV Synchronized Intermittent Positive Pressure Ventilation
SIRS Systemic Inflammatory Response Syndrome
SIT Standardinsertionstechnik
SK Seenotrettungskreuzer
SKK Ständige Konferenz für Katastrophenvorsorge und Katastrophenschutz
SL Saarland
SM (Herz-)Schrittmacher
SMH Schnelle Medizinische Hilfe
SMS Short Message Service
SMUR Service Mobile d'Urgence et de Réanimation
SN Sachsen
SOC Sense of Coherence

SOP	Standard Operating Procedures
$S_{cv}O_2$	zentralvenöse Sauerstoffsättigung
SpO_2	periphäre oder pulsoxymetrische Sauerstoffsättigung
SRB	Seenotrettungsboot
SRD	Sanitäter Rettungsdienst
SRettG	Saarländisches Rettungsdienstgesetz
SRK	Schweizerisches Rotes Kreuz
S-RTW	Schwerlast-Rettungswagen
SSAI	Skandinavische Gesellschaft für Anästhesiologie und Intensivmedizin
SSRI	Serotonin-Wiederaufnahmehemmer
SSS	Scene, Safety & Situation
SSW	Schwangerschaftswoche
ST	Sachsen-Anhalt, Surgical Tracheostomy
STEMI	ST-Strecken-Hebungsinfarkt
StGB	Strafgesetzbuch
STH	somatotropes Hormon
STIKO	Ständige Impfkommission
STK	sicherheitstechnische Kontrolle
StPO	Strafprozessordnung
StVG	Straßenverkehrsgesetz
StVO	Straßenverkehrsordnung
StVZO	Straßenverkehrs-Zulassungs-Ordnung
SV	Schlagvolumen
SVES	supraventrikuläre Extrasystole
SVR	Small Volume Resuscitation

T

T	Temperatur
t	Zeit
T_3	Trijodthyronin
T_4	Thyroxin
Tplat	Plateauzeit
TAA	thorakales Aortenaneurysma
TAVI	Transcatheter Aortic Valve Implantation
TC	Technikal Crew Member
TCA	trizyklische Antidepressiva
TCCC	Tactical Combat Casualty Care
TDMA	Time Division Multiple Access
TECC	Tactical Emergency Casualty Care
TEL	Technische Einsatzleitung
TemRas	telemedizinisches Rettungsassistenzsystem
TETRA	Terrestrial Trunked Radio
TH	Thüringen
THC	Tetrahydrocannibol
ThürRettG	Thüringisches Rettungsdienstgesetz
THW	Technisches Hilfswerk
TIA	transitorisch-ischämische Attacke
TIVA	totale intravenöse Anästhesie
TK	Trachealkanüle
TKW	Trachealkanülenwechsel
TLC	Totalkapazität
TLF	Tanklöschfahrzeuge
TMO	Trunked Mode Operation
t-PA	Tissue Plasminogen Activator
TQM	Total Quality Management
TRBA	Technische Regeln für Biologische Arbeitsstoffe
TRM	Team Resource Management
TRV	Totraumvolumen
TSH	Thyreotropin
TUIS	Transportunfall-, Informations- und Hilfeleistungssystem
TV	Tidalvolumen
TVT	tiefe Venenthrombose
TXA	Tranexamsäure
TZ	Technischer Zug

U

U	Spannung
u. a.	unter anderem
u. U.	unter Umständen
UEMS	Union Européenne des Médecins Spécialistes
UHF	Ultrahochfrequenz
ÜMANV	überregionale Hilfeleistung bei einem Massenanfall von Verletzten
UN	United Nations (Vereinte Nationen)
UNESCO	United National Educational, Scientific and Cultural Organization
UNO	United Nations Organization
usw.	und so weiter
UTMS	Universal Mobile Telecommunications System
UVV	Unfall-Versicherungsvorschrift

V

v	Geschwindigkeit
V	Volt
V	Volumen
Vt	Tidalvolumen
V.	Vena
v. a.	vor allem
V. a.	Verdacht auf
VA	Verfahrensanweisung
VAL	vordere Axillarlinie
VAP	Ventilator Associated Pneumonia
VAS	visuelle Analogskala
VBG	Unfallverhütungsvorschriften
VC-AC	Volume Controlled-Assist Control Ventilation
VCV	Volume Controlled Ventilation
VDE	Verband der Elektrotechnik Elektronik Informationstechnik
VDRS	Verband Deutscher Rettungsassistenten und Rettungssanitäter e. V.
VEL	Vollelektrolytlösung
VES	ventrikuläre Extrasystolen
VF	Kammerflimmern
VHF	Vorhofflimmern
VIDD	Ventilator Induced Diaphragmatic Dysfunction
VILI	Ventilator Induced Lung Injury
VKOF	verbrannte Körperoberfläche
VL	Videolaryngoskop
Vol. %	Volumenprozent
VPN	Virtual Private Network
VRS	verbale Ratingskala
vs.	versus
VT	ventrikuläre Tachykardie, Atemvolumen, Tidalvolumen
Vv.	Venae
VwV	Verwaltungsvorschrift
VZV	Varizellen-Zoster-Virus

W

W	Arbeit, Watt, Wechselverkehr
WFNS	World Federation of Neurosurgical Societies
WHO	World Health Organization
WLAN	Wireless Local Area Network
WLF	Wechselladerfahrzeuge
WPW	Wolff-Parkinson-White-Syndrom
WS	Wirbelsäule

Z

z. B.	zum Beispiel
Z. n.	Zustand nach
z. T.	zum Teil
ZAS	zentrales anticholinerges Syndrom
ZDG	Gesetz über den Zivildienst der Kriegsdienstverweigerer, Zivildienstgesetz
ZDL	Zivildienstleistender
ZMZ	Zivilmilitärischen Zusammenarbeit
ZNS	Zentralnervensystem
ZPO	Zivilprozessordnung
ZVD	zentralvenöser Druck
ZSA	Zentrum für Organisation und Ausbildung
ZVK	zentraler Venenkatheter

ABBILDUNGS- UND TABELLENVERZEICHNIS

Der Verweis auf die jeweilige Abbildungs- und Tabellenquelle befindet sich bei allen Abbildungen und Tabellen im Werk am Ende des Legendentextes in eckigen Klammern.

Alle Aufmacherfotos der Abschnitte A bis J stammen von Carsten Dammann Fotografie, Hamburg [K448].

A300 Reihe Klinik- und Praxisleitfaden. Elsevier/Urban & Fischer.

A400 Reihe Pflege konkret. Elsevier/Urban & Fischer.

E273 Mir MA. Atlas of Clinical Diagnosis. 2. A. Philadelphia: Elsevier Saunders, 2003.

E282 Kanski J. Clinical Ophtalmology, A Systematic Approach. Elsevier/Butterworth-Heinemann, 5. Aufl. 2003.

E287 Raby N, Berman L, de Lacey G. Accident & Emergency Radiology, A Survival Guide. Elsevier/Saunders, 2. Aufl. 2005.

E336-008 LaFleur Brooks M, La Fleur Brooks D. Exploring Medical Language, A Student-Directed Approach. Elsevier/Mosby, 8. Aufl. 2011.

E339-002 Asensio JA, Trunkey DD. Current Therapy of Trauma And Surgical Critical Care. Elsevier/Mosby, 2. Aufl. 2016.

E566 Behrman RE, Kliegman RM, Jenson HB. Nelson Textbook of Pediatrics. Mosby, 17. Aufl. 2003.

E633 Tillmann BN. Atlas der Anatomie des Menschen. Springer-Verlag, 2005.

E847 Krachmer JH et al. Cornea. Elsevier/Mosby, 3. Aufl. 2010.

E876 Miller RD. Miller's Anesthesia. Elsevier/Churchill Livingstone, 7. Aufl. 2009.

E1061 Kumari U. Textbook of Obstetrics. Elsevier, 1. Aufl. 2019.

E1214 Oczenski W. Atmen – Atemhilfen, Georg Thieme Verlag KG, 10. Aufl. 2017.

E1215 Larsen R et al. Spezielle Beatmungsverfahren. In: Beatmung. Springer, 2018.

E1234 Arastéh K. Duale Reihe Innere Medizin. Thieme, 4. Aufl. 2018.

E1236 Harding M et al. Lewis' Medical-Surgical Nursing. Elsevier, 12. Aufl. 2023.

E1237 Dover AR, Innes JA, Fairhurst K. Macleod's Clinical Examination. Elsevier, 15. Aufl. 2024.

E1238 Kaufman DM et al. Kaufman's clinical neurology for psychiatrists. Elsevier, 8. Aufl.2017.

F201-008 Schönau E, Fricke O. Muscle and Bone: A Functional Unit. Dtsch Arztebl 2006; 103(50): A-3414.

F201-045 Häske D et al. Entscheidungshilfe zur prähospitalen Wirbelsäulenimmobilisation (Immo-Ampel). In: Deutsches Ärzteblatt Int 2022; 119: 753–8; DOI: 10.3238/arztebl.m2022.0291.

F210-007 Forrest JA, Finlayson ND, Shearman DJ. Endoscopy in gastrointestinal bleeding. Lancet. 1974; 2(7877): 394–397. doi:10.1016/s0140-6736(74)91770-x.

F234-001 Debakey ME, Henly WS, Cooley DA, Morris GC Jr, Crawford ES, Beall AC Jr. Surgical Management of Dissecting Aneurysms of the Aorta. J Thorac Cardiovasc Surg. 1965; 49: 130–149.

F240-001 Daily PO, Trueblood HW, Stinson EB, Wuerflein RD, Shumway NE. Management of acute aortic dissections. Ann Thorac Surg. 1970; 10(3): 237–247. doi:10.1016/s0003-4975(10)65594-4.

F296-004 Cuervo JL, Grillo A, Vecchiarelli C, Osio C, Prudent L. Perinatal testicular torsion: a unique strategy. J Pediatr Surg. 2007; 42(4): 699–703. doi:10.1016/j.jpedsurg.2006.12.047.

F477-002 Kalscheuer H, Serfling G, Schmid S, Lehnert H. Diabetologische Notfälle: Hypoglykämie, ketoazidotisches und hyperglykämisches Koma [Diabetic emergencies: Hypoglycemia, ketoacidotic and hyperglycemic hyperosmolar nonketotic coma]. Internist (Berl). 2017; 58(10): 1020–1028. doi:10.1007/s00108-017-0317-x.

F483 Moore AR, Morris AI. Assessment and management of gastrointestinal (GI) haemorrhage. In: The Foundation Years. 2008; 4(7): 262–267. doi.org/10.1016/j.mpfou.2008.08.010.

F532 Taslimi R, Golshani K. Thrombotic and hemorrhagic presentation of congenital hypo/afibrinogenemia. Am J Emerg Med. 2011; 29(5): 573.e3–573.e573005. doi:10.1016/j.ajem.2010.05.016.

F538-001 Abouliatim I, Gouicem D, Kobeiter H, Majeski M, Becquemin JP. Early type III endoleak with an Endurant endograft. J Vasc Surg. 2010; 52(6): 1665–1667. doi:10.1016/j.jvs.2010.07.020.

F740-005 Adams H, Baumann G, Gänsslen A et al. Die Definitionen der Schockformen. Intensivmed 38, 541–553 (2001). https://doi.org/10.1007/s003900170030.

F759-007 Mahler DA, Wells CK. Evaluation of clinical methods for rating dyspnea. Chest. 1988; 93(3): 580–586. doi:10.1378/chest.93.3.580.

F780-005 Obermaier M, Katzenschlager S, Schneider N. Diagnostik und invasive Maßnahmen beim Thoraxtrauma. AINS – Anästhesiologie, Intensivmedizin, Notfallmedizin, Schmerztherapie 2020; 55(10): 620–633. doi: 10.1055/a-0967-1563.

F781-035 Soar J, Böttiger BW, Carli P et al. Erweiterte lebensrettende Maßnahmen für Erwachsene. Leitlinien des European Resuscitation Council 2021. Notfall Rettungsmed (2021). www.springermedizin.de/link/10.1007/s10049-021-00893-x.

F781-036 Lott C, Truhlář A, Alfonzo A et al. Kreislaufstillstand unter besonderen Umständen. Leitlinien des European Resuscitation Council 2021. Notfall Rettungsmed (2021). www.springermedizin.de/link/10.1007/s10049-021-00891-z.

F781-040 Madar J, Roehr CC, Ainsworth S et al. Versorgung und Reanimation des Neugeborenen nach der Geburt. Leitlinien des European Resuscitation Council 2021. Notfall Rettungsmed (2021). www.springermedizin.de/link/10.1007/s10049-021-00894-w.

F781-041 Patrick Van de Voorde P, Turner MN, Djakow J et al. Lebensrettende Maßnahmen bei Kindern ("Paediatric Life Support, PLS"). Leitlinien des European Resuscitation Council 2021. Notfall Rettungsmed (2021). www.springermedizin.de/link/10.1007/s10049-021-00887-9.

F781-044 Stock JP, Gaier G, Häske D. Evidenzbasierte Empfehlung aus Dänemark zur Wirbelsäulenimmobilisation beim erwachsenen Traumapatienten. Notfall Rettungsmed 23, 632–634 (2020). https://doi.org/10.1007/s10049-020-00717-4.

F781-047 Schneider NRE, Weilbacher F, Maurer T et al. Präklinische Bluttransfusion bei lebensbedrohlicher Blutung – erweiterte lebensrettende Therapieoptionen durch das Konzept Medical Intervention Car. Notfall Rettungsmed.2022; 25: 552–560. doi:10.1007/s10049-021-00897-7.

F781-048 Kreinest M, Gliwitzky B, Grützner PA et al. Untersuchung der Anwendbarkeit eines neuen Protokolls zur Immobilisation der Wirbelsäule. Notfall Rettungsmed 19, 473–482 (2016). https://doi.org/10.1007/s10049-016-0154-9.

F781-049 Horn P. Person droht zu springen. Notfall Rettungsmed 14: 491–496 (2011). https://doi.org/10.1007/s10049-011-1448-6.

F802-004 Ring J, Beyer K, Biedermann T et al. Guideline (S2k) on acute therapy and management of anaphylaxis: 2021 update. Allergo J Int 30, 1–25 (2021). https://doi.org/10.1007/s40629-020-00158-y

F821-004 Ter Avest E, Carenzo L, Lendrum RA et al. Advanced interventions in the pre-hospital resuscitation of patients with non-compressible haemorrhage after penetrating injuries. Crit Care. 2022; 26(1): 184. Published 2022 Jun 20. doi:10.1186/s13054-022-04052-7.

F832-002 Hillejan L, Rawert H. Tracheotomie – chirurgisch und perkutan [Tracheotomy – surgical and percutaneous]. Zentralbl Chir. 2015; 140(3): 339–360. doi:10.1055/s-0035-1546135.

F862-001 Fontaine R, Kim M, Kieny R. Die chirurgische Behandlung der peripheren Durchblutungsstörungen [Surgical treatment of peripheral circulation disorders]. Helv Chir Acta. 1954; 21(5-6): 499–533.

F928-002 Szpilman D, Webber J, Quan L et al. Creating a drowning chain of survival. Resuscitation. 2014; 85(9): 1149–1152. doi:10.1016/j.resuscitation.2014.05.034.

F928-003 Lamhaut L, Qasim Z, Hutin A et al. First description of successful use of zone 1 resuscitative endovascular balloon occlusion of the aorta in the prehospital setting. Resuscitation. 2018; 133: e1–e2. doi:10.1016/j.resuscitation.2018.07.027.

F928-004 Mutschler M, Nienaber U, Brockamp T et al. A critical reappraisal of the ATLS classification of hypovolaemic shock: does it really reflect clinical reality? Resuscitation. 2013; 84(3): 309–313. doi:10.1016/j.resuscitation.2012.07.012.

F928-007 Smith GB, Prytherch DR, Meredith P, Schmidt PE, Featherstone PI. The ability of the National Early Warning Score (NEWS) to discriminate patients at risk of early cardiac arrest, unanticipated intensive care unit admission, and death. Resuscitation. 2013; 84(4): 465–470. doi:10.1016/j.resuscitation.2012.12.016.

F985-002 Jahn N, Russo SG, Höhne C. Atemwegsmanagement beim Kind: Notfalltechniken Schritt für Schritt. In: Notfallmedizin up2date 2016; 11(02): 100–05.

F985-004 Fandler M, Gotthardt P. SOP Akutes Beatmungsproblem. In: Notfallmedizin up2date 2018; 13(03): 234–236. doi: 10.1055/a-0641-2995.

F985-005 Josse F, Hossfeld B, Lampl L, Helm M. Anwendung von Tourniquets zum Stoppen kritischer Extremitätenblutungen. Notfallmedizin up2date 2014; 9(1): 7–13. doi: 10.1055/s-0033-1357878.

F985-007 Wehling J et al. Die präklinische Behandlung von Patienten mit Wirbelsäulentrauma. In: Notfallmedizin up2date 2020; 15(01): 79–92.

F993-001 Wells PS, Anderson DR, Rodger M et al. Excluding pulmonary embolism at the bedside without diagnostic imaging: management of patients with suspected pulmonary embolism presenting to the emergency department by using a simple clinical model and d-dimer. Ann Intern Med. 2001; 135(2): 98–107. doi:10.7326/0003-4819-135-2-200107170-00010.

F999-003 Thomalla G et al. DWI-FLAIR mismatch for the identification of patients with acute ischaemic stroke within 4-5 h of symptom onset (PRE-FLAIR): a multicentre observational study. Lancet Neurology, 2011; 10(11): 978–986. Reprinted with permission from Elsevier.

F1158-001 Hyldmo PK, Horodyski M, Conrad BP et al. Does the novel lateral trauma position cause more motion in an unstable cervical spine injury than the logroll maneuver? Am J Emerg Med. 2017; 35(11): 1630–1635. doi:10.1016/j.ajem.2017.05.002.

F1159 Kaul P, Naylor CD, Armstrong PW, Mark DB, Theroux P, Dagenais GR. Assessment of activity status and survival according to the Canadian Cardiovascular Society angina classification. Can J Cardiol. 2009; 25(7): e225–e231. doi:10.1016/s0828-282x(09)70506-9.

F1160-001 Cutcliffe JR, Barker P (2004). The Nurses' Global Assessment of Suicide Risk (NGASR): developing a tool for clinical practice. Journal of Psychiatric and Mental Health Nursing, 11: 393–400. https://doi.org/10.1111/j.1365-2850.2003.00721.x.

G040 Batterbury M, Bowling B. Ophthalmology. An Illustrated Colour Text. Elsevier/Churchill Livingstone, 2. Aufl. 2005.

G069 Law M, Som PM, Naidich TP. Problem Solving in Neuroradiology. Saunders/Copyright Elsevier, 2011.

G337 Bruce A, Loughnan M. Anterior Eye Disease and Therapeutics A–Z. Elsevier/Churchill Livingstone, 2011.

G448 Heiligensetzer C. Tip doc emergency. Setzer Verlag, 3. Aufl. 2014.

G470-002 Curtis C, Ramsden C. Emergency and Trauma Care for Nurses and Paramedics. Elsevier, 2. Aufl. 2015.

G704-002 Hagen-Ansert SL. Textbook of Diagnostic Sonography. Elsevier/Mosby, 9. Aufl. 2023

G841 Haverkamp W, Herth F, Messmann H. Internistische Intensivmedizin. Thieme, 2008. doi:10.1055/b-002-26611.

G851 Scholz J et al. Notfallmedizin. Georg Thieme Verlag, 3. Aufl. 2013.

G881 Swartz MH. Textbook of Physical Diagnosis: History and Examination. Elsevier, 8. Aufl. 2021.

H017-001 Vincent JL, Moreno R, Takala J et al. The SOFA (Sepsis-related Organ Failure Assessment) score to describe organ dysfunction/failure. Intensive Care Med. 1996; 22: 707–710. https://doi.org/10.1007/BF01709751.

H108-001 Schalk R, Byhahn C, Klüner C et al. Anwendung des Larynxtubus in der Notfallmedizin – Komplikationen und Fallstricke. In: NOTARZT 2018; 34(03): 124–31.

H108-002 Freude G, Mauer UM, Gässler H, Datzmann T. Prähospitale Versorgung des Schädel-Hirn-Traumas. Der Notarzt 2017; 33: 300–9.

H108-003 Rudolph M, Lange T, Göring M et al. Clamshell-Thorakotomie im Rettungsdienst und Schockraum: Indikationen, Anforderungen und Technik. NOTARZT 2019; 35(04): 199–207. doi:10.1055/a-0869-7162.

H108-004 Hilbert-Carius P, Hauer T, Josse F et al. REBOA – Resuscitative Endovascular Balloon Occlusion of the Aorta. In: NOTARZT 2020; 36(01): 33–45. doi:10.1055/a-0880-1157.

H108-005 Lechleuthner A. Der Pyramidenprozess – die fachliche Abstimmung der invasiven Maßnahmen im Rahmen der Umsetzung des Notfallsanitätergesetzes. In: NOTARZT 2014; 30(03): 112–117. doi: 10.1055/s-0034-1370093.

J520-259 SDI Productions/Getty Images Deutschland GmbH, München.

J520-260 Digtattoor/Getty Images Deutschland GmbH, München.

J560-008 dpa Picture-Alliance GmbH, Hamburg.

J747 Thomas Engbert Design & Kommunikation, Kronsgaard.

J748-104 Fotolia.com/Imken.

J748-105 Fotolia.com/tinadefortunata.

J748-106 Fotolia.com/M. Schuppich.

J748-107 Fotolia.com/awfoto.

J748-108 Fotolia.com/Peter Eggermann.

J748-109 Fotolia.com/emer.

J748-157 AdobeStock/RealPeopleStudio.

J787 Colourbox.com

J787-033 Colourbox.com/Barabasa.

J787-034 Colourbox.com/Mikkel Bigandt.

J788 ddp images GmbH, Hamburg.

K115 Andreas Walle, Hamburg.

K183 Eckhard Weimer, Würselen.

K206 Ronald Frommann, Hamburg.

K404 Bernd Pieper, Oberndorf am Neckar.

K405 Jan Pauls Fotografie, Berlin.

K442 Ludolf Dahmen Fotografie, Köln.

K444 Philip Bockshammer, pb_helimedia.

K445 Philipp Lex, ADAC HEMS Academy.

K446 Angel Sanchez, Schweiz.

K447 René Purgay, www.prorescue.de, Vaals, Niederlande.

K448 Carsten Dammann Fotografie, Hamburg.

K449 Costas Zafiriou

K450 Küsten-Pixel Fotografie (Marco Oldenettel), Esens.

L106 Henriette Rintelen, Velbert.

L108 Rüdiger Himmelhan, Heidelberg.

L115 Rainer Dunkel, Berlin.

L126 Dr. med. Katja Dalkowski, Erlangen.

L138 Martha Kosthorst, Borken.

L139 Dieter Brokate, Hamburg.

L143 Heike Hübner, Berlin.

L157 Susanne Adler, Lübeck.

L190 Gerda Raichle, Ulm.

L215 Sabine Weinert-Spieß, Neu-Ulm.

L231 Stefan Dangl, München.

L234 Helmut Holtermann, Dannenberg.

L238 Sonja Klebe, Löhne.

L141 Stefan Elsberger, Planegg.

L253	Dr. Wolfgang Zettlmeier, Barbing.
L264	Claudia Flüss, München.
M117	Prof. Dr. Gerhard Grevers, München.
M185	Dr. med. Kurt Schwabe, Bad Schwartau.
M233	Dr. med. Ulrich Meyer-Bothling, Hamburg.
M234	Dr. phil. Klaus Runggaldier, Herne.
M235	Dr. Dr. med. Jürgen Luxem, Aschaffenburg
M237	H. H. Hellweg, Liebshausen.
M464	Prof. Dr. med. Friedhelm Zanella, Institut für Neuroradiologie, Goethe-Universität Frankfurt.
M500	Prof. Dr. med. Günter W. Kauffmann, Radiologische Universitätsklinik, Universität Heidelberg.
M502	Prof. Dr. med. Guido Wanner, Klinik für Unfallchirurgie, Universitätsspital Zürich.
M509	PD Dr. med. Ulrich Kramer, Tübingen.
M582	Prof. Dr. med. Reinhard Larsen, Homburg.
M839	Frank Flake, Oldenburg.
M840	Stephan Dönitz, Schwarzenbek.
M842	Achim Thamm, Breisach.
M844	Thomas Semmel, Petersberg.
O101	Dr. Andreas Callies, PRIOR-Gruppe, Diepholz.
O144	Anita Lehmann, Ulm.
O261	Thomas Neuss, Itzehoe.
O427	Michael Steiner, Großostheim.
O429	Ralf Hettler, Aschaffenburg.
O465	Jürgen Truckenmüller, Düsseldorf.
O646	Dr. med. Jens Vater, Heidenheim a. d. Brenz.
O985	Marvin Thamm, Breisach.
O986	Sascha Walther, Sport-Px, Reutlingen.
O988	Dr. med. Marcus Rall, InPASS – Institut für Patientensicherheit & Teamtraining GmbH, Reutlingen.
O989	Wolfgang Prinz, St. Johann.
O990	Helge Plasger, Bad Iburg.
O991	Martin Dove, Melle.
O992	Hendrik Elias, Bonn.
O994	Dr. med. G. Bilitewski, Radiologische Klinik II, Katholisches Klinikum Essen.
O996	Dr. med. Carsten Kopschina, Nürnberg.
O997	Tobias Gruber, Hamburg.
O998	Hilde Kampen-Wilczek, Osnabrück.
O1082	Andrea Ispan, München.
O1090	Hans-Martin Grusnick, Lübeck.
O1101	Florian Breitenbach, Pinneberg.
O1104	Stefan Fleischer, Berlin.
P094	Prof. Dr. phil. Harald Karutz, Mülheim.
P094-001	Sammlung Prof. Dr. phil. Harald Karutz, Mülheim.
P095	Marco Behns, Reibek.
P096	Dr. med. Herbert Forster, Buchenberg.
P097	Dr. med. Gerson Conrad, Lörrach.
P098	Prof. Dr. med. Christoph Redelsteiner, Wien.
P099	Prof. Dr. rer. pol. Christopher Niehues, Münster.
P100	Dr. med. Stefan Dreesen, Essen.
P101	Oliver Peters, Lohne.
P102	Dr. David Häske, Reutlingen.
P103	Martin Ohder, Bruchsal.
P104	Verena Blank-Gorki, Köln.
P105	Dr. med. Christian Pietsch, Aschaffenburg.
P106	PD Dr. med. Boris Hoffmann, Seevetal.
P108	Timur Sellmann, Duisburg.
P109	Dr. med. Manuel Wilhelm, Gelnhausen.
P110	Dr. med. Sebastian Casu, Hamburg.
P151	Matthias Klausmeier, Edingen-Neckarhausen.
P1348	Florian Grosser, Pforzheim.
P1349	Sarah Gierke, Goslar.
P1386	Klaus Lindner, Harrislee.
R134	Peters O, Runggaldier K. Algorithmen für den Rettungsdienst. Urban & Fischer, 1. Aufl. 2003.
R172	Mims C et al. Medical Microbiology. Elsevier/Mosby, 3. Aufl. 2004.
R194-004	Kainer F, in Kiechle: Gynäkologie und Geburtshilfe, Elsevier/Urban & Fischer, 2007.
R236	Classen M, Diehl V, Kochsiek K. Innere Medizin. Elsevier/Urban & Fischer, 6. Aufl. 2009.
R261	Sitzer M, Steinmetz H. Lehrbuch Neurologie. Elsevier/Urban & Fischer, 2011.
R415	Gruber G, Hansch A. Blickdiagnosen Innere Medizin. Elsevier/Urban & Fischer, 2019.
R467	Horch H et al. Praxis der Zahnheilkunde, Bd. 10 Mund-Kiefer-Gesichtschirurgie. Elsevier, 4. Aufl. 2007
R483	Peters O, Runggaldier K. Algorithmen für den Rettungsdienst. Elsevier/Urban & Fischer, 2006.
T112	J. Bennek, em. Ordinarius für Kinderchirurgie der Universität Leipzig.
T127	Prof. Dr. Dr. Peter Scriba, München.
T128	U. Augenstein, Singen.
T170	Dr. med. Eduard M. Walthers, Universitätsklinikum Marburg.
T173	Dr. med. Ulrich Vogel, Tübingen.
T194	S. Dieterle, Bochum.
T195	R. Bühler, Giengen/Brenz.
T197	Dr. med. Burkhardt Danz, Abteilung VIII Radiologie, Bundeswehrkrankenhaus Ulm.
T355	S. Weber, Universitätsklinikum Dresden, Klinik für Anästhesie und Intensivtherapie.
T381	Prof. Dr. med. Michael Freund, Institut für Radiologie und Neuroradiologie, Klinikum Aschaffenburg-Alzenau, Aschaffenburg.
T800	Charité – Universitätsmedizin Berlin, Institut für Rechtsmedizin, Berlin.
U230	Ratiopharm GmbH, Ulm.
U375	Prodol Meditec S.A., Guecho, Spanien.
U394	narkosezeug UG, Nürnberg. www.narkosezeug.com.
V083	Weinmann Geräte für Medizin GmbH + Co. KG, Hamburg.
V090	Smiths Medical Deutschland GmbH, Kirchseeon.
V162	Drägerwerk AG & Co. KGaA, Lübeck.
V170-1	Medtronic GmbH, Meerbusch.
V220	Paul Hartmann AG, Heidenheim.
V220-001	Lippert H, Piatek S, Kasnistik. „Calcinmalginate zur Behandlung diabetischer Ulzerationen"; Hartmann Wundforum 2/1995; S. 19–20.
V348	VBM Medizintechnik GmbH, Sulz a. N.
V394	Andreas Fahl Medizintechnik-Vertrieb GmbH, Köln.
V405	Stryker GmbH & Co KG, Duisburg.
V603	Hamilton Medical AG, Bodanuz, Schweiz.
V660	Tech2go Mobile Systems GmbH, Hamburg.
V662	Motorola Solutions Germany GmbH, Idstein.
V663	Thieme DokuFORM GmbH, Lübeck.
V666	Mediaform Informationssysteme GmbH, Reinbek.
V667	Innovative Trauma Care, San Antonio, USA.
V668	Holthaus Medical GmbH & Co. KG, Remscheid.
V669	Deutsche Lufthansa AG, Frankfurt.
V670	Thoratec Europe Limited, Cambridgeshire/UK.
V671	SSE Software GmbH, Augsburg.
V672	ZOLL Medical Corporation, ZOLL Medical Deutschland GmbH, Köln.
V703	GS Elektromedizinische Geräte G. Stemple GmbH, Kaufering.
V869	SMEDEX AG, Ziegelbrücke, Schweiz.
V870	SAM Medical®, Tualatin, USA.
V872	Ambu GmbH, Bad Nauheim.
V1026	FERNO Transportgeräte GmbH, Troisdorf.
W161-001	ADAC Luftrettung gGmbH, München.
W161-002	ADAC Versicherung AG, München.
W162	DSO, Deutsche Stiftung Organtransplantation.
W193	Statistisches Bundesamt, Wiesbaden.

W193-016 © Statistisches Bundesamt (Destatis), 2023 - Straßenverkehr Getötete 2022.

W263 DRK e.V. Generalsekretariat, Bildarchiv, Berlin.

W272 International Atomic Energy Agency, Wien.

W330 BKS-Bundesverband eigenständiger Rettungsdienste und Katastrophenschutz e.V., Berlin.

W798-001 World Health Organization (WHO), Genf. WHO Surgical Safety Checklist (https://www.who.int/patientsafety/safesurgery/checklist/en; abgerufen am 26.07.2023).

W802 ERC – European Resuscitation Council VZW.

W859 Bundeszentrale für politische Bildung/bpb, Berlin.

W867-008 Bundesärztekammer (BÄK), Kassenärztliche Bundesvereinigung (KBV), Arbeitsgemeinschaft der Wissenschaftlichen Medizinischen Fachgesellschaften (AWMF). Nationale VersorgungsLeitlinie Chronische Herzinsuffizienz – Langfassung, 3. Auflage. Version 3. 2019 [cited: 2023-07-31]. DOI: 10.6101/AZQ/000482. www.leitlinien.de/herzinsuffizienz.

W895 Deutsche Gesellschaft für Anästhesiologie und Intensivmedizin (DGAI), Nürnberg.

W908 Landesärztekammer, Baden-Württemberg.

W924 Deutscher Berufsverband Rettungsdienst e.V. (DBRD), Lübeck.

W925 Falck Rettungsdienst GmbH, Hamburg.

W925-002 Falck Northern California, Hayward, USA.

W927 Deutsche Lebens-Rettungs-Gesellschaft e.V., Bad Nenndorf.

W927-001 Deutsche Lebens-Rettungs-Gesellschaft Pöcking-Starnberg e.V. – Walter Kohlenz, Pöcking.

W928 Bergwacht Bayern im Bayerischen Roten Kreuz, KdöR, Bad Tölz.

W929 Rettung St. Gallen, Gossau SG, Schweiz.

W931 Rettungsdienst-Kooperation in Schleswig-Holstein (RKiSH) gGmbH, Heide/fotografirma.

W932 Berufsfeuerwehr Mülheim an der Ruhr.

W933-001 Rall M, Glavin RJ, Flin R (September 2008). The "10-seconds-for-10-minutes principle". Why things go wrong and stopping them getting worse. Bulletin of The Royal College of Anaesthetists, 51, 2614–2616. Mit freundlicher Genehmigung des Royal College of Anaesthetists.

W935 Björn Steiger Stiftung, Winnenden.

W936-001 Johanniter-Unfall-Hilfe e.V., Regionalverband Weser-Ems, Oldenburg.

W946 DRF Stiftung Luftrettung gemeinnützige AG, Filderstadt.

W947 Christophorus Flugrettungsverein, Wien.

W948–001 Bund-Länder-Koordinierungsstelle für den Deutschen Qualifikationsrahmen für lebenslanges Lernen (Hrsg.): „Handbuch zum Deutschen Qualifikationsrahmen. Struktur – Zuordnungen – Verfahren – Zuständigkeiten." August 2013, Bundesministerium für Bildung und Forschung.

W963 National Association of Emergency Medical Technicians (NAEMT), Clinton, USA.

W964-002 Arbeiter-Samariter-Bund, ASB Hamburg GmbH.

W1092 Stelle zur trägerübergreifenden Qualitätssicherung im Rettungsdienst Baden-Württemberg (SQR-BW).

W1105 Leitstellen-Zweckverband Nord, Harrislee.

W1137-002 GOLD-REPORT-2023. Global Strategy for Diagnosis, Management and Prevention of Chronic Obstructive Pulmonary Disease (COPD) - 2023 Report. © 2022, 2023 Global Initiative for Chronic Obstructive Lung Disease, Inc.

W1210-003 Timmermann, A. et al. S1 Leitlinie prähospitales Atemwegsmanagement (2019). Deutsche Gesellschaft für Anästhesiologie und Intensivmedizin (DGAI). AWMF-Register-Nr.: 001-040.

W1246 Deutsche Gesellschaft zur Rettung Schiffbrüchiger (DGzRS), Bremen.

W1268 Bergwacht Schwarzwald e.V. (BWS), Kirchzarten.

W1269 South Central Ambulance Service NHS Foundation Trust, Oxfordshire, United Kingdom.

W1270 Verband Deutscher Sporttaucher (VDST), Offenbach.

W1273 Landkreis Goslar, Dr. Tobias Steffen, Goslar.

W1274 MEDIE Ambulanz GmbH & Co. KG, Renchen.

W1279 Bonita House Inc., Berkeley, USA.

X351 Branddirektion Frankfurt am Main, Deutscher Schwerhörigenbund e.V., Frankfurt am Main.

X403 Südwest Presse Ulm/Maria Müssig.

INHALTSVERZEICHNIS

ENTWICKLUNG DES NOTFALLSANITÄTERBERUFS

Lehr- und Lernziele des Abschnitts A

Der folgende Abschnitt deckt den **Themenbereich 9** der Ausbildungs- und Prüfungsordnung für Notfallsanitäterinnen und Notfallsanitäter ab. Auszubildende sind demnach zu befähigen,

- den Notfallsanitäterberuf in seiner Eigenständigkeit und im Zusammenwirken mit unterschiedlichen Akteuren zu verstehen, danach zu handeln und weiterzuentwickeln und
- die eigene Ausbildung kritisch zu betrachten sowie Eigeninitiative und Verantwortung für das eigene lebenslange Lernen zu übernehmen.

Damit diese Ziele in der Ausbildung erreicht werden können, werden in **Kapitel 1** zunächst die Aufgaben von Notfallsanitätern erläutert. Angesprochen werden die verschiedenen Einsatzbereiche, u. a. in Notfallrettung und Krankentransport, in Leitstellen, in der Luft-, Berg- und Wasserrettung sowie als Betriebssanitäter oder Mitarbeiter in Notaufnahmen. Ebenso werden die vielfältigen und interessanten, teilweise aber sicherlich auch schwierigen und anspruchsvollen Arbeitsbedingungen im Rettungsdienst herausgearbeitet. Abschließend werden die gesetzlichen Regelungen zum Beruf des Notfallsanitäters thematisiert.

In **Kapitel 2** erfolgt die Darstellung der Grundlagen der Berufsbildung in Deutschland und die Differenzierung der Bereiche Aus-, Fort- und Weiterbildung. Es folgt eine Beschreibung der Berufsbildung der Gesundheitsfachberufe und deren Besonderheiten in Bezug auf übliche Berufsbildungsstandards. Dann werden die Berufsbildung im Rettungsdienst und insbesondere die konkreten Qualifikationsstufen und Ausbildungen dezidiert erläutert. Den Abschluss des Kapitels bildet ein Blick auf den europäischen und deutschen Qualifikationsrahmen und die daraus resultierenden Standards und Chancen für die Berufstätigen im Rettungsdienst.

Kapitel 3 beschreibt schließlich umfassend die Kompetenzentwicklung, Professionalisierung und Akademisierung als wesentliche Bestandteile beruflichen Handelns im Rettungsdienst. Ausgehend vom konkreten Anforderungsprofil erfolgt eine Klärung, was kompetentes Handeln im Rettungsdienst kennzeichnet und welche fünf Kompetenzdimensionen dafür abgebildet werden müssen. Dann werden die Bedeutung von Performanz und Professionalisierung für den Beruf des Notfallsanitäters erläutert und schließlich das lebenslange Lernen, die Wichtigkeit einer kontinuierlichen Fort- und Weiterbildung bis hin zur Akademisierung dargestellt. Den Abschluss des Kapitels bildet ein Exkurs über das weltweit verbreitete Symbol für professionelles Handeln im Rettungsdienst, den Star of Life.

Schließlich erfolgt in **Kapitel 4** zunächst ein Überblick über die Notwendigkeit und Methodik der Erkenntnisgewinnung im Rettungsdienst. Das Grundprinzip von Fachgesellschaften und berufsständischen Vertretungen wird erläutert, und es werden wichtige Interessenvertretungen für den Rettungsdienst und insbesondere für das Rettungsfachpersonal vorgestellt.

Hinweis: Der hier thematisierte Themenbereich 9 der Ausbildungs- und Prüfungsordnung für Notfallsanitäterinnen und Notfallsanitäter enthält weitere Lernziele, die aus didaktischen Gründen dem Abschnitt I zugeordnet wurden.

1

AUSBILDUNG UND BERUF DES NOTFALLSANITÄTERS

David Häske, Klaus Runggaldier, Harald Karutz

SZENARIO

Drei junge Leute – zwei Frauen und ein Mann – interessieren sich für den Beruf des Notfallsanitäters. Sie fragen sich, wo und wie dieser Gesundheitsfachberuf eigentlich formell geregelt ist, welche Voraussetzungen sie benötigen, um die Ausbildung zum Notfallsanitäter zu beginnen und welche Chancen und Risiken mit dem Beruf verbunden sind. Eine der beiden jungen Frauen ist bereits Rettungssanitäterin. Sie interessiert besonders der Unterschied zwischen Rettungssanitätern und Notfallsanitätern. Darüber weiß sie im Moment noch nicht besonders viel. Allerdings kann sie den beiden anderen bereits von Dienstabläufen auf der Rettungswache und einigen Einsatzerfahrungen berichten.

INHALTSÜBERSICHT

1.1 AUFGABEN DES NOTFALLSANITÄTERS

- Notfallsanitäter verfügen über die höchste nichtärztliche Qualifikation im deutschen Rettungsdienst.
- Notfallsanitäter sind Fachkräfte im Gesundheitswesen.
- Sie verfügen über spezielles Wissen und spezielle Fertigkeiten.
- Sie arbeiten sowohl eigenständig als auch im Team.
- Sie handeln eigenständig auf der Basis von Standards und Algorithmen.

1.2 EINSATZBEREICHE DES NOTFALLSANITÄTERS

- Tätigkeit in Notfallrettung und Krankentransport.
- Tätigkeit in Leitstellen.
- Tätigkeit in der Luft-, Berg- und Wasserrettung.
- Tätigkeiten im betrieblichen Sanitätsdienst, in Notaufnahmen oder auch als Fachkraft im Vertrieb von Medizinprodukten.
- Tätigkeiten in weiteren Handlungsfeldern, beispielsweise als Desinfektor oder Praxisanleiter, erfordern zusätzliche Weiterbildungen.

1.3 ARBEITSBEDINGUNGEN IM RETTUNGSDIENST

- Die Arbeitsbedingungen im Rettungsdienst sind sehr spezifisch.
- Typisch sind v. a. das Warten, die Ungewissheit, die Entscheidungsfindung, die Arbeitsgefahren sowie die physischen und psychischen Belastungen.
- Die berufliche Tätigkeit ist abwechslungsreich und bietet unterschiedlichste Anforderungen und Herausforderungen.

1.4 GESETZLICHE REGELUNGEN

- Der Beruf des Notfallsanitäters wird durch das Notfallsanitätergesetz geregelt.
- Es wird die Ausbildung, nicht aber die Ausübung des Berufs geregelt.

1.1 Aufgaben des Notfallsanitäters

Der Notfallsanitäter ist die höchste Qualifikationsstufe unterhalb des Notarztes im deutschen Rettungsdienst. Er ist eine **Fachkraft im Gesundheitswesen,** der über spezielles Wissen verfügt, spezielle Fertigkeiten zum Einsatz bringt und sowohl eigenständig als auch im Team und auf Basis von Standards sowie Algorithmen oder eigener Entscheidung handelt.

Er erfüllt seine Aufgaben immer als **Mitglied eines Teams,** d. h., er arbeitet gemeinsam und kooperativ mit Kollegen des Rettungsdienstes, der Feuerwehr, der Polizei und anderer Fachrettungsdienste in allen Aspekten der notfallmedizinischen Patientenversorgung zusammen (→ Abb. 1.1, → Kap. 12).

Um die Versorgung eines medizinischen Notfalls rasch und effizient durchführen zu können, ist der Notfallsanitäter für die **Einsatzbereitschaft seines Fahrzeugs** in medizinischer, hygienischer und mechanischer Hinsicht verantwortlich. Seine Aufgabe ist es, unter Beachtung der Sicherheit aller Verkehrsteilnehmer und der geltenden Verkehrsregeln das Rettungsfahrzeug auf schnellstem Weg zum Notfallort zu steuern.

Weiter wird vom Notfallsanitäter verlangt, in stressbelasteten Situationen konzentriert, ruhig und höflich zu bleiben und **professionell** mit dem Patienten, dessen Angehörigen und anderen Anwesenden zu interagieren, die sich aufgrund der Ausnahmesituation möglicherweise schwierig verhalten (→ Kap. 9).

MERKE

In mehr als 60 % der Notfallsituationen hat der Notfallsanitäter die Gelegenheit, ohne die Anwesenheit eines qualifizierten Notarztes angemessene Maßnahmen einzuleiten.

Doch selbst bei Einsätzen mit dem Notarzt ist er häufig als erster an der Einsatzstelle und muss die notwendigen Untersuchungen und Verfahren einleiten. Er ist dabei verpflichtet, alle ihm zur Verfügung stehenden Maßnahmen anzuwenden, die er beherrscht und die ihm geeignet erscheinen, das Leben des ihm anvertrauten Menschen zu retten. Im Rahmen ihrer Kompetenzen und auf ärztliche Weisung führen Notfallsanitäter diagnostische und therapeutische Maßnahmen vor und während des Transports in Kliniken, Krankenhäuser, Arztpraxen und Pflegeheime durch. Bei der Arbeit im Krankentransport sorgt der Notfallsanitäter für eine sachgerechte Betreuung des

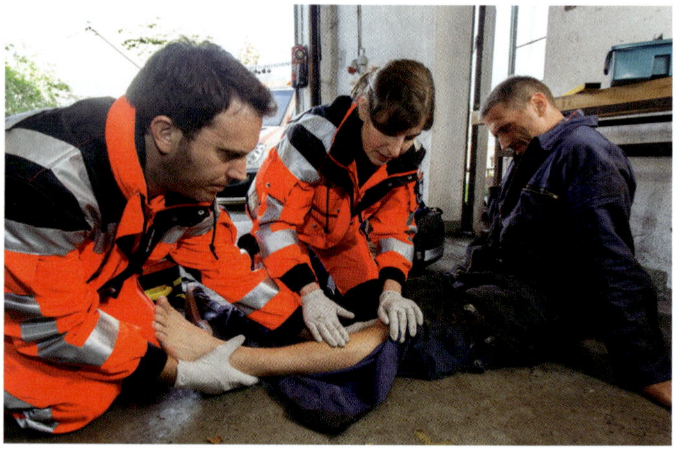

Abb. 1.1 Notfallsanitäter in einem Einsatz: Es ist immer Teamarbeit! [K442]

Kranken, wobei er ggf. auch pflegerische Maßnahmen zum Einsatz bringt.

Es ist allgemein üblich, die Aufgaben der Mitarbeiter in einer **Arbeitsplatzbeschreibung** schriftlich festzuhalten. Voraussetzung für die korrekte Aufgabenerfüllung ist, dass der **Arbeitgeber** das erforderliche Umfeld (z. B. positives Betriebsklima) und die erforderlichen Ressourcen sicherstellt.

Der **Tätigkeitsbereich** ist im Unterschied zum Aufgabenbereich der institutionelle Bereich, in dem ein Notfallsanitäter arbeitet, z. B. Luftrettungsdienst, Bergrettung bzw. der allgemeine Bereich, in dem er tätig ist, z. B. Einsatzleitung oder Ausbildung.

Im Unterschied zur sozialen Rolle des Notfallsanitäters, die von eher abstrakten Erwartungen geprägt ist (→ Kap. 5.2), müssen Kriterien eines Aufgabenbereichs messbar und spezifisch sein. Im Folgenden sind die verschiedenen Aufgaben der Notfallsanitäter im Rahmen ihrer beruflichen Tätigkeit detailliert aufgeführt.

IM FOKUS

Aufgaben des Notfallsanitäters

- Notfallsanitäter sind **Fachkräfte** im Gesundheitswesen.
- Ihnen obliegt die Pflicht, im **Notfalleinsatz** selbstverantwortlich eigenständige Entscheidungen zu treffen oder als Teil eines Teams zum Erfolg der Behandlung beizutragen.
- Zudem sind sie für die **Einsatzbereitschaft** ihrer Fahrzeuge und ihrer Ausrüstungsgegenstände verantwortlich.
- In **Arbeitsplatzbeschreibungen** können Arbeitgeber weitere Aufgaben schriftlich festhalten.
- Von einem **„Tätigkeitbereich"** wird gesprochen, wenn die übergeordnete Verwendung gemeint ist (z. B. Bergrettung, Einsatzleitung).

1.1.1 Voraussetzungen

Der Dienstbeginn und die Schichtübernahme sind für Notfallsanitäter eine der wenigen verlässlich vorhersagbaren Aufgaben im Dienst. Der routinemäßige **Check der Ausrüstung und Ausstattung** sind elementar, um die Einsatzbereitschaft zu garantieren (→ Abb. 1.2, → Abb. 1.3). Das Berufsbild verpflichtet jeden Notfallsanitäter dazu, das anvertraute Material sorgfältig einsatzbereit zu halten. Das Wissen und Können eines Notfallsanitäters sowie seine Ausrüstung sind die einzigen festen Größen, die er für seine Einsätze vorbereiten, bereithalten und einplanen kann. Jedoch nicht nur moralisch-ethische Gründe im Sinne eines **Berufskodex,** sondern auch arbeitsrechtliche Bestimmungen, geregelt durch betriebsinterne Dienstanweisungen, fordern einen gewissenhaften Check der Ausrüstung.

MERKE

„Unsere Patienten haben uns nicht ausgewählt. Wir jedoch haben es uns ausgesucht, diese Patienten zu behandeln. Wir hätten uns auch einen anderen Beruf aussuchen können, aber das haben wir nicht getan. Wir haben die Verantwortung für die Patientenbehandlung in einer der schlimmsten Situationen übernommen: wenn Patienten extrem gestresst und ängstlich sind, wenn sie erschöpft sind und frieren, wenn es regnet und dunkel ist und wenn die Verhältnisse häufig unberechenbar sind. Wir müssen diese Verantwortung entweder akzeptieren oder sie abtreten. Wir müssen unseren Patienten die beste Behandlung zukommen lassen – nicht mit ungeprüfter Ausrüstung, unvollständigem Material, nicht mit Fachwissen von gestern und auch nicht mit Gleichgültigkeit. Wir können nicht sicher sein, welches Fachwissen aktuell ist, wir können nicht behaupten bereit zu sein, uns um unsere Patienten zu kümmern, ohne jeden Tag zu lesen und zu lernen."

Norman McSwain, MD (1938–2015)

Der Check beinhaltet alle relevanten Details und erfordert neben Sorgfalt auch ein technisches Verständnis. Das Fahrzeug muss betriebssicher sein. Neben sicherheitstechnischen Einrichtungen wie Bremsen, Reifen, Beleuchtung und Signalanlage, kann dies auch die Überprüfung des Ölstands oder des Wischwassers sein. Die Ausrüstung muss vollständig sein, Haltbarkeitsdaten müssen beachtet werden und mit besonderem Augenmerk die Medikamente und Betäubungsmittel überprüft werden. Auch die medizintechnischen Geräte, wie z. B. Beatmungsgerät und EKG/Defibrillator, müssen entsprechend den Herstellerangaben geprüft werden. Kommunikationsmittel wie Funk und Telefone müssen betriebsbereit sein. Einsatzbereit ist der Notfallsanitäter für die Leitstelle immer alarmierbar.

Auf der Rettungswache bzw. Dienststelle wird der Notfallsanitäter zum Allrounder. Er ist fähig, einfache Maßnahmen zur Schadensbehebung im Rahmen der ihm erlaubten Möglichkeiten bei Ausrüstungsgegenständen durchzuführen, und kennt die Anwendung, Gefahren und

Abb. 1.2 Jede Schicht beginnt mit einem gewissenhaften, sorgfältigen Check der Ausrüstung im Einsatzfahrzeug. [W932]

Abb. 1.3 Die Überprüfung der Ausrüstung im Einsatzfahrzeug gehört zur unbedingten Sorgfaltspflicht eines jeden Notfallsanitäters. [W932]

Bedienungsvorschriften der Geräte, die er mitführt und anwendet. Er hält sein Fahrzeug sowie dessen medizinische und technische Ausrüstung den gesetzlichen Vorschriften gemäß hygienisch sauber, einsatzbereit und ergänzt fehlendes Material; er führt Mängel einer Behebung zu und informiert die dafür verantwortlichen Vorgesetzten. Je nach Größe der Rettungswache müssen darüber hinaus das Einsatzmittellager überprüft und Bestellungen getätigt und kommissioniert werden. Zu Routineaufgaben im Rettungsdienst gehören auch die erforderlichen Reinigungsaufgaben und Desinfektionen von Material und Geräten. Dazu müssen entsprechende Hygienepläne berücksichtigt werden, um einen sinnvollen und angemessenen Umgang mit Desinfektions- und Reinigungsmitteln zu gewährleisten. Die Verwendung entsprechender Schutzausrüstung zur Sicherheit der eigenen Gesundheit ist selbstverständlich.

Um auf die rettungsdienstliche Arbeit vorbereitet zu sein, sind regelmäßige und kontinuierliche **Fortbildungen** für den Notfallsanitäter selbstverständlich. Meist geben die Bundesländer, welche für die gesetzliche Regelung des Rettungsdienstes verantwortlich sind, einen entsprechenden Umfang von ca. 30 Fortbildungsstunden im Jahr und die Inhalte vor. Ziel ist es, vorhandenes Wissen zu erneuern, aktuelle Änderungen zu erfahren, Fertigkeiten zu trainieren und in Szenarientrainings zusammenzuführen. Die Erhaltung und Erweiterung der medizinischen Kompetenzen und deren Überprüfung kann relevanter Bestandteil davon sein. Interessierte Notfallsanitäter können darüber hinaus neue Erkenntnisse auf Kongressen und Tagungen, in standardisierten Kursformaten oder in anderen Fortbildungen (→ Kap. 3.3.2) gewinnen und festigen.

MERKE

Im Rettungsdienst ist viel die Rede davon, dass Notfallsanitäter bestimmte „Kompetenzen haben" oder „Kompetenzen bekommen". **Kompetenzen** kann man aber nicht *bekommen,* nicht durch einen Ritterschlag und nicht durch eine Prüfung. Kompetent *wird* man nur durch eine fundierte Ausbildung, adäquates Training und kontinuierliche Fortbildung, sicherlich in Abhängigkeit von der persönlichen Eignung.
Dahingegen können Notfallsanitäterinnen und Notfallsanitäter **Befugnisse** erhalten, um als hoch kompetentes Personal Maßnahmen regelhaft zur Anwendung bringen zu dürfen. Im Idealfall sind also *kompetente* NotSan auch *befugt,* ihre erlernten und beherrschten Fertigkeiten und ihr Wissen indikationsgerecht zum Wohle der Patienten einzusetzen.

Eine Möglichkeit für einen Notfallsanitäter, seinen Berufsstand und seinen Arbeitgeber in professioneller Manier zu präsentieren, kann z. B. bei Wachführungen und Repräsentationsveranstaltungen des Rettungsdienstes sein. Eine wichtige Rolle nimmt er bei der **Einweisung** von erstmals mitfahrendem Personal (Praktikanten) wahr.

Um seine Tätigkeit als Notfallsanitäter erfüllen zu können, muss sich der Notfallsanitäter nicht nur in einschlägigen Gesetzen auskennen, sondern meist auch eine Reihe von lokalen Verfahrens- und Dienstanweisungen beachten. Diese können Abläufe im Einsatz betreffen, aber auch die Arbeitssicherheit, den Datenschutz und die Schweigepflicht oder einfach tägliche Aufgaben und Verantwortlichkeiten auf der Rettungswache regeln.

In seinen Aufgabenbereich gehören ebenfalls die für den rettungsdienstlichen Betriebsablauf erforderlichen **Dokumentations- und Schreibarbeiten.**

Der Notfallsanitäter besitzt eine **Grundkenntnis der Ortschaften** und Straßen seines primären Einsatzgebiets, kennt die Krankenhäuser und Fachkliniken der weiteren Umgebung und kann deren Leistungsspektrum abschätzen.

IM FOKUS

Voraussetzungen für die Notfallsanitäterausbildung

Um im Notfallsanitäterberuf Erfolg zu haben, sind einige wesentliche Dinge zu beachten, die über die juristischen Zugangsvoraussetzungen und die Kompetenzen in der Patientenversorgung hinausgehen, z. B.:

- Technische **Problemlösefähigkeit**
- **Gewissenhaftigkeit** bei Reinigungs- und Desinfektionsarbeiten
- **Fortbildungsbereitschaft** (i. d. R. mindestens 30 Stunden pro Jahr)
- **Ausbildungstalent** beim Anleiten von neuen Kollegen, Auszubildenden oder Praktikanten
- **Sorgfalt** bei der Dokumentation
- **Ortskenntnis**

1.1.2 Einsatz

Der Notfallsanitäter erhält seinen Einsatz z. B. über Pager (digitale Meldeempfänger) oder Funk. Je nach Einteilung und Aufgabe begibt er sich mit unterschiedlichen, speziell ausgerüsteten Transportmitteln zum

Einsatzort. Als Lenker eines Einsatzfahrzeugs sorgt er für eine sichere und rasche **Anfahrt** dorthin (→ Abb. 1.4); als Beifahrer bedient er Navigationssysteme und weist den Fahrer in abgelegenen Gebieten mithilfe von Landkarten und Straßenplänen in die Einsatzstelle ein. Der Beifahrer beachtet den Funkverkehr, um in Kontakt mit dem Disponenten zu bleiben und ihm jederzeit einen Situationsbericht geben zu können. Als **aktiver Beifahrer** unterstützt er den Fahrer insbesondere auf der Anfahrt mit Blaulicht und Martinshorn – vier Augen sehen mehr als zwei (→ Abb. 1.5).

Nach dem Eintreffen an der Einsatzstelle macht sich der Notfallsanitäter zuerst ein umfassendes **Bild der Lage.** Je nach Situation werden die notwendigen Maßnahmen zur Eigensicherung und zur Absicherung des Einsatzorts ergriffen und die Sicherheit durch Nachforderung geeigneter Kräfte gewährleistet. Er verlässt den Notfallort, wenn sich die Eigensicherheit nicht unverzüglich herstellen lässt, bis zur Sicherung der Lage. Die erste Kontaktaufnahme mit dem Patienten ist sowohl für eine korrekte Einschätzung der medizinischen Lage als auch für den Aufbau von Vertrauen und die Kommunikation mit dem Patienten häufig entscheidend. Gegebenenfalls muss der Notfallsanitäter eine Lagemeldung über Art, Ausmaß und Anzahl der Verletzten/Erkrankten oder das vermutliche Ausmaß des Schadensereignisses abgeben und entsprechend adäquate Ressourcen nachfordern.

Abb. 1.4 Unmittelbar nach der Alarmierung rückt die Besatzung eines Rettungswagens zum Einsatzort aus. [W932]

Abb. 1.5 Fahrer und Beifahrer bilden auch bei der Anfahrt zum Einsatzort ein Team und ergänzen einander. [W932]

Bei größeren Einsatzlagen und mehreren Patienten übernimmt der Notfallsanitäter die **Organisation der Einsatzstelle** und Einsatzlenkung bis zur Übernahme durch einen Organisatorischen Leiter Rettungsdienst (OrgL RD) bzw. Leitenden Notarzt. Neben einer entsprechenden Lagefeststellung legt er vorläufige Behandlungs- und Transportprioritäten fest und stimmt sich dazu eng mit den anderen Fachdiensten wie Polizei und Feuerwehr ab.

Für seinen Patienten hat der Notfallsanitäter alle sinnvollen und angemessenen **Maßnahmen zum Wohlergehen des Patienten** auszuschöpfen. Insbesondere bei kritisch erkrankten oder verletzten Patienten muss der Notfallsanitäter zeitnah und eigenständig die sachkundige Versorgung des Patienten einleiten, inkl. aller lebensrettenden, erweiterten und stabilisierenden Maßnahmen. Dazu kann er unter anderem auf von seinem zuständigen Ärztlichen Leiter Rettungsdienst (ÄLRD) freigegebene Verfahren und Algorithmen zurückgreifen. Er sorgt für die Patientensicherheit während der gesamten Betreuungsdauer.

Der Notfallsanitäter führt genaue und vollständige **Untersuchungen** aller Patienten durch, die hauptsächlich das neurologische, kardiovaskuläre, pulmonale und orthopädische System betreffen. Er beachtet die kürzestmögliche Untersuchungszeit bei lebensbedrohlichen Zustandsbildern. Der Notfallsanitäter analysiert und identifiziert eventuelle Verletzungsmechanismen und sammelt relevante Daten aus der medizinischen Vorgeschichte des Patienten, um eine korrekte Behandlung einleiten zu können. Er bestimmt Art und Ausmaß der Erkrankung und Verletzung und führt die sich daraus ergebenden **Maßnahmen** durch. Er leistet medizinische Hilfe wie Freimachen und Freihalten der Atemwege, Herstellung einer Beatmung, Blutungskontrolle, Schockbehandlung, Schmerztherapie, Schienen von Verletzungen, Diagnostik und Anamnese, Geburtshilfe und Sterbebegleitung. Dazu wendet er invasive und nichtinvasive Verfahren, physikalische und medikamentöse Maßnahmen an. Der Notfallsanitäter behandelt Patienten in allen Altersgruppen und mit jeder notfallmäßig auftretenden Verletzung oder Erkrankung. Er lagert den Patienten sachgerecht auf die Trage, bringt ihn ins Fahrzeug und sichert ihn für die Fahrt ins Krankenhaus.

Falls ein Notarzt mit an die Einsatzstelle entsendet oder vom Notfallsanitäter aufgrund des Patientenzustands nachgefordert wurde, assistiert er dem Notarzt und arbeitet als **Teammitglied** in der Patientenversorgung mit (→ Abb. 1.6). Bei komplexen Einsatzsituationen kann er die Koordination von rettungstechnischen Aufgaben übernehmen und zwischen technischen und medizinischen Teams vermitteln.

Der Notfallsanitäter beachtet bei sämtlichen Maßnahmen die Regeln des Arbeitsschutzes, besonders der **Hygiene,** erkennt Ängste des Patienten und bemüht sich, den Patienten zu beruhigen.

Gegebenenfalls lässt er den Patienten durch die Leitstelle in der Zielklinik **anmelden.** Dazu gehört vorab die Auswahl der richtigen Zielklinik. Er teilt dabei zumindest Alter, Geschlecht, Art, Ausmaß der Erkrankung oder Verletzung sowie den Versorgungszustand des Patienten mit und informiert den Patienten und dessen Angehörige, wenn möglich, vor Transportaufnahme über die Zielklinik.

Der Notfallsanitäter setzt die Betreuung des Patienten auch auf dem Weg ins Krankenhaus fort und achtet auf einen **schonenden Transport** für den Patienten. Ein sensibler und adäquater Umgang mit Patienten gerade auch in psychosozialen Notlagen ist selbstverständlich. Er

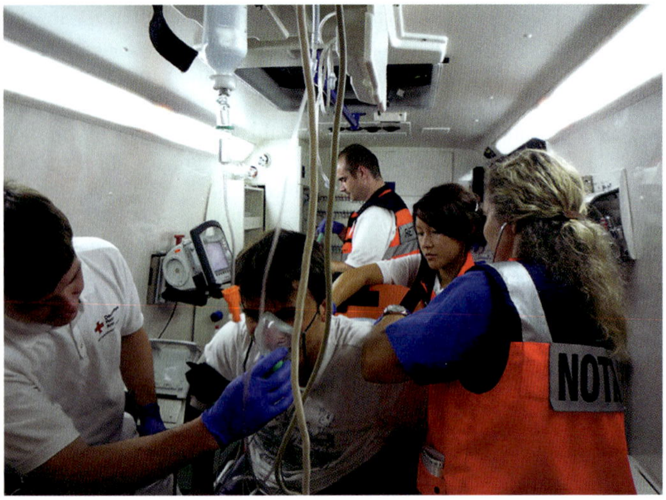

Abb. 1.6 Die interprofessionelle Zusammenarbeit von Notärzten und Rettungsfachpersonal ist entscheidend für den Therapieerfolg bei lebensbedrohlich erkrankten oder verletzten Patienten. [P102]

Abb. 1.7 Achtung: Der Raum um einen Obdachlosen stellt sein Heim dar. [J787]

begleitet den Patienten in die Aufnahme und stellt eine korrekte und effiziente **Übergabe** an das Klinikpersonal sicher. Neben der mündlichen Übergabe übergibt er dem Krankenhausteam ein leserliches **Einsatzprotokoll.** Dieses umfasst:

- Allgemeine Patientendaten
- Datum und Namen des Rettungsteams
- Vorgefundene Situation
- Relevante medizinische Vorgeschichte
- Ermittelte Vitalwerte
- Zum Einsatz gebrachte Versorgungsmaßnahmen einschließlich deren Zeitpunkt
- Verlauf der Situation während des Transports

Bei Sekundärtransporten übernimmt er die Versorgung des Patienten und hilft dem Krankenhausteam dabei, den Patienten transportfähig zu machen.

Nach dem Einsatz erfolgen die üblichen Dokumentationen, Einsatzbesprechungen und Pflegemaßnahmen der Hilfsmittel.

1.1.3 Besondere Aufgaben

Neben den aufgeführten Aufgaben hat ein Notfallsanitäter aber noch weitere **besondere Aufgaben.** In der rettungsdienstlichen Einsatzpraxis ergibt sich neben der Arbeit mit Kranken und Notfallpatienten auch ein primär **sozialer Aufgabenbereich** für Notfallsanitäter. Ähnlich dem Sozialarbeiter, der Menschen betreut, die durch das soziale Netz fallen, wird der Notfallsanitäter zu denen gerufen, die keinen Zugang zu sozialer oder medizinischer Versorgung haben oder nicht in der Lage sind, sich Zugang zu verschaffen. Darunter fallen z. B. Obdachlose, Asylsuchende sowie häufig auch chronisch kranke Patienten mit Alkohol- oder Drogenabhängigkeit (→ Abb. 1.7).

In diesen Fällen ist es Aufgabe des Notfallsanitäters, diese Menschen in Kontakt mit einer weiterbetreuenden Einrichtung zu bringen. Als Möglichkeiten kommen dabei die Verständigung eines Arztes, Information einer sozialen Einrichtung, Weiterleitung an die Polizei oder Transport ins Krankenhaus infrage. Somit wird der Notfallsanitäter manchmal zum **Spiegelbild des Sozialarbeiters im medizinischen Bereich.** Die Herausforderung ist hier häufig die Diskrepanz zwischen der klassischen Erwartung eines modernen und wirtschaftlichen Rettungsdienstes (Leben retten – Geld verdienen) und dem traditionell humanitären Anspruch an das Berufsbild, wo sich die Hilfestellung nach aktuellen Maßstäben zur Abrechnung entsprechend dem Sozialgesetzbuch nicht ergibt, dafür aber viel Zeit und Geduld aufgewendet werden muss.

Da der Rettungsdienst aus Sicht verschiedener Wissenschaften (Medizin, Soziologie, Ökonomie, Psychologie) noch relativ wenig erforscht ist, ergeben sich auch diesbezüglich einige neue Aufgaben für Notfallsanitäter. Die **Mitarbeit an wissenschaftlichen Studien** und Projekten, vor allem im Bereich der Datensammlung, wird dabei künftig einen stärkeren Stellenwert im Aufgabengebiet des Notfallsanitäters einnehmen (→ Kap. 4).

Da sich der Zustand von Patienten im Rettungsdienst trotz bester Versorgung verschlechtern kann, sind die Dokumentation, Analyse und Publikation der Qualität von Abläufen und Prozessen mehr als notwendig. Der Nachweis einer adäquaten Einsatzdokumentation ist nicht nur entsprechend dem **Patientenrechtegesetz (PRG)** erforderlich, sondern ist über die forensischen Pflichten hinaus die Visitenkarte eines jeden Notfallsanitäters. Damit unterstreicht er sein Wissen und Können und legt seine Entscheidungen offen, welche die Qualität seines Berufs zeigen.

1.2 Einsatzbereiche des Notfallsanitäters

Notfallsanitäter können in mehreren Bereichen eingesetzt werden. Tätigkeitsfelder, in denen Notfallsanitäter besonders häufig anzutreffen sind, werden nachfolgend benannt.

1.2.1 Tätigkeit in Notfallrettung und Krankentransport

Die **Kernaufgabe des Notfallsanitäters** erstreckt sich auf die **Notfallrettung** und den **Krankentransport.** Unabhängig davon, ob er seinen Dienst im Auftrag einer Hilfsorganisation, einer privaten Firma oder in kommunaler Anstellung erbringt, werden die meisten Notfallsanitäter auf den Einsatzmitteln Krankentransportwagen (KTW), Rettungswagen (RTW) oder Notarzteinsatzfahrzeug (NEF) arbeiten.

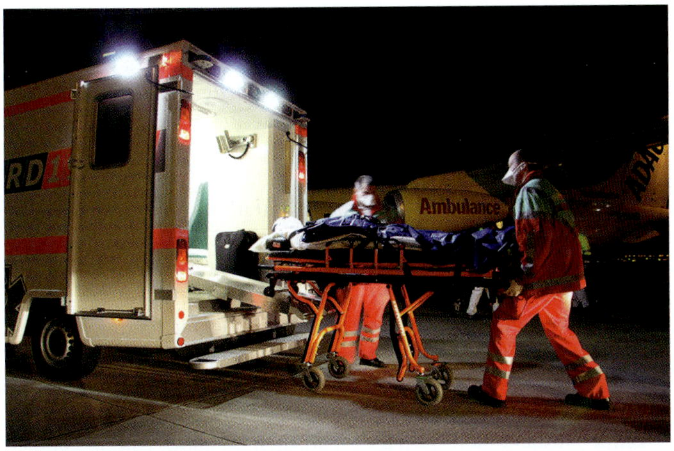

Abb. 1.8 Notfallsanitäter als Teampartner bei Intensivverlegungen und im Patientenrückholdienst [W925]

Abb. 1.9 Notfallsanitäter als Disponent in einer Rettungsleitstelle [W932]

Die **Notfallrettung** hat die Aufgabe, bei von Notfällen Betroffenen Maßnahmen zur Erhaltung des Lebens oder zur Vermeidung gesundheitlicher Schäden einzuleiten, sie transportfähig zu machen und unter fachgerechter Betreuung in eine für die weitere Versorgung geeignete Einrichtung zu befördern. Die Notfallrettung ist in den einzelnen Bundesländern unterschiedlich geregelt. Da die Indikationsstellung vom Notruf ausgeht, können hier aber ebenso Bagatell-Einsätze angetroffen werden wie schwerstkrankte oder -verletzte Patienten. Auch wenn hier die ganze Bandbreite der notfallsanitäterlichen Kompetenz abgerufen werden kann, ist das sicherlich nicht das „Tagesgeschäft". Für viele Patienten ist der Rettungsdienst der einzige Zugang zum Gesundheitswesen in Notlagen, sodass die Einschätzung eines Notfalls von Patienten und Sanitätern sehr unterschiedlich bewertet werden kann.

Im **Krankentransport** wiederum ist neben der fachlichen Qualifikation und Zuwendung auch der Anspruch an den „Service" ein anderer. Transporte über längere Distanzen oder von regelmäßig zu transportierenden Patienten, z. B. zur Dialyse, ermöglichen einen intensiven Austausch und Einblick in die Schicksale und Patientengeschichten.

Die Veränderung der Klinikstrukturen erfordert zunehmend aber auch Verlegungen von intensivpflichtigen Patienten, sodass der Bereich des **Intensivtransports** immer wichtiger wird. Hier tritt die notfallmedizinische Komponente in den Hintergrund, dafür gewinnen (intensiv-) pflegerische Maßnahmen an Bedeutung. Verschiedene Organisationen bieten Leistungen im **Patientenrückholdienst,** z. B. bei Erkrankungen oder Verletzungen im Ausland an. Auch hier kommen Notfallsanitäter zum Einsatz (→ Abb. 1.8).

1.2.2 Tätigkeit in Leitstellen

Nach entsprechender Weiterbildung, bei integrierten Leitstellen meist in Verbindung mit einer feuerwehrtechnischen Ausbildung, können Notfallsanitäter in **Leitstellen** tätig werden (→ Abb. 1.9). Hier besteht die Aufgabe in der Notrufannahme und -abfrage sowie in der Koordination und Disposition der Rettungsmittel. Dazu steht modernste Technik zur Verfügung, welche nicht nur entsprechende Einsatzmittel vorschlagen, sondern die via GPS sichtbaren Fahrzeuge vorschlägt und im Sinne des nächsten geeigneten Rettungsmittels alarmieren lässt. Ständig wechselnde Einsatzlagen erfordern eine dynamische Anpassung der Ressourcen und eine zielgerichtete Koordination. In der Leitstelle laufen alle Fäden der Rettungsdienste und Feuerwehren zusammen. Eine Herausforderung ist die Beurteilung von Notfällen meist nur aufgrund von telefonischen Meldungen. Der **Kommunikation** kommt damit eine wesentliche Bedeutung in der Auswahl des richtigen Rettungsmittels zu. Aber auch die Anleitung zur Ersten Hilfe für Notsuchende über das Telefon ist Merkmal einer modernen Leitstelle. Zur weiteren Aufgabe von Leitstellen kann die Anmeldung von Patienten in den Krankenhäusern gehören, das Beschaffen von Informationen, z. B. von Giftnotrufzentralen, sowie die Abstimmung mit benachbarten Diensten wie kassenärztlichen oder technischen Notdiensten (→ Kap. 50.5.1).

1.2.3 Tätigkeit in der Luftrettung

Im Luftrettungsdienst gehören neben dem Piloten und ggf. Kopiloten der Notarzt sowie ein Notfallsanitäter als **HEMS Crew Member** (HEMS = Helicopter Emergency Medical Services) zur Besatzung. Entsprechend den europäischen Flugbetriebsvorschriften gehört er zur Flightcrew (→ Abb. 1.10). Er unterstützt den Piloten vor dem Start, während dem

Abb. 1.10 Mit einer entsprechenden Weiterbildung können Notfallsanitäter auch Teil der Besatzung eines Rettungs- oder Intensivtransporthubschraubers sein. [W946]

Flug und nach der Landung und ist zuständig für Funk, Navigation, die Absicherung sowie für diverse Notverfahren. An der Einsatzstelle assistiert er dem Notarzt bei der Patientenversorgung. In der Weiterbildung werden entsprechend den gesetzlichen Vorgaben oder den Betreiberanweisungen auch Flugrecht, Meteorologie, Hubschraubertechnik, Flugphysiologie und weitere spezielle Verfahren vermittelt (→ Kap. 52.1.6).

1.2.4 Tätigkeit in der Ausbildung

Notfallsanitäter sind auch als **Praxisanleiter** in der praktischen Anleitung von Auszubildenen dringend erforderlich (→ Kap. 1.4.2). Sie tragen dafür Sorge, dass die Auszubildenden und Praktikanten korrekt eingewiesen werden und neben der schulischen Ausbildung auch die erforderliche praktische Ausbildung erhalten. Dafür ist nicht nur umfangreiches Fachwissen notwendig, sondern auch eine ausgeprägte Sozialkompetenz und natürlich methodisch-didaktische Kompetenz.

Nicht nur auf der Rettungswache, sondern auch in komplexen Einsätzen müssen Auszubildende sicher angeleitet und durch sinnvolle Nachbesprechungen in die Lage versetzt werden, die richtigen Schlüsse aus den gesammelten Erfahrungen ziehen zu können. Dafür wird eine geschickte Moderation und pädagogische Begleitung benötigt.

Vielfach sind Praxisanleiter auch in die regelhafte rettungsdienstliche Fortbildung als Ausbilder eingebunden und haben damit eine gute Möglichkeit, einen eigenen Handlungsspielraum zu eröffnen und maßgeblich zur Kompetenz- und Qualitätsentwicklung der Kolleginnen und Kollegen beizutragen.

1.2.5 Tätigkeit im Qualitätsmanagement

Hohe medizinische Standards, optimaler Ressourceneinsatz, hohe Zufriedenheit bei Patienten und Mitarbeitenden – fast alle Rettungsdienste haben zwischenzeitlich ein Qualitätsmanagement etabliert, das dazu beiträgt, eine kluge und bedarfsgerechte Strategie für den Rettungsdienst zu entwickeln, seine Kernprozesse im Fokus zu halten und das Gesamtsystem Rettungsdienst zu optimieren. Als **Qualitätsmanagementbeauftragte** können entsprechend weitergebildete Notfallsanitäter die Leitung des rettungsdienstlichen Qualitätsmanagements unterstützen. Freude an Entwicklung und Innovationen sowie eine Affinität zu Kennzahlen und einheitlichen Standards sind sicherlich wichtige Grundvoraussetzungen für eine Tätigkeit in diesem Bereich.

1.2.6 Tätigkeit in Leitungsfunktionen

Je nach Größe des Rettungsdienstes sind unterschiedlich viele Personen in **Leitungsfunktionen** tätig und notwendig: Teamleiter, Leitungen von Rettungswachen, Leitungsfunktionen des gesamten Rettungsdienstes usw. können beispielsweise erforderlich sein. Hier liegt der Fokus sicherlich nicht mehr primär in der Patientenversorgung, sondern auf dem Personal und auf den Ressourcen wie z. B. Material, Fahrzeuge und Dienstplangestaltung. Eine hohe Sozialkompetenz, Organisationsgeschick und Fachkompetenz sind für diese Führungsfunktionen sicherlich elementar. Notfallsanitäter sind im Rahmen ihrer Ausbildung eher weniger mit Managementaufgaben vertraut geworden. Für diese Funktionen sind zum Teil jedoch betriebswirtschaftliches Wissen und Management-Skills erforderlich, um entsprechende Personal- und Budgetverantwortung zu übernehmen und administrative Prozesse zu optimieren.

1.2.7 Weitere Einsatzbereiche

Weitere Tätigkeitsbereiche (→ Kap. 2.3.5) oder Funktionen sind z. B.:

- **Beauftragte(r) für die Medizinproduktesicherheit.** Diese Funktion beinhaltet nach der Medizinprodukte-Betreiberverordnung (MPBetreibV) den Kontakt zwischen Behörden, Herstellern und Vertreibern im Zusammenhang mit Meldungen über Risiken von Medizinprodukten und dem Einleiten daraus resultierender Maßnahmen. In vielen Rettungsdiensten ist diese Funktion generell für die medizinischen Geräte zuständig und damit Ansprechpartner für Mitarbeitende und Geschäftsführung.
- **Desinfektoren.** Diese sind für die Erarbeitung, Einhaltung und Überwachung von Hygienekonzepten zuständig. Sie verfügen über eine umfangreiche Zusatzausbildung im Bereich des Infektionsschutzes, nehmen besondere Maßnahmen zur Desinfektion vor und kennen insbesondere auch die rechtlichen Vorgaben zum Infektionsschutz sehr genau. Oftmals werden sie im Rettungsdienst auch als **Hygienebeauftragte** eingesetzt.
- **Organisatorischer Leiter Rettungsdienst (OrgL RD).** Diese Funktion mit organisatorisch-taktischem Einsatzbezug erfordert in aller Regel mehrjährige Berufserfahrung und wiederum eine gesonderte Weiterbildung. Danach steht der OrgL RD bei größeren oder komplexen Einsatzstellen bereit, um die rettungsdienstliche Einsatzkoordination, meist zusammen mit dem Leitenden Notarzt (LNA), zu übernehmen und sich dabei mit Dritten, wie beispielsweise der Feuerwehr oder der Polizei, einsatztaktisch abzustimmen.
- **Tätigkeit in einem Einsatznachsorgeteam.** In dieser besonderen Tätigkeit fungieren Notfallsanitäter als psychosoziale Ansprechpartner für Kollegen in belastenden Situationen oder auch als Co-Moderator in Einsatznachbesprechungen. Hierfür gibt es sowohl verbandsinterne Fortbildungen wie auch international anerkannte Zusatzqualifikationen (→ Kap. 7.3).

Über die genannten Einsatzbereiche hinaus werden Notfallsanitäter von privaten Unternehmen u. a. auch als **Betriebssanitäter** bei Großbaustellen beschäftigt. Die Einsatzgebiete können dabei in schwer erreichbaren und entlegenen Gebieten im Dschungel liegen oder z. B. auch auf Ölplattformen und Bohrinseln mitten im Meer. Neben der Versorgung von anfallenden Notfällen sind Notfallsanitäter hier auch häufig für den allgemeinen Gesundheitsschutz zuständig.

Auch die Tätigkeit in der **Notaufnahme** ist eine denkbare Möglichkeit (→ Kap. 12.3). Bereits in der Vergangenheit sind Rettungsassistenten in Notaufnahmen und Intensivstationen angestellt worden. Aufgrund ihrer noch deutlich umfangreicheren Ausbildung sind Notfallsanitäter sogar noch besser geeignet als die früheren Rettungsassistenten, um in diesen klinischen Bereichen tätig zu werden.

Die Industrie sucht im Bereich der Medizinprodukte schließlich oftmals Praktiker, die im **Vertrieb** oder in der **Beratung** ihre Praxiserfahrung mit einbringen und beispielsweise auch „die Sprache" ihrer Kunden sprechen.

IM FOKUS

Einsatzbereiche für Notfallsanitäter

- **Notfallrettung und Krankentransport:** Originärer Einsatzbereich im Rahmen der Berufsausbildung.
- **Leitstelle:** In der Regel werden hierfür fachliche Weiterbildungen und eine feuerwehrtechnische Grundausbildung benötigt.
- **Luftrettung:** Als HEMS-TC; entsprechende Weiterbildung notwendig.
- **Großbetriebe:** Als Betriebssanitäter; Weiterbildung i. d. R. notwendig

Verhandlungen der neue **§ 2a** ins NotSanG eingeführt, um letztlich Klarheit im Kompetenzgerangel zu schaffen.
Damit steht dem Notfallsanitäter eine begrenzte Erlaubnis zur Ausübung der Heilkunde zu. Auch hier sind mangels Rechtsprechung noch Spielräume, z. B. bei den wesentlichen Folgeschäden, ebenso wo oder wann denn konkret die betroffenen Patientinnen und Patienten an eine Ärztin oder Arzt übergeben werden müssen.
Nach einer **weiteren Änderung des § 2a** ist inzwischen zumindest jedoch klargestellt, dass auch die Gabe von Medikamenten zu den heilkundlichen Maßnahmen zählt.
In der Praxis haben Notfallsanitäter nun **drei Ebenen der Befugnisse:**

1. Die (Vorab-)Delegation durch Ärztliche Verantwortliche im Sinn von 2c-Maßnahmen, deren Anwendungsrahmen und Monitoring zur Supervision definiert sind.
2. Die 1c-Maßnahmen im Rahmen des *§ 2a NotSanG* in der eigenverantwortlichen Durchführung, wobei hier nicht nur die Durchführungsverantwortung, sondern auch die korrekte Indikationsstellung einer strengeren Prüfung unterliegen.
3. Die 1c-Maßnahmen im Rahmen des rechtfertigenden Notstands *(§ 34 StGB)*, welche möglicherweise dann auch bei enger und strenger Indikationsstellung gerechtfertigt sind, sofern die Maßnahmen zwingend sofort erforderlich sind und ärztliche Unterstützung nicht rechtzeitig zur Verfügung steht.

- **§ 4 Abs. 2 Nr. 3 NotSanG** unterstreicht die Wichtigkeit der interprofessionellen Zusammenarbeit indem es konstatiert, dass der Notfallsanitäter befähigt sein soll, mit beteiligten Berufsgruppen und Menschen in allen Phasen des Einsatzes unter Berücksichtigung begleitender Faktoren, egal ob ein Individualnotfall oder eine Großschadenslage vorliegt, patientenorientiert zusammenzuarbeiten.

§ 5 NotSanG regelt die **Dauer und Struktur der Ausbildung** und damit anteilig die Voraussetzungen zum Erlangen der Berufsbezeichnung. Die Ausbildung für Notfallsanitäter dauert demnach in Vollzeitform 3 Jahre, in Teilzeitform höchstens 5 Jahre. Sie besteht aus theoretischem und praktischem Unterricht sowie einer praktischen Ausbildung. Die Ausbildung schließt mit einer staatlichen Prüfung ab; dies ist einer der wichtigsten Unterschiede zur ehemaligen Rettungsassistentenausbildung, die das Examen in der Mitte der Ausbildung vorsah.

Während die praktische Ausbildung an Lehrrettungswachen und an Krankenhäusern durchgeführt wird, findet der theoretische und praktische Unterricht für Notfallsanitäter in staatlich anerkannten Schulen statt.

Neu ist im Vergleich zum früheren Rettungsassistentengesetz auch, dass die Schulen die Gesamtverantwortung für die Organisation des theoretischen und praktischen Unterrichts haben und auch auf die praktische Ausbildung mit einwirken.

§ 6 NotSanG beschreibt die **Anerkennung von Rettungsdienstschulen** und die **Genehmigung von Lehrrettungswachen.**

MERKE

Rettungsdienstschulen und Lehrrettungswachen müssen behördlich genehmigt werden.

An Notfallsanitäterschulen werden sehr konkrete Mindestanforderungen zur Sicherstellung des Ausbildungsziels gestellt. So müssen sowohl die Leitung als auch die Lehrkräfte der Rettungsdienstschulen über ein **abgeschlossenes Hochschulstudium** verfügen. Die Lehrkräfte müssen sowohl fachlich als auch pädagogisch-didaktisch geeignet sein. **§ 6 Abs. 3 NotSanG** verweist darauf, dass die Länder durch entsprechende Rechtsverordnungen die Hochschulart und Studiengänge weiter spezifizieren können. Hier ist die Lage in den Ländern aktuell unterschiedlich. Einige Länder geben vor, dass Lehrkräfte bestimmte Studiengänge, noch dazu auf Masterniveau, absolviert haben müssen. In anderen Ländern reicht ein weitgehend beliebiges Bachelorstudium für die Lehrtätigkeit an Notfallsanitäterschulen aus.

Darüber hinaus müssen die Schulen auch die praktische Ausbildung gemäß der Ausbildungs- und Prüfungsverordnung garantieren und dabei entsprechende Vereinbarungen mit Kliniken und genehmigten Lehrrettungswachen treffen.

§ 7 NotSanG eröffnet die Möglichkeit der **Ausbildung an einer Hochschule im Rahmen von Modellvorhaben.** Damit haben die Bundesländer die Möglichkeit, zur Erprobung und Weiterentwicklung des Berufsbilds im akademischen Bereich die Ausbildung an entsprechenden Hochschulen durchzuführen und damit von der Festlegung der Ausbildungsstätte gemäß **§ 6 NotSanG** abzuweichen. Dieses Vorgehen entspricht dem bei anderen Berufsgruppen. Dabei sind nur geringfügige Änderungen gestattet, um das Ausbildungsziel nicht zu gefährden. Den Ländern obliegt die Entscheidung über Dauer, Ausgestaltung und Ziele. Sie müssen dies durch eine wissenschaftliche Auswertung begleiten.

In **§ 8 NotSanG** sind die **Zugangsvoraussetzungen** geregelt. Hier wurde ausgehend von der Rettungsassistentenausbildung die Zugangsvoraussetzung auf den mittleren Schulabschluss angehoben. Für eine Ausbildung an einer Hochschule gemäß **§ 7 NotSanG** ist eine Hochschulzugangsberechtigung gefordert. Die gesundheitliche Eignung zur Berufsausübung ist in jedem Fall erforderlich.

Die **Anrechnung gleichwertiger Ausbildungen** ist entsprechend **§ 9 NotSanG** möglich und liegt im Ermessen der zuständigen Behörde. Anzurechnende Ausbildungen oder Ausbildungsteile müssen erfolgreich abgeschlossen sein und dürfen das Ausbildungsziel nicht gefährden. Die Prüfung ist in jedem Fall abzulegen.

§ 10 NotSanG regelt die **Fehlzeiten** in der Ausbildung, z. B. durch Urlaub oder Krankheit. Bis zu 10 % des Unterrichts und der praktischen Ausbildung dürfen im Krankheitsfall oder aus anderen unverschuldeten Gründen versäumt werden. Im Rahmen einer Schwangerschaft dürfen die Fehlzeiten eine Gesamtdauer von 14 Wochen nicht übersteigen. In **§ 11 NotSanG** ist eine **Verordnungsermächtigung** beschrieben, welche es z. B. dem Bundesgesundheitsministerium ermöglicht, eine Ausbildungs- und Prüfungsverordnung zu erlassen. Darüber hinaus sollen Durchführung, Fristen und Verfahren einheitlich ablaufen, um ein durchgehend gleiches Prüfungsniveau zu gewährleisten.

Abschnitt 3: Ausbildungsverhältnis

In **§ 12 NotSanG** sind die Mindestanforderungen an den**Ausbildungsvertrag** definiert. In neun Punkten sind unter anderem Inhalte wie Arbeitszeit, Probezeit, Ausbildungsvergütung, Urlaub und Hinweise zur Kündigung aufgeführt. Im Folgenden beschreibt **§ 13 NotSanG** die **Pflichten des Ausbildungsträgers.** Dieser muss die Ausbildung so strukturieren, dass die Ausbildung in der vorgesehenen Zeit abgeschlossen werden kann. Weiter hat dieser entsprechende Unterrichtsmaterialien, Bücher und Apparate, welche zum Erreichen des Ausbildungsziels notwendig sind, dem Auszubildenden zur Verfügung zu stellen. In **§ 13 Abs. 2 NotSanG** wird weiter ausgeführt, dass nur Tätigkeiten auf die Schüler übertragen werden dürfen, wenn diese dem Ausbildungszweck und Ausbildungsstand entsprechen und sie nicht überfordern. Dies gilt auch für die praktische Ausbildung, bei der die Schüler zu dienstplanmäßigen Einsatzdiensten eingesetzt werden können, sofern sich der Ausbildungsträger von der Eignung überzeugt hat. Die **Pflichten der Schüler** sind wiederum in **§ 14 NotSanG** geregelt.

MERKE

Schüler müssen sich bemühen, die erforderlichen Kompetenzen und Ziele zu erreichen und dazu an der Ausbildung teilnehmen. Sie müssen ihnen übertragene Aufgaben sorgfältig ausführen und die Schweigepflicht einhalten sowie Betriebsgeheimnisse wahren.

In **§ 15 NotSanG** ist eine angemessene **Ausbildungsvergütung** definiert, was im Hinblick auf die Rettungsassistentenausbildung eine zentrale Forderung war. Eine viermonatige **Probezeit** ist in **§ 16 NotSanG** beschrieben. Das **Ausbildungsverhältnis endet** entsprechend **§ 17 NotSanG** mit Ablauf der Ausbildungszeit. Auf Antrag kann bei Nichtbestehen oder unverschuldetem Nichtantreten zur Prüfung das Ausbildungsverhältnis um bis zu 1 Jahr verlängert werden. Während der Probezeit ist eine **Kündigung** fristlos möglich **(§ 18 NotSanG),** danach nur unter besonderen Umständen, ansonsten gilt eine Kündigungsfrist von 4 Wochen.

§ 19 NotSanG ist eine Schutzvorschrift bei **Beschäftigung im Anschluss an das Ausbildungsverhältnis** und erklärt, dass das Dienstverhältnis als verlängert gilt, wenn Schüler im Anschluss an die Ausbildung ohne Vereinbarung weiterbeschäftigt werden.

Unter **§ 20 NotSanG** zur **Nichtigkeit von Vereinbarungen** wird darauf verwiesen, dass eine Schlechterstellung von Schülern durch weitere Vereinbarungen ebenso nichtig ist wie Vereinbarungen, welche nach der Ausbildung Schüler in ihrer Berufsausübung einschränken. Darunter fallen auch Forderungen nach Schulgeld, Vertragsstrafen u. Ä. **§ 21 NotSanG** verweist darauf, dass der **Abschnitt 3 (§§ 12–21)** nicht auf Teilnehmer von Modellstudiengängen entsprechend **§ 7 NotSanG** oder Teilnehmer im Beamtenverhältnis zutrifft.

Abschnitt 4: Erbringen von Dienstleistungen

§§ 22–26 NotSanG regeln die Ausübung des Berufs bzw. der „Dienstleistung" für Staatsangehörige eines Vertragsstaats des Europäischen Wirtschaftsraums. Dies umfasst auch die Meldung und Beantragung bei der zuständigen Behörde. Sie kann die vorliegende Qualifikation prüfen und ggf. entsprechende Ausgleichmaßnahmen und Eignungsprüfungen auferlegen. Die rechtmäßige Ausübung des Berufs wird bescheinigt. Bei etwaigen Pflichtverstößen oder Sanktionen haben sich die entsprechenden Behörden auf Antrag auch länderübergreifend zu unterrichten.

Abschnitt 5: Zuständigkeiten

Der **§ 27 NotSanG** regelt die **Aufgaben der jeweils zuständigen Behörden,** wie z. B. bei Anrechnung gleichwertiger Ausbildungen oder beim Erteilen der Erlaubnis zum Führen der Berufsbezeichnung.

Abschnitt 6: Bußgeldvorschriften

§ 28 NotSanG führt die **Bußgeldvorschriften** aus und regelt die missbräuchliche Verwendung der Berufsbezeichnungen „Notfallsanitäter" und „Rettungsassistent".

Abschnitt 7: Anwendungs- und Übergangsvorschriften

§ 29 NotSanG stellt klar, dass das Berufsbildungsgesetz keine Anwendung findet. **§ 30 NotSanG** bestimmt, dass Rettungsassistenten, welche die Erlaubnis nach **RettAssG** haben, die Berufsbezeichnung weiterhin führen dürfen. **§ 31 NotSanG** gestattet anerkannten Rettungsassistentenschulen auch weiterhin als staatlich anerkannt auszubilden. Die Voraussetzungen nach **§ 6 NotSanG** sind jedoch zu berücksichtigen. Für Lehrkräfte ist in gewissem Rahmen eine Besitzstandswahrung formuliert, darüber hinaus gelten entsprechende Übergangsfristen.

Kern von **§ 32 NotSanG Übergangsvorschriften** sind Regelungen zu Anpassungsmaßnahmen, um die Berufsbezeichnung „Notfallsanitäter" zu erlangen.

MERKE

Es ist nicht möglich, die Berufsbezeichnung „Notfallsanitäter" ohne eine vorherige Prüfung zu führen. Dies dient dem Schutz der Patienten und ist im Interesse von Qualität und Stellenwert des neuen Berufsbilds.

Rettungsassistenten mit mindestens 5-jähriger Berufserfahrung konnten innerhalb von 7 Jahren nach Inkrafttreten des Gesetzes nach erfolgreicher Ergänzungsprüfung die Berufsbezeichnung Notfallsanitäter führen. Eine weitere Ausbildung, um sich auf die Ergänzungsprüfung vorzubereiten, war für diesen Personenkreis nicht zwingend vorgeschrieben, wurde in den meisten Bundesländern jedoch empfohlen. Üblich war ein 80-stündiger Lehrgang. An einzelnen Rettungsdienstschulen gab es hier allerdings auch abweichende Varianten.

Zehn Jahre nach Inkrafttreten des Notfallsanitätergesetzes (NotSanG) – also 2024 – endete die Übergangsvorschrift nach § 32, sodass diese Möglichkeit zur Weiterqualifizierung nicht mehr besteht.

IM FOKUS

Notfallsanitätergesetz

- Das Gesetz über den Beruf der Notfallsanitäterin und des Notfallsanitäters (Notfallsanitätergesetz – **NotSanG**) gliedert sich in **sieben Abschnitte.**
- Das Gesetz regelt z. B. die Ziele und die Ausgestaltung der **Ausbildung,** die **Zuständigkeiten,** die **Erlaubnis** zur Führung der Berufsbezeichnung und den sog. **Verordnungsgeber.** Verordnungen auf Landesebene können weitere Details regeln, beispielsweise die formelle Qualifizierung von Lehrkräften, die an Notfallsanitäterschulen unterrichten.

1.4.2 Ausbildungs- und Prüfungsverordnung

Die **Ausbildungs- und Prüfungsverordnung für Notfallsanitäterinnen und Notfallsanitäter (NotSan-APrV)** regelt die Mindestansprüche an die Ausbildung und Ergänzungsprüfung entsprechend **§ 32 Abs. 2 NotSanG,** deren Abläufe, Inhalte sowie Zeugnisse und Urkunden. Die NotSan-APrV gliedert sich in **sechs Abschnitte** sowie entsprechende Anlagen:

- Abschnitt 1: Ausbildung und allgemeine Prüfungsbestimmungen
- Abschnitt 2: Bestimmungen für die staatliche Prüfung
- Abschnitt 3: Prüfungsbestimmungen für die staatliche Ergänzungsprüfung
- Abschnitt 4: Anpassungsmaßnahmen
- Abschnitt 5: Erlaubniserteilung
- Abschnitt 6: Übergangs- und Schlussvorschriften

Abschnitt 1: Ausbildung und allgemeine Prüfungsbestimmungen

§ 1 NotSan-APrV beschreibt grundlegend die **Gliederung der Ausbildung** sowie der **Ergänzungsprüfungen.** Im ersten Absatz den Unterricht an den Rettungsdienstschulen mit einem Umfang von 1 920 Stunden, die praktische Ausbildung auf der Lehrrettungswache

(1960 Stunden) und die klinische Ausbildung in Krankenhäusern (720 Stunden). Details dazu sind in Anlage 1 aufgeführt.

Der zweite Absatz beschreibt eine **Möglichkeit** zur Struktur der Ausbildung. Dabei wird vorgeschlagen, im ersten halben Jahr eine Mindestqualifikation für den Einsatz im Rettungsdienst zu ermöglichen, um entsprechende Grundkenntnisse zu erlangen, gefolgt von einer Qualifikation, um im zweiten Halbjahr die Durchführung und Organisation von Krankentransporten und eine erste Einführung in der Notfallrettung zu ermöglichen (→ Kap. 2.3.4).

Der dritte Absatz bezieht sich auf die Ergänzungsprüfung entsprechend **§ 32 Abs. 2 NotSanG.** In Abhängigkeit von der Berufserfahrung sieht der Gesetzgeber weitere Schulungen bzw. Ausbildungsteile vor, um die Diskrepanz zwischen der Ausbildung zum Rettungsassistenten und zum Notfallsanitäter zu schließen und um auf die Ergänzungsprüfung vorzubereiten. Die ergänzende Ausbildung besteht zu zwei Dritteln aus theoretischem und praktischem Unterricht sowie zu einem Drittel aus praktischer Ausbildung.

MERKE

Die regelmäßige und erfolgreiche Teilnahme an Ausbildungsveranstaltungen ist durch eine Ergänzungsprüfung nachzuweisen.

§ 2 NotSan-APrV konkretisiert die Ziele des **theoretischen und praktischen Unterrichts** sowie der **praktischen Ausbildung.** Der Unterricht soll die Schüler befähigen, auf Basis fachlichen Wissens und Könnens sowie auf der Grundlage des *allgemein anerkannten Standes rettungsdienstlicher, medizinischer und weiterer bezugswissenschaftlicher Erkenntnisse die anfallenden Aufgaben zielorientiert, sachgerecht, methodengeleitet und selbstständig zu lösen* sowie das Ergebnis zu reflektieren. Neben Fertigkeiten, welche zum Erreichen der Kompetenzen entsprechend **§ 4 NotSanG** erforderlich sind, sollen jedoch auch die persönlichen und sozialen Kompetenzen gefördert werden.

In der praktischen Ausbildung auf den Lehrrettungswachen sollen die im Unterricht erworbenen Kenntnisse angewendet und vertieft werden, um wiederum eine Handlungssicherheit und Kompetenz entsprechend **§ 4 NotSanG** zu erlangen.

§ 3 NotSan-APrV beschreibt die **Praxisanleitung** der Schüler. Um die praktische Ausbildung sicherzustellen, müssen entsprechend geeignete Personen damit beauftragt werden. Für die Anleitung auf den Lehrrettungswachen ist es erforderlich:

- die Berufsbezeichnung Notfallsanitäter zu besitzen und mindestens 2 Jahre Berufserfahrung als Notfallsanitäter zu haben.
- eine berufspädagogische Qualifikation von mindestens 300 Stunden absolviert zu haben, wovon in den ersten 5 Jahren nach Inkrafttreten des Gesetzes Ausnahmen möglich waren.

Damit entspricht die Qualifikation der in der Krankenpflege. In den Ausbildungsabschnitten des Krankenhauses muss die Anleitung durch einen entsprechenden Praxisanleiter der Krankenpflege wahrgenommen werden, bei ärztlichen Tätigkeiten entsprechend durch einen Arzt.

Praxisanleiter haben die Aufgabe, es den Schülern zu ermöglichen, die im Unterricht erworbenen Kenntnisse in der Praxis zu vertiefen und entsprechend anwenden zu lernen. Dazu ist ein angemessenes Verhältnis von Schülern zu Praxisanleitern sicherzustellen. Die korrekte Praxisanleitung muss die Schule im Rahmen ihrer Gesamtverantwortung sicherstellen und dabei auch entsprechende Fachkräfte vor Ort entsenden, um sich davon zu überzeugen und die praxisanleitenden Personen zu beraten.

Die **staatliche Prüfung und Ergänzungsprüfung** sind in **§ 4 NotSan-APrV** geregelt. Die staatliche Prüfung beinhaltet je einen schriftlichen, mündlichen und praktischen Teil. Die staatliche Ergänzungsprüfung umfasst einen mündlichen und praktischen Teil. Ergänzungsprüfungen finden an der Schule statt, an welcher die Ausbildung absolviert wurde. Hat der Schüler an keiner weiteren Ausbildung teilgenommen, so bestimmt die zuständige Behörde die Schule an der die Prüfung abzulegen ist.

Der **Prüfungsausschuss** ist in **§ 5 NotSan-APrV** definiert und setzt sich an der Schule für alle Prüfungen aus einem Vertreter der zuständigen Behörde (Vorsitzender des Prüfungsausschusses), dem Schulleiter, Fachprüfern, welche an der Schule unterrichten, davon mindestens zwei Lehrkräften und mindestens einem Arzt mit der Zusatzbezeichnung Notfallmedizin oder vergleichbar zusammen sowie Fachprüfern, welche als Praxisanleiter tätig sind. Die zuständige Behörde bestellt die entsprechenden Prüfer und Stellvertreter.

MERKE

Der Vorsitzende des Prüfungsausschusses ist **anteilig** zur Anwesenheit bei jeder Prüfung verpflichtet.

In **§ 6 NotSan-APrV** sind die **Zulassung zur Prüfung** geregelt, die Fristen und Bekanntmachungen der Prüfungstermine sowie die vorzulegenden Nachweise. **§ 7 NotSan-APrV** verfügt, dass über die Prüfung, ihren Gegenstand, ihren Ablauf, ihre Ergebnisse, aber auch über Unregelmäßigkeiten eine **Niederschrift** anzufertigen ist. In **§ 8 NotSan-APrV** ist die **Benotung der staatlichen Prüfung** ausgeführt, während **§ 9 NotSan-APrV** das **Bestehen** und die **Wiederholung der staatlichen Prüfung** regelt. Zum Bestehen sind alle Prüfungsteile erfolgreich zu absolvieren: *„Jede Aufsichtsarbeit der schriftlichen Prüfung, die mündliche Prüfung und jedes Fallbeispiel der praktischen Prüfung können einmal wiederholt werden, wenn der Prüfling die Note ‚mangelhaft' oder ‚ungenügend' erhalten hat."* Wenn mehrere Prüfungen wiederholt werden müssen, können weitere Ausbildungsmaßnahmen auferlegt werden.

Ausführungen zum **Bestehen** und zur **Wiederholung der staatlichen Ergänzungsprüfung** finden sich in **§ 10 NotSan-APrV.** Ein **Rücktritt** von einer bereits zugelassenen Prüfung erfordert eine schriftliche Begründung. Wird der Rücktritt genehmigt, gilt die Prüfung als nicht angetreten, im anderen Fall gemäß **§ 11 NotSan-APrV** als nicht bestanden. Dies gilt auch für versäumte Prüfungstermine oder Abgaben der Aufsichtsarbeiten sowie Unterbrechungen der Prüfungen entsprechend **§ 12 NotSan-APrV.**

§ 13 NotSan-APrV regelt die Ordnungsverstöße und Täuschungsversuche, **§ 14 NotSan-APrV** die Einsicht in die Prüfungsunterlagen sowie deren Aufbewahrung.

Abschnitt 2: Bestimmungen für die staatliche Prüfung

§ 15 NotSan-APrV regelt die **schriftliche Prüfung** und erstreckt sich auf folgende Themengebiete der Anlage 1 zu **§ 1 Abs. 1 Nr. 1 NotSan-APrV:**

1. *Rettungsdienstliche Maßnahmen und Maßnahmen der Gefahrenabwehr auswählen, durchführen und auswerten; Abläufe im Rettungsdienst strukturieren und Maßnahmen in Algorithmen und Einsatzkonzepte integrieren und anwenden,*
2. *bei der medizinischen Diagnostik und Therapie mitwirken, lebenserhaltende Maßnahmen und Maßnahmen zur Abwendung schwerer gesundheitlicher Schäden bis zum Eintreffen der Notärztin oder des Notarztes oder dem Beginn einer weiteren ärztlichen Versorgung durchführen,*

3. *das Handeln im Rettungsdienst an Qualitätskriterien ausrichten, die an rechtlichen, wirtschaftlichen und ökologischen Rahmenbedingungen orientiert sind; auf die Entwicklung des Notfallsanitäterberufs im gesellschaftlichen Kontext Einfluss nehmen.*

An 3 Tagen werden die drei Themenbereiche abgearbeitet, wozu 120 Min. zur Verfügung stehen. Es müssen alle drei Bereiche mit mindestens „ausreichend" bestanden werden.

§ 16 NotSan-APrV definiert die **mündliche Prüfung,** in der der Prüfling in 30–45 Min. seine Handlungskompetenz beweisen muss. Dabei sind die Themen (entsprechend Anlage 1) Notfallsituationen und Gefahrensituationen, Kommunikation, Interaktion und Teamarbeit sowie Diagnostik und Therapie und lebensrettende, gesundheitserhaltende Maßnahmen bis zur Übernahme durch einen Arzt darzulegen.

Im **praktischen Teil der Prüfung, § 17 NotSan-APrV,** müssen die Kompetenzen gemäß **§ 4 NotSanG** demonstriert werden. In vier Fallbeispielen sind komplette Szenarien von der Ersteinschätzung der Gesamtsituation bis zur Übergabe des Patienten, einschließlich der Dokumentation und dem Herstellen der Einsatzbereitschaft zu prüfen. Die Szenarien müssen aus dem Bereich internistischer und traumatologischer Notfälle sowie Herz-Kreislauf-Stillstand mit Reanimation stammen. Dabei ist auch die Auswahl der Klinik, die Zusammenarbeit mit der Leitstelle und Anmeldung sowie die Übergabe zu demonstrieren. In einem nachfolgenden Fachgespräch hat der Prüfling seine Maßnahmen zu erläutern und die Prüfung zu reflektieren. Die Prüfung dauert 20–40 Min. pro Fallbeispiel (→ Abb. 1.14).

Abschnitt 3: Prüfungsbestimmungen für die staatliche Ergänzungsprüfung

§ 18 NotSan-APrV definiert die **mündliche Ergänzungsprüfung,** in der der Prüfling in 30–40 Min. seine Handlungskompetenz beweisen muss. Dabei sind die Themen (entsprechend Anlage 1) Kommunikation und Interaktion, rettungsdienstliches Handeln nach Qualitätskriterien bei entsprechenden rechtlichen, wirtschaftlichen und ökologischen Rahmenbedingungen sowie Diagnostik und Therapie und lebensrettende, gesundheitserhaltende Maßnahmen bis zur Übernahme durch einen Arzt darzulegen.

Im **praktischen Teil der Ergänzungsprüfung, § 19 NotSan-APrV,** müssen an einem internistischen und einem traumatologischen Fallbeispiel alle anfallenden Maßnahmen und Aufgaben demonstriert werden. In einem folgenden Fachgespräch hat der Prüfling seine Maßnahmen zu erläutern und die Prüfung zu reflektieren. Die Prüfung dauert 20–40 Min.

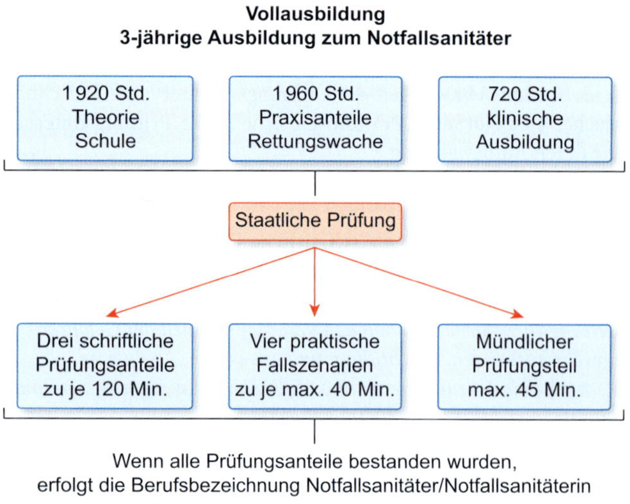

Abb. 1.14 Gesamtablauf der Notfallsanitäterausbildung [M842/L231]

Abschnitt 4: Anpassungsmaßnahmen

§§ 20–23 NotSan-APrV enthalten **Sonderregelungen** für Inhaber von Ausbildungsnachweisen aus einem anderen Mitgliedsstaat der Europäischen Union oder einem anderen Vertragsstaat des Abkommens über den Europäischen Wirtschaftsraum sowie deren Anpassungsmaßnahmen, Anerkennungsregelungen und weitere Bestimmungen.

Abschnitt 5: Erlaubniserteilung

Ist die Erlaubnis zum Führen der Berufsbezeichnung Notfallsanitäter erteilt, wird entsprechend **§ 24 NotSan-APrV** eine **Urkunde** ausgestellt.

Abschnitt 6: Übergangs- und Schlussvorschriften

§ 25 NotSan-APrV besagt als **Übergangsvorschrift,** dass eine vor 2015 begonnene Rettungsassistentenausbildung nach bestehendem Gesetz abgeschlossen wird. **§ 26 NotSan-APrV** erklärt, dass mit dem Inkrafttreten der **NotSan-APrV** die Ausbildungs- und Prüfungsverordnung für Rettungsassistentinnen und Rettungsassistenten am 31.12.2014 erlischt.

Anlagen

Folgende Anlagen liegen der Prüfungsordnung bei:

- Anlage 1 (zu **§ 1 Abs. 1 Nr. 1**) – Theoretischer und praktischer Unterricht
- Anlage 2 (zu **§ 1 Abs. 1 Nr. 2**) – Praktische Ausbildung in genehmigten Lehrrettungswachen
- Anlage 3 (zu **§ 1 Abs. 1 Nr. 3**) – Praktische Ausbildung in geeigneten Krankenhäusern (→ Tab. 2.3)
- Anlage 4 (zu **§ 1 Abs. 3**) – Weitere Ausbildung nach **§ 32 Abs. 2 Satz 2 NotSanG**
- Anlage 5 (zu **§ 1 Abs. 4**) – Bescheinigung über die Teilnahme an Ausbildungsveranstaltungen
- Anlage 6 (zu **§ 9 Abs. 2 Satz 1**) – Zeugnis über die staatliche Prüfung
- Anlage 7 (zu **§ 10 Satz 2**) – Zeugnis über die staatliche Ergänzungsprüfung
- Anlage 8 (zu **§ 21 Abs. 2**) – Bescheinigung über die Teilnahme am Anpassungslehrgang
- Anlage 9 (zu **§ 21 Abs. 3**) – Bescheinigung über die staatliche Eignungsprüfung
- Anlage 10 (zu **§ 22 Abs. 2**) – Bescheinigung über die Teilnahme am Anpassungslehrgang
- Anlage 11 (zu **§ 22 Abs. 7**) – Bescheinigung über die staatliche Kenntnisprüfung
- Anlage 12 (zu **§ 24**) – Urkunde über die Erlaubnis zum Führen der Berufsbezeichnung

IM FOKUS

Ausbildungs- und Prüfungsversordnung

- Verordnungen können vom sog. **Verordnungsgeber** erlassen werden.
- Die Ausbildungs- und Prüfungsverordnung für Notfallsanitäterinnen und Notfallsanitäter **(NotSan-APrV)** regelt die **Mindestansprüche** an die Ausbildung und Ergänzungsprüfung:
  - U. a. konkrete Ausbildungsinhalte, Praxisanleitung und -begleitung, die inhaltliche Ausgestaltung an den einzelnen Ausbildungsorten.
  - Auch die Art der Zeugnisgebung wird hier präzisiert.

WIEDERHOLUNGSFRAGEN

1. Wie häufig arbeiten Notfallsanitäter ohne Unterstützung des Notarztes (→ Kap. 1.1)?
2. Was sind die wesentlichen Aufgaben von Notfallsanitätern (→ Kap. 1.1)?
3. Beschreiben Sie die verschiedenen Einsatzbereiche von Notfallsanitätern (→ Kap. 1.2).
4. Erläutern Sie die Arbeitsbedingungen im Rettungsdienst (→ Kap. 1.3).
5. Mit welchen Chancen und welchen Risiken ist eine Tätigkeit im Rettungsdienst verbunden (→ Kap. 1.3)?
6. Um was für ein Gesetz handelt es sich beim NotSanG (→ Kap. 1.4)?
7. Warum ist im NotSanG zwar die Berufsausbildung, nicht aber die Berufsausübung geregelt (→ Kap. 1.4)?
8. Was beschreibt § 4 NotSanG (→ Kap. 1.4.1)?
9. Wie können sich Rettungsassistenten zum Notfallsanitäter weiterqualifizieren (→ Kap. 1.4.1)?
10. Wie viele Stunden umfasst der Unterricht von Notfallsanitätern an Rettungsdienstschulen (→ Kap. 1.4.2)?
11. Wie viele Stunden umfasst die klinische Ausbildung von Notfallsanitätern (→ Kap. 1.4.2)?
12. Wie viele Stunden umfasst die praktische Ausbildung von Notfallsanitätern auf einer Rettungswache (→ Kap. 1.4.2)?

FORTSETZUNG DES SZENARIOS

Die drei jungen Leute tauschen sich untereinander aus. Ihnen wird klar, dass die dreijährige Ausbildung zum Notfallsanitäter auf einer eigenen gesetzlichen Grundlage erfolgt, nämlich dem Notfallsanitätergesetz sowie der entsprechenden Ausbildungs- und Prüfungsordnung. Besonders bemerkenswert findet die junge Rettungssanitäterin, dass ein Notfallsanitäter über Kompetenzen und Befugnisse verfügt, die auch eigenverantwortlich zum Wohle von Notfallpatienten zur Anwendung gebracht werden können; auch und gerade, wenn kein Arzt an der Einsatzstelle verfügbar ist.
Im Vergleich zur Rettungssanitäterausbildung der jungen Frau ist die Notfallsanitäterausbildung eine dreijährige Ausbildung. Auch gibt es ein klares Ausbildungsziel. Am besten finden die beiden anderen jedoch, dass es für Auszubildende zum Notfallsanitäter eine Ausbildungsvergütung gibt.
Alle drei sind sich einig, dass der neu geschaffene Beruf des Notfallsanitäters ein sehr abwechslungsreicher und verantwortungsvoller Beruf ist, der hohe Anforderungen an die Berufsangehörigen stellt. Insbesondere die physischen und psychischen Belastungen, die Unvorhersehbarkeit, was als Nächstes für ein Einsatz kommen kann und auch die teilweise langen Phasen des Wartens und Nichtstuns sind einzigartig für einen Beruf im Gesundheitswesen und erfordern eine besondere Berufsmotivation und ein hohes Maß an fachlicher, sozialer, personaler und methodischer Kompetenz. Interessant sind die vielfältigen Fort- und Weiterbildungsmöglichkeiten. Hier verfolgen die drei jungen Leute schon jetzt unterschiedliche Ideen. Die beiden Frauen könnten sich langfristig vorstellen, auch selbst an einer Notfallsanitäterschule zu unterrichten. Der junge Mann strebt eher eine Tätigkeit als Leiter einer Rettungswache an. Erst einmal gilt es nun aber, sich um einen Ausbildungsplatz als Notfallsanitäter zu bewerben!

WEITERFÜHRENDE LITERATUR

Ausbildungs- und Prüfungsverordnung für Notfallsanitäterinnen und Notfallsanitäter (NotSan-APrV). www.gesetze-im-internet.de/notsan-aprv (letzter Zugriff: 16.6.2023).
Gesetz über den Beruf der Notfallsanitäterin und des Notfallsanitäters (Notfallsanitätergesetz – NotSanG). www.gesetze-im-internet.de/notsang (letzter Zugriff: 16.6.2023).
Kommentar und Erläuterung zur NotSan-APrV, Bundesrat BR-Drucksache 728/13.
Kommentar und Erläuterung zum NotSanG.

2

BERUFSBILDUNG

Achim Thamm, Klaus Runggaldier, Harald Karutz

INHALTSÜBERSICHT

2.1 BERUFSBILDUNG IN DEUTSCHLAND

- Die Berufsbildung umfasst die Aus-, Fort- und Weiterbildung sowie die berufliche Umschulung.
- Die zwei wesentlichen Arten der Berufsausbildung sind die vollschulische und die duale Berufsausbildung.

2.2 BERUFSBILDUNG DER GESUNDHEITSFACHBERUFE

- Die Berufsausbildung der meisten Gesundheitsfachberufe erfolgt nicht nach dem dualen System und dem Berufsbildungsgesetz, sondern aufgrund eigener Berufszulassungsgesetze.

2.3 BERUFSBILDUNG IM RETTUNGSDIENST

- Im Rettungsdienst gibt es mit dem Rettungshelfer, dem Rettungssanitäter, dem Rettungsassistenten und dem Notfallsanitäter aktuell vier Ausbildungsstufen.
- Nur bei den Ausbildungen zum Rettungsassistenten und zum Notfallsanitäter handelt es sich um anerkannte Ausbildungsberufe bzw. um eine Berufsausbildung.

2.4 EUROPÄISCHER UND DEUTSCHER QUALIFIKATIONSRAHMEN

- Ziel des Europäischen und Deutschen Qualifikationsrahmens (EQR und DQR) ist die Verständigung auf einen allgemeinen bildungsübergreifenden Referenzrahmen auf europäischer und deutscher Ebene.
- Der Rettungsassistent ist nach dem DQR auf dem Niveau „3" und der Notfallsanitäter auf dem Niveau „4" einzustufen.

2.1 Berufsbildung in Deutschland

Berufliche Bildung soll den Leistungsstand beruflicher Tätigkeit für die Gegenwart und die Zukunft sichern und ständig verbessern. Das Fundament für die Qualifikation und Tüchtigkeit eines jeden Berufsstands ist eine fundierte und solide Berufsbildung, die mit größtmöglicher Sorgfalt und Gründlichkeit durchgeführt werden muss.

Dabei soll nicht nur die rein **fachliche Leistungsfähigkeit** gesteigert werden. Insbesondere geht es auch darum,

- geistige und seelische Anlagen von Auszubildenden zu entfalten,
- zur Übernahme von sozialer und politischer Verantwortung zu motivieren und
- Hilfestellungen für ein sittliches und moralisches Handeln anzubieten.

Das entsprechende **Berufsbildungssystem** umfasst neben Qualifizierungsmaßnahmen zum Erreichen eines beruflichen Erstabschlusses in verschiedenen Stufen mit formalen Berechtigungen auch die gehobene Berufsbildung (berufliche Weiter- und Fortbildung, berufliche Umschulung).

Ziel und Zweck von **Berufsausbildungen** sind in der Bundesrepublik Deutschland insbesondere im **Berufsbildungsgesetz (BBiG)** festgehalten. Nach **§§ 1 und 2** sind in einer Berufsausbildung eine breit angelegte berufliche Grundbildung und die für die Ausübung einer qualifizierten beruflichen Tätigkeit notwendigen fachlichen Fertigkeiten und Kenntnisse in einem geordneten Ausbildungsgang zu vermitteln. Sie hat ferner den Erwerb der erforderlichen Berufserfahrungen zu ermöglichen. Mindestqualitätsmaßstäbe für die Eignung der Ausbilder und der Ausbildungsstätten, Rechte und Pflichten der Auszubildenden (Lehrling) und der Ausbildenden (Lehrherr) werden ebenfalls festgelegt.

Das übergreifende Ziel von Berufsausbildungen besteht darin, durch eine breite Grundlagenqualifikation die langfristigen beruflichen Chancen der Betroffenen zu verbessern und sicherzustellen. Eine zu frühe Spezialisierung, die in eine berufliche Sackgasse führen könnte, soll vermieden werden. Im Wesentlichen können zwei **Arten der Berufsausbildung** unterschieden werden:

- Die **vollschulische Berufsausbildung** führt die Schüler zu einem Abschluss in einem staatlich anerkannten Ausbildungsberuf, ohne dabei die betriebliche Ausbildung einzuschalten, und findet zumeist an einer Berufsfachschule statt. Die Regelausbildung zum Rettungsassistenten war zumindest im ersten Ausbildungsjahr beispielsweise eine solche vollschulische Berufsausbildung.
- Die **duale Berufsausbildung** bezeichnet eine parallele Ausbildung von praktischer Ausbildung in einem Betrieb und theoretischer Ausbildung in einer Berufsfachschule bzw. im tertiären Bildungsbereich an einer Hochschule (Berufsakademie). Die Lehrlingsausbildung in den Betrieben wird von den Betrieben selbst finanziert, die Kosten für die berufsbildenden Schulen werden überwiegend aus öffentlichen Mitteln bezahlt.

Auszubildende, die sich einer Berufsausbildung nach dem BBiG unterziehen, haben dabei Anspruch auf eine **Ausbildungsvergütung.** Personen, die nicht nach dem BBiG ausgebildet werden bzw. deren Berufsausbildung vollschulisch vollzogen wird, sind ihrem Status nach Schüler und haben i. d. R. somit keinen Anspruch auf eine Ausbildungsvergütung.

MERKE

Mit dem Abschluss einer Berufsausbildung ist die berufliche Bildung keineswegs abgeschlossen. Um den vielfältigen Anforderungen der Arbeits- und Berufswelt zu genügen, reicht die klassische Berufsausbildung allein in der heutigen Zeit immer weniger aus!

Die beschleunigten technischen Entwicklungen führen vielmehr in immer kürzeren Abständen zu Änderungen der Anforderungen und somit zur Notwendigkeit, die berufliche Qualifikation zu aktualisieren. Gerade im Bereich der Gesundheitsfachberufe kann eine mangelnde Lernbereitschaft der Erwerbstätigen rasch eine Gefährdung von Patienten bedeuten. Arbeiten und Lernen gehören deshalb immer mehr zusammen (→ Kap. 3).

In diesem Zusammenhang steht **berufliche Weiterbildung** im Fokus einer weiteren Qualifikation: Aufbauend auf einer vorhandenen Ausbildung werden ältere Wissensbestände gefestigt oder durch neue ergänzt. Berufliche Weiterbildung stellt in Betrieben auch die Qualifikation spezialisierter Arbeitskräfte (z. B. als Praxisanleiter im Rettungsdienst) sicher.

Demgegenüber zielt **berufliche Fortbildung** auf die Erhaltung der zur Berufsausübung erforderlichen Kenntnisse sowie die Anpassung der beruflichen Qualifikation an neue technische und berufliche Entwicklungen ab (z. B. Reanimations- und Traumatraining).

Als **berufliche Umschulung** werden schließlich alle Maßnahmen bezeichnet, die den Wechsel von einer beruflichen Tätigkeit in eine andere ermöglichen, z. B. vom Notfallsanitäter zum Elektriker.

IM FOKUS

Grundbegriffe der Berufsbildung

- Das Berufsbildungssystem umfasst **Aus-, Fort- und Weiterbildung:**
  - Ausbildung: Erlernen eines Berufs
  - Fortbildung: Erhalten der Qualifikation und Anpassung an Neuerungen
  - Weiterbildung: Vorbereitung auf zusätzliche Aufgaben
- Als **Umschulungen** werden Maßnahmen bezeichnet, die den Wechsel von einem Beruf in einen anderen ermöglichen.
- **Berufsbildungsgesetz** (BBiG): regelt viele Berufsausbildungen in Deutschland.
- Ausbildungsarten in Deutschland: Duale Ausbildung, vollschulische Ausbildung und „Zwischentypen", wie in Gesundheitsfachberufen.

2.2 Berufsbildung in den Gesundheitsfachberufen

Als **Gesundheitsfachberufe** werden im Allgemeinen Berufe zusammengefasst, die im weitesten Sinne mit der Gesundheit zu tun haben. Eine einheitliche Definition des Begriffs gibt es allerdings nicht.

MERKE

Der bei Gesundheitsfachberufen häufig verwendete Ausdruck des **„nichtärztlichen Personals"** ist abzulehnen, da dieser Bezeichnung ein negatives bzw. defizitäres, unterordnendes Berufsverständnis zugrunde liegt, was der Eigenständigkeit und dem Selbstverständnis dieser Berufsgruppen nicht gerecht wird.

Gesundheitsfachberufe werden unterschieden in **geregelte Berufe** (Ausbildung ist entweder im Bundes- oder Landesrecht geregelt) und **nicht geregelte Berufe** (Ausbildungen sind weder im Bundes- noch Landesrecht geregelt).

2.2.1 Geregelte Gesundheitsfachberufe

Bei **geregelten Gesundheitsfachberufen** ist die Ausbildung durch Bundes- oder Landesrecht geregelt. Die Gesetzgebungskompetenz des Bundes erstreckt sich auf die Bereiche **Heilberufe, Berufe nach dem Berufsbildungsgesetz** und **Gesundheitshandwerke.**

Heilberufe

In allen Heilberufen ist das **Führen einer Berufsbezeichnung** geschützt und bedarf entweder einer Approbation oder einer entsprechenden Erlaubnisurkunde. Verstöße werden als Straftat oder Ordnungswidrigkeit geahndet. Um eine Approbation oder Erlaubnis zum Führen einer Berufsbezeichnung beantragen zu können, sind vom Antragsteller Nachweise der gesetzlich geregelten Ausbildung oder eines Studiums sowie die jeweilige bestandene staatliche Prüfung nachzuweisen. Ausbildungs- oder Studiumsinhalte sowie die staatlichen Prüfungsregularien sind in den jeweiligen Approbationsordnungen sowie Studien-, Ausbildungs- und Prüfungsverordnungen geregelt, die in entsprechenden Berufsgesetzen erlassen wurden (→ Kap. 1.4).

Heilberufe sind reglementierte Berufe im Sinne der **Europäischen Richtlinie 2005/36/EG,** welche eine gegenseitige Anerkennung von Berufsqualifikationen und Ausübung des Berufs in anderen Mitgliedstaaten der EU ermöglicht. Unterschieden werden **automatische Anerkennungen** von Berufsabschlüssen (u. a. Ärzte, Pflegefachkräfte) und **Anerkennungsverfahren,** bei denen Gleichwertigkeitsprüfungen durchgeführt werden, die gegebenfalls Anpassungsmaßnahmen erfordern können (u. a. Notfallsanitäter).

In Deutschland gibt es derzeit folgende, durch Bundesgesetze geregelte **Heilberufe** (aufgelistet in alphabetischer Reihenfolge):

- Anästhesietechnische/r Assistent/in und Operationstechnische/r Assistent/in (Anästhesietechnische- und Operationstechnische-Assistenten-Gesetz [ATA-G und OTA-G])
- Apotheker/in (Bundesapothekerordnung [BApO])
- Arzt/Ärztin (Approbationsordnung für Ärzte [ÄAppro])
- Diätassistent/in (Diätassistenten-Gesetz [DiätAssG])
- Ergotherapeut/in (Ergotherapeuten-Gesetz [ErgThG])
- Hebamme/Entbindungshelfer (Hebammen-Gesetz [HebG])
- Kinder- und Jugendlichenpsychotherapeut/in (Psychotherapeuten-Gesetz [PychThG])
- Logopäde/in (Logopäden-Gesetz [LogoG])
- Masseur/in und medizinische/r Bademeister/in (Masseur- und Physiotherapeuten Gesetz [MPhG])
- Medizinische/r Technologe/in (bisher Medizinisch-technische/r Assistent/in) für Funktionsdiagnostik/Laboratoriumsanalytik/Radiologie (Medizintechnische Assistenzberufe Reformgesetz [MTA-Reformgesetz])
- Notfallsanitäter/in (Notfallsanitäter-Gesetz [NotSanG])
- Orthoptist/in (Orthopisten-Gesetz [OrthoptG])
- Pflegefachkraft, ehemals Altenpfleger/in, Gesundheits- und Krankenpfleger/in, Gesundheits- und Kinderkrankenpfleger/in (Pflegeberufegesetz [PflBG])
- Pharmazeutisch-technische/r Assistent/in (PTA-Berufsgesetz [PTAG])
- Podologe/in (Podologen-Gesetz [PodG])
- Psychologische/r Psychotherapeut/in (Ausbildungs- und Prüfungsordnung für Psychologische Psychotherapeuten [Psych Th-APrV])
- Psychotherapeut/in (Psychotherapeuten-Gesetz [PsychThG])

MERKE

Der **Bund** regelt die Erstzulassung zum Beruf. Die **Länder** erlassen Fort- und Weiterbildungsregelungen, was sie teilweise jedoch an Kammern (z. B. Ärztekammer) übertragen. Auch die Notfallsanitäterausbildung ist durch ein Bundesgesetz geregelt, die Festlegung formeller Vorgaben für Fortbildungen im Rettungsdienst ist jedoch Sache der Bundesländer.

Berufe nach dem Berufsbildungsgesetz

Auf Grundlage des Artikels 74 Absatz 1 Nummer 11 GG sind einige Ausbildungsberufe im Gesundheitswesen dual durch das **Berufsbildungsgesetz (BBiG)** geregelt. Ausbildungsverordnungen des Bundes regeln nach dem BBiG folgende Berufe, die in Bezug auf die Gesetzgebungskompetenz des Bundes jedoch nicht den Heilberufen zugeordnet werden:

- Medizinische und Zahnmedizinische Fachangestellte
- Pharmazeutisch-kaufmännische Angestellte

Gesundheitshandwerke

Die **Gesundheitshandwerke** unterliegen der Handwerksordnung (HwO). Zuständig für diese Berufe ist das Bundesministerium für Wirtschaft und Klimaschutz. Zu den Gesundheitshandwerken gehören:

- Augenoptiker/in
- Hörgeräteakustiker/in
- Orthopädieschuhtechniker/in
- Orthopädiemechnaniker/in
- Bandagist/in
- Zahntechniker/in

Die Gesundheitshandwerke leisten wertvolle Beiträge zur Prävention, Rehabilitation und für den Ausgleich von Einschränkungen im täglichen Leben.

2.2.2 Generalistische Pflegeausbildung

Die Ausbildungen nach dem **Altenpflege-** und **Krankenpflegegesetz** sind aktuell in einem **Pflegeberufegesetz** zusammengefasst worden. Änderungen dieses Gesetzes traten bereits stufenweise einen Tag nach deren Verkündung am 25. Juli 2017 in Kraft. Mit Inkrafttreten des Pflegeberufegesetzes am 1. Januar 2020 traten das Altenpflege- sowie das Krankenpflegegesetz außer Kraft.

Die nunmehr **generalistische** (fachübergbreifende) **Ausbildung** ermöglicht den Auszubildenden in den verschiedenen Pflegeberufen eine zweijährige gemeinsame Ausbildung mit Vertiefungsbereichen in der praktischen Ausbildung.

- Auszubildende, die nach den ersten beiden Ausbildungsjahren die generalisierte Ausbildung fortsetzen, erhalten nach bestandener Prüfung den Berufsabschluss **„Pflegefachfrau bzw. Pflegefachmann“.**
- Liegen Schwerpunkte der Auszubildenden in der Pflege alter Menschen oder der Versorgung von Kindern und Jugendlichen, kann im dritten Ausbildungsjahr statt dem Fortführen der generalistischen Ausbildung ein gesonderter **Abschluss** in der **Altenpflege** oder in der **Gesundheits- und Kinderkrankenpflege** erworben werden.

Die **Pflegeberufe-Ausbildungs- und Prüfungsverordnung** (PflAPrV) regelt Einzelheiten zur Ausbildungsstruktur, den Ausbildungsinhalten und einer Anerkennung ausländischer Berufsabschlüsse. Notwendige Details des Finanzierungsverfahrens und einer Durchführung statistischer Erhebungen regelt die **Pflegeberufe-Ausbildungsfinanzierungverordnung** (PflAFinV).

MERKE

Berufszulassungsgesetze regeln lediglich die Ausbildung, nicht aber die Berufsausübung.

2.2.3 Besonderheiten der Gesundheitsfachberufe

Die Ausübung der Gesundheitsfachberufe ist mit potenziellen Gesundheitsgefahren für die zu behandelnden bzw. zu begleitenden Personen verbunden, hierbei handelt sich um **„andere als ärztliche Heilberufe“.** Aus diesem Grund hat der Gesetzgeber die Ausbildung zu diesen Berufen einigen besonderen Regularien unterworfen. So liegt die Regelungskompetenz für die Zulassung und Ausübung als „Heilgewerbe“ nach **Art. 74 Abs. 1 Nr. 19 Grundgesetz (GG)** beim Bund und nicht bei den Bundesländern. Das bedeutet, dass der Bundesgesetzgeber jeden dieser Berufe durch ein Berufsgesetz und eine entsprechende Ausbildungs- und Prüfungsverordnung genau festgelegt hat.

Insgesamt nehmen die Gesundheitsfachberufe innerhalb des Berufsbildungssystems eine Sonderstellung ein. Es handelt sich – mit Ausnahme der wenigen nach dem Berufsbildungsgesetz geregelten Gesundheitsfachberufe – um **„Ausbildungen der besonderen Art“.** Nicht zuletzt hat dies auch zur Folge, dass die Ausbildungsstrukturen der Gesundheitsfachberufe sowohl auf Bundesgesetzebene (Gestaltung der Berufsgesetze) als auch auf Länderebene (konkrete Umsetzungen der Schul- und Ausbildungsstruktur innerhalb der Bundesländer) sehr unterschiedlich sind. Im Einzelnen gibt es folgende Unterschiede:

- **Dauer der Ausbildung:** Die meisten Ausbildungsgänge dauern 3 Jahre (z. B. Pflegefachfrau bzw. Pflegefachmann, Logopäde/in, Hebamme/Entbindungspfleger, Notfallsanitäter/in), es gibt aber auch 2-jährige Ausbildungen (z. B. Masseur/in und medizinische/r Bademeister/in).
- **Definition der Ausbildungsziele:** Trotz zahlreicher Novellierungen einiger Berufsgesetze sowie den jeweiligen Ausbildungs- und Prüfungsordnungen sind die Ausbildungsziele und Kompetenzen weiterhin sehr unterschiedlich benannt und geregelt.
- **Ausbildungsvergütung:** Viele Ausbildungen in Gesundheitsfachberufen lehnen sich in der Ausbildungsstruktur und -organisation an das duale System an, etwa die Ausbildung zum Pflegefachmann bzw. zur Pflegefachfrau oder zum Notfallsanitäter. In diesen Fällen ist der Auszubildende bei einem Ausbildungsbetrieb angestellt (z. B. Krankenhaus, Rettungsdienstbetreiber) und erhält eine Ausbildungsvergütung; auch die schulische Ausbildung wird bezahlt. Andere Ausbildungen, z. B. in der Physio- oder Ergotherapie, werden nur dann mit einem Ausbildungsgehalt vergütet, wenn sie an der Schule eines kommunalen Krankenhauses oder einer Uniklinik in öffentlicher Trägerschaft stattfinden. Wird die Ausbildung jedoch in Studienform absolviert, bekommen Studierende keine Ausbildungsvergütung und müssen für den theoretischen Teil der Ausbildung sogar noch Studiengebühren zahlen.

Das einzige gemeinsame Merkmal der unterschiedlichen Gesundheitsfachberufe ist, dass es sich um Tätigkeiten im Berufsfeld „Gesundheit“ handelt.

MERKE

In den Punkten Ausbildungsdauer, Qualität und Umfang der Ausbildung sowie Vergütung bzw. Kosten für die Ausbildung bietet sich bei den Gesundheitsfachberufen ein sehr uneinheitliches Bild.

Durch die relativ kurzen Spezialausbildungen ist **berufliche Mobilität** in den Gesundheitsfachberufen außerdem nur sehr bedingt möglich. Ein innerhalb der jeweiligen Berufsausbildung vermitteltes breites Grundwissen, das über die unmittelbaren Anforderungen des Berufs hinausgeht, dem Lernenden eine größere Unabhängigkeit vom Arbeitsplatz sichert und die Durchlässigkeit zwischen verschiedenen Bildungsgängen und Berufen erhöht, wird bislang kaum vermittelt. Seit einigen Jahren weisen Berufsbildungsforscher daher immer wieder darauf hin, dass unbedingt eine stärkere Vernetzung und eine interdisziplinärer ausgerichtete Ausbildung der Gesundheitsfachberufe stattfinden sollte.

Das Gesundheitswesen ist jedoch schon seit Jahren einer immer komplexer werdenden Veränderung seiner Strukturen unterworfen.

Bedingt durch
- gesellschaftliche Veränderungen sowie
- Fortschritte in Wissenschaft und Medizintechnik

wandeln sich Arbeitsplätze, Arbeitsbedingungen, Aufgaben und damit geforderte Qualifikationen und Ansprüche an eine differenzierte Arbeitsteilung rasant. Angehörige aller Gesundheitsfachberufe stehen daher hinsichtlich ihrer Qualifikationen und Kompetenzen vor veränderten und sich auch weiterhin ständig ändernden Herausforderungen. Gerade die Verabschiedung des Notfallsanitätergesetzes sollte unbedingt auch vor diesem Hintergrund betrachtet werden.

Abb. 2.1 Früh übt sich, was ein guter Retter werden will – nur eine konsequente Aus-, Fort- und Weiterbildung des Personals auf allen Ebenen hilft, die Qualität im Rettungsdienst nachhaltig zu sichern und weiter zu verbessern. [M234]

IM FOKUS

Gesundheitsfachberufe
- **Keine einheitliche Definition** vorhanden.
- Die meisten Gesundheitsfachberufe werden über **eigene Ausbildungsgesetze** geregelt. Eine Anwendung des BBiG erfolgt nicht (z. B. bei Notfallsanitätern).
- **Regelungskompetenz beim Bund,** da es sich um „andere als ärztliche Heilberufe" handelt.
  - **Cave:** Dennoch bleibt die Berufsausübung im Verantwortungsbereich der Länder.
- Unterschiede in Ausbildungsdauer, Ausbildungsvergütung und Ausbildungszielen.
- **Problem** dabei: geringe berufliche Mobilität, da Ausbildungen relativ kurz und spezialisiert.

2.3 Berufsbildung im Rettungsdienst

Auch im Rettungsdienst hängt die Qualität der ausgeführten Leistungen entscheidend von der beruflichen Bildung der dort tätigen Mitarbeiter ab. Die besonderen Anforderungen dieses Handlungsfeldes machen eine theoretische, praktische und vor allem auch persönlichkeitsbildende Ausbildung erforderlich. Neben einem ausgewogenen theoretischen Grundlagenwissen, das Einsichten und Verständnis in komplexe medizinische Zusammenhänge fördert, ist das intensive Training praxisbezogener und praxisgerechter manueller Fertigkeiten ein wichtiges Ausbildungs- und Qualifikationselement (→ Abb. 2.1).

Derzeit gibt es im Rettungsdienst folgende **Ausbildungsstufen** (→ Tab. 2.1):
1. **Ausbildung zum Rettungshelfer (RettHelf)**
2. **Ausbildung zum Rettungssanitäter (RettSan)**
3. **Ausbildung zum Technischen Rettungssanitäter (T-RS)**
4. **Ausbildung zum Rettungsassistenten (RettAss)**
5. **Ausbildung zum Notfallsanitäter (NotSan)**

Bis zum 31. Dezember 2013 handelte es sich nur bei der Rettungsassistentenausbildung um einen anerkannten Ausbildungsberuf. Seit dem 1. Januar 2014 wurde die bisherige Rettungsassistentenausbildung durch die Ausbildung von Notfallsanitätern abgelöst.

ACHTUNG! Die Ausbildungen zum Rettungshelfer, Rettungssanitäter sowie zum technischen Rettungssanitäter berechtigen zwar zu einer Tätigkeit im Rettungsdienst und schließen teilweise sogar mit staatlichen Prüfungen ab, sind aber **keine anerkannten Ausbildungsberufe.** Sie werden vielmehr durch Ausbildungsverordnungen in den einzelnen Bundesländern geregelt.

Qualifikation	Hinweise/Aufgaben
Rettungshelfer NRW	Keine Berufsbezeichnung, sondern eine Qualifikation, i. d. R. als Fahrer eines Krankentransportwagens (nur NRW)
Rettungshelfer Bund	Keine Berufsbezeichnung, sondern eine Qualifikation, i. d. R. als Fahrer eines Krankentransportwagens
Rettungssanitäter/Technischer Rettungssanitäter	Keine Berufsbezeichnung, sondern eine Qualifikation als Fahrer in der Notfallrettung, für die Übernahme von Assistenzaufgaben in der Notfallrettung sowie die Übernahme der Transportführerfunktion im qualifizierten Krankentransport
Rettungsassistent	Gesundheitsfachberuf, Einsatz als Transportführer (§ 3 RettAssG) in der Notfallrettung, als Fahrer von Notarzteinsatzfahrzeugen sowie als Besatzungsmitglied von Rettungs- und Intensivhubschraubern (HEMS-Funktion)
Notfallsanitäter	Berufsbezeichnung, Einsatz als Transportführer (§ 4 NotSanG) in der Notfallrettung, als Fahrer von Notarzteinsatzfahrzeugen sowie als Besatzungsmitglied von Rettungs- und Intensivtransporthubschraubern (HEMS-Funktion); → Kap. 1.2

Tab. 2.1 Übersicht der Qualifikationen im Rettungsdienst und deren primäre Aufgaben (auch → Kap. 57.2)

2.3.1 Ausbildung von Rettungshelfern

Die Ausbildungsstufe **Rettungshelfer** stellt i. d. R. eine **Mindestqualifikation** dar, die sich gliedert in
- 160-stündigen theoretisch-praktischen Unterricht und
- ein Praktikum in einer Klinik sowie auf einer Rettungswache von jeweils 80 Stunden.

Danach kann man im Krankentransport oder (je nach Landesrecht) evtl. auch in der Notfallrettung als Fahrer eines Einsatzfahrzeuges eingesetzt werden (→ Abb. 2.2).

MERKE

Häufig werden als Rettungshelfer auch Personen bezeichnet, die die Ausbildung zum Rettungssanitäter nicht bzw. noch nicht abgeschlossen haben, aber bereits über die beschriebene Mindestqualifikation verfügen.

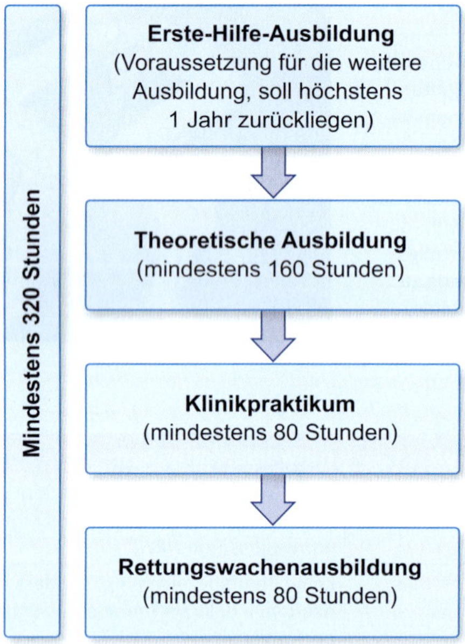

Abb. 2.2 Ausbildung zum Rettungshelfer [L143]

Ohnehin bestehen hinsichtlich des Ausbildungsumfangs zwischen einzelnen Hilfsorganisationen, aber auch in verschiedenen Regionen, teilweise erhebliche Unterschiede. Oftmals ist die Rettungshelferausbildung z. B. als Einführungslehrgang für neue Mitarbeiter, etwa im Bundesfreiwilligendienst, im Freiwilligen Sozialen Jahr (FSJ) bzw. auch im Ehrenamt gedacht, die dadurch zusammen mit einem voll ausgebildeten Rettungsdienstmitarbeiter auf den entsprechenden Rettungsmitteln eingesetzt werden können.

Ziel dieses Einführungslehrgangs ist eine Vorbereitung der Teilnehmer auf ihr zukünftiges Tätigkeitsfeld durch die Vermittlung der fachlichen Grundvoraussetzungen und das intensive Training grundlegender praktischer Maßnahmen. Durch Erweiterung des Krankenhauspraktikums auf insgesamt 4 Wochen (160 Stunden) sowie die Absolvierung eines Rettungswachenpraktikums von mindestens 160 Stunden kann ein Rettungshelfer im Anschluss auch zu einem Abschlusslehrgang für Rettungssanitäter zugelassen werden.

MERKE

In Nordrhein-Westfalen regelt eine eigene Ausbildungs- und Prüfungsverordnung, die RettAPO NRW, eine bundesweit einzigartige Variante der Rettungshelferausbildung. Diese landesspezifische Ausbildung als **Rettungshelfer NRW** berechtigt in Nordrhein-Westfalen zum Einsatz als Fahrer im Krankentransport und umfasst insgesamt lediglich 160 Stunden, die sich wie folgt gliedern:

- Eine theoretische Ausbildung von mindestens 80 Stunden und
- eine praktische Ausbildung auf einer Rettungswache von ebenfalls mindestens 80 Stunden.

Eine klinische Ausbildung ist bei den Rettungshelfern NRW nicht vorgesehen.

2.3.2 Ausbildung von Rettungssanitätern

1977 legte der **Bund-Länder-Ausschuss Rettungswesen (BLAR)** die Grundsätze zur Ausbildung des Personals im Rettungsdienst vor. Besser bekannt sind diese Grundsätze als das „klassische" **520-Stunden-Pro-**

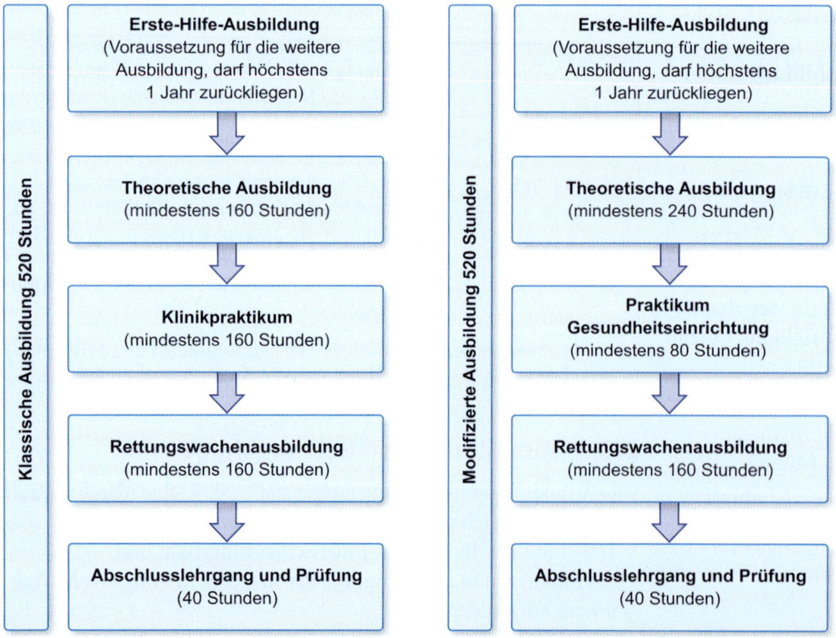

Abb. 2.3 Ausbildung zum Rettungssanitäter. Das klassische Modell (links) und die modifizierte Ausbildung (rechts) unterscheiden sich im Umfang von theoretischem Unterricht und Praktikum in einer Klinik/Gesundheitseinrichtung. [L143]

gramm bzw. als Rettungssanitäterausbildung (→ Abb. 2.3). Der **Ausschuss Rettungswesen** (ehemals BLAR) hat diese Grundsätze im Jahr 2008 überarbeitet und 2009 eine Musterausbildungs- und Prüfungsordnung dazu erstellt. Einige Bundesländer setzen als Verordnungsgeber bereits die novellierten Empfehlungen zur Ausbildung von Rettungssanitätern des Ausschusses Rettungswesen von 2019 um, andere hingegen noch nicht.

In einigen Ländern wird auch noch auf die Ausbildung und Prüfung von Beamten im feuerwehrtechnischen Dienst oder auf eine Verwaltungsvorschrift für Katastrophenschutz-Einheiten verwiesen, in der die „Empfehlungen des Ausschusses Rettungswesen" aus dem Jahr 2008 enthalten sind. In Bundesländern, die (noch) keine besonderen Regelungen oder Verordnungen über die Ausbildung von Rettungssanitätern erlassen haben, werden die Ausbildungen von den verschiedenen Ausbildungsträgern ebenfalls nach den Empfehlungen des Ausschusses Rettungswesen durchgeführt.

Obwohl es durch unterschiedliche oder fehlende Verordnungen bei der Durchführung und den Inhalten der Rettungssanitäterausbildung in den Bundesländern mehrere Varianten gibt, ist man sich hinsichtlich der **Zugangsvoraussetzungen** einig: Zu Beginn der Ausbildung muss überall in Deutschland die gesundheitliche Eignung (ärztliches Attest), mindestens ein Haupt- oder Realschulabschluss bzw. eine abgeschlossene Berufsausbildung vorliegen. Uneinigkeiten bestehen jedoch bezüglich:

- Zutrittsalter (meist Vollendung 17. Lebensjahr, in Bayern 18. Lebensjahr nach § 1 Abs. 2 Nr. 1 BayRettSanV)
- Teilnahme eines Ersten-Hilfe-Kurses
- Nachweis der erforderlichen Kenntnisse der deutschen Sprache in Wort und Schrift
- Vorlage eines Führungszeugnisses

Vom ursprünglichen Grundgedanken her sollten die Teilnehmer schon durch die Rettungssanitäterausbildung auf alle im Rettungsdienst anfallenden Situationen ausreichend vorbereitet werden. Das Ausbildungsprogramm wird dabei durch einen Lernzielkatalog und einen dazugehörigen Gegenstandskatalog beschrieben.

Klassische Rettungssanitäterausbildung

Die **klassische Ausbildung von Rettungssanitätern** nach der Empfehlung von 2008 sieht einen theoretischen und praktischen **Grundlehrgang** an einer anerkannten Ausbildungsstätte für Rettungssanitäter von 160 Unterrichtsstunden inkl. einer Prüfung vor. So soll möglichst ausgeschlossen werden, dass der Auszubildende während der beiden nächsten Ausbildungsabschnitte in Klinik und Rettungswache Patienten durch fehlendes Wissen womöglich Schaden zufügt.

Im Anschluss an den Grundlehrgang folgt dann ein 160 Stunden umfassendes **Krankenhauspraktikum,** in dem die klinische Ausbildung in den Funktionsbereichen Anästhesie oder Intensivmedizin durchgeführt wird. Für die Klinikausbildung der Rettungssanitäter ist gemäß Ausschuss Rettungswesen auch ein näher definierter Tätigkeitskatalog vorgesehen.

Ein anschließendes **Rettungswachenpraktikum** im Umfang von weiteren 160 Stunden dient der praktischen Ausbildung und soll den Teilnehmern den Wissenstransfer des in Schule und Klinik Gelernten auf Notfallsituationen ermöglichen.

Nach Absolvierung der drei eigentlichen Ausbildungsabschnitte folgt noch ein 40-stündiger **Abschlusslehrgang** mit einer Prüfung, die i. d. R. unter staatlicher Aufsicht stattfindet.

Novellierte Rettungssanitäterausbildung

Die **novellierte Rettungssanitäterausbildung** (→ Abb. 2.3) nach Empfehlungen des Ausschusses Rettungswesen 2019 sieht weiterhin eine 520 Stunden umfassende Ausbildung vor, die sich in den Ausbildungsabschnitten und der Ausbildungsdauer jedoch von der klassischen Rettungssanitäterausbildung unterscheidet:

- Der theoretische und praktische **Grundlehrgang** an einer staatlich anerkannten Ausbildungsstätte für Rettungssanitäter umfasst einschließlich einer Erfolgskontrolle zum Abschluss des Ausbildungsabschnitts demnach **240 Stunden.**
- Das **80-stündige** „interdisziplinäre" Praktikum erfolgt nicht mehr zwingend in einem Krankenhaus, sondern kann vielmehr auch an anderen **geeigneten Einrichtungen der Patientenversorgung** wie z. B. Notfallpraxen, Ärztehäusern oder medizinischen Versorgungszentren mit einer Anästhesieabteilung, einer Intensivstation oder einer Notaufnahme stattfinden. Entsprechend Ländervorgaben müssen diese Einrichtungen der Patientenversorgung jedoch die jeweiligen Kompetenzziele der Rahmenlehrpläne vermitteln können.

Das anschließende **Rettungswachenpraktikum** umfasst (wie bei der klassischen Rettungssanitäterausbildung) weiterhin 160 Stunden. Es dient der praktischen und theoretischen Übung des bereits Erlernten und als Vorbereitung auf eine zukünftige Tätigkeit im Krankentransport sowie im Rettungsdienst.

Wie bei der klassischen Rettungssanitäterausbildung findet auch bei der novellierten Ausbildung am Ende der drei Ausbildungsabschnitte ein 40-stündiger **Abschlusslehrgang** mit einer **Prüfung** i. d. R. unter staatlicher Aufsicht statt. Zukünftig müssen neben einem fachlich geeigneten Vertreter der zuständigen Behörde als Prüfungsvorsitzendem jedoch auch ein Notfallsanitäter und zwei Fachprüfer, die an der Ausbildungsstätte unterrichten, vertreten sein. Bei einem der beiden Fachprüfer muss es sich um einen Praxisanleiter handeln. Der **schriftliche Teil** der staatlichen Prüfung besteht aus einer in 120 Minuten zu bearbeitenden Aufsichtsarbeit. Im **praktischen Teil** der Prüfung stellt der Prüfling seine praktischen Fähigkeiten und Fertigkeiten anhand von zwei Fallbeispielen (Demonstrationen) aus dem Bereich des qualifizierten Krankentransports oder der notfallmedizinischen Versorgung sowie einer Reanimation unter Beweis. Bei einem Nichtbestehen eines Prüfungsteils können diese jeweils einmal innerhalb von 12 Monaten wiederholt werden.

IM FOKUS

Novellierte Ausbildung von Rettungssanitätern

- **520 Stunden** Ausbildungsdauer
- **Drei Lernorte:**
  - Staatliche anerkannte Ausbildungsstätte („Schule"), 240 Stunden + 40 Stunden Prüfungsvorbereitung
  - Geeignete Einrichtung der Patientenversorgung (u. a. Klinik), 80 Stunden
  - Staatlich anerkannte Lehrrettungswache, 160 Stunden
- **Ziele:**
  - Eigenverantwortlicher Einsatz in Krankentransport und Bevölkerungsschutz
  - Fahren des Einsatzfahrzeugs und Assistenz im Einsatz
- **Achtung:** Diese novellierte Ausbildung von Rettungssanitätern ist derzeit noch nicht in allen Bundesländern umgesetzt!

ACHTUNG! Auch die novellierte Ausbildung zum Rettungssanitäter reicht keinesfalls aus, um die für eine eigenverantwortliche Tätigkeit in der Notfallrettung notwendigen Kenntnisse und Fähigkeiten zu vermitteln. Für die Versorgung von vital bedrohten Notfallpatienten ist eine nur dreimonatige Ausbildung vollkommen unzureichend – egal, ob es sich um die klassische oder die novellierte Rettungssanitäterausbildung handelt.

Technischer Rettungssanitäter

Die Ausbildung **„Technischer Rettungssanitäter"** ist eine besondere, interne Ausbildung des Bayerischen Roten Kreuzes. Diese modular gestaltete Ausbildung bietet verschiedene Vorteile. In einer einjährigen, bezahlten Ausbildung erwirbt der Auszubildende während eines Lehrgangs in vier Modulen die „reguläre" Qualifikation des Rettungssanitäters, zusätzlich aber auch die Führerscheinklasse C1 und eine Fahrsicherheitsausbildung. Die Praxisausbildung auf der Rettungswache und ein Modul „Technik, Organisation und Einweisung" runden diese Ausbildung ab. Ziel der Ausbildung ist es, Rettungssanitäter nicht nur medizinisch gut, sondern vielmehr auch zu besonders verantwortungsbewussten und kompetenten Führern von Einsatzfahrzeugen auszubilden. In Form von modular aufeinander aufbauenden Bausteinen soll diese Ausbildung zukünftig, zumindest in Bayern, auch für Bestandsmitarbeiter und möglichst viele ehrenamtlich aktive Einsatzkräfte angeboten werden.

MERKE

Rettungssanitäter werden in allen Bundesländern als Begleiter von Patienten im Krankentransport und als Fahrer des Rettungswagens eingesetzt. Weiterhin obliegt ihnen in einigen Bundesländern die Aufgabe als Fahrers des NEF.

Laut Beschluss des Ausschusses Rettungswesen stehen Rettungssanitätern jährlich 30 Stunden **Fortbildung** zu. Diese Regelung ist etwa einem Drittel der Rettungssanitäter jedoch nicht bekannt und nur jeder Fünfte absolviert diese Fortbildung auch tatsächlich. Inhaltlich werden in dieser Fortbildung oftmals auch nur einige Themen aus dem Katalog der 520 Stunden umfassenden Ausbildung wiederholt, sodass es sich aus qualitativer Sicht eher um eine Wiederauffrischung der Ausbildung als um eine „echte" Fortbildung handelt, d. h. eine Anpassung der beruflichen Qualifikation an neue technische und berufliche, insbesondere notfallmedizinische Entwicklungen.

2.3.3 Ausbildung von Rettungsassistenten

Das 1989 verabschiedete Rettungsassistentengesetz (RettAssG) sah bis zur Ablösung durch das Notfallsanitätergesetz (NotSanG) 2014 verschiedene Möglichkeiten vor, den Berufsabschluss als Rettungsassistent zu erlangen:

- Zweijährige **Regel- bzw. Vollausbildung** nach **§§ 4 und 7 RettAssG,**
- verkürzte **Ergänzungslehrgänge für Krankenpfleger** nach **§ 8 Abs. 3 RettAssG,**
- verkürzte **Sonderlehrgänge für Rettungssanitäter** nach **§ 8 Abs. 2 RettAssG** sowie
- verkürzte **Sonderlehrgänge für Unteroffiziere im Sanitätsdienst der Bundeswehr, Sanitätsbeamte im Bundesgrenzschutz und Sanitätsbeamte der Polizei** nach **§ 8 Abs. 4 RettAssG.**

Unter bestimmten Umständen konnten außerdem erfahrene Rettungssanitäter, ohne jemals an einer Rettungsassistentenausbildung teilgenommen zu haben, auf Antrag bei der zuständigen Behörde „übergeleitet" werden, d. h., auch sie erhielten die Erlaubnis zum Führen der Berufsbezeichnung als Rettungsassistent – was in Fachkreisen allerdings immer wieder heftig kritisiert worden ist.

Die meisten Ausbildungen zum Rettungsassistenten wurden in Form eines sog. Sonderlehrgangs für ausgebildete Rettungssanitäter durchgeführt. Die eigentliche Regel- bzw. Vollausbildung zum Rettungsassistenten machte lediglich 25 % des Gesamtausbildungsaufkommens aus.

MERKE

Damit war die lediglich als Ausnahme gedachte verkürzte Ausbildungsform zur Regel geworden und die eigentlich gewünschte Regel- bzw. Vollausbildung eher zu einer Ausnahme bzw. zu einer Sonderform.

Die **Regel- bzw. Vollausbildung,** wie sie vom RettAssG her nach **§§ 4 und 7** vorgesehen war, umfasste insgesamt 2 Jahre oder mindestens 2 800 Stunden Ausbildung (→ Abb. 2.4). Die 780 Stunden umfassende **Ausbildung an einer Rettungsassistentenschule** beinhaltete thematisch folgende Bereiche:

- Allgemeine medizinische Grundlagen
- Allgemeine und spezielle Notfallmedizin
- Organisation und Einsatztaktik im Rettungsdienst
- Berufs-, Gesetzes- und Staatsbürgerkunde
- Einführung in das Krankenhauspraktikum

Die 420 Stunden umfassende **klinische Ausbildung** fand in den Krankenhäusern auf einer allgemeinen Pflegestation, im Notaufnahmebereich, im Operationsbereich bzw. in der Anästhesie und der Intensiv- oder Wachstation statt.

Zusätzlich war innerhalb der ersten 6 Monate ein dreiwöchiges **Einführungspraktikum** an einer Rettungswache abzuleisten. Wichtig

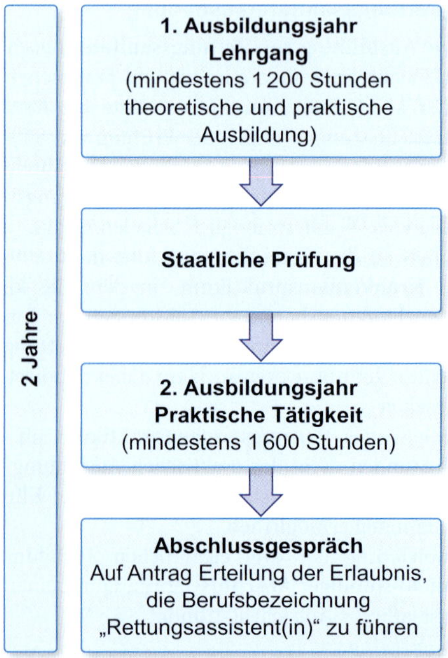

Abb. 2.4 Regel- bzw. Vollausbildung zum Rettungsassistenten [L143]

war, dass während des ersten Ausbildungsjahres die Grundlagen einer modernen präklinischen Notfallmedizin in Theorie und Praxis vermittelt wurden.

Der Zeitpunkt der **Prüfung** wurde seit der Verabschiedung des RettAssG immer wieder kritisiert. Es wurde davon ausgegangen, dass durch eine Prüfung am Ende der zweijährigen Gesamtausbildung, insbesondere nach den 1600 Stunden praktischer Tätigkeit, hinsichtlich der Eignung für den Rettungsdienst eine deutlich größere Aussagekraft erzielt werden könnte. In den staatlichen Prüfungen wurden jedoch nur die im einjährigen Lehrgang erworbenen theoretischen und praktischen Kenntnisse und Fertigkeiten überprüft. Die im Rahmen der praktischen Ausbildung auf einer Lehrrettungswache erworbenen praktischen Kenntnisse wurden dagegen nicht oder nur in Form eines **Abschlussgesprächs** überprüft. Zudem bestand im zweiten Ausbildungsjahr die Gefahr, dass der Auszubildende bzw. Praktikant überhaupt nicht mehr kontinuierlich ausgebildet, sondern nur noch als Teil der Stammbesatzung eingesetzt wurde.

Nach Abschluss der Rettungsassistentenausbildung mussten (bzw. müssen) Auszubildende noch bei der zuständigen Behörde einen Antrag stellen, um die Erlaubnis zum Führen der Berufsbezeichnung zu erhalten.

MERKE

Von Anfang an stand der Beruf des Rettungsassistenten unter heftiger **Kritik.** Einerseits war es mit der Einführung des Berufsbildes im Jahr 1989 erstmals gelungen, einen geregelten Gesundheitsfachberuf im Rettungsdienst zu etablieren. Im Gegensatz zum Rettungssanitäter war die Berufsbezeichnung nunmehr geschützt. Auch gab es einige durch das Berufsgesetz und die Ausbildungs- und Prüfungsordnung definierte, verbindliche Rahmenbedingungen. Andererseits waren die Ausbildung und die Berufsausübung unter Anbetracht der hohen Verantwortung und der Komplexität der Tätigkeit unzureichend geregelt und an vielen Stellen defizitär.

Die wesentlichsten **Kritikpunkte an der Rettungsassistentenausbildung** werden hier noch einmal zusammengefasst:

- **Unzureichende Definition der Maßnahmen,** die ein Rettungsassistent im Rahmen seiner Tätigkeit selbstständig und ohne Notarzt bzw. vor dem Eintreffen des Notarztes durchführen durfte. Häufig agierte der Rettungsassistent in einer rechtlichen „Grauzone", oftmals verbunden mit einer gewissen Handlungsunsicherheit. Dies hatte im Umkehrschluss zur Folge, dass auch der Patient keine verbindliche Klarheit hatte, was er in welchem Umfang an Hilfeleistung von einem Rettungsassistenten erwarten durfte.
- **Kostenpflichtige Ausbildung** und nicht definiertes Ausbildungsentgelt im berufspraktischen Jahr.
- **Zahlreiche Verkürzungsmöglichkeiten** werteten das Berufsbild ab.
- **Defizitäre Ausbildungsstruktur** bedingt durch:
  - Kurze Ausbildungsdauer.
  - Prüfung nach einem Jahr in der Mitte der Ausbildung, noch vor dem berufspraktischen Jahr.
  - Das berufspraktische Jahr schloss nur mit einem Abschlussgespräch und nicht mit einer Prüfung ab.
  - Starke Dominanz medizinischen Theoriewissens, in vielen Fällen ohne direkten Handlungsbezug. Fehlende Definition handlungsleitender sozialkommunikativer und psychologischer Lehr- und Lerninhalte.
  - Keine Qualifikationsvorgaben zu Praxisanleitern an den Rettungswachen sowie zu Lehrkräften an den Rettungsdienstschulen.

IM FOKUS

Ausbildung von Rettungsassistenten

- Das Rettungsassistentengesetz (RettAssG) ist **nicht mehr in Kraft.** Es können von daher keine Rettungsassistenten mehr ausgebildet werden.
- Dennoch wird die Berufsbezeichnung von einigen Rettungsfachkräften auch weiterhin geführt.
- Die **Ausbildungszeit** betrug **zwei Jahre,** gegliedert in einen einjährigen schulischen Anteil und ein praktisches Jahr. Die Prüfung erfolgt nach Beendigung des schulischen Abschnitts.
- Die Ausbildung war meist **kostenpflichtig** und hatte **niedrigere Zugangsvoraussetzungen** als die Ausbildung zum Notfallsanitäter.

2.3.4 Ausbildung von Notfallsanitätern

Nach dem am 1. Januar 2014 in Kraft getretenen Notfallsanitäergesetz (NotSanG) gliedert sich die Ausbildung von **Notfallsanitätern** wie folgt:

- 1920 Stunden theoretischer und praktischer Unterricht an einer staatlich anerkannten Rettungsdienstschule
- 1960 Stunden praktische Ausbildung in genehmigten Lehrrettungswachen
- 720 Stunden praktische Ausbildung in geeigneten Krankenhäusern bzw. Kliniken

Die Besonderheiten der einzelnen Lernorte sind nachfolgend noch etwas näher erläutert.

Ausbildung von Notfallsanitätern in der Rettungsdienstschule

Mit dem Notfallsanitätergesetz sind nunmehr **klare Ausbildungsziele und Qualitätsanforderungen** an die Rettungsdienstschulen definiert. Für die Organisation und Koordination der schulischen und praktischen Ausbildung ist ihnen sogar die Gesamtverantwortung übertragen worden (→ Kap. 1). Zudem haben die Rettungsdienstschulen für eine **Praxisbegleitung** der Auszubildenden an den Lernorten Lehrrettungswache und Klinik zu sorgen.

Vielerorts werden angehende Notfallsanitäter mittlerweile auch anhand von **Lernfeldern** ausgebildet (→ Tab. 2.2). Somit geht es in der schulischen Ausbildung zum Notfallsanitäter nicht mehr nur darum, erweitertes medizinisches Wissen zu vermitteln. Vielmehr wird den Schülern **berufliche Handlungskompetenz** (→ Kap. 3) vermittelt. In hohem Maße gehören dazu auch soziale bzw. kommunikative Kompetenzen, etwa im Hinblick auf die Gesprächsführung mit Patienten und Angehörigen, die Zusammenarbeit in einem Team, das Verhalten in Konfliktsituationen etc.

MERKE

Ebenfalls thematisiert werden **wirtschaftliche und ökologische Aspekte** der Arbeit im Rettungsdienst – all dies sind Ausbildungsinhalte, durch die sich die Notfallsanitäterausbildung deutlich von der früheren Rettungsassistentenausbildung unterscheidet.

Lernfeld	Inhalt	Unterrichtseinheiten
1. Ausbildungsjahr		
1	Das Tätigkeitsfeld Rettungsdienst erkunden und berufliches Selbstverständnis entwickeln	210
2	Lebensbedrohliche Zustände erkennen und bewerten sowie einfache lebensrettende Maßnahmen durchführen	210
3	Die Einsatzbereitschaft unterschiedlicher Rettungsmittel herstellen und erhalten	110
4	Einen Krankentransport durchführen	175
2. Ausbildungsjahr		
5	Bei Notfalleinsätzen assistieren und erweiterte notfallmedizinische Maßnahmen durchführen	315
6	Patienten, Angehörige, Kollegen sowie Dritte unterstützen und beraten	245
7	Einen Notfalleinsatz selbstständig planen, durchführen und bewerten	280
3. Ausbildungsjahr		
8	Einsätze mit erweiterten Anforderungen selbstständig planen, durchführen und bewerten	125
9	In komplexen fachdienstübergreifenden Einsatzlagen selbstständig arbeiten	125
10	Im beruflichen Umfeld agieren und sich entwickeln	125

Tab. 2.2 Lernfelder und Zeitansatz (beispielhafte Darstellung)

Ausbildung von Notfallsanitätern auf der Lehrrettungswache

Rettungswachen sind analog zu den Rettungsdienstschulen zunächst einmal weiterhin als **Lehrrettungswachen** anerkannt, wenn an ihnen auch schon vor dem Inkrafttreten des NotSanG Rettungsassistenten ausgebildet wurden. Insbesondere muss auf Lehrrettungswachen die Anleitung von Auszubildenden in der Praxis sichergestellt werden (→ Kap. 2.3.5). Praxisanleiter haben mit den Auszubildenden z. B. entsprechende Zwischengespräche zu führen. Dabei sollen sie gemeinsam mit den Auszubildenden ihren Ausbildungsverlauf besprechen, jeweils neue Zielvereinbarungen treffen etc. Außerdem tragen die Praxisanleiter auch zu einem intensiven Austausch zwischen der Lehrrettungswache, der Rettungsdienstschule und der ausbildenden Klinik bei.

MERKE

Eine fundierte, praxisorientierte und intensive Ausbildung angehender Notfallsanitäter wird vor allem durch eine enge Vernetzung der einzelnen Lernorte gewährleistet.

IM FOKUS

Ausbildung von Notfallsanitätern in Rettungsdienstschule und an der Rettungswache

- Die Ausbildung findet an **drei Lernorten** statt:
  - 1 920 Stunden theoretischer und praktischer Unterricht an einer staatlich anerkannten **Rettungsdienstschule**
  - 1 960 Stunden praktische Ausbildung an genehmigten **Lehrrettungswachen**
  - 720 Stunden praktische Ausbildung in geeigneten **Krankenhäusern** bzw. Kliniken
- **Praxisanleitung** und **Praxisbegleitung** sind verbindlich geregelt worden.
- Die **Rettungsdienstschule** trägt die **Gesamtverantwortung** für die Organisation und die Koordination der schulischen und praktischen Ausbildung.

Ausbildung von Notfallsanitätern im Krankenhaus

Im Rahmen der Berufsausbildung angehender Notfallsanitäter sind auf Grundlage des NotSanG und der NotSan-APrV praktische Ausbildungen an nach **§ 108 SGB V zugelassenen Krankenhäusern** zu absolvieren. Dabei handelt es sich keineswegs um bloße „Pflegepraktika", sondern um anspruchsvolle, klinische Ausbildungsabschnitte. Krankenhäuser, die mindestens über die in **Anlage 3 zu § 1 Absatz 1 der NotSan-APrV** aufgeführten Abteilungen bzw. Fachdisziplinen (→ Tab. 2.3) verfügen, stellen Ausbildungsplätze zur Verfügung und vereinbaren mit den staatlich anerkannten Rettungsdienstschulen Kooperationsverträge.

Sind Ausbildungen in den Anästhesie-, OP- und intensivmedizinischen Abteilungen nicht vollständig im direkten Patientenkontakt möglich, müssen die Schulen oder die Kooperationskrankenhäuser in gegenseitiger Absprache ein gleichwertiges **simulatorgestütztes Training** anbieten. Für die Anästhesie- und OP-Abteilung kann das Simulationstraining maximal 70 Ausbildungsstunden und für die intensivmedizinische Abteilung maximal 30 Stunden umfassen. Ist der Einsatz in geburtshilflicher, pädiatrischer oder kinderchirurgischer Fachabteilung/Intensivstation oder Station mit entsprechenden Patienten nicht möglich, haben die auszubildenden Schulen ein simulatorgestütztes Training anzubieten, das den Ausbildungsanforderungen genügt.

Die **Praxisanleitung** gemäß § 2 Abs. 1 NotSan-APrV wird dabei durch Personen sichergestellt, die auch in der Krankenpflegeausbildung zur Praxisanleitung berechtigt sind (→ Kap. 1.4.2). Sollten Inhalte der praktischen Ausbildung eine ärztliche Anleitung erfordern, sind entsprechende qualifizierte Ärzte als praxisanleitende Personen hinzuzuziehen. Diese brauchen ihrerseits dann interessanterweise nicht über eine formelle Qualifikation zur Praxisanleitung zu verfügen. Rettungsdienstschulen sind für die Organisation und Koordination der klinischen Ausbildungsabschnitte verantwortlich und tragen dafür auch die Gesamtverantwortung (§ 5 Absatz 3 S. 1 NotSanG). Stehen in einem Krankenhaus nicht alle vorgesehenen Abteilungen bzw. Fachdisziplinen zur Verfügung, so kann die praktische Ausbildung auch in mehreren geeigneten Kliniken bzw. durch geeignete Simulationstrainings (z. B. Geburtshilfe) sichergestellt und durchgeführt werden.

Abteilung/Fachdisziplin	Die Schüler sind zu befähigen,	Stunden
1. Pflegeabteilung	a) bei der Grund- und Behandlungspflege mitzuwirken. b) bei der Pflege spezieller Patientengruppen mitzuwirken.	80
2. Interdisziplinäre Notaufnahme	a) Maßnahmen der klinischen Erstuntersuchung unter Berücksichtigung patientenbezogener und situativer Besonderheiten unter Anleitung durchzuführen. b) diagnostische Maßnahmen selbstständig oder unter Anleitung durchzuführen. c) Maßnahmen zur Vorbereitung der Erstversorgung durchzuführen. d) bei der Durchführung der Erstversorgung mitzuwirken.	**120** Kann die Ausbildung nicht vollständig in einer interdisziplinären Notaufnahme absolviert werden, sind 80 Stunden in einer internistischen und 40 Stunden in einer chirurgischen Notaufnahme zu absolvieren.
3. Anästhesie- und OP-Abteilung	a) mit sterilem Material umzugehen. b) Maßnahmen der Narkoseeinleitung unter Anleitung durchzuführen. c) einen peripheren Zugang zu legen. d) beim Anlegen zentralvenöser Zugänge und arterieller Messsysteme mitzuwirken. e) einen freien Atemweg bei narkotisierten Patienten zu schaffen. f) Maßnahmen zum oralen und nasalen Absaugen durchzuführen.	**280,** davon max. 70 als Simulationstraining.
4. Intensivmedizinische Abteilung	a) Spritzenpumpen anwenden zu können. b) Kontrolle und den Wechsel von Drainagen, Sonden und Verbänden durchzuführen. c) einen peripheren Zugang zu legen. d) beim Anlegen zentralvenöser Zugänge und arterieller Messsysteme zu assistieren bzw. mitzuwirken. e) Maßnahmen zur Anwendung von Beatmungsformen selbstständig oder unter Anleitung durchzuführen. f) Maßnahmen zum oralen und nasalen Absaugen selbstständig oder unter Anleitung durchzuführen.	**120,** davon max. 30 als Simulationstraining.
5. Geburtshilfe, pädiatrische oder kinderchirurgische Fachabteilung/ Intensivstation oder Station mit entsprechenden Patienten	a) bei der Versorgung bei fachspezifischen Krankheitsbildern mitzuwirken. b) unter Anleitung die Pflege von Neugeborenen, Säuglingen und Kindern durchzuführen. c) bei der Kontrolle und dem Wechsel von Drainagen, Sonden und Verbänden mitzuwirken.	**40** Kann der Einsatz in einer entsprechenden klinischen Einrichtung nicht sichergestellt werden, hat die Rettungsdienstschule ein simulatorgestütztes Training anzubieten, das den Anforderungen genügt.
6. Psychiatrie, gerontopsychiatrische oder gerontologische Fachabteilung	a) bei der Versorgung bei fachspezifischen Krankheitsbildern mitzuwirken. b) unter Anleitung die Pflege von Patienten der Fachabteilung durchzuführen. c) bei der Kontrolle und dem Wechsel von Drainagen, Sonden und Verbänden mitzuwirken.	80
Stunden gesamt		**720**

Tab. 2.3 Ausbildungs- und Prüfungsverordnung für Notfallsanitäter (NotSan-APrV) Anlage 3 (zu § 1 Absatz 1 Nummer 3): praktische Ausbildung in geeigneten Krankenhäusern

Die praktische Ausbildung im Krankenhaus beinhaltet in allen Abteilungen und Fachdisziplinen:

- Grundregeln der Hygiene und des Infektionsschutzes
- Adäquate Maßnahmen der Krankenbeobachtung und der Patientenüberwachung mit den eigenen Sinnen und medizinischen Geräten
- Umgang mit Medikamenten aller Darreichungsformen und Maßnahmen der jeweiligen Vorbereitung und Applikation
- Ablauf einer allgemeinen und notfallbedingten Patientenaufnahme, die Schnittstellenübergaben innerhalb des Krankenhauses sowie die Dokumentation
- Schichtabläufe und Dienstbetrieb der einzelnen Stationen

Die Auszubildenden sind während der Ausbildungszeit im Krankenhaus auf allen Abteilungen und Fachdisziplinen entsprechend dem Ausbildungs- und Pflichtenheft zu befähigen, erforderliche Maßnahmen in einem für den Nofallsanitäterberuf erforderlichen Umfang kennenzulernen und selbstständig oder unter Anleitung durchführen zu können.

MERKE

Jeder Notfallsanitäter-Schüler hat aktiv auf die Gesundheits- und Pflegefachkräfte sowie auf die zuständigen Ärzte zuzugehen, um auf diese Weise die eigene Ausbildung mitzugestalten. Alle Themenbereiche, die noch nicht thematisiert worden bzw. zu denen noch keine Praxisanleitungen erfolgt sind, müssen ggf. aktiv eingefordert werden.

Kooperationsverträge

Kooperationsverträge dienen den Vertragsparteien dazu, die Zusammenarbeit, die Rechte und Pflichten, die allgemeinen Rahmenbedingungen, die zeitliche Dauer, die Kosten, aber auch Sondervereinbarungen zu regeln. Wie bereits erwähnt, haben die staatlich anerkannten Rettungsdienstschulen die Gesamtverantwortung für die Organisation und Koordination der Krankenhausausbildung. Dies stellt Krankenhausträger oftmals vor spezielle Herausforderungen, da entsprechende Kooperationsverträge (→ Tab. 2.4) von den Rettungsdienstschulen auch unter Berücksichtigung möglicher Landesspezifika abzuschließen sind.

Gegenstand	Inhalt
Nennung der Vertragspartner, Gegenstand des Kooperationsvertrags inklusive der rechtlichen Grundlagen	• Kurze Zusammenfassung des Inhalts • Auflistung der rechtlichen Grundlagen • Landesrechtliche Regelungen • Berufsgesetz
Dauer, Aufbau der Ausbildung, Verantwortungsbereiche, Geeignetheit	• Gesamtverantwortung • Geeignetheit des Krankenhauses • Anlage 3 der NotSan-APrV
Ausbildungsziel	• Beschreibung des Ausbildungsziels einschließlich der Art und Weise, wie das Ausbildungsziel konkret erreicht werden soll • Ggf. besondere Anmerkungen des zuständigen Ärztlichen Leiters Rettungsdienst
Praxisanleitung und hierzu geeignete Personen	• Zur Praxisanleitung geeignete Fachkräfte (Mentoren, Praxisanleiter) • Notwendigkeit einer ärztlichen Anleitung • Verhältnis zwischen Anzahl der Schüler und Anzahl der praxisanleitenden Personen • Anlage 3 der NotSan-APrV • Qualifikationsnachweise • Namentliche Benennung der praxisanleitenden Personen
Praxisbegleitung	• Namentliche Benennung der praxisbegleitenden Person • Verschwiegenheitsverpflichtung der praxisbegleitenden Person
Durchführung der Ausbildung	• Anzahl der zu besetzenden Plätze, Anzahl der Ausbildungsstunden • Ausbildungsplätze für den Folgelehrgang/die Folgelehrgänge • Anlage 3 NotSan-APrV • Fachgebiete gemäß Anlage 3 NotSan-APrV • Arbeitszeit, Wochenend- und Nachtdienste • Simulator und Phantom
Pflichten und Rechte des Krankenhauses	• Sicherstellung der praktischen Ausbildung gemäß Anlage 3 NotSan-APrV • Beurteilung, Bescheinigung, Dokumentation • Anrechnung von Fehlzeiten • Kündigung des Schülers bei Fehlverhalten
Pflichten und Rechte des Schülers	• Ausbildungsvertrag des Schülers • Verschwiegenheitsverpflichtung des Schülers • Dienstvereinbarungen des Krankenhauses
Finanzierung	• Vergütungsregelung • Ggf. Dynamisierung der Vergütung • Erstattung von Sachkosten
Sozial- und haftpflichtversicherungsrechtliche Fragen	
Laufzeit	
Schriftform	
Salvatorische Klausel	
Anlagen	

Tab. 2.4 Musterübersicht eines möglichen Kooperationsvertrags zwischen staatlich anerkannter Rettungsdienstschule und Krankenhausträger

IM FOKUS

Ausbildung von Notfallsanitätern im Krankenhaus

- Es handelt sich bei der Klinik um einen **festen Lernort** mit spezifischen Lernzielen.
- **Kooperationsverträge** sollen eine gute Ausbildungsqualität sicherstellen, da sie die Rechte und Pflichten von Rettungsdienstschule und Klinik verbindlich regeln.
- Die Ausbildungszeit in der Klinik beträgt **720 Stunden,** verteilt auf die Bereiche:
  - Pflegeabteilung: 80 Stunden
  - Interdisziplinäre Notaufnahme: 120 Stunden
  - Anästhesie-/OP-Abteilung: 280 Stunden
  - Intensivmedizinische Abteilung: 120 Stunden
  - Geburtshilfe/Pädiatrie: 40 Stunden
  - Psychiatrie/Gerontologie: 80 Stunden

2.3.5 Sonstige Ausbildungen im Rettungsdienst

Neben den Qualifikationen als Rettungshelfer, Rettungssanitäter, Rettungsassistent und Notfallsanitäter (Übersicht → Tab. 2.1) gibt es im Rettungsdienst noch diverse **Zusatz- und Ergänzungslehrgänge.** Nachfolgend sind die gängigsten Qualifikationen zusammenfassend dargestellt.

Praxisanleiter

Mit Inkrafttreten des NotSanG gem. Art. 5 Satz 1 am 1.1.2014 begann eine neue dreijährige professionelle Berufsausbildung im Rettungsdienst, wodurch höhere Anforderungen an die praktische Ausbildung und Lehrrettungswachen (LRW) gestellt wurden.

Rettungsassistenten im Praktikum wurden bis dahin durch **Lehrrettungsassistenten (LRA)** als verantwortliche Ausbilder auf den Lehrrettungswachen (LRW) betreut. Die Qualifikation zum LRA umfasste

3

KOMPETENZENTWICKLUNG, PROFESSIONALISIERUNG UND AKADEMISIERUNG

Achim Thamm, Harald Karutz, Klaus Runggaldier

SZENARIO

An einem Vormittag im Juni werden Sie um 11:30 Uhr als RTW-Besatzung (Notfallsanitäter und Rettungssanitäter) mit dem Einsatzstichwort „Atemnot“ mit Sondersignal ohne Notarzt in ein Mehrfamilienhaus alarmiert. In der Wohnung finden Sie einen etwa 70-jährigen Mann auf einem Küchenstuhl sitzend vor. Ihr Patient hat deutliche Atemnot und eine Lippenzyanose. Ein deutliches Giemen bei der Exspiration ist hörbar. Sie nehmen eine ausgeprägte Sprechdyspnoe war.
Keuchend und hustend, gibt der Patient Ihnen zu verstehen, dass er unter Asthma leide. Besonders um diese Jahreszeit sei es wegen den Gräserpollen besonders schlimm. Sein Asthmaspray sei gestern leer gegangen und er habe noch keine Gelegenheit gehabt, sich beim Arzt ein neues Spray verschreiben zu lassen. So schlimm wie jetzt sei es noch nie gewesen. Auskultatorisch ist über beiden Lungenflügeln ein verlängertes und giemendes Ausatemgeräusch wahrnehmbar. Die Atemfrequenz beträgt 20/Min., die Sauerstoffsättigung liegt bei 82 %.
Sie stellen die Arbeitsdiagnose „schwerer Asthmaanfall“ und der Patient wird entsprechend den Empfehlungen der Leitlinien und den regionalen Vorgaben versorgt. In sitzender Position leiten Sie den Patienten zur Lippenbremse an und beruhigen ihn. Aufgrund der Schwere des Asthmaanfalls fordern Sie den Notarzt nach. Dieser kommt aus dem Nachbarlandkreis und hat eine Anfahrtszeit von 25 Min. Unter Beachtung der Patientensicherheit und der Vitalparameter applizieren Sie ein Beta-2-Sympathomimetikum sowie ein Anticholinerikum über eine Verneblermaske.
Im Verlauf verbessert sich der Patientenzustand. Der Patient erklärt, dass er unter keinen Umständen mit in das Krankenhaus fahren kann. In einer Stunde würde sein 8-jähriger Enkel von der Schule kommen, auf den er derzeit aufpasse. Die Eltern könne er nicht erreichen, da diese mehrere Tage verreist seien. Auch sonst habe er niemand, da er seit dem Tod seiner Frau alleinstehend sei.

INHALTSÜBERSICHT

3.1 ANFORDERUNGSPROFIL

- Der vielschichtige Tätigkeitsbereich, die verschiedensten Aufgaben und die unterschiedlichsten Arbeitsbedingungen ergeben ein hoch komplexes und dynamisches Anforderungsprofil für den Beruf des Notfallsanitäters.

3.2 KOMPETENTES HANDELN IM RETTUNGSDIENST

- In der Notfallrettung treten Situationen mit einem hohen Komplexitätsgrad und einem zunächst unbestimmten Problemlösungsweg, gepaart mit Zeitdruck und hoher Verantwortung, besonders häufig auf, welche sich nur mit kompetentem Handeln bewältigen lassen.
- Handlungskompetenz ist die Bereitschaft und Fähigkeit von Menschen, sich in gesellschaftlichen, beruflichen und privaten Situationen sachgerecht, durchdacht sowie individuell und sozial verantwortlich zu verhalten.
- Berufliche Handlungskompetenz ist die Befähigung des Notfallsanitäters, die zunehmende Komplexität und Unbestimmtheit seiner beruflichen Umwelt zu begreifen und durch ziel- und selbstbewusstes, flexibles, rationales, kritisch reflektiertes und verantwortliches Verhalten zu gestalten.
- Die berufliche Handlungskompetenz wird in die vier Dimensionen fachliche, personale, soziale sowie die Methodenkompetenz differenziert.
- Kompetenz ist weder sichtbar noch auf eine andere Art und Weise direkt wahrnehmbar. Sie wird erst durch die Bearbeitung und Bewältigung einer Aufgabe und eines Problems als sog. Performanz erkennbar.

3.3 PROFESSIONALISIERUNG

- Unter dem Begriff „Professionalisierung“ versteht man Prozesse, durch die sich ein Beruf zur Profession entwickelt.
- Professionalisierung ist eine Frage der Einstellung und nicht der Bezahlung.
- Lebenslanges Lernen ist ein empfohlenes Konzept des deutschen Bildungsrats aus dem Jahr 1972, in dem Menschen befähigt werden, eigenständig über ihre Lebensspanne zu lernen. Auch internationale Organisationen (z. B. UNESCO, OECD) propagieren dieses Konzept seit einigen Jahren verstärkt.
- Fortbildungen sind für das Rettungsfachpersonal in den Rettungsdienstgesetzen der Bundesländer definiert. Es gibt jedoch qualitative Unterschiede auf lokaler, regionaler und Länderebene.
- Zertifizierte Kurssysteme stehen für einen qualitativen hohen Standard in der Patientenversorgung.

3.4 AKADEMISIERUNG

- Akademisierung bedeutet die Anhebung der Berufsausbildung auf Hochschulniveau.
- Der Wissenschaftsrat empfiehlt, die Gesundheitsfachberufe aufgrund der komplexen und verantwortungsvollen Aufgaben zukünftig bevorzugt an Hochschulen auszubilden.
- Auch für Notfallsanitäter ist – zumindest in Teilbereichen – eine Akademisierung sinnvoll und wünschenswert.

3.5 DAS SYMBOL DES „STAR OF LIFE“

- Die Einführung des „Star of Life“ hat 1972 in den USA das Ziel, Personen, Gegenstände und Fahrzeuge, die im Bereich der präklinischen Notfallversorgung besonders qualifiziert und geeignet sind, einheitlich zu kennzeichnen.
- Der „Star of Life“ ein weltweit anerkanntes und verbreitetes Symbol für den Rettungsdienst und dessen qualifiziertes Personal.
- In Deutschland ist die Nutzung des „Star of Life“ Mitgliedern des Berufsverbands eigenständiger Rettungsdienste und Katastrophenschutz e. V. (BKS) vorbehalten.

3.1 Anforderungsprofil

Notfallsanitäter erwartet ein vielschichtiger Tätigkeitsbereich. Sie können auf die verschiedensten Aufgaben(-bereiche) sowie **unterschiedlichste Arbeitsbedingungen** treffen. Ihr Handeln ist insofern hochkomplex und dynamisch, weil

- sie ihr Handeln unter Zeitdruck situativ auf die Lebenssituation und die jeweilige Lebensphase der Erkrankten und Verletzten und sonstigen Beteiligten anpassen sowie deren Selbstständigkeit und Selbstbestimmung miteinbeziehen.
- sie sich auf neue, unbekannte und sich teilweise verändernde Gegebenheiten einstellen müssen.
- sie mit einer Vielzahl von anderen am Einsatz beteiligten Personen patientenorientiert zusammenarbeiten müssen.
- sie bei Abwesenheit eines Notarztes eigenständig auch invasive Maßnahmen abwägen und ggf. ergreifen, wenn ein lebensgefährlicher Zustand vorliegt oder wesentliche Folgeschäden zu erwarten sind.
- sie eigenständig heilkundliche Maßnahmen ergreifen, die vom Ärztlichen Leiter Rettungsdienst oder entsprechend verantwortlichen Ärzten bei bestimmten notfallmedizinischen Zustandsbildern und -situationen standardmäßig vorgegeben, überprüft und verantwortet werden.

Diese Faktoren erfordern ein entsprechendes **Anforderungsprofil** (→ Tab. 3.1). Mit einem solchen Anforderungsprofil ist eine Auflistung der idealen Eigenschaften gemeint, die jemand für die Ausübung eines Berufs mitbringen sollte (→ Abb. 3.1).

Grundsätzlich muss der Notfallsanitäter in der Lage sein, **Schichtarbeit** zu leisten, tags, nachts und auch an Wochenenden und Feiertagen zu arbeiten. Er muss in Ausnahmefällen Überstunden machen, um die Versorgung eines Notfallpatienten nicht zu gefährden. Ferner wird erwartet, dass er in der Lage ist, auf engstem Raum bzw. in engen Räumen bei jedem Wetter zu arbeiten. Spätestens im dritten Ausbildungsjahr sollte er im Besitz einer gültigen **Fahrerlaubnis** (Führerschein) sein.

Weitere Bedingungen werden in den Arbeitsverträgen festgehalten, u. a. können hierzu folgende zählen: kein Arbeiten für 24 Stunden nach einer Blutspende, kein Alkohol während der Arbeit und mindestens 8 Stunden zuvor, keine Arbeit mit Krankheiten oder Verletzungen, die der korrekten Ausübung der Arbeit entgegenstehen und dass man sich mitverantwortlich zeigt, die Ruhezeiten zwischen den Schichten einzuhalten.

Abb. 3.1 Anforderungsprofil eines Notfallsanitäters (→ Tab. 3.1) [M842/L231]

Kognitive Eigenschaften	Körperlich-gesundheitliche Voraussetzungen	Psychische Eigenschaften	Soziale Eigenschaften
• Hohes Maß an Verantwortungsbewusstsein, Taktgefühl und Verschwiegenheit • Einsicht, dass Fehler, Stress oder Inkompetenz schwerwiegende, vielleicht tödliche Folgen haben können • Rasche Auffassungsgabe, hohe Beweglichkeit und Selbstständigkeit des Denkens • Wissen und Fähigkeit, kritische Zustandsbilder rasch zu erkennen und fachgerecht zu behandeln • Ausgezeichnetes notfallmedizinisches, rettungstaktisches Fachwissen, das auch unter widrigen Umständen eingesetzt werden kann • Organisationstalent • Lesen von Landkarten • Grundlegende Navigationskenntnisse und guter Orientierungssinn • Kenntnis über andere Hilfsorganisationen, deren Ressourcen und Organisationsabläufe	• Zeitweiliges Sitzen, häufiges Stehen oder Bücken, das Heben und Tragen schwerer Menschen und Gegenstände erfordern körperliche Fitness, Muskelkraft und Beweglichkeit • Durchführung diffiziler Handfertigkeiten erfordert manuelle Geschicklichkeit • Vorzügliche Gesundheit • Keine Nacht- oder Rotgrünfarbenblindheit • Keine Erkrankung, die durch den Stress verschlimmert wird • Entscheidungsfreudigkeit und die Fähigkeit, begründete, unabhängige, manchmal endgültige, korrekte und rasche Entscheidungen zu treffen	• Vorzügliche mentale und psychische Stabilität und Belastbarkeit, hohe Frustrationstoleranz • Lern- und Kritikfähigkeit • Fähigkeit, die Widersprüchlichkeit von Rollenerwartungen zu ertragen und zu verarbeiten • Fähigkeit, auch in extremen Notfallsituationen und unter Stress ruhig zu arbeiten und die Kontrolle über sich zu behalten • Ausgeglichenheit, ein gewisses Ausmaß an Ruhepotenzial haben und Ruhe auch ausstrahlen können • Selbstbeherrschung und Geduld	• Einfühlungsvermögen, Interesse an Gefühlen und Respekt für die Privatsphäre • Führungsqualitäten • Fähigkeit zur Teamarbeit und zur Ein- und Unterordnung • Fähigkeit zur Kooperation, Bereitschaft, eine professionelle Beziehung zu Menschen herzustellen und zu erhalten • Fähigkeit zur Interaktion mit Menschen, die aufgrund belastender Situationen ungewöhnlich reagieren • Ausgeprägte Kommunikationsfähigkeiten • Fähigkeit zu Lob, Kritik, Selbstlob und Selbstkritik

Tab. 3.1 Eigenschaften eines idealen Notfallsanitäters

3.2 Kompetentes Handeln im Rettungsdienst

Das Fallbeispiel zu Beginn dieses Kapitels zeigt eindrucksvoll, dass das Handeln von Notfallsanitätern unterschiedliche Fähigkeiten voraussetzt. Um den Zustand eines Patienten einzuschätzen und eine zielgerichtete Versorgung einzuleiten, benötigt man medizinisches Fachwissen und notfallmedizinisches Können. Der Fähigkeit, einem Patienten freundlich und zugewandt entgegenzutreten, ihn als Mensch wertzuschätzen und zu respektieren, liegen Einstellungen, Werte und Persönlichkeitsstrukturen zugrunde.

Kommunikative und soziale Fähigkeiten werden benötigt, um auf die Bedürfnisse eines Patienten einzugehen, ein lösungsorientiertes Gespräch zu führen und Patienten der Situation angemessen zu betreuen. Der Grad der Ausprägung dieser Fähigkeiten bestimmt das Ausmaß der beruflichen Handlungsfähigkeit in offenen und komplexen Situationen.

MERKE

In der Notfallrettung treten Situationen mit einem hohen Komplexitätsgrad und einem zunächst unbestimmten Problemlösungsweg, gepaart mit Zeitdruck und hoher Verantwortung besonders häufig auf.

In dem einleitend beschriebenen Fall gibt es zunächst keinen vorbestimmten Lösungsweg. Der handelnde Notfallsanitäter muss sein Handeln also selbstständig planen, Informationen hierfür sammeln, Entscheidungen treffen, diese ausführen und reflektieren. Um die kognitive Tiefenstruktur zu beschreiben, die für den Handlungsvollzug notwendig ist, greifen Begriffe wie **„Wissen“** oder **„Fertigkeiten“** zu kurz:

- „Wissen“ hat lediglich die Bedeutung, dass man Kenntnis über etwas hat.
- Der Begriff „Fertigkeit“ bezieht sich auf eine bei der Ausführung bestimmter Tätigkeiten erworbene Geschicklichkeit.

MERKE

In den letzten Jahren wurde daher der Begriff **„Kompetenz“** zu einem pädagogischen Leitbegriff.

Ganz allgemein wird unter „Kompetenz“ die Bereitschaft und die Befähigung zur Bewältigung von Herausforderungen verstanden. Eine Aufgabe in obigem Fall stellt die Sicherstellung sowohl der Versorgung des Patienten als auch der Betreuung seines Enkels dar. Zur Lösung dieser Aufgabe gibt es zunächst keinen klaren Lösungsansatz, weshalb eine Vielzahl von Abwägungen und ganzheitlichen Überlegungen erforderlich ist, die sowohl medizinische als auch situative und die Persönlichkeit des Patienten betreffende Erwägungen beinhalten.

Ein Notfallsanitäter, der die Befähigung hat, die beschriebenen Aufgaben zu lösen, kann kognitive, soziale oder verhaltensmäßige Fähigkeiten, Fertigkeiten und Kenntnisse so organisieren, dass individuelle Wünsche, Ziele oder gestellte Aufgaben und Anforderungen erfüllt werden können. Er agiert in diesem Fall kompetent.

Kompetentes Handeln bezieht die Befähigungen Wissen, Fertigkeiten, Qualifikation sowie die Persönlichkeit mit Regeln, Werten und Normen mit ein. Dabei entsteht kompetentes Handeln erst ausgelöst durch die Problemsituation, in der latent vorhandene Befähigungen angesichts aktueller Herausforderungen aktiviert und genutzt werden.

MERKE

Eine einheitliche Definition des **Kompetenzbegriffs** gibt es nicht. In den letzten Jahren wurden unzählige Definitionen, Beschreibungen und Messverfahren entwickelt. Beispiele:

- Kompetenzen sind Konfigurationen von strukturellen und funktionellen Personenmerkmalen, die es dem Individuum in komplexen Situationen ermöglichen, Anforderungen zu bewältigen (Franke 2005).
- Kompetenzen sind verfügbare oder erlernbare kognitive Fähigkeiten und Fertigkeiten, um anspruchsvolle Aufgaben zu lösen (Weinert 2001).
- Eine Kompetenz ist eine Fähigkeit. Sie wird beschrieben durch die Angabe
  - einer bestimmten Menge von Aufgaben, die man ausführen kann, wenn man die betreffende Kompetenz besitzt bzw.
  - eines Kompetenzgrads, der festlegt, wie gut man diese Aufgaben ausführen kann, wenn man die betreffende Kompetenz besitzt (Ghanbari/Schott, 2008).

IM FOKUS

Kompetentes Handeln im Rettungsdienst

- Das „Arbeitsfeld Rettungsdienst“ wird **zunehmend komplexer.** Dies ist auch eine Herausforderung für die Aus- und Fortbildung von Rettungsfachpersonal.
- Eher traditionelle pädagogische Begriffe:
  - **Wissen:** Kenntnisse über eine Sache
  - **Fertigkeiten:** Geschicklichkeit bei der Ausführung bestimmter Tätigkeiten
- **Kompetenz:** relativ junger pädagogischer Begriff:
  - Mögliche Kompetenzdefinition: **Fähigkeit zur Bewältigung** einer bestimmten Menge an Aufgaben mit einer bestimmten Qualität.
  - Kompetentes Handeln entsteht durch Kontakt mit **Problemsituationen.**

3.2.1 Allgemeine und berufliche Handlungskompetenz

Der Erwerb beruflicher Handlungskompetenz ist aktuell unumstrittenes Leitziel der beruflichen Bildung. Die berufliche Handlungskompetenz stellt einen Teilbereich der allgemeinen Handlungskompetenz dar.

DEFINITION

Die **Kultusministerkonferenz (KMK)** bezeichnet die **allgemeine Handlungskompetenz** als *„Bereitschaft und Fähigkeit von Menschen sich in gesellschaftlichen, beruflichen und privaten Situationen sachgerecht, durchdacht sowie individuell und sozial verantwortlich zu verhalten“*. Der Begriff der „Handlung“ steht hier nicht für ein einfaches „Machen“, sondern umschreibt ein von verstandesmäßigem Denken gestütztes und von Gefühlen (Affekten) durchdrungenes, absichtsgeleitetes, bewusstes, zielgerichtetes und planvolles menschliches Tun. **Berufliche Handlungskompetenz** bezieht sich auf Fähigkeiten, die in einer immer vielschichtigeren und komplexer werdenden Arbeitswelt benötigt werden. Pätzold definiert berufliche Handlungskompetenz als Befähigung des Arbeitnehmers *„die zunehmende Komplexität und Unbestimmtheit seiner beruflichen Umwelt zu begreifen und durch ziel- und selbstbewusstes, flexibles, rationales, kritisch-reflektiertes und verantwortliches Verhalten zu gestalten“* (Pätzold 2006).

Der Rettungsdienst ist in den letzten Jahren ebenso wie das gesamte Gesundheitswesen kontinuierlichen Veränderungen unterworfen. Die beruflichen **Anforderungen an Rettungsfachpersonal** steigen:

- Notfallsanitäter sind mit einem immer höheren Technisierungsgrad konfrontiert; schon die Bedienung der medizinischen Geräte in einem RTW wird immer komplexer und anspruchsvoller.
- Leitlinien und Algorithmen werden ständig aktualisiert, weil das medizinische Wissen mit enormer Geschwindigkeit wächst und daher auch in der Einsatzpraxis Modifikationen vorzunehmen sind.
- Die Einsatzzahlen steigen bundesweit rasant an.
- Das Einsatz- und Alarmierungsspektrum hat sich stark verändert.

Aus diesen Gründen erscheint es folgerichtig, dass die Ausbildung von Notfallsanitätern auf berufliche Handlungskompetenz abzielt.

3.2.2 Kompetenzdimensionen

Der Begriff der beruflichen Handlungskompetenz folgt einem ganzheitlichen Verständnis menschlicher Arbeitstätigkeit. Das bedeutet, dass davon ausgegangen wird, dass Fachwissen und Können, die eigene Persönlichkeit, die Situation sowie die soziale Interaktion Einfluss auf Handlungsentscheidungen haben. Zum besseren Überblick werden berufliche Handlungskompetenzen in unterschiedliche Bereiche, sog. **Kompetenzdimensionen,** aufgeteilt. So setzt sich die berufliche Handlungskompetenz zusammen aus den Kompetenzdimensionen Fachkompetenz, Methodenkompetenz, Sozialkompetenz und Personalkompetenz (→ Abb. 3.2):

- **Fachliche Kompetenz** ist die Fähigkeit, fachbezogenes sowie fachübergreifendes Wissen zu verknüpfen, zu vertiefen, kritisch zu hinterfragen und entsprechend in Handlungszusammenhängen anzuwenden. Die rein fachlichen Fertigkeiten und Kenntnisse werden in der dreijährigen Notfallsanitäterausbildung erworben und in jährlichen Fortbildungen sowie durch entsprechendes Selbststudium gefestigt und vertieft.

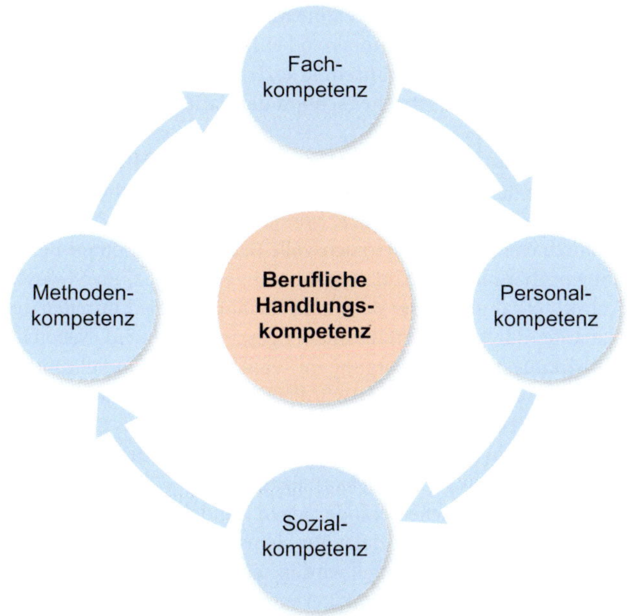

Abb. 3.2 Dimensionen beruflicher Handlungskompetenz [P103, L231]

- **Personale Kompetenz** beinhaltet u. a. Leistungsbereitschaft, die Bereitschaft zur persönlichen und beruflichen Weiterentwicklung, die Fähigkeit zur kritischen Selbstreflexion, Offenheit, Zielstrebigkeit sowie die Bereitschaft, (kalkuliert) risikobereit zu sein. Auch Selbstständigkeit (Selbstvertrauen, Selbstwertgefühl), Eigeninitiative, Verantwortungsbewusstsein, Führungsfähigkeiten, Flexibilität sowie eine ausgeprägte Lernbereitschaft und -fähigkeit gehören dazu.
- **Soziale Kompetenz** handelt von der Fähigkeit des Notfallsanitäters, souverän, fair, einfühlsam sowie konstruktiv mit seinen Mitmenschen (z. B. Patienten, Kollegen) umzugehen. Ein wichtiger Aspekt ist hier die Teamfähigkeit sowohl in der Führungsrolle als auch als Teammitglied. Ein Notfallsanitäter muss neben der Fähigkeit zur Empathie (sich in andere hineinzuversetzen und einzufühlen) auch Konflikte konstruktiv lösen können. Ebenfalls gehört eine Bereitschaft zur Kooperation mit Mitmenschen, deren sozialem Umfeld und religiösem bzw. politischem Hintergrund sowie ehrliches und verlässliches Auftreten bzw. Handeln hierzu. Wegweisend ist hier ein emotional intelligenter Umgang mit den Gefühlen und Stimmungen anderer sowie konstruktiv die eigenen Gefühle und Stimmungen wahrzunehmen. Soziale Kompetenz drückt sich auch darin aus, wie weit ein Notfallsanitäter dazu in der Lage ist, seinen Mitmenschen eine konstruktive Rückmeldung zu geben bzw. auch Kritik über seine Person anzunehmen.
- Unter der **Methodenkompetenz** wird die Fähigkeit des Notfallsanitäters verstanden, Arbeitstechniken, Verfahrensweisen und Lernstrategien richtig anzuwenden. Sie beinhaltet ebenso die Fähigkeiten, sich Informationen (z. B. Anamnese) zu beschaffen und die Ergebnisse von entsprechenden Verarbeitungsprozessen zielgerichtet und richtig darzustellen. Auch die Anwendung von Problemlösungstechniken und die Gestaltung von Problemlösungsprozessen zählen hierzu.

Die Förderung der Kompetenzdimensionen Fach-, Methoden-, Sozial- und Personalkompetenz in der Ausbildung von Notfallsanitätern zielt insofern auf die Verbesserung der beruflichen Handlungsfähigkeit ab. Dabei wird unter einer Handlung nicht nur die Verrichtung einer Maßnahme oder Tätigkeit verstanden. Vielmehr umfasst eine **vollständige, kompetente Handlung** stets die folgenden **sechs Schritte:**

1. Informieren
2. Planen
3. Entscheiden
4. Durchführen
5. Kontrollieren
6. Bewerten

Bezogen auf das einleitende Fallbeispiel dieses Kapitels, bedeutet Handeln im Sinne einer vollständigen, kompetenten Handlung daher auch nicht nur das Durchführen der Medikamentengabe über die Verneblermaske. Das Informieren (z. B. über Vorerkrankungen, die bisherige Medikation des Patienten etc.), das Planen und Entscheiden vor der Maßnahme sowie nicht zuletzt das Kontrollieren (z. B. der Effektivität) und das Bewerten der Maßnahme in Bezug auf die Einsatzsituation werden ebenfalls einbezogen.

In diesem Zusammenhang bilden **alle** Kompetenzdimensionen gemeinsam – wenn auch in unterschiedlicher Ausprägung – die Grundlage für eine vollständige, kompetente Handlung. So handelt der Notfallsanitäter, der ein hohes Maß beruflicher Handlungskompetenz besitzt,

- **fachkompetent,** weil er z. B. in der Durchführung die Dosierung kennt.
- **methodenkompetent,** weil er die kognitive Fähigkeit besitzt, die Maßnahme in der Planung auf eine für ihn neue Situation zu übertragen.

- **sozialkompetent,** weil er sich in allen Handlungsschritten mit dem Patienten verantwortungsvoll auseinandersetzt und verständigt.
- **personalkompetent,** weil er z. B. bei der Bewertung seiner Handlung kritikfähig ist und die Bereitschaft besitzt, sich durch die gemachte Erfahrung weiterzuentwickeln.

MERKE

Kompetentes Handeln von Notfallsanitätern schließt grundsätzlich alle Kompetenzdimensionen ein!

In unterschiedlichen beruflichen Handlungskontexten sind die Kompetenzdimensionen in jeweils unterschiedlicher Ausprägung vorhanden. Wegweisend hierfür ist das von Ohder et al. in Baden-Württemberg erarbeitete Curriculum für die Notfallsanitäterausbildung. So dominiert in der Kompetenzbeschreibung des dort enthaltenen Lernfelds 7 („Einen Notfalleinsatz selbstständig planen, durchführen und bewerten") zweifellos die Fachkompetenz: *„Notfallsanitäter planen den Ablauf des Notfalleinsatzes unter Berücksichtigung des allgemein anerkannten Standes rettungsdienstlicher, medizinischer sowie anderer bezugswissenschaftlicher Erkenntnisse."* Eine große Bedeutung nimmt auch die Methodenkompetenz ein, z. B., weil *„Notfallsanitäter die Notwendigkeit zur eigenständigen Übernahme heilkundlicher Maßnahmen aus der Situation ableiten"*.

In der Kompetenzbeschreibung von Lernfeld 6 („Patientinnen und Patienten, Angehörige, Kolleginnen und Kollegen sowie Dritte unterstützen und beraten") steht dagegen die Sozialkompetenz im Vordergrund (→ Abb. 3.3): *„Die Auszubildenden kommunizieren sicher mit Patienten, Angehörigen, Kollegen sowie Dritten in allen Lebenssituationen angemessen, deeskalierend, individuell und zielorientiert."*

Erstellt man von dem gesamten beruflichen Handlungsspektrum des Notfallsanitäters ein **Kompetenzmodell,** stellt man fest, dass vor allem in Handlungssituationen, in denen invasive oder heilkundliche Maßnahmen durch Notfallsanitäter angewendet werden, ein hoher Ausprägungsgrad von notfallmedizinischer Fachkompetenz festzustellen ist.

In der öffentlichen Diskussion sticht die Durchführung dieser invasiven oder heilkundlichen Maßnahmen besonders hervor. Aus diesem Grund liegt auf den ersten Blick auch die Schlussfolgerung nahe, dass die berufliche Handlungsfähigkeit von Notfallsanitätern besonders

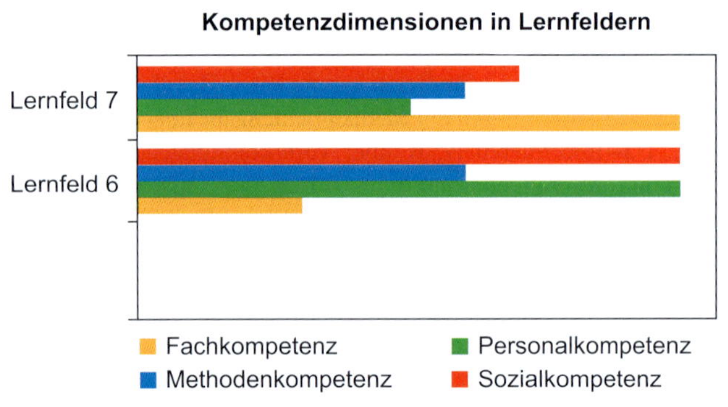

Abb. 3.3 Kompetenzometer, beispielhaft dargestellt an den Lernfeldern 6 („Patientinnen und Patienten, Angehörige, Kolleginnen und Kollegen sowie Dritte unterstützen und beraten") und 7 („Einen Notfalleinsatz selbstständig planen, durchführen und bewerten") des in Baden-Württemberg erarbeiteten Curriculums zur Notfallsanitäterausbildung [L231]

durch notfallmedizinische Fachkompetenz bestimmt ist (→ Kap. 4.2). Dem entgegenzusetzen ist die Tatsache, dass soziale Interaktion mit unterschiedlichen Personen in **jeder** Einsatzsituation bedeutsam ist. Dagegen spielt das Durchführen invasiver oder heilkundlicher Maßnahmen nur bei einem geringen Anteil der Einsätze eine Rolle.

MERKE

Bei einer exemplarischen Auswertung von 14 808 Notfalleinsätzen handelte es sich nur in 1,58 % der Fälle um Notfallsituationen, bei denen umfangreichere invasive Maßnahmen erforderlich gewesen sind!

Aufgrund dieser Verhältnismäßigkeiten scheint die **Bedeutsamkeit der Sozialkompetenz** im Vergleich zur notfallmedizinischen Fachkompetenz im alltäglichen Eindruck verzerrt und unterbewertet zu werden. In dieser Beziehung ist ein Umdenken angebracht. Notfallmedizinisches Fachwissen ist wichtig, in manchen Fällen sogar überlebenswichtig. Insgesamt scheint die Ausprägung der Sozialkompetenz für die berufliche Handlungsfähigkeit jedoch mindestens ebenso bedeutsam zu sein. Diese Annahme begründet sich folgendermaßen:

- Soziale Interaktion spielt in allen Einsätzen eine bedeutsame Rolle. Interaktionspartner sind der Patient, Angehörige, sonstige Beteiligte, der Teampartner, der (Tele-)Notarzt, die Leitstelle oder andere Fachdienste. Das Spektrum reicht von Angst nehmen, Sicherheit geben, beruhigen, Maßnahmen abstimmen, aufklären, informieren, beraten, erfragen, führen, geführt werden. Häufig mit mehreren Interaktionspartnern parallel in Kombination mit unterschiedlichen Zielstellungen (z. B. Angst des Patienten nehmen und gleichzeitig den Teampartner führen).
- 80 % der Zwischenfälle in Einsätzen sind auf Kommunikationsfehler zurückzuführen. Die Förderung sozialer Kompetenzen erhöht die Patientensicherheit, senkt Stress und vermeidet Fehler.
- Bei der Durchführung invasiver und heilkundlicher Maßnahmen ist es für die Patientensicherheit unerlässlich, eine gute Anamnese zu erheben, Risiken, die gegen die Maßnahmen sprechen, zu erfahren, den Patienten umfassend aufzuklären und den Teampartner angemessen zu führen. Je sozialkompetenter der Notfallsanitäter handelt, desto eher schöpft der Patient Vertrauen und arbeitet mit.
- Im Bundesdurchschnitt ist der Rettungswagen 2,5 Min. vor dem Notarzt an der Einsatzstelle. Notfallsanitäter übernehmen daher die Betreuung von Patienten i. d. R. vor dem Eintreffen des Notarztes. Dadurch entsteht eine vertrauensvolle Behandler-Patienten-Beziehung primär mit dem Notfallsanitäter. Es erscheint sinnvoll, dass die Aufrechterhaltung dieser Beziehung auch nach dem Eintreffen des Notarztes durch den Notfallsanitäter gewährleistet wird. Neben der Mitwirkung bei der Versorgung im Team sollte der Notfallsanitäter in dieser Situation vertrauenswürdiger, sozialkompetenter Experte für die Betreuung des Patienten sein und bleiben. Dies gibt dem Patienten Sicherheit und eine gewisse Konstanz in der häufig durch Hektik und Stress geprägten Notfallsituation.
- Durch gesellschaftliche Veränderungen wandelt sich das Einsatzaufkommen. Einsätze mit sozialen Problemstellungen nehmen zu, der schwere medizinische Notfall wird in seinem Anteil an den Gesamteinsätzen seltener. Notfallsanitäter müssen in der Lage sein, solche Einsatzsituationen selbstständig situations- und patientenorientiert zu lösen.

MERKE

Die beschriebenen Argumente für eine **Aufwertung sozialer Kompetenzen** sollten stärker in das Bewusstsein von Rettungsfachpersonal treten. Auch sollte der Förderung sozialer Kompetenzen in Aus- und Fortbildungsmaßnahmen mehr Raum gegeben werden. Das darf jedoch nicht dazu führen, dass notfallmedizinische Fachkompetenz im Gegenzug abgebaut wird. Für eine zielführende, ganzheitlich ausgerichtete Notfallversorgung ist das Zusammenspiel aller Kompetenzdimensionen erforderlich!

IM FOKUS

Kompetenzdimensionen

- **Kompetenzdimensionen** (mit ausgewählten Beispielfragen):
  - **Fachkompetenz:** „Wie behandle ich einen Patienten mit einem Asthmaanfall?"
  - **Personalkompetenz:** „Wie zufrieden bin ich mit meiner heutigen Arbeitsleistung?"
  - **Sozialkompetenz:** „Welche Bedürfnisse hat mein Patient?"
  - **Methodenkompetenz:** „Wie führe ich eine Wirbelsäulenimmobilisation richtig durch?"
- Das **„Modell der vollständigen, kompetenten Handlung"**:
  - Informieren
  - Planen
  - Entscheiden
  - Durchführen
  - Kontrollieren
  - Bewerten
- Um eine kompetente Handlung durchzuführen, müssen alle Kompetenzdimensionen eingebracht werden.

3.2.3 Kompetenz und Performanz

Kompetenzen an sich sind weder sichtbar noch kann man sie auf eine andere Art und Weise direkt wahrnehmen, denn sie sind lediglich personenbezogene Veranlagungen **(Dispositionen).** Wer eine bestimmte Kompetenz besitzt, hat eine innere Veranlagung als Befähigung, bestimmte Aufgaben zu bearbeiten. In dieser (kognitiven) Tiefenstruktur sind bestimmte Fähigkeiten, Fertigkeiten und Kenntnisse enthalten.

Kompetenzen umfassen also die (kognitiven) Tiefenstrukturen, aus denen das Subjekt allgemein fassbare Oberflächenstrukturen generiert. Diese befähigen bei einer Aufgabenstellung zu der Leistung, konkrete Aufgabenstellungen lösen zu können, was sich in sichtbarem Handeln zeigt. Hierfür werden Fähigkeiten, Fertigkeiten und Wissen eingesetzt.

Erst durch die Bearbeitung einer Aufgabe werden Kompetenzen als sog. **Performanz** erkennbar. Das Generieren von sichtbarer Performanz aus Kompetenzen in der kognitiven Tiefenstruktur wird beeinflusst durch die Variablen der Motivationslage, dem Wissensbestand sowie den gesellschaftlichen Bedingungen, wie z. B. Normen und sozialen Handlungs- bzw. Rollenerwartungen. Durch diese Variablen ist eine situativ und personenabhängig unterschiedliche Ausprägung der Performanz bedingt. Ein Beispiel: In dem Fall zu Beginn dieses Kapitels entscheidet sich der Notfallsanitäter zur Gabe von Medikamenten. Die Handlung der Medikamentengabe wird als Performanz beobachtbar. Man kann hierdurch Rückschlüsse auf die entsprechenden Kompetenzen in der kognitiven Tiefenstruktur des Notfallsanitäters ziehen. Die gezeigte Performanz unterliegt den oben beschriebenen Störvariablen (z. B. Motivationslage, gesellschaftliche Handlungs- bzw. Rollenerwartungen), wodurch die Beurteilung der Kompetenz erschwert werden kann.

Die beschriebenen Prozesse können in beide Richtungen verlaufen. Das Überführen der Tiefenstruktur in die Oberflächenstruktur verursacht das Hervorbringen von Handlungen. Aus der Oberflächenstruktur werden die Daten in die Tiefenstruktur überführt, was als strukturelle Beschreibung des Lernens mit dem Ergebnis des Aufbaus und der Erweiterung der Tiefenstruktur zu verstehen ist (→ Abb. 3.4).

ACHTUNG!
Das Verständnis der **Wechselwirkung von Kompetenz und Performanz** ist für eine kompetenzorientierte Gestaltung von Lehr- und Lernsituationen in Aus- und Fortbildung elementar.

Notfallsanitäter sind durch Aus-, Fort- und Weiterbildung zu befähigen, beobachtbares Handeln als Performanz zu zeigen, aus dem auf die vermittelten Kompetenzen geschlossen werden kann. Dies bezeichnet man auch als **Output-orientierte Ausbildung:** Es wird nicht mehr gefragt, welcher Stoff zu vermitteln ist (Inputorientierung) wie etwa bei der früheren Rettungsassistentenausbildung, sondern welche Inhalte, Lernsettings und Methoden geeignet sind, damit die Teilnehmer ihre Kompetenzen entwickeln können. Dies zeigt sich inzwischen auch in vielen anderen Berufsausbildungen im Gesundheitswesen, die in ihren Berufsausbildungsgesetzen immer mehr von der Inputorientierung absehen und sich stattdessen auf den Output konzentrieren.

Die Orientierung der Notfallsanitäterausbildung an Kompetenzzielen ist daher entscheidend, **tatsächliche Handlungsfähigkeit** an den Schulen und den Lernorten Rettungswache und Klinik zu vermitteln. Gleichzeitig wird die berufliche Bildung von Notfallsanitätern hierdurch auch vor große **Herausforderungen** gestellt:

- Berufsspezifische Bildungsstandards und Kompetenzmodelle werden evaluiert und weiterentwickelt; sie definieren, welche Kompetenzen Notfallsanitäter am Ende der Ausbildung in welcher Kompetenztiefe erlangt haben sollen.
- Lehrkräfte und Praxisanleiter werden qualifiziert und fortgebildet, kompetenzorientierte Lernsituationen zu gestalten.
- Wissenschaftlich fundierte Prüfungsmethoden, die etabliert sind, werden konstruktiv evaluiert und bei Bedarf angepasst. Sie müssen in der Lage sein, die aus der Performanz der Prüflinge geschlossene Kompetenz zu ermitteln, zu messen und mit den Bildungsstandards bzw. Kompetenzmodellen zu vergleichen.

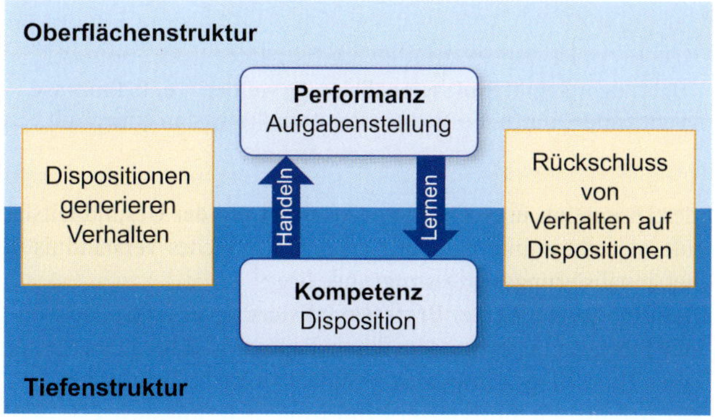

Abb. 3.4 Der Zusammenhang von Performanz und Kompetenz sowie kognitiven Oberflächen- und Tiefenstrukturen nach Jung [M842, L231]

- Es müssen Fortbildungskonzepte etabliert und evaluiert werden, die Notfallsanitäter im Rahmen berufs- und lebensbegleitenden Lernens in die Lage versetzen, ihre beruflichen Handlungskompetenzen zu erhalten und zu erweitern.

IM FOKUS

Kompetenz und Performanz

- Kompetenz ist **nicht sichtbar** und **nicht direkt messbar.**
- Kompetenzen werden bei der Bearbeitung von Aufgaben als **Performanz** sichtbar, diese kann jedoch „tagesabhängig besser oder schlechter" sein.
- Die Notfallsanitäterausbildung ist **Output-orientiert.** Es geht also weniger um die Frage, was gelehrt werden soll, sondern darum, was an ihrem Ende für Kompetenzen entwickelt sein sollen.
- Diese junge Form der Ausbildungskonzeption ist eine Herausforderung für Lernende, Lehrende und das gesamte Berufsfeld.

3.3 Professionalisierung

In der Berufssoziologie sind **Professionen** ein besonderer Typ von Berufen. Als Professionen gelten wissenschaftlich begründete Expertenberufe im Dienstleistungsbereich, die *„in einem gesellschaftlich relevanten Problemfeld besondere Leistungen für die Gesellschaft […] erbringen und dadurch einer spezifischen Handlungslogik folgen"*. Professionen sind gekennzeichnet von folgenden **Eigenschaften:**

- Macht und Einfluss
- Hohes Einkommen
- Ausgeprägte gesellschaftliche Wertschätzung
- Berufliche Autonomie auf Grundlage einer spezialisierten Wissensbasis
- Monopol auf einen bestimmten Tätigkeits- und Wissensbereich, das mithilfe des Staates gegen konkurrierende Berufe durchgesetzt wird

So wird z. B. der Arztberuf als eine Profession bezeichnet. Gesellschaftlich wird der ärztliche Autonomieanspruch durch die Kompetenz zur Heilung und Linderung körperlicher und seelischer Leiden sowie die Gemeinwohlorientierung legitimiert. Aus diesem Grund beansprucht die Ärzteschaft das Monopol zur Diagnosestellung, das Recht zu operativen Eingriffen, das Recht zur Verschreibung von Medikamenten und zur Verordnung von Heilmaßnahmen. Seit einigen Jahren gibt es in Deutschland aber auch die Tendenz der Gesundheitsfachberufe, sich zu professionalisieren.

MERKE

Unter dem Begriff **Professionalisierung** werden i. d. R. Prozesse verstanden, durch die sich ein Beruf zur Profession entwickelt.

In der Diskussion über die Professionalisierung der Gesundheitsfachberufe ist nicht immer eindeutig erkennbar, welches Verständnis dem Professionalisierungsprozess zugrunde liegt:

- **Handlungsorientierter Professionalisierungsprozess:** Hier soll eine Profession insbesondere durch die Herausbildung einer besonderen **Handlungskompetenz** gebildet bzw. gefördert werden.
- **Berufspolitisch motivierter Professionalisierungsprozess:** In diesem Ansatz geht es darum, einem Berufsbild bestimmte **Merkmale** einer Profession zu verschaffen:
  - Die Mitglieder der Profession haben eine gemeinsame Zielrichtung.
  - Die Berufspraxis hat eine wissenschaftliche Grundlage und setzt eine umfangreiche, mindestens dreijährige Ausbildung voraus.
  - Mitglieder der Profession üben besondere Tätigkeiten und Handlungen aus und verfügen über spezielle Fertigkeiten, die nicht von der Allgemeinheit beherrscht werden.
  - Die Berufspraxis ist einem Ideal verpflichtet, das zugleich den Klienten einen qualifizierten Service garantiert.
  - Der Beruf und seine spezielle Tätigkeit sind ausreichend von anderen Berufen abgegrenzt und gesetzlich geschützt, nicht zuletzt deshalb, weil eine Profession über einen Berufsverband Druck auf die Gesetzgebung ausüben kann.
  - Der Beruf ist auf eine dauerhafte, vom Lebensalter unabhängige berufliche Tätigkeit angelegt und bietet Aufstiegsmöglichkeiten.
  - Die Berufsausbildung garantiert qualifizierte, eigenverantwortliche Tätigkeiten auf einem möglichst breiten Gebiet und ist Grundlage für Fortbildung und beruflichen Aufstieg.
  - Die Berufsausbildung führt zu selbstständigem Denken und Handeln bei der Anwendung von Fertigkeiten und Kenntnissen.
  - Die Zugangsvoraussetzungen zur Berufsausübung nach erfolgreichem Absolvieren der Berufsausbildung sind durch Lizenzierung geregelt. Bei Nichterfüllen der beruflichen Anforderungen ist ein Lizenzverlust vorgesehen.
  - Der Beruf sichert eine ausreichende finanzielle Entlohnung.
  - Eine soziale Absicherung, vor allem für den Fall von Berufskrankheiten, existiert.
  - Die Mitglieder der Berufsgruppe werden durch Interessenvertretungen (Berufsverbände, Gewerkschaften) repräsentiert. Diese Institutionen haben Kontrolle über die Arbeit und Einfluss auf ihre Gestaltung.
  - Die Berufsgruppe betreibt eine aktive Öffentlichkeitsarbeit.
  - Die Qualität der beruflichen Arbeit wird durch geeignete Einrichtungen kontrolliert, Fortbildungsverpflichtungen bestehen.
  - Es gibt Fachzeitschriften und eLearning-Plattformen, welche sich mit berufsspezifischen Themen befassen.

Auf jeden Fall ist eine Profession nicht nur ein Etikett, das sich ein Berufszweig ansteckt, um sich von anderen Berufszweigen abzugrenzen. Professionalisierung basiert immer auch auf der Idee, den Angehörigen der jeweiligen Profession **Selbstbewusstsein und Anerkennung in der Öffentlichkeit** zu vermitteln.

Darüber hinaus beschreibt Professionalität insgesamt das Verhalten und die Qualitäten eines Handelnden in einem bestimmten Beruf. Ein professionell handelnder Notfallsanitäter sieht sich z. B. als Teammitglied im Gesundheitswesen. Er praktiziert, unterstützt und fördert eine qualifizierte Patientenversorgung, ist stolz auf seinen Beruf und setzt sich für die Erreichung anspruchsvoller Ziele ein. Er erntet den Respekt und das Vertrauen anderer Teammitglieder im Gesundheitswesen, da er seine Pflichten bestmöglich erfüllt.

MERKE

Professionalisierung ist insofern eine Frage der Einstellung, nicht der Bezahlung. Sie kann nicht verborgt, entliehen, gekauft oder vorgetäuscht werden.

Sich zu professionalisieren, bedarf vieler Anstrengungen. Dazu abschließend noch einige **Denkanstöße:**

- Angehörige einer Profession stellen die sorgfältige Ausführung ihrer Arbeit an erste Stelle, nicht ihre Persönlichkeit, ihr Auftreten oder ihr Ego.
- Angehörige einer Profession haben Meisterschaft in ihren Fertigkeiten erreicht, prahlen aber nicht damit und bemühen sich, ihr Wissen und Können zu erhalten und zu verbessern. Wer demgegenüber keinen Grund sieht, sich persönlich weiterzuentwickeln und die Schuld für Fehler gerne auf andere schiebt, verhält sich unprofessionell.
- Angehörige einer Profession setzen hohe Standards für sich, ihr Team, ihren Rettungsdienst sowie ihr Rettungssystem und erlauben sich, nicht immer mit ihrer Arbeit zufrieden zu sein. Wer immer nur auf einen Minimalstandard zielt und stets den Weg des geringsten Widerstands sucht, handelt unprofessionell.
- Angehörige einer Profession analysieren ihr Verhalten und ihre Arbeit selbstkritisch, kennen ihre Schwachstellen und suchen nach Wegen der Verbesserung. Wer immer alles kennt, alles weiß, alles schon gesehen hat und nur nach Wegen sucht, sein eigentlich inadäquates Verhalten und Wissen zu verstecken, handelt unprofessionell.
- Angehörige einer Profession checken ihr Fahrzeug und ihre Ausrüstung. Wer dies nicht tut und lediglich hofft, dass alles funktioniert, handelt unprofessionell.

IM FOKUS

Professionalisierung

- Professionen erfüllen bestimmte Kriterien, z. B. **berufsspezifisches Wissen und Autonomie.**
- Professionalisierung bezeichnet im Wortsinn alle Prozesse auf dem Weg eines Berufsbilds zu einer Profession.
- Es gibt mehrere verschiedene **Professionalisierungsverständnisse:**
  - **Handlungsorientierter** Professionalisierungsprozess (Kompetenzentwicklung)
  - **Berufspolitisch motivierter** Professionalisierungsprozess (Förderung des Berufsbilds und damit auch der Menschen, die den Beruf ausüben)
- Allgemein wird das Wort „Professionalität" auch für bestimmte (erwünschte) Verhaltensweisen verwendet.

3.3.1 Lebenslanges Lernen

Das Konzept des „lebenslangen Lernens" wurde durch den deutschen Bildungsrat bereits im Jahr 1972 empfohlen. Auch internationale Organisationen, wie die UNESCO (United National Educational, Scientific and Cultural Organization) und die OECD (Organization for Economic Cooperation and Development), propagieren das Konzept in den vergangenen Jahren verstärkt.

MERKE

Lernen ist wie gegen einen Strom in einem Boot zu rudern. Wird nicht gegen den Strom gerudert, so treibt man mit dem Boot zurück. (Chinesisches Sprichwort)

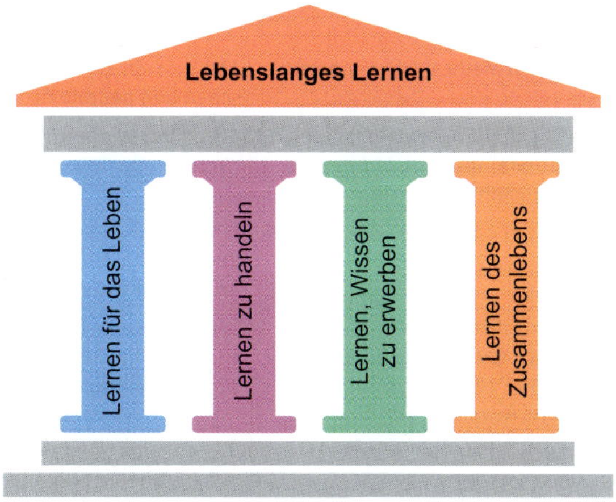

Abb. 3.5 Die Säulen des lebenslangen Lernens [M842, L231]

Durch lebenslanges Lernen (→ Kap. 8.6.3) soll der Mensch dazu befähigt werden, eigenständig über seine ganze Lebensspanne zu lernen (→ Abb. 3.5). Konkret geht es darum, sich durch mehrere Lernstrategien den permanent anhaltenden Entwicklungs- und Veränderungsprozessen anzupassen:

- Durch das Lernen des Zusammenlebens
- Durch das Lernen, Wissen zu erwerben
- Durch das Lernen zu handeln
- Durch das Lernen für das Leben

Gerade für Notfallsanitäter hat dieses Konzept eine hohe Bedeutung. Im Hinblick auf eine nachhaltige Berufs- und Lebenszufriedenheit sowie zur Sicherstellung einer sicheren, zeitgemäßen Versorgungsqualität erscheint es unverzichtbar, die Notwendigkeit lebenslangen Lernens anzuerkennen.

Durch die verantwortliche Tätigkeit in der Notfallrettung sind Notfallsanitäter ständig vor die Herausforderung gestellt, sich mit neuen Erkenntnissen, Materialien und Geräten vertraut zu machen und diese unter Abwägung von Risiko und Nutzen anzuwenden.

PRAXISTIPP

Notfallsanitäter sollten die Relevanz des lebenslangen Lernens kennen und permanent daran arbeiten, ihre berufliche Handlungskompetenz zu erhalten und weiterzuentwickeln!

3.3.2 Fort- und Weiterbildungen

Das rettungsdienstliche Fachpersonal ist dazu verpflichtet, sich entsprechend den Vorgaben des jeweiligen Rettungsdienstgesetzes des Bundeslands, in dem es tätig ist oder werden möchte, fortzubilden. Qualitativ gibt es jedoch sowohl lokale als auch regionale und länderspezifische Unterschiede bei den Fortbildungen, da diese längst nicht überall wie z. B. in Rheinland-Pfalz bundeslandeinheitlich durchgeführt werden.

Einen qualitativ hohen Standard bieten dahingehend international zertifizierte Kurssysteme (→ Tab. 3.2), die eine strukturierte und zeiteinsparende Patientenversorgung durch das gesamte Rettungsteam gewährleisten und zur Qualitäts- und Quantitätssicherung beitragen.

Kurssystem	Beschreibung
AMLS (Advanced Medical Life Support)*	AMLS ist ein Kurs, der die Versorgung von nicht traumatologischen Patienten, insbesondere jedoch internistischen und neurologischen Notfällen im Rettungsdienst und z. B. in Notaufnahmen schult.
PHTLS (Prehospital Trauma Life Support)* **ITLS** (International Trauma Life Support) **TraumaManagement®**	Diese Kurssysteme legen den Fokus auf eine schnelle, adäquate und zügige Versorgung von traumatisch verletzten Patienten, unter Berücksichtigung der weiteren Versorgung innerhalb der „Golden Hour of Trauma" in einem Zentrum der Maximalversorgung.
EPC (Emergency Pediatric Care)*	EPC-Kurse fokussieren auf die präklinische Versorgung von pädiatrischen Notfallpatienten. Insbesondere werden das pädiatrische Beurteilungsdreieck (→ 35.2.1) sowie besondere Behandlungsgrundsätze und spezielle Arbeitstechniken vermittelt.
ALS (Advanced Life Support) **ACLS** (Advanced Cardiac Life Support) **EPLS** (European Pediatric Life Support) **PALS** (Pediatric Advanced Life Support)	In diesen Kurssystemen werden die medizinischen und wissenschaftlichen Leitlinien – Empfehlungen zur kardiopulmonalen Reanimation im Erwachsenen-, Neugeborenen-, Säuglings- und Kinderalter sowie die Versorgungsstrategien des akuten Koronarsyndroms (ACS) und des neurologischen Insults geschult.
GEMS (Geriatric Education for Emergency Medical Services)*	Die Versorgung älterer Menschen bedarf besonderer Kenntnis. Der Kurs beschäftigt sich intensiv mit Versorgungsstandards für ältere Menschen.
TCCC (Tactical Combat Casualty Care)* **TECC** (Tactical Emergency Casualty Care)*	TCCC ist die taktische Variante von PHTLS unter Gefechtsbedingungen. Die Kurse sind i. d. R. nicht frei zu buchen. TECC hingegen schult die Anwender (z. B. Polizei, Rettungsdienst, Sicherheitskräfte) in der medizinischen Versorgung unter taktischen Bedingungen (etwa Anschläge, Terror- oder Amoklagen).
12-Leads: The Art of Interpretation*	In diesem handlungsorientierten Kursangebot wird das Rettungsfachpersonal in der schnellen und adäquaten EKG-Auswertung trainiert.
* Kursformate werden in Deutschland ausschließlich über die Akademie des Deutschen Berufsverbands Rettungsdienst (DBRD) angeboten.	

Tab. 3.2 Zertifizierte Kurssysteme für die Präklinik.

IM FOKUS

Lebenslanges Lernen im Beruf

- Das Konzept des „lebenslangen Lernens" kam bereits in den 1970er-Jahren auf und wird heute unter anderem von der UNESCO und der OECD beworben.
- Die **Welt wird komplexer** und der technische Fortschritt schreitet immer schneller voran, insofern ist grade in **Risikoberufen** wie dem des Notfallsanitäters Fort- und Weiterbildung von zentraler Bedeutung.
- Viele Bundesländer geben verbindliche Anzahlen an **Fortbildungsstunden pro Jahr** vor.
- Bestimmte Fertigkeiten, etwa die Herz-Lungenwiederbelebung, sollten oft und idealerweise im Rahmen strukturierter Trainings geübt werden.

3.4 Akademisierung

Mit dem Begriff **Akademisierung** ist gemeint, eine berufliche Ausbildung auf Hochschulniveau zu bringen bzw. insbesondere die Erstausbildungen in den hochschulischen Bereich zu verlagern (→ Abb. 3.6).

Dabei ist die Akademisierung notwendiger, aber nicht hinreichender Bestandteil einer Profession, d. h., ein Gesundheitsfachberuf wird nicht allein durch die Verlagerung an die Hochschule zur Profession (→ Kap. 3.3). Unter den Gesundheitsfachberufen war die Pflege als größte Berufsgruppe die erste Disziplin, die Ende der 1990er-Jahre den Prozess der Akademisierung begann. Die Therapieberufe (Ergotherapie, Logopädie und Physiotherapie) zogen begründet durch die erhöhten Anforderungen an ihre Berufsausübung nach und etablierten ebenfalls verschiedene Studiengänge an Hochschulen.

Sowohl die Pflege als auch die Therapieberufe sind in anderen europäischen Ländern längst nicht mehr auf Ausbildungsebene, sondern auf Hochschulebene angesiedelt. Diese Tatsache war und ist ein weiteres wichtiges Argument für eine Akademisierung von Gesundheitsfachberufen in Deutschland: Durch Akademisierung soll nicht zuletzt auch

Abb. 3.6 Zum Abschluss eines Studiums gehört das traditionelle „Hütewerfen". [P094]

eine Ebenbürtigkeit der Abschlüsse im europäischen Vergleich erreicht werden.

In seinen Empfehlungen zu hochschulischen Qualifikationen für das Gesundheitswesen kommt auch der deutsche Wissenschaftsrat (www.wissenschaftsrat.de) zu der Einschätzung, dass es erforderlich ist, dass zumindest ein Teil der Angehörigen der Gesundheitsfachberufe in die Lage versetzt wird, ihr Handeln auf Basis wissenschaftlicher Erkenntnis zu reflektieren, die zur Verfügung stehenden Versorgungsmöglichkeiten hinsichtlich ihrer Evidenzbasierung kritisch zu prüfen und das eigene Handeln entsprechend anzupassen.

Der Wissenschaftsrat empfiehlt daher, *„die mit besonders komplexen und verantwortungsvollen Aufgaben betrauten Angehörigen der Gesundheitsfachberufe zukünftig bevorzugt an Hochschulen* *auszubilden*". Es wird für sinnvoll erachtet, dass etwa 10–20 % eines Jahrgangs auf hochschulischem Niveau ausgebildet werden. Die angestrebte Niveaustufe soll dabei primär ein international vergleichbarer Abschluss auf Bachelorniveau sein. Darüber hinaus wird empfohlen, in Zukunft zusätzlich zu diesen grundständigen Studiengängen weiterführende Masterstudiengänge einzuführen. Diese Aussage wird v. a. für die Pflege- und Therapieberufe sowie das Hebammenwesen getroffen.

In der Realität besteht gerade in den Therapieberufen das Problem, dass die Bundesausbildungsgesetze (z. B. das Ergotherapeutengesetz) keine Berufsqualifikation im Rahmen eines reinen hochschulischen Studiums zulassen. Um z. B. Ergotherapeut zu werden, muss die Ausbildung analog der Berufsgesetzgebung sowie der Ausbildungs- und Prüfungsordnung an einer zugelassenen Schule erfolgen, den gesetzlichen Vorgaben entsprechen und mit dem regulären Examen abschließen. Das bedeutet, um als akademisierter Ergotherapeut eine Berufsanerkennung zu erlangen, muss man neben dem Studium in Ergotherapie zwingend auch die (reguläre) Ausbildung und das Examen an einer Berufsfachschule nachweisen.

Dieses Problem der Berufsgesetzgebung in Deutschland verkompliziert den Akademisierungsprozess im Gesundheitswesen erheblich. Zudem ist oftmals unklar, welchen Mehrwert eine Akademisierung in diesen Bereichen tatsächlich für die tägliche Arbeit und vor allem im Hinblick auf die Entlohnung bringt.

IM FOKUS

Akademisierung in Pflege- und Therapieberufen, Hebammenausbildung

- Eine Gesetzesänderung im Jahr 2019 ermöglicht in den Berufsgesetzen der Physiotherapie, Logopädie und Ergotherapie im Rahmen modellhafter Erprobungen eine hochschulische Erstausbildung. Das Modellvorhaben ist zunächst befristet bis zum 31. Dezember 2024.
- Mit dem Inkrafttreten des Pflegeberufegesetzes 2020 wurde ein Rahmen einer akademischen Pflege-Erstausbildung auf den Fachgebieten der Pflegewissenschaften oder des Pflegemanagements ermöglicht.
- Auch mit dem Inkrafttreten des Hebammengesetzes (HebReFg) am 1. Januar 2020 ist das Ziel einer Akademisierung der Hebammenausbildung erreicht worden.

3.4.1 Akademisierung der Berufsausbildung zum Notfallsanitäter

Das Notfallsanitätergesetz ist als modernes Berufsgesetz erst nach dem Beginn von Akademisierungsbestrebungen anderer Berufe entstanden. Aus diesem Grund ist die Möglichkeit der Akademisierung in dem Gesetz bereits berücksichtigt. Im Rahmen von **Modellvorhaben** zur „*Erprobung von Ausbildungsangeboten, die der Weiterentwicklung des Berufes des Notfallsanitäters im akademischen Bereich unter Berücksichtigung der berufsfeldspezifischen Anforderungen sowie moderner berufspädagogischer Erkenntnisse dienen sollen, können die Länder den Unterricht […] an Hochschulen stattfinden lassen*" (§ 7 (1) NotSanG). Mit dieser Regelung wird eine Möglichkeit, die Berufsausbildung an die Hochschule zu verorten, schon im Notfallsanitätergesetz verankert. Niehues spricht sich schon 2012 dafür aus, dass „*zur Sicherstellung einer möglichst hoch qualifizierten Ausbildung […] ein Bachelorstudium für präklinische Notfallversorgung erforderlich [ist]*" (Niehues 2012).

Ob und wann sich das Berufsbild des Notfallsanitäters akademisieren wird, bleibt derzeit zwar abzuwarten. In jedem Fall scheint es sinnvoll, sich dem Votum des Wissenschaftsrates in anzuschließen, das besagt: Ein **Studium für Notfallsanitäter sollte**

- sofern es als grundständiges Bachelorstudium angeboten wird, den berufspraktischen Inhalten (z. B. in Form von Skills-Labs) einen hohen Stellenwert geben.
- sich mit anderen Gesundheitsfachberufen verzahnen, um interdisziplinäres Denken und Arbeiten zu fördern.
- an Fakultäten angegliedert sein, die eine intensive wissenschaftliche Forschung in diesem Bereich möglich machen.
- ergänzt werden durch einen möglichst interdisziplinären Masterstudiengang mit Spezialisierungsmöglichkeiten, etwa im Bereich der Lehrkräftequalifikation an Notfallsanitäterschulen sowie im Gesundheitsmanagement.

IM FOKUS

Akademisierung der Notfallsanitäterausbildung

- Im Rahmen sog. **Modellregelungen** können einige Berufsausbildungen von Universitäten im Rahmen eines **Studiums** auf Bachelorniveau angeboten werden.
- Das Notfallsanitätergesetz ist ein junges Gesetz und enthält somit auch einen Paragrafen **(§ 7 (1) NotSanG),** der solche Modellvorhaben ermöglicht.
- Inwieweit dies zu einem flächendeckenden Studienangebot führt, bleibt abzuwarten.
- Wichtig wären in einem solchen Fall vor allem die **interprofessionelle Verzahnung** mit anderen Gesundheitsberufen und die **Eröffnung von Forschungsmöglichkeiten.**

3.4.2 Akademisierungsmöglichkeiten für den Notfallsanitäter

Seit Inkrafttreten des NotSanG und der NotSan-APrV werden neben den Notfallsanitäter-Ausbildungen an berufsbildenden Schulen vermehrte **Studiengänge für Rettungsassistenten und Notfallsanitäter** an Hochschulen etabliert. Bei den angebotenen Studiengängen handelt es sich im Grunde genommen um äußerst umfangreiche Weiterbildungen auf einem akademischen Niveau. Die inhaltliche Ausrichtung der einzelnen Studiengänge variiert jedoch enorm. Beispielsweise gibt es berufsbegleitende Studiengänge, in denen Notfallsanitäter ihr berufliches Handeln im Einsatzdienst noch einmal aus einer wissenschaftlichen Sichtweise betrachten, kritisch reflektieren und natürlich auch weiterentwickeln. Ebenso gibt es Studiengänge, in denen sich das Rettungsfachpersonal eher mit betriebswirtschaftlichen, sozialwissenschaftlichen oder organisatorischen bzw. strukturellen Aspekten des Rettungswesens auseinandersetzt. Das Angebotsspektrum ist inzwischen enorm. Eine vollständige Auflistung kann an dieser Stelle daher nicht gegeben werden. Grundsätzlich lassen sich jedoch **vier Varianten** von Studiengängen für das Rettungsfachpersonal voneinander unterscheiden:

- **Studiengänge, die sich vorrangig an angehende Führungskräfte im Rettungsdienst richten:** In diesen Studiengängen wie z. B. „Rescue Management" an der MSH Medical School Hamburg, werden betriebswirtschaftliche, psychologische und juristische Kenntnisse vermittelt. Auch Qualitätsmanagement, Logistik sowie Rettungsdienstbedarfsplanung sind relevante Themen.
- **Studiengänge für angehende Lehrkräfte:** Hier stehen erziehungs- bzw. bildungswissenschaftliche Inhalte im Vordergrund, die für

eine Tätigkeit als Dozent oder Leiter einer Rettungsdienstschule zu qualifizieren. Ein Beispiel ist der Studiengang „Medizinpädagogik", der ebenfalls u. a. an der MSH Medical School Hamburg angeboten wird.

- **Studiengänge mit eher technikbezogener Ausrichtung:** So handelt es sich z. B. bei den Studiengängen „Rescue Engineering" und „Hazard Control" vorrangig um ingenieurwissenschaftliche Studiengänge, in denen u. a. auch Statik, Elektrotechnik, Mathematik etc. zum Lehrplan gehört.
- **Studiengang „Bachelor of Science in Physician Assistance":** In diesem Studiengang, der u. a. von der HSD Hochschule Döpfer angeboten wird, steht die Entwicklung breitgefächerter medizinischer und kaufmännischer Handlungskompetenzen im Vordergrund, um später in bestimmten klinischen Bereichen als **„Arztassistenz"** tätig werden zu können (→ Tab. 3.3).

Außerdem gibt es kombinierte Studiengänge, in denen unterschiedlichste Inhalte aus mehreren Bereichen thematisiert werden. Meist kann man sich bei derartigen Studienangeboten jedoch im weiteren Verlauf für eine Vertiefungsrichtung entscheiden. Ein entsprechendes Beispiel ist der Studiengang „Management in der Gefahrenabwehr" an der Akkon-Hochschule in Berlin.

PRAXISTIPP

Die Broschüre des Forschungsforums „Öffentliche Sicherheit" enthält eine ausführliche Darstellung sämtlicher Studienangebote im Bereich von Sicherheit und Gefahrenabwehr. Sie ist kostenlos im Internet erhältlich: https://www.sicherheit-forschung.de/forschungsforum/schriftenreihe_neu/sr_v_v/SchriftenreiheSicherheit_20.pdf.

Wer studieren möchte, sollte sich eingehend darüber informieren, was ihn erwartet. Die Hochschullandschaft ist komplex. Studiengänge können sich in inhaltlicher, aber auch in studienorganisatorischer Hinsicht erheblich voneinander unterscheiden. Die entstehenden Studiengebühren variieren stark, sodass vor dem Studienbeginn stets eine sorgfältige Kosten-Nutzen-Analyse vorgenommen werden sollte.

ACHTUNG! In der Praxis – und letztlich auch bei vielen Arbeitgebern – sind akademische Qualifikationen des Rettungsdienstfachpersonals durchaus umstritten. Nicht von allen Führungskräften wird derzeit die Notwendigkeit von Studienangeboten für Rettungsfachpersonal anerkannt. Deshalb sollte man bereits vor Aufnahme eines Studiums eingehend prüfen, wo sich tatsächlich eine berufliche Perspektive ergibt und wofür sich welches Studium „lohnt" (→ Abb. 3.7).

ACHTUNG! Ein wichtiges Qualitätsmerkmal von Studiengängen ist die **Akkreditierung:** Auf den Internetseiten des Akkreditierungsrats (www.akkreditierungsrat.de) kann man sich darüber informieren, welche Studiengänge in Deutschland akkreditiert worden sind. Bei Studiengängen, die beim Akkreditierungsrat nicht gelistet sind, ist gewisse Vorsicht geboten.

PRAXISTIPP

- Im Internet sind inzwischen zahlreiche interessante Studien zu finden, die sich Forschungsfragen aus dem Bereich des Rettungsdienstes gewidmet haben (Suchwörter u. a.: *Studien im Rettungsdienst, Studien in der Gefahrenabwehr, Medizinische Studien*). Einige besonders interessante und für die Praxis des Rettungsdienstes relevante Untersuchungen sind hier zu finden:
  - https://www.dgre.org/veroeffentlichungen/publikationen/
  - https://rettungsdienst-forschung.de/
- Wer intensiver nach bestimmten Forschungsergebnissen recherchieren möchte, sollte natürlich auch auf wissenschaftliche Datenbanken zurückgreifen wie z. B. die medizinische Datenbank „PubMed": www.ncbi.nlm.nih.gov/pubmed
- Als Informationsquelle sehr zu empfehlen ist ferner die **Fachinformationsstelle (FIS) des Bundesamtes für Bevölkerungsschutz und Katastrophenhilfe** (BBK) in Bonn: https://www.bbk.bund.de/DE/Infothek/Fachinformationsstelle/fachinformationsstelle_node.html

Abb. 3.7 Der Abschluss eines Studiums lohnt sich: Zunehmend werden Gesundheitsfachberufe auch in Deutschland akademisiert. [P094]

Einsatzorte	Einsatzgebiete	Aufgabenbereich
• Krankenhäuser und Polikliniken (Interdisziplinäre Notaufnahme und Schockraum etc.) • Rehabilitationskliniken (Therapie, Funktionsdiagnostik etc.) • Medizinische Versorgungszentren (Tageskliniken, Arztpraxen etc.)	• Interdisziplinäre Stationen (Intensivstation etc.) • Innere, chirurgische oder neurologische Stationen • Zentrale Notaufnahmen • Ambulanzen • OP • Allgemeine Funktionsdiagnostik und Therapie	• Unterstützung bei der Diagnoseerstellung und dem Erstellen eines Behandlungsplans • Umsetzung eines Behandlungsplans nach ärztlicher Rücksprache • Assistenztätigkeiten bei Operationen bzw. Durchführung kleiner Eingriffe auf Anforderung eines Arztes • Erstellung fachlicher Protokolle, Dokumentation von Behandlungen • Übernahme organisatorischer Aufgaben von Verlegungen und Überweisungen

Tab. 3.3 Mögliche Einsatzorte, Einsatzgebiete und Aufgabenfelder eines **Physician Assistant**

IM FOKUS

Akademisierungsmöglichkeiten für Notfallsanitäter
- Neben einem Studium, das nicht unmittelbar auf dem berufsspezifischen Wissen aufbaut, etwa Medizin, Jura, Sozialpädagogik oder BWL, existieren Studiengänge, die das rettungsdienstspezifische Wissen vertiefen können.
- Diese lassen sich i. d. R. **vier Bereichen** zuordnen:
  - Pädagogik und Bildung
  - Organisation und Führung
  - Ingenieurwesen und Technik
  - Eine Besonderheit stellt der Studiengang zum „Physician Assistant“ dar. Er vermittelt vertiefte medizinische Kenntnisse, um als „Arztassistent“ tätig zu werden.

Abb. 3.8 Star of Life [W330]

3.5 Das Symbol des „Star of Life“

Der blaue **Star of Life** (Stern des Lebens, → Abb. 3.8) wurde 1972 vom amerikanischen Verkehrsministerium entwickelt, um im präklinischen Bereich besonders qualifizierten Personen und deren Ausrüstung ein einheitliches Kennzeichen zu geben. Das Symbol ist mittlerweile international verbreitet und im Sinne der Erfinder ein Zeichen der Unverwechselbarkeit, Qualität und Zuverlässigkeit. Es darf nur in den USA verwendet werden. Dort trägt das Personal, das erfolgreich eine staatlich anerkannte Ausbildung für die Tätigkeit im Rettungsdienst erworben hat und in einer offiziellen Funktion am Rettungsdienst teilnimmt oder diesen überwacht, dieses Abzeichen. Gleichzeitig kennzeichnet der Star of Life Fahrzeuge und Ausrüstungsgegenstände des Rettungsdienstes, welche die staatlichen Normen erfüllen. Es gibt den Standort und die Alarmierungsmöglichkeiten eines qualifizierten Rettungsdienstes an. Der Star of Life wird auf Gegenständen des Rettungsdienstes wie Aufnähern, Namensschildern, Anstecknadeln und gedrucktem Material, das direkt mit dem Rettungsdienst in Zusammenhang steht, z. B. Bücher oder Briefköpfe, angebracht.

Die **sechs Balken** des Sterns repräsentieren sechs Abläufe im Rettungssystem im Uhrzeigersinn:
1. Erkennen eines Notfalls
2. Notfallmeldung
3. Ausrücken zum Einsatz
4. Versorgung vor Ort
5. Betreuung während des Transports
6. Übergabe an eine Einrichtung zur definitiven Versorgung

Der **Äskulapstab** in der Mitte des Symbols steht für das medizinische und heilende Team. In der griechischen Sagenlehre war Äskulap der Gott der Medizin. Von Chiron lernte er die Kunst des Heilens. Zeus befürchtete, dass Äskulap alle Menschen unsterblich machen würde, und tötete ihn mit einem Blitzschlag. Homer erwähnt ihn als geschickten und einzigartigen Arzt. Später wurde Äskulap als Held und Gott verehrt. Er wurde üblicherweise mit einem Stab, um den sich eine Schlange windet, dargestellt. Die Römer übernahmen den Äskulapkult. Auch im Alten Testament findet sich dieses Symbol: *„Der Herr antwortete Mose: Mach dir eine Schlange und hänge sie an einer Fahnenstange auf! Jeder, der gebissen wird, wird am Leben bleiben, wenn er sie ansieht. Mose machte also eine Schlange aus Kupfer und hängte sie an einer Fahnenstange auf. Wenn nun jemand von einer Schlange gebissen wurde und zu der Kupferschlange aufblickte, blieb er am Leben.“* (Numeri 21: 8–9)

In Deutschland verletzt die Nutzung des Star of Life die Markenrechte des Bundesverbands eigenständiger Rettungsdienste und Katastrophenschutz e. V. (BKS) und darf daher nur von Mitgliedern genutzt werden.

WIEDERHOLUNGSFRAGEN

1. Warum ist das Handeln von Notfallsanitätern so hochkomplex und dynamisch (→ Kap. 3.1)?
2. Welche typischen kognitiven Eigenschaften sollte ein Notfallsanitäter idealerweise haben (→ Kap. 3.1)?
3. Welche typischen körperlich-gesundheitlichen Eigenschaften sollte ein Notfallsanitäter idealerweise haben (→ Kap. 3.1)?
4. Welche typischen psychischen Eigenschaften sollte ein Notfallsanitäter idealerweise haben (→ Kap. 3.1)?
5. Welche typischen sozialen Eigenschaften sollte ein Notfallsanitäter idealerweise haben (→ Kap. 3.1)?
6. Was bedeutet kompetentes Handeln im Rettungsdienst (→ Kap. 3.2)?
7. Wie wird die allgemeine Handlungskompetenz definiert (→ Kap. 3.2.1)?
8. Was versteht man unter beruflicher Handlungskompetenz (→ Kap. 3.2.1)?
9. Welche vier Dimensionen von Kompetenz werden unterschieden (→ Kap. 3.2.2)?
10. Was zeichnet die fachliche Kompetenz aus (→ Kap. 3.2.2)?
11. Was zeichnet die personale Kompetenz aus (→ Kap. 3.2.2)?
12. Was zeichnet die soziale Kompetenz aus (→ Kap. 3.2.2)?
13. Was zeichnet die Methodenkompetenz aus (→ Kap. 3.2.2)?
14. Welchen Zusammenhang zwischen Kompetenz und Performanz bzw. welche Wechselwirkung gibt es (→ Kap. 3.2.3)?
15. Was bedeutet Professionalisierung allgemein (→ Kap. 3.3)?
16. Was bedeutet Professionalisierung für den Rettungsdienst (→ Kap. 3.3)?
17. Warum ist die Akademisierung für den Rettungsdienst wichtig und sinnvoll (→ Kap. 3.4)?
18. Welche Akademisierungsmöglichkeiten für den Rettungsdienst gibt es aktuell (→ Kap. 3.4)?
19. Welche Idee und Aussage steckt hinter dem Star of Life (→ Kap. 3.5)?

FORTSETZUNG DES SZENARIOS

Der beschriebene Fall zeigt deutlich, dass Notfallsanitäter im Alltag neben der Anwendung von notfallmedizinischem Fachwissen und entsprechenden Fertigkeiten mit einer Vielzahl von Problemen konfrontiert sind, die noch weitere Fähigkeiten erfordern. Aufgrund der Schwere des Asthmaanfalls und der relativ kurzen Wirkdauer der eingesetzten Medikamente ist es ratsam, den Patienten im vorliegenden Fall in der Klinik vorzustellen. Dies gestaltet sich jedoch schwierig, da er seinen Enkel betreuen muss. Folgende Fragen stellen sich:

- Wie kann die Lebenssituation des Patienten mit der notfallmedizinischen Notwendigkeit in Einklang gebracht werden?
- Wie kann der Patient überzeugt werden, in die Klinik mitzukommen?
- Wie kann das Problem mit dem Enkel sinnvoll gelöst werden?
- Über welche Fähigkeiten muss ein Notfallsanitäter verfügen, um den Einsatz gut zu meistern?
- Welche Rollen und Aufgaben übernimmt der Notfallsanitäter im Einsatzverlauf, welche werden von Rettungssanitäter und Notarzt übernommen?
- Wie legitimiert der Notfallsanitäter seine Maßnahmen, im Besonderen die Medikamentengabe?

Der Notfallsanitäter führt mit dem Patienten zunächst ein Beratungsgespräch. Er kommt damit seiner Rolle als Ansprechpartner und Berater nach. Um sich selbst nicht nur von seinem „Bauchgefühl" leiten zu lassen, sondern sich gezielte Denkschritte bewusst zu machen, nutzt er das **FORDEC-System** (→ Kap. 11.3.2):

- **Facts (Fakten):**
  - Der Patient ist zwar im Moment wieder stabilisiert, kann sich allerdings in seinem Zustand wieder verschlechtern. Deshalb ist der Transport in die Klinik indiziert.
  - Der Patient möchte nicht ins Krankenhaus, weil sein Enkel in einer Stunde von der Schule kommt.
- **Options (Optionen):**
  - Variante 1: Der Patient unterschreibt, dass er auf eigenes Risiko die Mitfahrt verweigert und zu Hause bleibt.
  - Variante 2: Der Notfallsanitäter ruft in der Schule an und lässt dort eine Betreuung für den Nachmittag organisieren. Der Patient fährt mit in die Klinik. In der Zwischenzeit kann von der Klinik aus nach einer dauerhaften Lösung gesucht werden.
  - Variante 3: Die Polizei wird in die Schule geschickt und übernimmt kurzfristig die Betreuung, bis eine langfristige Lösung gefunden ist.
  - Variante 4: Nachbarn des Patienten sollen den Enkel von der Schule abholen und für den Nachmittag bei sich aufnehmen, bis eine dauerhafte Lösung gefunden ist.
- **Risks and Benefits (Risiken und Nutzen):**
  - Variante 1 erscheint dem Notfallsanitäter zu risikoreich. Er weiß zwar, dass der Patient das Recht hat, zu entscheiden, ob er in die Klinik möchte oder nicht. Nur hätte dieser keinen Nutzen davon, wenn die Atemnot wieder stärker würde und er in dieser Situation mit seinem Enkel allein wäre. Deshalb möchte der Notfallsanitäter den Patienten überzeugen, auf jeden Fall in die Klinik mitzufahren.
  - Variante 2 scheint eine gute, komplikationslose Möglichkeit zu sein. Es würde Zeit gewonnen, in der nach einer längerfristigen Lösung gesucht werden könnte oder in der sich der Patient entscheiden könnte, auf eigene Verantwortung die Klinik zu verlassen.
  - Variante 3 erscheint nicht sinnvoll, da die Polizei den Enkel sicherlich verschrecken würde. Das Risiko, dass dies den Enkel psychisch zu stark belasten und er unnötig starke Angst und Sorge um seinen Großvater haben würde, ist zu groß.
  - Variante 4 scheint zunächst risikoarm. Es wäre nur der Nutzen nicht erfüllt, wenn die Schule den Enkel den Nachbarn nicht anvertraut oder wenn der Enkel sich weigert, bei den Nachbarn zu bleiben, weil er sie nicht so gut kennt.
- **Decision (Entscheidung):** Der Notfallsanitäter entscheidet sich dafür dem Patienten zu Variante 2 zu raten.
- **Execution (Durchführung):** Der Notfallsanitäter klärt den Patienten über die unterschiedlichen Möglichkeiten auf und erläutert ihm seine Risiko-Nutzen-Analyse. Der Patient stimmt Variante 2 zu. Der Notfallsanitäter bittet daraufhin den Rettungssanitäter, den Patienten für den Moment weiter zu betreuen und telefoniert mit der Schule. Für diese Aufgabenteilung entscheidet er sich, da er darin einen höheren Nutzen für seine Argumentation im Telefonat mit der Schule sieht und der Patient so stabil ist, dass er durch einen Rettungssanitäter betreut werden kann. Die Schule findet tatsächlich rasch eine Betreuungsmöglichkeit für den Nachmittag.
- **Check (Überprüfung):** Nun überprüft der Notfallsanitäter nochmals den Patientenzustand und übergibt die Einsatzsituation an den gerade eintreffenden Notarzt. Der Patient wird im Anschluss ohne weitere Komplikationen in die Klinik gebracht und es wird eine Dokumentation des Einsatzes angefertigt. Nach dem Einsatz reflektiert das Team den Einsatz in einer Nachbesprechung. Für die kritische Auseinandersetzung mit seinen Entscheidungen im Einsatz analysiert der Notfallsanitäter nochmals sein FORDEC-Schema. Da er unsicher ist, ob es noch weitere Optionen gegeben hätte, entscheidet er sich dafür, den Fall in der nächsten kollegialen Beratung auf der Rettungswache anzusprechen.

An der Arbeitsweise des Notfallsanitäters kann man erkennen, dass er gemäß dem Ausbildungsziel die Lebenssituation des Patienten in sein Handeln einbezieht. Seine Tätigkeit ist gekennzeichnet durch eine patientenzentrierte, problemlösungsorientierte Versorgung. Im Besonderen bezieht er die Selbstbestimmung und Selbstständigkeit des Patienten im Sinne der Patientenrechte mit ein. In der Kommunikation mit dem Patienten achtet er auf Transparenz, legt seine Gedanken offen, berät den Patienten zu sinnvollen Maßnahmen und sinnvollem weiterem Vorgehen, holt dessen Einverständnis ein und beachtet seine Autonomie. Er ist umsichtig in der Abwägung und Durchführung erlernter und beherrschter invasiver Maßnahmen, die er nach dem Stand bestmöglicher medizinischer Evidenz auswählt. Im Sinne der Patientensicherheit und aufgrund des schlechten Patientenzustands zieht er einen Notarzt als Unterstützung bei dem medizinischen Teil der Versorgung hinzu.

WEITERFÜHRENDE LITERATUR

Erpenbeck J, Rosenstiel L (Hrsg.). Handbuch Kompetenzmessung. Erkennen, verstehen und bewerten von Kompetenzen in der betrieblichen, pädagogischen und psychologischen Praxis. Stuttgart: Schäffer-Poeschel, 2007.

Hurrelmann K, Richter M. Gesundheits- und Medizinsoziologie. Eine Einführung in sozialwissenschaftliche Gesundheitsforschung. Weinheim/Basel: Beltz, 2013.

Karutz H. Pädagogische Überlegungen zur Notfallsanitäter-Ausbildung: Kompetenzentwicklung der künftigen Notfallsanitäter. Rettungsdienst. 2014; 37: 22–27.

Ohder M. Notfallsanitäter-Curriculum. Baden-Württemberger Modell für eine bundesweite Ausbildung. Stuttgart: Kohlhammer, 2014.

4

WISSENSCHAFT UND BERUFSPOLITIK

David Häske, Klaus Runggaldier, Harald Karutz

SZENARIO

Auf der Rettungswache taucht die Frage auf, woher der einheitliche Reanimationsstandard kommt. Wer hat ihn auf welcher Grundlage eigentlich erstellt? Und woher kommen überhaupt die entsprechenden Erkenntnisse? Diese Frage stellt sich in gleicher Weise auch bei anderen „Lehraussagen": Woher weiß man eigentlich, was richtig ist und was nicht? Wann ist etwas bewiesen bzw. nachweislich korrekt? Und auf welche Weise wird überprüft, ob tradierte Lehraussagen tatsächlich haltbar sind?
Neben diesen Überlegungen zur Erkenntnisgewinnung im Rettungsdienst wird auf der Rettungswache über das Berufsbild des Notfallsanitäters diskutiert. Gehaltsforderungen und Regelungen für die Berufsausübung sorgen immer wieder für erhitzte Gemüter. Wer legt eigentlich fest, wie viel Geld ein Notfallsanitäter verdient? Und wer entscheidet, welche Maßnahmen Notfallsanitäter durchführen können, sollen, dürfen oder müssen? Wie entstehen solche Festlegungen?
In diesem Zusammenhang sind viele Kollegen der Meinung, dass ihre Interessen in der Politik nicht ausreichend berücksichtigt werden. Wenn sich Notärzte und Ärzte in Arbeitsgemeinschaften und Interessenverbänden organisieren, warum gibt es so etwas dann nicht auch für Notfallsanitäter? Dies alles sind Fragen, die in den folgenden Ausführungen beantwortet werden.

INHALTSÜBERSICHT

4.1 ERKENNTNISGEWINNUNG IM RETTUNGSDIENST

- Die Erkenntnisgewinnung im Rettungsdienst sollte auf der Grundlage systematischer Forschung erfolgen und nicht auf der Grundlage einzelfallbezogener Erkenntnisse, Erfahrungen, Erlebnisse oder Erzählungen.
- Systematische Forschung ist insbesondere durch wissenschaftliches Arbeiten gekennzeichnet.
- Wissenschaftliches Arbeiten zeichnet sich durch bestimmte Methoden und Techniken aus, mit deren Hilfe Forschungsfragen beantworten werden.
- Evidenzbasierte Medizin stützt sich auf messbare Ziele, Verfahrensweisen und Ergebnisse.
- Die Medizin ist die wichtigste Bezugswissenschaft des Rettungsdienstes.
- Die Kommunikations-, Gesundheits-, Rechts-, Erziehungs- und Sozialwissenschaft sowie die Psychologie und die Soziologie sind weitere wichtige Bezugswissenschaften für den Rettungsdienst.

4.2 FACHGESELLSCHAFTEN

- Fachgesellschaften gewinnen und verbreiten wissenschaftlich begründete Erkenntnisse in Form von Leitlinien, Empfehlungen oder Stellungnahmen.
- Wichtige für den Rettungsdienst relevante Fachgesellschaften sind der ERC, die AHA, die ILCOR, die DGINA, die DGU, die DIVI sowie die DGRN.

4.3 INTERESSENVERTRETUNGEN DES RETTUNGSFACHPERSONALS

- Die beiden Berufsverbände des Rettungsfachpersonals sind der BVRD und der DBRD. Der BVRD ist derzeit jedoch nicht mehr aktiv und spielt in der berufspolitischen Diskussion auch keine Rolle mehr.
- Beide Berufsverbände verstehen sich als organisationsunabhängige und überparteiliche Initiativen für alle Bereiche der präklinischen Notfallversorgung und des Rettungsdienstes.
- Neben den Berufsverbänden vertreten auch die beiden Gewerkschaften ver.di und komba die Interessen des Rettungsfachpersonals.

4.4 INTERESSENVERTRETUNGEN DER ÄRZTE

- Aufgrund der großen Bedeutung der Medizin im Rettungsdienst und der Teilnahme von Ärzten am Rettungsdienst gibt es auch verschiedene Interessenvertretungen von Ärzten, die für den Rettungsdienst von Bedeutung sind.
- Die drei wichtigsten Interessenvertretungen von Ärzten mit Relevanz für den Rettungsdienst sind die Bundesärztekammer, die Bundesvereinigung der Arbeitsgemeinschaften der Notärzte Deutschlands und der Bundesverband der Ärztlichen Leiter Rettungsdienst.

4.5 WEITERE INTERESSENSVERTRETUNGEN

- Die Deutsche Krankenhausgesellschaft (DKG), die Kassenärztliche Bundesvereinigung (KBV) und der GKV-Spitzenverband sind weitere Interessensvertretungen von wichtigen Akteuren im Gesundheitswesen.
- Ergänzend gibt es eine ganze Reihe von Selbsthilfegruppen und Patientenvertretern, welche die Erfahrungen von Patienten in Entscheidungsgremien einbringen und damit für die notwendige Patientenorientierung stehen.

4.1 Erkenntnisgewinnung im Rettungsdienst

Wer **wissenschaftlich** denkt, verallgemeinert Erfahrungen aus dem Alltag nicht unangemessen. Erfahrungen dienen vielmehr dazu, sie unvoreingenommen mit systematischen Methoden zu untersuchen und zu analysieren. Es kann dabei vorkommen, dass neue wissenschaftliche Erkenntnisse nicht in vorgefertigte Weltbilder passen. Ein Beispiel für eine Maßnahme, deren Nutzen bis heute noch nicht wissenschaftlich bestätigt ist, ist die Linksseitenlage bei Schwangeren. Zumindest zeigt die Alltagserfahrung, dass es unerheblich ist, auf welche Seite eine schwangere Frau gelagert wird. Es ist nicht erwiesen, dass die linke Seite Vorteile hätte.

Um das Richtige für den Patienten auszuwählen, das aus dem Bündel möglicher Maßnahmen nach Möglichkeit immer hilft und nicht schadet, benötigt das Rettungsfachpersonal wissenschaftliche Erkenntnis. Die Grundlage **wissenschaftlicher Erkenntnis** ist die **systematische Forschung,** durch die bestimmte Phänomene geklärt werden sollen. Eine mögliche wissenschaftliche Quelle für Notfallsanitäter ist die (Notfall-)Medizin. Auch die frühere Rettungsassistentenausbildung war sehr stark von medizinischen Fachinhalten dominiert. Die Nähe zur Medizin war dort schon im Ausbildungsziel benannt, in dem der

Rettungsassistent „als Helfer des Arztes" bis zu dessen Übernahme lebensrettende Maßnahmen durchführt. Es ist unstrittig, dass Notfallsanitäter genauso (notfall-)medizinisches Fachwissen und entsprechende Fertigkeiten benötigen. Das Ausbildungsziel des Notfallsanitätergesetzes geht allerdings darüber weit hinaus.

MERKE

Notfallsanitäter sollen gemäß § 2 Abs. 1 NotSan-APrV nach dem allgemein anerkannten Stand rettungsdienstlicher, medizinischer und weiterer **bezugswissenschaftlicher Erkenntnisse** fachliche, soziale, methodische und personale Kompetenzen entwickeln. Damit wird neben der Wissenschaft Medizin explizit der Bezug zu anderen Wissenschaften gesetzt.

4.1.1 Wissenschaftliches Arbeiten

Wissenschaftliches Arbeiten bezeichnet den Vorgang, ein Thema oder eine Problemstellung mithilfe bestimmter Methoden und Techniken zu bearbeiten und ggf. zu lösen. Dies muss nach wissenschaftlichen Prinzipien und Standards geschehen. Man kann u. a. die drei großen Wissenschaftsgebiete der Natur-, Sozial- und Geisteswissenschaften unterscheiden:

- Der Begriff der **Naturwissenschaften** fasst die Wissenschaften zusammen, die auf die Erforschung der Natur abzielen. Neben der Erklärung von Naturphänomenen ist die wichtigste Aufgabenstellung die Nutzbarmachung der Natur. **Beispiele:** Chemie, Biologie, Physik, Astronomie, Geowissenschaften.
- Unter dem Begriff **Sozialwissenschaften** versteht man eine Sammelbezeichnung für all die wissenschaftlichen Disziplinen, die sich mit den Phänomenen des gesellschaftlichen Zusammenlebens der Menschen beschäftigen. Sozialwissenschaften werden auch als Gesellschaftswissenschaften bezeichnet. **Beispiele:** Soziologie, Pädagogik, Erziehungs- und Bildungswissenschaften, Sozialpsychologie, Politikwissenschaft, Rechtswissenschaft (Jura), Kommunikationswissenschaft, Sprachwissenschaft, Wirtschaftswissenschaften.
- **Geisteswissenschaften** sind eine Gruppe der Fachwissenschaften, die sich mit dem Bereich des menschlichen Geistes und seinen Produkten in Technik, Sprache, Kunst, Literatur, Religion, Moral, Philosophie etc. befasst. Sie werden auch als Kulturwissenschaften bezeichnet. **Beispiele:** Kunstgeschichte, Theaterwissenschaft, Religionswissenschaft.

Die Zuordnung von Einzeldisziplinen in die Wissenschaftsbereiche ist uneinheitlich und fällt daher schwer.

IM FOKUS

Wissenschaftliche Einflüsse auf den Notfallsanitäterberuf

- In der wissenschaftlichen Vorgehensweise werden **Erfahrungen aus dem Alltag nicht einfach verallgemeinert,** sondern mit bestimmten Werkzeugen **systematisch untersucht.**
- Für Notfallsanitäter existieren mehrere Bezugswissenschaften, die sich grob folgenden Kategorien zuordnen lassen:
  - **Naturwissenschaften** (z. B. „Welchen Effekt hat Sauerstoff auf Zellen?")
  - **Sozialwissenschaften** (z. B. „Wie kann ich eine nachhaltige Patientenaufklärung durchführen?")
  - **Geisteswissenschaften** (z. B. „Handle ich gerade moralisch richtig?")

4.1.2 Medizin als Bezugswissenschaft des Rettungsdienstes

Nach Hurrelmann und Richter kann **Medizin** als Wissenschaft von der Vermeidung und der Abwendung einer „Gesundheitsstörung" verstanden werden. Medizin hat den Fokus auf Krankheiten, deren Analyse und Therapie. Sie wird deshalb auch als **Krankheitswissenschaft** bezeichnet. Im Idealfall sorgt medizinisches Handeln dafür, dass Krankheiten abgemildert oder sogar geheilt werden und dadurch die Gesundheit eines Menschen gestärkt oder wiederhergestellt werden kann.

Der Schwerpunkt der Medizin liegt allerdings nicht auf der Erforschung der Gesundheit oder Gesunderhaltung an sich. Aufgrund der Komplexität ihres Gegenstands, nämlich „dem Menschen und seinen Erkrankungen", bedient sich die **Medizin als Superwissenschaft vor allem der Naturwissenschaften sowie der Geistes- und Sozialwissenschaften.**

Medizin ist keine sog. „exakte Wissenschaft". Ergebnisse **exakter Wissenschaften** beruhen auf genauen Messungen oder mathematischen Beweisen. In der Medizin wird Erkenntnis häufig nur stückweise gewonnen. Oft bedarf es einer Vielzahl von Untersuchungen, bis die Frage nach Ursache und Wirkung geklärt ist. Ziel der Medizin ist es, dass Aussagen durch systematische Forschung gewonnen und an unterschiedlichen Fällen empirisch überprüft werden können. Unter **empirischer Überprüfbarkeit** einer Aussage versteht man, dass sie durch geeignete Methoden und ein geeignetes Studiendesign gestützt oder widerlegt werden.

PRAXISTIPP

Medizinische Forschung in der Praxis

Ein Beispiel für einen lang andauernden Forschungsprozess, der immer noch anhält, ist die **Reanimationsforschung.** Unter anderem wird von entsprechenden internationalen und nationalen Fachgremien (→ Kap. 4.2.1) die Auswirkung der Herzdruckmassage auf das Überleben von Patienten mit einem Kreislaufstillstand untersucht. Alle 5 Jahre werden die weltweiten Forschungsergebnisse zusammengefasst und neue Empfehlungen zur Herzdruckmassage herausgegeben. Diese haben in den letzten Jahren unterschiedliche Erkenntnisse hervorgebracht. Verändert haben sich mit den Jahren die Frequenz, die Drucktiefe, die Anzahl der Massagen und die Revidierung der Aussagen, dass die Beine des Patienten während der Herzdruckmassage hochgelagert werden sollen und dieser zugedeckt werden soll.

Evidenzbasierte Medizin (EBM)

Häufig werden medizinische Leistungen auch ohne Nutzenabwägung und nachherige Nutzenanalyse erbracht. Diese Beliebigkeit unterliegt einer nicht unerheblichen politischen und ethischen Kritikanfälligkeit. Aus dieser Problemlage heraus bedeutet **evidenzbasierte Medizin** (englisch: evidence = Erkenntnis), dass der Wissenschaft die Entscheidung über Sinn und Unsinn medizinischer Leistungen übertragen wird.

MERKE

Evidenzbasierte Medizin stützt sich auf messbare Ziele, Verfahrensweisen und Ergebnisse.

Es ist normative Vorgabe evidenzbasierter Medizin, dass sich medizinisches Handeln am besten verfügbaren Wissen orientiert. Die Ergebnisse der Forschung in ihrer Beweiskraft werden mit dem System der amerikanischen **Agency for Healthcare Research and Quality (AHRQ)** dargestellt. Demnach werden folgende **Stufen der Evidenz** definiert:

- **Klasse Ia:** Evidenz durch Metaanalysen von mehreren randomisierten, kontrollierten Studien
- **Klasse Ib:** Evidenz aufgrund von mindestens einer randomisierten, kontrollierten Studie
- **Klasse IIa:** Evidenz aufgrund von mindestens einer gut angelegten, jedoch nicht randomisierten und kontrollierten Studie
- **Klasse IIb:** Evidenz aufgrund von mindestens einer gut angelegten quasi-experimentellen Studie
- **Klasse III:** Evidenz aufgrund gut angelegter, nicht experimenteller deskriptiver Studien wie etwa Vergleichsstudien, Korrelationsstudien oder Fall-Kontroll-Studien
- **Klasse IV:** Evidenz aufgrund von Berichten der Expertenausschüsse oder Expertenmeinungen bzw. klinischer Erfahrung anerkannter Autoritäten

Je hochwertiger die **wissenschaftliche Erkenntnisstärke** ist, desto deutlicher fällt die Empfehlung für eine Maßnahme aus. So ist eine Empfehlung auf Stufe Ia oder Ib immer anderen Maßnahmen vorzuziehen. Dabei beschreibt die Effektivität einer medizinischen Maßnahme die Relation zwischen Ziel und Ergebnis. Die Empfehlungen der evidenzbasierten Medizin finden häufig Eingang in die Empfehlungen von Leitlinien.

MERKE

Leitlinien sind Handlungsorientierungen für die medizinische Versorgungspraxis, wenn sie das Ergebnis einer unabhängigen, wissenschaftlich begründeten Konsensfindung sind.

IM FOKUS

Medizin als Bezugswissenschaft

- Medizin beschäftigt sich hauptsächlich mit Gesundheitsstörungen, ist also vor allem eine **„Krankheitswissenschaft".**
- Sie gilt als **Superwissenschaft,** da sie natur-, sozial- und geisteswissenschaftliche Aspekte umfasst.
- Sie ist **keine exakte Wissenschaft,** dennoch bemüht sie sich im Idealfall um eine empirische Überprüfbarkeit ihrer Erkenntnisse.
- Bei der **„evidenzbasierten Medizin (EbM)"** wird versucht, medizinisches Handeln nach wissenschaftlich erkenntnisstarken Vorgaben auszurichten.

Forschungsprobleme in der Notfallmedizin

Insbesondere in der Notfallmedizin gibt es allerdings viele nicht oder nur schwer erforschbare **Ursache-Wirkungs-Zusammenhänge.** Dies begründet sich folgendermaßen:

- Viele Ursache-Wirkungs-Zusammenhänge sind aufgrund ethischer Ausschlusskriterien nicht zugänglich für die Forschung. So darf ein Patient keinen potenziellen Schaden durch die Forschungstätigkeit erleiden.
- Häufig ist die Fallzahl bestimmter Situationen und Notfallbilder sehr gering. Oftmals spielen regionale und situative Gegebenheiten eine gewichtige Rolle, sodass Ergebnisse nicht verallgemeinerbar sind.
- Es werden häufig Einzelaspekte untersucht, z. B. die Herzdruckmassage im Rahmen der Reanimation. Die Ergebnisse dieser Studien sind schwer auf komplexe Gesamtsituationen zu übertragen bzw. das Ziehen von möglichst unverzerrten Schlussfolgerungen fällt schwer, da Notfallsituationen von vielen aufeinander Einfluss nehmenden Teilaspekten bestimmt sind. In dem Beispiel der Herzdruckmassage stellt sich die Frage, ob man bei der Auswertung des Reanimationserfolgs in einer Region tatsächlich die Qualität der Herzdruckmassage durch das Rettungsteam misst oder andere Faktoren wie z. B. die Qualität der Rettungskette, des Ersthelfers oder anderer angewendeter Maßnahmen.
- Bestimmte direkte Auswirkungen von Maßnahmen lassen sich nicht am realen Notfallpatienten überprüfen, da dieser nicht in die Studie einwilligen konnte und die Zeit dafür i. d. R. nicht vorhanden ist.

An den aufgeführten Forschungsproblemen lässt sich erkennen, dass sich viele Zusammenhänge der Forschung entziehen oder nur unter sehr großem Aufwand untersucht werden können. In diesen Fällen wird nicht mit Methoden im realen Forschungsfeld sondern in einer Laborsituation geforscht. Möglichkeiten stellen z. B. Tierversuche oder Simulation von Szenarien dar. Hier stellt sich die Frage der Übertragbarkeit auf die Realität.

Es lauern also an allen Ecken Fehlerquellen in der Erhebung, Interpretation und Übertragung von Forschungsbefunden. Aus diesem Grund ist beim Umgang mit Studien und wissenschaftlichen Arbeiten immer eine ordentliche Portion Skepsis angebracht. Für die Klärung einer Forschungsfrage werden i. d. R. mehrere hochwertige Studien benötigt, wobei es auch sein kann, dass sich diese in ihrem Ergebnis im Extremfall sogar widersprechen. Medizinisches Wissen wird nach Klemperer *„schrittweise gewonnen und ist mehr oder weniger sicher. Korrekturen von Annahmen, die sich durch neue Studien als falsch erweisen, sind in der Medizin etwas Normales"* (Klemperer 2013).

Nutzen der Medizin für Notfallsanitäter

Erkenntnisse aus der Medizin sind für die Tätigkeit des Notfallsanitäters die Basis für einen großen Teil seines beruflichen Handelns. Dabei ist er in der Verantwortung, sich einerseits stets auf dem aktuellen Stand zu halten. Er muss sich aktiv und selbstständig neue Erkenntnisse aneignen und dadurch sein Handeln auf dem Stand aktueller wissenschaftlicher Empfehlungen halten. Andererseits stellt die medizinische Forschung Notfallsanitäter vor zwei Probleme:

- **Selektionsproblem:** Allein im Bereich der Pharmaforschung wurden im Jahr 2012 in Deutschland nach Angaben des Verbands der forschenden Pharmaunternehmen 800 klinische Studien durchgeführt. Weltweit waren es etwa 5 000 Studien. Täglich werden neue Studienergebnisse publiziert. Allein für den Bereich Rettungsdienst gibt es in Deutschland fünf Fachzeitschriften in unterschiedlicher Qualität. Der Anwender in der Praxis kann über die Masse an Information nicht den Überblick behalten. Es stellt sich das Problem, zum einen relevante Studienergebnisse zu finden und zum anderen diese aus der Flut an Daten herauszufiltern.
- **Güteproblem:** Nicht alles, was publiziert wird, ist publikationswürdig. Der Notfallsanitäter muss sich bei der Lektüre wissenschaftlicher Erkenntnisse intensiv mit der Methode der Studie beschäftigen. Meist ist es ein nicht ganz einfaches Unterfangen zu überprüfen, ob eine wissenschaftliche Publikation den gängigen Gütekriterien entspricht (→ Tab. 4.1).

Notfallsanitäter sind aufgrund der Herausforderungen, die der Umgang mit Informationen in einer immer stärker vernetzten, wissenschaftlich denkenden Welt mit sich bringt, dazu aufgerufen, kritisch zu denken, Dinge infrage zu stellen, das eigene Handeln zu reflektieren und begründen zu können.

Objektivität	• Sind die Ergebnisse unabhängig vom Forscher zustande gekommen? • Sind die Daten unabhängig von den Forschern erhoben worden? • Würden andere Forscher zu denselben Ergebnissen gelangen?
Validität	• Messe ich wirklich das, was ich messen will? • Repräsentieren die Daten tatsächlich das, was ich messen will, also die zu messende Größe?
Reliabilität	• Wie hoch ist die Genauigkeit/Verlässlichkeit von Messungen: Sind die gemessenen Unterschiede echt oder treten/traten Messfehler auf? • Treten die gleichen Ergebnisse bei wiederholter Messung erneut auf? Sind die Daten reproduzierbar?

Tab. 4.1 Wissenschaftliche Gütekriterien

Von diesem Aufruf zum kritischen Umgang mit Informationen und Handlungsempfehlungen entbindet den Notfallsanitäter auch nicht das Vorhandensein von Vorgaben des Ärztlichen Leiters Rettungsdienst oder anderen vergleichbaren Institutionen. Im Gegenteil: Der kritische, kommunikative Umgang mit diesen Vorgaben als beidseitiger Aushandlungsprozess ist für die Aufrechterhaltung der Qualität einer zeitgemäßen Versorgung im Rettungsdienst maßgeblich. Auch sei angemerkt, dass wissenschaftliche Empfehlungen mit einem hohen Grad an Evidenz Vorgaben von ärztlichen Leitern in ihrer Gültigkeit einschränken können. Dies ist z. B. dann der Fall, wenn in den Vorgaben Maßnahmen empfohlen werden, die persönlichen Vorlieben entsprechen und den wissenschaftlichen Empfehlungen widersprechen.

MERKE

Aus der Verantwortung für den Patienten heraus ist darauf zu achten, dass sich die Vorgaben an der bestmöglichen Evidenz orientieren und dadurch tatsächlich die Handlungssicherheit von Notfallsanitätern unterstützen.

PRAXISTIPP

Leitlinien

Die Leitlinien der **Arbeitsgemeinschaft der Wissenschaftlichen Medizinischen Fachgesellschaften (AWMF)** sind systematisch entwickelte Hilfen zur Entscheidungsfindung in spezifischen Situationen. Die AWMF unterscheidet S1-Handlungsempfehlungen, Leitlinienklassifikation S2e und S2k sowie Leitlinienklassifikation S3 (www.awmf.org).

- **S1-Handlungsempfehlungen** (Handlungsempfehlungen von Expertengruppen): Eine repräsentativ zusammengesetzte Expertengruppe der Fachgesellschaft(en) erarbeitet im informellen Konsens eine Empfehlung, die vom Vorstand der Fachgesellschaft(en) verabschiedet wird.
- **S2e und S2k-Leitlinien** (Evidenzbasierte [S2e] oder konsensbasierte [S2k] Leitlinie):
  - **S2k-Leitlinie:** Die Leitliniengruppe sollte repräsentativ für den Adressatenkreis sein und Vertreter der entsprechend zu beteiligenden Fachgesellschaft/en und/oder Organisation/en in die Leitlinienentwicklung frühzeitig eingebunden werden.
  - **S2e-Leitlinie:** Es ist eine systematische Recherche, Auswahl und Bewertung wissenschaftlicher Belege (Evidenz) zu den relevanten klinischen Fragestellungen erforderlich.
- **S3-Leitlinien** (evidenz- und konsensbasierte Leitlinie): Die Kriterien von S2k und S2e sind beide erfüllt.

Durch die transparente Darstellung der Evidenzklassifikation kann der Notfallsanitäter das Maß der Empfehlungsstärke ableiten. Damit bieten die Leitlinien neben und in Ergänzung der Vorgaben des Ärztlichen Leiters Rettungsdienst oder anderen vergleichbaren Institutionen eine gute Möglichkeit, sich wissenschaftlich fundiert zu informieren.

Empfehlungsgrad	Formulierung	Hinweis
GoR A	„soll"	Starke Empfehlung
GoR B	„sollte"	Empfehlung
GoR 0	„kann"	Empfehlung offen, kann erwogen werden.

Tab. 4.2 Empfehlungen aufgrund der Evidenzklassifizierung des Oxford Centre of Evidence-Based Medicine (CEBM) https://www.cebm.net/2009/06/oxford-centre-evidence-based-medicine-levels-evidence-march-2009/ (GoR = Grade of Recommendation, d. h. Grad der Empfehlung)

Unabhängig vom „Evidenzlevel" ergeben sich in Leitlinien unterschiedliche Empfehlungen (→ Tab. 4.2). Auch bei Themen wie z. B. der Unfallrettung, welche häufig mit wenig Evidenz untermauert sind, zu denen jedoch vielfach hohe Erfahrungswerte und Expertenaussagen vorhanden sind, können trotz niedrigem Evidenzlevel Empfehlungen ausgesprochen werden. So wird beispielsweise in der S3-Polytraumaleitlinie aus der Kombination von Evidenz und Konsensbildung (s. Kasten Praxistipp „Leitlinien") eine Empfehlung getroffen, welche nach Nutzen-Risiko-Abwägung als „Grades of Recommendation" (GoR) dargelegt werden.

Gelegentlich wird bei fehlender Evidenz, aber hoher Expertise ein „Good Clinical Practice Point (GPP)" vergeben, welcher die nichtbelegte Empfehlung signalisiert.

IM FOKUS

Medizin und Forschung

- In der Notfallmedizin gibt es **spezifische Forschungsprobleme,** z. B.:
  - Ethische Grenzen
  - Geringe Fallzahlen
  - Schwer isolierbare Einzelaspekte
- Aus diesem Grund ist ein wesentliches Merkmal der (notfall-) medizinischen Forschung, dass ihre **Erkenntnisse schrittweise** erfolgen, **regelmäßig neu überprüft** werden müssen und manchmal auch ihre Gültigkeit verlieren.
- Eine Hilfestellung sind **Leitlinien,** die Erkenntnisse nach bestimmten **Evidenzleveln** sortieren, bewerten und so **Handlungsempfehlungen** ableiten.

4.1.3 Weitere Bezugswissenschaften des Rettungsdienstes

Neben der Medizin als Lieferant von handlungsbezogenen Informationen hat die Tätigkeit des Notfallsanitäters Bezüge zu weiteren Wissenschaften. Das berufliche Handeln von Notfallsanitätern ist nur zu einem Teil (notfall-)medizinisch geprägt. In einer Notfallsituation müssen zwar Vitalparameter erhoben und eingeschätzt werden. Auch die Gabe von Medikamenten sowie die Durchführung weiterer Maßnahmen basiert zunächst sicherlich auf Erkenntnissen, die in der Medizin gewonnen worden sind. Darüber hinaus spielen bei der Versorgung von Notfallpatienten aber auch noch völlig **andere Aspekte** eine Rolle:

- Im Einsatz muss eine Beziehung zu dem Patienten und seinen Angehörigen aufgebaut werden. Notfallsanitäter müssen außerdem mit Kollegen in einem Team zusammenarbeiten. Dafür werden Erkenntnisse aus der **Kommunikationspsychologie** benötigt.
- Notfallsanitäter müssen ihre Vorgehensweise aus rechtlicher Sicht reflektieren und Patienten z. B. in einer angemessenen Weise über beabsichtigte Maßnahmen aufklären. Dies setzt Wissen aus dem Bereich der **Rechtswissenschaften** (Jura) voraus.
- Bei vielen Einsätzen muss mit auftretenden Schwierigkeiten umgegangen bzw. müssen Probleme gelöst werden. Oftmals benötigen Menschen in Notfall- und Krisensituation konkreten Rat oder eine psychosoziale Hilfeleistung. Daher muss häufig auch auf Erkenntnisse aus der **Psychologie** und der **Pädagogik** zurückgegriffen werden.

Das berufliche Handeln eines Notfallsanitäters basiert also nicht nur auf medizinischen, sondern auch auf Erkenntnissen aus völlig anderen Bereichen (→ Tab. 4.3).

Bezugswissenschaft	Anwendungsbeispiel
Kommunikationswissenschaften	Einen Konflikt im Einsatz bearbeiten und lösen
Sozialmedizin	Soziale Krankheitsursachen, Lebensstil und Lebensweise in die Situationseinschätzung vor Ort miteinbeziehen
Gesundheitswissenschaften	Im Berufsfeld Gesundheit qualitätsbewusst agieren
Pädagogik und Erziehungswissenschaften	Ein Beratungsgespräch mit dem Patienten führen
Klinische Psychologie	Patienten mit psychischen Störungen einschätzen und die Versorgung auf sie abstimmen
Gesundheitsökonomie	Ökonomische Aspekte in die tägliche Arbeit integrieren
Psychotraumatologie	Nach belastenden Einsätzen den Teampartner unterstützen
Rechtswissenschaften (Jura)	Das eigene Handeln an rechtlichen Rahmenbedingungen ausrichten
Medizinische Soziologie	Das soziale Umfeld im Einsatz einschätzen und seine Rolle als Helfer einnehmen
Gerontologie	Zusammenhänge von Alter, Krankheit und Gesundheit objektiv beurteilen
Pflegewissenschaften	Pflegebedürftige Patienten bei längeren Transporten fachgerecht versorgen

Tab. 4.3 Bezugswissenschaften, die das Handeln in Notfallsituationen bestimmen

MERKE

Wissenschaften, die mit ihren Erkenntnissen das Handeln von Notfallsanitätern beeinflussen, werden als **Bezugswissenschaften** bezeichnet.

Rettungswissenschaft

Gemäß dem in **§ 4 NotSanG** formulierten Ausbildungsziel soll der Notfallsanitäter sein Handeln an medizinischer, bezugswissenschaftlicher und rettungsdienstlicher Erkenntnis ausrichten (→ Abb. 4.1). Im Sinne der Entwicklungsmöglichkeiten und langfristigen Qualitätssicherung des Berufsbilds stellen sich jedoch folgende Fragen:

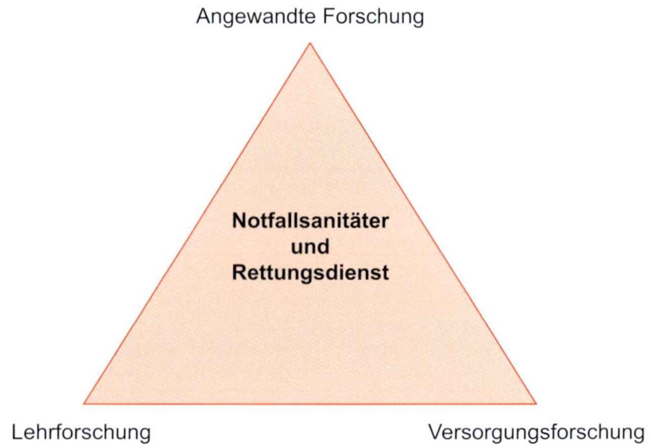

Abb. 4.1 Auch Notfallsanitäter können sich im Kontext der Forschung wiederfinden und sowohl zu anwendungsorientierten Fragestellungen, zu Fragen der Versorgung von Notfallpatienten als auch zu Erkenntnissen in der Ausbildung beitragen. [L143]

- Woher stammt bisher rettungsdienstliche Erkenntnis?
- Hält die bisherige rettungsdienstliche Erkenntnis wissenschaftlicher Überprüfung stand?
- Wie kann rettungsdienstliche Erkenntnis in Zukunft überprüft und weiterentwickelt werden?

Diesen Fragen wird im Folgenden nachgegangen.

MERKE

Rettungsdienstliche Erkenntnis bezeichnet durch geistige Verarbeitung von Eindrücken und Erfahrungen gewonnene und mit wissenschaftlichen Methoden überprüfbare Einsicht über berufsspezifische Kenntnisse, Fertigkeiten oder Phänomene.

Bisher wurde im Berufsfeld Rettungsdienst wenig über die kritische Überprüfung rettungsdienstlicher Erkenntnisse nachgedacht. Eine strukturierte, wissenschaftlich geführte Reflexion rettungsdienstspezifischer Tätigkeitsinhalte findet bisher so gut wie nicht statt. Das rettungsdienstliche Handeln ist in weiten Teilen bestimmt durch seine Bezugswissenschaften, in dominierender Art und Weise von der Medizin.

Die für den Rettungsdienst charakteristischen, berufsspezifischen Kenntnisse, Fertigkeiten oder Verrichtungen werden in tradierter Form übernommen und wenig reflektiert genauso fortgeführt (z. B. Lagerung und Transport von Patienten) oder gar nicht als solche erkannt. In diesem Fall werden Handlungssituationen nicht als relevant eingeschätzt (z. B. die Entwicklung von Standards bei der Versorgung von hilflosen Personen ohne notfallmedizinische Indikation in sozialen Brennpunkten).

Es gibt zudem noch keine Definition der berufsbildspezifischen, originären Betätigungs- und Forschungsfelder. Auch sind Begriffe wie „retten" und „der Notfall" in ihrer Bedeutung bislang nicht operationalisiert. Für den einen ist ein Notfall die Versorgung eines kritisch kranken oder verletzten Patienten, für den anderen stellt schon allein der Notruf einer hilflosen Person in einer sozialen Notlage einen Notfall dar (→ Kap. 15.1).

Der Beruf des Notfallsanitäters ist jedoch einer der eigenständigsten und verantwortungsvollsten Gesundheitsfachberufe in Deutschland. Die **Alleinstellungsmerkmale** in der Abgrenzung zu Pflege- oder Therapieberufen sind unter anderem:

- Versorgung von unterschiedlichsten Notfallbildern und Gesundheitsproblemen außerhalb von Einrichtungen des Gesundheitswesens.
- Hohe Eigenständigkeit in der Akutphase unterschiedlicher Notfallbilder und Gesundheitsprobleme.
- Häufig müssen Entscheidungen unter Zeitdruck und Berücksichtigung situativer Gegebenheiten getroffen werden.
- Die Einsätze finden unter Umständen unter psychisch belastendem und/oder in gefährlichem Umfeld statt.
- Die Arbeit auf dem Rettungswagen findet im Regelfall in Zweierteams statt. Dabei ist die Teamzusammensetzung oftmals geprägt durch Hierarchieunterschiede.
- Handlungsfähigkeit lässt sich oftmals nicht direkt am Patienten erlernen und trainieren, sondern muss in Simulationssituationen geübt werden.

Aus diesen Alleinstellungsmerkmalen generieren sich berufsspezifische Besonderheiten, die bislang nicht systematisiert und wissenschaftlich aufbereitet wurden. Es liegt nahe, diese in Zukunft unter Einbeziehung naturwissenschaftlicher und sozialwissenschaftlicher Disziplinen zu erforschen.

MERKE

Die Etablierung einer eigenständigen **Rettungswissenschaft** würde das Berufsbild in die Lage versetzen, wissenschaftliche Erkenntnis in berufsfeldspezifischen Fragestellungen zu gewinnen mit dem Ziel, die rettungsdienstliche Versorgung Verletzter oder Erkrankter zu verbessern. Die Disziplin „Rettungswissenschaft“ entsteht gerade jedoch erst und ist in der „Scientific Community“ auch noch nicht etabliert.

In anderen Gesundheitsfachberufen etablieren sich schon seit Längerem berufsspezifische Wissenschaftsbereiche. In der Pflege sind das die **Pflegewissenschaften,** in Therapieberufen (z. B. Ergotherapie, Logopädie) entstanden die **Therapiewissenschaften** und in der Geburtshilfe gibt es die Deutsche Gesellschaft für **Hebammenwissenschaft** (DGHWi). Dabei ergeben sich für eine spezifische **Rettungswissenschaft** folgende **Schwerpunkte und Forschungsbereiche:**

- **Lehrforschung:**
  - Fachdidaktik in der Rettungsdienstausbildung
  - Entwicklung und Prüfung von Fortbildungskonzepten
- **Versorgungsforschung und EBM:**
  - Anpassung und Überprüfung von Leitlinienempfehlungen auf die besondere Situation der präklinischen Versorgung und Entwicklung von Versorgungsalgorithmen
  - Rettungsdiensttheorien zur Bedarfsforschung in einer Gesellschaft mit sich verändernden Gesundheits- und Krankheitsproblemen
  - Analyse der Patientenversorgung durch Notfallsanitäter hinsichtlich Tracerdiagnosen und Leitlinienadhärenz
- **Angewandte Forschung:**
  - Qualitätsmanagement im Rettungsdienst
  - Krisenintervention und Stressbewältigung
  - Anwendbarkeit von neuen Materialien und Geräten (ergonomische Untersuchungen)
  - Untersuchung zur Teamarbeit und Patientenberatung, Konfliktlösung und Entscheidungsfindung, Debriefing

In Anbetracht der Bedeutsamkeit des Berufsbilds für die Gesellschaft und das Gesundheitswesen sowie im Vergleich mit anderen Gesundheitsfachberufen erscheint eine wissenschaftliche Aufwertung des Notfallsanitäters dringend geboten. Ob und wann dies der Fall sein wird, werden die nächsten Jahre zeigen.

MERKE

Kombination von Versorgungsforschung und Qualitätssicherung

Ein Beispiel dafür ist die in Baden-Württemberg etablierte **Stelle zur trägerübergreifenden Qualitätssicherung im Rettungsdienst Baden-Württemberg (SQR-BW).** Sie arbeitet unabhängig und neutral und bemüht sich um die Entwicklung und Umsetzung der Qualitätssicherung im Rettungsdienst von Baden-Württemberg für eine Verbesserung der Versorgungsqualität. Die Basis dabei sind wissenschaftlich begründete, an aktuellen Leitlinien orientierte Indikatoren. Dabei wird eine Vielzahl von Kennzahlen öffentlich zur Verfügung gestellt und Qualitätsziele wie Hilfsfrist, Versorgungszeiten, Datenqualität aber auch die leitliniengerechte Versorgung von Patienten evaluiert (→ Abb. 4.2). Dazu werden die Daten der Einsatzprotokolle und der Leitstelle übermittelt. Seit 2018 sollen neben den notärztlichen Daten auch die Daten aller RTW-Einsätze analysiert werden und damit auch die Arbeit der Notfallsanitäter transparent und vergleichbar gemacht werden.

IM FOKUS

Rettungswissenschaften

- In Deutschland existiert derzeit noch keine flächendeckende, eigenständige und methodisch sattelfeste „Rettungswissenschaft“. Diese würde und müsste insbesondere eine hohe wissenschaftliche Methodenkompetenz einbringen sowie **berufsspezifisches Wissen** umfassen und Alleinstellungsmerkmale der Tätigkeit von Notfallsanitätern in den Blick nehmen.
- Bisher nutzt der Rettungsdienst jedoch vor allem **Bezugswissenschaften,** um das eigene Handeln zu begründen.
- Für wissenschaftliches Arbeiten als Notfallsanitäter bzw. im rettungsdienstlichen Kontext ist vor diesem Hintergrund zunächst einmal **Methodenkompetenz** relevant: Das wissenschaftliche Handwerkszeug ist unabhängig von der inhaltlichen bzw. disziplinären Ausrichtung elementar, um auch mit anderen etablierten Disziplinen mithalten und den gleichen wissenschaftlichen Anspruch erheben zu können.
- Mögliche Forschungsbereiche im Rettungsdienst könnten sein:
  - **Lehrforschung**
  - **Versorgungsforschung und EbM**
  - **Angewandte Forschung**

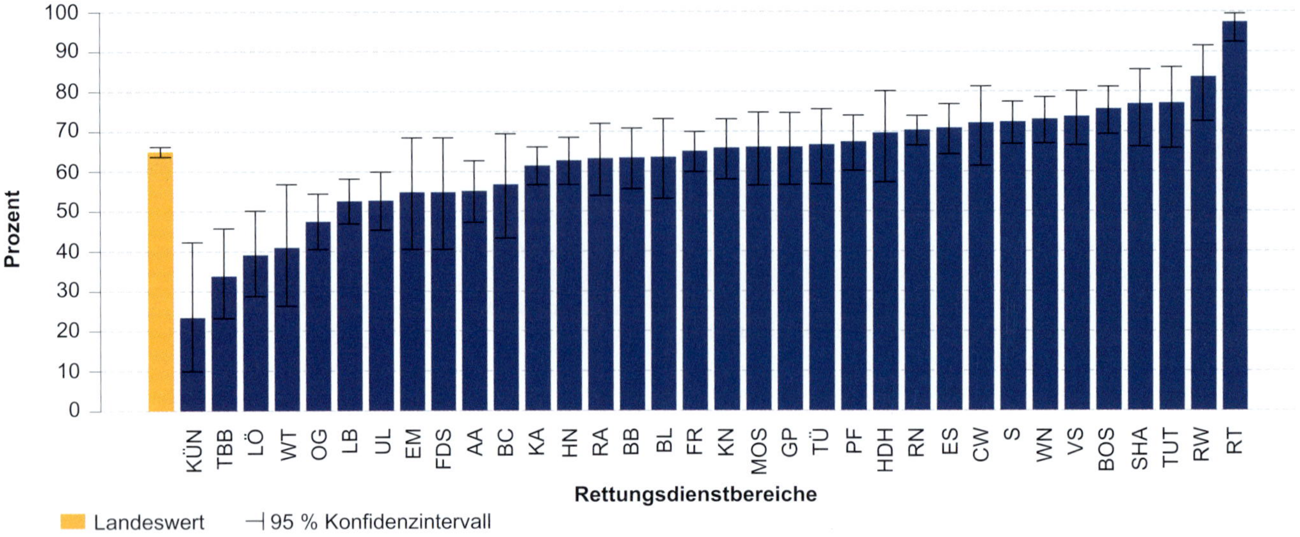

Abb. 4.2 Beispiel einer SQR-Auswertung zur leitliniengerechten Versorgung des Myokardinfarkts. Dabei ist die Versorgung deutlichen Schwankungen unterworfen und ergibt im Mittel eine leitliniengerechte Versorgung von 65 % durch die Notärzte im Jahr 2017. [W1092]

4.2 Fachgesellschaften

Aufbauend auf den allgemeinen Überlegungen zur Bedeutung wissenschaftlicher Arbeiten für den Rettungsdienst werden nachfolgend einige **Fachgesellschaften** vorgestellt. Sie haben es sich zur Aufgabe gemacht, in bestimmten Fachbereichen wissenschaftlich begründete Erkenntnisse zu gewinnen und vor allem auch zu verbreiten, etwa durch die Veröffentlichung von **Leitlinien, Empfehlungen** oder **Stellungnahmen** zu speziellen Themen.

4.2.1 European (ERC) und German Resuscitation Council (GRC), American Heart Assocation (AHA)

Der schwedische Kardiologe Lars Mogensen war von den nationalen Resuscitation Councils in Skandinavien und UK sehr beeindruckt und erreichte in der European Society of Cardiology (ESC), dass 1985 in Brighton ein „Symposium on Resuscitation" die Kontroversen und Probleme der Reanimation beschrieb.

Bereits ein Jahr später schlug er vor, dass die ESC eine ähnliche Arbeitsgruppe bilden sollte. Diese Idee wurde jedoch nicht verwirklicht. Erst 1989 wurde das erste Exekutivkomitee des **European Resuscitation Council (ERC)** mit Peter Baskett als erstem Chairman etabliert.

1992 fand der erste größere ERC-Kongress in Brighton statt, zu dem neben amerikanischen auch australische Kollegen eingeladen wurden und daraus resultierend die AHA und ERC das ILCOR (→ Kap. 4.2.2) gründeten. Die ersten Guidelines des ERC werden ebenfalls auf dieses Jahr datiert.

Das European Resuscitation Council (ERC) steht auch heute noch für Aufklärung, Ausbildung und Forschung bei allen Aspekten der Wiederbelebung und begleitenden Umständen. Als Zusammenschluss der nationalen europäischen Resuscitation Councils werden regelmäßig die aktualisierten Leitlinien Reanimation des ERC erwartet, was zentralen Einfluss auf die Tätigkeit von Notfallsanitätern und Notärzten hat. Das ERC bietet eine Vielzahl von unterschiedlichen Kursen im Bereich der Reanimation an. 2002 wurden die ersten ERC-Kurse in Deutschland durchgeführt (→ Abb. 4.3).

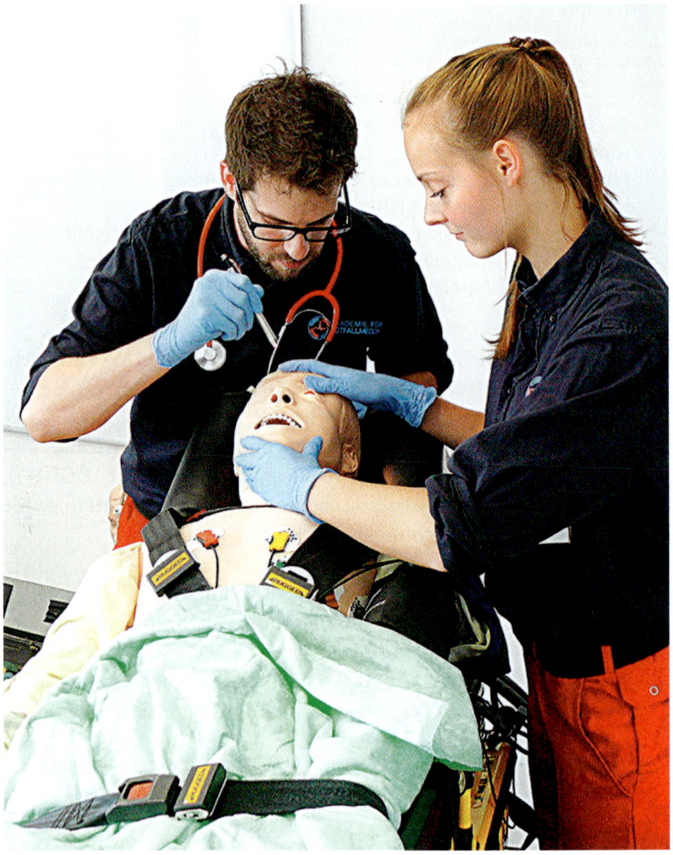

Abb. 4.3 Trainingssituation in einem ERC-Kurs [W925]

Das **German Resuscitation Council – Deutscher Rat für Wiederbelebung (GRC)** unterstützt und fördert auf nationaler Ebene die interdisziplinäre Zusammenarbeit zwischen allen Organisationen und Personen und den Zielen des ERC. In Zusammenarbeit mit dem ERC wird eine Vielzahl von Kursen für jedes Anwenderniveau angeboten, von **Basic-Life-Support**-Kursen (BLS) bis hin zu **Advanced-Life-Support-Provider**-Kursen (ALS) für erwachsene und pädiatrische Patienten. Daraus resultiert ein ganzes Netzwerk, welches die Leitlinien und damit den „Consensus on Science" schult. Das GRC unterstützt den Aufbau des Reanimationsregisters, in dem sowohl prä- als auch innerklinische Reanimationsdaten eingegeben und ausgewertet werden.

Die **American Heart Associtation (AHA)** kann als Pendant zum ERC gesehen werden. Die AHA wurde 1924 gegründet und ist damit das älteste nationale Resuscitation Council. Die Aufgaben und Tätigkeiten ähneln denen der europäischen oder deutschen Gesellschaften: Es werden Forschung und Aufklärung zu kardiovaskulären Erkrankungen betrieben und zudem verschiedenste Kurse – auch in Deutschland – angeboten.

Weiterführende Informationen zu den oben beschriebenen Fachgesellschaften sind im Internet erhältlich:

- www.erc.edu
- www.grc-org.de
- www.heart.org

4.2.2 International Liaison Comitee on Resuscitation (ILCOR)

Im **International Liaison Comitee on Resuscitation (ILCOR),** das 1992 am Ende des ERC-Kongresses in Brighton gegründet wurde, sind die kontinentalen Resuscitation Councils zur weltweiten Zusammenarbeit im Bereich der Reanimation zusammengefasst. Aktuell umfasst das ILCOR die American Heart Association (AHA), das European Resuscitation Council (ERC), die Heart and Stroke Foundation of Canada (HSFC), das Australian and New Zealand Committee on Resuscitation (ANZCOR), das Resuscitation Council of Southern Africa (RCSA), die Inter American Heart Foundation (IAHF) und das Resuscitation Council of Asia (RCA).

Weiterführende Informationen zum ILCOR sind im Internet erhältlich: www.ilcor.org.

4.2.3 Deutsche Gesellschaft interdisziplinäre Notfall- und Akutmedizin e. V. (DGINA)

Die **Deutsche Gesellschaft interdisziplinäre Notfall- und Akutmedizin e. V. (DGINA)** betrachtet im Mittelpunkt ihrer notfall- und akutmedizinischen Interessen die Notaufnahmen als Dreh- und Angelpunkt. Auch die DGINA setzt auf interprofessionelles und interdisziplinäres Arbeiten und verknüpft dabei insbesondere Notaufnahmen mit dem Rettungsdienst und dem kassenärztlichen Notdienst. Mitglieder der DGINA sind demnach ärztliches, pflegerisches und rettungsdienstliches Personal. Neben der Professionalisierung im Bereich der Pflege für Notaufnahmen, z. B. durch Entwicklung einer Fachweiterbildung „Notfallpflege", steht die Bündelung ärztlicher Kompetenzen in der Notfallmedizin auf Facharztniveau im Fokus. Damit unterstützt die DGINA die Forderung nach einem Experten für klinische Notfallmedizin und schließt sich dem Curriculum für den Europäischen Facharzt für Notfallmedizin entsprechend der **European Society for Emergency Medicine (EuSEM)** an. Bereits in 15 europäischen Ländern ist die klinische Notfallmedizin eine anerkannte Fachrichtung, in drei europäischen Ländern eine Zusatzbezeichnung und in drei weiteren europäischen Ländern existieren beide Modelle (Deutschland gehört übrigens nicht dazu), wie die europäischen Ärztevereinigungen EuSEM und **UEMS (Union Européenne des Médecins Spécialistes)** berichten und daher eine lückenlose europaweite Anerkennung des Ausbildungscurriculums fordern.

Neben den medizinischen Kompetenzen steht aber auch die Verbesserung von organisatorischen und ökonomischen Aspekten auf der Agenda. Die DGINA fördert deswegen interdisziplinäre Notaufnahmen mit eigenständigen pflegerischen und ärztlichen Leitungen, um so die Lenkung von Patientenströmen zu verbessern und die Ressourcen von Fachkliniken, Rettungsdiensten und ärztlichen Notdiensten effizienter zu nutzen. Dazu gehören die Entwicklung von Qualitätssicherungskonzepten und die Optimierung von Prozessabläufen.

Wie bei jedem Patientenerstkontakt steht die Einschätzung des Patienten und seiner Erkrankung oder Verletzung an erster Stelle. So sieht die DGINA die effektive Triage-Organisation als eine Kernaufgabe der Notaufnahmen, um Patienten korrekt zuzuteilen. Daran schließen sich standardisierte Konzepte zur Notfallversorgung von Patienten an. Für ihre Themenschwerpunkte hat die DGINA unterschiedliche Arbeitsgruppen eingerichtet.

Unter dem Label **DGINAzert** hält die DGINA ein eigenes Qualitätsmanagement für Notaufnahmen vor. Die Qualitätskriterien wurden von einer Arbeitsgruppe der DGINA erarbeitet. Die Kriterien werden regelmäßig aktualisiert. Sie orientieren sich an höchsten internationalen Standards und dienen der kontinuierlichen Verbesserung der Strukturen, aber auch der Transparenz der Arbeit einer Notaufnahme.

Weiterführende Informationen zur DGINA und EuSEM sind im Internet erhältlich:

- www.dgina.de
- www.eusem.org

4.2.4 Deutsche Gesellschaft für Unfallchirurgie (DGU)

Die **Deutsche Gesellschaft für Unfallchirurgie (DGU)** beschäftigt sich mit der Prävention, Diagnostik, Therapie und Rehabilitation im Bereich der Traumatologie.

Dazu hat die DGU ein Konzept zur verbesserten Versorgung von schwer verletzten Patienten entwickelt. Sogenannte **Traumanetzwerke** (Traumanetzwerk DGU®), die eine verbesserte Versorgungsqualität bieten sollen, wurden dazu ins Leben gerufen. Innerhalb eines Netzwerks sind mehrere Kliniken zusammengefasst, welche durch gemeinsame Nutzung von Einrichtungen vorhandene Ressourcen effizienter machen sollen. Die Kliniken eines Traumanetzwerks werden als sog. **Traumazentren** zertifiziert. Je nach personeller, struktureller und organisatorischer Ausstattung der Klinik kann diese als lokales, regionales und überregionales Traumazentrum zertifiziert werden. Vorgewiesen werden müssen definierte Kriterien zur Aufnahme von Patienten und ggf. deren Weiterverlegung sowie die Standardisierung von Versorgungsabläufen. Auch müssen die Kliniken regelmäßige Fortbildungen ihrer Schockraum-Teams nachweisen.

Weiter sind die teilnehmenden Kliniken verpflichtet, ihre Patientendaten zur Qualitätssicherung in der Schwerverletztenversorgung an das TraumaRegister DGU® zu melden. Das Traumaregister gilt inzwischen als eines der größten Register weltweit. Dabei werden Daten von der Einsatzstelle bis zur Entlassung aufgenommen. Sie lassen viele Rückschlüsse zur Versorgung und Ergebnisqualität bei traumatologischen Patienten zu.

Weiteren Einfluss auf den Rettungsdienst hat die DGU durch entsprechende Fort- und Weiterbildungsprogramme (ATLS, HOTT etc.), die in Deutschland angeboten werden und nicht zuletzt durch die Federführung bei der **Leitlinie Polytrauma/Schwerverletzten-Behandlung.** Die Leitlinie stellt den aktuellen evidenzbasierten Wissensstand in der Versorgung der traumatologischen Patienten in Deutschland dar.

Weiterführende Informationen zur DGU sind im Internet erhältlich: www.dgu-online.de.

4.2.5 Deutsche Interdisziplinäre Vereinigung für Intensiv- und Notfallmedizin e. V. (DIVI)

Die **Deutsche Interdisziplinäre Vereinigung für Intensiv- und Notfallmedizin e. V. (DIVI)** ist eine wissenschaftliche Fachgesellschaft, die Berufsverbände, Gesellschaften und Einzelmitglieder auf dem Gebiet der Intensiv- und Notfallmedizin zusammenführt (www.divi.de). Sie fördert den Wissensaustausch, die Zusammenarbeit und Kommunikation und steht für Qualitätssicherung, Entwicklung von Leitlinien und Aus- und Fortbildung und multidisziplinäre Forschung. Die Sektion Notfall- und Katastrophenmedizin fokussiert dabei ganz besonders auch die Berufsgruppe der Notfallsanitäter.

Im Gegensatz zur DGINA strebt die DIVI keinen eigenen Facharzt für Notfallmedizin an, sondern hält die Intensivmedizin und Notfallmedizin in Ergänzung zu einer Facharztkompetenz für ausreichend.

4.2.6 Deutsche Gesellschaft für Rettungswissenschaften (DGRe)

Die **Deutsche Gesellschaft für Rettungswissenschaften** wurde 2019 gegründet, um Personen aus Praxis, Wissenschaft und Forschung in Rettungswissenschaften und deren Bezugswissenschaften zusammenzuführen (www.dgre.org). Anliegen der DGRe ist es, den Rettungsdienst evidenzbasiert, patientenzentriert und nachhaltig weiterzuentwickeln, wofür unterschiedliche Sektionen zur Verfügung stehen.

Die DGRe versteht die Rettungswissenschaften als Symbiose aus Notfallmedizin, Gesundheitswissenschaften und öffentlicher Sicherheit und damit als „wissenschaftlichen Arm" der Notfallsanitätertätigkeit. Für Studienabsolventen oder Studierende, die empirische, praxisrelevante Arbeit mit Rettungsdienstbezug erstellen wollen, verspricht die DGRe fachliche Unterstützung.

4.2.7 Weitere Fachgesellschaften

Neben den bereits aufgeführten Fachgesellschaften gibt es noch einige weitere, die ebenfalls eine besondere Relevanz für den Rettungsdienst haben. Sie sind in → Tab. 4.4 ergänzend aufgeführt.

MERKE

- Die deutsche Version der ERC-Leitlinien finden sich unter: www.grc-org.de.
- Die Polytrauma-Leitlinie ist abrufbar unter: https://register.awmf.org/de/leitlinien/detail/187-023

IM FOKUS

Fachgesellschaften

- Fachgesellschaften sind **Zusammenschlüsse bestimmter Fachrichtungen,** die sich das Ziel gesetzt haben, ihren Arbeitsbereich **wissenschaftlich** zu fördern.
- Sie geben **Leitlinien, Empfehlungen** oder Stellungnahmen heraus.
- Besonders wichtig für den Rettungsdienst sind bislang zum Beispiel:
  - **ERC/AHA:** geben Empfehlungen zu Wiederbelebung und Herz-Kreislauferkrankungen.
  - **DEGINA:** geben u. a. Empfehlungen zu verschiedensten Notfallbildern und zu organisatorischen Aspekten; Interprofessioneller Ansatz.
  - **DGU:** geben Empfehlungen zu verschiedenen Verletzungsbildern.

BAGEH (www.bageh.de)	Die **Bundesarbeitsgemeinschaft Erste Hilfe** ist ein Zusammenschluss der Hilfsorganisationen ASB, DLRG, DRK, Johanniter und Malteser, um die Erste Hilfe und die Erste Hilfe-Ausbildung in Deutschland zu festigen und weiter auszubauen.
DGAI (www.dgai.de)	Die **Deutsche Gesellschaft für Anästhesiologie und Intensivmedizin e. V.** ist die Fachgesellschaft für Ärzte zur „gemeinsamen Arbeit am Ausbau und Fortschritt der Anästhesiologie, Intensivmedizin, Notfallmedizin und Schmerztherapie". Die DGAI hat das Reanimationsregister entwickelt und aufgebaut, welches ähnlich wie das TraumaRegister DGU® alle prä- und innerklinischen Reanimationsdaten sammelt und analysiert. Die DGAI ist zudem in Fragen zur präklinischen Atemwegssicherung aktiv.
DGN (www.dgn.org)	Die **Deutsche Gesellschaft für Neurologie e. V.** fördert Wissenschaft und Forschung in der Neurologie. Bereits 1907 gegründet, ist sie bis heute relevant bei der Entwicklung von Leitlinien und Verfahren wie z. B. bei der Leitlinie des Schlaganfalls.
DGRN (www.dgrn.de)	Die **Deutsche Gesellschaft für Rettungsdienst und präklinische Notfallmedizin e. V.** wurde 2020 gegründet und fokussiert auf das Rettungsfachpersonal, Notärzte und alle weiteren an der Notfallmedizin beteiligten Stellen, um eine Vernetzung herbeizuführen. Die DGRN will Wissenschaft, Forschung und das öffentliche Gesundheitswesen fördern. Dazu werden wissenschaftliche Veranstaltungen durchgeführt, interdisziplinäre Vereinbarungen angestrebt und Leitlinien erarbeitet.

Tab. 4.4 Weitere Fachgesellschaften mit Relevanz für den Rettungsdienst

4.3 Interessenvertretungen des Rettungsfachpersonals

Aktuell sind zwei **Berufsverbände im Rettungsdienst** aktiv. Sie verstehen sich jeweils als organisationsunabhängiger und überparteilicher Berufsverband für alle Bereiche der präklinischen Notfallversorgung und des Rettungsdienstes. Die Mitglieder setzen sich vor allem aus engagiertem Rettungsdienstpersonal (RettAss, RettSan, RettHelf, NotSan, Ärzten, Notärzten) sowie weiteren Fachleuten in Fragen der Notfallmedizin, Technik, Organisation und Verwaltung des Rettungswesens zusammen. Mitglied dieser Berufsverbände können darüber hinaus alle Personen werden, die durch ihre Mitarbeit, ihr Engagement oder ihre materielle Unterstützung zur weiteren Verbesserung der präklinischen Notfallversorgung beitragen wollen.

Die Berufsverbände versuchen, neue Impulse zur Verbesserung und Gestaltung des Rettungswesens zu geben und ein aufgeschlossener Gesprächspartner für alle auf diesem Sektor tätigen Organisationen, Vereine und Institutionen zu sein. Insbesondere im Hinblick auf das junge Berufsbild des Notfallsanitäters ist derzeit noch eine Vielzahl rechtlicher, vor allem auch arbeitsrechtlicher Fragen zu klären. Dafür setzen sich die Berufsverbände ebenfalls ein. Trotz ihres Engagements führen die Berufsverbände allerdings eher ein Nischendasein und vertreten bedauerlicherweise nur einen geringen Teil der Rettungsdienstmitarbeiter.

Gewerkschaften setzen sich ähnlich wie Berufsverbände für die Interessen ihrer Mitglieder ein. Im Gegensatz zu den berufspolitischen Berufsverbänden sind Gewerkschaften jedoch vor allem tarifpolitisch aktiv und stehen für Löhne, Arbeitszeit, Arbeitsbedingungen und Mitbestimmung der Beschäftigten ein. Dazu schließen sie stellvertretend für ihre Mitglieder z. B. Tarifverträge mit Arbeitgeberverbänden ab. Gegebenenfalls rufen sie zur Durchsetzung ihrer Ziele ihre Mitglieder

BERUFLICHES SELBSTVERSTÄNDNIS

Lehr- und Lernziele des Abschnitts B

Der folgende Abschnitt deckt den **Themenbereich 8** der Ausbildungs- und Prüfungsordnung für Notfallsanitäterinnen und Notfallsanitäter ab. Auszubildende sind demnach zu befähigen,

- den Notfallsanitäterberuf im Kontext der Gesundheitsfachberufe positionieren zu können,
- sich kritisch mit ihrem Beruf auseinanderzusetzen und
- zur eigenen Gesundheitsvorsorge beizutragen.

Mit drei Kapiteln wird diesen Vorgaben entsprochen: **Kapitel 5** thematisiert die Positionierung des neuen Berufsbildes „Notfallsanitäter" als einen völlig neuen Gesundheitsfachberuf, insbesondere vor dem Hintergrund der historischen Entwicklung der verschiedenen beruflichen Qualifikationen im Rettungsdienst. Außerdem werden Überlegungen zum aktuellen und zukünftigen Berufsprestige dargestellt. Darüber hinaus werden konkrete Hinweise zum Verhalten und Auftreten in der Öffentlichkeit, zur Selbstreflexion sowie zur Durchführung von Einsatznachbesprechungen gegeben.

Der kritischen Auseinandersetzung mit dem eigenen Handeln bzw. dem Berufsethos von Notfallsanitätern dient insbesondere auch das folgende **Kapitel 6.** Darin werden zunächst allgemeine Theorien und Modelle der Ethik dargestellt. Anhand von praktischen Beispielen werden einige ethische Konfliktsituationen aufgezeigt, die sich zweifellos nicht ohne Weiteres lösen lassen. Umso wichtiger ist es aber, sich gedanklich mit ethischen Fragestellungen auseinanderzusetzen und eine eigene Position wohlbegründet und verantwortlich vertreten zu können. Dazu soll dieses Kapitel anregen und ermutigen.

Die persönliche Psychohygiene, die Förderung der eigenen Gesundheit sowie die Durchführung von präventiven Maßnahmen sind schließlich wesentliche Inhalte von **Kapitel 7.** Hier wird aufgezeigt, welchen psychischen und physischen Belastungen Notfallsanitäter in ihrem Beruf ausgesetzt sind, welche Folgen diese Belastungen möglicherweise verursachen und was Notfallsanitäter gemeinsam mit ihrem Arbeitgeber dafür tun können, um dauerhaft gesund zu bleiben und ihre berufliche Leistungsfähigkeit auch langfristig zu erhalten.

Hinweis: Der hier thematisierte Themenbereich 8 der Ausbildungs- und Prüfungsordnung für Notfallsanitäterinnen und Notfallsanitäter enthält außerdem den Gliederungspunkt „Mit Krisen- und Konfliktsituationen konstruktiv umgehen und Deeskalationsstrategien anwenden". Aus didaktischen Gründen wurde dieser Aspekt jedoch Kapitel 9 in Abschnitt C zugeordnet.

5

POSITIONIERUNG DES NOTFALLSANITÄTERBERUFS

Harald Karutz, Klaus Runggaldier

SZENARIO

Bei einer Party stehen mehrere junge Erwachsene zusammen und tauschen sich über unterschiedliche Berufe und ihre Erfahrungen mit den Angehörigen diverser Berufsgruppen aus. Fast jeder kann dabei Geschichten aus der eigenen Schulzeit berichten.
Es wird geplaudert, geschmunzelt und gelacht – bis einer der Beteiligten von einer Notfallsituation berichtet, die er als Patient selbst erlebt hat. Eindrucksvoll erzählt er davon, wie unangenehm und übergriffig sich Rettungsfachkräfte ihm gegenüber verhalten haben. Unter anderem beklagt er, dass er über Versorgungsabläufe nicht aufgeklärt worden ist, dass er vor den Augen von Zuschauern für eine Untersuchung entkleidet wurde und große Angst hatte, bis er endlich im Krankenhaus angekommen war. „Na gut", wird der Erfahrungsbericht abgeschlossen, „man muss ja sehen, dass die Leute, die auf so einem Krankenwagen durch die Gegend fahren, wohl einfach keine richtige Ausbildung haben. Da kann man denen also gar keinen Vorwurf machen."

INHALTSÜBERSICHT

5.1 BERUF UND BERUFUNG

- Berufe werden unterschiedlich definiert.
- Die Begriffe „Beruf", „Qualifikation" und „Arbeit" sind voneinander abzugrenzen.
- Berufe werden durch spezielle Tätigkeitsfelder, spezielle Fähigkeiten und Kompetenzen, das Berufsprestige und durch Mobilitätspfade charakterisiert.
- Bis in das 19. Jahrhundert wurden Krankenträger ohne spezifische Ausbildung eingesetzt.
- Nach dem Brand des Ringtheaters in Wien 1881 absolvierten Helfer freiwilliger Rettungsgesellschaften umfangreichere Sanitätslehrgänge.
- Nach dem Zweiten Weltkrieg wurden Transportsanitäter eingesetzt.
- Von 1966 an wurden immer wieder Versuche unternommen, ein eigenständiges Berufsbild im Rettungsdienst zu etablieren.
- 1989 wurde das Rettungsassistentengesetz verabschiedet.
- Seit dem 1. Januar 2014 ist das Notfallsanitätergesetz in Kraft.
- Berufsprestige ergibt sich aus der Stellung und dem Ansehen eines Berufs in der gesellschaftlichen oder betrieblichen Hierarchie.
- In der Bevölkerung ist über das Berufsbild des Notfallsanitäters nur wenig Wissen vorhanden.
- Welches Prestige das Berufsbild Notfallsanitäter im Gesundheitswesen erlangen wird, hängt insbesondere von der künftigen Gestaltung der Zusammenarbeit mit Notärzten und dem Pflegepersonal ab.
- Viele Rettungsfachkräfte sind mit ihrer Berufswahl sehr zufrieden. Dennoch verlassen einige Notfallsanitäter ihr Berufsfeld nach einigen Jahren.

5.2 ERWARTUNGEN AN NOTFALLSANITÄTER

- Zu unterscheiden sind formelle und informelle Rollenerwartungen. Das Verhalten und das äußere Erscheinungsbild, d. h., das Auftreten in der Öffentlichkeit, prägen die Wahrnehmung des Berufsstandes enorm.
- Wichtig sind u. a. eine saubere Dienstkleidung, die Einhaltung der Schweigepflicht und eine angemessene Anteilnahme.
- Notfallsanitäter sollten ihr berufliches Handeln selbstkritisch reflektieren.
- Einsatznachbesprechungen tragen u. a. zur Selbstreflexion und zu einem konstruktiven Umgang mit Fehlern bei.

5.1 Beruf und Berufung

Die Erwerbsarbeit ist in modernen Gesellschaften die wichtigste Organisationsform von Arbeit. Dabei werden Angebot und Nachfrage nach Arbeitskraft über Arbeitsmärkte geregelt. Durch **Berufe** können sich Arbeitgeber und Arbeitnehmer leichter auf dem Arbeitsmarkt orientieren und einfacher zu der jeweiligen Qualifikation passende Arbeitsangebote auswählen.

DEFINITION

Ein **Beruf** ist eine dauerhaft angelegte, i. d. R. eine Ausbildung voraussetzende Betätigung, die Arbeitskraft sowie Arbeitszeit überwiegend in Anspruch nimmt. Nach *Beck, Brater und Daheim* (1980) sind Berufe *„relativ tätigkeitsunabhängige, gleichwohl tätigkeitsbezogene Zusammensetzungen und Abgrenzungen von spezialisierten und institutionell fixierten Mustern von Arbeitskraft, die u. a. als Ware am Arbeitsmarkt gehandelt und gegen Bezahlung in fremdbestimmten, kooperativ-betrieblich organisierten Arbeits- und Produktionszusammenhängen eingesetzt werden"*. In dieser Definition ist der Berufsbegriff bestimmt von **Arbeitskraft, Fähigkeiten** und **Qualifikationen.**

Die Berufssoziologie verwendet den Begriff **„Beruf"** in unterschiedlicher Bedeutung: Beruf wird hier zum einen verstanden als ausgeübte Tätigkeit, zum anderen im Sinne von Fähigkeiten und Qualifikationen. **Qualifikation** ist dabei eine durch Ausbildung, Erfahrung o. Ä. erworbene Befähigung zu einer bestimmten (beruflichen) Tätigkeit.

Der Begriff **„Arbeit"** bezieht sich demgegenüber lediglich auf den Einsatz eines gegebenen Arbeitsvermögens und sagt nichts über Fähigkeiten und Qualifikationen aus.

In den meisten Fällen sind Berufe das Ergebnis fortschreitender Differenzierung der Arbeit. Man kann Berufe charakterisieren durch spezielle Tätigkeitsfelder, spezielle Fähigkeiten und Kompetenzen, ein mehr oder weniger hohes Berufsprestige oder durch charakteristische **Mobilitätspfade.** Dabei handelt es sich um berufstypische Aufstiegsmöglichkeiten, die häufig von Fort- und Weiterbildungsmaßnahmen begleitet werden (→ Kap. 3.3.2).

Die Berufsentwicklung im Rettungsdienst ist ein anschauliches Beispiel für eine immer differenziertere Spezialisierung und Qualifizierung in einem bestimmten Tätigkeitsfeld.

IM FOKUS

Beruf und Arbeit

- **„Beruf"** umfasst Arbeitskraft, Fähigkeiten und Qualifikationen.
- **„Arbeit"** sagt etwas über Einsatz des Arbeitsvermögens, nicht aber über die Qualifikation einer Person aus.

5.1.1 Historische Entwicklung

Die Notwendigkeit, Verletzte und Erkrankte am Notfallort zu behandeln und zu transportieren, ist keine Erscheinung moderner Gesellschaftsformen (→ Kap. 50.2). Aus dem 14. bis 16. Jahrhundert findet man z. B. Anweisungen der Schweizer Eidgenossenschaft zum *„Tragen von Hand, mit Rossbahren, Notbahren von Spießen und zu Schiff"*. Noch bis 1772 gab es sog. **Krüppelfuhren,** bei denen Erkrankte von **Krankenträgern** aus einer Gemeinde in eine andere abgeschoben wurden (→ Abb. 5.1).

In Deutschland war die Organisation des Krankentransports bis weit in das 19. Jahrhundert hinein jedoch weitgehend unstrukturiert und verlangte noch **keine spezifische Qualifizierung des Personals.** Rettungseinsätze mit einer vor Ort stattfindenden Versorgung gab es nicht, obwohl es schon im 18. Jahrhundert die Erkenntnis gab, dass Menschenleben mithilfe von Wiederbelebungsmaßnahmen erhalten bleiben könnten.

Erst 1820 erließ das preußische Kultusministerium eine *„Anweisung zur zweckmäßigen Behandlung und Rettung von Scheintoten oder durch plötzliche Zufälle verunglückter Personen"*. 1881 schulte der Mediziner Esmarch einzelne freiwillige Ersthelfer in der Versorgung und Betreuung von Menschen in Notlagen. Die wirkliche Geburtsstunde eines organisierten „Rettungsdienstes" dürfte jedoch der **Brand des Wiener Ringtheaters** am 8. Dezember 1881 gewesen sein, bei dem es über 400 Tote und Verletzte gab. Nicht nur für die Obrigkeiten in Österreich ergab sich nun ein dringender Anlass zum Handeln. Vielerorts wurden **freiwillige bzw. ehrenamtliche Rettungsgesellschaften** gegründet, deren Helfer von nun an eine etwas **umfangreichere Sanitätsausbildung** zu absolvieren hatten. Mit der Gründung der **Berliner Rettungsgesellschaft** im Jahr 1897 kam zwar rasch auch die Forderung auf, das Rettungswesen als eine öffentliche Aufgabe anzusehen. Aus Kostengründen wurde dies zunächst jedoch abgelehnt.

MERKE

In der Anfangszeit des Rettungswesens stand das Prinzip des **„load and go"** stets an erster Stelle, d. h., Patienten wurden i. d. R. ohne jede Behandlung abtransportiert und zu einem Arzt bzw. in ein Krankenhaus gebracht.

Der Heidelberger Chirurg Kirschner stellte auf dem **62. deutschen Chirurgenkongress** 1938 dann allerdings die These auf, *„dass der Arzt zum Patienten komme und nicht umgekehrt"*. Die Etablierung einer präklinischen Notfallversorgung scheiterte jedoch aufgrund fehlender Finanzierungsmöglichkeiten und geriet während des Zweiten Weltkriegs wieder vollkommen in Vergessenheit.

Dennoch gab es in den darauffolgenden Jahren immer wieder beachtliche und wegbereitende Innovationen. Eine davon dürfte 1957 die Indienststellung des **Clinomobils** – eines zu einem Operationswagen umgebauten Reisebusses – an der chirurgischen Universitätsklinik Heidelberg gewesen sein. Es zeigte sich aber, dass eine sofortige Operation an der Einsatzstelle nicht über das Überleben eines Patienten entschied. Schnell wurde auch erkannt, dass die Kosten für das eingesetzte Operationsteam und das extrem umfangreiche medizinische Equipment in keiner Relation zum eigentlichen Einsatzspektrum standen: Bei den meisten Einsätzen handelte es sich nicht um chirurgische, sondern um internistische Notfälle. Nur in den seltensten Fällen waren operative Eingriffe erforderlich (→ Kap. 50.2).

In den folgenden Jahren wurden daher kleinere **Unfall- bzw. Notarztwagen** mit reduzierter, aber deutlich zweckmäßigerer Ausstattung beschafft. Erste transportable EKG-Geräte und Defibrillatoren wurden nun unmittelbar an den Einsatzorten eingesetzt.

MERKE

Mit den technischen Entwicklungen konnte die Ausbildung und Qualifikation des Rettungsfachpersonals lange Zeit nicht Schritt halten. **Transportsanitäter** (→ Abb. 5.2) lernten vielerorts lediglich das sorgfältige Anlegen von Verbänden und den Umgang mit der Krankentrage. Bis heute ist gelegentlich ein Ungleichgewicht zwischen der Organisation und der Ausstattung einerseits sowie der personellen Qualifikation andererseits zu spüren.

Vor diesem Hintergrund verabschiedeten Teilnehmer des ersten **DRK-Rettungskongresses** 1966 in Berlin eine Resolution mit der konkreten Forderung, die Ausbildung des Personals im Rettungsdienst und Krankentransport so weiterzuentwickeln, dass sie den jeweiligen modernen medizinischen Erkenntnissen entspricht. Hierfür sei eine Ausbildungs- und Prüfungsordnung zu erarbeiten und deren staatliche Anerkennung zu erwirken.

Abb. 5.1 Krankentransport Mitte des 19. Jahrhunderts: ein „Vorfahre" des Notfallsanitäters im Einsatz [P094–001]

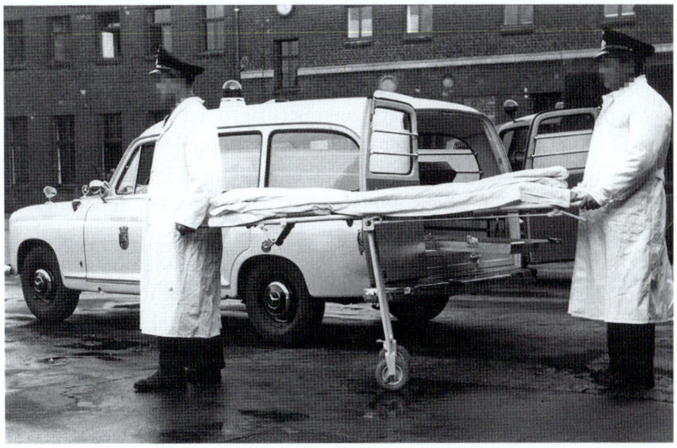

Abb. 5.2 Transportsanitäter einer Berufsfeuerwehr, aufgenommen 1958 [P094–001]

1973 legte die Bundesregierung daraufhin erstmals den Entwurf eines Gesetzes über eine **zweijährige Berufsausbildung** des Rettungsfachpersonals vor. Der Bundesrat lehnte diesen Entwurf allerdings mit dem Hinweis auf die schlechte Finanzsituation und ein fehlendes klares Ausbildungsziel ab.

1977 schlug der **Bund-Länder-Ausschuss Rettungswesen** dann in seinen Grundsätzen zur Ausbildung des Personals im Rettungsdienst eine Ausbildung zum Rettungssanitäter vor (→ Kap. 2.3.2). Nach der Etablierung dieses **520-Stunden-Programms** war plötzlich ein deutlich schwindendes Interesse der Hilfsorganisationen an einem vollwertigen Berufsbild festzustellen, obwohl gerade diese Organisationen eigentlich ein solches Berufsbild seit Beginn der 1970er-Jahre vehement gefordert hatten.

Kritik an der geringen Ausbildung kam stattdessen von engagierten Notärzten, Gewerkschaften und von dem 1979 gegründeten **Berufsverband für Rettungssanitäter (BVRS, später BVRD;** → Kap. 4.3.2). Letzterer legte einen neuen Gesetzentwurf für eine zweijährige Ausbildung zum Rettungssanitäter vor, der sich in eine einjährige theoretische und praktische Basisausbildung zum Krankenpflegehelfer und eine einjährige Ausbildung für die speziellen Anforderungen im Rettungsdienst gliederte. Auch dieser Entwurf wurde nicht umgesetzt. 1983 setzte nun der **Bund-Länder-Ausschuss Rettungswesen (BLAR, heute Ausschuss Rettungswesen)** eine Arbeitsgruppe ein, um die Notwendigkeit eines Berufsbilds für Rettungssanitäter zu prüfen. Dabei kam man zu dem Ergebnis, dass die Qualifikation des Rettungsfachpersonals den Anforderungen der täglichen Praxis nicht entsprach und aufgrund eingehender Bedarfs- und Kostenanalysen die Schaffung eines anspruchsvollen Berufsbilds durchaus durchführbar sei.

Auf Drängen des BLAR legte das **Bundesministerium für Gesundheit** 1986 schließlich einen Gesetzentwurf vor. Danach sollte die Ausbildung zwei Jahre dauern, eine staatliche Prüfung nach einem einjährigen Theorielehrgang erfolgen und der zweite Teil der Ausbildung in Form eines Anerkennungsjahres im Rettungsdienst abgeleistet werden. Es kam zu intensiven Diskussionen zwischen Bund, Ländern, Hilfsorganisationen, Gewerkschaften, Ärzteschaft und dem BVRS:

- Die Hilfsorganisationen befürchteten, dass aufgrund zu enger Übergangsregelungen das ehrenamtliche Engagement leiden würde.
- Die Berufsverbände lehnten die Abschlussprüfung zur Mitte der Ausbildung ab und befürchteten einen Missbrauch der Auszubildenden als billige Arbeitskraft im zweiten Ausbildungsjahr.
- Die Gewerkschaften forderten eine dreijährige Berufsausbildung nach dem Berufsbildungsgesetz (→ Kap. 2.1). Ein Teil der Ärzteschaft war mit der Rolle der Rettungssanitäter als Assistenten der Notärzte zufrieden, da dadurch die eigenen Interessen besser gewahrt blieben, der andere Teil der Mediziner war um die unzureichende Qualifizierung der neuen Berufsgruppe besorgt, da auch weiterhin der größte Teil der Notfälle ohne Notarzt versorgt werden musste und darum eine umfassendere Ausbildung insbesondere in den erweiterten lebensrettenden Sofortmaßnahmen unbedingt erforderlich war.

Am 14. Januar 1987 kam es schließlich zu einer Einigung zwischen Bund, Ländern und Hilfsorganisationen in wesentlichen Punkten, sodass auf dieser Basis der Gesetzentwurf überarbeitet wurde und im März 1987 neu vorgelegt werden konnte. Insbesondere die Hilfsorganisationen wollten unbedingt die Bezeichnung „Rettungssanitäter" für die Absolventen des 520-Stunden-Programms beibehalten, um auch weiterhin ehrenamtliches Personal für die Mitarbeit im Rettungsdienst zu motivieren.

Am 30. Juni 1989 wurde schließlich der Entwurf in der 602. Sitzung des Bundestags als Gesetz verabschiedet und am 10. Juli 1989 das **Gesetz über den Beruf der Rettungsassistentin und des Rettungsassistenten (RettAssG)** ausgefertigt. Am 1. September 1989 trat es in Kraft. Die **Ausbildungs- und Prüfungsverordnung für Rettungsassistenten (RettAssAPrV)** vom 7. November 1989 wurde am 25. November 1989 wirksam (→ Kap. 2.3.3). Somit war erstmals in der rettungsdienstlichen Entwicklung der Aufgabenbereich des Rettungsfachpersonals als Beruf mit einem konkreten Ausbildungsziel anerkannt.

MERKE

Die Erlaubnis zur Führung der neuen Berufsbezeichnung „Rettungsassistent" wurde damit zwar reglementiert. Die Berufsausübung wurde aber weiterhin *nicht* geregelt.

Unterschiedliche Kompetenzen unter Rettungsassistenten führten dementsprechend auch von Anfang an zu Diskussionen. Daraufhin veröffentlichte die **Bundesärztekammer (BÄK)** im November 1992 eine Stellungnahme zum Thema der Notkompetenz von Rettungsassistenten und der Delegation ärztlicher Leistungen im Rettungsdienst (→ Kap. 4.4.1).

In bestimmten Situationen standen Rettungsassistenten in der Zwickmühle, ob sie nun aktiv handeln durften, was möglicherweise eine Ausübung der Heilkunde wäre, oder nicht. Denn neben den Empfehlungen von Notkompetenzmaßnahmen war zur Ausübung der Heilkunde gem. § 1 Heilpraktikergesetz ein **Arztvorbehalt** beschrieben. Verantwortliche Ärzte der Rettungsdienste konnten somit bestimmte Maßnahmen in den Empfehlungen für ihren Rettungsdienstbereich freigeben oder auch nicht. Dies führte zu unterschiedlichen Standards in der Versorgung von Notfallpatienten.

Im Lauf der Jahre entwickelten sich in einigen Rettungsdienstbereichen und Bundesländern sog. **erweitere Versorgungsmaßnahmen (eVM),** die federführend von verantwortlichen Ärzten geschult und regelmäßig überprüft wurden. Diese eVM überstiegen teilweise die Empfehlungen der BÄK beträchtlich. Schnell wurde deutlich, dass das RettAssG in dieser Fassung nicht mehr zeitgemäß und eine Novellierung der Berufsausbildung dringend nötig war.

Die **Ständige Konferenz für den Rettungsdienst** erstellte daraufhin 2005 ein erstes Eckpunktepapier zur Novellierung des RettAssG. Auch machte sich der 2005 neu gegründete **Deutsche Berufsverband Rettungsdienst e. V. (DBRD e. V.)** für die Novellierung stark (→ Kap. 4.3.1). Doch erst 2008 wurde eine beratende **Arbeitsgruppe im Bundesministerium für Gesundheit** gegründet, welche die Novellierung des RettAssG unterstützen sollte (→ Kap. 1.4).

Nach weiteren 3 Jahren konnte im Juli 2012 dem Bundesministerium für Gesundheit und diversen Fachgremien ein Entwurf zum Notfallsanitätergesetz (NotSanG) zur weiteren Diskussion vorgelegt werden. Gemäß dem deutschen Gesetzgebungsverfahren wurde das Notfallsanitätergesetz dann als Bundesgesetz endgültig beschlossen und am 27. Mai 2013 im Bundesgesetzblatt veröffentlicht. In Kraft getreten ist das Notfallsanitätergesetz zum 1. Januar 2014 (→ Kap. 1.4.1).

MERKE

Der lange und außerordentlich schwierige Entwicklungsprozess von ursprünglichen Krankenträgern, Transportsanitätern und anderen Hilfskräften über die Rettungssanitäter- und Rettungsassistentenausbildung bis zum heutigen Berufsbild Notfallsanitäter (→ Tab. 5.1) ist damit zunächst einmal abgeschlossen (→ Abb. 5.3).

Datum	Ereignis
18. Jahrhundert	„Krankenträger" ohne jede spezifische Ausbildung
1820	Erlass des preußischen Kultusministeriums zu Maßnahmen der Ersten Hilfe
1881	Engagement des Mediziners Esmarch zur Schulung von Ersthelfern
1966	Resolution zur Ausbildung des Personals in Krankentransport und Rettungsdienst auf dem DRK-Rettungskongress in Berlin
1973	Erster Entwurf einer zweijährigen Berufsausbildung
1977	„520-Stunden-Programm" für die Ausbildung von Rettungssanitätern
1979	Gründung des Berufsverbandes BVRD
1986	Zweiter Entwurf einer zweijährigen Berufsausbildung
1.9.1989	Rettungsassistentengesetz tritt in Kraft
1992	Stellungnahme der Bundesärztekammer zur Notkompetenz von Rettungsassistenten
2005	Gründung des Berufsverbandes DBRD; Eckpunktepapier zur Novellierung des Rettungsassistentengesetzes
2012	Erster Entwurf des Notfallsanitätergesetzes
1.1.2014	Notfallsanitätergesetz tritt in Kraft

Tab. 5.1 Meilensteine auf dem Weg vom Krankenträger zum Berufsbild des Notfallsanitäters

Abb. 5.3 Notfallsanitäter in aktueller Dienstkleidung [W964–002]

5.1.2 Berufsprestige

Berufsprestige ergibt sich aus der mehr oder minder hohen Stellung eines Berufs in der gesellschaftlichen oder betrieblichen Hierarchie. Für die Stellung in der Hierarchie sind entweder der Status im Sinne von Ansehen sowie Einfluss und/oder das Einkommen maßgeblich.

Vor diesem Hintergrund hat sich das Rettungsfachpersonal in den letzten Jahrzehnten vom Status einer Hilfstätigkeit ohne qualifizierte Berufsausbildung zu einem ernst zu nehmenden, kompetenzorientierten und durchaus anerkannten Beruf gemausert. Das alte Bild des Krankenträgers gehört endgültig der Vergangenheit an. Es liegt allerdings an den Notfallsanitätern selbst, ihrem Berufsbild in der Wahrnehmung durch die anderen Gesundheitsfachberufe und in der Gesellschaft ein entsprechendes Gesicht und einen angemessenen Status zu verschaffen.

MERKE

Es gilt heute mehr denn je, den Beruf des Notfallsanitäters so zu repräsentieren und zu positionieren, dass er der eigenen Qualifikation und Verantwortung auch tatsächlich entspricht.

Perspektive der Bevölkerung

Der Rettungsdienst ist bei den unterschiedlichsten Notfallsituationen vor Ort und steht somit immer wieder im Fokus gesellschaftlicher Aufmerksamkeit. Vor allem durch die **Medienberichterstattung** wird der Rettungsdienst auch durchaus wahrgenommen. Aktuell stehen häufige Berichte über den allgemeinen Fachkräftemangel und unbegründete Alarmierungen des Rettungsdienstes im Vordergrund.

Meist fehlt es in der **Bevölkerung** jedoch an konkretem Wissen zu den unterschiedlichen Akteuren im Rettungsdienst und zur Organisation des Rettungsdienstes. Niehues schreibt dazu: *„Das System ist weder für Laien noch für Experten transparent oder komplett überschaubar"* (Niehues 2012). Viele Menschen gehen immer noch von der völlig veralteten Vorstellung eines „Krankenwagenfahrers" aus. Durch gezielte Öffentlichkeitsarbeit sollte daher weiterhin intensiv über das Berufsbild des Notfallsanitäters aufgeklärt werden. Im Besonderen sind Informationen über die erweiterten Kompetenzen von Notfallsanitätern und die damit verbundene hochwertige Notfallversorgung angebracht.

MERKE

Aktuell wird Notfallsanitätern einerseits Respekt und Anerkennung entgegengebracht, andererseits aber auch Geringschätzung und Respektlosigkeit. Dies ist u. a. auch auf eine weitverbreitete Unkenntnis im Hinblick auf die Ausbildung und die Qualifikation von Notfallsanitätern zurückzuführen.

Perspektive der Daseinsvorsorge

Der Begriff **Daseinsvorsorge** bezeichnet die grundlegende Versorgung der Bevölkerung mit wesentlichen Gütern und Dienstleistungen durch den Staat und/oder durch Organisationen, die von der öffentlichen Hand beauftragt werden:

- Polizei,
- Feuerwehr und
- Katastrophenschutz

stellen wesentliche **Säulen der staatlichen Gefahrenabwehr** dar. Der Rettungsdienst als Teil des Katastrophenschutzes wird dabei kommunal an Organisationen wie die Feuerwehr, die Hilfsorganisationen oder private Unternehmen delegiert (→ Kap. 50.1). Notfallsanitäter wirken in diesem für die Sicherheit der Bevölkerung unverzichtbaren System als hoch qualifiziertes Fachpersonal mit. Insofern leisten sie einen wichtigen Beitrag zur staatlichen bzw. öffentlichen Daseinsvorsorge: Ohne Notfallsanitäter kann Notfallrettung nicht durchgeführt werden.

MERKE

Zumindest in formaler Hinsicht ist das Prestige eines Notfallsanitäters daher als hoch einzuschätzen. Notfallsanitäter sind fachlich unverzichtbare Säulen der öffentlichen Daseinsvorsorge.

Perspektive innerhalb des Gesundheitswesens

Das **Gesundheitswesen** unterliegt derzeit einem hochdynamischen Entwicklungs- und Veränderungsprozess. Dazu gehört auch, dass sich die Aufgaben, Zuständigkeiten und Befugnisse mehrerer Gesundheitsfachberufe verschieben und in einigen Bereichen völlig neu austariert werden müssen. Dies verläuft nicht immer reibungslos, sondern führt mitunter zu berufsständisch bzw. politisch motivierten Diskussionen und Auseinandersetzungen.

Insbesondere zwischen Notfallsanitätern und Notärzten sind verschiedene Rollenkonflikte möglich (→ Kap. 8.5.4). Die Kompetenzerweiterung der Notfallsanitäter wird im Gesundheitswesen keineswegs nur begrüßt, sondern von einigen Ärzten auch äußerst kritisch gesehen. Ein möglicher Hintergrund dieser Problematik ist die Theorie professioneller Dominanz des Ärztestandes nach Freidson. Demnach sind im Gesundheitswesen vor allem folgende **Aspekte** zu beachten:

- Ärzte besitzen das Monopol auf diagnostische und therapeutische Entscheidungen.
- Aus diesem Monopol leiten Ärzte das Recht ab, Tätigkeiten bei „nachgeordneten" Berufsgruppen anzuordnen.
- Ärzte haben das Recht und die Pflicht, diese Tätigkeiten zu kontrollieren.
- Aus diesen Anordnungs- und Kontrollrechten entsteht häufig ein Machtgefälle zwischen den Berufsgruppen der Ärzte, des Pflege- und Rettungsfachpersonals.
- Besonders erschwert wird die Zusammenarbeit durch unangemessene Kommunikationsformen und unklare Zuständigkeiten.

In der Pflege haben in den letzten Jahren neue Pflegekonzepte Entspannung in dieses Konfliktfeld gebracht. Heute übernimmt die Pflege professionell integrative Aufgaben, zu deren Erfüllung beide Berufsgruppen gleichberechtigt beitragen. Entscheidend ist eine klare Aufgabenteilung und Kommunikation zwischen den Berufsgruppen auf Augenhöhe. In der Pflege geschieht dies mittlerweile in Form eines systematischen Austauschs mit Ärzten, z. B. bei Stationskonferenzen und berufsübergreifenden Fallbesprechungen.

MERKE

Wie sich die **Zusammenarbeit zwischen Notärzten und Notfallsanitätern** dauerhaft entwickelt, wird sich in den kommenden Jahren erst noch zeigen müssen. Aktuell zeichnet sich ab, dass es vielerorts bereits eine hervorragend gelingende Zusammenarbeit gibt. In manchen Regionen bzw. Rettungsdienstbereichen kommt es aber immer wieder zu Konflikten und Reibungsverlusten, die eigentlich unnötig sind.

Durch den Übergang vom Rettungsassistenten zum Notfallsanitäter befindet sich der Rettungsdienst somit weiterhin in einer Phase des Umbruchs. Im Rahmen der Tätigkeit als Rettungsassistent, der definitionsgemäß Helfer des Arztes war, gehörten die nach Freidson beschriebenen Abhängigkeiten häufig zum Berufsalltag. Mit dem Notfallsanitäter hat jedoch ein hoch spezialisierter, neuer Beruf auf einem völlig anderen Niveau beruflicher Handlungskompetenz Einzug in die präklinische Versorgungsstruktur erhalten. Diese Erkenntnis ist anscheinend aber längst noch nicht überall so gereift, wie es eigentlich wünschenswert wäre.

Vor diesem Hintergrund ist es dringend geboten, der Entstehung möglicher Rollenkonflikte engagiert entgegenzuwirken. Die zwischen Pflegefachkräften und Ärzten insbesondere auf Intensivstationen etablierten Strategien für ein konstruktives und harmonisches Miteinander könnten hier als Vorbild dienen.

MERKE

Notfallsanitäter, Pflegefachkräfte und Ärzte sind aufgefordert, als Partner in der rettungsdienstlichen Versorgung eine berufsgruppenübergreifende, kooperative und interdisziplinäre Kommunikations- und Interaktionskultur zu leben.

Dies gilt sowohl für die Versorgung eines Notfallpatienten an der Einsatzstelle durch Notarzt und Notfallsanitäter als auch für die Übergabe des Patienten an das aufnehmende interdisziplinäre Team in Notaufnahmen.

Perspektive innerhalb der Institution Rettungsdienst

Innerhalb des **Rettungsdienstes** nehmen Notfallsanitäter Führungsaufgaben auf unterschiedlichen Rettungsmitteln wahr. Sie sind in einer Art und Weise wie kein Gesundheitsfachberuf zuvor in der Notfallversorgung tätig. Notfallsanitäter übernehmen ein hohes Maß an Verantwortung und führen ggf. auch eigenständig invasive Maßnahmen durch. Aus diesen Gründen hat der Beruf des Notfallsanitäters innerhalb der Institution Rettungsdienst das Potenzial, im Vergleich mit dem früheren Rettungsassistenten deutlich an Status zu gewinnen. Damit verbunden ist natürlich auch die Hoffnung, dass auch die Einkommen steigen werden. In welchem Ausmaß dies langfristig der Fall sein wird, bleibt dennoch abzuwarten. Insbesondere wird hier die ökonomische Gesamtsituation des Gesundheitswesens zu berücksichtigen sein.

IM FOKUS

Berufsprestige

Ergibt sich aus der Stellung des Berufs innerhalb der Gesellschaft.

- **Perspektive der Bevölkerung:** System sehr komplex, kaum durchschaubar. Das Berufsbild des Notfallsanitäters wird aktuell unterschiedlich wahrgenommen.
- **Perspektive der Daseinsvorsorge:** Formal ist hier ein hohes Ansehen vorhanden, schon allein aufgrund der fachlichen Bedeutung und des spezifischen Tätigkeitsfeldes von Notfallsanitätern.
- **Perspektive des Gesundheitswesens:** Die umfangreiche Ausbildung und die hohe Qualifikation des Notfallsanitäters sorgt auch dafür, dass es an der einen oder anderen Stelle Konflikte geben kann.
- **Perspektive des Rettungsdienstes:** Innerhalb des Rettungsdienstes hat der Notfallsanitäter ein hohes Prestige – es ist die höchstqualifizierte Fachkraft, die es in diesem Tätigkeitsfeld gibt.

5.1.3 Berufszufriedenheit

Vor einigen Jahren rekrutierte sich ein großer Teil des beruflichen Nachwuchses für das Rettungsfachpersonal noch aus Zivildienstleistenden, Absolventen eines Freiwilligen Sozialen Jahres (FSJ) oder jungen Menschen, die im Rettungsdienst ihren Bundesfreiwilligendienst ableisteten. Diese waren häufig im Rahmen ihrer Tätigkeiten zunächst als Rettungshelfer oder Rettungssanitäter ausgebildet worden und qualifizierten sich danach zum Rettungsassistenten weiter. Auch war die längere Wartezeit auf einen (Medizin-)Studienplatz ein häufiger Grund, sich für die Ausbildung zum Rettungsassistenten zu entscheiden, ohne dass damit angestrebt worden ist, wirklich dauerhaft, d. h. bis zum Renteneintritt, im Rettungsdienst tätig zu sein.

Mit der drei Jahre dauernden Notfallsanitäterausbildung und den weggefallenen Verkürzungsmöglichkeiten ist es allerdings unattraktiv und fast unmöglich geworden, zwischen Abitur und Studium „mal eben" diese Ausbildung zu machen. Was zu Zeiten der Rettungsassistentenausbildung noch möglich und üblich gewesen ist – eine berufs- oder studienbegleitende Berufsausbildung – stellt heute eine absolute Ausnahme dar.

Durch die Ausbildungsstruktur ist der Zugang zur Ausbildung heute an einen regulären Ausbildungsvertrag mit einem Betrieb, d. h. einem Rettungsdienstunternehmen oder einer Hilfsorganisation, gekoppelt. Dadurch besteht nicht mehr für (fast) jeden die Möglichkeit, als privater, selbst für die eigene Ausbildung zahlender „Kunde" einen Lehrgangsplatz an einer Schule zu „buchen", sondern man muss sich auf einen Ausbildungsplatz bewerben. Vor diesem Hintergrund ist jedoch davon auszugehen, dass die Entscheidung für die Ausbildung zum Notfallsanitäter auch viel bewusster und überlegter getroffen wird. Dies ist sowohl auf der Seite des Auszubildenden als auch auf der Seite der Ausbildungsstätte der Fall, und es trägt insgesamt sicherlich zu einer zunehmenden Professionalisierung des Berufsbildes bei.

Zudem kann man davon ausgehen, dass jemand, der heute die Ausbildung zum Notfallsanitäter absolviert, sich dies im Vorfeld auch wirklich gut überlegt hat. Eine sorgfältige Berufswahl könnte auch dazu beitragen, dass die spätere **Berufszufriedenheit** recht hoch ist (→ Abb. 5.4), auch wenn es zweifellos erhebliche psychische und physische Belastungsfaktoren gibt (→ Kap. 7.1).

Viele Rettungsdienstmitarbeiter nehmen ihren Beruf jedoch keineswegs als Belastung, sondern eher als eine **Berufung** wahr. Sie haben sich offenbar ganz bewusst für diesen Beruf entschieden, und tatsächlich gibt es eine Vielzahl sehr guter Gründe dafür, als Notfallsanitäter im Rettungsdienst zu arbeiten:

Abb. 5.4 Viele Rettungsfachkräfte sind mit ihrer Berufswahl sehr zufrieden. [P102]

- **Helfen können:** Wer im Rettungsdienst arbeitet, kann anderen Menschen helfen. Ganz zweifellos ist das eine sinnstiftende, erfüllende Tätigkeit, die Freude bereitet.
- **Umgang mit Menschen:** Im Rettungsdienst zu arbeiten bedeutet, sehr viel Kontakt zu anderen Menschen zu haben. Nicht nur die Zusammenarbeit im eigenen Kollegenkreis, sondern auch der Kontakt zu unterschiedlichsten Berufs- bzw. Personengruppen kann als lebendig, interessant und bereichernd wahrgenommen werden.
- **Dankbarkeit und soziale Anerkennung:** Arbeit im Rettungsdienst verdient Anerkennung, die man zwar sicherlich nicht immer, aber doch sehr häufig auch gezeigt bekommt.
- **Interessant und abwechslungsreich:** Man lernt im Rettungsdienst, sich auf unterschiedliche Bedingungen einzustellen und flexibel zu reagieren. Oft muss man improvisieren, und man erlebt immer wieder Neues – kein Einsatz ist wie der andere!
- **Kompetenzgefühl:** Arbeit im Rettungsdienst ist auch ein Training, in stressigen Situationen einen „kühlen Kopf" zu bewahren und sich besser durchsetzen zu können.
- **Persönlichkeitsentwicklung:** Indem man Bereiche wie „Krankheit", „Sterben" und „Tod" reflektiert und sich intensiv mit den Grenzen menschlichen Daseins beschäftigt, kann man als Persönlichkeit reifen. Auch die Übernahme von großer Verantwortung in existenziell bedeutsamen Notfallsituationen prägt Haltung und Charakter eines Notfallsanitäters.

Die Tätigkeit als Notfallsanitäter beinhaltet also viele ausgesprochen positive Aspekte. Dennoch sollte beachtet werden, dass ein erheblicher Teil des Rettungsfachpersonals dieses Berufsfeld nach einigen Jahren wieder verlässt. Möglicherweise kann dies auf ein steigendes Einsatzaufkommen, die doch recht hohen Belastungen oder auch auf ungünstige Rahmenbedingungen innerhalb des Rettungsdienstes zurückgeführt werden. Schichtdienst bietet z. B. Vor- und Nachteile, die individuell sehr unterschiedlich wahrgenommen werden. Hier sind noch weiterführende Untersuchungen erforderlich, um im Detail aufzuklären, was Notfallsanitäter dazu veranlasst, aus dem Beruf auszusteigen. Die einzelnen Gründe dürften vielschichtiger und komplexer sein, als es auf den ersten Blick scheint.

Natürlich versteht es sich aber von selbst, dass in Zeiten des allgemeinen Fachkräftemangels sehr genau darauf geachtet wird, wo man wie arbeiten kann und möchte. Aus diesem Grund dürfte die Berufszufriedenheit von Notfallsanitätern sicherlich dort besonders stark ausgeprägt sein, wo auch angenehme und günstige Rahmenbedingungen geboten werden. Arbeitgeber, die demgegenüber suboptimale Rahmenbedingungen bieten und auch nicht auf Gesundheit und Wohlbefinden ihrer Mitarbeiter achten, sollten sich nicht wundern, wenn diese Mitarbeiter sich dann umorientieren und entweder den Arbeitgeber wechseln oder sogar das gesamte Berufsfeld verlassen.

IM FOKUS

Berufszufriedenheit

- Die **Berufszufriedenheit** von Notfallsanitätern ist einerseits hoch, andererseits verlassen auch viele Notfallsanitäter den Beruf und wechseln in andere Tätigkeitsfelder.
- Die Berufszufriedenheit dürfte insbesondere vom **Einsatzaufkommen,** der **Art der Einsätze** und den **Rahmenbedingungen der Arbeit** innerhalb des Rettungsdienstes abhängig sein.
- Wenn Rettungsdienste ihre Mitarbeiter langfristig binden und ihre Berufszufriedenheit aufrecht erhalten möchten, müssen sie dafür auch einiges tun.

5.2 Erwartungen an Notfallsanitäter

Der Beruf des Notfallsanitäters ist zunächst geprägt von unterschiedlichen **formellen Rollenerwartungen** (→ Kap. 8.5.4) . Auch das **Auftreten des Notfallsanitäters in der Öffentlichkeit** ist mit besonderen Erwartungen verknüpft. Zudem wird von Notfallsanitätern erwartet, dass sie ein hohes Maß an **Selbstreflexion** zeigen: Sie müssen sich mit dem, was sie tun, selbstkritisch, offen und ehrlich auseinandersetzen. Nur auf diese Weise können Notfallsanitäter sich professionell weiterentwickeln und den an Sie gestellten Erwartungen entsprechen.

5.2.1 Formelle und informelle Rollenerwartungen

Führungsrolle: Der Notfallsanitäter ist ein Teamberuf mit einer sehr großen Eigenverantwortlichkeit. Der Notfallsanitäter ist i. d. R. mit einem formal niedriger qualifizierten Teampartner auf einem Rettungswagen eingesetzt. In der Zusammenarbeit innerhalb des Rettungsteams obliegt ihm jedoch die Führungsrolle. Das heißt, der Notfallsanitäter trägt während eines Einsatzes die Verantwortung für seinen Arbeitsplatz, den Rettungswagen, dessen Ausstattung und die Sicherheit des darauf eingesetzten Personals. Auch koordiniert und verantwortet er bei Notfalleinsätzen ohne Notarzt die Versorgung des Patienten.

Der Notfallsanitäter ist der einzige Gesundheitsfachberuf in Deutschland, dessen Angehörige unter gewissen Voraussetzungen vom Gesetzgeber befugt sind, eigenständig **invasive Maßnahmen** durchzuführen. Die Erfüllung dieser verantwortungsvollen Rollenzuschreibung ist an ein hohes Maß an Reflexions- und Selbstkritikfähigkeit geknüpft. Es gehört zum Verantwortungsbereich des Notfallsanitäters, dass er eine vitale Bedrohung von Patienten sicher erkennt sowie krankheits- und situationsabhängig einen Notarzt nachfordert. Diesen unterstützen er und sein Teammitglied in kooperativer Art und Weise vor allem in medizinischer Hinsicht.

Schnittstellenfunktion: Es liegt in der Natur der Sache, dass sich im Rahmen einer Tätigkeit, bei der Verletzte sowie Erkrankte versorgt und von einem Ort an einen anderen transportiert werden, zahlreiche Schnittstellen der Übernahme bzw. Übergabe von Patienten ergeben. Zur Aufgabe des Notfallsanitäters gehört es, an diesen Schnittstellen

- zu kommunizieren,
- Übergabegespräche zu führen und
- möglichst keine relevanten Informationen zu vergessen (→ Kap. 14).

Teamorientierte Mitwirkung: Bei Notarzteinsätzen stellt die kooperative Zusammenarbeit mit dem Notarzt eine weitere Aufgabe dar. Dieser trägt die medizinische Verantwortung für den Patienten. Der Notfallsanitäter ist verantwortlich für:

- Betreuung des Patienten
- Auswahl geeigneter Rettungstechniken bzw. Transportmittel
- Patientensicherheit während des Transports
- Immobilisationsmaßnahmen
- Einsatztaktisch-organisatorische Überlegungen
- Aufklärung über rettungs- bzw. transportspezifische Sachverhalte
- Kommunikation mit der Leitstelle
- Transport des Patienten, sofern der Notarzt den Transport nicht begleitet

Darüber hinaus stellt sich die Frage, welche **informellen Erwartungen** an eine bedarfs- und bedürfnisorientierte Versorgung durch Notfallsanitäter von **Patienten** selbst gestellt werden. Buser, Scheller und Wildgrube haben Untersuchungen zu Patientenerwartungen in der Arztpraxis durchgeführt. Es ist davon auszugehen, dass ähnliche Erwartungen im Einsatzalltag auch an Notfallsanitäter gestellt werden. Ein Arzt sollte demnach u. a.

- genügend Zeit haben,
- förderliche Persönlichkeitsmerkmale besitzen (zuhören können, ehrlich sein),
- ausreichend Informationen geben,
- fachliche Kompetenz zeigen,
- Autonomie gewähren,
- Empathie zeigen und
- eigene Grenzen erkennen.

PRAXISTIPP

Notfallsanitäter sollten sich der Tatsache bewusst sein, dass diese Erwartungen – durchaus zu Recht – auch an sie gestellt werden. Sie sollten engagiert daran arbeiten, den an sie gestellten Erwartungen gerecht zu werden.

Vor allem sollten Notfallsanitäter die ihnen eingeräumten Befugnisse nutzen, um die ihnen anvertrauten Patienten wirklich bestmöglich zu versorgen. Dies bezieht sich aber eben nicht allein auf die Durchführung medizinischer Maßnahmen, sondern auch auf die Aufklärung, Beratung und psychosoziale Begleitung von Patienten und ihren Angehörigen.

IM FOKUS

Rollenerwartungen

- In der **Führungsrolle** muss der Notfallsanitäter selbstständig entscheiden und die Verantwortung für sein Handeln übernehmen können.
- An **Schnittstellen** hat der Notfallsanitäter die Rolle eines Kommunikators. Er muss Informationen weitergeben und in einen konstruktiven Austausch treten können.
- In seiner Rolle als **Teammitglied** muss der Notfallsanitäter erteilte Aufträge umsetzen und seine kritische Perspektive in Entscheidungsprozesse einbringen können.
- Patienten und Angehörige erwarten, dass sie von einem Notfallsanitäter hochprofessionell und kompetent versorgt werden. Die Erwartungen an Notfallsanitäter dürften denen ähneln, die auch Ärzten entgegengebracht werden.

5.2.2 Auftreten und Verhalten in der Öffentlichkeit

Das **Verhalten** und das äußere **Erscheinungsbild** tragen in hohem Maße dazu bei, wie Notfallsanitäter in der Öffentlichkeit wahrgenommen werden. Dass der erste Eindruck entscheidet, gilt auch im Rettungsdienst. Begegnungen mit Patienten sind zumeist einmalig und eine Chance zur späteren Korrektur des ersten Eindrucks gibt es nicht.

MERKE

Der **erste Eindruck,** den der Notfallsanitäter auf den Patienten, dessen Familie oder auf einen Hausarzt macht, kann ein bleibender Eindruck sein, der sich auch auf die weitere Zusammenarbeit auswirkt.

Der Notfallsanitäter hat zumeist wenig Zeit, eine **Vertrauensbasis** zum Patienten herzustellen. Somit ist der Patient auf den ersten Eindruck angewiesen, um seinen Helfer einzuschätzen. Im Laufe der Versorgung kommt der Notfallsanitäter dem Patienten auch körperlich nahe. Ein entsprechend einfühlendes Verhalten, eine **saubere und angemessene Kleidung** sind demnach erforderlich, um Vertrauen und Autorität zu ermöglichen:

- Ein gepflegter Notfallsanitäter vermittelt dem Patienten, sauber, nett, kompetent und fachkundig zu sein.
- Ein Notfallsanitäter mit Blutspritzern auf der Hose wird dem bereits ängstlichen Patienten das Gefühl vermitteln, eher nicht in fachkundigen Händen zu sein. An seiner Kompetenz werden Patienten und ihre Angehörigen sicherlich Zweifel haben (→ Abb. 5.5 und → Abb. 5.6).

Das Recht fordert **Schweigepflicht** und Datenschutz. In der täglichen Arbeit im Rettungsdienst wird man mit sehr persönlichen Details aus dem Leben der Patienten konfrontiert. Jeder Patient hat ein Recht darauf, dass die Einzelheiten, die bei seiner Versorgung bekannt werden, vertraulich behandelt werden. Manche Patienten fürchten soziale Auswirkungen ihrer Krankheit oder Verletzung. Selbstverständlich gibt es Fälle wie Kindesmisshandlung oder andere Straftaten, bei denen Notfallsanitäter eine rechtliche Verpflichtung haben, Informationen an die entsprechenden Institutionen weiterzuleiten.

Abb. 5.5 Notfallsanitäter in Zivilkleidung „im Einsatz“ [O997]

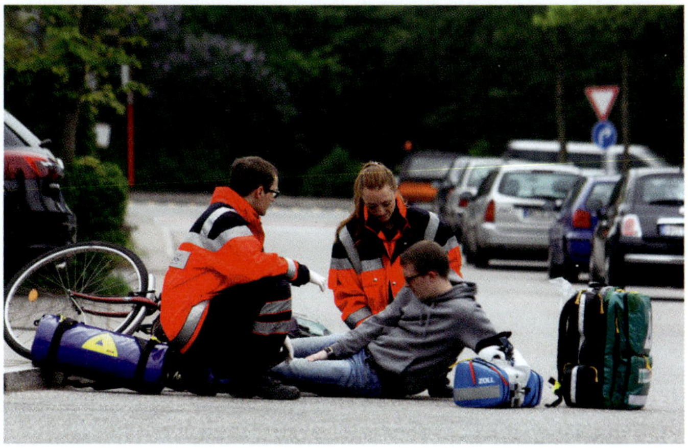

Abb. 5.6 Notfallsanitäter in Dienstkleidung im Einsatz: Die Dienstkleidung unterstreicht den offiziellen Auftrag des Rettungsteams, eine hochwertige und fachkundige Versorgung zu gewährleisten. Zudem wird dem Patienten eindeutig vermittelt, dass die Versorgung im Rahmen der Ausübung einer beruflichen Rolle erfolgt, die bestimmte Grundregeln der Vertraulichkeit und Verschwiegenheit beinhaltet. [O997]

Anteilnahme bedeutet, dass man einen Teil der erforderlichen Hilfeleistungen für einen Patienten einfühlsam, sachgerecht und engagiert übernimmt (→ Kap. 9). **Mitleiden** dagegen bedeutet ein im Gefühl verharrendes Erleben von Leid, Schmerz oder Not anderer. In der beruflichen Arbeit sollte man sich bemühen, die Probleme der Patienten ernst zu nehmen, sich aber nicht von den Schwierigkeiten des Betroffenen überwältigen zu lassen. Die Qualität der Anteilnahme hängt stark vom **persönlichen Reifegrad** des Notfallsanitäters ab.

MERKE

Je besser ein Notfallsanitäter mit dem Leid anderer Menschen umzugehen lernt und es psychisch verarbeiten kann, desto besser und professioneller kann er dem Patienten auch wirksame psychische Unterstützung geben.

Ein wesentliches Merkmal rettungsdienstlicher Tätigkeit ist die Versorgung von Patienten in Umgebungen außerhalb von Institutionen des Gesundheitswesens (z. B. in der Wohnung des Patienten). Der Rettungsdienst betritt somit bei seinen Einsätzen Territorien, über die er keine Verfügungsrechte hat – er ist **Gast.** Von einem Anrufer eingeladen, erfüllt das Rettungsfachpersonal eine besonders wichtige, manchmal sogar lebensrettende Aufgabe und hat das Recht, als Gast behandelt zu werden. Gleichzeitig muss er sich aber seiner Pflichten als Gast bewusst sein:

- Höflichkeit
- Akzeptanz
  - der Privatsphäre,
  - der lokalen Gebräuche und
  - des fremden Territoriums.

Beachtet er diese Aspekte nicht, werden Interaktionsprobleme provoziert. Das **Territorium des Rettungsdienstes** ist z. B. der RTW. Dieser ist während eines Einsatzablaufs der Bereich, in dem das Rettungsteam das Hausrecht hat.

IM FOKUS

Verhalten und Auftreten

- Der **erste Eindruck** ist von zentraler Bedeutung. Dies sollte nie vergessen werden.
- **Anteilnahme** ist im Umgang mit Patienten und Angehörigen enorm wichtig. Als Notfallsanitäter darf man sich jedoch nicht selbst von der Betroffenheit anderer überwältigen lassen.
- Das Rettungsfachpersonal hat das Recht, sich bei Einsätzen in Privatwohnungen als **Gast** des Patienten zu fühlen. Damit gehen allerdings auch die Pflichten eines Gastes einher.

5.2.3 Selbstreflexion

Im Anschluss an jeden Einsatz und auch einsatzunabhängig, z. B. bezogen auf den Wachalltag, sollten Notfallsanitäter ihr Verhalten selbstkritisch reflektieren.

DEFINITION

Als **Selbstreflexion** bezeichnet man die Fähigkeit des Menschen, über die eigene Situation nachzudenken. Sie setzt das Vermögen zur differenzierten Selbstbeobachtung und eine gewisse Eigendistanz voraus.

In **Einsatznachbesprechungen** werden Einsätze aus der Perspektive der einzelnen Teammitglieder noch einmal betrachtet. Idealerweise gibt sich das Rettungsteam gegenseitig ein **Feedback** darüber, was gut gelaufen ist und was man das nächste Mal anders machen könnte. Feedback zielt darauf ab, anderen zu sagen, wie ich sie sehe, und von anderen zu erfahren, wie sie mich wahrnehmen:

- Mitteilung darüber, wie ich das Verhalten des anderen erlebe und was es im positiven und negativen Sinn für mich bedeutet
- Mitteilung darüber, welche Bedürfnisse und Gefühle ich in der Situation hatte, damit der andere darüber informiert ist, worauf er besser Rücksicht nehmen könnte
- Mitteilung darüber, welche Veränderungen in seinem Verhalten mir gegenüber die Zusammenarbeit mit ihm erleichtern würden

Nachbesprechungen von Einsätzen müssen nicht lange dauern. Sind alle Teammitglieder der Meinung, dass alles gut gelaufen ist, kann die Einsatznachbesprechung bereits nach wenigen Minuten beendet sein. Traten im Einsatz allerdings Komplikationen auf, gab es Konflikte oder war der Einsatz für eines oder mehrere Teammitglieder belastend, sollte es in einem auf Qualität bedachten Rettungsdienst möglich sein, sich auch länger zu unterhalten. In keinem Fall sollte generell bzw. von vornherein auf eine Einsatznachbesprechung verzichtet werden. Mancher Konflikt schwelt im Verborgenen, wird erst in der Nachbesprechung für alle erkennbar und kann dann meist gelöst werden.

PRAXISTIPP

Für die Etablierung einer vertrauensvollen Kommunikationskultur im Rettungsdienst braucht es Vorbilder. Jeder einzelne Notfallsanitäter kann für seine Kollegen und insbesondere für Auszubildende ein gutes Vorbild sein und vorleben, dass kein Einsatz beendet ist, bevor nicht noch einmal darüber gesprochen wurde.

Zusammenfassend können folgende Argumente dafür angeführt werden, Einsatznachbesprechungen durchzuführen:

- Zu einer **vollständigen Handlung** (→ Kap. 3.2.2) gehört neben den Phasen Informieren, Planen, Entscheiden, Ausführen und Kontrollieren immer auch die Bewertung. Diese erfolgt am effektivsten gemeinsam in der Teamzusammensetzung des Einsatzes.
- Einsatznachbesprechungen bieten Anlässe, voneinander zu lernen. Durch das Besprechen der in dem Einsatz gemachten Erfahrungen findet eine aktive und konstruktive Auseinandersetzung mit den anderen Teammitgliedern statt. So mancher **„praktische Kniff"** oder aktuelles Wissen zu einem Thema werden auf diese Art ausgetauscht und verbreitet.
- Durch Einsatznachbesprechungen wird aktiv ein **positiver und konstruktiver Umgang mit Fehlern** gelebt.

PRAXISTIPP

Tipps für eine erfolgreiche Einsatznachbesprechung

- **„Closed Room":** Alles, was besprochen wird, bleibt in der Runde (im Raum). Es wird Verschwiegenheit vereinbart und gelebt.
- **Jeder hat die gleiche Stimme:** Unabhängig von der hierarchischen Position im Einsatz hat in der Einsatznachbesprechung jeder dasselbe Gewicht und das gleiche Recht der Mitsprache.
- **Ich-Botschaften:** Aussagen, die in der Nachbesprechung getätigt werden, betonen immer die eigene Perspektive (*„Ich habe den Eindruck gehabt, dass dich der Patient genervt hat, und ich habe dich im Verlauf des Einsatzes als recht unfreundlich gegenüber dem Patienten wahrgenommen."*). Das erleichtert den anderen, die Argumente anzunehmen und ihrerseits die eigene Wahrnehmung der Situation entgegenzusetzen: *„Ich habe gar nicht bemerkt, dass das so wirken könnte. Ich dachte, der Patient bekommt davon sicher nichts mit. Aber ja. Du hast recht. Bei näherer Betrachtung hat mich der Patient wirklich auf die Palme gebracht. Gut zu wissen. Dann kann ich mich das nächste Mal vielleicht anders verhalten."*
- **Konflikte offen klären:** Ein Konflikt verstärkt sich häufig dadurch, dass er nicht angesprochen wird. Deshalb sagen, „wo der Schuh drückt". Dann finden sich Lösungen.
- **Konstruktiv sein!** Jedes Teammitglied bemüht sich darum, Lösungen beizutragen.
- **Andere respektieren und wertschätzen:** Das ist der Schlüssel zum Erfolg von Einsatznachbesprechungen. Herrscht eine Stimmung der Missgunst und des Misstrauens, wird kein offener und ehrlicher Austausch möglich sein.

Der **Ort,** an dem Einsatznachbesprechungen durchgeführt werden, ist abhängig von der Einsatzsituation und vom Gesprächsbedarf. Mal ist ein kurzes Zusammensitzen „auf dem Trittbrett des RTW" in der Fahrzeughalle der Notaufnahme ausreichend. Bei größeren Einsätzen terminiert man die Einsatznachbesprechung z. B. am Folgetag in einem Besprechungsraum der Rettungswache und lädt andere beteiligte Einsatzkräfte (z. B. die Feuerwehr) nach Möglichkeit mit dazu ein.

IM FOKUS

Selbstreflexion, Feedback und Einsatznachbesprechungen

- Selbstreflexion ist eine **Schlüsselkompetenz** des Notfallsanitäters.
- **Einsatznachbesprechungen** sollten Konflikte bearbeiten, aus Lerninteresse abgehalten werden oder auch ein gegenseitiges Lob ermöglichen.
- In bestimmten Situationen braucht das ggf. auch viel **Zeit.**
- Für gelungene Einsatznachbesprechungen sollten einige **Regeln** (s. o.) beherzigt werden.

WIEDERHOLUNGSFRAGEN

1. Erläutern Sie unterschiedliche Definitionen eines Berufs (→ Kap. 5.1).
2. Beschreiben Sie die historische Entwicklung von unqualifizierten Krankenträgern zum heutigen Notfallsanitäter (→ Kap. 5.1.1).
3. Aus welchen Gründen war die Etablierung eines Berufsbildes im Rettungsdienst derart schwierig und langwierig (→ Kap. 5.1.1)?
4. Wovon hängt das Prestige eines Berufs ab (→ Kap. 5.1.2)?
5. Wie beurteilen Sie die Entwicklung des Berufsprestiges innerhalb der Gesellschaft, der Daseinsvorsorge, des Gesundheitswesens und des Rettungsdienstes in den kommenden Jahren (→ Kap. 5.1.2)?
6. Welche Erwartungen werden an das berufliche Handeln von Notfallsanitätern gestellt (→ Kap. 5.2)?
7. Erläutern Sie, was unter einem angemessenen Auftreten und Verhalten in der Öffentlichkeit zu verstehen ist (→ Kap. 5.2.2).
8. Was versteht man unter der Fähigkeit zur Selbstreflexion (→ Kap. 5.2.3)?
9. Aus welchen Gründen ist die Durchführung von Einsatznachbesprechungen unbedingt zu empfehlen (→ Kap. 5.2.3)?
10. Welche Regeln sind bei der Durchführung von Einsatznachbesprechungen zu beachten (→ Kap. 5.2.3)?

FORTSETZUNG DES SZENARIOS

Jetzt wird das Gespräch erst richtig spannend: Einer der umstehenden Partygäste hat die Ausführungen mitgehört und offenbart, dass er selbst Notfallsanitäter ist. Der Notfallsanitäter greift die Schilderungen des anderen Partygastes dankbar und wertschätzend auf. Er nutzt aber auch die Gelegenheit, seinen Berufsstand in einer angemessenen Weise darzustellen.

Er beschreibt die unterschiedlichen Qualifikationsstufen im Rettungsdienst, die Kompetenzen von Notfallsanitätern und legt Wert darauf, dass es längst keine unqualifizierten Krankenträger mehr gibt. Dass es vereinzelt Kollegen gibt, die sich unprofessionell verhalten, steht natürlich außer Frage. Der Notfallsanitäter zeigt jedoch größtes Engagement, damit die negativen Erfahrungen nicht zu einer pauschalen Verunglimpfung und Abwertung des Berufsstandes führen. Die anderen Partygäste zeigen sich interessiert und aufgeschlossen: „Das haben wir alles nicht gewusst."

An dieser Situation werden Themen deutlich, die auch im vorangegangen Kapitel angesprochen worden sind. Dass das Ansehen des Rettungsfachpersonals bei einigen Menschen eher gering ist, hat mit fehlendem Wissen über Organisation und Arbeitsweise des Rettungsdienstes zu tun. Der längst vollzogene Wandel von Krankenträgern zu professionellen Rettungsfachkräften ist von der Allgemeinheit bislang jedenfalls nur sehr begrenzt wahrgenommen worden. Die weitere Aufklärung der Öffentlichkeit über den eigenen Berufsstand ist daher besonders wichtig.

Über diesen Aspekt hinaus zeigt das Fallbeispiel, welche Erwartungshaltung Patienten an Notfallsanitäter haben, wie eine Notfallsituation von Laien wahrgenommen wird und was davon oftmals in besonderer Erinnerung bleibt: nicht unbedingt das medizinische Fachwissen oder die fachliche korrekte Durchführung einzelner Maßnahmen, sondern das Auftreten und Verhalten der Rettungsfachkräfte an sich. Dieser Tatsache muss sich jeder Notfallsanitäter stets bewusst sein!

WEITERFÜHRENDE LITERATUR

Hofmann T, Macke M. Berufstreue von angehenden Notfallsanitäter*innen: Eine Befragung von Auszubildenden über ihren Berufsverbleib. Aachen: Gesellschaft zur Förderung der Wissenschaft im Rettungsdienst, 2020.

Karutz H, Lasogga F. Positive Aspekte der Arbeit im Rettungsdienst: Helfen können und Dankbarkeit erfahren. Rettungsdienst. 2005; 28(12): 1182–1186.

Moecke H, Marung H, Oppermann S. Praxishandbuch Qualitäts- und Risikomanagement im Rettungsdienst. Berlin: Medizinisch wissenschaftliche Verlagsgesellschaft, 2013.

Niehues C. Notfallversorgung in Deutschland. Analyse des Status quo und Empfehlungen für ein patientenorientiertes und effizientes Notfallmanagement. Stuttgart: Kohlhammer, 2012.

Tietze K. Kollegiale Beratung. Problemlösungen gemeinsam entwickeln. 5. Aufl. Reinbek: Rowohlt, 2012.

6

BERUFLICHE ETHIK

Verena Blank-Gorki

SZENARIO

Die Besatzung eines RTW wird am frühen Morgen, gegen 6:00 Uhr, in ein Seniorenheim gerufen. Das dort arbeitende Pflegepersonal hat einen der Bewohner leblos in seinem Bett aufgefunden und daraufhin den Rettungsdienst alarmiert.
Am Einsatzort eingetroffen, stellt das Rettungsteam bei dem Patienten tatsächlich einen Herz-Kreislauf-Stillstand fest. Das Pflegepersonal teilt mit, dass der Patient 87 Jahre alt ist. Der Patientenakte ist zu entnehmen, dass er nach mehreren Schlaganfällen sowie aufgrund einer schweren Demenzerkrankung schon seit geraumer Zeit bettlägerig und nur noch sehr eingeschränkt bei Bewusstsein gewesen ist. Aufgrund eines fortgeschrittenen Pharynxkarzinoms wurde dem präfinalen Patienten vor 6 Monaten bereits eine perkutane endoskopische Gastrostomie (PEG) angelegt.

INHALTSÜBERSICHT

6.1 ETHIK ZWISCHEN THEORIE UND PRAXIS

- Im Rettungsdienst werden regelmäßig ethische Fragestellungen berührt.
- Schwierige Entscheidungen im rettungsdienstlichen Alltag lassen sich durch die Auseinandersetzung mit ethischen Grundlagen besser reflektieren.

6.2 ALLGEMEINE GRUNDLAGEN VON ETHIK

- Ethik und Moral spielen im menschlichen Miteinander eine zentrale Rolle.
- Moral bezieht sich auf Werte und Normen; Ethik beschäftigt sich mit der wissenschaftlichen Reflexion von Moral.
- Ethik will klären, was als „gutes" Handeln angesehen werden kann.
- Ethisch „gutes" Handeln basiert auf moralischen Urteilen, die sich aus Normen, Werten und ethischen Prinzipien ableiten lassen.
- Verschiedene Denkrichtungen und Menschenbilder bilden das Fundament für die Auseinandersetzung mit ethischen Fragestellungen.
- Für die Notfallmedizin sind drei Denkrichtungen von besonderer Bedeutung: konsequentialistische und deontologische Theorien sowie die Tugendethik.
- Konsequentialistische Theorien beziehen sich in der Bewertung von „gutem" Handeln auf die objektiven Folgen.
- Deontologische Theorien, wie z. B. die Prinzipienethik, beschäftigen sich mit der Formulierung von grundlegenden Handlungsanweisungen – unabhängig von den Folgen.
- Die Tugendethik stellt die individuellen Charaktereigenschaften von Menschen ins Zentrum der Betrachtung.

6.3 ETHISCHES HANDELN IM RETTUNGSDIENST

- Ethische Prinzipien in der Medizin dienen als grundlegende Richtschnur für ethisch angemessenes Handeln.
- Wesentlich für den Rettungsdienst sind die Prinzipien der Autonomie, des Nichtschadens, der Fürsorge, der Gerechtigkeit, der Achtung der Menschenwürde und der Wahrhaftigkeit.
- Die Komplexität des rettungsdienstlichen Alltags lässt sich nicht immer mit ethischen Prinzipien in Einklang bringen.
- In der Praxis haben sich strukturell-institutionelle und individuell-personenbezogene Ansätze zum Umgang mit ethischen Fragen entwickelt.
- Patientenverfügungen und Ethikkommissionen bieten strukturelle Orientierung, haben im Rettungsdienst aber nur eine begrenzte Reichweite.
- Strukturierte Reflexionsmöglichkeiten von ethisch schwierigen Einsätzen und eine fundierte individuelle Auseinandersetzung mit der beruflichen Positionierung bilden die notwendige Grundlage für zukünftiges ethisch „gutes" (Be-)Handeln.

6.4 FAZIT FÜR DIE EINSATZPRAXIS

- Ethische Fragen lassen sich nicht eindeutig beantworten. Es gibt kein „richtig" oder „falsch", sondern zumeist mehrere Antworten mit unterschiedlichen Begründungen.

6.1 Ethik zwischen Theorie und Praxis

Ethische Fragestellungen beschäftigten sich letztlich immer mit schwierigen **Entscheidungsprozessen.**

- Soll bei einem sehr alten, schwer kranken Patienten mit Herz-Kreislauf-Stillstand überhaupt (noch) eine Reanimation eingeleitet werden?
- Soll ein solcher Patient (noch) zur weiteren Behandlung in eine Klinik transportiert werden?
- Wem soll bei einem Einsatz mit mehreren Patienten, bei dem zunächst nicht ausreichend Rettungskräfte verfügbar sind, zuerst geholfen werden?
- Soll bei Auffinden eines Patienten mit sicheren Todeszeichen mit einer Wiederbelebung begonnen werden, um den Eindruck zu erwecken, immerhin „noch alles getan" zu haben?
- Dürfen Rettungskräfte Maßnahmen ergreifen, zu denen sie sich befähigt fühlen und die dem Patientenwohl dienlich, die aber nicht freigegeben sind?

Auf diese und weitere Fragen gibt es mindestens zwei Antwortmöglichkeiten, die sich letztlich immer im **Handlungsspektrum von „Tun" oder „Lassen"** bewegen. Sich für das eine zu entscheiden bedeutet z. B. immer auch, eine etwaige Alternative abzulehnen. Auch das bewusste Nichtstun in einem Notfall setzt in diesem Sinne sehr wohl eine Entscheidung voraus.

Die Entscheidungen in Notfällen, z. B. für oder gegen die Einleitung oder Fortführung einer Reanimation, müssen üblicherweise jedoch unter Zeitdruck getroffen werden. Der Versuch, durch rasches und professionelles Handeln irreversible Folgeschäden oder gar den Tod zu verhindern, ist dabei fast immer die handlungsleitende Maxime. Die Ausbildung von Notfallsanitätern beinhaltet dementsprechend Schemata und Algorithmen, die Handgriffe und Abläufe automatisieren und unnötigen Zeitverlust minimieren sollen. Ethische Aspekte können dabei allerdings in den Hintergrund geraten:

- Sind bestimmte Behandlungen überhaupt **sinnvoll?**
- Gibt es „gute" Gründe, sich u. U. auch **gegen** die Durchführung bestimmter Maßnahmen zu entscheiden?

- Hat ein Patient die Entscheidungsfreiheit, sich bewusst **nicht** behandeln zu lassen, auch wenn medizinisch etwas anderes angezeigt ist?
- Kann ein Patient unmittelbar in einer Notfallsituation überhaupt noch mündig und frei entscheiden?

Ethik als praktisch angewendete Disziplin kann dabei helfen, Antworten auf diese und weitere Fragen zu finden.

MERKE

Zu beachten ist, dass Ethik **keine allgemeingültigen Handlungsgrundsätze** aufstellt, sondern lediglich als eine **Hilfestellung für die begründete individuelle Entscheidungsfindung** verstanden werden sollte!

Vor diesem Hintergrund werden im vorliegenden Kapitel Grundlagen und verschiedene Perspektiven der Ethik vorgestellt und mit praktischen Beispielen aus dem Rettungsdienst verknüpft.

IM FOKUS

Allgemeines zur Ethik im Rettungsdienst

- Ethik umfasst immer **schwierige Entscheidungsprozesse.**
- Sie bewegt sich zwischen „Tun oder Lassen", wobei das eine immer das andere ausschließt. So entsteht ein **Dilemma.**
- Es gibt keine allgemeingültigen Lösungen für ethische Probleme. Jedoch kann es gute **individuelle Entscheidungen** geben.

6.2 Allgemeine Grundlagen von Ethik

Der Begriff „Ethik" lässt sich ethymologisch aus dem Griechischen ableiten, und zwar von „ethos" für „Sitte" und „Gewohnheit". Eng damit verknüpft ist der Begriff der „Moral". Vom lateinischen „mores" stammend, steht er wörtlich ebenfalls für „Sitten".

Inhaltlich lassen sich Moral und Ethik allerdings unterscheiden. Während die Moral das System der Werte und Normen beschreibt, nach denen verschiedene Gruppen – z. B. Familien, Berufsgruppen, aber auch ganze Gesellschaften – agieren und zusammenleben (→ Kap. 8), handelt es sich bei der Ethik um eine übergeordnete philosophische Disziplin. Ethik kann demnach als **Wissenschaft der Moral** verstanden werden, die sich systematisch und theoretisch fundiert mit den moralischen Prinzipien einer Gruppe auseinandersetzt und diese immer wieder auf den Prüfstand stellt.

DEFINITION

Ethik ist die Wissenschaft der Moral. Sie beschäftigt sich mit der Reflexion moralischer handlungsleitender Werte und Normen. **Moral** umfasst die Werte und Normen, die für bestimmte Personengruppen handlungsleitend sind.

Pointiert ausgedrückt, beschäftigt sich Ethik mit Fragen nach dem, was „gut" ist. Es geht darum, zu ermitteln, unter welchen Voraussetzungen ein gutes, gerechtes und menschenwürdiges (Be-)Handeln möglich ist.

Handeln ist an dieser Stelle das zentrale Element. Im Vordergrund steht dabei, etwas willentlich und wissentlich zu tun oder auch zu lassen. Bezogen auf das eingangs geschilderte Szenario, haben die Notfallsanitäter zunächst mit einer Reanimation begonnen. Unmittelbar bei ihrem Eintreffen am Notfallort waren ihnen auch keine Fakten bekannt, die genau dieses Vorgehen hätten von vornherein infrage stellen können.

Voraussetzung für das sog. intendierte Handeln sind **Urteile.** Nur wer bestimmte Handlungsoptionen kennt und diese für sich bewertet bzw. beurteilt hat, ist in der Lage, eine Handlung bewusst durchzuführen. Bewertungskriterien können z. B. in der Spanne zwischen „richtig und falsch" oder „gut und schlecht" liegen. Beide Dimensionen beziehen sich dabei auf bestimmte Normen und Werte. Ob etwas als „richtig" oder „falsch" angesehen wird, unterliegt zumeist klar geregelten Vorgaben wie Gesetzen oder anderen verbindlichen Vorschriften. Die Entscheidung zwischen „gut" oder „schlecht" hingegen basiert auf weniger eindeutigen Grundlagen.

ACHTUNG! Eine Entscheidung kann, wenn sie allein mit berufsrechtlichen Maßstäben bewertet wird, völlig korrekt sein – ob es sich aber auch um eine in ethischer Hinsicht „gute" Entscheidung gehandelt hat, lässt sich mitunter infrage stellen.

Wie bereits beschrieben, sind **Normen** und **Werte** wesentliche Grundlagen für eine fundierte Entscheidungsfindung. Dabei wird ein Wert nicht als Objekt im Sinne von Besitz verstanden, sondern als Maßstab, der das Handeln lenkt und Entscheidungen über Handlungsweisen ermöglicht. In der Medizin wird häufig das Wohlergehen des Menschen als grundlegender Wert definiert, an dem sich ethische Normen und Prinzipien ausrichten.

Unter Normen werden dabei zumeist **sozial definierte Verhaltensregeln und -standards** verstanden. Unterschieden werden können formale und moralische Normen, die durch die Möglichkeiten der Sanktionierung bei abweichendem Verhalten differenziert werden. So ist z. B. die Folge von unterlassener Hilfeleistung bei Unglücksfällen, Gefahr oder Not klar geregelt. Das Strafgesetzbuch als formale Norm sieht für diesen Fall eine Freiheits- oder Geldstrafe vor. Nicht ganz so eindeutig ist der Umgang bei moralisch zweifelhaftem Verhalten. Hier sind lediglich soziale Sanktionen wie Tadel, Kritik und Ächtung möglich.

Im engen Zusammenhang mit Werten und Normen stehen **ethische Prinzipien.** Auch mit ihnen sind Regeln verbunden, die sich allerdings auf einem allgemeineren Niveau als Normen bewegen. Für die Auseinandersetzung mit ethischen Fragestellungen in der Medizin haben sich diese Prinzipien als eine wesentliche Grundlage entwickelt (→ Kap. 6.3.1). Hier zu nennen ist z. B. das **Prinzip der Autonomie des Patienten,** das mit bestimmten konkreten Normen wie einem respektvollen Umgang mit dem Gegenüber oder der Forderung nach Aufklärung verbunden ist.

Um zu verstehen, wie bestimmte Prinzipien, Normen und Werte entstehen, ist die Auseinandersetzung mit grundlegenden **ethischen Theorien** notwendig. Der folgende Abschnitt gibt einen Überblick über die wesentlichen Denkrichtungen in der Ethik. Zudem verdeutlicht → Abb. 6.1 die unterschiedlichen Zusammenhänge.

Richtungen von Ethik

In der Ethik haben sich verschiedene Richtungen bzw. Theorien entwickelt, die aus unterschiedlichen Perspektiven die Frage nach dem „guten" und „richtigen" Handeln stellen und nach Antworten suchen. Ethische Theorien lassen sich grundsätzlich bestimmten Gruppen zuordnen, die sich anhand ihrer Handlungsmaßstäbe unterscheiden.

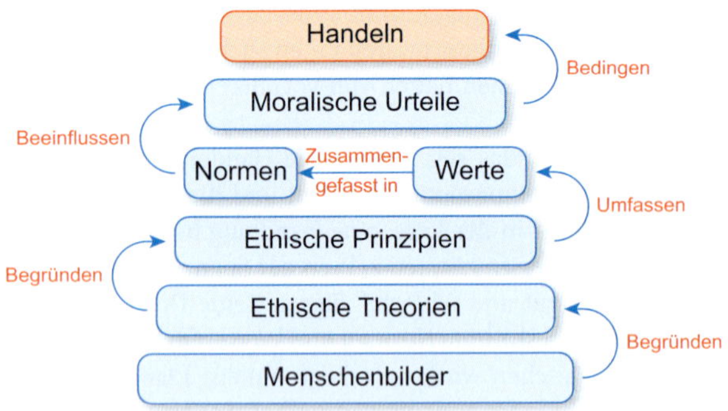

Abb. 6.1 Theoretische Grundlagen ethisch orientierten Handelns – ein vereinfachtes Erklärungsmodell (nach Maio 2012, eigene Darstellung) [P104, L231]

Konsequentialistische Theorien

Konsequentialistische Theorien stellen die Folgen einer Handlung in den Vordergrund. Das bedeutet, dass die Konsequenzen einer Handlung das entscheidende Kriterium sind. Im Sinnspruch **„Der Zweck heiligt die Mittel"** wird diese Grundhaltung verdeutlicht. Eine „gute" Handlung ist in diesem Fall dadurch bestimmt, ob sie positive Auswirkungen hat. Im **Utilitarismus** – im wichtigsten Vertreter dieser Denkrichtung – steht die Optimierung des Nutzens einer Handlung für möglichst viele Menschen im Vordergrund. Es geht also nicht darum, zu reflektieren, ob eine Handlung an sich moralisch vertretbar ist oder nicht. Vielmehr steht die objektive Folge im Vordergrund. Dazu ein Beispiel:

FALLBEISPIEL

Bei einem Verkehrsunfall werden zwei Personen verletzt: die Mutter einer Familie mit fünf Kindern und ein alleinstehender, arbeitsloser, ungebundener Mann. Das Rettungsteam würde in einem solchen Fall – rein theoretisch betrachtet – vor der Entscheidung stehen, wem zuerst geholfen werden soll. Aus utilitaristischer Sicht müsste die Wahl vermutlich auf die Mutter fallen, da von deren Tod mehr Menschen unmittelbar betroffen wären. Die Entscheidung könnte aber auch anders ausfallen, wenn der verletzte Mann z. B. eine wichtige, für viele andere Menschen lebenswichtige Aufgabe hätte, die nur er ausführen kann.

Ob es zulässig ist, Menschenleben und menschliches Handeln mit dem Maßstab des „Nutzens" für andere zu messen, sei jedoch dahingestellt. Sobald genauer definiert werden soll, worin denn ein bestimmter „Nutzen" besteht und wie ein „Nutzen" gegen einen anderen abzuwägen ist, ergeben sich größte Schwierigkeiten.

Gleichwohl basiert die Patientensichtung in Katastrophensituationen auf genau diesem utilitaristischen Prinzip: Bevor zahlreiche Helfer sich um **einen** Schwerstverletzten mit nur sehr geringer Überlebenschance kümmern, wird empfohlen, diesen einen Menschen zugunsten **vieler** anderer „abwartend" zu behandeln (→ Kap. 46.3.8). Diese Vorgehensweise wird als ethisch vertretbar betrachtet, da sie möglichst vielen Menschen „nutzt".

MERKE

Im utilitaristischen Sinne ist gut, was möglichst vielen Menschen nützt.

Deontologische Theorien

Im Unterschied zum Konsequentialismus rücken deontologische Ansätze nicht die Folgen einer Handlung als moralisch entscheidend in den Vordergrund. Relevant für die Frage nach dem, was als „gut" angesehen wird, ist hierbei vielmehr die Handlung an sich. Es geht letztlich um den Charakter von „Tun" oder „Lassen", ganz unabhängig davon, welche Konsequenzen damit verbunden sind. Deutlich wird dieser Grundsatz z. B. in der Maxime, unter allen Umständen die Wahrheit zu sagen – auch in Situationen, in denen mit diesem Vorgehen Schaden für Dritte verbunden sein kann.

Besonders herausragend im Kontext deontologischer Theorien ist die sog. **Pflichtethik** von Immanuel Kant (1724–1804). Kant, ein deutscher Philosoph der Aufklärungszeit des 18. Jahrhunderts, verfolgte in seinen Arbeiten ein bestimmtes Grundanliegen. Er war auf der Suche nach einem Handlungsgrundsatz, der für alle Menschen in jeder Situation Gültigkeit hat. Es ging ihm also darum, einen von äußeren Bedingungen unabhängigen allgemeingültigen Leitsatz zu finden. In diesem Zusammenhang ist der sog. kategorische Imperativ entstanden.

MERKE

Der kategorische Imperativ

Der Handlungsgrundsatz, der für alle Menschen in jeder Situation Gültigkeit haben soll, lautet nach Kant: *„Handle nur nach derjenigen Maxime, durch die du zugleich wollen kannst, dass sie ein allgemeines Gesetz wird."*

Das bedeutet, einfacher formuliert: Absolut richtig sein kann nur das, was als Prinzip auch in jeder anderen Gelegenheit ebenso richtig wäre und was auch jeder andere vernünftige Mensch in gleicher Weise als richtig betrachten würde.

MERKE

Eine Handlungsweise, die nur unter bestimmten Umständen bzw. in einem Einzelfall angebracht scheint, ansonsten aber abgelehnt werden müsste, wird dem kategorischen Imperativ nicht gerecht. **Notlügen** z. B. sind im Sinne der Pflichtethik inakzeptabel: Wenn jeder Mensch jederzeit lügen würde, wäre ein geordnetes, konstruktives Zusammenleben einer Gesellschaft ausgeschlossen.

Inwiefern sich übergreifende, permanent gültige Handlungsmaximen für komplexe Notfallsituationen jedoch überhaupt formulieren lassen, darf bezweifelt werden.

Für die Medizin hat – neben der Pflichtethik nach Kant – ohnehin noch ein weiterer deontologischer Ansatz besondere Bedeutung. Dabei handelt es sich um die **Prinzipienethik**, die in → Kap. 6.3 nochmals gesondert aufgegriffen wird. Ebenso wie in der Pflichtethik geht es in diesem Ansatz um die Formulierung von grundlegenden Handlungsansätzen – allerdings auf einem weniger umfassenden Niveau, als Kant das angestrebt hat. Es geht dabei also nicht um die Formulierung eines allgemeingültigen, obersten Moralgebots, sondern eher um übergreifende Handlungsrichtlinien **mit konkretem Bezug.** Dazu ein Beispiel:

FALLBEISPIEL

Eine Patientin mit einem fortgeschrittenen Pankreaskarzinom hat starke Bauchschmerzen. Sie möchte vom Rettungsteam nur etwas gegen die Schmerzen bekommen und im Hinblick auf ihre unheilbare Erkrankung nicht mit ins Krankenhaus. Das Rettungsteam muss in einer solchen Situation entscheiden, ob es dem Wunsch der Patientin nachkommen kann. Im Sinne der deontologischen Theorien könnte argumentiert werden, dass eine Nichtversorgung der Patientin mit dem übergeordneten Grundsatz des Schutzes des Lebens nicht vereinbar ist. Aber wird solch ein allgemeiner Handlungsgrundsatz einer Behandlungssituation gerecht? Wiegt der Wunsch nach Selbstbestimmung der Patientin weniger schwer als der als Maßstab angelegte Schutzgrundsatz?

IM FOKUS

Ethische Theorien

Es gibt **drei große Denkrichtungen** in der Ethik:

- Die **konsequentialistische** Ethik betrachtet das Ergebnis einer Handlung. Ihr wichtigster Vertreter ist der Utilitarismus, der eine Handlung als gut wertet, wenn möglichst viele Menschen von ihr profitieren.
- Die **deontologische** Ethik betrachtet die Handlung selbst. Ihr wichtigster Vertreter ist die Pflichtethik, die eine Handlung als gut wertet, wenn sie einem universellen Prinzip folgt.
- Die **Tugendethik** betrachtet den Charakter des Handelnden. Erfüllt dieser bestimmte Merkmale, ist die Handlung am wahrscheinlichsten gut.

Tugendethik

Neben konsequentialistischen und deontologischen Theorien ist die **Tugendethik** als dritte große Denkrichtung in der Ethik vertreten. Dieser bereits von Aristoteles (384–322 v. Chr.) vertretene Ansatz orientiert sich nicht an Inhalten oder Auswirkungen von Handlungen, sondern bezieht sich auf die individuelle Ebene des Handelnden. Im Zentrum der Betrachtung stehen dabei **menschliche Tugenden** wie Mut, Klugheit, Wahrhaftigkeit, Mäßigung oder auch Empathie. Dahinter verbergen sich allgemeine Charaktereigenschaften, die aus einem medizinischen Blickwinkel eine aufrichtige und vertrauenswürdige Fürsorge und Hilfeleistung den Mitmenschen gegenüber ermöglichen.

In der Medizin hat besonders die Tugend des Wohlwollens einen hohen Stellenwert. Dabei stehen nicht Normen oder Prinzipien als Handlungsanweisung oder -leitlinie, sondern die **Grundhaltung des Helfenwollens** im Vordergrund. Verbunden mit **Leitfragen** können Tugenden relevante Hinweise auf die ethischen Kernfragen bestimmter Situationen lenken (→ Tab. 6.1).

Auch dazu ein Beispiel:

FALLBEISPIEL

Ein Patient, der wegen eines schweren Schädel-Hirn-Traumas im Wachkoma liegt, seit Jahren im häuslichen Umfeld gepflegt und heimbeatmet wird, entwickelt eine Herzinsuffizienz und ein Lungenödem. Das alarmierte Rettungsteam muss sich entscheiden, wie weit es bei der rettungsdienstlichen Versorgung gehen soll. Sich nun auf die Tugenden des Wohlwollens, der Aufmerksamkeit, des Maßes und der Gelassenheit zu beziehen, könnte bei der Entscheidungsfindung zumindest **im Sinne der Tugendethik** hilfreich sein.

Tugend des Wohlwollens	Ist das Handeln auf das Wohl des Kranken ausgerichtet?
Tugend der Mäßigung	Sollte immer alles Mögliche unternommen werden – unabhängig von den Kosten?
Tugend der Gelassenheit	Ist es möglich, auch das Sterben zuzulassen?
Tugend der Aufmerksamkeit	Sind dem Patienten alle Informationen und Handlungsoptionen bekannt?

Tab. 6.1 Ausgewählte Tugenden und damit verbundene Leitfragen für den Rettungsdienst

6.3 Ethisches Handeln im Rettungsdienst

Bewusstes ethisches Handeln und zwischenmenschliche Interaktionen geschehen auf Basis bestimmter Grundlagen. Der vorhergehende Abschnitt gibt hierzu einen Überblick. Dabei ist es zunächst unwesentlich, in welcher Situation solche Handlungen vollzogen werden. Ob in der Familie, im Freundeskreis oder im beruflichen Kontext – letztlich basieren Urteile und Entscheidungen immer auf bestimmten Werten und Normen sowie auf persönlichen Denkrichtungen und Menschenbildern.

Gleichwohl ergeben sich bei einer tiefer gehenden Betrachtung mit spezifischen Fragestellungen natürlich Unterschiede. Ethisches Handeln im Rettungsdienst berührt andere Gesichtspunkte als die Frage nach moralischen Urteilen im alltäglichen Umgang mit der eigenen Familie. Lange Zeit nicht mehr im Fokus, erhält die Auseinandersetzung mit ethischen Aspekten auf dem Gebiet der (Notfall-)Medizin seit einigen Jahren wieder neue Aufmerksamkeit. Einen besonderen Stellenwert nehmen dabei die bereits kurz angesprochenen **Prinzipien** ein, da sie den Handelnden als generelle Leitlinie dienen können.

6.3.1 Ethische Prinzipien in der Medizin

Ethische Fragestellungen in der Medizin haben eine lange Historie. Bereits im 4. Jahrhundert vor Christus entstand der **Eid des Hippokrates,** der in seinen Grundzügen bis heute leitende Funktion hat. Es handelt sich dabei um eine Selbstverpflichtung für Ärzte hinsichtlich verschiedener, teilweise kritischer Aspekte ihrer Berufsausübung. Dazu gehören z. B. die Schweigepflicht oder das Verhältnis zum Patienten. Zeitgemäße Umsetzungen dieser ersten Festschreibung eines medizinischen Berufsethos stellt z. B. die **Genfer Deklaration des Weltärztebundes** von 1948 dar (zuletzt revidiert 2017). In Deutschland hat die Bundesärztekammer ähnliche Grundsätze und Empfehlungen formuliert, die für die Ausübung ärztlicher Tätigkeiten z. T. bindend sind.

Formal für den Berufsstand der Ärzte vorgesehen, beinhalten die genannten Quellen inhaltliche Gesichtspunkte, die für alle im Gesundheitswesen Tätigen relevant sind. Die amerikanischen Moralphilosophen Tom Beauchamp und James Childress haben diese und weitere Aspekte aufgenommen und ein **Vier-Prinzipien-Modell** der medizinischen Ethik entwickelt (→ Abb. 6.2).

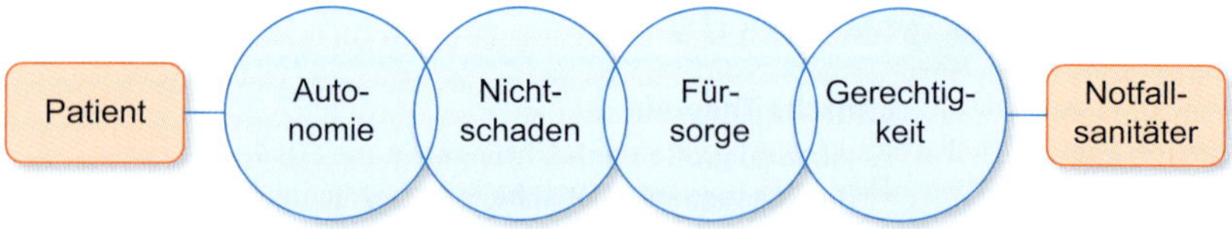

Abb. 6.2 Medizinethische Prinzipien als handlungsleitende Grundlage in der Beziehung zwischen Patient und Notfallsanitäter (nach Beauchamp & Childress 2013, eigene Darstellung) [P104, L231]

IM FOKUS

Ethische Prinzipien in der Medizin

- Medizinische Ethik hat sich schon immer stark an der **Prinzipienethik** orientiert. Diese ist eine Form der deontologischen Ethik.
- Das berühmteste Beispiel für medizinethische Prinzipien ist der **Eid des Hippokrates.**
- Ein großer Meilenstein war das **Genfer Gelöbnis** des Weltärztebundes von 1948.
- Die Moralphilosophen **Childress und Beauchamp** erstellten in der zweiten Hälfte des 20. Jahrhunderts das sog. Vier-Prinzipien-Modell der medizinischen Ethik.

Für Mitarbeitende im Rettungsdienst gibt es derzeit noch keinen verpflichtenden Berufskodex. Eine erste Handreichung hat der Deutsche Berufsverband Rettungsdienst e. V. veröffentlicht. Die allgemein gehaltenen Verhaltensregeln können als Rahmen für angemessenes Handeln im Umgang mit Patienten und Kollegen verstanden werden (→ Tab. 6.2).

Einzelne Punkte der „goldenen Regeln" greifen die zentralen Aspekte des bereits erwähnten Vier-Prinzipien-Modells der medizinischen Ethik von Beauchamp und Childress auf. Diese sind im Folgenden dargestellt.

Prinzip der Autonomie

Das **Prinzip der Autonomie** (Respect for Autonomy) betont die Freiheit jeder Person, sich für oder gegen etwas zu entscheiden. Damit geht

1.	**Den Menschen würdigen:** Ich verpflichte mich, Leiden zu lindern, die Gesundheit zu fördern, Schaden abzuwenden und die Qualität meiner Leistungen zur medizinischen Notfallversorgung jedem der mir anvertrauten Patienten gleichermaßen zur Verfügung zu stellen. Dabei stehen für mich die Achtung der Menschenwürde, unabhängig von Nationalität, Religion, Hautfarbe und Status, sowie Mitgefühl im Vordergrund. Unethische Verfahren lehne ich ab und setze mich gegen Inkompetenz oder unethisches Verhalten in geeigneter Weise ein.
2.	**Verantwortung tragen:** Ich bin mir als Rettungsmitarbeiter meiner gesellschaftlichen Verantwortung für den Patienten, für meine Kollegen und meinen Arbeitgeber bewusst. Dazu gehört auch der sorgsame Umgang mit den mir anvertrauten Informationen, Werten, Geräten und Fahrzeugen. Die Arbeit im Rettungsdienst beginnt für mich mit der Vorbereitung auf den Dienst, endet nach der regulären Übergabe an die Kollegen und wird ergänzt durch Besprechungen und Fortbildungen.
3.	**Auf dem aktuellen Stand sein:** Ich bemühe mich, stets auf dem aktuellen notfallmedizinischen Stand zu sein. Dazu bilde ich mich fort mithilfe von Fachzeitschriften, Lehrbüchern und allen mir zur Verfügung stehenden Medien sowie dem Besuch von Fortbildungen. Ich versuche stets, bestens auf meinen Dienst vorbereitet zu sein. Dazu gehört für mich auch die Kenntnis von Regeln am Arbeitsplatz und Anweisungen des Rettungsdienstträgers.
4.	**Im Team arbeiten:** Ich erkenne alle Kollegen berufsgruppenübergreifend an, respektiere ihre Empfehlungen und Einwände und arbeite mit ihnen respektvoll sowie patientenorientiert zusammen. Ich kenne meine Rolle im Team, bringe mich stets aktiv ein und teile meine Gedanken mit. In der Rolle des Teamleiters im Einsatz übernehme ich die verantwortungsvolle Führungsrolle und bin immer offen für Anregungen aus dem Team. In der Rolle als Teammitglied bringe ich mich ein und versuche, den Teamleiter bestmöglich zu unterstützen, ohne ihn in seiner Autorität zu untergraben. Ich versuche immer Fehler zu vermeiden. Wenn dennoch Fehler auftreten, lebe ich eine offene Sicherheitskultur und bespreche die Probleme lösungsorientiert nach dem Einsatz.
5.	**Sich in den Patienten hineinversetzen:** Ich bin immer bemüht, mich in die Lage des Notfallpatienten hineinzuversetzen. Durch Zuwendung und Einfühlungsvermögen, Trost und Hilfe sowie Information über das weitere Vorgehen versuche ich, dem Patienten in der außergewöhnlichen Einsatzsituation mit seinen Beschwerden und Ängsten gerecht zu werden.
6.	**Angemessen kommunizieren:** Ich pflege in Anwesenheit des Patienten eine freundliche, ruhige und patientenorientierte Unterhaltung. Ich spreche vor dem Patienten nicht über meine privaten oder dienstlichen Probleme und nicht über Erlebnisse aus vorherigen Einsätzen. Ich spreche den Patienten angemessen an und weiß dabei seine Situation, seine Person und sein Alter zu würdigen. Ich bin im Einsatz voll auf das Einsatzgeschehen konzentriert und lasse mich nicht durch Mobiltelefon o. Ä. ablenken.
7.	**Soziale Medien verantwortungsbewusst nutzen:** Ich verpflichte mich zu einem verantwortungsvollen und professionellen Umgang mit sozialen Medien und achte in der Nutzung insbesondere darauf, weder den Patienten in seiner Privatsphäre zu beeinträchtigen noch den Rettungsdienst, den Arbeitgeber oder andere Fachdienste oder Partner in Misskredit zu bringen. Der Datenschutz und die Verschwiegenheit über Einsatzgeschehnisse haben für mich eine hohe Priorität.
8.	**Auftreten, Ausrüstung und Fahrzeug pflegen:** Ich sichere meinen mir anvertrauten Patienten immer bestmögliche Einsatzbedingungen zu durch professionelles und gepflegtes Auftreten und stets vollständige, gepflegte und funktionstüchtige Ausrüstung. Dazu überprüfe ich alle unsere Arbeitsmittel und Geräte zu Dienstbeginn und nach jedem Einsatz auf Vollständigkeit und auf Funktion. Mein Rettungsdienstfahrzeug halte ich immer in sauberem, aufgeräumtem und ausreichend betanktem Zustand, um optimale Einsatzbedingungen sicherzustellen. Ich sorge bei festgestellten Mängeln umgehend für ihre Beseitigung und bemühe mich immer, meinen Kollegen Fahrzeug und Material in einem Zustand zu übergeben, in dem sie ohne Probleme den nächsten Einsatz abarbeiten können.
9.	**Leitliniengerecht arbeiten:** Ich versuche, jederzeit aktuelle Leitlinien und Empfehlungen am Patienten anzuwenden und dabei an die jeweilige Einsatzsituation anzupassen. Mein oberstes Ziel ist immer, dem Patienten keinen weiteren Schaden zuzufügen. Durch hygienisches Arbeiten bemühe ich mich, die Infektionsgefahr für den Patienten und das Team zu minimieren.
10.	**„Goldene Regeln" leben:** Ich erkenne diese goldenen Regeln an und verstehe sie als Einheit, damit ich meine Arbeit im Sinne aller Beteiligten jederzeit rücksichtsvoll, konzentriert und gut ausführen kann. Ich sorge dafür, dass die Regeln auch anderen Kollegen zugänglich gemacht werden und wir sie gemeinsam leben können. Vorgesetzte, Rettungsdienstträger und alle anderen am Rettungsdienst Beteiligten sowie für den Rettungsdienst Verantwortlichen werden gebeten, Bedingungen zu schaffen, die die Einhaltung dieser Regeln ermöglichen.

Tab. 6.2 10 goldene Regeln für die Arbeit im Rettungsdienst: Verhaltens- und Ethikkodex für Mitarbeiter im Rettungsdienst, Deutscher Berufsverband Rettungsdienst e. V. [W924]

unmittelbar der Grundsatz einher, die Entscheidungen des Gegenübers durch sein eigenes Handeln zu respektieren. Für den Rettungsdienst kann dies bedeuten, dass Patienten oder stellvertretend Angehörige eine bestimmte medizinische Maßnahme ablehnen, auch wenn sie fachlich angezeigt wäre. Aufgabe des Notfallsanitäters und/oder des ggf. vor Ort eingesetzten Notarztes ist es, in solchen Fällen sicherzustellen, dass alle Beteiligten über die Möglichkeiten und Konsequenzen einer (Nicht-)Behandlung informiert sind. Damit wird der in der Medizin vorgeschriebenen Forderung nach einem informierten Einverständnis (Informed Consent) und gleichzeitig den Wünschen des Patienten entsprochen.

Die Berücksichtigung der individuellen Handlungs- und Entscheidungsfreiheit eines Patienten ist im rettungsdienstlichen Einsatzalltag allerdings nicht immer möglich. Oftmals liegen aufgrund von Zeitknappheit z. B. keine ausreichenden Informationen über die Wünsche des Patienten vor. Eine angemessene Entscheidungsfindung in Notfallsituationen wird dadurch u. U. wesentlich erschwert.

Prinzip des Nichtschadens

Auf den ersten Blick erscheint das **Prinzip des Nichtschadens** (Nonmaleficence) eindeutig. Mit ihm ist die Forderung verbunden, schädliche Eingriffe am Patienten zu unterlassen. Wird der Begriff des „Schadens" allerdings einer tiefer gehenden Betrachtung unterzogen, wird die Komplexität des Prinzips deutlich.

So unterscheiden gängige Definitionen von Schaden verschiedene Arten: Während sich **objektiver Schaden** auf die Beeinträchtigung körperlicher Funktionen, auf physische Verletzungen und auf die bewusste Missachtung von Interessen bezieht, heben **subjektive Sichtweisen** auf individuellen Schmerz oder die Nichterfüllung von persönlichen Wünschen und Rechten ab.

Wird ein Patient also gegen seinen klar formulierten Willen behandelt, ist damit nicht nur das Prinzip der Autonomie, sondern ggf. auch das Prinzip des Nichtschadens betroffen – besonders wenn das Ergebnis lebensverlängernder Maßnahmen eine subjektiv wahrgenommene Verschlechterung der individuellen Lebensqualität nach sich zieht.

Prinzip der Fürsorge

Im **Prinzip der Fürsorge** (Beneficence) spiegelt sich das zentrale Selbstverständnis vieler medizinischer Berufe wider, Menschen helfen zu wollen. Allerdings kann es in der praktischen Umsetzung zu Konflikten mit den Prinzipien der Autonomie und Schadensvermeidung kommen.

Werden bestimmte Maßnahmen, z. B. Medikamentengabe oder Bluttransfusionen, gegen den Willen des Patienten oder dessen Angehörigen eingeleitet, steht das den Prinzipien der Autonomie und des Nichtschadens im Sinne der oben aufgeführten Deutungsmöglichkeiten entgegen. Im Zweifelsfall gilt es zu überlegen, welchen Nutzen und Schaden eine Maßnahme mit sich bringt, und – sofern möglich – unter Einbeziehung der Patienteninteressen zu entscheiden.

Prinzip der Gerechtigkeit

Das **Prinzip der Gerechtigkeit** (Justice) kann aus unterschiedlichen Blickwinkeln betrachtet werden. Gängige Sichtweise ist die Interpretation im Sinne einer gleichen Behandlung für alle Patienten. Das bedeutet, dass es keine Unterschiede im Umgang mit Patienten geben und jedes (Be-)Handeln unabhängig von persönlichen, kulturellen oder religiösen Hintergründen oder auch von Vorerkrankungen geschehen sollte. Andere Sichtweisen von Gerechtigkeit beziehen sich auf Aspekte wie Freiheit, Effizienz oder Fairness.

Bei der Betrachtung von → Tab. 6.3 werden die sich teilweise entgegenstehenden Gerechtigkeitsverständnisse deutlich. Welches Verständnis in der Praxis Anwendung findet, hängt – wie bei anderen ethischen Überlegungen auch – von persönlichen Sichtweisen und Einstellungen ab. Allerdings ist die bereits erläuterte Sichtweise der Gerechtigkeit als Gleichheit in der Notfallmedizin wohl am ehesten zu finden. Das Entscheidungsmerkmal hier ist die bestmögliche Versorgung für jeden Patienten. Das Kriterium der Gleichheit findet allerdings seine Grenzen bei Ressourcenknappheit (vgl. → 6.3.2 Sichtung und Priorisierung).

Gerechtigkeit als Gleichheit	Alle Patienten erhalten bedingungslos die gleiche Behandlung.
Gerechtigkeit als Freiheit	Die Wahlfreiheit der Patienten bestimmt die Behandlung. Wahlfreiheit bezieht sich dabei auf ausreichende und eigenverantwortliche private Vorsorge.
Gerechtigkeit als Effizienz	Der Patient, bei dem medizinische Maßnahmen den größtmöglichen Nutzen versprechen, wird behandelt.
Gerechtigkeit als Fairness	Der Patient mit der größten Bedürftigkeit erhält die Behandlung.

Tab. 6.3 Gerechtigkeit aus unterschiedlichen Blickrichtungen

Weitere zentrale Prinzipien

Zusätzlich zu den vier Kernprinzipien von Beauchamp und Childress haben sich in der (Notfall-)Medizin noch weitere Prinzipien durchgesetzt. Dazu gehören das **Prinzip der Achtung der Menschenwürde** und das **Prinzip der Wahrhaftigkeit.**

Das Prinzip der Achtung der Menschenwürde ist eng mit den Prinzipien der Autonomie und der Gerechtigkeit verknüpft. Der Mensch wird dabei als selbstbestimmtes und eigenständiges Wesen betrachtet, das über Rechte und Grundeinstellungen verfügt. Diese existieren unabhängig vom persönlichen Hintergrund (Herkunft, Geschlecht, Religion etc.) und bedürfen des besonderen Schutzes. Artikel 1 des Grundgesetzes für die Bundesrepublik Deutschland unterstreicht die herausragende Bedeutung der Würde des Menschen und deren Schutzbedürftigkeit.

Notfallsituationen führen häufig dazu, dass Menschen in ihrer Handlungs- und Entscheidungsfreiheit eingeschränkt werden und auf Hilfe von außen angewiesen sind. Der Verlust von Kontrolle über den eigenen Körper und die situativen Rahmenbedingungen beeinflussen dabei nicht selten auch das Gefühl der persönlichen Würde.

Dementsprechend kommt dem würdigen Umgang mit Patienten durch Notfallsanitäter eine besondere Bedeutung zu. Sie leisten zumeist als Erstes die notwendige medizinische Hilfe und können durch ein angemessenes Auftreten die Würde des Patienten wahren oder sogar wiederherstellen.

Auch im Prinzip der Wahrhaftigkeit werden Fragen der Achtung der Menschenwürde berührt. Ein stets aufrichtiger Umgang mit dem Gegenüber sowie ein am Wohl des Patienten ausgerichtetes berufliches Selbstverständnis sind dabei zentrale Elemente. Nur wer ehrlich und angemessen auftritt, kann auch schwierige Entscheidungen gegenüber Patienten und Angehörigen vermitteln. Ein Beispiel verdeutlicht dies:

FALLBEISPIEL

Die Besatzung eines RTW wird zu einem Einsatz gerufen, bei dem die zu behandelnde Person bereits eindeutige Todeszeichen (Leichenstarre, Leichenflecke) aufweist. Die Tochter des Patienten ist außer sich und verlangt den Beginn von Reanimationsmaßnahmen. Auch wenn die Reaktion der Angehörigen schwer zu ertragen ist, entscheiden sich die Notfallsanitäter nicht für eine sog. **Scheinreanimation** (auch „Show Code“ oder „Hollywood Code“), sondern erläutern der Angehörigen ruhig und angemessen die objektiven Tatsachen.

IM FOKUS

Medizinethische Prinzipien

Nach Beauchamp und Childress **(4-Prinzipien-Modell):**

- Prinzip der **Autonomie:** Hat der Patient ausreichend Entscheidungsspielraum?
- Prinzip des **Nichtschadens:** Vermeide ich bestmöglich Schäden an Leib und Seele des Patienten?
- Prinzip der **Fürsorge:** Behandle ich den Patienten angemessen?
- Prinzip der **Gerechtigkeit:** Handle ich gerecht?

Weitere:

- Prinzip der Achtung der **Menschenwürde:** Achte ich die universelle Menschenwürde aller Beteiligten?
- Prinzip der **Wahrhaftigkeit:** Bin ich in meinem Handeln aufrichtig und ehrlich?

6.3.2 Praktische Aspekte für den Rettungsdienst

Die in den vorangegangenen Abschnitten beschriebenen Grundlagen und Prinzipien geben Hinweise auf Möglichkeiten der theoretischen Auseinandersetzung mit den wesentlichen ethischen Fragestellungen in der Notfallmedizin. Sie dienen als allgemeine Leitlinien für ethisch reflektiertes Handeln.

Gleichwohl werden sie der Komplexität des rettungsdienstlichen Alltags nicht immer gerecht. Größtes Problem in der praktischen Umsetzung ist der immense **Zeitdruck,** unter dem Entscheidungen in Notfallsituationen getroffen werden müssen. Verzögerungen bei der Versorgung von Patienten können erhebliche Auswirkungen haben. Daher gelten zunächst immer nachstehende **Grundsätze:**

- „Im Zweifel für das Leben.“
- „Fragen werden später gestellt.“
- „Ein Irrtum im Hinblick auf das Leben ist erträglicher als ein Irrtum im Hinblick auf den Tod.“

Vor diesem Hintergrund ist es durchaus möglich, dass eingeleitete Behandlungen gegen Patientenwünsche und damit auch gegen das Prinzip der Autonomie verstoßen. Sollte das z. B. im Verlauf einer Reanimation deutlich werden, liegt es durchaus im Ermessensspielraum des Rettungsteams, die zunächst getroffenen Entscheidungen zu revidieren und eingeleitete Maßnahmen dann auch wieder zu beenden.

MERKE

Wer „A“ gesagt hat, muss deshalb keineswegs „B“ sagen! Eine Behandlung muss also nicht unbedingt unendlich fortgeführt werden, nur weil man sie zunächst einmal begonnen hat!

Um Fragestellungen nach dem „richtigen“ Handeln in Notfallsituationen zu begegnen, haben sich in der Praxis verschiedene Herangehensweisen und Ansätze etabliert. Strukturell-institutionell spielen dabei **Patientenverfügungen** und **Ethikkommissionen** eine zentrale Rolle. Auf der individuell-personenbezogenen Ebene kommen der **eigenen ethischen Positionierung** sowie der **Reflexion zurückliegender Einsätze** wesentliche Bedeutung zu.

Ein spezieller Aspekt in der Praxis des Rettungsdienstes bezieht sich nicht auf die Individualversorgung im Alltag, sondern auf notfallmedizinische Maßnahmen in Großschadenslagen. Die mit der sog. **Sichtung** verbundenen Herausforderungen sind im Folgenden ebenfalls beschrieben.

IM FOKUS

Drei Grundsätze im Notfall

- Bei **zeitkritischen Notfällen** ist eine komplexe ethische Abwägung oft nicht möglich, daher gelten folgende Grundsätze:
  - **„Im Zweifel für das Leben.“**
  - „Fragen werden später gestellt.“
  - „Ein Irrtum im Hinblick auf das Leben ist erträglicher als ein Irrtum im Hinblick auf den Tod.“
- Eingeleitete Maßnahmen können, wenn eine kritische Abwägung erfolgt ist, natürlich auch wieder abgebrochen werden.

Patientenverfügungen

In einer **Patientenverfügung** haben Patienten die Möglichkeit, vorsorglich für den Fall des Verlustes der Einwilligungsfähigkeit ihren Willen hinsichtlich bestimmter Therapiemaßnahmen in bestimmten Situationen zu erklären. Auf diese Weise kann schriftlich festgehalten werden, ob bestimmte Behandlungen durchgeführt oder unterlassen werden sollen (→ Kap. 45.2.3). Ebenso kann in solchen Schriftstücken eine **Vorsorgevollmacht** für Vertrauenspersonen formuliert werden.

MERKE

Voraussetzungen für die Abfassung solcher vorsorglichen Willensbekundungen sind die **Volljährigkeit** und die **Einwilligungsfähigkeit.** Das bedeutet, dass der formulierte Wille auf der freien Entscheidung des Patienten basieren muss.

Im Bürgerlichen Gesetzbuch (§ 1901a) wird die Patientenverfügung rechtlich definiert. Demnach hat ein einwilligungsfähiger Volljähriger für den Fall seiner Einwilligungsfähigkeit schriftlich festgelegt, ob er in bestimmte, zum Zeitpunkt der Festlegung noch nicht bevorstehende, sondern erst zukünftig erforderliche ärztliche Maßnahmen einwilligt oder sie untersagt. So deutlich das auf den ersten Blick klingt, so können insbesondere in Notfallsituationen Umsetzungsprobleme entstehen. Diese resultieren zumeist daraus, dass eine Einholung der Informationen über den Patientenwillen zu lange dauert, die festgehaltenen Wünsche nicht der Behandlungssituation entsprechen oder laut Bürgerlichem Gesetzbuch (§ 1901b) nur der behandelnde Arzt eine Entscheidung im Hinblick auf den Gesamtzustand und die Prognose des Patienten treffen kann.

Daraus folgt in der rettungsdienstlichen Praxis – insbesondere vor dem Hintergrund der unmittelbaren Verpflichtung zur Durchführung von Reanimationsmaßnahmen – **dass in der Mehrzahl der Einsätze mit der Reanimation begonnen wird.** Bei Unklarheit über das Vorliegen einer Patientenverfügung und den damit verbundenen Willen des Patienten kann vom Grundsatz „im Zweifel für das Leben“ ausgegangen werden. Hier wird der sog. **mutmaßliche Wille** des Patienten vorausgesetzt, d. h., man geht davon aus, dass der Patient den medizinisch indizierten Maßnahmen zustimmt. Ausnahmen sind eindeutig aussichtlose Reanimationen (Verletzungen bzw. sichere Todeszeichen, die mit dem Leben nicht vereinbar sind).

Wenn nach dem Grundsatz des **mutmaßlichen Willens** gehandelt wird, bedeutet das für notfallmedizinische Maßnahmen, dass diese immer nach bestem Wissen und Gewissen eingeleitet werden müssen. Sie sollten sich an dem orientieren, was der Patient für sich selbst oder ein Vertreter für ihn in der vorliegenden Situation entscheiden würde. Damit verbunden ist die **Frage nach der Lebensqualität.**

Auf einer individuellen Ebene ist Lebensqualität als persönliche Wahrnehmung definiert. Sie ist also vom Patienten und seiner (mutmaßlichen) Sicht der Dinge und seiner Einschätzung des eigenen Wohlergehens abhängig. Dem gegenüber stehen objektivistische Sichtweisen, in denen es um Kosten-Nutzen-Einschätzungen von notfallmedizinischen Maßnahmen geht, die „von außen" getroffen werden. Ob und inwieweit eine rettungsdienstliche Versorgung stattfindet, würde in diesem Fall also nicht aus der Perspektive des Patienten getroffen, sondern anhand des Kriteriums der Nutzenmaximierung, also ob die Maßnahmen der Gesundheit des Patienten so zuträglich sind, dass ihr Einsatz gerechtfertigt ist. Das bereits formulierte Fallbeispiel im Abschnitt Tugendethik verdeutlicht den Aspekt der Lebensqualität und das ethische Dilemma, mit dem sich Rettungsteams konfrontiert sehen können: Was bedeutet Lebensqualität für den dort beschriebenen Patienten? Und inwieweit dürfen notfallmedizinische Maßnahmen nicht angewandt werden, obwohl sie das Überleben des Patienten sichern würden?

IM FOKUS

Patientenverfügungen

- Eine Patientenverfügung ist ein **schriftliches Dokument,** das von **einwilligungsfähigen** und **volljährigen** Patienten erstellt werden kann.
- Sie drückt den Willen des Patienten für den Fall aus, dass er ihn zukünftig nicht mehr äußern kann.
- Neben der Patientenverfügung kann es auch eine **Vorsorgevollmacht** geben, die regelt, wer den Patienten in bestimmten Aspekten der Lebensführung rechtlich vertreten soll.
- Liegt keine Patientenverfügung vor, ist der **mutmaßliche Wille** des Patienten entscheidend. Eng damit verbunden ist die Frage nach der **Lebensqualität.**

Ethikkommitees

Eine weite Verbreitung haben mittlerweile sog. klinische Ethikkommitees (manchmal auch als Ethikkommissionen benannt) gefunden. Ihre Aufgabe besteht in der **Ethikberatung im Rahmen schwieriger Situationen** aus dem klinischen Alltag der Behandlung und Pflege von Patienten. Sie bieten z. B. eine ethisch reflektierte Einzelfallbesprechung bei Konflikten zwischen behandelndem Arzt und Angehörigen hinsichtlich lebensverlängernder Maßnahmen an. Ebenso gehört es zu ihren Aufgaben, grundsätzliche ethische Aspekte in der eigenen Institution zu klären. Für den präklinischen Bereich sind solche **Ethikkonsils** i. d. R. unbrauchbar, da sie sich zumeist mit konkreten Fällen aus der Klinik auseinandersetzen und ihren Fokus nicht auf die Notfallmedizin legen.

Individuelle Reflexion

Wesentlich wichtiger als strukturelle Elemente zur Klärung ethischer Fragestellungen ist die individuelle Auseinandersetzung mit bestimmten Aspekten der eigenen Arbeit. Hierbei ist es unabdingbar, sich in seiner individuellen beruflichen Positionierung auch mit den theoretischen Grundlagen der Ethik auseinanderzusetzen.

MERKE

Als Notfallsanitäter sollte eine Beschäftigung mit dem eigenen Menschenbild und individuell wichtigen Werten und Normen selbstverständlich sein.

PRAXISTIPP

Als besonders hilfreich für die eigene Reflexion ethisch schwieriger Einsätze haben sich sog. **Entscheidungsbäume** herausgestellt. Dabei werden zurückliegende Notfallsituationen nochmals Schritt für Schritt analysiert. Anhand der tatsächlich gefällten Entscheidungen und weiteren theoretischen Handlungsalternativen wird auf diese Weise verdeutlicht, wo die Schwierigkeiten gelegen haben.

Im besten Fall finden diese ethischen Reflexionen im Team statt. Auf diese Weise können die eigenen Wertevorstellungen und Entscheidungen mit den Vorstellungen der Kollegen abgeglichen und kann der eigene Horizont erweitert werden. **Wichtig** zu beachten ist dabei, dass ethische Reflexionen nicht mit strukturierten Einsatznachbesprechungen nach belastenden Einsätzen gleichzusetzen sind. Natürlich bestehen häufig Schnittmengen zwischen ethisch schwierigen und besonders belastenden Einsätzen (→ Kap. 7). Allerdings sollte die Ausrichtung solcher Gespräche nicht vermischt werden. Sowohl eine Einsatznachbesprechung als auch eine ethische Reflexion bedarf eines gesonderten Rahmens, im besten Fall unter professioneller Anleitung.

Im Einsatzalltag ist die Umsetzung professionell moderierter Reflexionen allerdings nicht immer möglich oder auch nötig. Als **Alternative** ist es empfehlenswert, sich individuell anhand bestimmter Leitfragen mit der eigenen ethisch motivierten Entscheidungsfindung auseinanderzusetzen. Fragen, die in konkreten Situationen beim Abwägen und Entscheiden helfen können, sind in → Tab. 6.4 zusammengestellt.

IM FOKUS

Ethische Reflexion

- In klinischen Bereichen haben sich sog. **Ethikkonsile** etabliert, die bei schwierigen Fragen beratend vermitteln können.
- Dies ist im außerklinischen Bereich kaum umzusetzen.
- Als Alternative bieten sich individuelle **strukturierte Reflexionen** an.
  - Sie sind nicht mit Einsatznachbesprechungen zu verwechseln. Ihr Fokus ist ein anderer.
  - Sie finden idealerweise im Team und bei ruhiger Atmosphäre statt.
  - Eine Moderation ist sehr sinnvoll.
- Sollte diese Form der Reflexion nicht möglich sein, kann eine eigene Analyse mithilfe bestimmter **Leitfragen** erfolgen.

Sichtung und Priorisierung

Eine besondere Herausforderung im Rahmen notfallmedizinischen Handelns ergibt sich, wenn die notwendige individuelle Versorgung von Patienten die zur Verfügung stehenden Ressourcen überschreitet. Kurz gesprochen: Es gibt zu wenig Personal und Möglichkeiten zur Behandlung für zu viele Patienten. Das ist i. d. R. beim Massenanfall von Verletzten oder Erkrankten (MANV/E) bzw. Massenanfall an Notfallpatienten (MAN) der Fall. Hier gilt es dann Entscheidungen zu treffen, welcher Patient wann und mit welchen Maßnahmen behandelt wird

(→ Kap. 46.3.8). Diese Aufgabe der **Sichtung** übernimmt normalerweise ein Arzt. Allerdings wurde im Rahmen der sog. Sichtungskonsensuskonferenzen festgehalten, dass auch **Vorsichtung** durch rettungsdienstliches Personal zulässig ist.

Ziel dieser Vorsichtung ist es, eine erste Einschätzung zu treffen, wer zuerst gerettet bzw. versorgt werden soll **(Priorisierung).** Dies ist insbesondere dort von Relevanz, wo sich das Eintreffen des (Leitenden) Notarztes z. B. durch lange Anfahrtswege im ländlichen Raum verzögert. Davon unterschieden werden die **Behandlungs- und die Transportsichtung,** die sich auf Aspekte der Zuweisung zu Behandlungsmöglichkeiten vor Ort und die Reihenfolge des Abtransports beziehen. Letztere sind ärztliche Aufgaben. Für die Vorsichtung wurden entsprechende **Sichtungsalgorithmen** entwickelt, wie z. B. mSTaRT oder PRIOR (→ Abb. 46.10), die im Einsatzfall herangezogen werden können. Das damit verbundene Ziel ist die Rettung und Evakuierung möglichst vieler Patienten aus Sichtungskategorie 1 (→ Tab. 6.5).

Die Entscheidung, welcher Patient wie, wann und mit welchen Aussichten behandelt wird, kann dann zum ethischen Dilemma werden, wenn die Ressourcenunterversorgung zu der Entscheidung führt, dass einzelne Patienten abwartend behandelt werden, da sie schlechtere oder keine Überlebenschancen haben im Vergleich zu anderen Notfallbetroffenen.

Die Ressourcenthematik in der Behandlung von (zu) vielen Patienten und damit verbundene ethische Herausforderungen wurde insbesondere durch die Coronapandemie ins öffentliche Licht gerückt. Die Deutsche Interdisziplinäre Vereinigung für Intensiv- und Notfallmedizin (DIVI) hat in diesem Zusammenhang klinisch-ethische Empfehlungen veröffentlicht. Auch wenn diese primär für den klinischen Bereich gedacht sind, sprechen sie auch für die Präklinik relevante Aspekte an. Hier ist insbesondere die Gleichbehandlung von geimpften und nicht geimpften Patienten zu nennen sowie von COVID-19-Erkrankten im Vergleich zu anderen potentiell lebensbedrohlich erkrankten Patienten. Zwar hat sich die Situation rund um die pandemische Lage im zeitlichen Verlauf entspannt, sodass die Versorgung am Ende nicht mehr von so starkem Ressourcenmangel geprägt war. Nichtsdestotrotz zeigen sich an diesem Beispiel die ethischen **Dilemmata,**

a) im Zweifel keine Einzelschicksale berücksichtigen zu können und
b) seine eigene Haltung etwa zu Impfungen bzw. Impfgegnern bei der Versorgung von Patienten zurückstellen zu müssen.

MERKE

Das Problem liegt in der Ressourcenknappheit im Verhältnis zum Bedarf und in der Entscheidung, wer letztlich unter- bzw. unversorgt bleibt.

IM FOKUS

Ethik beim MANV

- Eine der wenigen Situationen im Rettungsdienst, bei der **utilitaristische Betrachtungen** eine Rolle spielen, ist der „Massenanfall von Verletzten".
- Durch ein **Vorsichtungsschema** wird versucht, zu ermitteln, wie eine größtmögliche Anzahl Verletzter bestmöglich versorgt werden kann.
- Dabei werden **Einzelschicksale kaum berücksichtigt.**

Situation	• Worin liegt die Ursache der Notfallsituation? • Welche Diagnose liegt vor? • Welche Prognose liegt vor? • Welche Therapiemöglichkeiten gibt es?
Patienteninteresse	• Welche Hilfe bringt die Akuttherapie? • Eröffnet die Akuttherapie die Chance zur langfristigen Besserung? • Welchen Schaden bringt die Akuttherapie?
Wertevorstellungen des Patienten	• Welche Lebensorientierung hat der Patient? • Welche Werte sind ihm wichtig? • Was will er für sich?
Pflichten	• Welche Pflichten habe ich dem Patienten gegenüber? • Welche Pflichten habe ich gegenüber meinen eigenen Wertevorstellungen? • Welche Pflichten habe ich gegenüber Dritten (Angehörigen, weiteren Patienten, Teammitgliedern, Gesellschaft, Kostenträger)?
Ethische Prinzipien	• Welche Prinzipien sind berührt? • Welche Werte stehen im Konflikt miteinander? • Lässt sich ein Wertekonflikt mindern oder lösen?

Tab. 6.4 Fragen zur Hilfe bei ethischen Entscheidungen (nach Salomon 2009)

Sichtungskategorie (Kennfarbe)	Beschreibung	Konsequenz
1 (rot)	Akute, vitale Bedrohung	Sofortbehandlung
2 (gelb)	Schwer verletzt/erkrankt	Aufgeschobene Behandlungsdringlichkeit
3 (grün)	Leicht verletzt/erkrankt	Spätere (ambulante) Behandlung
4 (blau)	Ohne Überlebenschancen	Betreuende (abwartende) Behandlung
5 (schwarz)	Tot	

Tab. 6.5 Sichtungskategorien (Details → Kap. 46.3.8)

6.4 Fazit für die Einsatzpraxis

Ethische Fragen und Probleme im Rettungsdienst gehören zu den besonderen Herausforderungen des Berufsbildes. Das Besondere an ethischen Dilemmata ist, dass es **kein einfaches „Richtig" oder „Falsch"** gibt. Daher bedarf es bei ethisch relevanten Entscheidungen vorab der Herausbildung einer persönlichen Haltung zu bestimmten Kernfragen im Kontext von Leben und Tod. Die Reflexion des eigenen Menschenbildes und die Beschäftigung mit ethischen Denkrichtungen können dabei helfen, die eigenen, oftmals unbewussten Ansichten in bewusste, handlungsleitende Auffassungen zu überführen. Gleichzeitig gilt es zu beachten, dass nicht alle Menschen zu ähnlichen oder sogar identischen Haltungen kommen, sondern diese durchaus auch im Widerspruch zu eigenen ethischen Grundsätzen und Überzeugungen stehen können. Hier eine professionelle Toleranz gegenüber anderen Meinungen und Haltungen zu entwickeln, ist ein wichtiges Element des professionellen Engagements im Rettungsdienst.

Als hilfreich in der direkten Einsatzpraxis, aber auch in der Selbstreflexion, haben sich in der Notfallmedizin bestimmte ethische Prinzipien herausgestellt. Grundsätzlich vergleichbar mit notfallmedizinischen Handlungsanweisungen, bieten sie allerdings nicht auf alle Fragen eine Antwort. Sie können jedoch als **Leitlinien** verwendet werden und geben eine erste Orientierung im Umgang mit Patienten und ethisch schwierigen Situationen.

Letztlich ist es für jede Rettungsfachkraft eine ganz persönliche Aufgabe, wie sie sich zu ethisch kritischen Fragestellungen positioniert. Es gibt keinen allgemeingültigen Lösungsweg, sondern verschiedene Möglichkeiten, auf bestimmte Situationen zu reagieren.

MERKE

Die Frage nach „gutem" (Be-)Handeln kann aus unterschiedlichen Perspektiven betrachtet werden. Es gibt keine allgemeingültige Sichtweise. Wichtig ist die eigene Auseinandersetzung mit ethischen Grundlagen, um sich selbst und seine Handlungen reflektieren zu können.

WIEDERHOLUNGSFRAGEN

1. Nennen Sie einige Beispiele für ethisch schwierige Entscheidungen in einem Notfall (→ Kap. 6.1).
2. Worin unterscheiden sich Ethik und Moral (→ Kap. 6.2)?
3. Wovon hängt ethisch reflektiertes Handeln ab (→ Kap. 6.2)?
4. Welche ethischen Denkrichtungen gibt es (→ Kap. 6.2)?
5. Worauf beziehen sich konsequentialistische Theorien von Ethik (→ Kap. 6.2)?
6. Was ist der zentrale Bewertungsmaßstab des Utilitarismus (→ Kap. 6.2)?
7. Was versteht man unter dem Begriff „Pflichtethik" (→ Kap. 6.2)?
8. Was versteht man unter dem Begriff „Prinzipienethik" (→ Kap. 6.2)?
9. Was versteht man unter dem Begriff „Tugendethik"? (→ Kap. 6.2)?
10. Welche ethischen Prinzipien sind für die Arbeit als Notfallsanitäter relevant (→ Kap. 6.3)?
11. Beschreiben Sie die verschiedenen Prinzipien, auf denen ethisches Handeln in der Medizin aufbaut (→ Kap. 6.3.1).
12. Warum stößt die Umsetzung ethischer Prinzipien im rettungsdienstlichen Einsatzalltag an ihre Grenzen (→ Kap. 6.3.2)?
13. Wo liegen die Probleme von Patientenverfügungen für den Rettungsdienst (→ Kap. 6.3.2)?
14. Warum sind Ethikkommissionen nicht hilfreich im Rettungsdienst (→ Kap. 6.3.2)?
15. Wie können ethisch schwierige Einsätze nachbereitet werden (→ Kap. 6.3.2)?
16. Wo liegt das ethische Dilemma bei Einsätzen, in denen (Vor-)Sichtung notwendig ist (→ Kap. 6.3.2)?
17. Warum ist ethisches Problembewusstsein im Rettungsdienst wesentlich (→ Kap. 6.4)?

FORTSETZUNG DES SZENARIOS

Das Rettungsteam erkundigt sich beim anwesenden Pflegepersonal des Seniorenheims nach dem etwaigen Vorliegen einer schriftlichen Patientenverfügung.
Dies ist der Fall: Der Patient hatte ein solches Dokument schon vor längerer Zeit gemeinsam mit seinen engsten Angehörigen und seinem Hausarzt erstellt. Dies war ordnungsgemäß in der Patientenakte des Seniorenheimes dokumentiert worden.
Das Rettungsteam entschließt sich daraufhin – unter Berücksichtigung der ethischen Prinzipien nach Beauchamp und Childress –, keine Reanimationsmaßnahmen einzuleiten. Der anschließend eingetroffene Notarzt bestätigt diese Entscheidung. Umgehend werden auch die Angehörigen über das Geschehene informiert. Da diese nach Auskunft des Pflegepersonals schon lange den Tod des Patienten erwartet haben, entschließt sich der Notarzt dazu, die Todesnachricht telefonisch mitzuteilen.
In einer anderen Situation wäre sicherlich in Erwägung zu ziehen gewesen, psychosoziale Akuthelfer wie Notfallseelsorger oder Mitglieder eines Kriseninterventionsteams mit der persönlichen Überbringung der Todesnachricht zu beauftragen.

WEITERFÜHRENDE LITERATUR

Beauchamp TL, Childress JF. Principles of Biomedical Ethics. 7. A. Oxford: University Press., 2013.

Maio G. Mittelpunkt Mensch: Lehrbuch der Ethik in der Medizin. 2. A. Stuttgart: Schattauer, 2018.

May AT, Mann R. Soziale Kompetenz im Notfall. Praxisanleitung nicht nur für den Rettungsdienst. Münster: LIT Verlag, 2005.

Salomon F (Hrsg.) Praxisbuch Ethik in der Notfallmedizin. Orientierungshilfen für kritische Entscheidungen. Berlin: Medizinisch Wissenschaftliche Verlagsgesellschaft, 2015.

Wiesing U. Ethik in der Medizin. Ein Studienbuch. 4. A. Ditzingen: Reclam, 2012.

7

PSYCHOHYGIENE, GESUNDHEITSFÖRDERUNG UND KRANKHEITSPRÄVENTION

Christoph Redelsteiner

SZENARIO

Ein Kollege arbeitet bereits seit 10 Jahren als Rettungsassistent und hat erst vor Kurzem seine Ergänzungsprüfung zum Notfallsanitäter bestanden. Auf seine Ausbildung und seine Arbeit war er lange Zeit richtig stolz. Voller Freude fuhr er jeden Tag zum Dienst, gespannt, welche Abenteuer in der kommenden Schicht wieder auf ihn warten würden. Er kam sich vor wie ein Held und fühlte sich so unglaublich stark, weil er immer wusste, was zu tun war. Er war ein richtiger Retter und ein harter Kerl. Nichts konnte ihn umhauen.

Seit einiger Zeit ist das allerdings nicht mehr so. Irgendetwas hat sich verändert. Die Freude an seinem Beruf ist ihm ganz schleichend verloren gegangen. Die langen Schichten mit vielen Überstunden, die wenige Freizeit für seine Partnerin und seine Freunde, die ständigen Einsätze im Bahnhofsviertel – all das nervt ihn mächtig an. Fachlich gefordert worden ist er schon lange nicht mehr. Ihm fällt selbst auf, dass er das EKG-Gerät nur noch ungern in die Wohnung von Patienten mitnimmt. Selbst der Notfallrucksack bleibt immer häufiger im RTW zurück. „Wir gehen erst mal gucken", sagt er dann mürrisch zu sich selbst und seinem Teampartner. Ständig ist er erschöpft und müde. Er hat einfach keine richtige Lust mehr, sich so zu engagieren wie in seiner Anfangszeit als Rettungsassistent. Alles ist ihm zu viel, alles ist ihm zu schwer. Dass er in den vergangenen Jahren selbst 20 kg zugenommen hat, ist ihm durchaus bewusst, und hin und wieder ist er froh, dass er in seinem Spind auf der Wache ein kleines Alkoholdepot eingerichtet hat. Ab und zu ein Schluck zur Entspannung – das tut ihm gut. Nur wie er die nächsten 20 Jahre bis zu seinem Eintritt in das Rentenalter überstehen soll, das weiß er nicht.

INHALTSÜBERSICHT

7.1 PSYCHOSOZIALE BELASTUNGEN IM RETTUNGSDIENST

- Arbeit im Rettungsdienst ist mit vielfältigen psychosozialen Belastungen und Stress verbunden. Nur wer gesund ist, kann anderen professionell zu Hilfe kommen.

STRESS UND STRESSREAKTIONEN

- Stress resultiert nicht nur aus den beruflichen Belastungen, sondern auch aus dem privaten Lebensbereich. Stress ist die Reaktion des Körpers auf Stressauslöser, die sog. Stressoren.

DAS BURN-OUT-SYNDROM

- Burn-out ist eine chronische Stressreaktion, bei der sich Betroffene durch ständige berufliche Forderungen chronisch „ausgebrannt" fühlen.

AKUTE BELASTUNGSREAKTION, POSTTRAUMATISCHE BELASTUNGSSTÖRUNG UND PSYCHISCHES TRAUMA

- Eine akute Belastungsreaktion ist eine normale Reaktion auf außergewöhnliche Ereignisse. Sie dauert maximal 4 Wochen an.
- Bei einer posttraumatischen Belastungsstörung handelt es sich um eine psychische Störung mit Krankheitswert. Typische Anzeichen sind anhaltendes Wiedererleben, anhaltendes Vermeidungsverhalten und anhaltende Übererregung.

7.2 MASSNAHMEN DER GESUNDHEITSFÖRDERUNG UND KRANKHEITSPRÄVENTION IM RETTUNGSDIENST

GESUNDHEITSFÖRDERUNG

- Die Gesundheit des Einzelnen hängt von personalen, Verhaltens- und Verhältnisfaktoren ab. Gesundheitsförderung versucht, Lebens-, Arbeits- und Freizeitbedingungen mitzugestalten und angenehme Arbeits- und Lebensbedingungen zu schaffen.

KRANKHEITSPRÄVENTION

- Prävention umfasst alle Maßnahmen, die eine Krankheit oder Verletzung verhindern, verzögern oder weniger wahrscheinlich werden lassen.

MASSNAHMEN DES ARBEITGEBERS

- Gefährdungsbeurteilungen und betriebliche Kontrollen sind wesentliche Aspekte des Arbeitsschutzes.
- Die Mitwirkung von Mitarbeitern und Personalrat bei betrieblichen Gesundheitsförderungsprogrammen ist für die Gestaltung eines gesunden Arbeitsplatzes entscheidend.

7.3 MASSNAHMEN ZUR PSYCHOSOZIALEN UNTERSTÜTZUNG IM UND NACH DEM EINSATZ

- Im Kontext bestimmter Einsätze sind Maßnahmen zur psychosozialen Unterstützung angebracht.
- Zur psychosozialen Unterstützung gehören Selbsthilfestrategien im Einsatz, eine psychosoziale Einsatzbegleitung sowie Maßnahmen zur Einsatznachsorge.

SELBSTHILFESTRATEGIEN IM EINSATZ

- Eine realistische Erwartungshaltung und die Kenntnis der eigenen Stärken und Schwächen tragen bereits zu einer persönlichen Entlastung bei.
- Verliert man in einem Einsatz den Überblick, sollte man auf eintrainierte Untersuchungs- und Anamneseschemata zurückgreifen.

PSYCHOSOZIALE EINSATZBEGLEITUNG

- Psychosoziale Einsatzbegleitung heißt, auf Anzeichen persönlicher Überlastung zu achten, rechtzeitig für Ablösungen zu sorgen, einen Rückzugsraum zu schaffen, Getränke und einen Imbiss bereitzustellen.

MASSNAHMEN ZUR EINSATZNACHSORGE

- Zunächst sollte jede Rettungsfachkraft individuelle Ressourcen nutzen.
- Geschulte Kollegen, sog. Peers bzw. psychosoziale Ansprechpartner, bieten niedrigschwellige Unterstützung auf den Rettungswachen an.
- Psychosoziale Fachkräfte können ebenfalls Ansprechpartner sein und weiterführende Hilfen bieten.
- Strukturierte Gruppengespräche basieren auf dem Critical Incident Stress Management (CISM), in Deutschland besser bekannt als Stressbearbeitung nach belastenden Ereignissen (SbE).

7.1 Psychosoziale Belastungen im Rettungsdienst

Die Aufgabe des Rettungsdienstes besteht darin, im präklinischen Bereich schweren gesundheitlichen Folgeschäden entgegenzuwirken. Bei einer genaueren Betrachtung bezieht sich dies auf alle Menschen, die an der Bewältigung einer Notfallsituation beteiligt sind – also auch auf das Rettungsfachpersonal selbst. Im folgenden Abschnitt werden daher mögliche **Auswirkungen psychosozialer Belastungen im Rettungsdienst** thematisiert. Die Begriffe Stress, Stressoren und verschiedene Belastungsfolgen werden erläutert. Zu einem angemessenen Umgang mit ihnen wird angeregt.

MERKE

Als Notfallsanitäter auch auf die eigene Gesundheit zu achten, beinhaltet nicht nur, persönliche Schutzausrüstung zu tragen und an Einsatzstellen auf Gefahren zu achten. Es bedeutet auch, persönliche Schutzmechanismen für den privaten und beruflichen Alltag zu entwickeln. **Nur wer gesund ist, kann anderen professionell zu Hilfe kommen.**

7.1.1 Stress und Stressreaktionen

FALLBEISPIELE

Das tote Baby im Bett. Der Patient mit Husten. Zehn besorgte Familienangehörige und niemand spricht Deutsch. Die alte Dame, die vom Lkw überrollt wurde und fragt, ob sie jetzt sterben muss. Der betrunkene Sohn des Patienten, der mit einer Pistole im Anschlag das Rettungsfachpersonal aus dem Zimmer vertreibt. Der Einsatz mitten in der Nacht und die 14 Stunden Schichtdienst auf der Rettungswache. Der ältere Schichtkollege, der den Infarktpatienten unbedingt zum Fahrzeug laufen lassen will. Der Kreisgeschäftsführer, der sein Gehalt erhöht, das des Rettungsfachpersonals reduziert und zugleich die Anwesenheit am Arbeitsplatz verlängert. Der Leitstellendisponent, der kurz vor Feierabend eine KTW-Fernfahrt vergibt und so den geplanten Theaterbesuch mit Freunden platzen lässt. Der Notarzt, der bei Unfallpatienten den Sanitäter zur Seite schiebt und bei internistischen Patienten die Hände in die Hosentaschen steckt. Der Unfall mit drei polytraumatisierten Patienten, kein Notarzt ist abkömmlich, und die weiteren RTW benötigen noch 15 Minuten bis zum Eintreffen.

Diese Beispiele machen deutlich, dass die Arbeit im Rettungsdienst sehr anstrengend sein kann (→ Abb. 7.1). Unter Umständen haben Rettungsfachkräfte innerhalb eines Monats mehr stressvolle Ereignisse zu bewältigen als andere Menschen in ihrem ganzen Leben.

Zum herausfordernden Arbeitsalltag kommt dann häufig auch noch ein ebenfalls stressbelastetes Privatleben hinzu. Berufs- und Privatleben stehen dabei in einer Wechselwirkung zueinander, d. h., Ungleichgewichte in dem einen Bereich können mittelfristig durch den anderen Bereich nicht ausgeglichen werden.

Der Begriff **Stress** ist mit der Arbeit im Rettungsdienst insofern untrennbar verbunden. Hin und wieder geben ursprünglich engagierte Mitarbeiter sogar ihren Beruf wegen der hohen Stressbelastung auf. Andere verbleiben zwar im Beruf, entwickeln aber psychische oder körperliche Stress- bzw. Belastungsfolgen und sind deshalb nicht mehr in der Lage, sich voll einzusetzen. Aus diesem Grund ist es zunächst einmal wichtig, mit den **beruflichen Belastungen** adäquat umgehen zu

Abb. 7.1 Die Arbeit im Rettungsdienst kann außerordentlich belastend sein. [O997]

können. Neben den Herausforderungen durch die Arbeit entsteht Stress aber auch in anderen, **privaten Lebensbereichen** wie der Familie oder der Partnerschaft.

MERKE

Stress kann oftmals auch aus dem privaten Bereich resultieren. Dies kann sich selbstverständlich auch auf den dienstlichen Bereich mit auswirken und umgekehrt. Das Rettungsfachpersonal sollte sich dessen bewusst sein.

DEFINITION

Das Wort **Stress** kommt aus dem Englischen und wurde ursprünglich für Beanspruchung, Dehnung, Belastung und Spannung von Materialien verwendet. Wertfrei betrachtet ist Stress der Sammelbegriff für eine unspezifische Reaktion des Menschen auf **jede** an ihn gestellte Anforderung **(Stressor),** die physiologische, emotionale und motivationale Aspekte umfasst. Stress ist insofern ein lebenswichtiges Phänomen unserer Existenz und wird nicht zwingend nur von negativen Einflüssen ausgelöst. Auch positive Ereignisse sind mit dem Erleben von Stress verbunden.

MERKE

Es ist wichtig, zwischen dem durchaus gesunden und sogar notwendigen Stress **(Eustress)** sowie dem krank machenden Stress **(Disstress)** zu unterscheiden.

Letztlich ist Stress immer auch eine notwendige Anspannung, um bestimmte Leistungen zu erbringen. Für jede Art von Leistung gibt es dabei einen optimalen Grad der Anspannung. Zu wenig oder zu viel Anspannung führt gleichermaßen zu einer geringeren Leistung. Eine nicht ausreichende Anspannung führt möglicherweise zu Konzentrationsfehlern, eine zu hohe Anspannung zu Nervosität. So erfordern z. B. eine Patientenuntersuchung, die Schaffung eines venösen Zugangs oder die Durchführung einer Reanimation unterschiedliche Grade von Anspannung.

MERKE

Von entscheidender Bedeutung ist es, möglichst den für die jeweilige Aufgabe optimalen Anspannungsgrad zu erreichen und zu kontrollieren.

IM FOKUS

Stress im Überblick

- Stress kommt aus dem Englischen und meinte ursprünglich **„Dehnung, Belastung oder Spannung"** von Materialien.
- Heute ist Stress ein Sammelbegriff für eine **unspezifische Reaktion** des Menschen auf jede an ihn gestellte Anforderung.
- Solche Anforderungen nennt man **„Stressoren".**
- Die Reaktionen umfassen physiologische, emotionale und motivationale Aspekte.
- **Eustress:** positiv; **Disstress:** negativ.
- Stress kann bis zu einem gewissen Grad als **notwendige Anspannung** für bestimmte Leistungen betrachtet werden.

Stressoren

Stressoren sind **Stressauslöser.** Die Geburt eines Kindes, der Umzug in eine andere Wohnung, der Gewinn einer Lottomillion sind genauso Stressoren wie ein erfolgloser Reanimationsversuch, das Piepsen des Meldeempfängers, Schwierigkeiten, aus dem „Funkloch" die Leitstelle zu erreichen, oder die spiegelglatte vereiste Fahrbahn bei der Anfahrt zum Notfallort (→ Tab. 7.1). Die jeweiligen Stressoren werden allerdings sehr unterschiedlich wahrgenommen. Das bedeutet: Was genau subjektiv einen besonderen Stressor darstellt, variiert individuell enorm.

Um dieses unterschiedliche Erleben von Stress zu erklären, werden **Moderatorvariablen** herangezogen. Der tatsächliche Effekt, den ein Stressor erzeugt, hängt demnach davon ab, wie biologische, biografische und weitere psychologische Moderatorvariablen bei der betreffenden Person zusammenwirken:

- **Biologische Moderatorvariablen** sind vererbt und beinhalten die gesundheitliche Grundkonstitution, das Alter sowie das Geschlecht.
- **Biografische Moderatorvariablen** sind z. B. die jeweilige Lebens- bzw. Berufserfahrung und die aktuelle Lebenssituation, aber auch der soziale Kontakt zu Kollegen, Freunden und Angehörigen.
- **Weitere psychologische Moderatorvariablen** sind u. a. die individuelle Belastbarkeit, die Widerstandskraft, die Resilienz, bisher verwendete Bewältigungsstrategien, das grundsätzliche Kohärenzerleben und Selbstvertrauen eines Menschen (→ Kap. 8.4.2).

Diese Aspekte stehen permanent in enger Wechselwirkung und beeinflussen sich gegenseitig.

IM FOKUS

Stressoren und Moderatorvariablen

- Es gibt zahlreiche verschiedene Stressoren im RD, die man grob in **drei Kategorien** einteilen kann:
  - **Einsatzbedingte** Stressoren
  - **Berufs- und standespolitische** Stressoren
  - **Innerbetriebliche** Organisationsabläufe

Einsatzbedingte Stressoren	Berufs- und standespolitische Stressoren	Innerbetriebliche Organisationsabläufe als Stressoren
• Geräusche: Meldeempfänger, Folgetonhorn, Schreie, Wimmern, Summen des Leitstellencomputers • Optische Eindrücke: Bilder von entstellten Körpern, verformten Fahrzeugen • Gerüche: Erbrochenes, Urin, Kot, Schweiß • Witterung: Hitze, Kälte, Gewitter, Regen • Verantwortung für das Leben der anvertrauten Patienten • Ständige Entscheidungsnotwendigkeit, Entscheidungsfindung und Problemlösung unter Zeitdruck • Rascher Wechsel zwischen Ruhe- und Aktivitätsphasen • Unbestimmte Länge von Pausen und Wartezeiten auf den nächsten Einsatz • Kommunikation gleichzeitig auf unterschiedlichen Ebenen mit unterschiedlichsten Personen und deren unterschiedlichen Anliegen • Lange Arbeitszeiten, Schichtarbeit, Nacht-, Wochenend- und Feiertagsarbeit • Ermüdung, Schlafmangel, Schlafentzug • Perfektionismus • Angst um die eigene Sicherheit, Gefahren für den eigenen Körper: Straßenverkehr, Infektions- und Ansteckungsgefahr, Gefahrstoffe • Belastungen durch Tragen und Heben • Fehlen von Herausforderungen, Routine • Umgang mit Patienten, Angehörigen, deren Bedürfnissen und Forderungen • Ständiger Kontakt mit Menschen in akuten oder chronischen Krisensituationen • Emotionelle Anforderungen durch verängstigte, sterbende und lebensbedrohlich erkrankte Patienten	• Kosten- und Einspardruck • Rollenunklarheit, Rollenvielfalt • Beruf nur für junge Leute? Nur wenige Kollegen erreichen das Rentenalter gesund • Berufskrankheiten • Geringe Aufstiegs- und Umstiegsmöglichkeiten • Qualifikationsmängel in der Führungsebene • Mangel an gesellschaftlicher Anerkennung • Geringe Anerkennung durch Medien • Verantwortung für unerfahrene Ehrenamtliche, Auszubildende und Praktikanten • Missbrauch des Rettungssystems für andere Zwecke • Konflikte mit Ärzten und Krankenhauspersonal • Unter- oder Überbewertung der Ausbildung • Unklarer Kompetenzrahmen • Unklare gesetzliche Absicherung, hohes rechtliches Risiko	• Ständig wechselnde Teamkollegen mit wenig Möglichkeit, eine Vertrauensbasis aufzubauen • Schlechtes Arbeitsklima • Vorschriften und Dienstanweisungen • Bürokratie, Papierwirtschaft • Aus- und Fortbildungen, Prüfungen • Mangel an methodisch-didaktisch ansprechend gestalteten Weiterbildungen • Unterbezahlung • Keine Erfolgs- bzw. Rückmeldung über den Patienten nach Übergabe in der Klinik

Tab. 7.1 Stressoren im Rettungsdienst

- **Moderatorvariablen** erklären, warum jeder von uns Stress unterschiedlich wahrnimmt und verarbeitet:
  - **Biologische** Moderatorvariablen
  - **Biografische** Moderatorvariablen
  - **Weitere** psychologische Moderatorvariablen

Stressphasen

Es können **drei Phasen** unterschieden werden:

- Im **Stadium der Alarmreaktion** wird eine Schreckreaktion des sympathischen Nervensystems, die Kampf-Flucht-Reaktion, ausgelöst. Ziel der Reaktion ist es, den Körper über seine alltägliche Leistungsfähigkeit hinaus zu aktivieren. Dazu benötigt er mehr Sauerstoff, mehr Blut, mehr Energie. Das sympathische Nervensystem sorgt dafür durch Ausschüttung von Katecholaminen: Adrenalin, Noradrenalin und Dopamin erhöhen die Herzfrequenz, der Blutdruck steigt. Das parasympathische Nervensystem reagiert mit einer entgegengesetzten Ausgleichsregulation.
- Anschließend kommt es in der **Widerstandsphase** zu einer Aufbietung aller vorhandenen Kräfte, um den Stress erfolgreich zu bewältigen.
- Dauert der Stress weiter an, folgt der **Zustand der Erschöpfung,** denn der Organismus gibt die Abwehr auf.

Der **psychische Ablauf einer Stressreaktion** verläuft wie folgt: Der Betroffene schätzt zuerst ab, ob der Stressor eine Bedrohung, einen Verlust oder eine Herausforderung darstellt. Gleichzeitig erfolgt eine Selbsteinschätzung, bezogen auf Stressor und Bewältigungsmöglichkeiten. An letzter Stelle stehen die Auswahl und der Einsatz der unterschiedlichsten individuellen **Bewältigungsstrategien** (→ Kap. 7.3.1). Dabei können gefühlsbezogene Strategien wie Distanzierung, Verleugnung oder Ablenkung, aber auch problemlösungsbezogene Strategien zum Einsatz kommen.

IM FOKUS

Stressphasen

- Es werden **drei Stressphasen** unterschieden:
  - Phase der Alarmreaktion
  - Widerstandsphase
  - Zustand der Erschöpfung
- Zunächst schätzt die betroffene Person ab, ob der Stressor eine **Bedrohung,** einen **Verlust** oder eine **Herausforderung** darstellt.
- Dann erfolgt ein Abgleich von Stressor und eigenen **Bewältigungsmöglichkeiten.**
- Zuletzt erfolgt die Auswahl einer individuellen **Bewältigungsstrategie.**

Anzeichen von Stress

Die Vielzahl der möglichen und individuell unterschiedlichen **Anzeichen** von Stress lässt sich in psychosoziale und körperliche Reaktionen zusammenfassen (→ Tab. 7.2).

7.1.2 Das Burn-out-Syndrom

DEFINITION

Burn-out ist die Bezeichnung für eine schwere Reaktion auf ständige „stressige" Anforderungen aus dem Beruf und anderen Lebenswelten über einen längeren Zeitraum hinweg. Der Betroffene erlebt das Gefühl des Ausgebranntseins, der geistigen Erschöpfung und körperlichen Ausgelaugtheit als Folge von lang anhaltendem Stress.

Psychosoziale Reaktionen auf Stress	Körperliche Reaktionen auf Stress
• Schwierigkeiten, Emotionen zu kontrollieren • Diffuse Unruhe, Angst, Beklemmung, Besorgnis, das Schlimmste erwartend, Misstrauen und Argwohn, extreme Defensivität • Reizbarkeit, Ärger, Zorn, Wut: schnell beleidigt, sich ständig beschwerend, Gefühl, von Vorgesetzten, Kollegen, Angehörigen im Stich gelassen zu werden • Depressiv, bekümmert, vergrämt, schnell in Tränen aufgelöst • Apathie, Erschöpfung, Langeweile, langsames Denken • Isolation, Rückzug aus Beziehungen • Verlust an Vertrauen in sich selbst und andere • Unfähig zur Entspannung, Schlafstörungen, Albträume, Einschlafstörungen • Neigung zu Alkohol-, Nikotin-, Medikamenten- und Drogenabusus • Schneller Wechsel in typische Verhaltensmuster, starke Gefühlsschwankungen • Schuldgefühle über Dinge, die falsch oder nicht gemacht wurden • Schnell aufbrausend, feindselig, angriffslustig • Rastlosigkeit, Überaktivität • Unnütze Risiken suchend, Neigung zu Gewalt • Konzentrationsstörungen: Sprunghaftigkeit, Zerfahrenheit, Gedankenverwirrung, Vergesslichkeit (Namen von Personen oder Gegenständen werden leicht vergessen), Stottern • Entscheidungsschwierigkeiten • Schlechte Arbeitsleistung • Verlust der Objektivität, Starrheit in Ansichten und Meinungen, Vorurteile • Schwierigkeiten, vernünftig zu denken und alle Aspekte des Problems zu sehen	• Erschöpfung, Müdigkeitsgefühl, Ermattung • Zittern • Zähneknirschen • Muskelkrämpfe • Kopf-, Nacken- und Rückenschmerzen • Verstimmungen im Magen-Darm-Trakt, nervöser Magen, Erbrechen, Durchfall oder Verstopfung • Exzessiver oder mangelnder Appetit • Unruhe, Schreckhaftigkeit • Augen sind schwer zu fixieren • Heiserkeit, Stimme versagt • Tinnitus, Hörsturz • Distanzierter, in die Weite gerichteter, erstarrter Blick • Exzessives Schwitzen, kalter Schweiß, trockener Mund, blasse Haut • Atemlosigkeit, Hyperventilation • Häufiges Urinieren • Unwillkürlicher Stuhl- und Urinabgang in gefährlichen Situationen • Häufige Krankheit • Herzklopfen, Herzschmerzen • Menstruationsstörungen • Erektions- und Potenzstörungen

Tab. 7.2 Reaktionen auf Stress

MERKE

Burn-out tritt gehäuft in helfenden Berufen auf und zeigt sich anhand von Erschöpfung, verringerter Leistungszufriedenheit und Depersonalisation, d. h., der Betroffene hat das Gefühl, nicht mehr er selbst zu sein.

Abzugrenzen vom Burn-out ist das sog. **Bore-out**. Dabei sind die Anforderungen am Arbeitsplatz so monoton, unterfordernd und langweilig (englisch: boring), dass auch daraus Krankheitssymptome resultieren können.

Phasen des Burn-outs

Burn-out ist kein scharf abzugrenzendes Krankheitsbild mit streng aufeinanderfolgenden Abschnitten, sondern eine Sammlung von individuell verschiedenen Symptomen, die in unterschiedlicher Reihenfolge auftreten können. Das folgende **Phasenmodell** soll den Problemkreis Burn-out verallgemeinert darstellen; es gliedert das Burn-out-Syndrom in **sieben Phasen.**

Symptome des beginnenden Burn-outs

Überengagement im Beruf ist ein häufiger Ausgangspunkt von Burn-out. Mit dem Überengagement verbunden ist die Zurückstellung eigener Bedürfnisse, freiwillige Mehrarbeit und das Gefühl, für das zu erreichende Ziel nicht entbehrlich zu sein. Damit einher gehen erste Erschöpfungsanzeichen wie dauernde Müdigkeit, Energiemangel sowie eine erhöhte Unfallgefahr.

Phase des reduzierten Engagements

Dieser Abschnitt ist gekennzeichnet vom **Rückzug** gegenüber Patienten und Kollegen. Die Anteilnahme an den Problemen der Patienten sinkt. Mit dem Patienten und über ihn wird häufig nur mehr im Fachjargon gesprochen. Die Einstellung zur Arbeit wird zunehmend negativer, im Mittelpunkt steht der nächste arbeitsfreie Tag. Wo es möglich ist, werden Freiräume ausgenützt, Arbeitspausen werden so lange wie möglich ausgedehnt und die Zeit bis zum Melden der Einsatzbereitschaft wird immer länger. Der Rettungsdienstmitarbeiter hat das Gefühl, ausgebeutet zu sein, klagt über schlechte Bezahlung und lange Arbeitszeiten. Dienst nach Vorschrift lautet das neue Motto. Dies kann, je nach Ausmaß, eine Phase eines hauptsächlich beruflich bedingten Burn-outs sein oder als sinnvolle, notwendige Anpassung an kaum veränderliche Rahmenbedingungen betrachtet werden. Der Rettungsdienstmitarbeiter lebt nicht mehr, um zu arbeiten, sondern er arbeitet, um zu leben. Es ist aber auch möglich, dass sich der Prozess des Burn-outs weiter fortsetzt.

Phase der emotionalen Reaktionen

Der Betroffene pendelt in seiner Stimmung sehr rasch zwischen depressiven und aggressiven Verhaltensweisen. **Schuldgefühle** und **Selbstmitleid** entstehen und das Gefühl, in einer beruflichen Sackgasse zu stehen, verfestigt sich. **Hilflosigkeits- und Ohnmachtsgefühle** werden geäußert, Schuldige gesucht; die differenzierte Problembetrachtung weicht einem reinen Schwarz-Weiß-Denken. Der Betroffene ist launenhaft, reizbar, misstrauisch und gerät häufig in Konflikte mit Kollegen, Familienmitgliedern und Freunden.

Abbauphase

Der Betroffene wird **unorganisiert,** führt z. B. keinen oder nur einen ungenauen Check seiner Ausrüstung durch, verweigert sich Veränderungen jeder Art und kann schwierigere Aufgaben nicht mehr bewältigen. Selbst einfache Entscheidungen werden zu Hürden und die Qualität der Patientenversorgung beginnt auf ein gefährliches Niveau abzusinken. Beschwerden durch Angehörige, Patienten oder medizinisches Personal häufen sich.

Verflachungsphase

Gefühlsreaktionen verflachen völlig. Hobbys werden aufgegeben, **innere Leere** und **Langeweile** breiten sich aus und die persönliche Anteilnahme an den Schicksalen der Mitmenschen nimmt ab. Der Betroffene fühlt sich **einsam.**

Phase der psychosomatischen Reaktionen

Eine Vielzahl **psychosomatischer Reaktionen** ist möglich. Der Betroffene ist z. B. dauernd erkältet, klagt über Schlafstörungen, Rückenschmerzen, Atembeschwerden, Herzklopfen, Magen-Darm-Störungen oder Bluthochdruck. Die Ernährungsgewohnheiten werden verändert, der Betroffene isst extrem wenig oder extrem viel. Exzessives Rauchen, gesteigerter Kaffee-, Alkohol- oder Drogenkonsum werden vermehrt zur erfolglosen Stressbewältigung eingesetzt. Sie reduzieren die subjektive Stresswahrnehmung nur kurzfristig und beschleunigen körperliche Auswirkungen des Burn-out.

Phase der Verzweiflung

Der Betroffene erkennt keinen Sinn mehr im Leben und sieht keine Möglichkeiten zur Veränderung seiner Situation. Er lebt in **Hoffnungslosigkeit** und hat im Extremfall sogar **Suizidgedanken.**

IM FOKUS

Burn-out und Bore-out

- Ein Burn-out ist eine Reaktion auf **ständige stressige Anforderungen** aus Berufs- oder Privatleben.
- Ein Bore-out ist eine mögliche Reaktion auf eine meist **monotone Tätigkeit.**
- Ein Burn-out kann in **sieben, nicht immer chronologisch geordneten Phasen** ablaufen:
  - Phase des beginnenden Burn-outs
  - Phase des reduzierten Engagements
  - Phase der emotionalen Reaktionen
  - Abbauphase
  - Verflachungsphase
  - Phase der psychosomatischen Reaktionen
  - Phase der Verzweiflung

7.1.3 Akute Belastungsreaktion, posttraumatische Belastungsstörung und psychisches Trauma

Vom Erleben des Alltagsstresses und der Entwicklung eines Burn-out-Syndroms sind weitere **spezielle Belastungsfolgen** zu unterscheiden.

Akute Belastungsreaktion

DEFINITION

Gemäß dem Klassifizierungsschema ICD-10 ist die **akute Belastungsreaktion** eine vorübergehende, d. h. zeitlich begrenzt auftretende Reaktion auf ein außergewöhnlich belastendes Lebensereignis. Sie hält wenige Tage bis **maximal 4 Wochen** an.

MERKE

Bei der akuten Belastungsreaktion handelt es sich um eine **„normale"**, d. h. angemessene und physiologische Reaktion auf ein **„unnormales"**, potenziell traumatisierendes Ereignis.

Man unterscheidet primäre (sofort eintretende) und sekundäre (Stunden später auftretende) Symptome:

- **Primäre Symptome:**
  - Gefühl der Empfindungslosigkeit
  - Fehlen der emotionalen Reaktionsfähigkeit
  - Wahrnehmungsstörungen, Gedächtnisverlust
  - Derealisation, Depersonalisation
  - Hilflosigkeit, Orientierungsverlust (Chaos)
  - Totaler Kontrollverlust, Gefühl, ausgeliefert zu sein
  - Starke Angst, Verzweiflung, Hilflosigkeit
- **Sekundäre Symptome:**
  - Sich aufzwängende sensorische Wiedererinnerung **(Intrusion)** als Bilder, Geräusche, Gerüche, taktile Eindrücke
  - Appetitlosigkeit, Übelkeit, Erbrechen
  - Schlafstörungen, Albträume
  - Konzentrationsschwierigkeiten, Gereiztheit, Schreckhaftigkeit, sozialer Rückzug

Die **Folgen** der akuten Belastungsreaktion können sein:

- Selbstisolation
- Selbstzweifel
- Schuldgefühle
- Unfähigkeit, Freude zu erleben **(Anhedonie)**

ACHTUNG! Das Wissen über die charakteristische Ausprägung der akuten Belastungsreaktion ist bei Einsatzkräften und deren Angehörigen weitgehend unbekannt. Die Betroffenen erleben die Symptome zwar als „unspezifisch quälend und unangenehm" (*„Da ist was mit mir los ...", „Irgendetwas stimmt nicht mit mir ..."*). Sie wissen oftmals jedoch nicht, dass ihre Gedanken und Gefühle völlig normal und keineswegs ungewöhnlich sind. Daher besteht häufig auch eine gewisse Neigung zur Einnahme beruhigender Wirkstoffe (Alkohol, Sedativa) als unreflektierte Selbstmedikation. Das ist bedenklich und sollte unbedingt vermieden werden!

Posttraumatische Belastungsstörung

Die **posttraumatische Belastungsstörung** (PTBS; englisch: PTSD, Posttraumatic Stress Disorder) tritt ebenfalls nach außergewöhnlich belastenden Erfahrungen auf.

MERKE

Im Gegensatz zur akuten Belastungsreaktion handelt es sich bei der posttraumatischen Belastungsstörung um eine schwerwiegende, unbedingt behandlungsbedürftige **Erkrankung.**

Formell wird eine PTBS diagnostiziert, wenn mehrere Symptome **mindestens 4 Wochen** lang auftreten und die betroffene Person dadurch in ihrem Alltag nachhaltig beeinträchtigt ist. Besonders hervorzuheben sind folgende **Symptombereiche:**

- **Anhaltendes Wiedererleben:** Gerüche, Gedanken, Bilder etc. kommen plötzlich, ohne aktiv an das Ereignis zu denken, wieder in Erinnerung, d. h., das Erlebte wird ungewollt und unkontrollierbar in Form von Träumen oder Flashbacks (Intrusionen) wiedererlebt.
- **Anhaltende Vermeidung:** Aktivitäten, Personen, Orte, Gedanken etc., die an das Ereignis erinnern, werden vermieden.
- **Anhaltende Übererregung (Hyperarousal):** körperliche Übererregung mit übermäßiger Wachheit **(Hypervigilanz),** Schlaf- und Essstörungen, aggressives Verhalten, Angst- und Panikzustände, Depression, Trauer, Suizidfantasien, Suchtverhalten.
- **Negative Gedanken und Stimmung:** Ständiges, unergiebiges Grübeln über das Erlebte; bedrückte, „beladene" Grundemotion.

ACHTUNG! Auch erfahrene Rettungsdienstmitarbeiter sind nicht davor geschützt, im Laufe ihres Berufslebens eine posttraumatische Belastungsstörung zu entwickeln. Letztlich kann jeder Notfallsanitäter einmal (oder natürlich auch mehrfach) mit Einsatzsituationen konfrontiert werden, die mit einer besonders starken Belastung verbunden sind und in der Folge eine posttraumatische Belastungsstörung verursachen können.

Psychisches Trauma

DEFINITION

Ein **psychisches Trauma** kann u. a. als eine seelische Verletzung beschrieben werden, die in der Folge eines gravierenden, erschütternden oder grausamen **Ereignisses** ausgelöst wird.
Meist handelt es sich bei einer psychischen Traumatisierung um eine **besonders schwere Verlusterfahrung** – sei es der Tod eines anderen Menschen, der Verlust seiner Heimat, der Verlust der eigenen körperlichen Integrität, der Verlust des Glaubens an das Gute oder des Vertrauens in andere Menschen.

Typisch für ein psychisches Trauma ist, dass das jeweilige Ereignis **subjektiv** als überwältigend empfunden wird und sich Betroffene – weder körperlich noch psychisch – dem Geschehen entziehen können. Auch handelt es sich um Ereignisse, die weit **außerhalb der üblichen menschlichen Erfahrung** liegen. Eine Rettungsfachkraft kann dabei (Todes-)Angst, absolute Hilflosigkeit oder starkes Entsetzen erleben. Sie kann auch das Gefühl haben, neben sich zu stehen, die Gedankenflut nicht mehr im Griff zu haben oder von sich selbst getrennt zu sein. Dieses Abgeschnittensein von seinen eigenen Erfahrungen nennt man **Depersonalisierung**. Das kann auch mit Zeichen der **Derealisierung** verbunden sein, d. h., man meint möglicherweise, selbst Teil eines „falschen Films" zu sein, in einem Nebel zu agieren oder sich in einer nicht wirklichen Welt zu befinden, also in einer Art Traumwelt, aus der man nicht erwachen kann.

IM FOKUS

Akute Belastungsreaktionen und posttraumatische Belastungsstörung

- Eine akute Belastungsreaktion ist eine **normale Reaktion** auf ein nicht normales, psychisch belastendes Ereignis.
  - Sie umfasst **körperliche** und **psychische** Symptome.
  - Sie hält **maximal 4 Wochen** an.

- Eine posttraumatische Belastungsstörung ist eine **krankhafte Reaktion** auf ein nicht normales, psychisch belastendes Ereignis.
  - Sie hält i. d. R **mehr als 4 Wochen** an.
  - Sie umfasst eine oder mehrere Symptomgruppen (Wiedererleben, Vermeidung, Übererregbarkeit).
  - Sie ist dringend **behandlungsbedürftig.**

7.2 Maßnahmen der Gesundheitsförderung und Krankheitsprävention im Rettungsdienst

Die Gefahr, mit einer potenziell traumatisierenden Situation konfrontiert zu werden, ist im Rettungsdienst immer vorhanden. Psychische Folgen wie die akute Belastungsreaktion oder die posttraumatische Belastungsstörung sind jederzeit möglich, müssen sich aber nicht entwickeln. Wie ein einzelner Notfallsanitäter reagiert, um mit einer starken Belastung umzugehen, hängt von zahlreichen Faktoren ab. Wesentlich ist, welche Maßnahmen zur Gesundheitsförderung und Prävention getroffen wurden.

7.2.1 Gesundheitsförderung

DEFINITION

Nach Badura und Hehlmann kann **Gesundheit** u. a. definiert werden als *„die Fähigkeit zur Problemlösung und Gefühlsregulierung, durch die ein positives seelisches und körperliches Befinden und ein unterstützendes Netzwerk sozialer Beziehungen erhalten oder wieder hergestellt wird"* (Badura und Hehlmann 2003, → Kap. 8.4).

Somit kann Gesundheit gefördert werden, wenn man z. B. die Fähigkeit, auf Herausforderungen zu reagieren, sowie den sozialen Rückhalt von Personen weiterentwickelt und stärkt. Die Gesundheit des Einzelnen, aber auch der Bevölkerung wird dabei (nach Hurrelmann) von drei Faktoren wesentlich beeinflusst:

- **Personale Faktoren,** z. B. Erbanlagen, körperliche und psychische Konstitution
- **Verhaltensfaktoren,** z. B. Umgang mit Stress, Ausmaß und Art der körperlichen Aktivität, Schlaf- und Ernährungsgewohnheiten
- **Verhältnisfaktoren,** z. B. Arbeitsbedingungen, Wohnverhältnisse, Freizeitoptionen, Qualität der medizinischen und psychosozialen Versorgung, wirtschaftlicher Status

Diese drei Faktoren stehen in enger Wechselbeziehung und bedingen die Gesundheitschancen. **Eine Konzentration auf nur einen Faktor kann Gesundheit nicht herstellen:** Einer Rettungsfachkraft zu sagen, sie soll sich gesund ernähren, auf ausreichend ungestörten Schlaf achten, sich keinen hygienischen Gefährdungen aussetzen und Stress vermeiden, käme z. B. einer Aufforderung zu kündigen gleich und würde neue, andere Gesundheitsrisiken wie Arbeitslosigkeit und Einkommensverlust auslösen. Gemäß der **Ottawa-Charta der WHO** von 1986 entsteht vielmehr Gesundheit dort, *„wo die Menschen leben, lieben, arbeiten und spielen"*.

MERKE

Gesundheitsförderung versucht, Lebens-, Arbeits- und Freizeitbedingungen insgesamt mitzugestalten und sichere, befriedigende sowie angenehme Arbeits- und Lebensbedingungen herzustellen.

Einzelpersonen, Familien, Gruppen, Betriebe, Schulen, Gemeinden sollen dabei zur Stärkung ihrer Gesundheit befähigt werden, um auf die Anforderungen des täglichen Lebens reagieren oder diese gestalten zu können. Um das wirksam umsetzen zu können, ist die **Stärkung der Einzelnen (Empowerment)** und deren **Beteiligung (Partizipation)** an der Gestaltung der Lebensbereiche erforderlich.

Ziel ist eine gesunde Lebensweise und die Chance, diese auch durch Verhaltensweisen zu verwirklichen. In der Freizeit ausreichend Schlaf zu suchen, ist z. B. ein individuelles, gesundheitsrelevantes Verhalten. Einen Arbeitsplatz so zu gestalten, dass durch ein intelligentes Schichtmuster ausreichend Freizeit zur Verfügung steht und die Zahl der Einsätze ein gesundes Maß nicht überschreitet, wäre eine Frage der Verhältnisse. Genau hier setzt das Konzept der **betrieblichen Gesundheitsförderung (BGF)** an.

MERKE

Betriebliche Gesundheitsförderung ist eine Strategie mit dem Ziel, die Gesundheit am Arbeitsplatz zu erhalten, Verletzungen zu vermeiden, Krankheiten vorzubeugen und auch das subjektive Wohlbefinden der Mitarbeiter zu verbessern.

Wesentlicher Bestandteil ist, unter Einbeziehung von Mitarbeitern aus allen Ebenen und Tätigkeitsfeldern, eine Analyse der Situation in Bezug auf die Arbeitszufriedenheit, die Arbeitsqualität, das Betriebsklima, Krankenstände sowie die Verweildauer im Unternehmen. Zusammen mit betrieblichen Sozialarbeitern, Arbeitsmedizinern, Sicherheitstechnikern und Arbeitspsychologen werden konkrete Arbeitsbelastungen und Gesundheitsbeschwerden identifiziert und im Dialog mit den Mitarbeitern Maßnahmen zur Verbesserung entwickelt. Für beide Seiten ergeben sich dadurch **positive Effekte:**

- Das **Unternehmen** hat den Nutzen einer erhöhten Produktivität, ein „arbeitswertes" Unternehmen zu sein und zu einer möglichst geringen Mitarbeiterfluktuation beizutragen.
- Die **Mitarbeiter** gewinnen stärkeren Einfluss, zumindest auf ihre unmittelbaren Arbeitsbedingungen. Das erhöht die Arbeitszufriedenheit, die Identifikation mit der Arbeit und verbessert das Betriebsklima.

Neben der betrieblichen Gesundheitsförderung ist auch der **individuelle Umgang mit Gesundheitsrisiken** für die Gesundheitsförderung relevant. Unter **Risikoverhalten** versteht man Verhaltensweisen, die langfristig mit hoher Wahrscheinlichkeit zu Risikofaktoren wie Übergewicht und/oder Bluthochdruck führen.

MERKE

Wenn eine Rettungsfachkraft nicht ausreichend auf Ruhezeiten, genügend Schlaf und eine gesunde Ernährung achtet, neben einer lauten Straße wohnt und kaum die Fenster öffnen kann, raucht und bei jedem gemütlichem Beisammensein mit Freunden oder Kollegen grundsätzlich zu viel Alkohol konsumiert, besteht eindeutig ein ausgeprägtes Risikoverhalten.

Je nach Alter, körperlicher Veranlagung sowie der Verfügbarkeit und Anwendung von Ausgleichsmechanismen führt Risikoverhalten früher oder später zu Erkrankungen. Der Betroffene verspricht sich durch sein Risikoverhalten jedoch Vorteile bei der Bewältigung von Lebensanforderungen, die durch andere Verhaltensweisen nicht erwartet werden. So wird fälschlicherweise Nikotin als kurzfristig entspannend erlebt, Alkohol als die Stimmung aufhellend und als Einschlafhilfe.

Das Risikoverhalten steht oft in einem starken biografischen Zusammenhang: Alkohol und Drogenmissbrauch, Bewegungsmangel oder ein riskantes Sexualverhalten (z. B. ungeschützter Geschlechtsverkehr mit einem Partner, dessen Gesundheitsstatus man nicht zuverlässig einschätzen kann) sind oft durch persönliche und soziale Komponenten erlernte Reaktionen auf Konflikte und Problemstellungen, aber keine sinnvollen Konfliktlösungsmuster.

IM FOKUS

Gesundheitsförderung

- Gesundheitsförderung setzt auf **drei Ebenen** an:
  - **Verhaltens**faktoren
  - **Verhältnis**faktoren
  - **Personale** Faktoren
- Eine Konzentration auf nur einen Faktor kann nicht zum Ziel führen.
- Betriebliche Gesundheitsförderung hat das Ziel, **Arbeitskraft** und **Wohlbefinden** des Mitarbeiters zu erhalten.
- Individuelle Gesundheitsförderung umfasst vor allem auch die **Reflektion** des eigenen Risikoverhaltens, auf das in kleinen Schritten durchaus Einfluss genommen werden kann.

7.2.2 Krankheitsprävention

Prävention bedeutet Vorbeugung und Vorsorge. Im Gesundheitsbereich umfasst sie alle Maßnahmen, die eine Krankheit oder Verletzung verhindern, verzögern oder weniger wahrscheinlich werden lassen. In Abhängigkeit davon, wann eine Maßnahme eingesetzt wird, unterscheidet man folgende Präventionsarten:

- **Primärprävention** soll das Auftreten von Gesundheitsproblemen grundsätzlich verhindern. Dazu zählen Maßnahmen zur Unfallverhütung sowie zum Arbeitnehmerschutz, Impfprogramme, Aufklärung über Fitness und gesunde Ernährung, Antistresskurse und vieles andere mehr. Im Rettungsdienst findet Primärprävention insbesondere auch dadurch statt, dass über mögliche Belastungen im Einsatzdienst und die verfügbaren Hilfsangebote aufgeklärt wird. Außerdem werden Risikofaktoren durch geeignete Schutzmaßnahmen reduziert, z. B. durch Tragen der persönlichen Schutzausrüstung oder technische Maßnahmen wie die Nutzung von Sicherheitsgurten.
- **Sekundärprävention** versucht die Auswirkungen einer gesundheitlichen Beeinträchtigung bzw. Erkrankung oder Verletzung so gering wie möglich zu halten, z. B. durch Frühdiagnostik und -behandlung, Diabetikerschulungen, Selbsthilfegruppen sowie – speziell im Rettungsdienst – Maßnahmen zur psychosozialen Unterstützung nach außergewöhnlich belastenden Einsatzerfahrungen (→ Kap. 7.3.3).
- **Tertiärprävention** konzentriert sich auf die Wiederherstellung der Gesundheit. Dies erfolgt im Rahmen der Rehabilitation und Re-Integration sowie der Rückfallprophylaxe. Auch die Wiedereingliederung in den Beruf nach einem schweren Arbeitsunfall oder einer längeren Erkrankung gehört in den Bereich der Tertiärprävention.

Insgesamt setzt Prävention unterschiedliche Mittel ein, z. B. Werbekampagnen für die Verwendung von Kindersitzen oder Warnhinweise auf Zigarettenpackungen. Prävention setzt auf Normen, wie das Verhalten einer bestimmten Person in bestimmten Situationen sein soll, oft auch unterstützt durch gesetzliche Maßnahmen wie die Helmpflicht für Motorradfahrer.

MERKE

Prävention erhöht zwar die Sicherheit, steht dadurch aber in einem Spannungsfeld zur individuellen Freiheit. Aus diesem Grund wird Prävention oftmals auch als restriktiv oder einschränkend erlebt.

Bei manchen Themen sind Entscheidungen aus der Sicht der **Gesundheitsvorsorge** tatsächlich schwierig zu treffen. So würde eine allgemeine Pflicht, Fahrradhelme zu tragen, die Häufigkeit schwerer Schädel-Hirn-Verletzungen senken, vielleicht aber auch die Zahl der Fahrradfahrer reduzieren und somit zu mehr sonstigem Straßenverkehr, verbunden mit Lärm und Abgasen, beitragen und weniger Menschen zu körperlicher Aktivität durch Radfahren motivieren. Prävention muss daher immer auf die jeweilige Zielgruppe zugeschnitten werden und primär auf Bildung, Schulung und Motivation setzen, um eine positive Akzeptanz der vorgeschlagenen Maßnahmen zu erreichen.

In betrieblichen Präventionsprogrammen müssen gesundheitswahrende und krankheitsauslösende Faktoren zunächst spezifisch für den jeweiligen Arbeitsplatz ermittelt werden. Wesentliche Aspekte der Krankheitsprävention im Rettungsdienst wie rückenschonendes Heben, Stressmanagement oder eine gesunde Ernährung sind in den folgenden Abschnitten noch etwas ausführlicher dargestellt. Einen Überblick über **allgemeine krankheits- und gesundheitsfördernde Faktoren** bietet → Tab. 7.3.

Krankheitsfördernde Faktoren	Gesundheitsfördernde Faktoren
• Einseitige, übermäßige Ernährung • Mangelnde körperliche Bewegung • Überlastung in Beruf und Freizeit • Drogen-, Alkohol-, Tabak- und Arzneimittelmissbrauch • Lärmbelastung, Reizüberflutung • Schlecht ausgeprägtes oder nicht zuverlässiges soziales Netzwerk (Familie, Freunde, Partner etc.) • Geringe Selbstbestimmung über die eigene Zeit, keine Chance auf ein Privatleben	• Vielseitige, ballaststoff- und vitaminreiche, dem Kalorienverbrauch angepasste Ernährung • Körperliche Bewegung, Ausgleichssport zur Verbesserung der Ausdauer, Fitness, Kraft und Leistungsfähigkeit • Vermeidung von krankmachendem Stress, den Auswirkungen von Stress durch entsprechendes Freizeitverhalten entgegenwirken • Sparsamer Alkoholkonsum, Verzicht auf Nikotin und andere Drogen • Arzneimittel nur bei Notwendigkeit und entsprechender Indikation einsetzen • Ein wohlwollendes, unterstützendes und dichtes soziales Netzwerk: Freunde, Partner, Verwandte

Tab. 7.3 Allgemeine krankheits- und gesundheitsfördernde Faktoren

IM FOKUS

Krankheitsprävention

- Krankheitsprävention meint Vorbeugung und Vorsorge von Krankheiten. Sie umfasst **drei Teilbereiche:**
  - **Primäre** Krankheitsprävention (Ziel: Verhinderung einer Erkrankung)
  - **Sekundäre** Krankheitsprävention (Ziel: Verminderung von Erkrankungsauswirkungen)
  - **Tertiäre** Krankheitsprävention (Ziel: Wiederherstellung der Gesundheit)
- Präventionsarbeit ist immer ein „zweischneidiges Schwert“, da sie von vielen Menschen als einengend empfunden werden kann.

7.2.3 Veränderungen im Gesundheitsverhalten

Veränderungen im Gesundheitsverhalten werden meist durch Krisen ausgelöst. Der erhöhte Blutdruck mit gelegentlichem Schwindel motiviert z. B. zur Gewichtsreduktion, die Laborwerte fördern das Nachdenken über den Alkoholkonsum, die schwere psychische Erkrankung des Kollegen führt zur Reflexion des eigenen Umganges mit der persönlichen Arbeitslast, der Verarbeitung von Einsätzen und zu Gedanken über die Qualität der eigenen Beziehung.

In besonders krisenhaften Fällen – man erleidet einen Herzinfarkt, die Partnerin verlässt die Beziehung, der Führerschein wird wegen Alkohol am Steuer eingezogen – erfolgt manchmal eine permanente Veränderung des eigenen Gesundheitsverhaltens. Meist verlaufen diese Veränderungen allerdings nicht linear, sondern zirkulär. Es braucht Geduld, mehrere „Schleifen“ sowie ein Verständnis für Rückfälle. Rückfälle sind Teil des Prozesses und dürfen stattfinden. Im Einzelnen verläuft eine Veränderung im Gesundheitsverhalten meist in folgenden **Phasen:**

- Im **Stadium der Erstbetrachtung** wird das Problem schon grob erkannt, der Betroffene hat allerdings kein Interesse an einer Veränderung.
- Im **Stadium der Erwägung** denkt die Person über eine Veränderung nach, sie will zu einem unbestimmten Zeitpunkt, „irgendwann“ eine Veränderung beginnen.
- Im **Vorbereitungsstadium** sind die Betroffenen bereit zur Veränderung und leiten konkrete erste Schritte ein.
- Im **Handlungsstadium** wird die Person direkt aktiv, sie führt die Veränderung auch durch.
- Im **Aufrechterhaltungsstadium** wird die gesündere Lebensweise schon seit einem längeren Zeitraum beibehalten.
- Zwischen den einzelnen Schritten sind **Rückfallphasen** unterschiedlicher Dauer möglich, der Betroffene steigt dann wieder in irgendeine der oben genannten Phasen ein.
- Im **Abschlussstadium** ist der alte Modus für immer aufgegeben. Der neue Verhaltensablauf ist vollständig verinnerlicht, automatisiert, es erfordert kaum Nachdenken, sich so zu verhalten, da es integrierter Teil des Lebensalltags ist. Damit kann das neue Verhalten leichter aufrechterhalten werden.

PRAXISTIPP

Ein Notfallsanitäter kennt in seiner Region meist sämtliche Krankenhäuser, niedergelassenen Ärzte und andere Hilfseinrichtungen des Gesundheitswesens. Einigen Rettungsfachkräften gelingt es auch, diese Kontakte als **Ressourcen für ihre persönliche Gesundheit** zu erhalten, zu fördern und zu nutzen.
Bei einigen Kollegen besteht durch den hohen persönlichen Bekanntheitsgrad jedoch auch eine große Scheu, Hilfen und Unterstützungsangebote in Anspruch zu nehmen. Es wird als unangenehm und peinlich erlebt, selbst einmal Hilfe zu benötigen und in Anspruch zu nehmen. Dieses Symptom der „Vermeidung medizinischer Hilfe“ kann umgangen werden, wenn man sich rechtzeitig, z. B. im Rahmen von Vorsorgeuntersuchungen oder durch Routinekontakte, einen Vertrauensarzt sucht. Beim Auftreten unklarer Symptome, bei persönlichen Fragestellungen zur eigenen Gesundheit oder in einem konkreten Krankheitsfall steht dann rasch eine vertrauenswürdige fachliche Stütze zur Verfügung.

IM FOKUS

Veränderungen im Gesundheitsverhalten

- Gesundheitsverhalten verändert sich zumeist in **mehreren Schritten:**
  - Stadium der **Erstbetrachtung**
  - Stadium der **Erwägung**
  - **Vorbereitungs**stadium
  - **Handlungs**stadium
  - **Aufrechterhaltungs**stadium
  - **Rückfall**phasen
  - **Abschluss**stadium
- Diese Schritte müssen nicht linear sein und können **auch schleifenartig** ablaufen.

7.2.4 Professionalität als Schutzfaktor

Professionalität im Rettungsdienst ist ein ausreichendes Maß an intellektueller und manueller Sicherheit in der Patientenbetreuung, inkl. permanenter Selbstreflexion und externer Qualitätssicherung. In eine Formel gekleidet, lässt sich Professionalität nach Redelsteiner wie folgt darstellen:

$$P = \{(A + F) \times E\} \times Q$$

- **P = Professionalität**
- **A = Ausbildung** steht für die formelle Grundausbildung, welche die Fachkraft erhalten hat. Je umfangreicher diese ist, umso breiter ist das Wissen, umso stärker sind die Denk- und Handlungsvarianten, die eine Person im beruflichen, aber auch im privaten Handeln einsetzen kann. Das ist auch Grundlage, um über Selbstreflexion das eigene Gesundheitsverhalten, das Stressverhalten und die eigene Arbeitsleistung zu analysieren.
- **F = Fortbildung** bedeutet das regelmäßige Erweitern des Wissens, auch um mit gesellschaftlichen Veränderungen und Neuerungen in der Medizin, der Rettungstechnik usw. in der beruflichen Arbeit umgehen zu können.
- **E = Erfahrung** ist die Frequenz an privaten und beruflichen Ereignissen, positiven und negativen, die bei entsprechender Analyse und Selbstreflexion zu Lernen führen, Wissen und Handlungen werden erweitert. Erfahrung im Rettungsdienst ist jene Menge an erlebten, reflektierten und bewältigten Fällen, die das Theoriewissen in einen praktischen Bezug stellen.
- **Q = Qualitätssicherung** ist die Sicherstellung von grundlegenden Standards der rettungsdienstlichen Versorgung, idealerweise durch externe Quellen. Sind die manuellen und fachlichen Kompetenzen

noch ausreichend, spiegelt die Dokumentation die Situation und die getroffenen Maßnahmen auch wider, ist sie rechtlich so, dass ein Schutz für Patient, Mitarbeiter und Institution gegeben ist?

PRAXISTIPP

Professionalität schützt vor übermäßigem Stress, leitet zur Selbstreflexion an (→ Kap. 5.2.3) und baut einen Bezugsrahmen auf, der für das tägliche berufliche Handeln Sicherheit gibt. Professionalität ist somit auch eine Art „Impfung", um Gesundheitsproblemen im eigenen Beruf vorzubeugen.

7.2.5 Stressmanagement und Stressbewältigung

Allgemein können je nach Persönlichkeitstyp zwei wesentliche Muster im Umgang mit Stress beschrieben werden. Der **Represser** („Unterdrücker") versucht, die Stressquelle zu vermeiden, und verleugnet Angstkomponenten. Er bemüht sich um eine Reaktion, um seine eigenen negativen Emotionen stufenweise zu verändern und sich an den Stress anzupassen. **Sensitizer** („Zulasser") versuchen eine problemorientierte Lösung und werden schon sehr früh am Beginn einer stressauslösenden Situation aktiv, um sie zu lindern. Je nach Situation können beide Strategien sinnvoll sein:

- Ist eine Situation beeinflussbar, ist der Sensitizer mit aktivem Handeln ein Stressbewältiger.
- Ist die Situation mit den vorhandenen Mitteln nicht bewältigbar, ist der Represser rascher in der Lage, neue Situationen zu akzeptieren.

PRAXISTIPP

Insgesamt gibt es eine Vielzahl von Möglichkeiten, Stress in sinnvolle Bahnen zu lenken und zu steuern. Wichtig ist es, Anzeichen von Stress und das persönliche Stresslimit zu erkennen. Mitarbeiter im Rettungsdienst sind ausgebildet, einfühlsam und menschlich mit ihren Patienten zu arbeiten. Es sind aber nicht nur die Bedürfnisse des Patienten wichtig – Rettungsdienstmitarbeiter müssen auch **ihre emotionalen, körperlichen und seelischen Bedürfnisse** kennen:

- Ein **erhöhtes Körperbewusstsein hilft,** Disstress zu erkennen und Ausgleichmechanismen vor der Phase der Dekompensation anzuwenden.
- **Stressoren nach Gefährlichkeit einschätzen:** Wie bei einer Patiententriage zuerst um die gefährlichsten und mit geringen Mitteln lösbaren Stressoren kümmern.
- Von einer Situation **nicht emotional überwältigen lassen:** Handfertigkeiten und Wissen einsetzen, um dem Patienten so gut wie möglich zu helfen. Mitleid durch Anteilnahme ersetzen.
- Alle für die Ausübung des Berufs des Notfallsanitäters erforderlichen **Handfertigkeiten und Kenntnisse** erlernen und „up to date" halten.
- Die **Fähigkeit entwickeln, Nein zu sagen,** und für eigene Interessen einstehen.
- Andere schätzen lernen und ihnen ein positives Feedback geben. Konflikte direkt und offen ansprechen.
- **Abstand zur Arbeit gewinnen:** Gesetzlich vorgeschriebene Pausen in Anspruch nehmen. Urlaubstage nicht einzeln, sondern zumindest 2 Wochen Urlaub am Stück nehmen, um einen Erholungseffekt zu erzielen. „Piepser" und Handy an freien Tagen abschalten, um nicht erreichbar zu sein.
- **Stressauslöser definieren:** Was verursacht Stress, z. B. schlechtes Zeitmanagement?
- **Keine Aufgaben für andere erledigen,** die diese selbst erfüllen können: Wer häufig Gefälligkeitsarbeiten für das Krankenhausteam erbringt (z. B. Patienten für das Aufnahmepersonal auf die Station bringen), erleichtert diesem zwar seine Arbeit, bringt dafür aber sich, seine Kollegen im Fahrdienst und in der Leitstelle sowie wartende Patienten und Angehörige in zusätzlichen Stress.
- **Delegieren lernen:** Andere können bestimmte Dinge ebenfalls sachgerecht erledigen. Dies gilt sowohl im Wachbetrieb als auch vor allem im Einsatzgeschehen.
- **Unangenehme Aufgaben nicht auf die lange Bank schieben:** Bei Schichtbeginn die Aufgaben notieren, die unbedingt getan werden müssen, nach Wichtigkeit und Schwierigkeit sortieren und mit Energie mit dem „Abarbeiten" unmittelbar beginnen. Wenn alles erledigt ist, entspannen und/oder anderen Aufgaben nachgehen.
- **In berufspolitischen Fragen engagieren und für berufliche Probleme vorsorgen:** Alle Rettungsfachkräfte sind Stress ausgesetzt. Viele Stressoren werden durch berufsspezifische Probleme verursacht. Eine Mitgliedschaft bei einer Gewerkschaft ist bei arbeitsrechtlichen Problemen hilfreich, eine Berufshaftpflicht-, Verkehrs- oder Rechtsschutzversicherung kann vielleicht einmal schlaflose Nächte ersparen.
- **Aus der Berufsroutine ausbrechen** und z. B. eine RTW-Vorstellung im örtlichen Kindergarten oder einen Berufsinformationsstand über den Rettungsdienst im Schulzentrum etc. organisieren.
- **Abwechslung im Beruf suchen:** Überlegen, ob ein Wechsel in die Leitstelle, auf eine andere Rettungswache, in die Ausbildung oder Verwaltung die Situation verbessern würde. Dementsprechend rechtzeitig weiterbilden, das erleichtert einen Wechsel.
- **Persönliche Ziele analysieren:** Sind diese realistisch und erreichbar? Eventuell die Ziele auf ein erreichbares Maß reduzieren.
- **Rückzugsmöglichkeiten schaffen:** Jede Wache sollte einen Raum haben, wohin sich die Mitglieder der Wache für einige Zeit zurückziehen können. Eine helle und gepflegte Wache, die auch Rückzugs- und Ruhemöglichkeiten bietet, ist fast schon eine „Wohlfühlzone".
- **Interessen und Hobbys entwickeln.**
- Die Bedeutung von **richtiger Ernährung** erkennen und **Alkohol und Drogen meiden.**
- **Entscheidungen treffen:** Es gibt selten nur zwei Möglichkeiten, sondern oft mehrere Alternativen.
- Ein **soziales Unterstützungssystem entwickeln,** z. B. mit Familie, Partner, Freunden, Kollegen und Nachbarn.
- **Freizeit ist tatsächlich freie Zeit:** Nur bei absoluter Notwendigkeit gibt es Ausnahmen.
- Einen **Stressmanagementkurs besuchen,** eine Fortbildung zum Thema für die Mitglieder der Wache organisieren, eine Supervisionsgruppe gründen. Ein externer Berater hilft dabei, Stressursachen zu analysieren und Bewältigungsstrategien zu entwickeln.
- **Professionelle Hilfe in Anspruch nehmen,** wenn auch nahestehende Personen nicht mehr weiterhelfen können.
- **Ein Tagebuch oder ein Einsatztagebuch führen:** Kontakt (Briefe, E-Mails, Internet etc.) mit Kollegen aus einem anderen Land aufnehmen. Das erlaubt, persönliche Gefühle auszudrücken, in Bahnen zu lenken und Erfahrungen auszutauschen.
- **Techniken zur raschen Entspannung üben:** Volkshochschulen und andere Einrichtungen bieten entsprechende Kurse an. Trotz möglicher Schwierigkeiten mit dem Schichtplan sollte es möglich sein, einen solchen Kurs zu besuchen. Eine Alternative sind Bücher und Videos über Entspannungstechniken.

7.2.6 Ausbildung

Im Hinblick auf die individuelle Gesundheit ist **Bildung** ein wesentlicher Faktor. Sie ermöglicht Menschen, Gesundheitsinformationen leichter zu verstehen, seien es Auskünfte eines Arztes, Texte auf Beipackzetteln von Medikamenten, Anleitungen zur Selbstversorgung bei Krankheiten oder Broschüren mit Informationen zu bestimmten Krankheiten. Darüber hinaus hilft eine höhere Bildung auch, einen Beruf zu wählen, der eine höhere Eigenverantwortung über den Ablauf der eigenen Arbeit ermöglicht.

Jemand, der am Fließband arbeitet, hat eine geringe Arbeitsautonomie – Beginn und Ende der Arbeit, zu erbringende Leistung wie Stückzahl, Zeit und Dauer der Pausen werden exakt vorgegeben. Je enger diese „Vertaktung" ist, je stärker sie fremdbestimmt ist, umso geringer ist die Freiheit, sein eigenes Arbeits- und Freizeitleben zu gestalten. Zusammen mit dem geringeren Einkommen wirkt sich das auf die Lebensverhältnisse aus.

Studien des nationalen Gesundheitsdienstes von Großbritannien belegen sogar Abstufungen in Bezug auf die Lebenserwartung zwischen ungelernten und gelernten Arbeitern. Letztere leben länger als die ungelernten Kollegen. Manuell tätige Facharbeiter leben länger als angelernte Arbeiter. Nicht manuell tätige Facharbeiter leben länger als manuell tätige Facharbeiter. Personen in leitenden Positionen und Akademiker leben am längsten. Diese Abstufungen in Bezug auf Gesundheitsstatus und Bildung bzw. Schicht nennt man **sozialer Gradient**.

MERKE

Die Lebenserwartung ist abhängig von der Schichtzugehörigkeit. Je höher Bildung und Einkommen, umso höher ist die durchschnittliche Lebenserwartung.

Auch Studien zur Häufigkeit von Myokardinfarkten bei bestimmten Personengruppen haben zu interessanten Erkenntnissen geführt. So haben Frauen, die nur die Pflichtschule und keine weitere Ausbildung absolviert haben, rund doppelt so häufig einen Herzinfarkt wie Frauen mit abgeschlossener Lehre und rund sechsmal so häufig wie Abiturientinnen oder Akademikerinnen. Bei den Männern ist die Tendenz gleich, die Unterschiede zwischen den Ausbildungsgraden sind aber nicht so stark ausgeprägt.

Schichtet man die deutsche Bevölkerung statistisch nach Einkommen, Bildung und Beruf, so ist das Risiko für schwere Verletzungen oder Erkrankungen sowie für ein frühzeitiges Sterben bei den unteren 20 % insgesamt betrachtet doppelt so hoch wie bei den oberen 20 %.

PRAXISTIPP

Für das Rettungsfachpersonal ist Bildung von besonderer Bedeutung. Insbesondere durch zielgruppenspezifische Aus- und Fortbildungsmaßnahmen zu den Themenbereichen Stress und Stressbewältigung, zur Psychotraumatologie sowie zum Umgang mit Belastungen muss unbedingt dazu beigetragen werden, die individuelle Stressbewältigungskompetenz zu erhöhen.

IM FOKUS

Bildung als Schutzfaktor

- Bildung hängt stark mit den **Gesundheitsressourcen** einer Person zusammen.
- Studien zeigen, dass es einen **sozialen Gradienten** in Bezug auf Gesundheit gibt.
- Menschen mit **niedrigerer Allgemeinbildung** und einer **geringeren beruflichen Qualifikation sterben früher** als besser ausgebildete Menschen.
- Geschichtet nach Einkommen, Bildung und Beruf, haben die unteren 20 % ein doppeltes Risiko für schwere Verletzungen und Erkrankungen im Vergleich zu den oberen 20 %.

7.2.7 Bedeutung des sozialen Netzwerks

Entscheidend für die individuelle Gesundheit ist auch die Belastbarkeit bzw. Tragfähigkeit des persönlichen **sozialen Netzwerks**.

Eine kalifornische Langzeitstudie hat festgestellt, dass Menschen, die keine engen sozialen Kontakte oder Bekanntschaften im Gemeinwesen haben, früher versterben als jene mit guten Kontakten. Dieses Ergebnis traf nicht nur auf sehr alte Menschen zu, sondern auch auf sehr junge Menschen. Dieser Zusammenhang zwischen einer früheren Sterblichkeit und der Dichte des sozialen Netzwerks ist unabhängig vom allgemeinen körperlichen Gesundheitszustand, vom sozioökonomischen Status und krankheitsfördernden Variablen wie Rauchen, Alkoholkonsum, Übergewicht, Bewegungsmangel und Ausmaß von Vorsorgeuntersuchungen: Der Mangel an Gesprächen, Anteilnahme, Zuspruch, sozialen Kontakten, Bekanntschaften, Freundschaften, Partnerschaften, Integration in soziale Netzwerke wie Vereine oder Gemeinschaften aller Art macht generell krank und erhöht die Wahrscheinlichkeit, früher zu sterben.

PRAXISTIPP

Vor diesem Hintergrund sollte sich jeder Notfallsanitäter intensiv darum bemühen, ein tragfähiges soziales Netz aufzubauen und persönliche Kontakte zu pflegen. Je besser jemand in ein soziales Umfeld eingebunden ist, umso geschützter ist derjenige auch und umso mehr Unterstützung wird derjenige erfahren, wenn einmal gesundheitliche Probleme auftreten sollten.

7.2.8 Ausgleich zum Berufsalltag

Im Englischen spricht man von **„Work-Life-Balance"**. Es geht aber nicht nur um das Austarieren zwischen Arbeit und Leben – die Arbeit ist ja gerade im Schichtdienst wesentlicher Teil des Lebens. Ein wesentlicher Faktor der individuellen Gesundheit ist vielmehr eine Balance zwischen den diversen unterschiedlichen Aspekten des Lebens:

- **Ausgewogene Arbeitslast:** Zu hohe Arbeitsbelastung kann zum Burn-out führen, zu niedrige Arbeitslast zum Bore-out (→ Kap. 7.1.2). Ein wesentliches Element einer ausgewogenen Arbeitslast ist z. B. ein Dienstplan, der genügend Erholungsphasen (→ Abb. 7.2) vorsieht und auch freie Räume für soziale Aktivitäten am Wochenende lässt.
- **Familie, Freunde, Bekannte:** Das Eingebundensein in soziale Beziehungen, etwa in die Familie oder einen Freundeskreis, ist besonders wichtig. Dabei kommt es nicht auf die Anzahl der Beziehungen an, sondern auf ihre Stabilität. Jeder Notfallsanitäter sollte ein soziales Netzwerk pflegen und vor allem auch darauf achten, dass nicht das gesamte persönliche Umfeld aus dem beruflichen Milieu stammt. Für einen Ausgleich vom Beruf und für einige Ablenkung können insbesondere Kontakte sorgen, die man in anderen Bereichen geknüpft hat, beispielsweise in einem Sportverein oder durch ein Hobby.

Abb. 7.2 Ein Freizeitausgleich mit ausreichenden Erholungsphasen ist im Rettungsdienst besonders wichtig. [J787]

- **Aktivitäten in Sport-, Kultur-, religiösen oder politischen Vereinen** lassen eigene Netzwerke entstehen und lenken im positiven Sinne von Arbeit und Familie ab. Sie bilden einen Ausgleich. Sie sollten auch nicht zu stark mit den Kollegen am Arbeitsplatz oder dem Familiensystem verknüpft sein. Wenn es in einem dieser Systeme Schwierigkeiten gibt, etwa ein Jobverlust auftritt oder eine Scheidung ansteht, wirkt sich dies sonst ebenfalls negativ auf das gesamte übrige Freizeitnetzwerk aus.
- **Fort- und Weiterbildungen** bieten einen weiteren günstigen Ausgleich zum Berufsalltag. Damit ist hier nicht primär die berufsbezogene Weiterbildung oder die Teilnahme an einer Pflichtfortbildung gemeint. Vielmehr geht es um den Erwerb neuer Kompetenzen, das Erlernen einer Fremdsprache, eines Instruments, einen Fernkurs oder ein Fernstudium sowie das Ausprobieren einer neuen handwerklichen Tätigkeit. Im Vordergrund sollte die Freude am Neuen stehen und nicht immer das bloße Erwerben eines Zertifikats. Auch ein Buch zu lesen ist schon Fortbildung im weiteren Sinn.
- **Der zweite Job:** Nicht wenige Rettungsdienstmitarbeiter jobben in der freien Zeit, manchmal bei einem anderen Rettungsdienstunternehmen oder in einem früher erlernten Beruf. Für viele ist das erforderlich, um den gewünschten Lebensstandard zu erhalten. Lange ist eine solche Doppelbelastung jedoch nur für wenige Menschen aushaltbar. Eine Nachdenkphase, wie man sein Leben einfacher gestalten könnte, um vielleicht mit weniger Geld auszukommen, oder die Entwicklung eines Planes, wie lange man das maximal sich und seinem Umfeld noch zumuten möchte, wäre hier dringend anzuraten. Nachts Taxi zu fahren und dann tagsüber als Notfallsanitäter zu arbeiten (oder umgekehrt) ist auf jeden Fall unprofessionell und gefährlich. Auch über Jahre hinweg sein Traumhaus zu bauen und sich beruflich und privat für dieses eine Ziel vollkommen auszupowern, endet nicht immer mit dem perfekten Ende: Steht das Haus dann innen und außen so da, wie man sich das immer gewünscht hat, können der Rücken kaputt, der Arbeitsplatz gefährdet, die Kinder schon flügge und die Partnerin bereits ausgezogen sein. Inwiefern man sich bei mehreren Arbeitgebern engagiert, sollte daher einer sorgfältigen Kosten-Nutzen-Abwägung unterzogen werden.
- **„Das süße Nichtstun“:** Ungeplante, unverplante, „nutzlose“ Zeit ist wichtig, um seinen Kopf zu leeren, auf andere Gedanken zu kommen und völlig neue Ideen zu entwickeln.

All diese hier aufgeführten Aspekte stehen in Wechselwirkung und beeinflussen sich gegenseitig. Das Ziel besteht deshalb auch nicht unbedingt darin, jeden Aspekt maximal zu fördern (das könnte nur wieder neuen Stress verursachen!), sondern zwischen ihnen nach Möglichkeit ein gesundes Gleichgewicht herzustellen. Ohnehin können die jeweiligen Ansprüche an die einzelnen Aspekte je nach Lebensphase und Alter sehr unterschiedlich sein. Seine Brücken zu vorhandenen Netzwerken jedoch nie ganz abzubrechen ist entscheidend: Nach 15 Jahren doch einmal wieder zum Klassentreffen, in den alten Motorradclub oder seine frühere Kirche zu gehen, kann z. B. wieder Anschluss an neue Ressourcen bedeuten etc.

PRAXISTIPP

Wichtig ist, dass jeder Notfallsanitäter darüber nachdenkt, wie er seine Freizeit sinnvoll gestaltet und worin ein Ausgleich zum Berufsalltag bestehen kann. Auf keinen Fall sollte die gesamte Lebenszeit mit dem Engagement im Rettungsdienst ausgefüllt werden.

IM FOKUS

Work-Life-Balance

- Gesundheit hängt stark von der **sozialen Einbindung** ab.
- Work-Life-Balance ist als Begriff **missverständlich,** weil es nicht nur um „Berufs-“ und „Privatleben“, sondern um die Balance vieler Teilbereiche von ihnen geht, z. B.:
  - Fort- und Weiterbildung
  - Nebentätigkeiten
  - Familie
  - Freunde und Bekannte
  - Sport und Hobbys
  - Kultur
  - Religiosität
  - Politische Tätigkeiten
  - Nichtstun, Entspannen
- **All diese Faktoren beeinflussen sich gegenseitig.**

7.2.9 Intervision und Supervision

Intervision und **Supervision** können gleichermaßen dazu beitragen, den beruflichen Alltag besser zu bewältigen und für etwaige Schwierigkeiten und Problemstellungen praxistaugliche Lösungen zu finden:

- **Intervision** ist der beratende Austausch unter Kollegen, d. h., man setzt sich regelmäßig in einer ungestörten Atmosphäre zusammen, bespricht und reflektiert aktuelle Erfahrungen, Themen von besonderer Relevanz oder auch konkrete Einsatzsituationen. Im Unterschied zu einer Dienstbesprechung ist Intervision allerdings frei von Hierarchieebenen, sodass sich alle Beteiligten auf Augenhöhe unterhalten können und sich jeder offen und konstruktiv mit seinen Ideen, Anregungen und Überlegungen einbringen kann. Intervisionsgruppen kommen i. d. R. ohne eine externe Moderation aus.
- Bei **Supervision** handelt es sich ebenfalls um eine spezielle Form der Beratung (→ Kap. 10), sie wird jedoch von einem speziell geschulten Supervisor moderiert.

DEFINITION

Supervision

Die Deutsche Gesellschaft für Supervision (DGSV) definiert Supervision als *„ein wissenschaftlich fundiertes praxisorientiertes und ethisch gebundenes Konzept für personen- und organisationsbezogene Beratung in der Arbeitswelt. Sie ist eine wirksame Beratungsform in Situationen hoher Komplexität, Differenziertheit und dynamischer Veränderungen"*.

Im Rahmen einer **Gruppensupervision** unterstützen Supervisoren dabei u. a. bei folgenden Herausforderungen:

- Teams reflektieren ihre Arbeit mit Kunden bzw. (im Rettungsdienst) mit Patienten.
- Teams entwickeln ihre Kommunikation und ihre Arbeitsbeziehungen, um die Erfüllung ihrer Aufgaben zu verbessern.
- Interdisziplinäre Gruppen erörtern eine Optimierung ihrer Zusammenarbeit, z. B. in kommunikativer oder organisatorischer Hinsicht.

Besonders sinnvoll erscheint die Betrachtung und Verbesserung von Organisationsstrukturen und Organisationskulturen unter Fragestellungen wie z. B.:

- Wie werden in unserem Team Rollen herausgebildet?
- Wie viel Freiraum zur eigenen Gestaltung gibt es bei uns?
- Wie werden Beziehungen gelebt?
- Wie gehen wir mit Belastungen um?
- Wie tragen wir Konflikte aus?

Bei einer **Einzelsupervision** können darüber hinaus auch individuelle Probleme und Fragestellungen einzelner Rettungsfachkräfte thematisiert werden, beispielsweise:

- Warum übe ich eigentlich gerade diesen Beruf aus?
- Welchen Nutzen bzw. „Gewinn" ziehe ich aus meiner Arbeit und welche „Kosten" sind mit ihr verbunden?
- Wie möchte ich arbeiten?
- Wie möchte ich meine freie Zeit verbringen?
- Welche Aspekte meiner Arbeit mache ich besonders gerne? Welche besonders gut?
- Was liegt mir nicht? Welche Arbeiten kann ich nicht gut genug? Was sollte ich noch lernen?

Dabei ist die Haltung von Supervisoren sowohl in Einzel- als auch in Gruppensettings stets gekennzeichnet durch Ergebnisoffenheit, kritische Loyalität und das Interesse an einer nachhaltigen Verbesserung von Arbeit, Arbeitsbedingungen und Arbeitsergebnissen.

PRAXISTIPP

Sowohl Intervision als auch Supervision sind hilfreiche Angebote, von denen jeder Rettungsdienst und jede einzelne Rettungsfachkraft profitieren kann. Die Teilnahme an Inter- und Supervisionsmaßnahmen kann daher nur ausdrücklich empfohlen werden!

IM FOKUS

Interversion und Supervision

- Interversion ist der **beratende Austausch** zwischen Kollegen:
  - Interversionsgruppen haben einen **definierten Rahmen.**
  - Sie arbeiten **ohne Hierarchien.**
  - Sie kommen i. d. R. ohne Moderatoren aus.
- Supervision ist ein **strukturiertes Verfahren,** das meist von einem ausgebildeten **Supervisor** durchgeführt wird:
  - Die Ziele können sehr unterschiedlich sein.
  - Es kann zwischen **Gruppen- und Einzelsupervisionen** unterschieden werden.

7.2.10 Ernährung

Eine ausgewogene **Ernährung** ist wichtige Voraussetzung für das physische und psychische Wohlbefinden.

Eine vollwertige und bedarfsangepasste Ernährung heißt, dem Körper alle benötigten Nährstoffe möglichst naturbelassen in der individuell richtigen Menge, abhängig von Lebensalter, Geschlecht und Leistungsanforderung, zur Verfügung zu stellen. Alle Nährstoffe sind mit mindestens einer der drei folgenden **Ernährungsfunktionen** verbunden:

1. Energiebereitstellung (Kohlenhydrate, Fette, Eiweiße)
2. Aufbau und Erhaltung (Eiweiß, Mineralstoffe, Wasser)
3. Schutz und Steuerung (Vitamine, essenzielle Fettsäuren und Mineralstoffe)

Die **Ernährung sollte Gesundheit und Leistungsfähigkeit** fördern. Das geschieht durch das Zusammenspiel aller Faktoren in Form von abwechslungsreicher Nahrungsauswahl, welche die drei wichtigsten Nährstoffe in einem bestimmten, ausgewogenen Verhältnis enthalten sollte: für Nichtsportler und Menschen mit nicht zu schwerer körperlicher Arbeit beispielsweise 55 % Kohlenhydrate, 30 % Fette und 15 % Eiweiß.

Die richtige Ernährung auf der Wache sollte aber auch Freude bereiten und Teil einer gesunden gemeinsamen Esskultur sein. Gemeinschaftliches Zubereiten und Kochen ist gesellig und fördert den Zusammenhalt im Kollegenkreis enorm.

Trotzdem findet eine gesunde Ernährung meist zu wenig Beachtung. Faktoren, die im Rettungsdienst dazu beitragen, sind ungeregelte Arbeitszeiten, der Zeitdruck während der Nahrungsaufnahme sowie der logistische Aufwand, der mit Kochen auf der Wache verbunden ist. Da erscheint es einfacher, die Ernährungsbeschaffung bei „Fast-Food-Läden" durchzuführen. Und wenn der RTW durch den „Drive-Through" passt, muss man noch nicht einmal aussteigen und bekommt sein Essen sogar im RTW „serviert".

PRAXISTIPP

Manche Wachen haben elektrische Sicherheitsschaltungen, die bei einem Alarm automatisch den Herd abschalten, um Pannen zu vermeiden, und veranstalten Kochkurse für die Mitarbeiter. Es gibt auch eine Reihe von Rezeptsammlungen und Kochbüchern für die richtige Ernährung speziell auf der Rettungswache und im Schichtdienst.

Die typischen **Probleme ungesunder Ernährung** sind:

- Übergewicht
- Verdauungsstörungen
- Stoffwechselstörungen
- Veränderungen der Blutwerte
- Beeinträchtigung verschiedener Organe und deren Funktionen

Viele körperliche Beschwerden und Leiden sind daher auf eine **falsche Ernährung** zurückzuführen. Eine **gesunde,** vollwertige und bedarfsangepasste **Ernährung** ist neben genügend körperlicher Bewegung die

Basis für einen gesunden Körper. Eine gesundheitsbewusste Ernährung ist eine Frage der richtigen Lebensmittelauswahl und Nahrungszubereitung. Der häufigste Fehler, der gemacht wird, ist der Konsum von zu viel Fett, Zucker, Salz, Alkohol und zu wenig Kohlenhydraten, Ballaststoffen und Vitaminen.

MERKE

Ideal wäre eine Ernährung nach dem Grundsatz: So viel Frische wie möglich und Abwechslung bei den Zutaten und so wenig Fett, Zucker, Salz und Fertigprodukte wie nötig!

IM FOKUS

Ernährung

- Ernährung ist ein zentraler Bestandteil zur Bearbeitung von Stress.
- Die durch Stress belasteten **körperlichen Funktionen** können erhalten werden.
- Bei normaler körperlicher Tätigkeit empfiehlt sich folgende Nahrungszusammensetzung für Nichtsportler:
  - 55 % Kohlenhydrate, 30 % Fette und 15 % Eiweiß.
- Einen weiteren großen Stellenwert hat die **ausreichende Zufuhr von Vitaminen und Mineralstoffen,** zumeist über Gemüse und Obst.
- Daneben hat Ernährung auch eine wichtige **soziale Komponente.**

7.2.11 Kontrollierter Umgang mit Koffein, Nikotin, Alkohol und anderen Suchtmitteln

Der allzu sorglose Umgang mit Kaffee, Zigaretten und alkoholischen Getränken belastet den menschlichen Organismus. Obwohl den meisten Menschen die gesundheitsschädliche Wirkung dieser Stoffe bekannt ist, ändern nur wenige ihr **Konsumverhalten** dauerhaft. Dafür verantwortlich sind hauptsächlich:

- Mangelndes Gesundheitsbewusstsein
- Gleichgültigkeit
- Labilität
- Anpassung
- Gewohnheit
- Die Substanz wird als Genussmittel und Ausgleich für Stressoren oder zur Beruhigung verwendet
- Die Verwendung ist in der jeweiligen unmittelbaren Umgebung „cool" und sichert sozialen Anschluss
- Sucht, Abhängigkeit

Koffein, Nikotin und Alkohol können schon bei geringen regelmäßigen Dosen zu Gesundheitsschäden und **Sucht** führen.

Koffein

Kaffee kann als ein Genussmittel betrachtet werden, das in kleinen Dosen nicht schädlich ist. Als Durstlöscher ist Kaffee allerdings ungeeignet. Grundsätzlich ist Kaffee mit etwas Milch und Zucker bekömmlicher als schwarzer Kaffee. Eine Tasse Kaffee enthält ca. 50–100 mg Koffein. Das Wirkungsmaximum tritt nach ca. 30 Minuten ein, die Wirkung hält etwa 1–2 Stunden an. Zu hohe Koffeindosen führen zu körperlichen Problemen. Es kommt zu einem erhöhten Gefäßtonus, beschleunigter Atem- und Herzfrequenz, gesteigertem Kohlenhydrat- und Fettstoffwechsel, Magenbeschwerden, Durchfall, innerer Unruhe, Nervosität, Schlaflosigkeit, Tremor, gesteigerter Diurese und Gelenkbeschwerden (Koffeinabbauprodukte bilden Harnsäure im Blut). Koffein belastet vor allem den Körper von Menschen mit Herz- und Gefäßerkrankungen zusätzlich. So können hohe Koffeindosen bei Personen mit verengten Herzkranzgefäßen Angina pectoris auslösen.

Rauchen

Vom Rauchen geht ein eindeutiges Gesundheitsrisiko aus. Die vielen im Tabakrauch enthaltenen Schadstoffe und Gifte haben Einfluss auf den gesamten menschlichen Organismus. Rund 24 % der über 18-jährigen Deutschen sind Raucher, es gibt etwa 127 000 tabakbezogene Todesfälle pro Jahr. Einige der 40 teilweise krebserregenden Schadstoffe des Tabakrauchs und Rauchkondensats (Teer) sind Nikotin, Pyridin, Benzpyren, Ammoniak, Blei, Formaldehyd, Blausäure, Zink, Anilin, Stickoxide, Kohlenmonoxid, Nickel und Schwefelwasserstoffe.

Gesundheitliche Folgen des Rauchens sind z. B.:

- Geschwächte Immunabwehr, erhöhte Infektanfälligkeit
- Diverse Krebsformen
- Entzündungen und Geschwüre im Magen-Darm-Bereich
- Bronchitis, Emphysem
- Arteriosklerose, Gefäßverschlüsse (Raucherbein); deutlich erhöhtes Risiko für Herzinfarkt und Schlaganfall

ACHTUNG! Schon tägliches Rauchen und Trinken alkoholischer Getränke schädigen den Körper innerhalb kurzer Zeit. Wird diese Gifteinwirkung über Jahre hinweg aufrechterhalten, sind schwere körperliche und psychische Gesundheitsschäden vorprogrammiert.

Alkohol

Alkohol ist für viele ein Genussmittel, das rasch zum Suchtmittel werden kann. Alkoholische Getränke dürfen nicht dazu verwendet werden, die tägliche Flüssigkeitsbilanz aufrechtzuerhalten. Die Einnahme von alkoholischen Getränken auf Rettungswachen ist i. d. R. grundsätzlich verboten. Laut Verordnung über den Betrieb von Kraftfahrunternehmen im Personenverkehr (BOKraft) darf mindestens 12 Stunden vor Dienstantritt bei Kraftfahrtätigkeiten kein Alkohol mehr eingenommen werden.

MERKE

Rund 6 % Prozent der Bevölkerung zwischen 18 und 64 Jahren weisen eine alkoholbezogene Diagnose auf. Nach aktuellen Angaben des Bundesgesundheitsministeriums gibt es jährlich etwa 74 000 Todesfälle, die auf den Konsum von Alkohol bzw. Alkohol und Tabak zurückgeführt werden können.

Als weitverbreitete und sozial akzeptierte Alltagsdroge führt der unkontrollierte Konsum zu schweren physischen, psychischen und sozialen Gesundheitsschäden. Trotz der hohen Gefahr, die vom Alkohol ausgeht, haben alkoholische Getränke in der Bevölkerung eine hohe Akzeptanz bzw. Beliebtheit und sind daher auch einfach verfügbar.

Die **Wirkung** von Alkohol ist von der konsumierten Menge abhängig (→ Kap. 40.4.1):

- 0,1–1,0 ‰: Wärmegefühl (nur subjektiv, durch Gefäßerweiterung erhöhte Wärmeabgabe), Zwanglosigkeit, Fröhlichkeit, Rededrang, gesteigertes Selbstwertgefühl, Selbstüberschätzung
- 1,0–2,0 ‰: Gleichgewichtsstörungen, unsicheres Gehen und Stehen, Sprachstörungen, Enthemmung, Verlust der Selbstkontrolle

- 2,0–2,5 ‰: Verwirrtheit, Gedächtnisstörungen, Bewusstseinsstörungen, Erbrechen, Muskelerschlaffen, Atemschwierigkeiten
- 2,5–5,0 ‰: Lähmungsanzeichen, flache Atmung, Koma, Tod

Gesundheitsschäden durch Alkohol sind u. a.:

- Lebererkrankungen
- Muskel- und Nervenerkrankungen
- Herz- und Gefäßerkrankungen, Herzmuskelschwäche, Durchblutungsstörungen
- Schwächung des Immunsystems
- Entzündungen von Magenschleimhaut, Bauchspeicheldrüse, Nieren und Harnwegen
- Stoffwechselstörungen
- Psychische Schäden, Persönlichkeitsveränderung
- Sucht, Delirium, Entzugssyndrom
- Bei Schwangeren die erhöhte Gefahr einer Fehl- und Frühgeburt sowie von Kindesfehlbildungen (Alkoholembryopathie)

Ebenso verheerend wie die gesundheitlichen Folgen können jedoch die sozialen Auswirkungen des Betroffenen für sich und seine Umwelt sein. Alkoholkranke Menschen verwenden viel Geld für ihren Konsum, verlieren leicht die Arbeit, Beziehungen zerbrechen und der Verlust der Wohnung droht. Diese Abwärtsspirale sollte möglichst früh unterbrochen werden. Dazu ist es erforderlich, dass schon bei geringen Anzeichen keine falsche Kollegialität oder Toleranz gezeigt wird.

Frühe Anzeichen für ein eventuelles Alkoholproblem sind:

- Der Betroffene vergisst häufig Termine, kommt oft zu spät zur Schicht.
- Der Betroffene hat eigenartige Entschuldigungen, häufig „Notfälle", warum er nicht kommen kann (Auto defekt, Kinder krank, Rohrbruch in der Wohnung etc.).
- Das Fernbleiben wird von einer anderen Person entschuldigt.
- Der Betroffene vernachlässigt die Körperpflege (häufig der Fall bei Männern).
- Der Betroffene isoliert sich zunehmend von Kollegen.
- Der Betroffene ist zunehmend streitbar und leicht reizbar.
- Der Betroffene kommt mit seinem Geld nicht zurecht, braucht einen Gehaltsvorschuss oder borgt sich Geld von Kollegen.
- Der Betroffene riecht nach Alkohol.
- Der Betroffene verwendet exzessiv Kaugummis, Pastillen, um einen anderen Mundgeruch zu bekommen.

MERKE

Einen alkoholkranke Kollegen zu „schützen" bedeutet, wegzusehen und die Chance auf Hilfe zu verzögern.

Alkoholkranke am Arbeitsplatz gefährden sich, Patienten und die Institution des Rettungsdienstes insgesamt. Vorgesetzten sind daher Verhaltensauffälligkeiten unter Beschreibung der Tatsachen und Beobachtungen mitzuteilen, ohne dabei die Diagnose „Alkoholabhängigkeit" zu stellen.

PRAXISTIPP

Vorgehen bei Verdacht auf Alkoholismus und Alkoholmissbrauch im Betrieb

In jedem Betrieb sollte es einen Stufenplan geben, der zwischen Leitung und Personalrat abgestimmt ist und regelt, wie man bei Verdacht auf Alkoholmissbrauch oder Alkoholabhängigkeit vorgeht. Im Rettungsdienst sind der Handlungsrahmen und damit der Toleranzspielraum durch die Tätigkeit als Fahrzeugführer oder als Notfallsanitäter allerdings sehr eingeschränkt.

Eine **mögliche Vorgehensweise** gestaltet sich wie folgt: Bei unmittelbarem Verdacht ist zunächst der Vorgesetzte zu informieren und der Betroffene **sofort** vom Einsatzdienst in den Innendienst zu versetzen. Je nach arbeitsrechtlichen Regelungen (z. B. Betriebsvereinbarung) ist eine unmittelbare ärztliche Feststellung, ob eine Alkoholisierung besteht, möglich. Nächster Schritt ist ein Gespräch zwischen dem Mitarbeiter und seinem unmittelbaren Vorgesetzten. Darin werden die Vermutung oder ggf. die Tatsache des Alkoholmissbrauchs und problematische Verhaltensweisen des Mitarbeiters direkt angesprochen. Wichtig ist, nicht zu übertreiben, um die Abwehrhaltung nicht zu verstärken. Außerdem soll nicht nach Schuldigen gesucht werden, sondern das Gespräch soll rein auf der Ebene der betrieblichen Problemlösung bleiben. Drohungen verstärken die Motivation, zu trinken. Als klare Botschaft muss mitgeteilt werden:

- Kein Alkohol im Dienst!
- Kein Restalkohol bei Dienstbeginn!
- Der Betroffene muss konzentriert daran arbeiten, seine Sucht in den Griff zu bekommen!
- Ein Folgetermin wird vereinbart (etwa 2 Monate nach dem ersten Gespräch).

Erfolgt keine Normalisierung, muss zwingend die **nächste Hierarchieebene** eingeschaltet werden. Bei einem weiteren Gespräch sollte ein Betriebsrat dabei sein, ggf. ein Betriebsarzt, Betriebssozialarbeiter oder Arbeitspsychologe. Während dieses weiteren Gesprächs erfolgen auch eine mündliche Verwarnung und die Übergabe einer Liste mit Beratungseinrichtungen, wovon eine nachweislich durch den Betroffenen besucht werden muss. Spätestens 4 Wochen danach erfolgt dann ein weiteres Gespräch. Besteht das Problemverhalten weiterhin, wird eine schriftliche **Abmahnung** mit der Ankündigung des Arbeitsplatzverlustes erteilt. Der Mitarbeiter sollte spätestens jetzt nachweislich eine ambulante Therapie beginnen.

Rund 2 Monate danach erfolgt bei Bedarf ein neuerliches Gespräch im Beisein des Personalrats, der drohende Arbeitsplatzverlust wird nochmals deutlich formuliert. Der Mitarbeiter sollte nachweislich einen stationären Alkoholentzug beginnen, inkl. einer zumindest einjährigen Nachbetreuung.

Für rund 2 Jahre sollte es begleitende Gespräche mit dem Betroffenen geben, um zu zeigen, dass man unterstützt und kontrolliert. Helfen diese Maßnahmen nicht, wird eine zweite schriftliche Abmahnung übergeben. Bei weiterem Fehlverhalten wird der Betroffene gekündigt.

Sonstige Drogen

Neben Alkohol, Koffein und Nikotin sind Medikamente die am weitesten verbreiteten Drogen. In Deutschland sind rund 1,9 Millionen Bürger medikamentenabhängig. Auch im medizinischen Bereich gibt es sog. „Polytoxikomanen", also Kranke, die gleichzeitig mehrere Drogen einnehmen.

PRAXISTIPP

Dort, wo Betroffene Zugang zu Medikamenten haben, die Schmerzen bekämpfen oder beruhigend wirken, besteht generell ein **höheres Missbrauchsrisiko.** Eine konsequente Lagerhaltung für Medikamente, analog den Vorgaben des Betäubungsmittelgesetzes, reduziert die Chance, dass Mitarbeiter auf den rettungsdienstlichen Medikamentenbestand an Drogen zugreifen.

Darüber hinaus gibt es in Deutschland ca. 175 000 Konsumenten illegaler Substanzen wie Opiate und Kokain, exklusive Cannabis. Rund 240 000 Personen sind regelmäßige Konsumenten von Cannabisprodukten – man darf vermuten, dass sich darunter auch einzelne Rettungsfachkräfte befinden.

Von einem „Abhängigkeitssyndrom" nach dem **Klassifizierungsschema ICD-10** muss immer dann ausgegangen werden, wenn mindestens drei von insgesamt sieben Symptomen vorhanden sind:

- Toleranzentwicklung
- Entzugssymptome
- Häufige Einnahme in größeren Mengen oder längeren Zeiträumen
- Der anhaltende Wunsch bzw. erfolglose Versuche, den Gebrauch zu verringern oder zu kontrollieren
- Hoher Zeitbedarf für Substanzbeschaffung
- Aufgabe oder Einschränkungen wichtiger Aktivitäten
- Fortgesetzte Verwendung der Suchtmittel trotz der Kenntnis über deren negative Auswirkungen

Liegt ein Abhängigkeitssyndrom im Sinne dieser Definition vor, muss eine Intervention in ähnlicher Weise erfolgen, wie sie im Abschnitt zu Alkohol bereits dargestellt worden ist.

PRAXISTIPP

Suchtberatungsstellen lassen sich im Internet z. B. bei der **Deutschen Hauptstelle für Suchtfragen (DHS)** unter www.dhs.de recherchieren.

IM FOKUS

Genussmittel und Suchtstoffe

- **Koffein:** ist in kleinen Mengen anregend. Große Mengen können das Herz-Kreislauf-System beeinträchtigen und zu Störungen des Schlaf-Wach-Rhythmus führen.
- **Rauchen:** Rauchen gilt mittlerweile bevölkerungsweit als gesundheitsschädlich.
- **Alkohol:** Als Genuss- und Entspannungsmittel hat er ein hohes **Suchtpotenzial.**
  Gerade bei rettungsdienstlichen Kollegen ist eine **Alkoholsucht** eine große Gefahr für Kollegen und Patienten. Hinweise darauf dürfen nicht ignoriert werden.
- **Drogen:** Die verbreitetsten Drogen in Deutschland sind Medikamente.

7.2.12 Lebensrhythmus und Wechselschichtdienst

Viele Lebensvorgänge in der Natur verlaufen rhythmisch und beeinflussen den Menschen. Der **zirkadiane Rhythmus** oder Biorhythmus ist ein tageszeitlicher Ablauf von biologischen Funktionen. Dies beinhaltet z. B. Blutdruck, Pulsfrequenz, Nieren- und Verdauungstätigkeit oder Körpertemperatur. Dieser Rhythmus wird vom Tag-Nacht-Ablauf beeinflusst. So hängen von ihm die körperliche und geistige Leistungsfähigkeit ab, die Wirkung von Arzneimitteln sowie teilweise Hunger, Durst und Müdigkeit.

Für Menschen, die im **Wechselschichtdienst** arbeiten, bedeutet dies, dass eine konstante Leistungserbringung praktisch nicht möglich ist. In der Nachtschicht können nicht die gleichen körperlichen und geistigen Leistungen erbracht werden wie im Tagdienst. Die Herausforderungen des Wechselschichtdienstes liegen darin, dass der Arbeitsrhythmus nicht so einfach mit dem Lebensrhythmus synchronisiert werden kann: Leistung muss auch in auf Ruhe programmierten Phasen erbracht werden.

Speziell im Rettungsdienst kommt eine weitere Problematik hinzu, wenn sich zur Nachtzeit aus einer Phase der Ruhe eine unmittelbare maximale Beanspruchung ergibt: Dem Körper wird eine Leistungssteigerung in einer Phase abverlangt, in der er auf Schlaf programmiert ist. So braucht der menschliche Organismus einige Minuten Vorlaufzeit, bis er zu höheren Leistungen bereit ist. In dieser Zeit ist das Reaktionsvermögen vermindert, die geistige Aufnahmefähigkeit für komplizierte Zusammenhänge herabgesetzt und der Körper reagiert mit einem Anstieg der Nervosität. In diese Phase fällt die Anfahrt zur Einsatzstelle, in der das Sehvermögen im Dunkeln eingeschränkt und ein rasanter Fahrstil daher besonders gefährlich ist.

PRAXISTIPP

Für den **Schichtdienst** empfiehlt sich deshalb:

- In der Nachtschicht jede Möglichkeit der Ruhe nutzen. Schlaf sammeln.
- Sonderarbeiten mit hohem körperlichem und geistigem Einsatz nach Möglichkeit in den Tagdienst verlegen (z. B. Fahrzeuggrundreinigung, Einsatzsimulationen).
- Während der Nachtarbeit keine schweren Mahlzeiten zu sich nehmen, sondern leichte und vitaminreiche Kost.
- Zwischen den Nachtdienstnächten versuchen, den normalen Lebensrhythmus beizubehalten: Frühstück, Mittagessen und Abendessen zu den gewohnten Uhrzeiten einnehmen.
- Nicht wesentlich früher bzw. später zu Bett gehen.

IM FOKUS

Wechselschichtdienst

- Der **persönliche Biorhythmus** kann nur bedingt dem Arbeitsrhythmus angepasst werden.
- Nachtdienste sollten so gut es geht zur Erholung genutzt werden.
- Ein großes Problem der Nachtdienste ist die **herabgesetzte körperliche und geistige Leistungsfähigkeit.**
- Schichtdienst kann die sozialen Beziehungen stören.

7.2.13 Maßnahmen zur Stärkung der körperlichen Fitness

Mangel an körperlicher **Bewegung** ist ein wissenschaftlich gesicherter Risikofaktor für die Gesundheit. Er führt zu Übergewicht, Hypertonie und ggf. zu Diabetes mellitus Typ 2. Nur rund ein Drittel der Deutschen betreibt wöchentlich zumindest 2 Stunden **Sport**. Sinnvoll wäre mindestens dreimal wöchentlich Bewegung, idealerweise Sport mit einer Belastungsintensität (Herzfrequenz) von etwa 130/Min. für ca. 30 Minuten. Dabei sollte der Körper unterschiedlichen Herausforderungen ausgesetzt sein, z. B. Koordination, Schnelligkeit, Ausdauer, Flexibilität und Kraftanforderungen. Ausreichend Bewegung schützt auch vor manchen psychischen Problemen: Sie reduziert z. B. Depressionen und Furcht.

Die Einführung einer **Dienstsportart** ist daher anzuraten, die auch das Gemeinschaftsgefühl in den Wachen stärken kann. Sinnvoll erscheint zudem ein auf die einsatzfreien Zeiten in der Rettungswache abgestimmtes **Fitnesstraining** für speziell belastete Muskelpartien in Verbindung mit ggf. bereitgestellten Fitnessgeräten.

> **PRAXISTIPP**
>
> Im österreichischen Marchfeld ist **„ride and rescue"** ein internationaler Simulationswettbewerb, bei dem Rettungsfachpersonal im Sinne von Sport, Fortbildung und Gesundheitsförderung zu unterschiedlichen Einsatzübungen per Fahrrad unterwegs ist (www.rideandrescue.at). Es wäre wünschenswert, derartige Initiativen auf lokaler und nationaler Ebene umzusetzen.

7.2.14 Rückenschonendes Arbeiten

Das **Hebelsystem der Wirbelsäule** entspricht einem zweiarmigen Hebel, wobei die Kraft an den 5 cm langen Dornfortsätzen der Rückenwirbel angreift. Der Abstand zwischen dem gemeinsamen Schwerpunkt von Oberkörper und Last und der am stärksten belasteten fünften Lendenbandscheibe kann je nach Neigung des Rumpfes und Stellung der Arme eine Länge von bis zu 40 cm aufweisen. Nach dem **Hebelgesetz** gilt:

$$\text{Kraft} \times \text{Kraftarm} = \text{Last} \times \text{Lastarm}$$

Beim **Heben** mit gebeugtem Rücken wird der Druck auf die fünfte Lendenbandscheibe bis zum Faktor acht gegenüber der Last, bestehend aus anzuhebendem Gewicht plus Gewicht des Oberkörpers, verstärkt. Der Faktor acht ergibt sich aus dem Verhältnis der Hebellängen (40 cm : 5 cm). Außerdem werden die Bandscheiben beim Heben mit gebeugtem Rücken keilförmig verformt (→ Abb. 7.3) und an den Kanten überbelastet, was zur Gewebeschwächung der Bandscheiben führen kann. Beim Heben mit gebeugtem Rücken besteht dann schon bei relativ geringen

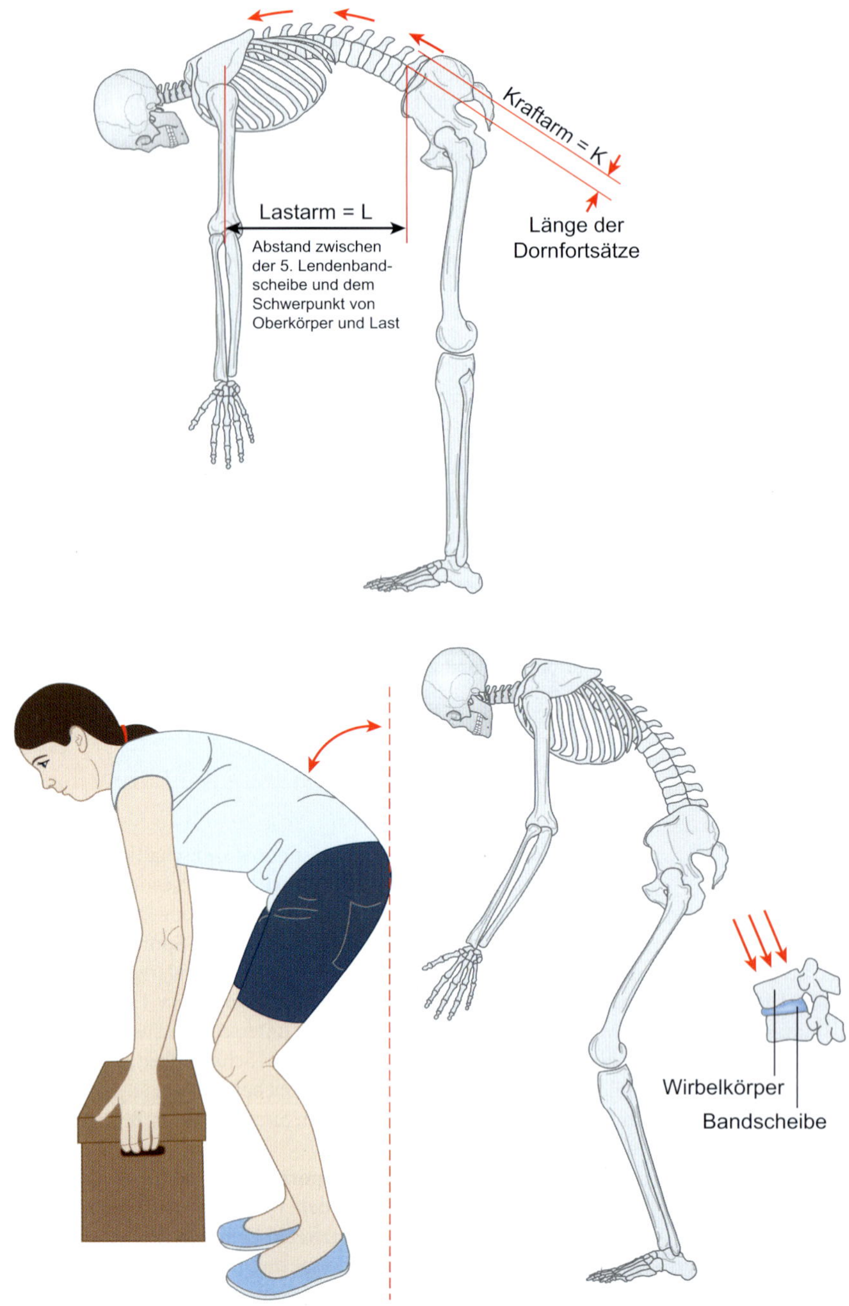

Abb. 7.3 Wirbelsäulenbelastung bei Heben mit gebeugtem Rücken [L231]

Lasten die Gefahr, dass die so in ihrer Gewebestruktur geschwächte Bandscheibe reißt und der gallertartige Kern gegen das Rückenmark oder seitlich verlaufende Nerven gequetscht wird (Bandscheibenvorfall → Kap. 33.10).

Folgende **Grundregeln** müssen **beim Heben und Tragen** von Lasten beachtet werden (→ Abb. 7.4, → Abb. 7.5):

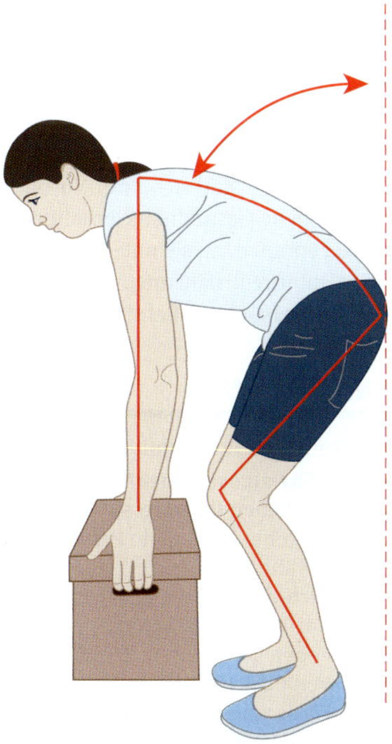

Abb. 7.4 Falsches Heben [L231]

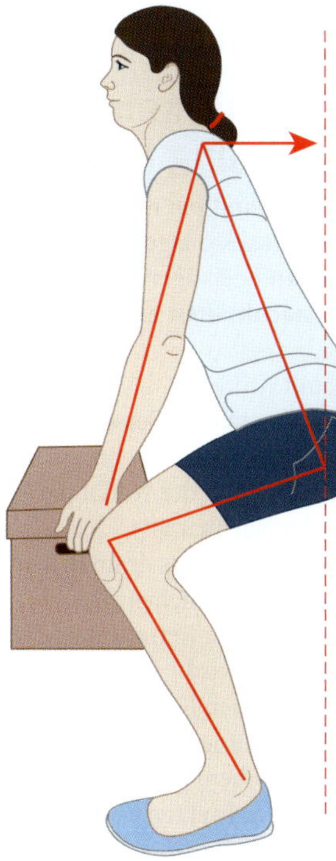

Abb. 7.5 Richtiges Heben [L231]

MERKE

- Mit geradem Rücken und aufgerichtetem Oberkörper heben
- Last aus der Hocke aufnehmen und körpernah halten
- Last nicht ruckartig bewegen
- Last mit gestrecktem Armen halten
- Verdrehen der Wirbelsäule beim Heben und Tragen von Lasten vermeiden

Um rückenschonender arbeiten zu können, sollten verstärkt **Hilfsmittel** zum Transport von Patienten eingesetzt werden. Eine Trage mit Fahrgestell gehört heute zur Standardausrüstung jedes Krankenkraftwagens. Auch gibt es für die Be- und Entladung der Krankenkraftwagen unterstützende Systeme wie Rampen oder Hebelifte. Hilfsmittel zum Patiententransport in Treppenhäusern werden im Rettungsdienst noch selten benutzt, sind aber in Form von „Raupen" am Markt erhältlich. Auch für die Patientenumlagerung gibt es mittlerweile zahlreiche mechanische Hilfsmittel, die im Alltag unbedingt Verwendung finden sollten.

MERKE

Das Nachfordern von weiteren Rettungsmitteln zur Tragehilfe sollte vom Arbeitgeber, von Kollegen und Leitstellen gefördert und als Zeichen der Professionalität, nicht als Belastung unnötiger weiterer Ressourcen, betrachtet werden.

PRAXISTIPP

Schulungen zum rückenschonenden Arbeiten sollten fester Bestandteil der Ausbildung zum Notfallsanitäter sein. Auch bei Übungen sollte stets auf rückenschonendes Heben und Tragen geachtet werden. Am konkreten Arbeitsplatz gilt es dann, spezifische Strategien für ergonomisches Arbeiten zu entwickeln und dauerhaft umzusetzen.

IM FOKUS

Körperliche Fitness

- Körperliche Leistungsfähigkeit ist im Rettungsdienst von großer Bedeutung.
- Idealerweise erfolgen pro Woche mindestens **dreimal 30 Minuten Sport** bei einer Belastung, die mit einer Herzfrequenz von 130/Min. einhergeht.
- Außerdem sollten neben **Ausdauer- auch Kräftigungs- und Koordinationsübungen** absolviert werden.
- Am besten erfolgt der Sport auch **gemeinsam während des Dienstes.**
- Außerdem muss stets an die **Rückenbelastung** im Rettungsdienst gedacht werden.
- Der Einsatz von **Hilfsmitteln** und den richtigen **Hebetechniken** ist von großer Bedeutung.

7.2.15 Maßnahmen zur Infektionsvorbeugung

Die Verwendung von **Handschuhen** sowie – in bestimmten Situationen – eines **Mundschutzes** und einer **Schutzbrille** ist im Rettungsdienst unabdingbar. Ebenso sind **Schutzimpfungen,** z. B. gegen Hepatitis A und B, durchzuführen und regelmäßig aufzufrischen. Die grundlegenden Maßnahmen zur Infektionsvorbeugung sind in → Kap. 16.1 und → Kap. 16.2 ausführlich dargestellt.

7.2.16 Maßnahmen des Arbeitgebers

Viele Maßnahmen des Arbeitgebers ergeben sich aus den gesetzlichen Aufgaben des Arbeitsschutzes. Im Sozialgesetzbuch VII (SGB VII) und durch Vorgaben der gesetzlichen Unfallversicherungsträger sind Präventionsaufgaben geregelt, die arbeitsbedingte Gesundheitsgefahren reduzieren sowie Arbeitsunfälle und Berufskrankheiten verhindern sollen.

Die Berufsgenossenschaften haben u. a. die Aufgabe, spezifische Arbeitsschutzvorschriften zu erlassen und deren Umsetzung in den Betrieben durchzusetzen. Dazu gehören die Erstellung von **Gefährdungsbeurteilungen,** Kontrollen von Aspekten des Arbeitsschutzgesetzes und die Verhütung arbeitsbedingter Gesundheitsgefahren – dies sind wesentliche Aspekte des **technischen Arbeitsschutzes.** Ebenso bedeutsam sind die menschengerechte Gestaltung der Arbeit und Aspekte des **„sozialen Arbeitsschutzes"**, wie die Umsetzung des Arbeitszeitgesetzes und die Beachtung von Schutzmechanismen für Mütter, Jugendliche oder Behinderte.

Eine bedeutende Funktion erfüllen die **Fachkräfte für Arbeitssicherheit** und **Betriebsärzte,** welche die Einhaltung gesetzlicher Vorgaben kontrollieren und Betriebe in Aspekten der Gesundheitssicherung beraten. Die Verantwortung für die Durchführung des Arbeitsschutzes liegt beim jeweiligen Arbeitgeber. Den Personal- bzw. Betriebsräten kommt im Rahmen des Arbeitsschutzes ein umfangreiches Informations-, Mitwirkungs- und Mitbestimmungsrecht zu.

MERKE

Ohne das Bewusstsein für gesundes und sicheres Arbeiten und die Mitarbeit der einzelnen Rettungsfachkräfte ist die Umsetzung betrieblicher Präventionsmaßnahmen nicht verwirklichbar.

Neben den gesetzlichen Erfordernissen gibt es im Rahmen systematischer betrieblicher Gesundheitsförderungsprogramme zahlreiche weitere **Ansätze für einen möglichst gesunden Arbeitsplatz:**

- Das Unternehmen achtet darauf, dass die Mitarbeiter die Chance auf eine Balance zwischen den unterschiedlichen Lebensanforderungen haben, und lässt familien- und partnerfreundliche Bedingungen zu, z. B. durch verschiedene und differenzierte Schichtpläne. Mitarbeitern mit Kindern oder zu pflegenden Angehörigen wird ein angepasster Schichtplan ermöglicht.
- Die Bedingungen an der Rettungswache sind baulich so, dass Lärm, Hitze und Kälte ausgeglichen werden. Es gibt Rückzugsräume für Mitarbeiter. Die Ausrüstung ist ergonomisch gestaltet; Mitarbeiter werden motiviert, bei schweren Patienten Tragehilfe anzufordern, oder haben entsprechende teilautomatisierte Geräte zum Heben und Umlagern zur Verfügung.
- Es gibt die Möglichkeit, in kooperierenden Einrichtungen eine gesunde warme Mahlzeit einzunehmen, und Ressourcen, auch in der Nachtschicht gesund zu essen.
- Die Mitarbeiter werden positiv geführt. Sie erhalten Wertschätzung, Anerkennung und die Möglichkeit, mitzubestimmen, sich fortzubilden und weiterzuentwickeln. Die Arbeit ist nicht so durchnormiert, dass kein Raum mehr für persönliche Stärken und Ideen vorhanden ist. Es gibt Spielraum für individuelle Dinge.
- Es gibt Stellenbeschreibungen, in denen die Aufgaben der Mitarbeiter transparent dargelegt sind, sowie Klarheit über Ziele, Rollen, Vorgesetzte, Verantwortungsrahmen.
- Es gibt eindeutige, schriftliche Vorgaben zur Bandbreite der notfallmedizinischen Versorgung. Der Arbeitgeber unterstützt seine Mitarbeiter bei der Durchführung zeitgemäßer Notfallmedizin inhaltlich, durch Schulungsmaßnahmen und rechtlich.
- Die Arbeitsbelastung wird, z. B. durch Schichtpläne und Rotationen, so gehalten, dass keine Überforderung oder Unterforderung der Mitarbeiter entsteht und unterschiedliche Aufgaben den Beruf interessant halten.
- Der soziale Zusammenhalt in der Organisation wird gefördert, Mitarbeiter werden informiert, es gibt auch regelmäßige mündliche Kommunikation mit den Vorgesetzten.
- Mitarbeiter werden nicht diskriminiert, etwa aufgrund ihrer Herkunft, Religion oder sexuellen Orientierung.
- Insbesondere neue Mitarbeiter oder Mitarbeiter mit Problemlagen erhalten psychosoziale Unterstützung durch Kollegen und Vorgesetzte.
- Führungskräfte sind sich ihrer Vorbildfunktion auch im Hinblick auf das eigene Gesundheitsverhalten bewusst und gehen mit gutem Beispiel voran, d. h., sie nutzen Angebote zur Gesundheitsförderung, achten auf ihre Ernährung, sprechen nach belastenden Einsätzen über ihre persönliche Befindlichkeit etc.

IM FOKUS

Die Rolle des Arbeitgebers beim Gesundheitsschutz

- Das **Sozialgesetzbuch VII (SGB VII)** und die Vorgaben der **gesetzlichen Unfallversicherungsträger** übertragen dem Arbeitgeber bestimmte **Präventionsaufgaben:**
  - Gefährdungsbeurteilungen
  - Technischer Arbeitsschutz
  - Sozialer Arbeitsschutz
- Daneben sind weitere **freiwillige Maßnahmen** sinnvoll, z. B.:
  - Verlässliche Dienstplanung
  - Förderung des sozialen Zusammenhalts im Kollegium
  - Strukturierte Einarbeitung
- Wichtige Personen:
  - **Fachkräfte für Arbeitssicherheit**
  - **Betriebsärzte**

7.3 Maßnahmen zur psychosozialen Unterstützung im und nach dem Einsatz

Notfallsanitäter sind bei ihren Einsätzen häufig einem Höchstmaß an psychischem Druck ausgesetzt und müssen dabei ein hohes Maß an körperlicher und geistiger Leistung vollbringen. Einsätze, die von vielen Rettungsfachkräften als besonders belastend erlebt werden, sind z. B.:

- Einsätze mit Kindern
- Einsätze mit getöteten Personen, insbesondere im Zusammenhang mit Brand, Suizid oder mehreren Verstorbenen
- Einsätze, bei denen der Notfallpatient ein Freund, Verwandter, Kollege oder Nachbar ist
- Einsätze mit besonders dramatischen Anblicken, Geräuschen oder unangenehmen Gerüchen
- Einsätze, bei denen Rettungsfachpersonal bedroht, beschimpft oder selbst gefährdet wird
- Einsätze, bei denen Fehler, Irrtümer oder schwere Komplikationen bei der Behandlung auftreten
- Einsätze mit hohem öffentlichem oder medialem Interesse bzw. Einsätze vor vielen direkten Beobachtern oder in Menschenansammlungen

- Eigenunfälle des Rettungsteams mit Sachschäden oder – schlimmer noch – Verletzungen (Verkehrsunfall, Nadelstichverletzung etc.)
- Lang dauernde, physisch und mental herausfordernde Einsätze
- Einsätze, bei denen man an seine fachlichen Grenzen stößt

Wichtig zu wissen ist, dass es sich bei belastenden Situationen keineswegs immer um Großschadensereignisse handeln muss. Auch ansonsten eher alltägliche Einsatzsituationen können als etwas sehr Unangenehmes erlebt werden, wenn sie z. B. außergewöhnlich verlaufen oder besonders emotionale Aspekte beinhalten. In solchen Fällen können selbst gut ausgebildete und erfahrene Einsatzkräfte schnell an die Grenze ihrer Belastbarkeit stoßen und typische Stressreaktionen zeigen.

ACHTUNG! Problematisch werden „normale" Stressreaktionen i. d. R. immer dann, wenn Einsatzkräfte nicht mehr in der Lage sind, das Geschehene mit den ihnen zur Verfügung stehenden Bewältigungsmöglichkeiten zu bearbeiten, oder wenn eine Aufarbeitung belastender Einsätze gänzlich unterbleibt.

Aus diesem Grund können in und nach Einsätzen – über die bereits dargestellten Strategien zur Gesundheitsförderung und Prävention hinaus – Maßnahmen zur **psychosozialen Unterstützung (PSU)** von Rettungsfachkräften angebracht sein. Hier können Selbsthilfestrategien im Einsatz, eine psychosoziale Einsatzbegleitung sowie Maßnahmen zur Einsatznachsorge unterschieden werden.

PRAXISTIPP

Grundsätzlich sollte in jedem Rettungsdienst ein formeller, schriftlich fixierter Maßnahmenplan vorhanden sein, der folgende Fragen beantwortet:

- Welche psychosozialen Unterstützungsangebote gibt es?
- Wer ist für diese Unterstützungsangebote zuständig und verantwortlich?
- Wie kann man diese Unterstützungsangebote konkret in Anspruch nehmen?

Ein solcher Maßnahmenplan sollte z. B. an einem Schwarzen Brett ausgehängt werden und jeder Rettungsfachkraft bekannt sein.

IM FOKUS

Belastende Ereignisse

- **Potenziell belastende Ereignisse** sind im Rettungsdienst **allgegenwärtig.**
- Sie müssen nicht unbedingt mit Großschadens- oder anderen anspruchsvollen Einsatzlagen verknüpft sein.
- Wichtig ist die Frage, ob die **Verarbeitungsressourcen** des einzelnen Mitarbeiters ausreichen, um ein bestimmtes Ereignis kognitiv oder emotional zu überwinden.
- Sollte dies nicht der Fall sein, sollte die Hinzuziehung eines besonderen Teams zur **psychosozialen Unterstützung** (PSU) erwogen werden.

7.3.1 Selbsthilfestrategien im Einsatz

Nicht nur Berufsanfängern wird die Stressbelastung bereits unmittelbar in einem Einsatz gelegentlich zu viel. Wenn auf dem Display des Funkmeldeempfängers z. B. die Adresse eines guten Freundes steht und dort eine Reanimation gemeldet ist, wird auch ein erfahrener Notfallsanitäter wirkungsvolle Strategien benötigen, um seine Handlungskompetenz aufrechtzuerhalten. Unterschiedliche Anzeichen weisen darauf hin, dass Rettungsfachkräfte in solchen Einsätzen besonderem Stress ausgesetzt sind (→ Tab. 7.4).

Körperliche Anzeichen	Psychische Anzeichen
• Blässe • Starkes Schwitzen • Rotes Gesicht • Trockener Mund • Erhöhter Puls • „Wackelige" Knie • Kloß im Hals • Heiserkeit bzw. die Stimme versagt • Hohe Stimme • Zu rasches Sprechen • Stottern, Stammeln usw.	• Gefühl der Überwältigung • Starke Angst • Zorn • Außergewöhnliche Erregung • Denkblockade • Tunnelblick • Schwierigkeiten oder Unfähigkeit, Entscheidungen zu treffen • Durchführung von unwichtigen Tätigkeiten oder Nebensächlichkeiten etc.

Tab. 7.4 Anzeichen für starke Stressbelastung in einem Einsatz (modifiziert nach Karutz 2009)

Treten derartige Symptome auf, können jedoch verschiedene Strategien eingesetzt werden, um weiterhin handlungsfähig zu bleiben:

- **Positive Grundhaltung:** Erinnerung an bereits positiv bewältigte Einsätze: *„Wir haben die nötige Ausrüstung und Kompetenz, um die wichtigsten Anforderungen des Einsatzes gut zu bewältigen."*
- **Realistische Erwartungshaltung:** Nur ein geringer Teil der Variablen eines Einsatzes ist durch das Rettungsfachpersonal vor Ort beeinflussbar und steuerbar: *„Wir tun das, was möglich ist."* Hilfreich ist die Kenntnis über Erfolgschancen bestimmter medizinischer Maßnahmen, z. B. die Reanimationschancen bei unterschiedlichen Altersgruppen und Vorerkrankungen bzw. Verletzungsmustern. Pro Minute ohne Wiederbelebung sinkt die Chance des Patienten um etwa 10 %. Solche Fakten zu wissen und sich vor Augen zu führen, entlastet mitunter sehr.

MERKE

Eine Reanimation ist lediglich ein Versuch, den bestehenden Tod noch umzukehren.

- **Positive Bewertung von Stress:** Stressreaktionen sind erforderlich, um die eigenen Ressourcen zur Bewältigung einer Herausforderung abrufen zu können. Erst wenn die eigene Anspannung zu hoch ist, werden Stressreaktionen kontraproduktiv. Das Ziel ist daher nicht, in einem Einsatz vollkommen entspannt zu sein, sondern die Anspannung in einer angemessenen Weise wahrzunehmen und zu regulieren: *„Ich bin schon ein wenig aufgeregt, aber das ist auch gut so!"*
- **Rückzug:** Damit ist gemeint, sich eine kurze Auszeit zu nehmen, den Raum zu verlassen, um etwas zu holen, kurz auf die Toilette zu gehen, einen Schluck Wasser zu trinken oder auch, um ein anderes Rettungsmittel nachzufordern. Man darf sich auch eingestehen: *„Ich muss nicht immer und in jeder Situation perfekt funktionieren."* Bei längeren Einsätzen sollte rechtzeitig vor einem völligen K. O. auf die entsprechende Ablösung geachtet werden.
- **Positive Bewertung von Angst:** Angst warnt vor Gefahren, d. h., der Körper signalisiert, dass er sich psychisch oder physisch bedroht fühlt oder dass vielleicht tatsächlich bereits eine Situation eingetreten ist, in der ein Rückzug notwendig ist. Auf Angst zu reagieren bedeutet also auch: *„Ich schütze meinen Körper und meine Seele."*

- **Stärken und Hilfsmittel verdeutlichen:** Was kann ich besonders gut? Was kann mein Team besonders gut? Welche verlässlichen Werkzeuge haben wir, die uns unterstützen, die anstehenden Aufgaben zu bewältigen? Die wichtigsten Werkzeuge sind immer mit dabei: die eigenen Sinne!
- **Szenencheck und ABDCE-Schema:** Untersuchung, Anamnese und Behandlungsstandard sollte man so können, dass man sie auch im Schlaf abrufen kann. Das gibt Sicherheit: *„Wenn ich den Überblick verloren habe, beginne ich beim Szenencheck und ABCDE."* Auch bewährte Handlungsrituale können Sicherheit verschaffen.
- **Stressoren reduzieren:** Wenn es die Verkehrslage zulässt, muss nicht ununterbrochen mit Martinshorn gefahren werden. Zusätzliche Lärmquellen wie das Radio können während der Anfahrt ausgeschaltet werden. Kommunikation während der Anfahrt sollte auf das Wesentliche reduziert werden etc.
- **Entspannungstechniken anwenden,** z. B. ruhiges, langsames und mehrfaches tiefes Ein- und Ausatmen. Man kann auch einfach nur einen Schluck Wasser trinken oder sich seitlich ganz leicht auf die Zunge beißen. Dies löst etwas Speichelfluss aus und reduziert einen vor Aufregung trockenen Mund. Akupressur, Techniken des autogenen Trainings usw. können ebenfalls angewendet werden. Solche Verfahren müssen aber in entsprechenden Kursen gelernt worden sein.
- **Selbstführung und Teamführung durch Vorsprechen:** Sich selbst und sein Team durch den Einsatz führen, indem man dem Patienten Schritt für Schritt die nächsten Untersuchungsschritte erklärt: *„Ich fühle jetzt den Puls hier an der Hand ...", „Jetzt werde ich Sie mit dem Stethoskop abhören ...", „Nun werden wir ein EKG machen, meine Kollegen werden Ihnen dazu kleine Aufkleber auf der Haut ankleben ..."* etc.
- **Abwenden:** Man muss nicht alles ansehen, man kann und darf sich von Situationen auch abwenden – z. B. muss eine verkohlte Leiche nicht von allen eingesetzten Kollegen begutachtet werden. Geruchsbelästigungen kann man teilweise mit Masken oder durch Einbringen von Vaseline in die Nase reduzieren.

PRAXISTIPP

Man sollte auch ganz bewusst die Augen schließen, sich die Ohren zuhalten und sich von einem Ereignis abwenden, wenn es potenziell traumatisierend wirken könnte, wie der Sprung eines Suizidenten von einem Hochhausdach.

IM FOKUS

Selbsthilfestrategien

- Selbsthilfestrategien vor, bei oder nach psychischen Belastungen sind für Rettungsfachpersonal **von großer Bedeutung.**
- Die wichtigste Bedingung für deren Anwendung ist das **Erkennen** der eigenen Belastung durch:
  - **Körperliche** Anzeichen (Zittern, trockener Mund, Herzklopfen)
  - **Psychische** Anzeichen (Angst, Tunnelblick, Denkblockade)
- Es gibt zahlreiche Selbsthilfestrategien. Sie sind häufig **verhaltensbezogen** (*„Ich ändere etwas an mir, z. B. meine Erwartungshaltung, um mit einer Sache umgehen zu können."*).

7.3.2 Psychosoziale Einsatzbegleitung

Wenn bestimmte Einsatzmerkmale eine starke Belastung der Rettungskräfte besonders wahrscheinlich machen, kann eine **psychosoziale Einsatzbegleitung** angebracht sein. Dazu gehört z. B.:

- Auf Anzeichen persönlicher Überlastung zu achten
- Rechtzeitig für Ablösungen der eingesetzten Kollegen zu sorgen
- Einen Rückzugs- bzw. Erholungsraum zu schaffen
- Getränke und ggf. auch einen Imbiss bereitzustellen
- Das Auftreten besonderer Belastungen im Einsatztagebuch bzw. Einsatzprotokoll und ggf. auch im Verbandbuch zu dokumentieren

Letzteres ist wichtig, damit später z. B. eine posttraumatische Belastungsstörung (→ Kap. 7.1.3) von den Berufsgenossenschaften und Unfallkassen als Arbeitsunfall anerkannt wird.

Dass Rettungsfachkräfte bereits in einem Einsatz regelrecht zusammenbrechen und nicht mehr weiterarbeiten können, ist zwar äußerst selten, aber möglich. In einem solchen Fall sollten die betreffenden Kollegen vor Zuschauern und Medienvertretern geschützt und möglichst unauffällig an der Einsatzstelle abgelöst werden. In räumlicher Distanz ist dann eine weiterführende Betreuung durch entsprechend geschulte Fachkräfte erforderlich (→ Abb. 7.6). Manchmal reicht eine Unterbrechung der Arbeit bereits aus, manchmal ist es aber auch angebracht, den Einsatz für diesen Helfer zu beenden.

PRAXISTIPP

„Funktionierende" Rettungsfachkräfte, die einfach ihrer Arbeit nachgehen, sollte man niemals unterbrechen, weil dies ihre persönlichen Schutzschilde zerstören könnte. Psychosoziale Einsatzbegleitung soll sich lediglich an diejenigen Kollegen richten, die an der Einsatzstelle bereits klar erkennbar Unterstützungsbedarf aufweisen.

7.3.3 Maßnahmen zur Einsatznachsorge

Nutzung individueller Ressourcen

Nach einem Einsatz sollte jede Rettungsfachkraft erst einmal das tun, was ihr auch sonst in bewährter und gesunder Weise hilft, um zur Ruhe zu kommen, abzuschalten und zu entspannen. Hier geht es darum, zunächst **individuelle Ressourcen** zu aktivieren. Hilfreich kann sein,

Abb. 7.6 Psychosoziale Unterstützung durch einen Kollegen im Einsatz [O997]

mit Freunden oder einem Lebenspartner über das Erlebte zu sprechen, spazieren zu gehen, Sport zu treiben oder sich abzulenken. Oftmals reichen diese einfachen Strategien bereits aus, insbesondere dann, wenn sie bewusst und gezielt eingesetzt werden.

Unterstützung durch ausgebildete Kollegen

In vielen Rettungsdiensten stehen inzwischen ausgebildete **Peers** bereit. Peers sind Rettungsfachkräfte, die eine zusätzliche psychologische Schulung absolviert haben. Sie werden auch als **„psychosozialer Ansprechpartner", „kollegialer Ansprechpartner" oder „PSU-Assistent"** bezeichnet. Diese Kollegen haben folgende Aufgaben:

- Sie stehen auf der Rettungswache jederzeit als leicht erreichbare Gesprächs- und Ansprechpartner zur Verfügung.
- Sie sorgen für notwendige Fortbildungsangebote.
- Sie organisieren bei Bedarf strukturierte Einsatznachsorgemaßnahmen und wirken bei ihrer Durchführung mit.
- Sie vermitteln Kollegen an weiterführende Hilfen (Beratungsstelle, Traumaambulanz oder Psychotherapie).

Unterstützung durch psychosoziale Fachkräfte

Über die kollegialen Ansprechpartner hinaus sollte jeder Rettungsdienst **psychosoziale, psychologische, psychotherapeutische und seelsorgerische Fachkräfte sowie Sozialarbeiter** in seinem Netzwerk haben, auf die permanent zugegriffen werden kann und die den Mitarbeitern bei intensiverem Unterstützungsbedarf ebenfalls als Ansprechpartner zur Verfügung stehen. Aufgrund ihrer Ausbildung – i. d. R. haben psychosoziale Fachkräfte ein einschlägiges Hochschulstudium absolviert – können sie in vielen Fällen sicherlich eine weiterführendere Hilfe anbieten.

Eine Kontaktaufnahme zu diesen Fachkräften kann durch Einladungen zu gemeinsamen Fortbildungsveranstaltungen und regelmäßigen Austauschtreffen erfolgen. Auf diese Weise kann ein gegenseitiges Kennenlernen stattfinden und Rettungsfachkräfte können schon im Vorfeld Kontakt und Vertrauen für den Ernstfall aufbauen.

Strukturierte Gruppengespräche

Nach belastenden Einsätzen können nicht nur Einzelgespräche mit Kollegen oder psychosozialen Fachkräften, sondern auch **strukturierte Gruppengespräche** hilfreich sein. Besonders verbreitet ist das Konzept des **Critical Incident Stress Managements (CISM),** in Deutschland besser bekannt als **Stressbearbeitung nach belastenden Ereignissen (SbE)**. Das Konzept geht zurück auf Mitchell und Everly und wurde Anfang der 1980er-Jahre in den USA entwickelt. Die Bundesvereinigung SbE e. V. hat es weiterentwickelt und in einigen Details an die Gegebenheiten in Deutschland angepasst.

Weiterführende Informationen: www.sbe-ev.de

SbE-Einsatzabschluss (Demobilization)

Demobilization bedeutet Rücknahme oder Abbau. Nach großen, lang andauernden Schadensereignissen kann ein formaler **Einsatzabschluss** als Entlassung in den normalen Dienst und als Übergang zurück in die Normalität sinnvoll sein. Er wird von einem speziell geschulten Einsatznachsorgeteam durchgeführt und besteht aus folgenden Schritten:

- **Lob und Dank** durch einen Vertreter der Einsatzleitung
- **Information** über den **Einsatzablauf** und die durchgeführten **Maßnahmen**
- **Informationen** über **typische Belastungsreaktionen** sowie den **angemessenen Umgang** damit

Insgesamt dauert die Demobilisation nicht länger als etwa 30 Minuten. Das Angebot einer ruhigen Umgebung und eines Imbiss können diese Gesprächsform abrunden.

SbE-Kurzgespräch (Defusing)

Defusing bedeutet Entschärfung. Ein Defusing dient einer gewissen „Schadensbegrenzung". Kurze Zeit (3–8 Stunden) nach dem jeweiligen Einsatz wird mit den betroffenen Einsatzkräften ein erstes Gespräch geführt. Moderiert wird dieses Gespräch von einem speziell geschulten Einsatznachsorgeteam. Es findet im „geschützten Raum" statt, dauert **ca. 20–45 Minuten** und besteht aus drei Phasen:

- **Einführung:** Vorstellung, Erklärung, Betonung der Verschwiegenheit, der gegenseitigen Unterstützung und des Teamgeists
- **Austausch:** Gespräch der beteiligten Einsatzkräfte über diesen Einsatz
- **Information:** Symptome, Normalität der Gefühle bzw. etwaiger Belastungsreaktionen

Im Anschluss kann in Einzelfällen noch eine weiterführende persönliche Beratung und telefonischer Nachkontakt notwendig sein.

SbE-Nachbesprechung (Debriefing)

Debriefing bedeutet Nachbesprechung. Eine **SbE-Nachbesprechung** sollte immer erst einige Zeit (frühestens 24 Stunden) nach dem jeweiligen Einsatz angeboten werden. Die Nachbesprechung beinhaltet einen strukturierten und recht intensiven Austausch betroffener Einsatzkräfte, der wieder durch ein geschultes Team angeregt, unterstützt und geleitet wird. Die Gruppengröße für ein Debriefing kann zwischen 4 und maximal 30 Personen variieren. Das Debriefing dauert ca. **1–4 Stunden.** Dabei wird ein Rahmen geschaffen, in dem Gefühle kontrolliert besprochen werden können. Es wird die Erfahrung vermittelt, dass Reden erleichtern kann und Erfahrungen besser eingeordnet und abgeschlossen werden können, wenn sie zusammen mit Gefühlen verarbeitet werden. Eine wichtige Erkenntnis ist, dass die betroffene Person mit dem Erlebten eben nicht allein bleibt. Stress kann in einem Debriefing bearbeitet werden. Kontakte zu psychosozialen Fachkräften werden bei Bedarf angebahnt.

Voraussetzungen eines Debriefings

Jedes Debriefing geht von folgenden **Grundvoraussetzungen** aus:

- Bei den teilnehmenden Einsatzkräften handelt es sich um gesunde Menschen, die normale Reaktionen nach einem nicht normalen Ereignis zeigen. Grundsätzlich wären sie auch selbst in der Lage den Stress abzubauen. Ein Debriefing hilft jedoch, soziale Ressourcen zu aktivieren und Stressreaktionen besser zu verstehen.
- Bei den teilnehmenden Einsatzkräften handelt es sich nur um Kollegen, die selbst an dem betreffenden Einsatz teilgenommen haben. Mit eingeschlossen sind Leitstellen- und Notaufnahmepersonal der Krankenhäuser.
- Ausgeschlossen sind Personen, die nicht selbst an dem Einsatz beteiligt waren. Medienvertreter sind ebenfalls nicht zugelassen. Es dürfen keine schriftlichen oder andere Aufzeichnungen gemacht werden.
- Ein Debriefing ist keine Psychotherapie, keine analytische Befragung und auch keine Anamneseerhebung.
- Ein Debriefing findet stets in einem einsatzfreien Zeitraum statt, die Teilnahme ist freiwillig und kostenlos.
- Was in einem Debriefing gesagt wird, ist vertraulich zu behandeln und darf nicht nach außen getragen werden.

- Besonderes Vertrauen genießen Einsatzkräfte, die als Peers mitarbeiten. Die Regel **„firefighters serve firefighters best"** gilt auch für den Rettungsdienst. Frei übersetzt und auf den Rettungsdienst übertragen, bedeutet sie: Rettungsdienstmitarbeiter verstehen Rettungsdienstmitarbeiter am besten. Ratschläge werden von Peers leichter angenommen.
- Gespräche zur Einsatznachsorge sollten sich niemals auf ein einzelnes Debriefing beschränken, sondern in ein umfassenderes Konzept mit verschiedenen Nachsorgeangeboten eingebettet sein.
- Es ist wichtig, dass neben dem das Debriefing durchführende Einsatznachsorgeteam auch psychosoziale Fachkräfte für eine längerfristige Betreuung zur Verfügung stehen.

Vorbereitungen für ein Debriefing

Unbedingte Voraussetzung ist ein **geschultes Einsatznachsorgeteam,** das normalerweise aus einem Leiter (Leader), einem Co-Leiter und zwei hierfür ausgebildeten Einsatzkräften (Peers) besteht.

ACHTUNG! Debriefings dürfen ausschließlich von Personen durchgeführt werden, die entsprechend fachlich qualifiziert sind. Aufgrund einer mangelnden Qualifikation bzw. Unwissenheit der Durchführenden kann ansonsten die Entstehung negativer Effekte begünstigt werden. Vor allem sollten Debriefings nicht „gießkannenmäßig" und unreflektiert angeboten werden. Sehr stark belastete Einsatzkräften sollten z. B. nicht an einem Debriefing teilnehmen, weil der intensive Austausch über das Erlebte sie psychisch überfordern und ihre Belastungssituation eher noch verstärken könnte.

Die Peers müssen eine spezielle **SbE-Schulung** absolviert haben. Von den psychosozialen Fachkräften, die ein Debriefing leiten, wird erwartet, dass sie über ein ausreichendes Maß an Feldkompetenz im Einsatzbereich verfügen. Grundsätzlich müssen sie für ihre Arbeit im Bereich der Einsatznachsorge von einer entsprechenden Organisation (z. B. der Kirche, der Bundesvereinigung SbE e. V. oder dem Rettungsdienstbetreiber selbst) beauftragt sein.

Der Raum („geschützter Raum"), in dem ein Debriefing stattfindet, sollte eine private Atmosphäre haben, vor Blicken von außen geschützt und groß genug sein, dass alle Beteiligten in einem Kreis sitzen können.

Gesprächsphasen eines Debriefings

Die **sieben Gesprächsphasen** eines Debriefings sind strukturiert und vorgegeben, der Inhalt wird jedoch allein durch die teilnehmenden Einsatzkräfte bestimmt.

Jeder Schritt einer SbE-Nachbesprechung baut auf dem vorhergehenden auf, sodass sowohl die Reihenfolge als auch die Vollständigkeit des Gesprächs für eine geglückte Stressbearbeitung wichtig sind (→ Abb. 7.7).

- **Einführung:** Die Teammitglieder stellen sich vor, der Leiter erklärt das Ziel der Zusammenkunft. Er erläutert die verschiedenen Phasen, motiviert die Teilnehmer zur aktiven Teilnahme und ermutigt zur gegenseitigen Hilfe. Offene Fragen werden geklärt und die Grundregeln des Gesprächs erläutert.
- **Fakten:** In dieser Phase werden jedem Teilnehmer der Reihe nach die folgenden Fragen gestellt: *„Wie heißen Sie und worin bestand Ihre Tätigkeit bei diesem Einsatz?"* Die Vorstellung zu Name und Tätigkeit ermutigt die Teilnehmer zum Sprechen. Schon in dieser Fakten-Phase werden oft Emotionen geäußert. Aufgabe des Teams ist es hier, die Emotionen als gegeben hinzunehmen und der Person

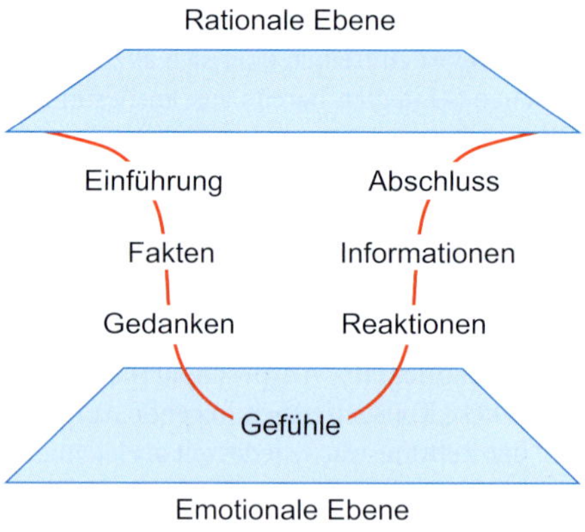

Abb. 7.7 Ablauf eines Debriefings [L143]

zu versichern, dass diese Gefühle normal sind und zum Einsatz dazugehören.
- **Gedanken:** In dieser Phase versucht der Leiter, gedankliche Eindrücke von den Teilnehmern zu erfragen, indem er der Reihe nach fragt: *„Was war Ihr erster Gedanke, als Sie Ihre Arbeit beendeten?", „Gab es für Sie einen beherrschenden Gedanken in diesem Einsatz?"* Diese Phase ist der Übergang von der Sachebene zur Gefühlsebene. Für das Team sind die mitgeteilten Gefühle ein Zeichen, dass der Prozess der Aussprache auf einem guten Weg ist. Es kann sein, dass das Gespräch für einige Teilnehmer hier zu belastend oder zu anstrengend erscheint und dass sie gerne hinausgehen wollen.
- **Gefühle:** In dieser Phase sind die Chancen für emotionale Äußerungen am größten. Viele Teilnehmer haben ihre Gefühle zum Einsatz bereits mitgeteilt, die anderen haben ihnen zugehört und vielleicht Mut bekommen, sich mit ihren Kollegen zu identifizieren oder eigene Empfindungen auszudrücken. Der Leiter bittet nun die Teilnehmer, auf folgende Frage zu antworten: *„Welches war für Sie der schlimmste und bedrückendste Teil des Einsatzes?"* oder *„Wenn Sie einen Teil des Einsatzes aus Ihrem Gedächtnis löschen könnten, welcher wäre das?"* Diese Frage wird nicht der Reihe nach beantwortet, sondern jeder kann dann etwas sagen, wenn er es möchte. Es ist gut möglich, dass einige Teilnehmer überhaupt nichts sagen, aber sie hören den anderen zu. Die geäußerten Gefühle erzeugen natürlich Reaktionen. Das Einsatznachsorgeteam kann verbale Unterstützung geben, indem es die Sprechenden bestätigt und ihre Gefühle würdigt. Die übrigen Teilnehmer können ebenfalls verbale Unterstützung geben oder diese auch durch Gesten (z. B. Hand auf die Schulter legen) ausdrücken. Die Phase ist abgeschlossen, wenn niemand mehr etwas sagen will.
- **Reaktionen:** Durch die Beschreibung der verschiedenen Reaktionen werden die Teilnehmer wieder vom emotionalen Bereich weggeführt. Sie werden gebeten, ihre körperlichen, verhaltensbezogenen oder psychischen Reaktionen zu diesem Einsatz zu schildern. Während dieses Gesprächsteils erkennen die Teilnehmer, dass sich die Reaktionen ähneln und sie nicht allein dastehen. Der Leiter kann zusätzlich mögliche Reaktionen ins Gespräch bringen, deren Ursache und Auswirkung dann erklärbar und berechenbar werden.
- **Informationen:** Die Teammitglieder fassen einige der Reaktionen zusammen und machen deutlich, dass diese nach besonders belastenden Einsätzen normal sind. Diese Informationsphase ist deshalb so effektiv, weil die Teilnehmer durch die Schilderung

ihrer Gefühle und Reaktionen besonders aufnahmebereit für Ratschläge und Informationen sind. In dieser Phase können Stressmanagementtechniken kurz erläutert und diskutiert werden. Wichtig ist die Information, dass der Bewältigungsprozess nach einem besonders belastenden Einsatz einige Zeit andauern kann. Wiederkehrende Gedanken, Gefühle und psychische Reaktionen sind normal und müssen die Einsatzkräfte daher nicht über Gebühr beunruhigen.

- **Abschluss:** Diese Phase bietet Raum, um Probleme zu klären, noch offene Fragen zu beantworten und das Gespräch zusammenzufassen. Jedes Mitglied des Einsatznachsorgeteams gibt eine eigene Zusammenfassung und geht auf Punkte ein, die ihm wichtig sind. Der Leiter dankt den Teilnehmern, dass sie dem Einsatznachsorgeteam erlaubt haben, zu ihnen zu kommen, und dass sie das Team an ihrer persönlichen Welt und ihren Erfahrungen haben teilnehmen lassen. Möglichkeiten der weitergehenden Betreuung und hilfreiche Literatur werden genannt. Wenn möglich, wird ein Merkblatt mit Kontaktadressen und Literaturtipps ausgeteilt. Es wird deutlich gemacht, dass alle Mitglieder des Einsatznachsorgeteams zu weiterführenden oder vertiefenden Einzelgesprächen bereit sind.

PRAXISTIPP

Inzwischen verfügt fast jeder Rettungsdienstbereich im Bundesgebiet über **eigene** Einsatznachsorgeteams. Bei Bedarf kann ein Einsatznachsorgeteam aber auch jederzeit über die **Hotline** der **Bundesvereinigung SbE e. V.** alarmiert werden: **01805–872 862 (01805-TRAUMA).**

IM FOKUS

Einsatznachsorge

- Abgegrenzt wird die Nutzung **individueller Ressourcen** von der Unterstützung durch **ausgebildete Fachkräfte.**
- Diese fachliche Unterstützung kann unterschiedlich ausfallen:
  - Strukturierte und nichtstrukturierte **Einzelgespräche**
  - Strukturierte **Gruppengespräche**
- Das Konzept der Bundesvereinigung SbE e. V. sieht folgende Gesprächsformen vor:
  - **Demobilization** (kurz, direkt nach dem Einsatz)
  - **Defusing** (20–45 Minuten, einige Stunden nach dem Einsatz)
  - **Debriefing** (1–4 Stunden, mindestens 24 Stunden nach dem Einsatz)

WIEDERHOLUNGSFRAGEN

1. Was ist Stress (→ Kap. 7.1.1)?
2. Erläutern Sie die Begriffe Eustress und Disstress (→ Kap. 7.1.1).
3. Nennen Sie Beispiele für Stressoren aus verschiedenen Bereichen (→ Kap. 7.1.1).
4. Was sind typische Anzeichen von Stress (→ Kap. 7.1.1)?
5. Wie läuft eine typische Stressreaktion ab (→ Kap. 7.1.1)?
6. Was ist ein Burn-out (→ Kap. 7.1.2)?
7. Beschreiben Sie die Phasen eines Burn-out (→ Kap. 7.1.2).
8. Bitte erläutern Sie eine akute Belastungsreaktion (→ Kap. 7.1.3).
9. Bitte erläutern Sie eine posttraumatische Belastungsstörung (→ Kap. 7.1.3).
10. Was unterscheidet eine akute Belastungsreaktion von einer posttraumatischen Belastungsstörung (→ Kap. 7.1.3)?
11. Was sind Merkmale einer potenziell traumatisierenden Situation (→ Kap. 7.1.3)?
12. Von welchen Faktoren hängt die Gesundheit des einzelnen Menschen ab (→ Kap. 7.2)?
13. Definieren Sie den Begriff Gesundheitsförderung (→ Kap. 7.2.1).
14. Was ist das Ziel betrieblicher Gesundheitsförderung (→ Kap. 7.2.1)?
15. Erläutern Sie die unterschiedlichen Varianten von Prävention (→ Kap. 7.2.2).
16. Wie kann das persönliche Gesundheitsverhalten dauerhaft geändert werden (→ Kap. 7.2.3)?
17. Erläutern Sie die Bedeutung von Professionalität als einem gesundheitsbezogenen Schutzfaktor (→ Kap. 7.2.4).
18. Erläutern Sie, welche Strategien Sie zur Stressbewältigung nutzen können (→ Kap. 7.2.5).
19. Was ist mit dem sozialen Gradienten gemeint (→ Kap. 7.2.6)?
20. Aus welchem Grund ist ein tragfähiges soziales Netz für Rettungsfachkräfte besonders wichtig (→ Kap. 7.2.7)?
21. Welche Strategien können für einen Ausgleich zum Berufsalltag eingesetzt werden (→ Kap. 7.2.8)?
22. Erläutern Sie die Begriffe Intervision und Supervision (→ Kap. 7.2.9).
23. Worauf ist bei der Ernährung im Rettungsdienst besonders zu achten (Kap. → 7.2.10)?
24. Worauf ist beim Umgang mit Koffein, Nikotin, Alkohol und anderen Suchtmitteln im Rettungsdienst besonders zu achten (→ Kap. 7.2.11)?
25. Welche Folgen kann Alkoholkonsum im Rettungsdienst für den Betroffenen haben (→ Kap. 7.2.11)?
26. Wie verhalten Sie sich, wenn Sie bei einem Arbeitskollegen Hinweise auf eine Alkoholabhängigkeit feststellen (→ Kap. 7.2.11)?
27. Welche positiven Auswirkungen hat regelmäßiger Sport auf den Menschen (→ Kap. 7.2.13)?
28. Worauf ist beim rückenschonenden Arbeiten zu achten (→ Kap. 7.2.14)?
29. Was sind gesundheitsfördernde Maßnahmen des Arbeitgebers (→ Kap. 7.2.16)?
30. Welche Einsätze gelten üblicherweise als besonders belastend (→ Kap. 7.3)?
31. Welche Anzeichen weisen auf eine starke Stressbelastung in einem Einsatz hin (→ Kap. 7.3.1)?
32. Welche psychologischen Selbsthilfestrategien können Sie nutzen, um in einem belastenden Einsatz handlungsfähig zu bleiben (→ Kap. 7.3.1)?
33. Welche Maßnahmen gehören zu einer psychosozialen Einsatzbegleitung (→ Kap. 7.3.2)?
34. Warum sollte eine funktionierende Rettungsfachkraft in einem Einsatz nicht bei ihrer Arbeit unterbrochen werden (→ Kap. 7.3.2)?
35. Welche Angebote stehen im Bereich der Einsatznachsorge zur Verfügung (→ Kap. 7.3.3)?
36. Welche Varianten strukturierter Gruppengespräche kennen Sie (→ Kap. 7.3.3)?
37. Beschreiben Sie den Ablauf eines Debriefings bzw. einer SbE-Nachbesprechung (→ Kap. 7.3.3).

FORTSETZUNG DES SZENARIOS

Ein aufmerksamer Kollege nimmt die ungesunde Lebenssituation deutlich wahr. Er spricht ihn offen darauf an und sucht gemeinsam mit ihm ein Beratungsgespräch bei einem psychosozialen Ansprechpartner. Rasch stellt sich heraus, dass sich aufgrund der anhaltenden Stressbelastung und einiger privater Schwierigkeiten ein Burn-out und eine Alkoholabhängigkeit entwickelt hatten. Gemeinsam mit einer einbezogenen psychosozialen Fachkraft, dem Betriebsarzt und den Vorgesetzten wird überlegt, welche konkrete Hilfeleistung erforderlich ist.

Aus der heutigen Nachbetrachtung erweisen sich die getroffenen Maßnahmen als hilfreich. Der betroffene Kollege absolvierte zunächst eine ambulante Therapie und schloss sich einer Selbsthilfegruppe an. Im weiteren Verlauf absolvierte er eine längere Kur, die er dazu nutzte, um fachlich begleitet Perspektiven für seinen weiteren Lebensweg zu entwickeln und sein Gesundheitsverhalten dauerhaft zu verändern.

Nach einem mehrmonatigen Kuraufenthalt und einer behutsam gestalteten Phase der Wiedereingliederung ist der Kollege inzwischen wieder zurück an seinem Arbeitsplatz. Er achtet jetzt mehr auf einen Freizeitausgleich, ernährt sich gesünder als vorher und treibt regelmäßig Sport. Seine Kollegen freuen sich darüber – er ist wieder leistungsfähig, motiviert und in den Kreis seiner Kollegen integriert.

WEITERFÜHRENDE LITERATUR

Bengel J. Psychologie in Notfallmedizin und Rettungsdienst. 2. A. Berlin: Springer, 2004.

Cortes C, Böckelmann I, Schumann, H. Risikofaktoren Schichtsystem: Zur Schlafqualität im Rettungsdienst. Rettungsdienst 2019; 42: 1044–1049.

Helmerichs J, Karutz H, Gengenbach O, Richwin R. Psychosoziale Herausforderungen im Feuerwehrdienst. Belastungen senken – Schutz stärken. 2. A. Berlin: Deutscher Feuerwehrverband, 2017.

Karutz H, Blank-Gorki V. Wege zur Psychosozialen Notfallversorgung: Begegnungen – Erfahrungen – Erinnerungen. Edewecht: Stumpf & Kossendey, 2020.

Karutz H. Debriefing: Pro und Contra. Rettungsdienst. 2008; 31: 352–360.

Karutz H. Wenn die Belastungsgrenze erreicht ist: Psychologische Selbsthilfe in Extremsituationen. Rettungsdienst. 2009; 12: 1172–1177.

Lassoga F, Karutz H. Hilfen für Helfer: Belastungen – Folgen – Unterstützung. 2. A. Edewecht: Stumpf & Kossendey, 2012.

Schumann, H. Belastungen und Beanspruchungen von Einsatzkräften im Rettungsdienst. Eine vergleichende Analyse zwischen Hilfsorganisationen und Berufsfeuerwehren. Edewecht: Stumpf und Kossendey, 2020.

Schumann H, Heringshausen T. Alkohol, Zigaretten und Co.: Konsum bedeutet Gefahr – auch für Einsatzkräfte! Rettungsdienst 2020; 43: 46–50.

Schumann H, Böckelmann I. Arbeitsmedizin – Anforderungen an die Rahmenbedingungen. Arbeitsphysiologie, Arbeitshygiene und Arbeitsplatzgestaltung. Rettungsdienst 2020; 43: 50–57.

Steil M. Einsatzstress? So helfen Sie sich und anderen. Heidelberg: Ecomed, 2010.

Thielmann B, Kirchhoff D, Böckelmann I, Schumann H. Rückenbelastungen, Rückenschmerzen, Rückengesundheit. Rettungsdienst 2021; 44: 38–43.

Thielmann B, Schumann H. Prävention durch gesunde Ernährung. Update für Rettungsdienstpersonal. Rettungsdienst 2021; 44: 28–31.

C

KOMMUNIKATION, INTERAKTION UND BERATUNG

Lehr- und Lernziele des Abschnitts C

Der folgende Abschnitt deckt den **Themenbereich 3** der Ausbildungs- und Prüfungsordnung für Notfallsanitäterinnen und Notfallsanitäter ab. Auszubildende sollen demnach befähigt werden,

- Kommunikation und Interaktion im Rettungsdienst an Grundlagen aus Psychologie und Soziologie auszurichten,
- mit kranken und verunfallten Patientinnen und Patienten sowie ihren Angehörigen unter Berücksichtigung personenbezogener und situativer Erfordernisse zu kommunizieren,
- die besonderen Bedürfnisse von sterbenden Patienten sowie ihrer Angehörigen zu beachten,
- das eigene Kommunikationsverhalten, auch unter Nutzung nonverbaler Möglichkeiten, an den spezifischen Bedürfnissen und Anforderungen in der Kommunikation und Betreuung von speziellen Patientengruppen wie Kindern, Jugendlichen, älteren Menschen, pflegebedürftigen Menschen, gesellschaftlichen Randgruppen, übergewichtigen Menschen oder hör- und sehbehinderten Menschen sowie von deren Angehörigen und von unbeteiligten Dritten auszurichten,
- das eigene Kommunikationsverhalten an Auswirkungen wesentlicher psychischer Erkrankungen auf die Patientenkommunikation und Patientenbetreuung auszurichten.

Damit diese Ziele in der Ausbildung erreicht werden können, werden in **Kapitel 8** zunächst psychologische, pädagogische und soziologische Grundbegriffe sowie einige zentrale Theorien aus diesen Bezugswissenschaften näher erläutert. Angesprochen werden u. a. Menschenbilder, Persönlichkeitsmodelle, die Entwicklung des Menschen, Überlegungen zu Gesundheit und Krankheit sowie zur Bedeutung der Gesellschaft für das Handeln im Rettungsdienst. Über die Vorgaben der Ausbildungs- und Prüfungsordnung für Notfallsanitäterinnen und Notfallsanitäter hinaus sind außerdem einige Tipps und Hinweise zur Umsetzung von Lerntheorien in der Praxis sowie zur persönlichen Vorbereitung auf Prüfungssituationen enthalten.

In **Kapitel 9** werden Grundlagen der Kommunikationspsychologie dargestellt und anschließend anhand zahlreicher Beispiele auf den Rettungsdienst bezogen. Außerdem wird in diesem Kapitel erläutert, wie unterschiedliche Personengruppen (z. B. Kinder, Angehörige anderer Kulturen, Menschen mit Behinderungen, aber auch Ersthelfer, Augenzeugen und Zuschauer) eine Notfallsituation erleben und wie mit ihnen in psychologischer Hinsicht angemessen umgegangen werden sollte.

Kapitel 10 vermittelt schließlich einen Überblick über die Methodik von Beratungsgesprächen. Hier werden verschiedene Beratungsanlässe und -situationen erläutert, die sich im Kontext von Notfallsituationen ergeben können. Dabei sind Notfallvorsorgeberatungen, Gespräche zur Patienten- und Angehörigenedukation sowie Beratungsgespräche im Kollegenkreis voneinander abzugrenzen.

8

PSYCHOLOGISCHE, SOZIOLOGISCHE UND PÄDAGOGISCHE GRUNDLAGEN

Harald Karutz (8.1, 8.2.1, 8.4.2, 8.4.3, 8.6.1, 8.6.2), Clemens Hausmann (8.2, 8.2.3, 8.3, 8.4.1, 8.4.4, 8.4.5, 8.5, 8.6.3),
Clemens Hausmann und Harald Karutz (8.2.2)

SZENARIO

RTW und Notarzt werden am frühen Abend gegen 18 Uhr zu einem akut erkrankten Kind mit Atemnot gerufen. Alarmiert wurde der Rettungsdienst von Mitarbeitern eines Jugendamtes, die die Familie in ihrer Wohnung aufgesucht haben.
Nach einer kurzen Anfahrt findet die RTW-Besatzung am Einsatzort eine stark verwahrloste Wohnung vor. Beide Elternteile rauchen offenbar stark, in der Wohnung kann man kaum atmen. Vater und Mutter sind arbeits- und weitgehend mittellos. Der kleine Patient – ein sechsjähriger Junge – wird umgehend untersucht, wobei zunächst lediglich ein akuter Atemwegsinfekt diagnostiziert werden kann.
Der Gesundheitszustand ist nicht lebensbedrohlich. Vor dem Hintergrund der Wohn- bzw. Lebenssituation entschließt sich das Rettungsteam dennoch dazu, den Jungen in Begleitung seiner Mutter zur stationären Aufnahme in eine Kinderklinik zu transportieren. Während des Transports weist die Mutter mehrfach besorgt darauf hin, dass sie und ihre Familie nicht krankenversichert seien und dass sie gehofft hätte, die Atemnot ihres Sohnes würde doch auch *„von allein wieder weggehen"*.
Das Rettungsteam tauscht untereinander ungläubige Blicke aus und führt den Transport professionell zu Ende. Bei der Übergabe wird gegenüber dem Personal des Krankenhauses deutlich auf die Begleitumstände dieses Einsatzes und die häusliche Situation hingewiesen. *„Typisch"*, meint die Pflegefachkraft dazu nur.

INHALTSÜBERSICHT

8.1 EINFÜHRUNG UND DEFINITIONEN

- Rettungsdienstliches Handeln setzt auch psychologische, pädagogische und soziologische Grundkenntnisse voraus.
- Psychologie untersucht das menschliche Erleben und Verhalten.
- Pädagogik ist die Wissenschaft von Erziehung und Bildung.
- Soziologie thematisiert gesellschaftliche Strukturen und den Menschen als Mitglied der Gesellschaft.

8.2 INDIVIDUUM UND PERSÖNLICHKEIT

- Menschenbilder sind Modellvorstellungen, die Angaben über das Wesen, die Bestimmung und charakteristische Merkmale des Menschen enthalten.
- Es gibt viele unterschiedliche Menschenbilder; im rettungsdienstlichen Kontext sind vor allem das naturwissenschaftlich orientierte, das sozialwissenschaftlich orientierte, das humanistische und das religiöse Menschenbild relevant.
- In der Bedürfnispyramide nach Maslow sind wesentliche Bedürfnisse des Menschen hierarchisch angeordnet. Das Streben nach Selbstverwirklichung steht an der Spitze.
- Bei der Wahrnehmung von Menschen können zahlreiche Verzerrungseffekte und Beurteilungsfehler auftreten.

8.3 ENTWICKLUNG DES MENSCHEN UND LEBENSPHASEN

- Zentrale Entwicklungsaufgaben resultieren aus biologischen Veränderungen, gesellschaftlichen Erwartungen, individuellen Lebenszielen und Wertvorstellungen sowie lebensverändernden Ereignissen.
- Nach Erikson gibt es acht aufeinanderfolgende Stadien, in denen individuelle Bedürfnisse und gesellschaftliche Anforderungen miteinander zu verbinden sind.

8.4 GESUNDHEIT UND KRANKHEIT

- Was als gesund oder krank betrachtet wird, hängt von individuell unterschiedlichen Auffassungen ab.
- Die Weltgesundheitsorganisation WHO definiert Gesundheit als das vollständige körperliche, geistige und soziale Wohlergehen eines Menschen. Dies wird jedoch als Utopie bezeichnet.
- Das biopsychosoziale Modell von Gesundheit und Krankheit greift objektiv feststellbare Veränderungen, das subjektive Erleben und gesellschaftliche Bewertungsprozesse auf.
- Das Modell der Salutogenese erklärt nicht die Entstehung von Krankheiten, sondern die Gesunderhaltung eines Menschen. Besonders relevant sind dabei Widerstandsressourcen und das Kohärenzerleben eines Menschen.
- Das subjektive Krankheitserleben wird von zahlreichen Faktoren beeinflusst. Jeder Mensch erlebt Gesundheit und Krankheit individuell.
- Das Gesundheits- und Krankheitsverhalten hängt insbesondere ab vom subjektiven Krankheitsgewinn, der Dauer einer Erkrankung, der Erziehung und Bildung, der finanziellen Situation des Betroffenen, der privaten Lebensform, der kulturellen Prägung sowie dem Gesundheitssystem.

8.5 GESELLSCHAFT

- In jeder Gruppe oder Gesellschaft gelten bestimmte Verhaltensregeln und Wertvorstellungen.
- Normen legen fest, wie Menschen sich in bestimmten Situationen verhalten sollen. Allerdings unterliegen Normen einem zeitlichen Wandel.
- Gesellschaftlich vermittelte Normen und Werte haben einen großen Einfluss auf das Gesundheits- und Krankheitsverhalten eines Menschen.
- Sozialisation ist die Vermittlung und Übernahme gesellschaftlicher Normen, Werte und Rollen; zu unterscheiden sind primäre, sekundäre und tertiäre Sozialisation.
- Jeder Mensch ist in ein komplexes Rollengefüge eingebunden und muss verschiedenen Haupt- und Nebenrollen gerecht werden.
- „Role Taking" bezeichnet die Annahme einer Rolle mit den entsprechenden Erwartungen, „Role Making" bezieht sich auf die individuelle Ausgestaltung einer Rolle im Rahmen eines zulässigen Interpretationsspielraums.
- Der gesellschaftliche Wandel beeinflusst auch das rettungsdienstliche Einsatzgeschehen enorm.

8.6 ERZIEHUNG UND BILDUNG

- Erziehung und Bildung sind eng mit dem Sozialisationsprozess verbunden, aber mit diesem nicht identisch.
- Erziehung und Bildung zielen über die Integration eines Menschen in die Gesellschaft hinaus auf die Entfaltung einer individuellen Persönlichkeit, Emanzipation und Mündigkeit ab.
- Es gibt verschiedene Erziehungsstile: autoritär, demokratisch und laissez faire.

- Erziehungsmittel sind Belohnung, Bestrafung, Begleitung, Beurteilung, Erinnerung, Ermutigung, Übertragung von Aufgaben, Training und Übung.
- Formale Bildung bezieht sich vorrangig auf die Entwicklung praktischer Kompetenzen.
- Materiale Bildung bezieht sich vorrangig auf die Vermittlung von Wissen.
- Lernen bedeutet immer eine Veränderung des Erlebens und Verhaltens aufgrund von Erfahrung.

8.1 Einführung und Definitionen

Als Notfallsanitäter professionell handeln zu können, setzt nicht nur medizinische Kenntnisse voraus. Psychologische, pädagogische und soziologische Aspekte sind mindestens ebenso wichtig. Ein angemessenes Verständnis für die Gefühle, Gedanken und Verhaltensweisen von Patienten, Angehörigen und weiteren involvierten Personen erfordert, auf die individuelle Lebenssituation der Beteiligten zu achten und sich mit (subjektiven) Theorien von Gesundheit und Krankheit zu beschäftigen. Auch um eine harmonische Zusammenarbeit mit Kollegen zu gewährleisten und sich in der Öffentlichkeit angemessen zu verhalten, sind psychologische, pädagogische und soziologische Grundkenntnisse für jede Rettungsfachkraft unabdingbar:

- **Psychologie** ist die Wissenschaft vom menschlichen Erleben und Verhalten. Dazu zählen Gefühle, Bedürfnisse, Gedanken und Erinnerungen ebenso wie Handlungen, Reaktionen und alle Arten von Kommunikation im Verlauf der Lebensspanne.
- **Soziologie** ist die Wissenschaft vom gesellschaftlichen (Zusammen-)Leben, von sozialem Handeln und von sozialen Strukturen. Dabei beschäftigt sie sich insbesondere mit der Gesellschaft als Ganzem, sozialen Milieus, Organisationen, Teams und Familien, Machtstrukturen sowie sozialen Netzwerken.
- **Pädagogik** bzw. Erziehungs- oder Bildungswissenschaft thematisiert sowohl die Theorie als auch die Praxis von Erziehung und Bildung. Zur Abgrenzung des Teilbereichs der Erwachsenenbildung von Erziehungsprozessen bei Kindern und Jugendlichen existiert auch der allerdings eher unübliche Terminus **Andragogik.**

MERKE

Psychologie, Soziologie und Pädagogik werden als Bezugswissenschaften für den Rettungsdienst bezeichnet.

8.2 Individuum und Persönlichkeit

Jeder Mensch erlebt und verhält sich anders. Dies wird von anderen Menschen wiederum unterschiedlich wahrgenommen und bewertet. Dafür sind – neben diversen anderen beeinflussenden Faktoren – nicht zuletzt auch verschiedene **Menschenbilder** verantwortlich. Die folgenden Ausführungen sollen jede Rettungsfachkraft dazu anregen, sich im Rahmen der persönlichen beruflichen Positionierung auch einmal mit dem eigenen Menschenbild auseinanderzusetzen.

ACHTUNG! Menschenbilder können nicht ohne Weiteres als „richtig" oder „falsch" bezeichnet werden. Vielmehr verweisen sie alle mit einer gewissen Berechtigung auf einzelne Teilaspekte der menschlichen Existenz.

8.2.1 Bilder vom Menschen

Menschenbilder (→ Abb. 8.1) sind implizite **Modellvorstellungen,** die Angaben über das Wesen, die Bestimmung und charakteristische Merkmale des Menschen enthalten. Sie entstehen auf Basis verschiedener individueller

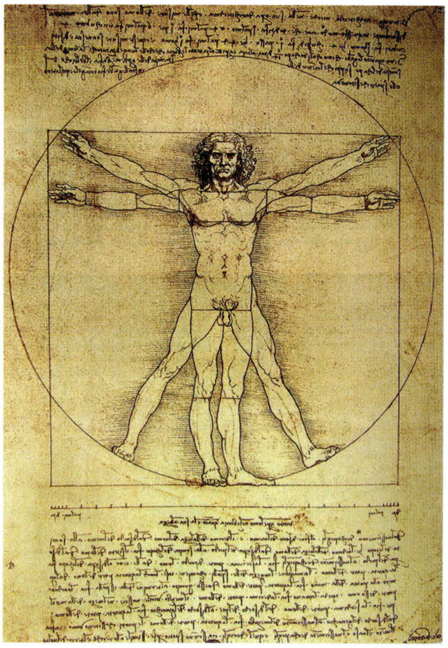

Abb. 8.1 Es gibt unzählige Bilder vom Menschen. [J787]

Faktoren, beispielsweise Alter, Geschlecht, Kultur, Religion, Bildungsstatus usw. Jeder Mensch verfügt daher über ein persönliches Menschenbild: Die in → Tab. 8.1 aufgelisteten Zitate bekannter Philosophen und Schriftsteller zeigen beispielhaft, wie unterschiedlich Menschenbilder ausfallen können. Je nachdem, was für ein Menschenbild man selbst hat, lassen sich Ansichten, Reaktionen und Verhaltensweisen eigener „Artgenossen" – auch und gerade im Hinblick auf Notfallsituationen – anders einordnen.

FALLBEISPIEL

Ein Rettungsteam war bei einer schweren Gewalttat im Einsatz. Das Leben einer jungen Frau konnte jedoch nicht gerettet werden: Sie wurde auf äußerst brutale und sadistische Weise ermordet. Während ein Notfallsanitäter sich nur achselzuckend abwendet und damit beginnt, die Notfallausrüstung in den RTW zurückzubringen, ringt sein sichtlich betroffener Kollege um Fassung und wirft die Frage auf: „Wie kann *ein Mensch* nur so etwas tun?"

Die unterschiedliche Reaktion der beiden Mitglieder des Rettungsteams dürfte in diesem Beispiel durchaus auch mit den individuellen Menschenbildern zu tun haben. Jemand, den eine solche Tat erschreckt, hat offenbar ein ansonsten positives Menschenbild, das sich mit derartigen Gewalthandlungen kaum vereinbaren lässt. Wenn jemand eher ein negatives Menschenbild hat, wird derjenige nicht überrascht sein und vielleicht sagen: „Da wunderst du Dich? So sind Menschen!" Jemand, der davon ausgeht, dass ein Mensch vor allem durch individuelle

„Was ist der Mensch? Jedenfalls nicht das, was er sich einbildet zu sein, nämlich die Krone der Schöpfung." (Wilhelm Raabe)
„Mensch: Im Grunde ein wildes Tier. Wir kennen es bloß im Zustand der Bändigung und Zähmung." (Arthur Schopenhauer)
„Der Mensch hat mehr von einem Affen als so mancher Affe." (Friedrich Wilhelm Nietzsche)
„Der Mensch ist eben ein unermüdlicher Lustsucher, und jeder Verzicht auf eine einmal genossene Lust wird ihm sehr schwer." (Sigmund Freud)
„Mensch: Ein Lebewesen, so angetan von Illusionen über sich, dass es völlig vergisst, was es eigentlich sein sollte." (Ambrose Gwinnett Bierce)
„Der Mensch ist das Maß aller Dinge." (Protagoras)
„Die Menschheit selbst ist eine Würde; denn der Mensch kann von keinem Menschen bloß als Mittel, sondern muss zugleich als Zweck gebraucht werden." (Immanuel Kant)
„Der Mensch ist die Krone der Schöpfung. Schade, dass es eine Dornenkrone ist." (Stanislaw Jerzy Lec)
„Das größte Wunderding ist doch der Mensch allein: Er kann, nachdem er's macht, Gott oder Teufel sein." (Angelus Silesius)
„Welch ein Meisterstück ist der Mensch! Wie edel durch Vernunft! Wie unbegrenzt in seinen Fähigkeiten! In Gestalt und Bewegung, wie ausdrucksvoll und wunderwürdig! In seiner Haltung, wie ähnlich einem Engel! Im Denken, wie ähnlich einem Gott! Die Zierde der Welt!" (William Shakespeare)
„Der Mensch ist mehr als die Summe seiner Teile." (Christian von Ehrenfels)
„Nur wer erwachsen wird und ein Kind bleibt ist ein Mensch." (Erich Kästner)
„Das größte Geheimnis ist der Mensch sich selbst." (Novalis)

Tab. 8.1 Aussagen bekannter Philosophen und Schriftsteller zu ihrem Menschenbild

Erfahrungen geprägt wird, stellt sich womöglich die Frage: „Was muss passiert sein, dass jemand zu einer solchen Tat fähig ist?" usw.

Bei einer genaueren Auseinandersetzung mit Menschenbildern stehen somit insbesondere folgende Fragen im Vordergrund:

- Was macht den Menschen aus bzw. was charakterisiert das spezifische „Menschsein"?
- Was ist die Bestimmung des Menschen?
- Was soll der Mensch, was darf er eigentlich – und was nicht?
- Ist der Mensch nur die Summe seiner Organe oder – in welcher Weise – „mehr"?
- Warum handeln Menschen so, wie sie es tun?

Im Hinblick auf den rettungsdienstlichen Kontext sind vor diesem Hintergrund v. a. folgende Menschenbilder besonders relevant:

- **Naturwissenschaftlich orientiertes Menschenbild:** Der Mensch als biologisches Lebewesen
- **Sozialwissenschaftlich orientiertes Menschenbild:** Der Mensch als soziales Wesen
- **Religiös bzw. theologisch geprägtes Menschenbild:** Der gläubige Mensch und der Mensch als Geschöpf Gottes
- **Humanistisches Menschenbild:** Der selbstbestimmte, vernunftbegabte Mensch

Naturwissenschaftlich orientiertes Menschenbild

Begründet durch den französischen Philosophen René Descartes (1596–1650), sieht das naturwissenschaftlich orientierte Menschenbild den **Menschen als rein biologisches Wesen,** das sich nicht grundsätzlich von Tieren unterscheidet. Für Descartes und weitere Vertreter dieser Sichtweise ist der Mensch ausschließlich die Summe seiner Organe und kann in seinen körperlichen Funktionen mit einer Maschine verglichen werden. Krankheit wird in diesem Menschenbild mit einem Defekt gleichgesetzt, der durch Reparatur oder Austausch von Teilen behoben werden kann. Dementsprechend wird Gesundheit durch den voll funktionstüchtigen Menschen repräsentiert. Die Existenz einer besonderen menschlichen „Seele" (und damit verbunden auch einer besonderen Würde des Menschen) wird deutlich infrage gestellt.

Mit dem Aufkommen des naturwissenschaftlich orientierten Menschenbildes im 16. Jahrhundert wurden die zuvor vorherrschenden religiösen Sichtweisen abgelöst. Das Tabu, den menschlichen Körper zu Forschungszwecken nicht untersuchen zu dürfen, geriet z. B. in den Hintergrund. Der medizinische Fortschritt und die Entwicklung verschiedener Behandlungsmöglichkeiten basieren auf diesem Umdenken.

Entscheidender Nachteil einer solchen naturwissenschaftlichen Orientierung ist allerdings die Reduzierung des Menschen auf technische Handlungsabläufe. So geraten nicht-körperliche Aspekte und Funktionen und damit eine ganzheitliche Betrachtung des Menschen aus dem Blick. Ängste und Sorgen sowie weitere belastende Gefühle und Gedanken spielen keine Rolle. Nicht berücksichtigt werden auch die Potenziale, die soziale Beziehungen und psychologische Interventionen in Heilungs- bzw. Bewältigungsprozesse nach einer Notfallerfahrung mit einbringen können.

ACHTUNG! Ein Notfallsanitäter, der ein rein naturwissenschaftlich orientiertes Menschenbild verinnerlicht hat, führt letztlich eine Art „Vitalfunktionsmechanik" durch.

IM FOKUS

Naturwissenschaftlich orientiertes Menschenbild

- Betrachtet den Menschen als Maschine oder **Ansammlung** von **Mechanismen.**
- Biologische Systeme werden als (zumindest theoretisch) vollkommen verstehbar angesehen.
- **Krankheit** wird als **Defekt** angesehen, der repariert werden sollte.
- Nur ein voll funktionsfähiger Mensch gilt als gesund.
- **Vorteil:** Erkundung der Körperfunktion durch neue Methoden und Denkweisen.
- **Nachteil:** Reduzierung des Menschen auf funktionelle Aspekte.

Sozialwissenschaftlich orientiertes Menschenbild

Im sozialwissenschaftlich orientierten Menschenbild steht der **Mensch als soziales Wesen (Homo sociologicus)** im Mittelpunkt. Denkend und auf sein soziales Umfeld bezogen, ist er in Beziehungen zu unterschiedlichen Gruppen eingebunden. Er interagiert in familiären, freundschaftlichen, beruflichen oder gesellschaftlichen Gruppen, in denen bestimmte Regeln und Normen herrschen (→ Kap. 8.5.2). In diesen Gruppen nimmt der Mensch unterschiedliche Rollen ein, beispielsweise als Sohn bzw. Tochter oder Vater bzw. Mutter, als Freund bzw. Freundin, Ehemann bzw. Ehefrau oder auch als Angestellter bzw. Vorgesetzter.

In all diesen Beziehungen stehen Menschen in Abhängigkeit zueinander. Dies wird besonders deutlich, wenn Notfallsituationen eintreten. Hier rücken die Angewiesenheit und Hilfsbedürftigkeit als zentrales Element des sozialwissenschaftlich orientierten Menschenbildes in den Vordergrund. Krankheit und Sterben können in hohem Maß durch soziale Beziehungen beeinflusst und durch den Menschen selbst gestaltet werden.

IM FOKUS

Sozialwissenschaftliches Menschenbild

- **Homo sociologicus.**
- Hier steht die Einbindung in **Beziehungen** und Handlungen in Gruppen im Vordergrund.
- Menschen tragen **Rollen** und ihre **Gruppen** entwickeln Normen.
- Durch Rollen und Beziehungen entstehen **Abhängigkeiten** voneinander.
- In Notfallsituationen werden diese besonders deutlich.

Religiös bzw. theologisch geprägtes Menschenbild

Eine wesentliche Gemeinsamkeit religiöser bzw. theologisch geprägter Menschenbilder ist die Orientierung des Menschen am Glauben und an den Lehren, die damit verbunden sind (→ Abb. 8.2). Im christlichen Glauben beispielsweise ist die entscheidende Bezugsgröße Gott; im Islam ist es Allah. Nach diesem Verständnis ist der **Mensch ein Geschöpf Gottes (Homo creatus),** das eine untrennbare Einheit von Körper, Seele und Geist bildet. Seiner Begrenztheit, Endlichkeit und Verwundbarkeit, d. h., seiner Geschöpflichkeit ist sich der Mensch im Angesicht Gottes bewusst.

Zugleich ist der Mensch aber auch **Ebenbild Gottes (Homo imago dei).** Auf dieser Erkenntnis basierend ist es ihm möglich, sich selbst zu reflektieren, seine Zukunft zu planen sowie seine Umwelt und sein soziales Miteinander zu gestalten. Durch seinen Glauben ist er in der Lage, in Krankheit und Not eine tiefere Bedeutung zu erkennen und beispielsweise auch in ethischen Konfliktsituationen entsprechend begründete Entscheidungen zu treffen.

Im Hinblick auf die Beantwortung der Frage, was ein Mensch darf und was nicht, haben im Christentum die Zehn Gebote eine erhebliche Bedeutung. In fast allen Religionen gibt es derartige Vorgaben für das Verhalten des Menschen. In inhaltlicher Hinsicht können sie jedoch erheblich variieren. Daraus ergibt sich auch, dass bestimmte Handlungen und Verhaltensweisen in manchen Religionen verboten sind und als schlimmes Vergehen, mitunter sogar als Gotteslästerung („Blasphemie") betrachtet werden.

FALLBEISPIEL

Die Besatzung eines RTW wird zu einer Patientin gerufen, die über ein starkes Druckgefühl im Brustbereich klagt. Die Notfallsanitäter wollen ein EKG anlegen, werden allerdings durch den Ehemann der Frau daran gehindert. Beide, Ehemann und Patientin, sind Muslime und lehnen die aus medizinischer Perspektive einzuleitenden Maßnahmen durch das männliche Rettungsteam aufgrund bestimmter Vorgaben ihrer Religiosität ab. Dies kann ein (christlich geprägtes) Rettungsteam vor ein Problem stellen, wenn das Verständnis und die Sensibilität für diese Auffassung der Patientin und ihres Ehemannes fehlen. Dann sind Konflikte geradezu vorprogrammiert. Verkompliziert werden solche Situationen dadurch, dass es teilweise auch unterschiedliche Auslegungen religiöser Vorschriften gibt. Was dann aus religiöser Perspektive „richtig" oder „falsch" ist, d. h., was man darf und was nicht, ist nicht immer leicht zu entscheiden.

IM FOKUS

Religiös bzw. theologisch geprägtes Menschenbild

- **Homo creatus, Homo imago dei.**
- Im Zentrum stehen Glaubenslehren und -prinzipien.
- Beziehung zu **Gott** bzw. einem **höheren Wesen** oder einem universellen Prinzip.
- Im Christentum ist der Mensch sowohl Geschöpf als auch ein Ebenbild Gottes.
- Diese Doppelrolle soll **Demut** einfordern und **Selbstreflexion** ermöglichen.
- Zudem existieren im Christentum und fast allen anderen Religionen relativ präzise **Gebots- und Verbotsregelungen.**
- Glaube kann, gerade in Krankheit und Not, eine große **Ressource** sein.

Humanistisches Menschenbild

Ähnlich wie im christlich-religiösen Menschenbild postuliert auch der humanistische Ansatz den **Menschen als Einheit von Körper, Seele und Geist** – allerdings unabhängig von einer höheren Instanz. Vielmehr steht der Mensch als autonomes, selbst denkendes Wesen im Mittelpunkt der Betrachtung **(Homo sapiens).**

Der Mensch besitzt das Bewusstsein und die geistigen Fähigkeiten, sein eigenes Leben und seine Umwelt aktiv, aber vor allem auch Sinn gebend zu gestalten. Damit verbunden sind gleichzeitig das Recht und die Freiheit, alle Entscheidungen eigenverantwortlich treffen zu können und sich auf diese Weise selbst zu verwirklichen. Das bezieht sich auf alle Bereiche des Lebens, somit auch auf Krankheit, Leiden und Tod.

Voraussetzung für eine solche Selbstverwirklichung ist allerdings, dass bestimmte Grundbedürfnisse des Menschen zumindest teilweise erfüllt sind. Dieser Gedanke wird sehr schematisch und stark

Abb. 8.2 Bei einem theologisch geprägten Menschenbild steht die Geschöpflichkeit des Menschen im Vordergrund. [J787]

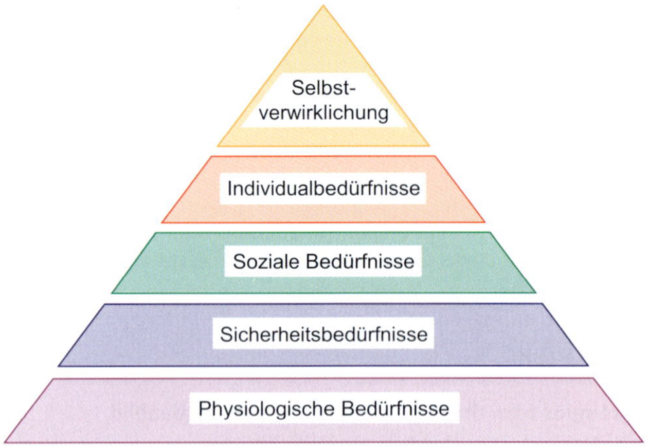

Abb. 8.3 Bedürfnispyramide nach Maslow [L143]

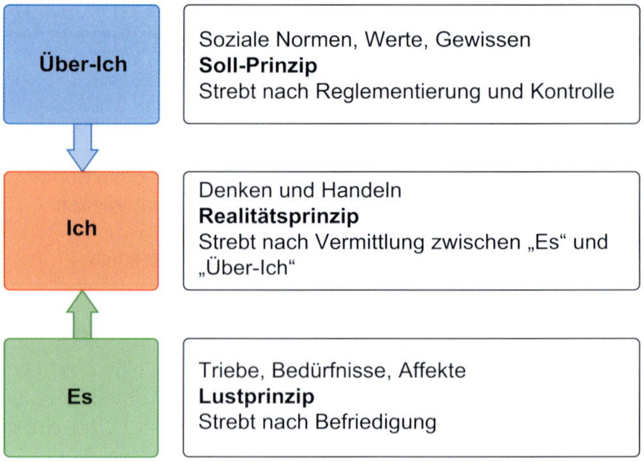

Abb. 8.4 Das Drei-Instanzen-Modell der Persönlichkeit nach Sigmund Freud [L143]

vereinfacht in der bekannten Bedürfnispyramide nach Abraham Maslow (1908–1970) zum Ausdruck gebracht (→ Abb. 8.3). Demnach stehen zunächst physiologische Bedürfnisse im Vordergrund, z. B. das Bedürfnis nach Luft zum Atmen und das Bedürfnis nach Nahrungsaufnahme. Sicherheits- und soziale Bedürfnisse wie z. B. der Wunsch nach Kontakt und Anerkennung schließen sich an. Erst wenn diese Bedürfnisse in einer angemessenen Weise befriedigt sind, treten weitere individuelle Bedürfnisse – und zuletzt dann auch das Streben nach Selbstverwirklichung – in den Vordergrund.

IM FOKUS

Humanistisches Menschenbild

- Das humanistische Menschenbild betrachtet den Menschen als **Einheit** von Körper, Seele und Geist.
- Der Mensch wird seinen **Bedürfnissen** nach betrachtet.
- Wichtiges Hilfsmittel ist die **Bedürfnispyramide** nach Maslow. Sie ist jedoch nicht definitiv und für jeden Menschen in jeder Situation gültig, sondern sie liefert Anhaltspunkte.
- Menschen streben nach **Selbstverwirklichung.** Dies betrifft insbesondere auch die Bereiche, in denen die medizinische Versorgung eine Rolle spielt.

Menschenbild der Psychoanalyse

Der berühmte österreichische Neurologe und Psychologe Sigmund Freud (1856–1939) hat die Persönlichkeit des Menschen 1923 in einem **Drei-Instanzen-Modell** dargestellt, das für die Entwicklung von Psychotherapieverfahren, aber auch für das Verständnis menschlichen Verhaltens insgesamt von enormer Bedeutung ist und deshalb auch an dieser Stelle nicht unerwähnt bleiben soll (→ Abb. 8.4). Nach Freud können drei **psychische Strukturen** voneinander abgegrenzt werden, die aber hoch dynamisch miteinander in Verbindung stehen:

- Beim **„Es"** handelt es sich um die angeborene, überwiegend unbewusste Triebausstattung des Menschen, d. h., im „Es" sind insbesondere der **Liebestrieb** (Libido) sowie der **Zerstörungstrieb** (Destrudo) angesiedelt. Auch Bedürfnisse, z. B. das Bedürfnis, Nahrung zu sich zu nehmen oder Geltung zu erlangen, sowie Gefühle wie Neid, Hass, Vertrauen und Zuneigung haben in dieser Instanz ihren Ursprung. Das „Es" folgt ausschließlich einem **Lustprinzip:** Triebe und Bedürfnisse sollen möglichst befriedigt werden. Im „Es" geht es darum, was ein Mensch tief in seinem Innern *will.*
- Das **„Über-Ich"** beinhaltet soziale Normen, Werte, Moralvorstellungen und das **Gewissen** eines Menschen. Es entwickelt sich insbesondere durch den erzieherischen Einfluss der Eltern in den ersten vier Lebensjahren und zielt darauf ab, die Triebe und Bedürfnisse eines Menschen zu kontrollieren und zu reglementieren. Das „Über-Ich" steht insofern dem „Es" entgegen; in dieser psychischen Instanz geht es darum, was ein Mensch *darf* und *soll* bzw. was er eben *nicht darf* und *nicht soll.*
- Das **„Ich"** vermittelt schließlich zwischen „Es" und „Über-Ich". Es versucht dafür zu sorgen, dass Triebe und Bedürfnisse stets nur in einer sozial verträglichen, „erlaubten" Art und Weise ausgelebt werden. Insofern folgt das „Ich" nicht blind dem Lustprinzip des „Es", sondern handelt nach einem **Realitätsprinzip.** Hier geht es darum, was ein Mensch tun *kann,* ohne mit seiner sozialen Umwelt in Konflikte zu geraten.

Zahlreiche psychische Auffälligkeiten bzw. Störungen können in der Theorie der Psychoanalyse auf ungelöste Konflikte bzw. eine misslungene Vermittlung zwischen den Instanzen „Es", „Ich" und „Über-Ich" bzw. eine zu starke oder zu schwache Ausprägung einer Instanz zurückgeführt werden. Es soll aber nicht unerwähnt bleiben, dass das Drei-Instanzen-Modell eben nur eines ist, neben dem in den vergangenen Jahrzehnten auch noch zahlreiche weitere, zum Teil deutlich differenziertere entwickelt worden sind.

MERKE

Menschenbilder spiegeln die persönlichen Vorstellungen über das Wesen des Menschen wider. Sie sind Grundlage dafür, wie Menschen ihrem Gegenüber begegnen, und beeinflussen letztlich jedes Handeln. Für das berufliche Handeln im Rettungsdienst ist es grundlegend, sich bewusst mit seinem eigenen und anderen Menschenbildern auseinanderzusetzen.

PRAXISTIPP

Über die wenigen, hier lediglich exemplarisch dargestellten Menschenbilder hinaus gibt es unzählige weitere, etwa Menschenbilder in unterschiedlichen Kulturen und diversen wissenschaftlichen (Sub-) Disziplinen wie z. B. der Sozialanthropologie, der pädagogischen Anthropologie und vielen anderen mehr. Nicht zuletzt unterliegen Menschenbilder einem historischen Wandel. Eine vertiefende Recherche zu diesem Thema ist hoch spannend: Sie regt dazu an, sich mit dem eigenen Dasein in der Welt näher zu beschäftigen und kann daher nur ausdrücklich empfohlen werden!

8.2.2 Moderne Persönlichkeitstheorie

Persönlichkeit ist die individuelle Eigenart eines Menschen, also die Gesamtheit seiner Eigenschaften, Fähigkeiten, Motive und charakteristischen Verhaltensweisen. Einfache **Typologien** (Temperamente, Persönlichkeitstypen, Sternzeichen) und grundlegende Modellvorstellungen bieten aus heutiger Sicht zwar eine einfache und schnelle Orientierung, werden der Individualität eines Menschen aber nicht gerecht. Die moderne Psychologie untersucht deshalb Persönlichkeitsfaktoren und Haupteigenschaften einer Person, die ihr **Persönlichkeitsprofil** ausmachen.

Die **„Big Five"** sind fünf Persönlichkeitseigenschaften, die man auch im Alltag häufig anwendet, wenn man sich ein Bild von einer anderen Person macht (→ Abb. 8.5). Sie lauten:

- **Extraversion/Introversion:** kontaktfreudig, gesprächig, freimütig, unternehmungslustig, gesellig vs. schweigsam, verschlossen, zurückhaltend, zurückgezogen
- **Soziale Verträglichkeit:** gutmütig, wohlwollend, freundlich, kooperativ vs. ärgerlich, missgünstig, starrköpfig, feindselig
- **Gewissenhaftigkeit:** sorgfältig, zuverlässig, genau, beharrlich vs. nachlässig, unzuverlässig, ungenau, sprunghaft
- **Emotionale Stabilität:** ausgeglichen, entspannt, gelassen, belastbar, körperlich stabil vs. nervös, ängstlich, erregbar, wehleidig, verletzlich
- **Offenheit für neue Erfahrungen:** gebildet, aufgeschlossen, wissbegierig, interessiert, fantasievoll, kultiviert, kunstverständig vs. ungebildet, desinteressiert, unwillig, fantasielos, ungeschliffen, kunstunverständig

Anhand dieser fünf Haupteigenschaften stufen Menschen einander in beruflichen wie in privaten Beziehungen tagtäglich ein. Die Beobachtung dieser Eigenschaften hat sich offenbar im Laufe der Evolution auch als sinnvoll erwiesen. So haben wohl schon unsere frühen menschlichen Vorfahren gelernt, auf diejenigen Eigenschaften ihrer Hordengenossen zu achten, die für das eigene Überleben entscheidend sein könnten.

Abb. 8.5 Die „Big Five" der Persönlichkeit [P094, L231]

Darüber hinaus sind die „Big Five" auch jene Eigenschaften, nach denen wir selbst beurteilt werden. Wer also auf andere – Kollegen, Arbeitgeber, Patienten und auch in seinem privaten Umfeld – einen guten Eindruck machen will, sollte bei sich selbst auf jeden Fall die positiven Aspekte dieser Eigenschaften fördern und kultivieren.

MERKE

Notfallsanitäter sollten

- kontaktfreudig, bei Bedarf aber auch verschwiegen,
- freundlich und kooperativ,
- sorgfältig und zuverlässig,
- belastbar und ausgeglichen,
- interessiert, wissbegierig und Neuem gegenüber aufgeschlossen sein.

8.2.3 Soziale Wahrnehmung

Bei der Wahrnehmung von Menschen können zahlreiche **Beurteilungsfehler** bzw. **Verzerrungseffekte** auftreten. Letztlich ist dies niemals auszuschließen bzw. vollständig zu verhindern. Jede Rettungsfachkraft sollte sich aber dieser Problematik bewusst sein und stets prüfen, ob die Einschätzung eines anderen Menschen – insbesondere auch eines Patienten, Angehörigen oder Kollegen – nicht möglicherweise fehlerhaft ist. Folgende Effekte bzw. Mechanismen sind häufig Ursachen von Beurteilungsfehlern:

Primacy-Effekt, „First-Look-Effekt"

Innerhalb von Sekunden wird über andere Menschen ein **erstes Urteil** gefällt. Grundsätzlich ist dies auch durchaus hilfreich, um möglichst rasch einschätzen zu können, welches Verhalten einer anderen Person gegenüber vermutlich angebracht ist. Gleichwohl kann der erste Eindruck täuschen. Hier ergibt sich dann ein Problem, wenn ein unzutreffender erster Eindruck in der Folge nicht mehr berichtigt wird (→ Kap. 11.3.1):

- Häufig wird, nachdem einmal ein Urteil gefällt worden ist, selektiv nur noch das wahrgenommen, was eben dieses Urteil auch bestätigt.
- Was nicht zu einem zunächst gefällten Urteil passt und ggf. eine Korrektur veranlassen müsste, wird unbewusst eher ausgeblendet.

Deshalb ist es wichtig, nicht beim ersten Eindruck stehenzubleiben, sondern das Bild des anderen Menschen durch weitere Wahrnehmungen laufend zu ergänzen.

Akzentuierung

Viele Menschen neigen dazu, ihre Urteile über andere Menschen zu akzentuieren, d. h. zu überspitzen. Ein etwas ängstlicher Patient wird z. B. gleich als „sehr ängstlich" dargestellt, ein leicht kritischer Unterton als „**sehr** aggressives Verhalten" beschrieben, eine bloße Nachfrage als „**völliges** Misstrauen" gedeutet.

Stereotype

Jeder Mensch hat bestimmte „Schubladen", in die Menschen aufgrund bestimmter Merkmale eingeordnet werden. Dabei können

- ein bestimmtes Erscheinungsbild,
- die Kleidung,
- die Haarfarbe,
- die Stimme oder
- ein beliebiges anderes Merkmal

von Bedeutung sein. Problematisch ist, dass eine solche Kategorisierung meist unbewusst aufgrund früherer Erfahrungen erfolgt und u. U. auch vollkommen unzutreffende Übertragungen vorgenommen werden. Welche Stereotypen hat beispielsweise die Pflegefachkraft im Beispiel, das zu Beginn dieses Kapitels beschrieben worden ist?

Verknüpfungsfehler

Hierbei wird von einzelnen Merkmalen auf andere geschlossen, was in vielen Fällen jedoch fehlerbehaftet ist. Beispiele für solche Trugschlüsse gibt es unzählige:

- Oftmals wird angenommen, dass attraktive Menschen auch besonders intelligent sind.
- Man geht davon aus, dass Männer mit Tätowierungen wohl aus einem bestimmten Milieu stammen müssen.
- Vermutet wird, dass jemand, der einen Anzug trägt, wohl sicherlich reich und erfolgreich ist usw.

Sequenzialität

Die Aufmerksamkeit anderen Menschen gegenüber ist nicht permanent hoch. Daraus kann resultieren, dass man ein Urteil über einen Menschen mit einer bestimmten Wahrnehmung begründet, obwohl es bereits wenige Augenblicke später eine völlig andere Wahrnehmung hätte geben können.

ACHTUNG! Wird die Gültigkeit einzelner „Momentaufnahmen" nicht reflektiert, können schwerwiegende Fehleinschätzungen die Folge sein.

Attributionsfehler

Bei der Zuschreibung von Ursachen für Verhaltensweisen werden unbewusst wesentliche Unterscheidungen vorgenommen. Bei anderen Personen geht man davon aus, dass die Begründung für ein bestimmtes Verhalten eher in der Person liegt, während man dazu neigt, v. a. negative Verhaltensweisen bei sich selbst auf äußere, situative Umstände zurückzuführen:

- Wenn man einen Praktikanten im Einsatz beobachtet und eine gewisse Aufregung feststellt, neigt man z. B. dazu, diesem Praktikanten eine geringe Belastbarkeit zu unterstellen.
- Ist man selbst in einem Einsatz aufgeregt, würde man dies eher auf Merkmale eines außergewöhnlichen Notfallgeschehens beziehen.

MERKE

Ein etwaiges Fehlverhalten entschuldigt man bei sich selbst daher eher als bei anderen!

Sympathieeffekt

Natürlich findet man einzelne Menschen sympathischer als andere. Im rettungsdienstlichen Kontext könnte dies dazu führen, dass man bei der Versorgung eines Patienten, zu dem man sich in besonderer Weise hingezogen fühlt, noch sorgfältiger und engagierter arbeitet. Solange dies nicht im Umkehrschluss bedeutet, dass die Versorgung von weniger sympathisch empfundenen Patienten nachlässiger durchgeführt wird, muss dies auch nicht unbedingt problematisch sein. Es ist aber ebenso möglich, dass man aufgrund einer besonderen Sympathie für jemanden unvorsichtiger agiert und ansonsten übliche Vorsichtsmaßnahmen unterlässt. Dies wäre definitiv inakzeptabel.

IM FOKUS

Soziale Wahrnehmung

- Unsere Wahrnehmung ist **oft verzerrt,** weil sie mit Bewertungs- und Einordnungsprozessen einhergeht.
- Typische Wahrnehmungs- oder Verzerrungsfehler sind:
  - **Primacy Effect:** „Der erste Eindruck ist der Wichtigste."
  - **Akzentuierung:** stärkere Bewertung eines Verhaltens
  - **Stereotypisierungen:** Einordnen in bestimmte Schubladen
  - **Verknüpfungsfehler:** Verbindung von zwei eigentlich voneinander unabhängigen Eigenschaften
  - **Sequenzialität:** „Momentaufnahme"
  - **Attributionsfehler:** Zuschreibungen bestimmter Eigenschaften
  - **Sympathieeffekte:** Änderung der Bewertung in Abhängigkeit von Zuneigung oder Ablehnung

8.3 Entwicklung des Menschen und Lebensphasen

Die Versorgung von verletzten oder akut erkrankten Menschen soll nicht nur Bedürfnisse berücksichtigen, die sich unmittelbar aus einer Notfallsituation ergeben, sondern auch die jeweilige Lebenssituation insgesamt. Da der Rettungsdienst jedoch mit Patienten in allen Altersstufen konfrontiert wird, lohnt sich eine Auseinandersetzung mit Grundlagen der **Entwicklungspsychologie.**

Menschen entwickeln sich während des gesamten Lebens weiter (→ Abb. 8.6). Genetische Anlagen und Umweltfaktoren (Erziehung, Vorbilder) spielen dabei ebenso eine Rolle wie Tradition und Lebenschancen sowie die jeweils eigene Art und Weise, das Leben zu gestalten und auf Entwicklungsangebote zu reagieren. Verschiedene **Entwicklungsaufgaben** kennzeichnen die einzelnen Lebensabschnitte (→ Abb. 8.7). Sie ergeben sich aus

- biologischen Veränderungen (z. B. Pubertät, Altern),
- gesellschaftlichen Erwartungen (z. B. Berufsbild, soziale Normen),
- individuellen Lebenszielen und Werten (z. B. aufgrund persönlicher Erfahrungen) sowie
- lebensverändernden Ereignissen (z. B. Unfall, Krankheit, Arbeitslosigkeit).

Abb. 8.6 Jeder Mensch entwickelt sich permanent weiter. [J787–033]

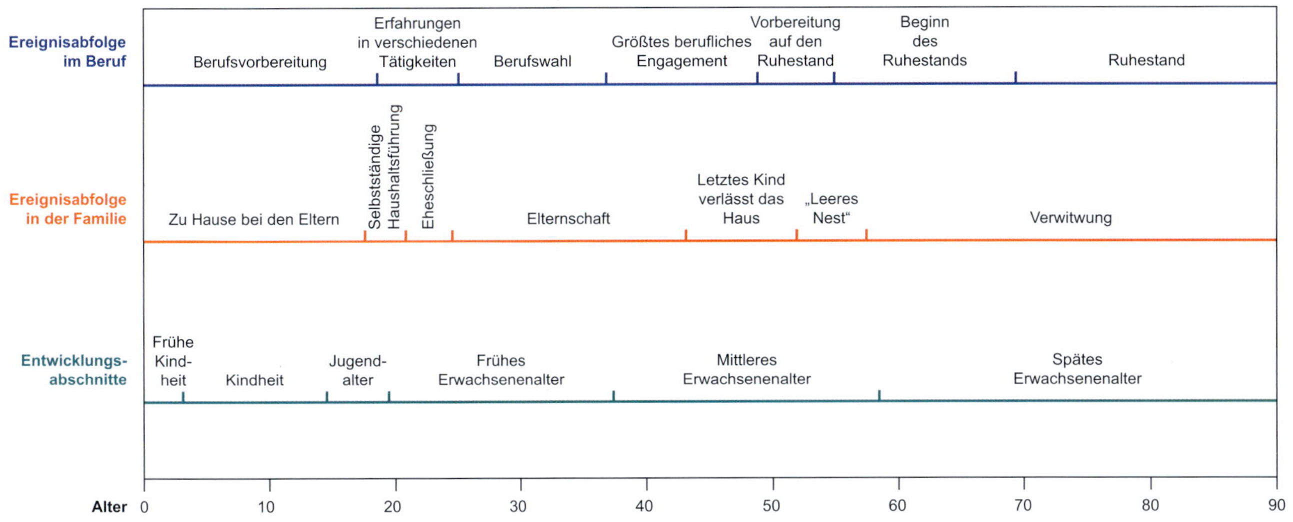

Abb. 8.7 Aus altersabhängigen Entwicklungsabschnitten und typischen Ereignisfolgen in Familie und Beruf resultieren spezifische Entwicklungsaufgaben. [L231]

Der Entwicklungspsychologe Erikson beschreibt acht aufeinanderfolgende Stadien, in denen individuelle Bedürfnisse und gesellschaftliche Anforderungen miteinander zu verbinden sind:

1. **Vertrauen vs. Misstrauen (1. Lebensjahr):** Die ersten Erfahrungen mit anderen Menschen führen bei den meisten Babys zur Entwicklung des Urvertrauens, das sich auf die Welt als Ganzes bezieht. Die Umwelt wird als freundlich, verlässlich und vorhersagbar erlebt. Wenn das Baby jedoch vernachlässigt und wiederholt mit seinen Nöten alleingelassen wird, entsteht ein grundsätzliches Misstrauen der Welt und den Menschen gegenüber.
2. **Autonomie vs. Scham/Zweifel (2. und 3. Lebensjahr):** Die motorische Entwicklung führt zu Konflikten zwischen dem kindlichen Streben nach Selbstständigkeit und der Abhängigkeit von den Eltern und Erwachsenen. Das Ich-Bewusstsein des Kindes entfaltet sich in der Auseinandersetzung mit Regeln, Vorschriften der Erwachsenen („Trotzphase"). Durch klare Grenzen, angemessene Unterstützung und Vertrauen in die Fähigkeiten des Kindes kann dieses in seinem Autonomiestreben bestärkt und gefördert werden. Scham und Zweifel entstehen, wenn das Kind wichtige Ziele nicht erreichen kann oder wenn das Kind nicht weiß, wie es sich den Regeln entsprechend verhalten soll.
3. **Initiative vs. Schuldgefühle (4. und 5. Lebensjahr):** Das Kind entfaltet eine große Neugierde, die Welt aktiv zu erkunden, kreativ zu gestalten und eigene Fantasiewelten zu entwerfen. Soziale Kontakte außerhalb der Familie werden ebenso wichtig wie sich einen Platz in einer Gemeinschaft zu erobern (z. B. im Kindergarten). Von den Eltern und Betreuern übernimmt das Kind wichtige Einstellungen und Verhaltensmuster; es bildet sich ein Gewissen. Ängstliche, rigide und fremdbestimmte Grundhaltungen sowie unrealistische Ziele und Idealansprüche können die kindliche Unternehmungsfreude lähmen und zu tief sitzenden Schuldgefühlen führen.
4. **Leistung vs. Minderwertigkeit (mittlere Kindheit):** Spätestens mit dem Eintritt in die Schule wird das Kind systematisch mit dem Wissen der Kultur und den Zivilisationstechniken vertraut gemacht. Die Leistungsanforderungen sind für die meisten Kinder zunächst eine spannende Herausforderung. Sie interessieren sich für verschiedenste Sachgebiete, haben Freude am Lernen und Üben und sind stolz auf das eigene „Werk". Wenn jedoch Erfolgserlebnisse fehlen und ihre Leistungen übermäßig kritisiert werden, kann das zu Ängstlichkeit und Minderwertigkeitsgefühlen führen.
5. **Identität vs. Rollendiffusion (Jugendalter):** Eine zentrale Entwicklungsaufgabe für Jugendliche ist es, ein Gefühl für die eigene Identität zu entwickeln und zu festigen. Sie wollen ihre Eigenschaften, Fähigkeiten und Interessen erproben und eigene Vorstellungen von ihrer Zukunft entwerfen. Die gleichaltrigen Freunde oder Gruppen werden dabei zunehmend wichtiger als Eltern und Schule. Dabei einerseits die widersprüchlichen Erfahrungen und Erwartungen miteinander in Einklang zu bringen und gleichzeitig einen eigenen Weg in die Selbstständigkeit zu finden, ist oft schwierig. Wenn das nicht gelingt, bleibt das Selbstbild unsicher oder unklar, was zu instabilen Zielen und übertriebenem oder oberflächlichem Engagement führen kann.
6. **Intimität vs. Isolation (frühes Erwachsenenalter):** Im frühen Erwachsenenalter gehört es zu den wesentlichen Aufgaben, stabile Beziehungen aufzunehmen und zu halten. Das betrifft sowohl eine private, intime Partnerschaft als auch stabile berufliche Beziehungen zu Kollegen und im Team. Junge Erwachsene versuchen, ihr Wissen und ihre Fähigkeiten ernsthaft umzusetzen. Waren die sozialen Kontakte der Jugendzeit oft flüchtig und unverbindlich, steht nun die Solidarität in einer überschaubaren Gruppe im Vordergrund. Wenn der Aufbau stabiler Beziehungen nicht gelingt, bleibt man sozial isoliert bzw. in unverbindlichen Beziehungen stecken.
7. **Generativität vs. Stagnation (mittleres Erwachsenenalter):** Je älter man wird und je mehr man erlebt hat, desto mehr Wissen, Können und Lebenserfahrung sammeln sich an. Diese an andere Menschen (die eigenen Kinder, andere junge Menschen, die nächste Generation) weiterzugeben, ist eine wichtige Entwicklungsaufgabe des mittleren Erwachsenenalters. Das kann am Arbeitsplatz und im Beruf ebenso geschehen wie im Rahmen sozialen oder politischen Engagements. Die Zukunft wird nicht mehr nur als eine persönliche Angelegenheit gesehen, sondern schließt die nachfolgenden Generationen mit ein. Wenn man hingegen den Eindruck hat, auf der Stelle zu treten und sich nicht mehr weiterzuentwickeln, kann

das zu Langeweile, einem Gefühl der Nutzlosigkeit und Sinnlosigkeit sowie zur Selbstaufopferung in der Arbeit führen (Midlife-Crisis, Burn-out, → Kap. 7.1.2).

8. **Ich-Integrität vs. Verzweiflung (spätes Erwachsenenalter):** Im späten Erwachsenenalter ist man zunehmend mit Beschwernissen und Verlusten konfrontiert (gesundheitlichen Problemen, Ende der beruflichen Tätigkeit, Verlust von Bezugspersonen etc.). Zugleich können manche Menschen bis ins hohe Alter ihre Vitalität und ihr sinnstiftendes und produktives Engagement erhalten. Das eigene Leben wird in seiner Gesamtheit überblickt und in einem größeren Zusammenhang gesehen. Viele Menschen sind mit dem Erreichten zufrieden; andere trauern um das, was sie im Leben nicht erledigt oder falsch gemacht haben, und sehen für sich keine Perspektiven mehr. Eine der letzten und größten Entwicklungsaufgaben ist es, die Begrenztheit des eigenen Lebens zu akzeptieren.

MERKE

Die jeweilige Lebensphase, in der sich ein Patient gerade befindet, bestimmt sein Verhalten mit. Es ist wichtig, dies in der Kommunikation stets zu berücksichtigen.

8.3.1 Säuglingsalter und frühe Kindheit

Von Geburt an sind Neugeborene auf andere Menschen ausgerichtet. Sie bevorzugen menschliche Stimmen, Gerüche und Berührungen und sind ihren Eltern und anderen Betreuungspersonen bedingungslos zugewandt. Ihr Bindungsverhalten (lächeln, schreien, hinterherkrabbeln) löst bei den meisten Erwachsenen intuitives Eltern- und Fürsorgeverhalten aus (anlächeln, ansprechen, beschäftigen, trösten etc.). Babys brauchen Aufmerksamkeit, liebevolle Zuwendung und Interaktion mit stabilen Bezugspersonen, um sich psychisch, körperlich, geistig, sprachlich und sozial gesund zu entwickeln.

ACHTUNG! Deshalb ist es wichtig, dass bei einem Unfall oder einer schweren Erkrankung des Kindes ein Elternteil im Krankenhaus mit aufgenommen wird (→ Kap. 9.3.4).

8.3.2 Kindheit

Eine stationäre Behandlung im Krankenhaus ist für Kinder wie für ihre Eltern oft mit erheblichen Belastungen verbunden. Für Kinder bedeutet ihre gewohnte Umgebung Sicherheit und Geborgenheit. Vor allem wenn sie plötzlich (nach einem Unfall, aufgrund einer akuten Erkrankung) aus dieser herausgerissen werden, fühlen sie sich unsicher, schutzlos und alleingelassen. Ärger, Angst und Traurigkeit sind häufige negative Gefühle. In einer derart schwierigen Situation ist es besonders wichtig, dem Kind zu erklären, was geschieht und seine Fragen ehrlich und altersgerecht zu beantworten.

Die Vorstellungen von Kindern in Bezug auf ihren Körper, eine Verletzung oder Krankheit sowie auf notwendige Behandlungsschritte sind je nach Altersstufe sehr unterschiedlich:

- Bei **Kleinkindern** stehen das Bedürfnis nach Sicherheit und die Angst vor der Trennung von den Eltern im Vordergrund. Eltern oder andere nahe Angehörige sollten deshalb in die rettungsdienstliche Versorgung eingebunden werden und bei allen wichtigen Untersuchungen und Behandlungsschritten anwesend sein. Auch während des Transports sollte ein Elternteil im Patientenraum des RTW anwesend sein.
- **Kinder im Vorschulalter (3–6 Jahre)** sehen eine Verletzung oder Krankheit oft als „Bestrafung". Symptome und Behandlungsmaßnahmen können „magisch" interpretiert werden. Kindgerechte Erklärungen (z. B. in Form von märchenartigen Geschichten) können direkt darauf eingehen.

ACHTUNG! Wichtig ist, dem Kind die aktuelle Situation so angenehm und sicher wie möglich zu gestalten (→ Kap. 9.3.4).

- Im **Grundschulalter (7–11 Jahre)** entwickeln Kinder ein Verständnis für medizinische und pflegerische Maßnahmen, ihre Absicht und Durchführung. Die Erklärungen, die sich das Kind bezüglich Verletzung, Krankheit und Behandlung gibt, werden zunehmend realistischer. Schulkinder kann man bereits mit sachlichen Informationen und Argumenten überzeugen und zur aktiven Mithilfe auffordern.
- **Jugendliche (12–18 Jahre)** sind in ihrem Denken und Empfinden nicht mehr von konkreten Erfahrungen abhängig. Ihre Vorstellungen von Gesundheit und Krankheit stimmen weitgehend mit denen der Erwachsenen überein. Zugleich wollen Jugendliche Entscheidungen gerne selbst treffen und zunehmend mehr darüber bestimmen, was mit ihnen geschieht.

PRAXISTIPP

Es empfiehlt sich, mit Jugendlichen „auf Augenhöhe" wie mit Erwachsenen zu sprechen.

8.3.3 Jugend und frühes Erwachsenenalter

In der Jugend (formal der Altersbereich zwischen 12 und 18 Jahren) ist die **Festigung der eigenen Identität** eine zentrale Entwicklungsaufgabe. Neben der Ablösung von den Eltern und dem Aufbau eines Freundeskreises, in dem man mit Gleichaltrigen neue Verhaltensweisen ausprobieren und über Werte, Ziele und Zukunftsperspektiven diskutieren kann, ist auch die Auseinandersetzung mit dem eigenen Körper, seinen Veränderungen und Bedürfnissen sehr wichtig. Fragen nach Ausbildung und Beruf gehen Hand in Hand mit Entwürfen für den eigenen, selbstbestimmten Lebensweg. Im frühen Erwachsenenalter (bis ca. 25 Jahre) werden die Beziehungen zu anderen Menschen (Partnerschaft, Arbeitsplatz) und die Verantwortung für das eigene Handeln (Beruf, Freizeit) intensiver und spezieller. Der Eintritt ins Berufsleben, die Übernahme eigenverantwortlicher Tätigkeiten und die Suche nach einer tiefen Beziehung und Partnerschaft kennzeichnen die weitere Entwicklung.

In der Jugend ändert sich auch das **Gesundheits- und Risikoverhalten.** Viele gesundheitsrelevante Einstellungen und Gewohnheiten der Kindheit (z. B. in Bezug auf gesunde Ernährung, Zähneputzen, medizinische Untersuchung und Behandlung) nehmen wieder ab, während verschiedene problematische Verhaltensweisen (z. B. bezüglich Alkohol, Nikotin, gefährliche Mutproben) erprobt und manchmal auch beibehalten werden. Der Wunsch, dadurch die eigene Selbstständigkeit und Unabhängigkeit zu demonstrieren und mit den Gleichaltrigen mithalten zu können, ist oft stärker als rationale Aufklärung zu Gesundheitsfragen. Hinzu kommt ein Gefühl der „Unverwundbarkeit", wodurch viele Jugendliche und junge Erwachsene objektiv vorhandene Risiken nicht auf sich beziehen oder gar bewusst eingehen (*„Mir passiert schon nichts."*).

MERKE

Typische Folge einer solchen Denkweise sind sogenannte „Disco-Unfälle": Ein eigentlich müder und erschöpfter, zudem unerfahrener Fahrzeugführer überschätzt, oftmals noch unter Alkohol- oder Drogeneinfluss, seine eigenen Fähigkeiten und verursacht auf dem Heimweg von einer Party oder Diskothek in den frühen Morgenstunden einen schweren Verkehrsunfall. Oftmals werden dabei nicht nur der Fahrer selbst, sondern auch weitere Fahrzeuginsassen schwer verletzt oder sogar getötet.

8.3.4 Erwachsenenalter

Verschiedene **Lebensereignisse** können einen starken Einschnitt oder Wendepunkt in der persönlichen Biografie darstellen. Dies gilt für Heirat oder die Geburt eines Kindes ebenso wie für einen Unfall, schwere Krankheit, Arbeitslosigkeit oder Scheidung. Kritische Lebensereignisse erfordern eine erhebliche Umstellung der bisherigen Lebensweise. Ihre positive Bewältigung führt oft zu einer Neuorientierung und neuen Perspektiven für das weitere Leben. Die Prioritäten verschieben sich, die eigenen Kräfte und Handlungsmöglichkeiten werden anders gesehen.

Vor allem im Erwachsenenalter kann die Entwicklung auch selbst gestaltet werden. Dieser Prozess wird **Entwicklungsregulation** genannt. Persönliche Ziele und Pläne können den Lebensverlauf erheblich mitbestimmen: Ausbildungen, Berufsziele und Familienplanung sowie die aktive Neugestaltung des Lebens nach einem Unfall oder angesichts einer lebensverändernden Krankheit. Persönliche Vorbilder (Angehörige, andere Patienten, Personen des öffentlichen Lebens) spielen dabei ebenso eine Rolle wie frühere Erfahrungen der Bewältigung schwieriger Situationen und äußere Umstände (familiäre Verhältnisse, finanzielle Situation etc.).

Junge Erwachsene versuchen oft, bewusst die beste Strategie zu finden, um ihre Ziele zu erreichen und Lebensprobleme aktiv zu lösen. Menschen im höheren Alter neigen eher zu internen psychischen Anpassungsprozessen (Genügsamkeit, Verzicht). Ziele, Wünsche und Vorlieben werden an die veränderten Lebensumstände und die geringer werdenden Handlungsmöglichkeiten angepasst.

8.3.5 Alter

Im höheren Lebensalter verlagert sich der Schwerpunkt der Entwicklung zu Konzentration der Kräfte und Nutzung vorhandener Stärken. Einerseits nehmen Verluste und Einschränkungen zu: Beweglichkeit, Organ- sowie Sinnesfunktionen und Gedächtnisleistung lassen nach (→ Tab. 8.2), gesellschaftliche Aufgaben, soziale Beziehungen und Selbstständigkeit gehen zurück. Gleichzeitig steigt die Fähigkeit, mithilfe der vorhandenen Fähigkeiten Aufgaben zu erledigen und Probleme zu bewältigen. Diese bessere Anwendung kann die formalen Leistungseinbußen bis ins höhere Alter abschwächen oder ausgleichen.

Wenn das persönliche Anspruchsniveau immer wieder angepasst wird, bleibt die Lebenszufriedenheit alter Menschen häufig gleich hoch wie bei jüngeren, trotz der Zunahme an körperlichen Beschwerden und sozialen Verlusterlebnissen (*„Mir genügt das, ich bin zufrieden damit."*). Viele vergleichen sich auch mit anderen Personen, denen es schlechter geht, und setzen sich selbst Ziele, die trotz der Altersveränderungen gut erreichbar sind.

Parameter	Altersbedingte Veränderungen bei über 75-Jährigen (in %) im Vergleich zu 30-Jährigen (= 100 %)
Gesamtkörperwasser	−18
Muskelmasse	−30
Mineralgehalt der Knochen • Männer • Frauen	 −15 −30
Max. Dauerbelastung	−30
Max. kurzfristige Spitzenleistung	−60
Grundstoffwechsel	−16
Gehirngewicht	−44
Regulationsgeschwindigkeit des Säure-Basen-Haushalts	−83
Herzschlagvolumen (im Ruhezustand)	−50
Vitalkapazität der Lunge	−44

Tab. 8.2 Ausgewählte Parameterveränderungen bei alten Menschen (nach Kratz et al. 2005)

IM FOKUS

Lebensphasen

- Bei Säuglingen ist **Körperkontakt** zu den Eltern von zentraler Bedeutung.
- Bei Kindern auf kognitive Fähigkeiten achten und ihnen **Raum zur „Kontrolle"** der Situation geben.
- Jugendliche in ihrer Rolle und Persönlichkeit ernst nehmen, aber „Hintergrundwissen" (erhöhtes **Risikoverhalten** und verdeckte Unsicherheiten) beim Kontakt mit ihnen beachten.
- Erwachsene sind oftmals **Gestalter ihres Lebens.** Diese Rolle ist für sie stützend und wertvoll.
- Alte Menschen bauen körperlich und oft auch geistig ab, es gibt aber beachtliche **interindividuelle Unterschiede.** Pauschalurteile sollten daher vermieden werden.

8.4 Gesundheit und Krankheit

Wie lange ist ein Mensch gesund und ab wann krank? Welche Gefühle, Reaktionen und Verhaltensweisen sind normal und welche gestört? Welche Auffälligkeiten überhaupt als Symptome einer Krankheit wahrgenommen werden und welche Diagnosen und Behandlungen daraus folgen, hängt sehr von individuellen Auffassungen ab. Eine grundsätzliche Auseinandersetzung mit den Begriffen **„Gesundheit"** und **„Krankheit"** ist daher auch für das Rettungsfachpersonal in hohem Maße relevant.

DEFINITION

Die **Weltgesundheitsorganisation (WHO)** hat Gesundheit als das *„vollständige körperliche, geistige und soziale Wohlergehen"* definiert. Da ein derart absolutes Wohlergehen jedoch, wenn überhaupt, nur äußerst selten eintreten dürfte, bezeichnet man die WHO-Definition von Gesundheit auch als eine **Utopie.**
Nach einer anderen Normierung bedeutet Gesundheit ein **angemessenes Gleichgewicht** zwischen biologischen (körperlichen) und psychischen Systemen (Gedanken, Gefühle, Bedürfnisse,

Persönlichkeit) im Austausch mit der Umwelt (materiell, sozial, kulturell). Kleinere Störungen dieses Gleichgewichts kann ein gesunder Mensch selbst wieder ausgleichen. Gesundheit beruht insofern auf der grundlegenden Fähigkeit, schädliche Einflüsse aufzufangen und zu bewältigen. Diese Fähigkeit wird auch **Resilienz** genannt. Sie ermöglicht es, Spannungen und Schwankungen des Gleichgewichtszustands auszugleichen, ohne dass es sofort zur Entgleisung bzw. Krankheit kommt.
Krankheit könnte man als einen gestörten Gleichgewichtszustand betrachten, in dem notwendige Funktionen (körperliche, psychische, soziale) nicht mehr aufrechterhalten werden können und/oder bestimmte Strukturen nachhaltig geschädigt sind.

8.4.1 Biopsychosoziales Modell

Aus **biologischer bzw. medizinischer Sicht** werden Krankheiten und Verletzungen als Störung bzw. Beeinträchtigung von Körperfunktionen und -strukturen aufgefasst. Diese werden untersucht und mit gesunden Strukturen bzw. allgemeinen Normwerten verglichen. Die Behandlung erfolgt in Bezug auf die dadurch gestellte Diagnose.

Aus **psychologischer Sicht** werden Störungen mithilfe von allgemein verbindlichen Symptomlisten (z. B. ICD-10) diagnostiziert. Besonderes Gewicht hat dabei der subjektive Leidensdruck (d. h., als wie belastend die Symptome erlebt werden) und ob die Symptome bzw. Verhaltensweisen (Weinen, Wutausbrüche, Schweigen) verständlich oder angemessen sind. Wenn ein Mensch sehr extreme und bizarre Verhaltensweisen zeigt (z. B. bei Schizophrenie), kann das auch ohne Krankheitseinsicht und Leidensdruck als Störung diagnostiziert werden.

Aus **soziokultureller Sicht** geht es darum, was von der Gesellschaft als akzeptabel bzw. problematisch angesehen wird. Das kann sich im Lauf der Jahrzehnte stark ändern. Homosexualität wird heute beispielsweise nicht mehr als Krankheit diagnostiziert, während Rauchen inzwischen als Sucht eingestuft wird.

MERKE

Die verschiedenen Sichtweisen bilden gemeinsam das biopsychosoziale Modell von Gesundheit und Krankheit (→ Abb. 8.8).

IM FOKUS

Krankheit und biopsychosoziales Krankheitsmodell
- Krankheit und Gesundheit sind zwei Pole eines Kontinuums, nicht gegensätzliche Kategorien.
- Krankheit ist ein **gestörter Gleichgewichtszustand** notwendiger Funktionen (körperlich, geistig, sozial).
- Das biopsychosoziale Krankheitsmodell fasst drei Sichtweisen zusammen:
  - **Biologische Sicht:** Verletzungen oder Störungen der fassbaren Struktur
  - **Psychologische Sicht:** symptomorientiert mit dem zentralen Aspekt des „persönlichen Leidensdrucks“
  - **Soziokulturelle Sicht:** mit einer Verletzung oder Erkrankung in das gesellschaftliche Leben eingebettet sein

8.4.2 Modell der Salutogenese

Die Entstehung von Verletzungen und die Genese von Krankheiten **(Pathogenese)** sind leichter erklärbar als die Dynamiken, die zu Gesundheit (lateinisch: salus = Gesundheit) führen bzw. diese

Abb. 8.8 Das biopsychosoziale Modell von Gesundheit und Krankheit [P094, L231]

bewahren. Vor diesem Hintergrund hat Aaron Antonovsky (1923–1994) das Modell der **Salutogenese** entwickelt – ein Modell, mit dem eben nicht die Entstehung von Krankheit, sondern von Gesundheit beschrieben und verständlich gemacht wird.

MERKE

Die **Kernfragen** der Salutogenese lauten:
- Warum bleiben einige Menschen gesund, obwohl sie einer Vielzahl von Belastungen bzw. Stressoren ausgesetzt sind?
- Was trägt dazu bei, ihre Gesundheit aufrechtzuerhalten?

Einerseits hat dies offenbar mit der individuellen Verwundbarkeit **(Vulnerabilität)** bestimmten **Stressoren** gegenüber zu tun, andererseits aber auch mit der individuellen Widerstandskraft, die als **Resilienz** bezeichnet wird (→ Kap. 7.1.1). Insbesondere von der Ausprägung einzelner Widerstandsressourcen hängt demnach ab, ob eine Anforderung, eine Belastungssituation bzw. eine Krise gut bewältigt werden kann (jemand also gesund bleibt) oder nicht. Verschiedene **Widerstandsressourcen** lassen sich voneinander unterscheiden. Teilweise sind sie angeboren, teilweise resultieren sie aber auch aus der Erziehung, der Bildung, konkreten Fördermaßnahmen und Lebenserfahrungen eines Menschen:
- **Biologische Ressourcen** des Körpers können z. B. vor bakteriellen, viralen und anderen Krankheitserregern schützen.
- Aufgrund von **materiellen Ressourcen** kann man sich eine gesundheitsförderliche Umgebung schaffen, sich gesund ernähren und seine Freizeit angenehm gestalten.
- **Kognitive bzw. intellektuelle und emotionale Ressourcen** ermöglichen u. a. eine flexible und rationale Anpassung an sich verändernde Lebensbedingungen.
- Mit **sozialen Ressourcen** sind die Unterstützungspotenziale durch Freunde, Partner, Familienangehörige, Kollegen, Nachbarn etc. gemeint.

Neben diesen Widerstandsressourcen ist nach Antonovsky auch das **Kohärenzerleben (Sense of Coherence, SOC)** von herausragender Bedeutung. Dieses Kohärenzerleben setzt sich aus drei Aspekten zusammen:

- **Verstehbarkeit (Comprehensibility)** bedeutet, dass einzelne Ereignisse strukturiert bzw. geordnet erscheinen und man im Leben insgesamt Zusammenhänge erkennen, verstehen und nachvollziehen kann.
- **Handhabbarkeit (Manageability)** bezieht sich darauf, zu vertrauen, dass die eigenen Ressourcen schon ausreichen werden, um die gestellten Anforderungen bzw. Schwierigkeiten und Probleme des Lebens angemessen bewältigen zu können.
- Mit **Sinnhaftigkeit (Meaningfulness)** ist gemeint, dass das Engagement zur Lösung von Schwierigkeiten grundsätzlich sinnvoll und angebracht ist, d. h. dass es sich lohnt, Herausforderungen konstruktiv zu begegnen.

MERKE

Bei einem ausgeprägten Kohärenzerleben erscheint die Welt im Wesentlichen als in sich stimmig bzw. verstehbar, handhabbar und sinnhaft.

Ob jemand gesund bleibt oder nicht, hängt also nicht nur davon ab, welchen Stressoren jemand ausgesetzt ist. Vielmehr spielen auch die Ausprägung der individuellen Widerstandsressourcen sowie das Kohärenzerleben eine große Rolle (→ Abb. 8.9).

IM FOKUS

Salutogenese

- Kernfrage: **Warum bleiben Menschen gesund?**
- Begriffe:
  - **Vulnerabilität:** Verletzlichkeit
  - **Stressoren:** belastende Einflüsse
  - **Resilienz:** Widerstandskraft
  - **Ressourcen:** Mittel zur Anpassung oder Veränderung
  - Die Ressourcen können sozial, biologisch, kognitiv, emotional oder materiell sein.
- Zentral ist auch das **Kohärenzerleben** (SOC, Sense of Coherence):
  - **Verstehbarkeit** (Comprehensibility)
  - **Handhabbarkeit** (Manageability)
  - **Sinnhaftigkeit** (Meaningfulness)

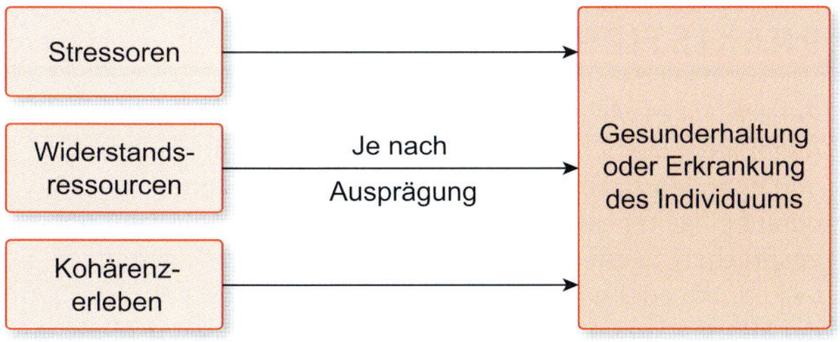

Abb. 8.9 Das Salutogenesekonzept nach Antonovsky (vereinfacht dargestellt) [L143]

8.4.3 Modell der Aktivitäten und existenziellen Erfahrungen des Lebens (AEDL)

Die Pflegewissenschaftlerin Monika Krohwinkel hat in den 1980er-Jahren – aufbauend auf Vorarbeiten ihrer Kollegin Liliane Juchli – das Modell der **Aktivitäten und existenziellen Erfahrungen des Lebens (AEDL)** entwickelt, das auch für Notfallsanitäter bzw. das Verständnis der Situation von Patienten im Rettungsdienst durchaus von Bedeutung ist.

In diesem Modell wird – ähnlich wie in der Bedürfnispyramide nach Maslow (→ Abb. 8.3) – davon ausgegangen, dass jeder Mensch eine Vielzahl von Bedürfnissen hat. Je nachdem, wie sehr diese Bedürfnisse erfüllt sind, resultieren daraus Wohlbefinden bzw. auch das Gefühl von Autonomie und Unabhängigkeit sowie der Eindruck, schlichtweg gesund zu sein. Sofern bestimmte Bedürfnisse nicht erfüllt werden, ergibt sich daraus ein besonderer Handlungsbedarf.

MERKE

Besonders wertvoll ist bei diesem Modell, dass es nicht allein auf das Vorhandensein körperlicher Funktionen fokussiert, sondern dass von einer ganzheitlichen Betrachtung der menschlichen Existenz und einem sehr umfassenden Gesundheitsverständnis ausgegangen wird.

Im Einzelnen beinhaltet das AEDL-Konzept folgende 13 Aspekte:

1. **Kommunizieren können:** Das bedeutet, sich der eigenen Umgebung zunächst einmal bewusst zu sein, seine Umgebung sinnlich wahrzunehmen sowie sich verbal und nonverbal mitteilen zu können.
2. **Sich bewegen können:** Dazu gehören eine funktionierende Sensorik und Motorik des Menschen, d. h., die Fähigkeit, alle Körperteile so zu bewegen, wie man es möchte. Auch ein unbeeinträchtigtes Gleichgewicht ist dafür erforderlich.
3. **Vitale Funktionen des Lebens aufrechterhalten können:** In diesen Bereich geht es um die Fähigkeit zu atmen, einen funktionierenden Blutkreislauf sowie einen geregelten Temperatur- und Flüssigkeitshaushalt. Auch reguläre Stoffwechselprozesse, ein funktionierendes Immunsystem sowie ein ausgeglichener Hormonhaushalt sind hier zu nennen.
4. **Sich pflegen können:** Hierunter fällt die Fähigkeit, den eigenen Körper bzw. sämtliche Körperteile waschen und reinigen zu können, aber auch gesund und funktionsfähig zu erhalten – etwa dadurch, dass man raue Haut eincremt, wunde Körperstellen schützt usw.
5. **Essen und trinken können:** Damit ist einerseits die reine Aufnahme von fester und flüssiger Nahrung gemeint, andererseits aber auch die Befriedigung bestimmter Genussvorlieben. Zudem setzt die Fähigkeit, zu essen und zu trinken, immer auch die Fähigkeit zum Schlucken voraus.
6. **Ausscheiden können:** Die Fähigkeit, Urin und Stuhl willkürlich und kontrolliert ausscheiden zu können, ist unter diesem Aspekt zu verstehen. Umgekehrt ist enthalten, eben nicht inkontinent zu sein, keinen Durchfall und auch keine Verstopfung zu haben.
7. **Sich kleiden können:** Damit ist gemeint, die eigene Kleidung auszuwählen sowie sich zweckmäßig, beispielsweise den Witterungsbedingungen und modischen Vorstellungen entsprechend, an- und auskleiden zu können.
8. **Ruhen und schlafen können:** Hierzu gehört die Befriedigung von Ruhebedürfnissen, d. h. sich ungestört zurückziehen zu können, ein- und durchschlafen zu können und im Schlaf die gewünschte Erholung zu finden.

9. **Sich beschäftigen können:** Sich mit etwas beschäftigen zu können, das man selbst ausgewählt hat und worin man Sinn findet, gehört ebenfalls zu den Aktivitäten und existenziellen Erfahrungen des Lebens.
10. **Sich als Frau oder Mann fühlen und verhalten können:** In diesen Bereich gehört die Wahrnehmung und Gestaltung der eigenen Geschlechterrolle, sei es als Frau, Mann oder als Person, die sich geschlechtlich in einer anderen Weise definiert. Auch die Befriedigung sexueller Bedürfnisse fällt unter diesen AEDL-Aspekt.
11. **Für eine sichere Umgebung sorgen können:** Damit ist gemeint, das eigene Umfeld so gestalten zu können, dass keine zusätzlichen Gefahren drohen (z. B. durch Stolperfallen auf dem Boden), man sich in Sicherheit befindet und sich anhand des Raumes und der Zeit schlichtweg orientieren kann.
12. **Soziale Bereiche des Lebens sichern können:** Das Knüpfen und konstruktive Gestalten sozialer Beziehungen bezieht sich auf ein gelingendes Miteinander mit anderen Menschen, insbesondere natürlich Lebenspartner, Familienmitglieder, Freunde und Bekannte, aber auch auf andere Menschen, mit denen man im Alltag in Kontakt kommt.
13. **Mit existenziellen Erfahrungen des Lebens umgehen können:** Damit ist gemeint, auch mit besonderen Erfahrungen wie einer Krisensituation, einem Unglück, einem Todesfall usw. angemessen umgehen zu können und solche Erfahrungen in die eigene Lebensgeschichte zu integrieren. Oftmals kann auch eine bestimmte religiöse bzw. spirituelle Überzeugung dabei hilfreich sein.

PRAXISTIPP

In jedem Notfalleinsatz kann analysiert werden, in welcher Weise einzelne Aspekte des AEDL-Modells bei einem Patienten beeinträchtigt sind und welche Konsequenzen sich daraus für die Hilfeleistung ergeben.

IM FOKUS

Modell der Aktivitäten und existenziellen Erfahrungen des Lebens (AEDL)

- Dieses Modell betont **Sinn und Notwendigkeit des Alltagslebens** für Menschen.
- Es umfasst bereits sehr **„einfache" Kategorien** wie „essen und trinken können".
- Allerdings bezieht es sich auch auf **„komplexere" Bereiche,** wie „mit existenziellen Erfahrungen des Lebens umgehen können".
- Oft bestehen bei bestimmten Erkrankungen **Störungen** in einer der Kategorien.
- Aufgabe moderner Medizin ist es, die AEDLs von Patienten möglichst zu erhalten oder zumindest, so gut es geht, sie zu unterstützen.

8.4.4 Subjektive Krankheitstheorie

Davon, was zur Gesundheit gehört und was eine Krankheit ausmacht, hat jeder Mensch bestimmte Vorstellungen. Diese Vorstellungen werden auch als **subjektive Krankheitstheorien** bezeichnet. Sie bestimmen in hohem Maß, wie sich ein Mensch verhält, wenn er sich krank fühlt, verletzt ist oder behandelt werden muss. Subjektive Krankheitstheorien beziehen sich auf:

- Anzeichen und Symptome, Schmerzen
- Ursachen (tatsächliche, vermutete)
- Folgen (tatsächliche, befürchtete)
- Heilungsaussichten, -möglichkeiten
- Verantwortung für die Behandlung

Sie sind jedoch bei jedem Menschen (und auch bei verschiedenen Krankheiten bzw. zu verschiedenen Zeiten) unterschiedlich. Frühere Erfahrungen, aktuelle Bedürfnisse und Erwartungen an andere Menschen und bezüglich der Zukunft spielen dabei eine große Rolle. Auch die Einstellung zum eigenen Körper, Gedanken, wer für die Behandlung verantwortlich ist, sowie verschiedene Abwehrmechanismen (z. B. Verdrängung, Verleugnung) bestimmen die subjektiven Krankheitstheorien. Das allgemeine Wissen (Bildung, Medien, Internet) sowie kulturelle Traditionen sind für Patienten und Angehörige oft ebenso wichtig wie fachliche Informationen von Ärzten, Pflegepersonen, Diätologen, Psychologen und anderen. Auch sozialer Druck in der Familie *(„Das hilft dir")* oder am Arbeitsplatz *(„Bleiben Sie nicht zu lange krank")* spielt oft eine Rolle. Patienten orientieren ihr Verhalten immer an der eigenen subjektiven Krankheitstheorie – unabhängig davon, ob die zugrunde liegenden Gedanken und Vermutungen sachlich begründet sind oder nicht.

PRAXISTIPP

Patienten äußern gelegentlich auch subjektive Theorien zu ihrer gesundheitlichen Situation, die im krassen Widerspruch zu medizinischen oder allgemein wissenschaftlichen Erkenntnissen stehen. Wenn ein Notfallsanitäter so etwas bemerkt (z. B. während eines Gesprächs auf der Fahrt ins Krankenhaus), sollte er dies dem behandelten Arzt weitermelden. Unzutreffende Überzeugungen können der weiteren Behandlung und Krankheitsbewältigung im Weg stehen und sollten deshalb ernst genommen und professionell thematisiert werden.

In diesem Zusammenhang sind auch die Begriffe **„Befund"** und **„Befinden"** klar voneinander abzugrenzen (→ Tab. 8.3).

- Jemand, der noch keine entdeckten oder entdeckbaren Symptome einer Erkrankung aufweist, hat aktuell zwar keinen (Krankheits-)Befund, d. h. keine objektive Diagnose, und möglicherweise auch ein gutes Befinden. Der betreffende Mensch fühlt sich durchaus gesund. Tatsächlich ist er aber nicht gesund. Auch ein Mensch, bei dem eine Erkrankung bereits diagnostiziert worden ist, kann sich völlig gesund fühlen, ohne es (rein medizinisch betrachtet) zu sein.
- Jemand, der keinerlei objektivierbaren Hinweise auf eine Erkrankung aufweist, fühlt sich womöglich trotzdem krank. Personen mit diesem Empfinden werden oftmals als „Simulanten" betrachtet. Im Sinne der WHO-Definition wird ihnen damit allerdings unrecht getan.

PRAXISTIPP

Generell ist es wichtig, die Sichtweise des Patienten, seine Annahmen, Meinungen und Einstellungen zu Krankheit, Befund und Befinden zu kennen. Auch Notfallsanitäter können gezielt darauf eingehen und sie nutzen, etwa bei Kriseninterventionsgesprächen, bei der Beratung von Patienten und Angehörigen (→ Kap. 10) oder unmittelbar in einem Einsatzgeschehen, z. B. bei der Information und Aufklärung über durchzuführende Maßnahmen. Die Mitarbeit von Patienten bei der rettungsdienstlichen Versorgung **(Compliance)** kann dadurch wesentlich gefördert und verbessert werden.

Fühlt sich ...	... hat eine Krankheit	... hat keine Krankheit
Krank	Person fühlt sich krank und hat eine Erkrankung	Person fühlt sich krank und hat keine Krankheit (führt rasch zur Etikettierung als „Simulant")
Gesund	Person fühlt sich gesund und hat eine Krankheit (z. B. bei Vorsorgeuntersuchung entdeckt, noch keine erlebbaren Auswirkungen auf das Alltagsleben)	Person fühlt sich gesund und hat keine Krankheit (Person ist gesund)

Tab. 8.3 Befund und Befinden (nach Naidoo und Wills 2003)

IM FOKUS

Subjektive Krankheitstheorie

- Neben dem objektiven Vorhandensein einer Erkrankung existiert eine **zweite Ebene.**
- **Objektiv Kranke können sich subjektiv gesund fühlen und umgekehrt.**
- Unterscheidung: **Befund** und **Befinden.**
- Subjektive Krankheitstheorien sind je nach Patient unterschiedlich und beziehen sich zumeist auf:
  - Anzeichen und Symptome, Schmerzen
  - Ursachen (tatsächliche, vermutete)
  - Folgen (tatsächliche, befürchtete)
  - Heilungsaussichten, -möglichkeiten
  - Verantwortung für die Behandlung

8.4.5 Gesundheits- und Krankheitsverhalten

Gesundheitsverhalten umfasst alle Handlungen einer Person, die zur Erhaltung der Gesundheit beitragen. Zum **Krankheitsverhalten** zählen alle Handlungen, die ein Mensch in Bezug auf eine (reale oder vermeintliche) Krankheit oder Störung unternimmt bzw. unterlässt (z. B. Befolgen ärztlicher Empfehlungen, Umgang mit einer Wunde, Aufsuchen geeigneter Hilfe, Kooperation mit dem Rettungsdienst, Einbindung der Angehörigen etc.). Das Gesundheits- und das Krankheitsverhalten orientieren sich vor allem an der subjektiven Krankheitstheorie des Patienten; aber auch Vorbilder und spezielle (oft negative) Vorerfahrungen können eine Rolle spielen. Daneben wirken folgende weitere Faktoren:

Subjektiver Krankheitsgewinn

Krankheiten und Verletzungen bringen nicht nur Schmerzen und Einschränkungen, sondern oft auch gewisse **Freiheiten und Erleichterungen** mit sich. Wer krank ist, erhält beispielsweise eine besondere Aufmerksamkeit, Trostgeschenke oder muss bestimmte Aufgaben nicht übernehmen, weil diese für ihn zu anstrengend sein könnten usw.

MERKE

Wenn dieser subjektive Krankheitsgewinn die Belastungen überwiegt, hat ein Patient wenig bis keine Motivation, wieder gesund zu werden bzw. mit medizinischem Personal zu kooperieren.

Für eine sinnvolle Behandlung ist es daher wichtig, dass die angenehmen Seiten des Krankseins für den Patienten langfristig auch ohne Krankheit erreichbar sind.

Dauer der Erkrankung

Wenn eine Krankheit oder Behandlung mehrere Monate oder gar Jahre dauert, bestimmen die Gefühle, Einstellungen und psychosozialen Belastungen des Patienten immer stärker sein **Krankheitsverhalten.** Er wägt, ob bewusst oder unbewusst, den Aufwand der Behandlung gegen den Nutzen ab, den die Behandlung mit sich bringt.

MERKE

Nur wenn dieser Nutzen (Genesung, Symptomlinderung, Erhaltung oder Wiederherstellung der Lebensqualität) den Aufwand übersteigt, ist ein Patient längerfristig bereit, die Belastungen der Behandlung auf sich zu nehmen und mit Ärzten, Krankenhauspersonal, Therapeuten etc. zu kooperieren.

Erziehung und Bildung

Wie Menschen auf ihren Körper und ihre Gesundheit achten, mögliche Symptome registrieren und sich an geeignete Fachkräfte (Ärzte, Therapeuten) wenden, hängt auch von ihrem Bildungsgrad ab. Menschen mit hoher Bildung sind beruflich oft geringeren körperlichen Belastungen ausgesetzt und haben mehr Möglichkeiten, ihren Alltag aktiv zu gestalten. Insgesamt leben sie länger als Menschen mit geringer Bildung. Bei diesen treten gesundheitsgefährdende Verhaltensweisen und damit Unfälle und chronische Krankheiten häufiger auf (z. B. Diabetes, Übergewicht, koronare Herzkrankheit, Schlaganfall), ebenso wie psychische Störungen (z. B. Depression, Angststörungen). Geringe Bildung geht oft einher mit geringerem Interesse für gesundheitsbezogene Fragen und wenig fundiertem Wissen (oberflächliche Informationen in Zeitschriften, Boulevardsendungen, Internet).

MERKE

Insgesamt sind Menschen mit geringer Bildung oft nur mangelhaft über Entstehung und Folgen einer Krankheit sowie über sinnvolles Krankheitsverhalten informiert.

Schon die **Art und Weise der Erziehung** wirkt sich in diesem Zusammenhang deutlich aus. So sind Kinder aus sozioökonomisch niedrigen Schichten nicht nur generell benachteiligt, was ihre Bildungschancen angeht. Insbesondere gesundheitsbezogene Informationen und Kompetenzen werden ihnen meist nur in einem sehr geringen Umfang vermittelt. Umgekehrt lässt sich in Untersuchungen nachweisen, dass Kinder, bei denen zumindest ein Elternteil einem Gesundheitsfachberuf angehört, über ein deutlich umfangreicheres gesundheitsbezogenes Wissen verfügen. Dies wird darauf zurückgeführt, dass Eltern auch zu Hause über ihren Beruf sprechen und schon allein dadurch einen Beitrag zur Gesundheitserziehung leisten.

MERKE

Wissenschaftliche Studien und Einsatzstatistiken weisen nach, dass Einsätze in sozial benachteiligten Stadtteilen besonders häufig sind. Zweifellos hängt dies mit den vorangegangenen Ausführungen zusammen.

Gesundheitsverhalten

Letztlich ist entscheidend, was Menschen über ihren Körper sowie die Entstehung von Gesundheit und Krankheit wissen und was sie gelernt haben, um sich gesund zu verhalten. Außerdem spielt eine Rolle, welche konkreten **Bewältigungsstrategien** sie für Krankheitsfälle und Verletzungsstände entwickelt haben. Einige Menschen haben z. B. gelernt, Erste Hilfe zu leisten, oder sie wissen, dass man in einem Notfall den Rettungsdienst alarmieren muss. Andere Menschen mit einer besonders gering ausgeprägten Gesundheitskompetenz sind schon mit einer Bagatellverletzung vollkommen überfordert, wissen nicht, was sie tun sollen, und rufen dementsprechend eher den Rettungsdienst.

MERKE

Eine niedrige Alarmierungsschwelle ist nicht unbedingt Ausdruck einer besonderen Anspruchshaltung oder schlichtweg fehlendem Willen, sich zunächst einmal selbst zu helfen. Häufig zeigt sich im vorschnellen Ruf nach professioneller Unterstützung ein erhebliches **Selbsthilfedefizit,** das wiederum aus einem **Bildungsdefizit** resultiert.

Finanzielle Situation

Menschen, die an oder unter der Armutsgrenze leben, leiden häufiger an chronischen Erkrankungen und Gesundheitsproblemen. Das hängt mit den **Wohnverhältnissen** zusammen (überdurchschnittlich oft Schimmel, schlechte Heizung), mit einer **belasteten Lebensumgebung** (Lärm, Luftverschmutzung) und **mangelhafter oder einseitiger Ernährung** (fett, süß, vitaminarm). Am Arbeitsplatz sind Geringverdienende häufig starken **physischen und psychischen Belastungen** ausgesetzt (schwere körperliche Arbeit, Lärm, Zeitdruck, Monotonie). Aus verschiedenen Gründen – beispielsweise fehlenden beruflichen Alternativen und Aufstiegschancen – gestaltet sich ein wünschenswerter Arbeitsplatzwechsel für sie jedoch besonders schwierig. Je geringer das Einkommen, desto schlechter ist außerdem das **Gesundheitsverhalten** (häufigerer Tabak- und Alkoholkonsum, Übergewicht, Bewegungsmangel).

MERKE

Armutsgefährdete Menschen sind aufgrund ihrer Lebensumstände in besonderer Weise Gesundheitsrisiken ausgesetzt. Sie nehmen z. B. seltener an Vorsorgeuntersuchungen und Präventionsprojekten teil, weil ihnen dazu schlichtweg Zeit und Geld fehlen.

Private Lebensform

Stabile Beziehungen innerhalb der Familie und im Freundeskreis wirken sich **positiv** auf das Gesundheits- und Krankheitsverhalten aus. Wer nicht allein, sondern mit mindestens einem anderen Menschen zusammenlebt, wird bei körperlichen Problemen eher unterstützt, gepflegt und im Alltag entlastet bzw. zu einer geeigneten Versorgungsstelle gebracht. Verheiratete Männer haben eine höhere Lebenserwartung und leiden seltener an körperlichen Krankheiten und psychischen Störungen als ledige. Alleinerziehende Mütter sind gesundheitlich überdurchschnittlich stark belastet, ebenso pflegende Angehörige. Ihnen fehlen oft Zeit und Gelegenheit, sich um die eigene Gesundheit zu kümmern.

Kulturelle Prägung

In Deutschland haben rund 16,5 Millionen Menschen (20,5 % der Bevölkerung) einen sog. Migrationshintergrund (Zuwanderer seit 1950 und deren Nachkommen sowie ausländische Bevölkerung). Die jeweiligen **kulturellen Prägungen** wirken sich auch auf das Gesundheits- und Krankheitsverhalten aus, insbesondere was den Umgang mit Schmerzen und Scham, den Ausdruck von Beschwerden (weinen, jammern, schweigen, aushalten) und das Auftreten gegenüber Gesundheitspersonal und Einsatzkräften betrifft. Die Kommunikation kann durch sprachliche Barrieren erheblich erschwert sein. Die Rollenaufteilung innerhalb der Familie (Mann und Frau, Söhne und Töchter) ist bei Migranten oft ebenso vielfältig wie das Verhältnis zu den allgemeinen Werten einer westlichen säkularen Gesellschaft.

ACHTUNG! Religiöse Vorschriften, die in der Behandlung von Patienten eine Rolle spielen können, müssen auf jeden Fall berücksichtigt werden (→ Kap. 9.3.3).

Gesundheitssystem

Die **Rahmenbedingungen des Gesundheitssystems** als Ganzes beeinflussen das Krankheitsverhalten jedes Einzelnen. Wenn Versicherungen eine medizinische Leistung bezahlen, wird sie auch in Anspruch genommen. Mangelnde fachärztliche Versorgung vor allem an Abenden und Wochenenden führt oft zu einer starken Beanspruchung der vorhandenen Krankenhausambulanzen. Krankenkassen versuchen, durch verschiedene Maßnahmen (z. B. Selbstbehalte, Leistungsbegrenzung) das Krankheitsverhalten der Patienten zu steuern und die allgemeine Kostensteigerung im Gesundheitssystem zu begrenzen. Allerdings werden dadurch manche Krankheiten zu spät diagnostiziert oder nur unzureichend behandelt (z. B. psychische Störungen). Nach wie vor ist das Gesundheitssystem stark auf die Behandlung bereits aufgetretener Krankheiten ausgerichtet **(„Reparaturmedizin“).**

MERKE

Eine wesentliche Aufgabe der kommenden Jahrzehnte ist der **Ausbau der Prävention,** d. h. von attraktiven Vorsorgeprogrammen und von Anreizsystemen, die zu einem gesünderen Lebensstil und dadurch auch zur Krankheits- und Unfallvermeidung beitragen sollen.

IM FOKUS

Gesundheits- und Krankheitsverhalten

- **Krankheitsverhalten** = Handlungen in Bezug auf eigene Erkrankung
- **Gesundheitsverhalten** = Handlungen in Bezug auf eigene Gesundheit
- Mit **„subjektivem Krankheitsgewinn“** ist gemeint, dass manche Menschen gerade durch eine Erkrankung auch bestimmte positive Erfahrungen sammeln können (z. B. verstärkte Zuwendung).
- Die Dauer einer Erkrankung prägt Gesundheits- und Krankheitsverhalten (Kosten-Nutzen-Abwägung).
- Bildung und finanzielle Ressourcen nehmen positiven Einfluss auf Gesundheits- und Krankheitsverhalten.
- Gleiches gilt für soziale Einbettung und kulturelle Prägung.

8.5 Gesellschaft

Der Rettungsdienst als Gesamtsystem, jede einzelne Rettungsdienstorganisation und nicht zuletzt natürlich auch das unmittelbare rettungsdienstliche Handeln sind immer eingebunden in einen **gesellschaftlichen Kontext.** Deshalb ist in der Ausbildung zum Notfallsanitäter eine Auseinandersetzung mit soziologischen Grundbegriffen angebracht.

8.5.1 Gesellschaftsmerkmale

Gesellschaft ist der Zusammenschluss von (vielen) Menschen, die durch verschiedenste soziale Beziehungen miteinander verbunden sind. Eine Gesellschaft grenzt sich von anderen ab in Bezug auf

- **gemeinsame Identität,** definiert über gemeinsame Geschichte, Werte, Traditionen und Symbole, durch die man sich von anderen unterscheidet.
- **politische Organisation** mit einer gemeinsamen Verwaltung, z. B. als Nationalstaat, Bundesland, Region, Gemeinde.
- **Kommunikation,** durch die Menschen innerhalb der Gemeinschaft einfach miteinander in Kontakt treten bzw. über Medien (Fernsehen, Radio, Zeitungen, Internet) als Gruppe angesprochen werden können.

Eine Gesellschaft ist allerdings **kein homogenes Gebilde,** sondern besteht aus vielen Untergruppen, Bereichen und Milieus. Dazu zählen u. a. Wirtschaft, Politik, Gesundheitssystem, Bildung, Recht, Medien, Sport, Wissenschaft, Kunst, Kultur und Religion.

8.5.2 Normen und Werte

In jeder Gruppe oder Gesellschaft gelten bestimmte **Verhaltensregeln** und **Wertvorstellungen,** die für alle Mitglieder verbindlich sind und deren Einhaltung kontrolliert wird. Dies können allgemeine Gebote sein (z. B. *„Du sollst nicht töten"*), Gesetze und Vorschriften sowie Normen und Werte des sozialen Zusammenlebens (z. B. Regeln der Höflichkeit, ein wertschätzender, respektvoller Umgang miteinander, Gewaltverzicht). In verschiedenen Gruppen, Berufen oder Milieus können einzelne Werte besonders betont werden.

MERKE

Wichtige Werte, die von (fast) allen Notfallsanitätern geteilt werden, sind z. B. das menschliche Leben an sich sowie Sicherheit und Geborgenheit, aber auch Schnelligkeit (nach einer Alarmierung), Zuverlässigkeit, hohe fachliche Kompetenz, Kameradschaftlichkeit bzw. Kollegialität, Verschwiegenheit und Vertraulichkeit.

Soziale Normen legen fest, wie sich Menschen in bestimmten Situationen verhalten sollen. Das Leben innerhalb der Gesellschaft wird dadurch planbar und sicherer. Manche dieser Regeln sind so selbstverständlich, dass sie nicht schriftlich fixiert werden müssen, um Gültigkeit zu erhalten, z. B. jemandem aufhelfen, der gestürzt ist. Andere Regeln sind dagegen in Form von Gesetzen, Verordnungen und Regelwerken schriftlich festgelegt. Die meisten sozialen Normen werden ohne Nachdenken einfach eingehalten. Bei Verstößen muss man mit Sanktionen rechnen; diese reichen von Missbilligung über Kritik bis zu medizinischen Maßnahmen (z. B. bei psychiatrischen Krankheiten) und dem Einschreiten der Polizei (bei Straftaten).

ACHTUNG! Die Regeln und Normen des Zusammenlebens können kulturell sehr unterschiedlich sein. Was in der einen Gesellschaft als richtiges oder zumindest akzeptables Verhalten angesehen wird (z. B. Ausdruck von Schmerz, Umgang mit Trauer), kann in einer anderen als unpassend oder gar abstoßend gelten. Ferner unterliegen Normen auch einem zeitlichen Wandel. Viele Regeln und Ansichten, die Anfang oder Mitte des 20. Jahrhunderts normal und allgemein akzeptiert waren, gelten inzwischen als altmodisch, überholt oder gefährlich.

Gesellschaftlich vermittelte Normen und Werte haben große Auswirkungen auf das Gesundheits- und Krankheitsverhalten der einzelnen Menschen. Sie beeinflussen auch die **Organisation des Gesundheitssystems** als Ganzes:

- Eine gesunde Lebensweise (Ernährung, Bewegung, Erholung) ist in den letzten Jahrzehnten für immer mehr Menschen wichtig geworden.
- Gesundheitliche Risikofaktoren (z. B. Rauchen, Übergewicht) werden zunehmend kritischer gesehen.
- Der hohe gesellschaftliche Stellenwert von Arbeit und Leistungsorientierung steht oft im Widerspruch zu angemessenem Krankheitsverhalten *(„Die Arbeit darf nicht liegen bleiben.")*.
- Spezielle Rollenverpflichtungen gehen oft vor die Sorge um die eigene Gesundheit *(„Ich kann jetzt nicht auf Kur gehen, meine Kinder brauchen mich.")*.
- Neben der Solidarität (hohe Qualität des Gesundheitswesens für alle) wird die Eigenverantwortung der Patienten zunehmend stärker betont.
- Kranken- und Unfallversicherungen fördern vermehrt Vorsorgeuntersuchungen und Präventionsmaßnahmen.

8.5.3 Sozialisation

DEFINITION

Sozialisation ist die **Vermittlung und Übernahme gesellschaftlicher Normen, Werte und Rollen.** Durch aktive Auseinandersetzung mit seiner sozialen Umgebung wachsen Menschen in die Gesellschaft hinein und werden nach und nach zu Mitgliedern der Gesellschaft. Man unterscheidet primäre, sekundäre und tertiäre Sozialisation.

- **Primäre Sozialisation** erfolgt durch Eltern und Familie. Das Kind lernt die grundlegenden Regeln und Muster des sozialen Verhaltens, Umgangsformen sowie in der Familie wichtige Werte. Dadurch werden sowohl die Persönlichkeitsentwicklung als auch die gesellschaftliche Überlebensfähigkeit gefördert.
- **Sekundäre Sozialisation** durch Kindergarten, Schule, Gleichaltrige und Medien bezieht sich auf soziale Kompetenzen und rollenspezifisches Verhalten. Gesellschaftliche Regeln werden gefestigt, teilweise auch erweitert und hinterfragt (z. B. nicht alles, was die Eltern sagen, ist richtig). Die sekundäre Sozialisation bereitet auf die Rollenübernahme in Familie, Beruf und Gesellschaft vor.
- **Tertiäre Sozialisation** im Berufs- und Arbeitsleben erfolgt durch die spezifischen Aufgaben und Werte des Berufs und die damit verbundenen Anforderungen und Möglichkeiten (z. B. Wertewandel weg von der Freizeitorientierung hin zu Leistungs- und Karriereorientierung). In diesen Bereich gehört außerdem die Sozialisation im Hinblick auf verhaltenstypische Charakteristika eines Berufsstandes.

Insbesondere auf Rettungswachen gibt es eine Vielzahl von Gepflogenheiten, Ritualen, Sitten und Gebräuchen, auf deren Einhaltung meist großer Wert gelegt wird. Beispielhaft und ohne eine Wertung kann hier aufgelistet werden:

- Das weitverbreitete Kuchenbacken nach Einsätzen, bei denen jemand verstorben ist
- Das oftmals übliche Erzählen heldenhafter Einsatzgeschichten
- Die Einhaltung bestimmter Ernährungstraditionen („Mettwoch" und „Dönerstag")
- Die routinierte Verwendung „interner" Redewendungen, insbesondere auch Abkürzungen wie „PKlemm" (Person eingeklemmt) „Hilope" (hilflose Person) oder „Koplawu" (Person mit Kopfplatzwunde)

- Ein bestimmter (schwarzer) Humor, d. h., gerade über besonders schreckliche Situationen wird in einer besonderen Art und Weise geschmunzelt und gelacht

PRAXISTIPP

Reflexionsaufgabe: Überlegen Sie in einem ruhigen Moment, wann bzw. wo und durch wen Sie selbst etwas gelernt haben. Denken Sie darüber nach, wessen Ansichten, Haltungen, Werte und Normen Ihnen auch selbst wichtig geworden sind. Und überlegen Sie, auf wessen Meinung Sie besonderen Wert legen. Warum ist das so?

Letztlich hat (gelingende) Sozialisation immer auch damit zu tun, dass jeder einzelne Mensch gern Teil einer Gemeinschaft sein, d. h. „dazugehören" möchte. Aus diesem Grund wird man nicht nur fremdbestimmt dazu gebracht, sich anzupassen – man passt sich i. d. R. auch selbst an, weil man sonst isoliert wäre und dies als unangenehm empfindet.

MERKE

Zwar kann jedes Individuum in einem gewissen Ausmaß immer auch Einfluss auf die Gesellschaft bzw. eine Gruppe nehmen. Wer als neu eingestellter Notfallsanitäter in seinem Kollegenkreis auf der Rettungswache integriert werden möchte, muss sich jedoch in vielerlei Hinsicht einfügen und anpassen.

Soziale Interaktion

In vielen Situationen orientieren wir uns daran, was andere Menschen (z. B. Patienten) denken, brauchen oder wollen, und stellen unser Verhalten auf das anderer Menschen (z. B. von Kollegen) ein. Auch das Handeln eines Notfallsanitäters basiert permanent auf **sozialen Interaktionen.** Man unterscheidet:

- **Formelle Interaktion,** die in einem bestimmten Rahmen und nach festgelegten Regeln erfolgt (z. B. ärztliche Untersuchung, bei einer Prüfung).
- **Informelle Interaktion** in Situationen, die nicht näher geregelt sind (z. B. Begegnung von Freunden auf der Straße).

Soziale Interaktion geschieht auch ohne persönliche Begegnung. Menschen können auch im Internet, per E-Mail, Telefon oder Funk miteinander interagieren. Andererseits verweigern manche Menschen die Interaktion mit anderen anwesenden Personen.

IM FOKUS

Gesellschaft und Krankheit

- Alle Menschen sind **Teil von Gesellschaften** mit spezifischen Normen und Rollenerwartungen.
- Menschen werden durch Sozialisation in ihre jeweilige Gesellschaft integriert:
  - **Primäre Sozialisation:** im Elternhaus; Überlebensgrundlagen
  - **Sekundäre Sozialisation:** in Bildungs- und Betreuungseinrichtungen; Vorbereitung auf zukünftige Rollen
  - **Tertiäre Sozialisation:** Berufs- und Arbeitsleben; berufstypische Verhaltensweisen
- Es finden **formelle und informelle Interaktionen** zwischen Gesellschaftsmitgliedern statt.

8.5.4 Rollen

Jeder Mensch hat eine bestimmte Stellung in den verschiedenen Gruppen und sozialen Beziehungen, deren Teil er ist (→ Abb. 8.10). Die verschiedenen Haupt- und Nebenrollen sind mit unterschiedlichen Erwartungen und Normen verknüpft. Eine **soziale Rolle** wird definiert durch:

- Erwartungen an die Person (was man tun soll)
- Möglichkeiten in dieser Rolle (Spielraum, Macht – was man tun darf)
- Ziele, die sich aus der Rolle ergeben (was man tun will)

Jeder Mensch hat mehrere Rollen inne, je nach Gruppe und sozialer Umgebung: als Erwachsener, als Vater bzw. Mutter, als Kollege, als Freund, als Patient, Notfallsanitäter usw. Dabei besagt die Theorie des **symbolischen Interaktionismus** nach George Herbert Mead, dass man sich i. d. R. sicherlich so verhält und seine Rollen so gestaltet, wie es von einem erwartet wird **(Role Taking)** – dass man in einem bestimmten Rahmen aber auch Rollen selbst interpretieren und ausgestalten kann **(Role Making).** Bestimmte Rolleninterpretationen werden dann von der Umgebung akzeptiert und gelten demnach als „erlaubt", andere nicht. Insofern ist die individuelle Ausgestaltung einer Rolle immer auch eine Gratwanderung.

Rollenkonflikte

In bestimmten Fällen treten Rollenkonflikte auf. Man unterscheidet dabei zwei Arten:

- Ein **Interrollenkonflikt** entsteht durch verschiedene Rollen, die eine Person innehat und die manchmal kaum miteinander vereinbar sind. Bei Patienten entsteht oft ein Konflikt zwischen den bisherigen Rollen in Beruf und Privatleben mit der Rolle als Kranker. Notfallsanitäter erleben manchmal einen Konflikt zwischen Berufs- und Elternrolle (z. B. im Zusammenhang mit Wochenend- und Nachtdiensten). Starke Konfliktbelastung kann dazu führen, dass eine Rolle überhaupt abgelehnt wird.

FALLBEISPIEL

Ein Notfallsanitäter wird zu seiner eigenen Wohnung gerufen. Aus der Meldung geht hervor, dass sein eigener Sohn eine Treppe hinuntergestürzt und offenbar schwer verletzt ist. Gelingt es dem Notfallsanitäter, seine Rolle als Rettungsfachkraft auszuüben – oder steht die Betroffenheit des Vaters im Vordergrund? Ähnliche Rollenkonflikte ergeben sich, wenn ein Notfallsanitäter am Einsatzort mit anderen Angehörigen, Freunden oder Bekannten konfrontiert wird.

- Beim **Intrarollenkonflikt** bestehen verschiedene, unvereinbare Erwartungen an dieselbe Rolle. Aus der Sicht von Patienten sollen Notfallsanitäter beispielsweise v. a. **geduldig** sein und stets freundlich auf deren Bedürfnisse eingehen. Die direkten Vorgesetzten oder auch Leitstellendisponenten erwarten möglicherweise eine v. a. **rasche** Aufgabenerledigung, und aus der Sicht des Arbeitgebers geht es u. U. vorrangig um die **Wirtschaftlichkeit** der Arbeitsweise. In solchen Fällen nicht allen Erwartungen gleichermaßen gerecht werden zu können, kann außerordentlich stark belasten.

Konflikt durch die Übernahme der Krankenrolle

Wenn ein Mensch krank ist oder verletzt wird, kann er nicht mehr ohne Weiteres alle Aufgaben erfüllen, die sich ihm im Alltag, in der Familie und im Beruf stellen. Es verändert sich das Verhältnis zu den Mitmenschen.

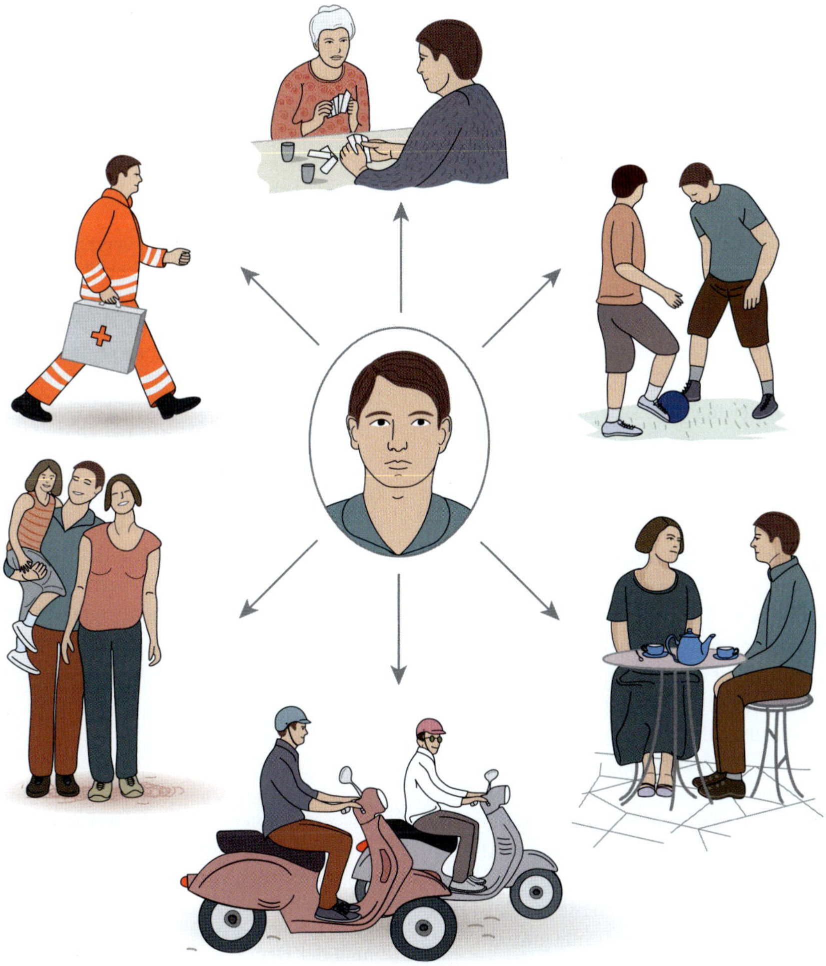

Abb. 8.10 Jeder Mensch hat mehrere Rollen. [P094, L231]

> **MERKE**
>
> Als **krank** gilt ein Mensch, wenn er an definierten Symptomen oder Krankheiten leidet. Zum **Patienten** wird ein Mensch, wenn er behandelt wird. Nicht alle Kranken werden tatsächlich behandelt. Nicht alle Patienten sind tatsächlich krank.

Patient zu sein ist immer mit einem Rollenwechsel verbunden. Die Rolle des Gesunden soll abgelegt und die Rolle des Kranken bzw. Patienten übernommen werden. Das geschieht jedoch nicht immer freiwillig. Manche Menschen sträuben sich dagegen *(„Wie redest du mit mir, ich bin doch nicht krank!")*, manchen wird die neue Rolle auch zugeschrieben *(„Ich hole jetzt den Arzt – keine Widerrede!")*. In die Rolle des Hilfsbedürftigen und Kranken gerät man entweder plötzlich (z. B. durch einen Unfall) oder man gewöhnt sich schrittweise an sie (z. B. bei einer chronischen Erkrankung). Folgende **Merkmale** sind für die Krankenrolle prägend:

- **Befreiung von alltäglichen Verpflichtungen:** Wer krank ist, wird üblicherweise geschont. Die Befreiung von alltäglichen Verpflichtungen beinhaltet, dass man Termine absagen und Haushaltsfragen abgeben kann, nicht zur Arbeit oder in die Schule gehen muss. Das wird von vielen Kranken als Entlastung erlebt. Es ist dem Patienten erlaubt, sich ganz auf sich selbst und den eigenen Körper zu konzentrieren. Zugleich wird ihm die Verantwortung für die Behandlung weitgehend abgenommen (die Entscheidung, welche Behandlung wann und in welcher Form durchgeführt wird). Er darf Gefühle äußern, die er sonst eher zurückhalten würde (Unsicherheit, Traurigkeit, Angst), und darf sich verwöhnen lassen. Auf der anderen Seite entsteht ein sozialer Druck, dass sich der Kranke selbst schont. Die alltäglichen Rollenverpflichtungen aufzugeben, fällt vielen Menschen jedoch schwer.
- **Abgabe der Verantwortung:** Wenn ein Patient keinen oder wenig Einfluss auf die Entstehung einer Krankheit oder eines Unfalls hat, wird er für die Folgen nicht oder nur eingeschränkt verantwortlich gemacht. Dies trifft jedoch bei den verschiedenen Krankheiten und Störungen in unterschiedlichem Maß zu. Bei vielen Akutkrankheiten (z. B. Infektionen, Unfällen) spielt das Risikoverhalten des Einzelnen eine gewisse Rolle. Bei den sog. Konsumkrankheiten (z. B. Alkoholismus, Lungenkrebs nach Rauchen) wird der Betroffene mehr für die Entstehung mitverantwortlich gemacht. Auch was den Verlauf der Krankheit und die Genesung betrifft, rücken der Beitrag des Patienten und damit seine Mitverantwortung immer mehr ins Zentrum der Aufmerksamkeit.

- **Verpflichtung, wieder gesund werden zu wollen:** Die Freiheiten, die man einem kranken Menschen gemeinhin zugesteht, sind auf der anderen Seite mit Pflichten verbunden. Der Patient soll selbst zur Überwindung der Krankheit beitragen, zumindest aber wieder gesund werden wollen. Bei akuten Krankheiten, deren Ende absehbar ist (z. B. Grippe, Leistenbruch), ist diese Forderung leichter zu erfüllen als bei chronischen Krankheiten und Invalidisierung (z. B. nach einem Schlaganfall). Hier wird zumeist erwartet, dass der Betroffene den Willen und die Motivation zur bestmöglichen Rehabilitation aufbringt. Manche Patienten müssen allerdings erst überzeugt werden, dass es besser ist, gesund zu werden, als krank zu bleiben. Patienten, die scheinbar nicht gesund werden wollen, haben oft mit schweren sozialen Folgen zu rechnen. Nicht selten werden sie als Faulenzer, Simulanten oder Schmarotzer bezeichnet, die sich auf Kosten der Mitmenschen oder des Sozialsystems persönliche Vorteile herausschlagen. Angehörige, Freunde und Kollegen werden teilweise vor große Herausforderungen gestellt, die aktuelle Situation zu akzeptieren und den Patienten trotzdem weiterhin zu unterstützen.
- **Fachkundige Hilfe in Anspruch nehmen und mit den Helfern kooperieren:** Nach wie vor wird von einem Patienten erwartet, dass er sich um geeignete Hilfe bemüht und diese auch annimmt. Er soll sich im Notfall dem Wissen und Können der Ärzte oder Notfallsanitäter unterordnen und mit ihnen kooperieren. Damit ist auch die Forderung verknüpft, die Einschränkungen zu akzeptieren, die Transport und Behandlung mit sich bringen (Schmerzen, unbequeme Position, Wartezeit). Die meisten Patienten stellen sich darauf ein und akzeptieren das, manche reagieren jedoch auf diese Beschränkung der subjektiven Freiheit mit Widerstand und Ärger. Unkooperative oder gar aggressive Patienten sind für Ärzte und Notfallsanitäter oft eine große Herausforderung. Sie verletzen scheinbar die Grundregel des Helfens: dass der eine schwach ist und Hilfe annimmt, während der andere stark ist und Hilfe gibt. Oft ist jedoch, wie gezeigt, die fehlende Kooperation ein Symptom, das ein geschulter Helfer zum Verschwinden bringen kann.
- **Etikettierung:** Kranke werden von ihren Mitmenschen anders behandelt als Gesunde. In welcher Weise das geschieht, hängt von den jeweiligen Umständen, aber auch von der Art der Krankheit bzw. von der Diagnose ab. Jede Diagnose bedeutet auch Etikettierung **(Labeling).** Durch sie wird das Verhalten des Kranken ebenso beeinflusst wie das seiner Umgebung. Besonders deutlich zeigt sich das bei HIV bzw. AIDS. Viele Menschen gehen noch immer auf Distanz, wenn sie erfahren, dass ein Patient HIV-positiv ist, vermeiden körperliche Berührungen und ziehen sich oft ganz von ihm zurück – vor allem dann, wenn sie über die realen Ansteckungsgefahren nicht ausreichend informiert sind.
  Ein weiteres Beispiel ist die Diagnose Schizophrenie. Gefühle und Verhaltensweisen des Betroffenen werden von den Mitmenschen genau beobachtet, und manchmal wird sogar angenommen, dass der Betroffene an seinem Zustand selbst schuld sei. Eine solche soziale Etikettierung wirkt auf den Patienten zurück. Er findet sich oftmals in einer Außenseiterrolle wieder und erlebt vermehrten Stress. Dieser Stress kann wiederum einen neuen Krankheitsschub auslösen, womit sich der Teufelskreis der Etikettierung schließt: Symptome, die zu einer Diagnose geführt haben, werden durch diese Diagnose noch weiter verstärkt.

ACHTUNG! Von Patienten wird zumeist stillschweigend erwartet, dass sie diese und weitere Rolleneinschränkungen hinnehmen bzw. bewältigen. Nicht alle sind aber von sich aus dazu in der Lage. Sie brauchen psychosoziale Unterstützung bei der Bewältigung ihrer Krankheit und der damit verbundenen sozialen Folgen.

IM FOKUS

Soziale Rollen und die Krankenrolle

- Jedes Gesellschaftsmitglied ist **Träger mehrerer sozialer Rollen.**
- Sie werden meist voll übernommen **(Role Taking)** und ggf. in einem bestimmten Rahmen gestaltet **(Role Making).**
- Innerhalb einer Rolle kann es zu Konflikten kommen **(Intrarollenkonflikt).**
- Kommt es zwischen verschiedenen Rollen zu Konflikten, spricht man von **Interrollenkonflikten.**
- Die Krankenrolle ist komplex, denn sie befreit von vielen Pflichten, geht aber z. B. mit einer **Etikettierung** einher.
- Sie ist je nach Erkrankungsbild und dessen Anerkennung in der Gesellschaft unterschiedlich ausgeprägt.

8.5.5 Gesellschaftlicher Wandel

In jeder Gesellschaft gibt es z. T. gravierende **soziale Unterschiede.** Diese können sich auf Einkommen und Besitz, Ansehen und Status, Einfluss und Macht, Bildung und Gesundheit sowie Zugang zu Einrichtungen des Gesundheitswesens beziehen. Zugleich ändert sich gegenwärtig und in den kommenden Jahrzehnten die demografische Struktur der Gesellschaft: Es gibt immer mehr ältere Menschen mit besonderen Bedürfnissen auch in Bezug auf das Gesundheitswesen (→ Abb. 8.11).

MERKE

Immer mehr Menschen leben als Singles und damit ohne enges soziales Netz, das bei Krankheit oder nach einem Unfall Unterstützung bietet. Im Notfall sind sie damit zunehmend auf die Hilfe von Rettungsdiensten angewiesen.

Auch der Druck auf dem Arbeitsmarkt bzw. am Arbeitsplatz nimmt zu. Arbeitgeber verlangen immer stärkere Flexibilität von ihren Mitarbeitern, was sich direkt auf das Gesundheits- und Krankheitsverhalten auswirkt *(„Ich kann es mir nicht leisten, krank zu sein.“).*

Für den Rettungsdienst sind diese Prozesse besonders relevant: Die Patienten werden immer älter, der Transport und die Versorgung chronisch Kranker nimmt zu, während die Zahl der Kindernotfälle zurückgeht; damit wird es zusehends schwieriger, die erforderlichen Handlungsroutinen für bestimmte Patientengruppen zu entwickeln. Immer mehr Einsätze finden im Zusammenhang mit sozialer Not, Verwahrlosung oder gar Verelendung statt.

MERKE

In gleicher Weise, wie sich die Gesellschaft verändert, wandelt sich auch das rettungsdienstliche Einsatzgeschehen.

8.6 Erziehung und Bildung

Erziehung und Bildung sind eng mit dem Sozialisationsprozess verbunden, aber keineswegs identisch. Erziehung und Bildung zielen zwar auch darauf ab, dass sich ein Mensch in eine bestimmte Gesellschaft **integrieren** kann. Dafür notwendige Voraussetzungen werden durch Erziehung und Bildung vermittelt. Darüber hinaus sollen Erziehung und Bildung aber auch dazu beitragen, eine individuelle **Persönlichkeit** zu **entfalten,** sich zu **emanzipieren** und **mündig** zu werden (→ Abb. 8.12). Dafür erforderlich sind (nach Klafki) drei fundamental bedeutsame Fähigkeiten:

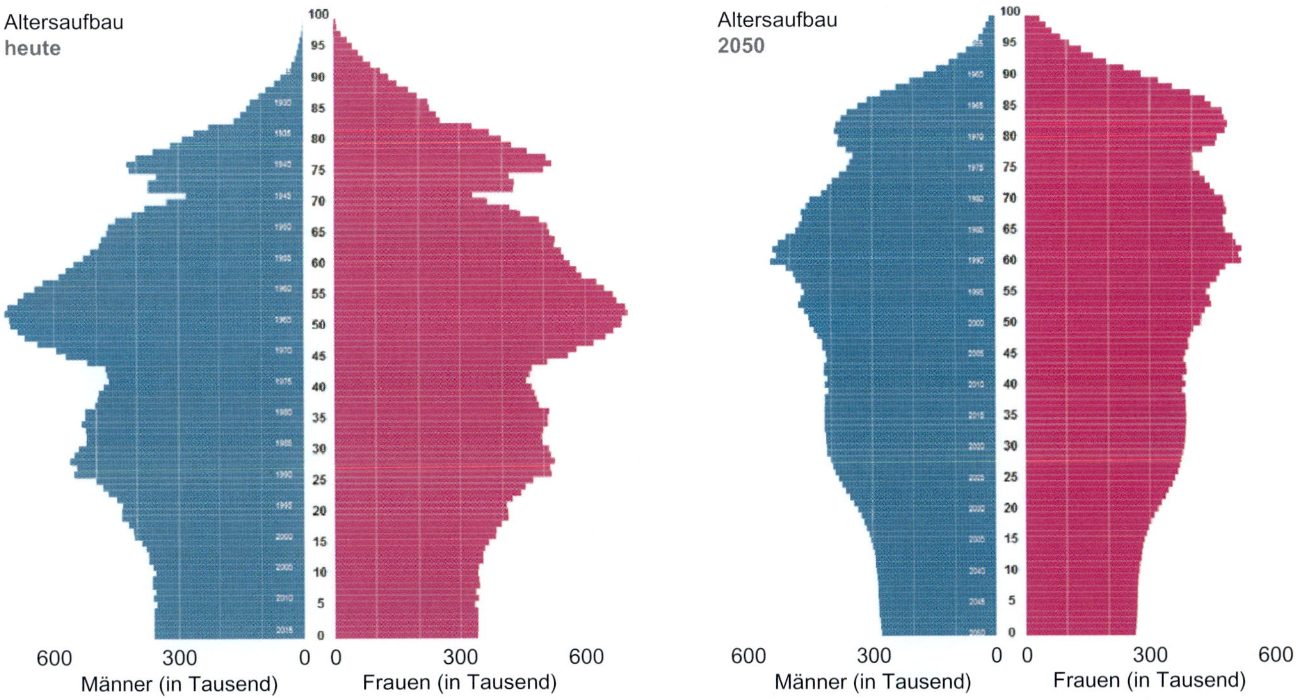

Abb. 8.11 Veränderung der Bevölkerungsstruktur in Deutschland bis 2050 [W193]

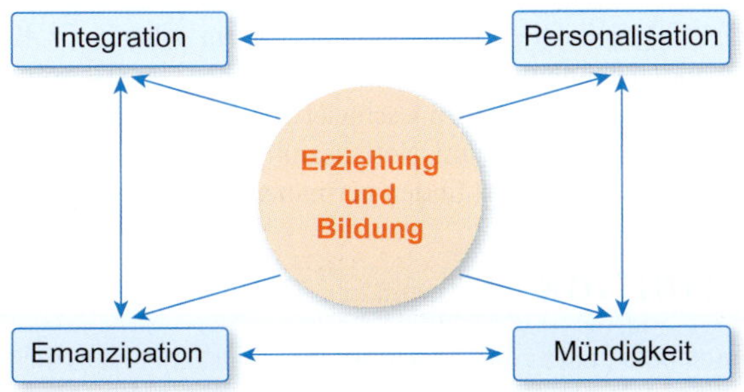

Abb. 8.12 Die einzelnen Erziehungs- und Bildungsziele sind eng miteinander verbunden. [P094, L231]

- **Fähigkeit zur Selbstbestimmung:** Jeder gebildete Mensch soll über sich selbst und über sein Leben sowie über die in diesem Leben zu treffenden Entscheidungen und einzugehenden Verpflichtungen verfügen bzw. bestimmen können.
- **Fähigkeit zur Mitbestimmung:** Jeder gebildete Mensch soll sich für die gemeinsame Gestaltung der kulturellen, politischen und gesellschaftlichen Verhältnisse verantwortlich fühlen und entsprechend handeln.
- **Fähigkeit zur Solidarität:** Jeder Mensch soll Selbst- und Mitbestimmung nicht nur für sich selbst fordern, sondern auch dafür eintreten, dass alle anderen Menschen partizipieren können.

8.6.1 Erziehungsstile und Erziehungsmittel

Erziehung ist zunächst fremdbestimmt, d. h., ein Erzieher wirkt von außen auf einen zu erziehenden Menschen (**„Edukand“** von lateinisch **„educandus“**) ein, um ein bestimmtes Ziel zu erreichen. Folgende **Erziehungsstile** können dabei (nach Lewin) grundsätzlich voneinander unterschieden werden:

- **Autoritär:** Entscheidungen werden (fast) ausschließlich vom Erzieher getroffen und es wird nicht darüber diskutiert. Von Kindern, Jugendlichen und Auszubildenden werden vor allem Gehorsam, Anpassung und Unterordnung eingefordert. Fehlverhalten wird rasch sanktioniert.
- **Demokratisch:** Hier werden Entscheidungen eher im Dialog getroffen und individuelle Absprachen vereinbart. Einem zu erziehenden Menschen ist es bei diesem Erziehungsstil auch gestattet, Kritik zu üben und Entscheidungen eines Erziehers infrage zu stellen.
- **Laissez Faire:** Bei diesem Erziehungsstil hält sich der Erzieher mit Vorgaben zurück und gibt keine oder nur wenige Anweisungen. Stattdessen werden Heranwachsenden große Freiräume gegeben, um sich eigenständig zu entwickeln und eigene Erfahrungen zu sammeln.

Diese ursprüngliche Kategorisierung wird seit einigen Jahren aber noch weiter ausdifferenziert, sodass die genannten Erziehungsstile an dieser Stelle nur eine sehr grobe Orientierung bieten sollen (→ Kap. 13.1).

Mögliche **Erziehungsmittel** sind nicht nur Belohnung und Bestrafung bzw. Lob und Tadel, sondern auch Begleitung, Beurteilung, Beratung, Erinnerung, Ermahnung, Ermutigung, Einbindung, Übertragung von Aufgaben bzw. Gelegenheit zur Sammlung bestimmter Erfahrungen, Training und Übung.

MERKE

Auch ein Notfallsanitäter muss im Rahmen seiner Arbeit mitunter erzieherisch tätig werden: Sowohl bei Besuchen von Kindergartengruppen auf einer Rettungswache als auch bei der Versorgung verletzter Kinder und Jugendlicher ist in einem gewissen Rahmen z. B. erzieherisches Engagement angebracht.

8.6.2 Bildungsprozesse

In **Bildungsprozessen** werden, anders als im Bereich der Erziehung, die Selbstbestimmung und Eigenverantwortlichkeit des zu bildenden Menschen betont, d. h., man **wird erzogen,** aber man **bildet sich.** Dabei kann Bildung in unterschiedlichen Bereichen erfolgen: **Formale Bildung** bezieht sich eher auf die Entwicklung von Fähigkeiten und auf die Anwendung bestimmter Methoden, d. h. auf praktisches Handeln, während **materiale Bildung** insbesondere die Vermittlung von Wissen und Verständnis in den Vordergrund stellt (→ Abb. 8.13). Zu beachten ist jedoch:

- Bloßes, rein enzyklopädisches Wissen ohne jeden Anwendungsbezug ist weitgehend nutzlos.
- Praktisches Handeln ohne jedes Verständnis für das, was man tut und ohne sich einer besonderen Verantwortung bewusst zu sein, ist mitunter sogar gefährlich.

In der Ausbildung zum Notfallsanitäter findet daher sowohl formale als auch materiale Bildung statt. Grundkenntnisse im Bereich der Bildungstheorie sind für Notfallsanitäter aber nicht nur relevant, um Inhalte und Methoden der eigenen Ausbildung besser verstehen und einordnen zu können.

MERKE

Im Rahmen der beruflichen Tätigkeit gestalten auch Notfallsanitäter regelmäßig Bildungsprozesse für andere Menschen mit: Maßnahmen der psychischen Ersten Hilfe für Patienten und Angehörige, insbesondere Informationsvermittlungen und Beratungsprozesse (→ Kap. 10), haben immer auch einen Bildungsaspekt. Auch im Rahmen der Öffentlichkeitsarbeit geht es oftmals darum, bestimmte Kenntnisse, Fähigkeiten oder Fertigkeiten zu vermitteln. Dies ist nichts anderes als ein erzieherisches bzw. bildendes Engagement.

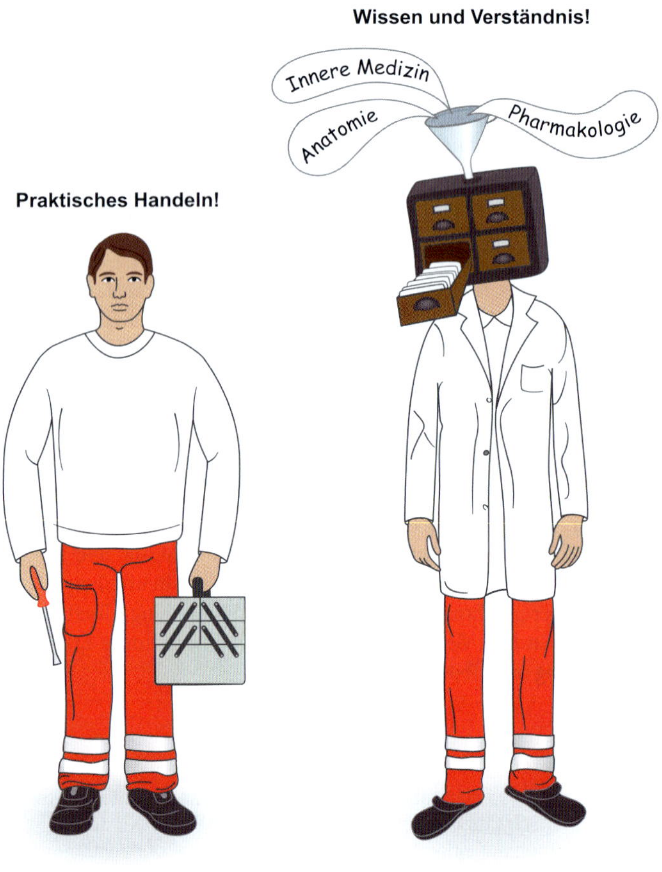

Abb. 8.13 Formale und materiale Bildung [L231]

IM FOKUS

Erziehung und Bildung

- Erziehung ist zunächst immer **fremdbestimmt.**
- Sie kann grob in unterschiedliche Stile unterteilt werden:
  - **Autoritär:** Erziehender bestimmt alles.
  - **Demokratisch:** Entscheidungen werden im Dialog getroffen.
  - **Laissez Faire:** Es erfolgen keine oder kaum Erziehungsmaßnahmen.
- Zwischen- oder Mischformen sind möglich.
- Bildungsprozesse setzen verstärkt auf die Selbstständigkeit und Eigenverantwortung des Menschen.
- Unterschieden wird in:
  - **Formale Bildung:** Methoden und praktisches Handeln
  - **Materiale Bildung:** Wissen und Verständnis

8.6.3 Lernen

Die in den vorangegangenen Kapiteln thematisierten Grundbegriffe Sozialisation, Erziehung und Bildung wären undenkbar, wenn Menschen nicht lernfähig wären. Jeder Mensch lernt sein ganzes Leben lang immer wieder Neues hinzu. Viele dieser Lernvorgänge geschehen bewusst und beabsichtigt (vor allem in der Schule und im Beruf). Der Großteil erfolgt jedoch unbewusst und gleichsam nebenbei, z. B. wenn man jemanden kennenlernt und bald einiges über seine Gewohnheiten weiß oder wenn man lernt, mit schwierigen Situationen umzugehen. Auch in der Ausbildung zum Notfallsanitäter sowie in der späteren Tätigkeit im Rettungsdienst finden permanent Lernprozesse statt.

DEFINITION

Lernen heißt, etwas im Gedächtnis abzuspeichern und es sich zu merken, damit es später, im Zuge des Erinnerns, wieder abgerufen werden kann.

Lernen und Gedächtnis

Früher nahm man an, der Mensch verfüge über ein einheitliches Gedächtnis. Heute ist es üblich, verschiedene Gedächtnissysteme zu unterscheiden.

- Das **sensorische Gedächtnis** speichert rund eine Viertelsekunde die Informationen, die von den Sinnesorganen aufgenommen wurden. Es ist eine Art Zwischenspeicher für Wahrnehmungen, die dann weiterverarbeitet werden.
- Das **Kurzzeitgedächtnis** speichert die wahrgenommenen Reize einige Sekunden. Es dient als Arbeitsspeicher zur Verarbeitung von Informationen und Bewältigung von Aufgaben (z. B. *„Habe ich die Tür abgesperrt?“*). Es ist auch entscheidend für die Kommunikation, zum Verstehen von Sätzen *(„Worum geht es?“)*, zur Gesprächsführung *(„Was wollte ich sagen?“)* und zur Konzentration (z. B. beim Lesen).
- Das **Langzeitgedächtnis** ist sehr umfassend und dauerhaft. Alles, woran wir uns nach einigen Minuten noch erinnern können, ist im Langzeitgedächtnis gespeichert. Dazu gehören Allgemeinbildung

und Fachwissen, persönliche Erlebnisse, praktisches Wissen und Fähigkeiten, eingelernte Abläufe etc.

Erhebliche Probleme können entstehen, wenn Inhalte nicht vom Kurzzeit- ins Langzeitgedächtnis verschoben werden. Dies ist bei bestimmten Erkrankungen oder Verletzungen bei Notfallpatienten der Fall. Sie verstehen zwar, was man ihnen erklärt (z. B. wohin sie gebracht werden), vergessen es aber sehr rasch wieder und fragen nach wenigen Minuten noch einmal.

MERKE

Ein spezielles Gedächtnisproblem tritt vor allem bei älteren Menschen auf. Diese haben oft Schwierigkeiten, sich an Informationen der letzten Stunden, Ereignisse oder Besuche der letzten Tage und Wochen zu erinnern. Zugleich wissen sie viele Erlebnisse ihrer ersten Lebensjahrzehnte noch bis ins Detail.

Lerntheorien

Auf der Verhaltensebene bedeutet Lernen jede Änderung des Erlebens und Verhaltens aufgrund von Erfahrung. Lernprozesse werden dabei in verschiedenen **Theorien** näher erläutert:

- Durch **Lernen am Modell** bzw. **Imitationslernen** werden neue Verhaltensweisen gelernt, die man bisher noch nicht konnte bzw. nicht angewandt hat. Man orientiert sich an Vorbildern und bewährten Abläufen: Ein Auszubildender versucht bei Einsätzen z. B., die gleichen Tricks und Kniffe anzuwenden, die er bei seinem Praxisanleiter beobachtet hat. Imitationslernen findet allerdings ebenso statt, wenn eine Rettungsfachkraft ungünstige Verhaltensweisen von einem Kollegen übernimmt.
- Durch **Verstärkung** wird gelernt, wann, wo und wie oft ein bestimmtes Verhalten ausgeführt werden sollte. Man orientiert sich, oft unbewusst, an der eigenen Erfahrung sowie an der von anderen, je nachdem, ob darauf eine positive oder negative bzw. angenehme oder unangenehme Reaktion („Verstärkung") erfolgt ist: Weil der Rettungswachenleiter eine wütende Ansprache über die mangelhaft gereinigten Einsatzfahrzeuge gehalten hat, geben sich die Mitarbeiter bei der Fahrzeugpflege nun auf einmal ganz besondere Mühe.
- Beim **klassischen Konditionieren** werden Zusammenhänge zwischen Hinweisreizen und Reaktionen gelernt: Weil ein Kind von einem weiß gekleideten Arzt einmal geimpft worden ist und ihm dies sehr wehgetan hat, fürchtet sich dieses Kind nun auch vor dem ebenfalls weiß gekleideten Notfallsanitäter.

Lerntipps für Auszubildende

Jeder Mensch hat seine individuelle Art, sich etwas zu merken, und seine persönlichen Lernstrategien. Die folgenden **Tipps** können dazu beitragen, diese Strategien zu verbessern und das Lernen großer Stoffmengen zu erleichtern.

- **Sich in einen lernbereiten Zustand bringen:** Wenn Sie für eine Prüfung lernen wollen, ist die wichtigste Vorbedingung, dass Sie aufnahmebereit sind. Bringen Sie sich in einen lernbereiten Zustand:
  - Körperlich: wach und frisch sein, nichts Schweres essen, kein Alkohol im Blut.
  - Psychisch: keine wichtigen anderen Dinge erledigen, keine aufwühlenden Dinge gerade hinter oder vor sich haben. Ansonsten tritt womöglich eine affektive Lernhemmung auf.
  - Lernumgebung: ungestört lernen können und nicht durch äußere Umstände abgelenkt werden, genug Platz haben und den Raum gut lüften.
- **Den Stoff sichten:** Besorgen Sie sich alle Unterlagen, die Sie zum Lernen benötigen, und verschaffen Sie sich zuerst einen Überblick. Sichten Sie die verschiedenen Abschnitte von Büchern mithilfe des Inhaltsverzeichnisses. Heben Sie besonders relevante Informationen mit verschiedenen Leuchtstiften hervor. Markieren Sie Definitionen z. B. grün, Hinweise für die Einsatzpraxis rot und andere wichtige Aspekte gelb. Auf jeden Fall sollten Sie sich ein **einheitliches Markierungssystem** überlegen und dies auch konsequent anwenden.
- **In eigenen Worten zusammenfassen:** Achten Sie darauf, dass Ihnen ein Unterrichtsstoff klar und verständlich ist. Sie lernen nur Dinge dauerhaft, die Sie wirklich verstanden haben. Ob dies der Fall ist, merken Sie rasch daran, wenn Sie versuchen, einen Unterrichtsstoff bzw. auch den Inhalt eines Buches in eigenen Worten wiederzugeben. Wenn Ihnen etwas unklar ist, lassen Sie es sich lieber noch einmal erklären.
- **Den Stoff einteilen, Querverbindungen schaffen:** Teilen Sie den Stoff in kleinere Portionen auf, die Sie sich nach und nach einprägen. Nehmen Sie sich für jeden Lerndurchgang einen überschaubaren Abschnitt vor. Er sollte in 20–40 Minuten zu bewältigen sein. Machen Sie danach eine Pause, bevor Sie zum nächsten Abschnitt gehen. Schaffen Sie Querverbindungen zu anderen Dingen, die Sie bereits wissen. Stellen Sie sich den Stoff möglichst oft bildlich vor (z. B. physiologische Abläufe und Zusammenhänge) und überlegen Sie sich eigene Beispiele für die praktische Relevanz.
- **Laut lernen:** Lesen Sie sich beim Lernen nicht bloß den Stoff durch, sondern lernen Sie laut. Sprechen Sie die Sätze und Begriffe, die Sie lernen, aus (oder bewegen Sie zumindest die Lippen). Dadurch speichern Sie das Wissen im aktiven Teil des Langzeitgedächtnisses ab und können es leichter reproduzieren. Außerdem üben Sie so das Verhalten, um das es bei einer Prüfung geht, nämlich den Stoff wiederzugeben.
- **Pausen machen:** Machen Sie immer wieder Pausen. Wahrscheinlich merken Sie selbst am besten, wann Sie eine brauchen. Gestalten Sie die Pausen angenehm und ruhig. Machen Sie dabei nichts, was Sie geistig besonders beschäftigt oder fordert.
- **Wiederholen:** Mit einmal Lernen ist es bei größeren Stoffmengen nicht getan. Wiederholen Sie deshalb den Stoff immer wieder. Das mag am Anfang mühsam sein, vor allem, wenn Sie vom ersten Lerndurchgang viel vergessen haben. Aber mit jeder Wiederholung wird es Ihnen leichterfallen, sich den Stoff zu merken. Wiederholen Sie auch gemeinsam mit Kollegen. Dadurch wird das Lernen häufig auch viel angenehmer und Sie können sich gegenseitig prüfen. Stellen Sie sich gegenseitig Fragen und tauschen Sie Ihre Antworten untereinander aus.

PRAXISTIPP

Sich gegenseitig Themen zu erklären verknüpft das „laut lernen", „in eigenen Worten zusammenfassen" und das „Wiederholen", sodass dieses Wissen noch effektiver verankert wird. Zudem bekommt man durch die Erklärung noch einen neuen Blickwinkel auf die Thematik, wodurch ein tiefgreifenderes Verständnis weiter gefördert wird.

Tipps zur Prüfungsvorbereitung

Bei einer Prüfung soll das im Gedächtnis abgespeicherte Wissen rasch wiedergegeben werden können. Ein gewisses Maß an Nervosität („Lampenfieber") beschleunigt dabei die Leistungsfähigkeit. Zu viel Stress kann jedoch zum sog. Blackout führen (vergleichbar mit der elektrischen Spannung in einem Gerät – ist sie zu hoch, springt die Sicherung heraus und nichts geht mehr). Gedächtnisblockaden können jedoch durch verschiedene Methoden verhindert werden:

- **Für Transparenz sorgen:** Informieren Sie sich sorgfältig darüber, wie die bevorstehende Prüfung ablaufen wird und worauf Ihre Prüfer besonders achten. Lassen Sie sich auf jeden Fall auch die Erwartungen der Prüfer sowie ihre Beurteilungskriterien und -maßstäbe erläutern. So wissen Sie, worauf Wert gelegt wird und wie sich Ihre spätere Benotung zusammensetzen wird.
- **Sich Prüfungssituationen vorstellen:** Stellen Sie sich schon beim Lernen bevorstehende Prüfungssituationen und den Prüfer vor. Malen Sie sich dabei aus, wie Sie alle Fragen, die Ihnen gestellt werden, richtig beantworten. Stellen Sie sich vor, wie Sie die Antworten niederschreiben bzw. dem Prüfer ins Gesicht sagen oder wie Sie eine praktische Aufgabe sehr gut bewältigen. Sie nehmen damit eine Prüfungssituation vorweg und gewöhnen sich daran. Bei einer realen Prüfung reduziert sich dadurch die Aufregung. Es wird Ihnen leichterfallen, all das in Ihrem Gedächtnis zu finden, was Sie gelernt haben.
- **Sich startklar machen:** Körper und Gedächtnis sollten fit und startklar sein, wenn Sie zur Prüfung antreten. Gehen Sie die Prüfungssituation in Gedanken durch. Stellen Sie sich vor, wie Sie die Fragen hören bzw. lesen, die richtigen Antworten geben oder, bei einer praktischen Prüfung, Ihre Ausrüstung in die richtige Position stellen. Lesen Sie in der letzten halben Stunde vor der Prüfung nicht mehr in Ihren Unterlagen, Büchern etc. Besprechen Sie den Prüfungsstoff auch nicht mehr mit Kollegen *(„Kannst du das …?")*. Konzentrieren Sie sich auf Ihre Stärken und darauf, was Sie wissen.
- **Zu sich kommen, sich zentrieren:** Ablenkungen sollten so weit wie möglich ausgeschaltet werden. Um zur Ruhe zu kommen, kann Verschiedenes hilfreich sein: sich von den anderen fernhalten, zum Fenster hinaussehen, auf die eigene Atmung achten etc. Ziel dieser Konzentrationsübungen ist es, allzu großen Stress auf ein mittleres Maß zu reduzieren und geistig reaktionsbereit zu werden. Trinken Sie auf keinen Fall Alkohol, um sich zu beruhigen (Vorsicht auch bei alkoholhaltigen „Notfalltropfen"). Alkohol vermindert Ihre Leistungsfähigkeit und blockiert den Zugang zum Gedächtnis.
- **Hilfreiche Sätze:** Positive Erwartungen und Einstellungen können die Prüfungsleistung erheblich fördern. Hilfreiche Gedanken beziehen sich auf die eigenen Stärken und realistische Chancen, die Prüfung zu bestehen. Beispiele sind:
  - Ich bin vorbereitet.
  - Ich habe gelernt, jetzt sage ich es. Ich habe gelernt, jetzt schreibe ich es hin. Ich hab das oft genug geübt, jetzt mache ich das genau so.
  - Ich sage alles, was ich weiß. Ich schreibe alles, was ich weiß. Ich tue alles, was ich gelernt habe.
  - Meine Hand schreibt alles hin.
  - Ich überlege, bevor ich antworte.
  - Ich habe eine Chance und die nütze ich.
  - Wenn die anderen durchkommen, schaffe ich das auch.
  - Ich versuche mein Bestes.
  - Ich zeige, was ich kann.

WIEDERHOLUNGSFRAGEN

1. Erläutern Sie, warum Notfallsanitäter auch über psychologische, pädagogische und soziologische Grundkenntnisse verfügen müssen (→ Kap. 8.1).
2. Beschreiben Sie die unterschiedlichen Menschenbilder und mögliche Auswirkungen dieser Menschenbilder auf den Umgang mit Menschen in einer Notfallsituation (→ Kap. 8.2.1).
3. Erläutern Sie die „Big Five" der Persönlichkeitstheorie (→ Kap. 8.2.2).
4. Erläutern Sie häufige Verzerrungseffekte und Beurteilungsfehler bei der Wahrnehmung anderer Menschen (→ Kap. 8.2.3).
5. Beschreiben Sie die acht Entwicklungsstadien nach Erikson (→ Kap. 8.3).
6. Erläutern Sie die Merkmale der einzelnen Entwicklungsstadien eines Menschen und ihre besondere Relevanz für das Erleben einer Notfallsituation (→ Kap. 8.3).
7. Wovon hängt ab, was als gesund oder krank bezeichnet wird (→ Kap. 8.4)?
8. Wie hat die Weltgesundheitsorganisation WHO den Begriff Gesundheit definiert und warum wird dies als eine Utopie bezeichnet (→ Kap. 8.4)?
9. Beschreiben Sie das biopsychosoziale Modell von Gesundheit und Krankheit (→ Kap. 8.4.1).
10. Erläutern Sie das Modell der Salutogenese: Was trägt nach Antonovsky zur Gesunderhaltung eines Menschen bei (→ Kap. 8.4.2)?
11. Erläutern Sie die Aktivitäten und existenziellen Erfahrungen des Lebens (AEDL) (→ Kap. 8.4.3).
12. Von welchen Faktoren hängt das subjektive Krankheitserleben eines Menschen ab (→ Kap. 8.4.4)?
13. Inwiefern haben gesellschaftlich vermittelte Normen und Werte einen Einfluss auf das Gesundheits- und Krankheitsverhalten (→ Kap. 8.5.2)?
14. Erläutern Sie den Begriff Sozialisation (→ Kap. 8.5.3).
15. Jeder Mensch ist in ein komplexes Rollengefüge eingebunden. Was bedeutet das konkret (→ Kap. 8.5.4)?
16. Was bedeuten die Begriffe „Role Taking" und „Role Making" (→ Kap. 8.5.4)?
17. Erläutern Sie, woraus ein Intra- und ein Interrollenkonflikt resultieren können (→ Kap. 8.5.4).
18. Inwiefern beeinflusst der demografische Wandel auch das rettungsdienstliche Einsatzgeschehen (→ Kap. 8.5.5)?
19. Was sind die wesentlichen Ziele von Erziehung und Bildung (→ Kap. 8.6)?
20. Beschreiben Sie die drei grundlegenden Erziehungsstile (→ Kap. 8.6.1).
21. Inwiefern wird auch ein Notfallsanitäter erzieherisch tätig (→ Kap. 8.6.1)?
22. Erläutern Sie die Begriffe „formale" und „materiale" Bildung (→ Kap. 8.6.2).
23. Beschreiben Sie unterschiedliche Lerntheorien möglichst anhand konkreter Beispiele (→ Kap. 8.6.3).

FORTSETZUNG DES SZENARIOS

Auf dem Rückweg zur Rettungswache tauschen sich die beiden Besatzungsmitglieder des RTW angeregt über diesen Einsatz aus. Zahlreiche Fragen beschäftigen sie: Wie kann eine Familie in solche Armut geraten? Wie können Eltern längere Zeit mehr oder weniger tatenlos zuschauen, während ihr Kind kaum noch Luft bekommt und offensichtlich medizinische Hilfe benötigt? Derartige Fragen können mit den vorangegangenen Ausführungen zumindest ansatzweise beantwortet werden.

So gibt es einen unmittelbaren Zusammenhang zwischen Gesundheit und sozialem Status. Möglicherweise haben die Eltern die Krankheit ihres Kindes nicht angemessen einschätzen können, weil sie selbst nur über einen geringen gesundheitsbezogenen Bildungsstand verfügen. Aus Angst vor entstehenden Kosten haben sie sich außerdem gescheut, frühzeitig einen Arzt aufzusuchen.

Die Empörung des Rettungsteams über ein solches Verhalten der Eltern kann im Rückgriff auf gesellschaftliche Normen und Wertvorstellungen erklärt werden: Ein Kind gilt gemeinhin als ein besonders hohes, wertvolles Gut, für das man engagiert und aufmerksam permanent zu sorgen hat. Sich nicht zu kümmern, verstößt gegen die Erwartungen, die an Eltern gestellt werden, und es verstößt gegen das entsprechende Rollenverständnis.

Dass die Pflegefachkraft meint, eine „typische“ Verhaltensweise zu erkennen, könnte anhand der Ausführungen im vorangegangenen Kapitel ebenfalls hinterfragt werden. Sofern aus den wenigen Informationen über die Eltern gleich die Schlussfolgerung gezogen wird, dass diese ihr Kind generell unzuverlässig erziehen und sie sich generell zu wenig um ihr Kind kümmern, könnte ein Beurteilungsfehler vorliegen. Möglicherweise greift die Pflegefachkraft hier aufgrund bestimmter Vorerfahrungen und Erwartungen auf ein Stereotyp zurück und zieht anhand einzelner Beobachtungen Schlüsse, die keineswegs begründet und damit unzulässig sind.

Denkbar ist beispielsweise, dass es sich sehr wohl um liebevolle und fürsorgliche Eltern handelt, die sich allein aufgrund ihrer schwierigen finanziellen Situation nicht dazu in der Lage gesehen haben, anders zu handeln. Durch die Norm, eine ärztliche Behandlung aufgrund der fehlenden Krankenversicherung ggf. privat bezahlen zu müssen, hätten sie womöglich rasch Probleme bekommen können, einer anderen Norm zu entsprechen – nämlich ausreichend Lebensmittel einzukaufen. Unter dieser schrecklichen, kaum aushaltbaren Situation haben u. U. sowohl der Vater als auch die Mutter massiv gelitten, sodass sie sich letztlich selbst Hilfe suchend an das Jugendamt gewendet haben könnten.

WEITERFÜHRENDE LITERATUR

Egger J. Theorie und Praxis der biopsychosozialen Medizin: Körper-Seele-Einheit und sprechende Medizin. Wien: Facultas, 2017.

Hausmann C, Koller M. Psychologie, Soziologie und Pädagogik. Ein Lehrbuch für Pflege- und Gesundheitsberufe. 4. A. Wien: Facultas, 2022.

Hausmann C. Psychologie und Kommunikation für Pflegeberufe. 4. A. Wien: Facultas, 2019.

Hurrelmann K, Richter M. Gesundheits- und Medizinsoziologie. Eine Einführung in sozialwissenschaftliche Theorien von Krankheitsprävention und Gesundheitsförderung. 8. A. Weinheim: Beltz-Juventa, 2013.

Lenzen D. Erziehungswissenschaft. Ein Grundkurs. Reinbek: Rowohlt, 2004.

Mietzel G. Wege in die Psychologie. 14. A. Stuttgart: Klett-Cotta, 2009.

Richter M, Hurrelmann K. Soziologie von Gesundheit und Krankheit: Ein Lehrbuch. Wiesbaden: Springer, 2016.

9

KOMMUNIKATION UND INTERAKTION

Clemens Hausmann (9.1, 9.2.4, 9.2.5, 9.3.1–9.3.3, 9.3.6–9.3.8), Harald Karutz (9.2.1–9.2.3, 9.3.4, 9.3.5, 9.3.9–9.3.12)

SZENARIO

Ein sechsjähriges Kind ist unaufmerksam über eine Straße gelaufen und wurde dabei von einem Lkw erfasst. Die Mutter des Kindes hat den Unfall vom Gehweg aus mit ansehen müssen. Zufällig anwesende Passanten leisten umgehend Erste Hilfe. Die Passanten stellen fest, dass das u. a. stark aus dem Mund blutende, offensichtlich schwer verletzte Kind einen Herz-Kreislauf-Stillstand erlitten hat, und beginnen daraufhin noch auf der Straße mit Reanimationsmaßnahmen.

Beim Eintreffen eines RTW, eines NEF und zwei Streifenwagen der Polizei ist die Einsatzstelle von einer großen Menschenmenge umlagert. Zahlreiche Zuschauer sind neugierig und beobachten, was geschieht. Das Kind liegt in einer großen Blutlache und ist weiterhin ohne Lebenszeichen; die Reanimation wird nun mit Hilfsmitteln und der entsprechenden Medikation leitliniengerecht professionell fortgeführt. Die Mutter und einige Augenzeugen des Unfalls brechen in Tränen aus. Der Fahrer des Lkw steht völlig regungslos und mit erstarrtem Gesicht am Straßenrand. Auch er benötigt offensichtlich Hilfe.

INHALTSÜBERSICHT

9.1 GRUNDLAGEN DER KOMMUNIKATION

- Der Prozess der Nachrichtenübermittlung setzt einen Sender, eine Botschaft und einen Empfänger voraus.
- Verbale Kommunikation umfasst alle Mitteilungen, die gesprochene oder geschriebene Worte verwenden.
- Nonverbale Kommunikation geschieht durch Mimik, Gestik, Körperhaltung und -bewegung, Blickkontakt, die Nutzung bestimmter Objekte sowie die räumliche Distanz.
- Stimmen verbaler und nonverbaler Ausdruck überein, ist die Kommunikation kongruent. Ist dies nicht der Fall, spricht man von inkongruenter Kommunikation.
- Jede Kommunikation findet auf der Sach- und der Beziehungsebene statt. Die beiden Ebenen beeinflussen sich wechselseitig.
- Jede Nachricht hat vier Seiten: einen Sachaspekt, eine Selbstoffenbarung, einen Appell sowie einen Beziehungsaspekt.
- Kommunikation wird von biologischen, psychischen, soziokulturellen und umgebungsbedingten Faktoren beeinflusst.
- Gesprächsführung zielt darauf ab, Gesprächspartner bei ihren Fragen, Bedürfnissen und Gedanken abzuholen und zu den Themen hinzuführen, über die man selbst mit ihnen sprechen möchte.
- Die Grundhaltung für helfende Gespräche basiert auf Akzeptanz, Empathie und Ehrlichkeit.
- Basiskompetenz zur Gesprächsführung beinhaltet u. a., ein positives Gesprächsklima zu schaffen, ein Gespräch zu strukturieren, aktiv zuzuhören, sich verständlich auszudrücken und Missverständnisse zu vermeiden.
- Techniken der Gesprächsführung sind unter anderem: Fakten und Gefühle ansprechen, offene und geschlossene Fragen stellen, verbal und nonverbal verstärken, wiederholen, paraphrasieren und schweigen.

9.2 KOMMUNIKATION IM RETTUNGSDIENST

- Kommunikation im Wachalltag geht über Small Talk hinaus und dient u. a. zur Informationsvermittlung, zur Gestaltung der innerbetrieblichen Hierarchie, zum Umgang mit Fehlern und zur Bewältigung von Belastungen.
- Kommunikation im Krankentransport hängt von der Grundhaltung des Rettungsfachpersonals, der kommunikativen Passung, der Beachtung des situativen Kontextes sowie der Themenauswahl ab.
- Im Notfalleinsatz ist insbesondere zu beachten: laut denken, Anweisungen gezielt geben, in angemessener Lautstärke, langsam und deutlich sprechen.
- Humor kann in Notfällen sehr hilfreich sein, aber auch schaden.
- Eine Notfallphraseologie kann die Kommunikation im Notfall begünstigen.
- Potenziell traumatische Krisen und Veränderungskrisen sind voneinander zu unterscheiden.
- Krisen verlaufen in mehreren Phasen: Schockphase, Reaktionsphase, Bearbeitungsphase und Neuorientierung.

9.3 INTERAKTION MIT BESONDEREN PERSONENGRUPPEN IM RETTUNGSDIENST

- Notfallpatienten befinden sich häufig in einem psychischen Ausnahmezustand.
- Das Erleben eines Notfalls hängt ab von Schmerzen, der Sichtbarkeit einer Verletzung, der vitalen Bedeutung des betroffenen Organs sowie der subjektiven Bedeutung, die dieses Organ für den Betroffenen hat.
- Ein psychologisch angemessener Umgang mit Notfallpatienten ist aus zahlreichen Gründen wichtig. Unter anderem können dadurch negative psychische Folgen verhindert werden.
- Grundregeln der psychischen Ersten Hilfe sind die vier S-Sätze nach Lasogga und Gasch.
- Angehörige sollten nicht ausgegrenzt, sondern in einem Notfall regelmäßig informiert und nach Möglichkeit in die Hilfeleistung eingebunden werden.
- Bei einer Reanimation sollte Angehörigen eine „Realitätsprüfung" ermöglicht werden.
- Bei Angehörigen anderer Kulturen muss besonders langsam und deutlich gesprochen werden. Kulturelle Besonderheiten sind zu respektieren. „Stummelsprache" ist unangebracht und strikt abzulehnen.
- Für Kinder sind Notfälle besonders belastend. Sie haben weniger Vorerfahrungen und geringer ausgeprägte Bewältigungsstrategien. Auch wirken sich weitere entwicklungspsychologische Besonderheiten aus.
- Das Regelwerk KASPERLE enthält Hinweise für die psychische Erste Hilfe bei Kindern.
- Das Konzept der Validation zielt auf eine angemessene Grundhaltung gegenüber älteren Menschen.
- Patronisierende Kommunikation und Secondary Babytalk stellen im Umgang mit älteren Menschen Kommunikationsfehler dar.
- Im Umgang mit psychisch Kranken sollte v. a. über das „Hier und Jetzt" bzw. über neutrale, nicht emotionale Fakten gesprochen werden.
- Als Sozialnot werden unterschiedliche Situationen bezeichnet wie Obdachlosigkeit, Trauer- und Überforderungsreaktionen, Vereinsamung, Verwahrlosung und Verelendung.
- Einsätze anlässlich akuter Sozialnot sind keine Fehleinsätze. Vor allem durch eine Weitervermittlung an geeignete Unterstützungsinstanzen kann das Rettungsfachpersonal wertvolle Hilfe leisten.

- Inklusive Notfallversorgung soll sicherstellen, dass Menschen mit einer Behinderung die gleiche Versorgungsqualität geboten werden kann wie jedem anderen auch.
- Im Umgang mit geistig behinderten Menschen sind u. a. die Regeln der leichten Sprache zu beachten.
- Ersthelfer haben besondere Wertschätzung, Dank und Anerkennung verdient.
- Zuschauer sollten nicht pauschal als Gaffer oder Voyeure bezeichnet werden. Neugier ist ein legitimes Handlungsmotiv des Menschen.
- Um mit Zuschauern angemessen umzugehen, gibt es mehrere Möglichkeiten, z. B. ignorieren, abschirmen oder in die Hilfeleistung einbeziehen.

9.1 Grundlagen der Kommunikation

DEFINITION

Kommunikation ist der Austausch von Botschaften. Durch Worte, Gesten, Zeichen etc. werden Informationen mitgeteilt, Meinungen, Gefühle und Empfindungen ausgedrückt, Wünsche und Forderungen gestellt. Der Prozess der Nachrichtenübermittlung braucht zumindest **drei Elemente:**
1. Einen **Sender** (jemanden, der etwas spricht, ausdrückt oder mitteilen möchte)
2. Die **Nachricht** (was mitgeteilt wird)
3. Den **Empfänger** (jemanden, der zuhört, beobachtet, aufpasst und die Botschaft versteht)

Eine Nachricht oder Botschaft enthält nicht nur Sachinformation. Oft werden auch indirekt Gefühle und Wünsche ausgedrückt und es schwingt etwas von der Beziehung mit, die zwischen Sender und Empfänger besteht (→ Abb. 9.1).

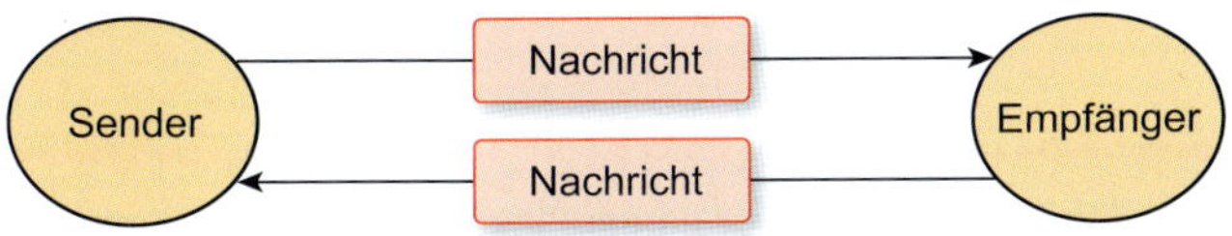

Abb. 9.1 Sender – Nachricht – Empfänger [L143]

Der Prozess der Kommunikation ist fehleranfällig. Was eine Person mitteilen will, drückt sie mehr oder weniger deutlich aus. Die Botschaft kann vollständig oder auch unvollständig (z. B. aufgrund von Artikulationsschwierigkeiten) zum Empfänger gelangen. Dieser interpretiert und verarbeitet sie gemäß seinen Fähigkeiten und Bedürfnissen. Nicht alles wird vom Sender so ausgedrückt, wie er es gemeint hat. Zugleich wird nicht alles vom Empfänger so verstanden, wie es gemeint war. Immer wieder passiert es, dass eine Person ganz anders auf eine Mitteilung reagiert als erwartet:
- Gemeint ist nicht gleich gesagt
- Gesagt ist nicht gleich gehört
- Gehört ist nicht gleich verstanden
- Verstanden ist nicht gleich einverstanden
- Einverstanden ist nicht gleich umgesetzt

Kommunikation kann mithilfe von Worten **(verbal)** oder ohne Worte **(nonverbal)** erfolgen. Notfallsanitäter kommunizieren verbal, wenn sie Patienten informieren, den weiteren Ablauf erklären oder Angehörige beruhigen. Nonverbale Kommunikation liegt im Blickkontakt, einer beruhigenden Berührung und in der Art, wie eine Wunde versorgt oder einem Patienten aus dessen Wagen geholfen wird (→ Abb. 9.2).

9.1.1 Verbale und nonverbale Kommunikation

Verbale Kommunikation umfasst alle Mitteilungen, die gesprochene oder geschriebene Worte verwenden. Fragen und Antworten, Bitten und Aufforderungen, Erklärungen und Informationen zählen ebenso dazu wie Berichte, Befunde, Dienstanweisungen und Einsatzdokumentation. Die Fakten, Fragen, Aufforderungen etc. können auf sehr unterschiedliche Weise „verpackt und transportiert" werden. Wörter und Formulierungen können

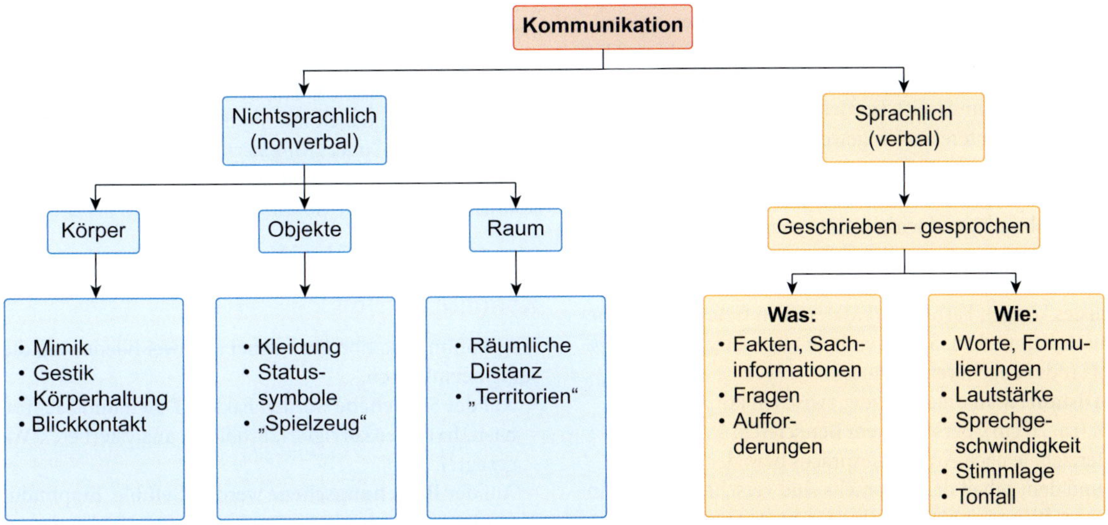

Abb. 9.2 Bereiche der Kommunikation [L231]

beruhigen oder irritieren, eine Situation bedrohlich erscheinen lassen oder stabilisieren. Gute Formulierungen unterstützen den gewünschten Effekt.

FALLBEISPIEL

Notfallsanitäter versorgen einen Patienten mit offenem Beinbruch. Er hat starke Schmerzen und große Angst. Während die Verletzung versorgt wird, sprechen Helfer mit ihm. Einige Sätze behält er im Gedächtnis: *„Ich bleibe bei Ihnen."* – *„Ich gebe Ihnen jetzt ein Schmerzmittel. Es wirkt rasch."* – *„Bleiben Sie bitte ruhig liegen. Legen Sie die Hand auf Ihre Brust und spüren Sie, wie Sie atmen."*

Das **Wie** der sprachlichen Mitteilung, die Art und Weise, wie etwas ausgesprochen wird, unterstützt und verdeutlicht die Worte und Formulierungen: schnell oder langsam, laut oder leise, monoton oder lebhaft, flüssig oder mit Pausen etc. Verbale Kommunikation setzt voraus, dass alle Beteiligten dieselbe Sprache sprechen bzw. verstehen. Das ist im Rettungsdienst nicht immer der Fall. Gegenüber Patienten oder Angehörigen, die nur gebrochen Deutsch sprechen, sollte man in jedem Fall klar und einfach formulieren, keinesfalls aber die eigene Sprache verstümmeln (→ Kap. 9.3.3).

Die **nonverbale Kommunikation** ist die elementare Ausdrucksform des Menschen. Sie steht in ihren Grundzügen jedem Menschen von Geburt an zur Verfügung und wird noch vor dem Erwerb der Wortsprache angewendet und erweitert. Ausdrucksmittel der nonverbalen Kommunikation sind der eigene Körper (Körpersprache), Objekte (z. B. Statussymbole) und das Verhalten im Raum (Nähe, Distanz etc.). Dazu gehören u. a.:

- **Mimik:** Die Ausdrucksbewegungen des Gesichts erfolgen großteils unbewusst. Die Kommunikation wird durch die Mimik bereichert, kann aber auch Fehlinformationen liefern. Verschiedene Krankheiten beeinträchtigen die Mimik, z. B. Schlaganfall, Morbus Parkinson.
- **Gestik:** Die Bewegungen der Hände unterstützen die gesprochenen Worte und drücken Gefühle und Gemütsbewegungen aus. Manche Gesten haben eine kulturell festgelegte Bedeutung. Die Gebärdensprache ist ein wichtiges Kommunikationsmittel von Gehörlosen.
- **Körperhaltung, -bewegungen** mit Kopf, Schultern, Oberkörper, Armen, Beinen etc. liefern Hinweise auf Schmerzen und Verletzungen, aber auch auf die momentane psychische Verfassung.
- **Blickkontakt:** Menschen, die einander in die Augen sehen, stehen in starkem Kontakt zueinander. Das kann sehr positiv erlebt werden (z. B. von Hilfesuchenden, beim „wortlosen Verstehen") oder auch bedrohlich wirken (z. B. im Streit). Im Gespräch wird fehlender Blickkontakt oft als Desinteresse, Langeweile oder fehlende Aufmerksamkeit interpretiert.
- **Objekte:** Uniformen zeigen an, wer zu welcher Einsatzorganisation gehört; sie können beruhigend wirken (*„Der kennt sich aus."*) oder erschreckend (*„So ernst ist es also."*) und distanzierend. In Wartebereichen und Notaufnahmen sowie auch in Einsatzfahrzeugen des Rettungsdienstes können Farben und Materialien freundlich-heimelig oder klinisch-kalt wirken. Statussymbole zeigen, welcher Gruppe man angehört (oder angehören möchte).
- **Räumliche Distanz:** Man unterscheidet zwischen körperlichem Intimbereich (ca. 20 cm), persönlichem Bereich (ca. 1 m) und offiziellem Bereich. Je nach Art des Gesprächs bzw. der Beziehung zueinander und dem Inhalt des Gesprächs sind verschiedene Distanzen angemessen. Wenn jemand zu nah oder zu weit weg ist, versucht man, die richtige Distanz herzustellen (näher rücken, ausweichen, → Abb. 9.3).

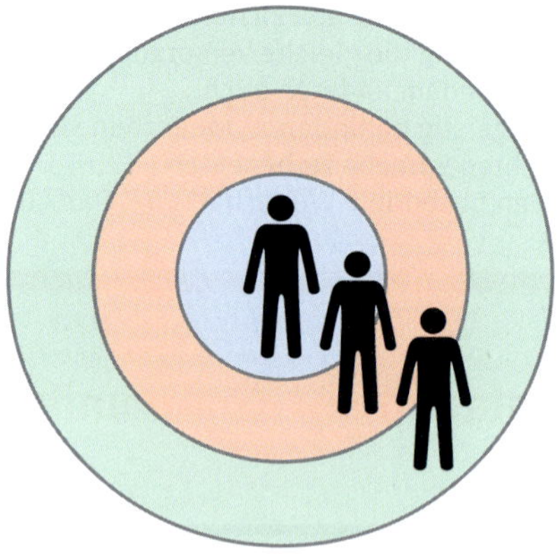

Abb. 9.3 Distanzzonen [P094, L231]

ACHTUNG! Viele Handlungen von Notfallsanitätern finden im persönlichen und auch im Intimbereich statt!

9.1.2 Kongruente und inkongruente Kommunikation

Kongruenz ist die Übereinstimmung zwischen verbalem und nonverbalem Ausdruck (z. B. Ja sagen und dabei nicken). Wenn verbal vermittelte Information und nonverbaler Ausdruck nicht zusammenpassen, ist die Kommunikation **inkongruent.**

FALLBEISPIEL

Ein 70-jähriger Mann ist vor einem Einkaufszentrum zusammengebrochen. Als die alarmierten Notfallsanitäter eintreffen, antwortet er mühsam auf ihre Fragen. Dann will er aufstehen: *„Es ist nichts"*, sagt er mit angespanntem Gesicht, *„so etwas ist mir schon öfter passiert."*

Bei inkongruenten Botschaften weiß der Empfänger nicht, was der Sprecher eigentlich meint und auf welchen Aspekt der Botschaft (den verbalen oder den nonverbalen) er antworten soll. Die Worte des Mannes können unterschiedlich interpretiert werden: *„Mir geht es gut."*, *„Lassen Sie mich in Ruhe."* oder *„Kümmern Sie sich um mich."*. Durch inkongruente Botschaften entstehen oft erhebliche Missverständnisse. In Konflikten können sich sachliche Auseinandersetzungen bis zum Streit zuspitzen.

9.1.3 Sach- und Beziehungsebene der Kommunikation

Jede Kommunikation läuft dabei auf zwei Ebenen ab, die sich wechselseitig beeinflussen:

- Auf der **Sachebene** werden Fakten, Daten und Sachfragen besprochen, Irrtümer korrigiert, Probleme analysiert etc. (**Was** wird gesagt?).
- Auf der **Beziehungsebene** werden Gefühle, Empfindungen und Stimmungen vermittelt, Sympathie und Ablehnung, emotionale Nähe und Distanz, Vertrauen und Vorwürfe ausgedrückt (**Wie** wird etwas gesagt?).

MERKE

Störungen auf der Sach- und Beziehungsebene hängen eng zusammen!

Missverständnisse auf der Sachebene können zu Ärger, Vorwürfen und Fehleinschätzungen auf der Beziehungsebene führen. Störungen auf der Beziehungsebene können eine sachliche Klärung von Problemen sehr behindern oder überhaupt unmöglich machen, wenn z. B. Sachfragen wie Beziehungsangelegenheiten angegangen werden. Das ist vor allem bei unterschwelligen oder nicht ausgetragenen Konflikten der Fall.

Die Wirkung dieser Störungen wird jedoch erheblich reduziert, wenn man folgende Punkte berücksichtigt:

- **Auf der Sachebene:**
  - Sich klar und einfach ausdrücken
  - Beim Thema bleiben
  - Sich kurz fassen
  - Sich in Wortschatz und Formulierungen auf den Gesprächspartner einstellen
- **Auf der Beziehungsebene:**
  - Bei Erstkontakt sich deutlich mit Namen und Funktion vorstellen, die Hand geben
  - Den Gesprächspartner nach seinem Namen fragen, mit Namen ansprechen
  - Möglichst auf die gleiche Augenhöhe gehen, Blickkontakt halten
  - Stimmlage, Lautstärke und Sprechgeschwindigkeit angleichen

IM FOKUS

Grundlagen der Kommunikation

- Kommunikation umfasst immer **Sender, Nachricht und Empfänger.**
- Neben einer **verbalen** existiert auch eine **nonverbale** Kommunikation. Sie trägt oft erheblich zur Nachrichtenübermittlung bei (Stichwort: **inkongruente Kommunikation**).
- Eine besondere Rolle spielt die räumliche Distanz. Je nach Art des Gesprächs können die **Distanzzonen** unterschiedlich groß sein.
- Der Bereich von weniger als einem 1 m Abstand wird i. d. R. als persönlicher Bereich wahrgenommen.
- Nachrichten enthalten immer einen **Sachaspekt** und eine **Beziehungsebene.**

9.1.4 Einflussfaktoren

Kommunikation unterliegt vielen Einflüssen. Biologische und psychische Faktoren spielen ebenso eine Rolle wie soziale und kulturelle Bedingungen sowie die unmittelbare Umgebung. Sie können die Kommunikation mitunter erheblich behindern oder verzerren.

Biologische Faktoren

- **Entwicklung und Alter:** Junge Menschen verfügen über einen anderen Wortschatz als ältere, sprechen schneller und folgen z. T. anderen Vorbildern (z. B. in Bezug auf Höflichkeit, Respekt, selbstbewusstem Auftreten).
- **Sinnesorgane:** Seh- oder hörbehinderte Menschen haben nur begrenzt Zugang zu bestimmten Informationen und Kommunikationsmitteln. Sie sind oft auf technische Hilfsmittel angewiesen, die in Notfallsituationen nicht immer verfügbar sind (z. B. Hörgeräte, Texte in Brailleschrift).
- **Sprechorgane:** Bei erkrankten, fehlgebildeten oder operativ entfernten Sprechorganen ist die Artikulationsfähigkeit oft stark eingeschränkt.
- **Sprachzentrum/Gehirn:** Schädigungen im Gehirn (z. B. durch Schlaganfall, Tumor) sowie Abbauprozesse (Demenz) können die Kommunikationsfähigkeit der Patienten nachhaltig beeinträchtigen.

Psychische Faktoren

- **Stimmung, Bedürfnisse:** Traurige Menschen sprechen oft leise und wenig, ängstliche fragen oft viel oder sprechen hastig. Gereizte Menschen sprechen oft laut und verwenden aggressive Ausdrücke. Wer starke Schmerzen hat, will vielleicht abgelenkt werden etc.
- **Sprachbegabung, Selbstbild:** Manche Menschen können besser als andere ihre Körperempfindungen beschreiben, Wünsche formulieren oder beruhigende Worte finden. Neben der reinen Fähigkeit spielt dabei auch das Selbstbild eine große Rolle (*„Das kann ich."/ „Das kann ich nicht."*).
- **Einfühlungsvermögen, Beziehungsfähigkeit:** Sich in die Situation eines anderen Menschen hineinzuversetzen und rasch mit ihm Kontakt aufnehmen zu können, ist im Sanitätsdienst besonders wichtig.
- **Selbstkontrolle:** Die eigenen Worte sowie Stimme, Mimik und Gesten zumindest teilweise zu kontrollieren ist nötig, um sich auf den Gesprächspartner einzustellen, ein Gespräch aktiv zu gestalten und sich nicht provozieren zu lassen.

Soziokulturelle Faktoren

- **Muttersprache, Fremdsprache:** Bei Patienten, mit denen man nicht in einer gemeinsamen Sprache kommunizieren kann, muss ein Dolmetscher oder Angehöriger hinzugezogen werden, um notwendige Informationen zu gewinnen bzw. zu vermitteln.
- **Dialekt:** Dialektfärbungen signalisieren die Zugehörigkeit zu einer bestimmten Region oder Gruppe. Sie bewirken, dass man sich heimisch fühlt, können aber auch Vorurteile auslösen.
- **Berufsspezifische Sprachkultur:** Kürzel und „Fachchinesisch" erlauben knappe und präzise Informationsübermittlung im Beruf, sind aber für Außenstehende (Patienten, Angehörige anderer Berufsgruppen) nur schwer verständlich oder grenzen sie aus.
- **Lebensweise und soziales Netz:** Alleinstehende Menschen, die wenig Gelegenheit zu Gesprächen haben, fühlen sich bei zu vielen neuen Kontakten oft überfordert (z. B. als Patient im Krankenhaus); Menschen, die in großen Familien leben oder im Beruf viel mit anderen zu tun haben, verfügen häufig über eine hohe kommunikative Kompetenz.
- **Gesellschaftsnormen:** Diese legen nahe, wie „man" sich in bestimmten Situationen verhalten soll, z. B. wie viel Gefühl Männer/ Frauen zeigen dürfen, wann man um Hilfe bitten soll und wann nicht etc.

Umgebungsfaktoren

- **Störungen, Stress:** Für Gespräche über ernste, intime oder emotional bewegende Themen ist eine ruhige Umgebung besonders wichtig. Unterbrechungen (durch andere Menschen, Telefon etc.), Stress und Hektik können tiefergehende Gespräche behindern oder unmöglich machen.
- **Geräuschpegel:** Bei schwerhörigen oder leise sprechenden Personen können Umgebungsgeräusche (durch andere Menschen, Geräte, Verkehr etc.) die gegenseitige Verständigung sehr beeinträchtigen.
- **Andere Anwesende:** Über manche Dinge will man lieber unter vier Augen und nicht in der Gegenwart Dritter sprechen.

- **Räumliche Position:** Ob beide Gesprächspartner auf gleicher Augenhöhe miteinander sprechen, wie weit man sich zu einem Liegenden hinunterbeugt etc., hat großen Einfluss auf die Gesprächsatmosphäre und damit auf den Verlauf des Gesprächs.
- **Sozialer Druck:** Die Erwartungen anderer Menschen können Druck auslösen, in einer bestimmten Weise zu kommunizieren, z. B. sich Schmerzen nicht anmerken zu lassen, als Helfer freundlich und ruhig zu bleiben etc.

IM FOKUS

Einflüsse auf Kommunikationsprozesse

- Es existieren zahlreiche Einflussfaktoren auf Kommunikationsprozesse:
  - **Biologische Faktoren,** z. B. „Ist mein Gegenüber vielleicht schwerhörig?"
  - **Psychische Faktoren,** z. B. „Wie bewertet er die Situation?"
  - **Soziokulturelle Faktoren,** z. B. „Sprechen wir dieselbe Sprache?"
  - **Umgebungsfaktoren,** z. B. „Können wir offen vor anderen Personen sprechen?"
- Eine besondere Herausforderung ist ihre **wechselseitige Beeinflussung.** So können psychische Faktoren (z. B. eine Angststörung) und biologische Faktoren (z. B. Schmerzen) gemeinsam andere Auswirkungen haben als für sich alleine genommen.

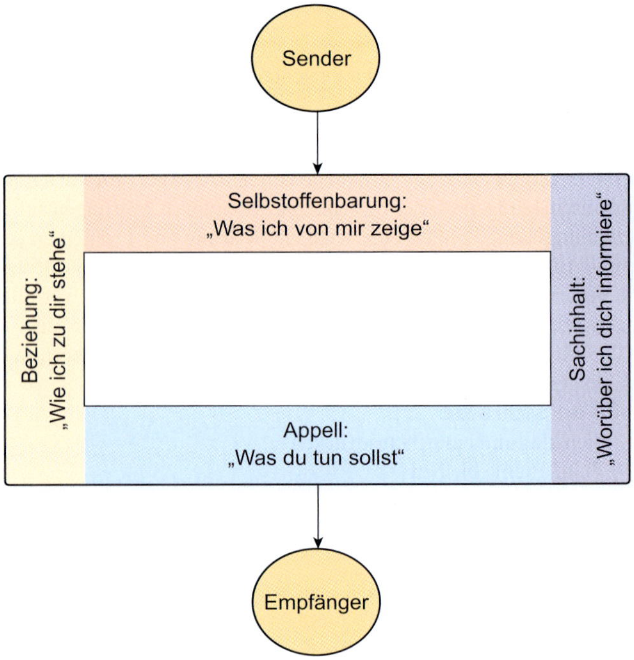

Abb. 9.4 Die vier Seiten einer Nachricht (nach Schulz von Thun 1981) [L143]

9.1.5 Vier Seiten einer Nachricht

Wenn man sprachliche Mitteilungen genauer analysiert, kann man in jeder Nachricht vier verschiedene Aussagen entdecken:

- Einen **Sachinhalt** (das „offizielle Thema")
- Eine **Selbstoffenbarung** (was der Sprecher über sich selbst ausdrückt)
- Einen **Appell** (Aufforderung, was der Sprecher vom Zuhörer will)
- Informationen über die **Beziehung** des Sprechers zum Zuhörer (was der eine vom anderen hält, wie sie zueinander stehen)

Jede Nachricht ist sprachlich auf einer der vier Ebenen formuliert (als Aussage, Frage, Aufforderung etc.) und wird nonverbal „eingefärbt" (→ Abb. 9.4). Zwei Beispiele können dies veranschaulichen:

FALLBEISPIEL

Ein Dialysepatient wird von zu Hause abgeholt. Zum Notfallsanitäter, der ihm beim Einsteigen in den Wagen hilft, sagt er leise: *„Schön, dass Sie da sind."*

- **Sachinhalt:** *„Wenn Sie da sind, ist es besser, als wenn Sie nicht da sind."*
- **Selbstoffenbarung:** *„Ich habe Sorgen und fühle mich allein."*
- **Appell:** *„Kümmern Sie sich um mich."*
- **Beziehung:** *„Schön, dass Sie es sind und nicht Ihre Kollegin. Ich mag Sie."*

FALLBEISPIEL

Eine Patientin weint.

- **Sachinhalt:** *„Das Auge tränt."*
- **Selbstoffenbarung:** *„Ich bin traurig."*
- **Appell:** *„Schone mich, tröste mich."*
- **Beziehung:** *„Ich hoffe, dass du derjenige bist, der mir helfen kann!"* oder *„Nur du kannst mir helfen."*

Nachrichten können grundsätzlich auf jeder der vier Ebenen verstanden werden. Es liegt beim Empfänger (d. h. seiner Erfahrung, seinen Gewohnheiten, seiner momentanen Stimmung etc.), mit welchem „Ohr" er eine Nachricht hört. Je nachdem stellt er sich unterschiedliche Fragen:

- Auf der Sachebene: Worum geht es? Was sind die Fakten?
- Auf der Ebene der Selbstoffenbarung des Sprechers: Was teilt er mir über sich selbst mit? Wie geht es ihm?
- Auf der Appellebene: Was will er von mir? Was soll ich tun?
- Auf der Beziehungsebene: Wie steht er zu mir? Mag er mich?

Die Antworten beziehen sich auf die wahrgenommene Ebene. Das ist nicht unbedingt die vom Sprecher gemeinte.

FALLBEISPIEL

Ein Patient sagt: *„Mir tut der Arm weh."* – Antworten auf den vier Ebenen:

- *„Das kommt von der Schwellung. Es geht in ein paar Stunden zurück."* (Annahme: Der Patient berichtet eine Körperwahrnehmung.)
- *„Das braucht Sie nicht zu beunruhigen."* (Annahme: Der Patient macht sich Sorgen.)
- *„Ich hole gleich den Arzt."* (Annahme: Der Patient will ein Schmerzmittel.)
- *„Wir tun, was wir können."* (Annahme: Der Patient misstraut den Helfern.)

Dass eine Nachricht auf so verschiedene Arten verstanden werden kann, führt immer wieder zu Missverständnissen, Irritationen und Konflikten. Unklare Formulierungen des Sprechers und ungeprüfte Annahmen des Empfängers können sich gegenseitig verstärken und den Konflikt hochschaukeln. Missverständnisse ergeben sich vor allem,

- wenn eine Nachricht anders formuliert wird, als sie gemeint ist (z. B. *„Wann kommen wir an?"* im Sinne von *„Ich mache mir große Sorgen."*, mit der Antwort auf der Sachebene: *„In zehn Minuten."*).

- wenn eine Nachricht auf einer anderen Ebene verstanden wird, als sie gemeint war (z. B. die Selbstaussage: *„Mir ist kalt."* verstanden als Aufforderung *„Bleiben Sie doch!"*, mit der Antwort *„Ich kann jetzt nicht.")*.
- wenn hinter einer „offiziellen" Aussage eine andere Aussage gemeint, aber eine dritte verstanden wird (z. B. ein Aushang am Schwarzen Brett: *„Interessenten bitte hier eintragen."*, gemeint als: *„Das ist verbindlich."*, verstanden als *„Die wollen uns kontrollieren.")*.

Viele Probleme und Missverständnisse können vermieden werden, wenn man möglichst deutlich sagt, was man meint:

- Informationen als solche kennzeichnen: *„Folgendes ist sehr wichtig …"*
- Appelle deutlich machen: *„Bitte halten Sie die Bettruhe ein."*
- Eigene Gefühle und Meinungen in der Ich-Form formulieren: *„Ich habe den Eindruck …"*
- Nachfragen: *„Wie meinen Sie das?"*, *„Habe ich das richtig verstanden …"*, *„Heißt das, Sie würden gerne …?"*

9.1.6 Gesprächsführung

Gespräche geben Sicherheit und können den Kontakt zwischen Patienten, Angehörigen und Betreuern wesentlich verbessern. Manuelle Tätigkeiten sprachlich zu „begleiten" gehört ebenso dazu wie Informationen zu gewinnen und zu vermitteln, den Patienten zu beruhigen, zu motivieren und emotional zu unterstützen (→ Abb. 9.5).

MERKE

Gespräche zu führen ist keine **„Zusatzleistung"**, sondern zählt zu den zentralen Aufgaben eines Notfallsanitäters!

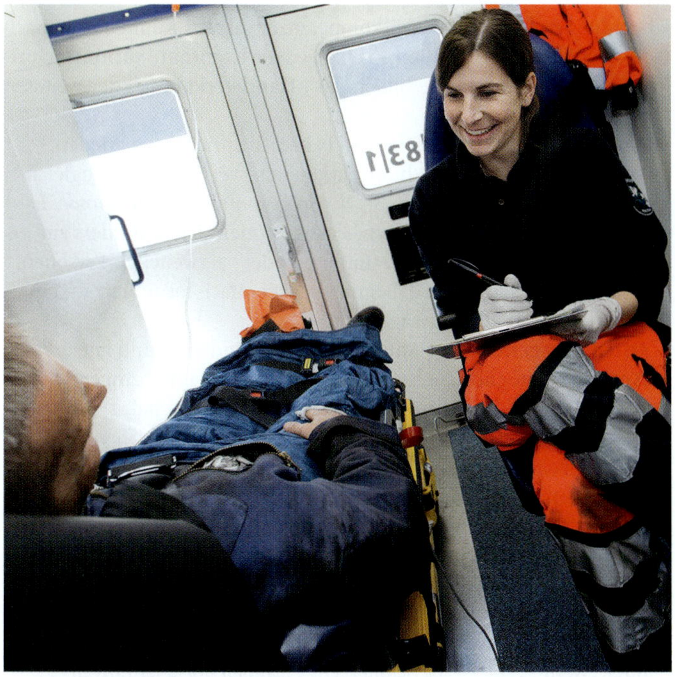

Abb. 9.5 Beruhigende Kommunikation ist ein wesentlicher Aspekt der professionellen Patientenversorgung. [K442]

Gesprächsführung ist die bewusste Planung und Durchführung eines Gesprächs mit einem klaren Ziel und in mehreren Schritten. Das bedeutet insbesondere:

- Ziel oder Absicht des Gesprächs festlegen
- Gesprächsverlauf planen und steuern
- Auf bestimmte Themen eingehen, auf andere nicht
- Für eine angemessene Umgebung sorgen und Störungen beseitigen
- Anfang und Ende des Gesprächs markieren

Das Grundprinzip der Gesprächsführung lautet: den Gesprächspartner bei seinen Fragen, Bedürfnissen und Gedanken **abholen** und ihn zu den Themen **hinführen,** über die man mit ihm sprechen will. Dazu gehört u. a.,

- klar zu wissen, was man mit dem Gespräch erreichen will (informieren, beruhigen, motivieren, etwas in Erfahrung bringen …),
- den eigenen Standpunkt klar, verständlich und überzeugend darlegen,
- dem Gesprächspartner Zeit lassen, seine Situation darzustellen, und es ihm erleichtern, sich auszudrücken,
- dem Gesprächspartner vermitteln, dass seine Gedanken und Gefühle ernst genommen und verstanden werden,
- Fragen und Einwände nicht „wegwischen" oder ignorieren; zeigen, dass man sich damit auseinandersetzt.

Grundhaltung in helfenden Gesprächen

Helfende Gespräche setzen eine **bestimmte Grundhaltung** voraus. Dazu gehören vor allem folgende Aspekte:

- **Akzeptanz** (Achtung, Wärme, Rücksichtnahme)
- **Einfühlungsvermögen** (Empathie)
- **Ehrlichkeit** (Echtheit)

Außerdem ist von Bedeutung, dass helfende Gespräche immer nur auf freiwilliger Basis stattfinden können: In einer Notfallsituation oder während der Fahrt ins Krankenhaus können sie nicht erzwungen, sondern immer nur **angeboten** werden. Entscheidend ist die Bereitschaft und Offenheit des Patienten, mit einem Notfallsanitäter über ein bestimmtes Thema zu sprechen. Wenn ein Patient ein Gesprächsangebot ablehnt, sollte man ihn daher auch nicht weiter bedrängen.

ACHTUNG! In manchen Fällen möchte der Patient nur mit einer bestimmten Person sprechen. Auch diese Entscheidung ist selbstverständlich zu akzeptieren.

Basiskompetenzen

Ein Gespräch mit einem bestimmten Ziel zu beginnen, dabei auf den Gesprächspartner einzugehen, mit Störungen und Problemen umzugehen und das Gespräch auf angemessene Weise zu beenden, kann in vielen Fällen einfach, manchmal aber auch schwierig sein: weil man unter Zeitdruck steht, weil der Gesprächspartner umständlich erzählt oder unklare Ausdrücke verwendet oder weil man wiederholt unterbrochen wird.

Die im Folgenden vorgestellten **Basiskompetenzen** sollten im Rahmen der Gesprächsführung umgesetzt werden. Sie werden anhand von positiven Vorbildern erworben und können in der Ausbildung weiter trainiert und verbessert werden. Im Einzelnen gehören zu den Basiskompetenzen:

Kontakt herstellen und positives Gesprächsklima schaffen

- Freundlich auf den Gesprächspartner zugehen
- Sich ins Blickfeld des Patienten stellen/setzen

- Auf gleiche Augenhöhe gehen
- Sich beim ersten Kontakt mit Namen und Funktion vorstellen
- Hand geben, eventuell vorsichtig Körperkontakt aufnehmen (Hand, Arm)

Gespräch strukturieren

- Sich vor Beginn überlegen, was man erreichen will, z. B. Informationen übermitteln, Fragen klären, motivieren, entlasten, ablenken oder Wartezeit überbrücken
- Einleitung und Abschluss des Gesprächs bewusst gestalten
- Reihenfolge der Themen festlegen *(„Darüber sollten wir gleich reden.", „Das wird Ihnen im Krankenhaus der Arzt sagen.")*
- Informationen gliedern; die wichtigsten Informationen im ersten Drittel des Gesprächs vermitteln
- Wichtige Themen betonen, das Besondere hervorheben *(„Es ist wichtig, dass ...", „Entscheidend ist, dass ...")*

Aktiv zuhören

- Blickkontakt halten
- Keine andere Tätigkeit nebenbei ausführen
- Wichtige Namen oder Fakten wiederholen
- Nachfragen bei unklaren oder abstrakten Aussagen *(„Irgendwie geht's mir nicht gut.", „Ich habe die Hoffnung verloren.")*
- Den Gesprächspartner ausreden lassen

Genau zuhören, auf Bedürfnisse achten

- Den angesprochenen Sachverhalten, Einschätzungen, Gefühlen und Sorgen aufmerksam folgen
- Herausfinden, was der Gesprächspartner jetzt/allgemein möchte
- Indirekt geäußerte bzw. vermutete Interessen, Wünsche und Gefühle ansprechen
- Bei Widersprüchen nachfragen, wie das gemeint ist (z. B. *„Ich will ja, aber ..."*)
- Wichtige nonverbale Signale ansprechen (z. B. schmerzverzerrtes Gesicht)

Sich verständlich ausdrücken und sachlich argumentieren

- Klare Aussagen treffen, schwierige Fachausdrücke vermeiden
- Aufforderungen begründen, Beispiele nennen
- Fakten und Vermutungen deutlich voneinander abgrenzen
- Auf Fragen klar antworten, sachlich bleiben
- Nachfragen, ob der Gesprächspartner alles verstanden hat

Loben, das Positive sehen

- Fortschritte und gelungene Leistungen aktiv ansprechen, nicht damit warten
- Konkret benennen, was gut gemacht wurde
- Verbesserungen im Vergleich zum letzten Mal hervorheben
- Den Blick auf die Ressourcen und mögliche Lösungen richten

Missverständnisse klären, Spannungen abbauen

- Schwierigkeiten oder Probleme in geeigneter Form ansprechen
- Eigene Meinung in der **Ich-Form** formulieren *(„Ich habe den Eindruck, dass ...")*
- Keine Vorwürfe erheben, sondern klar sagen, was man vom anderen möchte
- Bei zwischenmenschlichen Spannungen nach einer Lösung suchen (nicht nach der Schuld)
- Auf Vorwürfe, Schuldzuweisungen, Abwertungen etc. mit Fragen antworten, z. B. *„Wie meinen Sie das? Was genau ...? Wer ...? Wann zuletzt ...?"*
- Beim Thema bleiben

Kommunikationsfehler vermeiden

Keinesfalls:
- Den Blick während des Gesprächs vor allem auf schriftliche Unterlagen oder einen Bildschirm richten
- Automatische Fragen stellen ohne spürbares Interesse am Gesprächspartner
- Bedrängende Fragen stellen und nachbohren, während sich der Gesprächspartner verschließt
- Äußerungen und nonverbale Signale missachten oder fehldeuten
- Sachliche Rückmeldungen, Probleme und Kritik persönlich nehmen

IM FOKUS

Grundlagen der Gesprächsführung
- Eine gute Gesprächsführung ist eine **Kernkompetenz** von notfallmedizinischem Personal.
- Sie setzt eine ehrliche, aufgeschlossene und interessierte **Grundhaltung** voraus.
- Zu den **Basiskompetenzen der Gesprächsführung** gehören u. a.:
  - Angenehme Gesprächsatmosphäre schaffen
  - Das Gespräch strukturieren
  - Aktiv zuhören, auf Bedürfnisse achten
  - Verständliche Sprache nutzen
  - Das Positive sehen, Missverständnisse klären und Spannungen abbauen

Techniken der Gesprächsführung

Über die beschriebenen Basiskompetenzen hinaus können – je nach Gesprächsziel bzw. -intention – verschiedene **Kommunikationstechniken** eingesetzt werden. Sie bilden das **„Handwerkszeug"** der weiteren Gesprächsführung.

- **Fakten ansprechen:** Indem man Fakten anspricht oder wiederholt, kann man wichtige Informationen hervorheben und zugleich eine Orientierung geben, z. B. *„Ihr Sohn kommt in einer Stunde. Er fährt direkt zum Krankenhaus."* Fakten eignen sich besonders zur Beruhigung von ängstlichen, hilflosen oder verzweifelten Personen. Hilfreich ist, wenn man dabei möglichst einfach formuliert und in jedem Satz nur eine Aussage trifft.
- **Offene Fragen stellen:** Auf offene Fragen sind viele und lange Antworten möglich. Sie regen zum Erzählen an und bringen oft Informationen, an die man selbst gar nicht gedacht hat, z. B. *„Wie geht es Ihnen jetzt?", „Was möchten Sie ...?", „Erzählen Sie mir bitte mehr davon."* Offene Fragen eigenen sich als Gesprächseinstieg und helfen weiter, wenn das Gespräch in eine Sackgasse gerät. In Gesprächen, die länger als eine Minute dauern, sollte man immer wieder offene Fragen stellen, um die Kommunikation im Fluss zu halten.
- **Geschlossene Fragen stellen:** Geschlossene Fragen schränken die Antwortmöglichkeiten auf einzelne Wörter ein, im Extremfall „Ja" oder „Nein": *„Haben Sie Schmerzen?", „Haben Sie noch Fragen?", „Möchten Sie ...?", „Können Sie ...?", „Wo sind ...?"* etc. Geschlossene Fragen liefern rasche und präzise Informationen und lenken die Aufmerksamkeit auf einen Punkt oder in eine bestimmte Richtung.

Zugleich dämmen sie den Redefluss ein. Mit ihnen kann man ein Gespräch in eine bestimmte Richtung lenken und auch beenden (viele geschlossene Fragen stellen, dann zusammenfassen und sich verabschieden). Je nach Tonfall und nonverbaler Kommunikation können sie strukturierend und beruhigend, aber auch kalt und distanziert wirken.

- **Verbal und nonverbal verstärken:** Blickkontakt und interessierter Gesichtsausdruck, Nicken, „Ja" und „Mhm" zeigen dem Gesprächspartner, dass man ihm aufmerksam und „aktiv" zuhört. Dadurch wird er zum Weiterreden angeregt und das Gespräch wird in Gang gehalten.
- **Wiederholen:** Wichtige Aussagen oder Schlüsselwörter, die der Gesprächspartner formuliert, werden wörtlich wiederholt. Auf diese Weise kann man wichtige Punkte hervorheben und überprüfen, ob man richtig verstanden hat.
- **In eigenen Worten zusammenfassen (Paraphrasieren):** Aussagen und Reaktionen des Gesprächspartners werden in eigenen Worten zusammengefasst. Man kann dadurch Verständnis und Einfühlungsvermögen zeigen sowie das Gesagte weiter klären und verdeutlichen: *„Mit anderen Worten …"*, *„Das heißt also …"*, *„Habe ich das richtig verstanden …"*. Im Gespräch sollte man öfter paraphrasieren als die Worte einfach wiederholen.
- **Gefühle ansprechen:** Die beobachteten oder vermuteten Gefühle des Gesprächspartners können direkt angesprochen und als eigene Eindrücke zurückgespiegelt werden: *„Sie sehen wütend aus."*, *„Sie wirken traurig."*, *„Das ist sicher schlimm."* Dies kann helfen, über Gefühle zu sprechen, die man sonst nur zögernd geäußert hätte. Dazu ist jedoch eine gute Gesprächsbasis auf der Beziehungsebene nötig. Zugleich erfordert es große Sensibilität (wie weit kann ich gehen, was ist jetzt nicht zumutbar?) und auch Standfestigkeit sowie Zeit für das weitere Gespräch. Da während und nach Notfällen die emotionale Belastung der Betroffenen oft sehr groß ist, sollten in diesen Situationen Gefühle möglichst nicht direkt angesprochen werden (Gefahr der **Dekompensation**).
- **Schweigen:** Schweigen kann ein sehr wirkungsvolles Mittel der Kommunikation sein. Probleme und Schwierigkeiten werden nicht einfach weggeredet. Im Schweigen kann man außerdem zeigen, dass man den Gesprächspartner in einer Krise nicht alleinlässt und seine Schwierigkeiten mit ihm aushält. Es kann jedoch auch kalt wirken und den Eindruck von Verwirrung oder mangelndem Interesse wecken.

9.2 Kommunikation im Rettungsdienst

9.2.1 Kommunikation im Wachalltag

Im Wachalltag dient Kommunikation nicht nur zum Informationsaustausch, sondern sie ist ein wesentlicher Beitrag zur **Organisationskultur.** Je nachdem, wie auf einer Rettungswache miteinander kommuniziert wird, ist die Arbeitsatmosphäre angenehm oder belastend. In diesem Zusammenhang kann eine konstruktive, von gegenseitiger Wertschätzung geprägte Kommunikation sogar zur betrieblichen Gesundheitsförderung dienen und die Identifikation mit dem Arbeitgeber insgesamt erhöhen, während z. B. nicht weitergegebene Informationen, Lästereien bzw. Mobbing sowie schwelende Konflikte zu Enttäuschungen und Frustrationen bis hin zu inneren Kündigungen führen können. Vor diesem Hintergrund ist Kommunikation auf der Rettungswache auch weitaus mehr als nur **Small Talk** in der Bereitschaftszeit.

Aspekte professioneller Kommunikation im Wachalltag

Vermittlung von Informationen

Um alle Mitarbeiter einer Rettungswache stets auf dem gleichen Informationsstand zu halten, eignen sich Rundmails und „Schwarze Bretter" (→ Abb. 9.6), aber auch regelmäßige Besprechungstermine, sog. **Jour fixe.** Einerseits sind Arbeitgeber dazu verpflichtet, ihre Mitarbeiter über aktuelle Entwicklungen und interne Veränderungen angemessen zu unterrichten. Andererseits ist es aber auch Aufgabe jeder einzelnen Rettungsfachkraft, sich über relevante Neuigkeiten zu informieren.

! ACHTUNG! Bei Dienstbesprechungen besteht daher Anwesenheitspflicht.

Hierarchien und Gruppendynamik

Der Umgang mit Hierarchie wird durch die Kommunikation im Wachalltag widergespiegelt. Ob Führungskräfte geduzt oder gesiezt werden bzw. wie Kollegen sich generell untereinander ansprechen, ist u. a. ein Indikator dafür:

- In manchen Rettungsdiensten haben Führungskräfte lediglich festgelegte „Sprechzeiten" und sind außerhalb dieser Zeiten für ihre Mitarbeiter kaum oder nur nach vorheriger Terminvereinbarung erreichbar.
- In einigen Organisationen und Unternehmen wird aber auch auf besonders **flache Hierachien** Wert gelegt. Jeder kann jederzeit ein persönliches Anliegen vortragen. Kritik kann unabhängig von Dienstrang oder Alter geäußert werden.

Von der **formellen** ist die **informelle Hierarchie** zu unterscheiden. So gibt es auf manchen Rettungswachen eine bestimmte Sitzordnung am Tisch oder bestimmte Aufgaben im Wachalltag dürfen nur von einigen Mitarbeitern durchgeführt werden. Mitunter gibt es „Leitwölfe" und interne „Hackordnungen", in denen mehr oder weniger subtil und unausgesprochen geregelt wird, wer sich was auf der Wache „erlauben darf", wer „den Ton angibt" und wer wem was zu sagen hat. Dies kann völlig unproblematisch sein oder sogar positive Effekte haben, weil sie oftmals den Gruppenzusammenhalt festigen und eine Mannschaft – zusätzlich zu allen formellen Regelungen – erst „richtig zusammenschweißen".

Abb. 9.6 Informationsvermittlung auf einer Rettungswache [O997]

Informelle Hierarchien können sich aber auch hoch problematisch auswirken und dringend eine professionelle Intervention erforderlich machen. Dies ist beispielsweise der Fall, wenn im Sinne eines falsch verstandenen „Korpsgeistes" gemeinschaftlich Fehler „vertuscht" werden, Kritik nicht geäußert werden kann oder wenn es Repressionen gibt. Mitunter stehen informelle Hierarchien auch den formellen Hierarchien entgegen und behindern oder verhindern notwendige Entwicklungs- und Veränderungsprozesse. Es gibt auch Rettungswachen, auf denen eine Führungskraft ständig gegen interne Widerstände ankämpfen muss, weil die informelle Hierarchie stärker wirkt als die formelle.

MERKE

Während solche Gruppendynamiken im Bereich der Polizei in den vergangenen Jahren bereits intensiv erforscht worden sind, fehlen entsprechende Untersuchungen im Rettungsdienst weitgehend.

Grundsätzlich kann daher nur empfohlen werden, dass sich jeder Notfallsanitäter über den Umgang mit formeller und informeller Hierarchie an seinem Arbeitsplatz informiert und nach Möglichkeit auch entsprechend integriert. Darüber hinaus hat jeder Mitarbeiter sicherlich die Möglichkeit, in einem gewissen Rahmen zu systemischen und organisatorischen Veränderungen im Wachalltag beizutragen. Dabei ist aber nicht nur kommunikative, sondern in hohem Maße auch soziale Kompetenz erforderlich.

PRAXISTIPP

Treten – in welcher Weise auch immer – auf einer Rettungswache bzw. innerhalb einer Wachabteilung oder Dienstschicht **problematische Gruppendynamiken** auf, sollte selbstverständlich professionelle Hilfe in Anspruch genommen werden.
Wenden kann man sich beispielsweise an kollegiale Ansprechpartner, (übergeordnete) Dienstvorgesetzte sowie den Betriebs- bzw. Personalrat, aber auch an externe Fachkräfte wie z. B. Supervisoren sowie Mitarbeitende in Beratungsstellen und psychosozialen Diensten. In bestimmten Fällen kann es auch angebracht sein, eine juristische Beratung in Anspruch zu nehmen.
Wenn sich abzeichnet, dass die problematische Konstellation im Kollegenkreis tatsächlich, auch mit Unterstützung von außen, nicht verändert werden kann, sollte man in Erwägung ziehen, die Arbeitsstelle zu wechseln. Die Erhaltung der eigenen Gesundheit und die Sorge um das persönliche Wohlbefinden im Kollegenkreis sollten bei solchen Überlegungen stets handlungsleitend sein.

Ablauf von Entscheidungsprozessen

Entscheidungen werden im günstigsten Fall nicht einfach „von oben herab" getroffen und Mitarbeitern in ihrem Wachalltag aufgezwungen, sondern im Vorfeld gemeinsam besprochen und demokratisch, etwa durch Abstimmungen nach dem Mehrheitsprinzip, legitimiert. Partizipationsmöglichkeiten für Mitarbeiter erhöhen die Zufriedenheit am Arbeitsplatz nachweislich.

MERKE

Es besteht ein Zusammenhang zwischen Mitbestimmungsmöglichkeiten, einzelnen krankheitsbedingten Fehltagen und sogar der Entwicklung eines Burn-out-Syndroms.

Vor diesem Hintergrund ist es z. B. empfehlenswert, bei Planungen für die Beschaffung neuer Fahrzeuge oder -geräte, bei der Erarbeitung neuer Einsatzkonzepte oder bei Überlegungen zu Umgestaltungsmaßnahmen auf der Rettungswache Arbeitskreise einzurichten. Auf diese Weise fühlen sich Rettungsfachkräfte ernst genommen, wertgeschätzt und können ihre Ideen einbringen. Inwiefern Mitarbeitern im Wachalltag Mitbestimmungsmöglichkeiten eingeräumt werden, ist innerhalb der einzelnen Rettungsdienste allerdings sehr unterschiedlich.

Umgang mit Fehlern

Auf vielen Rettungswachen kann über Fehler, die einer einzelnen Rettungsfachkraft oder einem Rettungsteam unterlaufen sind, nicht offen gesprochen werden. Fehler einzugestehen führt mitunter dazu, dass man stigmatisiert oder ausgelacht wird. Vor einer genauen Ursachenanalyse wird oftmals vorschnell Schuld zugewiesen. Deshalb werden Fehler häufig verschwiegen bzw. sogar verheimlicht und vertuscht.

ACHTUNG! Wünschenswert wäre, dass im Wachalltag eine **No-Blame-Culture** vorhanden ist. Über Fehler müsste, ohne Angst vor unangemessenen Sanktionen haben zu müssen, gesprochen werden können.

Nur auf diese Weise lässt sich das Lernpotenzial von Fehlern nutzen. Zur Entwicklung einer No-Blame-Culture kann jede Rettungsfachkraft beitragen, indem sie Fehlermeldungen von Kollegen dankbar nutzt, um bestimmte Fehler bei eigenen Einsätzen zukünftig zu vermeiden. Durch ein **Critical Incident Reporting System** (CIRS) sollte der pädagogisch angemessene Umgang mit Fehlern geregelt werden (→ Kap. 11.3.3).

Umgang mit Kritik und Konflikten

Zur professionell gestalteten Kommunikation im Wachalltag gehört auch der Umgang mit Konflikten. Hinter dem Rücken von Betroffenen zu meckern und zu lästern, ist wenig hilfreich. Günstiger ist ein **konstruktives Konflikt- und Beschwerdemanagement.** Dazu gehört z. B. die Einrichtung einer regelmäßigen „Meckerstunde", in der vorrangig Lösungen für Konflikte erarbeitet werden sollen.

ACHTUNG! In verfahrenen Situationen kann es auch angebracht sein, einen externen Mediator einzubeziehen.

Ein spezielles Phänomen ist **Mobbing.** Dabei werden Betroffene wiederholt und über einen längeren Zeitraum absichtlich geschädigt, wobei zwischen den Tätern und den Opfern ein tatsächliches oder zumindest **subjektiv erlebtes Macht- bzw. Kräfteungleichgewicht** besteht. Ein Berufseinsteiger kann z. B. von einer erfahrenen Rettungsfachkraft gemobbt werden oder ein Mitarbeiter vom Leiter der Rettungswache. Zur Prävention von Mobbing sollte auch auf Rettungswachen die Funktion eines **Antimobbingbeauftragten** eingerichtet werden. Zudem gibt es verschiedene Präventionsprogramme, die zur Umsetzung empfohlen werden können.

ACHTUNG! Mobbing ist kein Spaß, sondern kann schwerwiegende Gesundheitsschädigungen zur Folge haben. Einzelne Verhaltensweisen, die im Rahmen von Mobbingaktionen ausgeführt werden, sind u. U. auch strafrechtlich relevant, so z. B. üble Nachrede, Körperverletzung, sexuelle Belästigung oder Beleidigung.

Umgang mit Belastungen

Die Kommunikation im Wachalltag trägt in hohem Maße auch dazu bei, wie **belastende Einsatzerfahrungen** bewältigt werden können. Nach Möglichkeit sollten Kollegen stets ein „offenes Ohr" haben, wenn eine Rettungsfachkraft von einem besonders schwierigen oder unangenehmen Einsatz erzählt. Auf einigen Rettungswachen werden inzwischen auch regelmäßige Supervisionssitzungen angeboten oder es gibt kollegiale Ansprechpartner (Peers), die eine spezielle psychologische Zusatzausbildung absolviert haben (→ Kap. 7.3.3 und → Kap. 10.4.4).

Persönliches und Umgangsformen

Nicht zuletzt wird die Kommunikation im Wachalltag durch die **allgemeinen Umgangsformen** geprägt. Dass man sich begrüßt und verabschiedet, ein angemessenes Benehmen zeigt und Mahlzeiten gemeinsam einnimmt, gehört dazu.

Zu einer angenehmen **Arbeitsatmosphäre** trägt sicherlich auch bei, dass sich Kollegen in der einsatzfreien Zeit nicht nur über Fachliches, sondern auch Privates austauschen können und an der individuellen Lebenssituation ihrer Kollegen Anteil nehmen. An vielen Rettungswachen sind Sommerfeste oder Weihnachtsfeiern üblich, zu denen auch die jeweiligen Partner eingeladen werden. Zudem werden oftmals bestimmte Traditionen gepflegt bzw. es sind bestimmte Rituale üblich (→ Kap. 8.5.3). Wenn eine Rettungsfachkraft in einem Einsatz zum ersten Mal mit einem Verstorbenen konfrontiert wird, muss sie vielerorts z. B. einen Kuchen backen.

MERKE

Solche Rituale erscheinen auf den ersten Blick skurril oder makaber. Sie geben aber auch Halt und tragen letztlich ebenfalls zur Gemeinschaftsbildung und -förderung im Wachalltag bei.

Ein weiteres Zeichen gelingender Kollegialität ist (u. U. auch schwarzer) **Humor** – allerdings nur, solange gemeinsam gelacht und niemand durch Späße bloßgestellt, verletzt oder ausgegrenzt wird. Vor diesem Hintergrund kann jede einzelne Rettungsfachkraft durch ihr persönliches Kommunikationsverhalten einen wichtigen Beitrag leisten, um im Wachalltag für ein harmonisches Miteinander zu sorgen.

IM FOKUS

Kommunikation im Wachalltag

- Der Wachalltag ist geprägt von zahlreichen Kommunikationsprozessen.
- Der offensichtlichste ist der **formale Informationsfluss** (z. B. Hinweise auf Neuerungen).
- Neben formellen Hierarchien (z. B. Organigramm) existieren **informelle Hierarchien** (z. B. traditionelle Sitzordnung).
- Fehlgesteuerte Entscheidungsprozesse können zu Spannungen führen, hier können Arbeitskreise helfen.
- Auch der Umgang mit Fehlern ist ein wichtiger Bestandteil der Kommunikation im Wachalltag. Ziel sollte idealerweise eine **No-Blame-Culture** sein.

9.2.2 Kommunikation im Krankentransport

Krankentransporte machen in Deutschland rund 51 % des rettungsdienstlichen Gesamteinsatzgeschehens aus. Vielen Rettungsfachkräften erscheinen Krankentransporte zwar eher langweilig und sie fühlen sich häufig unterfordert. Allerdings kommt der kommunikativen Kompetenz gerade im Krankentransport eine besonders hohe Bedeutung zu.

Während die Kommunikation im zeitkritischen Notfalleinsatz fast ausschließlich sachbezogen ist, d. h., der Austausch unmittelbar handlungsrelevanter Informationen im Vordergrund steht, kann im Krankentransport eine deutlich stärker personen- bzw. beziehungsorientierte Konversation stattfinden.

MERKE

Im Krankentransport bietet sich die Gelegenheit zu viel längeren, intensiveren Gesprächen, als dies im Rahmen der Notfallrettung möglich ist!

Aspekte der Kommunikation im Krankentransport

Einstellung

Zunächst einmal sollte jedem Patienten im Krankentransport freundlich und empathisch begegnet werden. Dazu gehört es insbesondere, ein professionelles Verständnis für die Situation des jeweiligen Patienten zu entwickeln, seine Wünsche und Bedürfnisse aufmerksam wahrzunehmen und diese – etwa hinsichtlich der Lagerung, der Temperatur oder der Belüftung im KTW – auch zu berücksichtigen.

PRAXISTIPP

Einem Selbstverständnis als Dienstleister im Gesundheitswesen folgend, sollte sich jede Rettungsfachkraft ernsthaft darum bemühen, Krankentransporte für einen Patienten auch durch das eigene Kommunikationsverhalten so angenehm wie möglich zu gestalten.

Kommunikative Passung

Damit im Krankentransport überhaupt ein angenehmes Gespräch zustande kommen kann, sollten Gesprächspartner möglichst die **„gleiche Sprache"** sprechen. Dies bezieht sich auf die Sprache als solches, aber auch auf Stil, Sprachniveau bzw. Vokabular sowie die Komplexität des Satzbaus. Verständlichkeit hängt wesentlich von diesen Faktoren ab. Rettungsfachkräfte sollten sich hinsichtlich des eigenen Kommunikationsverhaltens daher auf Patienten einstellen können, ohne jedoch aufgesetzt zu wirken bzw. sich unangemessen zu verstellen.

Situativer Kontext

Auch der Anlass für einen Krankentransport sollte beachtet werden: Handelt es sich z. B. um eine Verlegung zur weiteren Behandlung in eine Spezialklinik, um einen Menschen, der aus seiner häuslichen Umgebung in ein Pflegeheim gebracht wird, oder um eine Fahrt in ein Hospiz, wird die Atmosphäre im KTW jeweils eine andere sein. Es wirkt sich auch aus, ob ein Krankentransport tagsüber oder nachts sowie an einem regulären Arbeitstag oder einem besonderen Feiertag (z. B. Heiligabend) durchgeführt wird.

ACHTUNG! Wird dieser situative Kontext nicht ausreichend berücksichtigt, ist keine dem Anlass angemessene Kommunikation möglich und Rettungsfachkräfte können rasch in kommunikative Fallen tappen.

Muss ein älterer Mensch ausgerechnet am Ostersonntag ins Krankenhaus gebracht werden, ist die freudige (oder sogar ironische?) Begrüßung „Frohe Ostern!" z. B. unangebracht. Einem Tumorpatienten im Endstadium nach dem Transport ins Hospiz zum Abschied „gute Besserung" zu wünschen, wird u. U. als Ausdruck von Desinteresse und Gedankenlosigkeit verstanden.

Stereotype

Stereotype Vorstellungen über die Konversationsmöglichkeiten einer Patientengruppe (z. B. von älteren Menschen, Demenzpatienten, chronisch kranken oder geistig behinderten Menschen) können ein vorurteilsfreies Gespräch von vornherein unmöglich machen und die Kommunikation im Sinne selbst erfüllender Prophezeiungen negativ beeinflussen. Deshalb ist es wichtig, bewusst eine vorurteilsfreie Grundhaltung einzunehmen und eventuelle negative Vorerfahrungen mit einer bestimmten Patientengruppe beiseite zu schieben, um sich unvoreingenommen auf den jeweiligen Patienten einlassen zu können (→ Kap. 8.2.3).

Gesprächsführung

Durch geschlossene Fragen können zwar konkrete Informationen eingeholt werden; als Gesprächseinstieg oder zur Fortführung eines Dialogs sind offene Fragen jedoch meist besser geeignet. Eine nicht wertende Haltung, insbesondere auch das aktives Zuhören (→ Kap. 9.1.6), kann dabei helfen, bei kritischen Themen oder unterschiedlichen Meinungen keinen Streit zu provozieren, sondern das Gespräch auf einer möglichst angenehmen, unkritischen Ebene zu halten.

Ferner ist es wichtig, auf den eigenen Tonfall sowie die begleitende **Mimik und Gestik** zu achten:

- Ein genervtes Augenrollen u. Ä. sollte z. B. unterbleiben: Emotionen auf diese Weise zum Ausdruck zu bringen ist sicherlich manchmal entlastend, aber in Anwesenheit eines Patienten bzw. Angehörigen schlichtweg unprofessionell.
- Umgekehrt signalisieren beständiger Blickkontakt und ein Kopfnicken Aufmerksamkeit, Interesse und Anteilnahme (→ Abb. 9.7).

Themen

Worüber während eines Krankentransports gesprochen wird, ist letztlich nicht entscheidend. Gesprächsthemen sollten nach Möglichkeit jedoch vom Patienten gesetzt werden, der Notfallsanitäter greift vorgegebene Themen dann ggf. auf. Nicht zuletzt sollte aber auch akzeptiert werden, wenn ein Patient im Krankentransport schlichtweg nicht mit einer Rettungsfachkraft sprechen möchte.

MERKE

Zu einem professionellen Kommunikationsverhalten im Krankentransport gehört, dass man auch Stille bzw. ein Schweigen aushalten kann. Manche Patienten zeigen einen deutlichen Redebedarf, aber nicht wenige sind erkennbar nachdenklich, in sich gekehrt oder möchten einfach „in Ruhe gelassen" werden. Dann ist es ein Zeichen von Respekt, dieses Bedürfnis selbstverständlich auch zu akzeptieren.

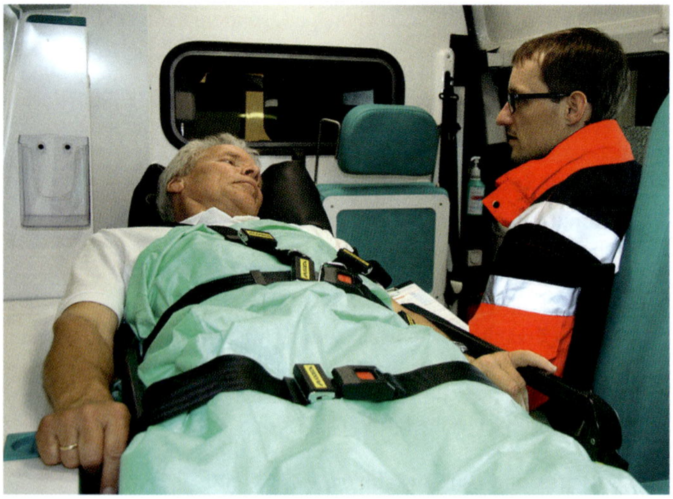

Abb. 9.7 Kommunikationssituation im Krankentransport [O997]

Wenn man unsicher ist, welches Kommunikationsverhalten angebracht ist, kann man dies ganz offen zum Thema machen. Eine Frage an einen Patienten könnte z. B. lauten: „Wünschen Sie ein wenig Unterhaltung – oder ist es Ihnen lieber, wenn es still ist während der Fahrt? Ich richte mich gern nach Ihren Wünschen!"

IM FOKUS

Kommunikation im Krankentransport

- Krankentransporte erfordern teilweise andere kommunikative Fähigkeiten als Notfalleinsätze.
- Die **Kontaktzeit ist mitunter länger und weniger sachbezogen.** Es geht also deutlich mehr um Beziehungsgestaltung.
- Dies setzt eine entsprechend aufgeschlossene Einstellung voraus.
- Von zentraler Bedeutung sind der **situative Kontext** und eine **aktive kommunikative Passung.**
- Die Themenwahl sollte idealerweise der Patient treffen.
- Offene Fragen und aktives Zuhören können den Gesprächsverlauf positiv beeinflussen.

9.2.3 Kommunikation im Notfalleinsatz

Die Rahmenbedingungen für effektive Kommunikation sind in einem Notfalleinsatz ungünstig. Zeit- und Handlungsdruck, die Menge der zu verarbeitenden und auszutauschenden Informationen sowie **Störeinflüsse,** z. B. Lärm an der Einsatzstelle oder ein Rauschen im Funkverkehr, begünstigen die Entstehung von Missverständnissen. Gleichzeitig ist Kommunikation als eine wesentliche Voraussetzung für ein angemessenes Einsatzmanagement und eine gelingende Versorgung von Notfallpatienten anzusehen.

Grundsätze für die Kommunikation im Notfalleinsatz

Laut denken

Ein im Rettungsdienst weitverbreiteter Mythos besteht in der Annahme, dass möglichst wenige Gesprächskontakte untereinander ein Indikator für effektive Teamarbeit sind. Besonders günstig wäre es demnach, wenn man weitgehend stumm interagieren kann. In wenigen Ausnahmefällen mag dies auch zutreffen. Generell zu fordern, dass in einem Notfalleinsatz weitgehend geschwiegen werden soll, ist ansonsten jedoch falsch.

PRAXISTIPP

Nur wenn man ausspricht und sich darüber austauscht, welche Gedanken man gerade verfolgt, können alle anwesenden Kollegen im Einsatzgeschehen mitdenken, ein gemeinsames mentales Modell entwickeln und sich sinnvoll an der Teamarbeit beteiligen (→ Kap. 11).

Davon abgesehen kann extreme Wortkargheit auch zu einer deutlichen Irritation von Patienten und Angehörigen führen. Die fehlende Kommunikation untereinander könnte z. B. als Ausdruck geringer Motivation, mangelnder Kompetenz oder eines schwelenden Konflikts innerhalb des Rettungsteams fehlgedeutet werden.

Aufmerksam zuhören und ausreden lassen

Gerade in einer Notfallsituation dürfen keine Informationen verloren gehen. Deshalb ist es wichtig, sich Gesprächspartnern zuzuwenden, Blickkontakt zu halten und z. B. durch Kopfnicken zu signalisieren, dass konzentriert und geduldig zugehört wird. Dies gilt für die Kommunikation innerhalb des Rettungsteams ebenso wie für den Kontakt zu Patienten oder Angehörigen. Zwar besteht in einem Notfall meist ein hoher Handlungsdruck. Das Richtige zu tun, setzt aber immer eine sorgfältige Sammlung von Informationen voraus. Die Zeit, die beim Zuhören verstreicht, ist also zielführend investiert. Nur wenn jemand mit einem Redebeitrag sehr weit ausholt und ein Informationsaustausch unverhältnismäßig viel Zeit in Anspruch nimmt, sollte man sein Gegenüber freundlich, aber bestimmt unterbrechen.

PRAXISTIPP

Eine empfehlenswerte Formulierung lautet: *„Ich unterbreche Sie kurz, damit wir nicht zu viel Zeit verlieren. Bitte sagen Sie ganz konkret, was jetzt im Moment Ihre Hauptbeschwerde ist."*

Gezielte Gabe von einzelnen Anweisungen

Anweisungen sollten so gegeben werden, dass sich ein bestimmtes Teammitglied dadurch angesprochen fühlt und **genau** weiß, was nun zu tun ist. Wird lediglich in den Raum gestellt, dass bei einem Patienten z. B. der Blutdruck gemessen werden müsste, besteht die Gefahr, dass sich entweder niemand darum kümmert oder gleich mehrere Teammitglieder diese Aufgabe übernehmen wollen. Beispiel: *„Klaus, bereitest du bitte die Intubation mit einem 7,5-mm-Endotrachealtubus vor? Leg bitte auch einen Mandrin und das Gleitgel bereit."* Derjenige, der eine Anweisung erhalten hat, sollte die Ausführung des jeweiligen Auftrags dann außerdem kurz bestätigen.

PRAXISTIPP

Auftragssalven mit zahlreichen Anweisungen innerhalb kürzester Zeit möglichst **vermeiden** (*„Zweiten Zugang legen, EKG ableiten, Sauerstoffgabe auf 15 Liter erhöhen, gleich eine Voranmeldung im Schockraum machen!"*). Dies verbreitet lediglich Hektik, beeinträchtigt die Arbeitsatmosphäre, verursacht bei allen Beteiligten nur zusätzlichen Stress und erhöht die Wahrscheinlichkeit von Fehlgriffen. Häufig wird durch Auftragssalven auch eine einzelne Anweisung überhört und bleibt dann unerledigt.

Lautstärke

Erregung und Anspannung führen häufig dazu, dass besonders laut gesprochen wird. Jeder kennt das von eskalierenden Konfliktgesprächen: Je emotionaler jemand beteiligt ist, umso lauter teilt derjenige seine Wortbeiträge mit. Auch in einem Notfall signalisiert zunehmende Lautstärke eine starke psychische Belastung. Gleichzeitig trägt die Lautstärke zu einer weiteren Lageeskalation bei:

- Werden Patienten sehr bzw. zu laut angesprochen, können sie dies z. B. als unhöflich oder aggressiv empfinden.
- Umgekehrt muss zumindest so laut gesprochen werden, dass alle Informationen verständlich sind und gut gehört werden können. Wird zu leise gesprochen, ist dies ebenfalls unhöflich und kann in hohem Maße frustrieren (Patient: *„Ich verstehe den nicht! Was will der von mir?"*).

PRAXISTIPP

Aus diesem Grund sollte die Lautstärke der Kommunikation in einem Notfalleinsatz den situativen Rahmenbedingungen angepasst werden. In der Wohnung eines Patienten muss i. d. R. nicht geschrien werden, auf einer viel befahrenen Straße oder beim Austausch von Informationen über weitere Entfernungen eventuell schon.

Sprechgeschwindigkeit und Artikulation

Durch Erregung und Anspannung ändern sich nicht nur die Lautstärke, sondern auch die Sprechgeschwindigkeit und die Artikulationssorgfalt. In einem Notfalleinsatz wird daher oftmals sehr schnell gesprochen und mitunter werden in der Aufregung Silben „verschluckt".

PRAXISTIPP

Deshalb ist es wichtig, eher etwas langsamer als gewohnt zu sprechen und auf eine **sorgfältige Artikulation** zu achten. Zu nuscheln sollte ebenso vermieden werden wie gleichzeitig zu handeln und zu sprechen. Die Artikulationssorgfalt wird auch dadurch meist vermindert.

Modulation der Stimme, Gestik und Mimik

Auf die **Modulation der Stimme** sollte in einem Notfalleinsatz ebenfalls geachtet werden. Insbesondere Stimmungen und Wertungen werden durch den Tonfall vermittelt. Die Bedeutung ausgesprochener Wörter kann durch gezielt eingesetzte Betonungen sowie ein Anheben oder Senken der Stimme unterstrichen werden:

- Man kann etwas „sanft" oder „scharf" modulieren.
- Gerade der Tonfall kann aber auch Geringschätzung, Missfallen, Ironie oder Sarkasmus zum Ausdruck bringen.

MERKE

Viele Konflikte resultieren nicht aus der Wortwahl an sich, sondern aus der Modulation der Stimme.

Was die Wirkung der Modulation betrifft, lässt sich in ähnlicher Weise auf **Gestik und Mimik** übertragen. Die Aussagekraft gesprochener Worte wird im günstigsten Fall durch beides unterstützt. Stimmen

Gesten, Mimik und Wortwahl jedoch nicht überein **(inkongruente Kommunikation),** werden Irritationen verursacht. Beispiel: Jemand teilt einem Hinterbliebenen sein Beileid mit und äußert verbal seine Betroffenheit, lächelt aber dabei. In solchen Fällen ist die tatsächliche beabsichtigte Aussage nicht eindeutig erkennbar und Missverständnisse werden provoziert (→ Kap. 9.1.2).

Bei Gesten kommt noch hinzu, dass verschiedene (Finger-)Zeichen ohnehin unterschiedlich gedeutet werden können:

- Der mit dem Daumen zu einem Ring zusammengeführte Zeigefinger kann einerseits „perfekt" bedeuten.
- Andererseits kann diese Geste aber auch als Schimpfwort verstanden werden.

Ferner ist zu beachten, dass Patienten und Angehörige gerade auch anhand bestimmter Gesichtsausdrücke des Rettungsfachpersonals zu erkennen versuchen, wie ernst die Situation ist. Daher sollten Notfallsanitäter ihre Gestik und Mimik stets kontrollieren und ggf. bewusst einsetzen.

PRAXISTIPP

Weit aufgerissene Augen und über dem Kopf zusammengeschlagene Hände signalisieren, dass eine Notfallsituation offenbar besonders schrecklich, vielleicht sogar aussichtslos ist. Eine solche Gestik und Mimik sollte von Rettungsdienstmitarbeitern vermieden werden. Demgegenüber kann mit einem aufmunternden Kopfnicken zur Beruhigung von Betroffenen beigetragen werden.

Konstruktive Konfliktlösungen

Dass auch in einem Notfalleinsatz – etwa im Hinblick auf durchzuführende Maßnahmen oder die Auswahl eines Zielkrankenhauses – unterschiedliche Meinungen auftreten können, liegt in der Natur der Sache. Streit vor einem Patienten oder Angehörigen auszutragen, verunsichert die Betroffenen jedoch und wirkt zudem wenig professionell. Nichts einzuwenden ist dagegen, sich innerhalb eines Rettungsteams kurz und konstruktiv über das weitere Vorgehen zu beraten. Ist man anderer Auffassung als ein Teamkollege, empfiehlt sich die indirekte Äußerung von Kritik durch konkrete Vorschläge und ein „Steuern von unten". Dies ist weniger konfrontativ und wirkt nicht als Angriff, sondern kann als konstruktiver Hinweis aufgegriffen werden, ohne dass jemand einen Gesichtsverlust befürchten muss. Anstatt zu sagen: *„Jetzt musst du aber intubieren!"*, wäre die Formulierung in Form einer Frage günstiger: *„Soll ich schon mal die Intubation vorbereiten?"*

ACHTUNG! Einmal getroffene Entscheidungen des Teamführers müssen, wenn darüber ein kurzer Austausch stattgefunden hat, letztlich aber akzeptiert werden.

Vorwürfe

Vorwürfe und „Warum"-Fragen (Beispiel: *„Warum hast du uns nicht schon längst vorangemeldet?"*) helfen in einem Notfalleinsatz niemandem, führen meist nur zu einer erheblichen Belastung der Arbeitsatmosphäre und sind daher zu unterlassen. Gleiches gilt für die Denunzierung von Kollegen im Einsatz (Beispiel: *„Sie sind wohl noch nicht so lange Notarzt, oder?"*). Ein derartiges Verhalten ist generell unangebracht, insbesondere gehört es jedoch nicht an eine Einsatzstelle.

PRAXISTIPP

Im Notfalleinsatz ist grundsätzlich eine möglichst **positive** Kommunikation zu empfehlen. Demnach wird v. a. gelobt, wenn etwas gut gelungen ist. Negative Formulierungen sind zu vermeiden.

Dies gilt für Flüche und andere Unmutsäußerungen, aber auch für Handlungsanweisungen an Patienten oder Angehörige. Statt *„Springen Sie nicht!"* sollte es z. B. heißen: *„Bleiben Sie stehen!"* Statt *„Schauen Sie nicht nach unten!"* sagt man besser: *„Schauen Sie nach oben!"* etc.

Humor

Ein Witz, ein Gag, eine lustige Bemerkung etc. kann sicherlich dazu beitragen, eine angespannte, verkrampfte Situation zu entspannen. Dies funktioniert allerdings nur dann, wenn alle beteiligten Personen auch den gleichen Humor haben.

ACHTUNG! Stimmt die „humoristische Passung" nicht überein, kann Humor mehr schaden als nützen.

Da das Rettungsfachpersonal die Patienten und Angehörigen in einem Notfalleinsatz jedoch meist nicht näher kennt, kann man ihr Humorverständnis auch nicht sicher einschätzen. Vor diesem Hintergrund sollte von (vermeintlich) humorvollen Äußerungen in einem Notfall zunächst Abstand genommen werden.

Notfallphraseologie

Um Missverständnisse zu vermeiden, könnte eine „Notfallphraseologie" hilfreich sein. Dabei werden z. B. **Codewörter** vereinbart, die etwas ganz Bestimmtes zum Ausdruck bringen und dann auch eine ganz bestimmte Reaktion zur Folge haben müssen. Hier liegt die Überzeugung zugrunde, dass die Standardisierung von Versorgungsprozeduren eigentlich auch eine **Standardisierung der Sprache** voraussetzen müsste.

Bei bestimmten Abkürzungen, wie z. B. RTW oder KTW, ist durch die Normung bereits für Einheitlichkeit und Exaktheit gesorgt. Ansonsten gibt es im Rettungsdienst aber viele sprachliche Ungenauigkeiten und Interpretationsspielräume, die möglichst reduziert werden sollten. Der Terminus „Basismaßnahmen" ist ein treffendes Beispiel dafür:

- Ein Notfallsanitäter versteht darunter lediglich, einen Patienten zu lagern und seine Atemwege freizuhalten.
- Ein anderer Notfallsanitäter meint damit evtl. auch das Legen eines venösen Zugangs, die Sauerstoffgabe, eine EKG-Ableitung und die Durchführung eines Blutzuckertests.

PRAXISTIPP

Generell ist es empfehlenswert, über die Kommunikation in einem Notfall nachzudenken, die eigene Kommunikationskompetenz zu trainieren und den Umgang mit Sprache als wichtigen Beitrag für die berufliche Professionalisierung zu betrachten.

IM FOKUS

Kommunikation im Notfalleinsatz

- Kommunikation im Notfalleinsatz ist ein **Balanceakt** zwischen Wertschätzung und Effizienz.
- **Lautes Denken** fördert die Transparenz.
- Zuhören und **Ausredenlassen** sind wichtig; wenn Unterbrechungen notwendig sind, mit vorbereiteten, nicht provozierenden Phrasen arbeiten.
- Die Kommunikation sollte stets **kongruent** sein. Menschen in Notsituationen spüren oft auch kleinste kommunikative Verzerrungen.
- Vorwurfshaltungen sind hinderlich. Konflikte sollten in der Nachbesprechung geklärt werden.

9.2.4 Kommunikation in Krisensituationen

Eine psychosoziale Krise bedeutet den **Verlust des seelischen Gleichgewichts,** wenn wichtige Ereignisse oder Lebensumstände nicht bewältigt werden können:

- Art und Ausmaß der Ereignisse und Umstände überfordern den Betroffenen. Die zur Verfügung stehenden Möglichkeiten und Ressourcen reichen zur Bewältigung der neuen Situation nicht mehr aus.
- Früher erworbene Fähigkeiten und bisher bewährte Hilfsmittel versagen.
- Eine Krise ist begleitet von Gefühlen der Hilflosigkeit und des Versagens, starker innerer Anspannung sowie von Bedrohung und Gefahr. Die Spannung führt häufig zu Angst bis hin zu Panik oder zu depressiver Verstimmung.
- Weder wirkungsvolles Handeln noch Rückzug scheinen möglich.
- Der Selbstwert sinkt, ein psychischer Zusammenbruch ist möglich.

Man unterscheidet zwei Arten von psychosozialen Krisen: die potenziell traumatische und die Veränderungskrise.

Potenziell traumatische Krisen

Potenziell traumatische Krisen werden ausgelöst durch ein plötzlich auftretendes Ereignis, das allgemein als schmerzlich angesehen wird. Dazu zählen u. a. ein Unfall, eine unerwartet schlimme Diagnose, eine plötzliche Verschlechterung des körperlichen Zustands, Verlust oder Tod eines nahestehenden Menschen, schwere soziale Kränkung, Gewalt und sexueller Missbrauch, Großschadensereignisse und Naturkatastrophen. Eine wirksame psychosoziale Unterstützung in Krisensituationen kann dabei auch von Notfallsanitätern geleistet werden. In den einzelnen Phasen einer potenziell traumatischen Krise sind folgende Interventionen hilfreich:

- **Schockphase – für Sicherheit sorgen:** den Betroffenen nicht allein lassen, Kontakt halten, auch wenn er teilnahmslos oder passiv wirkt; für unmittelbare Bedürfnisse sorgen, die nächsten Schritte nennen. Keinesfalls im Schock die Ursachen oder Konsequenzen des traumatischen Ereignisses diskutieren: Für eine rationale Bearbeitung ist es zu diesem Zeitpunkt noch zu früh.
- **Reaktionsphase – zuhören:** den Betroffenen über das jeweilige Ereignis sowie über seine Reaktionen erzählen lassen, dabei nicht drängen; Angst, Verzweiflung und Wut ernst nehmen und nicht wegreden; Wünsche, Sorgen und Hoffnungen des Betroffenen sind zumeist Ausdruck für chaotische und verwirrende Gefühle. Durch Informationen eine Orientierungshilfe geben, sodass der Betroffene allmählich zu einer realistischen Einschätzung der Lage kommen kann.
- **Bearbeitungsphase – beraten, informieren:** Erst in dieser Phase wird es möglich, ein Ereignis in seiner ganzen Tragweite zu erfassen und zu verstehen. Der Betroffene kann das Geschehene und seine Folgen in Ruhe besprechen und braucht weitere Information und Beratung, um die nötigen Entscheidungen zu treffen, Fragen nach den Ursachen und der Verantwortung oder Schuld zu klären etc. Diese Phase beginnt zumeist einige Tage bis Wochen nach dem Ereignis, das die Krise ausgelöst hat. Die Betroffenen signalisieren selbst, wenn sie zu einer rationalen Auseinandersetzung bereit und in der Lage sind. Keinesfalls sollten sie gedrängt werden, sich mit den Fragen dieser Phase frühzeitig auseinanderzusetzen.
- **Neuorientierung – das Leben neu gestalten:** In dieser abschließenden Phase wenden sich die Betroffenen wieder ihrer Zukunft zu und beginnen ihr Leben neu zu gestalten, oft unter neuen Rahmenbedingungen. Dabei sind ausführliche und ehrliche Gespräche mit den Angehörigen, mit dem Partner und engen Freunden besonders wichtig. Notfallsanitäter können auf die Notwendigkeit dieser Gespräche und auf die Möglichkeit weiterführender Beratung (medizinisch, psychologisch, versicherungs-, berufsbezogen, rechtlich etc.) hinweisen.

Veränderungskrisen

Veränderungskrisen ergeben sich, wenn allgemeine Lebensveränderungen größere Umstellungen (sozial, körperlich oder psychisch) erfordern, die für den Betroffenen zu schwierig oder zu umfangreich sind, sodass sie nicht bewältigt werden können. Kritische Übergangszeiten sind u. a. Pubertät, Verlassen des Elternhauses, Schwangerschaft, Berufswechsel, Entwicklungsstillstand (Midlife-Crisis), Pensionierung oder die Konfrontation mit dem eigenen Sterben. Für die Intervention im Verlauf einer Veränderungskrise können stichwortartig folgende Hinweise gegeben werden:

- **Konfrontation bzw. Lösung misslingt:** Die Betroffenen sind mit allmählichen Verschlechterungen konfrontiert, die von selbst nicht zu bewältigen sind. Sie benötigen vor allem Information und Beratung, um die bestehenden Möglichkeiten zu erkennen, das Selbstvertrauen zu stärken, Ressourcen zu fördern und Risikofaktoren zu identifizieren. Es ist wichtig, die Sorgen ernst zu nehmen und auf möglichst alle Fragen eine Antwort zu finden.
- **Vollbild der Krise:** Wenn alle Bewältigungsversuche gescheitert und die Kräfte erschöpft sind, verzweifeln die Betroffenen und können psychisch und körperlich zusammenbrechen. Hier ist es für die Helfer entscheidend, den Kontakt zu halten (den sozialen Rückzug nicht hinzunehmen), für Sicherheit zu sorgen und Gefahren zu reduzieren, die Betroffenen zumindest teilweise zu entlasten und eine Struktur für den Alltag aufrechtzuerhalten, um Kurzschlusshandlungen zu verhindern.
- **Bearbeitung:** Für Veränderungskrisen gibt es keine schnellen Lösungen. Wichtig ist es deshalb, immer wieder Geduld und Zuversicht zu vermitteln, dass eine Verbesserung möglich ist. Zur Lösung ist es nötig, die Probleme/Themen zu sortieren, die bestehenden Aufgaben zu strukturieren, kleine Schritte zu planen, erste Erfolge zu registrieren, sich die erreichten und die kommenden Entlastungen bewusst zu erhalten und problematisches Verhalten abzubauen.
- **Neuanpassung:** Die Schwierigkeiten werden nach und nach bewältigbar, ein neues Selbstbild sowie neue Pläne für ein „Leben danach“ entstehen. Die Gegenwart ist jetzt eine andere und die Zukunft steht wieder offen.

MERKE

Der Begriff „Krise“ bedeutet sowohl dramatische Zuspitzung als auch Wendepunkt und anstehende Entscheidung. Je nachdem, wie eine Krise bewältigt wird, kann sie folglich negative oder auch positive Auswirkungen nach sich ziehen.

IM FOKUS

Kommunikation in Krisensituationen

- Psychosoziale Krisen umfassen immer den **Verlust des seelischen Gleichgewichts.**
- **Potenziell traumatische Krise**
  - **Schockphase:** „Ich sorge für Ihre körperliche und emotionale Sicherheit.“
  - **Reaktionsphase:** „Ich höre Ihnen zu.“
  - **Bearbeitungsphase:** „Ich berate Sie und gebe Ihnen Informationen.“
  - **Neuorientierung:** „Wie könnte Ihre Zukunft aussehen? Wer kann Sie dabei unterstützen?“
- **Veränderungskrise**
  - **Lösung misslingt:** Patienten auffangen
  - **Vollbild der Krise:** Gefahren verhindern
  - **Bearbeitung:** Patienten beraten
  - **Neuanpassung:** Soziale Netze nutzen

9.2.5 Kommunikation in Konfliktsituationen

Konflikte im Team

Auch unter Kollegen, im Team und mit Vorgesetzten können im Berufsalltag gelegentlich Konflikte auftreten. Diese **zwischenmenschlichen Spannungen und Konflikte** können sehr belastend sein, insbesondere wenn sie länger andauern. Um sie möglichst wirkungsvoll zu entschärfen und eine Eskalation zu vermeiden, sind folgende Fähigkeiten hilfreich:

- **Konfliktanzeichen früh und deutlich erkennen:** Konflikte beginnen mit Differenzen und Spannungen. Deshalb ist es wichtig, soziale Situationen realistisch einzuschätzen:
  - Wo stimmen wir überein, wo gibt es Unterschiede?
  - Was sehen/machen/entscheiden wir jeweils anders als der andere?
  - Wie gehen wir mit unterschiedlichen Auffassungen um?
  - Gibt es etwas, das mich am anderen bzw. den anderen an mir wirklich stört?

Blinde Flecken und Verzerrungen der sozialen Wahrnehmung können diesen Aspekt der Konfliktfähigkeit erheblich beeinträchtigen.

- **Wissen, was man erreichen will und was der andere tun soll:** In Konflikten ist es wichtig, möglichst genau zu wissen, was man in der Sache erreichen möchte und was der andere tun soll. Dazu sollte man sich u. a. folgende Fragen beantworten:
  - Was ist mir besonders wichtig (z. B. genaues Arbeiten, Einhaltung von Vorschriften, freundliche Atmosphäre)?
  - Was soll der andere tun, was erwarte ich mir (z. B. sich an die Regeln halten, mich respektieren, nachgeben, mir helfen etc.)?
  - Wann bin ich zufrieden?
- **Das eigene Anliegen zum Ausdruck bringen, ohne die Situation zu verschlimmern:** Das eigene Anliegen sollte so ausgedrückt werden, dass der andere es möglichst gut aufnehmen kann. Ein geeigneter Rahmen ist dabei ebenso wichtig wie der richtige Zeitpunkt und die passende Wortwahl. Missverständliche Ausdrücke und Gesprächskiller sollten unbedingt vermieden werden.
- **Standpunkte klären, Missverständnisse auflösen können:** In Konfliktsituationen fällt es oft schwer, den Standpunkt des anderen rasch und ohne Verzerrungen zu verstehen. Mit Missverständnissen ist auf beiden Seiten zu rechnen. Verschiedene Fragen können helfen, die Standpunkte zu klären: *„Was genau meinen Sie damit? Bitte geben Sie ein Beispiel.“*, *„Verstehe ich Sie richtig?“*, *„Bitte lassen Sie mich das erklären.“* In manchen Fällen kann ein Diskussionsleiter oder Vermittler die Klärung durch gezielte Fragen fördern.
- **Eskalationsschritte kennen und stoppen:** Es ist wichtig zu verstehen, wodurch ein Konflikt angeheizt und zugespitzt wird. Nur wenn man diese Mechanismen kennt, kann man entsprechende Verhaltensweisen selbst unterlassen und beim Konfliktpartner rasch unterbinden. Verschiedene Methoden der Gesprächsführung in Konflikten helfen, die notwendigen Regeln einzuhalten und zu einer Deeskalation und möglichen Lösung des Konflikts beizutragen.
- **Erkennen, ab wann man Hilfe von außen braucht:** Jeder Konflikt stellt das eigene Wissen und Können auf eine Probe. Wenn die eigenen Grenzen erreicht sind, ist Hilfe von dritter Seite nötig, um nicht in eine immer tiefere Verstrickung zu geraten. Die entscheidende Frage lautet in diesem Zusammenhang: Habe ich einen Konflikt oder hat der Konflikt mich? Externe Hilfe kann durch Freunde, Kollegen, Vorgesetzte, Betriebsrat, Arbeiterkammer, Gewerkschaft, Psychologen, Juristen etc. erfolgen.

Sexuelle Belästigung

Sexuelle Belästigungen – ob im Rahmen eines Einsatzes oder auf der Rettungswache – sollten rasch und entschieden gestoppt werden. Wichtig ist, ein klares und unmissverständliches „Nein!“ zu vermitteln:

- **Verbal:** mit fester Stimme auffordern: *„Lassen Sie das!“*, *„Nehmen Sie Ihre Hand weg!“*, *„Lassen Sie meinen Arm los!“*
- **Nonverbal:** dem Angreifer direkt in die Augen sehen, räumlichen Abstand gewinnen, sich ihm frontal zuwenden und nicht lächeln.

Übergriffe im beruflichen Kontext sollten umgehend dokumentiert und im Team angesprochen werden. Der Umgang mit den Übergriffen steht ansonsten im Kontext der allgemeinen Betreuung und Behandlung.

MERKE

Sexuelle Belästigung kann das Selbstbild der Betroffenen „ankratzen“ (*„Wer bin ich denn, dass der das mit mir macht?“*) und auch mit Scham behaftet sein (*„Wie stehe ich vor den anderen da?“*).

Für besonders betroffene Mitarbeiter sollte unbedingt die Möglichkeit bestehen, sich ggf. ablösen zu lassen und psychosoziale Unterstützungsangebote in Anspruch zu nehmen (→ Kap. 7.3).

IM FOKUS

Kommunikation in Konfliktsituationen

- Konflikte im Team können Auswirkungen auf das **Wohlbefinden der Mitarbeiter** und die **Patientenversorgung** haben.
- Helfen kann:
  - Konflikte früh ausmachen und benennen
  - Den eigenen Standpunkt ermitteln und ergebnisoffen einbringen
  - **Missverständnisse benennen und auflösen**
  - Eskalationsschritte, z. B. nach Glasl, kennen und nutzen
  - Hilfe von außen nutzen, wenn nötig

- **Sexuelle Belästigung** als spezielles Thema:
  - Kann sowohl verbal als auch nonverbal geschehen
  - **Ist niemals als Bagatelle zu sehen**
  - Vorfälle dokumentieren und offen ansprechen

9.3 Interaktion mit besonderen Personengruppen im Rettungsdienst

Notfallsanitäter interagieren in ihrem Beruf mit zahlreichen unterschiedlichen Personen bzw. Personengruppen. Das bedeutet, sie haben keinen beliebigen, oberflächlichen **Kontakt** zu anderen Menschen, sondern müssen angemessen mit ihnen **umgehen.**

DEFINITION

Interaktion bezeichnet das wechselseitige, kommunikative **Aufeinandereinwirken** von Menschen.

Professionelle Interaktion, d. h. ein reflektierter Umgang mit anderen Menschen, setzt dabei stets voraus, die psychische Situation der jeweils betroffenen Person bzw. Personengruppe anzuerkennen, nachzuvollziehen, kompetent zu **agieren** und zu **reagieren.**

9.3.1 Umgang mit Notfallpatienten

Notfallpatienten befinden sich häufig in einem **psychischen Ausnahmezustand** und sind mit vielfältigen **Belastungsfaktoren** konfrontiert. Vergleichbare Vorerfahrungen liegen meist nicht vor. Oftmals fühlen sie sich hilflos und ausgeliefert. Sie haben Schmerzen, ihr Schamgefühl kann verletzt werden, oder vielleicht fühlen sie sich auch schuldig, ein Unglück selbst verursacht zu haben.

Unter Umständen erleben Notfallpatienten einen völligen Kontrollverlust, sodass die Notfallsituation als etwas Fremdes, Bedrohliches, Beängstigendes und potenziell Überforderndes erlebt wird. Die Intensität der psychischen Belastung hängt dabei von zahlreichen sogenannten **Moderatorvariablen** ab, so z. B.

- von der Art und Schwere des Ereignisses bzw. der Verletzung oder Erkrankung,
- persönlichen Vorerfahrungen,
- dem Lebensalter, Familienstand und Beruf eines Menschen,
- davon, ob Angehörige oder Freunde mitbetroffen sind,
- davon, wie viele Menschen am Ereignis beteiligt sind, und
- davon, ob dabei jemand ums Leben gekommen ist.

Insgesamt ist das Erleben eines Notfallgeschehens individuell sehr unterschiedlich. Auch das Verhalten von Notfallpatienten kann stark variieren – von erstaunlicher Gelassenheit bis hin zu starken Angst- und Erregungszuständen.

Stressbelastung der Patienten

Hinsichtlich der **Stressbelastung bei Notfallpatienten** sind folgende Faktoren besonders wichtig:

- **Schmerzen:** Das Schmerzerleben kann von vollkommener Ausblendung bis zum äußerst intensiven Wahrnehmen reichen **(„Mikroskopeffekt“).** Neben biologischen Faktoren spielen dabei die Persönlichkeit und die Informiertheit des Betroffenen eine zentrale Rolle. Ausgeprägte Angstbereitschaft, Depressivität und ängstliche Selbstaufmerksamkeit verstärken das Schmerzempfinden, während positive Vorerfahrungen mit Schmerzbewältigung sowie das Wissen, dass Hilfe unterwegs ist, das Schmerzerleben reduzieren.
- **Äußere Sichtbarkeit:** Sichtbare Verletzungen werden meist als bedrohlicher empfunden als mögliche innere Verletzungen, auch wenn diese wesentlich gefährlicher sein können. Auch Laienhelfer oder (physisch) unverletzt Gebliebene achten oft mehr auf sichtbare Verletzungen und Blutungen etc. und stufen die Schwere einer Notfallsituation danach ein.
- **Vitale Bedeutung des Organs:** Verletzungen der Wirbelsäule, der Extremitäten oder der Augen werden oft als besonders große Bedrohung wahrgenommen, weil sie die Flucht aus dem Gefahrenbereich verhindern können und mit bleibenden schweren Behinderungen assoziiert werden. Auch Verletzungen und Erkrankungen, welche die Atmung stark beeinträchtigen, sowie Verbrennungen können von panischer Angst begleitet sein, da sie oft bei vollem Bewusstsein erlebt werden.
- **Subjektive Bedeutung des betroffenen Organs:** Verschiedene Organe oder Körperregionen haben eine besondere symbolische Bedeutung, z. B. das Gesicht und die Geschlechtsorgane. Andere erscheinen unverzichtbar für den Beruf oder Freizeit und Sport. Verlust oder Schädigung eines solchen Organs kann eine schwere **Erschütterung des Selbstwertgefühls** bewirken.

Notwendigkeit von psychologisch angemessenem Verhalten

Die physische Sicherung und die medizinische Versorgung haben in Notfallsituationen natürlich immer Vorrang. Gleichzeitig spielt auch ein psychologisch angemessenes Verhalten von Anfang an eine wichtige Rolle, aus mehreren **Gründen:**

- **Körper und Psyche beeinflussen sich wechselseitig.** Eine optimale Hilfeleistung ist daher ausgeschlossen, wenn die psychologische Situation eines Notfallpatienten vollkommen unbeachtet bleibt.
- Sich einem Notfallpatienten gegenüber psychologisch angemessen zu verhalten, kann die **Wirkung der medizinischen Therapie unterstützen** und verstärken. Atemnot kann – parallel zur Gabe von Medikamenten – beispielsweise auch dadurch verringert werden, dass der Betroffene beruhigt wird und Zuwendung erfährt. In einigen Fällen kann evtl. sogar auf bestimmte medizinische Maßnahmen wie z. B. eine Sedierung verzichtet werden, da eine psychologische Unterstützung bereits ausreichend ist.
- Aus Notfallerfahrungen können längerfristig anhaltende psychische Folgen resultieren. Die Häufigkeit der posttraumatischen Belastungsstörung (PTBS; → Kap. 7.1.3) ist exemplarisch in → Tab. 9.1

Notfallsituation	Häufigkeit (%)
Vergewaltigung, sexueller Missbrauch	50
Gewaltverbrechen	25
Verkehrsunfall	10–20
Lebensbedrohliche Erkrankungen	10–20
Katastrophen	3–10
Augenzeugen von Unfällen und Gewalthandlungen	5

Tab. 9.1 Häufigkeit der posttraumatischen Belastungsstörung (PTBS) nach unterschiedlichen Notfallsituationen (nach Hausmann 2016)

dargestellt. Wenn bei der Hilfeleistung medizinische und psychologische Aspekte jedoch gleichermaßen berücksichtigt werden, fällt die spätere **Verarbeitung und Bewältigung des Erlebten** eindeutig leichter.

- Ein psychologisch angemessenes Verhalten trägt zu einer günstigen Kontaktaufnahme und **Beziehungsgestaltung** zwischen dem Notfallpatienten und dem Rettungsteam bei. Die **Arbeitsatmosphäre** in einer Notfallsituation wird insgesamt positiv beeinflusst.
- Nicht zuletzt dient ein psychologisch angemessenes Verhalten auch der **Kundenorientierung.** Das mag auf den ersten Blick irrelevant erscheinen, ist es jedoch keineswegs: Einem medizinischen Laien bleibt nach einem Notfall z. B. nicht unbedingt in Erinnerung, welches Medikament ihm in welcher Dosierung verabreicht worden ist. Wie mit ihm umgegangen wurde und welcher Organisation bzw. welchem Unternehmen die Rettungsfachkräfte angehörten, die sich um ihn gekümmert haben, prägt sich jedoch ein. Auch aus diesem Grund sollte es im Interesse eines jeden Notfallsanitäters liegen, einen möglichst positiven Eindruck zu hinterlassen.

MERKE

Beruhigende Worte, nonverbale Signale und angemessene Formulierungen können das Verhalten des Verletzten und Erkrankten stabilisieren und die medizinische Versorgung wesentlich erleichtern.

Basisregeln der psychischen Ersten Hilfe (PEH)

Umgekehrt kann ein unangemessener Umgang erhebliche Zusatzbelastungen verursachen und die Bewältigung des Erlebten massiv erschweren. In einigen Fällen wird ein psychologisch unangemessenes Verhalten des Rettungsteams, u. U. auch nur eine einzelne unbedachte Äußerung, sogar noch negativer erlebt als das eigentliche Notfallgeschehen. Daher gelten (nach Lasogga und Gasch) **vier Basisregeln für die psychische Erste Hilfe (PEH),** die von jeder Rettungsfachkraft beachtet werden sollten:

1. **Sage, dass du da bist, wer du bist und was geschieht!**
   Der Notfallpatient soll spüren, dass er in seiner Situation nicht allein ist. Gehen Sie zum Unfallopfer hin und sprechen Sie mit ihm. Einfache Sätze wie *„Ich bleibe bei Ihnen"* wirken entlastend und beruhigend. Sagen Sie, wer Sie sind. Informieren Sie den Notfallpatienten über Ihre Maßnahmen. Vermitteln Sie dabei einen kompetenten Eindruck, indem Sie mit einigen Worten erläutern, warum Sie etwas tun. Bei der Gabe eines Medikaments sollten Sie auch Hinweise auf mögliche Nebenwirkungen geben (*„Sie bekommen von mir jetzt ein Medikament, von dem Sie etwas müde werden könnten."*). Auf diese Weise machen Sie deutlich, dass Sie wissen, was Sie tun, und dass Sie ein „Profi" sind.
2. **Schirme den Notfallpatienten vor Zuschauern ab!**
   Neugierige Blicke sind Notfallpatienten unangenehm. Die Verletzung des Schamgefühls spielt hierbei eine besondere Rolle, vor allem dann, wenn Patienten entkleidet werden müssen oder sie sich in einer besonders entwürdigenden Lage befinden (z. B. deutlich wahrnehmbar eingenässt oder eingekotet haben). Weisen Sie Schaulustige deshalb klar und bestimmt zurück (z. B. *„Bitte gehen Sie zwei Meter zurück."*). Wenn Zuschauer stören, weil sie unnötige Ratschläge geben oder von eigenen Erlebnissen berichten, geben Sie ihnen einen Auftrag. Sagen Sie z. B.: *„Schauen Sie, ob die Unfallstelle abgesichert ist. Bitte warten Sie dort unten und weisen Sie die Rettung ein, wenn sie kommt."* Zu besonders Aufdringlichen kann auch gesagt werden: *„Halten Sie bitte die Zuschauer auf Distanz und sorgen Sie für Ruhe."*
3. **Suche und biete vorsichtig Körperkontakt!**
   Leichter körperlicher Kontakt wird von Notfallpatienten zumeist als angenehm und beruhigend empfunden. Begeben Sie sich auf gleiche Höhe wie der Verletzte, knien Sie neben ihm oder beugen Sie sich hinunter. Halten Sie die Hand oder die Schulter des Patienten. Halten ist dabei besser als Streicheln. Bieten Sie an, dass sich der Notfallpatient bei Ihnen festhält. Wenn er durch die Kleidung eingeengt wird, friert, unbequem liegt oder wenn Kleidungsstücke zerrissen sind, decken Sie ihn mit einer Decke zu.
4. **Sprich mit dem Notfallpatienten und höre ihm zu!**
   Sprechen kann für Notfallpatienten wohltuend sein. Wenn ein Patient redet, hören Sie geduldig zu. Sprechen Sie aber auch von sich aus, möglichst in ruhigem Tonfall. Fragen Sie den Notfallpatienten nach Schmerzen, Bedürfnissen und danach, ob jemand benachrichtigt werden soll. Geben Sie diese Informationen ggf. an das Personal im Krankenhaus weiter. Sprechen Sie auch zu Bewusstlosen und zu Personen, die die deutsche Sprache nicht verstehen. Wenn möglich, sollte eine Rettungsfachkraft während des gesamten Einsatzes beim Notfallpatienten bleiben.

Keinesfalls sollte eine Rettungsfachkraft:

- Vorwürfe machen
- Schuld und Verantwortung diskutieren
- Bloße Vermutungen und Spekulationen äußern
- Furchterregende Signalwörter verwenden (schlimm, Blut, abgetrennt etc.)
- „Sprüche klopfen" oder vermeintliche Späße machen, die in Wirklichkeit keine sind oder die zu schwerwiegenden, verängstigenden Missverständnissen führen können (*„So, gleich im CT werden Sie erst mal schön in Scheiben geschnitten."*)

Diese Basisregeln sind eigentlich Selbstverständlichkeiten, die von vielen Menschen in Notfällen intuitiv richtig angewendet werden. Sie sollten nicht nur jedem professionellen Helfer, sondern im Grunde genommen auch jedem Laien bekannt sein und werden daher bereits in vielen Erste-Hilfe-Kursen vermittelt.

IM FOKUS

Umgang mit Notfallpatienten

- Richtige Sprache unterstützt medizinische Maßnahmen in ihrer Wirkung.
- Zudem beugt eine zugewandte Kommunikation der Entstehung von Traumafolgestörungen vor.
- Die **Basisregeln der psychischen Ersten Hilfe** (PEH) sollten unbedingt beachtet werden:
  - Sage, dass du da bist, wer du bist und was geschieht!
  - Schirme den Notfallpatienten vor Zuschauern ab!
  - Suche und biete vorsichtig Körperkontakt!
  - Sprich mit dem Notfallpatienten und höre ihm zu!
- Immer vermeiden: Vorwürfe, Spekulationen, unangebrachter Humor.

Begleitung Sterbender

Die Begleitung **Sterbender** ist auch im Rettungsdienst – von frustran verlaufenden Reanimationen einmal abgesehen – eine eher seltene Ausnahmesituation (→ Kap. 45.2.1). Über die hier beschriebenen grundsätzlichen Hinweise für den Umgang mit Notfallpatienten hinaus kann für diese speziellen Fälle noch ergänzt werden, dass die Abschirmung des Patienten in einem möglichst ruhigen Umfeld sowie die Nähe einer Bezugsperson besonders wichtig sind.

Auch und gerade zu Sterbenden kann ein vorsichtiger Körperkontakt aufgebaut werden (z. B. Hand halten). Wenn gewünscht, bietet sich ein religiöses Ritual wie ein gemeinsames Gebet an. Diese Unterstützung muss auch nicht zwingend von einem Notfallseelsorger übernommen werden, sondern kann grundsätzlich jeder leisten. Zudem könnte man offen danach fragen, ob man z. B. noch einen besonderen (letzten) Wunsch erfüllen kann. Vielleicht soll noch etwas aufgeschrieben oder jemandem eine Nachricht überbracht werden etc. Letzte Worte eines Sterbenden sollten von Notfallsanitätern ohnehin dokumentiert werden, um sie Hinterbliebenen ggf. unverfälscht mitteilen zu können.

Den **eigenen** Abschied von einem Sterbenden gestaltet jeder für sich – hier kommt es z. B. auch auf individuelle Todesvorstellungen an. Nachdem der Tod des Menschen festgestellt worden ist, konzentriert sich die Hilfeleistung auf einen angemessenen Umgang mit dem Leichnam sowie die Begleitung der Hinterbliebenen.

PRAXISTIPP

Hinweise für den Umgang mit einem verstorbenen Menschen

- Die Würde des Menschen ist unantastbar. Aufgrund der „postmortalen Wirkung“ von Art. 1 GG gilt dies auch über den Tod eines Menschen hinaus: Ein Leichnam ist kein Gegenstand, sondern ein (verstorbener) Mensch!
- In einem Raum, in dem sich ein Leichnam befindet, verhält sich das Rettungsfachpersonal zurückhaltend und pietätvoll, d. h., man spricht mit gedämpfter Stimme und verhält sich ruhig.
- Gegenüber Angehörigen sollte Rettungsfachpersonal nicht von „der Leiche“ sprechen, sondern stets von „Ihrem Mann“, „Ihrer Frau“, „Ihrem Sohn“, „Ihrer Tochter“ etc.
- Das Umfeld des Verstorbenen wird, sofern keine ermittlungstaktischen Überlegungen zur Aufklärung einer ungeklärten Todesursache dagegensprechen, aufgeräumt, d. h., Verpackungsmaterialien von Medikamenten, Infusionssystemen etc. werden sorgfältig entfernt (→ Kap. 12.5). Gleiches gilt für EKG-Elektroden, Beatmungstuben, venöse Zugänge etc. Eventuell nachblutende Wunden sind entsprechend zu versorgen.
- Der Verstorbene sollte möglichst nicht auf dem Boden liegen bleiben, sondern in Absprache bzw. auf Wunsch der Hinterbliebenen in einer angemessenen Weise aufgebahrt werden. Dazu wird ein Kissen unter den Kopf gelegt, die Hände werden auf dem Körper übereinandergelegt (jedoch nicht gefaltet), ein evtl. entnommenes Gebiss wird wieder eingesetzt, um ein Zusammenfallen des Gesichts zu vermeiden. Außerdem sollte der Verstorbene mit einem Laken bedeckt werden. Das Gesicht bleibt, wenn nichts dagegen spricht, üblicherweise jedoch frei.
- An Verstorbenen praktische Übungen invasiver Maßnahmen durchzuführen, ist in ethischer Hinsicht hochproblematisch.
- Religiöse und kulturelle Besonderheiten hinsichtlich des Umgangs mit Verstorbenen sind auch vom Rettungsfachpersonal nach Möglichkeit zu beachten (→ Kap. 45.1.2).

Umgang mit aggressiven Patienten

In den vergangenen Jahren haben Respektlosigkeiten sowie gewalttätige Übergriffe gegen das Rettungsfachpersonal offenbar zugenommen. In vielen Einsätzen, so kann man es zumindest in den Medien lesen, werden Rettungskräfte attackiert, beschimpft, beleidigt, bespuckt, mit Gegenständen beworfen oder auch geschlagen. Allein in Rheinland-Pfalz wurden, wie eine wissenschaftliche Studie zeigt, zwischen 2017 und 2021 771 Angriffe, Bedrohungen und Nötigungen gemeldet. Insgesamt – im Verhältnis zum Gesamteinsatzaufkommen – kommt es aber weiterhin nur bei wenigen Einsätzen zu Gewalt gegenüber Einsatzkräften. Nach einer in Bayern durchgeführten Untersuchung traten verbale oder körperliche Angriffe beispielsweise nur bei 0,01 % der Rettungseinsätze auf.

ACHTUNG! Die statistischen Angaben zum Thema **„Gewalt gegenüber Rettungsfachpersonal“** sind aus mindestens zwei Gründen jedoch mit einiger Vorsicht zu betrachten:

- Einerseits könnten die zunehmenden Fallzahlen auch einfach auf eine höhere Sensibilität für Gewalttätigkeiten und eine größere Anzeigebereitschaft als früher zurückgeführt werden.
- Andererseits kann davon ausgegangen werden, dass es noch eine erhebliche Dunkelziffer gibt. So gaben in einer Studie 80 % der von einem gewalttägigen Übergriff betroffenen Rettungsdienstmitarbeiter beispielsweise an, den Vorfall gerade *nicht* zur Anzeige gebracht zu haben.

Vor diesem Hintergrund könnte es sein, dass das Problem weniger dramatisch ist, als es vor allem aufgrund der entsprechenden Medienberichte scheint. Es könnte aber auch eine noch viel größere Dimension haben, als es an den bislang vorliegenden Zahlen erkennbar ist.

In jedem Fall stellt die Äußerung verbaler und physischer Gewalt gegenüber Rettungsfachkräften eine besondere Herausforderung dar. Wichtig zu wissen ist, dass aggressives Verhalten zumeist als ein Symptom verstanden werden muss. Häufige **Ursachen** sind:

- Starke Emotionen wie z. B. Angst, Enttäuschung, Frust, Verzweiflung oder Schuldgefühl
- Alkohol- und Drogeneinfluss
- Die Befürchtung einer Freiheitseinschränkung bzw. eines Autonomieverlustes, etwa bei einer bevorstehenden Krankenhauseinweisung

Aber auch psychische Störungen wie z. B. eine Schizophrenie oder neurologische Veränderungen, etwa im Rahmen einer Demenzerkrankung, können Gewalttätigkeiten begünstigen.

Zudem soll darauf hingewiesen werden, dass auch die Mitarbeiter des Rettungsdienstes durch ihre Uniform bzw. Einsatzkleidung oftmals als Vertreter der „Staatsmacht“ wahrgenommen werden. Für Menschen, die mit der Politik und der Gesellschaft besonders unzufrieden sind, mag schon dies eine Veranlassung dazu sein, Rettungsfachpersonal gegenüber ablehnend und latent aggressiv aufzutreten.

Bei **verbalen Angriffen** bzw. Beleidigungen kann dem Patienten gegenüber einerseits eine freundlich-bestimmte Klarstellung angebracht sein, dass man so von ihm nicht angesprochen werden möchte. Andererseits ist es in vielen Fällen sicherlich auch sinnvoll, bestimmte Äußerungen schlichtweg zu überhören und ihnen keine weitere Bedeutung zu schenken, um die Lage nicht weiter eskalieren zu lassen.

Bei **akuter körperlicher Aggression** eines Patienten gelten folgende Hinweise:

- Eigenschutz hat immer Vorrang!
- Ruhig bleiben, wachsam sein und das Verhalten des Patienten genau beobachten.
- Mögliche Fluchtwege suchen und im Auge behalten.
- Dem Patienten niemals den Rücken zudrehen.
- Frühzeitig dringende Unterstützung durch die Polizei alarmieren (sofern vorhanden: Notruffunktion im Funksystem nutzen).

MERKE

Auch ein schwer verletzter, akut gefährdeter Notfallpatient bleibt ggf. unversorgt, wenn er so aggressiv ist, dass seine Behandlung das Rettungsfachpersonal gefährden würde. In einem solchen Fall muss vor allen weiteren Maßnahmen das Eintreffen der Polizei abgewartet werden. Dem Rettungsfachpersonal sind hier „die Hände gebunden"!

- Auf Gegenstände achten, die für den Patienten erreichbar sind und ggf. als Waffe eingesetzt werden könnten (z. B. Messer, Scheren, Glasflaschen). Wenn es möglich ist, sollten solche Gegenstände vorsichtshalber, so unauffällig wie möglich, entfernt werden.
- Auf ruhigen, deeskalierenden Tonfall achten und beruhigende Gesten zeigen. Oftmals wirkt schon ein bestimmtes Auftreten eskalierend (z. B. ein breitbeiniger Stand mit verschränkten Armen). Dies gilt es unbedingt zu vermeiden!
- Sich selbst keinesfalls provozieren lassen.
- Keinerlei Vorwürfe machen, nicht drohen oder den Patienten „in die Enge treiben" *(„Wenn Sie jetzt nicht aufhören, dann…", „Dann wollen wir mal sehen, wer hier der Stärkere ist…")*.
- Gegebenenfalls sich selbst in Sicherheit bringen.
- Das gesamte (Tat-)Geschehen so rasch wie möglich sorgfältig dokumentieren, seinem Vorgesetzten melden und ggf. auch zur Anzeige bringen.

MERKE

Das Strafrecht wurde 2017 gezielt verschärft, sodass Übergriffe gegen Rettungskräfte nunmehr mit bis zu 5 Jahren Haft geahndet werden können!

- Nach einem gewalttätigen Übergriff sollten psychosoziale Nachsorge- und Unterstützungsangebote in Anspruch genommen werden (→ Kap. 7.3). Weil es zum Selbstbild von Rettungskräften gehört, doch lediglich etwas Gutes zu tun, wird es oftmals als besonders unverständlich und belastend erlebt, wenn man dann selbst eine Gewalterfahrung machen musste.

ACHTUNG! In manchen Rettungsdienstbereichen wird über das Tragen von Schutzwesten und eine „Bewaffnung" des Rettungsfachpersonals diskutiert, beispielsweise durch „Pfefferspray". Derartige Maßnahmen sind einerseits kritisch zu betrachten, weil sie u. U. eskalierend wirken und zudem das Bild von Rettungskräften in der Öffentlichkeit verändern. Darüber hinaus sind bei eigenen Abwehrstrategien klare rechtliche Vorgaben zu beachten. Andererseits können bestimmte Maßnahmen zum Eigenschutz sehr wohl angebracht und sinnvoll sein. Insbesondere zu empfehlen **sind Selbstverteidigungs- und Deeskalationstrainings,** die seit einigen Jahren von verschiedenen Anbietern durchgeführt werden. Immerhin fühlen sich 52 % der in einer Studie befragten Rettungskräfte nicht auf Angriffe vorbereitet. Hier könnten praktische Trainings definitiv hilfreich sein.

9.3.2 Umgang mit Angehörigen

Die Angehörigen von Notfallpatienten haben den Helfern gegenüber eine Reihe von Erwartungen. Dazu gehört, dass die Helfer so rasch und sicher wie möglich den Notfall in den Griff bekommen, seine Auswirkungen abmildern oder beenden. Gegenüber dem Rettungsteam besteht die spezielle Erwartung, dass die Lebensbedrohung des Patienten und andere Gefahren für Leib und Leben so rasch wie möglich beseitigt werden.

MERKE

Eine Reanimation, verbunden mit dem Hoffen und Bangen um das Leben des Opfers, stellt für Angehörige immer eine extreme psychische Belastung dar.

Im Fall des Todes des Patienten kollidieren die Erwartungen an die Helfer zwangsläufig mit der Realität. Manche Angehörige sind auch selbst am Notfallgeschehen beteiligt gewesen oder ihm nur knapp entkommen.

Die **Reaktionen der Angehörigen** können, auch wenn sie selbst nicht unmittelbar verletzt sind, daher die gleichen sein wie bei Notfallpatienten. Bei vielen stehen innere Lähmung, Orientierungslosigkeit und massive Ausbrüche von Wut und Schuldzuweisungen im Vordergrund. Das äußert sich in Sätzen wie *„Das kann doch nicht wahr sein.", „Tun Sie doch etwas!", „Wie hat das nur passieren können?".* Die Schuldzuweisungen richten sich an andere Personen (am Notfall Beteiligte, Helfer, das Opfer) oder an sich selbst *(„Ich bin schuld, wäre ich doch bloß …, hätte ich doch …")*.

ACHTUNG! In manchen Fällen ist der Anblick, der sich am Notfallort bietet, für die Angehörigen so schrecklich, dass sie dadurch ebenfalls traumatisiert werden.

Bei einigen Angehörigen ist in der Akutsituation auch die Realitätsprüfung zunächst blockiert. Die Bewältigung des Ereignisses und seiner Folgen sind damit verzögert. Gleichzeitig fehlen den Angehörigen oftmals Handlungsrichtlinien, wodurch sich die subjektive Hilflosigkeit weiter verstärkt. Insgesamt können die Reaktionen von Angehörigen in einer Notfallsituation sehr unterschiedlich sein. Es gibt kein „richtig" oder „falsch", sondern sämtliche Reaktionsweisen sind legitim und als solche auch zu akzeptieren.

Hilfreiche Interventionen beziehen sich vor allem auf den Kontakt zwischen Helfern, Angehörigen und Opfern, auf die Ermöglichung einer angemessenen Realitätsprüfung, das Einbeziehen in die Hilfeleistung, auf das Aktivieren der sozialen Kontakte und auf die Organisation der nächsten Schritte.

PRAXISTIPP

Wichtig ist, dass die Angehörigen mit ihren Sorgen und Ängsten ernst genommen und nicht sich selbst überlassen oder als „Störfaktoren" behandelt werden. Sie sollten vielmehr so viel wie möglich in die Hilfeleistung eingebunden werden, durch ausreichende Information ebenso wie (falls zumutbar) durch aktive Teilnahme (→ Abb. 9.8).

Im Einzelnen sind folgende **Verhaltensweisen gegenüber Angehörigen** in einer Notfallsituation angebracht:

- **Kontaktaufnahme**
  - Die Angehörigen begrüßen, eigenen Namen und Funktion nennen
  - Über Ablauf und Zweck der Hilfsmaßnahmen informieren
  - Eine Person als konstante Ansprechperson für Angehörige bereitstellen

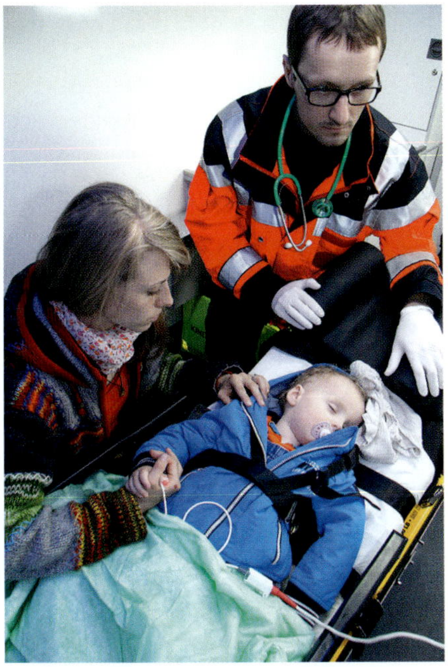

Abb. 9.8 Angehörige sollten nach Möglichkeit in die Hilfeleistung eingebunden werden. [O997]

- Während der Hilfsmaßnahmen weitere Informationen von den Angehörigen einholen (über die näheren Umstände des Notfalls, das Opfer etc.)
- Alle Fragen beantworten, eventuell gemeinsam auf neue Informationen warten
- Wenn möglich, zumindest einen Angehörigen in die unmittelbare Nähe des Opfers lassen

- **Angemessene Realitätsprüfung ermöglichen und, sofern möglich, in die Hilfeleistung einbeziehen**
  - Regelmäßige Information über den momentanen Stand (anfangs kurzfristige Intervalle)
  - Aktuelle Gefahren klar benennen, die Angehörigen auch auf die Möglichkeit des Schlimmsten vorbereiten
  - Den Angehörigen ermöglichen, schon während der Lebensrettung die mit der Situation verbundenen Gefahren wahrnehmen zu können, z. B. durch eine angelehnte oder geöffnete Tür (wenn zumutbar)
  - Nach Möglichkeit einfache Aufgaben übertragen, z. B. Medikamente und Kleidung für einen Krankenhausaufenthalt zusammenlegen, Unterlagen vom Hausarzt oder die Karte der Krankenversicherung suchen, eine Infusion halten etc.
  - Klare und einfache Mitteilungen; wenn das Opfer verstorben ist, den Tod benennen
  - Gelegenheit geben, den Verstorbenen (sofern gewünscht) noch einmal anzusehen und zu berühren, um sich zu verabschieden
  - Die Angehörigen ermutigen, den Verstorbenen ein letztes Mal zu berühren (wenn zumutbar)
- **Soziale Kontakte aktivieren**
  - Andere Familienmitglieder verständigen
  - Wenn nötig, Freunde, Nachbarn, Kollegen informieren
  - Sicherstellen, dass in der Familie mindestens eine Person anwesend ist, die den Alltag aufrechterhalten kann
  - Die betroffenen Angehörigen so lange nicht allein lassen, bis die soziale Unterstützung gewährleistet ist (durch andere Familienmitglieder, Freunde etc.)
  - Sofern keine eigenen sozialen Ressourcen verfügbar sind, sollte stets die Alarmierung psychosozialer Akuthelfer (Notfallseelsorge, Kriseninterventionsteam) in Erwägung gezogen bzw. angeboten werden (→ Kap. 12.4)
- **Die nächsten Schritte vorbereiten**
  - Die kommenden Ereignisse besprechen
  - Die Handlungsmöglichkeiten der Angehörigen klären
  - Einen Plan für die nächsten Stunden bzw. Tage entwerfen
  - Die Information von ferner stehenden Bekannten, Kollegen etc. vorbereiten („offizielle" Version des Geschehens formulieren)
  - Informationsmaterial für die Angehörigen bereitstellen (Hinweise und Tipps, Kontaktstellen etc.)
  - Weitere Unterstützungsmöglichkeiten ansprechen

IM FOKUS

Umgang mit Angehörigen

- **Angehörige handeln manchmal nicht rational. Das ist in Ordnung.** Sie haben Sorgen und müssen darin ernst genommen werden.
- Sie sind emotional nah am Patienten und sollten auch „nah an dessen Versorgung" sein dürfen.
- Wichtige Regeln:
  - Kontaktaufnahme offen und höflich gestalten
  - Angemessene Realitätsprüfung ermöglichen und, sofern möglich, **in die Hilfeleistung einbeziehen**
  - Soziale Kontakte aktivieren
  - Die nächsten Schritte vorbereiten, erklären und besprechen

9.3.3 Umgang mit Angehörigen anderer Kulturen

Jeder Mensch, der von einem Notfall betroffen ist, versucht die damit verbundenen Eindrücke zu verarbeiten und in sein bestehendes Weltbild zu integrieren. Dieser **kognitive und emotionale Bezugsrahmen** ist ebenso wie die verschiedenen Wahrnehmungen, Gefühle, Bedürfnisse und Gedanken im Zusammenhang mit dem Notfall auch kulturell geprägt. Bestimmte Reaktionen und Interpretationen gelten als naheliegend und normal, während andere abgelehnt werden oder tabuisiert sind. Dies gilt z. B. für den Umgang mit Trauer und Schmerz (lautes Weinen und Klagen vs. fassadenhafte Gefasstheit), für die Rolle der Familie für die Bewältigung von Notfällen (stark familien- und gruppenorientiert vs. individualistisch), für den Zugang zu Patienten (eventuell eingeschränkt aus religiösen Gründen), für die Bewertung der geleisteten Hilfe (mehr als genug vs. viel zu wenig).

Der **kulturelle Hintergrund** für den Umgang mit Notfällen spielt immer dann eine Rolle, wenn diesbezüglich gravierende Unterschiede zwischen den Betroffenen und den Helfern bestehen. Bei Menschen mit Migrationshintergrund, die schon vor längerer Zeit zugewandert sind, haben sich die Bewältigungsformen z. T. an die neue kulturelle Umgebung angepasst. Zur Bewältigung von Notfällen wird dennoch meist auf die vertrauten Reaktionsmuster und tradierten Einstellungen und Überzeugungen zurückgegriffen. Bei Touristen kommt oft die ungenügende sprachliche Verständigung hinzu. Grundsätzlich gilt in der Arbeit mit Angehörigen anderer Kulturen und mit Touristen:

- Die eigenen Grundhaltungen und Unterstützungsangebote nicht als selbstverständlich erachten
- Sich in Bezug auf Kultur, Alter, Geschlecht und Stellung der Betroffenen respektvoll verhalten
- Bei jeder Intervention genau darauf achten, wie der Betroffene sie annehmen kann

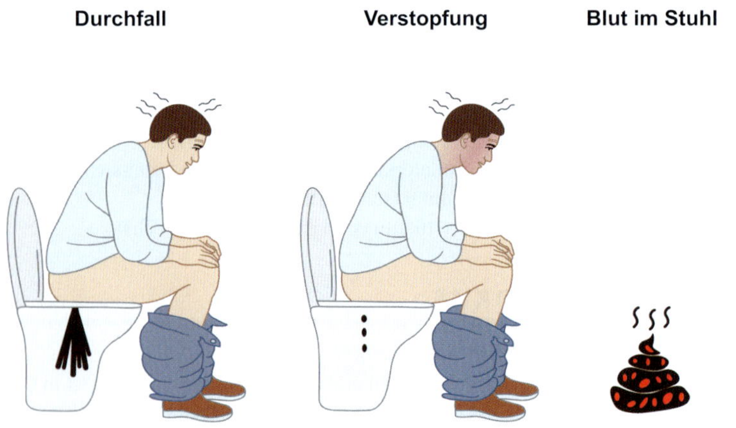

Durchfall	Verstopfung	Blut im Stuhl	German
diarrhoea	constipation	blood in the stool	English
diarrhée	constipation	sang aux selles	French
diarrea	constipación	sangre en las heces	Spanish
diarrea	costipazione	feci striate di sangue	Italian
proliv	zatvor	krv u stolici	Serbian
понос	запор	кровяной стул	Russian
[ponos]	[sapor]	[krowjanoj stul]	*phonetics*
ishal	kabiz	kakada kan	Turkish
أسهال	إمساك	دم مع الغائط	Arabic
[iss-haal]	[im-saak]	[dam ma-a al ghaiet]	*phonetics*

Abb. 9.9 Beispiel für eine Übersetzungshilfe [G448, L231]

Die folgenden Interventionen sind eine Ergänzung zu den bereits besprochenen. Sie beziehen sich auf Notfallpatienten, Angehörige und andere am Notfallort anwesende Personen.

- **Im Hinblick auf sprachliche Verständigungsschwierigkeiten:**
  - Langsam und deutlich sprechen
  - In ganzen Sätzen sprechen; keine Stummelsprache *(„Du hier warten …“)*, sondern in normalem Deutsch: *„Bitte warten Sie hier.“*
  - Schlüsselbegriffe aufschreiben oder aufzeichnen
  - Genau beobachten, ob die Reaktionen der Betroffenen in die gewünschte Richtung gehen; dies ist besonders bei nonverbalen Signalen wichtig (räumliche Nähe, Körperkontakt etc.)
  - Falls möglich, elektronische Übersetzungshilfen (Smartphone-App, Tablet) verwenden
  - Alterantive Möglichkeiten einer Verständigung versuchen (Nutzung nonverbaler Signale, Arbeiten mit Übersetzungstabellen, Symbolen oder Zeichnungen, um Sicherheit zu vermitteln und Informationen zu gewinnen, → Abb. 9.9)
  - Eine Person aus dem Umfeld finden, die als Dolmetscher fungieren kann (Angehörige, Nachbarn, Helfer)
  - Eventuell professionellen Dolmetscher hinzuziehen (dies wird in Notfallsituationen jedoch eher selten möglich sein).
- **Im Hinblick auf den Ausdruck von Gefühlen und Bedürfnissen:**
  - Sich über die üblichen emotionalen Ausdrucksweisen informieren, die im Herkunftsland der Betroffenen als normal gelten
  - Sich über **kulturspezifische Trauerreaktionen** und religiöse Vorschriften und Rituale informieren
  - Abklären, welche Unterstützung erlaubt bzw. erwartet wird
  - Darauf achten, wie sehr man Betroffene als hilfsbedürftig behandeln darf und was ungewollt beschämend wirken kann
  - Die kulturellen Besonderheiten akzeptieren, Betroffene nicht für ihre Reaktionen oder Gefühle verurteilen
- **Im Hinblick auf den Umgang mit besorgten Angehörigen:**
  - Betonen, dass die Helfer vor Ort da sind, um den Notfall in den Griff zu bekommen
  - Die eigenen Kompetenzen betonen *(„Wir alle haben die notwendige Ausbildung und Erfahrung.“)*, ohne eine überhebliche oder abwertende Haltung einzunehmen
  - Mit den Autoritätspersonen der Familie zusammenarbeiten, sie genau informieren und, wenn möglich, in die Hilfeleistungen integrieren; nicht mit ihnen in Konkurrenz treten
  - Die Loyalität der Familienmitglieder untereinander respektieren und so viel Nähe wie möglich zulassen

  - Den Wunsch einzelner Angehöriger, Verbundenheit, Pflichterfüllung, Treue und Verantwortungsgefühl gegenüber den Opfern und ihrer Familie zu zeigen, als Ressource nutzen
- **Bei erschwertem Zugang aus religiösen oder kulturellen Gründen:**
  - Die Notwendigkeit der Hilfsmaßnahmen und mögliche Komplikationen genau erklären
  - Über jeden Schritt vorher informieren, insbesondere was notwendige Körperkontakte betrifft
  - Verletzungen von Frauen, wenn möglich, von weiblichen Einsatzkräften versorgen lassen
  - Keinesfalls die religiösen Überzeugungen der Betroffenen oder Angehörigen diskutieren oder kritisieren
  - Generell: sich über die religiösen Hintergründe des Verhaltens bereits im Vorfeld informieren, um die möglichen Schwierigkeiten in der Notfallsituation richtig einzuordnen und die notwendige Unterstützung bereitzuhalten
- **Im Umgang mit Touristen:**
  - Den Betroffenen möglichst eine Gelegenheit bieten, zu Hause anzurufen und die Angehörigen daheim zu verständigen
  - Mehrere Betroffene aus einer Reisegruppe möglichst beisammen lassen, d. h. nach Möglichkeit in die gleiche Klinik transportieren
  - Kontakt mit dem Reiseveranstalter bzw. der Botschaft oder dem Konsulat des Landes aufnehmen, aus dem die Betroffenen stammen. Solche weiterführenden Aufgaben werden i. d. R. jedoch auch vom Klinikpersonal bzw. psychosozialen Akuthelfern (Notfallseelsorge, Kriseninterventionsteam, → Kap. 12.4) übernommen.

9.3.4 Umgang mit Kindern

Kindernotfälle sind im Rettungsdienst relativ selten. Abhängig davon, welche Altersdefinitionen festgelegt worden sind und ob in Statistiken zwischen ärztlich und nichtärztlich besetzten Rettungsmitteln unterschieden wird, beträgt ihr Anteil am Gesamteinsatzaufkommen zwischen 2,9 und 11 %. Im Durchschnitt wird eine Rettungsfachkraft jeden Monat etwa einmal mit einem akut erkrankten oder verletzten Kind konfrontiert. Allerdings muss nicht nur mit Kindern als Patienten angemessen umgegangen werden (→ Kap. 35.1). Kinder können z. B. auch bei medizinischen Notfällen ihrer Eltern oder Großeltern anwesend sein. Und wenn sich ein Unglück in Kindergärten oder Schulen ereignet hat, sind fast immer einige Kinder Augenzeugen des Geschehens.

Generell nehmen Kinder Notfälle in einer besonderen Weise wahr. Meist verfügen sie über noch **weniger Vorerfahrungen** als Erwachsene, sodass ihnen das Erlebte extrem fremdartig und unverständlich erscheint. **Wissensdefizite** bzw. unzutreffende Annahmen im Hinblick auf den Bau des menschlichen Körpers und die Funktion einzelner Organe können weitere Ursachen dafür sein, dass die Schwere von Verletzungen fehlinterpretiert wird.

MERKE

Tatsächlich bedrohliche Verletzungen (insbesondere die Verletzung innerer Organe) werden häufig unterschätzt, während Kinder Bagatellverletzungen wie eine oberflächliche Wunde mitunter als extrem bedrohlich erleben.

Jüngere Kinder kompensieren Wissensdefizite mit magisch-mythischen, teilweise sehr **irrationalen Annahmen und Vorstellungen.** Zudem denken Kinder häufig **egozentriert,** d. h., sie beziehen Ereignisse auf sich selbst oder erklären sie aus sich selbst heraus. Dies kann mit der Entwicklung starker Schuldgefühle verbunden sein, auch wenn dafür objektiv betrachtet kein Grund vorhanden ist. Ein Kind ist z. B. fest davon überzeugt, dass ein Notfall eingetreten ist, weil es zuvor laut gelacht hat oder „unartig“ war.

ACHTUNG! Die Denkweise pädiatrischer Notfallpatienten ist von Erwachsenen manchmal kaum nachzuvollziehen.

Weil Kinder noch nicht dazu in der Lage sind, einen **Perspektivwechsel** vorzunehmen, d. h., sich in andere Personen hineinzuversetzen, können sie die Absicht des Rettungsfachpersonals nicht immer erkennen. Daher werden Einsatzkräfte nicht unbedingt als Helfer wahrgenommen, sondern als Fremde oder „Eindringlinge“, deren Auftreten u. U. große Angst auslöst. Dass sich Kinder Rettungskräften gegenüber manchmal ablehnend (aversiv) verhalten, ist auf diese Weise gut zu erklären. Es sollte nicht als persönliche Ablehnung fehlinterpretiert werden, sondern resultiert aus dem Entwicklungsstand des Kindes und den besonderen Merkmalen der Situation.

Eine Besonderheit des kindlichen Notfallerlebens besteht schließlich auch darin, dass das kindliche Denken von der **unmittelbaren Wahrnehmung** geprägt ist. Dass eine unangenehme Maßnahme wie das Legen eines venösen Zugangs etwas Positives (z. B. Schmerzlinderung) bewirken soll, ist zumindest für jüngere Kinder kaum vorstellbar. Derartige Prozeduren können sie sogar als eine Bestrafung empfinden.

Um auf diese spezielle psychische Situation angemessen zu reagieren, muss beim Umgang mit Kindern in Notfallsituationen besonders behutsam und vorsichtig vorgegangen werden. Dies beginnt schon bei der **Kontaktaufnahme:** Einsatzjacken sollten dabei nach Möglichkeit abgelegt werden. Außerdem sollte man sich auf das körperliche Niveau eines Kindes herunterbeugen, sich mit ruhiger Stimme und möglichst freundlichem Gesichtsausdruck vorstellen und nach dem Namen des Kindes fragen (→ Abb. 9.10).

PRAXISTIPP

Keinesfalls sollte sich das gesamte Rettungsteam auf ein verletztes oder akut erkranktes Kind stürzen. Dadurch würde es nur zusätzlich verängstigt.

Abb. 9.10 Kontaktaufnahme zu einem Kind als Notfallpatient [O997]

Erwachsene Bezugspersonen (Eltern, Großeltern) sollten auch bei der Versorgung eines verletzten oder erkrankten Kindes nach Möglichkeit anwesend bleiben, um Halt und Sicherheit vermitteln zu können. Von dieser Regel sollte lediglich dann abgewichen werden, wenn

- die Bezugspersonen derart aufgeregt sind, dass sie die Durchführung der medizinischen Versorgung beeinträchtigen oder sogar verhindern,
- Rettungsfachkräfte durch die Anwesenheit der Bezugspersonen massiv verunsichert werden und sich dies auf die Versorgungsqualität auswirkt,
- sich die Aufregung der Bezugspersonen trotz intensiver Beruhigungsversuche massiv auf das betroffene Kind überträgt und sich wechselseitige Eskalationsmechanismen ergeben.

PRAXISTIPP

Selbst bei einer Kinderreanimation sollten Eltern im Raum oder zumindest in der unmittelbaren Nähe bleiben können. Viele Eltern, denen dies ermöglicht wird, sind im Nachhinein dankbar dafür. Sie können das Erlebte so besser bewältigen. Durch eine Ausgrenzung entsteht hingegen häufig der Eindruck bei den Eltern, das geliebte Kind alleingelassen zu haben, als es seine Eltern am dringendsten gebraucht hätte. Dies kann wiederum zu schweren Schuldgefühlen und Selbstvorwürfen führen.

Körperkontakt kann bei Kindern grundsätzlich intensiver ausfallen als bei Erwachsenen. Behutsame Berührungen an den Händen, Armen und Schultern wirken meist beruhigend. Von vielen jüngeren Kindern wird auch das Streicheln ihres Kopfes als etwas Angenehmes empfunden. Gleichwohl ist sehr sensibel auf ablehnende Signale zu achten. Wenn Berührungen einem Kind offensichtlich unangenehm sind, muss der Körperkontakt ggf. rasch wieder zurückgenommen werden.

Um das Verständnis für das Geschehene, die durchzuführende Hilfeleistung und das weitere Vorgehen zu fördern, ist die **Vermittlung von Informationen** in einer möglichst einfachen Sprache wichtig. Auf die Verwendung von Fachbegriffen sollte dabei verzichtet werden. **„Babysprache" ist allerdings falsch,** weil sich Kinder durch einen zu primitiven Sprachstil u. U. nicht ernst genommen oder unverstanden fühlen.

Fragen von Kindern, etwa ob eine Wunde genäht werden muss, sollten Rettungsfachkräfte stets ehrlich beantworten. Falsche Versprechungen (Beispiel: *„Nein, das tut überhaupt nicht weh!"*) sind unangebracht. Pädiatrische Notfallpatienten haben ein sensibles Gespür dafür, ob sie belogen werden oder nicht.

ACHTUNG! Wenn Kinder feststellen, dass ihnen einmal nicht die Wahrheit mitgeteilt wurde, ist jedes mühevoll aufgebaute Vertrauensverhältnis augenblicklich und meist irreparabel zerstört. Die weitere Versorgung eines Kindes wird dadurch wesentlich erschwert.

Darüber hinaus sollte Kindern das Gefühl vermittelt werden, die Notfallsituation bzw. zumindest einzelne Aspekte des Geschehens in irgendeiner Weise kontrollieren zu können. So bietet es sich an, ihnen kleinere **Aufgaben zu übertragen,** mit denen sie sich im günstigsten Fall an der Behandlung beteiligen. Entscheidend ist dabei nicht, dass es sich um eine tatsächlich effektive Mitwirkung handelt – wichtig ist lediglich, dass subjektiv ein entsprechender Eindruck entsteht. Ein Kind, das z. B. selbst auf die Trage im Rettungswagen klettern darf (und dies auch noch kann), erlebt sich dadurch eben nicht passiv und hilflos, sondern aktiv und engagiert.

Zeigt ein Kind erwünschte Verhaltensweisen, sollten es dafür ausdrücklich **gelobt** bzw. belohnt werden. Auf diese Weise wird deutlich gemacht, dass ein Kind selbst etwas zur Bewältigung beitragen konnte. Kinder können z. B. einen Aufkleber oder eine Anstecknadel als „Orden" geschenkt bekommen, um sie für hilfreiches Verhalten auszuzeichnen. Vor allem bei jüngeren Kindern haben außerdem **Kuscheltiere,** z. B. Stoffaffen oder Teddybären, eine außerordentlich positive Wirkung.

PRAXISTIPP

Viele Kinder haben solche Kuscheltiere zu Hause und vertrauen ihnen ihre Ängste und Nöte an. Kuscheltiere sollten deshalb auch in jedem Rettungswagen mitgeführt werden.

In einigen Fällen kann auch **Ablenkung** hilfreich sein. Ein verletztes oder akut erkranktes Kind kann z. B. dazu aufgefordert werden,

- laut bis zu einer bestimmten Zahl oder auch rückwärts zu zählen,
- etwas zu summen oder zu singen,
- sich etwas anzuschauen,
- etwas zu erzählen,
- eine Frage zu beantworten,
- etwas festzuhalten (z. B. die Hand eines Helfers oder einen Gegenstand).

ACHTUNG! Ablenkungsversuche wirken bei Kindern, insbesondere wenn es sich um eine tatsächlich schwerwiegende Notfallsituation handelt, nicht immer!

Für die Begleitung von Kindern, die eine Notfallsituation miterleben, ohne selbst Patient zu sein, sollte frühzeitig die **Alarmierung psychosozialer Akuthelfer** (Notfallseelsorge, Kriseninterventionsteam) in Erwägung gezogen werden (→ Kap. 12.4). Als Augenzeugen und Zuschauer sind Kinder besonders gefährdet, negative psychische Folgen zu entwickeln. Deshalb ist es wichtig, dass sich jemand intensiv um sie kümmern kann. Dem Rettungsfachpersonal fehlt dafür meist die Zeit.

Eine kurze Zusammenfassung wesentlicher Hinweise für den Umgang mit Kindern in einer Notfallsituation beinhaltet das **Regelwerk KASPERLE** (→ Tab. 9.2).

IM FOKUS

Umgang mit Kindern

- Irrationales Verhalten kann aus der Entwicklungsstufe des Kindes resultieren und sollte nicht persönlich genommen werden.
- **Nie falsche Versprechungen machen, drohen oder aufdringlichen Körperkontakt suchen.**
- **KASPERLE** kann helfen:
  - **K**ontaktaufnahme angenehm gestalten
  - **A**blenkung schaffen
  - **S**elbstkontrolle ermöglichen
  - **P**ersonen einbinden
  - **E**rklärungen geben
  - **R**eaktionen aushalten
  - **L**ieblingsspielzeug/-stofftier nutzen
  - **E**rmutigen, Fragen zu stellen und Ängste zu äußern

Buchstabe	Regel
K	Bei der **Kontaktaufnahme** sollte sich ein Notfallsanitäter auf die körperliche Ebene des Kindes hinunterbeugen. Anschließend sollte er sich vorstellen und nach dem Namen des Kindes fragen.
A	Insbesondere bei jüngeren Kindern kann **Ablenkung** hilfreich sein.
S	Die **Selbstkontrolle** eines Kindes kann durch die Übertragung einfacher Aufgaben gestärkt werden.
P	Eltern oder andere **Personen,** die einem Kind nahestehen, sollten nach Möglichkeit in die Hilfeleistung einbezogen und in das Krankenhaus mitgenommen werden.
E	Helfer sollten zu ihren Maßnahmen einfache **Erklärungen** geben. Fragen sind stets ehrlich zu beantworten. Auf bevorstehende Maßnahmen sollten Kinder vorbereitet werden.
R	Die **Reaktionen** von Kindern gegenüber Rettungsfachkräften können manchmal sehr ablehnend sein. Ein solches Verhalten sollte man professionell aushalten und hinnehmen.
L	**Lieblingsspielzeuge** oder Stofftiere eines Kindes sollten ins Krankenhaus mitgenommen werden. Wenn ein Kind kein eigenes Stofftier bei sich hat, sollte es eines geschenkt bekommen.
E	Kinder sollten ausdrücklich dazu **ermutigt** werden, Fragen zu stellen sowie Ängste und Bedürfnisse zu äußern.

Tab. 9.2 Regeln für den Umgang mit Kindern in einem Notfall (nach Karutz 2013)

9.3.5 Umgang mit älteren Menschen

Die Bevölkerungsentwicklung und langfristige Prognosen zeigen, dass in der Bundesrepublik eine Tendenz zur Überalterung zu beobachten ist. Mit dem Jahr 2000 sank der Anteil der Männer und Frauen zwischen 25 und 40 Jahren auf unter 20 % der Gesamtbevölkerung. Der Bevölkerungsanteil der über 65-Jährigen steigt demgegenüber kontinuierlich an. Bedingt durch die **im Alter zunehmende Krankheitshäufigkeit** (Morbidität) sind geriatrische Patienten im Rettungsdienst besonders häufig anzutreffen. Aktuell ist jeder zweite von einem Notarzt versorgte Notfallpatient 70 Jahre alt oder älter, rund zwei Drittel der Notfallpatienten im Rettungsdienst sind älter als 65 Jahre.

Ältere Menschen sind allerdings keine einheitliche Gruppe. Ab wann ein Mensch im medizinischen Sinne als „alt" bezeichnet werden kann, lässt sich nicht exakt abgrenzen. Der individuelle Gesundheitszustand hängt vielmehr von einem Zusammenwirken mehrerer Faktoren ab. Hier sind zu nennen

- das Lebensalter,
- die persönliche Lebenssituation (z. B. allein lebend, in einer Familie oder pflegebedürftig in einem Heim),
- die Qualität und Quantität sozialer Kontakte (einsam oder in ein Umfeld integriert),
- die psychische Befindlichkeit (z. B. aktiv und optimistisch oder passiv und depressiv),
- das Vorhandensein konkreter Lebensziele (Perspektiven vorhanden oder lediglich „auf den Tod wartend") sowie
- die Morbidität.

Deshalb ist auch kein pauschaler Umgang mit „dem" alten Menschen angebracht, sondern vielmehr ein individuelles Eingehen auf jeden einzelnen. Längst nicht alle alten Menschen sind z. B. einsam und verwirrt und bei Weitem nicht alle alten Patienten sind gebrechlich **(frail),** pflegebedürftig und **multimorbide,** d. h., sie leiden an mehreren Erkrankungen gleichzeitig. Dies betrifft lediglich rund 10 % der über 65-Jährigen. Etwa 40–45 % der Angehörigen dieser Altersgruppe gelten allerdings als **pre-frail** (Pre-Frailty = Vorstufe der Gebrechlichkeit). Zudem kann sicherlich davon ausgegangen werden, dass mit zunehmendem Alter bestimmte gesundheitliche Einschränkungen grundsätzlich wahrscheinlicher sind. Etwa 50 % der über 65-Jährigen haben z. B. eine arterielle Hypertonie, bei etwa 35 % wurde die koronare Herzkrankheit (KHK) diagnostiziert. Rund 15 % sind Diabetiker und jeweils etwa 10 % sind an einer chronisch-obstruktiven Lungenerkrankung oder einer Herzinsuffizienz erkrankt.

ACHTUNG! Grundsätzlich zu beachten ist, dass ältere Menschen selbstverständlich das gleiche Recht und den gleichen Anspruch auf eine hohe medizinische Versorgungsqualität haben wie jeder andere, jüngere Mensch auch. Auf die Durchführung bestimmter Maßnahmen bzw. Hilfeleistungen (z. B. Reanimation, Transport in ein Traumazentrum) zu verzichten, nur weil der Patient ein bestimmtes Lebensalter erreicht hat, ist inakzeptabel!

Einsätze des Rettungsdienstes werden von älteren Menschen in einer besonderen Weise wahrgenommen und erlebt. Manche ältere Menschen assoziieren Krankenhäuser z. B. mit dem Begriff „Sterbehaus", sehen es als Vorstufe zum Pflegeheim und haben Angst, durch eine Hospitalisierung ihre Selbstständigkeit zu verlieren. Arbeitsabläufe im Rettungsdienst sind ihnen fremd. Deshalb besteht die Gefahr, dass der Kontakt mit dem Rettungsfachpersonal generell als bedrohlich empfunden wird. Einige ältere Menschen sind Rettungsfachkräften gegenüber in hohem Maße misstrauisch. Mitunter befürchten sie, vom Rettungsdienst in eine Pflegeeinrichtung „abgeschoben" zu werden. Manchmal schämen sich ältere Patienten auch sehr dafür, dass bei einem Einsatz ihretwegen ein derartiger Aufwand betrieben werden muss.

PRAXISTIPP

Solche Gefühle und Gedanken müssen ernst genommen und dürfen nicht bagatellisiert oder abgetan werden.

In diesem Zusammenhang zielt das Konzept der **Validation** zunächst auf eine angemessene Grundhaltung gegenüber älteren Menschen. Ihre Gedanken, Emotionen und Verhaltensweisen sollen als „für sie gültig" akzeptiert und angenommen, d. h. validiert werden. Nach Feil sind dabei u. a. folgende **Leitgedanken** relevant:

- Alle Menschen sind gleichermaßen wertvoll, und zwar vollkommen unabhängig davon, in welchem Ausmaß sie verwirrt sind.
- Auch ältere und u. U. verwirrte Menschen sind einzigartig und müssen als Individuen behandelt werden.
- Ältere Menschen kann man nicht dazu zwingen, ihr Verhalten zu ändern; ältere Menschen hat man zu akzeptieren, wie sie sind.
- **Empathie** führt zu Vertrauen, verringert Angstzustände und trägt dazu bei, auch die Würde älterer Menschen aufrechtzuerhalten.

Speziell im Hinblick auf Notfallsituationen können von diesen Leitgedanken ausgehend zahlreiche weitere Handlungsempfehlungen gegeben werden. So kann insbesondere eine ehrliche und glaubwürdige **Informationsvermittlung** Ängsten entgegenwirken. In vielen Fällen sind allerdings geduldige Wiederholungen notwendig, z. B. weil ein Patient eine bestimmte Frage immer wieder stellt.

Beeinträchtigungen der Hörfähigkeit muss das Rettungsfachpersonal ggf. durch lauteres, langsameres und besonders **sorgfältig artikuliertes Sprechen** ausgleichen. Eine Gangunsicherheit bzw. Gleichgewichtsstörung hat zur Folge, dass viele ältere Patienten beim Gehen und beim Treppensteigen gestützt werden müssen.

ACHTUNG! Hilfsmittel wie Brillen, Hörgeräte, Zahnprothesen und Gehstöcke sind bei Transporten älterer Menschen unbedingt mitzunehmen.

Die Anrede „Oma" und „Opa" ist unangebracht, ebenso wie ein pauschales Duzen älterer Menschen. In diesem Zusammenhang ist auf die grundsätzliche Problematik **patronisierender Kommunikation** hinzuweisen, die sich u. a. durch die Wahl einfacher oder kindlicher Begriffe wie „Pipi" oder „Popo" sowie das einschließende, übergriffige „Wir" auszeichnet (Beispiel: *„Wie geht's uns denn heute?"*). Die Stimme ist dabei Sing-Sang-haft, säuselnd und eher hoch.

Eine Extremform der patronisierenden Kommunikation ist der sog. **Secondary Babytalk.** Diese Bezeichnung rührt daher, dass viele Elemente der Sprache ähneln, die häufig Babys und Kleinkindern gegenüber verwendet wird. Oftmals werden dabei die Worte „schön" oder „fein" benutzt (Beispiel: *„Jetzt mal schön festhalten."*). Üblich sind außerdem Verniedlichungen und Ersetzungen wie z. B. „Thrönchen" für Toilette oder „Happi-Happi" für Essen.

ACHTUNG! Derartige Formen der Kommunikation werden von älteren Menschen meist als respektlos wahrgenommen und sind unbedingt zu vermeiden.

Ebenfalls zu unterlassen sind Vorwürfe gegenüber älteren Menschen, etwa für das Nichterkennen bestimmter Symptome *(„Sie müssen doch gemerkt haben, dass Ihr Mann so einen hängenden Mundwinkel hat!")*, die Verursachung einer Notfallsituation *(„Warum mussten Sie in Ihrem Alter auch noch auf die Leiter steigen!")* oder für eine späte Alarmierung des Rettungsdienstes *(„Warum haben Sie uns denn nicht eher gerufen?")*.

MERKE

Insbesondere bei älteren Paaren, die noch gemeinsam in einer Privatwohnung leben, kann die Hemmschwelle, den Rettungsdienst zu rufen, besonders hoch sein.

Womöglich wird befürchtet, dass der Transport des Partners in eine Klinik mit einem **Abschied für immer** verbunden sein könnte, und so wird von einer Alarmierung des Rettungsdienstes – auch wenn es unlogisch sein mag (wenn überhaupt keine Hilfe erfolgt, können erst recht schwerwiegende Gesundheitsschädigungen drohen) – zunächst lieber Abstand genommen. Dass viele ältere Menschen sich im eigenen Haushalt scheinbar leichtsinnig verhalten, ist ebenfalls zu erklären: Oftmals wollen sie sich die eigene Hilfsbedürftigkeit nicht eingestehen oder es ist ihnen unangenehm, Unterstützungsleistungen zu beanspruchen. Aus diesem Grund besteigen manche ältere Menschen eben noch Leitern, versuchen, schwere Gegenstände zu heben und zu tragen etc. – mit den entsprechend häufigen Verletzungsfolgen.

Nicht unerwähnt bleiben soll an dieser Stelle noch, dass ältere Menschen durch den Abbau von Fettgewebe rascher frieren und auch unterkühlen können als jüngere. Bei der Versorgung und während des Transports ist daher stets auf eine **angemessene Wärmeerhaltung** zu achten. Bei niedrigen Außentemperaturen im Herbst und im Winter muss der Patientenraum des RTW oder KTW vorgeheizt werden.

Sofern ein älterer Mensch in eine Klinik transportiert wird und ein Partner des Patienten nicht mitgenommen werden kann, sondern allein in einer Wohnung verbleibt, sollte außerdem daran gedacht werden, eine **weiterführende Betreuung** für denjenigen sicherzustellen. Ein Anruf bei Angehörigen oder die Kontaktaufnahme zu Nachbarn kann bereits ausreichend sein.

ACHTUNG! Wenn ein allein zurückbleibender Angehöriger keine eigenen sozialen Ressourcen in seinem Umfeld (mehr) hat, sollten ggf. Sozial- oder Pflegedienste, psychosoziale Akuthelfende (Notfallseelsorge, Kriseninterventionsteam, → Kap. 12.4) oder auch Mitarbeitende der örtlichen Kirchengemeinde hinzugezogen werden.

Hinweise zum Umgang mit Demenzpatienten

Bei den rund 1,5 Millionen **Demenzpatienten** (→ Kap. 33.9) in Deutschland sind über die bisherigen Ausführungen in diesem Kapitel hinaus noch einige weitere Hinweise zu beachten. So kommt es bei ihnen in besonderer Weise darauf an, das eigene Kommunikationsverhalten an die (noch) vorhandenen kognitiven Fähigkeiten anzupassen. Auch und gerade Demenzpatienten gegenüber müssen Rettungsfachkräfte äußerst respektvoll und freundlich auftreten.

ACHTUNG! Eine **„Verdinglichung"** darf niemals zugelassen werden – auch dann nicht, wenn die verbale Kommunikationsfähigkeit eines Patienten bereits stark eingeschränkt oder überhaupt nicht mehr vorhanden ist.

Durch eine direkte, ruhige Ansprache kann ggf. die Chance erhöht werden, die Aufmerksamkeit eines Demenzpatienten doch noch zu gewinnen. Bei einer weit fortgeschrittenen Demenz kann es ansonsten hilfreich sein, leichten Körperkontakt herzustellen oder **non- und paraverbale Kommunikationsmöglichkeiten** zu nutzen. Auf eine Veränderung der Stimmlage reagieren Patienten z. B. auch dann noch, wenn ansonsten kein sprachlicher Ausdruck mehr möglich ist. Berührungen, z. B. das Halten der Hand oder das Auflegen der Hand, können während der Fahrt beruhigen, ebenso wie eine betont ruhige Stimme.

Da komplexe inhaltliche Zusammenhänge für Demenzpatienten häufig nicht mehr nachvollziehbar sind, sollte das Rettungsfachpersonal in möglichst einfachen, nicht verschachtelten Sätzen sprechen. Ebenso sollte auf Ironie oder mehrdeutige Ausdrücke verzichtet werden, da diese ggf. nicht mehr verarbeitet bzw. gedeutet werden können.

IM FOKUS

Umgang mit älteren Menschen und Demenzerkrankten

- **Alte Menschen sind nicht alle gleich** und können selbst mit starken Einschränkungen der Gesundheit noch sehr glücklich leben.
- Die Grundhaltung ist von zentraler Bedeutung: Ein alter Mensch ist, wie jeder andere Mensch auch, wertvoll und wichtig!
- Saubere Sprache und Artikulation können helfen; vermieden werden müssen „Secondary Babytalk" und patronisierende Kommunikation.
- Die Kommunikation mit **Demenzpatienten** kann besonders herausfordernd sein. Hier sollten verstärkt **non- und paraverbale Kommunikationsmöglichkeiten** genutzt werden.

9.3.6 Umgang mit Menschen mit psychischen Erkrankungen

Psychiatrische Notfälle sind – nach internistischen und chirurgischen – der dritthäufigste Einsatzgrund im Notarztdienst. Unter **psychiatrischen Notfällen** können allerdings zwei verschiedene Situationen verstanden werden (→ Kap. 39):

- Personen mit einer psychischen bzw. psychiatrischen Störung werden – unabhängig von dieser Störung – in einen Notfall verwickelt, z. B. in einen Autounfall, ein Zugunglück, einen Brand etc. Eine bereits bestehende Symptomatik kann dabei deutlich verstärkt werden. Bei bereits abgeklungenen Störungen kann es auch zu einem Wiederauftreten der Symptome kommen. Das ist v. a. bei einer früheren Traumatisierung zu erwarten, etwa durch einen ähnlichen Unfall, eine Jahre zurückliegende Vergewaltigung oder Kriegserlebnisse (Sirenen, Explosionen, Feuer), die durch einen aktuellen Notfall reaktiviert werden.
- Eine bestehende psychische Störung spitzt sich derart zu bzw. wird so akut, dass sich daraus eine unmittelbare Gefährdung für die Person oder ihre Umgebung ergibt, z. B. aufgrund von Halluzinationen, Wahnideen oder akuter Manie.

Hinweise auf eine psychiatrische Störung sind unter anderem:

- **Formale Denkstörungen:** äußern sich in unverständlichen, unzusammenhängenden oder unvollständigen Sätzen, Vorbeireden am Thema, bizarren Wortbildungen
- **Wahnideen:** beziehen sich auf nicht nachvollziehbare Bedrohung, Verfolgung oder Beeinträchtigung durch andere Personen oder Organisationen, auf Schuld und Versündigung etc.; der Patient ist von diesen Vorstellungen unkorrigierbar überzeugt
- **Halluzinationen:** Wahrnehmungen ohne physische Grundlage, die von niemand anderem geteilt werden, z. B. Stimmen hören, obwohl niemand sonst anwesend ist
- **Starke affektive Beeinträchtigung:** z. B. lang anhaltende depressive Verstimmung, unangemessene Euphorie, nicht nachvollziehbare Angst
- **Weitere Symptome** wie Bewusstseinsstörungen, kognitive Störungen, vegetative Störungen sowie Störungen der Psychomotorik

ACHTUNG! Die genaue Diagnose einer psychischen Störung setzt umfassende psychologische bzw. psychiatrische Expertise voraus!

Die erhobenen Patientendaten und Symptome sollten vom Rettungsteam so gut wie möglich dokumentiert und den weiterbehandelnden Spezialisten genau mitgeteilt werden. Das ist besonders bei akuter Suizidalität und mangelnder Kooperation des Patienten sehr wichtig. Auf akute Wahnideen und Halluzinationen sollten Notfallsanitäter nicht näher eingehen. Stattdessen sind folgende **Vorgehensweisen** hilfreich:

- Höfliche und konkrete Anweisungen geben: *„Bitte setzen Sie sich hier hin."*
- Über das Hier und Jetzt sprechen: *„Wir warten jetzt auf den Arzt. Das dauert nicht mehr lang."*
- Auf problematische Fragen nicht eingehen: *„Dazu kann ich Ihnen nichts sagen."*
- Auf andere Themen umlenken, z. B. auf Körperempfindungen, die mit den vermeintlichen Halluzinationen oder Wahnvorstellungen nichts zu tun haben: *„Ist Ihnen kalt?", „Tut es immer noch gleich weh oder wird es ein bisschen besser?"*
- Geschlossene Fragen stellen (ggf. auch mehrere hintereinander): *„Möchten Sie etwas trinken?", „Sitzen Sie bequem?"*
- Über neutrale, nicht emotionale Fakten sprechen: *„Wo kommen Sie her?", „Wo arbeiten Sie?"*
- Nicht drängen, für Sicherheit sorgen.

Wichtig zu wissen ist, dass psychiatrische Erkrankungen in unserer Gesellschaft oftmals tabuisiert sind, d. h., es wird nicht oder nur „hinter vorgehaltener Hand" darüber gesprochen. In hohem Maße haben psychiatrische Erkrankungen auch etwas Stigmatisierendes. Deutlich wird dies beispielsweise an despektierlichen Bezeichnungen wie „Balla-Burg" (für eine Psychiatrische Fachklinik) oder „Gaga-Einsatz" (für den Transport eines psychisch kranken Menschen).

MERKE

Vom Rettungsfachpersonal ist im Umgang mit psychisch kranken Menschen selbstverständlich die gleiche Professionalität zu erwarten wie bei jedem anderen Patienten auch. Insbesondere sollte auf einen angemessenen Gebrauch der (Fach-)Sprache geachtet werden. Der Umgang mit psychisch kranken Menschen ist insgesamt so „normal" wie möglich zu gestalten. Unnötige Zusatzbelastungen für Patienten und deren Angehörige durch abwertende Äußerungen sind absolut unprofessionell und strikt zu vermeiden!

Suizidalität

Der Umgang mit suizidalen Menschen (→ Kap. 39.5) zählt zu den heikelsten und schwierigsten Aufgaben eines Notfallsanitäters. Das übergeordnete Ziel, dem alle Helfer gemeinsam verpflichtet sind, ist nicht allein, den Betroffenen daran zu hindern, sich das Leben zu nehmen. Letztlich geht es darum, mit dem Betroffenen jene guten Gründe zu finden, warum sich ein Weiterleben für ihn lohnt. Dieses langfristige Ziel sollte vom ersten Augenblick an im Auge behalten werden.

MERKE

Wie auch immer die Umstände sind: Der Notfallsanitäter steht auf der Seite des Lebens.

Interventionen

Die **Hauptziele** in der Akuthilfe für suizidale Menschen sind:

- **Entlastung** (Situation entschärfen, Dampf ablassen)
- **Klarheit schaffen** (für sich und den Betroffenen)
- **Maßnahmen treffen,** konkrete Hilfe leisten, weitere Hilfe organisieren

Der größte Verbündete im Umgang mit suizidgefährdeten Menschen ist die Umwelt des Betroffenen. Zu dieser gehören auch psychosoziale Akuthelfer (→ Kap. 12.4) und andere Intervenierende. Mitmenschen sind für die Bewältigung der Krise von entscheidender Bedeutung. Für Suizidgefährdete gibt es deshalb keine größere Gefahr als die Isolation. Aus diesem Grund sollte immer versucht werden, mit suizidgefährdeten Menschen den Kontakt bzw. ein Gespräch aufrechtzuerhalten. Folgende **Voraussetzungen** erleichtern die Betreuung:

- Ruhiger, ungestörter Raum
- Gespräch unter vier Augen
- Kein Zeitdruck
- Weitere Helfer (Kollegen) in Rufnähe

In Akutfällen, wie sie im Rettungsdienst auftreten, sind folgende **Erstinterventionen** sinnvoll:

- Die Sicherheit des Betroffenen gewährleisten: ständige Überwachung durch Psychologen, Rettungspersonal, Familienangehörige oder andere Helfer; auch beim Gang zur Toilette begleiten; Zugang zu Glas, Messer, Gürtel verhindern
- Bei starker Erregung dem Betroffenen vom Arzt Beruhigungsmittel geben lassen
- Auf keinen Fall Beschuldigungen, Vorwürfe oder Kritik am Betroffenen und seinen Handlungen äußern
- Bei akuter Selbst- oder Fremdgefährdung Überstellung in stationäre Behandlung veranlassen

Fehler vermeiden

Das Gespräch mit Suizidgefährdeten aufrechtzuerhalten ist sozusagen eine **Basisintervention.** Solange ein Betroffener spricht, besteht zumindest eine minimale Beziehung zu einem anderen Menschen. Und Beziehungen sind es, die uns im Leben halten. Beziehung und Gespräch können allerdings gefährdet werden, wenn der Gesprächspartner falsch oder unvorsichtig handelt. Es gibt im Umgang mit Suizidgefährdeten einige Dinge, die man auf jeden Fall vermeiden sollte. Zu diesen Gefahren zählen:

- Vorschnelles Trösten *(„Wird schon wieder.")*
- Ermahnungen *(„Reißen Sie sich zusammen.")*
- Verallgemeinerungen *(„So ist das Leben.")*
- Ratschläge *(„Warum machen Sie nicht einfach XY?")*
- Belehrungen *(„Also generell gilt …")*
- Herunterspielen des Problems *(„Ist ja alles nicht so tragisch.")*
- Beurteilen und kommentieren *(„Sie sehen das völlig falsch.")*
- Nachforschen, ausfragen, analysieren (dies verstärkt das Problembewusstsein und damit den inneren Druck)
- Vorschnelle Aktivitäten entwickeln

IM FOKUS

Umgang mit psychisch Erkrankten und Suizidalität

- Grade in sehr kritischen Situationen kann eine freundliche, scheinbar belanglose Kommunikation bis zum Eintreffen eines Notarztes oder einer psychosozialen Fachkraft sehr wertvoll sein.
- **Nicht zu bestimmten Aussagen drängen lassen oder halbherzige Ratschläge geben.**
- Bei **Suizidalität** sind folgende Ziele von Bedeutung:
  - **Entlastung** (Situation entschärfen, Dampf ablassen)
  - **Klarheit schaffen** (für sich und den Betroffenen)
  - **Maßnahmen treffen** (konkrete Hilfe leisten, weitere Hilfe organisieren)

9.3.7 Umgang mit Menschen in Sozialnot

Der Terminus **Sozialnot** steht für unterschiedliche Situationen wie z. B.:

- Armut, Obdachlosigkeit
- Familiäre Konfliktsituationen
- Akute Belastungsreaktionen
- Pathologische Trauerreaktionen
- Akute Überforderungssituationen
- Vereinsamung **(soziale Isolation)**
- Verwahrlosung bzw. Verelendung (→ Abb. 9.11)

Dass der Rettungsdienst mit solchen Situationen konfrontiert wird, nimmt eindeutig zu. Die **Gründe** dafür sind vielschichtig:

- Auflösung von Familien- und Nachbarschaftsstrukturen

Abb. 9.11 Die Zustände in verwahrlosten Wohnungen sind teilweise unvorstellbar. [M235]

- Zunahme von Einpersonen- bzw. Singlehaushalten
- Arbeitslosigkeit
- Anonymität des Lebens in (Groß-)Städten
- Forderung nach „beruflicher Flexibilisierung"

Bundesweit macht das Phänomen Sozialnot bis zu 20 % des Gesamteinsatzaufkommens aus, in manchen Großstädten sind bis zu 65 % der RTW-Einsätze nicht vorrangig notfallmedizinisch begründet, sondern es liegt ebenfalls eine eher psychosoziale Problemstellung vor. Manche Menschen in akuter Sozialnot sind dem Rettungsfachpersonal sogar bereits persönlich bekannt, da ihre spezielle Lebenssituation in kurzer Zeit immer wieder zu einer Alarmierung des Rettungsdienstes führt.

MERKE

Für viele Rettungsfachkräfte handelt es sich dabei um lästige, „unnötige" (Fehl-)Einsätze. Eine derart oberflächliche Betrachtungsweise greift allerdings zu kurz.

Auch und gerade bei einer akuten Sozialnot ist ein professionelles Handeln des Rettungsdienstes gefordert. Die Durchführung von Kriseninterventionsmaßnahmen sowie die Anbahnung bzw. die **Vermittlung weiterführender Hilfen** gehören ebenso zum rettungsdienstlichen Aufgabenspektrum wie die Versorgung körperlicher Verletzungen. Im Einzelnen sollten Notfallsanitäter bei der Konfrontation mit akuter Sozialnot folgende Hinweise beachten:

- Bestimmte Lebenssituationen können mit unangenehmen Gerüchen, Anblicken oder auch Infektionsgefahren verbunden sein und Abscheu oder Ekel provozieren. Dennoch dürfen Betroffene niemals abfällig behandelt werden. Stattdessen ist – auch wenn es mitunter schwerfallen mag – stets ein engagiertes, **freundliches und wertschätzendes Auftreten** angebracht.
- Symptome von Betroffenen niemals vorschnell abtun bzw. bagatellisieren, sondern für den Betroffenen und seine Situation ehrliches **Interesse zeigen.**

Situation	Geeignete Unterstützungsinstanz
Armut, Obdachlosigkeit	• Jugendheim, Obdachlosenheim • Sozialarbeit (Streetwork) • Sozialpsychiatrischer Dienst (Gesundheitsamt)
Familiäre Konfliktsituation	• Familien- und Erziehungsberatungsstelle • Jugendamt • Frauenhaus
Akute Belastungsreaktion	• Traumaambulanz • Ärztlicher Notdienst • Selbsthilfevereine
Pathologische Trauerreaktion	• Notfallseelsorge bzw. Kirchengemeinde
Akute Überforderungssituation	• Lebensberatungsstelle
Vereinsamung	• Sozialstation • Kirchengemeinde • Hausnotrufdienst • Sozialpsychiatrischer Dienst (Gesundheitsamt)
Verwahrlosung	• Pflegenotdienst • Gesundheitsamt, Ordnungsamt • Sozialpsychiatrischer Dienst (Gesundheitsamt)

Tab. 9.3 Vermittlung an geeignete Unterstützungsinstanzen (nach Luiz 2008) [W948–001]

- Das bestehende Problem, aktuelle Bedarfe, Bedürfnisse, Risiken und Ressourcen des Betroffenen **genau erkunden.** Das erfordert, sich Zeit zu nehmen und zunächst einmal geduldig zuzuhören.
- Bezüglich der Alarmierung des Rettungsdienstes den Betroffenen gegenüber **niemals Vorwürfe machen.**
- **Pauschale Hospitalisierungen möglichst vermeiden.** Günstiger ist die zielgerichtete Vermittlung an geeignete Hilfseinrichtungen (→ Tab. 9.3). Notfallsanitäter sollten die jeweiligen Ansprechpartner kennen und in Absprache mit den Betroffenen unmittelbar Kontakte herstellen.
- Bei Betroffenen in akuter Sozialnot immer auch **mit aggressivem Verhalten rechnen,** d. h., besonders auf den Eigenschutz achten (Rückzugsweg freihalten, gefährliche Gegenstände im Blick behalten etc.).

IM FOKUS

Umgang mit Menschen in Sozialnot

- Es gibt viele Gründe für Sozialnot, oft verbunden mit langen Leidensgeschichten.
- Ein zentraler Fokus ist die **Vermittlung spezifischer Hilfen.** Transporte ins Krankenhaus sind oft nur Notlösungen.
- Wichtige Regel: **Niemals Vorwürfe machen!**
- Hintergründe der Situation möglichst genau erkunden und spezifische Hilfe anbieten. Das kostet Zeit. Diese Zeit hat ein Mensch in Not aber verdient.
- Mit aggressivem Verhalten rechnen, aber ein solches Verhalten niemals persönlich nehmen.

9.3.8 Umgang mit betrunkenen, alkohol- oder drogenabhängigen Menschen

Rund 1,3 Millionen Menschen in Deutschland gelten als alkoholabhängig, etwa 200 000 konsumieren regelmäßig illegale Substanzen, überwiegend Heroin. Da eine Alkohol- oder Drogenabhängigkeit häufig (allerdings nicht immer!) mit Sozialnot und aggressivem Verhalten einhergeht, kann zunächst auf vorangegangene Ausführungen (→ Kap. 9.3.7) verwiesen werden. Ergänzend ist zu beachten, dass die Einsicht von Abhängigen in eine unmittelbare Behandlungsnotwendigkeit oftmals nicht vorhanden ist:

- Viele Abhängige haben generell keine Hoffnung mehr *(„Das bringt doch alles nichts!")*.
- Das Schmerzempfinden kann durch die Alkohol- oder Drogenwirkung erheblich herabgesetzt sein *(„Mir tut nichts weh, also muss ich auch nicht ins Krankenhaus!")*. Hierin liegt eine besondere Gefahr, da selbst schwerwiegende Verletzungen (z. B. Schädel-Hirn-Trauma nach einem Sturz) u. U. unerkannt bleiben.
- Eine medizinische Intervention unterbricht möglicherweise auch den vom Patienten doch gerade erwünschten Rauschzustand *(„Lass mich doch einfach in Ruhe!")*.
- Abhängige nehmen Rettungsfachkräfte u. U. überhaupt nicht als professionelle Helfer wahr. Entsprechend werden Aussagen von Notfallsanitätern abgetan *(„Was willst du von mir? Du hast sowieso keine Ahnung und du hast mir auch nichts zu sagen!")*.

PRAXISTIPP

Patienten davon zu überzeugen, dass ein Transport in eine Klinik tatsächlich wichtig und hilfreich wäre, kann vor diesem Hintergrund außerordentlich schwierig sein. Die Durchführung von Zwangsmaßnahmen lässt sich nicht immer vermeiden, sodass ggf. Notarzt und Polizeikräfte einzubeziehen sind.

9.3.9 Umgang mit Menschen mit Behinderung

Insgesamt leben in Deutschland rund 9,6 Millionen Menschen mit einer Behinderung. Im Sinne der 2006 beschlossenen Behindertenrechtskonvention der Vereinten Nationen sind damit Menschen gemeint, die langfristig anhaltend körperliche, seelische, geistige oder wahrnehmungsbezogene Beeinträchtigungen aufweisen, gleichzeitig aber auch aufgrund bestimmter gesellschaftlicher Rahmenbedingungen grundlegende Rechte nicht so wahrnehmen können, wie dies anderen Menschen möglich ist. Demnach gibt es Menschen, die in unterschiedlicher Weise sicherlich behindert *sind* – die aber eben auch behindert *werden.* Bedingt durch den demografischen Wandel nimmt ihre Zahl in Deutschland seit einigen Jahren deutlich zu: Die Wahrscheinlichkeit einer Schwerbehinderung ist bei älteren und hochbetagten Menschen z. B. besonders hoch. In vielen Fällen geht eine Behinderung auch mit Pflegebedürftigkeit einher.

PRAXISTIPP

Reflexionsaufgabe: Überlegen Sie, welche strukturellen und gestalterischen Merkmale der Umgebung, insbesondere aber auch des Gesundheitswesens, für Menschen mit Behinderung potenziell diskriminierend wirken! Listen Sie entsprechende Verbesserungspotenziale auf!

Ein professioneller Umgang mit Behinderten sollte darauf abzielen, sie an der gleichen **Versorgungsqualität** teilhaben zu lassen, die auch von jedem anderen Menschen erwartet werden kann. Der Terminus **Barrierefreiheit** bezieht sich in diesem Zusammenhang nicht nur auf ebenerdig bzw. stufenlos erreichbare Toilettenanlagen, sondern z. B. ebenso darauf, dass auch Seh- und Hörgeschädigte einen Notruf absetzen können und generell auch mit Behinderten bei Rettungseinsätzen eine angemessene Kommunikation erfolgt. Eine **inklusive Notfallversorgung** setzt allerdings voraus, dass sämtliche zur Verfügung stehenden Kommunikationswege und -strategien genutzt sowie ggf. entsprechende Hilfsmittel eingesetzt werden. Die Vermittlung von Informationen, insbesondere die Aufklärung über bevorstehende Maßnahmen, darf in einem Notfall nicht daran scheitern, dass das Rettungsfachpersonal nicht weiß, wie es Menschen mit bestimmten Beeinträchtigungen gegenüber auftreten soll.

Tatsächlich sind viele Einsatzkräfte jedoch gerade bei der Versorgung von Menschen mit Behinderung sehr verunsichert. Ein Grund dürfte darin liegen, dass solche Einsatzsituationen eher selten sind und die entsprechende Routine fehlt. Hinzu kommt, dass man Art und Ausmaß individueller Beeinträchtigungen der i. d. R. fremden Patienten meist nicht sofort erkennen kann. In vielen Fällen ist es außerordentlich schwierig einzuschätzen, welche konkrete Unterstützung angebracht ist. Sowohl eine Unter- als auch eine Überkompensation funktioneller Defizite muss vermieden werden. Die speziellen Bedarfe und Bedürfnisse von Menschen mit Behinderung zu erkennen und darauf angemessen zu reagieren, stellt gerade unter Zeitdruck in einem Einsatzgeschehen eine große Herausforderung dar.

MERKE

Generell sind auch bei der Versorgung von Menschen mit Behinderung die gleichen Grundsätze zu beachten, die bei jedem anderen Notfallpatienten ebenso gültig sind.

Dazu gehört, sich zunächst einmal vorzustellen, den Patienten ernst zu nehmen und ihn während der Versorgung stets mit seinem korrekten Namen anzusprechen. Die Vermittlung von Informationen ist ebenso wichtig wie ein geduldiges, respektvolles und unvoreingenommenes Verhalten. Je nach Art und Ausprägung individueller Beeinträchtigungen können darüber hinaus allerdings noch einige weitere Aspekte zu beachten sein.

Umgang mit Menschen mit geistiger Behinderung

Rund 1,5 Millionen Menschen in Deutschland gelten als geistig schwerbehindert. Für sie sind Notfälle eine besonders belastende Ausnahmesituation, da sie von der Situationsdynamik und der hohen Reizdichte u. U. völlig überfordert werden. Allein die Anwesenheit vieler fremder Personen kann sie erheblich irritieren und verängstigen. Daraus lassen sich folgende **Handlungsempfehlungen** ableiten:

- **Sondersignale** sollten bei der Anfahrt kurz vor dem Einsatzort nur noch sparsam dosiert eingesetzt bzw. möglichst ausgeschaltet werden. Bei einem Notfall in einer therapeutischen Wohneinrichtung können ansonsten nicht nur die Patienten und eventuelle Angehörige, sondern auch weitere Bewohner unnötig verschreckt werden oder sehr erregt reagieren.
- Im günstigsten Fall werden Einsatzfahrzeuge nicht mit laufenden Blaulichtern direkt vor dem jeweiligen Gebäude, sondern an einem **Nebeneingang** abgestellt.
- Bei der Versorgung sollten nur die Personen anwesend sein, die dafür unbedingt erforderlich sind. Im Raum des Patienten sollen sich so viele Helfer wie nötig, aber so wenig wie möglich fremde Personen aufhalten.
- Die **Sprache** des Rettungsfachpersonals sollte dem geistigen Entwicklungsstand des Patienten bzw. seinen kognitiven Leistungsfähigkeiten angepasst sein. Entsprechende Regeln hat das **Netzwerk Leichte Sprache** formuliert.

PRAXISTIPP

Regeln des Netzwerks Leichte Sprache

- Immer nur **kurze Sätze** ohne Nebensätze formulieren. Außerdem enthält jeder Satz nur eine Aussage: *„Sie haben einen Herzinfarkt! Wir helfen Ihnen jetzt. Wir geben Ihnen Medikamente. Dann fahren wir Sie ins Krankenhaus."*
- Ein Satz besteht aus **Subjekt, Prädikat und Objekt:** *„Mein Kollege gibt Ihnen eine Spritze!"*
- Immer **Aktivsätze** bilden. Also nicht *„Ihre Behandlung wird jetzt von den Ärzten im Krankenhaus fortgesetzt"*, sondern *„Die Ärzte im Krankenhaus behandeln Sie jetzt weiter."*
- Den **Konjunktiv** (*„Wäre es möglich, dass Sie selbst zum Auto laufen?"*) wird vermeiden.
- Den **Genitiv** möglichst durch einfachere Formulierungen ersetzen. Also nicht *„Wo sind die Medikamente Ihres Mannes?"* sondern: *„Wo sind die Medikamente von Ihrem Mann?"*
- Abstrakte Begriffe vermeiden. **Konkrete und anschauliche Begriffe** bevorzugen. Also nicht *„medikamentöse Therapie durchführen"*, sondern *„eine Spritze (oder Tablette etc.) geben"*.
- **Bildhafte Sprache** (*„Da ist Ihnen wohl der Schreck in die Glieder gefahren?"*, *„Sie freuen sich so: Haben Sie etwa einen Clown gefressen?"*) vermeiden.
- Unvermeidbare **Fachbegriffe** erklären: *„Wir fahren Sie zum Röntgen. Das bedeutet, die Ärzte machen ein spezielles Foto von Ihrem Bein."*
- Dennoch ist leichte Sprache **keine Babysprache:** Die Anreden „du" und „Sie" wie in der Standardsprache verwenden!

- Auch wenn nur eine sehr geringe kognitive Leistungsfähigkeit vorhanden ist, darf der Patient vom Rettungsfachpersonal bei Prozessen zur **Entscheidungsfindung** nicht übergangen, bevormundet oder sogar entmündigt werden. Menschen mit geistigen Behinderungen haben zunächst einmal das gleiche Recht auf Information, Aufklärung und Selbstbestimmung wie jeder andere Notfallpatient auch!
- Bestimmte Worte wie z. B. „Krankenhaus" oder „Spritze" können bei Menschen mit geistigen Behinderungen zu starker Aufregung und verminderter **Compliance** führen, da sie oftmals unangenehme Vorerfahrungen gesammelt haben. Dennoch ist es vollkommen inakzeptabel, Transportziele oder bevorstehende Maßnahmen zu verheimlichen und dann mit der unabgesprochenen Durchführung zu überraschen.
- **Angehörige, Pflegende und Betreuungspersonen** sollten unbedingt in die Versorgungssituation einbezogen werden, da sie den Patienten und seine Verhaltensweisen kennen und i. d. R. auch viel besser deuten können als das Rettungsfachpersonal.

PRAXISTIPP

Neben der Patientenakte und einer Auflistung der verordneten Medikamente sollte auf jeden Fall auch eine vertraute Bezugsperson des Patienten mit ins Krankenhaus genommen werden. Sofern dies nicht möglich ist, könnte zumindest die Mitnahme eines Kuscheltiers oder eines Bildes einer Bezugsperson hilfreich sein.

Umgang mit Menschen mit körperlicher Behinderung

Etwa 4,7 Millionen Menschen in Deutschland sind körperlich schwerbehindert. Bei Einsätzen des Rettungsdienstes können vor allem ihre Umlagerung und ihr Transport mit Besonderheiten verbunden sein:

- **Patienten in einem Rollstuhl** sollten immer von vorn angesprochen werden, damit sie sich nicht umdrehen müssen.
- Zur **Kommunikation** mit einem **sitzenden Patienten** sollte man sich immer auf dessen Augenhöhe herunterbeugen und niemals „von oben herab“ zu ihm sprechen.
- Vor der **Umlagerung des Patienten** sollte man ihn konkret danach fragen, welche Technik für ihn erfahrungsgemäß besonders günstig ist bzw. welche Unterstützung er sich wünscht.
- Wird ein Patient kurzzeitig in seinem **Rollstuhl** gefahren, ist auf korrekt eingestellte Arm- und Fußstützen zu achten. Die Füße des Patienten dürfen z. B. nicht eingeklemmt werden oder über den Boden schleifen.
- Bei einem **Gefälle** müssen Rollstühle unbedingt gegen Wegrollen gesichert werden.
- Keinesfalls darf Rettungsfachpersonal in **„kommunikative Fallen“** tappen: Gedankenlose Abschiedsfloskeln wie „Kommen Sie rasch wieder auf die Beine!“ sind bei Menschen mit Lähmungen oder Beinamputierten definitiv nicht lustig.
- Sehr günstig wäre es, wenn parallel zum Rettungsdienst auch ein **Behindertenfahrdienst** benachrichtigt werden könnte, der z. B. einen Rollstuhl oder andere Hilfsmittel des Patienten in ein Krankenhaus transportiert.

ACHTUNG! Die Mitnahme von Rollstühlen im RTW scheitert meist schon aus Platzgründen. Sofern keine zuverlässige Ladungssicherung erfolgen kann, ist die Mitnahme ohnehin unzulässig.

Umgang mit Menschen mit Sehbehinderung

Etwa 1,5 Millionen Menschen in Deutschland weisen eine stärkere Beeinträchtigung ihrer Fähigkeit zu sehen auf. Sofern weniger als 30 % der normalen Sehkraft vorhanden sind, bezeichnet man dies als **schwere Sehbehinderung.** Bei weniger als 2 % der üblichen Sehkraft gilt ein Betroffener als **blind.** Die aus einer Sehbehinderung resultierende Beeinträchtigung ist individuell allerdings sehr unterschiedlich. Einige Sehbehinderte leben völlig selbstständig und sind in alltäglichen Verrichtungen – wenn überhaupt – nur sehr gering eingeschränkt. Andere benötigen mehr oder weniger permanent eine recht umfangreiche Hilfestellung. Pauschal sind folgende Hinweise relevant:

- Da Sehbehinderte sich v. a. über ihr Gehör orientieren, sollte es an der Einsatzstelle **möglichst ruhig** sein. Laufende Fahrzeugmotoren sind abzustellen, Gespräche mehrerer Personen im Hintergrund zu unterbinden.
- Der Betroffene sollte offen danach gefragt werden, um was für eine Sehbehinderung es sich handelt, was er (noch) wahrnehmen kann und was nicht.
- **Berührungen** des Patienten müssen immer verbal und sehr konkret angekündigt werden (*„Ich fasse Sie jetzt an Ihrem rechten Arm an!“*). Dies gilt besonders für schmerzhafte Maßnahmen wie das Legen eines venösen Zugangs, aber auch für das Anlegen von Blutdruckmanschetten oder EKG-Elektroden.
- Auch bei weiteren Informationen sind genaue **Orts- bzw. Lageangaben** wichtig (*„Ihre Handtasche steht jetzt einen Meter entfernt rechts von Ihnen auf dem Boden!“*).
- Für die Vermittlung einiger standardisierter Informationen (etwa zum Ablauf eines Notfalleinsatzes oder zu weiterführenden Kontaktadressen) kann ggf. auf vorbereitete Texte in **Brailleschrift** zurückgegriffen werden.
- Um einen sehbehinderten Menschen zu führen, kann ihm eine Hand gegeben werden oder der Patient legt eine eigene Hand von hinten auf die Schulter einer Rettungsfachkraft und kann auf diese Weise folgen. Die jeweilige Vorgehensweise sollte sich nach den Wünschen des Patienten richten.
- Dass auf Bodenunebenheiten, Stufen, Abbiegungen und geschlossene Türen hingewiesen werden muss, versteht sich von selbst.
- Wenn sich ein sehbehinderter Patient auf einen Stuhl (z. B. Tragestuhl) setzen soll, wird die Hand des vor dem Stuhl stehenden Patienten an die Rückenlehne geführt. Auf diese Weise kann sich der Betroffene dann meist selbstständig setzen.
- **Hilfsmittel** wie ein Blindenstock sollten unbedingt in das Krankenhaus mitgenommen werden.

PRAXISTIPP

Der **Transport von Blindenhunden** ist in einem RTW aus verschiedenen Gründen meist nicht möglich. Hier muss ggf. auf Tierrettungswagen bei den Feuerwehren, Fahrzeuge zum Transport von Diensthunden bei der Polizei o. ä. zurückgegriffen werden. Wichtig ist, dass sich auf jeden Fall umgehend jemand um den Blindenhund kümmert, wenn ein sehbehinderter Patient in ein Krankenhaus transportiert wird!

Umgang mit Menschen mit Hörbehinderung

Etwa 20 % der Bevölkerung in Deutschland sind hörgeschädigt; 100 000 Menschen sind gehörlos bzw. ertaubt. Viele von ihnen kommunizieren ausschließlich in Gebärdensprache. Weil eine Hörbehinderung nicht sofort erkennbar ist, kann es in einem Notfall besonders rasch zu Irritationen oder Missverständnissen kommen. Eine Rettungsfachkraft, die auf eine Frage keine Antwort bekommt, deutet dies z. B. vorschnell als Ablehnung des Patienten. Die Äußerung unklarer Laute kann fälschlicherweise auch als Symptom eines neurologischen Notfallgeschehens, wie z. B. eines Schlaganfalls, interpretiert werden. Für einen angemessenen Umgang mit Hörbehinderten sind daher folgende Aspekte wichtig:

- Bei hörgeschädigten Menschen sollten Rettungsfachkräfte sich nach Aufnahme von **Blickkontakt** immer nur von vorn nähern. Weil hörgeschädigte Menschen nicht hören können, dass jemand von hinten an sie herangetreten ist, erschrecken sie sich sonst.
- **Hintergrundgeräusche** (Radio, Funk, Gespräche) an der Einsatzstelle sollten so weit wie möglich reduziert werden.
- Informationen kann ein gehörloser Mensch ggf. vom Mund der Rettungsfachkraft ablesen: Ein ständiger Blickkontakt und ein gut sichtbares **„Mundbild“** dienen dabei als wichtige Verständnishilfe. Es muss langsam und deutlich gesprochen werden. Eine übertrieben sorgfältige Aussprache ist allerdings nicht erforderlich.
- Für den Austausch weiterer Informationen sind auch **Bildkarten mit Piktogrammen** oder andere, technische Hilfsmittel wie **Übersetzungshilfen** in Form einer Smartphone-App hilfreich. Unter Umständen kann auf einem RTW auch ein Buch mit Gesten der Gebärdensprache (→ Abb. 9.12) mitgeführt werden.
- Einige **Gesten der Gebärdensprache** haben eine andere Bedeutung, als dies im üblichen Sprachgebrauch der Fall ist: Sich an die Stirn zu tippen heißt z. B. *„Ich habe das verstanden!“*. Es könnte ansonsten auch fehlinterpretiert werden als *„Du spinnst wohl!“*.

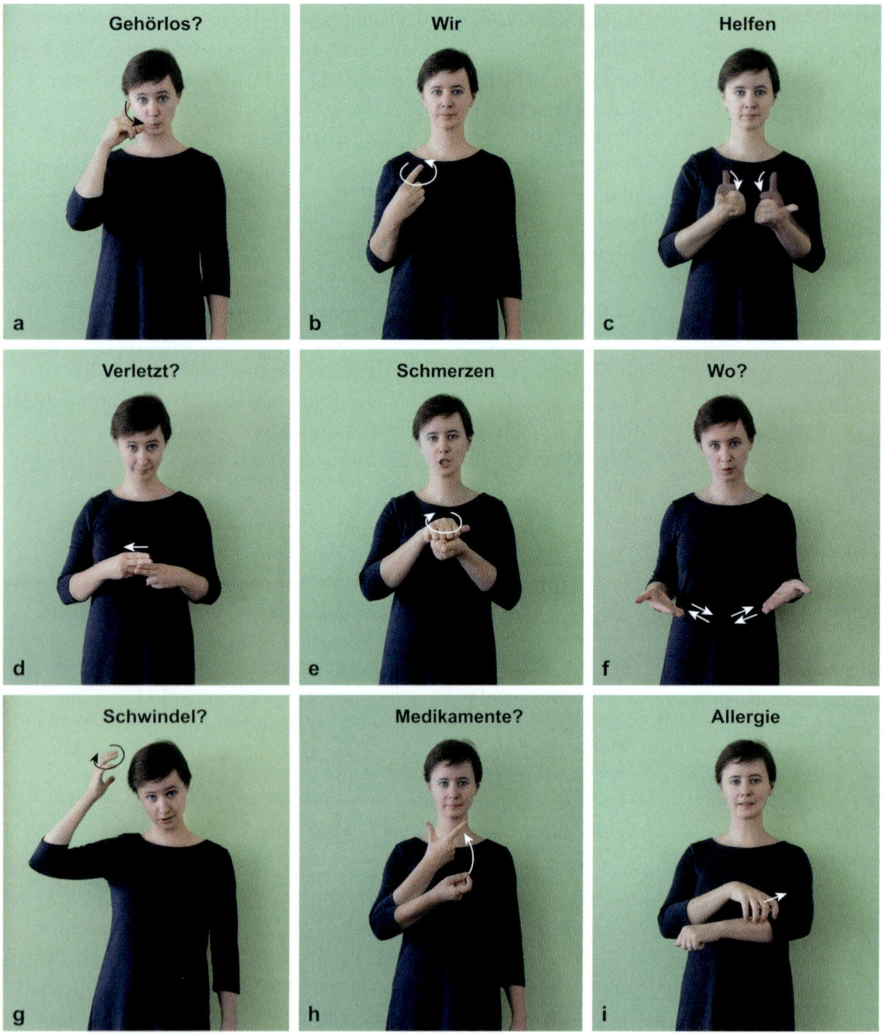

Abb. 9.12 Ausgewählte Gesten der Gebärdensprache [O1082]

- Unter Umständen kann ein Gehörloser auch **etwas aufschreiben,** wenn ihm Papier und Stift zur Verfügung gestellt werden. Zu beachten ist allerdings, dass einige Gehörlose nicht nur die Laut-, sondern auch die Schriftsprache nicht erlernt haben!
- Bei Trägern eines **Cochlea-Implantats** (elektronische Hörprothese) sollen der externe Teil des Geräts (sofern er nicht ohnehin angelegt ist) und Patientenunterlagen zum Implantat unbedingt in das Krankenhaus mitgenommen werden. Bei der Übergabe im Krankenhaus ist auf das Cochlea-Implantat hinzuweisen.

PRAXISTIPP

Wünschenswert wäre es, einen **Gebärdendolmetscher** hinzuziehen zu können. Aus Zeitgründen wird dies zwar meist nicht möglich sein. In einigen Städten verfügen Notfallseelsorge- oder Kriseninterventionsteams (→ Kap. 12.4) allerdings über Fachkräfte, die die Gebärdensprache beherrschen. Möglicherweise könnten diese zur Einsatzstelle gebracht werden.

Einen **Notdolmetscherdienst,** der zumindest an Werktagen zu bestimmten Zeiten über eine zentrale Rufnummer erreichbar ist, gibt es bislang leider nur in Bayern. Es wäre wünschenswert, wenn solche Einrichtungen bundesweit permanent verfügbar wären.

Abschließend sollte auch nicht unerwähnt bleiben, dass für hörbehinderte Menschen bereits die Alarmierung des Rettungsdienstes mit erheblichen Schwierigkeiten verbunden sein kann. Eine Option besteht darin, ein **Notfallfax** zu versenden (→ Abb. 9.13). Dies setzt jedoch voraus, dass der Betroffene über ein eigenes Faxgerät verfügt. Nur einige wenige Rettungsleitstellen in der Bundesrepublik sind auch für Hilfeersuchen per SMS, Mail oder eine spezielle App (z. B. www.nora-notruf.de) erreichbar.

Umgang mit Menschen mit Sprachbehinderung

Beeinträchtigungen der Sprache bzw. des Sprechens können die notfallmedizinische Versorgung von Patienten wesentlich erschweren. Generell sind Störungen der Sprachentwicklung, des Redeflusses (z. B. durch Stottern, Poltern oder Stammeln), der Stimmbildung und durch Hirnschädigungen bedingte Sprachstörungen (Aphasien), etwa nach einem Apoplex, voneinander zu unterscheiden. Bei Patienten mit einer derartigen Sprachbehinderung kann bereits die Anamneseerhebung hochproblematisch sein. Ein häufiger, schwerwiegender Fehler besteht auch darin, von einer verminderten Sprach- bzw. Sprechfähigkeit des Patienten auf dessen kognitive Leistungsfähigkeit pauschale Rück-

Notfall-Telefax 1 1 2

Ich kann nicht hören ☐ Ich kann nicht sprechen ☐ Ich bin behindert ☐

Wer faxt?

Name:________ Eigene Fax-Nummer:________

Wohin soll Hilfe kommen?

Strasse:________ Hausnummer:________ Etage:________

Ort:________

Wer soll helfen?

☐ Feuerwehr	Feuer ☐	Notlage ☐	Unfall ☐	
☐ Rettungsdienst	Notarzt ☐	Verletzung ☐	Erkrankung ☐	
☐ Polizei	Einbruch ☐	Überfall ☐	Schlägerei ☐	

Was ist geschehen?

Vielen Dank! *Unterschrift:*________

Bitte zurückfaxen! --------- Bitte zurückfaxen! --------- Bitte zurückfaxen! --------- Bitte zurückfaxen!

*Das Notfall-Telefax ist eingegangen und*________

ist auf dem Weg zu Ihnen. Unterschrift des aufnehmenden Disponenten:________

Ein Service der BD Frankfurt am Main und dem Deutschen Schwerhörigenbund e. V. – Referat „Barrierefreies Planen und Bauen"/2011

Abb. 9.13 Vordruck Notfallfax (Muster) [X351]

schlüsse zu ziehen. Zu empfehlen ist daher die Beachtung folgender **Grundsätze:**

- Patienten mit einer Sprachbehinderung stets ruhig und geduldig zuhören. Je mehr gedrängelt wird, umso schwieriger wird sich die weitere Kommunikation gestalten.
- Gegebenenfalls kann dadurch für eine gewisse Entlastung gesorgt werden, dass man die Sprachbehinderung offen anspricht: *„Sie haben Schwierigkeiten zu sprechen. Das ist in Ordnung und für mich kein Problem."*
- Bei bestimmten Formen einer Aphasie kann es sein, dass Patienten nicht die eigentlich gewünschten Worte aussprechen können und dies auch selbst bemerken, was in hohem Maße frustriert. Hier kann ebenfalls für Entlastung gesorgt werden, indem genau dies thematisiert wird: *„Ich merke, dass Sie nicht das richtige Wort finden können. Meinen Sie vielleicht XY?"*
- Bei Verständnisschwierigkeiten ist es außerdem ratsam, das Gehörte zunächst zu wiederholen und nachzufragen, ob man es richtig verstanden hat.

! ACHTUNG! Keinesfalls darf Rettungsfachpersonal mit Sprachbehinderten derart kommunizieren, dass die jeweilige Sprachbehinderung dabei imitiert wird. Dies ist keinesfalls eine Hilfestellung, sondern ausschließlich eine verletzende und daher völlig unangebrachte Bloßstellung des Betroffenen.

Detaillierte Informationen zum Thema „Umgang mit Menschen mit Behinderung" bieten die Internetseiten der entsprechenden Verbände und Vereinigungen. Nachstehend eine Auswahl:

- Behindertenrechtskonvention, www.behindertenrechtskonvention.info

- Bundesverband der Dolmetscher und Übersetzer, www.bdue.de
- Bundesvereinigung Lebenshilfe, www.lebenshilfe.de
- Deutscher Blinden- und Sehbehindertenverband e. V., www.dbsv.org
- Deutscher Gehörlosenbund e. V., www.gehoerlosen-bund.de
- Deutscher Schwerhörigenbund e. V., www.schwerhoerigen-netz.de
- Deutscher Telefax-Notruf, www.notfall-telefax112.de

IM FOKUS

Umgang mit Menschen mit Behinderungen

Es gibt zahlreiche Formen einer Behinderung, sodass diese **Kategorie sehr künstlich** ist und den jeweiligen Menschen und ihren Lebenssituationen nicht gerecht wird.

Dennoch einige konkrete Tipps:

- **Bei körperlichen Behinderungen:** Mit Patienten klären, wo er Hilfe braucht und möchte
- **Bei geistigen Behinderungen:** Leichte Sprache nutzen, Babysprache unbedingt vermeiden
- **Bei Hörbehinderungen:** Augenkontakt und visuelle Hilfen nutzen
- **Bei Sehbehinderungen:** Sprache und (erwünschten) Körperkontakt nutzen

9.3.10 Umgang mit Opfern von Gewalt

Raubüberfälle, Vergewaltigungen, Schlägereien und vergleichbare Taten sind für die Betroffenen deshalb so besonders belastend, weil sie fast immer mit starker Angst, Ohnmachts- und Hilflosigkeitsgefühlen sowie einem massiven Kontrollverlust verbunden sind. Außerdem handelt es sich um **Man-Made Disasters,** also um Notfallsituationen, die von anderen Menschen verursacht wurden. Dies ist i. d. R. deutlich schwieriger zu verarbeiten und wirkt meist auch längerfristig nach als ein Unfall oder eine akute Erkrankung. Ein besonders hoher Prozentsatz der Opfer von Gewalt entwickelt z. B. eine akute Belastungsstörung (→ Kap. 7.1.3).

ACHTUNG! Bei der Versorgung von Gewaltopfern müssen Rettungsfachkräfte umso sensibler vorgehen und darauf achten, dass Betroffene nicht ein weiteres Mal den Eindruck vermittelt bekommen, einem Geschehen weitgehend ausgeliefert zu sein.

Die medizinischen Maßnahmen als solches werden zwar nicht anders durchgeführt als sonst auch. Gleichwohl sind bei der **Gestaltung des Versorgungssettings** einige Besonderheiten zu beachten. So sollte die Untersuchung und Versorgung von Gewaltopfern z. B. immer nur geschützt im RTW stattfinden, während die Türen verschlossen sind und auch niemand sonst ein- oder aussteigt.

PRAXISTIPP

Eine komplette Entkleidung von Gewaltopfern sollte vermieden werden. Günstiger ist es, immer nur Kleidungsstücke von den Körperteilen zu entfernen, die gerade untersucht werden sollen. Insbesondere gilt dies für die Versorgung von Opfern einer Vergewaltigung.

Ist eine Vertrauensperson des Patienten anwesend und ein Gewaltopfer wünscht, dass sie in unmittelbarer Nähe bleibt, sollte dies ermöglicht werden. Auch solche Details sind überaus wichtig, um zu vermitteln, dass sich ein Patient jetzt definitiv in Sicherheit befindet. Dies sollte ggf. auch noch einmal explizit so mitgeteilt werden.

Die Versorgung weiblicher Gewaltopfer sollte nach Möglichkeit von einer Notfallsanitäterin bzw. Notärztin vorgenommen werden. Anders als in einem klinischen Setting, etwa der Untersuchung in einer Notaufnahme, wird sich diese Forderung unmittelbar am Notfallort jedoch nicht immer realisieren lassen.

Die Durchführung invasiver Maßnahmen muss Gewaltopfern gegenüber unbedingt angekündigt und besonders sorgfältig erläutert werden. Fragen zum genauen Ablauf der jeweiligen Notfallsituation sollten nur gestellt werden, sofern dies für die medizinische Versorgung erforderlich ist.

ACHTUNG! Einen genauen Tathergang oder einen Täter zu ermitteln, gehört nicht zu den Aufgaben des Rettungsfachpersonals.

Vorwürfe gegenüber Gewaltopfern sind in jeder, auch in einer sehr subtilen, Art und Weise strikt zu unterlassen. Die Frage danach, warum jemand im Dunkeln denn überhaupt einen riskant erscheinenden Weg gegangen ist oder warum sich ein Überfallopfer nicht stärker zur Wehr gesetzt hat, kann z. B. bereits als Zuweisung einer eigenen Schuld empfunden werden.

MERKE

Auch vermeintlich witzige „Sprüche" (z. B. *„Wohl zweiter Sieger geworden?"* bei einer körperlichen Auseinandersetzung) sind unangebracht und können Opfer von Gewalt psychisch zusätzlich belasten.

Darüber hinaus sollten Gewaltopfer möglichst viele Entscheidungen selbst treffen können – etwa was die Wahl eines Zielkrankenhauses angeht, ob sie im RTW sitzen oder liegen möchten etc.

PRAXISTIPP

Opfer von Gewalttaten können auch unmittelbar durch das Rettungsfachpersonal an weiterführende spezialisierte Hilfeinstanzen verwiesen werden, beispielsweise die folgenden:

- Hilfetelefon „Gewalt gegen Frauen": www.hilfetelefon.de; Telefon 08000-116016
- Hilfeportal „Sexueller Missbrauch": www.hilfeportal-missbrauch.de
- Opfer-Telefon des Weißen Rings: www.weisser-ring.de; Telefon 116 006

9.3.11 Umgang mit Ersthelfern

Dem psychologisch angemessenen Verhalten gegenüber Ersthelfern kommt aus verschiedenen Gründen eine besondere Bedeutung zu. Dass jemand in einer Notfallsituation überhaupt Erste Hilfe leistet, ist keineswegs selbstverständlich. Zwar ist jeder Mensch gemäß **§ 323c des Strafgesetzbuchs** (→ Kap. 57.4.2) dazu verpflichtet, solange er sich nicht selbst gefährdet, die Hilfeleistung unzumutbar ist oder nicht eine andere wichtige Pflicht verletzt wird. Tatsächlich mit einer Hilfeleistung zu beginnen, setzt jedoch in hohem Maße Mut und Selbstüberwindung voraus:

- Zahlreiche potenzielle Ersthelfer ekeln sich z. B. vor Blut oder anderen Körperausscheidungen wie Urin und Erbrochenem.
- Auch kommt Angst dazu, bei einer Hilfeleistung etwas falsch machen zu können und dafür womöglich noch haftbar gemacht zu werden.

MERKE

Diese Sorgen sind, von einem grob fahrlässigen oder vorsätzlichen Fehlverhalten einmal abgesehen, zwar objektiv unbegründet, aber dennoch bei vielen Menschen vorhanden.

Darüber hinaus wird Hilfsbereitschaft noch durch weitere Mechanismen reduziert. Beispielsweise nimmt die Wahrscheinlichkeit, dass jemand mit einer Hilfeleistung beginnt, mit der Anzahl potenzieller Ersthelfer an einem Unglücksort paradoxerweise ab. Dies wird auf **Verantwortungsdiffusion** zurückgeführt: Je mehr Personen anwesend sind, desto leichter glaubt jeder Einzelne, sich seiner persönlichen Verantwortung entziehen und zunächst einmal andere handeln lassen zu können. Da aber jeder Anwesende so empfindet, wird u. U. von niemandem geholfen.

Zu einem ebenso ungünstigen Effekt führt **pluralistische Ignoranz.** Demnach versuchen einzelne Mitglieder einer Gruppe, sich in unklaren oder mit einem gewissen Handlungs- und Entscheidungsdruck verbundenen Situationen zunächst am Verhalten anderer Gruppenmitglieder zu orientieren. Da in einem Notfall aber sämtliche anwesenden Laien gleichermaßen ratlos und verunsichert reagieren können, leistet möglicherweise wiederum niemand Hilfe.

Vor diesem Hintergrund verdient es Wertschätzung, Anerkennung und Respekt, wenn jemand angesichts der verschiedenen hemmenden Einflüsse in einem Notfall dennoch Erste Hilfe geleistet hat. Ob die jeweiligen Maßnahmen in allen Details korrekt durchgeführt worden sind, ist dabei unerheblich.

PRAXISTIPP

Generell sollte sich das Rettungsfachpersonal bei Ersthelfern bedanken.

In vielen Fällen können Ersthelfer – ähnlich wie die in einem Notfall anwesenden Angehörigen – auch Informationen vermitteln, die für die rettungsdienstliche Versorgung wichtig sind, etwa zum Hergang eines Notfallgeschehens, zur Auffindesituation eines Patienten oder einer bereits durchgeführten Hilfeleistung. Deshalb sollte Rettungsfachpersonal Ersthelfern immer erst einmal aufmerksam zuhören. Sie abzuqualifizieren und vorschnell „zur Seite schieben“, ist unangebracht und demotiviert massiv.

Eigene Materialien, die Ersthelfer bei ihrer Hilfeleistung angewendet haben (Verbandpäckchen, Mullkompressen etc.), sollten ggf. aus dem Bordbestand des RTW ersetzt werden. Außerdem sollte Ersthelfern nach Kontakt zu einem Notfallpatienten immer angeboten werden, ihre Hände zu desinfizieren.

Personalien von Ersthelfern sind in Notfall- bzw. Einsatzprotokollen unbedingt zu dokumentieren. Dies ist insbesondere für den Fall wichtig, dass einem Ersthelfer bei der Hilfeleistung Nachteile entstanden und diesbezüglich später haftungsrechtliche Fragen zu klären sind:

- Sollte sich ein Ersthelfer in der Notfallsituation z. B. selbst verletzt oder mit Krankheitserregern infiziert haben, werden dadurch erforderliche Behandlungsmaßnahmen von der gesetzlichen Unfallversicherung bzw. in Betrieben vom jeweils zuständigen Unfallversicherungsträger übernommen.
- Auch materielle Schäden von Ersthelfern sind versichert, etwa wenn Blut auf die Kleidung eines Ersthelfers getropft ist und eine Reinigung erfolgen muss.

In einigen Rettungsdienstbereichen ist es aber auch völlig unabhängig von diesen Aspekten üblich, dass in einigem zeitlichen Abstand zu einem Notfall nochmals Kontakt zu Ersthelfern aufgenommen wird, um sich zu erkundigen, wie sie das Erlebte verarbeitet haben. Bei Bedarf sollte auch Ersthelfern eine angemessene psychologische Nachsorge angeboten werden, etwa durch die Vermittlung eines Gesprächs mit einem Notfallseelsorger bzw. dem Mitglied eines Kriseninterventionsteams oder einfach nur durch einen Besuch auf der Rettungswache, bei dem – unter Wahrung der Schweigepflicht – z. B. auch noch offene Fragen zum Notfallgeschehen oder der durchgeführten Hilfeleistung beantwortet werden können.

Ein derartiges Vorgehen ist ausgesprochen sinnvoll, weil Ersthelfer ebenso wie Einsatzkräfte durch ihre Erfahrungen in einem Notfall eventuell stark belastet sind. Zudem wird Ersthelfern durch eine solche Kontaktaufnahme eine zusätzliche Wertschätzung signalisiert.

9.3.12 Umgang mit Zuschauern und Augenzeugen

Fast bei jedem Einsatz des Rettungsdienstes finden sich innerhalb kürzester Zeit einige Zuschauer ein. Je größer das Schadensausmaß bei einem Notfall ist und je aufwendiger die Rettungsarbeiten sind, umso mehr Menschen kommen hinzu. Meist werden diese Personen dann als **Gaffer, Voyeure** oder **Schaulustige** bezeichnet. Eine derart pauschale und undifferenzierte Betrachtungsweise wird den unterschiedlichen **Beweggründen** von Zuschauern an Notfallorten allerdings nicht gerecht. Nur ein sehr kleiner Teil der Menschen, die ein Unglück und die jeweilige Hilfeleistung beobachten, empfindet dabei z. B. tatsächlich „Lust“ oder Freude.

MERKE

Dass sich jemand am Leid anderer Menschen ergötzt, was Zuschauern oftmals vorgeworfen wird, ist eher als eine Ausnahme zu betrachten.

Wissenschaftliche Untersuchungen weisen stattdessen nach, dass es für das Zuschauen noch eine Vielzahl weiterer möglicher Begründungen gibt. So ist **Neugierde** zunächst einmal ein nachvollziehbares, zweckmäßiges und berechtigtes Handlungsmotiv. Sich immer wieder Neuem und Unbekanntem zuzuwenden, ist ein natürlicher Wesenszug des Menschen, ohne den gesellschaftlicher und technischer Fortschritt überhaupt nicht möglich wäre. Da auch Notfälle außergewöhnliche Ereignisse sind, mit denen die meisten Menschen selbst noch keine Erfahrung gesammelt haben, ist es durchaus verständlich und auch legitim, dass zunächst einmal hingeschaut wird. Zweifellos hilft das Zuschauen dabei, sich über das Geschehene zu informieren, sich zu orientieren und einen Notfall kognitiv einzuordnen.

MERKE

Auch wenn es makaber klingen mag, bewirkt das Betrachten eines Unglücks immer auch einen Erkenntnisprozess. Dieser kann schockierend und belastend, aber eben auch als etwas Spannendes, Interessantes oder Bereicherndes erlebt werden.

Aus einer biologischen bzw. **ethologischen Perspektive** heraus kann das Zuschauen bei einem Notfall sogar als Beitrag zur Erhaltung der eigenen Art, zumindest aber zur Verbesserung der individuellen Überlebensfähigkeit verstanden werden: Möglicherweise wird – unbewusst – z. B. auch deshalb zugeschaut, weil man erfahren möchte, wie sich eine bestimmte Notfallsituation verhindern oder bewältigen lässt.

Darüber hinaus bestätigt das Zuschauen in einer Notfallsituation das **Gefühl eigener Unversehrtheit:** Man erkennt die Bedrohung für das Leben eines anderen und ist – ebenfalls mehr oder weniger unbewusst – z. B. glücklich darüber und dankbar dafür, dass man selbst eben nicht betroffen ist. Paradoxerweise kann das Zuschauen in einer eigentlich verunsichernden Notfallsituation den Betrachtern daher nicht zuletzt auch Sicherheit vermitteln.

PRAXISTIPP

Auf jeden Fall wird jedoch deutlich, dass das Phänomen „Schaulust“ vielschichtig ist und sich eine intensivere Auseinandersetzung damit lohnt, um Zuschauern an einem Notfallort nicht unreflektiert unrecht zu tun. Vorschnelle Pauschalurteile gegenüber Zuschauern sind unangebracht.

Gleichwohl muss ein verletzter, akut erkrankter oder in anderer Weise von einem Notfall betroffener Mensch selbstverständlich vor den Blicken anderer Menschen geschützt werden. Auch dürfen Rettungsarbeiten keinesfalls durch Zuschauer behindert werden. Daher sollten in der Einsatzpraxis folgende Hinweise für den **Umgang mit Zuschauern und Augenzeugen** beachtet werden:

- Solange die Hilfeleistung durch anwesende Zuschauer nicht gestört oder beeinträchtigt wird und unmittelbar Betroffene (Patienten, Angehörige etc.) nicht direkt zu sehen sind, sollten Zuschauer an Einsatzstellen zunächst einmal hingenommen und ignoriert werden.
- Um die Sicht auf Patienten, Angehörige und andere Notfallbetroffene zu verhindern, sind ggf. Sichtblenden zu errichten. Hierzu eignen sich z. B. hochgehaltene Decken. Sie machen das Zuschauen insgesamt unattraktiv.
- Gegebenenfalls können Zuschauer in die Hilfeleistung einbezogen werden. Dabei ist es wichtig, einzelne Personen gezielt anzusprechen und ihnen einen einfachen Auftrag zu erteilen (z. B. Festhalten einer Infusion, Aufhalten einer Tür o. ä.). Möglicherweise kann ein Zuschauer sogar damit beauftragt werden, andere Zuschauer fernzuhalten. Viele in einem Notfall anwesende Personen würden durchaus gerne mithelfen, wissen jedoch nicht, wie sie sich einbringen können. Sobald sie aber eine konkrete Handlungsaufforderung erhalten, setzen sie diese gerne um – oder sie verlassen die Einsatzstelle relativ rasch, weil sie sich lieber nicht einbeziehen lassen möchten.
- Sofern die Anwesenheit von Zuschauern als störend oder beeinträchtigend erlebt wird, sollten sie freundlich, aber bestimmt aufgefordert werden, einige Meter zusätzlichen Abstand zu halten.
- Liegt eine unmittelbare Behinderung der Rettungsarbeiten vor, sollte umgehend die Polizei hinzugezogen werden. In derartigen Fällen können hohe Bußgelder verhängt und Zuschauer sogar vorübergehend festgenommen werden. Unter Umständen ist auch der Straftatbestand einer **unterlassenen Hilfeleistung** erfüllt.
- Dass Zuschauer in einer Notfallsituation **Fotos und Videos** anfertigen, auf denen Patienten, Angehörige oder andere Notfallbetroffene zu sehen sind, verstößt gegen die Menschenwürde und Persönlichkeitsrechte. Das Rettungsfachpersonal sollte deutlich darauf hinweisen und ggf. um die Beendigung der Aufnahmetätigkeit bitten. Es ist aber nicht dazu befugt, z. B. eine Kamera auszuschalten, zu beschlagnahmen oder angefertigte Aufnahmen zu löschen. Dies obliegt, wenn überhaupt, Einsatzkräften der Polizei.

Abschließend soll nicht unerwähnt bleiben, dass manche Zuschauer und v. a. Augenzeugen einer Notfallsituation selbst so betroffen sein können, dass auch sie Hilfe benötigen.

PRAXISTIPP

Wenn das Miterleben einer Notfallsituation bzw. die Konfrontation mit schrecklichen Anblicken offensichtlich zu einer starken Belastung geführt hat, sollten psychosoziale Akuthelfer (Notfallseelsorge, Kriseninterventionsteam, → Kap. 12.4) hinzugezogen werden.

Bei starken Kreislaufreaktionen kann in seltenen Fällen sogar eine rettungsdienstliche bzw. notfallmedizinische Hilfeleistung für Zuschauer und Augenzeugen angebracht sein.

IM FOKUS

Umgang mit Ersthelfern, Zuschauern und Augenzeugen

- Es gibt eine Pflicht zur Ersten Hilfe. **Ersthelfern sollte deswegen immer gedankt werden.**
- Zudem sollte darauf geachtet werden, wie sie auf das Erlebte reagieren und ob sie ggf. Hilfe benötigen.
- Ihre **Personalien** sollten erfasst werden (Vorteile für den Versicherungsschutz!).
- Zuschauer und Augenzeugen sind nicht gleich als Gaffer einzustufen und **können selbst psychisch betroffen sein.**
- Der Schutz des Patienten vor neugierigen Blicken ist wichtig, etwa durch einen Sichtschutz oder das Verbringen des Patienten in einen geschützten Raum.

WIEDERHOLUNGSFRAGEN

1. Beschreiben Sie den Prozess der Nachrichtenübermittlung (→ Kap. 9.1).
2. Definieren und unterscheiden Sie die Bezeichnungen verbale und nonverbale Kommunikation (→ Kap. 9.1.1).
3. Erläutern Sie die räumlichen Distanzzonen (→ Kap. 9.1.1).
4. Wann ist Kommunikation kongruent, wann ist sie inkongruent (→ Kap. 9.1.2)?
5. Auf welchen zwei Ebenen findet Kommunikation grundsätzlich immer statt (→ Kap. 9.1.3)?
6. Durch welche Faktoren wird Kommunikation beeinflusst (→ Kap. 9.1.4)?
7. Beschreiben Sie die vier Seiten einer Nachricht anhand eines selbst gewählten Beispiels (→ Kap. 9.1.5).
8. Erläutern Sie die Grundzüge professioneller Gesprächsführung (→ Kap. 9.1.6).
9. Was kennzeichnet die Grundhaltung für ein helfendes Gespräch (→ Kap. 9.1.6)?
10. Beschreiben Sie grundlegende Techniken der Gesprächsführung (→ Kap. 9.1.6).
11. Wozu dient professionelle Kommunikation im Wachalltag (→ Kap. 9.2.1)?

12. Von welchen Faktoren hängt Kommunikation im Krankentransport ab (→ Kap. 9.2.2)?
13. Was versteht man unter einer kommunikativen Passung (→ Kap. 9.2.2)?
14. Erläutern Sie grundsätzliche Regeln für die Kommunikation in einem Notfalleinsatz (→ Kap. 9.2.3).
15. Warum sollte Humor als Element einer Kommunikationsstrategie bei Einsätzen nur mit Vorsicht eingesetzt werden (→ Kap. 9.2.3)?
16. Was versteht man unter einer Notfallphraseologie (→ Kap. 9.2.3)?
17. Erläutern Sie die beiden Varianten einer Krise (→ Kap. 9.2.4).
18. Beschreiben Sie die Phasen des Krisenverlaufs (→ Kap. 9.2.4).
19. Erläutern Sie die psychische Situation eines Notfallpatienten (→ Kap. 9.3.1).
20. Von welchen Faktoren hängt das Erleben einer Notfallsituation ab (→ Kap. 9.3.1)?
21. Nennen und erläutern Sie die 4 S-Sätze nach Lasogga und Gasch (→ Kap. 9.3.1).
22. Aus welchen Gründen ist ein psychologisch angemessener Umgang mit Notfallpatienten und deren Angehörigen wichtig (→ Kap. 9.3.1)?
23. Erläutern Sie den psychologisch angemessenen Umgang mit Angehörigen in einem Notfall (→ Kap. 9.3.2).
24. Was versteht man unter einer Realitätsprüfung (→ Kap. 9.3.2)?
25. Erläutern Sie, welche Besonderheiten beim Umgang mit Angehörigen anderer Kulturen zu beachten sind (→ Kap. 9.3.3).
26. Erläutern Sie, welche Besonderheiten beim Umgang mit Kindern zu beachten sind (→ Kap. 9.3.4).
27. Erläutern Sie das Regelwerk KASPERLE (→ Kap. 9.3.4).
28. Erläutern Sie, welche Besonderheiten beim Umgang mit älteren Menschen zu beachten sind (→ Kap. 9.3.5).
29. Was versteht man unter Validation (→ Kap. 9.3.5)?
30. Welche Kommunikationsfehler müssen im Umgang mit älteren Menschen unbedingt vermieden werden (→ Kap. 9.3.5)?
31. Erläutern Sie die Kommunikation mit psychisch Kranken (→ Kap. 9.3.6).
32. Was versteht man unter dem Begriff Sozialnot (→ Kap. 9.3.7)?
33. Inwiefern kann der Rettungsdienst auch bei akuter Sozialnot Hilfe leisten (→ Kap. 9.3.7)?
34. Was versteht man unter dem Begriff inklusive Notfallversorgung (→ Kap. 9.3.9)?
35. Erläutern Sie, welche Besonderheiten beim Umgang mit Menschen mit Behinderungen zu beachten sind (→ Kap. 9.3.9).
36. Erläutern Sie die Regeln der leichten Sprache (→ Kap. 9.3.9).
37. Welches Verhalten ist gegenüber Ersthelfern angemessen (→ Kap. 9.3.11)?
38. Wie kann mit Zuschauern an einer Einsatzstelle angemessen umgegangen werden (→ Kap. 9.3.12)?

FORTSETZUNG DES SZENARIOS

Die zahlreichen **Zuschauer** werden während der Versorgung des verletzten Kindes zunächst gebeten, mehrere Meter zurückzutreten. Nachdem dies keine Wirkung zeigt, spricht ein Notfallsanitäter einzelne Zuschauer an und bittet diese, für eine Abschirmung der Einsatzstelle zu sorgen. Im weiteren Verlauf übernehmen Polizeibeamte diese Aufgabe.

Die **Mutter** des verletzten Kindes weint so sehr und ist derart geschockt, dass sie nicht in die unmittelbare Hilfeleistung einbezogen werden kann und es überhaupt nur mühsam gelingt, mit ihr in Kontakt zu treten. Um sie vor den Zuschauern abzuschirmen, wird sie von einem Notfallsanitäter daher im Patientenraum des RTW betreut. Über den Zustand ihres Kindes wird die Mutter in regelmäßigen Abständen informiert. Dabei wird ihr einerseits behutsam, andererseits aber auch klar und unmissverständlich mitgeteilt, dass sich ihr Kind in einer akut lebensbedrohlichen Situation befindet. Die laufenden Maßnahmen beschreibt der Notfallsanitäter mit einfachen Worten. Unter anderem weist er auf die Herzdruckmassage und die künstliche Beatmung hin. Er spricht auch deutlich an, dass das Herz des Kindes nicht mehr von allein schlägt und die eigene Atmung ausgesetzt hat. Aus dem RTW kann die Mutter das Geschehen auf der Straße verfolgen. Hin und wieder schaut sie aus dem Fenster und stellt einige Fragen zur Reanimation, die der Notfallsanitäter ihr beantwortet. Als die Mutter schluchzend erzählt, dass sie doch gerade mit ihrem Kind den Zoo besuchen wollte, hält der Notfallsanitäter ihre Hand und hört geduldig zu.

Bei den **Ersthelfern,** die sich anfänglich um das verletzte Kind gekümmert haben, bedankt sich das Rettungsteam ausdrücklich. Die Namen der Ersthelfer werden im Einsatzbericht dokumentiert und es wird angeboten, dass sich jeder Ersthelfer bei etwaigen Rückfragen jederzeit noch einmal an den Rettungsdienst wenden kann.

Aufgrund der Lage entschließt sich das Rettungsteam im weiteren Verlauf zur **Alarmierung eines Kriseninterventionsteams.** Die Mutter des verletzten Kindes, aber auch einige **Augenzeugen des Unfalls** und der **Fahrer des Lkw,** um den sich zunächst ein Polizeibeamter gekümmert hat, benötigen offensichtlich eine weiterführende Begleitung. Nachdem das Kriseninterventionsteam eingetroffen ist, wird es von einem Notfallsanitäter in die Situation vor Ort eingewiesen; die Betreuungsmaßnahmen werden nunmehr von den Mitgliedern des Kriseninterventionsteams übernommen bzw. fortgeführt. Das verletzte Kind wird nach erfolgreicher Reanimation in den RTW verbracht und mit Voranmeldung in ein nahe gelegenes Zentrum der Maximalversorgung transportiert.

WEITERFÜHRENDE LITERATUR

Artmeyer A, Schäfer A. Kultursensibel im Einsatz. Edewecht: Stumpf & Kossendey, 2022.
Hausmann C. Interventionen der Notfallpsychologie. 2. A. Wien: Facultas, 2021.
Hausmann C. Psychologie und Kommunikation für Pflegeberufe. 4. A. Wien: Facultas, 2019.
Karutz H, Lasogga F. Kinder in Notfällen. 2. A. Edewecht: Stumpf & Kossendey, 2016.
Karutz H. Zuschauendes Verhalten an Unglücksorten: Nicht immer ist es „Schaulust“, nicht immer sind es „Gaffer“. Bundesgesundheitsblatt. 2022; 65(10): 1043–1050.
Lasogga F, Gasch B. Psychische Erste Hilfe. Kompensation eines Defizits. 5. A. Edewecht: Stumpf & Kossendey, 2013.
Luiz Th, Schmitt TK, Madler C. Der Notarzt als Manager sozialer Krisen. Notfall- und Rettungsmedizin. 2002; 5: 505–511.
Nikendei A. Rettungsdienst-Praxisbuch Kommunikation. Verstehen und verständigen. Edewecht: Stumpf & Kossendey, 2022.
Sambale T. Chronisch kranke Patienten. Edewecht: Stumpf & Kossendey, 2023.
Stephan KS, Pinilla S. Gehörlose Patienten in der Notfallmedizin. Notfall- und Rettungsmedizin. 2014; 17: 449–462.
Trabert G, Wagner U. Menschen in Sozialnot. Edewecht: Stumpf & Kossendey, 2017.

10

BERATUNG

Harald Karutz, Carina Oberliessen

SZENARIO

Bei der Rettungsleitstelle meldet sich eine junge Frau: Im Keller eines Mehrfamilienhauses hat sie zufällig eine ältere Nachbarin auf dem Boden liegend aufgefunden. Die 75-jährige, sehr gebrechlich erscheinende Dame ist angeblich über eine Türschwelle gestolpert und scheint sich auf den ersten Blick nicht verletzt zu haben. Allerdings reichen die Kräfte der Anruferin nicht aus, um der Dame aufzuhelfen. Aus diesem Grund und als reine Vorsichtsmaßnahme wird daraufhin ein RTW zur Hilfeleistung alarmiert.
Die Besatzung des RTW findet die Patientin und ihre Nachbarin wenige Minuten später im Keller des Gebäudes auf. Das Sturzgeschehen ist rasch aufgeklärt: Die ältere, auf die beiden Notfallsanitäter etwas ungepflegt wirkende Dame ist tatsächlich über eine Bodenunebenheit gestolpert, eine internistische oder neurologische Ursache für den Sturz kann weitestgehend ausgeschlossen werden. Eine Verletzung durch den Sturz ist nicht festzustellen und auch Schmerzen äußert die Patienten nicht. Sämtliche Vitalparameter liegen im Normbereich.
Daraufhin entschließt sich das Rettungsteam, die ältere Dame zurück in ihre Wohnung zu bringen. Mithilfe des Transportstuhls wird die Patientin in die dritte Etage getragen. Als die Notfallsanitäter die dortige Wohnung öffnen, schauen sie allerdings in extrem unaufgeräumte und stark verschmutzte Räumlichkeiten. Die ältere Dame, der die Situation sichtlich unangenehm ist, hat offensichtlich massive Schwierigkeiten, ihren Haushalt zu führen und übliche Hygieneregeln einzuhalten. Ob sie überhaupt dazu in der Lage ist, allein zu leben, erscheint augenblicklich fraglich.

INHALTSÜBERSICHT

10.1 THEORETISCHE GRUNDLAGEN

- Beratung ist bedürfnis-, ressourcen- und zukunftsorientiert.
- Beratung zielt darauf ab, Ratsuchende bei der möglichst selbstständigen Bewältigung einer schwierigen Situation bzw. eines Problems zu unterstützen.
- Voraussetzung für eine erfolgreiche Beratung ist eine angenehme, konstruktive Beziehung zwischen Berater und Ratsuchendem.
- Beratung findet stets „auf Augenhöhe" statt.
- Beratung erfordert nicht nur Fachwissen, sondern in hohem Maße emotionale und soziale Kompetenz.
- Beratung darf Ratsuchende nicht bevormunden und entbindet sie auch nicht von ihrer Eigenverantwortung.
- Bei Beratungsgesprächen im Rettungsdienst gibt es fachliche, zeitliche und inhaltliche Limitierungen.
- Bei Bedarf muss an andere Unterstützungsinstanzen weitervermittelt werden. Dies erfordert fundierte Netzwerkkenntnisse.

10.2 MÖGLICHE BERATUNGSANLÄSSE IM RETTUNGSDIENST

- Beratungsanlässe ergeben sich in oder kurz nach einem Einsatz sowie einsatzunabhängig.
- Beratungsgespräche können zwischen Notfallsanitätern und medizinischen Laien sowie unter Kollegen notwendig sein.

10.3 ABLAUF EINES BERATUNGSGESPRÄCHS

- Für ein erfolgreiches Beratungsgespräch ist das Setting eine wesentliche Voraussetzung.
- Der Ablauf eines Beratungsgesprächs gliedert sich in den Gesprächsbeginn, die Problemklärung, die Analyse verfügbarer Ressourcen, die Entwicklung von Problemlösungs- bzw. Unterstützungsmöglichkeiten sowie den Gesprächsabschluss.
- Vorschnelle Lösungen, Verallgemeinerungen, Bagatellisierungen, Dramatisierungen sowie das Wecken von Schuldgefühlen sind zu vermeiden.
- Beratung ist keine Psychotherapie!

10.4 AUSGEWÄHLTE BERATUNGSSITUATIONEN

- Patienten- und Angehörigenedukation im Rettungsdienst bezieht sich auf die Unterstützung bei der Bewältigung erlebter oder zu erwartender Notfallsituationen.
- Der Kohärenzsinn, das Kontrollgefühl sowie das Selbstwirksamkeitserleben von Patienten und Angehörigen werden durch beratende Edukation gestärkt.
- Notfallvorsorgeberatung bezieht sich auf „Prevention" und „Preparedness".
- Zielgruppenspezifische Beratungsangebote ergänzen traditionelle Erste-Hilfe-Kursangebote und tragen dazu bei, die Selbsthilfefähigkeit der Bevölkerung zu erhöhen.
- Bei Beratungsgesprächen mit Auszubildenden stehen das Einsatzerleben, die Kompetenzentwicklung und konstruktive Kritik oftmals im Vordergrund.
- Beratungsgespräche unter Kollegen werden als besonders hilfreich erlebt und können in unterschiedlichen Formen durchgeführt werden.

10.1 Theoretische Grundlagen

Beratung ist ein weit gefasster Begriff und wird im allgemeinen Sprachgebrauch mit der Erteilung von Ratschlägen und der bloßen Vermittlung von Informationen gleichgesetzt. Demnach findet Beratung immer dann statt, wenn ein fachlich besonders kompetenter Berater sein überlegenes Wissen einem Rat suchenden Menschen zur Verfügung stellt. **Professionelle Beratung** geht jedoch weit über dieses oberflächliche Verständnis hinaus.

DEFINITION

Beratung im Rettungsdienst ist eine professionelle, durch eine besondere Gesprächsform geleistete, zeitlich begrenzte und ergebnisoffene Unterstützungsleistung. Sie ist bedürfnis-, ressourcen- und zukunftsorientiert.

- **Bedürfnisorientierung:** Im Zentrum von Beratung steht das bestimmte Anliegen eines Ratsuchenden und seine individuelle Situation. Darauf muss man sich als Berater zunächst einlassen.

- **Ressourcenorientierung:** Beratung nimmt nicht nur ein bestehendes Problem, sondern vor allem mögliche Potenziale (Ressourcen) in den Blick, die zu einer Lösung des Problems beitragen können. Ein Grundgedanke von Beratung besteht z. B. darin, dass jeder Mensch über mehr oder weniger ausgeprägte Bewältigungsstrategien und -perspektiven verfügt. Diese liegen jedoch oftmals im Verborgenen oder sind einem Ratsuchenden nicht bewusst, sodass sie zunächst aufgezeigt und aktiviert werden müssen.
- **Zukunftsorientierung:** Beratung greift zwar ein bestehendes Problem aus der Vergangenheit oder der Gegenwart auf, zielt jedoch auf den zukünftigen Umgang mit jenem ab und ist insofern auf eine möglichst nachhaltige, langfristige Wirkung angelegt.

10.1.1 Ziele von Beratung

Das wesentliche Ziel von Beratung besteht darin, einem Rat suchenden Menschen die möglichst selbstständige Bewältigung einer als problematisch eingeschätzten Herausforderung bzw. Situation zu ermöglichen. Insofern wird angestrebt,

- Antworten auf Fragen zu finden,
- Lösungsmöglichkeiten für bestehende Probleme zu entwickeln und dadurch letztlich
- zu einer Verbesserung der Lebensqualität für den Klienten beizutragen.

MERKE

Eine Beratung ist immer dann indiziert, wenn ein Problem bzw. eine schwierige Situation vorliegt und ein Mensch dafür allein keine angemessene Lösung finden kann.

IM FOKUS

Theoretische Grundlagen und Ziele von Beratungen

- Zwischen Menschen finden immer auch Beratungen statt. Professionelle Beratungen sind allerdings fundierter und weitergehender.
- Rettungsdienstliche Beratung ist **zeitlich begrenzt, ergebnisoffen und besonders strukturiert.** Zudem ist sie:
  - Bedürfnisorientiert
  - Ressourcenorientiert
  - Zukunftsorientiert
- **Mögliche Ziele** rettungsdienstlicher Beratungen sind:
  - Antworten auf Fragen finden oder zumindest anbahnen
  - Lösungsmöglichkeiten für Probleme erarbeiten
  - Lebensqualität verbessern

10.1.2 Voraussetzungen für eine erfolgreiche Beratung

Beratungsgespräche sind i. d. R. nur dann hilfreich, wenn als Grundvoraussetzung eine angenehme, konstruktive Beziehung zwischen dem Klienten und dem Berater aufgebaut werden kann. Eine weitere Voraussetzung besteht darin, dass der Rat suchende Mensch die angebotene Unterstützungsleistung auch frei- und bereitwillig annehmen kann. Belehrungen und gut gemeinte Empfehlungen sind daher kontraindiziert. In den meisten Fällen werden sie von Ratsuchenden gerade nicht akzeptiert, sondern als Kritik empfunden. Auch können Insuffizienzgefühle verstärkt werden.

Beratende Gesprächsführung muss vielmehr stets „auf Augenhöhe", wertschätzend, respekt- und verständnisvoll stattfinden. Grundsätzlich ist eine **kooperative Haltung** anzustreben. Dazu gehört, dass ein Klient niemals bevormundet werden darf oder den Eindruck bekommt, dass sein Berater schlichtweg ein Besserwisser ist. Hilfreich ist, sich als Berater empathisch in die Lage eines Klienten hineinzuversetzen und die Situation zunächst einmal aus dessen Perspektive zu betrachten.

MERKE

In Beratungsgesprächen gilt der Leitgedanke: *„Der Berater ist zwar der Experte für die Sache, der Ratsuchende hingegen Experte für seine eigene Lösung."*

Beratung erfordert neben einem umfangreichen Fach- bzw. Expertenwissen daher immer auch eine **hohe emotionale und soziale Kompetenz.** Darüber hinaus sind **Unbefangenheit** und **Neutralität** angebracht: Die Wertschätzung, der Respekt und das Verständnis gegenüber einem Rat suchenden Menschen dürfen weder von einem bestimmten Beratungsanlass noch dem jeweiligen Geschlecht oder Alter des Ratsuchenden noch seiner Herkunft oder sozialen Schicht beeinflusst werden.

Die (u. U. auch nonverbale) Vermittlung von Desinteresse oder Unlust verbietet sich in einem Beratungsgespräch von selbst. Der Berater sollte jederzeit ein aufmerksamer, vertrauenswürdiger und zuverlässiger Gesprächspartner, insbesondere auch ein geduldiger Zuhörer sein. Eine professionelle Distanz ist allerdings jederzeit zu wahren, ebenso wie ein neutraler Standpunkt frei von eigenem Interesse vertreten werden muss. Eine wichtige Eigenschaft eines Beraters besteht darin, sich zurückzuhalten und dem Klienten nicht einfach die eigene Meinung „aufzuzwingen". Der Ratsuchende muss immer selbst die Kontrolle behalten.

ACHTUNG! In einem Beratungsgespräch hat jederzeit die Situation des Rat suchenden Menschen im Vordergrund zu stehen!

Auch wenn es bei Beratungsgesprächen im rettungsdienstlichen Kontext meist vorrangig um medizinische Problemstellungen gehen wird, müssen bei einer guten Beratung immer auch soziale und berufliche Umstände sowie die psychische Situation des Rat suchenden Menschen berücksichtigt werden. Nicht nur der Beratungsanlass, sondern auch die möglichen **Lösungsstrategien** für ein bestehendes Problem hängen z. B. von Freunden und Angehörigen sowie der Berufstätigkeit des Ratsuchenden ab. Allerdings soll in einem Beratungsgespräch immer auch deutlich gemacht werden, dass jeder Mensch letztlich für sich selbst verantwortlich ist.

MERKE

Beratung kann zwar dabei helfen, Problemlösungen zu entwickeln und umzusetzen. Ratsuchenden wird durch eine Beratung aber nicht ihre eigene Verantwortung genommen.

Ein guter Berater weist somit folgende **Merkmale** auf:

- Hat eine kooperative Grundhaltung
- Tritt wertschätzend, respekt- und verständnisvoll auf
- Stellt eine Beziehung zum Klienten her

- Nimmt einen empathischen Perspektivwechsel vor und versucht, sich in die Situation eines Klienten hineinzuversetzen
- Verfügt über umfangreiches Fach- bzw. Expertenwissen zum jeweiligen Beratungsthema
- Kann geduldig zuhören
- Ist unvoreingenommen und wertet nicht
- Vertritt einen neutralen Standpunkt
- Klammert eigene Interessen aus
- Ist aufmerksam, vertrauenswürdig und zuverlässig
- Berücksichtigt die soziale, berufliche und psychische Situation des Ratsuchenden
- Wahrt professionelle Distanz
- Hält sich mit vorschnellen Ratschlägen und eigenen Lösungen zurück
- Belehrt und bevormundet nicht
- Betont und stärkt die Eigenverantwortung des Ratsuchenden

10.1.3 Grenzen der Beratung im Rettungsdienst

In den meisten Fällen kann eine Beratung im rettungsdienstlichen Kontext fachlich, zeitlich und inhaltlich nur sehr begrenzt erfolgen. Dies sollte jedem Ratsuchenden im Vorfeld deutlich gemacht werden.

- **Fachliche Limitierungen:** Die spezielle **Beratungsausbildung** von Notfallsanitätern ist nicht besonders umfangreich, sie bezieht sich lediglich auf eine **Basiskompetenz.** Schwierige Gesprächssituationen, etwa bei fehlender Einsicht, striktem Verweigerungsverhalten eines Klienten oder besonders komplexen Problemen, erfordern häufig speziellere Gesprächstechniken, die im Rahmen der Notfallsanitäterausbildung jedoch nicht vermittelt werden können.
- **Zeitliche Limitierungen:** Für intensive Beratungsgespräche haben Notfallsanitäter oftmals nicht die dafür eigentlich erforderliche Zeit, weil z. B. die Einsatzbereitschaft möglichst rasch wiederhergestellt werden muss. Aus Zeitgründen ist eine sorgfältige Vorbereitung häufig auch nicht möglich, da sich Beratungsgespräche im Rettungsdienst fast immer ad hoc, also sehr spontan ergeben.
- **Inhaltliche Limitierungen:** Ein Beratungsgespräch sollte immer nur von jemandem geführt werden, der hinsichtlich der jeweiligen Problematik kompetent ist und fundiert begründeten Rat geben kann. Für bestimmte Themen sind Notfallsanitäter daher möglicherweise nicht die geeigneten Ansprechpartner. Hier kommt es allerdings in hohem Maße darauf an, inwiefern sich Notfallsanitäter zu speziellen Themen individuell fort- und weitergebildet haben.

ACHTUNG! Sofern die Beratung durch einen Notfallsanitäter nicht ausreicht, um einen bestehenden Beratungsbedarf zu befriedigen, muss an **weiterführende Unterstützungsinstanzen** vermittelt werden, die ggf. auch mehrfache und länger andauernde Beratungsgespräche führen können.

Vor diesem Hintergrund ist es **wichtig,** dass Notfallsanitäter über örtlich bzw. regional verfügbare Beratungsangebote (Drogenberatung, Erziehungs- und Lebensberatung, Schwangerschaftskonfliktberatung, Mediation etc.) informiert sind, die jeweiligen Kontaktdaten zur Hand haben und nach Möglichkeit bereits persönliche Ansprechpartner benennen können (→ Kap. 12.13). In vielen Fällen kann allein die Weitervermittlung von Ratsuchenden an eine andere Unterstützungsinstanz bereits eine wichtige und außerordentlich wirksame Hilfeleistung sein.

PRAXISTIPP

Um im Einsatz schnell weiterführende Angebote vermitteln zu können, ist beispielsweise ein Dokument hilfreich, das im Fahrzeug mitgeführt wird und das Kontaktdaten folgender Unterstützungsinstanzen beinhaltet:

- Städtischer Sozialdienst
- Obdachlosenhilfe
- Suchtberatungsstellen
- Erziehungsberatungsstellen
- Jugendberatungsstellen
- Opferschutzhilfe bei häuslicher Gewalt (z. B. „Weißer Ring")
- Hilfetelefon (z. B. „Nummer gegen Kummer")
- Beratungsstellen für Angehörige nach Suizidereignissen (z. B. „AGUS")
- Notfallseelsorge
- Trauergruppen etc.

IM FOKUS

Voraussetzungen und Grenzen von Beratungen im Rettungsdienst

- Es existieren drei Formen der Limitierung:
  - **Fachliche Limitierungen:** Notfallsanitäter sind keine psychosozialen Fachkräfte oder Experten auf bestimmten psychosozialen Gebieten.
  - **Zeitliche Limitierungen:** Oftmals steht nicht genügend Zeit für eine tiefer gehende Beratung zur Verfügung.
  - **Inhaltliche Limitierungen:** Das Spezialwissen für bestimmte Problemlösungen steht Notfallsanitätern oftmals nicht zur Verfügung.
- Aus diesem Grunde ist die Kenntnis von **regionalen Beratungsangeboten** von zentraler Bedeutung.

10.2 Mögliche Beratungsanlässe im Rettungsdienst

Unmittelbar **in oder kurz nach einem Einsatz** kann sich Beratungsbedarf ergeben, wenn es z. B. um die Klärung konkreter Fragen geht:

- Eine Mutter fragt: *„Soll mein Sohn zusehen, wie sein Papa vom Rettungsdienst versorgt wird, oder lieber nicht?"*
- Ein Angehöriger fragt: *„Soll bzw. kann ich im Rettungswagen mit in die Klinik genommen werden oder ist es günstiger, wenn ich mit dem eigenen Pkw fahre?"*
- Eine ältere hinterbliebene Dame fragt nach der erfolglosen Reanimation ihres 80-jährigen Ehemannes: *„Wie soll ich denn jetzt meinen Kindern sagen, dass der Papa tot ist? Wie mache ich das am besten?"*
- Ein älterer hinterbliebener Herr bleibt nach dem plötzlichen Tod seiner Frau allein zurück. Er ist sichtlich betroffen, völlig verwirrt und wendet sich an das Rettungsteam: *„Was mache ich denn jetzt?"*

Hier sind zunächst die in → Kap. 9.3 beschriebenen Hinweise zu berücksichtigen: Es handelt es sich eher um psychische Erste Hilfe als um eine wirkliche Beratungstätigkeit, wenngleich die Grenzen zwischen psychischer Erster Hilfe bzw. Krisenintervention und Beratung im Rettungsdienst sicherlich fließend sind bzw. es eine gewisse Schnittmenge gibt. In den genannten Situationen könnten Notfallsanitäter z. B. kurz über Vor- und Nachteile verschiedener Vorgehensweisen informieren, die eigentliche Entscheidung jedoch dem Rat suchenden Menschen überlassen.

Aber auch **unabhängig von Einsätzen** sind im Rettungsdienst unterschiedliche Beratungsanlässe denkbar. Im **Kontakt zu medizinischen Laien** können sich folgende Situationen ergeben:

- Beim Tag der offenen Tür auf einer Rettungswache fragt ein älteres Ehepaar danach, ob ein Hausnotrufsystem sinnvoll sein könnte.
- Ein Schüler besucht die Rettungswache und möchte sich darüber informieren, ob der Beruf des Notfallsanitäters für ihn infrage kommt.
- Ein verunsicherter älterer Herr erkundigt sich auf der Rettungswache danach, in welchen Situationen er eigentlich den ärztlichen Notdienst rufen soll und wann den Rettungsdienst. Die jeweiligen Unterschiede der beiden Systeme sind ihm nicht klar, und er möchte auf keinen Fall „etwas falsch machen".
- Der Trainer eines Sportvereins möchte eine neue Erste-Hilfe-Ausstattung anschaffen und sich beraten lassen, was – über den üblichen Verbandkasten hinaus – als Notfallausrüstung empfehlenswert ist.

Darüber hinaus können im **Kollegenkreis,** insbesondere in der Begleitung von Auszubildenden, Beratungsanlässe gegeben sein:

- Ein sichtlich betroffener junger Auszubildender wendet sich an einen älteren Kollegen und fragt, wie er mit einem belastenden Einsatz umgehen soll. Er hat schon mehrere Nächte kaum geschlafen und wird bestimmte Anblicke einfach nicht los, mit denen er in dem Einsatz konfrontiert worden ist.
- Ein junger Auszubildender wendet sich im Vertrauen an einen älteren Kollegen und fragt, wie man am besten die eigene Aufregung während eines Einsatzes regulieren kann. Er gibt z. B. an, bei manchen Einsätzen zu zittern und mehrere andere sehr deutliche Stresssymptome zu verspüren.
- Ein junger Auszubildender gesteht nach einem Jahr seiner Notfallsanitäterausbildung ein, dass er sich die Arbeit im Rettungsdienst anders vorgestellt hat und er mit seiner Berufswahl unzufrieden ist. Nun überlegt er, ob er die Ausbildung abbrechen soll. Er ist sich aber noch nicht sicher und sucht nun Rat.
- Ein Kollege berichtet von einem Konflikt mit einem Notarzt, der ihn sehr bedrückt, den er aber nicht allein lösen kann.
- Ein erfahrener Kollege gesteht ein, dass ihm bei einem Einsatz ein schwerer Fehler unterlaufen ist, der auch zu einer Schädigung des Patienten geführt hat. Er ist nun voller Selbstzweifel, fühlt sich als inkompetenter Versager und es plagt ihn ein schlechtes Gewissen.

In sämtlichen derartigen Situationen sollten Notfallsanitäter ein Beratungsgespräch führen können und sich nicht etwa in Floskeln flüchten (*„Da müssen Sie jemand anders fragen.", „Dafür bin ich nicht zuständig."*). Zumindest eine orientierende „Erstberatung" im Rahmen der Möglichkeiten kann man von jeder Rettungsfachkraft erwarten.

MERKE

Das Notfallsanitätergesetz sieht vor, dass die Beratungstätigkeit zu den Aufgaben eines Notfallsanitäters gehört.

10.3 Ablauf eines Beratungsgesprächs

Bei der Durchführung von Beratungsgesprächen im Rettungsdienst kommt es zunächst immer auf das jeweilige **Setting** an. Solange in einer Notfallsituation z. B. medizinische Maßnahmen durchgeführt werden müssen, ist sicherlich ein kurzer Austausch von Informationen, aber kein Beratungsgespräch im engeren Sinne möglich.

MERKE

Gegebenenfalls kann aber selbst eine kurze, u. U. auch nur improvisierte Beratung „zwischen Tür und Angel" immer noch hilfreicher sein als überhaupt keine.

Ist die Patientenversorgung beendet bzw. abgeschlossen und wird dann ein konkreter Beratungsbedarf erkennbar, sollte eine angemessene Gesprächssituation geschaffen werden (→ Abb. 10.1):

- Sich Zeit nehmen
- Sich setzen
- Blickkontakt aufnehmen und sich dem Rat suchenden Menschen zuwenden
- Für eine ruhige Gesprächsatmosphäre sorgen
- Nicht direkt beteiligte Personen hinausbitten (es sei denn, der Klient wünscht deren Anwesenheit)
- Schutz vor äußeren Störungen sicherstellen (z. B. Funkgerät, Mobiltelefon ausschalten)

MERKE

Das jeweilige Setting ist (mit-)entscheidend dafür, wie ein Beratungsgespräch verläuft und ob eine Beratung z. B. überhaupt angenommen werden kann oder nicht.

Der **Ablauf** des eigentlichen Beratungsgesprächs kann dann – weitgehend unabhängig vom Beratungsanlass – nach einem einheitlichen Schema erfolgen. Die einzelnen Gesprächsphasen dienen dabei als eine Art Leitfaden. Eine bestimmte Struktur des Beratungsgesprächs einzuhalten ist wichtig, da dies sowohl dem Berater als auch dem Klienten Halt geben kann und dabei hilft, angemessene Lösungsstrategien zu entwickeln.

- **Gesprächsbeginn**
  - Motivation und aktuelle Aufnahmefähigkeit des Ratsuchenden erkunden (In oder kurz nach einer Notfallsituation könnte jemand z. B. so aufgeregt sein, dass eine ausführlichere Beratung kognitiv noch gar nicht erfasst werden kann.)
  - Hilfe und Expertise anbieten
  - Problemlage bzw. das Thema der Beratung einleitend klar benennen

Abb. 10.1 Für ein erfolgreiches Beratungsgespräch ist das Setting eine wesentliche Voraussetzung. [O997]

- **Problemklärung**
  - Problem und Sichtweise des Ratsuchenden erkunden
  - Ausmaß der individuellen Betroffenheit ermitteln
  - Gegebenenfalls weitere involvierte Personen erfragen
  - Auf Fragen eingehen und diese nach Möglichkeit beantworten
- **Analysieren verfügbarer Ressourcen**
  - Ermitteln, **wer** den Klienten unterstützen bzw. **was** ihm helfen kann
  - Vorhandene Ressourcen und Potenziale (z. B. im sozialen Umfeld) analysieren
  - Klären, was der Ratsuchende bereits weiß
  - Klären, was der Ratsuchende bereits unternommen hat
  - Über weitere Möglichkeiten der Unterstützung informieren
- **Entwickeln konkreter Problemlösungs- bzw. Unterstützungsmöglichkeiten**
  - Gemeinsam konkrete Lösungsmöglichkeiten entwickeln
  - Besprechen, was realistisch und umsetzbar ist
  - Nächste Schritte planen und konkrete Aufgaben festlegen
- **Gesprächsabschluss**
  - Abschließende Fragen klären
  - Nach Möglichkeit schriftliche Informationen oder Hinweise, wo weitere Informationen zu finden sind, an die Hand geben
  - Gegebenenfalls an geeignete Unterstützungsinstanzen weitervermitteln, evtl. ersten Kontakt dorthin herstellen.

Bei der Gesprächsführung nach diesem Schema haben sich bestimmte Kommunikationsstrategien als besonders hilfreich erwiesen, diese sind in → Tab. 10.1 dargestellt (→ Kap. 9.1 und → Kap. 9.2).

Umgekehrt sind einige Verhaltensweisen in einem Beratungsgespräch unangebracht und sollten unbedingt vermieden werden. Dazu gehört z. B., dem Ratsuchenden **vorschnelle Lösungen** aufzudrängen, Problemlagen zu **verallgemeinern** *(„Andere kriegen das doch auch hin!")*, etwas zu **bagatellisieren** *(„Ist doch alles nicht so schlimm, es gibt wirklich schlimmere Dinge.")* oder auch die Situation zu **dramatisieren.**

Ebenso gehören das **Wecken von Schuldgefühlen** *(„Sie wissen ja, was das für Folgen hat.")*, **oberflächliches Trösten** *(„Das wird schon wieder.")* oder **falsche Versprechungen** *(„Ich kümmere mich darum, verlassen Sie sich auf mich!")* zu den ungünstigen Faktoren.

Ein schwerwiegender Fehler besteht auch darin, **fachliche Expertise vorzutäuschen,** obwohl diese überhaupt nicht vorhanden ist. Aus Angst davor, Unwissenheit eingestehen zu müssen, einen nicht fundiert begründeten Rat zu geben, der sich später als falsch erweist, ist vollkommen inakzeptabel.

Nicht zuletzt sollte sich jeder, der ein Beratungsgespräch führt, über die grundsätzlichen Grenzen von Beratung im Klaren sein. So gehört es z. B. nicht zu den Aufgaben eines Beraters, den Ratsuchenden **psychologisch zu analysieren,** nach Zusammenhängen eines aktuellen Problems mit etwaigen Kindheitserfahrungen zu forschen etc.

Sprechen	Zuhören
• Sprache an der des Ratsuchenden ausrichten • Langsam und deutlich und in einer angemessenen Lautstärke sprechen • Bewusst Pausen machen • Dem Klienten Zeit geben, das Gehörte zu verarbeiten und zu überdenken • Vorschläge, keine Vorgaben machen • Gesagtes anhand konkreter Situationen und Beispiele erläutern • Bei einem Thema bleiben und nicht abschweifen • Offene Fragen stellen, die den Klienten zum Nachdenken anregen • Worte wie „immer", „ständig" und „aber" vermeiden	• Stets Blickkontakt halten • Aufmerksam, geduldig und aktiv zuhören • Nonverbale Gesten wie Nicken oder Mundbewegungen gezielt einsetzen • Auf Aussagen Ihres Klienten mit kurzen Signalen reagieren (z. B. „Aha", „Hmm") • Das Gehörte noch einmal kurz zusammenfassen und ggf. nachfragen, ob das Gesagte korrekt verstanden wurde

Tab. 10.1 Kommunikationsstrategien in einem Beratungsgespräch

ACHTUNG! Beratung ist keine Psychotherapie!

IM FOKUS

Ablauf eines Beratungsgesprächs im Rettungsdienst
- Beratungsablauf ist stark vom **Setting** abhängig.
- Es sollte immer ein gutes **Gesprächsklima** geschaffen werden.
- Das Gespräch lässt sich grob in folgende **Phasen** unterteilen:
  - Gesprächsbeginn
  - Problemklärung
  - Analysieren verfügbarer Ressourcen
  - Entwickeln konkreter Problemlösungs- bzw. Unterstützungsmöglichkeiten
  - Gesprächsabschluss
- Bestimmte Verhaltensweisen wie etwa „Bagatellisieren", „Dramatisieren" oder „Verallgemeinern" sollten vermieden werden.

10.4 Ausgewählte Beratungssituationen im Rettungsdienst

Einige ausgewählte **Beratungssituationen,** mit denen Notfallsanitäter konfrontiert werden können, werden nachfolgend noch etwas ausführlicher dargestellt. Teilweise beziehen sich die Ausführungen dabei auch auf **Schulungen** – eine strikte Abgrenzung ist nicht immer möglich und auch nicht immer sinnvoll.

Generell muss festgestellt werden, dass Beratung erst seit der Verabschiedung des Notfallsanitätergesetzes als eine Aufgabe des Rettungsfachpersonals deutlich wahrgenommen wird. In anderen Gesundheitsfachberufen, wie z. B. der Gesundheits- und Krankenpflege, gehört Beratungstätigkeit schon wesentlich länger zum Tätigkeitsprofil und es stehen auch längst eigene **berufsspezifische Beratungsmodelle** zur Verfügung. Im Rettungsdienst ist dies bislang nur ansatzweise bzw. in einigen speziellen Bereichen wie der Einsatznachsorge der Fall.

10.4.1 Patienten- und Angehörigenedukation

Der Terminus **Edukation** darf zunächst nicht missverstanden werden. Es geht nicht etwa um eine erzieherische Intervention, sondern um eine besondere Beratung und Informationsvermittlung, um Patienten und Angehörigen die Bewältigung einer Erkrankung oder einer Verletzung sowie den Umgang mit Erkrankungs- und Verletzungsfolgen zu erleichtern. Auf den Rettungsdienst bezogen kann man formulieren:

MERKE

Patienten- und Angehörigenedukation im Rettungsdienst bezieht sich auf die Unterstützung bei der Bewältigung erlebter oder zu erwartender **Notfallsituationen.**

Die Notwendigkeit für Patienten- und Angehörigenedukation im Rettungsdienst ergibt sich dabei aus mehreren Überlegungen:

- Patienten und Angehörige möchten immer häufiger nicht einfach nur Anweisungen entgegennehmen und „tun, was ihnen gesagt wird", sondern sie verstehen sich als mündige Menschen, die auch im Hinblick auf eine medizinische Notfallversorgung aufgeklärt, informiert und in Entscheidungsprozesse einbezogen werden möchten.
- Notfallsanitäter werden immer häufiger mit chronisch Kranken konfrontiert, die z. B. auch während eines Transports Rat suchen und konkrete fachliche Fragen stellen.
- Patienten- und Angehörigenedukation kann dabei helfen, Notfälle in das persönliche Weltbild einzuordnen. Dies stärkt das **Kohärenzerleben** (→ Kap. 8.4.2) und hilft bei der späteren Bewältigung von Notfällen enorm.
- Wer verstanden hat, warum ein Notfall eingetreten ist und welche Maßnahmen aus welchem Grund durchgeführt worden sind, kann damit auch besser umgehen. Etwas begriffen zu haben, vermittelt ein beruhigendes **Kontrollgefühl** und stärkt das **Selbstwirksamkeitsgefühl.**
- Nicht zuletzt kann rettungsdienstliche Patienten- und Angehörigenedukation eigenes Bewältigungshandeln in einem Notfall initiieren.

Gut beratene Eltern wissen z. B., was sie bis zum Eintreffen des Rettungsdienstes tun können, wenn ihr an Epilepsie erkranktes Kind erneut einen Krampfanfall erleidet. Eine gut informierte Ehefrau weiß, wie sie sich verhalten muss, wenn ihr Mann, ein Diabetiker, unterzuckert ist.

Die erforderliche fachliche Expertise vorausgesetzt, sind diverse weitere Themen für eine Patienten- und Angehörigenedukation im Rettungsdienst denkbar: Wie können Angehörige sich verhalten, wenn ein Familienmitglied an einer COPD erkrankt ist und immer wieder Exazerbationen auftreten? Soll nach einer erfolglosen Kinderreanimation eine Obduktion durchgeführt werden oder nicht?

Aktuell ist es in vielen der hier angesprochenen Situationen sicherlich so, dass die erforderlichen Beratungsgespräche eher von psychosozialen Akuthelfern, Gesundheits- und Krankenpflegepersonal oder Ärzten durchgeführt werden. Durch die zunehmende Professionalisierung des Notfallsanitäters ist in den kommenden Jahren allerdings ein Wandel abzusehen. Deshalb kann man davon ausgehen, dass Patienten- und Angehörigenedukation auch im Rettungsdienst eine **größere Bedeutung** erlangen wird.

10.4.2 Notfallvorsorgeberatung

Ähnlich, aber nicht identisch mit Patienten- und Angehörigenedukation ist das Feld der **Notfallvorsorgeberatung**. Damit ist nicht nur die klassische Erste-Hilfe-Ausbildung gemeint, sondern z. B. auch die Beratung von Familien mit Kindern, Senioren, Kindern und Jugendlichen sowie anderen Zielgruppen.

MERKE

Notfallvorsorgeberatung trägt einerseits dazu bei, Notfälle zu vermeiden **(Prevention)** und sich andererseits auf unvermeidbare Notfälle in einer angemessenen Weise vorzubereiten **(Preparedness).**

Gerade eine Notfallvorsorgeberatung durch Rettungsfachkräfte ist in hohem Maße glaubwürdig, da kaum ein anderer Personenkreis so genau über Notfälle und ihre Ursachen informiert ist und derart authentisch von konkreten Notfallerfahrungen berichten kann.

Wissenschaftliche Untersuchungen haben zudem ergeben, dass „klassische" Kursformate, wie die bekannten Erste-Hilfe-Kurse zur Steigerung der Selbsthilfefähigkeit, als alleiniges Angebot nicht zielführend sind. Nicht als Ersatz, aber als wichtige Ergänzung wird daher eine individualisierte, persönliche Begleitung und Beratung empfohlen.

- **Familien mit Kindern** können durch Notfallsanitäter über Gefahren im Haushalt und mögliche Schutzmaßnahmen (Herdschutzgitter, Treppen- und Kantenschutz, Lagerung von Reinigungsmitteln und Medikamenten, Aufstellen von Wasserkochern etc.) informiert werden (→ Abb. 10.2).
- **Senioren** können durch Notfallsanitäter über häufige Notfälle bei älteren Menschen und die jeweiligen Symptome aufgeklärt werden. Sie können auch dahingehend beraten werden, ob z. B. ein Hausnotrufsystem für sie sinnvoll ist, damit sie weiterhin in einer eigenen Wohnung leben können.
- **Kinder** können darüber informiert werden, wie wichtig auch ihr Handeln in einem Notfall sein kann. Sie könnten darüber aufgeklärt werden, wie z. B. die bekannte Rettungskette funktioniert und was sie selbst tun können, wenn einmal ein Unglück eingetreten ist. So würde auch ein wichtiger Beitrag geleistet, um so früh wie möglich prosoziales Verhalten bzw. die Hilfsbereitschaft zu fördern.
- **Jugendliche** können durch Notfallsanitäter über Gefahren des Alkohol- und Drogenkonsums informiert werden, ebenso über die Folgen einer riskanten Fahrweise von Fahranfängern etc.

Gelegenheiten für Notfallvorsorgeberatungen bieten sich u. a. bei Tagen der offenen Tür auf einer Rettungswache, aber auch bei Bürgerfesten, Sportveranstaltungen u. Ä. Denkbar sind Notfallvorsorgeberatungen, sofern von Interessenten gewünscht, auch bei Hausbesuchen. Bislang findet über die tradierte Erste-Hilfe-Ausbildung hinaus zwar kaum präventives Engagement des Rettungsdienstes statt. Allerdings ist hier in den kommenden Jahren – wie bei der Patienten- und Angehörigenedukation – eine Veränderung zu erwarten.

MERKE

Überlegungen zu einem **„präventiven bzw. vorbeugenden Rettungsdienst"** finden aktuell zunehmend Beachtung.

Abb. 10.2 Viele Unglücke könnten durch Notfallvorsorgeberatung verhindert werden. [J787]

IM FOKUS

Ausgewählte Beratungssituationen im Rettungsdienstalltag

- **Patienten- und Angehörigenedukation** vermittelt Wissen über erlebte oder potenzielle Notfallerlebnisse. Sie stärkt das Selbstwirksamkeitsgefühl und den Kohärenzsinn und verbessert so die Verarbeitung von Notfallereignissen.
- **Notfallvorsorgeberatungen** finden außerhalb des klassischen Rettungsdienstalltags statt. Sie vermitteln Wissen und fördern Kompetenzen im Hinblick auf die persönliche Selbsthilfefähigkeit.
- Dabei steht zum einen die **Nofallvermeidung** (Prevention) und zum anderen die **Notfallbewältigung** (Preparedness) im Vordergrund.
- Alle Beratungen müssen an die jeweiligen **Zielgruppen** angepasst werden.

10.4.3 Beratung von Praktikanten und Auszubildenden

Erste Ansprechperson für die Beratung von Auszubildenden und Praktikanten ist sicherlich der jeweils zuständige **Praxisanleiter.** Darüber hinaus schreibt das Notfallsanitätergesetz eine regelmäßige **Praxisbegleitung** durch eine Lehrkraft der ausbildenden Schule vor.

Es versteht sich jedoch von selbst, dass junge, unerfahrene und Rat suchende Auszubildende letztlich in **jedem** ausgebildeten Notfallsanitäter einen kompetenten Gesprächspartner finden sollten, der ihnen zuhört, sich Zeit für sie nimmt und gemeinsam mit ihnen nach Lösungen für ihre Schwierigkeiten sucht. Nicht zuletzt liegt es im eigenen Interesse, dass der berufliche Nachwuchs zufrieden, gesund und bestens ausgebildet in den Kollegenkreis integriert werden kann.

Die im Folgenden beschriebenen Themen stehen in Beratungsgesprächen mit Auszubildenden und Praktikanten oftmals im Vordergrund.

Einsatzerleben

Wer erste Erfahrungen im Rettungsdienst sammelt, wird dabei mit vielen unangenehmen, z. T. ekelhaften und belastenden Aspekten konfrontiert. Einige Auszubildende und Praktikanten haben auch Schwierigkeiten damit, dass sie nicht wissen, was für ein Einsatz sie als Nächstes erwartet **(geringe Ambiguitätstoleranz).** Bei Einsätzen wird Stress erlebt, es treten Belastungsreaktionen auf. Wenn jemand derartige Erfahrungen schildert, darf dies auf keinen Fall bagatellisiert oder sogar ins Lächerliche gezogen werden *(„Du bist echt ein Weichei!“)*. Im Gegenteil: Dass sich ein junger Mensch traut, sein subjektives Erleben offen anzusprechen, verdient Respekt – und es sollte als Indiz für eine gelingende Entwicklung personaler Kompetenz betrachtet werden. Beratende Kollegen sollten Auszubildende und Praktikanten darauf hinweisen, dass Stress- und Belastungsreaktionen im Rettungsdienst absolut verständlich sind. Es handelt sich um normale Reaktionen auf außergewöhnliche Ereignisse. Zudem kann die Entwicklung **funktionaler Bewältigungsstrategien** angeregt werden *(„Was hilft dir denn sonst, wenn du aufgeregt bist oder nicht zur Ruhe kommen kannst?“*; → Kap. 7.3). Von der Nutzung **dysfunktionaler Bewältigungsstrategien** (z. B. Alkohol) ist demgegenüber abzuraten.

Kompetenzentwicklung

Bei Auszubildenden und Praktikanten können häufig auch Selbstzweifel und Unsicherheiten auftreten. Nicht alles gelingt ihnen auf Anhieb. Einsätze sind nicht nur mit erfreulichen, sondern – durchaus häufig – mit enttäuschenden und frustranen Erfahrungen verbunden. Deshalb ist es angebracht, in einer angemessenen Weise zu ermutigen, positive Verhaltensweisen hervorzuheben und für bisher Erreichtes zu loben. **Positive** Verstärkungen tragen generell eher dazu bei, ein erwünschtes Verhalten zu erreichen, als Sanktionen für Unerwünschtes. In einem Beratungsgespräch könnte gemeinsam überlegt werden, woran ein Auszubildender oder Praktikant noch arbeiten sollte, um sich günstig weiterzuentwickeln. Ebenso kann vorgeschlagen werden, bestimmte Praxistipps anzuwenden. Treten Lernschwierigkeiten auf, kann die Weitervermittlung von Auszubildenden und Praktikanten an eine spezielle **Lernberatung** sinnvoll sein.

Kritik

Natürlich beinhaltet Beratung von Auszubildenden und Praktikanten auch, dass bei Bedarf Dinge angesprochen werden, die sich unbefriedigend darstellen und verändert werden sollten. Möglicherweise tritt ein Auszubildender oder Praktikant z. B. in einer unangemessenen Weise auf, seine fachlichen Leistungen sind nicht überzeugend oder es liegt eine verzerrte Selbstwahrnehmung vor. Solche Aspekte müssen selbstverständlich ebenfalls offen angesprochen werden. Unter Umständen gilt es dabei, Grenzen aufzuzeigen und zur kritischen Selbstreflexion anzuregen. Wie bei jedem anderen Beratungsgespräch ist aber auch hier wichtig, dass das Beratungsgespräch freundlich und wertschätzend geführt wird. Kritik sollte stets klar und deutlich, aber **immer konstruktiv** geäußert werden.

IM FOKUS

Beratung von Auszubildenden

- Auszubildende suchen nicht nur Rat bei Praxisanleitern oder Lehrkräften, sondern auch bei ihren Kollegen aus dem Einsatzdienst.
- Ein wichtiger Beratungsanlass ist das **Einsatzerleben.** Hier können gemeinsam funktionale Bewältigungsstrategien entwickelt werden.
- Auch die **Kompetenzentwicklung** von Auszubildenden ist nicht nur ein Thema für Praxisanleiter. So können Lob, Ermutigung oder auch konstruktive Kritik ein großer Ansporn für Auszubildende sein.
- **Kritik** darf deutlich sein, muss aber immer **wertschätzend** bleiben.

10.4.4 Beratungsgespräche mit Kollegen

Unter Kollegen im Rettungsdienst besteht häufig eine besondere, fast intime Vertrautheit. Das resultiert schon allein aus den mitunter langen Dienstzeiten, die man miteinander auf der Wache oder im Einsatzfahrzeug verbringt – aber auch daraus, dass man gemeinsam Außergewöhnliches erlebt. Dies verbindet und „schweißt zusammen“. Vor diesem Hintergrund liegt es nahe, dass Kollegen sich auch Rat suchend aneinander wenden, wenn sie in einer schwierigen Situation sind. Beispiele sind:

- Unsicherheiten hinsichtlich anstehender Entscheidungen
- Streitigkeiten mit Kollegen oder Vorgesetzten
- Mobbing am Arbeitsplatz
- Belastende Einsatzerfahrungen

Hinzu kommen oftmals aber auch private Probleme (Alkohol-, Medikamenten- oder Drogenabhängigkeit, Partnerschaftskonflikte, Trennungssituation, Erziehungsschwierigkeiten, finanzielle Sorgen, Work-Family-Konflikt etc.).

Hier wird ein Gespräch unter Kollegen meist als besonders hilfreich erlebt, weil es auf der gleichen Ebene stattfindet (→ Kap. 7.3). Kollegen **(Peers)** sprechen die gleiche Sprache, haben einen ähnlichen Erfahrungshintergrund und können die Situation des jeweiligen Ratsuchenden daher besonders gut nachvollziehen. Oftmals wird Beratung durch einen Kollegen sogar besser angenommen als von einer

ZUSAMMENARBEIT IN GRUPPEN UND TEAMS

Lehr- und Lernziele des Abschnitts D

Der folgende Abschnitt deckt den **Themenbereich 10** der Ausbildungs- und Prüfungsordnung für Notfallsanitäterinnen und Notfallsanitäter ab. Demnach sind Auszubildende zu befähigen,

- Übergabe- und Übernahmegespräche zielgerichtet zu führen,
- mit Behörden und Organisationen mit Sicherheitsaufgaben sowie mit sonstigen beteiligten Behörden und Organisationen situationsbezogen zusammenzuarbeiten,
- mit den Angehörigen anderer Berufsgruppen im Gesundheitswesen unter Beachtung von deren Zuständigkeiten und Kompetenzen zusammenzuarbeiten sowie
- mit den Angehörigen anderer Berufsgruppen im Bereich von Sicherheit und Ordnung sowie Gefahrenabwehr und Katastrophenschutz unter Beachtung von deren Zuständigkeiten und Kompetenzen zusammenzuarbeiten.

Vor diesem Hintergrund werden in **Kapitel 11** zunächst theoretische Grundlagen erläutert. Es wird aufgezeigt, was ein Team ausmacht und wie innerhalb eines Teams effektiv gearbeitet werden kann. Hierzu werden auch Grundlagen des Team Resource Managements vermittelt. Darüber hinaus wird beschrieben, wodurch Schnittstellen gekennzeichnet sind und welche Voraussetzungen erfüllt sein müssen, um mit Angehörigen anderer Berufsgruppen reibungslos kooperieren zu können.

Kapitel 12 stellt andere Berufsgruppen, Behörden und Organisationen dar, die in vielen Fällen gemeinsam mit dem Rettungsdienst zum Einsatz kommen. Hier werden die jeweiligen Aufgaben, Zuständigkeiten und spezifischen Fähigkeiten erläutert. Vor allem wird aber auch thematisiert, inwiefern sich an Schnittstellen Konflikte ergeben und lösen lassen können.

Zusammenarbeit wirft immer auch Fragen nach einem angemessenen Führungsverhalten auf. Diesen Fragen wird in **Kapitel 13** nachgegangen. Unterschiedliche Führungsstile und Führungspersönlichkeiten, aber auch konkrete Empfehlungen für die Gestaltung von Führungsprozessen werden darin erläutert.

Abschließend wird in **Kapitel 14** eine Schnittstelle in den Blick gefasst, die für die Versorgung von Notfallpatienten besonders wichtig ist, an der es gleichzeitig aber auch besonders häufig zu Schwierigkeiten kommt. Hinweise, wie die Übernahme bzw. Übergabe von Patienten im Krankenhaus optimal gestaltet werden kann, schließen diese Sektion des Buches ab.

11

TEAMARBEIT UND INTERDISZIPLINARITÄT

Ulf Wagner

SZENARIO

Die Besatzung eines RTW, bestehend aus einem Rettungssanitäter, einem Notfallsanitäter und einem Auszubildenden zum Notfallsanitäter im zweiten Ausbildungsjahr, wird zu einem Verkehrsunfall mit eingeklemmter Person auf einer Landstraße alarmiert.
Beim Eintreffen sind ein NEF und die örtliche freiwillige Feuerwehr bereits vor Ort. Ein Kleinwagen ist mit einem Baum kollidiert. Die 30-jährige Fahrerin ist im Fahrzeug eingeklemmt. Durch das Seitenfenster führt der Notarzt eine Erstbeurteilung durch. Nach einer ersten Einschätzung besteht Verdacht auf SHT und Gesichtsschädelverletzungen; Thorax und Abdomen scheinen unverletzt. Da die Beine im Fahrzeug eingeklemmt sind, werden dort weitere Verletzungen vermutet. Die Patientin ist bewusstlos, hat aber freie Atemwege. Sie ist tachypnoeisch, der periphere Puls aber gut tastbar und normofrequent.
Während sich der Notarzt kurzzeitig vom Fahrzeug entfernt, beginnt die Feuerwehr ohne weitere Rücksprache mit den Maßnahmen zur sofortigen technischen Rettung der Patientin. Durch das nun am Fahrzeug arbeitende Feuerwehrpersonal und die eingesetzten Geräte ist es den Besatzungen von NEF und RTW nicht mehr möglich, zur Patientin zu gelangen, um eine Erstversorgung durchzuführen.

INHALTSÜBERSICHT

11.1 THEORETISCHE GRUNDLAGEN

- Teamarbeit erleichtert die Bewältigung komplexer Situationen.
- Teams lassen sich durch bestimmte Merkmale von anderen Gruppierungen oder Menschenansammlungen abgrenzen.
- Phasen der Teamentwicklung lauten Forming, Storming, Norming, Performing und Adjourning.
- Interprofessionelle Zusammenarbeit ist auf gemeinsame mentale Modelle angewiesen.
- Die kognitive Kapazität des einzelnen Menschen ist begrenzt, innerhalb eines Teams wird die kognitive Kapazität jedoch erhöht.

11.2 SCHNITTSTELLENGESTALTUNG

- Schnittstellen entstehen dort, wo die Patientenversorgung von einem Team auf ein anderes übergeht.
- Potenzielle Probleme sind Informationsverlust und Unterbrechung der Patientenversorgung.
- Strukturierte Übergaben, Übergabetrainings, gemeinsame Aus- und Fortbildungen sowie sorgfältig ausgefüllte Rettungsdienstprotokolle tragen zu einer erfolgreichen Schnittstellengestaltung bei.

11.3 ZUSAMMENARBEIT IM TEAM

- Probleme in der Teamarbeit können zu ineffektiver Patientenversorgung oder auch zur Schädigung des Patienten führen.
- Mögliche Probleme der Teamarbeit bestehen in der Verantwortungsdiffusion, mangelhafter Kommunikation, Gruppendenken, Fixierungsfehlern und einem fehlenden Zusammenhalt.
- Team Resource Management ist eine Möglichkeit, effektive Teamarbeit sicherzustellen.
- Elemente des Team Resource Managements sind das Situationsbewusstsein, die Entscheidungsfindung, die Kommunikation sowie die Teamführung und -zusammenarbeit.
- In einem effektiv arbeitenden Team sollte Arbeit gleichmäßig verteilt werden. Die Überlastung Einzelner ist zu vermeiden.
- Zahlreiche äußere Faktoren tragen zur Entstehung von Fehlern bei.
- Eine Sicherheitskultur besteht aus den Elementen informierte Kultur, berichtende Kultur, gerechte Kultur, flexible Kultur und lernende Kultur.
- Ein konstruktiver Umgang mit Fehlern sollte das Lernen aus Fehlern ermöglichen.

11.1 Theoretische Grundlagen

11.1.1 Einleitung

„Rettungsdienst ist Teamarbeit" ist eine oft getätigte Aussage und tatsächlich arbeiten Notfallsanitäter meist in einem Team. Dies erleichtert die Durchführung praktischer notfallmedizinischer Tätigkeiten, aber auch die Bewältigung **komplexer Situationen,** wie sie Notfälle oft darstellen. Komplexe Situationen zeichnen sich durch eine unklare Ausgangslage aus, die sich mit Eigendynamik weiterentwickelt. Diese Entwicklungen sind schlecht prognostizierbar und z. T. unumkehrbar. So ist im einleitend dargestellten Fallbeispiel zunächst nicht klar, welche Verletzungen die Patientin erlitten hat. Hier liegt also ein Mangel an Informationen vor. Umgekehrt ist aber auch denkbar, dass ein Überangebot an Informationen vorliegt und verarbeitet werden muss, z. B. eine große Anzahl an Vorerkrankungen in der Fremdanamnese bei einem internistischen Patienten. Es ist außerdem davon auszugehen, dass sich der Zustand der Patientin ohne weiteres Zutun verschlechtern wird, aber die für Maßnahmen zur Verfügung stehende Zeit ist nicht bekannt.

Darüber hinaus sind die einzelnen Elemente der Notfallsituation vernetzt **(Interdependenz):** Wird keine Zugangsöffnung geschaffen, kann die Patientin nicht versorgt werden; werden die Atemwege verlegt, wird sich dies auf Atmung und Kreislauf auswirken. Viele Eindrücke strömen gleichzeitig auf die Notfallsanitäter ein und Entscheidungen müssen meist unter Zeitdruck getroffen werden. Eine Einzelperson ist mit der Bewältigung derart komplexer Situationen rasch überfordert, denn die **kognitive Kapazität** jedes Einzelnen ist begrenzt.

MERKE

Begrenzte kognitive Kapazität: Ähnlich einem Computer kann das Gehirn nur eine begrenzte Anzahl von Informationen gleichzeitig verarbeiten. Strömen zu viele Informationen ein, werden bestimmte Informationen ausgeblendet und nicht mehr verarbeitet. Darüber hinaus ist es nur möglich, die Aufmerksamkeit entweder auf ein Detail zu fokussieren oder das Gesamtbild wahrzunehmen. Wird zu lange auf ein Detail fokussiert (z. B. schwierige Intubation), kann hierüber leicht das Gesamtbild verloren gehen (z. B. wird die abfallende Sauerstoffsättigung durch den zu lange andauernden Intubationsversuch nicht bemerkt). Stress reduziert hierbei sowohl die vorhandene kognitive Fähigkeit als auch das Sichtfeld. Andererseits benötigt eine Fähigkeit umso weniger kognitive Kapazität, je häufiger sie durchgeführt wurde und je routinierter sie abläuft. Weitere Einflussfaktoren sind die **zirkadiane Rhythmik** („innere Uhr", Abfall der kognitiven Leistungsfähigkeit am frühen Nachmittag und nachts) oder nicht erfüllte physiologische Grundbedürfnisse, z. B. Hunger oder Müdigkeit.

Im Gegensatz dazu hat ein Team mehr Augen, Ohren und „Mitdenker" und somit eine größere kognitive Kapazität. Die unterschiedlichen Fähigkeiten und Sichtweisen der einzelnen Teammitglieder können zu einer Erhöhung der Handlungs- und Problemlösungsoptionen führen. Aufgabenteilung ermöglicht die gleichzeitige Erledigung verschiedener Aufgaben und eine gegenseitige Kontrolle der Tätigkeiten. Auch können durch den Zusammenhalt im Team und durch gegenseitige Unterstützung schwierige Situationen besser bewältigt werden.

IM FOKUS

Komplexität von Notfällen

- Definition **komplexer Situationen:**
  - Unklare Eingangslagen
  - Dynamischer Verlauf
  - Schlechte Prognostizierbarkeit
- Sie finden immer im Zusammenspiel mehrerer Akteure **(Interdependenz)** statt.
- Fast immer besteht Zeitdruck.
- Die individuelle **kognitive Kapazität** ist begrenzt.

11.1.2 Definition und Merkmale von Teamarbeit

Für den Begriff Team gibt es unterschiedliche Definitionen.

DEFINITION

Ein **Team** soll hier definiert werden als eine Gruppe von zwei oder mehr Menschen, die mit unterschiedlichen Fähigkeiten oder Aufgaben ein gemeinsames Ziel verfolgen oder eine gemeinsame Aufgabe erledigen.

Eine Ansammlung von Menschen auf einem Bahnsteig oder von Schaulustigen an einer Einsatzstelle ist somit kein Team, da ihnen das gemeinsame Ziel fehlt. Des Weiteren besitzen Teams i. d. R. folgende **Merkmale:**

- **Das Team hat eine Struktur:** Es gibt einen Teamführer und, wenn es aus drei oder mehr Menschen besteht, mehrere gleichberechtigte Mitglieder.
- **Die Teammitglieder kommunizieren miteinander und interagieren:** Informationen werden ausgetauscht und die Arbeit wird koordiniert.
- **Die Arbeit miteinander wird durch formelle oder informelle Normen geregelt:** Es ist festgelegt, wer der Teamführer ist und wer bestimmte Tätigkeiten durchführen und Entscheidungen treffen kann.
- **Die Teamarbeit ist zeitlich begrenzt:** Nach Erledigung der Aufgabe löst sich das Team auf; ebenso ändert sich das Team, wenn Personen hinzukommen oder ausscheiden, so z. B. wenn die Besatzung eines nachalarmierten NEF zur RTW-Besatzung hinzukommt.
- **Es besteht gegenseitiges Vertrauen und gegenseitige Wertschätzung:** Ohne diese beiden Punkte kann keine effektive Teamarbeit zustande kommen.
- **Teamarbeit hat eine Sach- und eine Beziehungsebene:** Die Aufgaben und Ziele sind in der Sachebene enthalten; Struktur, Normen, Vertrauen in der Beziehungsebene.

Wenn Teams über einen längeren Zeitraum zusammenarbeiten (z. B. fest eingeteilte Fahrzeugbesatzungen), entwickelt sich die Zusammenarbeit häufig in bestimmten Phasen. Tuckman und Jensen haben dies in **Fünf Phasen der Teamentwicklung** zusammengefasst:

1. Als **Forming** wird die Einstiegs- und Findungsphase bezeichnet, d. h. der Aufbau des ersten Kontakts der einzelnen Teammitglieder untereinander. Menschen kommen zusammen, stellen sich vor und machen deutlich, dass sie von nun an zu einem bestimmten Team gehören möchten.
2. Die folgende Phase wird auch Auseinandersetzungs- und Streitphase **(Storming)** genannt. Hier werden Konflikte ausgetragen, wenn einzelne Personen zunächst unterschiedliche Prioritäten setzen oder eben nicht die gleichen Ziele wie die übrigen Teammitglieder verfolgen. Auch kommt es zu Machtkämpfen um Führungsrollen und den individuellen Status innerhalb des Teams.
3. In der dritten Phase **(Norming)** hat ein Team sich so weit entwickelt, dass formelle und informelle Regeln für das Miteinander vorhanden sind und diese auch weitgehend eingehalten werden. Die einzelnen Teammitglieder haben sich zusammengefunden, akzeptieren sich gegenseitig und können sich von nun an auch auf die gemeinsame Aufgabe konzentrieren.
4. In der Arbeits- und Leistungsphase **(Performing)** steht die tatsächliche Kooperation im Vordergrund. Die Teammitglieder arbeiten zielgerichtet und effektiv zusammen. Das gemeinsame Ziel ist allen bewusst und wird von allen Teammitgliedern angestrebt.
5. In der Auflösungsphase eines Teams **(Adjourning)** nehmen die Teammitglieder schließlich voneinander Abschied und bereiten sich darauf vor, dass ihr Team nicht länger bestehen wird.

11.1.3 Besonderheiten von Teams im Rettungsdienst

Vor dem Hintergrund dieses Phasenmodells weisen Teams im Rettungsdienst einige Besonderheiten auf: So werden Teams im Rettungsdienst z. B. nicht langfristig nach sorgfältiger Auswahl der Fähigkeiten oder auf persönlichen Wunsch hin zusammengestellt, sondern bilden sich i. d. R. ad hoc durch eine Alarmierung. Dabei kann es sein, dass Teammitglieder an einer Einsatzstelle zum ersten Mal und nur für relative kurze Zeit zusammenarbeiten. Die Arbeit erfolgt unter den Bedingungen eines Notfalls, also einer komplexen Situation, die oftmals unter Zeitdruck erledigt werden muss. Ein „Herantasten" an die Zusammenarbeit und das Finden bzw. Verteilen der einzelnen Rollen im Team (Forming, Storming und Norming) sind daher nur sehr eingeschränkt möglich. Allerdings sind Teampositionen im Rettungsdienst meist durch Funktionen und formale Normen vorgegeben, was die Zusammenarbeit wiederum vereinfachen kann.

IM FOKUS

Teambildung

- Teams bestehen aus **zwei oder mehr Personen** und lassen sich mit **sechs Merkmalen** beschreiben:
  - Struktur des Teams
  - Interaktionen der Teammitglieder
  - Normierung der Vorgehensweise

- Zeitliche Begrenzung der gemeinsamen Arbeit
- Gegenseitiges Vertrauen und Wertschätzung
- Immer Sach- und Beziehungsebene vorhanden
- Es existieren **fünf Stufen der Teambildung:**
  - **Forming:** Findungsphase
  - **Storming:** Konfliktphase
  - **Norming:** Regelungsphase
  - **Performing:** Arbeitsphase
  - **Adjourning:** Auflösungsphase

11.1.4 Interprofessionelle Zusammenarbeit

Im einleitend beschriebenen Fallbeispiel arbeiten Mitglieder aus unterschiedlichen Berufen und Berufsgruppen eng zusammen und bilden ein **interprofessionelles Team** Für den Einsatzerfolg ist die Zusammenarbeit zwingend erforderlich: Nach Schaffung einer Zugangsöffnung durch die Feuerwehr muss eine Erstversorgung und Untersuchung durch den Rettungsdienst durchgeführt werden. Ausgehend davon steht eine Entscheidung über die Strategie und den Zeitrahmen der technischen Rettung an. Die verschiedenen Berufsgruppen müssen ihr Vorgehen dabei sorgfältig absprechen. Bei der Planung und Durchführung der einzelnen Maßnahmen müssen sie miteinander kommunizieren und auch die notwendigen Entscheidungen im gegenseitigen Einvernehmen treffen. Da unterschiedliche Berufsgruppen unterschiedliches Fachwissen und unterschiedliche Prioritäten und Sichtweisen mit in den Einsatz bringen, kommt bei der interprofessionellen Zusammenarbeit **mentalen Modellen** eine besondere Bedeutung zu.

Abb. 11.1 Teammitglieder haben unterschiedliche mentale Modelle. [L231]

MERKE

Mentales Modell: Menschen nutzen als Grundlage ihres Handels ein mentales Modell, d. h. eine Vorstellung über den gegenwärtigen und zukünftigen Zustand der Umwelt und der vorhandenen Handlungsmöglichkeiten. Das mentale Modell wird auf Basis der Wahrnehmung sowie vorhandenen Wissens und vorhandener Erfahrungen gebildet. Dieselbe Situation kann daher bei verschiedenen Menschen auch in verschiedenen mentalen Modellen abgebildet sein (→ Abb. 11.1). Durch ein gemeinsames mentales Modell sind alle Teammitglieder über den Zustand des Patienten informiert und wissen, welche Arbeiten erledigt werden müssen und wo potenzielle Gefahren liegen.

11.2 Schnittstellengestaltung

Schnittstellen in der Patientenversorgung ergeben sich dort, wo die Versorgung des Patienten von einem Team an ein anderes übergeben wird, so z. B. der Übergang von präklinischer zu klinischer Versorgung in der Notaufnahme oder im Schockraum (→ Kap. 14.3). Im weiteren Sinn entstehen Schnittstellen aber auch bei der Zusammenarbeit von Subteams verschiedener Organisation an einer Einsatzstelle und bei Änderungen des Teams, z. B. wenn der Transport eines Patienten nach notärztlicher Versorgung von Notfallsanitätern durchgeführt wird. Zwei mögliche Probleme an Schnittstellen sind der **Verlust von Informationen** und eine **Unterbrechung der Patientenversorgung.**

11.2.1 Informationsverlust

Teams erheben und verarbeiten bei ihrer Arbeit Informationen durch
- Wahrnehmung mit den Sinnen (Beobachtung),
- Erheben einer Anamnese (Befragung) und
- Durchführen diagnostischer Maßnahmen (Untersuchung).

Nach dieser Datenerhebung kann eine Verdachtsdiagnose abgeleitet werden.

Therapeutische Maßnahmen und ihre Effektivität sind weitere wichtige Informationen, wie auch Informationen aus dem Umfeld des Patienten (Auffindesituation, soziale Unterstützung, Zustand der Wohnung etc.). Für eine effektive Patientenversorgung müssen diese Informationen an der Schnittstelle stets an das nächste Team weitergegeben werden. Zwar kann der Verlust von manchen Informationen ausgeglichen werden: Eine Eigenanamnese kann erneut erstellt werden, eine Fremdanamnese aber u. U. nicht. Auch die nicht erfolgte Dokumentation einer Sedierung kann unnötige diagnostische Maßnahmen, z. B. die Durchführung einer Computertomografie zum Ausschluss einer intrakraniellen Blutung, nach sich ziehen.

Ein **Verlust von Informationen** kann dabei unterschiedliche **Gründe** haben: Informationen werden vergessen, als irrelevant erachtet oder gehen in einer Fülle von irrelevanten Informationen unter. Eine **strukturierte Übergabe** (→ Kap. 14.3) kann das Vergessen von Informationen verhindern und die Beschränkung auf relevante Informationen erleichtern. Spezielle **Übergabetrainings** können hier hilfreich sein. Diagnostische und therapeutische Maßnahmen und andere wichtige Informationen sollten im **Rettungsdienstprotokoll** unbedingt dokumentiert werden, damit sie auch nach der mündlichen Übergabe zur Verfügung stehen.

PRAXISTIPP

Die eigentliche Übergabe sollte schon während des Transports gedanklich vorbereitet werden. Hilfreich ist es, allgemein bekannte Schemata zu nutzen (z. B. ABCDE).

Die reibungslose Übergabe an einer Schnittstelle ist auch von einer gewissen gegenseitigen **Wertschätzung** abhängig. Wenn ein Team die Arbeit des anderen als wertlos ansieht, wird die Patientenversorgung darunter leiden. Ein erster Schritt ist hier ein Wissen um die anderen an der Patientenversorgung beteiligten Berufsbilder, z. B. Pflegefachpersonen, MTRA oder Pflegende mit Fachweiterbildung Notfallpflege. Das im Rahmen der Ausbildung zum Notfallsanitäter durchgeführte Krankenhauspraktikum kann hierbei dazu dienen, nicht nur praktische Fertigkeiten zu erlernen, sondern auch ein Verständnis für die Aufgaben, Tätigkeiten und Sichtweisen anderer Berufe zu gewinnen. Auch nach der Ausbildung können **gemeinsame Fortbildungsveranstaltungen** helfen, einen Einblick in die Arbeit anderer Organisationen zu gewinnen und potenzielle Probleme zu erkennen (→ Kap. 12).

11.2.2 Unterbrechung der Patientenversorgung

ACHTUNG! Auch während der Übergabe des Patienten in der Klinik muss eine **kontinuierliche Überwachung und Versorgung** gewährleistet sein.

Dabei ist die Übergabe häufig eine dynamische Situation: Monitoring, ggf. Beatmung und Spritzenpumpen werden von Rettungsdienstgeräten auf Klinikgeräte gewechselt, es werden Informationen ausgetauscht und der Patient wird von der Trage des Rettungsdienstes in ein Bett umgelagert. Unter Umständen ist unklar, wer in dieser Situation für den Patienten verantwortlich ist. So könnte beispielsweise bei einem Patienten nach Reanimation ein erneuter Kreislaufstillstand während des Umlagerns unbemerkt bleiben, wenn das Monitoring des Rettungsdienstes bereits entfernt, das Klinikmonitoring aber noch nicht angeschlossen ist und Mitarbeiter evtl. noch mit der mündlichen Übergabe beschäftigt sind. Auch hier kann eine **strukturierte Übergabe** helfen, Probleme zu vermeiden (→ Kap. 14): Nach einer (kurzen) Übergabe der relevanten Informationen wird der Patient umgelagert. Dann erst werden das Monitoring, das Beatmungsgerät, Spritzenpumpen etc. schrittweise gewechselt.

MERKE

Rettungsdienstgeräte werden grundsätzlich erst dann abgeschaltet, wenn das „Klinikgegenstück" einsatzbereit ist, d. h. der Selbsttest durchgeführt ist und alle relevanten Parameter eingestellt sind.

IM FOKUS

Schnittstellengestaltung

- Schnittstellen entstehen bei **Übergaben** verschiedener Teams aneinander oder bei der Zusammenarbeit von Subteams.
- Jedes Team verfügt über **spezifische Informationen:**
  - Was muss weitergegeben werden?
  - Was muss protokolliert werden?
  - Was ist für die weitere Patientenversorgung relevant bzw. irrelevant?
- Eine **strukturierte Übergabe** ist notwendig, um die wichtigsten Informationen gezielt zu übermitteln.
- Durch die **technische Übergabe** wird idealerweise die Überwachung und Versorgung des Patienten kontinuierlich gewährleistet.

11.3 Zusammenarbeit im Team

11.3.1 Konflikte und Störungen innerhalb eines Teams

Für die Bewältigung komplexer Situationen ist Teamarbeit besonders geeignet. Jedoch kann Teamarbeit auch mit einigen Schwierigkeiten verbunden sein. Konflikte innerhalb des Teams können z. B. zu ineffektiver Arbeit führen. Aufgabenteilung und gegenseitige Überwachung können zwar die simultane Erledigung mehrerer Aufgaben erleichtern. Jedoch kann Teamarbeit hier auch zu einer **Verantwortungsdiffusion** führen (→ Kap. 9.3.11), bei der sich niemand für die Erledigung einer Aufgabe zuständig fühlt oder mehrere Teammitglieder dieselbe Aufgabe erledigen, während andere Aufgaben unerledigt bleiben. Dieses Problem kann durch **mangelhafte Kommunikation** verursacht oder verstärkt werden *(„Kann jemand mal die Intubation vorbereiten?")*.

Während ein starker Zusammenhalt innerhalb eines Teams es einerseits ermöglicht, auch schwierige Situationen zu bewältigen, kann er andererseits dazu führen, sich vorschnell auf eine Sichtweise festzulegen und kritische Stimmen zu ignorieren. Dies wird als **„Gruppendenken" (Groupthink)** beschrieben. Problematisch wird dies insbesondere, wenn ein unzutreffendes mentales Modell der Situation gewählt wird, da die Bewertung der Situation i. d. R. dem gewählten Modell angepasst wird und einmal gewählte mentale Modelle meist nur mit großer Schwierigkeit wieder verlassen werden. Auch werden Fakten mitunter ignoriert, statt ein geändertes mentales Modell zu erstellen. Dieser Mechanismus wird auch als **Fixierungsfehler** bezeichnet. So kann das gesamte Rettungsteam fälschlicherweise davon ausgehen, dass ein Patient mit bekannter Angststörung und Palpitationen „schon nichts Schlimmes haben wird". Wenn in dieser Situation keine genauere Diagnostik betrieben wird, kann z. B. ein Myokardinfarkt unter Umständen übersehen werden.

MERKE

Fixierungsfehler zeichnen sich dadurch aus, dass eine einmal getroffene Einschätzung einer Situation nicht revidiert wird, obwohl diese nicht mehr angemessen ist und ausreichend Informationen eine andere Einschätzung nahelegen. Dabei sind verschiedene Verhaltensweisen möglich:

- „Dies und nur dies": Eine einmal gestellte Verdachtsdiagnose wird nicht revidiert und andere Erklärungen für Symptome werden nicht berücksichtigt.
- „Alles, nur das nicht": Verschiedene Erklärungen für Symptome werden in Betracht gezogen, aber die entscheidende (oft kritischste) Diagnose wird nicht gewählt.
- „Es ist alles ok": Eine Verschlechterung des Patientenzustandes wird ignoriert, obwohl ausreichend Anzeichen darauf hindeuten.

Auf der Beziehungsebene können sich ein **fehlender Zusammenhalt** und eine fehlende Struktur innerhalb eines Teams ebenfalls auf die Effektivität der geleisteten Arbeit auswirken. Ein besonderes Problem ist die Bildung von **informellen Führern,** d. h., einzelne oder mehrere Teammitglieder übernehmen die Teamführung, ohne formell Teamführer oder mit der Führung beauftragt worden zu sein.

ACHTUNG! Insbesondere wenn die einzelnen informellen Teamführer unterschiedliche Ziele oder Eigeninteressen verfolgen, z. B. das persönliche „Chefsein" anstelle einer möglichst hohen Versorgungsqualität, kann dies die Teamarbeit hochgradig ineffizient werden lassen!

Ferner kann eine **mangelnde Akzeptanz** von Teamkollegen zu Problemen in der Teamarbeit führen, da sich dies häufig in unzureichender oder konfrontativer Kommunikation, nicht geteilten mentalen Modellen und einer mangelnden Bereitschaft zur gegenseitigen Unterstützung widerspiegelt. In diesem Zusammenhang ist auch auf ungünstige **Organisationsstrukturen** zu achten, welche die interprofessionelle Kooperation erschweren („Wir-und-die-Mentalität").

Grundsätzlich basiert Teamarbeit immer auf **individuellen Fähigkeiten, Persönlichkeitsmerkmalen** und **Verhaltensweisen** der einzelnen Teammitglieder. Auch darin können Ursachen für Konflikte liegen. Besonders **problematische Aspekte** sind z. B.:

- Perfektionismus *(„Nie ohne zweiten Zugang…")*
- Ungeduld, Hektik, Aktionismus *(„Wir müssen irgendwas machen.")*
- Reaktanz *(„Die hat mir gar nichts zu sagen.")*
- Introversion *(„Ich sage lieber nichts.")*
- Desinteresse/blindes Vertrauen *(„Der wird schon wissen, was er macht.")*
- Gering ausgeprägte psychosoziale Kompetenzen, z. B. mangelnde Kommunikationsfähigkeit, unangemessener Humor etc.

ACHTUNG! Die Auswirkungen dieser Probleme in der Teamarbeit können von „Reibungsverlusten" bei der Patientenversorgung (z. B. mehrfaches Nachfragen, bis die Intubation vorbereitet ist, benötigtes Material wird nur „Stück für Stück" zum Patienten gebracht) über Fehldiagnosen (Informationen werden nicht weitergegeben) bis zu schwerwiegenden Fehlern mit bleibenden Schäden (Medikamentenverwechslung, hypoxische Schäden) reichen.

11.3.2 Effektive Teamarbeit

Effektive Teamarbeit ist nicht nur die Vermeidung dieser negativen Auswirkungen, sondern die effektive Nutzung der Ressource „Team" zu einem optimalen Ergebnis für den Patienten. Effektive Teamarbeit entsteht dabei nicht „einfach so", sondern ist eine Fähigkeit, die, genauso wie andere praktische Fähigkeiten auch, erlernt werden kann. Eine Möglichkeit, effektive Teamarbeit umzusetzen, ist das Konzept des **Team Resource Management,** das aus den Komponenten **Situationsbewusstsein, Entscheidungsfindung, Kommunikation sowie Teamführung und Zusammenarbeit** besteht (→ Abb. 11.4). Da dieses Konzept ursprünglich in der Luftfahrt entwickelt wurde, ist es auch als **Crew Resource Management** bekannt (→ Kap. 52.1.6).

Situationsbewusstsein

Unter Situationsbewusstsein **(Situation Awareness)** wird das Wissen über die derzeitige Situation und ihre zukünftige Entwicklung verstanden. Eine Möglichkeit zum Erhalt des Situationsbewusstseins ist das Konzept **„10 Sekunden für 10 Minuten".** Hierbei wird die Arbeit für kurze Zeit unterbrochen („10 Sekunden"); anschließend wird der aktuelle Stand der Situation überprüft, Handlungsmöglichkeiten werden besprochen und das weitere Vorgehen („10 Minuten") wird festgelegt (→ Abb. 11.2). Besondere Aufmerksamkeit sollte dabei auf einem kritischen Überprüfen des mentalen Modells liegen, um sicherzustellen, dass dieses noch die tatsächliche Situation widerspiegelt. Dies hilft bei der Vermeidung von Fixierungsfehlern.

Situationsbewusstsein heißt auch, **Aufmerksamkeit zu verteilen,** da diese entweder fokussiert oder auf das Gesamtbild gerichtet werden kann (begrenzte kognitive Kapazität). Der Teamführer sollte dabei i. d. R. das Gesamtbild im Auge behalten, während einzelne Teammitglieder auf Einzelaufgaben fokussiert sein können (z. B. das Legen eines periphervenösen Zugangs).

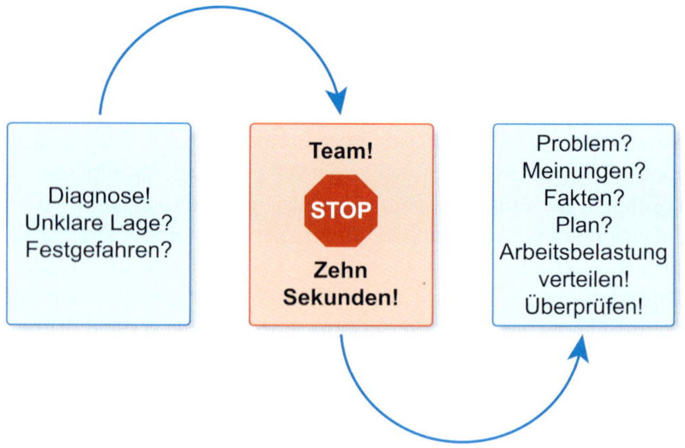

Abb. 11.2 Das Konzept „10 Sekunden für 10 Minuten" [W933-001, L231]

PRAXISTIPP

Muss der Teamführer selbst Maßnahmen durchführen, sollte die Maßnahme (sofern medizinisch vertretbar) regelmäßig unterbrochen werden oder idealerweise ein anderes Teammitglied die Überwachung des Patienten und die Beobachtung der Gesamtsituation übernehmen.

Entscheidungsfindung

Während einige Probleme im Rettungsdienst durch **Anwenden von Algorithmen und Richtlinien** gelöst werden können, erfordern andere Situationen aufwendigere und **kreative Problemlösungen.** Da jedes Teammitglied ein eigenes mentales Modell und eigenes Fachwissen besitzt, können Probleme vielfach im Team konstruktiver gelöst werden, insbesondere bei interprofessionellen Teams. Dabei wird die eigentliche Entscheidung natürlich weiterhin vom Teamführer bzw. Einsatzleiter gefällt, da er sich für den Einsatzablauf verantwortlich zeigt. Andererseits soll dies eben nicht heißen, dass die Entscheidung im Alleingang getroffen werden muss. Vielmehr ist es ein Zeichen effektiver Teamarbeit, Fakten und Handlungsoptionen kurz im Team zu besprechen. Auch zur **Äußerung von Kritik und sicherheitsrelevanten Bedenken** sollte dabei gezielt ermutigt werden, um das bereits genannte Gruppendenken zu verhindern.

Um Problemlösungsversuche zu strukturieren, bieten sich Leitfragen (*„Was ist das vordringliche Problem?", „Was ist das größte Risiko?"*) an. **Strukturierte Diagnose- und Handlungsschemata** (z. B. ABCDE, → Kap. 17.1.4) oder Entscheidungshilfen (z. B. FORDEC, → Kap. 3, Fortsetzung des Szenarios) können bei der Entscheidungsfindung ebenfalls helfen. Die jeweilige Entscheidung sollte ein klares Ziel für die Patientenbehandlung vorgeben.

MERKE

Diagnose- und Handlungsschema FORDEC

Facts: *„Was ist das Problem?"*
Options: *„Welche Handlungsoptionen bestehen?"*
Risks: *„Welche Risiken drohen bei den verschiedenen Handlungsoptionen?", „Welche Erfolgsaussichten gibt es?"*
Decision: Auswahl der Handlungsoption
Execution: Durchführung der Handlungsoption (inkl. Delegation, Kommunikation des Handlungsziels)
Check: *„Läuft alles wie geplant?", „Wurde das Ziel erreicht?"*

Kommunikation

Ohne Kommunikation ist Teamarbeit nicht möglich. Grundlagen der Kommunikation sind in → Kap. 9.1 und allgemeine Hinweise zur Kommunikation in Notfällen in → Kap. 9.2.3 beschrieben. Speziell bezogen auf eine effektive Teamarbeit sollten folgende **Grundsätze** beabsichtigt werden:

- **Klarer Adressat:** Werden Anweisungen gegeben, muss klar sein, wer die Anweisung ausführen soll. Wenn möglich, sollten zur Anrede Namen verwendet werden. Dies ermöglicht zum einen die eindeutige Identifikation des Adressaten, zum anderen weckt die Nennung des eigenen Namens sofort die **Aufmerksamkeit,** selbst in Stresssituationen.
- **Klare Aussage:** Ebenso muss deutlich werden, welche Maßnahme genau ergriffen werden soll (also z. B. „*500 ml NaCl anhängen*“ statt „*ein bisschen mehr Volumen geben*“). Sinngemäß gilt dies auch für andere Informationen: Konkrete Angaben sind allgemeinen Formulierungen vorzuziehen (also im Fallbeispiel: „*Kann die Patientin in zehn Minuten befreit werden?*“ statt „*kann die Patientin schnell befreit werden?*“).
- **Rückmeldungen geben/Kommunikationsschleife schließen:** Anweisungen sollten bestätigt werden, dabei sollte die **Bestätigung** die wesentlichen Informationen enthalten *(„7,5er Tubus mit Mandrin, bereite ich vor.“).* Ebenso sollte die durchgeführte Anweisung bestätigt und auf etwaige Schwierigkeiten bei der Durchführung hingewiesen werden. Werden Informationen mitgeteilt, sollte auch dies bestätigt oder zusammengefasst werden.
- **Bei Unklarheiten nachfragen:** Gerade für Berufsanfänger kann es unangenehm sein, zuzugeben, dass man etwas nicht verstanden hat oder nicht weiß. Jedoch kann effektive Teamarbeit und Patientensicherheit nur entstehen, wenn alle dieselbe Sprache sprechen. Gerade bei Medikamentengaben können **Missverständnisse** fatale Folgen haben. Daher ist im Zweifelsfall nachzufragen. Werden vermeintliche Fehler oder Risiken beobachtet, muss ebenfalls nachgefragt werden.
- **Mentale Modelle teilen:** Mentale Modelle müssen geteilt und zu einem gemeinsamen mentalen Modell zusammengeführt werden, dies gilt insbesondere für interdisziplinäre Teams. Auch mentale Modelle über die Ziele der Patientenbehandlung und die nächsten durchzuführenden Schritte sollten im Team besprochen werden *(„Wir legen jetzt hier in der Wohnung noch einen zweiten Zugang und transportieren den Patienten dann zum RTW.“).*
- **Sachliche und neutrale Sprache:** Kommunikation im Team sollte sich auf das Lösen von Problemen beziehen. **Konstruktive Kritik** auf der Sachebene sollte möglich sein, Kritik auf der Beziehungsebene sollte jedoch außerhalb des Einsatzes geklärt werden.

ACHTUNG! Gegenseitige Anfeindungen und Vorwürfe innerhalb eines Teams sind während des Einsatzes grundsätzlich zu unterlassen!

Teamführung und Zusammenarbeit

Notfallsanitäter können sowohl als Teamführer als auch als Teammitglied eingesetzt sein. Beide Rollen erfordern entsprechende Fähigkeiten. Effektive Teamarbeit und Teamführung stellen dabei sicher, dass die Arbeitsbelastung gleichmäßig auf die Teammitglieder verteilt wird.

MERKE

Jedes Teammitglied soll sich seinen Fähigkeiten entsprechend in ein Team einbringen können.

Ein funktionierendes Team gibt sich eine zielführende Struktur, d. h., einzelne Rollen bzw. Funktionen werden sachlich begründet innerhalb des Teams verteilt. Das erforderliche Ausmaß an Führung und somit der geeignete Führungsstil variieren dabei mit der Zusammensetzung des Teams (→ Kap. 13). Effektive Teamführung verwendet möglichst wenig Zeit für die Regelung von Routineaufgaben und beschränkt sich stattdessen auf die **Vorgabe von Zielen.** Bei nicht eingespielten Teams oder Teams, die sich aus mehreren unerfahrenen oder noch in der Ausbildung befindlichen Mitgliedern zusammensetzen, ist u. U. jedoch mehr Unterstützung und Führung nötig.

Zu den Aufgaben des Teamführers gehört auch das **Schaffen eines positiven Arbeitsklimas.** Dazu gehört die Verdeutlichung, dass „Mitdenken“ ausdrücklich erwünscht ist und dass Bedenken, insbesondere wenn sie die Patientensicherheit betreffen, jederzeit geäußert werden können und auch sollen

MERKE

Es muss klar werden, dass die Mitarbeit jedes einzelnen Teammitglieds respektiert und wertgeschätzt wird.

Gleichzeitig muss ein Teamführer umgehend **auf Konflikte und Krisen reagieren:**

- Bei **Konflikten auf der Sachebene** ist ein **Begründen der Entscheidung** oft hilfreich; bei sicherheitsrelevanten Bedenken anderer Teammitglieder sollte eine eigene Entscheidung unbedingt noch einmal überprüft werden.
- **Konflikte auf der Beziehungsebene** sollten **nach** dem Einsatz geklärt werden (ggf. muss hier deutlich gesagt werden: „*Wir besprechen das später.*“). Dies sollte dann aber auch tatsächlich erfolgen.

ACHTUNG! Bleiben Konflikte innerhalb eines Teams ungeklärt, besteht die Gefahr, dass Probleme aus dem letzten Einsatz in den nächsten Einsatz übernommen werden und auch dort die Zusammenarbeit beeinträchtigen!

Nicht zuletzt setzt eine gute Zusammenarbeit im Team ein permanentes, „waches“ Mitarbeiten und Kommunizieren voraus. Als Teammitglied sollten **Anweisungen befolgt** und **Rückmeldungen gegeben** werden, wenn Aufgaben erledigt wurden bzw. warum Anweisungen nicht durchgeführt werden konnten. Aktives Mitarbeiten und Befolgen von Anweisungen geht über „*An der Einsatzstelle wird nicht diskutiert!*“ hinaus – drohende Gefahren oder Fehler werden mitgeteilt und in Problemsituationen Lösungsvorschläge angeboten.

MERKE

Jedes einzelne Teammitglied trägt auch zu einem positiven Arbeitsklima bei!

IM FOKUS

Team Resource Management (TRM)

- **Situationsbewusstsein** (Situation Awareness) umfasst das Wissen über die derzeitige Situation und ihre potenzielle Entwicklung.
  Hilfreich ist hier das „10 Sekunden für 10 Minuten“-Konzept.
- Bei der **Entscheidungsfindung** hilft das sog. FORDEC-Schema: Facts, Options, Risks, Decision, Execution, Check

- Auch für eine gelungene **Kommunikation** im Team gibt es hilfreiche Regeln, z. B.:
  Klare Aussagen treffen, Rückmeldungen geben, mentale Modelle teilen
- **Teamführung** ist eine besondere Herausforderung.
  Bei Konflikten auf der Sachebene helfen Begründungen, Konflikte auf der Beziehungsebene sollten nach dem Einsatz geklärt werden.

Aktivationsniveau und Leistung

Natürlich setzt sich die Leistungsfähigkeit eines Teams auch aus der Leistungsfähigkeit der einzelnen Teammitglieder zusammen. Ein Faktor, der die Leistungsfähigkeit beeinflusst, ist dabei das **Aktivationsniveau.** Aktivationsniveau ist eine Beschreibung für die „Wachheit" eines Organismus und kann zwischen den Extrempunkten Bewusstlosigkeit und Panik liegen. Die Beziehung zwischen Leistungsfähigkeit und Aktivationsniveau wird dabei oft als umgekehrt u-förmig beschrieben (→ Abb. 11.3), d. h., sowohl ein zu niedriges als auch ein zu hohes Aktivationsniveau führen nicht zu optimaler Leistung. Verschiedene äußere und innere Faktoren, z. B. die Wahrnehmung einer Situation oder zirkadiane Rhythmen („innere Uhr"), beeinflussen das Aktivationsniveau. Das optimale Aktivationsniveau hängt jedoch auch von der durchzuführenden Aufgabe ab. So benötigen komplexe Aufgaben wie z. B. die Gesprächsführung bei psychosozialen Notfällen i. d. R. ein höheres Aktivationsniveau als Routinetätigkeiten. Durch das Eintrainieren von Tätigkeiten ist es möglich, diese auch noch bei hohem Aktivationsniveau sicher auszuführen, d. h., die Beziehung zwischen Leistungsfähigkeit und Aktivationsniveau für eine bestimmte Tätigkeit zu verändern. Daher kann das drillmäßige Trainieren bestimmter Handlungen sinnvoll sein.

Ist das Aktivationsniveau für eine bestimmte Tätigkeit zu hoch, macht sich dies als Überlastung bemerkbar.

MERKE

Anzeichen für eine **Überlastung** sind z. B. (→ Kap. 7.3.1):
- Zunehmende Fehlgriffe und Flüchtigkeitsfehler
- Vergessen von Aufträgen, Namen, Zahlen
- Konzentration auf Irrelevantes (z. B. Bereitstellen nicht erforderlichen Materials, Stellen der Uhrzeit am Defibrillator)
- Schnelles Sprechen, hohe Stimme, Stottern
- Unnötige Bewegungen (mit den Fingern trommeln, ständiges Kratzen)
- Über die eigene Belastung, Aufträge und Technik schimpfen *(„Hier funktioniert aber auch gar nichts!")*
- Zeitliche Verzögerung bei gleichzeitiger Ausführung (Sprechen und Handeln)
- Keine Reaktion auf Ansprache

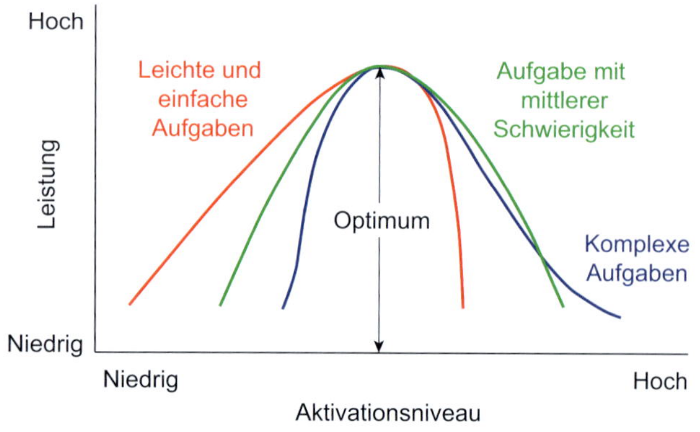

Abb. 11.3 Beziehung zwischen Aktivationsniveau und Leistung [L143]

Die Überlastung einzelner Teammitglieder gilt es als Teamführer rasch zu erkennen bzw. von vornherein zu verhindern.

Grundsätze des Team Resource Management

Rall et al. haben **15 Grundsätze** des Team Resource Management in der Anästhesie entwickelt, die auf die Notfallmedizin übertragen werden können. (→ Abb. 11.4)

11.3.3 Fehler und Sicherheitskultur

Während im Rettungsdienst und in der Notfallmedizin häufig die Annahme gilt, dass Fehler nicht passieren dürfen, sind diese in Wirklichkeit ein unausweichlicher Begleiter menschlichen Handelns. Hierbei liegt Fehlern nicht grundsätzlich ein Nichtwissen oder persönliche Inkompetenz zugrunde. Gerade sehr vertraute Handlungen sind unter bestimmten Umständen anfällig für „Ausrutscher" **(Aufmerksamkeits- oder Gedächtnisfehler),** bei denen wichtige Schritte im Arbeitsprozess ausgelassen oder verwechselt werden (z. B. Verwechseln der Ampullen beim Vorbereiten einer Injektion). Dies ist häufig die Folge von Unterbrechungen im Arbeitsablauf, z. B. durch häufiges Nachfragen, oder die Überlastung Einzelner durch mehrere Aufgaben gleichzeitig. Auch äußere Faktoren können das Entstehen von Fehlern begünstigen.

ACHTUNG! Mögliche äußere Faktoren in der Fehlerentstehung sind z. B.:
- Medikamentenverwechslungen
  - Ähnlich aussehende Medikamentenampullen für unterschiedliche Medikamente oder Dosierungen („look-alike" Medikamente)
  - Ähnlich klingende Medikamentennamen („sound-alike" Medikamente), wechselnde Handelsnamen für denselben Wirkstoff
  - Ungünstige Lagerung im Notfallkoffer oder Ampullarium
- Medizintechnik
  - Nichtintuitive Bedienung
  - Unklare Beschriftung von Schaltern, Alarmen etc.
  - Verschiedene Varianten des gleichen Geräts (unterschiedliche Software-Versionen, Bedienungsanleitungen)
- Organisation
  - Keine Einweisung auf Fahrzeuge und Geräte
  - Zeitdruck

Das Arbeiten nach den Grundsätzen des **Team Resource Management** kann hier helfen, Fehler zu vermeiden. Dies gilt auch für Fehler in der Entscheidungsfindung, z. B. Fixierungsfehler. Durch wechselseitige Kontrolle im Team (z. B. das Vier-Augen-Prinzip bei der Medikamentengabe) können Fehler oft rechtzeitig erkannt werden.

Darüber hinaus sollte ein **konstruktiver Umgang mit Fehlern** das Lernen aus Fehlern ermöglichen, um die Patientensicherheit zu verbessern. Idealerweise sollte dies im Rahmen einer **Sicherheitskultur** erfolgen. Eine solche Sicherheitskultur besteht aus fünf Komponenten:

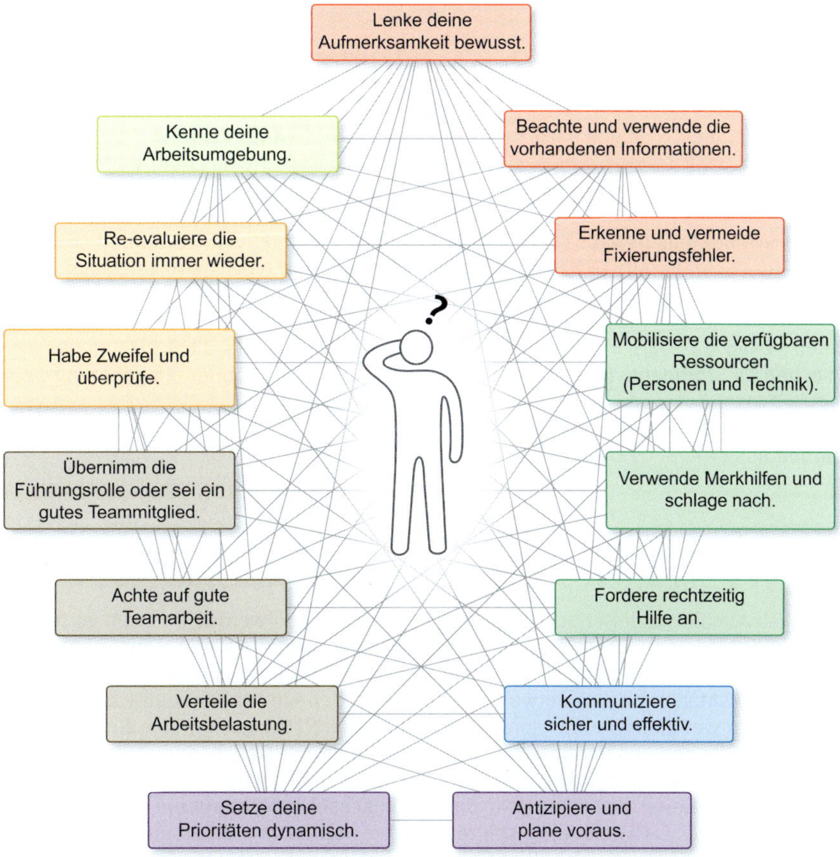

Abb. 11.4 Grundsätze des Team Resource Management (nach Rall et al. 2009) [E876, L231]

- Informierte Kultur
- Berichtende Kultur
- Gerechte Kultur
- Flexible Kultur
- Lernende Kultur

In einer **informierten Kultur** werden Daten von Beinaheereignissen (Fehler rechtzeitig erkannt), Ereignissen (Fehler ohne Patientenschädigung) und Zwischenfällen (mit Patientenschädigung) gesammelt und ausgewertet. Dazu gehören z. B. Daten von Fehlermeldesystemen (Critical Incidence Reporting Systems, kurz CIRS) und Daten aus dem Bereich des Qualitätsmanagements (→ Kap. 55).

Diese Daten können die Realität jedoch nur dann wiedergeben, wenn alle Mitarbeiter die Daten ehrlich berichten und bereit sind, ihre eigenen Erfahrungen zur Verfügung zu stellen, damit andere daraus lernen können **(berichtende Kultur).** Dies wird wiederum nur dann der Fall sein, wenn eine **gerechte Kultur** vorhanden ist, bei der Mitarbeiter für fehlerhafte Handlungen, Auslassungen oder fehlerhafte Entscheidungen, die im Einklang mit ihrer Erfahrung und Ausbildung stehen, nicht bestraft werden. Grobe Fahrlässigkeit und vorsätzliche Regelverletzungen werden aber weiterhin sanktioniert.

Zu einer Sicherheitskultur gehört schließlich die Flexibilität, auch unter sich ständig ändernden Bedingungen (hohes Einsatzaufkommen, wechselnde Einsatzstellen, wechselnde Kollegen) gleichermaßen sicher arbeiten zu können **(flexible Kultur).** All diese Komponenten können aber nur in einer **lernenden Kultur** erfolgreich sein, d. h., wenn der Wille besteht, aus gesammelten Daten und Erfahrungen zu lernen und die Sicherheit zu verbessern.

IM FOKUS

Sicherheitskultur

- Eine gute Sicherheitskultur geht grundsätzlich von der Annahme aus, dass **Fehler passieren** können.
- Ziel sollte ein **konstruktiver Umgang** mit gemachten Fehlern und eine Vermeidung zukünftiger Fehler sein.
- Eine gute Sicherheitskultur besteht aus fünf Komponenten:
  - **Informierte** Kultur: Was ist passiert oder kann passieren?
  - **Berichtende** Kultur: Werden Ereignisse offen mitgeteilt?
  - **Gerechte** Kultur: Ab welchem Punkt erfolgt eine Sanktion?
  - **Flexible** Kultur: Können wir uns veränderten Bedingungen anpassen?
  - **Lernende** Kultur: Wollen und können wir aus Fehlern lernen?

WIEDERHOLUNGSFRAGEN

1. Was versteht man unter einer kognitiven Kapazität (→ Kap. 11.1.1)?
2. Welche Merkmale weisen Teams auf (→ Kap. 11.1.2)?
3. Beschreiben Sie die Phasen der Teamentwicklung nach Tuckman und Jensen (→ Kap. 11.1.2).
4. Erläutern Sie die Besonderheiten rettungsdienstlicher Teamarbeit (→ Kap. 11.1.3).
5. Was versteht man unter einer Schnittstelle (→ Kap. 11.2)?
6. Welche Gefahren drohen an einer Schnittstelle (→ Kap. 11.2)?
7. Wie kann für eine erfolgreiche Schnittstellengestaltung gesorgt werden (→ Kap. 11.2)?
8. Was ist ein mentales Modell (→ Kap. 11.3.1)?
9. Nennen Sie mögliche Ursachen für Störungen der Teamarbeit (→ Kap. 11.3.1).
10. Welche Persönlichkeitsmerkmale und Verhaltensweisen wirken sich ungünstig auf Teamarbeit aus (→ Kap. 11.3.1)?
11. Wie kann effektive Teamarbeit ermöglicht werden (→ Kap. 11.3.2)?
12. Welche Komponenten gehören zum Team Resource Management (→ Kap. 11.3.2)?
13. Erläutern Sie das FORDEC-Modell zur Entscheidungsfindung (→ Kap. 11.3.2).
14. Wie sollte sich ein Teammitglied verhalten, um zu einer möglichst effektiven Teamarbeit beizutragen (→ Kap. 11.3.2)?
15. Was sind typische Anzeichen der Überlastung eines Teammitglieds (→ Kap. 11.3.2)?
16. Welche äußeren Faktoren begünstigen die Entstehung von Fehlern (→ Kap. 11.3.3)?
17. Welche Komponenten gehören zu einer Sicherheitskultur (→ Kap. 11.3.3)?

FORTSETZUNG DES SZENARIOS

Der Notarzt begibt sich unverzüglich zum Einsatzleiter der Feuerwehr und bittet darum, die Arbeiten am Fahrzeug zunächst einzustellen, bis eine Erstversorgung der Patientin stattgefunden hat.

Dabei stellt sich heraus, dass der Einsatzleiter der Feuerwehr aufgrund der Kopfverletzung von der Notwendigkeit einer sofortigen Rettung ausgegangen war und das Weggehen des Notarztes als Zeichen gedeutet hatte, sofort mit der Rettung zu beginnen. Der Notarzt bespricht daraufhin mit dem Einsatzleiter der Feuerwehr das weitere Vorgehen. Erst nach Abschluss der Erstversorgung soll mit der technischen Rettung der Patientin begonnen werden. Diese soll schonend, aber zügig erfolgen.

Für die Erstversorgung werden im interprofessionellen Team nun folgende Ziele festgelegt: Verbesserung der Sauerstoffversorgung, Sicherstellen eines venösen Zugangs und Immobilisation der HWS.

Die Aufgaben werden im Team verteilt: Der Notfallsanitäter des NEF legt der Patientin eine Sauerstoffmaske an und bereitet dann Intubation und Narkose vor, der Notfallsanitäter des RTW legt – unterstützt durch den Auszubildenden – zwei großlumige venöse Zugänge, während der Rettungssanitäter die HWS immobilisiert.

Im Team wird auch das weitere Vorgehen kurz besprochen. Nach Schaffen der Befreiungsöffnung durch die Feuerwehr soll die Patientin achsengerecht auf die Trage umgelagert werden, dann soll durch den Notarzt mit Unterstützung des Notfallsanitäters des NEF intubiert werden. Der Notfallsanitäter des RTW soll dabei permanent den Gesamtzustand der Patientin im Auge behalten und bei abfallender Sauerstoffsättigung sofort Bescheid geben.

Nach erfolgreicher Durchführung der Maßnahmen wird die Patientin in den RTW gebracht und es erfolgt – nach entsprechender Voranmeldung – der zügige Transport in das nächstgelegene Traumazentrum.

WEITERFÜHRENDE LITERATUR

Marx D, Richter L, Segelhorst S, Pagenberg A. Faktor Mensch. Sicheres Handeln in kritischen Situationen. Kiel: MEDI-LEARN, 2013.

Möller S. Einfach ein gutes Team – Teambildung und -führung in Gesundheitsberufen. Heidelberg: Springer, 2010.

Rall M, Langewand S, Op Hey F. Crew Resource Management für den Rettungsdienst. Edewecht: Stumpf + Kossendey, 2022.

St. Pierre M, Hofinger G, Buerschaper C. Notfallmanagement. Human Factors in der Akutmedizin. 2. A. Heidelberg: Springer, 2011.

12

ZUSAMMENARBEIT MIT ANDEREN BERUFSGRUPPEN, BEHÖRDEN UND ORGANISATIONEN

Harald Karutz

SZENARIO

Der Rettungsdienst in einer ländlichen Region wird mit mehreren Kräften, die von unterschiedlichen Rettungswachen aus anrücken, zu einem schweren Verkehrsunfall mit zahlreichen Verletzten alarmiert. Nach einer kurzen Anfahrt trifft die Besatzung eines RTW als Erstes an der Einsatzstelle ein.
Dem Rettungsfachpersonal bietet sich zunächst ein ausgesprochen unübersichtliches Bild der Lage, die Situation ist chaotisch. In mehreren Fahrzeugen sind Verletzte eingeklemmt, einige rufen um Hilfe. Diverse Betriebsstoffe laufen aus. Ein etwa 30-jähriger Mann läuft offensichtlich unverletzt, aber extrem aufgeregt an der Unfallstelle hin und her. Am Straßenrand stehen mehrere Kinder, die vermutlich auf dem Weg zur Schule gewesen sind und das Einsatzgeschehen nun aufmerksam beobachten. Schon auf den ersten Blick wird erkennbar, dass in dieser Situation nicht nur rettungsdienstliche Maßnahmen erforderlich sind. Vielmehr müssen viele unterschiedliche Berufsgruppen, Behörden und Organisationen innerhalb kürzester Zeit möglichst effektiv zusammenwirken.

INHALTSÜBERSICHT

12.1 GRUNDSÄTZLICHES

- Eine optimale Patientenversorgung hängt von der Qualität der Zusammenarbeit der beteiligten Berufsgruppen, Behörden und Organisationen ab.
- Eine wichtige Voraussetzung, mit anderen zusammenarbeiten zu können, ist die Fähigkeit zum Perspektivwechsel.
- Gemeinsame Fortbildungen, Übungen und Einsatznachbesprechungen sowie gegenseitige Hospitationen, Praktika und organisationsübergreifende Gemeinschaftsaktivitäten tragen dazu bei, bestehende Vorurteile ab- und Vertrauen aufbauen.

12.2 ZUSAMMENARBEIT MIT ÄRZTEN

- Ärzte sind die wichtigsten Partner des Rettungsfachpersonals.
- Das Rettungsfachpersonal bildet mit Ärzten ein Team. Beide Berufsgruppen sollten sich darin einander ergänzend einbringen können.
- Im Hinblick auf medizinische Fragen sind ärztliche Anweisungen für das Rettungsfachpersonal als bindend zu betrachten.
- Zwischen zwei Ärzten ergibt sich bei Meinungsverschiedenheiten eine Pattsituation.
- Der ärztliche Notdienst ist vom Notarztdienst grundsätzlich zu unterscheiden.

12.3 ZUSAMMENARBEIT MIT PFLEGEFACHKRÄFTEN

- Die Zusammenarbeit sollte auf Augenhöhe stattfinden.
- Unzutreffende Annahmen bzw. Vorurteile und Stereotype stehen einer konstruktiven Zusammenarbeit im Weg.
- Einige Entwicklungstendenzen im Gesundheitswesen tragen derzeit dazu bei, dass zwischen Gesundheitsfachberufen Konkurrenzangst verursacht wird.

12.4 ZUSAMMENARBEIT MIT PSYCHOSOZIALEN AKUTHELFERN

- Die Bezeichnung „psychosoziale Akuthelfer“ fasst Notfallseelsorger sowie die Mitglieder von Kriseninterventions- und Notfallnachsorgeteams in einem einheitlichen Oberbegriff zusammen.
- Wesentliche Elemente der psychosozialen Akuthilfe sind die Förderung des Verständnisses, die Beruhigung von Betroffenen, die Begleitung bei der Verabschiedung von einem Verstorbenen, die Aktivierung von Ressourcen, die Unterstützung bei religiösen Bedürfnissen, die Stärkung des Selbstwirksamkeitserlebens, eine angemessene Psychoedukation im Hinblick auf mögliche Belastungsreaktionen sowie die Sicherstellung einer „psychosozialen Kontaktkette“.
- Indikationen für die Alarmierung psychosozialer Akuthelfer sind u. a. die Betreuung von Hinterbliebenen nach plötzlichen Todesfällen, die Betreuung von Menschen, die den Tod eines anderen verursacht haben, Suizide, schwere Verletzungen oder der Tod eines Kindes, besonders schwere Unfälle, Gewaltverbrechen und Großschadenslagen.

12.5 ZUSAMMENARBEIT MIT DER POLIZEI

- Zentrale Aufgaben der Polizei sind die Aufrechterhaltung der öffentlichen Sicherheit und Ordnung sowie die Verfolgung von strafbaren oder ordnungswidrigen Handlungen.
- Rettungsfachpersonal muss darauf achten, an Tatorten nicht unbedacht wertvolle Spuren zu vernichten oder zu verfälschen.

12.6 ZUSAMMENARBEIT MIT DER FEUERWEHR

- Aufgaben der Feuerwehr sind nicht nur der vorbeugende und abwehrende Brandschutz, sondern u. a. auch die Durchführung technischer Hilfeleistungen.
- Brandschutzbedarfspläne oder Mindeststärkeverordnungen legen fest, wie umfangreich eine Feuerwehr ausgestattet ist.
- An gemeinsamen Einsatzstellen ist der Einsatzleiter der Feuerwehr dem Rettungsfachpersonal gegenüber in technisch-taktischer, jedoch nicht in medizinischer Hinsicht weisungsbefugt.
- An gemeinsamen Einsatzstellen sind zahlreiche Besonderheiten zu beachten, so z. B. der Eigenschutz sowie die Raumordnung, insbesondere die Parkposition des eigenen Einsatzfahrzeugs.

12.7 ZUSAMMENARBEIT MIT DEM THW

- Das THW ist eine Bundesanstalt im Zuständigkeitsbereich des Bundesinnenministeriums.
- Ressourcen des THW können bei Katastrophen, Großschadenslagen und anderen besonders schweren Unglücken im Rahmen der Amtshilfe zur Hilfeleistung herangezogen werden.

12.8 ZUSAMMENARBEIT MIT DER BUNDESWEHR

- Die Bundeswehr ist an einigen Standorten in den zivilen Rettungsdienst eingebunden.
- Eine weitere Aufgabe der Bundeswehr ist der SAR-Dienst zur Suche und Rettung von Opfern von Schiffs- oder Flugzeugunglücken.
- Gemäß Art. 35 GG kann die Bundeswehr außerdem zur Bewältigung von Katastrophen oder besonders schweren Unglücksfällen im Inland eingesetzt werden.
- Die Einbindung der Bundeswehr in die Gefahrenabwehrstruktur wird durch Vereinbarungen zur Zivilmilitärischen Zusammenarbeit (ZMZ) geregelt.

12.9 ZUSAMMENARBEIT MIT SUCH- UND RETTUNGSHUNDESTAFFELN

- Zentrale Aufgaben von Such- und Rettungshundestaffeln sind die Suche nach Vermissten und Verschütteten sowie die Suche nach Ertrunkenen.
- Bei den Einsatzindikationen unterscheidet man dementsprechend Flächensuchen, Trümmersuchen und Wassersuchen.

12.10 ZUSAMMENARBEIT MIT DEN SEENOTRETTERN

- Die Deutsche Gesellschaft zur Rettung Schiffbrüchiger (DGzRS) ist für den maritimen SAR-Dienst in den deutschen Hoheitsgewässern zuständig.
- Alle Seenotrettungsboote haben eine medizinische Grundausstattung an Bord.
- Die größeren Seenotkreuzer verfügen sogar über ein Bordhospital.

12.11 ZUSAMMENARBEIT MIT DER BERGWACHT

- Die Bergwacht ist eine eigenständige Gemeinschaft des Deutschen Roten Kreuzes (DRK).
- Zu den Aufgaben der Bergwacht gehören die Menschenrettung aus alpinem bzw. unwegsamem Gelände, die Rettung aus Höhen und Tiefen sowie die Suche nach Vermissten und Verschütteten.

12.12 ZUSAMMENARBEIT MIT DER DEUTSCHEN BAHN AG

- Bei Einsätzen im Bereich von Gleisanlagen entsendet die Deutsche Bahn AG einen Notfallmanager, der dem Einsatzleiter als Fachberater zur Verfügung steht.
- Die Deutsche Bahn AG unterhält sechs Rettungszüge (RTZ).

12.13 ZUSAMMENARBEIT MIT WEITEREN KOOPERATIONSPARTNERN UND BERUFSGRUPPEN

- Sonstige Kooperationspartner des Rettungsdienstes sind Ordnungs-, Gesundheits-, Sozial- und Jugendämter, Wohnungs- und Obdachlosenunterkünfte, Frauenhäuser, Beratungsstellen, Pflege- und Hausnotrufdienste, Opferschutzverbände, Selbsthilfegruppen u. v. m.
- Auch mit Hebammen, Physiotherapeuten und anderen Gesundheitsfachberufen arbeitet Rettungsfachpersonal partnerschaftlich zusammen.

12.14 ZUSAMMENARBEIT MIT MEDIENVERTRETERN

- Medienvertreter haben die Aufgabe, die Öffentlichkeit über relevante Ereignisse zu informieren.
- Die Pressefreiheit ist in Art. 5 GG geregelt.
- Aus einer Vielzahl von Gründen ist dem Rettungsdienst dringend eine professionelle Presse- und Öffentlichkeitsarbeit zu empfehlen.
- Im Hinblick auf Auskünfte an Medienvertreter hat jede Rettungsfachkraft interne Dienstanweisungen, insbesondere aber auch die gesetzlichen Regelungen zur Schweigepflicht zu beachten.

12.1 Grundsätzliches

An der Bewältigung einer Notfallsituation sind direkt oder indirekt immer mehrere Berufsgruppen, Behörden und Organisationen beteiligt (→ Abb. 12.1). Eine optimale Patientenversorgung hängt dabei in hohem Maße von der Qualität der Zusammenarbeit ab.

MERKE

Hier kommt es auf eine sorgfältig abgestimmte **Schnittstellengestaltung,** einander **ergänzende Kompetenzen, gemeinsam verfolgte Handlungsziele** und nicht zuletzt auf ein **harmonisches und professionelles Miteinander** an.

Abb. 12.1 Zusammenarbeit verschiedener Organisationen bei einem Einsatz [P094]

Konflikte können sicherlich manchmal auftreten und sind auch nicht immer zu vermeiden, sie müssen dann aber rasch und konstruktiv geklärt werden. Vor allem dürfen sie niemals zulasten eines verletzten oder erkrankten Menschen gehen. Eine Grundvoraussetzung für eine erfolgreiche, effektive Zusammenarbeit besteht darin, über

- Aufgaben,
- Ausbildung,
- Ausstattung,
- besondere Fähigkeiten,
- Handlungslogiken bzw. Arbeitsweisen und
- Weisungsbefugnisse

anderer Berufsgruppen, Behörden und Organisationen angemessen informiert zu sein. Auf diese Weise kann man bei Bedarf auch einen **Perspektivwechsel** vornehmen, was wichtig ist, um z. B. in einer Konfliktsituation auch ein gewisses **Verständnis** für sein Gegenüber entwickeln zu können. Zudem kann besser eingeschätzt werden, wann ggf. welche andere Instanz bzw. Organisation in einem Einsatz zur Unterstützung einzubeziehen ist.

Gemeinsame Fortbildungsveranstaltungen, Übungen und Einsatznachbesprechungen sowie gegenseitige Hospitationen und Praktika, aber auch organisationsübergreifende, eher informelle Gemeinschaftsaktivitäten wie ein Helferfest tragen in hohem Maße dazu bei, möglicherweise bestehende Vorurteile ab- und Vertrauen aufzubauen:

- Angehende Notfallsanitäter absolvieren z. B. aus gutem Grund ein umfangreiches Klinikpraktikum: Eine wichtige Zielsetzung dieses Ausbildungsteils besteht nicht zuletzt darin, das Tätigkeitsfeld der Gesundheits- und Krankenpflege näher kennenzulernen.
- Umgekehrt sollten aber auch Pflegefachkräfte einen Einblick in die Praxis der präklinischen Notfallversorgung erhalten, um die Arbeit des Rettungsdienstes besser beurteilen zu können etc.

PRAXISTIPP

Auch weitere Hospitationen angehender Rettungsfachkräfte, etwa bei der Polizei und der Feuerwehr, aber auch bei einem Kriseninterventionsteam, einem Notfallseelsorgesystem oder anderen Institutionen, zu denen sich durch Einsätze Kontakt ergeben kann, sind dringend zu empfehlen. Wichtig ist dabei allerdings, die versicherungsrechtliche Situation im Vorfeld genau zu klären!

Die Kollegen und Organisationen, mit denen man zusammenarbeiten muss, sollte man möglichst im Vorfeld schon einmal persönlich kennenlernen und man sollte ihnen generell mit einer **kollegialen Wertschätzung** begegnen. In den folgenden Abschnitten werden einige weiterführende Hinweise zu den Berufsgruppen, Behörden und Organisationen gegeben, zu denen Notfallsanitäter besonders häufigen Kontakt haben.

12.2 Zusammenarbeit mit Ärzten

Ärzte sind im Einsatzgeschehen die wichtigsten **Partner** des Rettungsfachpersonals. Zugunsten eines jeden Patienten und seiner Angehörigen sollten sich Notfallsanitäter und Ärzte gleichermaßen vor Augen führen, dass sie in Notfällen ein funktionierendes Team zu bilden haben. In der Praxis sind beide Berufsgruppen zwingend aufeinander angewiesen, und eine wichtige Aufgabe ist es, einander sinnvoll zu ergänzen.

ACHTUNG! Berufspolitisch motivierte Auseinandersetzungen sind vor diesem Hintergrund nicht nur schädlich und ärgerlich, sondern vor allem auch vollkommen überflüssig.

12.2.1 Zusammenarbeit mit Notärzten

Notärzte sind aus dem deutschen Rettungsdienst nicht wegzudenken (→ Abb. 12.2). Auch das Berufsbild des Notfallsanitäters ändert daran nichts. Wer als Notarzt eingesetzt wird, verfügt i. d. R. über den **„Fachkundenachweis Rettungsdienst"** oder die **Zusatzbezeichnung „Notfall- bzw. Rettungsmedizin"**. Letztere hat in den vergangenen Jahren zunehmende Verbreitung gefunden, sodass bundesweit inzwischen eine nahezu einheitliche Notarztausbildung existiert. Generell ist für die Qualifikation von Notärzten festgelegt, dass eine bestimme klinische Erfahrung, die Teilnahme an einer fachspezifischen Weiterbildung und eine bestimmte Anzahl an Einsatzhospitationen unter Anleitung eines erfahrenen Notarztes absolviert werden müssen. In Details können die Regelungen in den einzelnen Bundesländern allerdings voneinander abweichen.

Abb. 12.2 Zusammenarbeit mit dem Notarzt [M235]

MERKE

Konflikte zwischen Rettungsfachpersonal und Notärzten können sich – von ungünstigen Verhaltensweisen Einzelner abgesehen (→ Kap. 11.3.1) – vor allem ergeben durch:
- Unterschiedliche Prioritätensetzungen am Notfallort
- Unterschiedliche Einschätzungen bezüglich einer Therapie
- Unterschiedliche Einschätzungen hinsichtlich der anzufahrenden Zielklinik
- Unterschiedliche Einschätzungen hinsichtlich der Notwendigkeit einer ärztlichen Transportbegleitung

Gelegentlich werfen sich Ärzte und Rettungsfachkräfte auch gegenseitig mangelnde Kompetenz, mangelnde Kooperationsbereitschaft oder mangelnde Wertschätzung vor:
- Ein Notfallsanitäter beklagt sich z. B., dass „sein" Notarzt nie mithilft, den Patienten die Treppe hinunterzutragen, und dass er auch nicht in der Lage ist, selbst eine Rückmeldung per Funk abzugeben.
- Ein Notarzt beklagt sich, dass „seine" Rettungsfachkräfte kein 12-Kanal-EKG ableiten können oder sie ihm bei der Auswahl verfügbarer Medikamente nicht behilflich sind.
- Notärzte und Rettungsfachkräfte beklagen gleichermaßen, dass ihnen im Einsatz nicht angemessen zugehört wird etc.

Ein besonderes Problem kann sich außerdem aus der **Tätigkeit auswärtiger Notärzte** ergeben, wenn diese weder das Einsatzgebiet mit seinen strukturell-organisatorischen Gegebenheiten noch die medikamentöse und apparative Ausstattung der Rettungsdienstfahrzeuge kennen. Möglicherweise arbeitet ein auswärtiger Notarzt auch nach „fremden" Standards, was bei den übrigen Einsatzkräften dann zu Irritationen führen kann.

ACHTUNG! Grundsätzlich gilt immer: Im Hinblick auf medizinische Fragen sind notärztliche Anweisungen für das Rettungsfachpersonal als **bindend** zu betrachten. Ausgenommen sind Anweisungen, die das Personal überfordern bzw. in ein Übernahmeverschulden münden würden. Auch einer Aufforderung zu einer Straftat muss natürlich nicht Folge geleistet werden (→ Kap. 57.4).

Anders stellt sich die Lage dar, wenn zwei Ärzte in einen Konflikt miteinander geraten, z. B. über unterschiedliche Auffassungen zu einer therapeutischen Vorgehensweise. Hier liegt eine **Pattsituation** vor. In einem solchen Fall ist kein Arzt einem anderen gegenüber weisungsbefugt. Zwischen zwei Ärzten gilt vielmehr ein Grundsatz der kollegialen Zusammenarbeit, d. h., die beiden Ärzte müssen sich untereinander einigen, bis eine erfolgreiche Behandlung gelingt. Geregelt ist dieser Grundsatz in § 29 der **ärztlichen Berufsordnung,** herausgegeben von der Bundesärztekammer. Darin heißt es u. a.:
- *„Ärztinnen und Ärzte haben sich untereinander kollegial zu verhalten."*
- *„Unsachliche Kritik an der Behandlungsweise oder dem beruflichen Wissen einer Ärztin oder eines Arztes sowie herabsetzende Äußerungen sind berufswidrig."*
- *„In Gegenwart von Patientinnen und Patienten oder anderen Personen sind Beanstandungen der ärztlichen Tätigkeit und zurechtweisende Belehrungen zu unterlassen."*

IM FOKUS

Zusammenarbeit mit Notärzten

- In bestimmten Fällen kann es zwischen Notfallsanitätern und Notärzten zu Konflikten kommen.
- Diese können die Patientenversorgung selbst oder organisatorisch-strukturelle Aspekte betreffen.
- Eine besondere Herausforderung ist die Zusammenarbeit mit **gebietsfremden Notärzten,** da sie die regionalen Gegebenheiten nicht immer kennen.
- Etwaige Konflikte sollten im Idealfall durch einen **wertschätzenden kollegialen Umgang** aufgelöst werden.
- Medizinisch ist der Notarzt in letzter Instanz immer **weisungsbefugt.**

12.2.2 Zusammenarbeit mit dem ärztlichen Notdienst

Der ärztliche Notdienst, teilweise auch **ärztlicher Notfalldienst, Vertretungs- oder Rufbereitschaftsdienst** genannt, wird von vielen Laien mit dem **Notarztdienst** verwechselt.

MERKE

Bei dem ärztlichen Notdienst und dem Notarztdienst handelt es sich um zwei weitgehend **voneinander getrennte Systeme** mit völlig unterschiedlichen Aufgaben.

So gehört der ärztliche Notdienst nicht zum Rettungsdienst, sondern hat die Aufgabe, lediglich die Versorgung von Patienten mit einem akuten, aber sicherlich nicht lebensbedrohlichen Gesundheitsproblem außerhalb der üblichen Sprechstundenzeiten sicherzustellen, d. h. insbesondere nachts, an Feiertagen und an Wochenenden. Die **Trägerschaft** liegt hier bei der **Kassenärztlichen Vereinigung (KV).**

Einerseits wird an vielen Orten eine sog. **Notdienstpraxis** betrieben, die von Patienten bei Bedarf aufgesucht werden kann, andererseits können vom ärztlichen Notdienst in dringenden Fällen auch **Hausbesuche** durchgeführt werden. Teilweise fahren die diensthabenden Ärzte dabei mit ihren privaten Pkw, teilweise mit einem Taxi. In manchen Städten und Kreisen wird der Fahrdienst aber auch von Hilfsorganisationen oder Privatunternehmen übernommen. Die dabei verwendeten Einsatzfahrzeuge sind i. d. R. jedoch nicht mit Sondersignalanlagen ausgestattet. Weitverbreitet ist die Verwendung von beleuchteten, mitunter auch blinkenden Dachaufsetzern mit einer Aufschrift wie z. B. „Arzt im Dienst".

Unabhängig von seiner fachlichen Ausrichtung ist jeder niedergelassene Arzt dazu verpflichtet, sich an der Sicherstellung dieser ärztlichen Notfallversorgung zu beteiligen. Eine Freistellung von der Übernahme einzelner Dienste ist nur aus schwerwiegenden Gründen möglich.

MERKE

Der ärztliche Notdienst wird auch von Allgemeinmedizinern, Internisten, Chirurgen, Gynäkologen, Urologen, Orthopäden etc. übernommen. Nur der Kinder- sowie der zahnärztliche Notdienst sind i. d. R. eigenständig (innerhalb der jeweiligen Fachdisziplin) organisiert.

Bundesweit ist der ärztliche Notdienst während der Dienstzeit einheitlich über die **Rufnummer 116 117** zu erreichen. Mancherorts wird der ärztliche Notdienst allerdings auch von den Rettungsleitstellen koordiniert. Da die Abgrenzung, ob sich ein bestimmtes Hilfeersuchen eher an den ärztlichen Notdienst oder den Notarzt des Rettungsdienstes richten sollte, für Laien oftmals schwierig ist, handelt es sich dabei um eine ausgesprochen sinnvolle organisatorische Regelung. Die Zusammenlegung der Leitstellen des Rettungsdienstes mit den Telefonzentralen für den ärztlichen Notdienst wird seit einiger Zeit auch deutlich verstärkt gefordert.

Ohnehin kommt es durch den zunehmenden Ärztemangel v. a. in ländlichen Regionen immer häufiger zu einer **Vermischung der Systeme** „ärztlicher Notdienst" und „Notarztdienst". In Ausnahmefällen wird der ärztliche Notdienst dabei z. B. wie ein regulärer Notarzt eingesetzt – nur handelt es sich dann nicht zwingend um einen Arzt mit dem Fachkundenachweis Rettungsdienst oder der Zusatzbezeichnung Notfall- bzw. Rettungsmedizin.

IM FOKUS

Zusammenarbeit mit dem ärztlichen Notdienst

- Ein Arzt des Notdienstes muss kein Notarzt sein.
- Organisation durch die jeweilige **Kassenärztliche Vereinigung.**
- System zur Sicherung der ärztlichen Versorgung von Nichtnotfällen außerhalb der Praxisöffnungszeiten.
- Organisiert in Form von **Notdienstpraxen** und **mobilen Ärzten,** die Hausbesuche durchführen.
- In der Regel mit eigener Leitstelle **(116 117),** manchmal auch mit der Rettungsleitstelle zusammengelegt, um Ressourcen sinnvoll zu bündeln.

12.2.3 Zusammenarbeit mit niedergelassenen Ärzten

Beruflich bedingten Kontakt zu niedergelassenen Ärzten haben Notfallsanitäter insbesondere dann, wenn es in einer Arztpraxis zu einer Notfallsituation kommt und der Rettungsdienst hinzugerufen wird. Bei Zahnärzten – etwa nach der Gabe von Lokalanästhetika – oder bei Hausärzten im Rahmen von Hyposensibilisierungen treten gelegentlich z. B. schwere anaphylaktische Reaktionen auf. Typische Situationen sind auch Anforderungen des Rettungsdienstes während ärztlicher Hausbesuche oder Notfälle im öffentlichen Raum, bei denen ein niedergelassener Arzt aus seiner Praxis zu Hilfe eilt.

Auch hier ist ein **anerkennendes und wertschätzendes Miteinander** von größter Bedeutung. Dass ein niedergelassener Arzt das Rettungsfachpersonal abqualifiziert (*„Ich spreche nur mit meinem ärztlichen Kollegen."*) ist ebenso unangebracht wie despektierliches Verhalten seitens der Rettungskräfte (*„Sie haben ja noch nicht einmal einen venösen Zugang gelegt? Und Sie sind wirklich Arzt?"*).

In Einzelfällen mag es vorkommen, dass z. B. die Notfallausstattung in einer Arztpraxis nicht auf dem neuesten Stand ist. Dennoch sind Vorwürfe (*„Haben Sie noch nicht mal einen funktionsfähigen Defibrillator hier? Was führen Sie denn für eine Praxis?"*) im Einsatzgeschehen zu unterlassen. Bei erkannten Defiziten sollte lieber in einigem zeitlichen Abstand ein konstruktives Nachgespräch erfolgen.

In einem Notfall müssen alle Beteiligten sach- und zielorientiert zusammenarbeiten. Aufgrund der täglichen Erfahrung wird Rettungsfachpersonal z. B. etwas routinierter arbeiten können als ein niedergelassener Arzt, der unter Umständen nur sehr selten mit lebensbedrohlichen Situationen konfrontiert wird. Dafür werden niedergelassene Ärzte über umfangreicheres Wissen zu den Vorerkrankungen und der bestehenden Medikation ihrer Patienten verfügen. Insofern sollten auch niedergelassene Ärzte und Rettungsfachkräfte einander sinnvoll ergänzen.

Viele niedergelassene Ärzte engagieren sich in Schnelleinsatzgruppen (SEG) bzw. Einsatzeinheiten einer Hilfsorganisation. Im Hinblick auf die Bewältigung von Großschadenslagen können niedergelassene Ärzte daher ebenfalls eine nicht zu unterschätzende Ressource sein!

IM FOKUS

Zusammenarbeit mit niedergelassenen Ärzten

- Rettungsfachpersonal und niedergelassene Ärzte begegnen sich regelmäßig im Rahmen von Krankenhauseinweisungen und Notfällen innerhalb der Praxis.
- Konflikte können aus einem **gegenseitigen Unterschätzen** der jeweiligen Kompetenzen erwachsen.
- Ziel muss es immer sein, Konflikte nicht aufkommen zu lassen oder sie zumindest klein zu halten.
- Sollte es zu problematischen Situationen kommen, ist es ratsamer, im Nachhinein eine **Nachbesprechung** anzubieten, als den Konflikt während der Patientenversorgung ausfechten zu wollen.

12.3 Zusammenarbeit mit Pflegefachkräften

Mit Pflegefachkräften arbeitet das Rettungsfachpersonal permanent eng zusammen. Berührungspunkte ergeben sich insbesondere bei **Patientenübergaben und -übernahmen** (→ Kap. 14). Umso wichtiger ist ein partnerschaftliches Verhältnis zwischen den beiden nichtärztlichen Gesundheitsfachberufen Notfallsanitäter sowie Pflegefachkraft. Erschwert werden kann die Zusammenarbeit jedoch durch **unzutreffende Annahmen** voneinander bzw. gegenseitige **Vorurteile** und **Stereotype:**

- Einige Notfallsanitäter reduzieren das Berufsbild der Pflegefachkraft auf die **Verrichtung der Grundpflege.**
- Einige Pflegefachkräfte reduzieren das Berufsbild des Notfallsanitäters weiterhin auf die **Tätigkeit des „Krankenwagenfahrers".**

Beide Auffassungen sind **unzutreffend** und schaden einer effektiven Zusammenarbeit erheblich. Tatsächlich befinden sich beide Berufsbilder im Hinblick auf Art und Umfang des Qualifikationsniveaus mittlerweile durchaus „auf Augenhöhe", wenngleich in den Ausbildungen selbstverständlich und naturgemäß unterschiedliche Schwerpunkte gesetzt werden.

MERKE

Für Angehörige sämtlicher Gesundheitsfachberufe ist es wichtig, einander zu respektieren, ernst zu nehmen und wertzuschätzen.

Ein besonderes Problem kann sich aufgrund aktueller Entwicklungstendenzen ergeben: So werden Notfallsanitäter zunehmend auch von Kliniken angestellt, um dort in zentralen Notaufnahmen, im Bereich der Intensivstation oder der Anästhesieabteilung bzw. in einem Aufwachraum zu arbeiten. Von einigen Pflegefachkräften – gerade von denjenigen, die ihrerseits eine umfangreiche **Fachweiterbildung in der Notfallpflege** absolviert haben – wird dies als eine gewisse **Konkurrenz** betrachtet und es wird befürchtet, dass Stellen im Bereich der Pflege zugunsten von Mitarbeitern mit einer rettungsdienstlichen Qualifikation abgebaut werden. Diese Befürchtung ist sicherlich nicht ganz unberechtigt.

Umgekehrt lässt sich aber ebenfalls eine ähnliche Entwicklung erkennen: So werden auf Intensivtransportwagen zunehmend auch Pflegefachkräfte mit einer Fachweiterbildung für Intensivpflege und Anästhesie eingesetzt. Hier sind es manche Notfallsanitäter, die diese Verfahrensweise mit einem gewissen Befremden verfolgen.

Ohnehin sollte berücksichtigt werden, dass sich die Tätigkeits- und Kompetenzprofile der einzelnen Gesundheitsfachberufe in den vergangenen Jahren ohnehin massiv verschoben haben und sich das Gesundheitswesen insgesamt in einem **hochdynamischen Wandlungsprozess** befindet. An dieser Stelle kann nur generell auf diese Tatsache hingewiesen werden. Außerdem ist eine offene Diskussion über etwaige Vorbehalte und Bedenken zu empfehlen.

MERKE

Letztlich sollte niemals eine **berufspolitische bzw. berufsständische Argumentation** im Vordergrund stehen, sondern stets das **Wohlergehen des jeweiligen Patienten.** Es sollte also nicht darum gehen, das Optimum im Interesse eines Berufsstandes zu erreichen, sondern das Optimum im Interesse des Patienten. Entsprechend sollte ergebnisoffen und frei von Denkverboten thematisiert werden:
Wer kann welchen Patienten wann und mit welcher spezifischen Expertise bestmöglich versorgen?

IM FOKUS

Zusammenarbeit mit Pflegefachkräften

- Pflegefachkräfte sind wohl die Berufsgruppe, mit der Notfallsanitäter vornehmlich zusammenarbeiten.
- Oft ist die Zusammenarbeit von Wertschätzung und gegenseitigem Respekt geprägt.
- Es besteht jedoch die **Gefahr der gegenseitigen Abwertung.** Dies sollte im Sinne der Patienten verhindert werden.
- Pflegefachkräfte haben durch ihre **„professionelle Brille"** oft eine andere Perspektive auf Bewohner und Patienten als Rettungsfachpersonal.

12.4 Zusammenarbeit mit psychosozialen Akuthelfern

Die Bezeichnung „psychosoziale Akuthelfer" wurde in der vom **Bundesamt für Bevölkerungsschutz und Katastrophenhilfe** (BBK) moderierten **Konsensuskonferenz für die Psychosoziale Notfallversorgung** (PSNV) in Deutschland festgelegt und fasst **Notfallseelsorger** (NFS) sowie die **Mitglieder von Kriseninterventionsteams** (KIT) und **Notfallnachsorgediensten** (NND) unter einem einheitlichen Oberbegriff zusammen. All diese Helfer begleiten und unterstützen Menschen, die von einem Notfall betroffen, aber nicht selbst körperlich verletzt worden sind. Dabei kann es sich um folgende Personengruppen handeln (→ Abb. 12.3):

- Angehörige
- Freunde und Bekannte eines Notfallpatienten
- Hinterbliebene
- Vermissende
- Augenzeugen
- Zuschauer eines Unglücks

12.6 Zusammenarbeit mit der Feuerwehr

Die **Aufgabe** der Feuerwehr besteht längst nicht mehr nur darin, **Brände zu löschen.** Seit vielen Jahren stehen stattdessen unterschiedlichste **technische Hilfeleistungen** und **vorbeugende Maßnahmen** im Vordergrund, z. B. die Mitwirkung an behördlichen Baugenehmigungsverfahren, die Durchführung von Brandsicherheitswachen oder die Brandschutzerziehung. In Städten, in denen Feuerwehren auch in den **Rettungsdienst** eingebunden sind, machen außerdem medizinische Notfälle einen erheblichen Teil des Gesamteinsatzgeschehens aus. Nach einer gemeinsamen Stellungnahme des Deutschen Feuerwehrverbandes und der Arbeitsgemeinschaft der Leiter der Berufsfeuerwehren (AGBF) wird sogar jede dritte Notfallrettung in Deutschland von einer Feuerwehr durchgeführt.

Insofern steht das Handeln der Feuerwehren unter dem umfassenden **Motto „Retten, Löschen, Bergen und Schützen"**, wobei die Rettung von Menschen und Tieren gegenüber der Bergung und dem Schutz von Sachwerten stets Vorrang hat.

Neben den Aufgaben, die den Feuerwehren durch Brandschutz- bzw. Hilfeleistungsgesetze der 16 Bundesländer zugewiesen worden sind, erfüllen Feuerwehren vor allem in kleineren Gemeinden außerdem eine wichtige **gesellschaftliche bzw. kulturprägende Funktion,** die weit über die Gefahrenabwehr hinausgeht.

Die **Organisationsformen** der Feuerwehren in Deutschland sind – wie bei den einzelnen Polizeibehörden in Deutschland – recht unterschiedlich. So gibt es

- rund 24 000 **freiwillige Feuerwehren** und freiwillige Feuerwehren mit hauptamtlichen Kräften,
- 113 kommunale **Berufsfeuerwehren** mit überwiegend verbeamteten Einsatzkräften sowie
- rund 1 000 **Werk- und Betriebsfeuerwehren.**

Hinzu kommen **Jugendfeuerwehren** als Nachwuchsorganisation und rund 70 Standorte einer eigenen **Bundeswehrfeuerwehr,** die z. B. an Flugplätzen, Marinestützpunkten und auf Truppenübungsplätzen vorgehalten und zentral vom „Zentrum Brandschutz der Bundeswehr" in Sonthofen aus geführt wird. Eine weitere Sonderform sind **Pflichtfeuerwehren,** die dann eingerichtet werden, wenn der Brandschutz in einer Gemeinde nicht anders bzw. nicht freiwillig sichergestellt werden kann. Dies ist jedoch nur selten der Fall.

Wie umfangreich eine Feuerwehr ausgestattet ist, wird je nach Bundesland entweder in **Brandschutzbedarfsplänen** oder einer **Mindeststärkeverordnung** festgelegt. Dabei werden neben den gesetzlichen Hilfsfristen örtliche Gefahrenpotenziale, Einwohnerzahlen, Verkehrswege und weitere infrastrukturelle Aspekte berücksichtigt.

Aus diesem Grund verfügen freiwillige Feuerwehren in einem Dorf u. U. lediglich über ein einzelnes Löschfahrzeug, während Berufsfeuerwehren in Großstädten über einen gewaltigen Fahrzeugpark mit zahlreichen Spezialgeräten verfügen können. Zu den **besonders häufig vorhandenen Einsatzfahrzeugen** gehören:

- Einsatzleitwagen (ELW)
- Löschgruppen- bzw. Hilfeleistungslöschfahrzeuge (LF bzw. HLF, → Abb. 12.7)
- Drehleitern mit Rettungskorb (DLA [K])
- Tanklöschfahrzeuge (TLF)
- Rüstwagen (RW, → Abb. 12.8)
- Wechselladerfahrzeuge (WLF, → Abb. 12.9), mit denen je nach Bedarf andere Aufbauten, sog. Abrollbehälter (AB), für spezielle Einsatzzwecke (z. B. Sonderlöschmittel, Materialien für Gefahrguteinsätze etc.) aufgesattelt werden können

Abb. 12.7 Löschgruppenfahrzeug einer Berufsfeuerwehr [P094]

Abb. 12.8 Rüstwagen einer Berufsfeuerwehr [P094]

Abb. 12.9 Wechselladerfahrzeug mit Abrollbehälter [P094]

Welche Fahrzeuge bzw. Einsatzmittel zu welchen Einsätzen entsendet werden, richtet sich zunächst nach **Alarm- und Ausrückeordnungen** (AAO). Darin sind bestimmte **Einsatzstichworte** mit **Einsatzmittellisten** hinterlegt.

MERKE

Auf Anforderung eines Einsatzleiters oder nach dem Ermessen eines Disponenten in der Leitstelle kann darüber hinaus natürlich jederzeit eine Nachalarmierung erfolgen.

Im Hinblick auf Notfallsituationen, bei denen Rettungsfachpersonal gemeinsam mit Kräften einer Feuerwehr tätig wird (→ Abb. 12.10, → Kap. 15.7), sollten im Einzelnen folgende Hinweise beachtet werden:

12.6.1 Grundsätzliche Hinweise

- An der Einsatzstelle muss auf jeden Fall immer die vollständige persönliche Schutzausstattung, ggf. inkl. Helm (→ Kap. 16.2.2), angelegt und permanent getragen werden.
- Außerdem muss Rettungsfachpersonal, sofern es nicht ohnehin sofort eingesetzt wird, an der Einsatzstelle jederzeit erreichbar sein, d. h., es muss entweder am Fahrzeug verbleiben oder zumindest ein Handfunkgerät mitführen.
- Unmittelbar an der Einsatzstelle wird nicht geraucht, gegessen oder getrunken, auch dann nicht, wenn sich Rettungsfachpersonal lediglich in einiger Entfernung bereithalten soll.

12.6.2 Eintreffen des Rettungsdienstes vor der Feuerwehr

- Sofern der Rettungsdienst vor der Feuerwehr eintrifft, müssen **Anfahrtswege** und **Aufstellflächen frei gehalten** werden. Drehleitern benötigen am Einsatzort z. B. eine Aufstellfläche von ca. 10 × 5 m auf festem Untergrund. Zu beachten ist ferner, dass auch im Umfeld anderer Feuerwehrfahrzeuge z. T. viel Platz zur Geräteentnahme benötigt wird. **Es muss unbedingt vermieden werden, eine Einsatzstelle „zuzuparken".**
- Beim Abstellen des RTW muss von vornherein beachtet werden, dass das Einsatzfahrzeug mit einem Patienten an Bord auch dann noch abfahren kann, wenn die Feuerwehr mit ihren Fahrzeugen eingetroffen ist (→ Abb. 16.8).
- Sind die Kräfte der Feuerwehr noch immer nicht eingetroffen, muss sofort eine **Rückmeldung an die Rettungsleitstelle** gegeben werden, die wesentliche Informationen über die Lage vor Ort enthält:
  - Kann die Alarmierungsmeldung grundsätzlich bestätigt werden (z. B. *„Rauchentwicklung aus der zweiten Etage"*, *„Feuer in einer Gaststätte"* etc.)?
  - Wie stellt sich die Lage aktuell dar?
  - Befinden sich Menschen in akuter Gefahr? Wenn ja, wie viele?
  - Sind eventuelle Zusatzgefahren erkennbar?
  - Sind bei der Anfahrt besondere Hinweise zu beachten (ist z. B. eine Zufahrt versperrt o. Ä.)?

Diese Informationen können u. U. bereits vom Fahrzeug aus übermittelt werden (sog. „Lagemeldung auf Sicht"). Nach einer kurzen Erkundung der Einsatzstelle sollte dann ggf. noch eine weitere, möglichst konkretere und genauere Rückmeldung abgegeben werden.

ACHTUNG! Die ersten Rückmeldungen dürfen ausschließlich **gesicherte Informationen** enthalten. Keinesfalls dürfen sie z. B. dazu führen, dass nachrückende Kräfte vorschnell „abbestellt" werden. Im Zweifelsfall sollte immer das Eintreffen der weiteren Kräfte abgewartet werden, bis die Situation definitiv geklärt ist. Nach einer genaueren Erkundung stellt sich die Lage vor Ort u. U. doch noch etwas anders dar, als man dies auf den ersten Blick wahrgenommen hat!

12.6.3 Eintreffen des Rettungsdienstes nach der Feuerwehr

Trifft der Rettungsdienst erst nach der Feuerwehr oder gleichzeitig mit dieser ein, sollte sich die Besatzung eines Rettungsmittels zunächst immer **beim Einsatzleiter melden** und nach einem Auftrag fragen. Der Einsatzleiter der Feuerwehr ist dem Rettungsfachpersonal in technisch-taktischer, nicht aber in medizinischer Hinsicht weisungsbefugt. **Seinen Anweisungen ist Folge zu leisten.**

Die Kennzeichnung des Einsatzleiters ist bundesweit leider nicht einheitlich geregelt:

- **Gelbe Westen** werden vielerorts zur **Kennzeichnung des Einsatzleiters** verwendet.
- **Weiße Westen** tragen oftmals Leiter eines (Unter-)Einsatzabschnitts, die dem Einsatzleiter unterstellt sind.
- **Rote Westen** tragen meist die Führer einzelner taktischer Einheiten (z. B. eines Löschzugs, ggf. aber auch Fahrzeugführer; → Abb. 12.11).

Abb. 12.10 Feuerwehr und Rettungsdienst bei einem Gebäudebrand im gemeinsamen Einsatz [W932]

Abb. 12.11 Kennzeichnung von Führungskräften der Feuerwehr [P094]

Von **Führungskräftekennzeichnungen** sind **weitere Funktions- bzw. auch Qualifikationskennzeichnungen** abzugrenzen. So tragen mancherorts z. B. auch sog. Atemschutzüberwacher oder Pressesprecher eine Weste zur Kennzeichnung ihrer besonderen Funktion. **Helmkennzeichnungen** (z. B. rote oder blaue umlaufende Ringe) sind i. d. R. Qualifikationskennzeichen (→ Abb. 12.12).

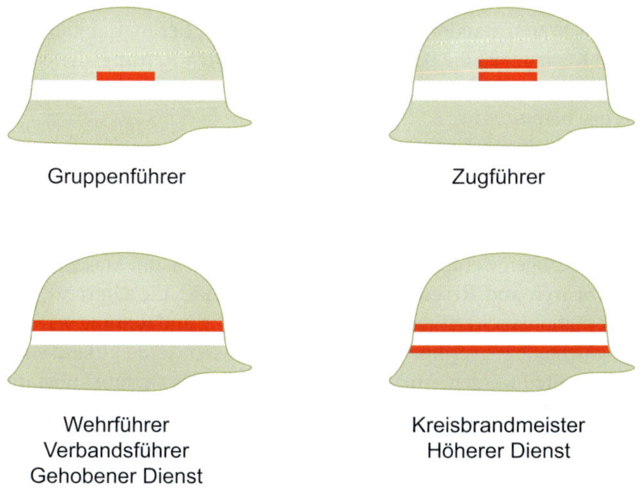

Abb. 12.12 Helmkennzeichnungen bei Feuerwehren (Beispiel NRW) [L231]

PRAXISTIPP

Wie die Kennzeichnungen von Führungskräften, Funktionen und Qualifikationen im eigenen Rettungsdienstbereich geregelt ist, sollte jeder Notfallsanitäter vor Ort erfragen und sich sorgfältig einprägen. Eine Übersicht über die verschiedenen Regelungen zum Tragen von Kennzeichnungswesten gibt → Abb. 12.13.

Weiterführende Informationen im Internet unter:

- www.agbf.de
- www.feuerwehrverband.de

IM FOKUS

Zusammenarbeit mit der Feuerwehr

- Es gibt verschiedene Einsatzfahrzeuge der Feuerwehr mit jeweils spezifischen Aufgaben, z. B.:
  - Einsatzleitwagen **(ELW)**
  - Löschgruppen- bzw. Hilfeleistungslöschfahrzeuge (LF bzw. **HLF**)
  - Drehleitern mit Rettungskorb (**DLA** [K])
  - Rüstwagen **(RW)**
- Trifft der Rettungsdienst vor der Feuerwehr ein, ist die **Einsatzstelle** für die nachrückende Kräfte **unbedingt freizuhalten.**
- Trifft der Rettungsdienst nach der Feuerwehr ein, muss er sich beim Einsatzleiter **(gelbe Weste)** melden. Dieser ist in technisch-taktischer Hinsicht weisungsbefugt.

Funktion	DFV Empfehlung	BW Empfehlung	BY Empfehlung	BE Erlass	BB Empfehlung	HB	HH	HE Verordnung	MV Erlass	NI Verordnung	NW Erlass	RP Richtlinie	SL Erlass	SN Verordnung	ST Verordnung	SH Erlass	TH
Einsatzleiter						–	–										
Einsatzabschnittsleiter						–	–										
Zugführer					–	–	–		–		–				–		
Fahrzeugführer (Gruppenführer)	–				–	–	–		–		–				–		–
Fachberater				–		–	–		–		–		–		–		
Pressesprecher Öffentlichkeitsarbeit						–	–					–		–	–		
Notfallseelsorger	–				–	–	–		–		–			–	–		
Atemschutzüberwachung	–	–		–	–	–	–		–		–	–		–	–		
Leitender Notarzt	–				–	–	–		–	–					–	–	
Organisatorischer Leiter Rettungsdienst	–				–	–	–		–	–	–			–	–	–	–
Örtliche Einsatzleitung	–	–															

Abb. 12.13 Kennzeichnungswesten von Feuerwehren, Notfallseelsorgern, LNA und OrgLRD in den einzelnen Bundesländern (ohne Anspruch auf Vollständigkeit) [L231]

12.7 Zusammenarbeit mit dem Technischen Hilfswerk

Das Technische Hilfswerk (THW) ist eine **Bundesanstalt im Zuständigkeitsbereich des Bundesinnenministeriums** und verfügt über rund 80 000 Mitarbeiter, etwa 40 000 davon sind aktive Einsatzkräfte. Hinzu kommen rund 15 000 Junghelfer, die sich in der THW-Jugend engagieren. Gegliedert ist das THW derzeit in 8 Landesverbände und 668 Ortsverbände; Sitz der THW-Leitung ist Bonn.

Die **Aufgaben** des Technischen Hilfswerks sind zuletzt im **THW-Gesetz** vom 22. Januar 1990 festgelegt worden. Demnach ist das THW originär zuständig für **technische Hilfeleistungen im Zivilschutz** (Verteidigungsfall). Im Rahmen der **Amtshilfe** kann das THW von den zuständigen Stellen auch bei Katastrophen bzw. Großschadenslagen und anderen besonders schweren Unglücken angefordert werden. Diese Option wird insbesondere dann in Anspruch genommen, wenn besondere technische Ressourcen des THW benötigt werden, die bei den Feuerwehren, den Polizeien und den Hilfsorganisationen nicht in dem benötigten Umfang vorhanden sind. **Typische Einsatzindikationen** sind:

- Schwere Unwetter bzw. Stürme
- Erdrutsche
- Überschwemmungen
- Explosionsunglücke
- Gebäudeeinstürze
- Zugunglücke etc.

Die Sicherstellung der Stromversorgung und Beleuchtung an Einsatzstellen sowie bei Großveranstaltungen wird ebenfalls häufig vom THW übernommen. In einigen Bundesländern kommt das Technische Hilfswerk bei Verkehrsunfällen auf Bundesstraßen und -autobahnen zum Einsatz (sog. **Autobahndienst**). Darüber hinaus zeigt das Technische Hilfswerk, insbesondere nach Erdbeben, ein international beachtetes **Engagement im Auslandseinsatz.** Aus diesem Grund werden zahlreiche **Spezialeinheiten** vorgehalten, die nach einer relativ kurzen Vorlaufzeit auf dem Luftweg in die betroffenen Regionen gebracht werden können. Zu nennen sind hier z. B. die **Schnelle Einsatzeinheit Bergung im Ausland** (SEEBA) sowie die **Schnelle Einsatzeinheit Wasseraufbereitung im Ausland** (SEEWA).

Im Inland ist die Ausstattung des THW – anders als bei den Feuerwehren – bundesweit weitgehend einheitlich festgelegt. Jeder Ortsverband verfügt über mindestens einen **Technischen Zug** (TZ), der sich aus einem Zugtrupp, einer oder zwei Bergungsgruppen sowie einer ergänzenden Fachgruppe zusammensetzt. Folgende **Fachgruppen** werden beim THW vorgehalten:

- Beleuchtung
- Brückenbau
- Elektroversorgung
- Führung und Kommunikation
- Infrastruktur
- Logistik
- Ortung
- Ölschaden
- Räumen
- Sprengen
- Trinkwasseraufbereitung
- Wassergefahren
- Wasserschaden bzw. Pumpen

Weiterführende Informationen finden sich im Internet unter www.thw.de.

12.8 Zusammenarbeit mit der Bundeswehr

Die Zusammenarbeit mit militärischen Kräften ist im Rettungsdienst sicherlich nicht alltäglich, sie ist aber weit weniger exotisch, als man auf den ersten Blick vielleicht meinen könnte. So können sich bei Einsätzen des Rettungsdienstes verschiedene Berührungspunkte mit der Bundeswehr ergeben:

- An mehreren Standorten in Deutschland (z. B. Berlin, Hamburg und Koblenz) ist die Bundeswehr in den **zivilen Rettungsdienst** eingebunden und stellt dort Notarztwagen bzw. Notarzteinsatzfahrzeuge bereit.
- Wenngleich sich die Bundeswehr seit 2006 aus der regulären zivilen Luftrettung zurückgezogen hat, können unter bestimmten Bedingungen und nach einer gewissen Vorlaufzeit weiterhin **Hubschrauber** der Bundeswehr zur Unterstützung des Rettungsdienstes herangezogen werden. Hierbei handelt es sich v. a. um Maschinen des **Search-and-Rescue-Dienstes (SAR-Dienst),** die aufgrund internationaler Verträge originär für die Suche und Rettung verunglückter bzw. vermisster Insassen von Wasser- und Luftfahrzeugen vorgehalten werden. Anzufordern sind diese Hubschrauber über die jeweils zuständige SAR-Leitstelle in Glücksburg bzw. Münster; stationiert sind sie in Holzdorf, Landsberg, Nörvenich und Warnemünde sowie (allerdings nicht permanent) auf Helgoland (→ Abb. 12.14).
- Die Bundeswehr setzt verschiedene Luftfahrzeuge (Flugzeuge und Hubschrauber) für **Medical-Evacuation-Einsätze** (MedEvac) ein, um schwer verletzte oder erkrankte Soldaten, aber ggf. auch Zivilpersonen aus Kriegs- und Krisengebieten nach Deutschland zu transportieren. Die von der Bundeswehr am Flughafen Köln-Bonn für MedEvac-Einsätze bereitgehaltenen Flugzeuge des Typs Airbus A 310 können z. B. bis zu 56 Patienten aufnehmen, darunter sechs in Intensivbehandlungsplätzen.
- Gemäß Art. 35 GG kann die Bundeswehr zur **Bewältigung von Katastrophen oder besonders schweren Unglücksfällen im Inland** eingesetzt werden. Dies ist allerdings erst bzw. nur dann der Fall, wenn die Kräfte der Feuerwehren, Polizeien, des Technischen Hilfswerks und der Hilfsorganisationen erschöpft sind – oder wenn spezielle Ressourcen benötigt werden, über die in Deutschland ausschließlich die Bundeswehr verfügt. **Großraumrettungshubschrauber vom Typ CH 53 G** (stationiert in Laupheim bei Ulm) sowie **schwere Bergungs- und Räumgeräte** können hier beispielhaft

Abb. 12.14 Hubschrauber für den SAR-Dienst der Bundeswehr [O261]

angeführt werden. Bis derartige Einheiten zum Einsatz kommen, muss allerdings mit erheblichen (z. T. mehrtägigen!) Vorlaufzeiten gerechnet werden.

- **Feuerwehren** an den Standorten der Bundeswehr kommen bei Bedarf auch in einem Radius von 15 km um den Standort herum zum Einsatz. Insofern sind sie mit regulären Werk- bzw. Betriebsfeuerwehren zu vergleichen.
- Nicht zuletzt verfügt die Bundeswehr über umfangreiche **sanitätsdienstliche Einrichtungen,** so z. B. fünf **Bundeswehrkrankenhäuser** und den eigenen Sanitätsdienst mit zahlreichen Untergliederungen, z. B. das Kommando „Sanitätsdienstliche Einsatzunterstützung" in Weißenfels, das Kommando „Regionale sanitätsdienstliche Unterstützung" in Diez, das Kommando „Schnelle Einsatzkräfte Sanitätsdienst" in Leer sowie die **Sanitätsakademie** in München.

Organisiert ist die **Zivilmilitärische Zusammenarbeit** (ZMZ) in Deutschland relativ einheitlich. So gibt es in jedem Bundesland (außer in Berlin) ein Landeskommando (LKdo) als Ansprechpartner für die jeweilige Landesregierung. In Regierungsbezirken bzw. Landkreisen und kreisfreien Städten existieren darüber hinaus Bezirksverbindungskommandos (BVK) bzw. Kreisverbindungskommandos (KVK). Über diese Stellen können bei Bedarf Kräfte der Bundeswehr angefordert werden.

PRAXISTIPP

Wichtig zu wissen ist, dass sich auch militärische Kräfte bei Einsätzen im zivilen Rettungsdienst den regulären (zivilen) Führungsstrukturen unterordnen.

Weiterführende Informationen im Internet unter:

- www.bundeswehr.de
- www.sanitaetsdienst-bundeswehr.de

IM FOKUS

Zusammenarbeit mit dem THW und der Bundeswehr

- Einsätze mit THW und Bundeswehr sind selten, da beide Institutionen primär für den **Verteidigungsfall** geschaffen wurden.
- Im Rahmen von größeren **Schadenslagen** oder **Katastrophen** kommt es dennoch verhältnismäßig häufig zur Zusammenarbeit **(Amtshilfe).**
- Insbesondere das THW verfügt über besondere technische Ressourcen für bestimmte Problemstellungen.
- Es gelten trotz allem die **zivilen Führungsstrukturen.**
- Die Zusammenarbeit mit der Bundeswehr kommt zudem im Bereich der bodengebundenen notärztlichen Versorgung bzw. der Luftrettung vor.

12.9 Zusammenarbeit mit Such- und Rettungshundestaffeln

Such- und Rettungshundestaffeln werden in Deutschland von Hilfsorganisationen, dem THW, einigen Feuerwehren sowie dem Bundesverband Rettungshunde e. V. vorgehalten. Eine Staffel besteht dabei aus mehreren Teams, die aus jeweils einem Such- und Rettungshund sowie einem Rettungshundeführer gebildet werden. Zu den Aufgaben einer Such- und Rettungshundestaffel gehören:

- Die **Suche nach Vermissten,** z. B. nach abgängigen, verwirrten Bewohnern aus Seniorenheimen, vermissten Kindern oder unter Schock stehenden Menschen nach einem Unfall
- Die **Suche nach Verschütteten,** z. B. nach Explosionen, Einsturzunglücken oder Lawinenabgängen

Speziell ausgebildete Hunde können, etwa von Booten oder vom Ufer aus, außerdem bei der **Suche nach Ertrunkenen** eingesetzt werden. Dementsprechend unterscheidet man auch die Einsatzindikationen **Flächensuche, Trümmersuche** und **Wassersuche.** Eine spezielle Suchvariante ist das **Mantrailing.** Hier wird nicht unspezifisch nach einer menschlichen Witterung gesucht, sondern nach dem Individualgeruch eines bestimmten Menschen. Das Mantrailing ist jedoch nur möglich, wenn man dem Hund eine Geruchsprobe des Vermissten anbieten kann. Bei der anschließenden Suche wird dann vom letzten bekannten Aufenthaltsort dieser Person ausgegangen.

Die Suche nach Leichen oder Leichenteilen setzt eine eigenständige Ausbildung für Leichenspürhunde voraus und ist i. d. R. keine Aufgabe von Such- und Rettungshunden.

Die Tätigkeit in einer Such- und Rettungshundestaffel setzt für Mensch und Tier gleichermaßen eine umfangreiche mehrmonatige Ausbildung sowie eine Prüfung voraus: Such- und Rettungshundeführer lernen u. a. Einsatztaktik und -organisation, Karten-, Gelände- und Trümmerkunde sowie Grundlagen von Statik und Bergungstechniken. Bei Such- und Rettungshunden wird nicht nur die eigentliche Suche nach Menschen, sondern insbesondere auch Gehorsam sowie das Anzeigeverhalten trainiert.

Generell ist übrigens jeder Hund für eine Ausbildung als Such- und Rettungshund geeignet, sofern er ausreichend belastbar, kräftig, leistungswillig und lernfreudig ist. Zudem darf er keinerlei Aggressionen zeigen und auch nicht besonders ängstlich sein.

PRAXISTIPP

Bedingt durch eine gewisse Vorlaufzeit bis zum Eintreffen an der Einsatzstelle, sollte die Alarmierung von Such- und Rettungshundestaffeln stets so frühzeitig wie möglich in Erwägung gezogen werden.

12.10 Zusammenarbeit mit den Seenotrettern

An den Küsten von Nord- und Ostsee ist die Deutsche Gesellschaft zur Rettung Schiffbrüchiger (DGzRS) ein wichtiger Partner des landgebundenen Rettungsdienstes: Sie ist für die **Suche und Rettung von Menschen bei Unglücken in den deutschen Hoheitsgewässern** zuständig. Dieser **maritime SAR-Dienst** wird aufgrund einer Vereinbarung mit dem Bundesverkehrsministerium von den Seenotrettern vollkommen eigenverantwortlich, aber in enger Zusammenarbeit mit anderen Behörden und Organisationen wahrgenommen. So sind an größeren Einsätzen oftmals auch Einheiten der Bundespolizei, der Wasserschutzpolizei, der Wasser- und Schifffahrtsverwaltung sowie der Bundeszollverwaltung beteiligt. Insbesondere besteht eine Kooperation zwischen der DGzRS und dem **Havariekommando** in Cuxhaven. Such- und Rettungseinsätze werden jedoch stets vom **Maritime Rescue Coordination Center** (MRCC), d. h. der Seenotleitung der DGzRS in Bremen, koordiniert.

Die Seenotretter finanzieren ihre Arbeit ausschließlich aus Spendengeldern und unterhalten derzeit eine Flotte von 60 **Seenotrettungsbooten** (SRB) und **Seenotrettungskreuzern** (SK), die an 54 Stationen zwischen der Emsmündung im Westen und der Pommerschen Bucht im Osten stationiert sind (→ Abb. 12.15). Rund 185 Mitarbeiter sind bei der DGzRS fest angestellt, hinzu kommen etwa 800 ehrenamtlich aktive Einsatzkräfte und ca. 600 ehrenamtliche Mitarbeiter an Land.

Abb. 12.15 Einsatzgebiet und Stationen der Deutschen Gesellschaft zur Rettung Schiffbrüchiger (Stand 2023) © Die Seenotretter – DGzRS, Bernd Jocham [W1246]

Bei Einsätzen sind verschiedene Varianten der Zusammenarbeit zwischen dem Landrettungsdienst und den Seenotrettern denkbar, z.B.:

- Die Seenotretter versorgen einen Patienten mit ihren Kenntnissen und Bordmitteln völlig eigenständig und übergeben ihn erst in einem Hafen an das Rettungsfachpersonal.
- Patienten werden nach einer kurzen Erstversorgung an Bord eines Schiffes auf See von einem Rettungshubschrauber aufgenommen und direkt in eine Klinik geflogen.
- Die Seenotretter nehmen vor dem Auslaufen zum gemeldeten Unglücksort zunächst die Besatzung eines RTW oder NEF an Bord, sodass ggf. bereits auf See mit der rettungsdienstlichen Patientenversorgung begonnen werden kann.

MERKE

Die Anfahrt nimmt bei Einsätzen auf See oftmals erhebliche Zeit (teilweise mehrere Stunden) in Anspruch. Zwangsläufig gelten bei Unglücksfällen auf See völlig andere „Hilfsfristen" als an Land.

Die Seenotrettungsboote der DGzRS verfügen alle über eine medizinische Grundausstattung, an Bord der Seenotrettungskreuzer befindet sich sogar ein umfangreich ausgestattetes Bordhospital. Zumindest bei den größeren Einheiten der Flotte (etwa bei dem auf Helgoland stationierten Seenotrettungskreuzer „Hermann Marwede" oder der in Sassnitz stationierten „Harro Koebke") ist dies in jeder Hinsicht mit dem Behandlungsraum eines RTW vergleichbar (→ Abb. 12.16).

Weiterführende Informationen finden sich im Internet unter www.seenotretter.de.

Abb. 12.16 Seenotkreuzer „Harro Koebke" der DGzRS [O992]

12.11 Zusammenarbeit mit der Bergwacht

In einigen Regionen der Bundesrepublik arbeitet das Rettungsfachpersonal regelmäßig auch mit der Bergwacht zusammen (→ Kap. 52.2.3). Dabei handelt es sich um eine **Gemeinschaft des Deutschen Roten Kreuzes,** die speziell für den **Bergrettungsdienst** zuständig ist und sich zugleich auch für den **Naturschutz** engagiert. Zu den Aufgaben der Bergwacht gehören im Einzelnen (→ Abb. 12.17):

- Die **Rettung von Notfallpatienten oder hilflosen Personen aus alpinem bzw. unwegsamem Gelände**
- Die **Rettung aus Höhen und Tiefen** (z. B. Schluchten, Höhlen)

Abb. 12.17 Rettung eines Verunglückten durch die Bergwacht [O261]

- Die **Suche nach Vermissten und Verschütteten,** z. B. nach einem Lawinenabgang

Die Einsatzkräfte der Bergwacht sind für ihre Aufgaben in besonderer Weise ausgebildet und ausgestattet. So werden neben Seilen und Seilwinden spezielle Tragen (Gebirgstrage, Ackja bzw. Wannenschlitten), Motorschlitten, geländegängige Einsatzfahrzeuge oder auch sog. All Terrain Vehicles (ATV) eingesetzt.

Weiterführende Informationen finden sich im Internet unter www.bergwacht.de.

12.12 Zusammenarbeit mit der Deutschen Bahn AG

Grundsätzlich ist die Deutsche Bahn AG dazu verpflichtet, bei der Bewältigung von Bränden und Unglücksfällen mitzuwirken. In diesem Zusammenhang sollen hier zwei Einrichtungen besonders hervorgehoben werden, die bei bestimmten Einsätzen (z. B. „Person unter Zug", schweres Zugunglück etc.) auch für Notfallsanitäter von Bedeutung sein können:

- So hält die Deutsche Bahn AG bundesweit zahlreiche **Notfallmanager** vor, die bei Schadenslagen im Bereich der Bahnanlagen innerhalb von 30 Minuten an der Einsatzstelle eintreffen sollen. Dabei handelt es sich um besonders geschulte Fachkräfte, die u. a. als Berater des jeweiligen Einsatzleiters (z. B. der Polizei oder Feuerwehr) tätig werden und besonders auf den Schutz von Einsatzkräften im Bereich der Bahnanlagen achten. Sie verfügen über ein eigenes Einsatzfahrzeug mit Sondersignalausstattung und tragen i. d. R. orange Warnkleidung mit der Rückenaufschrift „Notfallmanager" und einen weißen Schutzhelm.
- Außerdem verfügt die Deutsche Bahn AG über sechs sog. **Rettungszüge** (RTZ), bestehend aus zwei Lokomotiven, zwei Transportwagen, einem Gerätewagen, einem Löschmittelwagen sowie einem Sanitätswagen, die v. a. bei Unglücken an den Hochgeschwindigkeitsstrecken der Deutschen Bahn AG eingesetzt werden (→ Abb. 12.18). Aktuelle Standorte der Rettungszüge sind daher Fulda, Hildesheim, Kassel, Mannheim, Stuttgart und Würzburg. Ihre Besatzung rekrutiert sich jeweils aus Einsatzkräften der örtlichen Feuerwehren bzw. Hilfsorganisationen. Bei einer Alarmierung begeben sich 20 Feuerwehrleute, zwei Notärzte und acht Rettungsfachkräfte (Rettungsassistenten bzw. Notfallsanitäter) umgehend an einen Übernahmeplatz, besteigen dort den Zug und fahren dann an die Einsatzstelle.

Abb. 12.18 Rettungszug der Deutschen Bahn AG [O1104]

IM FOKUS

Zusammenarbeit mit speziellen Rettungsfachkräften

- In **besonderen Situationen** (Vermisstenlagen, Bahnunfälle etc.) kann es zur Zusammenarbeit mit speziellen Rettungskräften kommen.
- Solche seltenen Ereignisse bergen immer die **Gefahr von Missverständnissen.**
- Diesen sollte durch eine enge Absprache aller Beteiligten, einer **klaren Aufgabenteilung** und einer gewissenhaften Führung vorgebeugt werden.
- Einer besonderen Bedeutung kommt den gegenseitigen Patientenübergaben und -übernahmen zu. Diese Situationen werden im Idealfall im Vorfeld gemeinsam trainiert.

12.13 Zusammenarbeit mit weiteren Kooperationspartnern und Berufsgruppen

Mit der vorangegangenen Darstellung kann kein Anspruch auf eine vollständige Darstellung aller potenziellen Kooperationspartner des Rettungsdienstes erhoben werden. Vielmehr müssen Notfallsanitäter in bestimmten Einsatzlagen auch mit zahlreichen weiteren Berufsgruppen, Behörden und Organisationen zusammenarbeiten. Beispielhaft seien an dieser Stelle nur einige kurz genannt:

- Bei Einsätzen mit psychisch Kranken ist häufig auch das jeweilige **Ordnungsamt** oder der **sozialpsychiatrische Dienst eines Gesundheitsamtes** involviert.
- Bei der Versorgung von Schwangeren und Neugeborenen arbeitet das Rettungsfachpersonal selbstverständlich nicht nur mit den

Pressesprecher. Medienvertreter haben aktuelle Informationen zur Verfügung stellt und auch deren Fragen kompetent beantwortet. Einige Rettungsdienstbereiche stellen Medienvertretern sogar Bildmaterial von Einsätzen für Publikationszwecke offiziell zur Verfügung.

Einzelne Rettungskräfte sollten mit Auskünften an Medienvertreter jedoch zurückhaltend sein, um ihre Schweigepflicht gem. § 203 StGB (→ Kap. 5.3) nicht zu verletzen.

PRAXISTIPP

Innerhalb eines Rettungsdienstbereichs existieren i. d. R. schriftlich detaillierte Absprachen/Regelungen, die mit den Gesetzen/Landesverordnungen [illegible] sind. [illegible] lich Folge zu leisten.

ZUM FORUM

[illegible]

WIEDERHOLUNGSFRAGEN

1. Durch welche Maßnahmen können bestehende Vorurteile gegenüber anderen Berufsgruppen, Behörden und Organisationen abgebaut werden (→ Kap. 12.1)?
2. Wie bindend sind ärztliche Anweisungen für das Rettungsfachpersonal (→ Kap. 12.2)?
3. Was unterscheidet den ärztlichen Bereitschaftsdienst vom Notarztdienst (→ Kap. 12.3)?
4. Wie verständigen sich Rettungsdienst und Pflegepersonal (→ Kap. 12.4)?
5. Was sind typische Indikationen für die Alarmierung [illegible] (→ Kap. 12.4)?
6. Wie sollte Rettungsfachpersonal sich an einem (vermuteten) Tatort verhalten (→ Kap. 12.5.3)?
7. Welche Besonderheiten sind bei gemeinsamen Einsätzen mit der Feuerwehr zu beachten (→ Kap. 12.6)?
8. Wie ist die Führungsstruktur der Feuerwehr gekennzeichnet (→ Kap. 12.6.3)?
9. Beschreiben Sie den Unterschied von Funktions- und Qualifikationskennzeichnungen (→ Kap. 12.6.3).
10. Welche Aufgaben hat das Technische Hilfswerk (→ Kap. 12.7)?
11. Inwiefern kann sich eine Zusammenarbeit zwischen dem Rettungsdienst und der Bundeswehr ergeben (→ Kap. 12.8)?
12. Was sind die Aufgaben von Notfallmanagern der Deutschen Bahn AG (→ Kap. 12.12)?
13. Zählen Sie einige der sonstigen Kooperationspartner des Rettungsdienstes auf und erläutern Sie, in welchen Einsatzsituationen sich Berührungspunkte ergeben können (→ Kap. 12.13).
14. Was ist bei der Zusammenarbeit mit Familienangehörigen zu beachten (→ Kap. 12.14)?

FORTSETZUNG DES SZENARIOS

Kurze Zeit nach dem ersten Eintreffen treffen weitere Einsatzkräfte an der Einsatzstelle ein. Neben drei RTW aus benachbarten Rettungswachen rücken auch zwei NEF und mehrere Einheiten der umliegenden freiwilligen Feuerwehren an. Ein niedergelassener Internist, auf dem Weg zu einem Patientenbesuch, hält ebenfalls an, um die Einsatzkräfte zu unterstützen.

Zunächst werden nun Teams gebildet, die sich um die medizinische Erstversorgung und die Betreuung der eingeklemmten Patienten kümmern. Jede RTW-Besatzung arbeitet dabei mit einem Notarzt bzw. dem niedergelassenen Internisten und Kräften der Feuerwehr zusammen. Weitere Feuerwehrkräfte stellen derweil den Brandschutz sicher und binden die ausgelaufenen Betriebsstoffe mit Bindemitteln ab. Währenddessen sperrt die ebenfalls eingetroffene Polizei die Schnellstraße für die Absicherung der Unfallstelle. Sie sperren die Schnellstraße in beide Fahrtrichtungen und führen erste Maßnahmen zur Ermittlung des Unfallhergangs durch.

Zur Begleitung des 70-jährigen, offenbar psychisch dekompensierten Mannes und der zuschauenden Kinder am Straßenrand fordert der Einsatzleiter der Feuerwehr zusätzlich mehrere Notfallseelsorger an. Dadurch, dass alle eingesetzten Kräfte um die Aufgaben und Fähigkeiten der verschiedenen Berufsgruppen am Einsatzort Bescheid wissen, gelingt die Zusammenarbeit reibungslos. Niemand steht einer anderen Berufsgruppe im Weg, die Kommunikation untereinander ist von gegenseitigem Respekt und Wertschätzung geprägt. Nach einer halben Stunde sind sämtliche eingeklemmten Notfallpatienten aus ihren Fahrzeugen befreit und werden mit den RTW in verschiedene Kliniken transportiert. Die Feuerwehr führt noch einige weitere Aufräumarbeiten durch, die Polizei ist noch einige Zeit mit der Unfallaufnahme und -dokumentation beschäftigt.

LITERATUR

Adams HA et al. (Hrsg.) Patientenversorgung beim Großschadensereignis und im Katastrophenfall. Köln: Deutscher Ärzteverlag, 2014.

Kasch D, Claußen S. Die Seenotretter. 150 Jahre DGzRS. Erfurt: Sutton, 2015.

Lasogga F, Gasch B (Hrsg.). Notfallpsychologie: Lehrbuch für die Praxis. 2. A. Berlin: Springer, 2011.

Lehmkuhler C. Tragische Spuren: Wie sich der Rettungsdienst im Internet verhalten sollte. Rettungsdienst. 2014; 37(1): 40–44.

Lutz T et al. (Hrsg.). Medizinische Gefahrenabwehr: Katastrophenmedizin und Krisenmanagement im Bevölkerungsschutz. München: Elsevier/Urban & Fischer, 2009.

Müller-Cyran A, Riesse U (Hrsg.). Handbuch Notfallseelsorge. 3. A. Edewecht: Stumpf & Kossendey, 2015.

Redaktion Brandschutz/Deutsche Feuerwehr-Zeitung (Hrsg.). Die Roten Hefte/Feuerwehr-Lehrbuch: Grundlagen, Technik, Einsatz. 4. A. Stuttgart: Kohlhammer, 2019.

13

FÜHRUNG IM RETTUNGSDIENST

Christoph Redelsteiner

SZENARIO

Während des RTW-Checks übergibt die Wachleiterin der Fahrzeugbesatzung (Notfallsanitäter und Rettungssanitäter) den neuen Praktikanten. Für den angehenden Rettungssanitäter ist es der erste Tag im Einsatzdienst. Gerade als man sich einander vorstellen will, geht der Melder. Die Rettungsleitstelle alarmiert zu einer Reanimation, mit dem Zusatz: *„Derzeit kein NEF verfügbar“*. Die Einsatzstelle, ein Hochhaus, befindet sich in unmittelbarer Nachbarschaft der Wache. Zeit zur Absprache im Team bleibt daher keine.
Nach dem Eintreffen an der Einsatzstelle geht es zunächst rasch. Der Notfallsanitäter findet sofort das richtige Türschild und klingelt, der Rettungssanitäter steht bereits mit Sauerstoffeinheit und Notfallrucksack hinter ihm. Der Praktikant ist jedoch nicht in der Lage, das EKG-Gerät und die Absaugeinheit aus der Halterung zu nehmen. Deshalb muss der Rettungssanitäter noch einmal zum RTW zurücklaufen, um ihm zu helfen.
Zwischenzeitlich wird die Türanlage geöffnet und der Notfallsanitäter sprintet ohne Ausrüstung in den siebten Stock des Hauses. Er bemerkt nicht, dass der Rettungssanitäter nicht mehr hinter ihm ist, und die Haustür fällt wieder ins Schloss.
Außer Atem im siebten Stock angekommen, findet der Notfallsanitäter einen ca. 75-jährigen Mann leblos auf dem Boden liegend vor. Die orientierende Untersuchung führt zur Feststellung eines Herz-Kreislauf-Stillstands. Der Notfallsanitäter beginnt daher unmittelbar mit einer Herzdruckmassage und erwartet dringend sein Team.

INHALTSÜBERSICHT

13.1 FÜHRUNGSSTILE

- Die Organisationskultur hat einen starken Einfluss auf den Führungsstil innerhalb eines Rettungsdienstes.
- Führungsstile können in autoritär, patriarchalisch, beratend, partizipativ, demokratisch und „laissez faire“ eingeteilt werden.
- Entscheidend ist das „situative Führen“, d. h. die Anpassung des Stiles an die Bedingungen der jeweiligen Situation.

13.2 FÜHRUNGSPERSÖNLICHKEIT

- Eine kompetente Führungspersönlichkeit zeichnet sich dadurch aus, dass sie sich ihrer eigenen Stärken und Schwächen bewusst ist und sie sich selbst reflektieren kann.
- Wesentliche Eigenschaften einer Führungspersönlichkeit sind: Integrität, Verlässlichkeit, Fairness/Gerechtigkeitssinn, Entscheidungsfreudigkeit, Menschlichkeit, Mut, Offenheit, Kooperations- und Konfliktfähigkeit, Diplomatie, Selbstkontrolle, Frustrationstoleranz und Weitsicht.
- Wichtig ist, eine Balance aus Sach- und Menschenorientierung zu finden.
- Zu einer Führungspersönlichkeit gehört auch, sich bei Bedarf höheren Leitungsebenen unterordnen und sich als Teil eines größeren Teams integrieren zu können.

13.3 FÜHRUNGSVERANTWORTUNG

- Wesentliche Aufgaben der Führungsverantwortung sind Vorplanung, Ablauf- und Ergebnisverantwortung sowie das wertschätzende Führen der Mitarbeiter.
- Eine sorgfältige Vorplanung schafft Freiräume, um sich unter Zeitdruck und in komplexen Situationen auf die aktuellen Herausforderungen konzentrieren zu können.
- Zur Ablaufverantwortung gehört insbesondere die Einhaltung von Arbeits-, Kommunikations- und Sicherheitsregeln.
- Um der Ergebnisverantwortung gerecht zu werden, müssen die Resultate von Arbeitsabläufen beachtet werden.
- Führungskräfte auf höheren Ebenen achten insbesondere auch auf die Patienten- und Mitarbeiterzufriedenheit, die Personalfluktuation und die finanziellen Ergebnisse ihres Rettungsdienstes.

13.4 FÜHRUNGSVORGANG

- Der Führungsvorgang besteht aus Lagefeststellung mit Erkundung der Lage und Kontrolle, Planung mit Beurteilung der Lage und Entschluss und daraus resultierendem Befehl.
- Grundlage für gelingende Führungsvorgänge ist das Vorhandensein einheitlicher Sprachregelungen, verbindlicher Standards sowie klarer Rollen- und Aufgabenverteilungen.
- Auftragstaktik kann von Befehlstaktik abgegrenzt werden.
- Ein vollständiger Befehl setzt sich zusammen aus den Aspekten Einheit, Auftrag, Mittel, Ziel und Weg.
- Zu unterscheiden sind Vorbefehle, Einzelbefehle, Gesamtbefehle und Kommandos.
- Das Führen größerer taktischer Einheiten setzt eine umfassendere Führungsausbildung voraus, z. B. als Gruppenführer, Zug- oder Verbandsführer im Rettungsdienst.

13.1 Führungsstile

Institutionen im Rettungsdienst haben **unterschiedliche historische Wurzeln** und rechtliche Grundlagen. Diese wirken sich auf Traditionen, Normen und Werte der jeweiligen Einrichtung aus. Dadurch wird die **Organisationskultur** geprägt, die wiederum Führungsstile wesentlich mitbedingt.

DEFINITION

Als Führung wird das Leiten oder das **„In-eine-Richtung-Lenken“** von Einheiten bezeichnet.

Im Rettungsdienst findet sich ein **Führungsparadoxon:** Obwohl im Wachalltag meist stark hierarchisch gegliedert, mit vielen Dienstanweisungen und klaren Befehlsstrukturen ausgestattet, arbeiten die Mitarbeiter im Rettungsdienst bei ihren Einsätzen in sehr kleinen Teams und können ausgesprochen unabhängig, in vielen Bereichen sogar ohne Überwachung tätig sein und zahlreiche Entscheidungen eigenständig treffen.

Rettungsdienste, die Teil von Feuerwehren sind, weisen oftmals besonders deutliche Führungsstrukturen auf und sind i. d. R. stärker an Strukturen orientiert, die auch im militärischen Bereich üblich sind. Der rettungsdienstliche Teil von Hilfsorganisationen, die nicht behördlich und nicht auf finanziellen Gewinn ausgerichtet sind, hat meist etwas flachere Hierarchieebenen. Dies gilt üblicherweise auch für Rettungsdienstunternehmen, die vorrangig nach betriebswirtschaftlichen Kriterien ausgerichtet sind.

PRAXISTIPP

Funktionsbezeichnungen und Kleidungsart mit **Dienstrangabzeichen** geben oftmals einen Hinweis darauf, ob die Einrichtung stärker einer militärischen oder einer dienstleistungsorientierten Struktur folgt.

Je nachdem, was in einem Rettungsdienst üblich ist, unterscheiden sich auch die jeweiligen Führungsstile grundsätzlich voneinander. Zu beachten ist allerdings, dass der Führungsstil auch innerhalb einer Organisation stets maßgeblich durch das individuelle Verhalten einer Führungskraft gestaltet wird. Letztlich können mehrere **Führungsstile** voneinander abgegrenzt werden (→ Kap. 8.6.1). Diese werden eingeteilt in:

- Autoritär
- Patriarchalisch
- Beratend-konsultativ
- Partizipativ
- Demokratisch
- Laissez Faire

MERKE

Ein wesentliches Unterscheidungskriterium der unterschiedlichen Führungsstile besteht darin, wie zwischen Führungskräften und Mitarbeitern Entscheidungen getroffen werden (→ Abb. 13.1).

Ein **autoritärer Führungsstil** ist vorhanden, wenn der Vorgesetzte eine Entscheidung über die Vorgangsweise getroffen hat und lediglich mitteilt, wie und an wen eine Aufgabe verteilt wird. Dabei ist die Beteiligung der Mitarbeiter im Entscheidungsprozess nicht vorhanden, Kritik ist unerwünscht.

Dieser Führungsstil ist sinnvoll, wenn rasch und unaufschiebbar Entscheidungen getroffen werden müssen, die Führungskraft die notwendigen Informationen dafür besitzt und bereit ist, die Verantwortung für den Vorgang bzw. sein Ergebnis zu übernehmen.

ACHTUNG! Ein autoritärer Führungsstil begünstigt, dass Fehler nicht offen aufgearbeitet, sondern vertuscht und verheimlicht werden. Auch werden Kooperation und das Entstehen einer konstruktiven Teamkultur verhindert. Stattdessen entwickelt sich durch autoritäre Führung häufig ein übersteigerter Korpsgeist, d. h. ein „Wir-Gefühl" gegen die Außenwelt, die auch schon bei einer anderen Schichtgruppe beginnen kann.

Bei einem **patriarchalischen Führungsstil** versucht der Vorgesetzte, seine Entscheidungen den Mitarbeitern zu „verkaufen". Die Meinung und die Stimmungslage der Mitarbeiter sind für ihn in Ansätzen relevant. Die Entscheidung steht jedoch fest und wird, wenn überhaupt, nur bei gravierendem Widerspruch überdacht. Dabei wird eine Doppelbotschaft ausgesandt: Verbal wird zwar kurz nach der Meinung von Mitarbeitern gefragt, tatsächlich ist diese aber nicht wirklich relevant. Schweigt man nun aber von vornherein (die eigene Meinung „zählt" letztlich doch nicht), kann man von einer Führungskraft mit patriarchalischem Führungsstil später damit konfrontiert werden, seine Bedenken nicht geäußert zu haben.

Beim **beratend-konsultativen Führungsstil** ist der Vorgesetzte stärker als Coach oder Mentor aktiv. Erfragen von Positionen und Hinterfragen von Meinungen spielen dabei eine wesentliche Rolle. Darüber hinaus erklärt, schult und bildet der Vorgesetzte aber auch durch die Vermittlung von Informationen sowie die Bereitstellung von Lehr- und Lernmaterialien. Auf diese Weise werden Mitarbeiter motiviert, ihre eigene Meinung bzw. eigene Haltungen in Entscheidungsprozesse einzubringen und zu reflektieren. Zudem werden sie durch die unmittelbare Beratung ihres Vorgesetzten angeleitet.

Ein **partizipativer Führungsstil** wird angewendet, wenn Mitarbeiter mit einem Problem konfrontiert werden und Lösungsmöglichkeiten sowie Entscheidungsalternativen mitentwickeln. Die Entscheidung wird letztlich zwar durch die jeweilige Führungskraft getroffen, Grundlage dieser Entscheidung ist jedoch die vorangegangene Diskussion der unterschiedlichen Möglichkeiten.

MERKE

Der partizipative Führungsstil ist vor allem bei länger dauernden Einsätzen mit vielen unterschiedlichen Faktoren sinnvoll, die nur von einem Stab überblickt werden können.

Bei einem **demokratischen Führungsstil** gibt der Vorgesetzte den Rahmen der Situation vor, definiert das zu lösende Problem und lässt die Mitarbeiter die Lösungen entwickeln und zu einer Entscheidung kommen. Diese setzt er dann nach innen und außen um. Demokratische Führung lässt Ideen, Wünsche und Meinungen zu und benötigt daher mehr Zeit, um eine Entscheidung zu finden. Diese hat dann aber meist eine deutlich höhere Akzeptanz bei den Betroffenen. Außerdem sorgt ein demokratischer Führungsstil i. d. R. für ein besseres Arbeitsklima.

Laissez Faire bedeutet, dass der Vorgesetzte seine Mitarbeiter „machen lässt", dabei aber bereits das Problem nicht scharf definiert, sich am Analyse- und Entscheidungsablauf allenfalls wie ein Kollege beteiligt und in jedem Fall einen Gruppenentscheid akzeptiert. Diese Variante kann bei komplexen, unklaren Situationen mit geringem Zeit-

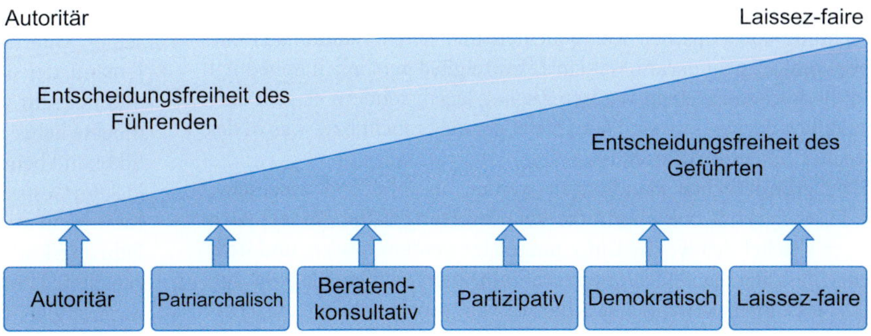

Abb. 13.1 Zusammenhang von Führungsstil und Entscheidungsfreiheit [L143]

und Lösungsdruck sinnhaft sein, um möglichst viele kreative Zugänge zur Analyse und Bewältigung einer Herausforderung zu generieren. Mitarbeiter können ihre individuellen Stärken leichter einbringen, die Eigenverantwortung der Mitarbeiter wird stärker betont.

MERKE

Die beschriebenen Führungsstile sind für sich nicht richtig oder falsch. Eine gute Führungskraft beherrscht die Kunst des **situativen Führens,** d. h. die Anpassung des Führungsstils an den Kontext der Situation.

Bei der Auswahl des jeweils geeigneten Führungsstils sind zahlreiche Aspekte zu berücksichtigen, so z. B.:

- Problemtyp
- Organisationskultur
- Zeitdruck
- Informationslage
- Gefahren
- Risiken
- Kenntnis der Mitarbeiterqualifikation
- Vertrauen in Mitarbeiter und deren Engagement
- Die eigene Persönlichkeit des Führenden

Ferner sollte beachtet werden, dass im direkten Umgang mit Mitarbeitern grundsätzlich bei allen Führungsstilen in Wortwahl und Tonfall Wertschätzung und Empathie, also Einfühlungsvermögen für deren Bedürfnisse, Gefühle und Eigenheiten, vermittelt werden. Dies ist eine wesentliche Grundlage erfolgreichen Führens.

Acht Prinzipien des Führens

Peter Drucker, ein Pionier der modernen Managementlehre beschrieb nach Analysen unterschiedlicher Managementstile, dass – unabhängig von der Persönlichkeit der Führungskraft – vor allem **acht Prinzipien des Führens** effektiv sind und zum Erfolg führen. Mit kleinen sprachlichen Anpassungen können diese gut auch auf den Leiter eines Rettungsteams angewandt werden:

1. Frage Dich, was **jetzt** getan werden muss.
2. Frage Dich, was gut und richtig für den Patienten ist.
3. Mache einen Handlungsplan und setze ihn um.
4. Übernimm Verantwortung für Deine Entscheidungen.
5. Stelle sicher, dass die Kommunikation zwischen den Beteiligten stimmt.
6. Konzentriere Dich stärker auf Chancen als auf Risiken.
7. Führe effektive Lagebesprechungen durch (z. B. „Team-Time-Outs" und Debriefings).
8. Denke und sprich in der „Wir Form", wenn es um die Leistung im Einsatz geht.

Die ersten drei Prinzipien führen zur raschen **Priorisierung** unter Beachtung von ethischen Komponenten und leiten Handlungen ein. Dabei geht es nicht darum, was ein Teammitglied persönlich unbedingt will, beispielsweise einen venösen Zugang legen, sondern es geht ausschließlich darum, was ein Patient jetzt gerade braucht bzw. was in der aktuellen Situation hilfreich ist.

Die erforderlichen Handlungen werden anschließend umgesetzt, die Führungskraft übernimmt die Verantwortung dafür. Sie legt auch fest, in welcher Zeit welche Dinge umgesetzt werden müssen, und stellt sicher, dass alle Beteiligten zeitgerecht informiert werden. Sie passt ggf. auch einen Plan an, wenn eine schlechte bzw. problematische Entscheidung erkannt worden ist oder sich Rahmenbedingungen des Handelns geändert haben. Sie kommuniziert dies und sorgt insgesamt für einen „guten Draht" zwischen Leitstelle, Teammitgliedern, Patienten und deren Angehörigen sowie ggfs. anwesenden Notfallzeugen oder Ersthelfern.

IM FOKUS

Führungsstile

- **Führungsparadoxon** im Rettungsdienst: hohe Struktur des Wachlebens, wenig Kontrolle des Einsatzgeschehens
- Die wichtigsten Führungsstile sind:
  - **Autorität:** „Ich bestimme, was getan wird."
  - **Patriarchalisch:** „Ich entscheide wohlwollend."
  - **Partizipativ:** „Ich lasse mich beraten, bevor ich entscheide."
  - **Beratend-konsultativ:** „Ich wirke durch Beratung auf euch ein."
  - **Demokratisch:** „Wir entscheiden gemeinsam."
  - **Laissez Faire:** „Macht, wie ihr es für sinnvoll haltet."
- Situatives Führen: Führungsstil wird je nach Lage gewählt.

13.2 Führungspersönlichkeit

Eine Führungspersönlichkeit ist jemand, der wesentliche Eigenschaften besitzt und erweitert, die zur Führung von Mitarbeitern, aber auch zur Führung der eigenen Person erforderlich sind. Zu dieser **Selbstführung** gehört eine realistische Einschätzung der eigenen Person sowie seiner eigenen Stärken und Schwächen: Seine eigenen Fähigkeiten, Gefühle und Reaktionsweisen zu kennen, diese auch lenken zu können und sich deren Auswirkungen bewusst zu sein, sind dabei wesentliche Aspekte.

MERKE

Letztlich ist Selbstführung die Fähigkeit, mit sich selbst im Alltag klarzukommen.

Es gibt zahlreiche Modelle, um Führungspersönlichkeiten zu beschreiben und zu kategorisieren. Das **Grid-** bzw. **Gitter-Modell** nach Blake und Mouton ordnet Führungspersönlichkeiten z. B. auf zwei Achsen ein. Die Orientierung an den Bedürfnissen der Mitarbeiter bzw. sozial-emotionalen Aspekten ist auf der einen Achse, die Orientierung an einer Aufgabe bzw. an sachrationalen Aspekten auf der anderen Achse zu finden (→ Abb. 13.2):

- Wer weder auf der einen noch auf der anderen Achse stark ausgeprägte Fähigkeiten aufweist, besitzt eigentlich keine Führungsqualitäten. Derjenige ist jemand, der kein Ziel in der Organisation hat, sondern nur das persönliche „Überleben" anstrebt, passiv und introvertiert ist und nicht zuletzt auch ein eher geringes Interesse an seinen Mitarbeitern und an der Arbeit selbst hat.
- Jemand, der sich sehr stark an den Bedürfnissen der Mitarbeiter und nur sehr wenig an sachrationalen Erfordernissen orientiert, möchte lieber netter Kollege als Vorgesetzter sein, vermeidet Konflikte und benutzt lieber eine informelle Kommunikation, z. B. das lockere Gespräch im Aufenthaltsraum, als ein formelles Mittel der Kommunikation, etwa ein strukturiertes Beurteilungsgespräch. Als Führungskraft ist ein solcher Vorgesetzter nur auf unteren Ebenen geeignet, da für ihn die Aufgaben und Ziele der Organisation von nachrangiger Bedeutung sind.

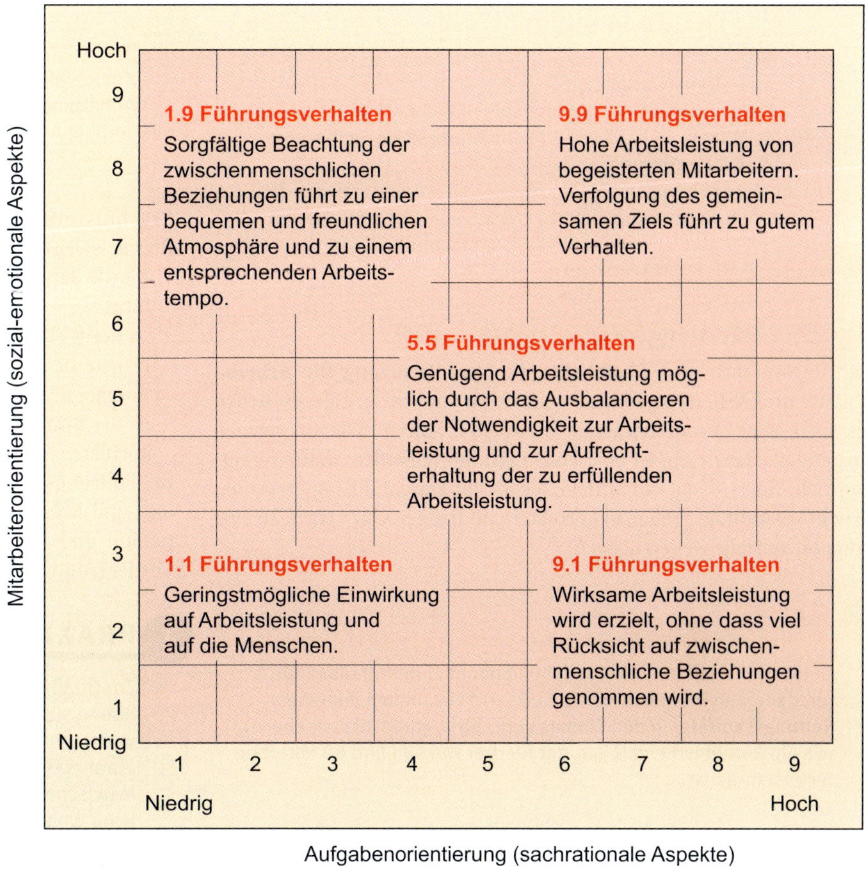

Abb. 13.2 Gitter-Modell (nach Blake und Mouton 2005) zur Einschätzung von Führungspersönlichkeiten [L143]

- Wer nur auf sachrationale Aspekte Wert legt und Bedürfnisse von Mitarbeitern völlig außer Acht lässt, führt i. d. R. autoritär, unterdrückt Konflikte, will unbedingten Gehorsam, keinen Widerspruch und erteilt Anweisungen gern auf schriftlichem Wege.

PRAXISTIPP

Idealerweise gelingt es einer Führungskraft, Erfordernisse einer Aufgabe sowie die Bedürfnisse von Mitarbeitern gleichermaßen im Blick zu behalten, d. h. das eigene Führungsverhalten sowohl an sozial-emotionalen als auch an sachrationalen Aspekten auszurichten.

Andere Modelle listen einzelne Charaktereigenschaften als Anforderungsprofil für Führungspersönlichkeiten auf. Häufig genannt werden:

- Integrität
- Verlässlichkeit
- Fairness/Gerechtigkeitssinn
- Entscheidungsfreudigkeit
- Menschlichkeit
- Mut
- Offenheit
- Kooperations- und Konfliktfähigkeit
- Diplomatie
- Selbstkontrolle
- Frustrationstoleranz
- Weitsicht

MERKE

Eine „perfekte" Führungspersönlichkeit gibt es kaum, zumal das ideale Führungsverhalten, wie bereits dargestellt, von der jeweiligen Situation abhängig ist: Eine zu diplomatische Führungskraft kann zu wenig entscheidungsfreudig und durchsetzungsfähig sein. Ist jemand zu weitsichtig, kann er die momentan dringendsten Aufgaben vielleicht nicht rasch genug erkennen etc.

Eine große Herausforderung besteht insofern nicht nur darin, an den unterschiedlichen **Führungspositionen generell** geeignete Führungskräfte einzusetzen. Darüber hinaus müssen diese Führungskräfte auch den jeweils zur Situation passenden Führungsstil auswählen und anwenden.

Das gilt auch für die unmittelbare Führungsarbeit in einem Einsatzgeschehen: Je nach Lage kann sich eine gute Führungskraft in ein Geschehen **einordnen,** bei Ablaufproblemen oder formeller Notwendigkeit aber auch bewusst **überordnen,** also die Führungsrolle selbst übernehmen. Nicht zuletzt muss eine Führungskraft dazu in der Lage sein, sich selbst entsprechenden höheren Leitungsebenen **unterzuordnen** und sich in ein größeres Team zu integrieren.

IM FOKUS

Führungspersönlichkeit

- Es gibt keine perfekte Führungsperson. Allerdings gibt es **positive Eigenschaften** für Führungspersonal, z. B.:
  - Integrität
  - Entscheidungsfreudigkeit

- Menschlichkeit
- Mut
- Frustrationstoleranz
- Zur Einschätzung einer Führungspersönlichkeit dient das sog. **Gitter-Modell.** Es hat zwei Achsen: **Mitarbeiterorientierung** und **Sachorientierung.**
- Eine gute Führungskraft schafft die Balance zwischen beiden Faktoren, wobei in bestimmten Fällen auch eine rein sachorientierte Herangehensweise sinnvoll sein kann.

13.3 Führungsverantwortung

Führungsverantwortung beinhaltet die **Verantwortung für Arbeitsabläufe und Arbeitsergebnisse** – und zwar sowohl der eigenen Arbeit als auch jener der anvertrauten Mitarbeiter. Sofern nicht im eigenen Zuständigkeitsbereich, ist eine Führungskraft außerdem dafür verantwortlich, einen Mangel an Mitteln, die ihr zur Durchführung der Arbeit bzw. eines Auftrags fehlen, in korrekter und fristgerechter Form an eine vorgesetzte Stelle weiterzugeben.

MERKE

Geführt wird auf unterschiedlichen Ebenen: Ein Notfallsanitäter, der einen Praktikanten einweist und zusammen mit einem Rettungssanitäter in den Einsatz geht, führt grundsätzlich ebenso wie ein Rettungsdienstleiter, der für drei Wachen und 80 Mitarbeiter zuständig ist.

Die **Führungsspanne,** also wie weit sich die Führungsverantwortung inhaltlich und in Bezug auf untergeordnete Mitarbeiter erstreckt, muss in Stellenbeschreibungen festgehalten sein. Formelle Führungsaufgaben und -beziehungen sind darin klar zu regeln.

Eine wesentliche Aufgabe der Führungskraft im Bereich des Rettungsdienstes ist die **Vorplanung.** Schon bei einem einfachen Einsatz mit einem RTW und einem NEF werden zahlreiche Beteiligte aktiv. Abstimmungsprozesse sind innerhalb eines Einsatzgeschehens jedoch nur in Bezug auf kleinere Aufgaben möglich. Wesentliche Aspekte wie Rollenverteilungen, Gerätekompatibilitäten oder bestimmte Versorgungsabläufe müssen daher vorab intern und mit externen Institutionen wie Feuerwehr, Gesundheitsamt, Polizei, Krankenhäusern etc. abgestimmt, organisiert und festgelegt werden. Das schafft den Mitarbeitern Freiräume, sich unter Zeitdruck und in komplexen Situationen auf die aktuellen, oft weniger standardisierbaren Herausforderungen zu konzentrieren.

Ablaufverantwortung bezieht sich darauf, für die Einhaltung der Arbeits-, Kommunikations- und Sicherheitsregeln zu sorgen. Zur Ablaufverantwortung gehört aber auch, jene Aspekte zu beachten, die so grundlegend sind, dass sie eigentlich keiner Verschriftlichung bedürfen, wie z. B. Höflichkeit, Freundlichkeit oder korrektes Fahrverhalten.

Die jeweilige Aufgabenbewältigung muss von einer Führungskraft organisiert werden, z. B. durch Delegation von einzelnen Arbeitsaufträgen an ausgewählte Mitarbeiter. Wesentliche Aufgabe ist zudem die Einschulung, Begleitung und das fortwährende Training von Mitarbeitern und Praktikanten, für diese ansprechbar zu sein und sie zu motivieren. Eine weitere Kernaufgabe besteht schließlich darin, untergeordneten Mitarbeitern Vorgaben der Organisation zu erklären, positiv für Verständnis zu werben und die Vorgaben der Organisation in die tägliche Praxis umzusetzen. Je nach Führungsspanne kann auch die Bewertung der Leistung von Mitarbeitern sowie deren arbeitsrechtliche Disziplinierung zum Aufgabengebiet einer Führungskraft gehören.

MERKE

Kommunikation mit den Mitarbeitern sowie **Information** und **Anleitung** der Mitarbeiter sind die **wesentlichen Aufgaben** einer verantwortlichen Führungskraft.

Ergebnisverantwortung zielt auf die Resultate von Arbeitsabläufen. Beispielsweise muss u. a. auf folgende Aspekte geachtet werden:
- Wurde der Fahrzeugcheck zum Dienstbeginn wirklich durchgeführt?
- Ist der RTW nach einem Einsatz wieder vollständig einsatzbereit?
- Liegen die Eintreffzeiten der Einsatzfahrzeuge im Rahmen der Vorgaben?
- Ist der Bestand der Medikamente im Lager der Rettungswache korrekt?

Bei Führungskräften höherer Ebenen stehen u. a. die generelle Patienten- und Mitarbeiterzufriedenheit, die Beobachtung der Personalfluktuation und finanzieller Ergebnisse des eigenen Rettungsdienstes im Vordergrund.

PRAXISTIPP

Zur Qualifikation von Rettungswachen- und Rettungsdienstleitern haben sich in den vergangenen Jahren zahlreiche Weiterbildungen und auch einige Studiengänge, überwiegend auf Bachelorniveau, etabliert (→ Kap. 3.4). Auf diese Weise finden Notfallsanitäter inzwischen attraktive Perspektiven für ihre persönliche und berufliche Weiterbildung vor.

IM FOKUS

Führungsverantwortung
- Sie beinhaltet die Verantwortung für **Arbeitsabläufe** und **Arbeitsergebnisse.**
- Die **Führungsspanne** definiert den genauen Umfang. Sie ist durch Stellenbeschreibungen definiert.
- Ein zentraler Aspekt ist die **Vorplanung,** da im Einsatz bestimmte Dinge nicht geregelt werden können.
- **Ablaufverantwortung** bezieht sich auf Prozesse, **Ergebnisverantwortung** auf ihre Resultate. Meistens werden diese beiden Teilverantwortungen gemeinsam getragen.

13.4 Führungsvorgang

Die **Feuerwehr-Dienstvorschrift (FwDV) 100** wird in weiten Teilen der Einsatzorganisationen angewendet und definiert den Führungsvorgang als einen zielgerichteten, immer wiederkehrenden und in sich geschlossenen Denk- und Handlungsablauf. Dabei werden Entscheidungen vorbereitet, umgesetzt und evaluiert.

MERKE

Ziel des Führungsvorgangs ist es,
- die richtigen Abläufe (Prozesse)
- und damit verbundene Mittel (personelle, finanzielle und materielle Ressourcen)
- zur richtigen Zeit
- am richtigen Ort

zu verwenden.

Abb. 13.3 Führungsvorgang gemäß FwDV 100 [L231]

Der Führungsvorgang lässt sich im Sinne eines **Regelkreises** in folgende Schritte unterteilen:

- **Lagefeststellung:** die **Erkundung** der Lage bzw. Situation und deren **Kontrolle**
- **Planung:** die **Beurteilung** der Lage und der vorhandenen Handlungsoptionen sowie die **Entscheidung** über die weiteren Vorgangsweise
- **Befehlsgebung**

Grundlage für einen gelingenden Führungsvorgang ist das Vorhandensein einheitlicher Sprachregelungen, verbindlicher Standards und eine klare Rollen- und Aufgabenverteilung. Während und nach der Umsetzung eines Befehls bzw. Auftrags erfolgt schließlich eine erneute Lagebeurteilung, die wiederum in die aktualisierte Planung einfließt (→ Abb. 13.3).

Wesentliche Komponente des Führungsvorgangs ist das **Entscheidungsmanagement** (→ Kap. 11.3.2). Grundvoraussetzung für eine Entscheidung ist, das Ziel und die Rahmenbedingungen, unter denen es erreicht werden kann, festzulegen. Im Rettungsdienst sind die wesentlichen Teile der Lage und die Beschreibung des Problems oftmals allerdings unklar. Dann ist es Aufgabe festzustellen, welche Fragen offen sind und welche rasch beantwortet werden können.

Manche Fragen müssen aus Zeitgründen unbeantwortet bleiben. Wenn sich daraus im Nachhinein andere Alternativen ergeben, folgt daraus nicht, dass die initiale Entscheidung falsch war. Wesentliche Faktoren von Fehlentscheidungen sind vielmehr die Überschätzung der vorhandenen Ressourcen, dass andere Meinungen nicht geäußert bzw. zugelassen werden oder eine Führungskraft vor gegenteiligen Informationen „geschützt" wird.

Intuition als Aspekt von Entscheidungsprozessen wird in der modernen Führungslehre wieder in Betracht gezogen. Intuition ist ein gedanklicher Prozess, Situationen zu bewerten und zu Schlüssen zu kommen, ohne eine ausreichende Zahl faktischer Informationen für eine Entscheidungsfindung zu haben. Die Qualität der Intuition ist abhängig vom Lebensalter und von der Zahl der reflektierten Erfahrungen. Sie benutzt inneres Wissen und kann als begleitende Methode hilfreich sein, wenn sie zusammen mit einer rationalen Problemanalyse verwendet wird.

13.4.1 Strategie und Taktik

Teil des Führungsvorgangs ist das Festlegen einer **Strategie,** d. h. die Beantwortung der Frage, **was** erreicht werden soll. Innerhalb einer Strategie kann es jedoch unterschiedliche Einheiten mit verschiedenen Taktiken geben. **Taktik** bezeichnet das **Wie,** also die geplanten Wege zur Zielerreichung. Der Führungsvorgang kennt dabei zwei wesentliche Taktiken:

- Die **Auftragstaktik** lässt Einsatzkräften möglichst viel Freiraum bei der Erfüllung des Auftrags. Dafür ist bei der Führungskraft und den Einsatzkräften ein hohes Maß an Sachlichkeit, Kompetenzen, Verantwortungsbewusstsein und Selbstständigkeit erforderlich. Der Auftrag beschreibt ein klar formuliertes Ziel und lässt unterschiedliche Methoden und Wege frei, um dieses Ziel zu erreichen. Durch die größere Handlungsfreiheit haben die Mitarbeiter die Möglichkeit, auf neue Erkenntnisse oder Situationen selbst rasch und dynamisch zu reagieren, solange das vorgegebene Ziel mit den aktuellen Maßnahmen vereinbar ist.
- Bei der **Befehlstaktik** bekommt die empfangende Einheit einen detaillierten Befehl (→ Kap. 13.4.2). Darin werden alle Aspekte des Befehls, insbesondere auch die Mittel und die Zeit, vorgegeben. Ändert sich während der Befehlsausführung die Lage, sodass der Befehl nicht ausgeführt werden kann, muss eine Meldung zur Einholung eines neuen Befehls gemacht werden. Diese muss unverzüglich erfolgen, eindeutig, klar, so kurz wie möglich sein und darf nur Tatsachen enthalten. Vermutungen müssen als solche deklariert werden. Derartige Meldungen sind eine wichtige Grundlage zur Lagedarstellung sowie zur Anpassung von Taktik und Strategie.

13.4.2 Befehlsgebung

Der Befehl ist eine Anweisung an die unterstellte Ebene und muss für den Empfänger, z. B. in Bezug auf Ausbildung und Ausstattung, auch durchführbar sein. Ein **einfacher Befehl** benennt zumindest die betroffene Einheit und den Auftrag: *„RTW-Team versorgt Patienten im blauen Pkw."* Ein **detaillierter Befehl** umfasst demgegenüber Angaben zu:

- **Einheit** (z. B. NEF-Besatzung)
- **Auftrag** (z. B. zur Patientenversorgung)
- **Mittel** (z. B. mit Spineboard)
- **Ziel** (z. B. zu Patient A)
- **Weg** (z. B. über die Leiter)

In Anlehnung an die FwDV 100 können **vier Befehlsarten** unterschieden werden:

- Ein **Vorbefehl** geht Einzelbefehlen oder Gesamtbefehlen voran, wenn es notwendig ist, vorbereitende Tätigkeiten in einem längeren Zeitabstand vor der konkreten Umsetzung anzuordnen. Er dient der organisatorischen, inhaltlichen, aber auch mentalen Vorbereitung der jeweiligen Einsatzeinheiten.
- Der **Einzelbefehl** betrifft einzelne Mitarbeiter und beinhaltet nur jene Informationen, die diesen betreffen und für den konkreteren Einzelauftrag relevant sind.
- Der **Gesamtbefehl** richtet sich gleichzeitig an mehrere Empfänger und gibt den Mitarbeitern eine gemeinsame Handlungsgrundlage. Er ist meist Teil einer Lagebesprechung und sollte in der Nähe des Einsatzortes gegeben werden.
- Das **Kommando** ist ein Befehl in Kurzform, dessen Wortlaut standardisiert ist und beim Angesprochenen ein bestimmtes, zuvor eingeübtes Handeln auslöst. Ein Kommando kann mündlich, optisch, durch Gesten oder auch akustische Signale gegeben werden (→ Abb. 13.4).

Befehle können mündlich oder schriftlich erfolgen, unmittelbar an einer Einsatzstelle werden sie meist jedoch lediglich mündlich erteilt.

ACHTUNG! Nach Möglichkeit sollten mündlich gegebene Befehle zeitnah schriftlich dokumentiert werden.

Abb. 13.4 Kommando in einem Einsatz [O997]

Zur Kontrolle, ob ein Befehl verstanden wurde, kann eine Wiederholung, ggf. auch im exakten Wortlaut, verlangt werden.

IM FOKUS

Befehlsgebung

- Im Rahmen einer **Auftragstaktik** sind viele Freiräume möglich, weil das Ergebnis in den Vordergrund gerückt wird. Bei der **Befehlstaktik** geht es konkret um die Ausführung.
- Ein **einfacher Befehl** benennt mindestens Einheit und Auftrag.
- Ein **detaillierter Befehl** umfasst:
  - Einheit (z. B. NEF-Besatzung)
  - Auftrag (z. B. zur Patientenversorgung)
  - Mittel (z. B. mit Spineboard)
  - Ziel (z. B. zu Patient A)
  - Weg (z. B. über die Leiter)
- Ein **Kommando** ist ein Befehl in Kurzform.

13.4.3 Führen einer Fahrzeugbesatzung

Das Team eines RTW oder NEF stellt die kleinste **taktische Einheit** dar und würde im Bereich der Gefahrenabwehr als „Trupp" bezeichnet werden. Der Notfallsanitäter ist auf dem RTW für die Gesamtführung des Einsatzes verantwortlich. Er ist der „Truppführer", wird meist jedoch **Teamleiter** oder **Teamführer** genannt.

Seine Verantwortung bezieht sich insbesondere auf die einsatztaktischen Maßnahmen beim Eintreffen, das Management an der Einsatzstelle, die medizinische Versorgung, die Betreuung der Patienten und Angehörigen, die Übergabe sowie die Dokumentation und das Sicherheitsmanagement während des gesamten Ablaufs.

Der Teamführer muss Aufgaben an seine Teammitglieder **delegieren** und wirksam mit ihnen **kommunizieren.** Er ist z. B. auch für das unverzügliche Ausrücken verantwortlich und sorgt für den sichersten und raschesten Anfahrtsweg. Der Notfallsanitäter führt sein Team ruhig, höflich und kooperativ und sorgt vor Einsatzbeginn für eine klare Rollenverteilung:

- Wer lenkt das Fahrzeug?
- Wer ist für die Entnahme welcher Geräte verantwortlich?
- Wer bedient welche Geräte am Einsatzort?
- Wer übernimmt bei einer Reanimation die initiale Herzdruckmassage?

Vor Ort teilt er weitere Aufgaben eindeutig zu und achtet natürlich vor allem darauf, dass die Teammitglieder die medizinische und psychosoziale Betreuung des Patienten korrekt durchführen.

PRAXISTIPP

Der Teamleiter erklärt dem Patienten die Maßnahmen, die zu treffen sind. Durch diese Verbalisierung führt er auch sein Team durch den Einsatz: *„Mein Kollege bringt nun ein EKG bei Ihnen an."* Somit braucht es kaum eigene Anordnungen, sie ergeben sich aus dem Dialog des Notfallsanitäters mit dem Patienten.

Die Beachtung der **Sicherheit** für das gesamte Team und die **Unfallverhütung** gehören zu den weiteren wesentlichen Führungsaufgaben:

- Sind schon während der Anfahrt zum Einsatzort Gefahren erkennbar?
- Welche Gefahren drohen im Einsatzgeschehen?

Auch etwaige Anweisungen, sich bei einer akuten Gefahr zurückzuziehen, vorsichtiger zu fahren, sich im RTW anzugurten oder eine bestimmte Schutzausrüstung zu verwenden, fallen in diesen Bereich.

MERKE

Der Notfallsanitäter ist nicht nur Kollege, sondern durchaus auch Führungskraft und muss auch in kleinen Teams seine Führungsaufgabe engagiert wahrnehmen.

Die Durchführung von **Einsatznachbesprechungen** und **Kritikgesprächen** ist ebenfalls eine Führungsaufgabe. Dabei lautet das Motto: Profis setzen hohe Standards für sich, analysieren kritisch ihr Verhalten und ihre Arbeit, kennen ihre Schwachstellen und suchen nach Wegen der Verbesserung (→ Abb. 13.5).

Abb. 13.5 Wichtige Führungsaufgabe: die selbstkritische Analyse eines Einsatzgeschehens [O997]

IM FOKUS

Führen einer Fahrzeugbesatzung

- Die kleinste taktische Einheit im RD besteht aus **zwei Personen** (RTW- oder NEF-Besatzung).
- Auf den RTW ist der **Notfallsanitäter** für den **Führungsvorgang** verantwortlich. Er muss Rollen verteilen, Ziele festlegen und Mittel zu deren Erreichung definleren.
- Damit geht eine unausweichliche Verantwortung für das **Patientenwohl** und die **Sicherheit des Teams** einher.
- Der Teamleiter sollte die **Maßnahmen der Kollegen erklären,** um die primäre Ansprechperson für den Patienten darstellen zu können.
- Die **Nachbesprechung** von Einsätzen ist ebenfalls eine wichtige Führungsaufgabe.

13.4.4 Führen größerer taktischer Einheiten

Das Führen größerer taktischer Einheiten ist im Bereich eines **Massenanfalls von Verletzten** (MANV), bei **Großschadenslagen** oder **Katastrophen** von Bedeutung (→ Kap. 46.3). Dabei wird ein kompletter Zug oder zumindest eine größere Gruppe von Mitarbeitern mit vordefinierter Stärke und Ausrüstung geführt. Neben den Grundsätzen, die auch für die Führung kleinerer Einheiten gelten, sind hierbei einige Besonderheiten zu beachten. Auf diese Aspekte kann hier jedoch nur teilweise eingegangen werden, da das Führen größerer taktischer Einheiten ohnehin eine umfassendere Führungsausbildung voraussetzt, die sich nicht ohne Weiteres in die reguläre Notfallsanitäterausbildung integrieren lässt (→ Abb. 13.6).

Für die **Alarmierung** und das **Ausrücken** größerer taktischer Einheiten werden z. B. vorab festgelegte Einsatzpläne benötigt. Das erleichtert das Zusammenstellen der Einsatzkräfte nach thematischen und logistischen Schwerpunkten.

Die Anfahrt an die Einsatzstelle (Schadensraum) bzw. an den Bereitstellungsraum erfolgt grundsätzlich in **geschlossenen taktischen Verbänden.** Die **Marschreihenfolge** ist vorab im jeweiligen Einsatzplan festgelegt (→ Abb. 13.7).

Der Einsatzleitung vor Ort wird der voraussichtliche **Eintreffzeitpunkt** zur weiteren Planung mitgeteilt. Falls Teileinheiten eines Verbands dringend an der Einsatzstelle vor Ort benötigt werden, können diese auch getrennt an die Einsatzstelle bzw. in den Schadensraum geführt werden. Nach Möglichkeit sollten Teileinheiten eines taktischen Verbandes jedoch nicht an verschiedenen Einsatzstellen aktiv werden.

Bei länger dauernden oder größeren Einsätzen kann es außerdem notwendig sein, das Befehlsschema zu ergänzen (→ Tab. 13.1).

IM FOKUS

Führen größerer taktischer Einheiten

- Bei größeren Schadenslagen werden **vorinstallierte Strukturen** benötigt (Einsatzpläne, Alarm- und Ausrückeordnung, Führungsausbildungen).
- Die Anfahrt erfolgt idealerweise in geschlossenen taktischen Verbänden und folgt einer festgelegten Marschreihenfolge.
- **Eintreffzeiten mitteilen!**
- Zusätzlich Aspekte im **Befehlsschema:**
  - Lage
  - Auftrag
  - Durchführung
  - Versorgung
  - Führung und Kommunikation

Abb. 13.6 Das Führen größerer taktischer Einheiten setzt eine umfassende Führungsausbildung voraus. [W931]

Abb. 13.7 Patiententransportzug PTZ 10 in Nordrhein-Westfalen als Beispiel für einen geschlossenen taktischen Verband [W932]

Schema	Angaben
Lage	• zur Schadenslage bzw. zum Ereignis • zu den bisher eingesetzten Kräften • zu bisher getroffenen Maßnahmen • zu Weisungs- und Unterstellungsverhältnissen
Auftrag	• zum erhaltenen Auftrag
Durchführung	• zu Aufträgen für einzelne Teileinheiten • zur Zusammenarbeit und Koordination mit anderen Kräften • zu besonderen Schutzmaßnahmen • zu besonders relevanten Zeitpunkten (Einsatzbeginn, Einsatzdauer, Ablösezeitpunkt)
Versorgung	• zur Einsatzkräfteverpflegung • zur Verfügbarkeit von Betriebsstoffen und zur Materialerhaltung • zur medizinischen Versorgung für Einsatzkräfte
Führungs- und Kommunikationswesen	• zu Kommunikationsverbindungen, Meldeköpfen, Abschnittsleitungen • zum Standort der Einsatzleitung etc.

Tab. 13.1 Ergänzung des Befehlsschemas bei länger dauernden oder größeren Einsätzen

WIEDERHOLUNGSFRAGEN

1. Welche Führungsstile gibt es und wodurch zeichnen sich diese jeweils aus (→ Kap. 13.1)?
2. Was versteht man unter situativer Führung (→ Kap. 13.1)?
3. Welche Charaktereigenschaften prägen das Anforderungsprofil einer Führungspersönlichkeit (→ Kap. 13.2)?
4. Was versteht man unter dem Begriff Selbstführung (→ Kap. 13.2)?
5. Was sind die wesentlichen Aspekte der Führungsverantwortung (→ Kap. 13.3)?
6. Worauf bezieht sich die Führungsspanne und wo muss sie geregelt sein (→ Kap. 13.3)?
7. Was versteht man unter der Ablaufverantwortung (→ Kap. 13.3)?
8. Was versteht man unter der Ergebnisverantwortung (→ Kap. 13.3)?
9. Beschreiben Sie den Führungsvorgang gemäß FwDV 100 (→ Kap. 13.4).
10. Grenzen Sie die Begriffe Auftrags- und Befehlstaktik anhand von Beispielen voneinander ab (→ Kap. 13.4.1).
11. Woraus setzt sich ein detaillierter Befehl zusammen (→ Kap. 13.4.2)?
12. Welche vier Befehlsarten können voneinander unterschieden werden (→ Kap. 13.4.2)?
13. Welche Aufgaben hat ein Notfallsanitäter beim Führen einer Fahrzeugbesatzung (→ Kap. 13.4.3)?
14. Welche Besonderheiten sind bei der Führung größerer taktischer Einheiten zu beachten (→ Kap. 13.4.4)?

FORTSETZUNG DES SZENARIOS

Die Kollegen des Notfallsanitäters stehen nun jedoch vor der verschlossenen Haustür und versuchen, sich an den Namen zu erinnern. Erst der vierte Klingelversuch ist richtig, man erspart sich die Peinlichkeit, bei der Leitstelle nachzufragen.
Erst nach 7 Minuten kommen die beiden Kollegen beim Patienten und dem inzwischen völlig erschöpften Notfallsanitäter an, sodass mit den entsprechenden Gerätschaften endlich eine Reanimation nach den aktuellen Standards vorgenommen werden kann. Der Praktikant integriert sich dabei gut, wird aber von seinen Kollegen unfreundlich und kalt behandelt und verhält sich zunehmend unsicher.
Nachdem der Sauerstoffvorrat der Beatmungseinheit zu Ende geht, instruiert der Notfallsanitäter den Praktikanten, eine neue Sauerstoffflasche aus dem RTW zu holen. Beim Einsatzfahrzeug angekommen, öffnet dieser die Beifahrertür, sieht dort eine große Sauerstoffflasche, die ziemlich verbaut und mit diversen Schläuchen verbunden ist. Im Handschuhfach findet er nun einen Schraubenschlüssel und nach fast 10 Minuten ist er stolz, diese große Flasche erfolgreich demontiert zu haben. Er entschließt sich, den Lift zu nehmen, und überreicht die Flasche voller Stolz seinen staunenden Kollegen. Die Reanimation wird, nachdem endlich auch ein Notarzt eingetroffen ist, noch etwa 30 Minuten fortgeführt, dann jedoch erfolglos eingestellt.
Einen solchen Einsatzverlauf muss man definitiv als misslungen betrachten. Eine wesentliche Ursache dafür ist das wenig professionelle Führungsverhalten des Notfallsanitäters: Aufgaben innerhalb des Rettungsteams wurden zu Beginn nicht klar verteilt, der Praktikant war nicht ausreichend in die Handhabung der RTW-Ausrüstung eingewiesen und der Notfallsanitäter hat zugelassen, dass sein Team schon zu Beginn des Einsatzgeschehens auseinandergerissen wurde. Dadurch war er als Führungskraft in den ersten Minuten vollkommen auf sich allein gestellt und die Versorgung des Patienten konnte sicherlich nicht so durchgeführt werden, wie es erforderlich gewesen wäre.
Im weiteren Einsatzverlauf wurden der defizitäre Ausbildungsstand und die mangelnde Erfahrung des Praktikanten nicht ausreichend berücksichtigt. Die Anweisung an den Praktikanten, die Sauerstoffflasche aus dem RTW zu holen, hätte z. B. so nicht erteilt werden dürfen. Insgesamt muss das Kommunikationsverhalten des Notfallsanitäters als mangelhaft bezeichnet werden.
Nach einem derart verlaufenen Einsatzgeschehen muss eine sorgfältige Aufarbeitung der Abläufe erfolgen. Hier ist ein ausführliches Feedbackgespräch angebracht, aus dem alle Beteiligten lernen können und das jedes Mitglied des Rettungsteams für die persönliche Weiterentwicklung nutzen sollte.

WEITERFÜHRENDE LITERATUR

Bräutigam A, Cimolino U, de Vries H. Führung in Großschadenslagen: Taktische Verbände im Einsatz. Fulda: Ecomed, 2010.

Drucker P, Malik F. The Effective Executive: Effektivität und Handlungsfähigkeit in der Führungsrolle gewinnen. München: Vahlen, 2014.

Deutscher Gemeindeverlag. Führung und Leitung im Einsatz. Feuerwehrdienstvorschrift 100. Stuttgart: Kohlhammer, 2003.

Gißler D. Einsätze wirksam führen. Eine universale Führungstheorie für die Gefahrenabwehr und das Krisenmanagement. Stuttgart: Kohlhammer, 2021.

Ständige Konferenz für Katastrophenvorsorge und Katastrophenschutz. Führung und Leitung im Einsatz. Köln, 1999.

14

ÜBERGABE UND ÜBERNAHME VON PATIENTEN

Christoph Redelsteiner

SZENARIO

Der RTW und das NEF der Nachbarstadt werden gemeinsam zu einem Verkehrsunfall mit einer eingeklemmten Person entsandt.
Beim Eintreffen ist die Einsatzstelle bereits von der Polizei abgesichert. Ein Pkw ist in einer Kurve mit hoher Geschwindigkeit ohne zu bremsen geradeaus in eine Wand gefahren. Der Fahrer ist der einzige Insasse, ansprechbar und voll orientiert. Er sitzt „erstarrt" im Pkw und sagt beim Erstkontakt: *„In meinem Nacken hat es komisch geknackt, ich hab das Gefühl, ich kann meinen Kopf nicht halten."* Außerdem verbalisiert er von sich aus große Sorge über eine mögliche Fraktur der Halswirbelsäule.

INHALTSÜBERSICHT

14.1 BEDEUTUNG DER PATIENTENÜBERNAHME UND -ÜBERGABE IM RETTUNGSDIENST

- Die Patientenübergabe ist die „Nahtstelle" zwischen präklinischer und klinischer Phase der Versorgung von Patienten.
- Nur eine präzise und sorgfältige Übergabe und Übernahme von Patienten garantiert einen reibungslosen und optimalen Diagnose-, Versorgungs- und Behandlungsverlauf.
- Übergabegespräche sind so kurz wie nötig und so einfach wie möglich anhand von dokumentierten, logisch und nach Priorität angeordneten (Vital-)Parametern und Fakten aufzubauen.

14.2 FEHLERQUELLEN BEI ÜBERGABE UND ÜBERNAHME

- Verschiedene Faktoren, z. B. Zeitdruck des Personals, Kommunikationsprobleme, fehlende Ansprechpartner, ungenügende Dokumentation o. Ä. stören oder verhindern eine optimale Übergabe von Patienten.

14.3 MERKMALE EINER ADÄQUATEN ÜBERGABE

- Voraussetzung für eine erfolgreiche Übergabe ist eine präklinisch erhobene Anamnese, die umfassend dokumentiert wird.
- Eine optimale und systematische Patientenübergabe enthält: Vorstellung des Patienten, Grund der Alarmierung, Situation beim Eintreffen, Auffälligkeiten nach dem ABCDE-Schema, Vitalparameter, Verletzungen und Verdachtsdiagnosen, relevante Informationen aus dem SAMPLER-Schema, präklinische Maßnahmen und dem Verlauf.

14.1 Bedeutung der Patientenübernahme und -übergabe im Rettungsdienst

MERKE

Eine Patientenübergabe bzw. Patientenübernahme ist die rechtliche und „physische" Übergabe eines Patienten zwischen zwei unterschiedlichen Versorgungskomponenten im Gesundheitssystem. Dabei werden wesentliche Informationen mündlich ausgetauscht und Patientenunterlagen wie schriftliche Befunde, Datenträger und Dokumente übergeben, ebenso Wertgegenstände bzw. vorhandene Kleidung des Patienten.

Im Wesentlichen gibt es folgende **Übernahme- bzw. Übergabesituationen:**

- Niedergelassener Arzt an Rettungsdienst, z. B. Internist an RTW-Besatzung
- Rettungsdienst an Rettungsdienst, z. B. KTW-Besatzung an RTW-Besatzung oder RTW-Besatzung an den Notarzt eines RTH (→ Abb. 14.1)
- Rettungsdienst an Krankenhaus, z. B. RTW-Besatzung an Aufnahmearzt (→ Abb. 14.2)
- Krankenhaus an Rettungsdienst, z. B. Gesundheits- und Krankenpfleger an KTW-Besatzung oder Stationsarzt an Besatzung eines ITW
- Weitere Übergabeformen, z. B. KTW Besatzung an Pflegeeinrichtung, Altenpflege, Hauskrankenpflege oder andere Gesundheits- und Sozialberufe an KTW oder RTW

Die Übergabe erfolgt jeweils von Teamleiter zu Teamleiter. Die grundsätzlichen Aspekte der Übergaben bleiben immer gleich und werden daher im Folgenden gemeinsam ausgeführt.

Bei Notfalleinsätzen ist die Patientenübergabe die **Nahtstelle zwischen präklinischer und klinischer Versorgung** von Notfallpatienten und Bestandteil der Rettungskette, deren Kontinuität für die Genesung und manchmal für das Schicksal der Patienten von essenzieller Bedeutung ist. Dabei ist die Auswahl der Zielklinik besonders bedeutsam. Idealerweise werden Notfallpatienten in **zentralen Notaufnahmen**

Abb. 14.1 Übergabesituation zwischen Notfallsanitäter und Notarzt [O997]

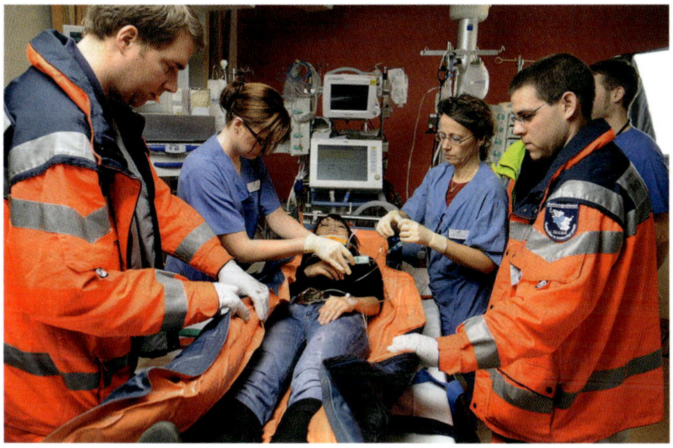

Abb. 14.2 Übergabesituation in einer zentralen Notaufnahme [W931]

übergeben, die eine lückenlose Weiterführung der präklinischen Maßnahmen auf intensivmedizinischem Niveau direkt nach dem Eintreffen des Notfallpatienten in der Klinik gewährleisten.

Sind keine zentralen Notaufnahmen vorhanden, muss sorgfältig abgewogen werden, auf welcher Station der jeweilige Patient am besten aufgehoben ist. Präklinisch ist jedoch nicht immer sofort abschätzbar, ob eine Patientin mit Bauchbeschwerden z. B. auf die Innere Abteilung, in die Chirurgie oder Gynäkologie gelenkt werden soll. Eine deutliche Kommunikation, warum die jeweilige Station seitens des Rettungsdienstes ausgewählt wurde (samt möglicher Differenzialdiagnosen!), ist daher entscheidend. Konflikte über Zuständigkeiten *(Aufnahmearzt: „Warum bringt ihr den Patienten ausgerechnet zu uns?")* sind in diesen Organisationsstrukturen auch systembedingt und müssen freundlich, aber im Sinne der Patienten geführt werden – sonst droht die Klinikaufnahme zum schwächsten Glied der Rettungskette zu werden.

MERKE

Eine nicht optimal verlaufende Patientenübergabe kann sehr schnell zum „Nadelöhr" für die weitere Patientenversorgung während der klinischen Phase werden. Im schlimmsten Fall kann durch eine schlechte, falsche, unvollständige oder fehlende Übergabe die weitere Patientenversorgung längerfristig verzögert, unterbrochen oder sogar verhindert werden. Bei akut vital bedrohten Patienten, insbesondere bei mehreren möglichen oder unklaren Diagnosen, hat die Übergabe jedenfalls an den Arzt zu erfolgen.

Bislang gibt es kein bundesweit standardisiertes Muster für Patientenübergaben. Deshalb sollte zumindest in den jeweiligen Rettungsdienstbereichen ein **einheitlicher Ablauf** zwischen den Rettungsdiensten und den Kliniken vereinbart werden. In einem solchen Grundschema wird eine feste Reihenfolge der in einer Übergabe aufzuzählenden Parameter vorgegeben, sodass im Bedarfsfall eine rasche, patientenorientierte Übergabe sichergestellt werden kann und beide Seiten wichtige Informationen nicht vergessen.

Mit der Aufnahme eines Patienten am Einsatzort in das Rettungsmittel übernimmt der Notfallsanitäter die Verantwortung für diesen Patienten so lange, bis der Patient im Zielkrankenhaus dem aufnehmenden Personal übergeben wird. Notfallpatienten sind grundsätzlich dem aufnehmenden Arzt zu übergeben, nicht vital bedrohte Patienten können auch einer Gesundheits- und Krankenpflegekraft übergeben werden. Die Übergabe muss unbedingt im Beisein des Patienten erfolgen und in sich abgeschlossen sein, d. h., eine Umlagerung auf eine Krankenhausliege mit dem nachfolgenden Hinweis *„Der Patient liegt auf dem Gang vor Raum 3."* und der bloßen Aushändigung eines Einsatzprotokolls reicht daher keinesfalls aus.

ACHTUNG! Nur eine präzise und sorgfältige Übergabe garantiert einen reibungslosen und optimalen Diagnose-, Versorgungs- und Behandlungsverlauf.

Die Bedeutung eines guten **Übergabegesprächs** ist offensichtlich. Für die optimale und erfolgreiche Übergabe sind verschiedene **Grundsätze** unbedingt zu beachten:

- Ort und Rahmen für die Übergabe sollten so gewählt werden, dass Unbeteiligte nicht mithören können.
- Das Übergabegespräch muss so kurz wie nötig und so einfach wie möglich aufgebaut werden. Zu lange und zu komplizierte Übergabegespräche sind zu vermeiden.
- Die einzelnen (Vital-)Parameter müssen in einer logischen und einer taxonomierten (nach Prioritäten angeordneten) Reihenfolge aufgezählt werden. Unlogische und unsystematische Angaben führen zur Verwirrung.
- Wichtig sind die Konzentration auf das Wesentliche sowie die Vermeidung von Nebensächlichkeiten und eigene Überinterpretationen.

IM FOKUS

Grundlagen zu Übergabe und Übernahme

- Übergabesituationen sind **Naht- bzw. Schnittstellen.**
- Es gibt **kein einheitliches Übergabeschema,** ein strukturiertes Vorgehen ist allerdings sehr sinnvoll.
- Organisationskonflikte oder situativer Stress dürfen die Übergabe nicht zuungunsten des Patienten beeinflussen.
- Es gilt: **so kurz wie möglich und so umfangreich wie nötig.**
- Alle Informationen sollten **sortiert** und **priorisiert** vorgebracht werden.
- Nebensächlichkeiten sollten vermieden werden.

14.2 Fehlerquellen bei Übergabe und Übernahme

Ein fehlerhaftes oder fehlendes Übergabegespräch kann für den Patienten fatale Folgen und für die verantwortlichen Personen weitreichende Konsequenzen haben. So können z. B. wichtige Hinweise auf die Symptomatik, insbesondere Auffälligkeiten in der Initialphase nach dem unmittelbaren Eintreffen des Rettungsdienstes, unerwähnt bleiben.

Da aber nur der Rettungsdienst die Eindrücke vor Ort sammeln kann, ist die aufnehmende Klinik zwingend auf diese Informationen angewiesen. Eine genaue Schilderung der Unfallmechanik, der Sitzposition in einem verunfallten Pkw, der verwendeten Sicherheitseinrichtungen oder ggf. auch ein Bild von der Einsatzstelle kann dem Unfallchirurgen z. B. wertvolle Hinweise für eine genauere Einschätzung der Kräfte geben, die auf den Patienten eingewirkt haben müssen.

49-83-03
RETTUNGSDIE
E

NOTFALLSITUATIONEN UND GEFAHRENABWEHR

Lehr- und Lernziele des Abschnitts E

Der folgende Abschnitt deckt die **Themenbereiche 1 und 2** der Ausbildungs- und Prüfungsordnung für Notfallsanitäterinnen und Notfallsanitäter ab. Demnach sind Auszubildende zu befähigen,

- unter Beachtung der Lage vor Ort und möglicher Gefahren Maßnahmen zur Erkundung einer Einsatzstelle durchzuführen,
- die gewonnenen Erkenntnisse zu beurteilen sowie der Situation entsprechend zu reagieren,
- die eigenen Grenzen insbesondere im Hinblick auf die Gefährdungslage, die Zahl der betroffenen Personen oder die berufsrechtlichen Rahmenbedingungen zu beachten und unter Berücksichtigung sachlicher, personenbezogener und situativer Erfordernisse Maßnahmen zum Anfordern entsprechender Unterstützung einzuleiten,
- das eigene Handeln an Maßnahmen zur Gefahrenabwehr und zum Eigenschutz einschließlich der Grundregeln des Infektionsschutzes auszurichten und einfache Maßnahmen sicher anzuwenden.

Vor diesem Hintergrund werden in **Kapitel 15** zunächst terminologische Grundlagen zum Begriffsverständnis in verschiedenen Disziplinen erläutert. Nachfolgend wird aufgezeigt, wie eine Einsatzstelle erkundet und beurteilt wird und welche Konsequenzen sich aus der Informationsgewinnung für Personal und Patient ergeben. Die Informationen erschließen sich insbesondere aus der Art des Unfallereignisses, der Lokalisation der Einsatzstelle, möglichen Gefahren und dem Hergang des Unfallereignisses.

Nachfolgend werden in **Kapitel 16** zunächst die Grundregeln der Hygiene und des Infektionsschutzes vorgestellt. Es werden aktive und passive Maßnahmen des Infektionsschutzes und Verhaltensweisen aufgezeigt. Hierzu gehört auch der Selbstschutz des Personals im Einsatz.

Im Rahmen der Gefahrenabwehr werden die Maßnahmen der technischen Rettung erläutert, nach denen insbesondere im Rahmen der technischen Hilfeleistung das eigene Handeln auszurichten ist. Es werden die jeweiligen Aufgaben, Zuständigkeiten und spezifischen Fähigkeiten beschrieben.

15

NOTFALL- UND GEFAHREN-SITUATIONEN

Harald Karutz (15.1, 15.9.4–15.9.7), Sven Linck (15.6–15.8.1), Thomas Semmel (15.2–15.5, 15.8.2–15.9.3)

FALLBEISPIEL

Notfallmeldung
NEF und RTW werden zu einem Notfall am Bahnhof alarmiert.

Situation und Ersteindruck
Bei Eintreffen am Bahnhof findet das Rettungsfachpersonal einen Patienten an der Bahnsteigkante in einem aktiven Krampfanfall vor. Eine Streife der Bundespolizei ist vor Ort und berichtet, dass der Zugverkehr am betreffenden Gleis, auf dem auch Hochgeschwindigkeitsfahrten stattfinden, noch nicht eingestellt ist. Der Notfallmanager der Deutschen Bahn sei aber verständigt und würde in Kürze an der Einsatzstelle eintreffen.

Leitsymptome
Tonisch-klonischer Krampfanfall, Bewusstlosigkeit.

INHALTSÜBERSICHT

15.1 TERMINOLOGISCHE KLÄRUNGEN

- Über Grundbegriffe des eigenen Handlungsfelds nachzudenken, ist ein Merkmal von Professionalität.
- Notfälle sind durch mehrere Merkmale gekennzeichnet, u. a. eine Kontinuitätsunterbrechung, eine Ergebnisoffenheit und eine hohe Unterschiedlichkeit. Außerdem handelt es sich um eher selten auftretende Ausnahmezustände, auf die die meisten Menschen nicht vorbereitet sind. Rechtskunde, Medizin, Psychologie, Pädagogik, Soziologie und Ökonomie definieren Notfälle jeweils anders.

15.2 BEURTEILUNG DER EINSATZSTELLE

- Die Beurteilung der Einsatzstelle beginnt mit einer genauen Einsatzmeldung der zuständigen Leitstelle.
- Ein Ersteindruck kann bereits bei erstem Sichtkontakt zur Einsatzstelle erhoben und evtl. an die Leitstelle übermittelt werden (z. B. bei Verkehrsunfällen).
- Die Sicherheit der Rettungsfachkräfte hat höchste Priorität.
- Sind mehrere Personen betroffen, muss das zuerst eingetroffene Rettungsteam eine Vorsichtung durchführen und schnellstmöglich weitere Kräfte nachfordern.

15.3 GEFAHREN AN DER EINSATZSTELLE

- Einsätze im Straßenverkehr haben ein erhebliches Gefährdungspotenzial für das Rettungsfachpersonal. Unübersichtliche Unfallstellen oder Verkehr mit hoher Geschwindigkeit fordern ein umsichtiges Handeln.
- Aufgrund der großen Gefahren für das Einsatzpersonal hat die Deutsche Bahn ein Notfallmanagement entwickelt und Verhaltensregeln bei Unfällen im Gleisbereich aufgestellt.
- Nicht nur exotische und teilweise hochgiftige Tiere an der Einsatzstelle stellen eine große Gefahr für das Rettungsfachpersonal dar. Auch vermeintlich harmlose Haustiere können, wenn sie ihrem Instinkt folgen, sehr gefährlich werden.
- Wird der Rettungsdienst zu Einsätzen aufgrund krimineller Handlungen gerufen, besteht immer eine große Gefahr für das eingesetzte Personal.

15.4 EINSATZ IM HÄUSLICHEN BEREICH

- Insbesondere der unsachgemäße Umgang mit vermeintlich harmlosen Haushaltschemikalien kann zu einer hohen Gefährdung für Patient und Rettungsfachpersonal führen.
- Einsätze wegen häuslicher Gewalt gehören zu den gefährlichsten Einsätzen für das Rettungsfachpersonal.

15.5 EINSATZ IM STRASSENVERKEHR

- Aus dem Verletzungsmechanismus lassen sich spezifische Verletzungsfolgen, auch sich erst entwickelnde oder verborgene, ableiten.
- Die Absorption der kinetischen Energie ist Ursprung der Verletzung.
- Zur Einschätzung des Verletzungsbilds beachtet man die Deformierung des Fahrzeugs, der Fahrzeugkabine und des Patienten und analysiert die Sicherheitseinrichtungen.
- Dreipunktgurte sind sicherer als Zweipunktgurte. Bei Beckengurten kommt es bei Kollision v. a. zu Verletzungen von Bauch und Lendenwirbelsäule, bei Dreipunktgurten zu Rippen- und Schlüsselbeinbrüchen.
- Ein Airbag schützt nur beim ersten Aufprall, weil er sich nach dem Entfalten schnell wieder entleert.
- Die unerwünschte Entfaltung des Airbags bei der Rettung kann zu Schleudertraumen und Hörschäden führen und muss daher verhindert werden.

FRONTALZUSAMMENSTOSS

- Vor allem Windschutzscheibe, Lenkrad und Armaturenbrett sowie nicht fixierte Gegenstände verursachen Verletzungen.
- Durch Kollision mit dem Lenkrad kommt es zu Bauch- und Brustverletzungen.

T-FÖRMIGER ODER SEITLICHER ZUSAMMENSTOSS

- Bleibt das Auto nach dem Aufprall stehen, kommt es zu Kompressionsverletzungen seitlich am Stamm und an den Extremitäten.
- Wird das Fahrzeug weggeschleudert, stehen Schäden der Halswirbelsäule im Vordergrund. Nebeneinander sitzende Personen prallen mit Kopf und Schultern aneinander.

AUFFAHRUNFALL

- Die Folgen für die Insassen des hinteren Fahrzeugs entsprechen denen eines Frontalzusammenstoßes.
- Passagiere im vorderen Auto erleben eine Hyperextension und danach eine Hyperflexion der Halswirbelsäule.

FAHRZEUGÜBERSCHLAG

- Aus den verformten Fahrzeugteilen kann man auf das Verletzungsmuster schließen.
- Schäden am Autodach weisen auf einen Überschlag hin, wenn das Auto wieder auf den Rädern aufgekommen sein sollte.

ROTATIONSUNFALL

- Die Folgen sind eine Kombination aus denen eines frontalen und eines seitlichen Aufpralls.

MOTORRAD-, QUAD- UND TRIKEUNFALL

- Bei Frontalzusammenstoß sind Kopf-, Brust-, Bauchverletzungen und Oberschenkelfrakturen wahrscheinlich.
- Bei seitlichem Aufprall kommt es häufig zu offenen Beinverletzungen.
- Wird der Fahrer weggeschleudert, ist der gesamte Körper verletzungsgefährdet.

FUSSGÄNGERUNFALL

- Erwachsene werden zunächst an den Unterschenkeln getroffen, danach mit Becken und oberem Femuranteil von der Vorderseite der Kühlerhaube erfasst und über das Auto geschleudert.
- Kinder werden ihrer Körpergröße entsprechend tiefer erfasst. Sie werden selten weggeschleudert, sondern vor das Auto gedrückt und mitgeschleift.
- Ein Kind gilt bis zum Ausschluss als schwer verletzt.

15.6 UNFÄLLE MIT GEFAHRSTOFFEN

- Nur das frühzeitige Erkennen eines Unfalls mit Beteiligung von Gefahrstoffen ermöglicht die rechtzeitige Einleitung der notwendigen rettungsdienstlichen Maßnahmen und der Maßnahmen der Gefahrenabwehr.
- Zum Ausschluss von Übermittlungsfehlern und zur ersten Einschätzung der Gefahr sind Kenntnisse über die Systematisierung der Kennzeichnung von Gefahrstoffen zwingend erforderlich.
- Die verschiedenen Kennzeichnungssysteme aus dem Umgangs- und Transportrecht unterstützen das Erkennen einer Beteiligung durch Verwendung von ähnlichen Symbolen.
- Ein systematisiertes Vorgehen erfolgt im Einsatz nach dem „GAMS"-Schema.
- Unter Beachtung des Eigenschutzes müssen verletzte Personen zweckmäßig gereinigt und behandelt werden.

15.7 BRANDEINSÄTZE

- Die Meldung der ersteintreffenden Fahrzeugbesatzung und die Fahrzeugaufstellung der ersten Fahrzeuge sind häufig einsatzentscheidend.
- Die Fahrzeugaufstellung ist von besonderer Bedeutung.

15.8 EXPLOSIONEN

- Durch Gase, Dämpfe und Stäube ist in vielen Einsätzen eine Explosionsgefahr vorhanden.
- Dem persönlichen Explosionsschutz kommt dabei im Rettungsdienst eine große Bedeutung zu.

15.9 BESONDERE NOTFALLSITUATIONEN UND VERLETZUNGSMECHANISMEN

SPORTVERLETZUNGEN

- Die Vielzahl der Sportarten haben jeweils typische Verletzungsmuster. Zur Einschätzung hilft zu überlegen, aus welcher Richtung und mit welcher Geschwindigkeit die Krafteinwirkung verläuft. Wie wurde diese im Körper weitergeleitet? Wie schnell war die Reduktion der Geschwindigkeit?

STURZ AUS HÖHEN

- Die Grundeinschätzung der möglichen Sturzverletzungen beinhaltet die geschätzte Sturzhöhe, den primären und die sekundären Aufprallpunkte des Körpers und die Beschaffenheit des Untergrunds, auf den der Betroffene geprallt ist.

PENETRIERENDE VERLETZUNGEN

- Eine wichtige Rolle bei penetrierenden Verletzungen spielt die Frage nach der, beispielsweise durch eine Waffe, abgegebenen Energie.
- Hinter einer kleinen Eintrittswunde kann sich eine größere innere Wunde verbergen.

AMOK

- Im klassischen Verständnis handelt es sich bei Amokläufen um spontan, rauschhaft, impulsiv und raptusartig ausgeführte Taten.
- Abweichend von diesem Verständnis geht Amokläufen an Schulen („School Shootings") allerdings meist eine längere Tatvorbereitungsphase voraus.
- Aufgrund der hohen Eigendynamik besteht bei Amokläufen für die Rettungsfachkräfte eine besondere Eigengefährdung.
- Es handelt sich um polizeilich geführte Lagen, d. h., das Rettungsfachpersonal hat sich den Führungskräften der Polizei unterzuordnen.

TERRORISTISCHE GEFAHR

- Die terroristische Gefahr hat in der BRD in den vergangenen Jahren deutlich zugenommen.
- Terroranschläge machen eine spezielle Defensivtaktik erforderlich.
- Besondere Gefahren sind mit der Möglichkeit eines Zweitschlags gegen Rettungsfachkräfte und der Explosion einer „schmutzigen Bombe" verbunden.

GEISELNAHME

- Geiselnahmen sind ebenfalls polizeilich geführte Lagen.
- Oberste Priorität hat die Unversehrtheit der Geiseln.
- Der Rettungsdienst hält sich außerhalb des Gefahrenbereichs für einen sofortigen Einsatz bereit.

NATUREREIGNISSE

- Naturereignisse wie Starkregenfälle, Stürme und Überschwemmungen treten seit einigen Jahren häufiger auf.
- Der Rettungsdienst kann als kritische Infrastruktur auch selbst von derartigen Ereignissen betroffen sein.
- Durch umstürzende Bäume oder beschädigte Stromleitungen droht Rettungsfachkräften eine erhebliche Eigengefährdung.

15.1 Terminologische Klärungen

Professionelles Handeln als Notfallsanitäter setzt voraus, über Grundbegriffe des eigenen Handlungsfelds nachzudenken, verschiedene Definitionen sowie Betrachtungsweisen zu hinterfragen und zu verstehen. So ist der Terminus „Notfall" vielschichtiger, als man es auf den ersten Blick vermuten würde. In den unterschiedlichsten Wissenschaften werden Notfälle als Forschungsthema aufgegriffen.

15.1.1 Wortherkunft

Von der Wortherkunft her lässt sich die Silbe **„Not"** zunächst auf „Zwang" und „Bedrängnis" zurückführen, sie wird als sinn- und sachverwandt mit den Begriffen „Übel", „Misere", „Zwickmühle" und „Ausnahmezustand" eingeordnet. **„Fall"** verweist sprachgeschichtlich auf die Vorstellung eines Würfelfalls und damit auf ein plötzlich eintretendes Ereignis, das dann aber auch relativ rasch in sich abgeschlossen ist.

15.1.2 Merkmale von Notfällen

In der Praxis können Notfälle durch einige weitere **Merkmale** gekennzeichnet werden. So besteht bei Notfällen akuter Handlungsbedarf. Sie verlaufen sehr **dynamisch** und **wirken „kontinuitätsunterbrechend":**

- Wenn jemand mit dem Pkw verunglückt, erreicht er sein Fahrtziel beispielsweise nicht wie ursprünglich vorgesehen.
- Die Fortführung eines üblichen oder geplanten Tagesablaufs wird verhindert; eine Verabredung kann nicht eingehalten werden etc.

Schwerwiegende Verletzungs- oder Erkrankungsfolgen können aber nicht nur die Umsetzung unmittelbarer Planungen verhindern, sondern wirken sich u. U. auf das gesamte weitere Leben aus. Bereits seit den 1920er-Jahren ist bekannt, dass dieser Aspekt bei der psychischen Bewältigung von Notfällen eine besondere Bedeutung hat.

MERKE

Handlungen, die durch ein Unglück abrupt unterbrochen worden sind und nicht zu Ende geführt werden können, verursachen einen **psychischen Spannungszustand.** Dies bezeichnet man als „Zeigarnik-Effekt". Notfallpatienten denken z. B. noch Jahre nach einem Unfall daran zurück, dass sie an diesem Tag eigentlich etwas anderes vorhatten, was sich dann aber nicht mehr realisieren ließ – oder dass durch ein Unglück ein Lebenstraum zunichte gemacht worden ist.

Außerdem sind Notfälle **ergebnisoffen** und **sehr unterschiedlich;** man spricht von einer hohen **Ereignisvarianz.** Daraus lässt sich einerseits ableiten, dass man sich kaum auf alle denkbaren Eventualitäten vorbereiten kann. Andererseits resultiert daraus – zumindest für das Rettungsfachpersonal – aber auch ein ausgesprochen abwechslungsreicher Arbeitsalltag.

15.1.3 Notfallarten

Für die **Gefahrenabwehrplanung** ist v. a. die **Notfallart** von Bedeutung: In einem weit verbreiteten Klassifikationsschema lassen sich schematisch **vier Varianten** unterscheiden:

- „Technisch bedingte Notfälle bzw. Unfälle", etwa Verkehrsunfälle, Gebäudeeinstürze oder Arbeitsunfälle
- „Gewalttätige, kriminelle Akte", z. B. Überfälle, Geiselnahmen oder eskalierende Konfliktsituationen
- „Medizinische Notfälle", die durch akute Erkrankungen, Verletzungen oder Vergiftungen verursacht werden
- „Naturereignisse" wie Erdbeben, Unwetter, Überschwemmungen

Außerdem sind Individualnotfälle von Ereignissen abzugrenzen, bei denen mehrere Menschen betroffen sind (**„Großschadenslage", „Massenanfall von Verletzten"**, → Kap. 46.3).

Je nach Notfallart lassen sich theoretisch andere Präventions- und Hilfeleistungskonzepte entwickeln. So stehen bei gewalttätigen, kriminellen Akten psychosoziale bzw. kommunikative und emotionale Aspekte im Vordergrund, bei technisch bedingten Notfällen eine technische Hilfeleistung etc. Natürlich sind aber auch Mischformen möglich.

15.1.4 Begriffsverständnis in verschiedenen Disziplinen

Aus **rechtlicher Sicht** handelt es sich bei einem Notfall zunächst um eine irreguläre Situation, die deutlich vom Gewohnten abweicht und in der u. U. auch besondere Regeln gelten können. Der Begriff des **rechtfertigenden Notstands** (§ 34 StGB; → Kap. 57.3.3, → Kap. 57.6.2) verdeutlicht dies beispielhaft.

Juristen definieren Notfälle oftmals aber auch in Abhängigkeit von bestimmten **Ursachen.** Demnach werden Notfälle durch Unfälle bzw. unfallbedingte Verletzungen, Vergiftungen oder akute Erkrankungen ausgelöst. Ein solches Begriffsverständnis findet sich beispielsweise in der Normung von Begriffen des Rettungswesens (DIN 13050) sowie in den verschiedenen Rettungsdienstgesetzen der Länder. Insbesondere im Hinblick auf Zuständigkeits- und Abrechnungsfragen bei Einsätzen des Rettungsdienstes und weiteren ärztlichen bzw. therapeutischen Leistungen ist dies in hohem Maße relevant.

Eine medizinische Betrachtung von Notfällen bezieht sich demgegenüber vorrangig auf **körperliche Folgen.**

DEFINITION

Im medizinischen Sinne liegt ein **Notfall** vor, wenn

- eine lebensbedrohliche Beeinträchtigung der Vitalfunktionen Bewusstsein, Atmung oder Kreislauf besteht – oder
- wenn durch schwerwiegende Störungen weiterer wichtiger Funktionskreise, wie z. B. die des Wasser-Elektrolyt-Haushalts, des Wärmehaushalts, des Säure-Basen-Haushalts und des Stoffwechsels lebensbedrohliche Einwirkungen auf diese Vitalfunktionen erwartet werden müssen.

Akute oder **unmittelbar drohende Lebensgefahr** wird demnach zum zentralen Charakteristikum eines Notfalls. Dies würde allerdings auch bedeuten, dass es sich beispielsweise bei einer akzidentiell aufgetretenen, geschlossenen Unterschenkelfraktur nicht um einen Notfall handeln würde. Unstrittig und aus gutem Grund würde der Sturz eines Radfahrers, der offensichtlich verletzt und mit starken Schmerzen auf dem Boden liegen bleibt, jedoch ebenfalls zur Alarmierung eines RTW führen.

ACHTUNG! Im weiteren Sinne liegt insofern auch dann ein **Notfall** vor, wenn ein Patient **z. B. starke Schmerzen** empfindet oder aus anderen Gründen **sofortiger medizinischer Hilfe** bedarf.

Sich dies vor Augen zu führen ist wichtig, um die eigene Zuständigkeit für Hilfeersuchen aus der Bevölkerung nicht unberechtigterweise infrage zu stellen und um bestimmte Einsätze auch nicht vorschnell als „Fehleinsätze" zu werten.

In der **Psychologie** liegt wiederum ein anderes Begriffsverständnis vor. Hier werden Notfälle als Ereignisse betrachtet, die (nach *Lasogga und Gasch*, 2011) *„aufgrund ihrer subjektiv erlebten Intensität physisch und/oder psychisch als so beeinträchtigend erlebt werden, dass sie zu negativen Folgen in der physischen und/oder psychischen Gesundheit führen können"*. Somit steht nicht eine bestimmte Ursache oder körperliche Folge im Vordergrund, sondern vielmehr das (subjektive!) **Erleben** des Betroffenen (→ Kap. 9.3.1). Dies beinhaltet für die Einsatzpraxis eine gewisse Problematik: So kann jemand den Rettungsdienst alarmieren, weil er sich aus seiner Sicht in einer Notfallsituation befindet. Nach den medizinischen Kriterien liegt u. U. jedoch überhaupt kein Notfall vor.

ACHTUNG! Zu entscheiden, wie „berechtigt" ein solches Hilfeersuchen ist, kann in manchen Fällen schwierig und mitunter auch konfliktträchtig sein. In den meisten Rettungsdienstgesetzen der Bundesländer gehört die Versorgung „sonstiger hilfsbedürftiger Personen" aber ausdrücklich ebenfalls zu den Aufgaben des Rettungsdienstes!

Im Verständnis der Pädagogik beinhalten Notfälle v. a. ein **Bildungspotenzial:** Man kann lernen, wie man sich auf Notfälle vorbereitet und wie man sich in einem Notfall möglichst angemessen verhält **(proaktives Lernen).** Zudem kann man vieles **aus einem Notfall** lernen – beispielsweise, wie sich die Wiederholung einer bestimmten Notfallsituation in

Zukunft verhindern lässt **(reaktives Lernen).** Die Beschäftigung mit und die konkrete Erfahrung von Notfällen kann insofern, auch wenn dies makaber klingen mag, durchaus zu einem persönlichen Erkenntnisgewinn beitragen und als Bereicherung betrachtet werden.

MERKE

Pädagogisch betrachtet sind Notfälle nicht immer nur **furchtbar,** sondern manchmal auch **fruchtbar:** Einige Menschen geben z. B. an, durch ein Unglück „gereift" zu sein oder dass eine Notfallerfahrung sie in ihrer Persönlichkeitsentwicklung voran gebracht habe.

Die **Soziologie** betrachtet das, was wir als Notfälle wahrnehmen, als ein Ergebnis der **Kultur- und Mentalitätsgeschichte** sowie vor dem Hintergrund verbreiteter Normen und Wertvorstellungen. Notfälle, deren Auswirkungen und Folgen sowie die Reaktionsweisen von Menschen in Notfällen müssen demnach immer auch in einem gesellschaftlichen und historischen Kontext betrachtet werden.

MERKE

In unserer Gesellschaft des 21. Jahrhunderts führt ein Unglück umgehend zu einem Notfalleinsatz und selbstverständlich wird von allen Beteiligten eine möglichst effektive Hilfeleistung gewünscht. Dies war und ist jedoch längst nicht überall so. Im **Mittelalter** galten Unglücksfälle beispielsweise als **Ausdruck des Willens Gottes** und eine etwaige Hilfeleistung wurde als **Blasphemie** verurteilt. Auch heute ist die Bewertung eines Unglücks gesellschaftlich bzw. kulturell geprägt mitunter sehr verschieden.

Notfälle können außerdem zu einer **Veränderung des bestehenden Rollengefüges** führen (→ Kap. 8.5.4). Wer von einem Unglück betroffen ist, übernimmt immer auch eine neue Rolle oder ist zumindest gezwungen, seine bisherige Rolle anders als bisher zu interpretieren. Ein Manager, der es gewohnt ist, zu führen, zu leiten und letztlich Macht auszuüben, erlebt sich durch einen Herzinfarkt z. B. hilflos und auf die Unterstützung durch andere angewiesen. Aus dem Manager wird in diesem Fall (auch) ein Patient. Unter Umständen geht ein Notfallgeschehen auch mit einem Verlust vertrauter Rollen einher. Verstirbt eine Ehefrau, wird der frühere Ehemann zum Witwer etc.

In der **Ökonomie** geht es v. a. um die durch Notfälle verursachten **Schadenskosten.** Neben etwaigen Behandlungskosten für die Betroffenen sind hier

- Reparatur- bzw. Instandsetzungskosten an beschädigten oder zerstörten Gegenständen,
- die Leistungen von Versicherungen sowie nicht zuletzt auch
- der volkswirtschaftliche Schaden zu nennen, der aus einer vorübergehenden oder dauerhaft anhaltenden Verminderung der Arbeitsfähigkeit bzw. sogar einer Arbeitsunfähigkeit der geschädigten Personen resultiert.

Die **ökologische Perspektive** nimmt **Auswirkungen von Notfällen auf die Umwelt** in den Blick, etwa bei Gefahrgutunfällen, Bränden oder Störungen in einem Kernkraftwerk, aber auch bei Naturkatastrophen wie einem Erdbeben, einem Vulkanausbruch oder einer Überschwemmung. Hilfeleistungen können ebenfalls Immissionen verursachen, etwa der Lärm von Martinshörnern, Desinfektionsmaßnahmen etc.

Aus **philosophischer Sicht** stellen Notfälle – ebenso wie Krisen – schließlich v. a. existenziell bedeutsame **Wendepunkte** dar, die nicht nur mit Gefahren und Risiken, sondern auch mit vielfältigen Chancen verbunden sind. Sie konfrontieren den Menschen mit der eigenen Begrenzt- und Endlichkeit, aber auch mit Sinn- und Schuldfragen. Sie können dazu führen, dass Tradiertes und Bewährtes hinterfragt und völlig anders als bisher bewertet wird und sich neue Perspektiven eröffnen.

MERKE

In Notfallsituationen können Menschen scheitern oder sich bewähren, an ihnen wachsen und reifen. Auch religiöse bzw. spirituelle Empfindungen können in diesem Zusammenhang von erheblicher Bedeutung sein. Damit wird auf einen **transzendentalen Bezug** von Notfällen verwiesen.

Zusammenfassend wird deutlich, dass sich **Notfälle** aus **vielen unterschiedlichen Perspektiven** betrachten lassen. Mindestens folgende Aspekte können getrennt voneinander und in den unterschiedlichsten Wechselwirkungen dargestellt werden:

- Notfälle sind **Ausnahmezustände,** d. h., vom Üblichen und Gewohnten unterscheiden sie sich deutlich.
- Notfälle erfordern immer eine **ursachenbezogene Strategie zur Gefahrenabwehr.** Dies kann eine medizinische Hilfeleistung sein, aber auch der Einsatz der Polizei (z. B. bei der Festnahme eines Straftäters) oder das Löschen eines Brandes durch die Feuerwehr.
- Notfälle werden **subjektiv unterschiedlich** erlebt und sind mit ebenso **individuellen psychischen bzw. psychosozialen Auswirkungen** verbunden.
- Notfälle enthalten ein **Bildungspotenzial.**
- Notfälle sind in einen **kulturell-gesellschaftlichen Kontext** eingebettet.
- Notfälle **verändern** bestehende **Rollengefüge.**
- Notfälle verursachen **Kosten.**
- Notfälle beeinflussen die **Umwelt.**
- Notfälle können existenziell bedeutsame **Wendepunkte** sein.
- Notfälle stehen in einem **transzendentalen Bezug.**

Vor diesem Hintergrund sollten Notfälle, wenn man nicht nur eine eindimensionale Betrachtungsweise verfolgen und dem Anspruch an eine **umfassende** Versorgung gerecht werden möchte, jedenfalls nicht allein auf die Störung vitaler Funktionen reduziert werden.

15.2 Beurteilung der Einsatzstelle

Die Beurteilung der Einsatzstelle beginnt mit einer möglichst genauen **Einsatzmeldung.** Je mehr Informationen an das Rettungsfachpersonal übermittelt werden, desto sicherer kann der Einsatz abgearbeitet werden. Das gilt nicht nur bei Verkehrsunfällen auf Autobahnen mit noch laufendem Verkehr, es gilt vor allen Dingen bei Einsätzen nach kriminellen Handlungen oder häuslicher Gewalt.

Die **Sicherheit** des eingesetzten Personals hat immer höchste Priorität. Kann eine Einsatzstelle nicht als sicher eingestuft werden, so stellt das Betreten der Einsatzstelle u. U. eine sehr große Gefährdung für das Rettungsfachpersonal dar. Besteht bei der Anfahrt Sichtkontakt zur Einsatzstelle (z. B. bei einem Verkehrsunfall oder einem Gebäudebrand), sollte ein Ersteindruck von der Einsatzstelle erhoben und nach Notwendigkeit der Leitstelle mitgeteilt werden. So können, noch bevor das erste Team an der eigentlichen Einsatzstelle eintrifft, weitere Einsatzkräfte zur Einsatzstelle entsandt werden.

Vor dem Betreten der Einsatzstelle muss das Rettungsfachpersonal die notwendige **Schutzbekleidung** angelegt haben (→ Kap. 16.2.2). Besteht keine Gefährdung für das Rettungsfachpersonal, kann die Einsatzstelle betreten werden. Ist die Einsatzstelle noch nicht oder noch nicht ausreichend gesichert, muss das Rettungsfachpersonal die Beurteilung mit den zur Verfügung stehenden Mitteln durchführen oder Spezialkräfte zur Sicherung der Einsatzstelle nachfordern. Sind mehrere Personen betroffen, so muss eine Vorsichtung durch das zuerst eingetroffene Rettungsfachpersonal vorgenommen werden. Nur so können schnellstmöglich weitere Einsatzkräfte zur Versorgung der Patienten zur Einsatzstellen entsandt werden.

Die Ermittlung des **Verletzungsmechanismus** bei traumatologischen Notfällen oder die Ermittlung der **Ursache** der Erkrankung bei nicht-traumatologischen Notfällen ist zur Beurteilung und Behandlung von Notfallpatienten wichtig. Eine Einsatzstelle muss aufmerksam „gelesen" und die Beobachtungen müssen später auch entsprechend im Notfallprotokoll dokumentiert werden. Medikamentenschachteln und Arzneimittelverordnungspläne, Injektionsbestecke, Flaschen oder andere Flüssigkeitsbehälter, Abschiedsbriefe etc. können wichtige Hinweise auf den Zustand des Patienten liefern.

Das Rettungsfachpersonal muss beim Betreten einer Einsatzstelle immer eine **schnelle Rückzugsmöglichkeit** bedenken. Geht vom Patienten oder Umstehenden die Aggression, im Rahmen krimineller Handlungen oder bei Einsätzen wegen psychischer Erkrankungen, plötzlich auf das Rettungsfachpersonal über, kann die eigene Sicherheit nur noch durch einen schnellen Rückzug sichergestellt werden. Gegenstände, die als Waffen gegen das Rettungsfachpersonal benutzt werden können, sollten erkannt und nach Möglichkeit aus dem Weg geräumt werden.

Das Akronym „SSS" (→ Kap. 17.1.2) hilft, bei der Beurteilung der Einsatzstelle wichtige Maßnahmen und Hinweise nicht zu vergessen.

15.3 Gefahren an der Einsatzstelle

15.3.1 Gefahr durch Straßenverkehr

Unfälle im Straßenverkehr haben ein **erhöhtes Gefahrenpotenzial** (→ Kap. 46.2) für das Einsatzpersonal. Schon bei der Annäherung an die Einsatzstelle ist der Unfallort aufmerksam zu betrachten. Die Übermittlung eines Ersteindrucks an die Leitstelle ist sinnvoll. So kann die Leitstelle z. B. bei Unfällen mit Gefahrguttransportern oder bei Unfällen mit mehreren Beteiligten frühzeitig weitere Einsatzkräfte nachalarmieren.

Das Rettungsfahrzeug muss an einer sicheren Stelle abgestellt werden. Fahrzeuge des Rettungsdienstes müssen nicht direkt am Unfallort halten. Die **mobile Ausstattung** und **moderne Tragensysteme** lassen einen größeren Abstand zur Einsatzstelle zu. Der Raum direkt am Unfallort ist z. B. für die Feuerwehr freizuhalten (→ Abb. 16.8). Diese muss mit ihren Geräten an die verunfallten Fahrzeuge, um den Brandschutz sicherzustellen und evtl. eingeschlossene Personen zu befreien.

Bei Verkehrsunfällen im Bereich von **Autobahnen** ist das Einsatzpersonal durch Fahrzeuge, die mit hoher Geschwindigkeit fahren, besonders gefährdet. Kann das Einsatzpersonal die Einsatzstelle nicht selbst absichern, ist eine frühzeitige Sicherung der Einsatzstelle durch andere Einsatzkräfte, wie z. B. Polizei oder Feuerwehr, notwendig. Aber nicht nur der Verkehr selbst kann das Einsatzpersonal gefährden. Bei der Annäherung an die Unfallstelle ist auf den Auslauf von Treibstoffen, rutschige Oberflächen, Rauchentwicklung und möglichen Gefahrstoffaustritt zu achten.

15.3.2 Gefahr bei Einsätzen im Gleisbereich

Bei Unfällen mit Schienenfahrzeugen oder Unfällen im Gleisbereich besteht bei unsachgemäßem Verhalten **Lebensgefahr für das Einsatzpersonal** (→ Kap. 53.4.2). Gefahren entstehen durch:

- Die **Spurgebundenheit der Schienenfahrzeuge** – Ausweichen ist unmöglich.
- Fahrten mit sehr **hohen Geschwindigkeiten** – teilweise bis 300 km/h
- **Sogwirkung** der schnell fahrenden Schienenfahrzeuge
- Teilweise sehr **niedrige Geräuschpegel** der Schienenfahrzeuge (z. B. ICE)
- **Hochspannung** (Oberleitungen stehen unter 15 000 Volt Wechselstrom)

Die **Deutsche Bahn AG** hat ein Notfallmanagement entwickelt. Der Notfallmanager der Deutschen Bahn ist Einsatzleiter bei Unfällen im Bereich von Gleisanlagen. Im Bereich von großen Bahnhöfen üben die jeweiligen Bahnhofsmanager das Notfallmanagement aus.

MERKE

Beim Betreten von **nicht gesperrten Gleisen** besteht für das Einsatzpersonal **Lebensgefahr.**

Vor dem Betreten der Gleisanlagen muss die Gleissperrung durch den Notfallmanager der Bahn oder die Leitstelle bestätigt sein. Aber auch der Bereich neben nicht gesperrten Gleisen ist sehr gefährlich. Um dem **Sog** schnell fahrender Züge zu entgehen, empfiehlt die Deutsche Bahn einen Abstand von 3 m zur Gleismitte. Die Deutsche Bahn hat einige **Verhaltensregeln** für Einsätze im Gleisbereich aufgestellt.

MERKE

Verhaltensregeln bei Notfällen im Gleisbereich

- **Das Gleis nur betreten, wenn es unumgänglich ist!**
  Grundsatz auch bei gesperrten Gleisen beachten.
- **Nicht auf Schienenköpfe treten!**
  Rutschgefahr, besonders bei feuchter Witterung
- **Vorsicht bei Weichen!**
  Nie zwischen Weichen treten oder fassen.
- **Nicht im Gleis laufen!**
  Große Stolperfallen durch Schotter und Schienenbefestigungen
- **Sicherheitsabstand zu abgestellten Wagen!**
  Der Sicherheitsabstand zu abgestellten Wagen bei Überqueren der Gleise beträgt mindestens 2 m.

Die **Oberleitungsanlage** steht unter 15 000 Volt Spannung. Der sog. **Fahrdraht** befindet sich normalerweise in einer Höhe von 5,50–6,00 m über der Schienenoberkante. Im Bereich von Tunneln oder Brücken kann diese Höhe auf 4,95 m, teilweise bis auf 4,80 m abgesenkt sein. Bei einer alleinigen Abschaltung der Oberleitung können **Restspannungen** von bis zu 8 000 Volt vorhanden sein. Deshalb muss zusätzliche eine Erdung der Oberleitung durchgeführt werden. Die Erdung der Oberleitung darf nur von Personen mit besonderer Einweisung vorgenommen werden. Neben den bisher genannten Gefahren besteht im Gleisbereich durch den Gütertransport auf der Schiene auch die Gefährdung durch **austretende Gefahrstoffe.**

15.3.3 Gefahr durch Strom

Stromunfälle (→ Kap. 42.6) sind nicht nur für die betroffenen Patienten gefährlich. Auch für das Einsatzpersonal besteht in diesen Situationen

Grundsätzliche Faktoren

Verkehrsunfälle mit Kraftfahrzeugen lassen sich in bestimmte Kategorien mit jeweils **typischen Verletzungsmustern** zusammenfassen. Das Grundkonzept der Analyse möglicher Verletzungen ist jeweils gleich. Die kinetische Energie der Bewegung muss absorbiert werden und die Absorption dieser Energie bildet den Ursprung der Verletzung.

Der Verkehrsunfall ist die häufigste Unfallart mit schneller frontaler Geschwindigkeitsabnahme. Dabei kommt das **erste Bewegungsgesetz von Newton** zum Tragen: Ein in Bewegung befindlicher Körper bleibt so lange in geradliniger Bewegung, bis eine äußere Kraft auf ihn einwirkt. Die kinetische Energie des Fahrzeugs wird durch einen plötzlichen Halt absorbiert, und die Geschwindigkeit jedes im Fahrzeug befindlichen Teils wird auf null verringert.

MERKE

Nicht die Geschwindigkeit ist der primäre Auslöser der Verletzung, sondern der **Zeitraum,** wie schnell diese auf 0 reduziert wird. Wer rasch mit dem Fahrrad in Freizeitkleidung von 30 auf 0 km/h verzögert wird, kann sich schwerer verletzen als ein Rennfahrer, der mit Schutzkleidung von 130 km/h ohne Hindernis in der Auslaufzone seine Geschwindigkeit reduziert.

Drei **verschiedene Kollisionen** finden dabei statt (→ Abb. 15.4):

- **Fahrzeugkollision:** Das Fahrzeug kollidiert mit einem Objekt.
- **Körperkollision:** Der Fahrzeuginsasse kollidiert mit dem Fahrzeuginneren.
- **Organkollision:** Die inneren Organe des Fahrzeuginsassen kollidieren mit der Innenseite einer Körperhöhle und/oder lösen sich vom umliegenden Gewebe.

Drei Faktoren müssen bei der **Einschätzung des Verletzungsbilds** beachtet werden:

- Deformierungsgrad des **Fahrzeugs** (Indiz für die involvierten Kräfte)
- Deformierung von **Teilen der Fahrzeugkabine** (Hinweis für den Aufschlagpunkt des Körpers im Fahrzeug)
- Deformierung (Verletzungsmuster) des **Patienten** (Anzeichen dafür, welche Körperteile direkt aufgeprallt sind)

Analyse der Sicherheitseinrichtungen

Eine Analyse, ob die Sicherheitseinrichtungen eines Fahrzeugs richtig verwendet wurden, ist Bestandteil jeder Verletzungsanalyse.

Gurte

Fahrzeuginsassen, die angegurtet sind, werden mit einer viel geringeren Wahrscheinlichkeit bei einem Zusammenprall getötet als nicht angegurtete Insassen. Abhängig von der Art der Gurte kann zu bestimmten Verletzungen kommen:

Der **Beckengurt** verhindert das Hinausschleudern des Insassen bei einem Unfall, biegt aber den Körper bei einem Frontalaufprall wie ein Klappmesser zusammen (→ Abb. 15.5). Die Kompressionskräfte, die beim raschen Zusammenklappen auftreten, können Bauchverletzungen (vor allem, wenn der Gurt falsch über dem Bauch platziert war) und Verletzungen im Bereich der Lendenwirbelsäule hervorrufen. Weiter können Gesichts-, HWS- und Schädelverletzungen die Folge sein.

Dreipunktgurte bieten hingegen wesentlich mehr Sicherheit. Bauch und Becken werden fixiert und die Gefahr von lebensbedrohlichen Verletzungen in diesen Bereichen wird erheblich verringert. Der Brustkorb ist bis zu einer Geschwindigkeit von 55 km/h gut geschützt. Bei Zusammenstößen mit höherer Geschwindigkeit sind Rippen- und Schlüsselbeinfrakturen möglich. Ungeschützt bleiben Kopf und Nacken. Schädel-Hirn-Traumen und v. a. Verletzungen der Halswirbelsäule (HWS) können auftreten. Zudem sind Verletzungen des Thorax (→ Kap. 31.4) und innere Verletzungen durch Organkollisionen möglich.

Im normalen Straßenverkehr nur wenig verbreitet sind **Hosenträgergurte,** wie sie im Motorsport oft verwendet werden. Diese schützen die Insassen noch stärker als Dreipunktgurte, da die auftretenden Kräfte auf beide Seiten des Thorax- und Schulterbereichs gleichmäßig verteilt werden. Auch Hosenträgergurte können jedoch HWS und Schädel nicht vor Verletzungen bewahren.

Kopfstützen

Kopfstützen müssen so eingestellt sein, dass der obere Rand auf gleicher Höhe mit dem oberen Rand des Kopfs (Schädeldecke) liegt. Andernfalls stellen sie eine erhebliche Gefährdung der Halswirbelsäule dar.

Abb. 15.5 Verletzungen bei angelegtem Beckengurt [L231]

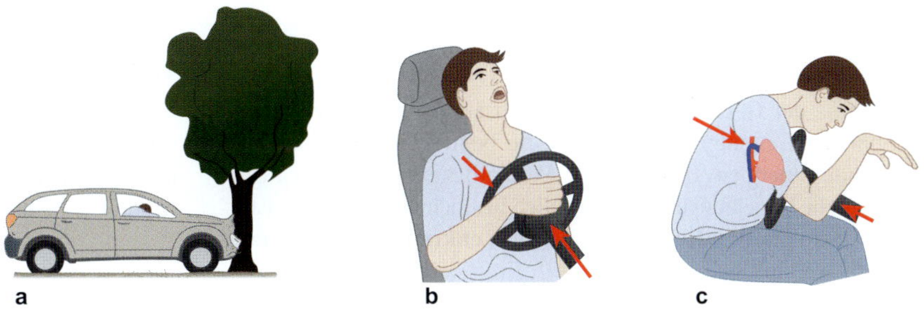

Abb. 15.4 Kollisionsarten: **a)** Fahrzeugkollision, **b)** Körperkollision, **c)** Organkollision [L231]

Airbags

Airbags sind Schutzeinrichtungen, die sich bei einem Frontalzusammenstoß aus dem Zentrum des Lenkrads heraus entfalten. Ein mit Luft gefülltes Polster schützt Kopf und Brustkorb zum Zeitpunkt des Aufpralls. Bei Geschwindigkeiten bis zu 60 km/h besteht praktisch kein Risiko für Kopf- und Thoraxverletzungen, bei Kollisionen höheren Tempos ist die Verletzungswahrscheinlichkeit immer noch um 80 % geringer. Der **Nacken** wird zwar beim Aufprall nach vorn geschützt, trotzdem kann es zu einer **Überdehnung** kommen.

PRAXISTIPP

Der Airbag entfaltet sich 50 ms nach einer Frontalkollision, nach 120 ms ist er bereits wieder entleert. Bei **Mehrfachkollisionen,** also beim Zusammenstoß mit mehr als einem Objekt, schützt der Airbag deshalb nur beim ersten Aufprall.

ACHTUNG! Werden Personen aus mit Airbag ausgestatteten Fahrzeugen „befreit" und wurde beim Zusammenprall der Airbag nicht ausgelöst (z. B. wegen Defekt oder Seitenaufprall), besteht die Gefahr, dass der Airbag unvermittelt auslöst. Dabei kann der Helfer gegen den Patienten gedrückt werden; Schleudertraumen und Hörschäden können die Folgen sein.

Folgende **Vorgehensweise** ist ratsam:

- Zündung ausschalten.
- Beide Pole der Fahrzeugbatterie abklemmen (dies verhindert nach Entladen der in Kondensatoren gespeicherten Energie das elektrische Auslösen der Airbags).
- Nicht mit Kopf und Oberkörper im Bereich des Airbags aufhalten. Grundsätzlich hat sich hier die **30–60–90-Regel** etabliert: 30 cm Abstand zu Seitenairbags, 60 cm Abstand zum Fahrerairbag und 90 cm Abstand zum Beifahrerairbag.

Sollte es unumgänglich sein, dass die Feuerwehr im Bereich der Lenksäule mit Bergewerkzeug Manipulationen vornimmt, muss mit einem mechanischen Auslösen des Systems gerechnet werden. Für diesen Zweck sind mechanische **Airbag-Sicherungssysteme** verfügbar, die über das Lenkrad gespannt werden. Mit diesen Systemen (z. B. Octopus®) kann jedoch nur ein Teil der in modernen Kraftfahrzeugen verbauten Airbags gesichert werden – viele aktuelle Modelle verfügen über mehr als ein Dutzend Airbags, die sich im Lenkrad, über dem Handschuhfach, den Säulen, den Sitzen oder der Dachkante befinden können und nur teilweise auslösen.

ACHTUNG! Im Airbag befinden sich **ätzende Chemikalien.** Ein Aufstechen des Airbags soll unterlassen werden, um Verätzungen oder Vergiftungen zu vermeiden. Sollte ein Aufstechen unumgänglich sein, ist dies von der Feuerwehr unter Beachtung der entsprechenden Eigenschutzmaßnahmen durchzuführen.

Frontalzusammenstoß

Die Summe der Geschwindigkeiten der zusammenprallenden Objekte ergibt die Gesamtgeschwindigkeit, die beim Zusammenprall entsprechende Energien freisetzt. Im Wesentlichen verursachen drei Fahrzeugteile Verletzungen, hauptsächlich bei nicht angegurteten Fahrzeuginsassen: die **Windschutzscheibe,** das **Lenkrad** und das **Armaturenbrett** (→ Abb. 15.6).

Abb. 15.6 Frontalzusammenstoß [O429]

FALLBEISPIEL

Der Lenker eines Pkw fährt mit 60 km/h frontal gegen eine Betonmauer. Zuerst kollidiert das Fahrzeug mit der Mauer, Bruchteile von Sekunden später schlägt der Körper zuerst nach vorn gegen das Lenkrad, innerhalb des Körpers werden die Organe nach vorn gegen die jeweiligen Begrenzungen gedrückt.
Anschließend schlägt der Körper wieder zurück in den Sitz. Zu **vermutende Verletzungen** bei diesem Verletzungsmechanismus sind Schädel-Hirn-Trauma, HWS-Verletzung, Lungenkontusion, Herzbeuteltamponade und verschiedenste Verletzungen von Thorax, Abdomen und Muskelskelettsystem.
Die **Analyse der drei Kollisionsarten** könnte Folgendes ergeben:

- **Fahrzeugkollision:** deformierte Fahrzeugfront
- **Körperkollision:** Spinnennetzmuster der Windschutzscheibe, Scheibe nach außen gewölbt
- **Organkollision:** Schädel-Hirn-Trauma, HWS- und Gesichtsschädelverletzungen, Verletzungen innerer Organe

Lenkrad- und Armaturenbrettverletzungen

Vor allem bei **nicht angegurteten Insassen** kommt es zu Verletzungen durch das Lenkrad, das Armaturenbrett und die Windschutzscheibe. Die Lenkvorrichtung besteht aus dem harten Lenkrad und der Lenksäule. Sobald ein Blick auf das Lenkrad eine Verformung zeigt, muss neben sichtbaren Verletzungen v. a. an sich entwickelnde Brust- und Bauchverletzungen gedacht werden.

Eine spezielle Verletzung, die zum Pneumothorax führt, ist der **„Papiertüteneffekt":** Ein Unfallopfer sieht, dass ein Zusammenstoß nicht mehr vermeidbar ist. Instinktiv atmet es tief ein und hält die Luft an. Beim Aufprall platzen die Lungen ähnlich einer aufgeblasenen Papiertüte (→ Abb. 15.7).

Verletzungen durch herumfliegende Gegenstände

Im Fahrzeug **herumliegende, nicht fixierte Gegenstände** wie Bücher und Schirme, aber auch nicht angegurtete Personen oder Haustiere können bei einem Frontalzusammenstoß zu **gefährlichen Geschossen** werden.

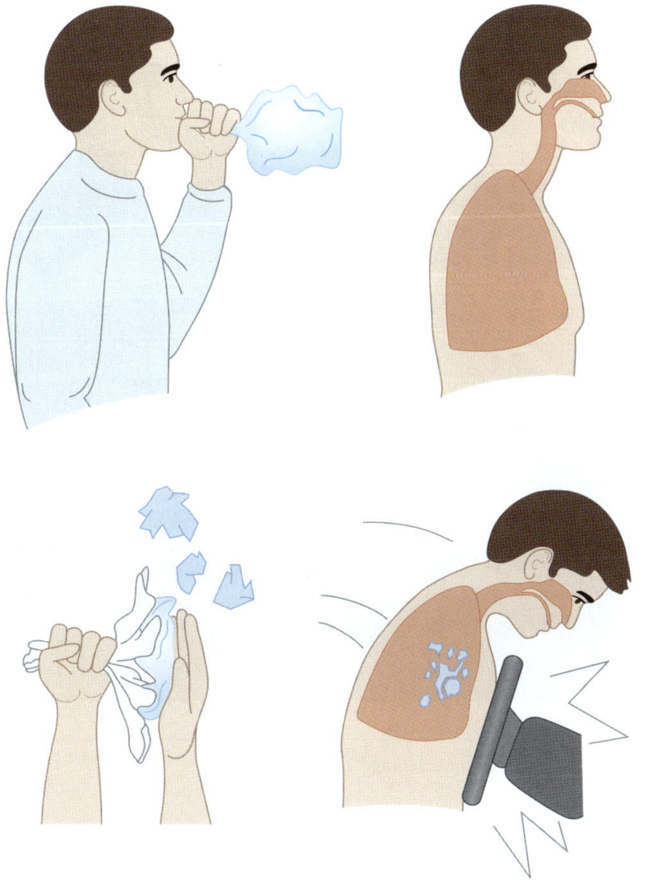

Abb. 15.7 „Papiertüteneffekt" bei Körperkollision [L231]

Abb. 15.8 Frontal-Seit-Zusammenstoß (ortsfest) [O429]

Abb. 15.9 Frontal-Seit-Zusammenstoß (ortsfern) [O429]

T-förmiger oder seitlicher Zusammenstoß

Beim **seitlichen Zusammenprall** gibt es zwei prinzipielle Abläufe. Entweder bleibt das Fahrzeug an seinem Standort und wird eingedrückt (→ Abb. 15.8) oder es bewegt sich vom Ort des Aufpralls weg (→ Abb. 15.9). Dementsprechend gibt es auch unterschiedliche Verletzungsmuster.

Bleibt das **Fahrzeug** nach dem seitlichen Aufprall **stehen,** wird die Aufprallenergie zu einer **Verformung am Fahrzeug** führen. Je nach Ausmaß der einwirkenden Kräfte wird die Fahrzeugkarosserie in die Fahrzeugkabine gedrückt werden. Typischerweise führt dies zu Verletzungen seitlich an Kopf, Körperstamm und an den Extremitäten: Kopfverletzungen (seitlicher Aufprall am Türholm oder Seitenfenster), Rippenserienbrüche, Lungenkontusion, Leberruptur (Aufprallpunkt Beifahrerseite), Milzruptur (Aufprallpunkt Fahrerseite), Schlüsselbeinfraktur, Becken- und Oberschenkelfraktur.

Wird das Fahrzeug durch den Zusammenprall **vom Ort des Aufpralls weggeschleudert,** wirkt das auf die Insassen, als ob man das Fahrzeug plötzlich unter ihnen wegziehen würde. Der Körperstamm wird zuerst von der Seite des Aufpralls weggedrückt, der Kopf kurz danach vom Nacken mitgezogen. Dabei wird die HWS einer seitlichen Flexion und Rotation ausgesetzt (→ Abb. 15.10). Die Kombination beider Kräfte bewirkt **schwere HWS-Schädigungen.** Es muss auch beachtet werden, dass es zu einem seitlichen Zusammenprall nebeneinander sitzender Passagiere hauptsächlich mit Köpfen und Schultern, folglich zu Verletzungen dieser Körperteile kommen kann. Oftmals kommt es auch zu einer Kollision des Kopfes mit der B-Säule (Fondpassagiere) bzw. der C-Säule (Heckpassagiere) mit daraus resultierenden HWS- und Schädelverletzungen.

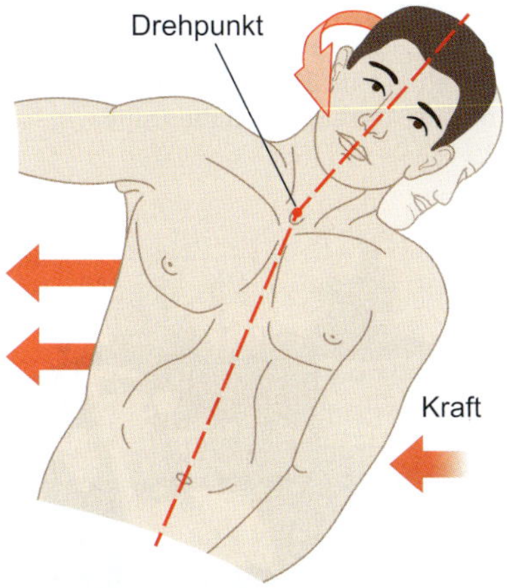

Abb. 15.10 Seitliche Beugung und Drehung der Halswirbelsäule [L231]

Auffahrunfall

Ein Auffahrunfall ist der Aufprall eines in Bewegung befindlichen Fahrzeugs A auf ein vor ihm stehendes oder sich langsamer bewegendes Fahrzeug B (→ Abb. 15.11). Je größer die Differenz in der Vorwärtsgeschwindigkeit der beiden Fahrzeuge ist, desto stärker ist die Kraft, die auf Fahrzeug und Insassen zerstörend wirkt. Fährt Fahrzeug A mit 70 km/h auf das 30 km/h schnelle Fahrzeug B, beträgt die Differenz in der Vorwärtsgeschwindigkeit 40 km/h; es werden also weniger Kräfte freigesetzt, als wenn Fahrzeug A mit 70 km/h auf das stehende Fahrzeug B prallen würde. Für die Insassen des Fahrzeugs A kommen die Wirkungen eines Frontalaufpralls zur Geltung. Die Passagiere des Fahrzeugs B werden einem plötzlichen Geschwindigkeitsanstieg ausgesetzt, der die Insassen nach hinten in die Sitze drückt **(primäre Krafteinwirkung).** Typische Folgen derartiger Zusammenstöße sind eine Hyperextension der HWS, v. a. wenn keine Kopfstützen vorhanden oder diese nicht richtig auf die Körpergröße des Insassen eingestellt sind. Die Insassen werden anschließend noch nach vorne geschleudert. Diese Kraft wird verstärkt, wenn das Fahrzeug seinerseits gegen ein Objekt prallt oder der Fahrer plötzlich bremst **(sekundäre Krafteinwirkung).** Dies führt zu einer Hyperflexion im Bereich der Halswirbelsäule sowie zu Verletzungsmustern aus dem Bereich des Frontalaufpralls.

Front- und Heckseite, Fahrerkabine und die Stellung der Kopfstützen sollten beachtet werden, um das Ausmaß der Krafteinwirkung auf den Patienten einschätzen zu können.

Fahrzeugüberschlag

Während eines Fahrzeugüberschlags ist der Insasse Krafteinwirkungen aus allen möglichen Richtungen ausgesetzt (→ Abb. 15.12). Daher kann es zu den **unterschiedlichsten Verletzungen** kommen. Ein typisches Verletzungsmuster wie bei anderen Unfallarten ist nicht feststellbar. Generell stehen die zu erwartenden Verletzungen mit den verformten Stellen am Fahrzeug in Zusammenhang. Folge eines Überschlags kann das teilweise oder vollständige Herausschleudern des Patienten aus dem Fahrzeug sowie die Einklemmung von Körperteilen sein.

MERKE

Personen, die aus dem Fahrzeug geschleudert wurden, haben statistisch gesehen eine 25-fach erhöhte Mortalität gegenüber Personen, die im Fahrzeug verblieben sind.

Abb. 15.11 Auffahrunfall [O429]

Abb. 15.12 Fahrzeugüberschlag [O429]

MERKE

Ein Fahrzeug kann **nach erfolgtem Überschlag** wieder **auf den Rädern landen.** Deformationen, Kratz- und Schleifspuren am Dach sind Anhaltspunkte für einen Überschlag.

Rotationsunfall

Ein Rotationsunfall passiert, wenn eine Ecke des Fahrzeugs entweder mit einem unbeweglichen, einem langsameren oder einem entgegenkommenden Objekt kollidiert und dabei um den Punkt des Aufpralls rotiert. Gemäß Newtons erstem Bewegungsgesetz wird der Teil des Fahrzeugs, an dem der Erstaufprall stattfand, zum Stillstand gebracht, während sich der Rest so lange nach vorne bewegt, bis die Energie vollständig umgewandelt ist. Die dabei entstehenden Verletzungen sind eine Kombination aus den für frontale und seitliche Zusammenstöße typischen Verletzungsbildern.

Traktorunfall

Etwa ein Drittel aller tödlichen Unfälle in der Landwirtschaft sind Traktorunfälle. Traktoren haben einen sehr **hohen Schwerpunkt** und deshalb eine **erhöhte Kippgefahr** (→ Abb. 15.13). Die meisten haben schon eine vorschriftsmäßige Überrollkabine, die den Fahrer beim Umkippen des Traktors davor bewahrt, zwischen Traktor und Boden eingeklemmt zu werden. Ohne Überrollkabine hätte der Fahrer beim seitlichen Umkippen noch die Chance, abzuspringen bzw. ausreichend weit vom Traktor weggeschleudert zu werden. Kippt der Traktor jedoch nach hinten, wird der Fahrer zwischen Traktor und Boden eingeklemmt. Die entstehenden Verletzungen sind auf die Quetschung des Körpers bzw. der betroffenen Körperteile zurückzuführen. Erhöht wird die Gefahr schwerer Verletzungen bei Unfällen mit landwirtschaftlichen Maschinen noch dadurch, dass nur selten Sicherheits-

a

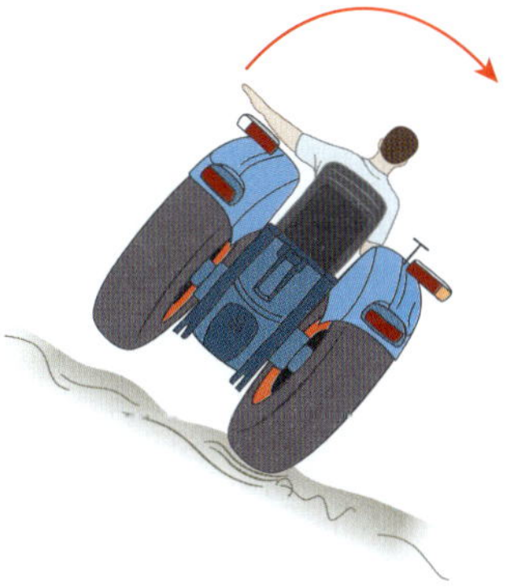
b

c

Abb. 15.13 Traktorunfall
a) Rückwärtiges Kippen, **b)** seitliches Kippen,
c) Endlage nach seitlichem Kippen und Überschlag in einer Waldböschung [a + b: L231, c: O429]

gurte an diesen vorhanden sind oder diese nicht benutzt werden. Zusätzlich sind Verletzungen durch auslaufende Kraftstoffe, Öle und Batteriesäure möglich.

Motorrad-, Quad- und Trikeunfall

Bei diesen Fahrzeugen ist der Lenker nicht innerhalb eines schützenden Gehäuses und auch nicht mittels Gurten gesichert. Als Schutz bei einem Unfall kommen nur der Sturzhelm und die entsprechende Sicherheitskleidung infrage.

Typische Unfallmechanismen sind der Frontalzusammenstoß, der seitliche Aufprall und das Wegschleudern des Fahrers vom fahrbaren Untersatz (→ Abb. 15.14).

Beim **Frontalzusammenstoß** stoppt ein stabiles Objekt die Vorwärtsbewegung des Fahrzeugs. Der Fahrer kippt nach vorne in den Lenker und kann sich Verletzungen im Kopf-, Brust- oder Bauchbereich zufügen, abhängig vom Körperteil, mit dem er den Lenker berührt. Wenn die gestreckten Beine des Fahrers gleichzeitig auf die Fußstützen und die Oberschenkel gegen die Lenkergriffe gedrückt werden, sind beidseitige Femurfrakturen häufig.

Beim **seitlichen Aufprall** kommt das Fahrzeug seitlich mit einem Objekt in Berührung. Anschließend stürzt das Fahrzeug auf ein Bein des Lenkers, schlittert und kann im gesamten Beinbereich Verletzungen verursachen. Häufig handelt es sich dabei um offene Verletzungen.

Wird der Fahrer beim Zusammenprall **weggeschleudert,** fliegt er abhängig von der Aufprallgeschwindigkeit durch die Luft, bis er auf einem anderen Objekt (Baum, Fahrzeug, Straße etc.) aufschlägt. Verletzt werden primär jene Körperteile, die direkt aufprallen; sekundär ist der gesamte Körper verletzungsgefährdet, da die Energie des Aufpralls vom ganzen Körper absorbiert wird.

Abb. 15.14 Quadunfall [M235]

ACHTUNG! Ein Motorradfahrer kann, auch ohne dass Frakturen vorliegen, aufgrund **innerer Verletzungen** polytraumatisiert sein.

Fahrradunfall

Ein Fahrradunfall ist der Zusammenprall eines Radfahrers mit einem starren oder in Bewegung befindlichen Objekt, zumeist ein Pkw oder anderes Fahrrad.

ACHTUNG! Bei höheren Geschwindigkeiten sind trotz Helm und keinen äußerlich sichtbaren Kopfverletzungen subdurale Blutungen möglich.

Je nach Beschaffenheit des Geländes in freier Natur erreichen Mountainbiker abwärts Geschwindigkeiten um die 35 km/h, im Rennbereich auf Downhill-Strecken sind bis zu 55 km/h zu erreichen. Elektrofahrräder erreichen je nach Bauart und Typisierung zwischen 25 und 45 km/h.

Bei entsprechend höheren Geschwindigkeiten sind Einklemmungen im Radrahmen möglich, → Abb. 15.15 und → Abb. 15.16 zeigen einen betroffenen Radfahrer mit Brustwirbelkörperfraktur.

Mehrfache Extremitätenfrakturen sowie Schulter-, Schlüsselbein- und Hüftverletzungen sind häufig. Abschürfungen gehören zum „Standard" der Verletzungen, beim Kontakt mit Gegenständen wie Lenkradgriff sind stumpfe Traumen, beispielsweise mit der Gefahr einer Leber- bzw. Milzruptur möglich.

Fußgängerunfall

Ein Fußgängerunfall ist der Zusammenprall eines Fußgängers mit einem in Bewegung befindlichen Objekt. Unterschiedliche **Verletzungsmuster** sind vorzufinden, abhängig von **Fahrzeuggröße, Fahrzeugtyp, Geschwindigkeit** und je nachdem, ob der Patient ein Erwachsener oder ein Kind ist. Dies hat nicht nur mit der Körpergröße zu tun. Erwachsene versuchen, sich durch Wegdrehen des Körpers zu schützen, wenn sie bemerken, dass sie von einem Fahrzeug erfasst werden. Kinder neigen andererseits dazu, der Gefahr gebannt entgegenzusehen.

Besondere Gefahren bestehen bei Fahrzeugen – meist Geländewagen –, die mit einem **Rammschutz** („Bullenfänger") ausgestattet sind, da hier die vorderen Strukturen beim Zusammenstoß mit einem Körper nicht nachgeben und so Energie aufnehmen können.

Abb. 15.15 Auffindesituation: Patient (BWK 4–7-Fraktur) mit Körper auf einem Fahrradrahmen (rot) aufliegend und im zweitem Fahrradrahmen (blau) eingeklemmt [M235]

Abb. 15.16 Befreiungssituation: Entfernung des Fahrradrahmens zur achsengerechten Rettung des Patienten (BWK 4–7-Fraktur) [M235]

Erwachsene

Erwachsene werden bei der typischen frontalen Fußgänger-Pkw-Kollision zuerst von den Stoßstangen an den Unterschenkeln getroffen, die Beine dann unterhalb des Beckens vom Körper weggezogen. Tibia- und Fibulafrakturen sind die primären Verletzungen. In der Folge klappt der Patient nach vorne und das Becken sowie der proximale Teil der Oberschenkel werden von der Vorderseite der Kühlerhaube erfasst. Bauch und Brustkorb schlagen auf die Kühlerhaube. Dieser weitere Aufprall kann Frakturen der Oberschenkel, des Beckens, der Rippen und der Wirbelsäule sowie schwere innere Verletzungen im Brust- und Bauchbereich zur Folge haben (→ Abb. 36.12a). Kopf- und Gesichtsverletzungen entstehen beim Anprall des Kopfes gegen die Kühlerhaube oder die Windschutzscheibe. Schließlich wird der Körper zumeist wieder auf den Boden geworfen, wobei nochmals besonders Hüfte, Schultergürtel und Kopf einer besonderen Verletzungsgefahr ausgesetzt sind.

Bei der **Analyse des Verletzungsmechanismus** muss beachtet werden, über welche Distanz der Patient vom Fahrzeug wieder weggeschleudert wurde, ob ein weiteres Fahrzeug mit dem Patienten kollidiert ist oder diesen gar überrollt hat.

Kinder

Aufgrund der geringeren Körpergröße werden Kinder initial höher am Körper getroffen als Erwachsene. Die Stoßstangen kollidieren mit den Oberschenkeln und verletzen Femur und Becken. Der zweite Aufschlag folgt unmittelbar danach: Die Kühlerhaube trifft mit hoher Kraft den Thorax, dieser wird nach hinten gedrückt, der Kopf gleichzeitig nach vorne gegen die Motorhaube geschlagen. Die dritte Krafteinwirkung kann jeweils unterschiedlich verlaufen. Kinder werden eher selten vom Fahrzeug weggeschleudert, sondern der Körper wird mit Becken und Beinen nach unten vor das Fahrzeug gedruckt und mitgeschleift. Fällt das Kind seitlich von der Motorhaube, werden die unteren Extremitäten von den Vorderrädern überrollt. Die größte Gefährdung besteht, wenn es von der Motorhaube vollständig auf die Straße zurückfällt, von den Rädern überrollt, mitgeschleift oder von hervorstehenden Fahrzeugteilen getroffen wird.

Ein derartiger Verletzungsmechanismus kann fast **alle Verletzungen** zur Folge haben. Die schwerwiegendsten Verletzungen sind im Kopf-, Thorax- und Wirbelsäulenbereich vorzufinden.

MERKE

Ein **Kind,** das von einem Fahrzeug angefahren wurde, sollte so lange als **schwer verletzt** betrachtet werden, bis die erweiterte Diagnostik im Krankenhaus dies sicher ausschließt.

Überrolltraumen

Die Verletzungen nach Überrolltraumen sind von der überrollten Körperregion abhängig. Dabei kommt es zu direktem Kontakt von Reifen, Rädern oder Gummispuren („panzerkettenähnliche" Antriebsraupen, z. B. bei Schneemobilen) die eine Kompression auf die jeweiligen Körperteile ausüben. Weichteilverletzungen und Frakturen sind die Folge. Sind beim überrollenden Fahrzeug entsprechende Hohlräume vorhanden, beispielsweise bei einer U-Bahn, kann eine Überrollung auch „nur" mit einer Extremitätenverletzung einhergehen.

MERKE

Bei **Überrolltraumen** sollte niemals von Größe und Gewicht des Fahrzeugs alleine auf die tatsächlichen Verletzungen geschlossen werden. Kleine Fahrzeuge mit Kettenrädern und geringem Hohlraum/Radstand können bei geringen Geschwindigkeiten schwerere Verletzungen bewirken als große Fahrzeuge mit entsprechender Bodenfreiheit zwischen den Achsen.

→ Abb. 15.17 und → Abb. 15.18 zeigen die Reifenspuren auf einer Patientin, die von einem Lkw bei einem Rechtsabbiegevorgang überrollt wurde. Der Fahrradsattel liegt unter dem Reifen des Lkw, auf den Beinen der Patientin sind deutlich die Reifenspuren sichtbar. Die spätere Behandlung und Rehabilitation führte zur vollkommenen Gehfähigkeit trotz Trümmerbrüchen beider Oberschenkel. Hier zeigt sich die relative Elastizität des Luftreifens als schadensmindernd.

Bei einem Schienenfahrzeug ist das Gewicht höher und das Überrollmaterial aus Metall. Hier führte das Überrolltrauma letztlich zu einer Amputation der Beine (→ Abb. 15.19, → Abb. 15.20).

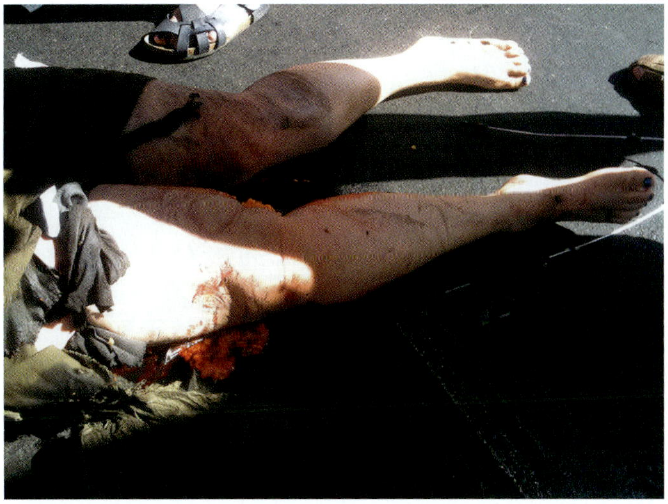

Abb. 15.17 Radfahrerin mit Überrolltrauma, im Kniebereich sichtbare Reifenspuren [M235]

Abb. 15.18 Fahrradsattel unter dem Reifen des Lkw [M235]

Abb. 15.19 Auffindesituation: Lage der Patientin (Radfahrerin) im Gleisbett. Äußere Verletzungen nicht sichtbar. Metallabrieb auf der schwarzen Hose sichtbar. [M235]

Abb. 15.20 Patientin nach achsengerechter Umlagerung. Durchführung der Intubation. [M235]

Abb. 15.21 Beispiel für einen Gefahrstoffunfall: Freisetzung von Nitrose-Gasen, nachdem eine Metallplatte in einen 55 000 l fassenden Salpetersäurebehälter gefallen war. Die Nitrose-Gase wurden über eine laufende Absauganlage durch das Dach in die Atmosphäre abgeblasen. Es bildete sich eine weithin sichtbare, braun-gelbe, toxische Gaswolke. Ersteintreffende Einsatzkräfte haben sich in Sicherheit gebracht. [O429]

15.6 Unfälle mit Gefahrstoffen

In den verschiedensten Lebensbereichen wird mit einer steigenden Anzahl von Gefahrstoffen umgegangen. Die Stoffe werden neben der Anwendung auch in größeren Mengen gelagert, umgeschlagen und über größere Entfernungen transportiert.

Durch diesen **gehäuften Umgang mit Gefahrstoffen** steigt auch die Wahrscheinlichkeit, im Rettungsdienst mit Einsätzen konfrontiert zu werden, die eine Beteiligung von Gefahrstoffen nicht ausschließen lassen.

ACHTUNG! Die ersteintreffenden Einsatzkräfte müssen eine eventuelle Beteiligung von Gefahrstoffen in der ersten Phase des Einsatzes prüfen, um sowohl den Eigenschutz zu berücksichtigen, notwendige Nachforderungen einzuleiten als auch notwendige rettungsdienstliche Maßnahmen abzuleiten. Deshalb sind bei jedem Einsatz **alle Begleitumstände** zu berücksichtigen, um die Einwirkung von Gefahrstoffen auszuschließen.

Beim Umgang, bei der Lagerung und beim Transport können Gefahrstoffe durch **unsachgemäßen Umgang** (Nichtbeachtung von Sicherheitsbestimmungen), durch **mechanische Gewalteinwirkung** (bei einem Unfall) oder durch **Sekundärereignisse** (technischer Defekt in einer Produktionsanlage, Brandereignis mit thermischer Wirkung auf den Gefahrstoff) freigesetzt werden (→ Abb. 15.21). Die Freisetzung kann als Gas, als Flüssigkeit oder als Feststoff erfolgen. Auch bei Einsätzen ohne offensichtliche Beteiligung von Gefahrstoffen ist durch die ersten Rettungskräfte zu überprüfen, ob alle möglichen Gefährdungen berücksichtigt wurden. Deshalb kommt der situativen Anwendung der Kenntnisse über die verschiedenen Gefahrstoffe und ihrer Kennzeichnung eine zentrale Bedeutung zu. Werden wichtige Maßnahmen in der Anfangsphase vernachlässigt, ist der medizinische Einsatzerfolg ebenso gefährdet wie die Abwendung von Gefahren für weitere Personen, Sachwerte und die Umwelt.

15.6.1 Einteilung der Gefahrstoffe

Um systematisch den Überblick bei den Gefahrstoffen zu behalten, empfiehlt es sich der Systematisierung der **Gefahrstoffe** nach dem Transportrecht zu folgen. Dort wird eine Einteilung der Gefahrstoffe in **9 Gefahrenklassengruppen** vorgenommen. Der Gefahrstoff, das Stoffgemisch oder ein Gegenstand wird aufgrund seiner Eigenschaften als Gefahrgut klassifiziert und nach den genannten Eigenschaften einer Gefahrgutgruppe zugeteilt. Diese Einteilung vereinfacht die Abschätzung der wesentlichen Stoffeigenschaften und die daraus resultierenden Gefahren.

PRAXISTIPP

Grundsymbole gleichen sich in den Kennzeichnungssystemen und wesentliche Stoffeigenschaften und Sofortmaßnahmen des Rettungsdienstes können sofort abgeleitet werden (→ Tab. 15.1). Es empfiehlt sich, in jedem Rettungsmittel gut zugänglich eine Zusammenstellung der Grundsymbole mitzuführen.

Klasse 1: explosive Stoffe und Gegenstände mit Explosivstoff

Können feste oder flüssige Stoffe oder Stoffgemische durch chemische Reaktion Gase solcher Temperatur, solchen Drucks und solcher Geschwindigkeit entwickeln, dass hierdurch die Umgebung zerstört werden kann, werden sie der Klasse 1 zugeordnet. Darunter fallen nicht Stoffe, die explosionsfähige Gas-, Dampf- oder Staubgemische bilden können.

Unterklasse 1.1

Der Unterklasse 1.1 werden Stoffe und Gegenstände zugeordnet, die **massenexplosionsfähig** sind. Das bedeutet, dass sich die gesamte Ladung gleichzeitig in der Explosion umsetzt. Durch diese Eigenschaft ist mit einer sehr großen Energiefreisetzung im Schadensfall zu rechnen. Beispiele hierfür sind Munition, Bomben, Granaten und Raketen sowie Stoffe, die zu deren Herstellung verwendet werden (z. B. Nitroglycerin).

Unterklasse 1.2

Sind Stoffe und Gegenstände **nicht massenexplosionsfähig** und besteht die **Gefahr von Splitterwirkung, Spreng- und Wurfstücken,** werden sie in die Unterklasse 1.2 eingeordnet. Das bedeutet, dass nicht

Abb. 15.28 Dekontamination von Einsatzkräften vor Ort [O429]

Phase II

Um das Kontaktrisiko zu minimieren, wird in der Phase II die **Bekleidung** vom nicht kontaminierten Bereich zum kontaminierten Bereich aufgeschnitten. Abhängig von der Dicke der Kleidung und der Toxizität des Stoffes ist diese Maßnahme zügig durchzuführen, um einen Hautkontakt über das Durchdringen der Kleidung zu vermeiden.

Die **Spotdekontamination** wird in der Reihenfolge Augen, Nasen-Rachen-Raum, nicht versorgte Wunden und sichtbar kontaminierte Körperteile durchgeführt. Nach der Nasen-Rachen-Raum-Säuberung wird dem Patienten eine Sauerstoff- oder Infektionsschutzmaske als Inkorporationsschutz aufgesetzt. An den **Wärmeerhalt** ist nach dem Entkleiden frühzeitig zu denken.

Phase III

In der Phase III werden alle **notwendigen medizinischen Maßnahmen** getroffen, die für die Dekontamination erforderlich sind. Je länger es bis zur Dekontamination dauert, umso größer ist der Anteil der Individualmedizin im kontaminierten Bereich.

Phase IV

Muss zwingend eine **Nassdekontamination** durchgeführt werden, sind alle Wund- und Punktionsstellen wasserdicht zu ummanteln, um eine Inkorporation zu verhindern. Dabei wird das Monitoring entfernt und eine evtl. notwendige Beatmung über einen Reservoirbeutel mit Sauerstoffgabe fortgesetzt.

Werden hier Rettungsfachkräfte zur Durchführung der Phasen I–III eingesetzt, so gelten sie als kontaminiert. Durch besondere **Schutzausrüstungen** ist das Rettungsfachpersonal insbesondere bei einer größeren Anzahl von Patienten und einem verlängerten Aufenthalt im Gefahrenbereich zu schützen.

Insbesondere bei C-Gefahrstoffen ist die zügige Abarbeitung der Phasen I–IV wichtig, um ein Eindringen des Gefahrstoffes über die Haut oder eine Inkorporation zu vermeiden.

Kommt es im Einsatz zu mehr als 20 Verletzten, muss zur Entlastung für den Einsatzunterabschnitt **„Dekontamination Personal" (Dekon P)** ein eigener Einsatzunterabschnittabschnitt **„Dekontamination Verletzte" (Dekon V)** gebildet und entsprechend mit Personal und Material ausgerüstet werden.

Können durch den medizinischen Zustand des Patienten im Ausnahmefall nicht alle Phasen durchlaufen werden, muss das Kontaminationsrisiko allen zukünftigen Kontaktpersonen (Rettungsfachpersonal, Klinikpersonal) bekanntgemacht werden und es sind ggf. **besondere Schutzmaßnahmen** mit erweiterter persönlicher Schutzausrüstung zu treffen. Um die Gefahr der Kontaminationsverschleppung zu verringern, muss der Patient mindestens entkleidet werden.

15.7 Brandeinsätze

Auch beim Brandeinsatz ist die erste qualifizierte Lagemeldung entscheidend für die rechtzeitige und umfassende Gefahrenabwehr. Häufig liegen keine genauen Angaben über das Schadensausmaß, die Art des Gebäudes und die tatsächliche Anzahl betroffener Personen vor.

15.7.1 Anfahrt und erste Maßnahmen

Auf der Anfahrt sollte sich die RTW-Besatzung mit der Bebauung im Einsatzgebiet auseinandersetzen (Wohngebiete mit Einfamilienhäusern, Industriebauten, Altenheim). Die **Art der vorherrschenden Gebäudenutzung** und die **Tageszeit** geben im groben Rahmen Aufschluss über die zu erwartende Anzahl Betroffener.

Für das Rettungsfachpersonal sind im Brandeinsatz bei der Zusammenarbeit mit der Feuerwehr (→ Kap. 12.6) insbesondere die **Fahrzeugaufstellung** und das **Freihalten von Entwicklungsflächen** für die Feuerwehr von großer Wichtigkeit. Ist der Einsatzort z. B. in einer Sackgasse, darf nicht in diese eingefahren werden. Die Positionierung des Rettungswagens in der Sackgasse verhindert evtl. das Einsetzen der Drehleiter, den Abtransport von Verletzten nach deren Rettung oder den Rückzug bei Ausbreitung des Feuers.

PRAXISTIPP

Den Aufstellungsort des Rettungswagens so wählen, dass Flächen für die Entwicklung der Feuerwehreinsatzkräfte frei bleiben und trotzdem ein Abtransport von Patienten möglich ist.

Beim **ausgedehnten Dachstuhlbrand,** der von zwei Seiten mittels Drehleitern bekämpft werden soll, werden mit Aufstell- und Entwicklungsflächen bis zu 75 m benötigt. Die Abstützbreite von Drehleitern kann bis zu 5,5 m betragen. Steht seitlich neben der Drehleiter kein Platz zur Verfügung, sind ggf. hinter dem Fahrzeug 15 m für das Ablegen des Leiterparks zu berücksichtigen (→ Abb. 15.29).

Das Rettungsfachpersonal kann durch eine **qualifizierte Eintreffmeldung** erheblich zur Verbesserung der Gefahrenabwehr beitragen, indem z. B. das Einsatzstichwort bestätigt oder erhöht wird. Weiterhin können beim Eintreffen erste Informationen über konkrete Ausmaße des Gebäudes (z. B. 100 m × 50 m große Industriehalle), die Bauart (z. B. 4 Obergeschosse mit ausgebautem Dachgeschoss) und seine Nutzung (z. B. kombiniertes Wohn- und Geschäftsgebäude) gegeben werden.

Verlässt die RTW-Besatzung ihr Fahrzeug, sollte sie sich nach Möglichkeit als erstes einen Überblick über die **Anzahl der betroffenen Personen** verschaffen, um ggf. ein zeitgerechtes Nachalarmieren von Rettungsmitteln zu ermöglichen.

Konnten sich Personen durch ein verrauchtes Treppenhaus nicht retten, ist die Betreuung der Betroffenen am Fenster besonders wichtig, um eine Angstreaktion mit verbundener Flucht aus der Wohnung oder Sprung aus dem Fenster zu vermeiden.

Ist der Treppenraum verraucht, muss ein **Betreten des verrauchten Bereichs vermieden** werden. Deshalb sollte nicht geklingelt werden, sondern durch Rufen die Bewohner veranlasst werden, an den Fenstern Kontakt zu den Hilfskräften aufzunehmen.

Kann eine **Rauchausbreitung** durch einfache Maßnahmen ohne Selbstgefährdung durchgeführt werden (Schließen einer Tür), sollte dieses durchgeführt werden, um mögliche **Flucht- und Angriffswege rauchfrei** zu halten.

Befinden sich Betroffene auf der Straße, sind sie unbedingt zu sammeln, um als Ansprechpartner für den Einsatzleiter der Feuerwehr zu dienen. Wenn möglich, soll sich das Rettungsfachpersonal einen wohnungsbezogenen Überblick über die Personen verschaffen und so sicherstellen, dass alle Personen das Gebäude verlassen konnten. Wichtige Erkenntnisse aus dieser Einsatzphase sind über Funk der Leitstelle oder beim Eintreffen dem Einsatzleiter der Feuerwehr mitzuteilen.

15.7.2 Verletzungsmuster bei Brandeinsätzen

Bei einem Brandeinsatz sind im Wesentlichen Rauchgasintoxikation (→ Kap. 40.3.2), Verbrennungen (→ Kap. 42.5) und mechanische Einwirkungen bei der Selbstrettung, z. B. beim Sprung aus dem Fenster zu erwarten.

Beteiligte Personen verneinen häufig das **Einatmen von Rauchgasen,** weil sie die Einwirkung nicht wahrgenommen haben oder eine umfangreiche Behandlung vermeiden wollen. Deshalb sollten alle, die sich selbst gerettet haben oder gerettet wurden, einer rettungsdienstlichen Begutachtung und ggf. weiteren Versorgung zugeführt werden. Hat die Feuerwehr Personen aus massiv verrauchten Bereichen gerettet, ist ebenfalls die Oberbekleidung abzulegen und eine Spotdekontamination durchzuführen (→ Kap. 15.6.3). Nur so können ein weiteres Ausgasen von Schadstoffen, eine Kontaminationsverschleppung in das Rettungsmittel und in die Klinik sowie eine Beeinträchtigung des Rettungsfachpersonals vermieden werden.

Verbrennungen kommen insbesondere bei den Personen vor, die nahe am Ausbruchsort des Feuers waren (z. B. Fettexplosion in der Küche, Umgang mit brennbaren Flüssigkeiten) oder sich nicht selbst retten konnten, da sie bewusstlos waren (schlafend im Bett).

Durch panische Reaktionen kommt es ebenfalls zu Verletzungsmustern mit Frakturen und Blutungen durch mechanische Verletzungen des Gewebes.

In Abhängigkeit von der Kapazität des Regelrettungsdienstes kann bei einem Mehrfamilienhaus sehr schnell die Schwelle zum **Massenanfall von Verletzten** erreicht sein. Deshalb sollte rechtzeitig die **Auslösung eines entsprechenden Alarmstichworts** in Zusammenarbeit mit dem zuerst eintreffenden Notarzt und dem Einsatzleiter erwogen werden, um ausreichende Kräfte und Mittel zum Einsatzort heranführen zu können und Reserven für den Regelrettungsdienst zur Verfügung zu stellen.

15.8 Explosionen

Bei einer Explosion kommt es aufgrund einer plötzlichen Reaktion (s. u.) zur **Freisetzung von Wärmeenergie** und zum **Druckanstieg.** Insbesondere zur Vermeidung von durch Einsatzkräfte selbst verursachte Explosionen sind grundlegende Kenntnisse notwendig.

15.8.1 Grundsätzliches zu Explosionen

Voraussetzungen für jede Verbrennung sind Sauerstoff, ein brennbarer Stoff und eine Zündenergie. Liegen alle Voraussetzungen im richtigen Verhältnis vor, kann es dabei zur Bildung eines explosionsfähigen

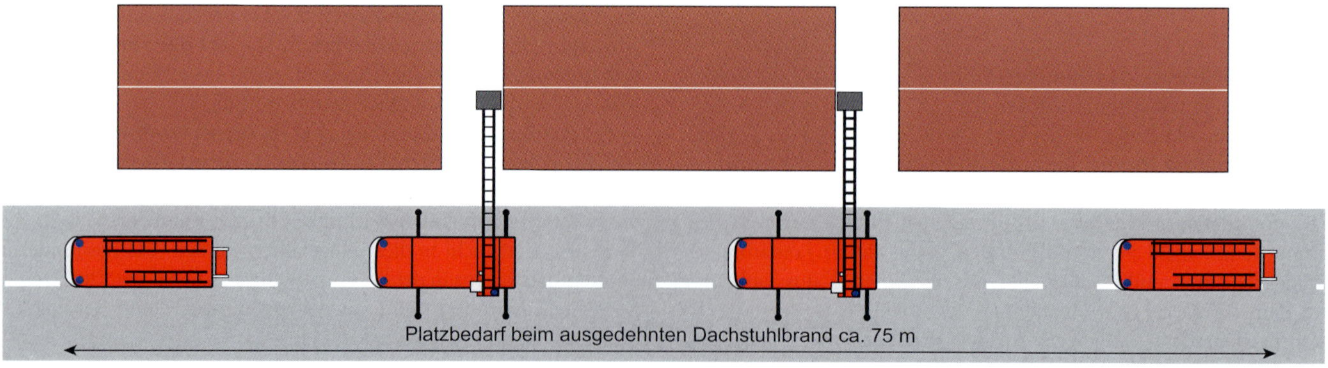

Abb. 15.29 Platzbedarf der Feuerwehr beim ausgedehnten Dachstuhlbrand [L143]

Gemischs aus Gasen, Dämpfen, Nebeln und Stäuben mit einer schlagartigen Reaktion kommen.

Breiten sich die Flammen mit einer Geschwindigkeit unterhalb der Schallgeschwindigkeit aus, spricht man von einer **Deflagration**. Dabei ist nur ein geringer Druckanstieg zu erwarten. Breiten sich die Flammen und Druckanstieg mit Überschallgeschwindigkeit aus, nennt man die Explosion **Detonation**.

Kommt es zur Alarmierung von Rettungsfachpersonal zu Einsätzen mit Explosionsgefahr, sind **persönliche Vorbereitungen** auf der Anfahrt bzw. vor dem Betreten der Einsatzstelle durchzuführen. Vorhandene Handlampen sollten vor dem Einsatz auf Explosionsschutzeigenschaften überprüft werden, um eine Einsatzmöglichkeit bei Explosionsgefahr sicherzustellen.

ACHTUNG! Es dürfen keine Geräte mitgeführt werden, die eine Explosion auslösen könnten (Handy, Funkmeldeempfänger, Funkgeräte und Beleuchtungsmittel ohne Explosionsschutz).

Die Feuerwehr kann mit ihren Messgeräten die **untere Explosionsgrenze (UEG)** überwachen. Dabei wird mit den Messgeräten das prozentuale Erreichen der UEG angezeigt (z. B. 20 % UEG). Es können verschiedene Alarmschwellen eingestellt werden, bei deren Erreichen zusätzlich gewarnt wird. Die Messwerte sind nur für ein bestimmtes Prüfgas (z. B. Methan, Propan) korrekt. Kommt es bei einem Einsatz zum Auftreten anderer explosionsfähiger Gemische ist der Anzeigewert nicht zwingend identisch mit der tatsächlichen Konzentration. Das Gerät gibt nur einen groben Anhalt, ob ein Stoff anwesend ist, der eine explosionsfähige Atmosphäre verursachen kann. Einige Gase haben einen sehr großen Explosionsbereich bis zur **oberen Explosionsgrenze (OEG)**, sodass es bei vielen Konzentrationswerten zur Explosion kommen kann. Ist der Wert oberhalb der oberen Explosionsgrenze, kann es durch Querlüftung schnell dazu kommen, dass wieder eine explosionsfähige Atmosphäre hergestellt wird (→ Abb. 15.30).

Bei Einsätzen mit **Kohlenmonoxid-Atmosphäre** (Suizidversuch mit Holzkohlengrill in geschlossenen Räumen, → Kap. 40.3.2, defekte Gastherme) kann es aufgrund einer hohen Konzentration von Kohlenmonoxid ebenfalls zu einer **explosionsfähigen Atmosphäre** kommen. Schon beim Eintreffen ist durch eine umfassende Lageerkundung zu ermitteln, ob ein solcher Fall vorliegen könnte. In diesen Fällen ist ein **Klingeln und Einschalten der Beleuchtung** zu **unterlassen,** da es dadurch zur Zündung kommen kann. Da diese Konzentrationswerte deutlich höher liegen als die Erträglichkeitswerte für einen 20-minütigen Einsatz ohne Atemschutz, ist unbedingt die Feuerwehr hinzuzuziehen.

Die **Atemgifte** können sich unkontrolliert **durch Bauteile ausbreiten.** Deshalb sind angrenzende Bereiche mit Messtechnik und Atemschutz auf mögliche Atemgifte und Betroffene abzusuchen und aufgefundene Personen ebenfalls dem Rettungsdienst vorzustellen.

15.8.2 Explosionsverletzungen

Gase, Treibstoffe, Bomben, Feuerwerkskörper oder **Staub** gehören zur Gruppe der Stoffe, die am häufigsten zu Explosionen führen. Man unterscheidet fünf Kategorien eines Explosionstraumas.

Primäre Explosionsverletzung

Die primären Explosionsverletzungen werden durch die bei der Explosion entstehenden **Druckwellen** erzeugt. Betroffen sind davon v. a. Körperteile, die selbst Luft enthalten und die durch den erhöhten Druck komprimiert werden.

Typische Verletzungen sind Gehörgangsverletzungen (→ Kap. 38.6) einschließlich Trommelfellruptur, Verletzungen der Nebenhöhlen, Lungenverletzungen wie Pneumothorax, Blutungen im Parenchymbereich, Ruptur der Alveolen mit nachfolgender Luftembolie, Perforationen im Gastrointestinaltrakt, Verbrennungen unterschiedlichster Grade.

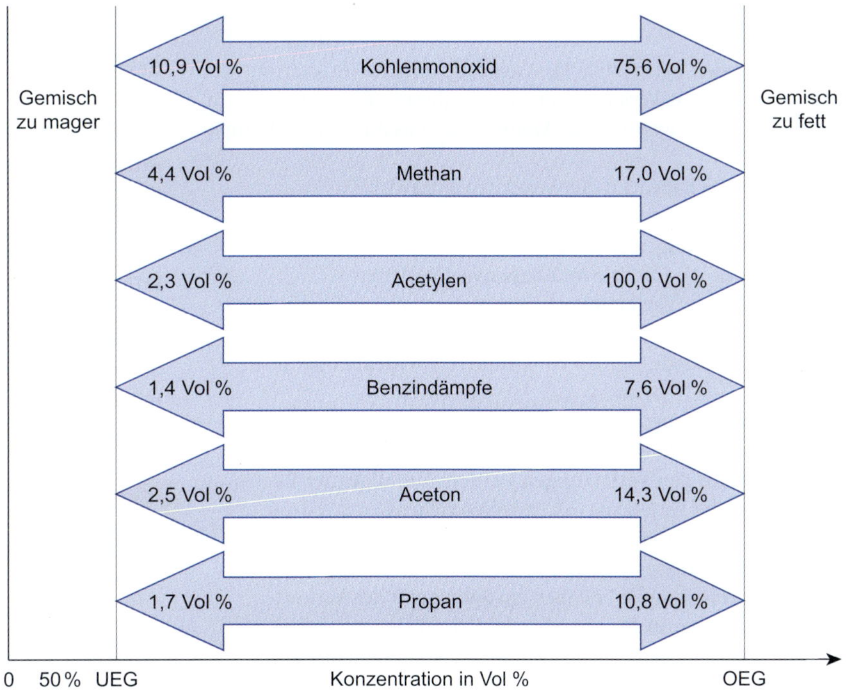

Abb. 15.30 Explosionsbereiche verschiedener Gasgemische [L143]

MERKE

Es ist möglich, dass der Patient **keinerlei äußerlich sichtbare Verletzungen** hat, aber dennoch vital bedroht ist.

Sekundäre Explosionsverletzung

Der Patient wird zum zweiten Mal traumatisiert, wenn er von **herumfliegenden Teilen** getroffen wird. Dies kann zu einer Kombination aus stumpfen und penetrierenden Verletzungen führen.

Tertiäre Explosionsverletzung

Das dritte Trauma erleidet der Patient, wenn er **durch die Luft geschleudert** wird und anschließend **gegen den Boden** oder ein **spezifisches Objekt prallt.** Die Art des Traumas ist vom Punkt des Aufpralls abhängig. Es kommen ähnliche Verletzungen vor wie nach einem Sturz aus größerer Höhe.

Quartäre Explosionsverletzung

Diese Verletzungen stehen im Zusammenhang mit **Umweltfaktoren,** die mit einer Explosion einhergehen, einschließlich Verbrennungen, Exposition gegenüber toxischen Nebenprodukten oder Kontamination.

Quintäre Explosionsverletzung

Hier tritt bei den Patienten durch andere explosionsbedingte Phänomene eine unerklärliche hämodynamische Instabilität auf. Diese Art der Verletzung wird auch mit der absichtlichen Beimischung von physikalischen oder biologischen Verunreinigungen zu einem Sprengsatz in Verbindung gebracht. Man spricht von so genannten „schmutzigen Bomben".

15.9 Besondere Notfallsituationen und Verletzungsmechanismen

15.9.1 Sportverletzungen

Die Vielzahl der Sportarten lässt eine detaillierte Erörterung der einzelnen typischen Verletzungsmuster in diesem Rahmen nicht zu. Einige generelle Fragen für die **Analyse** des jeweiligen **Verletzungsablaufs:**

- **Welche Kräfte** haben auf den Verletzten eingewirkt?
- **Wie** haben diese Kräfte eingewirkt?
- **Welche Verletzungen** sind sichtbar?
- **Wohin** wurde die **Energie im Körper** weitergeleitet?
- **Welche anderen Verletzungen** können durch diesen Energietransfer entstanden sein?
- **Welche Körperteile** wurden komprimiert, überdehnt oder überbeugt?
- **Welche Verletzungen** könnten dabei verursacht worden sein?
- **Wie schnell** war die Abbremsung oder Beschleunigung?
- Lassen sich aus den **Verletzungen weiterer Unfallgegner** Rückschlüsse auf die Verletzung des Patienten ziehen?
- Ist der Betroffene **gegen ein Objekt** geprallt, ist dieses deformiert? Wo, in welcher Höhe, wie tief und breit?
- **Welche Verformungen** bestehen am **Sportgerät** des Verletzten?
- **Welche Schutzvorrichtungen** hat der Betroffene verwendet?
- War die Traumatisierung eher von **spitzer** und/oder **stumpfer Wirkung?**

15.9.2 Sturz aus Höhen

Drei Fragen sind bei der **Analyse des Verletzungsmechanismus** nach einem Sturz aus bestimmter Höhe maßgebend:

- **Aus welcher Höhe** erfolgte der Sturz?
- **Welcher Körperteil** schlug zuerst auf?
- Wie ist der **Untergrund** beschaffen, auf dem der Patient landete (weich, hart, eben oder uneben)?

ACHTUNG! Der Verletzungsgrad steigt mit zunehmender Sturzhöhe. Besonders schwere Stürze sind jene, bei denen die Sturzdistanz mindestens dreimal so hoch wie die Körpergröße des Patienten ist.

Bei **Kindern** sind Schädel-Hirn-Traumen z. B. nach Fensterstürzen häufig, da der Kopf der schwerste Körperteil eines Kindes ist und daher zuerst aufprallt.

Erwachsene landen meist zuerst auf ihren Füßen. Die möglichen Verletzungsfolgen sind Frakturen des Fersenbeins, Hüftverletzungen, Kompressionsfrakturen oder Flexionsverletzungen der Wirbelsäule sowie Frakturen an den Handgelenken.

Landet der Patient primär nicht auf den Beinen, sondern auf dem Kopf, ist der Weg der Energieverteilung nach dem Aufprall vom Kopf abwärts zu analysieren. Dieser Mechanismus ist typisch bei Verletzungen nach **Sprung in seichtes Wasser.** Am häufigsten kommt es zu Schädel-Hirn-Traumen und zu Verletzungen der HWS, da diese Körperteile das gesamte Körpergewicht und die unverminderte Geschwindigkeit des primären Aufpralls absorbieren müssen.

15.9.3 Penetrierende Verletzungen

DEFINITION

Penetrierende Verletzungen sind Traumen, die durch das **Eindringen von spitzen oder stumpfen Gegenständen** sowie durch **Schusswaffenmunition** hervorgerufen werden.

Schussverletzungen

In Deutschland kommen Schussverletzungen immer noch relativ selten vor. Amokläufe und Terroranschläge der letzten Jahre in Europa lassen jedoch vermuten, dass das Rettungsfachpersonal auch hiermit häufiger konfrontiert sein wird. Im europäischen Raum hat die Anzahl an Schussverletzungen definitiv zugenommen.

Generell gilt aber auch bei der Versorgung von Patienten mit Schussverletzungen ein strukturiertes Vorgehen nach dem ABCDE- bzw. C-ABCDE-Schema (auch als X-ABCDE-Schema bezeichnet, → Kap. 17.1.4). Vor der Beurteilung und Behandlung des Patienten muss aber der eigenen Sicherheit besondere Aufmerksamkeit geschenkt werden. Erst wenn die Einsatzstelle durch die Polizei als sicher eingestuft wurde, sollte ein gefahrloses Betreten der Einsatzstelle möglich sein.

MERKE

Die Eigensicherung hat insbesondere in solchen Einsatzlagen allerhöchste Priorität!

Typische Verletzungsmuster werden bei Schussverletzungen nicht beschrieben. Hat die betroffene Person keine Schutzausrüstung getra-

Wenn zum Rettungsdienstbereich bekannte Überflutungsgebiete gehören, sollte die Vorhaltung **watt- bzw. geländegängiger Einsatzfahrzeuge** in Erwägung gezogen werden. In Bayern und Schleswig-Holstein werden z. B. mehrere „Allrad-RTW" (→ Kap. 53) eingesetzt. Um vorgegebene Hilfsfristen zu wahren, kann es bei längerfristigen Beeinträchtigungen des Verkehrswegenetzes angebracht sein, in Außenbezirken des Einsatzbereichs temporäre Rettungswachen bzw. Unfallhilfsstellen einzurichten. Da die persönliche Betroffenheit von Rettungsfachpersonal durch außergewöhnliche Naturereignisse niemals auszuschließen ist, sollte in **Personalplanungen** außerdem von vornherein ein Ausfall von rund 20 % der Einsatzkräfte berücksichtigt werden.

WIEDERHOLUNGSFRAGEN

1. Warum ist es wichtig, Begriffe aus dem eigenen Handlungsfeld zu reflektieren (→ Kap. 15.1)?
2. Erläutern Sie die Wortherkunft des Begriffs „Notfall" (→ Kap. 15.1.1).
3. Was sind typische Merkmale eines Notfallgeschehens (→ Kap. 15.1.2)?
4. Welche Notfallarten können voneinander abgegrenzt werden (→ Kap. 15.1.3)?
5. Erläutern Sie, inwiefern Notfälle in verschiedenen Disziplinen unterschiedlich definiert und bewertet werden (→ Kap. 15.1.4).
6. Welche Deformierungen müssen Sie beachten, um ein Verletzungsausmaß richtig abzuschätzen (→ Kap. 15.5.1)?
7. Welche drei Aspekte einer Kollision bei einem Unfall werden unterschieden (→ Kap. 15.5.2)?
8. Erklären Sie den Verletzungsablauf bei einem Auffahrunfall. Warum ist es wichtig, dem Patienten eine HWS-Immobilisationsschiene anzulegen (→ Kap. 15.5.2)?
9. Ein Pkw hat sich mit ca. 100 km/h überschlagen. Der Fahrer steht bei Ihrem Eintreffen am Straßenrand und gibt an, nicht verletzt zu sein. Die Leitstelle ersucht Sie dringend um Lagemeldung, da Ihr Rettungswagen zu einem weiteren Notfall disponiert werden sollte. Wie verhalten Sie sich? Begründen Sie Ihre Entscheidung (→ Kap. 15.5.2).
10. Wie unterscheiden sich Erwachsene und Kinder bei einem Fußgängerunfall (→ Kap. 15.5.2)?
11. Erklären Sie die Begriffe primäre, sekundäre, tertiäre, quartäre und quintäre Explosionsverletzung (→ Kap. 15.8.2).
12. Wie unterscheiden sich Erwachsene und Kinder bei einem Sturz aus großer Höhe (→ Kap. 15.9.2)?
13. Was versteht man bei einem Amoklauf unter der „grünen" und der „gelben" Zone (→ Kap. 15.9.4)?
14. Unter welchen Voraussetzungen kann die „Schildkrötentaktik" durchgeführt werden, und wie sieht diese aus (→ Kap. 15.9.4)?
15. Was gehört bei einem bestätigten oder auch nur vermuteten terroristischen Anschlag zur Defensivtaktik (→ Kap. 15.9.5)?
16. Was ist mit dem Begriff „Zweitschlag" gegen Rettungsfachkräfte gemeint (→ Kap. 15.9.5)?
17. Was versteht man unter einer „schmutzigen Bombe" (→ Kap. 15.9.5)?
18. Wer ist für die Führung des Einsatzgeschehens bei einer Geiselnahme gesamtverantwortlich (→ Kap. 15.9.6)?
19. Was hat bei einer Geiselnahme oberste Priorität (→ Kap. 15.9.6)?
20. Was kann bei einem außergewöhnlichen Naturereignis zu einer Eigengefährdung der Rettungsfachkräfte führen (→ Kap. 15.9.7)?
21. Welche Maßnahmen sollte der Rettungsdienst zur Vorbereitung auf außergewöhnliche Naturereignisse treffen (→ Kap. 15.9.7)?

AUFLÖSUNG DES FALLBEISPIELS

Verdachtsdiagnosen

- Zerebraler Krampfanfall
- Hypoglykämie
- Intoxikation
- Herzrhythmusstörungen
- Trauma

Schlüsselinterventionen

Gemeinsam mit den Beamten der Bundespolizei wird der noch immer tonisch-klonisch krampfende Patient ein Stück von der Bahnsteigkante weggebracht. Kurz darauf trifft der Notfallmanager der Deutschen Bahn ein und berichtet, dass die Zugfahrten auf den angrenzenden Gleisen eingestellt wurden und so eine Behandlung in sicherer Umgebung möglich ist.

Zur Durchbrechung des Krampfanfalls wird gemäß SOP Midazolam zur intranasalen Gabe vorbereitet. Kurz nach der Applikation sistiert der Krampfanfall. Umgehend wird eine Beurteilung gemäß ABCDE-Schema vorgenommen. Der Patient erhält hoch dosiert Sauerstoff sowie einen periphervenösen Zugang. Die Blutzuckermessung ergibt einen Wert von 30 mg/dl (1,7 mmol/l). Daraufhin werden dem Patienten 10 g Glukose über den periphervenösen Zugang verabreicht. Kurz darauf klart der Patient zunehmend auf. Nach Eintreffen des Notarztes erfolgt eine Übergabe durch den Teamleiter des Rettungswagens. Anschließend wird der Patient in die nächstgelegene Klinik transportiert.

Diagnose

Zerebraler Krampfanfall bei Hypoglykämie.

WEITERFÜHRENDE LITERATUR

Adl-Amini B. Krisenpädagogik.Aschaffenburg: Syllabus, 2002.

Ausschuss Feuerwehrangelegenheiten, Katastrophenschutz und zivile Verteidigung (AFKzV). Feuerwehrdienstvorschrift 500: Einheiten im ABC Einsatz. Stand: 01/2022.

Bundesamt für Bevölkerungsschutz und Katastrophenhilfe. Handlungsempfehlungen zur Eigensicherung für Einsatzkräfte der Katastrophenschutz- und Hilfsorganisationen bei einem Einsatz nach einem Anschlag. Bonn: Eigenverlag, 2018.

Bundesministerium für Arbeit und Soziales (BMAS). Technische Regeln für Arbeitsstätten, ASR A1.3 Sicherheits- und Gesundheitsschutzkennzeichnung. Stand: 11/2018, zuletzt geändert 2022.

Bundesministerium für Justiz und Verbraucherschutz (BMJV). Verordnung über den Schutz vor Schäden durch ionisierende Strahlen. Stand. 2018.

Bundesministerium für Justiz und Verbraucherschutz (BMJV). Verordnung über die innerstaatliche und grenzüberschreitende Beförderung gefährlicher Güter auf der Straße, mit Eisenbahnen und auf Binnengewässern. Stand. 2021.

Bundesministerium für Verkehr und digitale Infrastruktur (BMVI). Europäisches Übereinkommen über die internationale Beförderung gefährlicher Güter auf der Straße (ADR). Stand. 2021.
Bundesministerium für Verkehr und digitale Infrastruktur (BMVI). Ordnung für die internationale Eisenbahnbeförderung gefährlicher Güter (RID). Stand. 2021.
Campbell JE, Alson RL. International Trauma Life Support for Emergency Care Providers. 8. A. Pearson Education Inc., 2015.
Dikau R, Weichselgartner J. Der unruhige Planet. Der Mensch und die Naturgewalten. Darmstadt: Wissenschaftliche Buchgesellschaft, 2014.
DIN 14011: Begriffe aus dem Feuerwehrwesen. Stand: 01/2018.
DIN EN ISO 7010. Graphische Symbole – Sicherheitsfarben und Sicherheitszeichen – Registrierte Sicherheitszeichen. Stand 07/2020.
Hauer T et al. Explosionstrauma. Teil 1 – Physikalische Grundlagen und Pathophysiologie. Unfallchirurg. 2022; 125: 145–159.
Hommel G (Hrsg.). Handbuch der gefährlichen Güter. Erläuterungen und Synonymliste. 34. A. Wiesbaden: Springer Vieweg. 2021.
Institute for Economics & Peace. Global Terrorism Index 2023. Measuring the Impact of Terrorism, Sydney. www.economicsandpeace.org/wp-content/uploads/2023/03/GTI-2023-web-170423.pdf (letzter Zugriff: 22. Mai 2023).
Jansch A. Taktische Notfallmedizin. Grundlagen, Bedeutung für den Rettungsdienst und die Anwendung bei Amoklagen. Frankfurt: Verlag für Polizeiwissenschaft, 2010.
Karutz H. Notfallpädagogik. Konzepte und Ideen. Edewecht: Stumpf & Kossendey, 2011.
Karutz H. Wachsam gelassen bleiben: Der persönliche Umgang mit terroristischer Bedrohung. Taktik & Medizin. 2019; (2)3: 134–141.
Lasogga F, Gasch B. Notfallpsychologie. Lehrbuch für die Praxis. 2. A. Aufl. Berlin/Wien: Springer, 2011.
Perry RW, Quarantelli EL. What is a disaster? New Answers to Old Questions. Bloomington: Xlibris, 2005.
Rathjen JH et al. Präklinische Versorgung von Schuss- und Explosionsverletzungen. Notfallmedizin up2date. 2021; 16(4): 493–513.
Scheithauer H, Bondü R. Amoklauf und School Shooting. Bedeutung, Hintergründe und Prävention. Göttingen: Vandenhoeck & Ruprecht, 2011.
Vereinigung zur Förderung des Deutschen Brandschutzes e. V. Richtlinie 10/04 Dekontamination bei Einsätzen mit ABC-Gefahren. Stand: 10/2014.
Voßschmidt S, Karsten A (Hrsg.). Resilienz und Kritische Infrastrukturen: Aufrechterhaltung von Versorgungstrukturen im Krisenfall. Stuttgart: Kohlhammer, 2019.
Wölfl C, Matthes G. Unfallrettung. Stuttgart: Schattauer, 2010.

16

GEFAHRENABWEHR

Frank Flake (16.1–16.2), Jürgen Luxem (16.3)

FALLBEISPIEL

Notfallmeldung

Ein Rettungswagen wird mit dem Meldebild „unklare Erkrankung“ zu einem 19-jährigen Mann geschickt.

Situation und Ersteindruck

Bei Eintreffen am Einsatzort berichtet die Mutter des Patienten dem Team des Rettungswagens, dass ihr Sohn am Abend zuvor über starke Kopfschmerzen und Übelkeit geklagt habe und deshalb früh zu Bett gegangen sei. Heute früh sei er nicht beim Frühstück erschienen. Als sie nach ihm gesehen habe, habe er sich nicht mehr aufwecken lassen und fühle sich auch sehr heiß an, so als ob er hohes Fieber hätte. Deswegen hat sie die Rettungsleitstelle angerufen. Die Besatzung des Rettungswagens findet den Patienten im Bett liegend vor. Ein schnarchendes Atemgeräusch ist deutlich zu vernehmen. An den nicht zugedeckten Unterschenkeln fallen Petechien auf.

Leitsymptome

Bewusstlosigkeit, Atemwegsverlegung, starker Kopfschmerz, hohes Fieber, Petechien an den Unterschenkeln.

INHALTSÜBERSICHT

16.1 HYGIENE

- Die Hygiene befasst sich mit allen Maßnahmen zur Erhaltung und Förderung der Gesundheit sowie zur Vorbeugung zum Schutz vor Ausbreitung und zur Bekämpfung von Infektionskrankheiten.
- Das Infektionsschutzgesetz (IfSG) definiert die Begriffe: krank, krankheitsverdächtig, ansteckungsverdächtig, Ausscheider und ausscheidungsverdächtig.
- Durch aktive und passive Schutzimpfungen erreicht man aktive bzw. passive Immunität.
- Rettungsfachpersonal sollte gegen Tetanus und Hepatitis B geimpft sein.
- Bei der Desinfektion wird die Erregerzahl reduziert, bei der Sterilisation werden alle Erreger einschließlich der Viren und Sporen abgetötet.
- Es wird i. d. R. zuerst gereinigt, dann desinfiziert.
- Desinfektionsmittel unterscheiden sich in Haut- und Flächendesinfektionsmittel und in ihrer Einwirkzeit.
- Eine hygienische Händedesinfektion wird vor und nach der Arbeit am Patienten durchgeführt. Besonderes Augenmerk ist auf die Desinfektion von Fingerkuppen, Daumen und Nagelfalze zu legen.
- Bei der Sterilisation werden Heißluft, Dampf, Gas und Strahlen eingesetzt.
- Nach dem Transport von Infektionskranken sind besondere Hygienemaßnahmen erforderlich.

16.2 SELBSTSCHUTZ IM EINSATZ

- Gefahren an der Einsatzstelle sind vielfältiger Natur und richten sich direkt oder indirekt gegen Menschen, Tiere, Sachwerte und die Umwelt.
- Das Rettungsfachpersonal sollte über ausreichenden Selbstschutz (Schutzkleidung) verfügen und bei Bedarf auf Schutzmaßnahmen (Infektions-, Atem- oder Impfschutz) zurückgreifen können.
- Das Prinzip der Schutzimpfung beruht auf der Fähigkeit aller Wirbeltiere, eine aktive oder passive Immunität gegen Krankheitserreger und deren Toxine zu bilden.
- Die Art der Schutzausrüstung wird anhand einer Gefährdungsbeurteilung für das Rettungsfachpersonal festgelegt.
- Die Schutzausrüstung umfasst Kopf-, Augen- und Gesichtsschutz, Schutzkleidung, Fuß- und Handschutz.
- Der beste Schutz vor Nadelstichverletzungen und der damit einhergehenden Infektionsgefahr (z. B. Hepatitis B) ist der Verzicht auf das Wiederaufstecken von Schutzhülsen auf Kanülen („Recapping“).
- Durch Nadelstichverletzungen übertragene Krankheiten gehören zu den vermeidbaren Infektionen.
- Im Fall von Verletzungen durch kontaminierte Instrumente oder einer Kontamination mit Sekreten des Patienten sollte die Einstichstelle sofort desinfiziert bzw. mit Seife gereinigt und gespült werden.
- Da es sich bei beruflicher Exposition um einen Arbeitsunfall handelt, sollte umgehend ein D-Arzt aufgesucht und die Indikation zur Postexpositionsprophylaxe (PEP) überprüft werden.

16.3 TECHNISCHE RETTUNG

- Die technische Rettung übernehmen Feuerwehr und Technisches Hilfswerk.
- Die schonende Rettung hat meist Vorrang vor der schnellen Rettung.
- Wenn Verletzte aus einer Zwangslage befreit werden müssen, ist eine gleichzeitige technische und medizinische Hilfe erforderlich.
- Der Notarzt legt die Dringlichkeit und Reihenfolge der Rettung fest, der technische Einsatzleiter die Art der technischen Rettung.
- Bei einem Verkehrsunfall mit eingeklemmter Person kann während der Rettung bereits mit den Erstmaßnahmen begonnen werden. Die Durchführung der einzelnen Schritte ist dabei mit der Feuerwehr abzusprechen.
- Gefahren an der Einsatzstelle werden nach dem Gefahrenschema systematisch erfasst.
- Der Straßenverkehr stellt bei den meisten Einsätzen eine Gefährdung dar.
- Bei Unfällen mit Schienenfahrzeugen sind viele Schwerverletzte zu erwarten. Schlechte Erreichbarkeit der Unfallstellen, zusätzliche Gefahr durch die Oberleitung sowie Brandgefahr erschweren die Rettung.
- Gerät eine Person unter den Zug, muss die Feuerwehr oder der Betreiber der Bahnstrecke vor der Rettung den Strom abschalten und die stromführenden Leiter beidseitig erden.
- Die Absturzstelle eines Flugzeugs wird wegen Explosionsgefahr nicht direkt angefahren. Vor allem Militärmaschinen nähert man sich niemals vom Bug. Den Piloten rettet man von hinten über die Tragflächen.
- Vor der Rettung aus Gruben muss die Feuerwehr eine Gefährdung durch schwere Gase ausschließen.
- Bei Brandausbruch immer Feuerwehr verständigen, evtl. Strom abschalten, Löschgerät einsetzen, Türen und Fenster schließen, gebückt gehen, Aufzüge meiden.
- Rettung aus gasverseuchter Umgebung ist Aufgabe der Feuerwehr.
- Bei verschlossener Tür Feuerwehr anfordern. Notfalls wird die Tür gewaltsam geöffnet.
- Bei überschweren Personen kann ein zusätzlicher Schwerlast-Rettungswagen (S-RTW) oder ein Kran erforderlich sein.

16.1 Hygiene

Das Wissen um Schutz vor Ansteckung und Verbreitung von Infektionskrankheiten schützt sowohl den Mitarbeiter im Rettungsdienst als auch den Patienten. Wird ein **potenziell infektiöser Patient** nicht als solcher erkannt und ohne entsprechende Hygienemaßnahmen versorgt und transportiert, besteht nicht nur Gefahr für die körperliche Unversehrtheit des einzelnen Rettungsdienstmitarbeiters. Durch fehlende Hygienemaßnahmen werden Krankheiten an andere Patienten weitergegeben. Auch das private Umfeld kann durch mangelnde Schutzmaßnahmen betroffen sein.

Hygienische Maßnahmen sind kein Selbstzweck, sondern dienen dem Eigenschutz des Personals und dem Schutz des Patienten.

DEFINITION

Mit dem Begriff **Hygiene** werden alle Maßnahmen zusammengefasst, die der Verhütung, dem Schutz vor Ausbreitung und der Bekämpfung von Infektionskrankheiten dienen.

Im medizinischen Umfeld spielt v. a. die klinische Hygiene eine bedeutende Rolle. Zu ihren wichtigsten Maßnahmen zählen die **Desinfektion,** die **Sterilisation** und die **Quarantäne.** Es gibt aber noch eine Zahl weiterer Hygienebereiche. Zu diesen gehören z. B. die Lebensmittelhygiene oder die Körperhygiene. Hygiene bezieht sich zudem auf die Gesamtheit der privaten und öffentlichen Maßnahmen in verschiedenen Bereichen (z. B. Ernährung, Arbeit, Städtebau, Verkehr, Landschaft, Klima) zur Verhütung und Bekämpfung von Krankheiten (Gesundheitspflege). Allgemein betrifft die Hygiene Sauberkeit sowie die Maßnahmen zur Sauberhaltung. Sie befasst sich mit der **Verhütung von Krankheiten,** aber nicht mit der Heilung.

16.1.1 Grundlagen der Infektionslehre

Kontamination

DEFINITION

Bei der **Kontamination** handelt es sich um die **Besiedlung mit möglichen Krankheitserregern.**

Es können sowohl Lebewesen als auch Objekte kontaminiert sein (z. B. Türklinke). Bei einer Kontamination besteht das Risiko, dass Erreger von Patienten oder Objekten auf andere Personen übertragen werden. Hygienemaßnahmen haben zum Ziel, Übertragungen von Erregern zu vermeiden. Eine Kontamination ist keine Erkrankung, kann aber zu einer Infektion führen.

Infektion

Die Reaktion auf die Infektion kann auf drei Arten erfolgen:

- Es entsteht eine **Immunität des Organismus** infolge der Auseinandersetzung mit dem Erreger ohne Krankheitszeichen. Der Erreger wird hierbei vernichtet.
- Es kommt zur **verborgenen Infektion.** Der Organismus ist infiziert, der Erreger vermehrt sich jedoch nicht. Der Keim wartet auf bessere Bedingungen. Es kann auch eine Teilimmunität vorliegen, die zwar eine Ausbreitung verhindert, den Erreger jedoch nicht beseitigen kann.
- Es kommt zur **Infektionskrankheit.** Diese erfolgt in Form eines „Kampfes“ zwischen Erreger und Abwehr des Organismus. Dieser kann dabei schwere Störungen bis hin zum Tod erleiden. „Siegt“ der Organismus, kann er in der Folge immun gegen diesen bestimmten Erreger sein.

Morbidität

Mit Morbidität (lat. morbus = Krankheit) bezeichnet man die **Häufigkeit einer Krankheit** in einem bestimmten Zeitraum (z. B. Anzahl Erkrankungen/100 000 Einwohner/Jahr).

Mortalität

Die Mortalität beschreibt die **Todesfallrate einer Population** über einen bestimmten Zeitraum (Anzahl Todesfälle/Einwohner/Jahr).

Letalität

Letalität bezeichnet die **Zahl der Todesopfer,** die an einer bestimmten Krankheit sterben, bezogen auf die Zahl der tatsächlich Erkrankten, und wird meist in Prozent ausgedrückt.

Epidemie

Eine Epidemie ist das **gehäufte Auftreten einer Infektionskrankheit,** die jedoch **zeitlich und örtlich begrenzt** ist.

Endemie

Unter einer Endemie versteht man das **in einer Region zeitlich unbegrenzt gehäufte Auftreten** einer Erkrankung im Vergleich zu anderen Regionen.

Pandemie

Die Pandemie beschreibt eine **weltweite Epidemie.**

Ausbreitung der Infektion

Für eine Infektion und ihre Ausbreitung sind folgende drei Faktoren wichtig (→ Tab. 16.1).

Infektionsquelle

Die Infektionsquelle ist der **Ausgangspunkt einer Infektion** (→ Tab. 16.1). Menschliche Infektionsquellen sind u. a. die Schleimhäute der oberen Atemwege. Durch Husten, Niesen und Sprechen können Keime in Form eines Aerosols bis zu 2 m weit geschleudert werden. 50 % der gesunden Bevölkerung tragen in ihrer Nase den *Staphylococcus aureus,* das Personal im Gesundheitsdienst sogar zu fast 80 %. Auch die Schleimhäute des Darms stellen ein großes Erregerreservoir dar. Im menschlichen Stuhl sind 10^8–10^{11} Keime pro Gramm Darminhalt enthalten. Zu bevorzugten möglichen Infektionsquellen zählen ferner die Schleimhäute der ableitenden Harnwege, die Schleimhäute der Geschlechtsorgane und blutende Verletzungen.

Auch auf der intakten Haut befinden sich ständig Mikroorganismen. Diese **Mikroflora** wird in zwei Gruppen unterteilt, in die **residente** und die **transiente Flora:**

- Mikroorganismen, die sich dauerhaft an einer bestimmten Stelle des Körpers befinden und durch Waschen und Desinfizieren zwar zurückgedrängt, aber nicht beseitigt werden können, werden der residenten Flora zugerechnet.
- Die transiente Flora besteht aus Mikroorganismen, die nur vorübergehend an einer Körperstelle zu finden sind. Man bezeichnet sie auch wegen ihres Besiedelungsverhaltens als **Anflugkeime.** Sie

Erregerreservoir	Träger (Auswahl)	Beispiele
Mensch	Patienten, Personal, Angehörige	• Personal als Keimträger (z. B. von *Staphylococcus aureus* auf der Haut als Wundinfektionskeim) • Ausscheidungen während der Inkubationszeit (z. B. bei Salmonellenerkrankungen) • Infektiöse Patienten (z. B. Virusinfizierte, MRSA)
Geräte und Instrumente	Inhalationsgeräte, Katheter, Schläuche, Spritzen, Stethoskope, Blutdruckmessgeräte, Laryngoskope, Beatmungszubehör	• Ungenügend gereinigte, desinfizierte, sterilisierte Instrumente • Feuchtigkeit in Instrumenten und Geräten (Keimbrutstätten) • Fremdkörper (z. B. Katheter, Sonden, Drainagen) als Leitschiene für Mikroorganismen • Infektion des Rettungsfachpersonals durch kontaminierte Kanülen (sog. Nadelstichverletzung)
Medikamente	Stechampullen, Infusionslösungen	• Kontamination von Stechampullen durch unsachgemäßen Umgang • Kontamination beim Auflösen von Medikamenten oder Herstellen von Verdünnungen

Tab. 16.1 Infektionsquellen und ihre Bedeutung für den Rettungsdienst

können beim Waschen wieder entfernt werden oder sogar von selbst wieder verschwinden.

Es gibt auch **indirekte Infektionsquellen.** Zu diesen zählen Erde, Dienstkleidung, Wäsche, Instrumentarium, Einrichtung von Fahrzeugen sowie Infusionsflaschen und -zubehör.

MERKE

Von jeder **Infektionsquelle** gehen Gefahren aus, daher gilt es, diese möglichst genau zu lokalisieren und die Gefahr durch umsichtiges Verhalten zu minimieren.

Infektionsweg

Der Infektionsweg ist der **Weg von der Infektionsquelle zur Infektionspforte;** er ist nicht immer schnell und direkt. Der Keim kann eine oder mehrere Pausen bei einem Zwischenwirt einlegen, und er kann (z. B. in Sporenform) lange Zeit ungünstige Bedingungen überstehen, um dann wieder aktiv zu werden. Man unterscheidet beim Infektionsweg zwei Möglichkeiten:

- **Direkte Infektion:** Bei der Kontaktinfektion kommt es zu unmittelbarem Kontakt zwischen Ausscheider und dem Kontaminierten. Eine einmal aufgenommene Keimmenge reicht u. U. aus, um weitere, neue Kontaktpersonen mit den Keimen zu infizieren.
- **Indirekte Infektion:** Die Keime bedienen sich auf dem Weg von der Infektionsquelle zur Infektionspforte verschiedener Transportmittel, um einen Organismus zu infizieren. So gelangen sie z. B. **aerogen** (durch die Luft), **alimentär** (über Nahrung und Wasser) oder **transmissiv** (durch Insekten) in den potenziellen Wirt.

Noch weitere Faktoren spielen bei der Keimübertragung und einer eventuellen Infektion eine Rolle. Für jede Erkrankung ist eine bestimmte **Keimzahl** notwendig, um sie auszulösen. Diese Keimzahl wird als Infektionsdosis bezeichnet. So werden für eine Infektion mit Enteritissalmonellen mindestens 1 Mio. Keime benötigt. Bei einer niedrigeren Zahl an Keimen ist das Immunsystem in der Lage, diese zu bekämpfen.

Infektionspforte

Infektionspforten sind die Orte, an denen **Mikroorganismen in den Körper eindringen** können. Die gleichen Orte können dann wieder zu Infektionsquellen werden.

16.1.2 Infektionsschutzgesetz (IfSG)

Seit 1900 gab es im Deutschen Reich bereits verschiedene Gesetze, die sich mit der Verhütung von Seuchen befassten. 1961 wurde das „Gesetz zur Verhütung und Bekämpfung übertragbarer Krankheiten beim Menschen“ erlassen, das allgemein unter dem Namen **Bundesseuchengesetz (BSG)** bekannt wurde. Am 1. Januar 2001 wurde das BSG durch das „Gesetz zur Verhütung und Bekämpfung von Infektionskrankheiten“ **(Infektionsschutzgesetz, IfSG)** abgelöst, das im Wesentlichen die genannten Inhalte beibehält, jedoch den Meldungsmodus verbessert, sodass auch künftig eine umfangreichere Dokumentation zu erwarten ist. Die letzte Aktualisierung des IfSG stammt vom 17. Juli 2023.

Definitionen (§ 2 IfSG)

Das IfSG definiert in § 2 die folgenden Begriffe:

1. **Krankheitserreger** *ein vermehrungsfähiges Agens (Virus, Bakterium, Pilz, Parasit) oder ein sonstiges biologisches transmissibles Agens, das bei Menschen eine Infektion oder übertragbare Krankheit verursachen kann*
2. **Infektion** *die Aufnahme eines Krankheitserregers und seine nachfolgende Entwicklung oder Vermehrung im menschlichen Organismus*
3. **Übertragbare Krankheit** *eine durch Krankheitserreger oder deren toxische Produkte, die unmittelbar oder mittelbar auf den Menschen übertragen werden, verursachte Krankheit*
   a) **Bedrohliche übertragbare Krankheit** *eine übertragbare Krankheit, die auf Grund klinisch schwerer Verlaufsformen oder ihrer Ausbreitungsweise eine schwerwiegende Gefahr für die Allgemeinheit verursachen kann*
4. **Kranker** *eine Person, die an einer übertragbaren Krankheit erkrankt ist*
5. **Krankheitsverdächtiger** *eine Person, bei der Symptome bestehen, welche das Vorliegen einer bestimmten übertragbaren Krankheit vermuten lassen*
6. **Ausscheider** *eine Person, die Krankheitserreger ausscheidet und dadurch eine Ansteckungsquelle für die Allgemeinheit sein kann, ohne krank oder krankheitsverdächtig zu sein*
7. **Ansteckungsverdächtiger** *eine Person, von der anzunehmen ist, dass sie Krankheitserreger aufgenommen hat, ohne krank, krankheitsverdächtig oder Ausscheider zu sein*
8. **Nosokomiale Infektion** *eine Infektion mit lokalen oder systemischen Infektionszeichen als Reaktion auf das Vorhandensein von Erregern oder ihrer Toxine, die im zeitlichen Zusammenhang mit einer stationären oder einer ambulanten medizinischen Maßnahme steht, soweit die Infektion nicht bereits vorher bestand*

Meldepflichtige Erkrankungen (§6 IfSG)

Das IfSG verlangt in den folgenden Fällen die **namentliche Meldung** bei Krankheitsverdacht, Erkrankung an bzw. Tod infolge:

- Botulismus
- Cholera
- Diphtherie
- Humane spongiforme Enzephalopathie, außer familiär-hereditärer Formen
- Akute Virushepatitis
- Enteropathisches hämolytisch-urämisches Syndrom (HUS)
- Virusbedingtes hämorrhagisches Fieber
- Keuchhusten
- Masern
- Meningokokken-Meningitis oder -Sepsis
- Milzbrand
- Mumps
- Pest
- Poliomyelitis
- Röteln einschließlich Rötelnembryopathie
- Tollwut
- Typhus abdominalis oder Paratyphus
- Windpocken
- Zoonotische Influenza
- Coronavirus-Krankheit-2019 (COVID-19)
- Durch Orthopockenviren verursachte Krankheiten

Zusätzlich werden noch weitere Situationen genannt, in denen eine Meldepflicht besteht. Aus Sicht des Rettungsdienstes ist noch der § 6, Abs. 4 von Interesse:

Zu melden ist die *„Verletzung eines Menschen durch ein tollwutkrankes, -verdächtiges oder ansteckungsverdächtiges Tier sowie die Berührung eines solchen Tieres oder Tierkörpers."*

Wer ist zur Meldung verpflichtet? (Auszug § 8 IfsG)

Nach § 8, Abs. 1 des IfSG sind u. a. die folgenden Personen zur Meldung verpflichtet:

- In Krankenhäusern neben dem feststellenden Arzt auch der leitende Arzt
- Bei Verdacht auf Tollwut auch der Tierarzt
- Heilpraktiker
- Bei Anwendung eines Schnelltest die feststellende Person

Nicht zur Meldung verpflichtet sind hingegen „*... Personen des Not- und Rettungsdienstes, wenn der Patient unverzüglich in eine ärztlich geleitete Einrichtung gebracht wurde.*"

16.1.3 Hygieneverordnungen der Länder

Die Hygieneverordnungen der Bundesländer ergänzen das IfSG. Sie legen für jedes Bundesland die erforderlichen **Maßnahmen zur Verhütung, Erkennung, Erfassung und Bekämpfung von nosokomialen Infektionen** und **Krankheitserregern** mit Resistenzen in medizinischen Einrichtungen fest.

Teilweise ist auch der Rettungsdienst von diesen Regelungen betroffen. So ist z. B. in § 13 der bayerischen Verordnung zur Hygiene und Infektionsprävention festgelegt, dass der Rettungsdienst bei Transporten von betroffenen Patienten über die notwendigen Hygienemaßnahmen zu informieren ist.

Besonders während der Coronakrise wurde offensichtlich, dass die Verordnungen und Gesetze der Länder das IfSG deutlich ergänzen, sich aber teilweise auch erheblich vom IfSG unterscheiden.

16.1.4 Technische Regeln für Biologische Arbeitsstoffe im Gesundheitswesen und in der Wohlfahrtspflege (TRBA 250)

Die TRBA 250 regeln den **Umgang mit biologischen Arbeitsstoffen.** Es handelt sich im eigentlichen Sinn um technische Regeln zur Umsetzung der Biostoffverordnung, die v. a. dem Arbeitsschutz und der Arbeitshygiene dienen. In Ihnen ist u. a. festgelegt, welche persönliche Schutzausrüstung (PSA, → Kap. 16.2.2) bei welcher Gefährdungslage zu tragen und wie mit Dienst- und Schutzkleidung umzugehen ist. Sie legt aber auch persönliche Hygienemaßnahmen fest. So ist laut TRBA 250 z. B. das Tragen von Schmuck an Händen und Unterarmen bei Tätigkeiten untersagt, bei denen eine regelmäßige hygienische Händedesinfektion notwendig ist; ebenso das Auftragen von Nagellack oder künstliche Fingernägel.

16.1.5 Desinfektion und Sterilisation

Begriffserklärungen

- **Reinigung:** Entfernung organischer Verschmutzung von Oberflächen. Saubere Flächen sind partikelarm und somit weniger übertragungsgefährdend.
- **Antisepsis:** Maßnahmen zur Erzielung von Keimarmut an Körperteilen, um Wundinfektionen zu verhindern. Dazu gehört z. B. die Desinfektion.
- **Asepsis:** Maßnahmen zur Erzielung von Keimfreiheit, um eine Kontamination mit Erregern zu verhindern. Die wichtigste aseptische Maßnahme ist die Sterilisation.
- **Desinfektion:** Maßnahme zur Reduktion der Erregerzahl, z. B. auf Gegenständen und Händen, um eine Infektion zu verhindern. Durch die Desinfektion kann eine Keimreduktion um bis zu 99 % erreicht werden. Eine Desinfektion kann chemisch, thermisch oder durch eine Kombination beider Verfahren durchgeführt werden.
- **Sterilisation:** Abtötung oder Entfernung aller vermehrungsfähigen Mikroorganismen, einschließlich der Viren und Sporen. Eine Sterilisation ist nur von Gegenständen in speziellen Geräten möglich.
- **Entwesung:** Vernichtung tierischer Schädlinge.

Wirkungsbereiche von Desinfektionsmitteln und -verfahren

Für die Desinfektion dürfen nur geprüfte und zugelassene Verfahren und Mittel angewandt werden. Diese werden durch das **Robert Koch-Institut (RKI)** bekanntgemacht. Ziel von Desinfektionsmaßnahmen ist die **Keimreduktion der behandelten Fläche.** Je nach Verfahren ist eine Reduktion von bis zu 99 % möglich.

Das RKI beschreibt in seiner Liste der geprüften und anerkannten Desinfektionsmittel und -verfahren vom 31. Oktober 2017 verschiedene Techniken, mit denen eine Desinfektion durchgeführt werden kann.

Dabei wird eine Einteilung der verschiedenen Verfahren und Mittel nach den verschiedenen **Wirkungsbereichen** vorgenommen:

- **Wirkungsbereich A:** Abtötung vegetativer Bakterien und Mykobakterien sowie von Pilzen und deren Sporen.
- **Wirkungsbereich B:**
  - „Viruzid": Inaktivierung von behüllten und unbehüllten Viren
  - „Begrenzt viruzid": wirksam gegen behüllte Viren
  - „Begrenzt viruzid plus": wirksam gegen behüllte Viren sowie Adeno-, Noro- und Rotaviren
- **Wirkungsbereich C:** Abtötung bakterieller Sporen bis zur Resistenzstufe des Milzbranderregers.

- **Wirkungsbereich D:** Abtötung bakterieller Sporen der Erreger von Wundinfektionen wie Wundstarrkrampf *(Clostridium Tetani)* und Gasödem *(Clostridium Perfringens)*. Gegen diese Sporen sind chemische Desinfektionsmittel i. d. R. unwirksam.

Chemische Desinfektion

Je nach Wirkspektrum und Einsatzort kommen verschiedene chemische Desinfektionsmittel zum Einsatz (→ Tab. 16.2).

Bei der **Auswahl des passenden chemischen Desinfektionsmittels** sind verschiedene Aspekte zu beachten:

- Wirkspektrum
- Resistenzen
- Minderwirkung durch Seifen- und Eiweißreste („Seifenfehler“)
- Gesundheitsrisiko für den Anwender und Patienten
- Kontamination des Desinfektionsmittels

Bei der Routinedesinfektion ist die Fläche wieder benutzbar, wenn das Desinfektionsmittel sichtbar abgetrocknet ist. Eine Einhaltung der **Einwirkzeit** ist dann erforderlich, wenn beispielsweise Oberflächen (z. B. Laryngoskopspatel) direkt mit Schleimhaut oder Wunden in Kontakt kommen können oder eine Kontamination mit schwer zu desinfizierenden Erregern vorliegt. Das richtige Mittel soll für den **richtigen Zweck** verwendet werden, also z. B. keine Hautdesinfektionsmittel zur Flächendesinfektion benutzen.

Die am häufigsten eingesetzten chemischen Desinfektionsmittel für die Flächendesinfektion sind **Alkohole und Aldehyde.**

Alkohole

Reiner Alkohol wirkt **nicht bakterizid.** Um eine Wirkung zu erzielen, benötigt er einen gewissen **Wasseranteil.** Wirksam sind Konzentrationen von 70–80 %. Der bevorzugte Einsatzbereich von Alkohol liegt in der Hände- und Hautdesinfektion (→ Kap. 16.1.6) sowie in der Desinfektion kleiner Flächen. Besondere Gefahr geht von den Händen aus (→ Abb. 16.1).

ACHTUNG! Bei der Desinfektion von großen Flächen mit Alkohol besteht **Explosionsgefahr.**

Alkohol zeichnet sich durch **raschen Wirkungseintritt** und **gute Penetration** aus und wirkt auf Dauer nicht allergisierend. Die Nachteile sind bei häufiger Anwendung Hauttrockenheit und dass eine Abtötung von Bakteriensporen nicht stattfindet, diese werden sogar für mehrere Jahre konserviert. Auf Viren ist die Wirkung von Alkohol uneinheitlich.

Abb. 16.1 Abklatschuntersuchung der Hand. Der Abklatsch erfolgte nach der hygienischen Händedesinfektion. Anhand des starken Bakterienwachstums auf dem Nährboden wird deutlich, dass diese mangelhaft durchgeführt wurde. [K115]

Aldehyde

Der bedeutendste Vertreter der Aldehyde ist das **Formalin,** eine 35-prozentige Lösung von Formaldehydgas in Wasser. Da es sich in der Luft rasch zersetzt, muss es in **dunklen Flaschen** aufbewahrt werden. Formalin ist wirksam gegen Bakterien, Viren (nur bei verlängerter Einwirkzeit), Pilze und Sporen (nur bei verlängerter Einwirkzeit und höherer Konzentration). Bedeutender Nachteil des Formalins ist seine hohe allergisierende Wirkung.

Grundsätze für die Anwendung von Desinfektionsmitteln

ACHTUNG! Desinfektionsmittel sollten nur dort angewendet werden, wo es wirklich nötig ist, da Keime sonst schneller **Resistenzen** entwickeln können.

Es sind auch ökonomische Gesichtspunkte zu bedenken.

Die Zubereitung der Desinfektionslösungen muss streng nach **Herstellerangaben** erfolgen. Bei Routinedesinfektion ist die Fläche wieder benutzbar, wenn das Desinfektionsmittel sichtbar abgetrocknet ist. Eine Einhaltung der **Einwirkzeit** ist dann erforderlich, wenn beispielsweise Oberflächen (z. B. Laryngoskopspatel) direkt mit Schleimhaut oder Wunden in Kontakt kommen können oder eine Kontamination mit schwer zu desinfizierenden Erregern vorliegt. Das richtige Mittel soll für den **richtigen Zweck** verwendet werden, also z. B. keine Hautdesinfektionsmittel zur Flächendesinfektion benutzen.

Wirkstoffgruppe	Max. Wirkungsbereich (je nach Präparat)	Anwendungsbereich	Einwirkzeit bei Flächendesinfektion [min] (abhängig von Präparat und Konzentration)
Formaldehyd und/oder sonstige Aldehyde bzw. Derivate	A–B	Instrumente, Flächendesinfektion	240–360
Perverbindungen	A–B	Instrumente, Flächendesinfektion	60–240
Phenole	A	Instrumente, Flächendesinfektion	120–360
Alkohole	AB	Flächendesinfektion, Händedesinfektion	15
Biguanide	A	Flächendesinfektion	360
Chlor, organische oder anorganische Substanzen mit aktivem Chlor	AB	Flächendesinfektion	120
Halogene	AB	Händedesinfektion	

Tab. 16.2 Chemische Desinfektionsmittel nach Anwendung

Wichtig ist, dass das Desinfektionsmittel in ausreichender Menge, aber nicht im Überschuss auf die zu desinfizierende Fläche unter leichtem Druck aufgebracht wird **(nebelfeucht).** Die verbreiteten Sprühflaschen sind nicht wirksam genug. Besonders gut geeignet sind **Vliestuchspendersysteme,** die eine Kontamination und Verdunsten der Desinfektionslösung verhindern helfen.

MERKE

Bis auf wenige Ausnahmen gilt: **Erst reinigen, dann desinfizieren! Sichtbare Verunreinigungen** mit Blut oder Ausscheidungen müssen vor der Desinfektion mit einem desinfektionsmittelgetränkten Tuch entfernt werden. Anschließend erfolgt die Desinfektion der Fläche.

Es sollte immer auf die **richtige Kombination von Reinigungs- und Desinfektionsmitteln** geachtet werden. Manche Desinfektionsmittel haben einen sog. Seifenfehler, d. h., bei falscher Kombination geht die Wirkung des Desinfektionsmittels verloren.

Physikalische Desinfektion

Zu den Verfahren der physikalischen Desinfektion zählen die **Filtration, ultraviolette Strahlen** und die **Anwendung von Wärme (thermische Desinfektion)** in Form von Kochen, Verbrennen, strömendem Dampf und Heißluft . Eine im rettungsdienstlichen Alltag eingesetzte Form der physikalischen Desinfektion ist der Einsatz von Filtern an Beatmungsgeräten und Beatmungsbeuteln (→ Tab. 16.3).

Desinfektionsmaßnahmen im Rettungsdienst

Eine Übersicht über rettungsdienstlich relevante Infektionskrankheiten sowie die entsprechenden Desinfektionsmaßnahmen gibt → Tab. 16.4.

Damit die nötigen Maßnahmen sach- und fachgerecht erfolgen, sollte im Desinfektionsraum der Rettungswache ein **Desinfektionsplan** (→ Abb. 16.2) sichtbar angebracht und den Mitarbeitern bekannt sein. Die bereitgestellten Lösungen und Verfahren sollten von den Anwendern beherrscht werden.

Desinfektionsverfahren	Desinfektionswirkung durch	Anwendungsbeispiele
Thermische Methoden	Kochendes Wasser von 93 °C für mindestens 3 Min. (Wirkungsbereich AB) oder 5 Min. (Wirkgruppe ABC)	• Auskochen von Säuglingsartikeln • Spülmaschinen für Instrumente, Gummiartikel in der Anästhesie und OP-Schuhe • Wäsche
	Strömenden Wasserdampf von 100 °C für ca. 15 Min.	• Matratzen • Steckbecken u. a. Pflegeartikel
	Verbrennen	Medizinische Abfälle
Filtration	Filter mit einer Porengröße < 5 µm, halten 99 % der Bakterien zurück.	• Schwebstofffilter raumlufttechnischer Anlagen für aseptische Räume (z. B. OP, Intensivstation, Laminarflow-Einheit) • Sterilfiltration von Arzneimitteln (z. B. Abfüllen von Alkohol für die Hände- und Hautdesinfektion) • Filter an medizinischen Geräten (z. B. Narkose- und Beatmungsgeräte)
Strahlung	Ultraviolettes Licht	Trinkwasser

Tab. 16.3 Übersicht der physikalischen Desinfektionsverfahren

Erkrankung	Erreger	Vorkommen	Übertragung	Infektiöse Ausscheidungen	Klinik	Desinfektion	Besonderheiten
AIDS (Acquired Immune Deficiency Syndrome, → Kap. 41.5)	HIV (Human Immunodeficiency Virus)	Weltweit bei Menschen	Hämatogen, parenteral, Geschlechtsverkehr	Blut und Sexualsekrete	Zunehmende Immunschwäche, Fieber, Exanthem, Leistungsabfall	Routinemaßnahmen	Todesursache oft Pneumonie
COVID-19	SARS-CoV-2 und Untergruppen	Weltweit bei Menschen und Tieren	Tröpfcheninfektion	Nasen- und Rachenraumsekret	Fieber, Husten, Schnupfen, Kopfschmerzen, Halskratzen, Abgeschlagenheit etc.	Routinedesinfektion – Hygieneplan beachten	Schutzimpfung möglich
Enzephalitis (→ Kap. 33.7)	Neurotrope Viren, Arboviren	Weltweit bei Menschen und Tieren, v. a. Insekten	Fäkal-oral, hämatogen	Milch bei Tieren, Speicheldrüsen bei Insekten	Kopfschmerzen, Schüttelfrost, Erbrechen, Schläfrigkeit, Koma, neurogener Schock, Endokarditis	Routinedesinfektion – Hygieneplan beachten	Schutzimpfung möglich (FSME)
Gonorrhö (Tripper)	*Neisseria gonorrhoeae* (Bakterien)	Weltweit bei Menschen	Geschlechtsverkehr	Eitriger Ausfluss aus der Harnröhre oder Scheide	Eiterungen und Entzündungen an der Harnröhre, Brennen beim Wasserlassen	Routinemaßnahmen	

Tab. 16.4 Rettungsdienstlich relevante Infektionskrankheiten mit Desinfektionsmaßnahmen

Erkrankung	Erreger	Vorkommen	Übertragung	Infektiöse Ausscheidungen	Klinik	Desinfektion	Besonderheiten
Hepatitis A	Hepatitis-A-Virus (HAV)	Weltweit bei Menschen	Fäkal-oral, selten hämatogen	Blut, Speichel, Sekret	Appetitlosigkeit, Übelkeit, Bauchschmerzen, Ikterus, Krankheitsgefühl	Routinemaßnahmen	Impfung möglich (Einzel- bzw. Kombinationsimpfung mit Hepatitis B)
Hepatitis B	Hepatitis-B-Virus (HBV)	Weltweit bei Menschen	Hämatogen, parenteral, Kontaktinfektion	Blut, Speichel, Sekret	Appetitlosigkeit, Übelkeit, Bauchschmerzen, Ikterus, Krankheitsgefühl	Routinemaßnahmen	Impfung möglich (Einzel- bzw. Kombinationsimpfung mit Hepatitis A)
Hepatitis C	Hepatitis-C-Virus (HCV)	Weltweit bei Menschen	Hämatogen, parenteral, Kontaktinfektion	Blut, Speichel, Sekret	Appetitlosigkeit, Übelkeit, Bauchschmerzen, Ikterus, Krankheitsgefühl	Routinemaßnahmen	Keine Impfung möglich, hohe Durchseuchungsrate bei Dialysepatienten
Lues (Syphilis)	*Treponema pallidum* (Bakterien)	Weltweit bei Menschen	Fäkal-oral, Geschlechtsverkehr	Blut	Chronischer Verlauf	Routinemaßnahmen	
Malaria	*Plasmodium malariae* etc.	Tropische und subtropische Gebiete	Hämatogen durch Mückenstich der Gattung Anopheles	Keine	Fieberschübe, Schüttelfrost, schwer krankes Aussehen	Routinemaßnahmen	Medikamentöse Prophylaxe bei Reisen in Epidemiegebieten
Meningitis (**→ Kap. 33.7**)	Meningokokken (Bakterien)	Weltweit bei Menschen	Tröpfcheninfektion	Nasen- und Rachenraumsekret	Hohes Fieber, Erbrechen, starke Kopfschmerzen, Nackensteifigkeit, Koma, Lähmungen, zerebrale Krämpfe, neurogener Schock, Endokarditis	Routinedesinfektion – Hygieneplan beachten	Infektionsschutz tragen **(FFP-2-Maske mit Ventil)**, Patienten zusätzlich Schutzmaske **unbedingt ohne** Ausatemventil aufsetzen (FFP-2-Maske)
Salmonellose (Enteritis infectiosa)	Verschiedene Bakterien	Kontaminierte Milchprodukte, rohe Eier, Speiseeis, Backwaren	Fäkal-oral, hämatogen	Stuhl, Urin, Erbrochenes, Blut	Brechdurchfall, Fieber, Schock, Bauchschmerzen	Routinedesinfektion – Hygieneplan beachten	Bei älteren Menschen und Abwehrgeschwächten tödlicher Verlauf möglich
Tetanus (Wundstarrkrampf)	*Clostridium tetani* (Bakterien)	Weltweit im Erdboden	Verschmutzte Wunden	Keine	Schlafstörungen, Kopfschmerzen, Krämpfe, Atemlähmung	Routinemaßnahmen	Aktive Schutzimpfung Standard, sterile Wundversorgung
Tollwut (Rabies, Lyssa)	Neurotrope Viren, Rhabdoviren	In Europa bei Fuchs, Marder, Dachs	Hämatogen	Speichel	Fieber, Erbrechen, Licht- und Lärmempfindlichkeit, Krämpfe und Lähmungen	Viruzide Desinfektion – Hygieneplan beachten	Infektion auch durch tote Tiere möglich, Schutzimpfungen für gefährdete Personengruppen möglich; Infektionsschutz tragen **(FFP-2-Maske mit Ventil)**, Patienten zusätzlich Schutzmaske **unbedingt ohne** Ausatemventil aufsetzen (FFP-2-Maske)
Offene Lungentuberkulose	*Mycobacterium tuberculosis* (Bakterien)	Weltweit bei Menschen und Tieren	Tröpfcheninfektion (Mensch zu Mensch), fäkal-oral (Tier zu Mensch)	Bronchialsekret, Sputum	Fieber, Leistungsschwäche, Bluthusten	Routinedesinfektion – Hygieneplan beachten	Superinfektion bei AIDS

Tab. 16.4 Rettungsdienstlich relevante Infektionskrankheiten mit Desinfektionsmaßnahmen (*Forts.*)

	Was? Maßnahmen	Wann? Häufigkeit	Womit? Präparat / Produkt	Konz./EWZ	Wie? Durchführung
Hände	Handschuhe	Je nach Arbeitsbereich: Allergenarme, möglichst ungepuderte, flüssigkeits- bzw. chemikaliendichte Schutzhandschuhe verwenden. Bei möglichem Kontakt mit erregerhaltigem Material (Blut, Sekrete, Ausscheidungen). Bei allen Arbeiten mit Desinfektions- und Reinigungslösungen (Achtung: Handschuhstulpen umschlagen!).	Peha-soft nitrile fino		Handschuhe stets mit vollständig trockenen Händen anziehen. Tragedauer nach Herstellerangaben beachten. Beschädigte bzw. von innen feuchte Handschuhe schnellstmöglich wechseln.
	Hygienische Händedesinfektion	**VOR** Arbeits- /Dienstbeginn. Bereichswechsel. **NACH** Toilettenbesuch und Pausen. Kontakt mit potenziell infektiösen Materialien. Bei tatsächlicher wie fraglicher Kontamination der Hände mit erregerhaltigen Materialien. *Auch vor bzw. nach Benutzung von Handschuhen!*	Sterillium classic pure	gebrauchsfertig 30 Sek.	Präparat in die trockene, hohle Hand (ca. 2 Hübe = 3 ml) geben und sorgfältig über die gesamte Einwirkzeit hinweg bis zu den Handgelenken kräftig einreiben. Hände über die gesamte Einwirkzeit feucht halten. Bei der Desinfektion gezielt die Fingerkuppen und Handflächen, insbesondere die Daumenpartien und Zwischenräume, behandeln.
	Hygienische Händedesinfektion nach IFSG	Bei Auftreten meldepflichtiger Viren oder Viruserkrankungen, nach ärztlicher Anordnung.	Sterillium Virugard	gebrauchsfertig 2 Min.	Präparat in die hohlen, trockenen Hände geben und gemäß eigenverantwortlicher Einreibemethode über die gesamte EWZ hinweg bis zu den Handgelenken kräftig einreiben. Hände über die gesamte EWZ feucht halten.
	Spezieller Hautschutz	Vor einer die Haut belastenden Tätigkeit. Insbesondere vor Arbeitsbeginn, in Pausen und nach Arbeitsende.	Baktolan protect+ pure	gebrauchsfertig	Produkt entnehmen und gründlich in die sauberen, trockenen Hände einreiben. Dabei mit dem Handrücken beginnen und besonders auf Fingerzwischenräume und Nagelbetten achten.
	Händepflege	Nach einer die Haut belastenden Tätigkeit. Insbesondere vor Arbeitsbeginn, in Pausen und nach Arbeitsende.	Baktolan lotion pure	gebrauchsfertig	Lotion auf den Handrücken geben, von dort gleichmäßig in beide Hände einmassieren. Pflegefilm einziehen lassen. Fingerzwischenräume und Nagelbetten beachten.
	Hautantiseptik	Vor Blutentnahmen und Infektionen an talgdrüsenarmer Haut	Cutasept F	gebr.-fertig mind.15 Sek.	Hautareal satt benetzen und über die gesamte Einwirkzeit hinweg feucht halten.
		Vor Punktionen von Gelenken, Körperhöhlen und Hohlorganen an talgdrüsenarmer Haut.	Cutasept F	gebr.-fertig mind. 1 Min.	
		Vor allen Eingriffen an talgdrüsenreicher Haut.	Cutasept F	gebr.-fertig mind. 2 Min.	

Die BGR 250, TRBA 250, IfSG und die RKI-Richtlinie müssen berücksichtigt werden.
Unsere Empfehlungen sind unverbindlich und keine Zusicherung. Sie schließen die eigene Prüfung und die beabsichtigten Zwecke nicht aus.

Abb. 16.2 Beispiel eines Desinfektionsplans für den Rettungsdienst [V220]

Routinemaßnahmen

Desinfektionsmaßnahmen müssen z. T. sofort erledigt werden, d. h. noch im Einsatz, können aber z. T. auch nach dem Einsatz und später in der Wache im Desinfektionsraum erfolgen.

Sofort

- **Flächen,** die mit Ausscheidungen oder Körperflüssigkeiten eines Patienten in Berührung kommen, sind sofort zu reinigen und zu desinfizieren (**gezielte Desinfektion**).
- Ein **Austausch beschädigter Verpackungen** von Instrumentarium oder Einmalmaterial muss ebenfalls sofort vorgenommen werden. Die kontaminierten Gegenstände dürfen nicht mehr am Patienten verwendet werden.

Nach dem Einsatz

- Nach jedem Transport wird die **Trage** einer **Wischdesinfektion** unterzogen. Die Bezüge sind nach jedem Transport zu erneuern.
- **Verwendete Geräte** (z. B. Blutdruckgerät) ebenfalls desinfizieren.
- **Beatmungsbeutel, Beatmungsschläuche, Beatmungsmasken, Pharyngealtuben und Absaugzubehör** werden für mindestens 1 Std. in Desinfektionslösung eingelegt. Noch gründlicher ist eine sich an die Grobreinigung anschließende Sterilisation. Eine brauchbare Alternativ bietet der Gebrauch von Einwegmaterial.
- Die **EKG-Defibrillator-Einheit** wird entsprechend den unterschiedlichen Herstellerangaben gereinigt.

	Was? Maßnahmen	Wann? Häufigkeit	Womit? Präparat / Produkt	Konz./EWZ	Wie? Durchführung
Fläche	Allg. Oberflächen, Tische, Türen, Stühle, Fensterbänke, Handläufe, usw.	Tägliche Unterhaltsreinigung. Bei Vorgabe und zusätzlich bei Bedarf.	Bacillol 30 Tissues	gebrauchsfertig 30 Sek.	Kleine Flächen gleichmäßig benetzen. Nicht nachtrocknen.
			Mikrobac forte BODE X-Wipes	0,5 % 1 Std.	Alle Flächen sind mit einem mit Desinfektionsmittel getränkten, sauberen Tuch abzuwischen. Gleichmäßig benetzen. Nicht nachtrocknen.
	Fußboden	Täglich. Nach Arbeitsende.	Mikrobac forte	0,5 % 1 Std.	Fußboden feucht wischen. Auf vollständige Benetzung achten. Auftrocknen lassen. Fußboden ist nach dem Trocknen wieder begehbar.
	Liege, Trage, Behandlungsplatz, patientennaher Bereich, Ablagen	Nach Benutzung. Bei Bedarf. Nach Kontamination.	Bacillol 30 Tissues	gebrauchsfertig 30 Sek.	Kleine Flächen gleichmäßig benetzen. Nicht nachwischen.
	IfSG Anwendung der IfSG auf der Fläche	Nach amtsärztlicher Anordnung.	Dismozon plus	3,6 % 4 Std.	Durchführung der Wisch-Desinfektion von Personen mit entsprechender Fachkenntnis.
	Rettungswagen	Bei Bedarf.	Mikrobac forte BODE X-Wipes	0,5 % 1 Std.	Alle Flächen sind mit einem mit Desinfektionsmittel getränkten, sauberen Tuch abzuwischen. Gleichmäßig benetzen. Nicht nachtrocknen.
	Medizinisch-technische Geräte	Täglich und nach Gebrauch. Nach Kontamination sofort.	Bacillol 30 Tissues	gebrauchsfertig 30 Sek.	Feucht abwischen. Nicht nachtrocknen. Bei Geräten vorher Netzstecker ziehen.
			Mikrobac forte BODE X-Wipes	0,5 % 1 Std.	Alle Flächen sind mit einem mit Desinfektionsmittel getränkten, sauberen Tuch abzuwischen. Gleichmäßig benetzen. Nicht nachtrocknen.
Instrumente	Instrumente inkl. Schläuche - Metall -	Unmittelbar nach Gebrauch.	Bomix plus	2,0 % 5 Min. 1,0 % 15 Min.	Instrumente und Schläuche in die Desinfektionsmittellösung legen. Nach der Einwirkzeit mit Trinkwasser abspülen. Instrumente trocknen, kontrollieren, verpacken und sterilisieren. Standzeit der Lösung beachten!
	Beatmungszubehör, Inkubationsbesteck, Atemmaske, Atembeutel	Unmittelbar nach Gebrauch.	Bomix plus	2,0 % 5 Min. 1,0 % 15 Min.	Manuelle Desinfektion: Teile zerlegt in Desinfektionslösung einlegen dabei darauf achten, dass alle Teile untergetaucht sind. Danach unter fließendem Wasser (mind. Trinkwasserqualität) abspülen, trocknen, verpacken und staubgeschützt lagern.

Die BGR 250, TRBA 250, IfSG und die RKI-Richtlinie müssen berücksichtigt werden.
Unsere Empfehlungen sind unverbindlich und keine Zusicherung. Sie schließen die eigene Prüfung und die beabsichtigten Zwecke nicht aus.

Abb. 16.2 Beispiel eines Desinfektionsplans für den Rettungsdienst [V220] *(Forts.)*

- **Chirurgisches Instrumentarium** aller Art muss sterilisiert werden. Bei längerer Aufbewahrung sollte dieses Instrumentarium doppelt eingepackt werden.

Täglich

- Ein **täglicher Wechsel der Schutzkleidung** des Personals ist selbstverständlich.
- Der Patientenraum wird täglich von Verschmutzungen gereinigt.

Nach Hygieneplan
- **Desinfizierende Vollreinigung des Krankenraums,** der zu diesem Zweck komplett abgerüstet werden muss. Dabei sollte gleichzeitig die Kontrolle des Inventars sowie des Sterilisationsdatums der Instrumente und des Materials vorgenommen werden.

Sondermaßnahmen

ACHTUNG! Nach dem **Transport von Infektionskranken müssen Maßnahmen gemäß dem aktuell gültigen Hygieneplan ergriffen werden.**
In seltenen Fällen kann die Gesundheitsbehörde bei Erregern, die unter das §6 IfSG fallen, eine Desinfektion anordnen.

Eine **Händedesinfektion** (→ Kap. 16.1.6) erfolgt vor der Arbeit am Patienten und ein weiteres Mal nach dem Einsatz, bei sichtbaren Verunreinigungen auch zwischendurch. Zur persönlichen Sicherheit müssen beim Umgang mit Ausscheidungen und Körperflüssigkeiten Schutzhandschuhe getragen werden.

Auch Instrumente, die mit dem Patienten in Kontakt kommen (z. B. Blutdruckmanschette, Stethoskop), müssen vor und nach Gebrauch desinfiziert werden.

Kanülen dürfen nach Gebrauch nicht mehr in die Schutzkappe zurückgesteckt werden (Recapping). Dieses Vorgehen hilft, mögliche Stichverletzungen zu vermeiden. Das **Recapping** ist eine der häufigsten Ursachen für Hepatitisinfektionen des Personals im Gesundheitsdienst. Zur Sicherheit des Personals müssen gebrauchte Kanülen sofort in entsprechende Behälter entsorgt werden, die sich in jedem Fahrzeug befinden sollten.

Sterilisation

Die Dampfsterilisation ist das **Standardverfahren** für thermische Sterilisationsmaßnahmen, also die Abtötung aller vermehrungsfähiger Mikroorganismen und Viren, im medizinischen Bereich. Weitere eingesetzte Verfahren sind die Gas- und die Plasmasterilisation. Bestrahlungen mit Gammastrahlen oder die Heißluftsterilisation haben ihre Bedeutung eher im industriellen Bereich und in der Labormedizin (→ Tab. 16.5):

- Die **Dampfsterilisation** ist die derzeit am meisten angewandte Sterilisationsform. Dampfsterilisatoren (Autoklaven) arbeiten mit gespanntem, gesättigtem Dampf. Dieser entsteht, wenn man Wasser in einem geschlossenen Raum über den Siedepunkt hinaus erhitzt. Je nach Material arbeitet man mit Temperaturen von 121 °C oder 134 °C und einem den Temperaturen entsprechenden Druck. Während bei der Heißluftsterilisation die Sterilisierzeit bis zu 180 Min. betragen kann, ist sie bei der Dampfsterilisation erheblich kürzer. Bei 121 °C dauert der Vorgang 20 Min. und bei 134 °C sogar nur 5 Min.
- Bei der **Gassterilisation** werden Ethylenoxid und Formaldehyd verwendet. Ethylenoxid ist giftig, brennbar, an Luft explosiv und krebserregend. Es besitzt einen sehr geringen Eigengeruch. Ethylenoxid wirkt mikrobizid; es führt zu einer irreversiblen Inaktivierung der Mikroorganismen. Ethylenoxid dringt im Gegensatz zu Formaldehyd sehr gut in Materialien ein, weswegen Formaldehydgas heute nur noch selten angewandt wird. Ethylenoxid ist stark gesundheitsschädlich, weswegen Gegenstände nach der Sterilisation ausgasen müssen.
- Die **Plamasterilisation** ist ein ungiftiges Verfahren, bei dem Wasserstoffperoxid-Radikale in Wasser und Sauerstoff zerfallen. Sie wird v. a. für empfindliche Optiken eingesetzt.
- Bei der **Heißluftsterilisation** erfolgt die Sterilisation mit erhitzter, trockener Luft. Da die Luft ein schlechter Wärmeleiter ist, sind

Sterilisationsverfahren	Sterilisationswirkung durch	Anwendungsbeispiele
Physikalische Sterilisationsverfahren		
Dampfsterilisation (Autoklavieren): feuchte Hitze	Eindringen von Wasserdampf in das Sterilisationsgut bei • Dampfdruck von 2–3 bar • Temperatur von 121–134 °C • Sterilisationszeit von 3–15 Min., abhängig von Druck und Sterilgut	• Instrumente • Textilien (Wäsche) • Verbandstoffe • Glaswaren • Thermostabile Kunststoffe • Gummiartikel
Heißluftsterilisation: trockene Hitze	Umspülen des Sterilguts mit heißer Luft bei • Temperatur von 160–200 °C • Sterilisationszeit 10–200 Min., abhängig von Temperatur und Sterilgut	• Metalle • Glas • Porzellan • Wasserfreie Flüssigkeiten • Keine Textilien, kein Papier (Brandgefahr!)
Ionisierende Strahlen, z. B. Gammastrahlung	Einwirkung energiereicher Strahlung auf das Sterilisationsgut (nur in der industriellen Fertigung z. B. von Verbandstoffen oder Kathetern einsetzbar, da Anlagen wegen hoher Sicherheitsanforderungen sehr teuer); Vorteil ist, dass keine hohe Temperatur auf das Gut einwirkt	• Einmalartikel aus Kunststoff, Latex, Gummi • Verbandstoffe • Nahtmaterial
Chemisch-physikalische Sterilisationsverfahren		
Ethylenoxidgas (EO)	• Einwirkung von EO bei ca. 55 °C • EO ist mit Luft explosiv, hochtoxisch und kanzerogen! • Wegen Anlagerung an das Material muss die **Ausgasungszeit** eingehalten werden!	• Thermolabile Kunststoffe • Optische Instrumente • Prothesen für Gefäße und Gelenke
Formaldehydgas (FO)	• Einwirkung von Formaldehydgas nach Verdampfung bei ca. 60 °C • Anlagerung an das Material wesentlich geringer als bei EO	Ökologisch bessere Alternative zur EO-Sterilisation
Plasmasterilisation	Einwirkung von Wasserstoffperoxid nach Anregung im elektrischen Feld (Plasma)	Alternative zu EO- und FO-Sterilisation

Tab. 16.5 Übersicht der Sterilisationsverfahren

eine lange Einwirkzeit und hohe Temperaturen notwendig. Sporen werden z. B. erst bei 160 °C abgetötet. Materialien, die mit Heißluft sterilisiert werden, müssen Temperaturen von 200 °C vertragen.
- Bei der **Strahlensterilisation** (Sterilisation mit ionisierenden Strahlen) verwendet man Kathoden- und Gammastrahlen. Dieses Verfahren ist sehr kostenaufwendig und kann nur in hoch entwickelten Anlagen durchgeführt werden. Die Strahlensterilisation wird daher nur von der Industrie eingesetzt (z. B. Verbandstoffe und Lebensmittel).

16.1.6 Händedesinfektion

Die hygienische Händedesinfektion ist die wichtigste Einzelmaßnahme, mit der Infektionsketten unterbrochen werden können. Neben dem Schutz der Patienten vor Übertragung von Erregern und Ansteckung mit Infektionen dient die Händedesinfektion v. a. auch dem Schutz des medizinischen Personals.

MERKE

Durch das Händewaschen kommt es zwar zur Keimreduktion, eine wirksame Unterbrechung von Infektionsketten ist aber nur durch die **Händedesinfektion** möglich. Dabei wird die Erregeranzahl deutlich besser reduziert.

Im Gegensatz zur chirurgischen Händedesinfektion zielt die hygienische Händedesinfektion auf eine Elimination der **transienten Hautflora,** also der Keime, die nur vorübergehend der Haut leben. Es wird also durch die hygienische Händedesinfektion keine Keimfreiheit (Asepsis) der Hände erlangt.

Voraussetzungen für eine erfolgreiche Händedesinfektion

Immer wieder wird als Grund für eine nicht ausreichend durchgeführte Händedesinfektion eine durch die Desinfektionsmittel ausgelöste Hautirritation angeführt. Diese Behauptung ist einer der Mythen in der Medizin, die sich leider hartnäckig halten, obwohl das Gegenteil bekannt ist, denn **alkoholhaltige Hautdesinfektionsmittel sind ausgesprochen hautverträglich.** In vielen Präparaten sind außerdem rückfettende, hautpflegende Inhaltsstoffe beigefügt. Darüber hinaus sollten die Hände vor und nach Dienstbeginn mit Hautpflegeprodukten und während des Dienstes mit Hautschutzmitteln eingecremt werden. Voraussetzungen für eine erfolgreiche Händedesinfektion sind:

- Kein Tragen von Ringen, Armändern, Uhren oder Piercings an Händen und Unterarmen
- Kurze abgerundete Fingernägel
- Verbot künstlicher und gegelter Fingernägel sowie von Nagellack
- Keine Wunden oder Entzündungen im Bereich der Finger, insbesondere des Nagelbettes
- Desinfektion nur von trockenen Händen
- Wahl des richtigen Desinfektionsmittels, z. B. Wirksamkeit bei Viren bei Verdacht auf Kontamination mit Viren

Durchführung eine hygienische Händedesinfektion

Es gibt nach aktueller Literatur und Empfehlungen des RKI keinen empfohlenen oder vorgeschriebenen Standard zur Händedesinfektion. Die Beachtung und Anwendung nachfolgend aufgeführter **Vorgehensweise** führt jedoch zu einer effektiven Abtötung transienter Hautflora durch alkoholische Händesdesinfektionsmittel:
- 3–5 ml Händedesinfektionsmittel auf die trockenen Handflächen geben und in den Händen verreiben.
- Hände während der gesamten Einwirkzeit mit Desinfektionsmittel feucht halten.
- Einwirkzeit beachten (30–60 Sek., Herstellerangaben beachten).
- Standardisiertes Vorgehen einüben, in dem v. a. auch **Fingerspitzen, Nagelfalze und Daumen** berücksichtigt werden (→ Abb. 16.3). In der DIN EN 1500 ist ein Verfahren beschrieben, das als Vorlage gelten kann. Allerdings bietet dieses Verfahren keinen Vorteil gegenüber selbst gewählten standardisierten Vorgängen, in denen die oben gesondert genannten Bereiche besondere Berücksichtigung finden.
- Abtrocknen mit Einmalhandtuch.
- Bei starker Verschmutzung mit keimhaltigem Material den Vorgang zweimal durchführen.

MERKE

Ein Händewaschen ist nur bei sichtbarer Verschmutzung notwendig.

ACHTUNG! Die Übertragung von Erregern über die **Hände von Personal** ist der häufigste Infektionsweg, daher regelmäßig den **Desinfektionsspender** benutzen. Dies geschieht vor und nach allen Tätigkeiten am Patienten.

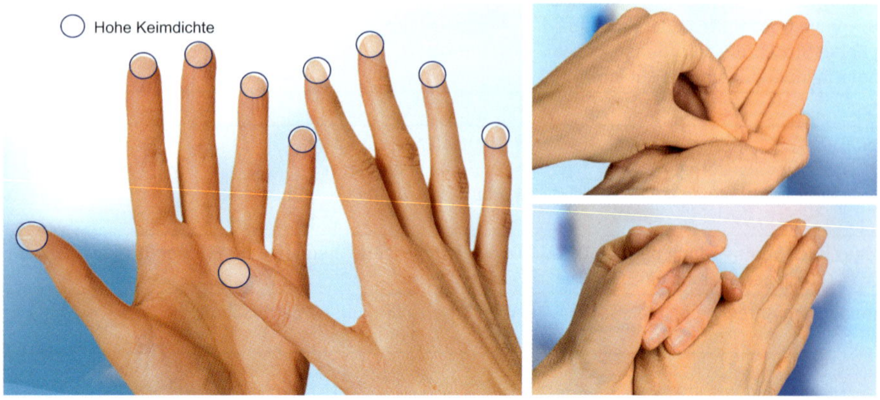

Abb. 16.3 Standard der hygienischen Händedesinfektion: Die gesamte Oberfläche der Hand, insbesondere Fingerspitzen, Nagelfalze und Daumen, werden mit Händedesinfektionsmittel eingerieben. [V220]

16.2 Selbstschutz im Einsatz

Gefahren an der Einsatzstelle (→ Kap. 15.3) sind vielfältiger Natur und richten sich direkt oder indirekt gegen Menschen, Tiere, Sachwerte und die Umwelt.

Im Rettungseinsatz sind in erster Linie Patienten und die Einsatzkräfte gefährdet. Um einen Schutz des i. d. R. ungeschützten Patienten im konkreten Schadensereignis überhaupt gewährleisten zu können, muss zuerst einmal das Einsatzpersonal über **ausreichenden Selbstschutz (Schutzkleidung)** verfügen und bei Bedarf auf **Schutzmaßnahmen (Infektions-, Atem- oder Impfschutz)** zurückgreifen können.

16.2.1 Schutzimpfungen

Das Prinzip der Schutzimpfung beruht auf der Fähigkeit aller Wirbeltiere, eine Immunität gegen Krankheitserreger und deren Toxine zu bilden. Die Schutzimpfung nutzt diese Fähigkeit, ohne eine Erkrankung zu provozieren. In Abhängigkeit vom verwendeten Impfstoff erreicht man eine **aktive** bzw. eine **passive Immunität.**

Aktive Immunität

Eine aktive Immunität erzielt man durch **Impfen mit Stoffen,** gegen die der menschliche Organismus **selbst Antikörper** produzieren muss. Der Nachteil dieser Impfung ist, dass der Impfschutz erst nach ca. 2–3 Wochen erreicht wird. Dann hält der Impfschutz allerdings mehrere Jahre.

Passive Immunität

Um eine passive Immunität zu erreichen, überträgt man **Gammaglobuline** (Bluteiweißstoffe, Antikörper). Dabei handelt es sich um bereits fertige Antikörper, die von anderen Organismen hergestellt wurden. Der Vorteil dieser Impfung ist ein sofort bestehender Impfschutz. Da die Gammaglobuline vom Körper als Fremdeiweiße erkannt werden, werden sie allmählich abgebaut. Die Wirkung dieser Impfung hält daher nur wenige Wochen an.

Impfungen für Rettungsfachkräfte

Bestimmte Impfungen sollten bei Rettungsfachkräften zum Standard gehören:

- **Tetanusimpfung** (Wundstarrkrampf)
- **Hepatitis B** (Serumhepatitis)
- **COVID-19** (Corona)

Andere, für die ganze Bevölkerung empfohlene Impfungen (z. B. Polioimpfung) können beim zuständigen Gesundheitsamt erfragt werden.

MERKE

Eine jederzeit aktuelle Liste empfohlener Impfungen wird von der **Ständigen Impfkommission (STIKO)** herausgegeben und kann unter folgender Internetadresse abgerufen werden: www.rki.de (Infektionsschutz).

16.2.2 Persönliche Schutzausrüstung

Die persönliche Schutzausrüstung (PSA) ist zur **Erhaltung der Gesundheit** und der **Unversehrtheit der Rettungsfachkräfte** wichtig (→ Abb. 16.4). Die Anforderungen an die persönliche Schutzausrüstung sind in der DGUV 105-003 der Deutschen Gesetzlichen Unfallversicherung (DGUV) festgelegt.

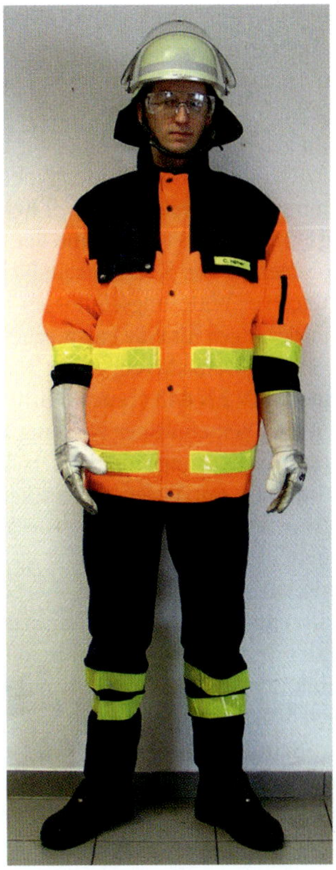

Abb. 16.4 Rettungsdienst-Mitarbeiter in kompletter Schutzausrüstung [M844]

Diese gilt allerdings nicht für spezielle PSA, wie sie in der

- Bergrettung,
- Wasserrettung,
- Schiffsrettung,
- Luftrettung (spezielle Einsatzsituationen),
- Rettung bei Unfällen mit Radioaktivität oder chemischen Stoffen oder bei technischer Hilfeleistung

verwendet werden. Für diese Tätigkeitsbereiche existieren gesonderte Regelungen. Für die Luftrettung wurde von der DGUV im September 2011 eine Mustergefährdungsbeurteilung (BGI/GUV-I 5 143) publiziert. Diese Beurteilung betrifft im Einzelnen Luftrettungseinsätze im alpinen Gelände, über See und Einsätze mit der Winde bzw. im Long-Line-Verfahren.

Unternehmen, die Rettungsdienst und Krankentransport anbieten, müssen ihren Mitarbeitern eine **individuelle persönliche Schutzausrüstung** in ausreichender Anzahl zur Verfügung stellen. Die Kosten für Beschaffung, Wiederbeschaffung sowie die Kosten für Instandhaltung, Reinigung und Desinfektion hat der Unternehmer zu tragen. In besonderen Fällen ist es möglich, dass die persönliche Schutzausrüstung von mehreren Mitarbeitern gemeinsam genutzt wird. In diesen Fällen muss der Unternehmer sicherstellen, dass durch die gemeinsam genutzten Schutzausrüstungen weder hygienische Probleme entstehen, noch von dieser gesundheitliche Gefahren für die Mitarbeiter ausgehen können.

Die Art der Schutzausrüstung wird anhand einer Gefährdungsbeurteilung für das Rettungsfachpersonal festgelegt. **Rettungsfachpersonal benötigt** hiernach:

- Kopf-, Augen- und Gesichtsschutz
- Schutzkleidung
- Fußschutz
- Handschutz

Die Schutzkleidung muss gemäß den Vorgaben der DGUV Regel 105-003 **desinfizierbar** sein. Der Bekleidungshersteller muss Desinfektionsverfahren gemäß der RKI-Liste (Wirkungsbereiche A und B) empfehlen.

Daneben hat die PSA **einen Schutz vor Gefahren im öffentlichen Raum** zu gewährleisten. Sie muss zur besseren Sichtbarkeit des Trägers gemäß DIN EN 471 (Warnkleidung) notwendige Kriterien erfüllen. Diese Norm nimmt eine Einteilung nach Bekleidungsklassen hinsichtlich des Hintergrundmaterials (Farbe) und der Fläche des verwendeten reflektierenden Materials vor. Selbstverständlich muss die Schutzkleidung ihren Träger auch vor Witterungseinflüssen schützen. In der DIN EN 343 sind die Anforderungen für eine entsprechende Bekleidung beschrieben.

Auf allen Einsatzfahrzeugen des Rettungsdienstes ist je ein **Schutzhelm** nach **DIN EN 443** (Feuerwehrhelm) pro Besatzungsmitglied vorzuhalten. Bei gemeinsamer Nutzung müssen hygienische Ansprüche, z. B. durch Verwendung einer Papierschonmütze, gewährleistet werden. Der Helm muss mit Visier und Nackenschutz ausgestattet sein. Unabhängig vom Visier muss für jedes Besatzungsmitglied eine Schutzbrille als Spritzschutz vorhanden sein.

Handschutz, Fußschutz und die Schutzbekleidung sind nach den **Europäischen Normen (EN)** festgelegt. Die Schutzkleidung muss ausreichenden Schutz vor Gefahren im öffentlichen Verkehrsraum, Schutz vor klimatischen Einwirkungen und begrenzten Schutz vor Flamme und Hitze bieten.

Zum **Schutz vor Infektionen** müssen entsprechende Schutzbekleidungen vorhanden sein. Hierzu gehören flüssigkeitsdichte Einmalhandschuhe, evtl. Einwegschutzanzüge oder -kittel und ein Gesichts- bzw. Mundschutz. Regelungen hierzu findet man in einer weiteren Regel der Deutschen Gesetzlichen Unfallversicherung, der GUV-R 250/TRBA 250.

16.2.3 Verhalten bei Nadelstichverletzungen

Die Verletzung an Kanülen oder durch andere mit Körperflüssigkeiten kontaminierte Instrumente (z. B. Skalpelle) kommt trotz aller Sorgfalt und Verfügbarkeit von Sicherheitskanülen und Abwurfbehältern immer wieder vor. **Infektionskrankheiten** können aber auch über Schleimhautkontakt (dazu zählen auch die Augen!) oder Wunden am eigenen Körper, z. B. den Händen, übertragen werden. Der persönlichen Schutzausrüstung kommt daher eine wesentliche Bedeutung bei der Verhinderung der Übertragung von Infektionskrankheiten zu.

Zu den relevanten unter ihnen, die **durch Blut und Körperflüssigkeiten** übertragen werden können, zählen **Hepatitis-B, Hepatitis-C und HI-Viren.** Eine Impfung gegen Hepatits B wird von der STIKO des RKI für die Gesamtbevölkerung empfohlen. Da Angehörige medizinischer Berufe einem höheren Risiko für einen Kontakt mit Hepatitis-Viren ausgesetzt sind, sollte für diese Personen eine Impfung selbstverständlich sein.

Durch Nadelstichverletzungen übertragenen Krankheiten gehören zu den **vermeidbaren Infektionen.** Der beste Schutz vor Nadelstichverletzungen ist der sofortige Abwurf von benutzten Kanülen und anderen spitzen oder scharfen Instrumenten (z. B. Skalpell) in einen Abwurfbehälter. Unbedingt vermieden werden müssen das Weiterreichen gebrauchter Kanülen oder ähnlicher Gegenstände. Ein Abwurfbehälter sollte sich so in der Nähe des Benutzers befinden, dass ein Abwurf ohne Gefährdung Dritter möglich ist. Selbstverständlich dürfen Kanülen nicht wieder in ihre Abdeckung gesteckt werden. Gerade dieses **„Recapping"** zählt zu den häufigsten Ursachen von Nadelstichverletzungen und ist absolut unnötig.

ACHTUNG! Besondere Vorsicht ist während der Fahrt geboten, damit es nicht durch unvorhergesehene Fahrzeugbewegungen zu Verletzungen kommt.

Sollte es dennoch zu Nadelstichverletzungen oder Verletzungen durch kontaminierte Instrumente bzw. zu einer Kontamination von Schleimhäuten oder Wunden mit Sekreten des Patienten kommen, sollte die Einstichstelle sofort desinfiziert werden bzw. geschädigte Haut oder Schleimhäute mit Seife gereinigt und gespült werden. Da es sich bei beruflicher Exposition um einen **Arbeitsunfall** handelt, sollte umgehend ein D-Arzt aufgesucht und die Indikation zur **Postexpositionsprophylaxe** (PEP) überprüft werden.

16.2.4 Postexpositionsprophylaxe

DEFINITION

Postexpositionsprophylaxe (PEP): Medizinische Maßnahmen, die nach einem mutmaßlichen Kontakt mit Krankheitserregern ergriffen werden, um die Erkrankung zu verhindern.

Die beste Wirkung der PEP ist innerhalb von 2 Std. nach Kontakt zu erwarten (→ Abb. 16.5). Nach Ablauf von 72 Std. wird eine PEP nicht mehr empfohlen. Der Arbeitsunfall ist dem Betriebsarzt mitzuteilen.

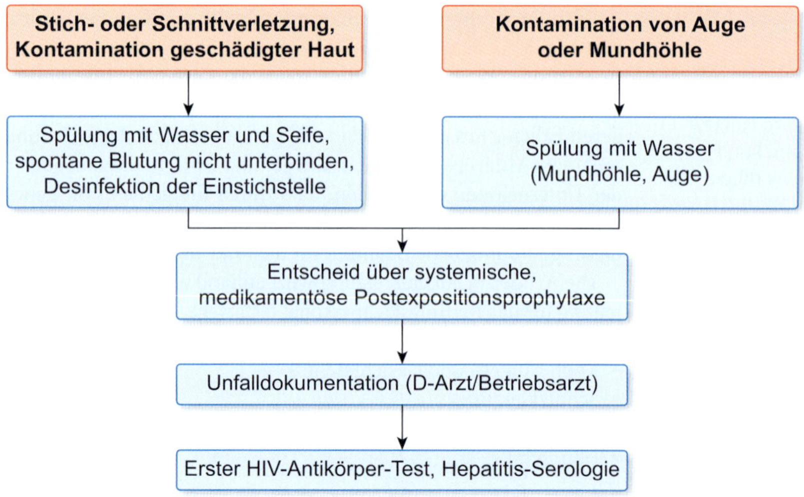

Abb. 16.5 Postexpositionsprophylaxe [P105, L143]

eine oder andere nicht gewünschte Bewegung des Patienten nicht auszuschließen sein, jedoch muss das taktische Ziel immer eine möglichst schonende Befreiung sein. Falsch verstandener Zeitdruck führt häufig zu Hektik und unguten Befreiungsversuchen des Patienten. Je nach Deformierung des Fahrzeugs ist insbesondere auf eine Einklemmung im Fußraum im Pedalsatz zu achten. Grundsätzlich sollte das Fahrzeug jetzt um den Patienten herum demontiert werden, bis dieser möglichst **achsengerecht** herausgehoben werden kann. Hierzu sollten, soweit möglich, Schaufeltrage oder Spineboard eingesetzt werden.

Grundsätzlich bieten die beschriebenen Phasen zur technischen Rettung aus Unfallfahrzeugen die Möglichkeit, Patienten schonend und umsichtig zu retten. Weiterhin muss aber auch das Umfeld der Einsatzstelle strukturiert werden, um die Prozesse in den drei Phasen auch steuern zu können.

Ordnung des Raums

Es macht keinen Sinn, wenn alle nicht beschäftigten Einsatzkräfte das Unfallfahrzeug umlagern. Dabei geht für den Einsatzleiter schnell die Übersicht verloren, das Unfallrisiko für den Einzelnen steigt überproportional und die Einsatzstelle wird in ihrer Gesamtheit unübersichtlich. Abhängig von den örtlichen Möglichkeiten der Feuerwehr und des Rettungsdienstes kann die **Einsatzstelle in drei Räume (Kreise)** geteilt werden, innerhalb derer sich genau definierte Einsatzkräfte und Gerätschaften befinden.

So haben sich mittlerweile **„Kreismodelle“** (→ Abb. 16.17) etabliert. Dabei werden rund um das Schadensobjekt gedanklich Kreise gezogen und festgelegt, welche Personen und welches Material sich in diesen befinden sollten. So sollten sich im **inneren Kreis** (in der Skizze blau dargestellt) mit einem Abstand von etwa 5 m zum Schadensobjekt lediglich ein Trupp der Feuerwehr sowie seitens des Rettungsdienstes ein Trupp (bestehend aus Notarzt und Notfallsanitäter, z. B. NEF-Besatzung) pro Patient ständig aufhalten. Diese haben unbedingt ständig die **vollständige Schutzkleidung,** d. h. Sicherheitsschuhe, langärmelige Jacke (keine Weste!) sowie Helm mit Gesichtsschutz, ggf. zusätzlich Schutzhandschuhe zu tragen. Ohne diese Schutzausrüstung darf sich kein Rettungsdienstmitarbeiter innerhalb dieses Gefahrenbereichs aufhalten!

In einem **zweiten gedachten Kreis** (in der Skizze hellbraun dargestellt) befindet sich weiteres Personal, das zur Unterstützung der Retter im inneren Kreis tätig werden kann. Seitens des Rettungsdienstes sollten dies pro Patient maximal zwei Personen (z. B. die RTW-Besatzung) sein. Auch diese Einsatzkräfte haben die **vollständige Schutzausrüstung** zu tragen. In diesem zweiten Kreis, der den Bereich zwischen 5 m und 10 m Abstand zum Schadensobjekt markiert, befinden sich die Geräteablagen für die Feuerwehr und den Rettungsdienst. Damit sind diese Geräte nicht im Weg, jeweils direkt am Schadensobjekt benötigtes Gerät kann durch das an der Geräteablage in Bereitstellung stehende Personal angereicht werden.

Daraus ergibt sich auch, dass kein Fahrzeug der Hilfsdienste (Feuerwehr, Rettungsdienst, Polizei) in einem Abstand von weniger als 10 m zum Schadensobjekt stehen darf. Gerade der Rettungsdienst sollte bei einer notwendigen technischen Rettung seine Fahrzeuge weiter entfernt abstellen, da die Fahrzeuge der technischen Rettung mit einer höheren Dringlichkeit nahe am Schadensobjekt stehen sollten. Notfallkoffer und EKG können problemlos getragen, Patiententragen meist gerollt werden; hingegen ist die Feuerwehr oftmals auf die Nutzung elektrischer und hydraulischer Aggregate angewiesen, die nur schwer getragen werden können und nur eine begrenzte Länge an elektrischen oder hydraulischen Leitungen aufweisen. Auch machen am Feuerwehrfahrzeug installierte Lichtmasten nur dann Sinn, wenn das entsprechende Fahrzeug nicht allzu weit entfernt steht; die Bereitstellung von Löscheinrichtungen macht ebenfalls nur dann Sinn, wenn hierzu nicht erst lange Schlauchleitungen verlegt werden müssen.

Grundsätzlich gilt bei **allen** Einsätzen, die eine technische Rettung erforderlich machen, dass nur eine ständige und professionelle Absprache zwischen dem Rettungsdienst und der Feuerwehr zu einem Einsatzerfolg führen kann.

Unfälle mit Schienenfahrzeugen

Unfälle mit Schienenfahrzeugen können zu einer **erheblichen Zahl Verletzter** führen, von denen ein großer Teil in den Trümmern eingeklemmt sein wird. Beim Aufprall, dem Zusammenstoß oder Entgleisen von Eisenbahnwaggons wirkt sich der hohe Energiegehalt des sich bewegenden Zuges in der häufig vollständigen Zerstörung der Fahrzeuge aus. Die einzelnen Waggons werden zusammengestaucht, schieben sich ineinander und werden aufgestellt. Zusätzliche Gefahren entstehen durch die Oberleitung (Betriebsspannung 15 000 Volt). Eine ganz besondere Problematik stellt die häufig schlechte Erreichbarkeit der Einsatzstellen dar, da Bahnstrecken meist nicht direkt neben einer befahrbaren Straße verlaufen und die Bahntrassen selbst auch höher liegen können. Hier sind Ortskenntnisse im eigenen Rettungsdienstbereich unbedingt erforderlich.

ACHTUNG! Bei den Verletzten handelt es sich meistens um **schwerst verletzte** bzw. **polytraumatisierte** und **eingeklemmte Patienten.** Die psychische Belastung der Helfer ist bei derartigen Unglücksfällen entsprechend hoch.

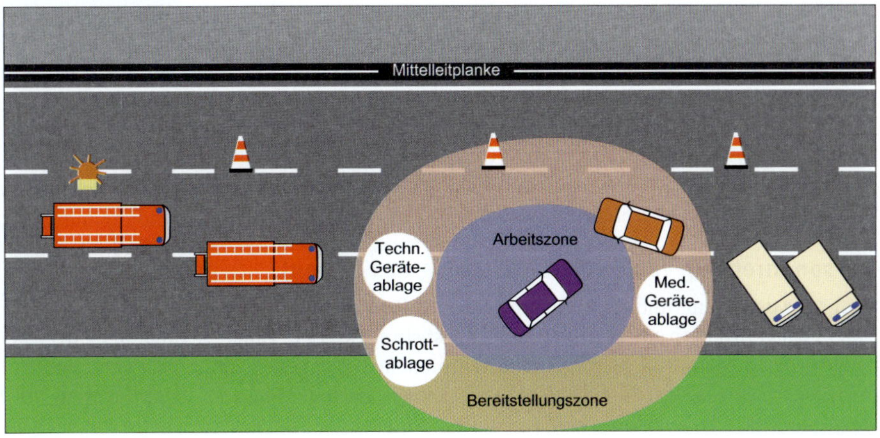

Abb. 16.17 Skizze eines Modells zur Raumordnung [L143]

Im innerstädtischen Bereich sind es meist **Unfälle mit Straßen- oder Stadtbahnen,** bei denen an der Haltestelle eine Person unter das Fahrzeug geraten ist. Derartige Unfälle haben i. d. R. einen letalen Ausgang; die Rettungsaktion ist dennoch unter Berücksichtigung der nötigen Sorgfalt zügig und ohne Zeitverluste durchzuführen. Auch hier steht, wenn möglich, vor der technischen Rettung eine erste medizinische Grundversorgung.

MERKE

Bei der **Meldung „Person unter Zug"** müssen verschiedene Sachverhalte Beachtung finden:
- Die Spannung des Fahrdrahts oder der Spannungsschienen muss vor den Rettungsarbeiten abgeschaltet werden.
- Der Fahrdraht oder die Spannungsschienen müssen vor den Rettungsarbeiten beidseitig der Einsatzstelle sichtbar kurzgeschlossen und geerdet werden.

Diese Maßnahmen sind immer Aufgabe des Betreibers der Bahnstrecke oder der unterwiesenen Personen der Feuerwehr. Es darf nur geeignetes und speziell zu diesen Zwecken vorgehaltenes Gerät eingesetzt werden. Es muss im Einzelfall eine derartige Zulassung vorliegen. Das Equipment zur technischen Rettung bei einer Person unter einem Zug wird meistens in den Fahrzeugen der Feuerwehren bereitgehalten. Nach der Eigensicherung muss der Zug häufig mit einem Hebekissen oder einem Hydraulikheber angehoben werden (→ Abb. 16.10). Der Zug wird zusätzlich mit Holzbohlen oder anderen geeigneten Gegenständen abgestützt. Das Tragen von Helm und Arbeitsschuhen während der Rettungsarbeiten muss auch für das Rettungsfachpersonal selbstverständlich sein.

Abb. 16.18 Brennender Militärjet [M235]
a) Übersichtsaufnahme, **b)** Detailaufnahme

Unfälle mit Luftfahrzeugen

Flugunfälle führen meist zu einer **erheblichen Anzahl verletzter und toter Personen,** den Insassen des Luftfahrzeugs und Personen, die sich im Bereich der Absturzstelle befanden. Diese Einsatzstellen sind oft durch umgestürzte Bäume, eingestürzte Gebäude und umherliegende Flugzeugteile gekennzeichnet, welche die Arbeit des Rettungsdienstes erheblich erschweren.

ACHTUNG! Solche Einsatzstellen werden niemals direkt angefahren, sondern es muss ein entsprechender **Sicherheitsabstand** gehalten werden. Durch die Treibstoffmengen (100–100 000 l Flugbenzin) besteht immer erhöhtes **Explosionsrisiko.** Besondere Gefahr besteht bei allen Militärmaschinen durch die mitgeführte **Munition,** über deren Anzahl und Gefährlichkeit meist geraume Zeit Unklarheit herrscht (→ Abb. 16.18). Derartigen Maschinen immer nur vom Heck her nähern, da evtl. ausgelöste Munition üblicherweise nach vorne abgegeben wird!

Der Zugang zum Piloten erfolgt ebenfalls immer von hinten über die Tragflächen (Achtung: Schleudersitz). Gerade bei Flugzeugunfällen werden die Verletzten über eine große Fläche verstreut sein, daher ist auch an weiter entfernten Stellen zu suchen.

Personenrettung von Gerüsten (Rettung aus Höhen)

Aufgrund der Raum- und Platzverhältnisse ist die Personenrettung von einem Baugerüst nach einem Arbeitsunfall meist ein schwieriges Unterfangen. Oft ist es sinnvoll, hier die Drehleiter mit dem Tragengestell am Arbeitskorb einzusetzen (→ Abb. 16.11). Alternativ ist auch der Einsatz des Krans einer Fremdfirma, der Einsatz der Drehleiter als Kran oder der Einsatz des meist an Baustellen vorhandenen Baukrans in Verbindung mit einer Schleifkorbtrage möglich (→ Abb. 16.19). Um hohe Vorlaufzeiten zu minimieren, können derartige Maßnahmen bereits durch ersteintreffende Kräfte des Rettungsdienstes veranlasst werden, zumindest aber in einer sofortigen Rückmeldung Berücksichtigung finden. Ist der Patient vital gefährdet, so muss das Rettungsfachpersonal, wenn den Umständen nach durchführbar, den Patienten **primär stabilisieren.** Mit Helm und Arbeitsschuhen bekleidet, kann das Rettungsfachpersonal über die Drehleiter zum Patienten gelangen. Aus

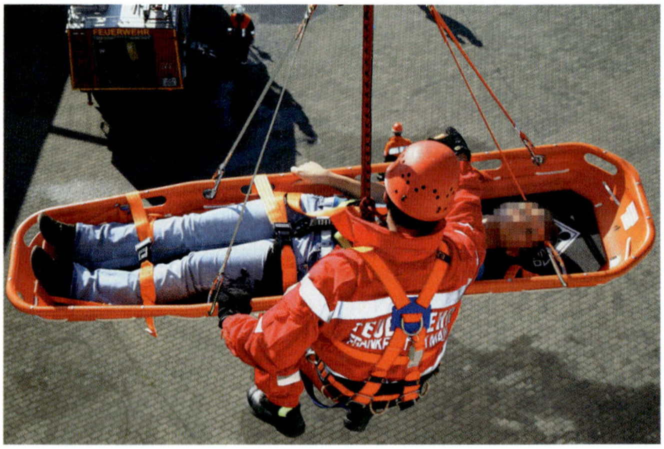

Abb. 16.19 Abseilen aus großer Höhe [O429]

F
PAX

LEBENSERHALTENDE MASSNAHMEN, DIAGNOSTIK UND THERAPIE

Lehr- und Lernziele des Abschnitts F

Der folgende Abschnitt deckt die **Themenbereiche 1, 2, 5 und 7** der Ausbildungs- und Prüfungsordnung für Notfallsanitäterinnen und Notfallsanitäter ab. Auszubildende sollen demnach befähigt werden,

- eine Eigen- und Fremdanamnese unter Anwendung der notwendigen diagnostischen Maßnahmen entsprechend dem aktuellen Stand von Wissenschaft und Technik sowie unter Berücksichtigung des Zustands der Patientin oder des Patienten insbesondere im Hinblick auf ihre oder seine vitale Gefährdung zielgerichtet zu erheben,
- die erhobenen Befunde zu beurteilen und eine Arbeitsdiagnose zu erstellen,
- geeignete Hilfsmittel zur fachgerechten Lagerung und zum Transport von unterschiedlichen Patientengruppen unter Beachtung von Aspekten der Patienten- und Eigenschonung einzusetzen,
- Maßnahmen zur fachgerechten Lagerung, Betreuung und Überwachung von unterschiedlichen Patientengruppen unter Einbeziehung der Grundregeln der Hygiene während des Transports durchzuführen,
- Maßnahmen zur fachgerechten Betreuung und Überwachung unter Einbeziehung der Grundregeln der Hygiene von unterschiedlichen Patientengruppen während eines ärztlich begleiteten Sekundärtransports durchzuführen,
- Transporte von Intensivpatientinnen und -patienten mit den notwendigen Pflegemaßnahmen unter Einbeziehung der Grundregeln der Hygiene zu begleiten,
- die technischen und organisatorischen Besonderheiten bei Intensivtransporten zu berücksichtigen,
- apparative Hilfsmittel zur Diagnose und Überwachung von Notfallpatientinnen und -patienten situationsbezogen einzusetzen,
- bei der Durchführung von Maßnahmen zur Sicherung der Atemwege und Beatmung wie insbesondere endotracheale Intubation, supraglottische Atemwegshilfe, erweiterte Beatmungsformen, medikamentöse Therapien und Narkoseeinleitungen entsprechend dem aktuellen Stand von Wissenschaft und Technik mitzuwirken,
- bei der Durchführung von Maßnahmen zur Stabilisierung des Kreislaufs wie insbesondere medikamentöse Therapien oder Infusionstherapien entsprechend dem aktuellen Stand von Wissenschaft und Technik mitzuwirken,
- bei der Durchführung von Maßnahmen im Rahmen der Reanimation wie insbesondere medikamentöse Therapie entsprechend dem aktuellen Stand von Wissenschaft und Technik mitzuwirken,
- bei der Durchführung von Maßnahmen im Rahmen der chirurgischen Versorgung von Notfallpatientinnen und -patienten wie insbesondere Thoraxdrainage, Tracheotomie, Koniotomie entsprechend dem aktuellen Stand von Wissenschaft und Technik mitzuwirken,
- ärztlich veranlasste Maßnahmen zur Sicherung der Atemwege und Beatmung, zur Stabilisierung des Kreislaufs, im Rahmen der Reanimation und im Rahmen der chirurgischen Versorgung im Einsatzkontext eigenständig durchzuführen und die dabei relevanten rechtlichen Aspekte zu berücksichtigen,
- Maßnahmen zur Sicherung der Atemwege und Beatmung, zur Stabilisierung des Kreislaufs, im Rahmen der Reanimation und im Rahmen der chirurgischen Versorgung, die zur Lebenserhaltung oder zur Abwendung schwerer gesundheitlicher Schäden im Einsatzkontext erforderlich sind, bis zum Eintreffen der Notärztin oder des Notarztes oder dem Beginn einer weiteren ärztlichen Versorgung eigenständig durchzuführen und die dabei relevanten rechtlichen Aspekte zu berücksichtigen.

Damit diese Ziele in der Ausbildung erreicht werden können, werden in **Kapitel 18** zunächst das ABCDE-Schema, die verschiedenen Akronyme und spezielle Aspekte der Patientenuntersuchung und -beobachtung erläutert. Anschließend werden die Differenzialdiagnosen besprochen, um die Ergebnisse aus den Untersuchungen verwerten zu können. Abschließend werden Verfahren zum Monitoring der Vitalfunktionen einschließlich des EKG und Herzrhythmusstörungen behandelt.

In **Kapitel 18** werden zudem die Grundlagen des Atemwegsmanagements behandelt. Beginnend mit den manuellen Methoden zum Freihalten der Atemwege über einfache Hilfsmittel wie oro- und nasopharyngeale Tuben bis zur Behandlung von B-Problemen und den unterschiedlichen Möglichkeiten der Sauerstoffapplikation. Die manuelle Beatmung, supraglottische Atemwegshilfen sowie die verschiedenen Formen der Intubation schließen das Kapitel ab.

Kapitel 19 vertieft die in Kapitel 18 erlernten Grundlagen und beschreibt Beatmung und Beatmungsformen und mündet in der maschinellen Beatmung mit allen ihren Aspekten. Ebenfalls wird der nichtinvasiven Beatmung und ihrer Sonderform CPAP breiter Raum gewidmet. Schließlich wird die Überwachung der Beatmung und des Beatmungspatienten besprochen.

Kapitel 20 vermittelt die Grundlagen zur medikamentösen Therapie einschließlich der in der Notfallmedizin gebräuchlichsten Applikationsarten. Der periphervenöse Zugang wird hier ebenso beschrieben wie der intraossäre Zugang oder die nasale Applikation. Nach den Grundlagen der Pharmakologie folgen die einzelnen Medikamente, eingeteilt in Wirkstoffgruppen. Medikamentensteckbriefe geben einen Überblick über alle gebräuchlichen Wirkstoffe.

Kapitel 21 widmet sich dem besonderen Bereich der Analgesie. Diese spielt gerade in der Notfallmedizin und zunehmend auch im Handlungsspielraum eines Notfallsanitäters eine besondere Rolle. Neben den Grundlagen des Schmerzes und den verschiedenen Methoden werden Analgetika und mögliche Anwendungsmöglichkeiten erläutert.

Kapitel 22 baut auf Kapitel 20 und 21 auf und beschreibt die Anästhesie. Hier werden die Narkoseeinleitung, -führung und das Monitoring der Anästhesie besprochen. Indikationen zur präklinischen Narkose, spezielle Verfahren und Risiken werden in „Kochrezepten" und Vorgehensweisen zusammengeführt.

Kapitel 23 widmet sich dem wichtigen und zentralen Thema der Reanimation und Stabilisierung des Kreislaufs. Den ERC-Guidelines 2021 folgend, werden neben den Basismaßnahmen auch die erweiterten Maßnahmen behandelt. Die Algorithmen werden dargestellt und erläutert. Neben der leitliniengerechten Therapie von Herzrhythmusstörungen werden auch die speziellen Aspekte der Reanimation im Kindesalter einschließlich aller Maßnahmen der Postreanimation dargestellt.

In **Kapitel 24** wird die Wundbeurteilung und -versorgung beleuchtet. Ursachen für Wunden und die daraus entstehenden Wundarten werden in einen Kontext gebracht. Die Blutstillung spielt beim Trauma eine übergeordnete Rolle und wird deshalb ausführlich besprochen. Grundkenntnisse über Verbände und die Wundheilung sind ebenso wichtig und finden Eingang in dieses Kapitel.

Kapitel 25 verschreibt sich ganz den einfachen, aber effektiven Maßnahmen der Lagerung und des Transports. Die Rettung und anschließende Lagerung gehörenzum Basiswissen eines jeden im Rettungsdienst Tätigen. Neben den Grundlagen des Krankentransports und der Notfallrettung wird außerdem der Sekundärtransport besprochen. Hier finden sich auch spezielle Formen wie der Intensiv-, Schwerlast-, Infektions- und Lufttransport.

17

DIAGNOSTIK UND UNTERSUCHUNG

Frank Flake, Stephan Dönitz

FALLBEISPIEL

Ein Rettungswagen wird an einem trockenen Tag (12 °C) im November um 17:20 Uhr zu einem Einfamilienhaus gerufen, das sich im selben Ort wie die Rettungswache befindet. Das Einsatzstichwort lautet „Akutes Abdomen, weiblich, 48 Jahre“. Die Anfahrt beträgt 4 Minuten. Die Leitstelle hat zu diesem Einsatz zusätzlich ein NEF disponiert, das voraussichtlich eine Anfahrt von 20 Minuten haben wird. Bei diesem Einsatz sind nach Einschätzung der RTW-Besatzung keine Besonderheiten an der Einsatzstelle zu erwarten. Das Wohnhaus befindet sich in einer sicheren Neubausiedlung. Die Außentemperatur spielt keine Rolle. Auch durch den fließenden Verkehr sind an der Einsatzstelle keine Gefahren zu erwarten. Das nächstgelegene Krankenhaus der Grund- und Regelversorgung ist die Klinik, an der auch das NEF stationiert ist; es ist ca. 20 Minuten Fahrzeit entfernt. Eine Klinik der Maximalversorgung wäre vom Einsatzort aus innerhalb von 40 Minuten erreichbar. Sofern sich in dem Haus kein gefährlicher Hund befindet, ist eher von keinen Gefahren auszugehen.

Ankunft an der Einsatzstelle

Die RTW-Besatzung wird bereits vom Ehemann der Patientin an der Straße erwartet. Er macht sich durch Winken bemerkbar. Er vermittelt den Eindruck, besorgt um seine Frau zu sein.

Ersteindruck und ABCDE

Ankunft beim Patienten

Der Ehemann führt das Notfallteam in das Schlafzimmer, wo seine Frau auf dem Bett liegend angetroffen wird. Die Frau wirkt unruhig und scheint nicht still liegen zu können. Sie sieht gepflegt aus und hat einen schmerzgeplagten Gesichtsausdruck. Sie ist etwas übergewichtig. Medikamentenschachteln oder Alkoholika sind nicht zu sehen.

Auf dem Weg zu der Patientin nimmt die RTW-Besatzung wahr, dass auch das Innere des Hauses insgesamt einen ordentlichen und gepflegten Eindruck macht. Es sind keinerlei offensichtliche Gefahren, etwa Haustiere, zu entdecken. Beim Betreten des Schlafzimmers wirkt die Patientin auf die Besatzung krank. Sie ist unruhig und hat wohl Schmerzen.

Ersteindruck

Die RTW-Besatzung stellt sich bei der Patientin namentlich vor und fragt sie, welches ihre Hauptbeschwerden sind. Nebenbei werden der Puls getastet und der Zustand der Haut erfasst. Die Patientin antwortet in ganzen Sätzen, dass ihre Hauptbeschwerden starke Bauchschmerzen sind, die am Morgen begonnen haben.

Da die Patientin in ganzen Sätzen antworten kann und keinerlei pathologische Atemgeräusche bestehen, hat sie einen freien Atemweg. Die Atmung wirkt etwas oberflächlicher als normal, aber ein Problem beim Atmen hat sie nicht. Beim Tasten des Pulses fällt auf, dass dieser kräftig, jedoch leicht erhöht ist. Die Haut ist warm und trocken, aber blass. Ein Ikterus besteht nicht. Da die Patientin bis jetzt adäquat geantwortet hat, ist derzeit nicht von einem neurologischen Problem auszugehen. Aufgrund der Unruhe und der offensichtlich starken Bauchschmerzen entscheidet sich der Teamleiter, die Patientin zum jetzigen Zeitpunkt als **potenziell kritisch** einzuschätzen. Dies wird dem Kollegen mitgeteilt, um dessen Aufmerksamkeit zu erhöhen. Danach beginnt der Teamleiter die Untersuchung nach ABCDE-Schema. Eine Nachforderung des Notarztes ist in diesem Fall nicht erforderlich, da das NEF bereits parallel alarmiert wurde.

ABCDE-Vorgehensweise

A: Der Atemweg ist frei. Dies wurde bereits im Rahmen des Ersteindrucks festgestellt. Da das Problem der Patientin offensichtlich der Bauchschmerz ist, verzichten Sie auf eine Mundinspektion.

B: Es fällt auf, dass die Patientin oberflächlich atmet und eine etwas erhöhte Atemfrequenz von etwa 20/Min. aufweist. Gestaute Halsvenen sind nicht zu sehen. **Auskultatorisch** sind beide Lungenhälften belüftet und es sind keine pathologischen Atemgeräusche feststellbar. Die **Thoraxexkursionen** sind atemsynchron und weisen keine Auffälligkeiten auf. Es bestehen keine **Hämatome** oder sonstigen Auffälligkeiten. Die Patientin erhält 10 l Sauerstoff über eine Gesichtsmaske, parallel dazu wird ein Pulsoxymeter angelegt.

C: Der Puls wird nun exakt ausgezählt. Er beträgt 90/Min., ist kräftig und regelmäßig. Der Teamleiter bittet seinen Kollegen, das EKG anzulegen und danach einen venösen Zugang vorzubereiten. Die Rekapillarisierungszeit beträgt etwa 2 Sekunden, die Haut ist, wie bereits festgestellt wurde, warm, trocken und blass. Eine offensichtliche äußere Blutung ist nicht zu erkennen. Der Blutdruck beträgt 130/90 mmHg. Sobald das EKG angelegt ist, wird ein Sinusrhythmus mit einer Frequenz von 90/Min. sichtbar.

D: Der Teamleiter fragt die Patientin, welches Datum heute ist und wo man sich „hier“ befindet. Außerdem bittet der Teamleiter die Patientin, zwei Finger der rechten Hand hochzuheben. Auf die Untersuchung der Pupillen wird verzichtet. Der Blutzucker wird mittels Bluttropfenentnahme aus der seitlichen Fingerbeere mittels Stechhilfe entnommen.

E: Keine weiteren Maßnahmen. Die Patientin wird nach Abschluss der Untersuchung als **kritisch** eingeschätzt.

Gedanklich fangen Sie schon einmal an, die wahrscheinlichsten Differenzialdiagnosen zu sammeln (→ Tab. 17.1).

Befragung nach OPQRST

O: Die Beschwerden der Patientin traten am Morgen nach einem Brunch auf, zu dem sie eingeladen war.

P: Den Tag über half es, im Haus umherzugehen. Jetzt fühlt sich die Patientin aber schwach und möchte lieber liegen.

Q: Die Patientin beschreibt den Schmerz so: Es wird abwechselnd schlimmer und dann wieder etwas besser. Nach einer Weile beginnt es erneut.

R: Die Patientin zeigt auf den rechten oberen Quadranten des Abdomens. Hier haben die Schmerzen begonnen. Sie strahlen zum Rücken hin.

S: Die Patientin gibt den Schmerz mit 7 von 10 Punkten an.

T: Morgens war die Patientin zum Brunch eingeladen. Dort hat sie reichlich gegessen. Kurz darauf haben die Beschwerden begonnen.

Befragung nach SAMPLER

S: Die Patientin ist unruhig und gibt die Hauptbeschwerden als Schmerzen im rechten Oberbauch an.

A: Eine Allergie gegen Paracetamol ist bekannt.

M: Die Patientin nimmt gelegentlich ein frei verkäufliches Mittel gegen Magenbeschwerden ein. Wie das Mittel heißt, ist ihr gegenwärtig nicht geläufig.

P: Seit etwa 6–9 Monaten tritt immer mal wieder Bauchschmerz auf. Dieser ist bislang aber immer von selbst weggegangen. Eine Vorstellung beim Hausarzt erfolgte daher nicht.

L: Seit dem Brunch hat die Patientin kein Essen mehr zu sich genommen. Die Speisen beim Brunch waren recht fetthaltig. Am Nachmittag hat sie versucht, eine Tasse Tee zu trinken und einen Zwieback zu essen, danach aber erbrochen.

E: Die Beschwerden haben am Morgen nach dem ausgiebigen Essen begonnen. Tagsüber half es etwas, im Haus umherzulaufen. Da die Beschwerden aber nicht weggegangen sind, hat der Ehemann schließlich den Rettungsdienst alarmiert.

R: Übergewicht, ansonsten keine.

Fokussierte Untersuchung

Im oberen rechten Quadranten des Abdomens besteht eine schmerzhafte Abwehrspannung bei der Patientin. Die Schmerzen werden als kolikartig beschrieben und strahlen in den Rücken. Außerdem hat die Patientin im Lauf des Nachmittags erbrochen.

Auf Nachfrage berichtet die Patientin, dass sie keine Probleme mit dem Wasserlassen hat. Der Stuhlgang hat etwas heller ausgesehen als sonst, aber es zeigte sich kein frisches Blut im Stuhl, kein Teerstuhl. Das Erbrochene sah ebenfalls unauffällig aus. Die letzte Menstruation verlief normal, seitdem kein vaginaler Ausfluss oder eine Blutung. Eine Schwangerschaft schließt die Patientin aus.

INHALTSÜBERSICHT

17.1 STRUKTURIERTE PATIENTENUNTERSUCHUNG IM RETTUNGSDIENST

- Erst wenn man einen Patienten vollständig untersucht hat, ist es möglich, Verletzungen oder spezielle Symptome zu erkennen bzw. auszuschließen.
- Bereits vor Eintreffen sollte man sich Gedanken um die Szenerie, die Sicherheit und die Situation am Einsatzort machen.
- Der General Impression stellt den ersten Kontakt zum Patienten her und erlaubt die Einschätzung von Atmung, Kreislauf und Neurologie.
- Der Primary Survey oder das X-ABCDE- bzw. ABCDE-Schema dient dazu, umgehend behandlungsbedürftige Probleme der Vitalfunktionen zu erkennen und behandeln.
- Mithilfe des Secondary Survey können alle weiteren Verletzungen erfasst werden.
- OPQRST und SAMPLER sind Akronyme zur Anamnese.
- Die wichtigsten Vitalparameter werden benötigt, um die Diagnose(n) zu sichern.

17.2 FOKUSSIERTE UND ORIENTIERENDE UNTERSUCHUNG

- Die fokussierte Untersuchung rückt das Leitsymptom des Patienten in den Mittelpunkt. Sie wird bei auskunftsfähigen Patienten im Anschluss an das ABCDE-Schema und OPQRST/SAMPLER durchgeführt.
- Die orientierende „Von Kopf bis Fuß"-Untersuchung wird bei nicht auskunftsfähigen Patienten nach Abschluss des ABCDE durchgeführt und durch das komplette Monitoring sowie eine Fremdanamnese ergänzt.

17.3 GRUNDSÄTZLICHES ZUR PATIENTENBEOBACHTUNG

- Als Werkzeuge zur Patientenbeobachtung dienen die Sinnesfunktionen Sehen, Hören, Fühlen und Riechen.
- Patientenzentriertes Handeln sollte immer konzentriert, schematisch und frei von Vorurteilen durchgeführt werden.

17.4 DIFFERENZIALDIAGNOSE NACH LEITSYMPTOMEN

- Leitsymptome dienen dazu, die einzelnen Erkrankungen verschiedener Organsysteme zu unterscheiden und im weiteren Verlauf die richtigen Therapieentscheidungen zu treffen.
- Aufgrund der durch den Patienten empfundenen Bedrohlichkeit ist die akute Luftnot einer der häufigsten Alarmierungsgründe für den Rettungsdienst.
- Das neurologische Defizit äußert sich meist durch Symptome wie Verwirrtheit, Bewusstseinstrübungen bis hin zur Bewusstlosigkeit.

17.5 MONITORING UND APPARATIVE DIAGNOSTIK

- Monitoring ist ein Überbegriff für alle Arten der unmittelbaren systematischen Beobachtung, Erfassung oder Überwachung eines Vorgangs oder Prozesses.
- Für die Dauer der Patientenüberwachung gilt, dass ein einmal begonnenes Monitoring solange lückenlos weitergeführt wird, bis eine adäquate Übernahme des Patienten in der Zielklinik sichergestellt ist.
- Bei allen gegebenen technischen Möglichkeiten darf nicht vergessen werden, dass auch der bewusste Gebrauch der eigenen Sinne Monitoring bedeutet.

Vitalfunktion	Messwert
Atemfrequenz	20/Min., etwas oberflächlich
Blutdruck	130/90 mmHg, im Verlauf unverändert
Herzfrequenz	90/Min.
EKG	Sinusrhythmus
Pulsoxymetrie	100 % unter O_2-Gabe (98 % unter Raumluft)
Blutzucker	108 mg/dl (6 mmol/l)
Temperatur	37,1 °C, tympanal gemessen

Tab. 17.1 Messwerte der Patientin im Überblick

17.1 Strukturierte Patientenuntersuchung im Rettungsdienst

Den Beruf des Notfallsanitäters kennzeichnen einige Tätigkeiten grundsätzlicher Natur, die bei jedem Patienten angewandt werden müssen. Eine dieser Basistätigkeiten ist die **Patientenuntersuchung.** Sie setzt sich aus professionellen Untersuchungsschritten und einer gezielten Patientenbeobachtung zusammen.

MERKE

Erst wenn man einen Patienten vollständig untersucht hat, ist es möglich, Verletzungen oder spezielle Symptome zu erkennen bzw. auszuschließen.

Die zielgerichtete Patientenuntersuchung und die individuelle Beobachtungsfähigkeit sollten ständig trainiert werden. Eine korrekt durchgeführte Patientenuntersuchung erfordert stets Konzentration und umfangreiche Kenntnisse der Pathophysiologie. Dabei kommt es darauf an, das erworbene Wissen mit der Praxis sinnvoll zu verknüpfen.

Für die körperliche Untersuchung von Patienten gilt, wie auch bei anderen Maßnahmen im Rettungsdienst, bei denen der Kontakt mit Blut oder Ausscheidungen nicht ausgeschlossen werden kann, dass Handschuhe und ggf. eine Schutzbrille und im besonderen Fall auch Mundschutz zu tragen sind.

Ein kleiner praktischer Eindruck zur strukturierten Patientenuntersuchung wurde bereits durch das Fallbeispiel vermittelt. Was hinter den Buchstaben steckt und warum es sinnvoll ist, genau diese Vorgehensweise zu wählen, wird im weiteren Verlauf geklärt.

17.1.1 Einleitung Akronyme

In den letzten Jahren hat sich die Vorgehensweise beim Notfallpatienten stark verändert. Während **strukturierte Untersuchungstechniken** in den angloamerikanischen Ländern oft schon seit mehr als 25 Jahren Standard sind, haben sich diese v. a. durch zertifizierte Kurssysteme in Deutschland etablieren können. Exemplarisch genannt seien der ERC ALS (European Resuscitation Council Advanced Life Support), aber auch PHTLS (Prehospital Trauma Life Support), AMLS (Advanced Medical Life Support) oder EPC-Provider-Kurse (Emergency Pediatric Care). Als Merkhilfe (Akronyme) haben sich SSS, ABCDE, SAMPLE(R), OPQRST sowie die 4 Hs und HITS (nur bei der Reanimation) etabliert.

Mittlerweile hat sich dieses Vorgehen in allen Rettungsdienstschulen durchgesetzt. Die hier vermittelten Kenntnisse setzen jedoch voraus, dass die Erkrankung oder Verletzung erkannt wird. Oder anders ausgedrückt: Nur wenn ich weiß, dass der Patient mit Brustschmerz einen Herzinfarkt hat, nutzt mir auch das Fachwissen über das Krankheitsbild. Brustschmerz kann aber auch durch viele andere Ursachen hervorgerufen werden; daher ist eine sorgfältige Untersuchung und Befragung des Patienten wichtig.

17.1.2 Scene, Safety & Situation (SSS)

Bereits vor dem eigentlichen Einsatz liegen Informationen vor, die es zu berücksichtigen gilt. So sollte man sich bereits auf der Anfahrt zu einem Verkehrsunfall Gedanken machen, welche geeigneten **Krankenhäuser** von der Einsatzstelle in welcher Zeit erreichbar sind. Das **Wetter** ist ebenfalls ein Aspekt, der eine Rolle spielen kann. So ist die Versorgung eines gestürzten Fußgängers auf der Straße bei 20 °C etwas anderes als bei −10 °C Außentemperatur. Aber auch für die Fahrzeugbesatzung selbst spielt das Wetter eine Rolle, da z. B. die Fahrweise bei Glatteisgefahr angepasst werden muss. Ebenso fliegen Rettungshubschrauber nicht bei Nebel und die meisten auch nicht bei Nacht.

Die Buchstaben **SSS** beziehen sich auf die **Einsatzstelle:**

- **Scene:** Beim Erreichen der **Einsatzstelle** (Scene) sollte diese **eingeschätzt werden.** Dabei geht es um die zwei wesentlichen Aspekte **Sicherheit** (Safety), die an erster Stelle steht, und die **Situation** (Situation), die an dieser Einsatzstelle konkret vorliegt.
- **Sicherheit:** Hier ist vor allem der Eigenschutz für alle eingesetzten Kräfte wichtig (→ Abb. 17.1). So muss auf etwaige Gefahrstoffe, Absicherung der Einsatzstelle, den fließenden Verkehr, aggressive Personen und auch eine geeignete Schutzausrüstung geachtet werden. Aber auch der Patient soll in Sicherheit sein. In besonderen Fällen kann das bedeuten, dass er von seiner derzeitigen Position entfernt werden muss, bevor er überhaupt behandelt werden kann. Beispiele hierfür können Amoklagen sein (→ Kap. 15.9.4) oder ein brennendes Fahrzeug (→ Abb. 17.2).
- **Situation:** Wie viele Patienten sind betroffen, welche Kräfte haben auf den Patienten gewirkt (Fahrzeugverformung etc.) oder müssen weitere Hilfskräfte angefordert werden (z. B. Polizei, Feuerwehr, weitere Rettungsdienstfahrzeuge, Rettungshubschrauber)? Es geht aber auch darum zu erkennen, was **tatsächlich** stattgefunden hat. Wenn z. B. ein völlig intakter Pkw auf einem Acker steht und keinerlei Bremsspuren erkennbar sind, steht hier vielleicht ein internistisches Problem im Vordergrund (z. B. eine **Hypoglykämie**) und geht es nicht, wie es auf den ersten Blick erscheinen mag, um die Auswirkungen eines Verkehrsunfalls.

Abb. 17.1 Gerade bei Verkehrsunfällen drohen vielerlei Gefahren: austretende Betriebskraftstoffe, Glassplitter, scharfkantige Metalle u. v. m. [M840]

17.1.3 Erster Eindruck (General Impression)

Der **Ersteindruck,** „General Impression" oder auch „First Look", stellt den **ersten Kontakt** zum Patienten und eine **zügige** Einschätzung von Atmung, Kreislauf und Neurologie dar. Diese sollte binnen 10 bis 15 Sekunden abgeschlossen sein. In der Praxis geht man auf den Patienten zu und fragt, was passiert ist oder schüttelt ihn vorsichtig an der Schulter und spricht ihn laut an, falls er bewusstlos ist. Stellt sich heraus, dass der Patient keine Lebenszeichen hat, ist eine Reanimation erforderlich (→ Kap. 23). Entweder macht der Patient einen **kritischen** oder **nicht kritischen** Eindruck. Erst **nach** diesem ersten Eindruck wird der Patient nach dem **ABCDE-Schema** bzw. **X-ABCDE-Schema** (→ Kap. 17.1.4) untersucht und behandelt:

- Kann der Patient noch normal sprechen, hat er freie Atemwege und eine ungehinderte Atmung, dann kann ein gewisses Maß an zerebraler Perfusion unterstellt werden.
- Kann der Patient jedoch nur abgehackt oder in kurzen Sätzen sprechen, liegt ein Atemproblem vor.
- Falls der Patient gar nicht auf die Ansprache reagiert, besteht eine bedrohliche Situation.

Abb. 17.2 Verkehrsunfall, bei dem ein Pkw in Brand geraten war. In solchen Fällen müssen die Patienten gerettet werden, bevor die Behandlung überhaupt beginnen kann. Vor falschem Heldentum seitens der Rettungskräfte sei gewarnt. [M840]

- Währenddessen wird rasch die Kreislaufsituation durch Tasten des Pulses eingeschätzt. Dabei wird jedoch nicht die Frequenz exakt ausgezählt. Es geht nur um eine Orientierung: Ist der Puls langsam, normal, schnell oder sehr schnell? Kann der Puls gut, schlecht oder gar nicht getastet werden?
- Wie fühlt sich die Haut an? Ist sie kühl oder warm, ist sie trocken oder feucht? Wie ist die Hautfarbe? Rosig, blass, zyanotisch?

Mit geringem Zeitaufwand gewinnt man somit einen **ersten Eindruck** vom Patienten. Gegebenenfalls kann der Teamleiter an dieser Stelle dem Team bereits mitteilen, wie er den Patienten einschätzt. Dies soll eine erhöhte Aufmerksamkeit und Konzentration der Teammitglieder bewirken. Insbesondere dann, wenn einem Teammitglied bis zu diesem Zeitpunkt noch nicht klar war, dass hier Eile geboten ist, wird es auch diesem nun deutlich.

ACHTUNG!

ABCDE beim Kreislaufstillstand

Die ABCDE-Vorgehensweise gilt immer **nur** für den lebenden Patienten. Werden beim Patienten eine fehlende Atmung und Pulslosigkeit festgestellt, gilt das Vorgehen nach den Algorithmen zur Reanimation. Die Begründung hierfür ist, dass anderenfalls die Reihenfolge des Vorgehens falsch wäre.

IM FOKUS

Scene, Safety, Situation und Ersteindruck

- Die **SSS-Regel** kann helfen, einen Überblick zu bekommen, Gefahren zu mindern und erste Entscheidungen (Rückmeldung, Nachforderung) zu treffen.
- Der **Ersteindruck** des Patienten (**15 Sekunden:** Atmung, Kreislauf, Neurologie) dient einer schnellen Erfassung der Problemlage.
- **Entscheidungen:**
  - Traumatisches Geschehen? = Manuelle HWS-Immobilisierung
  - Potenziell kritischer Patient? = Unterstützung benötigt? Zügiges X-ABCDE mit voller Konzentration
  - Leblos? = Reanimation beginnen
  - Kind? = pädiatrisches Beurteilungsdreieck nutzen

17.1.4 Primary Survey – X-ABCDE-Schema (Übersicht)

Das im Folgenden vorgestellte **ABCDE- oder X-ABCDE-Schema** verfolgt zugleich **zwei Ziele:** Zum einen soll der Patient **beurteilt** und zum anderen auch sofort **behandelt** werden, sofern dies erforderlich ist. Die dahintersteckende Philosophie lautet: *„Treat first, what kills first"* („Behandle zuerst das, was zuerst tötet"). Das Ergebnis ist eine strukturierte und prioritätenorientierte Einschätzung **und** Behandlung. Dieses Vorgehen wird auch **Primary Survey** oder **Initial Assessment** genannt. Primary Survey heißt so viel wie „vorrangige Untersuchung". Ursprünglich stammt das ABCDE-Schema aus dem angloamerikanischen Raum. Daher werden im Folgenden zunächst die englischen Begriffe vorgestellt. Das Schema gilt sowohl für den internistischen als auch für den traumatologischen Patienten als erster durchzuführender Standard. Eine Kurzzusammenfassung der wichtigsten Punkte beim X-ABCDE-Schema zeigt → Tab. 17.2.

MERKE

Das ABCDE- bzw. X-ABCDE-Schema als Universalansatz

Das ABCDE-Schema wird genutzt, wenn Sie einen Notfallpatienten mit Lebenszeichen **zum ersten Mal** untersuchen. Das Schema hat an dieser Stelle seinen besonderen Stellenwert (siehe z. B. ERC-Algorithmen Bradykardie und Tachykardie, → Abb. 23.9 und → Abb. 23.10).

Zugleich wird ABCDE aber auch verwendet, um bei einer **Zustandsänderung** (Verschlechterung oder auch Verbesserung) oder im Verlauf eine **erneute** Patientenbeurteilung vorzunehmen, das **Reassessment.** Dasselbe gilt, wenn Sie nicht sicher sind, alles erfasst zu haben, oder die Struktur verloren haben. Einfach gesagt: immer wieder beim „A" anfangen.

17.1.5 X – Lebensbedrohliche äußere Blutungen (Stoppen von starken äußeren Blutungen)

Beim Primary Survey eines Traumapatienten ist es vorrangig, lebensbedrohliche äußere Blutungen zu identifizieren und zu behandeln. Dies erfolgt vor der Untersuchung der Atemwege („A") oder, falls möglich, gleichzeitig. Solche bedrohlichen Blutungen stammen meist von Arterien der Extremitäten, können aber auch am Kopf oder stammnah (an den Übergangszonen vom Körperstamm zum Hals und den Extremitäten, **Junctional Bleeding**) lokalisiert sein. Das X vor dem ABCDE ist vom englischen Begriff „**Ex**sanguinating Hemorrhage" abgeleitet und bedeutet sinngemäß „lebensbedrohliche Blutung" oder „ausbluten". Diese Blutungen müssen umgehend kontrolliert werden, z. B. durch direkten Druck und/oder Anlage eines Tourniquets (Abbindung). PHTLS hat das X-ABCDE (im Gegensatz zum c-ABCDE) in der 9. engl. Auflage eingeführt. X-ABCDE hat seine Wurzeln zwar in der Militärmedizin, hat aber selbstverständlich auch im zivilen Rettungsdienst seine Berechtigung.

Durchführung

In bestimmten Situationen wird primär ein Tourniquet zur Blutungskontrolle eingesetzt (→ Kap. 24.3.2), in der zivilen Notfallmedizin ist dies jedoch selten notwendig. Die Versorgung von stark blutenden äußeren Wunden folgt hier meist folgendem Ablauf: Erst wird **direkter Druck** auf die Wunde ausgeübt, z. B. mit sterilen Kompressen, einem Verbandpäckchen oder einem sogenannten Bauchtuch. Drücken Sie damit direkt auf die Wunde – oder in die Wunde hinein. Lässt sich im Bereich der betroffenen Körperregion ein **Druckverband** anlegen, ist dies der nächste Schritt. Dafür kann ein zusätzliches Verbandpäckchen oder auch eine kommerzielle Variante wie die Israeli Bandage (auch als **Notverband** bezeichnet) verwendet werden.

Die S3-Leitlinie Polytrauma empfiehlt, den Druckverband (auch Kompressionsverband genannt), wenn möglich in Kombination mit einem Hämostatikum durchzuführen.

Kann die Blutung mit diesen Maßnahmen nicht gestoppt werden, wird bei einer Extremitätenblutung das **Tourniquet** eingesetzt. Dabei sollten einige Dinge bedacht werden:

- Legen Sie das Tourniquet nicht auf Fremdkörpern, Wundtaschen, offenen Frakturen oder über Gelenken an.
- Merken Sie sich nach Möglichkeit die Uhrzeit der Anlage, damit Sie später, wenn Zeit dafür ist, das Tourniquet entsprechend beschriften können.
- Legen Sie das Tourniquet etwa eine Handbreit proximal der Wunde an und ziehen Sie es so fest zu, bis die Blutung steht.

SSS	Scene: Einschätzen der Einsatzstelle (Scene) bzgl. der Aspekte • Sicherheit (Safety) und der • Situation (Situation), die an dieser Einsatzstelle konkret vorliegt
Ersteindruck	• Erster Kontakt zum Patienten • Bei bewusstlosen Patienten prüfen, ob eine Reanimation erforderlich ist • Zügige Einschätzung von Atmung, Kreislauf und Neurologie • Sollte nach 10–15 Sek. abgeschlossen sein • Fragen, was die Hauptbeschwerden sind • Entscheidung: Patient potenziell kritisch oder potenziell nicht kritisch • Bei Kindern: → Kap. 35.2
X (Lebensbedrohliche äußere Blutung)	Lebensbedrohliche Blutung(en) vorhanden? • Manuellen Druck auf die Wunde ausüben • Druckverband anlegen, wenn möglich kombiniert mit Hämostatika • Tourniquet anlegen, falls indiziert
A (Airway)	• Manuelle HWS-Immobilisation, falls indiziert und möglich • Atemweg überprüfen • Atemweg ggf. durch einfache Hilfsmittel (Esmarch-Handgriff, Absaugung, Wendl- oder Guedel-Tubus) freimachen
B (Breathing)	• Auskultation des Thorax • Achten auf: – Zyanose, Schwitzen, paradoxe Atmung, Einsatz der Atemhilfsmuskulatur, Brustwanddeformitäten, Prellmarken, Hämatome, Hautemphysem, gestaute Halsvenen • Atemfrequenz bestimmen • Bei einer Atemfrequenz < 8/Min. oder > 30/Min. assistiert beatmen • Ggf. Palpation des Thorax, v. a. beim Trauma • Bedarfsweise Sauerstoff verabreichen; Pulsoxymeter anschließen und Sauerstoffsättigung (SpO_2) von ≥ 95 % anstreben • Gegebenenfalls Entlastungspunktion bei Spannungspneumothorax (→ Kap. 31.4.3)
C (Circulation)	• Tasten des Pulses (Frequenz, Qualität und Regelmäßigkeit) • Farbe, Temperatur und Feuchtigkeit der Haut einschätzen • Rekapillarisierungszeit prüfen (normal: ≤ 2 Sek.) • Suche nach äußeren Blutungen und Kontrolle von Blutungen (z. B. Beckenschlinge)
D (Disability)	• Glasgow Coma Scale (→ Kap. 33.1.3)/AVPU-Schema (→ Kap. 35.2.2) • Pupillenstatus (Größe, Gleichheit, Lichtreaktion) • Blutzucker messen
E (Exposue/Environment)	• Traumapatienten immer entkleiden! • Auch bei nichttraumatologischen Patienten kann eine Entkleidung zielführend sein • Genaue Patienteninspektion • Umfeldinspektion • Wärmeerhalt • Entscheidung, ob Patient kritisch oder nicht kritisch

Tab. 17.2 Schematisches Vorgehen bei der Patientenuntersuchung

- Falls der Patient bei der Anlage des Tourniquets über Schmerzen klagt, gerät man in Versuchung, das Tourniquet nicht weiter zuzudrehen. Widerstehen Sie dieser Versuchung, falls die Blutung noch nicht gestoppt ist.
- Gelingt es dennoch nicht, die Blutung zu stoppen, wird ein zweites Tourniquet proximal des ersten angelegt.

Primäre Tourniquet-Anlage

Verletzungen durch Explosionen oder Schusswaffengebrauch, die auch in der zivilen Notfallmedizin vorkommen können, oder die Amputationsverletzung bzw. eine subtotale Amputation können es erforderlich machen, direkt zum Tourniquet zu greifen. Experten empfehlen, bei einer lebensbedrohlichen Extremitätenblutung oder beim Vorliegen von mehreren Blutungsquellen an einer Extremität **primär** ein **Tourniquet** einzusetzen. Weitere Gründe für einen primären Tourniquet-Einsatz:

- Versorgung einer Extremitätenblutung in der Dunkelheit
- Wenn der Patient gleichzeitig ein A-, B- oder C-Problem hat
- Zeitdruck in Gefahrensituationen

PRAXISTIPP

Unter **Junctional Hemorrhage** versteht man „stammnahe Blutungen", beispielsweise am Unterbauch, in der Leistengegend, den Achselhöhlen und weit proximal an den Extremitäten. Tourniquets lassen sich an diesen Stellen nicht anlegen, Druckverbände sind oft unpraktisch bzw. ineffektiv. Bei stammnahen Blutungen besteht die erste und wichtigste Maßnahme in der **direkten Kompression** des Wundgebietes bzw. der großen Gefäße, die im Bereich der Verletzung verlaufen. Es kann sein, dass hierfür erheblicher Druck aufgewendet werden muss, was alsbald eine Analgesie erforderlich macht. Als Nächstes wird ein **Verbandmull** (im Sinne eines Wound Packings) direkt in der Wunde platziert, idealerweise mit einem Hämostatikum (z. B. Celox Gauze®). Es handelt sich hierbei um einen speziellen blutstillenden Verbandmull. Die Kombination dieser Methoden bietet bessere Überlebenschancen bei traumatischen Verletzungen, die sonst oft tödlich verlaufen (NAEMT 2022).

17.1.6 A – Airway/C-Spine Protection (Atemwegs- und HWS-Protektion)

Falls keine lebensbedrohlichen äußeren Blutungen gestoppt werden müssen, ist das Allerwichtigste, was sichergestellt werden muss, ein **freier Atemweg.** Unbehandelte Atemwegsobstruktionen führen zur Hypoxie mit dem Risiko von Schäden an lebenswichtigen Organen wie dem Gehirn! Ergänzend zur Beurteilung des Atemwegs erfolgt bei Bedarf eine (zunächst) manuelle Stabilisierung der Halswirbelsäule (HWS). Im Verlauf kann dann ggf. eine Immobilisierung durch Anlage einer Zervikalstütze durchgeführt werden. Allerdings ist die starre Zervikalstütze in den letzten Jahren zunehmend in Kritik geraten und es wurden verschiedene Nachteile bei fehlendem Nutzen aufgezeigt, sodass manche Algorithmen ihren Einsatz gar nicht mehr vorsehen oder sie lediglich als eine Möglichkeit von mehreren ansehen (→ Kap. 31.7).

ACHTUNG! Eine alleinig anliegende Zervikalstütze bietet keine ausreichende Immobilisation der Halswirbelsäule. Dies kann nur durch die Ganzkörperimmobilisation erreicht werden. Diese lässt sich hingegen ohne Zervikalstütze bewerkstelligen.
Im Einsatz erfolgt bei vermuteter Notwendigkeit zunächst eine manuelle Immobilisation der HWS. Diese setzt voraus, dass die personellen Ressourcen dafür ausreichen. Falls der Patient kritisch ist und Sie mit einer Standard-RTW-Besatzung (zwei Personen) vor Ort sind, wird dafür keine Zeit sein. Ob und wie der Patient für den Transport immobilisiert wird, hängt von mehreren Faktoren ab (→ Kap. 31.8). Einfach gesagt lassen sich drei Varianten unterscheiden:
1. Keine Immobilisation
2. Zeitkritische Immobilisation
3. Voll-Immobilisation.

Falls der Patient noch atmet, muss auf **Atemgeräusche** geachtet werden:
- Ein **Stridor** ist ein Hinweis auf eine Verengung der Atemwege. Das Atemgeräusch klingt pfeifend oder keuchend und man unterscheidet, ob es während der **Einatmung** (inspiratorischer Stridor) oder der **Ausatmung** (exspiratorischer Stridor) auftritt:
  - Ein inspiratorischer Stridor deutet auf eine Obstruktion der oberen Atemwege hin, beispielsweise auf Ebene des Kehlkopfs.
  - Ein exspiratorischer Stridor spricht für eine Obstruktion der unteren Atemwege, z. B. bei einem Asthmaanfall.
- Ein **gurgelndes Geräusch** weist auf Flüssigkeiten bzw. Sekrete in den Atemwegen hin, z. B. Blut oder Erbrochenes. Im professionellen Rettungsdienst löst man dieses Problem üblicherweise, indem der Patient abgesaugt wird.
- **Schnarchen** ist ein Hinweis auf eine teilweise Atemwegsverlegung durch Weichteile, ausgelöst durch beispielsweise Gaumenzäpfchen und Zunge. Ursache ist eine Erschlaffung der Rachenmuskulatur. Am einfachsten und schnellsten lässt sich das Problem durch das Überstrecken des Kopfes mit Anheben des Kinns oder, wenn auf die Halswirbelsäule Rücksicht genommen werden soll, die Anwendung des **Esmarch-Handgriffs** lösen. Der Anwender sollte jedoch in dieser Technik trainiert sein.

MERKE

Methoden zum Freihalten der Atemwege
Benötigt der Patient zum Freimachen der Atemwege ein Überstrecken des Kopfes oder einen Esmarch-Handgriff, wird das Problem üblicherweise zeitnah mit einem Guedel-Tubus oder Wendl-Tubus gelöst oder überbrückt. Im Verlauf werden evtl. **erweiterte Techniken** (supraglottischer Atemweg oder die endotracheale Intubation) eingesetzt. Abgesehen von der Reanimation setzen diese erweiterten Techniken jedoch eine Notfallnarkose voraus, welche wiederum Vorbereitungszeit und Expertise erfordert. Daher wird in den meisten Fällen ein A-Problem zunächst angegangen, indem einfache und schnell durchführbare Techniken wie Esmarch-Handgriff, Guedel-Tubus/Wendl-Tubus bzw. die Absaugpumpe eingesetzt werden. **Hier gilt das Prinzip: vom Einfachen zum Schweren.**

Die Gabe von Sauerstoff gehört zum Schritt B, kann aber auch in Schritt A angewiesen werden.

Erstickungsnotfall

Der Erstickungsnotfall ist ebenfalls ein A-Problem. Die ERC-Leitlinien unterscheiden eine leichte und schwere Form. Da sich die meisten Erstickungsnotfälle beim Essen ereignen und daher häufig beobachtet werden, gibt es oft wertvolle Hinweise von Zeugen des Ereignisses. Fragen Sie den Betroffenen: „Würgen Sie?“ und schätzen Sie die Schwere des Ereignisses ein, indem Sie herausfinden, ob der Betroffene noch effektiv husten kann.

Kann der Patient noch sprechen, husten und atmen, wird dies als **leichte Beeinträchtigung** der Atemwege angesehen. Fordern Sie ihn auf, kräftig zu husten, da Husten in den Atemwegen einen hohen Druck erzeugt und ein Ausstoßen des Fremdkörpers bewirken kann. Kann der Betroffene nicht mehr sprechen bzw. antworten oder nur schwach oder gar nicht husten, liegt eine **schwere Atemwegsobstruktion** vor. In allen Altersgruppen gilt, dass in diesem Fall zunächst mit dem Handballen bis zu 5 Schläge zwischen die Schulterblätter verabreicht werden, solange der Patient noch bei Bewusstsein ist. Wird er bewusstlos, können professionelle Helfer versuchen, den Fremdkörper mithilfe eines Laryngoskops und der Magill-Zange zu entfernen (Einzelheiten dazu → Kap. 18.1.2).

17.1.7 B – Breathing (Belüftung der Lungen)

Das Konzept der „Behandlung im Ablauf“ sieht vor, dass parallel zur Untersuchung auch eine Therapie erfolgt, beispielsweise die **Sauerstoffgabe.** Jedoch wird die Verabreichung von Sauerstoff in den letzten Jahren zunehmend kontrovers diskutiert. Einerseits kann ein „Zuviel an Sauerstoff“, die sog. **Hyperoxie,** schädlich sein. Beispielhaft sei die Empfehlung der ERC-Leitlinie 2021 zum unkomplizierten ST-Strecken-Hebungs-Myokardinfarkt (STEMI) angeführt, bei dem die Sauerstoffgabe nur empfohlen wird, wenn die SpO_2 unter 90 % liegt. Auf der anderen Seite kann Sauerstoff gerade in der Akutmedizin lebensrettend sein.

Dieses Dilemma lässt sich für den Notfallsanitäter lösen, indem der klinische Eindruck des Patienten in die Entscheidung einbezogen und zügig die Sauerstoffsättigung ermittelt wird:
- **Klinischer Eindruck.** Wird der Patient bislang als (potenziell) kritisch eingeschätzt, ist man auf der sicheren Seite, wenn zunächst mit einer hochdosierten Sauerstoffgabe begonnen wird, üblicherweise mit einer Maske mit Reservoir und einem Sauerstofffluss von ≥ 10 l/Min. Situativ kann auch die Vernebelung eines Medikaments im Vordergrund stehen. Geht es dem Patienten hingegen klinisch „gut“, ist es gerechtfertigt, mit der Sauerstoffgabe noch zu warten oder die Maßnahme zu unterlassen.
- **Sauerstoffsättigung.** Das **Pulsoxymeter** sollte zügig angelegt werden, wobei eine nach „klinischem Eindruck“ für notwendig erachtete Sauerstoffgabe nicht durch die Messung der SpO_2 verzögert

werden sollte. Im Verlauf kann die Sauerstoffgabe dann an die SpO_2 angepasst werden. Bei Patienten mit Hyperkapnie-Risiko (z. B. COPD) werden beispielsweise lediglich SpO_2-Werte von 88–92 % angestrebt. Das bedeutet, dass eine Sauerstoffgabe nur unterhalb dieses Bereiches empfohlen wird. Eine Leitlinie definiert eine Sauerstoffsättigung von 92–96 % bei Erwachsenen als Normwert.

ACHTUNG! Die Nutzung der SpO_2 zur **Steuerung einer Sauerstoffgabe** setzt voraus, dass der gemessene Wert **zuverlässig** ist. Einige Bedingungen (z. B. Zentralisation durch Unterkühlung oder Schock) können die Messung erschweren oder unzuverlässig machen. Wenn auf dem Monitor eine „gute Pulsoxymetrie-Kurve" zu sehen ist, spricht das für eine zuverlässige Messung. In besonderen Situationen können die Messwerte jedoch **verfälscht** sein, z. B. bei einer Kohlenmonoxidvergiftung. Die meisten Pulsoxymeter können nicht unterscheiden, ob sich Sauerstoff oder Kohlenmonoxid an das Hämoglobin der roten Blutkörperchen gebunden hat. Das Pulsoxymeter zeigt dann möglicherweise eine ausreichende Sättigung an, obwohl das Blut des Patienten nicht mehr imstande ist, genügend Sauerstoff zu transportieren. Diese technischen Grenzen der Pulsoxymetrie sollten Anwender kennen.

Ebenfalls frühzeitig ist eine Auskultation **(Abhören mit Stethoskop)** des Thorax **(Brustkorb)** vorzunehmen, um Atemprobleme und Atemgeräusche zu identifizieren. Auch kann so ein Pneumothorax bzw. Spannungspneumothorax entdeckt werden. Ein Spannungspneumothorax ist eine bedeutende Ursache für ein Kreislaufproblem (C-Problem), daher muss er bereits beim Schritt „B" erkannt und auch behandelt werden.

Zu den sonstigen Untersuchungsschritten gehört das Achten auf Zyanose, Schwitzen, paradoxe Atmung, Einsatz der Atemhilfsmuskulatur, Brustwanddeformitäten, Prellmarken, Hämatome, Hautemphysem, gestaute Halsvenen sowie das **Erfassen von Atemfrequenz** und -rhythmus. Als unzureichende Spontanatmung des Patienten ist z. B. eine Atemfrequenz < 8/Min. oder > 30/Min. anzusehen. Oft wird empfohlen, in diesen Fällen eine assistierte bzw. kontrollierte Beatmung durchzuführen. Das ist aber oft einfacher gesagt als getan, denn ein weitgehend wacher Patient, der mit einer sehr hohen Atemfrequenz atmet, wird es oftmals nicht akzeptieren, wenn ihm eine Maske aufs Gesicht gedrückt wird. Ein eindrückliches Beispiel hierfür ist der Patient mit akut exazerbierter COPD, der schnell atmet und sich die Sauerstoffmaske vom Gesicht zieht bzw. einen NIV-Versuch zum Scheitern bringt. Patienten mit sehr niedriger Atemfrequenz sind in der Regel deutlich vigilanzgemindert (z. B. bei einer Opioid-Überdosierung) und werden eine assistierte Beatmung eher tolerieren.

MERKE

Bestimmung der Atemfrequenz

Die Bestimmung der Atemfrequenz ist ein sehr wichtiger und dennoch gelegentlich vernachlässigter Untersuchungsschritt beim „B". Manche Anwender zweifeln am Nutzen der Bestimmung. Da die Atemfrequenz sich recht schnell und einfach ermitteln lässt und pathologische Atemfrequenzen viel über den Patientenzustand verraten (→ Kap. 28.1.2), soll der Wert ermittelt werden. Einige Beispiele:

- Es hat sich gezeigt, dass die Krankenhaussterblichkeit bei Patienten mit **Pneumonie** deutlich erhöht ist, wenn die **Atemfrequenz** bei Aufnahme im Krankenhaus bei 30/Minute liegt. Die Patienten mit 12–20 Atemzügen/Min. hatten dagegen die niedrigste Sterblichkeit.
- Vergleichbares ist vom qSOFA-Score bekannt, der oft im Zusammenhang mit Verdacht auf **Sepsis** verwendet wird (→ Kap. 41.3). Bei qSOFA ist eine **Atemfrequenz** von ≥ 22/Min. als Warnzeichen zu verstehen.
- Beim **Thoraxtrauma** macht eine deutlich erhöhte **Atemfrequenz** in Verbindung mit anderen Auffälligkeiten (z. B. fehlendes oder abgeschwächtes Atemgeräusch) den Spannungspneumothorax wahrscheinlich. Sind die **Atemfrequenz** und der Auskultationsbefund hingegen normal, ist ein Spannungspneumothorax sehr unwahrscheinlich.

Bei beatmeten Patienten ist die Messung des **endtidalen Kohlendioxids** ($etCO_2$-Kapnografie) als zwingend anzusehen. Als **Normoventilation** gilt ein $etCO_2$ im Bereich von 35–40 mmHg. Im Verlauf wird dann die Beatmung oft als maschinelle Beatmung erfolgen.

17.1.8 C – Circulation (Kreislauf) und Blutungskontrolle

Eine zentrale Ursache für das Versterben nach einem Trauma sind schwere **Blutungen.** Aber auch beim nichttraumatischen Patienten ist die Beurteilung der Kreislaufsituation wesentlich. Zum Schritt „C" gehört daher die Beurteilung des **Kreislaufs** und der **Gewebeperfusion.** Beim Tasten des Pulses (→ Abb. 17.3) wird neben Frequenz, Qualität und Regelmäßigkeit auch auf die Farbe, Temperatur, Feuchtigkeit und **Rekapillarisierungszeit** der Haut geachtet. Dazu wird die periphere Durchblutung kurzzeitig unterbunden, z. B. indem der Fingernagel gegen das Nagelbett gedrückt wird, sodass es weiß wird. Normalerweise kehrt die Durchblutung danach rasch zurück, d. h., die Rekapillarisierungszeit liegt im Bereich von 2 Sekunden. Eine Verlängerung dieser Zeitspanne kann ein Problem der peripheren Durchblutung anzeigen. Allerdings kann z. B. eine kalte Umgebungstemperatur ebenfalls zu einer Verlängerung führen. Deswegen sollte dieser Wert nicht isoliert, sondern immer im Zusammenhang mit den anderen Befunden betrachtet werden.

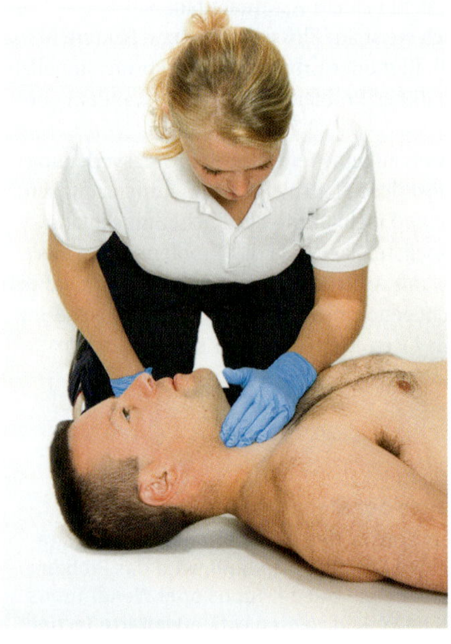

Abb. 17.3 Tasten des Karotispulses (beim ansprechbaren Patienten wird der Radialispuls getastet → Abb. 17.12) [J747]

MERKE

Mottling

Eine **Marmorierung** der Haut zeigt eine schlechte Durchblutung an. Sie kann auch beim Gesunden in kalter Umgebung auftreten, sollte aber in warmer Umgebung rasch wieder verschwinden. Beim **Schock** kann eine Marmorierung durch die verminderte Hautdurchblutung auftreten. Das charakteristische Bild wird auch als **Mottling** bezeichnet. Da die Überlebenswahrscheinlichkeit bei einer Sepsis mit dem Ausmaß der Marmorierung in Verbindung gebracht werden kann, wurde der Mottling-Score entwickelt. Die Hauterscheinung beginnt bei betroffenen Patienten im Bereich der Knie und breitet sich von dort aus. Dies verdeutlicht, dass auch bei Nicht-Trauma-Patienten eine Inspektion der nackten Haut wichtig ist und nicht nur auf Traumapatienten beschränkt werden sollte.

Einige dieser Parameter werden normalerweise schon beim Schritt „Erster Eindruck" wahrgenommen, sie sollen hier der Vollständigkeit halber jedoch mit aufgeführt werden.

Ein weiterer wesentlicher Untersuchungsschritt ist (je nach Notfallereignis) die Suche nach **äußeren Blutungen,** die bislang noch nicht entdeckt bzw. behandelt wurden.

Schwere **innere Blutungen,** wie sie bei Thoraxtraumata, abdominalen Traumata sowie bei Frakturen des Beckens bzw. großer Röhrenknochen vorkommen, können ausschließlich im Krankenhaus therapiert werden.

Beim **Verdacht auf eine Beckenverletzung** hat sich das KISS-Schema etabliert. Es zielt darauf ab, die Situation nicht dadurch zu verschlimmern, dass der Untersucher zu Untersuchungszwecken auf einem (möglicherweise instabilen) Becken kräftig herumdrückt. KISS steht für Kinematik, Inspektion, Schmerz und Stabilisierung. Es soll eine Hilfestellung bieten, ob die Anlage einer Beckenschlinge indiziert ist (→ Kap. 31.9). Die Beckenschlinge gehört zum Schritt C, weil sie potenziell die Kontrolle einer inneren Blutung ermöglicht.

Blutdruckmessung

Beim internistischen Patienten wird in dieser Phase auch der Blutdruck gemessen. Der Europäische Rat für Wiederbelebung definiert einen **systolischen RR < 90 mmHg** als eines der **Instabilitätszeichen.** Der ERC empfiehlt: Ist der normale Blutdruck des Patienten unbekannt, sollte ein systolischer RR von mindestens 100 mmHg angestrebt werden.

Im PHTLS-Kursformat war die Messung des Blutdrucks traditionell keine C-Maßnahme, weil Kompensationsmechanismen trotz eines gewissen Blutverlusts den Blutdruck eine Zeit lang aufrechterhalten. Vor allem junge gesunde Patienten können durch körpereigene Mechanismen einen Blutverlust lange ausgleichen. In Einzelfällen kann das Team an dieser Stelle auch andere Prioritäten als eine Blutdruckmessung haben. Einige Argumente sprechen dafür, den Blutdruck auch beim Traumapatienten zu messen:

- Ein abgestürzter Dachdecker hat im Primary Survey einen systolischen RR von 70 mmHg. Somit ist sein Zustand deutlich kritischer, als wenn der Blutdruck z. B. (noch) 110 mmHg wäre.
- Bei Patienten mit Schädel-Hirn-Trauma, bei Verdacht auf eine Querschnittslähmung oder bei Schwangeren sollen systolische Blutdruckwerte unter 90 mmHg möglichst nicht toleriert werden. Studien zeigten, dass die **Sterblichkeit** beim Schädel-Hirn-Trauma höher ist, wenn es zu Phasen mit **niedrigen Blutdrücken** oder einer Sauerstoffsättigung unter 90 % kommt (Hagebusch et al. 2020).

Intravenöser Zugang

Bei internistischen Notfällen macht die Behandlung des zugrunde liegenden Problems einen **i. v.-Zugang** notwendig (ggf. einen intraossären Zugang bei Lebensgefahr), weil fast immer Medikamente zur Therapie erforderlich sind. Abgesehen von Sonderfällen (etwa wenn Adrenalin initial i. m. verabreicht wird, bei der Inhalation von z. B. Salbutamol oder bei der intranasalen Medikamentengabe) werden Notfallmedikamente i. v. appliziert. Jeder Patient mit Anzeichen einer Kreislaufzentralisation und Tachykardie sollte (am besten angewärmte) balancierte Vollelektrolytlösungen erhalten, sofern keine kardiale Ursache im Raum steht. Eine schwere Kreislaufdepression kann durch einen Spannungspneumothorax hervorgerufen werden, jedoch sollte dieser schon beim Schritt „B" erkannt und behandelt werden.

EKG-Monitoring

Besteht der Verdacht auf eine kardiale Ursache des Problems, gehört zum Schritt „C" ein EKG-Monitoring. Nicht nur bei Patienten mit Brustschmerz, sondern z. B. auch bei einer Synkope ist es indiziert. Zudem stellt ein EKG-Monitoring eine nichtinvasive und rasch durchführbare Maßnahme dar. Bei Patienten mit Brustschmerz und/oder vermutetem akutem Koronarsyndrom (ACS) soll spätestens innerhalb von 10 Minuten nach medizinischem Erstkontakt ein 12-Kanal-EKG geschrieben und interpretiert werden. Da dies einen Moment dauert, wird der Primary Survey häufig schon komplettiert sein, bis dies erledigt ist.

17.1.9 D – Disability (Defizite der neurologischen Funktion)

Der Schritt „D" beinhaltet eine Einschätzung der **neurologischen Funktion** und erfolgt entweder anhand der **Glasgow Coma Scale** oder mithilfe des **AVPU-Score.**

Glasgow Coma Scale (GCS)

Beim Einsatz der GCS, die ursprünglich für die Schweregradeinteilung des Schädel-Hirn-Traumas entwickelt wurde, werden die Kriterien „Augen öffnen", „beste verbale Reaktion" und „beste motorische Reaktion" geprüft (→ Tab. 33.1). Ergänzend wird ein **Pupillenstatus** (Größe, Gleichheit, Lichtreaktion) als Hinweis auf ZNS-Verletzungen erhoben (→ Tab. 33.2). Solange unklar ist, warum ein Patient eine GCS-Reduzierung aufweist, soll immer der Blutzucker gemessen werden. Gibt es Hinweise auf Alkohol- oder Drogeneinwirkung? Eine Hypoxie als mögliche Ursache für eine Bewusstseinstrübung wurde bereits beim Schritt „B" behandelt.

AVPU-Score

Die AVPU-Skala (AVPU-Score) ist einfacher als die Glasgow Coma Scale anwendbar. Der Bewusstseinszustand des Patienten wird rasch und einfach in eine von vier Kategorien eingestuft (→ Kap. 35.2.2). Der AVPU-Score wurde ursprünglich für die Erstuntersuchung von Traumapatienten verwendet, da ein verminderter Bewusstseinszustand auf eine unzureichende Versorgung des Gehirns hinweisen kann.

17.1.10 E – Exposure/Environment (Entkleideten Patienten untersuchen/Erhalt von Körperwärme)

Bei Traumapatienten gilt der Grundsatz, dass diese entkleidet werden sollen, damit keine relevanten Verletzungen übersehen werden. Aber auch bei anderen Patienten lohnt eine Entkleidung, um z. B. das Fentanylpflaster oder die Insulinpumpe nicht zu übersehen.

Eine gegensätzliche Forderung ist, dass Patienten vor Kälteeinfluss geschützt werden sollen.

Entscheidend für das Vorgehen – entkleiden oder nicht – sind die **Situation** und die **Umgebungsbedingungen.** Wenn sich der Einsatzort z. B. im Freien befindet, kann das Vorgehen ggf. anders sein als in warmen Räumen. Aber auch das Wetter und vieles mehr spielen eine Rolle. So werden einige Patienten erst im Fahrzeug entkleidet, bei einigen wird bereits außerhalb des Fahrzeugs die Bekleidung oder ein Teil davon aufgeschnitten und in anderen Fällen wiederum ist die Entkleidung unerheblich.

PRAXISTIPP

Anwendung des X-ABCDE-Schemas

Ein sehr wichtiger Aspekt des X-ABCDE-Schemas besteht darin, dass in einem gut trainierten Team **mehrere Maßnahmen gleichzeitig** am Patienten durchgeführt werden. Gerade in einem größeren Team (RTW-Besatzung mit Auszubildendem, RTW und NEF) lässt sich das gut machen. Zur Verdeutlich der Priorisierung der Untersuchungsschritte und Behandlungsmaßnahmen lernt der „Anfänger" das ABCDE-Schema jedoch am besten in **einzelnen Schritten.** Daher wird das ABCDE-Schema in den zertifizierten Kursformaten und in der Ausbildung üblicherweise Schritt für Schritt vom Teamleiter durchgeführt. Es bringt dem „Anfänger" mehr, das ABCDE-Schema konsequent einzuhalten, anstatt vieles gleichzeitig zu machen. So lernt der Teamleiter in den Übungsszenarien die **prioritätenorientierte, strukturierte Vorgehensweise.** Damit soll nicht gesagt werden, dass der Teamleiter sein Team nicht einsetzen soll. Zunächst muss er jedoch verinnerlicht haben, in welcher Reihenfolge welche Schritte stattfinden. Sobald er das gut beherrscht, wird er ein Team auch führen können, wenn er mit Kollegen arbeitet, die im ABCDE nicht so sicher sind.
Die X-ABCDE-Struktur erfordert sowohl im Training als auch im Realeinsatz nicht nur die Kenntnis, welche Untersuchungsschritte und Maßnahmen durchzuführen sind. Die Leistung des Teams beruht in einem erheblichen Maß auch auf der **Kommunikation.** Je schlechter es dem Patienten geht, umso höher ist die Belastung des Teamleiters und des Teams und umso eher besteht eine **Anfälligkeit für Fehler.** Zwar bietet X-ABCDE eine wichtige Unterstützung, da es auch bei hoher kognitiver Belastung dazu beiträgt, eine geordnete Struktur beizubehalten. Dennoch sollten auch die kommunikativen Fertigkeiten im Team eingeübt und nach Einsätzen eine Nachbesprechung durchgeführt werden. In bis zu zwei Drittel der Fälle werden Behandlungsfehler auf ungenügende Kommunikation zurückgeführt und Kommunikationsfehler gelten als Hauptursache für Patientengefährdungen!

IM FOKUS

Primary Survey – X-ABCDE-Schema

- Das **X-ABCDE-Schema** dient der Lebensrettung und schnellen Erfassung des Patientenzustands.
- Es ersetzt keine eingehende Untersuchung.
- Das X wurde eingeführt, um lebensbedrohliche Blutungen **(Exsanguination)** als besondere Problemstellung zu markieren.
- Während des Primary Survey sollte sich der **Teampartner** bereithalten, um bei lebensrettenden Maßnahmen direkt assistieren zu können.
- Bei **Unsicherheiten** oder **Zustandsveränderungen** wird das X-ABCDE-Schema sofort **wiederholt.**

17.1.11 Secondary Survey – SAMPLER und IPPAF

Nicht immer besteht die Möglichkeit, im Anschluss an den Primary Survey eine noch gründlichere Patientenuntersuchung bzw. -befragung durchzuführen. Der Grund dafür kann sein, dass lebensrettende Maßnahmen im Vordergrund stehen oder dass der Patientenzustand eine Befragung nicht zulässt, z. B. aufgrund einer Bewusstlosigkeit.

Wenn aber eine gründliche Untersuchung machbar und vertretbar ist, sollte sie auch erfolgen. Diese im Anschluss an den Primary Survey durchgeführte **erweiterte Beurteilung** wird als **Secondary Survey** bezeichnet. Einige wichtige Fragen sind in dem Akronym **SAMPLER** enthalten. Nicht immer fällt es leicht, dem Patienten die richtigen Fragen zu stellen und an alles zu denken. Dabei soll das Akronym SAMPLER helfen. Das SAMPLER-Schema sollte so früh wie möglich und sinnvoll durchgeführt werden. Es ist primär nicht Inhalt des Secondary Survey, wird aber aus zeit- und einsatztaktischen Gründen oft hierher verlagert. Die AMLS- und PHTLS-Algorithmen zeigen dabei die notwendige Struktur (→ Abb. 17.4, → Abb. 17.5).

S – Signs and Symptoms (Befunde und Symptome)

Befunde und Symptome sind zwei unterschiedliche Dinge. **Befunde** sind z. B. Messwerte, die vom Rettungsfachpersonal erhoben (z. B. der Blutdruck), oder Dinge, die von ihm beobachtet werden (z. B. kühle, feuchte Haut). **Symptome** hingegen sind die subjektiv empfundenen Beschwerden, die der Patient angibt. Das können Schwindel, Müdigkeit oder Bauchschmerzen u. v. m. sein. In manchen Fällen gibt es eine Überschneidung von Befunden und Symptomen, z. B. dann, wenn das Rettungsdienstpersonal beobachtet, wie der Patient erbricht. In diesem Fall wird die vom Patienten gemachte Angabe gleichzeitig ein Befund.

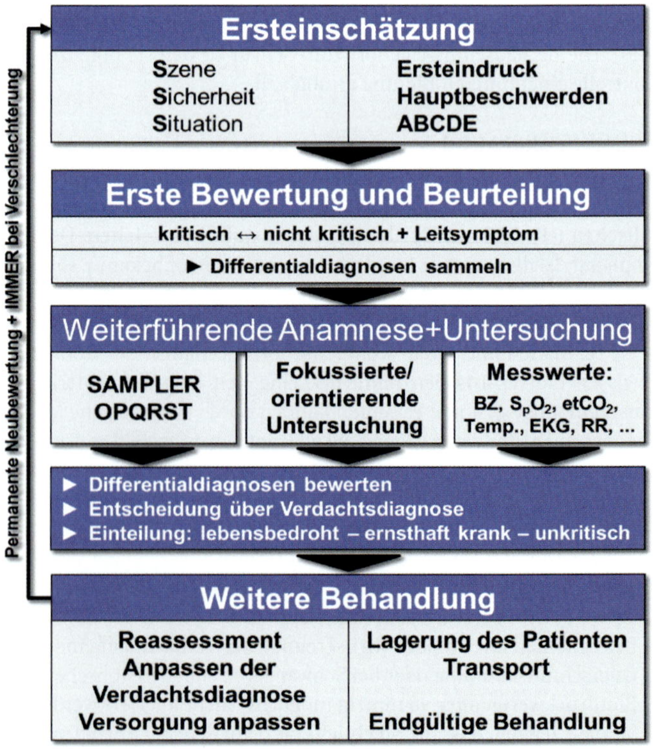

Abb. 17.4 Algorithmus zur AMLS-Patientenbeurteilung (©NAEMT) [W963]

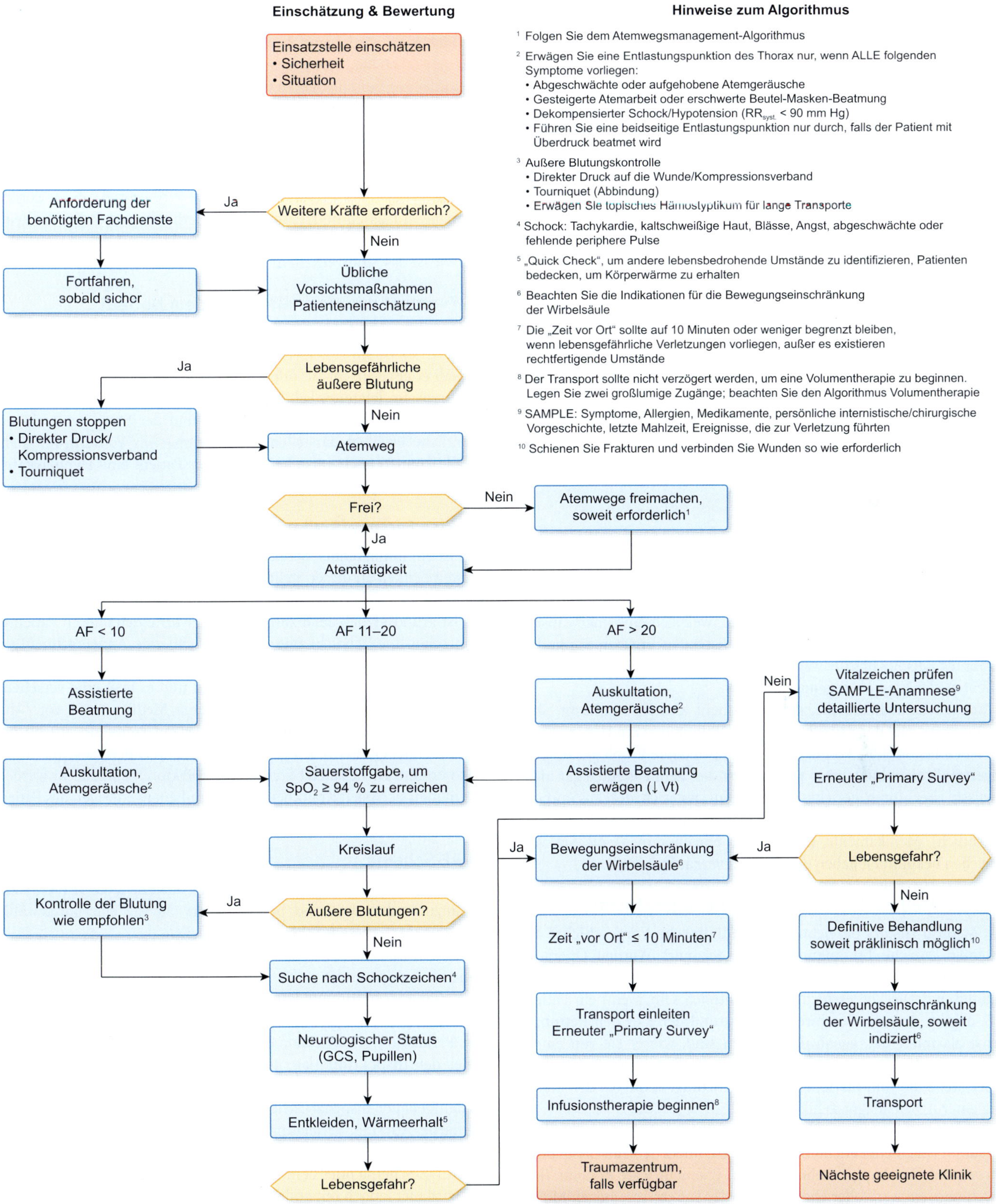

Abb. 17.5 Algorithmus zur PHTLS-Beurteilung (© NAEMT, Übersetzung: Stephan Dönitz) [W963, L231]

MERKE

Symptome bilden somit zusammen mit den Befunden die Grundlage für die Stellung einer Diagnose.

In der Praxis wird beim Schritt „S“ jedoch oft vorrangig darauf abgezielt, die subjektiven Beschwerden des Patienten genau zu hinterfragen. Wie z. B. dem Algorithmus AMLS-Vorgehensweise zu entnehmen ist (→ Abb. 17.4), werden die parallel erhobenen Messwerte als eigenständiger Block betrachtet.

A – Allergies (Allergien)

Hat der Patient Allergien? Dies spielt hinsichtlich der Medikamente, die der Rettungsdienst einsetzt, eine wichtige Rolle. Wenn z. B. beim akuten Koronarsyndrom (ACS) die Verabreichung von ASS (Acetylsalicylsäure) geplant ist, sollte der Patient dagegen nicht allergisch sein. Daher ist er dahingehend zu befragen. Möglicherweise hat der Patient aber auch Kontakt zu einem Stoff gehabt, der die Beschwerden ausgelöst hat, etwa durch versehentliche Einnahme eines Nahrungsmittels oder durch einen Bienenstich. Aber auch Allergien gegen ein bestimmtes Antibiotikum, gegen Kontrastmittel etc. sind spätestens im Krankenhaus eine wichtige Information.

M – Medication (Medikamente)

Die Frage zielt auf Medikamente, die der Patient **regelmäßig** einnimmt. Sie hilft bei der Identifikation eventueller Vorerkrankungen, gegen die der Patient behandelt wird. Der Rettungsdienst wird mit der Verabreichung eines Medikaments vorsichtig sein, weil sich eine unerwünschte Interaktion mit Medikamenten des Patienten ergeben kann. Ein bekanntes Beispiel hierfür wäre der Verzicht auf Nitrospray bei einem Patienten, der Viagra® eingenommen hat.

Aber auch Medikamente, die der Patient **aktuell** einnimmt, sind von Interesse. Hat der Patient z. B. ein Antibiotikum vom Hausarzt verschrieben bekommen, können plötzlich auftretende Probleme auf eine Unverträglichkeit hindeuten. Vielleicht ist dies dem Patienten gar nicht bewusst, aber durch gezieltes Nachfragen lässt sich der Zusammenhang herstellen. Manchmal haben Patienten auch versehentlich (oder absichtlich) Medikamente **überdosiert** eingenommen, die sie verschrieben bekommen haben oder die frei verkäuflich sind.

P – Past Medical History (Patientenvorgeschichte)

Past Medical History bezeichnet die **medizinische Vorgeschichte** des Patienten. Welche Erkrankungen sind bekannt? Wurden Operationen durchgeführt? Ist der Patient derzeit wegen einer Erkrankung in Behandlung? Die Vorgeschichte kann hilfreich sein, wenn ein Patient z. B. angibt, dass die Beschwerden, aufgrund derer er den Rettungsdienst alarmiert hat, genau die gleichen sind, wie er sie von einem früheren Ereignis kennt. Aufgabe des Rettungsfachpersonals ist es, an dieser Stelle die Informationen zusammenzufügen, die bei der Erstellung einer Arbeitsdiagnose hilfreich sind.

So kann z. B. eine lange Flugreise oder eine kürzlich stattgefundene Operation bei einem Patienten mit Thoraxschmerz den entscheidenden Hinweis auf eine Lungenembolie liefern. Ebenfalls wäre es beim Thoraxschmerz ein wertvoller Hinweis, dass der Patient vor einigen Monaten einen Stent erhalten hat. Hingegen wäre es bei diesem Patienten in der jetzigen Situation nicht relevant zu erfahren, dass er als Kind am Blinddarm operiert wurde.

L – Last Meal (Letzte Mahlzeit)

Mit Last Meal wird ermittelt, wann der Patient zuletzt gegessen und/oder getrunken hat. Dies ist insbesondere von Interesse, wenn eine Narkoseeinleitung beim Patienten vorgesehen ist, weil das Aspirationsrisiko ggf. erhöht ist. Aber auch wenn im Rettungsdienst keine Narkose geplant ist: Im Krankenhaus wird man sich ggf. für diese Information interessieren. Darüber hinaus können bestimmte Krankheitsbilder mit einer Nahrungsaufnahme im Zusammenhang stehen, etwa Gallenkoliken.

Beim Leitsymptom Abdominalschmerz wird erfragt, ob im Zusammenhang mit Essen und Trinken Besonderheiten von Patienten beobachtet worden sind. Einfach gesagt: Wie funktioniert das Wasserlassen und wie ist das Stuhlverhalten?

E – Events (Ereignisse direkt vor dem Notfall)

Was passierte direkt vor dem Notfall? Kann sich der Patient daran erinnern? Es ist ein Unterschied, ob der Patient von der Leiter gestürzt ist, weil er abgerutscht ist, oder ob er vielleicht aufgrund einer Synkope stürzte. Im letzteren Fall könnte die Synkope z. B. Symptom eines höhergradigen AV-Blocks gewesen sein und der Sturz gar nicht das eigentliche Problem darstellen, das scheinbar im Vordergrund steht. Unfälle können auch entstehen, wenn der Patient eine Hypoglykämie oder einen epileptischen Anfall hatte.

R – Risk Factors (Risikofaktoren)

Dies ist ein umfassender Bereich, da er sehr viele Aspekte umfasst. Die meisten denken an dieser Stelle wahrscheinlich an **Risikofaktoren** wie Nikotinabusus, Übergewicht, Diabetes oder einen erhöhten Blutdruck. Das ist grundsätzlich auch zutreffend, aber für einen älteren Patienten kann schon die Teppichkante oder eine fehlende Antirutschmatte in der Badewanne ein Sturzrisiko darstellen. Möglicherweise kommt der Patient mit seinen Tabletten nicht zurecht und es liegt eine versehentliche Überdosierung eines oder mehrerer Medikamente vor. Aber auch Alkoholismus ist ein Risikofaktor, der einerseits mit erheblichen gesundheitlichen Auswirkungen einhergeht und andererseits das Sturzrisiko erhöht. Nicht zuletzt können Risikofaktoren aufgedeckt werden, indem man sich nach Krankheiten bei Familienangehörigen des Patienten erkundigt.

IPPAF-Schema

Während des Secondary Survey besteht ggf. auch Zeit, das **IPPAF-Schema** anzuwenden, während beim Primary Survey eher ausgewählte Methoden nach diesem Schema mit einfließen.

Die fünf Buchstaben stehen für Untersuchungsmethoden, die – der Reihe nach angewendet – dem Rettungsdienst ein komplettes präklinisches Bild über bestimmte Funktionen und Areale des Patienten geben und die weiteren Maßnahmen beeinflussen können: Inspektion, Palpation, Perkussion, Auskultation und Funktionskontrolle.

Bei der **Inspektion** (lat.: inspectio = Durchsicht, Prüfung) wird der Patient von oben bis unten betrachtet. Einzelne suspekte Areale werden genauer inspiziert. Hierbei können bereits Beobachtungen zu Hautfarbe, Atmung, Verletzungen etc. gemacht werden. Dies geschieht bereits bei der oben beschriebenen strukturierten Vorgehensweise nach X-ABCDE-Schema oder dem folgenden Secondary Survey. Die Inspektion wird hier jedoch mit anderen Methoden kombiniert, um gleich ein Gesamtbild zu erhalten.

Mit der **Palpation** (lat.: palpare = tasten) beginnt der Notfallsanitäter, den Patienten abzutasten (→ Abb. 17.6). Hierbei geht es darum herauszufinden, ob der Patient Schmerzen beim Abtasten angibt oder andere pathologische Veränderungen zu erkennen sind.

Bei der **Perkussion** (lat.: percutere = schlagen, klopfen) werden z. B. das Abdomen oder der Thorax abgeklopft (→ Abb. 17.7). Hierbei können ggf. Klangveränderungen auf pathologische Erkrankungen in diesen Bereichen hinweisen (→ Abb. 17.8).

Die **Auskultation** (lat.: auscultare = horchen) wird mithilfe des Stethoskops durchgeführt. Es werden ebenfalls der Thorax (→ Abb. 17.9) sowie das Abdomen und das Herz (→ Abb. 17.10) untersucht. Bei bestimmten Gefäßerkrankungen, z. B. der Karotisstammstenose, ist es dem Geübten möglich, mit dem Stethoskop Strömungsgeräusche über der A. carotis festzustellen.

Im Abschnitt der **Funktionskontrolle** (lat.: functionare = Aufgabe) werden die einzelnen Körperabschnitte auf ihre intakte Funktion hin überprüft. Hierzu zählen auch Teile der neurologischen Untersuchungen, z. B. das Herausstrecken der Zunge beim Schlaganfallpatienten oder das Bewegen der Extremitäten.

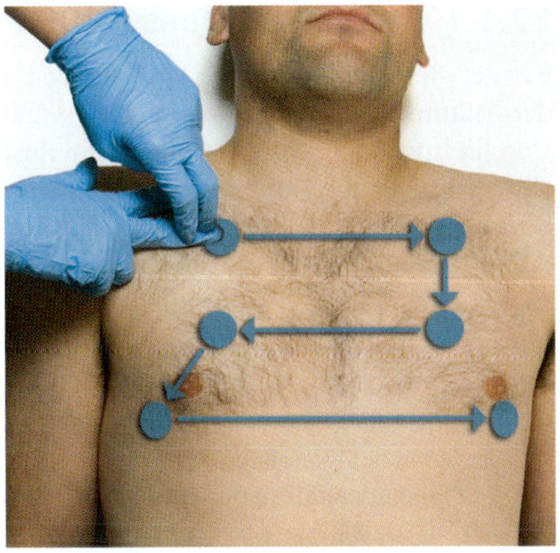

Abb. 17.8 Systematische Lungenperkussion auf der Brust [J747]

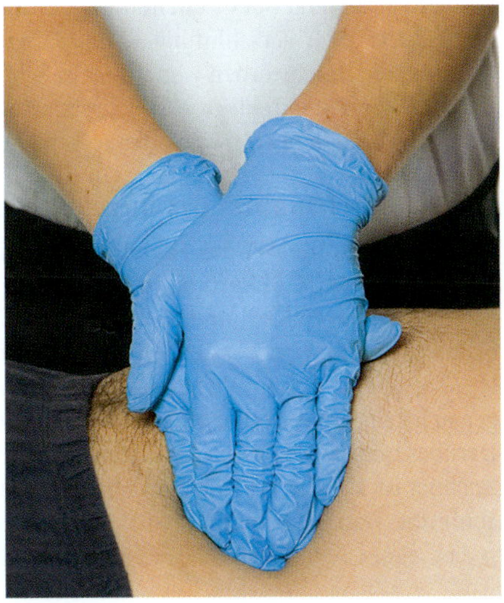

Abb. 17.6 Palpation des Abdomens [J747]

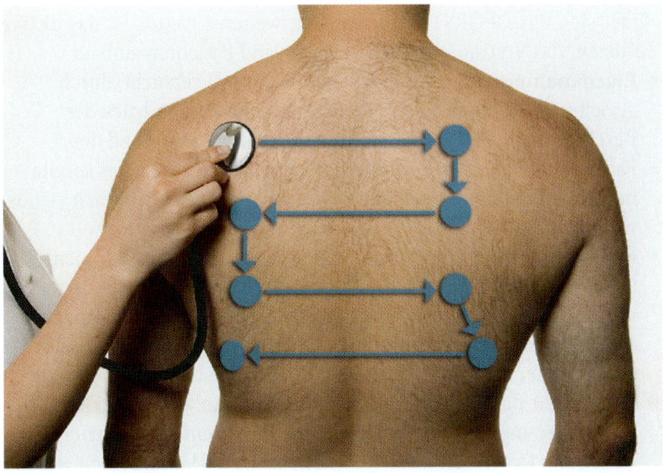

Abb. 17.9 Systematische Auskultation der Lunge auf dem Rücken [J747]

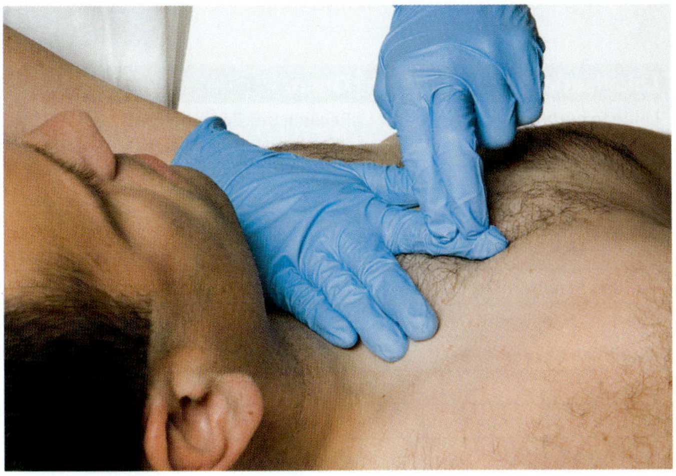

Abb. 17.7 Technik der Perkussion [J747]

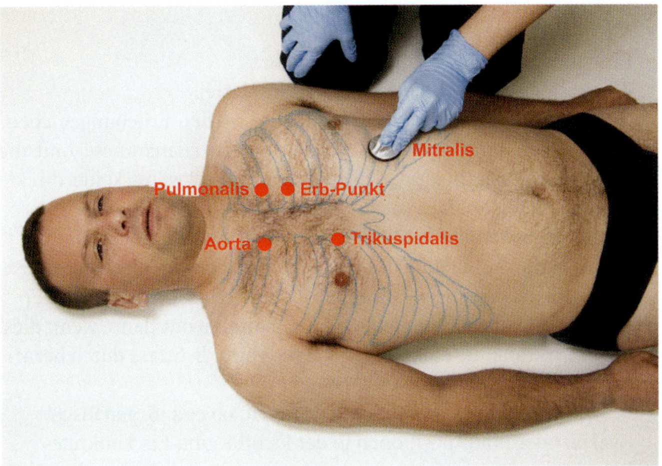

Abb. 17.10 Auskultation des Herzens [J747]

17.1.12 Notfallanamnese – OPQRST-Schema

Bei der Befragung nach OPQRST handelt es sich um die Erhebung der **Anamnese des Patienten** in einer strukturierten Reihenfolge. Die Durchführung der Befragung hängt vom Zustand des Patienten ab. Von Fall zu Fall ist die Durchführung unmöglich, wenn der Patient z. B. bewusstlos ist.

DEFINITION

Die **Anamnese** ist die Vorgeschichte des Patienten bzgl. seiner aktuellen Beschwerden (griech: anamnesis = Erinnerung). Unterschieden in **Eigenanamnese,** bei der der Patient selbst befragt wird, und **Fremdanamnese** mit Befragung Dritter, z. B. Angehöriger oder Augenzeugen.

Bei der Erhebung der Anamnese sollte der Notfallsanitäter auf eine möglichst gezielte **Fragetechnik** achten, die dem Patienten keine Möglichkeit lässt, seine Beschwerden ungenau darzustellen. Auch hierzu eignet sich das OPQRST-Vorgehen. Ein weiterer Faktor ist das **aktive Zuhören,** das Vertrauen zwischen Helfer und Patienten aufbaut.

- **Eigenanamnese:** Bei der Eigenanamnese wird versucht, durch gezieltes Nachfragen einen möglichst objektiven Eindruck der Beschwerden vom Patienten selbst zu erhalten. Dabei soll der Patient sein Leiden frei schildern. Eine Unterbrechung des spontanen Patientenberichts sollte nur erfolgen, wenn das Gespräch ziellos wird. Die Eigenanamnese teilt sich in Einzelschritte auf.
- **Fremdanamnese:** Die Fremdanamnese umfasst Informationen über den Patienten durch Dritte. Sie sollte mit Bedacht verwertet werden, da die Möglichkeit besteht, dass nicht immer alle Angaben der Wahrheit entsprechen. Andererseits kann ein Fremdhinweis ein wichtiger und manchmal sogar der einzige richtungsweisende Hinweis für die Einschätzung der Notfallerkrankung sein. Gerade bei der Versorgung bewusstloser Patienten ist eine differenzierte Befragung Dritter (Angehörige, Augenzeugen, Hausarzt etc.) wichtig und notwendig.

Folgende Faktoren beim bewusstlosen Patienten liefern zusätzliche wertvolle Hinweise:

- Raumtemperatur
- Herumliegende Medikamente, Abschiedsbrief (z. B. Tablettenreste in Gläsern, Toilette, Ausguss)
- Einstichstellen
- Mundgeruch des Patienten (Fötor)
- Prüfen der Umgebungsluft am Einsatzort
- Körperstellung des Patienten an der Einsatzstelle

Zwei Begriffe, die im Rahmen von anamnestischen Erhebungen ebenfalls von Bedeutung sein können, sind die Sozialanamnese und die Familienanamnese. Beides wird miterfasst, auch wenn keine direkte Befragung hierzu erfolgen muss.

- Die **Sozialanamnese** beschreibt das soziale Umfeld und auch die gesellschaftliche Stellung des Patienten. Inhalte wären beispielsweise die familiäre, berufliche, aber auch die finanzielle Situation. In der Regel erfolgt die Erhebung der Sozialanamnese nur dann, wenn dies für die Erkrankung eine Rolle spielen kann, z. B. Stress durch berufliche oder finanzielle Sorgen.
- Bei der **Familienanamnese** wird ermittelt, ob es z. B. genetische Risiken oder Prädispositionen in der Familie gibt. Ein konkretes Beispiel hierfür ist, ob bereits ein Familienmitglied an derselben Erkrankung leidet oder ggf. sogar schon verstorben ist. Dies kann ggf. das Risiko für eine Erkrankung erhöhen.

O – Onset (Beginn der Beschwerden und Ursprung)

Wann und vor allem **wie** haben die Schmerzen oder Beschwerden begonnen? Was hat der Patient gemacht, als die Beschwerden auftraten? Traten die Beschwerden ganz plötzlich auf oder wurden sie im Lauf der Zeit immer schlimmer? Liegen **begleitende** Probleme vor, wie etwa Übelkeit, Erbrechen, Schwindel oder Taubheitsgefühl?

Derartige Fragen spielen eine Rolle, weil sie helfen können, die Ursache einzugrenzen. Wenn der Patient z. B. angibt, dass ein Brustschmerz beim Treppensteigen auftritt, aber in Ruhe vorübergeht, sagt dies etwas anderes aus, als wenn die Beschwerden auch in Ruhe bestehen bleiben. Denkt man etwa an eine Anaphylaxie als Ursache für eine Atemnot, so kann dieser Verdacht wieder von der Liste gestrichen werden, wenn die Atemnot bereits seit einigen Tagen zunimmt.

Wichtig ist es auch, zu erfragen, ob der Patient die beschriebenen Beschwerden schon einmal hatte.

P – Palliation/Provocation (Linderung/Verschlechterung)

Manchmal berichtet der Patient, dass bestimmte Dinge die Beschwerden bessern oder verschlimmern. Ein Patient mit einer Kolik ist z. B. unruhig; die Beschwerden werden meist schlimmer, wenn er still liegt. Ein anderer Patient klagt vielleicht über Schwindel im Stehen, der jedoch im Liegen besser wird oder vergeht.

Q – Quality (Qualität der Beschwerden)

Mit Qualität ist die **Art des Schmerzes** gemeint. Beschreibt der Patient seine Schmerzen z. B. als dumpf und nicht genau lokalisierbar, kann dies auf Erkrankungen der inneren Organe als Ursache hindeuten. Dieser Schmerz wird auch **viszeraler** Schmerz (viszeral = die Eingeweide betreffend) genannt. Davon abzugrenzen ist der **somatische** Schmerz, der genau lokalisierbar ist und oft als scharf oder stechend beschrieben wird. Darüber hinaus gibt es den **kolikartigen** Schmerz, der dadurch gekennzeichnet ist, dass er bis zu einem Maximum stetig zu- und dann wieder abnimmt. Danach beginnt der Schmerz irgendwann wieder von vorn, sodass dieser Schmerz auch als wellenartig charakterisiert werden kann.

R – Region/Radiation (Region/Ausstrahlung)

Zum einen soll der Patient, wenn er es kann, die Stelle zeigen, wo es wehtut. Zum anderen ist es relevant zu wissen, ob der Schmerz von dort irgendwohin ausstrahlt. Ein interessantes Phänomen ist der **übertragene Schmerz:** Mitunter kann es an ganz anderen Stellen schmerzen als an dem eigentlichen Ort der Ursache (→ Tab. 17.3).

Lokalisation der Schmerzen	Organ
Linke Schulter	Reizung des Zwerchfells (Blut oder Luft aus einer Ruptur anderer abdominaler Organe wie Ovarien, Milzruptur, Myokardinfarkt)
Rechte Schulter	Leberreizung, Gallenblasenschmerzen, Reizung des Zwerchfells
Rechtes Schulterblatt	Leber und Gallenblase
Oberbauch, epigastrisch	Magen, Lunge, Herz
Umbilikal, um den Nabel	Dünndarm, Blinddarm (Appendix)
Rücken	Aorta, Magen und Pankreas
Flanken und Leistengegend	Niere, Ureter
Perineum	Harnblase
Suprapubisch	Harnblase, Kolon

Tab. 17.3 Übertragener Schmerz (NAEMT 2013)

S – Severity (Intensität der Beschwerden)

Verbreitet ist im Krankenhaus und auch im Rettungsdienst die numerische Rating-Skala (NRS), die von 0 bis 10 reicht. Hat der Patient keine Beschwerden, soll er 0 Punkte vergeben, die schlimmsten Beschwerden, die er sich vorstellen kann, werden mit 10 Punkten bewertet. Meistens wird die NRS verwendet, um die **Schmerzintensität** anzugeben, aber man kann den Patienten auch bitten, auf diese Art seine Atemnot zu beschreiben.

T – Time (Schmerzdauer)

Liegt der **Beginn der Beschwerden** erst Minuten oder schon Stunden oder gar Tage zurück? Bei bestimmten Fragestellungen kann dies eine Rolle spielen, etwa dabei, ob sich ein Patient mit V. a. Schlaganfall im sog. „Lyse-Fenster" befindet. Bei einem Patienten mit ST-Hebungsinfarkt (STEMI) kann diese Frage z. B. darüber entscheiden, ob die Zeit noch ausreicht, ihn einer Katheterintervention (PCI) zuzuführen oder ob eher eine Lyse angezeigt ist. Die Frage kann aber auch dabei helfen, eine Diagnose zu erhärten oder auszuschließen; z. B. ist eine Atemnot, die seit mehreren Tagen zunimmt, sicherlich nicht durch eine Anaphylaxie hervorgerufen.

IM FOKUS

Notfallanamnese

- Die **SAMPLER-Anamnese** beinhaltet das vorangegangene **OPQRST-Schema** und kann viele Hintergrundinformationen zum aktuellen Störungsbild offenbaren.
- Der größte Vorteil ist die **Geschwindigkeit,** in der die Anamnese auf diesem Wege möglich ist.
- **S** = Symptome (**O**nset, **P**rovocation/Palliation, **Q**uality, **R**egion/Radiation, **S**everity, **T**ime)
- **A** = Allergien
- **M** = Medikamente
- **P** = Patientengeschichte
- **L** = Letzte Mahlzeit
- **E** = Ereignisse vor dem Notfall
- **R** = Risikofaktoren
- Bei den Risikofaktoren geht es um die **speziellen Risiken** für die **spezifischen Störungsbilder.**

17.1.13 Die Untersuchung von Kindern – pädiatrisches Beurteilungsdreieck

Die Untersuchung von Kindern (→ Kap. 35.2) beginnt vor der Anwendung des ABCDE-Schemas mit dem pädiatrischen Beurteilungsdreieck (Pediatric Assessment Triangle, PAT; → Abb. 17.11). Grund ist, dass sich Kinder gerade im Ersteindruck anders darstellen als Erwachsene.

Das Dreieck zeigt die wichtigsten drei Seiten bei der notfallmedizinischen Erstbeurteilung eines Kindes. Dabei handelt es sich nicht um Diagnosen, sondern um pathophysiologische Befunde. Auch hier kann schnell ersteingeschätzt werden, ob es sich um ein **kritisch** oder ein **nicht kritisch** erkranktes Kind handelt.

Ebenfalls wird bei der initialen Beurteilung mithilfe des Dreiecks die **Dringlichkeit für weitere Maßnahmen** festgelegt. Im Regelfall kann man schwerwiegende Störungen wie Traumata oder Störungen von Atmung und Kreislauf schon während des Herangehens an das Kind erfassen. Maßnahmen zur Stabilisierung der Vitalfunktionen werden umgehend eingeleitet. Ist dies nicht notwendig, hat man Zeit, auf das Kind einzugehen und sich in Ruhe der Anamnese zu widmen.

A – Äußeres Erscheinungsbild

Die meisten gesunden Kinder stehen in sichtbarem Kontakt mit ihrer Umgebung. Sie erkennen z. B. ihre Eltern. Jüngere Kinder fühlen sich besonders zu vertrauten Personen hingezogen, die ihnen Hilfe, Sicherheit und Geborgenheit geben. Bei der Beurteilung des äußeren Erscheinungsbilds hilft das Akronym **TICLS:**

- **T**onus: Beurteilt werden Muskeltonus und Körperposition des Kindes. Bewegt sich das Kind normal? Hat es einen normalen Muskeltonus oder ist es schlapp und bewegt sich kaum?
- **I**nteraktion: Ist das Kind aufmerksam? Interagiert es mit den Eltern oder seiner Umgebung? Kommt die Reaktion verlangsamt oder verspätet? Antwortet das Kind auf die Fragen des Rettungsfachpersonals, nimmt es die Retter wahr? Oder interagiert das Kind gar nicht mit seiner Umgebung?
- **C**onsolability (Tröstbarkeit): Schreit oder weint das Kind? Lässt es sich von seinen Eltern oder dem Rettungsfachpersonal beruhigen?
- **L**ook (Blick): Beobachtet das Kind seine Umgebung? Schaut und fixiert es die Retter oder starrt es ins Leere?
- **S**peech (Sprache): Spricht das Kind oder schreit es? Oder sagt es gar nichts und ist ruhig?

B – Atmung/Atemarbeit

- Sind Atembewegungen vorhanden?
- Atmet das Kind suffizient oder ist die Atmung gestört?
- Ist die Atemfrequenz normal, zu schnell oder zu langsam?
- Wirken die Atemanstrengungen verstärkt?
- Gibt es Geräusche, die auch ohne Stethoskop hörbar sind, wie z. B. in- oder exspiratorischer Stridor, Keuchen etc.?

C – Hautfarbe/Hautdurchblutung

Ist die Hautfarbe

- rosig (gut durchblutet),
- matt (blass),
- zyanotisch oder
- marmoriert?

PRAXISTIPP

Das **Tasten der Pulse** ist bei der ersten Beurteilung nicht notwendig, da es vor allem bei Kleinkindern mitunter viel Zeit in Anspruch nimmt. Das Suchen und das Auszählen des Pulses gestaltet sich oft als schwierig.

IM FOKUS

Pädiatrisches Beurteilungsdreieck

- **Spezielle Vorgehensweise** zur Ersteinschätzung von pädiatrischen Patienten
- Erfasst werden keine Diagnosen, sondern pathophysiologische Befunde
- Ziel ist die Entscheidung, ob Patient in kritischem Zustand ist
- Entscheidung setzt Maßstäbe für weitere Versorgung **(Dringlichkeit?)**
- Beurteilt werden **äußeres Erscheinungsbild, Atmung** und **Hautdurchblutung** (Hautfarbe)
- Keine differenzierten Befunde notwendig (ausreichend z. B.: Atmung schnell/normal/langsam)
- **TICLS** als Akronym für äußeres Erscheinungsbild

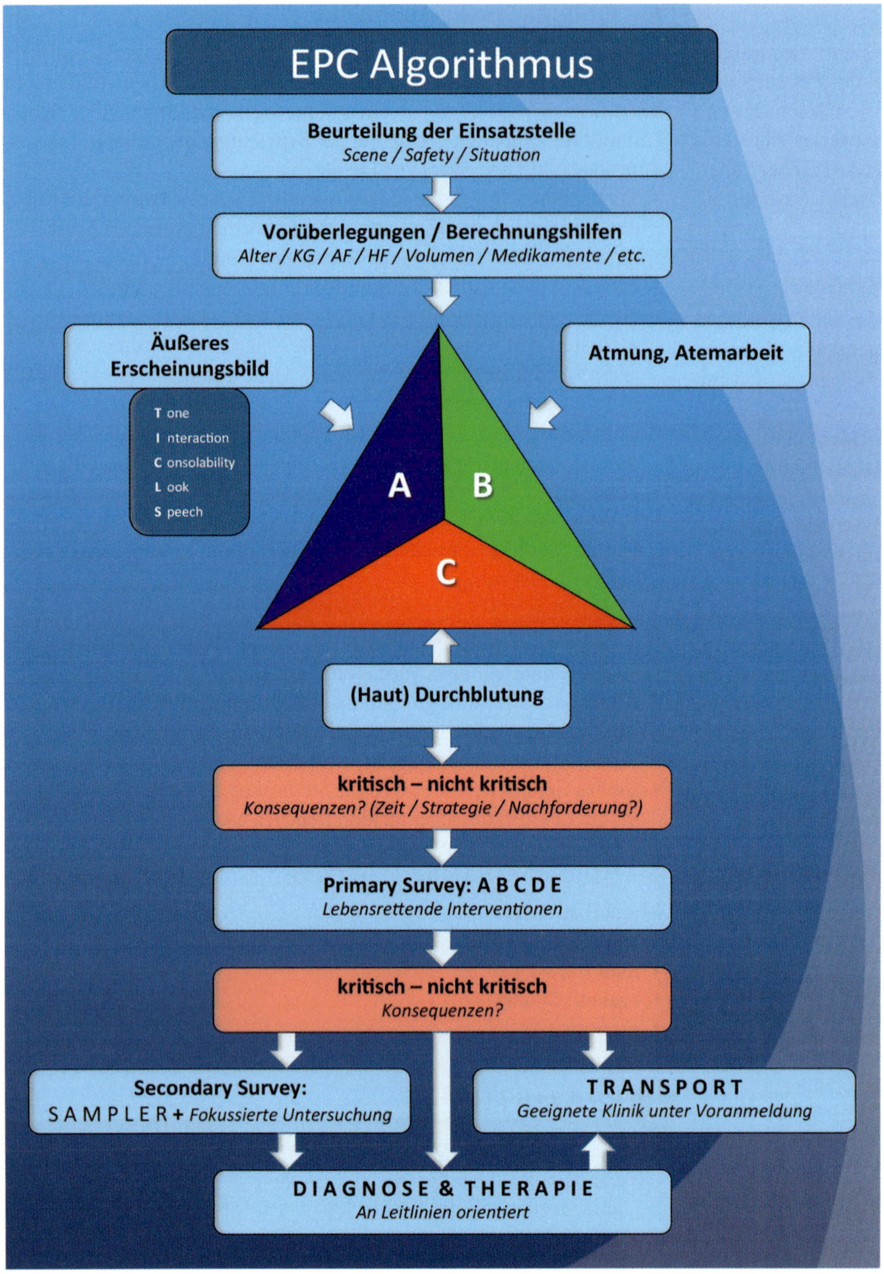

Abb. 17.11 EPC-Algorithmus mit pädiatrischem Beurteilungsdreieck [M839]

17.1.14 Analyse ausgewählter Vitalparameter

Die Analyse ausgewählter Vitalparameter dient der Vertiefung und Abgrenzung der kompletten Notfalluntersuchung. Bei der Bestimmung der Vitalparameter steht dem Rettungsfachpersonal eine ausreichende Anzahl von technischen Hilfsmitteln zur Verfügung (→ Kap.17.5). Dies können einfache Hilfsmittel wie z. B. Blutdruckmanschette, Stethoskop oder Blutzuckerstick oder technische Geräte wie das EKG, das Pulsoxymeter, das Kapnometer oder das Thermometer sein (→ Tab. 17.4).

Geräte	Vitalparameter
Blutdruckmanschette	Blutdruck
Glukometer	Blutzucker
EKG	Herzfrequenz/Herzrhythmus
Pulsoxymeter	O_2-Gehalt des Blutes/Herzfrequenz
Kapnometer	CO_2-Gehalt der Ausatemluft
Thermometer	Temperatur

Tab. 17.4 Hilfsmittel zur Analyse bestimmter Vitalparameter

Pulsmessung

Beim Tasten des Pulses (Pulspalpation) wird neben Frequenz (→ Tab. 17.5) und Qualität auch auf die Regelmäßigkeit geachtet. Simultan werden die Farbe, Temperatur, Feuchtigkeit und Rekapillarisierungszeit der Haut ermittelt. Mit jedem Erstkontakt kann durch Anfassen des Patienten am Handgelenk (→ Abb. 17.12) eine erste Ermittlung des Pulses erfolgen. Der Puls sollte nicht dauerhaft und schon gar nicht beim Erstkontakt mit

Altersgruppe	Normalwerte	Tachykardie	Bradykardie
Neugeborene	120–150	> 190	< 100
Säuglinge	120–140	> 175	< 95
Kleinkinder	100–120	> 150	< 80
Kinder	80–100	> 125	< 65
Erwachsene	60–80	> 100	< 50

Tab. 17.5 Puls- und Herzfrequenz nach Altersgruppen

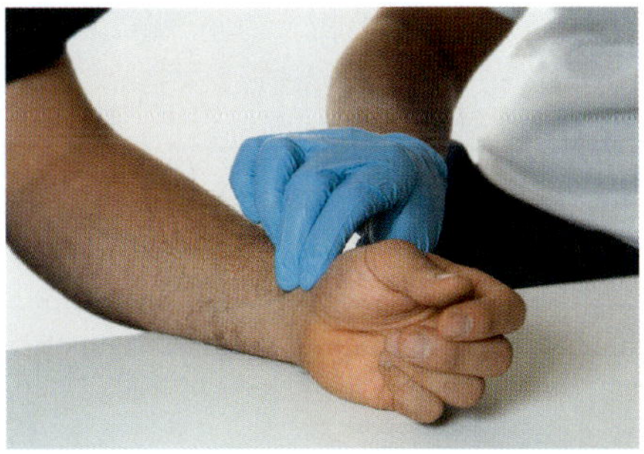

Abb. 17.12 Pulsmessung an der A. radialis [J747]

dem Pulsoxymeter gemessen werden, da dies keine Auskunft über die Qualität gibt. Die tastbare Pulswelle spiegelt die Druckwelle des Blutes in den oberflächlich verlaufenden Arterien wider (➔ Tab. 17.6).

Neben den in ➔ Tab. 17.5 aufgeführten Angaben zur Frequenz können weitere Parameter ermittelt werden:

- Herzrhythmus: regelmäßig, unregelmäßig, Extrasystolen (genaue Interpretation nur mittels EKG möglich)
- Durchblutung
- Blutdruck (ungenau): flacher oder fadenförmiger Puls → Hypotonie, sehr kraftvoller Puls → Hypertonie; ein tastbarer Puls am Handgelenk bedeutet zugleich auch vorhandene zentrale Pulse. Ist der Puls an der A. radialis tastbar, liegt mindestens ein Blutdruck von 60–70 mmHg vor
- Hauttemperatur und Hautfeuchtigkeit: z. B. kalt und schweißig → Zentralisation, Hypoglykämie, kalt und trocken → Unterkühlung, heiß und trocken → Hitzschlag
- Pulsdefizit: Unterschied zwischen ermittelter Herzfrequenz (z. B. artefaktfreie Anzeige auf dem EKG-Monitor) und getastetem Puls → z. B. Vorhofflimmern, Herzinsuffizienz
- Druckpuls: bradykarder und überkräftiger Puls (Hypertonie) → Hirndruck
- Physiologisch: tachykarder und kraftvoller Puls → körperliche Anstrengung, bradykarder und kraftvoller Puls → körperliche Ruhe

ACHTUNG!

- Blutdruckabfall und Bradykardie infolge Manipulation am Karotissinus: bei beidseitiger Pulskontrolle, bei Pulskontrolle mit zu hohem Druck oder durch ungeeignete Massage
- Verwechslung des Patientenpulses mit eigenem Puls: bei Einsatz des eigenen Daumens (fortgeleiteter Radialispuls in die Daumenspitze)

Blutdruckmessung

Der Blutdruck gibt den Druck des strömenden Blutes im Gefäßsystem an. Bei der manuellen Blutdruckmessung wird der Blutdruck innerhalb des Arteriensystems (Arteriendruck) gemessen (➔ Kap. 17.5.1). Der arterielle Blutdruck hängt von verschiedenen Kreislaufparametern ab.

Der Blutdruck eines Menschen wird bei der Messung durch zwei Zahlen angegeben, z. B. 120/80 mmHg. Der erste Wert ist der **systolische Blutdruckwert,** der den jeweils höchsten Wert des messbaren arteriellen Drucks mit seiner wellenförmigen, durch die Kontraktion

Arterie	Lokalisation	Indikation
Zentrale Arterien		
A. carotis communis	Trigonum caroticum: zwischen Larynx und M. sternocleidomastoideus (➔ Abb. 17.3)	• Kreislaufzentralisation (z. B. Schock) • Diagnose Kreislaufstillstand • Überwachung der Wirksamkeit von Thoraxkompressionen während CPR
A. femoralis	Leistenbeuge: schwer zu tasten, großflächig die Leistenbeuge abtasten	• Aortenaneurysma (Vergleich zwischen beiden Seiten) • Peripherer arterieller Verschluss, Hüftgelenksluxation, Schenkelhalsfraktur (Durchblutungskontrolle) • Punkt zum Abdrücken bei distalen arteriellen Blutungen der unteren Extremität
Periphere Arterien		
A. temporalis superficialis	Schläfenbein: über dem Ansatz der Ohrmuschel	Pulskontrolle bei Früh- und Neugeborenen
A. brachialis	Innenseite Oberarm: zwischen Mm. Biceps und triceps brachii (Muskellücke)	• Pulskontrolle bei Säuglingen und Kleinkindern • Peripherer arterieller Verschluss, Schulterluxation, proximale Oberarmfraktur (Durchblutungskontrolle) • Punkt zum Abdrücken bei distalen arteriellen Blutungen der oberen Extremität
A. radialis	Distaler Unterarm: radiale Beugeseite der Handwurzel	• Standardlokalisation zur Pulskontrolle bei ansprechbaren Patienten (Frequenz, Rhythmus, Stärke) • Peripherer arterieller Verschluss, Ober-/Unterarmfraktur, Schulter-/Ellenbogenluxation, Handgelenkfraktur/-luxation (Durchblutungskontrolle)
A. poplitea	Kniekehle	Peripherer arterieller Verschluss, Oberschenkelfraktur, Kniegelenk-/Patellaluxation, (Durchblutungskontrolle)
A. tibialis posterior	Oberes Sprunggelenk: dorsal des Malleolus medialis der Tibia	Peripherer arterieller Verschluss, Ober-/Unterschenkelfraktur, Kniegelenk-/Patellaluxation, Sprunggelenkluxation/-fraktur (Durchblutungskontrolle)
A. dorsalis pedis	Fußrücken: zwischen erstem und zweitem Mittelfußknochen	Peripherer arterieller Verschluss, Mittelfußfraktur, Sprunggelenkfraktur/-luxation (Durchblutungskontrolle)

Tab. 17.6 Lokalisation von Arterien zur Pulspalpation

des Herzens und die Elastizität der Aorta hervorgerufenen Bewegung in den Gefäßen darstellt. Der zweite Wert wird als **diastolischer Wert** bezeichnet und ist der jeweils niedrigste messbare Wert des Blutdrucks.

Elektrokardiogramm (EKG)

Das EKG ist eine weitere Möglichkeit der Überwachung der Herzfunktion des Patienten. Die Ausrüstung von Rettungswagen mit EKG-Geräten ist Standard (Anwendung und Interpretation des EKG: → Kap. 17.5.7 und → Kap. 17.5.8).

IM FOKUS

Puls, Blutdruck und EKG

Alle drei Methoden messen **Anteile des Herz-Kreislauf-Systems:**
- **Blutdruck:** Druck in den Gefäßen am Ort der Messung, nicht zu verwechseln mit Blutfluss (Menge pro Zeit)
- **Puls:** Pulswelle, Anteile (Pulsfrequenz, Pulsqualität, Pulsrhythmik)
- **EKG:** Nur elektrische Aktion des Herzens (!); zeigt Aktivität am Herzen und lässt so Rückschlüsse auf Rhythmus und Reizleitung zu
- Herzfrequenz ≠ Pulsfrequenz
- Hinzu kommen immer das **Aussehen des Patienten** und die **Rekapillarisierungszeit** (→ Kap. 17.1.8)

Blutzuckerbestimmung

Die Bestimmung des Blutzuckers ist Pflicht bei jedem bewusstseinsgestörten Patienten. Außerdem sollte ein Blutzuckerwert immer dann bestimmt werden, wenn der Patient unter Stoffwechselstörungen oder an anderen Erkrankungen leidet, die einen Anstieg oder einen Abfall des Blutzuckers mit sich bringen können (Technik der Blutzuckerbestimmung → Kap. 17.5.5). Mittlerweile hat sich die Ermittlung des Blutzuckerwerts als Standardmaßnahme durchgesetzt; er wird praktisch bei jedem Notfallpatienten im Laufe der Behandlung bestimmt.

Pulsoxymetrie und Kapnometrie

→ Kap. 17.5.2, → Kap. 17.5.3 und → Kap. 19.4.1

Temperaturmessung

Grundsätzlich wird zwischen **zentraler** und **peripherer Körpertemperatur** (Schalentemperatur) unterschieden. Im Rettungsdienst ist die Messung der zentralen oder auch Körperkerntemperatur wichtig. Von der Körperkerntemperatur hängt die Funktion der lebenswichtigen Organe entscheidend mit ab. Die Temperatur des gesunden Menschen schwankt zwischen 36,0 °C und 37,5 °C. Abweichungen davon werden nach der Schweizer Stadieneinteilung (→ Tab. 42.1) kategorisiert.
Einteilung der **Hyperthermie** (Überwärmung):
- Subfebrile Temperatur: 37,5–37,7 °C
- Leichtes Fieber: 37,8–38,8 °C
- Hohes Fieber: 38,9–39,9 °C
- Sehr hohes Fieber: > 40,0 °C

Thermometer (→ Abb. 17.13), die im Rettungsdienst Verwendung finden, sollten auf jeden Fall den Skalenbereich zwischen 26,0 und 42,0 °C abdecken. Es werden auch multifunktionale Monitore eingesetzt, mit denen direkt über zentrale Katheter oder eine Temperatursonde die Körpertemperatur kontinuierlich gemessen werden kann. Diese Messmethoden sind genauer und zeigen schneller Veränderungen der Temperatur an.

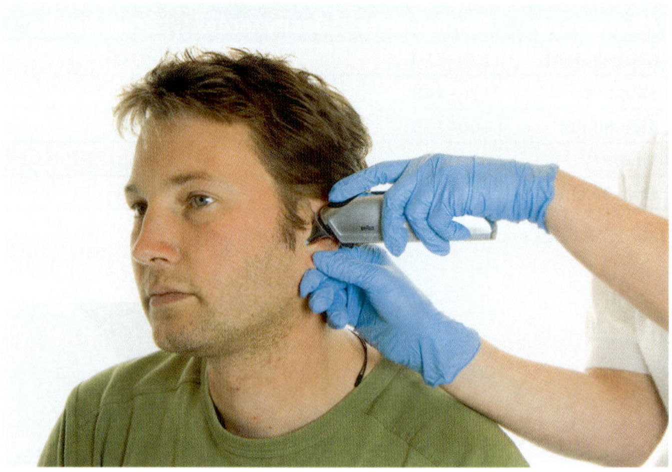

Abb. 17.13 Temperaturmessung mit elektronischem Thermometer, Messsonde im Gehörgang [J747]

17.1.15 Die 4 Hs und HITS

Die Leitlinien zur **Reanimation** sehen vor, dass nach den sog. **potenziell reversiblen Ursachen** oder anderen erschwerenden Faktoren, die eine spezifische Behandlung erfordern, gesucht wird. So ist z. B. ein Spannungspneumothorax ein Problem, das leicht behandelt werden kann, wenn er erkannt wird. Wenn jedoch nicht gezielt nach einem Pneumothorax gesucht und dieser auch nicht erkannt wird, sind die Überlebenschancen für den Patienten deutlich reduziert.

Die potenziell reversiblen Ursachen für einen Herz-Kreislauf-Stillstand sind in zwei Gruppen zu jeweils vier Begriffen zusammengefasst: **4 Hs und HITS**. Genau genommen handelt es sich um etwas mehr als 4 Hs, denn die Elektrolytstörungen/metabolischen Entgleisungen beinhalten mehrere Möglichkeiten. Im ERC-Algorithmus (→ Abb. 23.8) wird unten (Mitte) die Abarbeitung der reversiblen Ursachen dargestellt.

Die 4 Hs

H – Hypoxie

Das Risiko einer Hypoxie sollte durch eine gute Beatmung unter Verwendung von 100 % Sauerstoff minimiert werden. Zudem ist darauf zu achten, ob sich der Brustkorb hebt und beidseitig Atemgeräusche auskultierbar sind. Techniken wie die endtidale CO_2-Messung sind insbesondere beim intubierten Patienten unverzichtbar und werden von den Leitlinien verlangt.

H – Hypovolämie

Zu den prognostisch sehr ungünstigen Rhythmen beim Kreislaufstillstand gehört die **pulslose elektrische Aktivität** (PEA), die z. B. durch eine **Hypovolämie** verursacht sein kann. Wenn es sich bei dem Betroffenen um einen Traumapatienten handelt, ist der V. a. eine Hypovolämie naheliegend, aber wenn die Ursache z. B. eine gastrointestinale Blutung oder ein rupturiertes Aortenaneurysma ist, liegt der Verdacht womöglich nicht so nahe. Der Patient sollte mit – vorzugsweise angewärmten – balancierten Vollelektrolytlösungen versorgt werden, zudem ist eine rasche chirurgische Blutstillung essenziell. Bei Traumapatienten müssen auch die anderen hier aufgeführten potenziell reversiblen Ursachen bedacht werden: Spannungspneumothorax oder Herzbeuteltamponade.

H – Hypo- und Hyperkaliämie, Hypokalzämie, Azidose und andere metabolische Entgleisungen

Im Rettungsdienst sind **Elektrolytstörungen** oder **pH-Wert-Entgleisungen** zumeist nicht bestimmbar, da das entsprechende Laborgerät (z. B. Gerät zur Blutgasanalyse – BGA) nicht verfügbar ist. Ausnahmen sind teilweise Intensivtransportwagen (ITW), die ein BGA-Gerät dabeihaben und die wichtigsten Elektrolyte und den Säure-Basen-Status bestimmen können. Hinweise können aber bestimmte Medikamente, die der Patient einnimmt, oder Vorerkrankungen geben, z. B. eine Niereninsuffizienz oder Dialysepflichtigkeit.

Sofern noch vor Eintritt des Kreislaufstillstands ein 12-Kanal-EKG geschrieben werden konnte, kann dies diagnostische Hinweise liefern. So gibt es typische Veränderungen, die für eine Hyperkaliämie sprechen (große, spitze, zeltförmige T-Wellen – in mehr als einer Ableitung ist die T-Welle größer als die R-Zacke, → Abb. 17.14).

H – Hypothermie

Definitionsgemäß ist eine Körperkerntemperatur < 35 °C eine Hypothermie. In die ERC-Leitlinien hat die **Schweizer Stadieneinteilung der Hypothermie** (→ Tab. 42.1) Einzug gefunden. Diese stützt sich auf klinische Zeichen und entspricht der ungefähr zu erwartenden Körpertemperatur. Individuelle Abweichungen sind möglich.

HITS

H – Herzbeuteltamponade

Eine **Herzbeuteltamponade,** auch **Perikardtamponade** genannt, ist besonders bei Kreislaufstillstand schwierig zu diagnostizieren. Dies liegt daran, dass die typischen Zeichen (gestaute Halsvenen und niedriger Blutdruck) während des Kreislaufstillstands nicht beurteilt werden können. Allerdings gibt es verdächtige Umstände, etwa ein Kreislaufstillstand nach penetrierendem Thoraxtrauma (z. B. Messerstich, Schussverletzung) oder nach einem herzchirurgischen Eingriff.

I – Intoxikationen

In Deutschland kommen **Medikamentenintoxikationen** oft vor. Etwa 8000 Menschen sterben daran jährlich. Das Spektrum der Substanzen ist groß, es reicht von Benzodiazepinen, β-Blockern, Opioiden (z. B. Heroin), Antidepressiva, Alkohol oder Paracetamol bis hin zu Kohlenmonoxid oder Rauchgasen. Nicht immer ist es einfach, eine **Intoxikation** zu erkennen. Falls verfügbar, sollten die entsprechenden **Gegenmittel** (Antidote) gegeben werden (z. B. Naloxon bei Opioidintoxikation); allerdings ist meist nur eine symptomatische Therapie möglich, also etwa eine Beatmung oder Kreislaufstabilisierung.

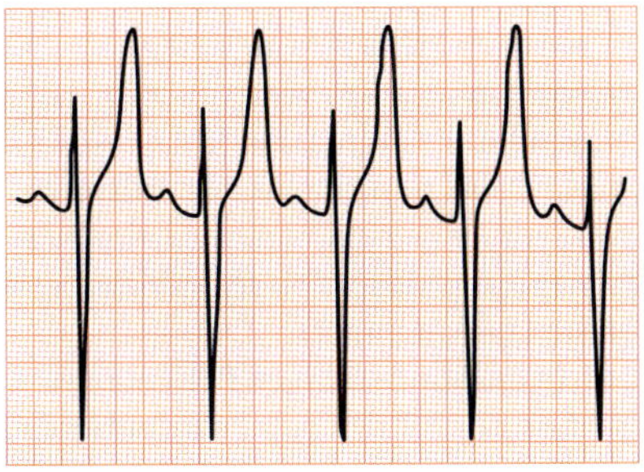

Abb. 17.14 EKG-Befund bei einer schweren Hyperkaliämie. Typisch sind die großen, spitzen T-Wellen. [L143]

T – Thromboembolische Ursachen

Eine thromboembolische Ursache für einen Kreislaufstillstand ist eine massive Lungenarterienembolie (LAE). Nach den ERC-Leitlinien 2021 soll unverzüglich ein Thrombolytikum verabreicht werden, sofern der Verdacht besteht, dass eine Lungenembolie die Ursache für den Kreislaufstillstand ist. Hat man sich erst einmal entschieden, eine Fibrinolyse durchzuführen, sollte die Reanimation für mindestens 60–90 Minuten weitergeführt werden, bevor sie abgebrochen werden kann.

S – Spannungspneumothorax

Nach der S3-Leitlinie Polytrauma sollte die Verdachtsdiagnose **Spannungspneumothorax** (→ Kap. 31.4.3) bei einseitig fehlendem Atemgeräusch bei der Auskultation der Lunge (nach Kontrolle der korrekten Tubuslage) und dem zusätzlichen Vorliegen von typischen Symptomen, insbesondere einer schweren respiratorischen Störung oder einer oberen Einflussstauung in Kombination mit einer arteriellen Hypotension, gestellt werden. Jedoch ist im Kreislaufstillstand ein Teil der Symptome nicht erhebbar, da der Patient keinen Kreislauf hat.

Ursache kann z. B. ein stumpfes oder penetrierendes Thoraxtrauma sein, aber auch ein zentralvenöser Punktionsversuch (insbesondere der V. subclavia). Wie bei der Hypovolämie angesprochen, kann ein **Spannungspneumothorax** ebenfalls primäre Ursache einer PEA sein.

Nach der S3-Leitlinie Polytrauma sollte die Entlastung eines Spannungspneumothorax durch eine Nadeldekompression erfolgen (→ Kap. 31.5), gefolgt von einer chirurgischen Eröffnung des Pleuraspalts mit oder ohne Thoraxdrainage. Die Reanimation nach Trauma sollte nicht beendet werden, bevor der Thorax nicht dekomprimiert wurde, da diese Maßnahme einen entscheidenden Einfluss auf das Überleben haben kann.

IM FOKUS

Die 4 Hs und HITS

Mögliche reversible Ursachen eines Herz-Kreislauf-Stillstands:

- **4 Hs**
  - **H**ypoxie
  - **H**ypovolämie
  - **H**ypo-/Hyperkaliämie (stellvertretend für metabolische Entgleisungen)
  - **H**ypo-/Hyperthermie
- **HITS**
  - **H**erzbeuteltamponade
  - **I**ntoxikationen
  - **T**hromboembolie (koronar oder pulmonal)
  - **S**pannungspneumothorax
- Jeder Aspekt zeigt zumeist **spezifische Hinweise,** nach denen gezielt gesucht werden sollte, z. B. Spannungspneumothorax: einseitig aufgehobenes Atemgeräusch, kein Puls trotz Kompressionen.
- Oft sind spezifische Zeichen allerdings nur im **ROSC** zu finden.

17.2 Fokussierte und orientierende Untersuchung

Die **fokussierte Untersuchung** rückt das **Leitsymptom** des Patienten in den Mittelpunkt und wird bei **auskunftsfähigen Patienten** im Anschluss an das ABCDE-Schema und OPQRST/SAMPLER durchgeführt.

Beim auskunftsfähigen Patienten soll keine „Von Kopf bis Fuß"-Gesamtuntersuchung erfolgen, da hier der Fokus auf einer **gezielten**

Untersuchung liegt, um die Verdachtsdiagnosen entweder auszuschließen oder zu stützen.

Ausgewählte **Leitsymptome,** die eine fokussierte Untersuchung des auskunftsfähigen Patienten erforderlich machen, sind v. a.:

- **Akutes neurologisches Defizit.** Oft tritt dies als Vigilanzstörung, Wesensveränderung, durch einen epileptischen Anfall oder Paresen bzw. Plegien in Erscheinung. Die Liste der möglichen Differenzialdiagnosen ist lang (→ Kap. 17.4.4).
- **Abdominelle Beschwerden,** v. a. Bauchschmerzen, Blähungen, Übelkeit, Erbrechen und Abwehrspannung (→ Kap. 17.4.2). Um mögliche Verdachtsdiagnosen etwas einzugrenzen bzw. auszuschließen, empfiehlt es sich, das Leitsymptom abdominelle Beschwerden mit anderen Symptomen (z. B. Diarrhoe, GI-Blutung oder Ikterus), die durch ABCDE gewonnen wurden, in Verbindung zu stellen. Bei der fokussierten **Untersuchung eines Patienten mit Bauchschmerz** werden die vier Quadranten des Bauchs inspiziert, auskultiert und palpiert. Der Patient soll dabei entspannt auf dem Rücken liegen. Die **Palpation** erfolgt erst nach der Auskultation. Auch hierbei sollte der Patient flach liegen (Arme seitlich abgelegt, Kopf nicht angehoben, damit die Bauchmuskulatur möglichst entspannt bleibt). Normalerweise ist der Bauch weich und nicht druckschmerzhaft. Ist der Bauch hingegen beim Abtasten bretthart, liegt wahrscheinlich eine lebensbedrohliche Situation vor. Wenn der Untersucher weiterreichende Kenntnisse hat, können auch spezielle Untersuchungen vorgenommen werden. Ein **Murphy-Zeichen** ist bei einem Patienten mit Bauchschmerzen z. B. ein Hinweis auf Gallensteine oder eine Cholezystitis. Können die Bauchschmerzen hingegen nicht durch eine Palpation ausgelöst werden, kann dies auf Nierensteine oder einen Harnwegsinfekt hindeuten. Die Untersuchung der Nierenlager erfolgt am besten im Sitzen und sollte vorsichtig durchgeführt werden, falls der Patient entsprechende Schmerzen angibt. Bei einer Pyelonephritis oder Harnaufstau ist das Beklopfen der Nierenlager schmerzhaft.
  Zudem kann auch ein Herzinfarkt Beschwerden im Abdomen und Übelkeit hervorrufen. Dieses Beispiel zeigt, wie wichtig es ist, sich nicht voreilig auf eine Diagnose festzulegen, sondern den Patienten umfassend und strukturiert zu untersuchen sowie eine sorgfältige Anamnese zu erheben.
- Dyspnoe **(Atemnot)** gehört zu den häufigen Einsatzstichworten im Rettungsdienst und auch hier gibt es viele mögliche Diagnosen (→ Kap. 17.4.3). Einige wichtige Untersuchungsschritte sind schon beim Schritt „B" des ABCDE-Schemas erfolgt. Ob der Patient beispielsweise normal atmet, ob eine Sprechdyspnoe besteht, eine Zyanose, wie die Atemtiefe ist, die Atemarbeit, die Atemfrequenz, die Körperhaltung und ob die Thoraxexkursionen seitengleich sind, all das sollte schon untersucht worden sein. Gleiches gilt für die Messung der Sauerstoffsättigung. Während die **Auskultation** während des Primary Surveys vor allem darauf abzielt, rasch zu erkennen, ob die Lungen beidseits belüftet sind und pathologische Atemgeräusche bestehen, wird sie im Rahmen der fokussierten Untersuchung gründlicher durchgeführt. Wenn möglich, sollte der Patient sitzen und mit offenem Mund tief ein- und ausatmen. Um Unterschiede festzustellen, wird die Auskultation immer **im Seitenvergleich** durchgeführt. Das Stethoskop wandert dabei also hin und her (→ Abb. 17.9). Um alle Lungenlappen beurteilen zu können, muss die Auskultation auch ventral und lateral durchgeführt werden.

ACHTUNG! Das Herz-Kreislauf-System und das Atemsystem sind eng miteinander verbunden. Eine deutlich erhöhte Atemfrequenz lässt möglicherweise an eine pulmonale Ursache denken.

Doch **nicht immer** muss die kranke Lunge oder der verletzte Thorax der Auslöser sein. Ein Schockgeschehen (z. B. durch Blutverlust) führt ebenfalls zu einer Steigerung der Atemfrequenz, in dem Fall ausgelöst durch anaeroben Stoffwechsel. Er erzeugt eine metabolische Azidose, die der Körper durch eine erhöhte Atemfrequenz (vermehrte Abatmung von CO_2) zu kompensieren versucht. Eine Sonderform ist die besonders tiefe, pausenlose **Kußmaul-Atmung** (→ Kap. 28.1.2).

- Thoraxschmerz **(Brustschmerz)** ist eines der häufigen Leitsymptome in der Notfallmedizin. Viele verschiedene Krankheitsbilder können sich mit Brustschmerz präsentieren (→ Kap. 17.4.1). Einige Ursachen für akuten Thoraxschmerz sind **lebensbedrohlich,** sie werden auch als die „Big Five" bezeichnet:
  - Akuter Myokardinfarkt (ACS)
  - Aortendissektion
  - Lungenarterienembolie (LAE)
  - Spannungspneumothorax
  - Boerhaave-Syndrom (Form der spontanen Ösophagusruptur; hier kann die sogenannte Mackler-Trias richtungsweisend sein: explosionsartiges Erbrechen, Vernichtungsschmerz und Hautemphysem).

  Um im Zusammenhang mit den Informationen, die durch ABCDE gewonnen wurden, die möglichen Verdachtsdiagnosen etwas einzugrenzen, empfiehlt es sich, das Leitsymptom Thoraxschmerz mit **anderen Symptomen/Befunden** in Verbindung zu stellen. Dies soll dazu beitragen, unwahrscheinliche Verdachtsdiagnosen auszuschließen. Beispiele hierfür sind **Thoraxschmerz im Zusammenhang mit:**
  - Dyspnoe
  - Hypoperfusion
  - Dyspnoe **und** Hypoperfusion

  Das Einbeziehen der Vorgeschichte, eine körperliche Untersuchung und vor allem das Monitor-EKG und 12-Kanal-EKG sind von besonderer Bedeutung. Dazu zwei kurze Beispiele
  - **Brustwandsyndrom.** Lassen die Brustschmerzen sich durch Druck von außen auf den Brustkorb hervorrufen, spricht dies gegen eine kardiale Ursache und passt z. B. eher zu einer lokalisierten Muskelverspannung. Wurden die Schmerzen innerhalb weniger Sekunden nach dem Hinlegen besser oder trat der Schmerz plötzlich beim Bücken nach vorne auf, spricht dies ebenfalls für ein Brustwandsyndrom. Das Fehlen von Husten und Atemnot stützt die Verdachtsdiagnose zusätzlich.
  - **Refluxösophagitis.** Viele betroffene Patienten haben brennende Schmerzen (Sodbrennen) hinter dem Brustbein, sodass im englischsprachigen Raum der Begriff **Heart Burn** verwendet wird. Diese treten besonders im Liegen, beim Bücken und nach Mahlzeiten auf. Manchmal lassen Sie sich auch mit bestimmten Nahrungsmitteln oder Arzneimitteln in Verbindung bringen. Ebenfalls typisch sind saures Aufstoßen, evtl. Heiserkeit und Mundgeruch. Ist die Krankheit fortgeschritten, können Schmerzen beim Schlucken auftreten.

  Die beiden Beispiele verdeutlichen, dass das Stellen der richtigen Fragen für die (Verdachts-)Diagnosefindung eine wichtige Rolle spielt. Dabei ist nicht nur das **Auftreten,** sondern auch das **Fehlen** von Symptomen relevant, wie beim Beispiel des Brustwandsyndroms (durch Palpation reproduzierbar Schmerzen und Fehlen von Husten und Atemnot).

Bei **nicht auskunftsfähigen Patienten** verlagert sich das Vorgehen nach Abschluss des ABCDE auf die **orientierende „Von Kopf bis Fuß"-Untersuchung** und das komplette **Monitoring,** da eine Fremdanamnese stets weniger aussagekräftig ist als die Informationen eines Patienten selbst. OPQRST/SAMPLER wird dann später **fremdanamnestisch** durchgeführt, dies ist dann allerdings **keine** fokussierte Untersuchung.

17.3 Grundsätzliches zur Patientenbeobachtung

Um die vorangegangene strukturierte Patientenuntersuchung auch fachgerecht durchführen zu können, sind weitere Informationen notwendig. Diese werden in den folgenden Kapiteln vermittelt.

Unter Beobachtung versteht man die Fähigkeit, konkrete Wahrnehmungen mithilfe der Sinne bewusst zu erfassen. Beobachtet man, so wird die Qualität der bewussten Beobachtung merklich davon beeinflusst, wie sehr man in der Lage ist, seine Wahrnehmungsgabe zu objektivieren. Dies sollte fortlaufend geübt werden und stellt auch für den Erfahrenen im Rettungsdienst eine Herausforderung dar.

DEFINITION

Unter **Patientenbeobachtung** werden die möglichen systematischen Wahrnehmungen an einem kranken Menschen verstanden, die seinen körperlichen und seelischen Zustand im Augenblick und auf Dauer erkennen lassen.

Die Werkzeuge der Patientenbeobachtung sind die **Sinnesfunktionen** Sehen, Hören, Fühlen und Riechen. Genauso wie ein Handwerker lernt, mit bestimmten Werkzeugen umzugehen, können Einsatzkräfte im Rettungsdienst erlernen, problemorientiert zu hören, zu sehen, zu tasten und zu riechen. Mit den Augen können Veränderungen der Haut (z. B. eine Zyanose) wahrgenommen oder mit dem Tastsinn Veränderungen der Hautbeschaffenheit (z. B. Tumoren) des Patienten registriert werden. Die Stärke und Frequenz des Pulses lassen sich mit dem Tastsinn erfühlen bzw. kann gezählt werden. Die Sinne zur Patientenbeobachtung lassen sich gut innerhalb konkreter Einsatzsituationen trainieren.

So kann man es sich z. B. bei internistischen Notfallpatienten zur Gewohnheit machen, die Lungen zu auskultieren. Mit der Zeit wird man so lernen, Atemgeräusche zu unterscheiden, und mit dem so erworbenen Zusatzwissen zu einer differenzierteren Einschätzung der Situation eines Notfallpatienten kommen.

17.3.1 Patientenzentriertes Handeln

Das patientenzentrierte Handeln sollte immer konzentriert, schematisch und frei von Vorurteilen durchgeführt werden. Es umfasst folgende Punkte, die immer wieder ablaufen:

- **Beobachtung:** Einschätzen der Situation und Annähern an den Notfallort
- **Interaktion:** Aufbau einer Beziehung zum Patienten
- **Aktives Zuhören:** Erkennen der verbalen und nonverbalen Botschaften
- **Fragen:** Fragen nach Hauptbeschwerden und wesentlichen Vorerkrankungen
- **Aktion:** Durchführung aller wesentlichen medizinischen und psychischen Maßnahmen
- **Dokumentation:** Erfassung aller relevanten Patientendaten in einem Einsatzprotokoll

Der Umgang mit Patienten sollte ehrlich und professionell sein, um möglicherweise bestehende Ängste abzubauen. Das Rettungsfachpersonal sollte immer konkret auf die jeweiligen Probleme des Patienten eingehen. Es ist in Notfallsituationen möglich, dem Patienten aktiv zuzuhören, auch wenn dies vom Rettungsteam Geduld erfordert. Der Aspekt des Zeitdrucks sollte im Umgang mit Patienten nicht überstrapaziert werden.

Abhängig von der vorgefundenen Notfallsituation kann es sehr wertvoll für die Beziehung zum Patienten sein, Vertrauenspersonen miteinzubeziehen. Gerade bei Kindernotfällen ist dies unumgänglich.

Der Gesprächsabschluss sollte von allen Beteiligten als positiv erlebt werden.

Aktives Zuhören

Das aktive Zuhören als ein wesentlicher Punkt des patientenzentrierten Handelns sollte mit einer angemessenen Begrüßung des Patienten und der Anwesenden beginnen. Die Gesprächsdistanz zum Patienten sollte räumlich verkürzt werden, um nicht unnötig laut reden zu müssen und die Privatsphäre des Patienten zu wahren. Das Gespräch soll nach Möglichkeit nicht „von oben herab" geführt werden, sondern das Rettungsfachpersonal sollte sich mit dem Patienten auf einer Ebene befinden, z. B. kniend bei einem liegenden Patienten (→ Abb. 17.15).

Der Körperkontakt ist vorsichtig, die Grenzen beachtend, zu dosieren (z. B. Hand halten, in den Arm nehmen). Dabei sind jedoch mögliche Aversionen zu berücksichtigen.

Während des Gesprächs ist der Blickkontakt zu halten und das Gespräch in einer verständlichen Sprache mit freundlichem Tonfall zu führen. Eine sprachliche Wiederholung des Verstandenen soll dem Patienten demonstrieren, dass ihm aktiv zugehört wird, und verschafft sowohl dem Rettungsfachpersonal als auch dem Patienten einen Überblick über das Gespräch.

MERKE

Es ist nicht Aufgabe des Patienten, die Welt des Rettungsdienstes zu verstehen, sondern es ist Aufgabe des Rettungsdienstes, das Erleben des Patienten in seinem Umfeld zu verstehen.

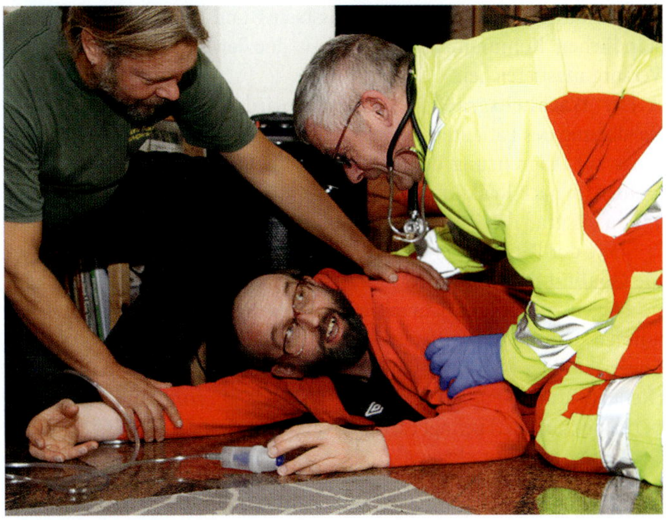

Abb. 17.15 Aktives Zuhören heißt auch, sich beim Gespräch auf die Ebene des Patienten zu begeben. [O997]

Daher sollten keine großen Erwartungen an den Patienten gestellt werden; bohrende und zwingende Fragen sowie wertende Äußerungen sind zu vermeiden.

Die Versorgung von Notfallpatienten ist für das Rettungsfachpersonal mit Stress verbunden. Emotionen und Gedanken nach dem Einsatz sollten nicht einfach ignoriert werden. Ein Einsatznachgespräch mit allen am Einsatz Beteiligten sollte selbstverständlich sein. Dabei ist es für die Teamarbeit entscheidend, auch über positive und negative Gefühle zu sprechen, um z. B. der Gefahr des Burn-out-Syndroms vorzubeugen.

17.3.2 Spezielle Aspekte zur Beobachtung von Patienten im Rettungsdienst

In diesem Kapitel werden die Kriterien der differenzierten Beobachtung des Notfallpatienten, die möglichen Veränderungen einzelner Körperregionen und Körperfunktionen, die das Fundament der strukturierten Patientenuntersuchung darstellen, näher erläutert.

Bewusstsein

Das Bewusstsein gibt den **Wachheitsgrad (Vigilanz)** eines Menschen an. **Bewusstseinsklare** Patienten sind ansprechbar, wach, zur eigenen Person, zu Ort und Zeit orientiert und ihre Gedanken folgen formal-logischen Denkabläufen. **Bewusstseinsgestörte** dagegen sind gekennzeichnet durch eine Benommenheit bis zum Koma mit Ausfall der Schutzreflexe (→ Kap. 33.1). Der Übergang vom Bewusstsein zur Bewusstlosigkeit (z. B. Koma als schwerste Form der Bewusstseinsstörung) ist dabei fließend. Häufig sind die einzelnen Schweregrade der Bewusstseinsstörung nur schwer voneinander abzugrenzen, wobei der jeweilige Schweregrad für die Anwendung von Basismaßnahmen zum Schutz der Vitalfunktionen unerheblich ist.

So wird ein bewusstseinsgestörter Patient i. d. R. in die stabile Seitenlage gebracht, sofern die Vitalfunktionen Atmung und Kreislauf nicht gegen diese Basismaßnahme sprechen.

Da sich eine Bewusstseinsstörung aber auch verschlimmern kann, ist der entscheidende Faktor zur Beurteilung des Bewusstseins die **Verlaufsbeobachtung** des Patienten.

Für die verständliche Dokumentation einer Verlaufsbeobachtung des Bewusstseinszustands wird die **Glasgow Coma Scale** (GCS) angewendet (→ Tab. 33.1). Sie ist eine in der Notfallmedizin bekannte Methode zur Verlaufsbeobachtung des Bewusstseins und dient der unmissverständlichen Kommunikation zwischen den jeweiligen medizinischen Versorgungsbereichen.

Der **Wachheitsgrad** des Patienten wird durch Ansprechen und Berührung des Patienten überprüft. Ist der Patient so nicht erweckbar, muss zur Abgrenzung der Bewusstseinstiefe ein Schmerzreiz gesetzt werden. Je nach Reaktion des Patienten (gezielt/ungezielt) wird nun der Wachheitsgrad des Patienten in die Glasgow Coma Scale eingetragen.

Sollte der Patient aber ansprechbar sein, so orientiert man sich über die **Qualität der Wachheit.** Hierzu werden dem Patienten verschiedene Fragen zur Person, Uhrzeit etc. gestellt. Die möglichen Antworten können dann klar, verwirrt, desorientiert (räumlich/zeitlich) oder gar unverständlich („Wortsalat") sein. Durch zusätzliche Untersuchungen (Reflexprüfung, Pupillenkontrolle, Blutzuckerbestimmung, Ganzkörperinspektion etc.) gelingt es, die Gesamtsituation der Bewusstseinslage des Patienten einzuschätzen.

Atmung

Die regelrechte Atmung **(Eupnoe)** ist der ungestörte Gasaustausch zwischen Lunge und Blut und aller mit diesem Vorgang verbundenen physiologischen Vorgänge.

Eine normale Atmung ist äußerlich erkennbar durch Brustkorb- und Atembewegungen, ein sich zyklisch wiederholender Vorgang von Inspiration und Exspiration. Wenn Brustkorbbewegungen sichtbar und ein Atemgeräusch hörbar sind, kann die Atemfunktion anhand folgender **Parameter** sicher beurteilt werden:

- Atemfrequenz
- Atemtiefe
- Atembewegungen
- Farbe von Haut und Schleimhaut
- Auskultation des Thorax und Atemgeräusch
- Pulsoxymetrie

Die physiologischen Werte der **Atemfrequenz** sind innerhalb der verschiedenen Altersstufen unterschiedlich (→ Tab. 17.7). Werte oberhalb der jeweiligen Frequenzen nennt man Tachypnoe, solche unterhalb dieser Werte Bradypnoe. Die Atemfrequenz wird bestimmt, indem die Atemexkursionen eine Minute lang gezählt werden.

Ausgehend von den möglichen Ursachen einer **Tachypnoe,** unterscheidet man eine sog. physiologische und eine pathologische Tachypnoe. Ursachen, die physiologisch zu einer Anhebung der Atemfrequenz führen, sind Erregung, Angst, Anstrengung oder Aufenthalt in großen Höhen (z. B. Gebirge). Pathologisch ist die Atemfrequenz erhöht bei Schonatmung (Hecheln), Azidose und Fieber.

Zu einer physiologischen Abnahme der Atemfrequenz **(Bradypnoe)** kann es in Ruhe, z. B. im Schlaf, kommen. Die Atemfrequenz ist pathologisch vermindert bei tiefer Bewusstlosigkeit, SHT, Hypothermie und Intoxikationen (z. B. mit Opiaten, Benzodiazepinen, Alkohol).

Bei der **Atemtiefe** wird die tiefe (großes Atemzugvolumen) von einer flachen (kleines Atemzugvolumen) Atmung unterschieden. Ein Patient mit starken Schmerzen im Bauchraum (abdominaler Schmerz) wird z. B. versuchen, diesen nicht noch durch tiefe Atembewegungen zu verstärken, und daher möglichst flach atmen. Das Atemzugvolumen solch einer Atmung ist deutlich verringert. Bei einer tiefen Atmung ist das Atemzugvolumen vergrößert; dies ist bei Zuständen der Übersäuerung des Organismus der Fall.

Ein weiteres Beobachtungsmerkmal ist die **Atembewegung,** die in Inspirationsbewegung und Exspirationsbewegung unterteilt wird.

Inspiration und Exspiration stehen in einem physiologischen Verhältnis zueinander. Unter normalen Bedingungen ist dieses ca. 1 : 1,7. Die Exspiration dauert also ca. 1,7-mal so lange wie die Inspiration. Bei einem Asthmaanfall ist die Exspiration deutlich verlängert; das Verhältnis kann sich auf 1 : 2,5 und mehr vergrößern.

Die Atembewegung sollte gleichseitig und gleichzeitig im Vergleich von linker und rechter Thoraxhälfte sein.

Auch die **Farbe** von Haut und Schleimhaut wird als Kriterium der Beurteilung der Atemfunktion herangezogen. Die bläuliche Verfärbung von Lippen und Mundschleimhaut (Zyanose) deutet auf eine verminderte Sauerstoffsättigung des Blutes hin. Bei einer zentralen Zyanose sinkt die Sauerstoffsättigung (SpO_2) auf unter 85 % ab.

Alter	Atemzüge pro Minute
Neugeborenes (bis 10 Tage)	40–55
Neugeborenes (ab 10 Tage)	35–40
Säugling	30–40
Kleinkind (1–3 Jahre)	20–30
Kind (4–12 Jahre)	20–25
Jugendlicher (ab 13 Jahre)	15–20
Erwachsener	10–18

Tab. 17.7 Physiologische Atemfrequenzen/Min. in Ruhe in unterschiedlichen Lebensaltern

Als Hilfsmittel bei der Beurteilung der Atmung wird das Stethoskop eingesetzt und der Thorax im Seitenvergleich orientierend an sechs Punkten abgehört: Lungenspitze (apikal), Thoraxmitte und Lungenbasis. Bei bestimmten Erkrankungen ist schon von Weitem auch ohne Stethoskop ein recht deutliches **Atemgeräusch** zu vernehmen. Beim Lungenödem z. B. hört man häufig schon beim Betreten der Wohnung ein deutlich brodelndes Atemgeräusch. Differenziert wird hier in trockene (Giemen, Brummen, Pfeifen) und feuchte (feinblasiges und grobblasiges Rasseln, Knistern) pathologische Atemgeräusche.

Komplettiert wird die Beurteilung der Atemfunktion durch ein apparatives Monitoring. Weiterführende Angaben zu Störungen der Atmung finden sich in → Kap. 28.1, zur Sauerstoffsättigung mittels **Pulsoxymetrie** in → Kap. 17.5.2.

Herz-Kreislauf

Die Kreislauffunktion ist abhängig vom Herzschlag und der Zirkulation des Blutes in den Gefäßen. Die Herz-Kreislauf-Funktion wird durch

- Palpation des Pulses,
- Messung der Herzfrequenz,
- Messung des Blutdrucks,
- Beurteilung der Durchblutung von Haut und Schleimhaut und der
- EKG-Ableitung

erfasst.

Bei der **Palpation des Pulses** gibt es mehrere zu beurteilende Faktoren, die direkte, aber auch indirekte Rückschlüsse auf die Kreislaufsituation des Patienten zulassen: Frequenz, Qualität und Rhythmus. Wichtig bei der Beurteilung und dem Tasten des Pulses ist die Einschätzung der **Pulsqualität.** Darunter versteht man ebenso die Härte eines Pulses wie auch dessen Füllung. Die normale Pulswelle der A. radialis ist deutlich zu tasten und weich.

Ein weiterer Parameter bei der Beurteilung des Pulses ist der **Rhythmus.** Dieser kann rhythmisch oder arrhythmisch sein.

Ein wichtiger, für das Rettungsfachpersonal schnell zu ermittelnder Parameter ist die **Pulsfrequenz** (Normwerte → Tab. 17.5). Die Pulsfrequenz wird durch Palpation der A. radialis am Handgelenk oder der A. carotis am Hals und Zählung der Pulswellen für 15 Sekunden, multipliziert mit vier auf eine Minute, ermittelt. Wenn es die Zeit erlaubt, kann die Frequenz auch über eine Minute ausgezählt werden.

Weitere Lokalisationen, an denen der Puls getastet werden kann, sind die A. temporalis, A. brachialis, A. femoralis, A. poplitea, A. dorsalis pedis und A. tibialis posterior (→ Tab. 17.6). Die Frequenz kann erhöht (Tachykardie) oder verringert (Bradykardie) sein.

Die **Herzfrequenz** wird durch Ableitung eines **Elektrokardiogramms** (→ Kap. 17.5.7) ermittelt. So muss die Herzfrequenz (HF) immer im Zusammenhang mit der Gesamtsituation des Patienten beurteilt werden. Bei Sportlern beträgt die Ruhefrequenz häufig nur um 50/Min. und weniger; hierbei handelt es sich um eine physiologische Bradykardie.

Mögliche pathologische Ursachen für eine **Bradykardie** können Störungen im Reizleitungssystem, erhöhter Hirndruck und Intoxikationen sein.

Von einer physiologischen **Tachykardie** hingegen spricht man bei Aufregung, Angst und Erregung. Pathologisch findet man eine erhöhte Herzfrequenz bei Fieber und Schilddrüsenüberfunktion.

Der **Blutdruck** ist die treibende Kraft für den Blutfluss in den Gefäßen. Der Blutdruck wird nach Riva Rocci (RR) gemessen (→ Kap. 17.5.1). Ein physiologischer Blutdruck wird als normoton bezeichnet und beträgt bei Erwachsenen 120/80 mmHg.

Eine **Hypotonie** ist bei Erwachsenen das Absinken des systolischen Blutdrucks unter 100 mmHg. **Hypertonie** (nach WHO-Kriterien) bezeichnet bei Erwachsenen einen systolischen Blutdruck über 140 mmHg oder einen diastolischen Blutdruck von mehr als 90 mmHg.

Die Prüfung der **Durchblutung** von Haut und Schleimhaut erfolgt an den Fingern und Zehen (Akren), der Mundschleimhaut und der Bindehaut des Auges. Die Haut sollte auch in den herzfernen Akren rosig, elastisch, warm und gut durchblutet sein, ebenso wie Mundschleimhaut und Konjunktiva. An den Zehen und Fingern kann die **Nagelbettprobe** durchgeführt werden, die eine Aussage über die kapilläre Füllung und den Blutdruck erlaubt. Dazu wird ein Fingernagel gegen das Nagelbett gedrückt, bis es blutleer (hellrot bis weiß) wird; sobald der Druck nachlässt, sollte sich das Nagelbett sofort wieder rot färben, wobei eine Füllung ≤ 2 Sek. als physiologisch und gut gilt. Eine Füllung des Nagelbettes ≥ 2 Sek. gilt als pathologisch und weist auf ein Kreislaufproblem hin.

Abschließend gehört die Ableitung eines mehrkanaligen **Elektrokardiogramms** (→ Kap. 17.5.7) in den Untersuchungsgang zur Herz-Kreislauf-Funktion. Weiterführende Angaben zu Störungen der Herz-Kreislauf-Funktion finden sich in → Kap. 27.1.

IM FOKUS

Bewusstsein, Atmung, Kreislauf

Diese Aspekte können permanent mit wenig Aufwand überwacht werden:

- **Bewusstsein:**
  - **Quantität** = „Wie wach ist mein Patient?“
  - **Qualität** = „Wie orientiert ist er?“
- **Atmung:**
  - „Wie schnell atmet mein Patient?“
  - „Wie regelmäßig atmet er?“
  - „Wie ist seine Hautfarbe?“
- **Kreislauf:**
  - „Wie ist die Hautfarbe meines Patienten?“
  - „Ist er kaltschweißig?“
  - „Ist sein Puls **normofrequent, regelmäßig** und **gut tastbar**?“

Haut

Das Besondere bei der Beobachtung der Haut ist die Möglichkeit, bestimmte Veränderungen sofort bei Eintreffen am Notfallort wahrzunehmen. Gerade die Haut ist ein Organ, das viel über den Patientenzustand aussagen kann. Eine komplette Beurteilung der Haut setzt sich aus den Aspekten

- Hautfarbe,
- Hauttemperatur,
- Feuchtigkeitsgehalt,
- Schweißabsonderung,
- Hautdurchblutung,
- Elastizität (Turgor) und
- Oberflächenbeschaffenheit (Verletzungen etc.)

zusammen.

Erstes sichtbares Merkmal bei der Hautbeobachtung ist die **Hautfarbe.** Die Haut ist bei hellhäutigen Menschen je nach Sonnenexposition weiß, rötlich oder braun gefärbt. In die Haut eingelagert finden sich Pigmentflecken (Sommersprossen, Leberflecken).

Beim Ertasten der Haut lassen sich zwei Merkmale registrieren, die **Hauttemperatur** und, damit eng verbunden, der **Feuchtigkeitsgehalt** der Haut. Die Haut fühlt sich normalerweise warm und trocken an, es findet keine übermäßige **Schweißabsonderung** außer in den Hautfalten (Leistenbeuge, Achsel) statt. Die Haut sollte sich überall gleich anfühlen, was auf eine gleichmäßige **Hautdurchblutung** schließen lässt. Bei einem Patienten im Schockzustand lässt sich eine kalte und feuchte

Haut erfühlen. Durch die Zentralisation im Schockgeschehen kommt es in der Kreislaufperipherie zu einer Drosselung der Durchblutung; die feuchte Haut wird daher nicht erwärmt. Dies führt zu einer Verdunstung und Abkühlung der Hautoberfläche (Transpirationskälte).

Unter **Hautturgor** wird der Spannungszustand der Haut verstanden. Hebt man eine kleine Hautfalte an, z. B. am Handrücken, so ist es möglich, den „Flüssigkeitszustand" des Organismus an der Verschieblichkeit der Haut zu beurteilen. Physiologischerweise sinkt mit zunehmendem Alter der Hautturgor ab. Man wird daher v. a. bei älteren Patienten die Spannungsabnahme der Haut beobachten können (→ Abb. 17.21). Besonders ältere Menschen und Säuglinge leiden unter Flüssigkeitsverschiebungen. Darum ist bei diesen Patienten ein bewusstes Beobachten des Hautturgors sehr wichtig.

Weitere Auffälligkeiten der Haut sind sichtbare Verletzungen, Blutergüsse (Hämatome), Kratzspuren und Narben.

Augen

Die Beurteilung eines pathologischen Befunds am Auge setzt die Kenntnis der anatomischen Strukturen und des Normalbefunds voraus. Jeder Notfallsanitäter sollte sich die Mühe machen, einmal das Auge eines Kollegen systematisch zu untersuchen. Während der Untersuchung hilft der Gebrauch einer Taschenlampe mit möglichst engem Strahlengang. Bei der Verletzung eines Auges kann der Vergleich beider Augen wichtige Hinweise auf pathologische Veränderungen geben.

Die Untersuchung wird im Seitenvergleich durchgeführt, beginnt mit der **Inspektion beider Augen,** und wendet sich dann den einzelnen zugänglichen Strukturen gesondert zu. Das **Sehvermögen** des Patienten wird grob beurteilt. Dabei sollte jeweils ein Auge abgedeckt sein. Bei einer vorliegenden Augenverletzung sollte ein möglicher Sehverlust erkannt werden. An den **Augenlidern** lassen sich Form (Schwellung), Farbe (Rötung), Stellung (Herabhängen, Einriss) und intakter Lidschluss untersuchen. Beim **Augapfel** werden die Stellung (Verdrängung, Zurücksinken), Bewegungseinschränkung und der Augendruck getestet. Große Druckunterschiede zwischen beiden Augen lassen sich mit sanft auf dem Oberlid „wippendem" Zeige- und Mittelfinger ermitteln. Die **Bindehaut** sollte feucht und glänzend aussehen. Sie wird auf Rötung, Unterblutung und Verletzungen überprüft. Die Hornhaut ist im Normalfall glatt, klar und spiegelnd (Licht und Gegenstände spiegeln sich mit scharfen Konturen). Bei der **Pupille** werden die Form (Verziehung, Seitengleichheit) und die Reaktion auf Licht geprüft (→ Abb. 17.16). Die Pupillengröße

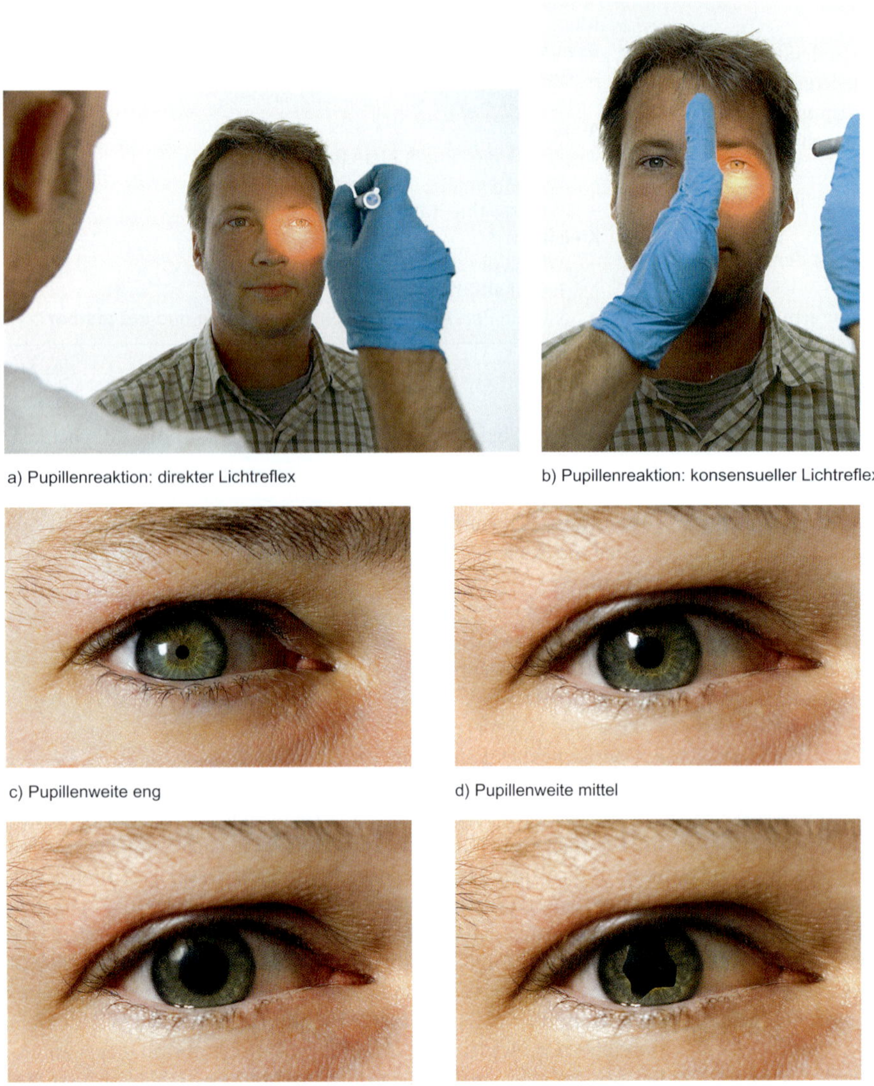

a) Pupillenreaktion: direkter Lichtreflex
b) Pupillenreaktion: konsensueller Lichtreflex
c) Pupillenweite eng
d) Pupillenweite mittel
e) Pupillenweite weit
f) Pupillenweite entrundet

Abb. 17.16 Inspektion der Pupillen und mögliche Befunde [J747]

variiert in fünf Stufen von sehr eng über eng, normal und weit bis sehr weit. Bei der Lichtreaktion werden die direkte Reaktion einer Pupille auf Licht und die Mitreaktion der anderen Seite (konsensuell) getestet. In beiden Fällen sollte es zu einer Verengung der Pupille kommen.

Eine detailliertere Untersuchung des Vorderabschnitts und des Augenhintergrunds kann nur mit speziellen Geräten wie Augenspiegel, Spaltlampe, indirektem Ophthalmoskop oder Tonometer (zur Messung des Augendrucks) durchgeführt werden.

PRAXISTIPP

Um grob beurteilen zu können, ob ein Auge betroffen ist, hat sich die einfache Untersuchungstrias Tränenfluss, verengte Lidspalte und Rötung bewährt.

Diese Symptome treten bei allen Affektionen des Augenvorderabschnitts in verschieden starker Ausprägung auf. Andere Notfälle, z. B. der plötzliche Sehverlust, verlaufen hingegen ohne Beteiligung des vorderen Augenabschnitts. Lider, Bindehaut und Hornhaut sind dann symptomlos, allenfalls liegt eine Störung der Pupillenreaktion vor.

Andere zu beachtende Auffälligkeiten der Augen sind Kontaktlinsen, Glasaugen und der Nystagmus (Augenzittern), ein rhythmisch schnell aufeinanderfolgendes Zucken der Bulbi.

IM FOKUS

Haut und Augen

- Der Hautzustand und die Augen können viel über die Patientensituation offenbaren.
- Die Haut kann in ihrer **Farbe** (O_2-Versorgung, Kreislauf, spezielle Erkrankungen), ihrer **Spannkraft** (Flüssigkeitshaushalt) und ihrer **Beschaffenheit** (Verletzungen) beurteilt werden.
- Außerdem ist vermehrtes **Schwitzen** ein guter Hinweisgeber.
- Bei den Augen kann ebenfalls die **Farbe** (z. B. Ikterus), aber auch ihre **Motorik** und ihre **Sehfunktion** überprüft werden.
- Zudem können **spezielle Zeichen** (etwa ein Nystagmus) vorliegen.

Ausscheidungen

Charakteristische Beobachtungen bei den Ausscheidungen sind Erbrechen, Stuhl- und Urinabgang.

Erbrechen (Emesis)

Erbrechen und die häufig vorausgehende Übelkeit sind eher unspezifische Symptome, die auf eine Vielzahl möglicher Erkrankungen hinweisen können.

Das Brechzentrum im Gehirn wird durch verschiedene Reize (Gifte, Hirndruck etc.) aktiviert und löst eine Kontraktion der Bauch- und Magenmuskulatur aus. Die Folge ist das Hervorwürgen von Mageninhalt. Entscheidend für den Rettungsdienst ist die Beschaffenheit des Erbrochenen. Dabei kann es sich um angedaute Speisereste, Frischblut, Altblut, Flüssigkeit oder Tabletten u. Ä. handeln. Das Erbrechen von Blut wird als **Hämatemesis** bezeichnet.

MERKE

In Zweifelsfällen darauf achten, Proben des Erbrochenen (Asservate) mitzunehmen.

Bei älteren Patienten wie auch bei Säuglingen und Kleinkindern kann ein massives oder häufiges Erbrechen zu einem hypovolämischen Schock oder einer Elektrolytentgleisung führen. Es sollten daher bei der Beobachtung des Erbrochenen folgende Fragen gestellt werden:

- „Wie viel?“
- „Wie oft?“
- „Welche Farbe?“

Bei Patienten mit chronisch blutenden Magenulzera wird **„Kaffeesatzerbrechen“** beobachtet. Dabei handelt es sich um angedautes, geronnenes Blut, das durch die Magensäure entsprechend verändert ist.

Neben der Gefahr des hypovolämischen Schocks bei massivem Erbrechen und der Störung im Säure-, Basen- sowie Wasser- und Elektrolythaushalt entsteht eine besondere Gefährdung für die Patienten durch die **Aspirationsgefahr.** Für jeden Patienten sollte eine Brechschale mit Zellstoff sicherheitshalber griffbereit im RTW bereitstehen. Da bei schwallartigem Erbrechen das Erbrochene einige Liter betragen kann, sollte für solche Fälle ein größeres Gefäß vorhanden sein.

Stuhl (Fäzes)

Die Stuhlentleerung ist ein willkürlich steuerbarer Vorgang. Bei unwillkürlichem Stuhlabgang wird von **Stuhlinkontinenz** gesprochen.

Normaler Stuhl ist braun gefärbt (Abbauprodukt des Bilirubins) und geformt. Fäzes kann flüssig, z. B. bei **Durchfällen** (Diarrhö), und in der Farbe verändert sein. Ein chronisch blutendes Geschwür im Bereich des Gastrointestinaltrakts führt neben dem oben genannten „Kaffeesatzerbrechen“ dazu, dass der Patient schwarzen Stuhl abführt **(Teerstuhl).** Ursache für schwarzen Stuhl kann in Ausnahmefällen auch die Einnahme von Eisenpräparaten sein. Deshalb sollte der Patient in der Anamnese immer nach der zurzeit eingenommenen Medikation befragt werden. Ebenso wie durch den Flüssigkeitsverlust bei Erbrechen kann es durch lang andauernde Durchfälle zu bedrohlichen Kreislaufstörungen bis hin zum hypovolämischen Schock kommen.

Pankreaserkrankungen können zu einem fettartig glänzenden Stuhl **(Steatorrhö)** führen und Lebererkrankungen den Stuhl entfärben **(acholischer Stuhl).**

Bei Patienten nach Operationen am Darm kann im Bereich des Abdomens ein künstlicher Darmausgang (Anus praeter naturalis), mit einem Kunststoffbeutel bedeckt, beobachtet werden.

Urin

Die Harnentleerung (Miktion) ist ebenfalls willkürlich gesteuert. Bei unwillkürlichem Harnabgang wird von **Urininkontinenz** gesprochen.

Normaler Urin ist gelblich und kann bei großen Mengen farblos oder bei Lebererkrankungen bierbraun werden. Für länger andauernde Verlegungsfahrten intensivpflichtiger Patienten können die Beobachtung und die Beurteilung der Urinausscheidung wichtig sein. Scheidet der Patient insgesamt wenig Urin aus, so wird der Urin konzentrierter. Er ist damit auch kräftiger gefärbt und riecht intensiver. Durch Eiweißbeimengungen bei Harnwegserkrankungen wird der Urin trübe und schaumig.

IM FOKUS

Ausscheidungen

Die drei wesentlichen Ausscheidungen, die beurteilt werden müssen, sind:

- **Erbrochenes:**
  - Farbe (z. B. rot)
  - Konsistenz (z. B. kaffeesatzartig)
  - Beimengungen (z. B. Blut, Giftstoffe)

- **Stuhl:**
  - Farbe (z. B. Teerstuhl)
  - Konsistenz (fest, flüssig)
  - Beimengungen (z. B. Gewebereste)
- **Urin:**
  - Farbe (z. B. bei Hämaturie)
  - Beimengungen (z. B. Ausfällungen)
  - Konzentration (Rückschlüsse auf Flüssigkeitshaushalt)

Gesichtsausdruck

Der Gesichtsausdruck des Menschen ist ein nonverbales Kommunikationsmittel. Der Gebrauch der mimischen Muskulatur erfolgt oft unbewusst. Der Mensch verleiht mit der Mimik den direkten Gefühlsempfindungen Ausdruck nach außen. Es ist grundsätzlich zwischen physiologischen und pathologischen Veränderungen des Gesichtsausdrucks und der Mimik zu unterscheiden.

Typische **pathologische Veränderungen,** die mit einem Wechsel der Mimik einhergehen, sind:

- Greisengesicht bei Kleinkindern mit schweren Störungen im Magen-Darm-Trakt
- Maskengesicht/-ausdruck bei Morbus Parkinson
- Starrer Gesichtsausdruck mit dem sog. tetanischen Lächeln bei Tetanus
- Verfallenes Aussehen bei auszehrenden Erkrankungen und kurz vor Eintritt des Todes
- (Voll-)Mondgesicht beim Cushing-Syndrom und bei langer Einnahme von Steroiden (zusätzlich Ausbildung von Stammfettsucht)
- Kinder mit schweren Erkrankungen und tief liegenden, geränderten (halonierten) Augen
- Herabhängende Mundwinkel bei Ausfall des N. facialis (Schlaganfall)
- Verzerrter und angespannter Ausdruck bei starken Schmerzen

Mundhöhle

Ein schlechtes Sichtverhältnis bei einer Inspektion der Mundhöhle muss durch den Einsatz einer Taschenlampe verbessert werden. Eine Blaufärbung des Rachenbereichs oder auch der Sublingualregion kann gerade bei farbigen Patienten die einzige Stelle sein, an der eine **Zyanose** früh zu erkennen ist.

Bei der Beobachtung des Rachenbereichs kann, insbesondere bei verletzten Patienten, ein **Hämatom** der Rachenhinterwand auffallen. Dieses Hämatom ist ein mögliches Anzeichen für das Vorliegen einer Halswirbelsäulenfraktur. Da diese während der Erstuntersuchung häufig unentdeckt bleibt, sollte das Rettungsfachpersonal spätestens bei der kompletten Notfalluntersuchung auch den Rachenraum inspizieren. Bei unklarer Bewusstlosigkeit kann die Suche nach einem **Zungenbiss** hilfreich und wegweisend für die Diagnose epileptischer Anfall sein.

Ein **Brennen** im Mund-Rachen-Bereich sowie ein verfärbtes Sputum weisen auf die Einnahme toxischer Substanzen hin.

Unspezifische **Rötungen** und weiße **Beläge** im Mund-Rachen-Bereich sind Anzeichen von Entzündungen oder Pilzbefall. Diese können auf einen reduzierten Immunstatus hinweisen.

Bei Säuglingen können **trockene Schleimhäute** auf eine bedrohliche bzw. drohende Dehydratation hinweisen.

Blutungen müssen ernst genommen werden, denn sie stellen eine potenzielle Aspirationsgefahr dar.

Nase und Ohren

Die **Nase** wird auf ihre äußerliche Unversehrtheit überprüft. Dabei sollte auf einen geraden Nasenrücken geachtet werden. Ferner sollte geprüft werden, ob eine freie **Nasenatmung** möglich ist. Sollte dies nicht möglich sein, kann dies ein Zeichen für Schwellungen sein.

Stärkere **Blutungen** aus der Nase bei der hypertensiven Krise können durchaus lebensbedrohlich sein (→ Kap. 38.1.1). Besonders gefährdet sind Patienten, die gleichzeitig unter einer Blutungsneigung leiden, z. B. Patienten, die Cumarinderivate (Marcumar®), neue orale Gerinnungshemmer (Eliquis®, Lixiana®, Pradaxa®, Xarelto®) oder Heparin einnehmen/injizieren, Patienten mit Erkrankungen des Blutes (Leukämie, Anämie), Lebererkrankungen u. a. Beim Tauchunfall kann Nasenbluten ein Anzeichen für die Caisson-Krankheit (→ Kap. 43.1.4) sein.

Bei Säuglingen ist das „Nasenflügeln", ein hektisches **Aufblähen der Nasenflügel** während der Atmung, Ausdruck einer ausgeprägten Atemnot.

Das **Ohr** wird im Seitenvergleich untersucht. Es werden das äußere Ohr und, soweit einsehbar, der Gehörgang betrachtet. Bei Schädelbasisfrakturen findet man eventuell eine **Rhinoliquorrhö** (Austritt von Liquor aus der Nase) oder **Otoliquorrhö** (Austritt von Liquor aus dem Ohr). Das **Battle-Zeichen** ist ein durch die Fraktur der Schädelbasis auftretendes Hämatom in der Region hinter dem Ohr (retroaurikulär). Dieses Hämatom weist, wie auch das **Brillen-** und das **Monokelhämatom** (periorbitales Hämatom, → Abb. 17.17), auf eine Schädelbasisfraktur hin. Häufig kommt es beim SHT zu einem Verlust der Riechfähigkeit. Dieser Zustand wird als **Anosmie** bezeichnet.

Ein **Hörverlust** kann Anzeichen für das Vorliegen eines Hörsturzes sein. Dieser geht meist mit weiteren vegetativen Symptomen einher (z. B. Schwindel, Übelkeit, Erbrechen u. a.). Eine Hörminderung kann aber auch bei Schädel-Hirn- oder Halswirbelsäulenverletzungen auftreten.

Blutungen aus dem Ohr oder der Nase sind bei traumatisierten Patienten meist ein Zeichen für ein Schädel-Hirn-Trauma. Bei Tauchunfällen sind Blutungen aus dem Ohr Anzeichen für ein Zerreißen des Trommelfells durch Druckeinwirkung (→ Kap. 43.1).

IM FOKUS

Gesicht und Kopf

Gesicht:

- Gesichtsausdruck als Hinweis auf Schmerzen, Angst, Unbehagen, Verwirrung etc.
- Farbe des Gesichts von großer Bedeutung
- Motorik- und Sensibilitätsbeurteilungen bei neurologischen Störungen wichtig
- Besondere Auffälligkeiten: z. B. „Maskengesicht" bei Morbus Parkinson

Kopf:

- Kopf von außen, Deformitäten, Verletzungen, Blutungen
- Mundhöhle: Beläge, Blutungen, Zahnstatus, Schleimhäute
- Gehörgänge, soweit einsehbar: Ausfluss, Blutungen, Verletzungen
- Naseneingänge: Ausfluss, Blutungen, Nasenflügeln

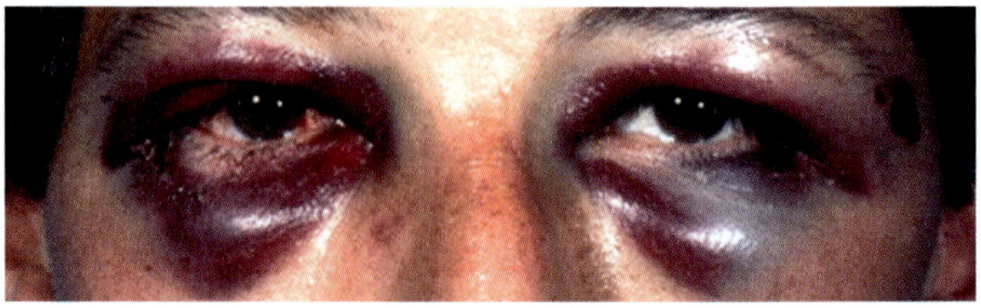

Abb. 17.17 Patient mit Brillenhämatom nach einer zentralen Mittelgesichtsfraktur [M117]

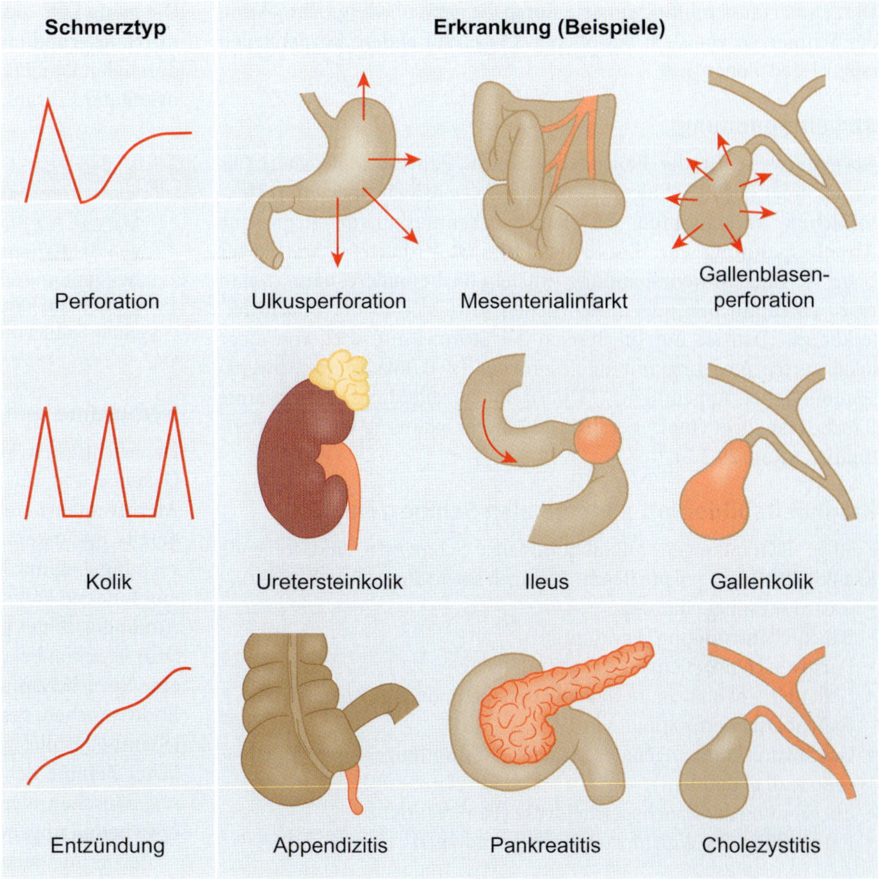

Abb. 17.20 Schmerztypen verschiedener akuter abdominaler Erkrankungen [L231]

unter anderem bei Gallenblasen- und Gallengangsentzündungen, Appendizitis, Bauchspeicheldrüsen- und Magenschleimhautentzündung auf.

- **Perforationsschmerz:** Perforationsschmerzen beginnen mit einem akuten und heftigen Schmerzereignis (Zerreißungsschmerz, messerstichartig) an einem meist genau lokalisierbaren Punkt, bevor das Schmerzmaximum von einer plötzlichen Erleichterung abgelöst wird (→ Abb. 17.20). Der maximale Schmerzpunkt kennzeichnet den Durchbruch der Organwand, was zu einem vorübergehenden Abklingen der Beschwerden führt. Nach einem kurzen schmerzfreien Intervall, in dem die entzündungsvermittelnden Stoffe das gesamte Bauchfell erfassen, treten mehr diffuse, wieder stärker werdende Schmerzen im Bauchraum auf (beginnende Peritonitis). Ursache für einen Perforationsschmerz sind Organperforationen infolge von Entzündungen (z. B. Gallenblasen- oder Gallengangsentzündungen, Appendizitis) oder Geschwüren der Magen-Darm-Wand (z. B. Ulcus ventriculi).

Schmerzcharakter

Bauchschmerzen entstehen infolge einer Reizung des die Bauchorgane überziehenden Bauchfells (viszerales Peritoneum). Alle Bauchorgane sind mit schmerzleitenden Nervenfasern versorgt. Über die Dehnung der betroffenen Bauchorgane, z. B. bei Entzündungen, Koliken oder Perforation, werden die schmerzleitenden Nervenfasern erregt. Dadurch entwickeln sich dumpfe, schlecht lokalisierbare (diffuse) Schmerzen. Der auftretende Schmerz wird als **viszeraler Schmerz** bezeichnet. Viszerale Schmerzen treten v. a. an Hohlorganen (z. B. Gallenkolik, Nierenkolik, Ileus, Mesenterialarterieninfarkt) auf und zeigen häufig eine Schmerzausstrahlung. Typisch für Eingeweideschmerzen sind begleitende reflektorische Symptome wie Tachykardie, Hypotonie, Schwitzen, Übelkeit und Erbrechen. Auffällig ist auch das Patientenverhalten: Betroffene Patienten können nicht ruhig liegen, sondern krümmen und bewegen sich vor Schmerzen. Zur Schmerzerleichterung ziehen sie vielfach automatisch die Beine an.

Dehnt sich die Störung auf das die Bauch- und Beckenhöhle auskleidende äußere Blatt des Bauchfells (parietales Peritoneum) aus, werden die Schmerzen über segmentale Spinalnerven wahrgenommen **(somatische Schmerzen).** Somatische Schmerzen werden als spitz, scharf, brennend und zumeist gut lokalisierbar beschrieben, wie sie v. a. bei Entzündungen, z. B. Appendizitis, Pankreatitis, Peritonitis, vorkommen. Die Patienten versuchen, jede Bewegung zu vermeiden, um eine peritoneale Reizung zu verhindern. Sie liegen still und winkeln die Knie an; dabei atmen sie oberflächlich und schnell (Schonatmung).

Schmerzlokalisation und Schmerzausstrahlung

Angaben des Patienten über den **Ort des Schmerzes** und eine mögliche Schmerzausstrahlung weisen auf das erkrankte Organ hin. Dabei können die Schmerzen sowohl diffus als auch genau lokalisierbar auftreten und möglicherweise provoziert und in ihrer Intensität gesteigert werden:

- **Druckschmerz:** Auslösen oder Verstärken von Bauchschmerzen durch Eindrücken der Bauchdecke
- **Loslassschmerz:** Auslösen oder Verstärken von Bauchschmerzen beim Loslassen nach Eindrücken der Bauchdecke

Die Schmerzausstrahlung entsteht durch die nervenbedingte Projektion der Schmerzen von dem betroffenen Organ auf andere Körperstellen (sog. „Head-Zonen").

Abwehrspannung

Normalerweise ist die Bauchdecke weich. Führt das Betasten (als Druck- oder Loslassschmerz) der Bauchdecke jedoch zu einem **reflektorischen Verkrampfen** der Bauchdeckenmuskulatur, liegt eine **Abwehrspannung** vor: Die Bauchdecke ist verhärtet („bretttharter Bauch"). Eine Abwehrspannung entsteht insbesondere dann, wenn es zu entzündlichen oder nekrotischen Prozessen in der Bauchhöhle kommt. Tritt sie nur im Bereich der Störung auf, wird von einer lokalisierten Abwehrspannung gesprochen (z. B. lokalisierte Abwehrspannung bei Appendizitis). Überzieht sie allerdings die gesamte Bauchdecke, liegt eine generalisierte Abwehrspannung vor (z. B. Peritonitis, → Kap. 29.2.2).

Krankheitsbilder mit abdominalen Schmerzen

Häufige Erkrankungen mit abdominalen Schmerzen sind folgende Krankheitsbilder (genaue Beschreibungen sowie Therapie → Kap. 29):

- Gastrointestinale Blutung
- Bauchfellentzündung (Peritonitis)
- Darmverschluss (Ileus)
- Gallenblasenkolik, akute Gallenblasenentzündung (Cholezystitis), Gallenblasenperforation
- Geschwürerkrankungen des Magens und Zwölffingerdarms (Ulcus ventriculi et duodeni)
- Entzündung der Bauchspeicheldrüse (Pankreatitis)
- Entzündung des Wurmfortsatzes (Appendizitis)

IM FOKUS

Differenzialdiagnostik bei abdominalen Beschwerden

- Abdominale Störungen gehen häufig mit **Schmerz** und/oder **Funktionsstörungen** einher.
- Sinnvoll ist Einteilung des Abdomens in **6 Bereiche** (rechter, mittlerer und linker Oberbauch, Nabelregion, rechter und linker Unterbauch; → Tab. 17.8), um mögliche Probleme zuordnen zu können (gute anatomische Kenntnisse notwendig).
- Genaue **Anamnese** durchführen, insbesondere Schmerzanamnese ist sehr hilfreich.
- Gezielt nach Funktionsstörungen und Ausscheidungen fragen.
- Mögliche Ursachenkomplexe:
  - Perforation
  - Organentzündung
  - Darmverschluss (Ileus)
  - Blutung im Bauchraum
  - Intestinale Ischämie
  - Extraabdominale Erkrankungen
  - Erkrankungen der Nieren und Harnwege

17.4.3 Differenzialdiagnostik bei akuter Luftnot

DEFINITION

Dyspnoe liegt vor, wenn eine Person die Atmung bewusst wahrnimmt und als unangenehm empfindet (Battegay 2017).

Die akute Luft- oder Atemnot (**Dyspnoe**) ist eine der häufigsten Alarmierungsgründe für den Rettungsdienst. Dies liegt zum einen an der durch den Patienten empfundenen Bedrohlichkeit als auch an der Häufigkeit der Erkrankungen.

MERKE

Machen Sie die Einschätzung der Schwere der Dyspnoe nicht nur von der Patientenbeobachtung abhängig. Es empfiehlt sich, wie bei der Ermittlung von Schmerzen, auf Analogskalen zurückzugreifen. So kann beispielsweise auch die Schwere der Atemnot in einer Skala von 1–10 Punkten vom Patienten angegeben werden.

Symptome und Befunde

Die wichtigsten Symptome von respiratorischen Erkrankungen sind Dyspnoe und Husten. Von den Messwerten ist die **Bestimmung der Atemfrequenz** einer der wichtigsten Hinweise. Einige Befunde können bereits im Ersteindruck erfasst werden, bevor die körperliche Untersuchung beginnt. Da die Dyspnoe definitionsgemäß eine subjektiv empfundene Wahrnehmung ist, wird auf Anzeichen einer veränderten Atmung geachtet (z. B. **Tachypnoe**). Der Einsatz der Atemhilfsmuskulatur ist schon bei der Annäherung an den Patienten zu erkennen. Liegt eine **Sprechdyspnoe** vor, d. h., der Patient kann seine Sätze nicht zu Ende sprechen, besteht eine schwere Beeinträchtigung, die zunächst als lebensbedrohlich gilt. Auch ein **inspiratorischer Stridor** ist ein bedrohlicher Befund, der auf eine obere Atemwegsobstruktion hinweist. Rasselgeräusche treten auf, wenn die Alveolen sich mit Flüssigkeit füllen, etwa beim Lungenödem oder der Pneumonie.

Bei der Auskultation finden sich bei den meisten Lungen- und Atemwegserkrankungen pathologische Befunde. So deutet beispielsweise ein exspiratorisches Giemen auf Asthma bronchiale oder eine COPD hin, obwohl dies auch bei anderen Erkrankungen (z. B. dem Bronchialkarzinom) auftreten kann. Einseitig fehlende Atemgeräusche weisen auf einen Spannungspneumothorax hin, beidseitig leiser werdende oder fehlende Atemgeräusche (sog. „Silent Lung" oder „Silent Chest") zeigen bei Patienten mit Emphysem oder schwerem Asthmaanfall eine lebensbedrohliche Überblähung der Lunge an (Air-Trapping, s. u.).

Krankheitsbilder mit Luftnot

Asthma

DEFINITION

Asthma bronchiale: multifaktorielle, meist chronisch-entzündliche Erkrankung der Atemwege, die durch eine spontan oder durch Pharmaka reversible bzw. variable Atemwegsobstruktion und eine bronchiale Hyperreagibilität gegen verschiedene chemische oder physikalische Stimuli gekennzeichnet ist.
Asthmaexazerbation: *Phasen einer progredienten Zunahme der Asthmasymptome und/oder Abnahme der Lungenfunktion, welche über das für den Patienten übliche Maß an Variabilität hinausgehen und welche einer Änderung bzw. Intensivierung der Therapie über mehrere Tage bedürfen. Der Begriff Exazerbation entspricht dem Begriff „akutes Asthma" und schließt den Begriff „Asthmaanfall" ein.* (Buhl et al. 2017)

Leitsymptom des Asthmaanfalls (→ Kap. 28.2.3) ist die Atemnot mit **exspiratorischem Stridor** in Form von Giemen und Brummen. Meist handelt es sich nicht um eine Erstmanifestation, sodass die Patienten ihre Erkrankung kennen. Hinzu kommen Husten und eine verlängerte Ausatmung, da die Luft praktisch in den Bronchiolen gefangen ist. Dadurch entsteht das „Air-Trapping", der intrathorakale Druck steigt und die Lungen werden überbläht. Tachypnoe und Tachykardie sowie eine verminderte Sauerstoffsättigung kommen hinzu. Im sehr schweren Asthmaanfall kann es zum „Silent Chest" kommen: Es wird praktisch kein Atemgeräusch mehr wahrgenommen.

Bronchitis

Dabei handelt es sich um eine **Entzündung der oberen Atemwege** mit trockenem Husten, ggf. Atemnot und Stridor, vermehrter Schleimproduktion und Fieber (→ Kap. 28.2.2). Entwickelt sich eine obstruktive Bronchitis, kann es zu pfeifenden Atemgeräuschen kommen. Unterschiede zum akuten Asthmaanfall sind v. a. das Fieber und der meist deutlich schwächere Verlauf sowie die Anamnese.

Pneumonie

Eine Pneumonie ist eine akute oder chronische **Entzündung des Lungengewebes** durch Infektion mit Bakterien, Viren oder Pilzen (→ Kap. 28.2.1). Oft plötzlicher Beginn mit typischen Infektzeichen wie Husten, Atemnot, Fieber, Schüttelfrost und Tachykardie. Wegweisend sind auch Schmerzen in der Brust und ggf. eitriger Auswurf.

> **MERKE**
>
> Die Pneumonie stellt aufgrund der hohen Gesamtsterblichkeit eine **internistische Notfallsituation** dar. Die Patienten sind gefährdet, eine Hypoxie, Sepsis, Multiorganversagen oder ein ARDS (akutes Lungenversagen) zu erleiden. Das Krankheitsbild sollte nicht als „einfache Bronchitis" verkannt oder unterschätzt werden.

Chronisch-obstruktive Lungenerkrankung (COPD)

Unter der Bezeichnung chronisch-obstruktive Lungenerkrankung (→ Kap. 28.2.2) sind zwei Erkrankungen zusammengefasst: die **chronisch-obstruktive Bronchitis** und das **Lungenemphysem.** Die Erkrankung ist den Patienten immer bekannt und sorgt für die typischen Symptome Auswurf, Husten und Atemnot. Relevant wird die Erkrankung im exazerbierten Stadium, wobei die Patienten unter erheblicher Atemnot leiden.

Traditionell bezeichnet man Patienten, bei denen ein Emphysem überwiegt, als **„Pink Puffer"**. Sie sind eher dünn, zeigen keine Ruhezyanose und setzen verstärkt die Atemhilfsmuskulatur ein. Patienten mit chronischer Bronchitis sind demzufolge eher übergewichtig und zyanotisch **(„Blue Bloater").** Neuere Erkenntnisse zeigen jedoch, dass die meisten Patienten sowohl Elemente des einen wie auch des anderen aufweisen, sodass die körperliche Untersuchung eine zuverlässige Unterscheidung zwischen diesen beiden Formen nicht hergibt.

Pneumothorax

Beim Pneumothorax kommt es zum **Eindringen von Luft in den Pleuraspalt** mit **Kollabieren der Lunge** meist auf einer Seite (→ Kap. 28.2.4 und → Kap. 31.4.3). Er entsteht durch eine Verletzung des Thorax oder als Spontanpneumothorax durch eine Bindegewebsschwäche und einen kräftigen Hustenstoß, häufig sind Raucher betroffen. Hinweisend ist das Unfallgeschehen, Leitsymptome sind die Atemnot und die Tachypnoe sowie das fehlende Atemgeräusch auf der betroffenen Seite. Die SpO_2 ist erniedrigt, die Patienten sind zyanotisch und bei der Perkussion ist oft ein hypersonorer Klopfschall auf der betroffenen Seite auszumachen.

Anaphylaxie

Eine Anaphylaxie ist eine potenziell lebensbedrohliche **Hypersensibilitätsreaktion** auf verschiedenste Stoffe wie Nüsse, Bienengift, Pollen, Medikamente (z. B. Antibiotika oder Schmerzmittel wie Metamizol) und vieles mehr. Anaphylaxien (→ Kap. 32.5) können bis zum schweren Schock führen und dann nicht selten zum Tod. Die Symptome treten i. d. R. sehr rasch nach Kontakt mit dem allergenauslösenden Stoff auf. Häufig sind Atemnot, Hypotonie, Tachykardie und Atemgeräusche (Giemen, Brummen etc.). Anamnestisch ist oft eine Allergie bekannt. Wegweisend sind nicht selten Juckreiz und Urtikaria. Die Anaphylaxie kann auch nach primärem Abklingen der Symptome erneut auftreten.

Hyperventilation

Hyperventilation bezeichnet eine gesteigerte Atemtätigkeit (Frequenz), die zu vermehrter CO_2-Abatmung mit folgender respiratorischer Alkalose führt (→ Kap. 28.1.2). Die Betroffenen, häufig jüngere Frauen, sind meist aufgeregt und hatten in den Tagen/Stunden zuvor besonders viel Stress. Symptome wie Erstickungsgefühl, Herzrasen, Blässe, Schwitzen und mitunter Brustenge werden als bedrohlich empfunden, passen aber i. d. R. nicht zum „nicht kritischen" Bild des Patienten. Leitsymptom ist neben der Anamnese das Kribbeln oder Taubheitsgefühl in Mund, Händen und Füßen. Bei länger dauernder schwerer Hyperventilation auch Pfötchenstellung der Hände möglich.

Lungenembolie

Zur Lungenembolie kommt es durch den **Verschluss einer Lungenstrombahn** durch ein Gerinnsel meist aus den tiefen Beinvenen (→ Kap. 27.3.4). Die Symptome sind abhängig von der Schwere der Embolie, also der Größe des verschlossenen Gefäßes und reichen von scharfen, thorakalen plötzlich eintretenden Schmerzen über Tachypnoe, Dyspnoe, Husten (ggf. Bluthusten), Tachykardie bis zu Hypotonie und Abfall des SpO_2. Differenzialdiagnostisch findet man hier ggf. die Halsvenenstauung und im EKG einen SI-QIII-Typ (tiefes S in Abl. I und tiefes Q in Abl. III, 19 % d. F.). Durch ein 12-Kanal-EKG, das immer anzufertigen ist, ist die Lungenembolie vom Myokardinfarkt zu unterscheiden.

Kardiale Dekompensation

Unter einer Dekompensation versteht man eine Entgleisung der betroffenen Organe, in diesem Fall des Herzens bzw. des kardiozirkulatorischen Systems. Die Fehlfunktion der Organe bzw. des Systems können durch körpereigene Kompensationsmechanismen nicht mehr ausgeglichen werden und treten damit erkennbar in den Vordergrund. Bei der kardialen Dekompensation liegt eine **Herzinsuffizienz als Ursache** der Probleme vor. Treten die Symptome der Herzinsuffizienz bereits in Ruhe auf, so spricht man von kardialer Dekompensation. Beispielhaft seien Luftnot oder Ödeme beim ruhenden Patienten genannt. Behandelt wird die Dekompensation nach der Grunderkrankung, z. B. das Lungenödem (→ Kap. 27.2.6), rettungsdienstlich zunächst mit kurzfristig wirkenden Medikamenten. Langfristig ist eine entsprechende Dauermedikation notwendig.

Fremdkörperaspiration

Eine Fremdkörperaspiration kommt häufig bei Kindern (in der oralen Phase) oder alten Menschen durch zu schnelles Essen vor (→ Kap. 35.5.3). Wegweisend ist hier praktisch immer die Eigen- oder Fremdanamnese zum Notfallgeschehen. Bei der Inspektion durch Laryngoskopie kann der Fremdkörper ggf. ausgemacht und idealerweise entfernt werden. Durch die Obstruktion der oberen Atemwege besteht meist ein inspiratorischer Stridor sowie Atemnot bis hin zur Apnoe.

Intoxikation

Auch hier weist die Anamnese zum Unfallgeschehen den richtigen Weg, z. B. bei Patienten mit Rauchgasintoxikation oder bei Betriebsunfällen mit toxischen Substanzen (→ Kap. 40.3.2). Hierbei können alle Formen der Atemnot vorkommen.

Mukoviszidose

Die Mukoviszidose wird auch **zystische Fibrose** genannt. Es handelt sich um eine vererbte Stoffwechselerkrankung, bei der die Sekrete exokriner Drüsen in der Zusammensetzung verändert sind. Es fehlt ihnen an Wasser, was zu zähflüssigen Sekreten führt. Dies wiederum führt zu Fehlfunktionen in den Organsystemen. Die Mukoviszidose ist eine der häufigsten letalen Erbkrankheiten. Die Lebenserwartung dieser Patienten liegt bei ca. 40 Jahren.

Durch den zähen Schleim in den Bronchialwegen kommt es zu chronischem Husten, rezidivierenden Lungeninfekten und Pneumonien. Das Sekret kann schlecht abtransportiert werden und ist damit ein idealer Nährboden für Krankheitserreger. Die Patienten leiden unter ständigem Sauerstoffmangel und Atemnot.

IM FOKUS

Differenzialdiagnostik bei akuter Luftnot

- Luftnot kann ein **„Lungenproblem"** sein, aber auch auf **Unterversorgung** des Organismus oder eines einzelnen Organs mit Sauerstoff hindeuten (z. B. bei Blutungen oder Herzinfarkt).
- Wichtig ist besonders die Beurteilung, ob inspiratorischer **Stridor** oder exspiratorisches **Giemen** vorliegt.
- Zudem wichtig: **„Liegt auch ein C- oder ein D-Problem vor?"**
- Mögliche Ursachen für Atemprobleme (Auswahl):
  - Asthma bronchiale
  - Dekompensiertes Herzleiden
  - Spannungspneumothorax
  - Entzündungen
  - Anaphylaxie
  - Fremdkörperaspiration
  - Lungenembolie
  - Intoxikation

17.4.4 Differenzialdiagnostik bei neurologischem Defizit

DEFINITION

Neurologisches Defizit: Ausfall einer Nervenfunktion. Kann sich z. B. als Sprach- oder Bewegungsbeeinträchtigung äußern, vorübergehend oder dauerhaft bestehen. Häufige Ursache ist ein Schlaganfall (→ Kap. 33.3).

Viele Erkrankungen haben Einfluss auf das Nervensystem. Die Übergänge zu psychischen Erkrankungen sind mitunter fließend, was dazu führt, dass die Symptome auch diesem Fachbereich zugeordnet werden können. Betroffene Organsysteme können das zentrale und periphere Nervensystem, das Rückenmark und v. a. das Gehirn sein.

Symptomatik bei neurologischem Defizit

Viele der Symptome betreffen das Gehirn und reichen von Kopfschmerzen über Schwindel, Erbrechen, Übelkeit bis hin zu Bewusstseinsstörungen und Bewusstlosigkeit. Ebenso häufig angetroffen werden Hemiparesen oder -plegien einzelner Körperregionen oder auch einer ganzen Körperhälfte, Aphasie, Koordinationsstörungen, Sehstörungen und vieles mehr – letztlich alles an Symptomatik, was bei Störungen der oben beschriebenen Organsysteme möglich ist. Im Zweifel sollten diese Patienten immer einer Klinik mit neurologischer Abteilung zugeführt werden.

Krankheitsbilder mit neurologischem Defizit

Schlaganfall

Neben den o. g. Symptomen sind die Leitsymptome des Schlaganfalls (→ Kap. 33.3) das neurologische Defizit in Form von Lähmungen der Gesichtsnerven, was sich u. a. in einem hängenden Mundwinkel bemerkbar machen kann, sowie Hemiparesen oder -plegien und Aphasie (Sprachstörung). Da diese Symptome am häufigsten vorkommen, wurde der FAST-Test (**F**ace, **A**rms, **S**peech, **T**ime; Cincinatti Prehospital Stroke Scale) entwickelt. Ergänzt werden kann er um die Punkte B und E, also BEFAST. Das B steht dabei für die Balance (Gleichgewicht) und das E für Eyes (z. B. Sehstörung). Dieser Test ist einfach durchzuführen und sollte vom Rettungsfachpersonal bei jedem angewendet werden, bei dem ein V. a. einen Schlaganfall vorliegt.

Exsikkose

Bei der Exsikkose handelt es sich um einen Verlust von Körperwasser als Folge einer **Dehydratation.** Sie betrifft v. a. **alte Menschen** und ist **nicht selten in Pflegeheimen** anzutreffen. Alte Menschen nehmen häufig nicht genug Flüssigkeit zu sich, was auf die Dauer zu einem erheblichen Verlust führt. In Pflegeheimen fehlt evtl. die Zeit, jedem Patienten die benötigte Flüssigkeit oral zuzuführen. Die Möglichkeit einer venösen Infusionstherapie ist dort nicht gegeben. Dies führt auf die Dauer zu Wesensveränderungen, Verwirrtheit, Apathie bis hin zur Bewusstlosigkeit. Die Exsikkose kann an den stehenden Hautfalten beim Hochziehen der Haut an der Hand erkannt werden (→ Abb. 17.21). Ebenso sind häufig Oligurie, Obstipationen, epileptische Anfälle, Schmerzen in den Nieren und vieles mehr anzutreffen. Jedem Patienten mit V. a. Exsikkose sollte daher umgehend Flüssigkeit in Form von Infusionen appliziert werden. Da sich hinter der vermuteten Exsikkose auch eine

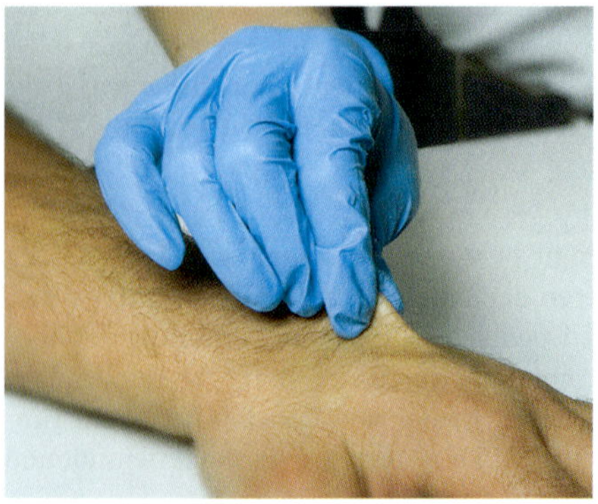

Abb. 17.21 Spannungsprobe der Haut: Bei Exsikkose bleibt die Hautfalte nach dem Loslassen (kurz) stehen. [J747]

Im Rettungsdienst können verschiedene Umstände das Atemwegsmanagement erschweren:

- Platzmangel
- Zugang zum Patienten eingeschränkt (z. B. Verkehrsunfall mit Einklemmung)
- Schlechte Lichtverhältnisse, Dunkelheit
- Ungünstige Witterung
- Umgebungslärm
- Unzureichende Ausbildung auf Anwenderseite
- Eingeschränkte Ausrüstung
- Fehlendes Training
- Teams, die sich nicht kennen
- Zustand des Patienten (vorbestehende Bedingungen wie die Anatomie im Mund-Rachen-Raum, siehe auch → Kap. 18.4.3, akute Bedingungen wie Mittelgesichtstrauma oder Schwellung der Atemwege bei Anaphylaxie)

ACHTUNG! Die Atemwegssicherung im Rettungsdienst ist regelhaft ungleich schwieriger als in der Klinik. Bei Notfallintubationen zur präklinischen Sicherung der Atemwege treten Schwierigkeiten und Komplikationen deutlich häufiger auf als während geplanter Narkoseeinleitungen. Ein Misserfolg bei der Sicherung der Atemwege kann innerhalb kürzester Zeit die Morbidität und Letalität (→ Kap. 16.1.1) bei diesen Patienten deutlich erhöhen.

Um das Atemwegsmanagement durchzuführen, stehen dem Notfallsanitäter und Notarzt verschiedenste Techniken und Verfahren zur Verfügung. Welches Verfahren angewendet wird, hängt von der jeweiligen Einsatzsituation (z. B. Transportmittel, Entfernung zur Klinik), dem Zustand des Patienten, dem verfügbaren Material und insbesondere von der Erfahrung und dem Ausbildungsstand des Durchführenden ab. So soll z. B. die endotracheale Intubation (ETI) nur von ausreichend trainierten Anwendern durchgeführt werden. Die hierfür erforderlichen Anwendungen sind im Rahmen der Notfallsanitäterausbildung kaum zu erlernen. Hinzu kommt, dass auch nach dem Erlernen der Technik eine kontinuierliche Aufrechterhaltung der Fertigkeit gewährleistet sein sollte.

IM FOKUS

Notwendigkeiten und Schwierigkeiten der Atemwegssicherung

- Die Sicherung des Atemwegs ist eine **Schlüsselkompetenz** des Notfallsanitäters, da sie schnell und effizient durchgeführt werden muss.
- Ist die Atmung behindert, entsteht eine **Hypoxie** mit nachfolgendem **Hirnschaden.**
- **Im Rettungsdienst** ist die Atemwegssicherung **deutlich komplikationsreicher,** z. B. durch:
  - Platzmangel
  - Nicht nüchterne Patienten
  - Arbeit in unbekannten Teams
  - Fehlendes Training
- Insbesondere aus diesen Gründen sind **regelmäßige Trainingseinheiten** am Phantom und im OP unerlässlich.

18.1 Freimachen der Atemwege – Erkennen und Beheben eines A-Problems

Absolute Priorität bei allen Notfallpatienten hat aus den o. g. Gründen ein **freier Atemweg.** Ein freier Atemweg liegt dann vor, wenn ein problemloser Atemluftstrom in die Lungen hinein und heraus möglich ist. Wird der Patient im Rahmen der initialen Beurteilung (Primary Survey) angesprochen, gibt es mehrere Möglichkeiten, wie er reagiert. Im besten Fall reagiert der Patient und spricht mit normaler Stimme und in ganzen Sätzen, ohne dass auffällige Geräusche bestehen. Ein A-Problem kann in diesem Augenblick ausgeschlossen werden.

MERKE

Eine ungehinderte Atmung findet nahezu **geräuschlos und ruhig** statt. Dennoch kann sich im Verlauf des Rettungseinsatzes noch ein A-Problem entwickeln, z. B. durch zunehmende Schwellung im Rahmen einer Anaphylaxie oder eines Inhalationstraumas oder durch fortschreitende (progrediente) Vigilanzminderung beim SHT mit Verlust der Schutzreflexe u. Ä.

Eine weitere Möglichkeit besteht darin, dass der Patient zwar reagiert, aber auffällige Geräusche mit der Atmung verbunden sind. Dies ist ein Hinweis auf eine **partielle** (teilweise) **Obstruktion der Atemwege.** Diese können z. B. bei Flüssigkeiten (Blut, Speichel, Sekrete) gurgelnd oder bei teilweiser Verlegung durch den Zungengrund und andere Weichteile schnarchend sein. Ebenso kann ein inspiratorischer Stridor auf Schwellungen in den oberen Atemwegen (auf Larynxebene oder oberhalb davon) hinweisen, während ein exspiratorischer Stridor auf eine Obstruktion der unteren Luftwege (die während der Exspiration zum Kollabieren neigen) hindeutet. Husten kann z. B. bei einer Rauchinhalation auftreten, aber auch bei Verlegung der Atemwege durch einen aspirierten (verschluckten) Fremdkörper.

Liegt eine **komplette Atemwegsobstruktion** vor, kann man beim Patienten, der zu atmen versucht, oftmals gegenläufige Brust- und Bauchbewegungen beobachten. Diese werden auch als „Schaukelatmung" bezeichnet. Man erkennt diese daran, dass der Brustkorb beim Einatmungsversuch eingezogen wird und sich das Abdomen ausdehnt. Das Gegenteil geschieht beim Ausatmungsversuch. Liegt ein Atemstillstand vor, also das Fehlen jeglicher spontaner Atembewegungen, ist eine komplette Atemwegsobstruktion daran erkennbar, dass trotz einer Beatmung mit Überdruck die Lungen nicht belüftet werden können.

In → Abb. 18.1 ist der Algorithmus des European Resuscitation Council (ERC) zum Vorgehen bei einer Fremdkörperaspiration/Atemwegsobstruktion dargestellt (→ Abb. 18.2, → Abb. 18.3). Falls jemand vor Ort ist, der dafür ausgebildet ist, sollte umgehend versucht werden, mittels Laryngoskopie und Magill-Zange den Atemweg frei zu machen.

MERKE

Eine typische Situation, die einen Erstickungsanfall auslösen kann, ist das Essen. Bei einem Notfall, z. B. in einem Restaurant, bei dem eine Person bewusstlos neben dem Tisch liegt, oder bei der Versorgung einer Person im Speiseraum eines Altenheims muss immer an ein Atemwegsproblem durch Fremdkörperaspiration gedacht werden (→ Kap. 18.1.2).

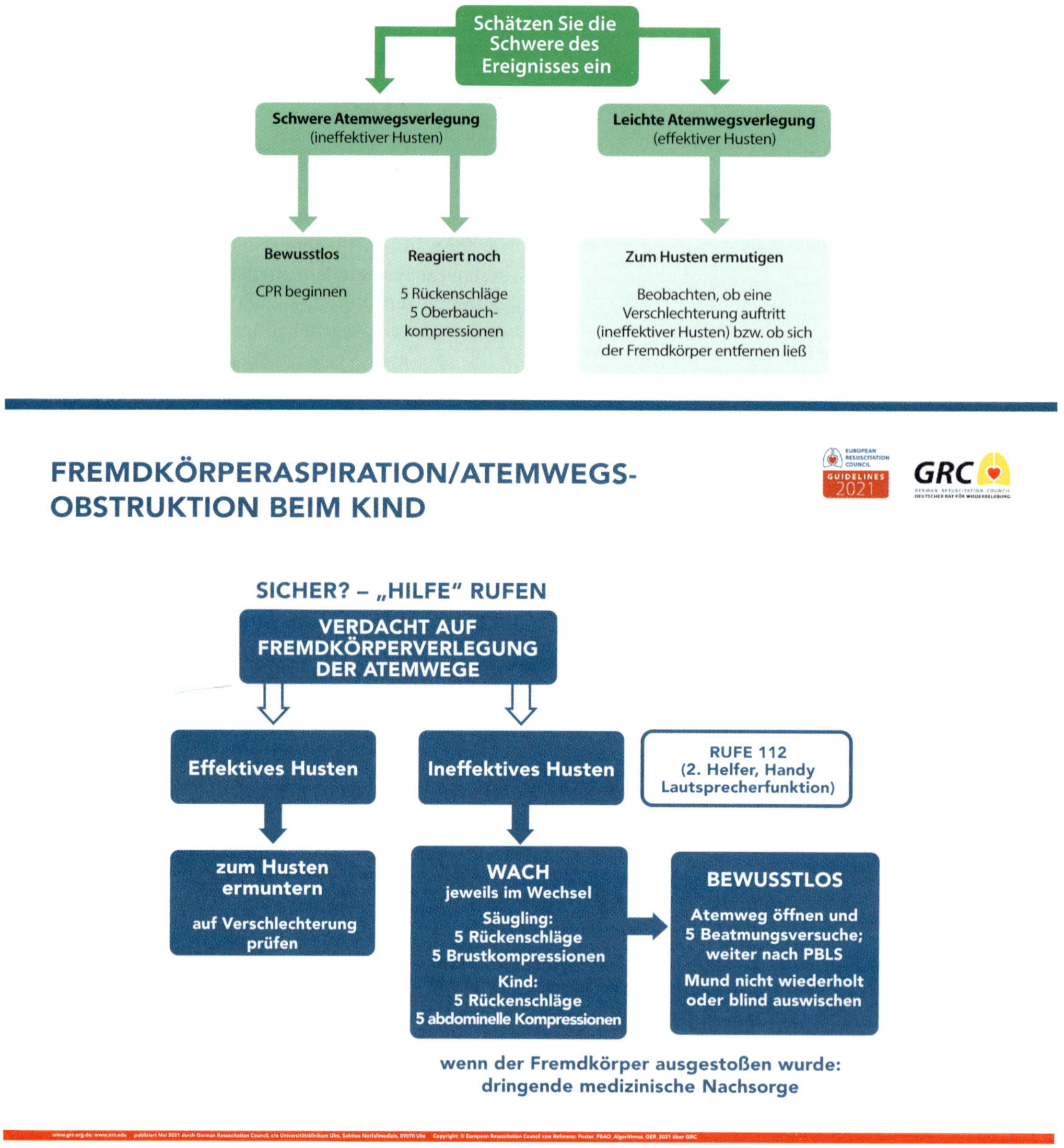

Abb. 18.1 Algorithmus für die Fremdkörperaspiration/Atemwegsobstruktion
Oben: beim Erwachsenen © German Resuscitation Council (GRC) und Austrian Resuscitation Council (ARC) 2015 [W802]
Unten: beim Kind © German Resuscitation Council (GRC) und Austrian Resuscitation Council (ARC) 2021 [F781-041]

ACHTUNG! Liegt eine vollständige oder teilweise Atemwegsverlegung **(Obstruktion)** vor und ist damit der Atemluftstrom nicht bzw. nicht ausreichend gegeben, drohen das Versterben oder bleibende Behinderung durch Sauerstoffmangel im Gewebe **(Hypoxie).**

Schutzreflexe

Insbesondere bei Patienten mit beeinträchtigtem Bewusstsein stellt der Ausfall der Schutzreflexe eine **große Gefahr** dar. Ein wichtiger Schutzreflex ist z. B. der **Schluckreflex,** der dafür sorgt, dass Fremdkörper nicht in die Atemwege gelangen können. Der **Hustenreflex** versucht, eingedrungene Fremdkörper wieder aus den Atemwegen zu befördern. Je ausgeprägter die Bewusstseinsstörung des Patienten ist, desto schwerer ist die Beeinträchtigung der Schutzreflexe und desto größer das Risiko einer Atemwegsobstruktion. So ist z. B. Erbrechen bei einem bewusstseinsklaren Patienten unkritisch, da dieser über intakte Schutzreflexe verfügt. Bei einem bewusstseinsgetrübten oder bewusstlosen Patienten kann Erbrechen hingegen lebensgefährliche Auswirkungen nach sich ziehen, z. B. pulmonale Aspiration des Erbrochenen.

Ursachen für eine Atemwegsobstruktion

Ursachen für eine Atemwegsobstruktion sind:

- Beeinträchtigungen des zentralen Nervensystems (Kopfverletzungen, intrazerebrale Störungen), Hyperkapnie, vigilanzmindernde Auswirkungen metabolischer Störungen (z. B. Diabetes mellitus, Drogen/Medikamente, Alkohol, Opioide, Anästhetika)
- Blut

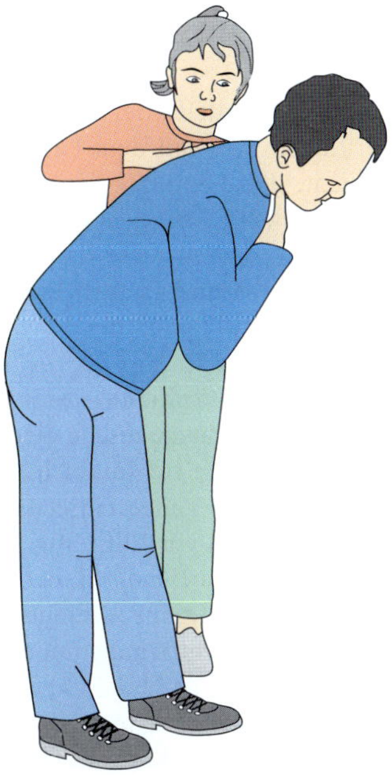

Abb. 18.2 Durchführung von Rückenschlägen, wenn das Husten wirkungslos wird. [L143]

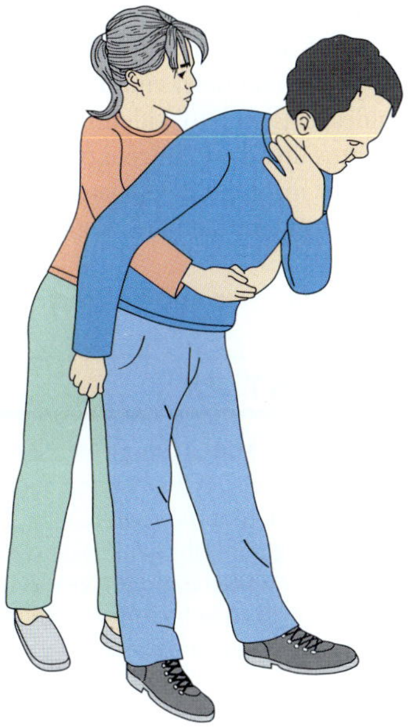

Abb. 18.3 Falls die Atemwegsverlegung mit 5 Schlägen auf den Rücken nicht beseitigt werden kann, führen Sie das **Heimlich-Manöver** durch: Dazu den Oberbauch des Betroffenen von hinten umfassen und ruckartig komprimieren. [L143]

- Erbrochenes
- Fremdkörper (z. B. Zähne, Essen)
- Direkte Gesichts- oder Halsverletzungen
- Epiglottitis
- Schwellung des Pharynx (z. B. bei Infektion, Ödem)
- Laryngospasmus
- Bronchospasmus
- Bronchialsekret
- Tracheostomaverlegung

Die genaue **Ursache der Atemwegsobstruktion bei bewusstlosen Patienten** wurde erst unter den Bedingungen der Allgemeinanästhesie identifiziert. Früher nahm man an, dass die Atemwegsobstruktion auf dem Zurückfallen der Zunge infolge des reduzierten Muskeltonus beruht, wobei die Zunge dann die hintere Pharynxwand berührt. Am narkotisierten Patienten konnte allerdings gezeigt werden, dass häufiger der weiche Gaumen bzw. die Epiglottis die Ursache für die Atemwegsobstruktion ist und nicht die Zunge.

MERKE

Finden Sie ein Atemwegsproblem, dann lösen Sie es unverzüglich! Das gilt auch für alle weiteren vital bedrohlichen Probleme. Im englischsprachigen Raum spricht man auch von **„Treat first what kills first!“** („Behandle als Erstes, was als Erstes tötet“).

Zunächst reichen meistens einfache Manöver und Techniken zum Freimachen und -halten der Atemwege, nicht zuletzt aus Zeitgründen, aus. Eine Intubation vorzubereiten und durchzuführen dauert deutlich länger, als den Esmarch-Handgriff anzuwenden oder einen Wendl-Tubus einzuführen. Bei Bedarf wird das Atemwegsmanagement im Verlauf ausgebaut, ggf. bis hin zur Notfallnarkose mit anschließender Intubation oder zur Notfallkoniotomie.

Grundtechniken zum Freimachen der Atemwege sind:

- Manuelle Ausräumung des Mundraums
- Entfernen von Fremdkörpern mit Magill-Zange
- Orale und tracheale Absaugung
- Überstreckung des Kopfes
- Esmarch-Handgriff

PRAXISTIPP

Persönliche Schutzausrüstung (PSA) wie Handschuhe und Schutzbrille tragen.

MERKE

Auf jede durchgeführte Maßnahme folgt die Erfolgskontrolle! Sollte das Problem unerkannt fortbestehen, ist dem Patienten nicht geholfen.

IM FOKUS

Schutzreflexe

- Schutzreflexe sollen verhindern, dass Fremdkörper in die Atemwege eindringen.
- Diese umfassen hauptsächlich **Schluckreflex** und **Hustenreflex.**
- Erbrechen ist bei einem bewusstseinsklaren Patienten eher ein geringes Problem. Sind jedoch die Schutzreflexe ausgefallen, kann es zu lebensbedrohlichen Komplikationen führen.
- Ähnliches gilt bei der Verlegung durch andere **Fremdkörper** und -substanzen, wie Blut, Zähne oder Essensbestandteile.
- Daneben können **Atemwegsobstruktionen** auch von **Entzündungsprozessen** oder **allergischen Reaktionen** verursacht werden.

18.1.1 Manuelle Ausräumung des Mundraums

Jede Technik hat ihre Vor- und Nachteile. Die manuelle Ausräumung hat dann Vorteile, wenn beispielsweise festes Material wie Erbrochenes mit Speiseresten entfernt werden muss, da Absauggeräte hier an ihre Grenzen stoßen. Auch Zähne oder Zahnprothesen lassen sich so gut entfernen, solange sie in den oberen Atemwegen sind. Bei Flüssigkeiten (z. B. Speichel, Blut, Magensaft) sind die Absauggeräte vorteilhafter und effektiver. Werden bei der Mund-/Racheninspektion fremde Stoffe (Fremdkörper, Sekrete oder Flüssigkeiten) erkannt, müssen diese unverzüglich entfernt werden. Dadurch wird nicht nur für einen freien Atemweg gesorgt, sondern auch das tiefe Eindringen in die Atemwege wird verhindert bzw. die Gefahr, dass dies eintritt, wird reduziert. Das Eindringen von fremden Stoffen in die Lunge wird als **Aspiration** bezeichnet.

DEFINITION

Regurgitation: passiver Austritt von Mageninhalt in den Rachenraum.
Erbrechen: aktiver Austritt von Mageninhalt in den Rachenraum (ausgelöst durch Kontraktion der Magenmuskulatur).

Das Ausräumen des Mundraums ist eine sehr einfache Technik, die kaum Hilfsmittel erfordert. In Verbindung mit der Seitenlage werden so schnell die Atemwege akzeptabel geschützt. Die Seitenlage (→ Kap. 25.1.4) kommt allerdings nur in Betracht, wenn eine suffiziente Spontanatmung vorliegt. Außerdem wird die weitere Versorgung des Patienten durch die Seitenlage erschwert.

Für das manuelle Ausräumen des Mundraums empfiehlt sich folgende **Vorgehensweise** (→ Abb. 18.4):

1. Notfallsanitäter oder Rettungssanitäter/Rettungsassistent positioniert sich hinter dem Kopf des Patienten.
2. Daumen beidseits auf den Unterkiefer, die Zeigefinger an den Kieferwinkel des Patienten legen und den Unterkiefer abwärts drücken.
3. Mundraum öffnen.
4. Kiefer geöffnet halten: Mit dem Daumen die Wange zwischen die Zahnreihen drücken.
5. Kopf zur Seite drehen und mit der freien Hand den Mundraum ausräumen. Dies muss immer unter Sicht erfolgen. **Cave:** Bei möglicher **HWS-Verletzung** den ganzen Patienten achsengerecht auf die Seite drehen und alternative Maßnahmen (z. B. das Absaugen) wählen.
6. Das Ausräumen mit einer Mullkompresse erleichtert das Entfernen flüssiger Stoffe.
7. Bei erhaltenem Beißreflex das Verfahren abbrechen.

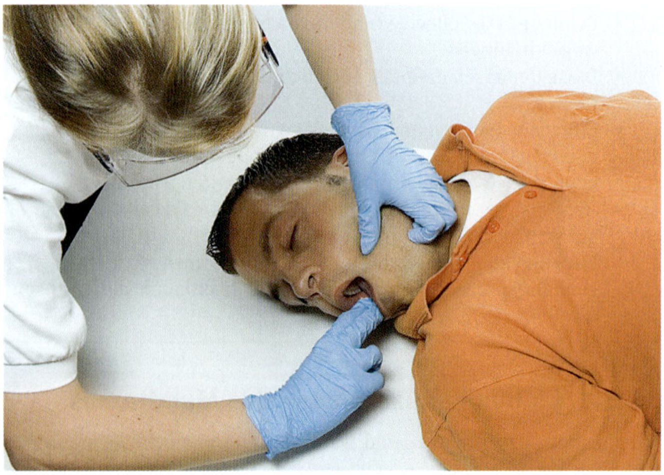

Abb. 18.4 Ausräumen des Mundraums [J747]

18.1.2 Entfernen von Fremdkörpern mittels Magill-Zange

Sind feste Bestandteile tief in den Rachen (in den Hypopharynx) eingedrungen, wird mit dem **Laryngoskop** und einer **Magill-Zange** versucht, den Fremdkörper zu entfernen. Die Magill-Zange ist eine abgewinkelte Zange, deren Backen am Ende verbreitert und aufgeraut sind. Durch diese Bauform ist die Magill-Zange optimal geeignet, um im Mund-Rachen-Raum Gegenstände zu ergreifen. Die gleichzeitige Verwendung des Laryngoskops erhöht die Effektivität des Manövers.

Der Einsatz der Magill-Zange muss unbedingt unter Sicht geschehen, da blindes Greifen anatomische Strukturen verletzen kann. Befindet sich der Fremdkörper tief im Rachen, wird das Laryngoskop benutzt, um unter Sicht die Zange einsetzen zu können. Das **Laryngoskop** (Kehlkopfspiegel) ist ein Hilfsmittel, um den Kehlkopf zu betrachten. Es besteht aus einem Handgriff, der Batterien enthält, und aus einem Spatel, an dessen Ende eine Lichtquelle angebracht ist.

Die Fremdkörperentfernung mit einer Magill-Zange wird folgendermaßen durchgeführt (→ Abb. 18.5):

1. Notfallsanitäter oder Rettungssanitäter/Rettungsassistent positioniert sich hinter dem Kopf des Patienten.
2. Mund mit der rechten Hand (z. B. mit dem Kreuzgriff) öffnen.
3. Mit der linken Hand das Laryngoskop in den rechten Mundwinkel einführen.
4. Zunge aufladen und nach links verschieben; ab jetzt Laryngoskop mittig im Mund tiefer einführen.
5. Kehldeckel (Epiglottis) identifizieren und den Spatel zwischen der Epiglottis und dem Zungengrund positionieren. **Cave:** Dabei die Epiglottis nicht mit dem Spatel aufladen.
6. Mit der rechten Hand die Magill-Zange greifen und unter Sicht einführen.
7. Gegenstand fassen und entfernen.

PRAXISTIPP

Die Form der **Magill-Zange** ist auf das Arbeiten mit der **rechten** Hand ausgelegt. Daher sollten auch Linkshänder die Magill-Zange mit der rechten Hand führen.
Ähnliches gilt im Übrigen für das **Laryngoskop,** das für das Arbeiten mit der **linken** Hand ausgelegt ist und daher grundsätzlich in der linken Hand gehalten werden muss, egal, ob der Ausführende Rechts- oder Linkshänder ist.

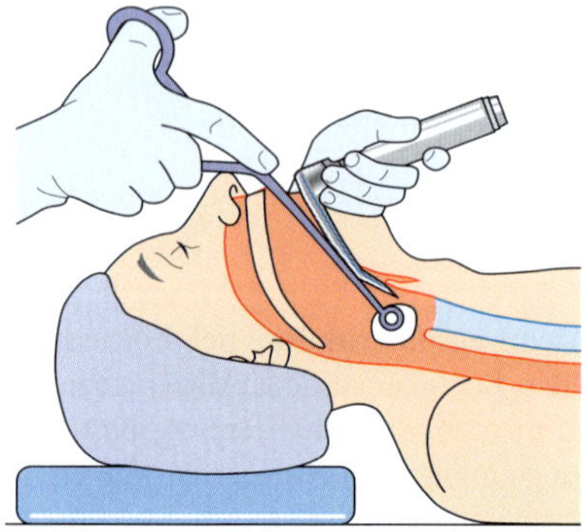

Abb. 18.5 Fremdkörperentfernung mit Magill-Zange und Laryngoskop [L143]

IM FOKUS

Manuelles Ausräumen des Mundraums und Einsatz der Magill-Zange

- Manuelles Ausräumen ist ein einfaches Verfahren und immer dann eine große Hilfe, wenn **größere Fremdkörper,** wie Speisereste oder Zahnersatz, entfernt werden müssen.
- Besteht die Möglichkeit einer Verletzung der **HWS,** muss der Patient **achsengerecht** gedreht werden.
- Ist der **Beißreflex** erhalten, muss das Verfahren abgebrochen werden.
- Der Einsatz der **Magill-Zange** bietet sich an, wenn die Fremdkörper bis in den **Hypopharynx** vorgedrungen sind.
- Es muss dabei ein Laryngoskop zur Hilfe genommen werden.

18.1.3 Absaugen

Mit Absaugpumpen lässt sich ein Unterdruck erzeugen, mit dessen Hilfe Sekret, Blut oder Magensaft aus den Luftwegen rasch entfernt werden können. Je nach Betriebsart werden Hand- und Fußabsaugpumpen von sauerstoff- bzw. elektrisch betriebenen Geräten unterschieden. An die Absauggeräte wird ein Schlauch und an diesen wiederum im Einsatzfall ein Absaugkatheter angeschlossen. Es handelt sich bei Absaugkathetern um steril verpackte Einmalartikel, die mit verschiedenen Durchmessern angeboten werden. Großlumige starre Absaugkatheter (wie man sie aus dem OP-Gebiet kennt) werden in einer Leitlinie empfohlen, weil damit auch der tiefe pharyngeale Bereich sicher erreicht werden kann und ggf. große Mengen schnell abgesaugt werden können.

Weiter verbreitet dürften flexible Absaugkatheter sein. Diese **Katheter** bestehen aus durchsichtigem Kunststoff, wodurch das abgesaugte Material sofort auf Farbe und Konsistenz beurteilt werden kann. An der Spitze befinden sich mehrere Öffnungen. Dadurch wird ein Festsaugen mit möglicher Schleimhautverletzung verhindert. Zwischen Absaugpumpenschlauch und Katheter wird als Verbindungsstück ein **Absaugunterbrecher** („Fingertip", → Abb. 18.6) eingefügt. Er besitzt eine seitliche Öffnung, über die man durch Entfernen des Fingers den Sog unterbrechen kann. So bietet der Absaugunterbrecher die Möglichkeit, den Katheter ohne Sog einzuführen, und zugleich einen zusätzlichen Schutz vor dem Festsaugen des Katheters.

Sowohl der obere als auch der untere Luftweg können abgesaugt werden. Beim Absaugen der oberen Luftwege ist es nicht erforderlich, auf Sterilität des Katheters zu achten. Er kann mehrfach bei demselben Patienten benutzt werden. Grundsätzlich wird zunächst oral abgesaugt, anschließend kann, falls erforderlich, der Nasenweg gereinigt werden (nasales Absaugen). Bevor abgesaugt wird, muss die Einführungslänge des Katheters bestimmt werden, damit es nicht zu unkontrollierten Manipulationen im Bereich des Kehlkopfs kommt. Auch ein versehentliches Absaugen der unteren Luftwege wird so verhindert. Die richtige Kathetereinführtiefe wird ermittelt, indem die Strecke von der Nasenspitze/dem Mundwinkel zum Ohrläppchen abgemessen wird (→ Abb. 18.7 und → Abb. 18.8).

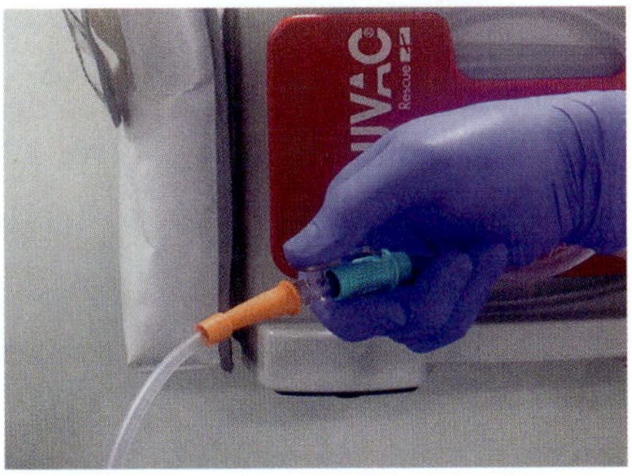

Abb. 18.6 Absaugunterbrecher „Fingertip" [O998]

MERKE

Die definitive Atemwegssicherung hat jedoch Vorrang vor dem Absaugen, sofern diese Maßnahme trotz der Sekrete im Mund-Rachen-Raum sicher und ohne Zeitverlust durchgeführt werden kann.

Gefahren beim Absaugen der oberen Luftwege sind das Auslösen eines Laryngospasmus, eine Provokation von Würgen und Erbrechen, das Auslösen eines Vagusreizes mit Bradykardie sowie eine reflektori-

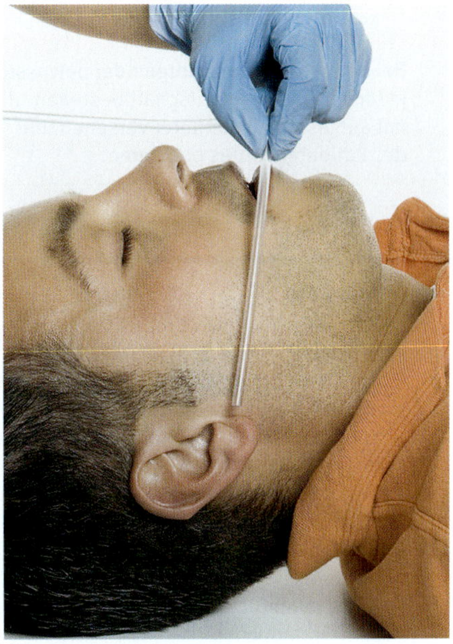

Abb. 18.7 Abmessen der Kathetereinführtiefe für die orale Absaugung [J747]

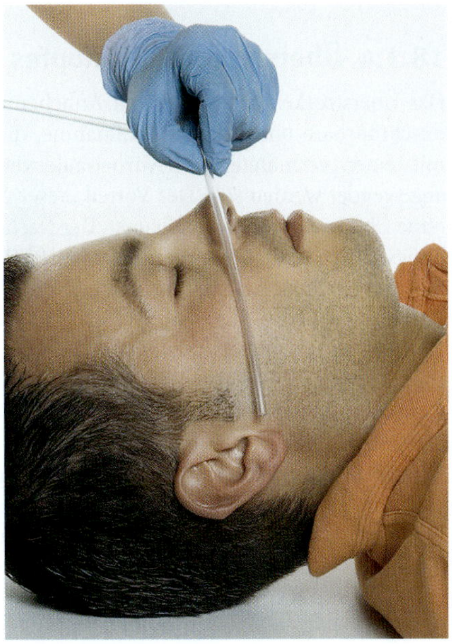

Abb. 18.8 Abmessen der Kathetereinführtiefe für die nasale Absaugung [J747]

sche Hirndrucksteigerung und die Verletzung der Nasenschleimhäute mit anschließender Blutung. Außerdem kann zu lang andauerndes endotracheales Absaugen beim intubierten bzw. tracheotomierten Patienten eine Hypoxie hervorrufen. Behalten Sie die Sauerstoffsättigung daher im Auge. Anzuraten ist die Verwendung eines QRS-Pieptons, der sich mit sinkender Sauerstoffsättigung verändert.

MERKE

Für intubierte Patienten ist folgende Formel zum Abschätzen des passenden Absaugkatheters hilfreich (Ch = Charrière, 1 Ch entspricht ⅓ mm):
Tubus**innen**durchmesser in mm (ID) × 2 = max. Größe in Ch
Beispiel: Tubusgröße ID = 6 mm × 2 = 12 Ch (max. Größe des Absaugkatheters)

MERKE

Bei bewusstseinsgetrübten oder bewusstlosen Patienten sollte jederzeit Absaugbereitschaft bestehen. Hierzu das Absauggerät mit aufgesetztem Katheter versehen und in unmittelbarer Nähe des Patientenkopfes platzieren.

IM FOKUS

Absaugen

- Bei dieser Technik werden Fremdsubstanzen mittels **Unterdruck** und einem **Schlauchsystem** aus den Atemwegen des Patienten entfernt.
- Im Rettungsdienst sind regelhaft die etwas dünneren, flexiblen Katheterschläuche vorhanden. Sie eignen sich gut für **Flüssigkeiten.**
- Sowohl die oberen als auch die unteren Atemwege können abgesaugt werden.
- Bei den oberen Atemwegen muss nicht auf Sterilität geachtet werden.
- **Kathetereinführtiefe** = Abstand von Nasenspitze/Mundwinkel zum Ohrläppchen
- **Gefahren:** Laryngospasmus, Vagusreiz, Verletzungen

18.1.4 Überstrecken des Kopfes

Das Überstrecken des Kopfes mit Anheben des Kinns ist eine schnell durchführbare und einfache Maßnahme, die allerdings bei Patienten mit einer vermuteten Halswirbelsäulenverletzung möglichst nicht angewendet werden soll. Der Vorteil dieser Methode ist, dass sie auch ohne Übung einfach anwendbar ist. Der Nachteil besteht in den Anwendungseinschränkungen durch eventuelle HWS-Verletzungen (→ Kap. 31.7). Allerdings hat das Freimachen der Atemwege im Zweifelsfall Vorrang vor dem Schutz der HWS. Wenn die anwesenden Helfer den Esmarch-Handgriff beispielsweise nicht beherrschen, kann das Freimachen der Atemwege durch Überstrecken des Kopfes mit Anheben des Kinns ein lebensrettender Handgriff sein.

Vorgehen:

1. Eine Hand an die Stirn (den Haaransatz) legen und die Fingerspitzen der anderen Hand an das Kinn des Patienten.
2. Vorsichtig den Kopf nach hinten überstrecken (reklinieren) und dabei das Kinn anheben. Dabei werden die vorderen Anteile des Halses gestreckt.
3. Kopf in dieser Position halten.
4. Durch Sehen, Hören, Fühlen beurteilen, ob eine suffiziente Eigenatmung vorhanden ist. **Cave:** Dabei nicht eine Schnappatmung mit suffizienter Spontanatmung verwechseln!

MERKE

Freie Atemwege haben bei der Versorgung eines Notfallpatienten **oberste Priorität** und wenn es nicht gelingt, freie Atemwege herzustellen, ohne den Kopf des Patienten zu überstrecken oder auf sonstige Art zu bewegen, muss das hingenommen werden. Die Sorge vor einer Verletzung der Halswirbelsäule darf nicht dazu führen, dass ein beeinträchtigter Atemweg in Kauf genommen wird, weil dies das Leben des Patienten gefährden kann: **„Treat first, what kills first".**

18.1.5 Vorschieben des Unterkiefers (Esmarch-Handgriff)

Bei Patienten mit einer möglichen Halswirbelsäulenverletzung stellt der **Esmarch-Handgriff** (→ Abb. 18.9) eine ausgezeichnete Alternative zur Überstreckung des Kopfes dar. Benannt ist der Handgriff nach dem deutschen Arzt Friedrich von Esmarch. Der Vorteil besteht darin, dass bei Beherrschen der Technik eine Überstreckung des Kopfes nicht zwingend

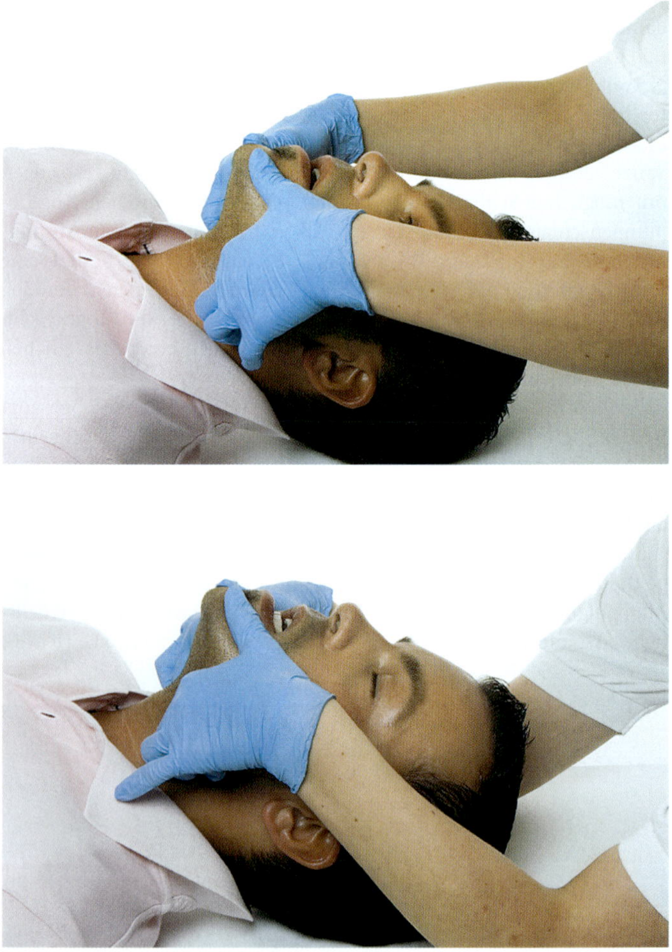

Abb. 18.9 Esmarch-Handgriff [J747]

erforderlich ist (Schutz der HWS), wenngleich man das Überstrecken des Kopfes und den Esmarch-Handgriff gut kombinieren kann. Dies stellt häufig eine sehr erfolgreiche Kombination zum Freihalten der Atemwege dar.

Ein Nachteil ist: Ohne Training gelingt eine korrekte Anwendung oftmals nicht, d. h., dass die Technik im Anästhesiepraktikum gut geübt werden muss.

Vorgehen:

1. Notfallsanitäter oder Rettungssanitäter/Rettungsassistent positioniert sich hinter dem Kopf des Patienten.
2. Beide Daumen auf das Kinn des Patienten legen.
3. Die Zeigefinger auf die Kieferwinkel legen. Dabei darauf achten, dass die Finger knöcherne Strukturen fassen. Das Eindrücken der Weichteile kann die Atmung behindern.
4. Mit beiden Daumen den Mund öffnen und mit den Zeigefingern den Unterkiefer nach oben ziehen. Jetzt sollten die Zähne des Unterkiefers über den Schneidezähnen liegen.

DEFINITION

Esmarch-Handgriff: Hierbei wird der Unterkiefer durch Druck auf den Kieferwinkel nach vorn und oben geschoben. Resultat ist eine Vergrößerung des Hypopharynxraumes, der Atemweg wird frei.

IM FOKUS

Überstrecken des Kopfes und Esmarch-Handgriff

- Problem beim bewusstlosen Patienten ist das **Zurückfallen des weichen Gaumens** bzw. des **Kehldeckels** mit anschließender Atemwegsverlegung.
- **Überstrecken des Kopfes:**
  - Einfache Technik
  - Problematisch bei HWS-Verletzungen
  - Im Zweifel geht Lebensrettung vor
- **Esmarch-Handgriff:**
  - Druck auf den Kieferwinkel verlagert Unterkiefer nach vorn
  - Technik muss am echten Patienten geübt werden, z. B. in der Anästhesie
  - Schonung der HWS durch Esmarch-Handgriff möglich

18.2 Freihalten der Atemwege

Sind die Atemwege frei und atmet der Patient ausreichend, müssen Sie dafür sorgen, dass dies so bleibt. Hierfür bieten sich einfache, i. d. R. jedoch meist sehr effektive Maßnahmen und Hilfsmittel an.

18.2.1 Stabile Seitenlage

Durch die stabile Seitenlage wird zum einen sichergestellt, dass die Atemwege offen gehalten werden, zum andern, dass Blut oder Erbrochenes nach außen abläuft und nicht in die Atemwege des Patienten gelangt und erneut die Atemwege verlegt (→ Kap. 25.1.4).

18.2.2 Guedel- und Wendl-Tubus

Der Guedel-Tubus **(Oropharyngealtubus)** sowie der Wendl-Tubus **(Nasopharyngealtubus)** dienen beim bewusstlosen bzw. bewusstseinsgetrübten Patienten zum Offenhalten der oberen Atemwege und als Luftleitungsschiene. Sie entlasten bzw. unterstützen den Anwender in zweierlei Hinsicht: Zum einen muss dieser beim spontan atmenden Patienten mit partieller Obstruktion (z. B. Schnarchen) nicht die ganze Zeit das Kinn hochziehen. Zum anderen erleichtern sie eine Beutel-Masken-Beatmung. In der Anästhesie kommt ein Guedel-Tubus häufig nur dann zum Einsatz, wenn die Maskenbeatmung erschwert ist. Für die Notfallmedizin gilt jedoch:

PRAXISTIPP

Verschaffen Sie sich im Rettungsdienst optimale Bedingungen und setzen den Guedel-Tubus (oder alternativ den Wendl-Tubus) ausnahmslos **bei jeder Beutel-Masken-Beatmung** ein. Solch kritische Situationen bieten keinen Raum für Experimente.

Guedel-Tubus

Der Guedel-Tubus ist nach dem amerikanischen Anästhesisten Arthur Ernest Guedel benannt. Er hatte ihn 1933 der Öffentlichkeit vorgestellt. Der Guedel-Tubus ist ein Kunststofftubus, dessen Form dem anatomischen Verlauf der Zunge nachempfunden ist und der deshalb zwischen Zunge und harten Gaumen passt. In sein orales Ende ist festes Material eingearbeitet, das zwischen den Zahnreihen zu liegen kommt und somit als Beißschutz dient. Außerdem kann durch das Lumen des Guedel-Tubus der Mund abgesaugt werden.

Der Guedel-Tubus ist in verschiedenen Größen passend für Patienten in jedem Lebensalter erhältlich. Wählen Sie den Guedel-Tubus, dessen Größe der vertikalen Distanz zwischen Mundwinkel und Ohrläppchen des Patienten entspricht.

Beim Einführen des Guedel-Tubus kann es passieren, dass die Zunge in den Atemweg gedrückt wird. Dies ist meist bei zu klein gewählten Tuben der Fall und kann die Obstruktion ggf. verschlimmern.

Bei zu groß gewählten Tuben kann eine Positionierung in einer Grube zwischen Zungenwurzel und Kehldeckel erfolgen, der **Vallecula epiglottica,** und durch Druck auf die Epiglottis den Atemweg weiter verlegen. Daher ist die korrekte **Größenwahl essenziell.** Im Zweifel wählen Sie den etwas größeren Guedel-Tubus (→ Abb. 18.10, → Abb. 18.11).

MERKE

Guedel-Tubus nur bei bewusstlosen Patienten einlegen. Bei nicht erloschenen Schutzreflexen kann es zu Würgereiz und Erbrechen kommen. Bei bewusstseinsgetrübten Patienten ist der Wendl-Tubus die bessere Alternative, da er besser toleriert wird.

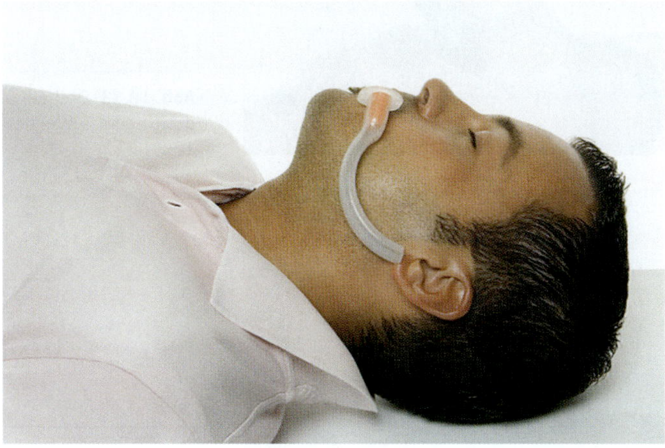

Abb. 18.10 Größenbestimmung des Guedel-Tubus [J747]

Einführen des Guedel-Tubus:

1. Zunächst den Mund des Patienten öffnen und nochmals auf Fremdkörper inspizieren.
2. Dann den Guedel-Tubus „umgekehrt", d. h. entgegen seiner anatomischen Form, mit der Öffnung zum harten Gaumen hin zeigend einführen (→ Abb. 18.12).
3. **Vor** dem Erreichen des Zäpfchens den Tubus um 180° drehen, üblicherweise dann, wenn der Guedel-Tubus etwa zur Hälfte eingeführt ist (→ Abb. 18.13).
4. Den Tubus mittig vorschieben, bis die Abschlussplatte auf den Lippen aufliegt. Der Tubus liegt dann mit seiner Öffnung direkt vor dem Kehlkopfeingang, ohne diesen in seiner Funktion für die Atmung zu behindern. Diese Drehtechnik soll verhindern, dass die Zunge nach unten bzw. hinten gedrückt wird (→ Abb. 18.14).

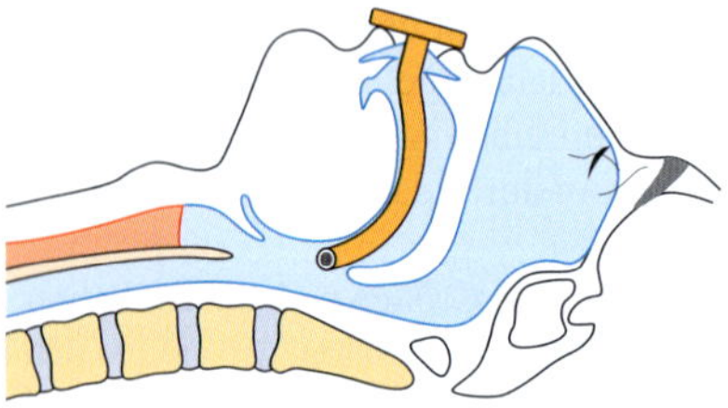

Abb. 18.11 Korrekt platzierter Guedel-Tubus. Dieser verhindert das Zurückfallen der Zunge und trägt zur Freihaltung des oropharyngealen Atemwegs bei. [L143]

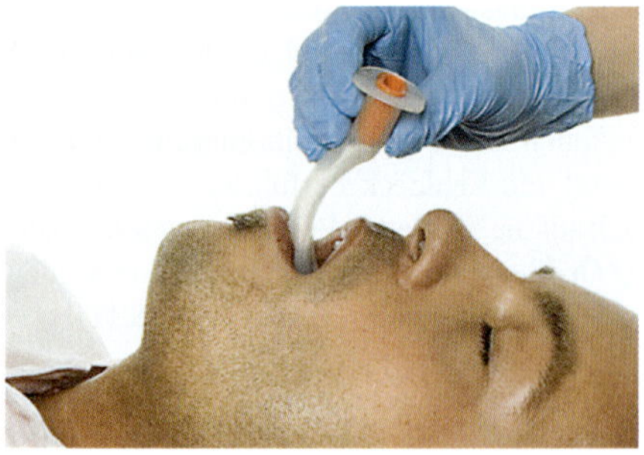

Abb. 18.12 Einführen des Guedel-Tubus [J747]

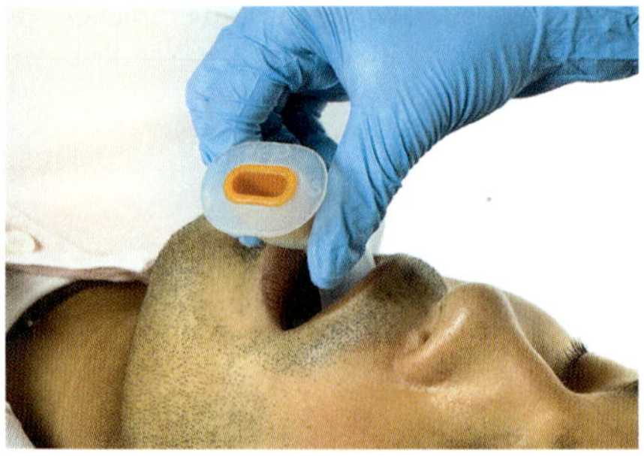

Abb. 18.13 Drehen des Guedel-Tubus um 180° [J747]

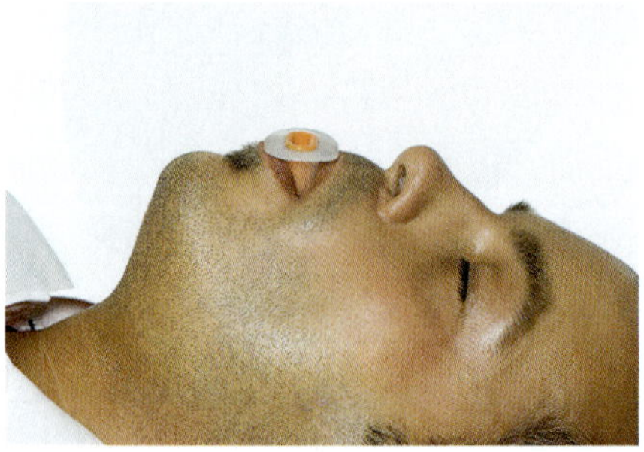

Abb. 18.14 Guedel-Tubus in situ [J747]

ACHTUNG! Tritt beim Patient ein Würgereiz oder eine Abwehrreaktion auf, Guedel-Tubus sofort entfernen bzw. den Einführversuch abbrechen!

Wendl-Tubus

Der **Wendl-Tubus** (Nasen-Rachen-Tubus) wurde 1958 von dem Gynäkologen Johann Karl Wendl vorgestellt. Der Wendl-Tubus besteht aus Weichgummi oder PVC. Er hat eine leicht gebogene Form mit abgeschrägter Tubusspitze. Er wird über ein Nasenloch eingeführt und z. B. über eine verschiebbare Scheibe am Naseneingang fixiert. Bei manchen Modellen ist eine Sicherheitsnadel beigefügt, die das versehentliche Eindringen des Wendl-Tubus in das Nasenloch verhindern soll. Bei solchen Modellen soll die Sicherheitsnadel vor dem Einführen des Wendl-Tubus durch den Tubus gestochen werden. Die Größe wird so gewählt, dass ein Vorschieben durch eines der beiden Nasenlöcher noch möglich ist. Wählen Sie einen Wendl-Tubus, welcher der Länge von der Nasenspitze des Patienten bis zum Ohrläppchen entspricht. Einige Modelle haben einen verschiebbaren Ring, um die Einführtiefe zu fixieren. Damit ist eine Längenabmessung dann deutlich komfortabler.

Die Regel, die Kleinfingerdicke als mögliche Tubusgröße zu verwenden, ist zwar unzuverlässig, kann dem Anwender aber einen groben Anhalt bieten. Das Einführen kann durch Gleitgel verbessert werden. Bei Erwachsenen sind z. B. die Größen im Bereich von 26–30 Ch geeignet.

Von Patienten mit erhaltenen Schutzreflexen wird der Wendl-Tubus besser toleriert als der Guedel-Tubus; allerdings kann das Einlegen des Wendl-Tubus bei unvorsichtigem Vorgehen zu Schleimhautblutungen der Nasenhöhle führen. Gelangt der Wendl-Tubus bei zu tiefem Einführen in die Stimmritze, kann reflektorisch ein Laryngospasmus ausgelöst werden.

PRAXISTIPP

Bei der Einlage des Wendl-Tubus die Nasenspitze des Patienten nach kranial ziehen, um den Tubus in den unteren Nasengang zu platzieren. Bei den meisten Menschen ist das rechte Nasenloch größer, sodass dies zuerst probiert werden sollte. Außerdem ist der „Schliff" der Wendl-Tubusspitze ideal für ein Einführen im rechten Nasenloch (was nicht heißt, dass es links nicht geht). Tritt beim Einführen ein Widerstand auf, Wendl-Tubus im **anderen** Nasenloch einführen. Keine Gewalt anwenden!

Auch bei Patienten mit eingeschränkter Mundöffnung eignet sich der Wendl-Tubus gut. So kann er bei Patienten mit Kieferklemme oder Kieferstarre **(Trismus)** lebensrettend sein. Der **Einsatz von Wendl-Tuben bei Schädel-Hirn-Trauma** und hier insbesondere bei Gesichtsschädelverletzungen/Verletzungen der Nase wird kontrovers beurteilt. Einerseits liegt es nahe, ihn in diesen Fällen nicht einzusetzen, um keine weiteren Schäden zu verursachen. Andererseits kann sein Einsatz auch hier notwendig sein, falls ein Guedel-Tubus nicht toleriert wird bzw. durch eingeschränkte Mundöffnung nicht verwendbar ist. In solchen Fällen bietet sich eine Einzelfallentscheidung nach Nutzen-Risiko-Abwägung an.

Einführen des Wendl-Tubus:

1. Korrekte Größe des Wendl-Tubus ermitteln.
2. Wendl-Tubus mit Gleitmittel versehen.
3. Nasenspitze nach kranial ziehen und den Wendl-Tubus mit der abgeschrägten Seite zum Septum zeigend in die Nase einführen (→ Abb. 18.15). Dabei auf die Platzierung in den unteren Nasengang achten.
4. Wendl-Tubus mit leichten Drehbewegungen am Nasenboden entlangführen und bis zur ermittelten Einführtiefe vorschieben (korrekte Lage → Abb. 18.16). Tritt beim Vorschieben ein Wider-

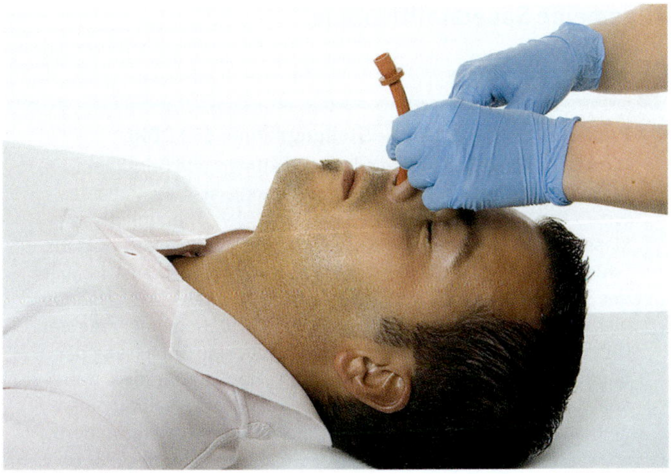

Abb. 18.15 Einführen Wendl-Tubus [J747]

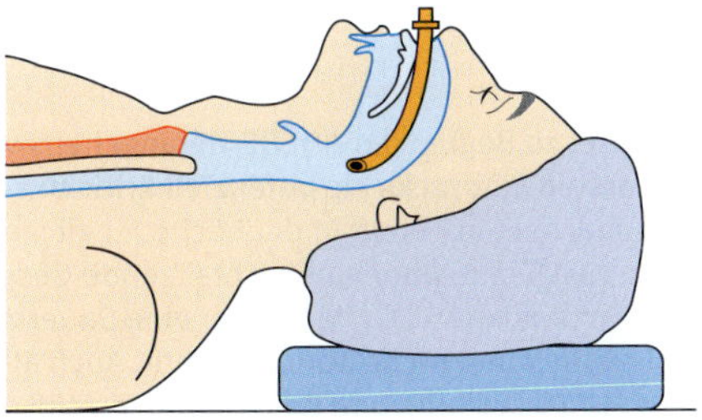

Abb. 18.16 Korrekt liegender Wendl-Tubus [L143]

stand auf, Tubus entfernen und Zugang über das andere Nasenloch versuchen.

Auch hier können nach erfolgreicher Einlage noch das Anheben des Kinns oder der Esmarch-Handgriff erforderlich sein.

ACHTUNG! Im Rettungsdienst gibt es über die Durchführung von Basismaßnahmen hinaus verschiedene Hilfsmittel, um die Atemwege freizuhalten. Richtig eingesetzt führen sie zu einer Effektivitätssteigerung der getroffenen Maßnahmen. Allerdings verleitet ihr Einsatz auch zu falschen Sicherheiten. Eine korrekte Ausführung der Basismaßnahmen und das regelmäßige Evaluieren der Situation sind unabdingbar!

MERKE

Sowohl Guedel- als auch Wendl-Tubus verhindern zwar bei korrekter Anwendung Obstruktionen der Atemwege durch weichen Gaumen und/oder Epiglottis, beide Hilfsmittel gewähren jedoch keinen Schutz vor Aspiration oder Ateminsuffizienz/Atemstillstand.

IM FOKUS

Guedel- und Wendl-Tubus

Oropharyngealtubus (Guedel-Tubus)
- Wird oral eingeführt
- Verschiedene Größen; Distanz zwischen Mundwinkel und Ohrläppchen zur Größenbestimmung
- Sowohl zu kleine als auch zu große Guedel-Tuben können Obstruktion verschlimmern; im Zweifel etwas zu großen Tubus wählen

Nasopharyngealtubus (Wendl-Tubus)
- Wird nasal eingeführt
- Verschiedene Größen; Distanz von der Nasenspitze bis zum Ohrläppchen zur Größenbestimmung
- Kleinfingerdicke als grober Anhalt für Tubusdurchmesser (nicht absolut zuverlässig)

Beide Tuben bieten keinen Aspirationsschutz!

18.3 Belüftung der Lungen – Behandeln eines B-Problems

18.3.1 Sauerstofftherapie

Sauerstoff ist lebenswichtig. Die in der Raumluft enthaltenen 21 % Sauerstoff reichen für den Gesunden aus, um die Gewebe des Körpers mit Sauerstoff zu versorgen (zu **oxygenieren**). Verschiedene Notfallsituationen können jedoch dazu führen, dass eine Erhöhung der inspiratorischen Sauerstoffkonzentration notwendig ist, um einen Sauerstoffmangel im Gewebe **(Hypoxie)** zu beheben bzw. zu verhindern. Allerdings sind neben freien Atemwegen u. a. eine ausreichende Belüftung der Lungen **(Ventilation),** die Diffusion des Sauerstoffs ins Blut und eine Sauerstofftransportmöglichkeit (durch die Erythrozyten) notwendig. Das Prinzip der Sauerstofftherapie ist die Verbesserung einer zu geringen Oxygenierung der Körpergewebe. In den meisten Situationen ist eine Sauerstoffsättigung von 90 % ausreichend, um das Gewebe ausreichend zu oxygenieren. In Akutsituationen strebt man jedoch häufig höhere SpO_2-Werte im Bereich ≥ 94 % an, bei Gefahr eines hyperkapnischen Atemversagens (z. B. bei COPD) werden SpO_2-Werte ≥ 88 % angestrebt.

DEFINITION

Sauerstoff: farbloses Gas, das weder Geruch noch Geschmack hat. Verflüssigt sich bei einer Temperatur unter −183 °C, bei −218,4 °C erstarrt es zu Kristallen.

ACHTUNG! Bei Patienten mit **vermindertem Atemantrieb** (z. B. durch intrazerebrale Störungen, Sedativa, Drogen) oder **Muskelschwäche** (z. B. akut durch hohe Querschnittslähmung oder exazerbierte COPD, chronisch durch Erkrankungen wie Multiple Sklerose) reicht die Sauerstoffgabe zur Behebung des Problems oft nicht aus, weil die Ventilation (die Atemmuskulatur) erschöpft/geschwächt ist. Diese Patienten benötigen eine assistierte oder kontrollierte Beatmung oder – bei Muskelschwäche – eine Unterstützung der geschwächten Muskulatur (z. B. durch nichtinvasive Beatmung mit Druckunterstützung).

Schmerzen, Angst, Fieber, Muskelzittern (z. B. durch Frieren), erhöhte Atemarbeit und jede Form von Stress können den Sauerstoffverbrauch deutlich erhöhen. Die Kombination aus erhöhtem Sauerstoffverbrauch und Beeinträchtigung der Sauerstoffaufnahme kann daher rasch zu Sauerstoffmangel im Organismus **(Hypoxie)** führen und damit zu einer bedrohlichen Situation. Auch kann der Sauerstofftransport beeinträchtigt sein, etwa bei Patienten mit Blutverlust (Schock), weil hier Erythrozyten fehlen. Viele Notfallpatienten benötigen daher zusätzlichen Sauerstoff.

18.3.2 Sauerstofftoxizität

Sauerstoff ist kein nebenwirkungsfreies Medikament. Schon Arbeiten um 1900 zeigten, dass in einer 100-prozentigen Sauerstoffatmosphäre alle Säugetiere (Hunde und Schweine) nach rund 2 Wochen starben. Auch heute zeigen sich Komplikationen, wenn Sauerstoff in hohen Dosen, d. h. mit einer inspiratorischen Konzentration > 60 %, über längere Zeit (mehrere Stunden bis > 24 Std.) verabreicht wird. Ein Fachgebiet, in dem dies seit vielen Jahren bekannt ist, ist die Kinderheilkunde, speziell im Rahmen der Beatmung von Frühgeborenen/Neugeborenen (FG/NG). Als schädigender Mechanismus gilt bei den FG/NG die Entstehung schädlicher Sauerstoffradikale schon nach wenigen Stunden **Hyperoxie,** weil gerade in diesen Altersgruppen die Sauerstoffradikale noch nicht abgebaut werden können, was die Sauerstofftoxizität in der Lunge (Alveolarzellen Typ 1) und an Gefäßendothelzellen der Retina (Entstehung einer retrolentalen Fibroplasie) erklärt.

Sauerstoff beim Herzinfarkt

Auch beim Herzinfarkt werden seit einigen Jahren schädigende Mechanismen der Sauerstoffgabe diskutiert. Schon seit Jahren ist die gefäßschädigende Wirkung von hoch dosierter Sauerstoffgabe über lange Zeit beschrieben. Studienergebnisse deuten darauf hin, dass zusätzlicher Sauerstoff für Patienten mit Myokardischämie und normaler Sauerstoffversorgung nicht von Vorteil ist. Die Gründe dafür sind, dass:

- eine koronare Vasokonstriktion verursacht werden kann, was das Missverhältnis zwischen Sauerstoffangebot und Bedarf beim Herzinfarkt verstärkt.
- Sauerstoff zur Entwicklung von reaktiven Sauerstoffradikalen beitragen kann. Dies könnte möglicherweise schädliche Auswirkungen auf den ischämischen Bereich haben.
- Herzrhythmusstörungen auslösende (arrhythmogene) Wirkungen beschrieben wurden.

PRAXISTIPP

Sauerstoffgabe beim STEMI

Die Europäische Gesellschaft für Kardiologie (ESC 2017) empfiehlt beim ST-Strecken-Hebungs-Myokardinfarkt (STEMI): Sauerstoff ist bei hypoxämischen Patienten indiziert (SpO_2 < 90 % oder PaO_2 < 60 mmHg). Die routinemäßige Gabe von Sauerstoff wird bei Patienten mit einer SpO_2 > 90 % nicht empfohlen. Dies empfehlen auch die Leitlinien 2021 des ERC. Ausnahmen: Atemnot oder klinische Zeichen für eine Herzinsuffizienz. Oder einfach gesagt, Patienten, die kritisch bzw. schwer krank sind.

18.3.3 Sauerstoffapplikation im Notfall

Sauerstoff ist in den meisten Notfallsituationen – zumindest initial – unerlässlich. Die widersprüchlichen Pro/Contra-Aussagen (→ Kap. 18.3.1und → Kap. 18.3.2) zur Sauerstoffgabe können eine Verunsicherung bei den Anwendern hervorrufen. Es darf jedoch nicht dazu kommen, dass einem Patienten die erforderliche Sauerstoffgabe deshalb vorenthalten wird. Halten Sie sich vor Augen, dass die Sauerstofftoxizität, wenn überhaupt, eine Folge der hoch dosierten, über viele Stunden andauernden Sauerstofftherapie darstellt. In der Akutsituation ist Sauerstoff in vielen Fällen notwendig, zumindest aber nicht schädlich.

Allgemeine Sauerstofftherapie

PRAXISTIPP

Praxistauglicher Ansatz – Stellungnahme des DBRD

Die ABCDE-Vorgehensweise erfolgt strukturiert und prioritätenorientiert. Die Patienten werden dabei zunächst im Rahmen des ersten Eindrucks als „potenziell kritisch" oder „eher unkritisch" klassifiziert. Daran orientieren sich die Versorgungsstrategien zur Sauerstofftherapie. Die möglicherweise ungünstigen Auswirkungen der Sauerstofftherapie sind für die ersten Minuten einer Versorgung nicht untersucht und zu vernachlässigen. Im Rahmen der erneuten Untersuchung des Patienten soll dann stets eine Anpassung der Sauerstofftherapie geprüft und ggf. vorgenommen werden. Dabei sollte als Entscheidungshilfe auch die zuverlässig **(valide)** pulsoxymetrisch gemessene Sauerstoffsättigung herangezogen werden.

Letztlich sollte allen Patienten mit einer vitalen Bedrohung und/oder respiratorischen Dekompensationen auf keinen Fall die Sauerstoffapplikation vorenthalten werden.

MERKE

Jeder Patient, der zu Beginn der ABCDE-Herangehensweise im Rahmen des **ersten Eindrucks** als **potenziell kritisch** eingeschätzt wird, erhält zunächst Sauerstoff in der höchstmöglichen Konzentration (→ Tab. 18.1), d. h. über eine dichtsitzende Gesichtsmaske mit Demand-Ventil oder 15 l O_2/Min. über eine Sauerstoffmaske mit Reservoirsystem und Nichtrückatemventil. Auch alle nach Abschluss der Untersuchung und Behandlung gemäß ABCDE als definitiv **kritisch eingeschätzten Patienten** sollen hoch dosiert Sauerstoff erhalten. Damit wird für akute Zustandsverschlechterungen eine Reserve im Sinne einer Präoxygenierung geschaffen.

MERKE

Sauerstoff ist ein Medikament zur Behandlung einer **Hypoxämie,** nicht zur Behandlung von Atemnot. Es wurde nicht nachgewiesen, dass Sauerstoff das Gefühl der Atemnot bei nicht hypoxämischen Patienten verbessert. Es schadet aber nicht, Sauerstoff initial einzusetzen (s. o.).

DEFINITION

Hypoxämie: Es gibt verschiedene Formen. In der Literatur wird zumeist eine Sauerstoffsättigung < 90 % als schwere Hypoxämie bezeichnet. Aus Sicht der Atem- und Kreislaufphysiologie bedeutet eine niedrige O_2-Sättigung im Blut **(Hypoxämie)** jedoch nicht automatisch auch einen O_2-Mangel im Gewebe **(Hypoxie).**

System zur Sauerstoffapplikation	F_iO_2 in %
Beatmungsmaske mit Demand-Ventil	100
Sauerstoffmaske mit Reservoirbeutel	80–95
Einfache Sauerstoffmaske	35–60
Nasenbrille	24–44
Raumluft	21

Tab. 18.1 Erreichbare inspiratorische Sauerstoffkonzentration (F_iO_2)

Im Fahrzeug wird Sauerstoff in speziellen Flaschen gelagert. Über einen Druckminderer werden verschiedene Systeme zur Applikation von Sauerstoff mit der Flasche verbunden.

Systeme zur Sauerstoffapplikation im Rettungsdienst

- Beatmungsmasken mit Demand-Ventil
- Im Rahmen einer NIV-Therapie (→ Kap. 19.2.7)
- Sauerstoffmaske mit Reservoirbeutel
- Einfache Sauerstoffmaske
- Nasenbrille
- Nasensonde

IM FOKUS

Sauerstofftherapie und Nebenwirkungen

- Sauerstoff ist **kein nebenwirkungsfreies Medikament.**
- Ein hoher Anteil an Sauerstoff in der Atmosphäre um den Patienten erhöht das Komplikationsrisiko.
- In der Neonatologie ist dieser Effekt gut untersucht: Schäden an **Retina** und **Lungenzellen.**
- Sauerstoff und **STEMI:**
  - Indikation nur bei hypoxämischen Patienten ($SpO_2 < 90$ % oder $PaO_2 < 60$ mmHg) oder bei Atemnot bzw. Herzinsuffizienzzeichen
  - Routinemäßige Gabe bei $SpO_2 > 90$ % bei „stabilen" Patienten nicht empfohlen
- **Achtung:** Nicht verunsichern lassen, Sauerstoff ist ein wichtiges Notfallmedikament bei kritisch erkrankten/verletzten Patienten!

18.3.4 Langzeit-Sauerstofftherapie

DEFINITION

Langzeit-Sauerstofftherapie (LOT/LTOT, Long-Term Oxygen Therapy): auch als Sauerstoff-Langzeittherapie bezeichnet. Gemäß aktuellen Leitlinien wird unter Langzeit-Sauerstofftherapie

- sowohl die Applikation von **Sauerstoff für ≥ 16 Std./Tag**
- als auch die **tägliche Sauerstoffgabe nur bei körperlicher Belastung** verstanden.

Erkrankungen, die mit einer chronischen Hypoxämie einhergehen, weisen eine verminderte Lebensqualität und Leistungsfähigkeit auf und haben eine erhöhte Morbidität und Mortalität. Die Ziele der Langzeit-Sauerstofftherapie sind eine Verbesserung der Lebensqualität und Leistungsfähigkeit sowie eine Reduktion von Morbidität und Mortalität.

Indikationen

Ist bei normaler Atemtätigkeit und trotz optimaler medikamentöser Behandlung ein erheblicher chronischer Sauerstoffmangel im Körper **(chronische Hypoxämie)** nachweisbar, kann die LOT/LTOT angezeigt sein (→ Tab. 18.2).

Krankheitsbilder mit chronischer Hypoxämie

Erkrankungen, die zu einem chronischen Sauerstoffmangel führen können, sind z. B.:

- COPD (chronisch-obstruktive Bronchitis und Lungenemphysem)

Indikation	PaO_2 in Ruhe ≤ 55 mmHg
	PaO_2 in Ruhe 50–60 mmHg bei Cor pulmonale/ Polyglobulie
	PaO_2 unter Belastung ≤ 55 mmHg oder Hypoxämie im Schlaf
Verschreibungskriterien	Stabile Krankheit, optimale Therapie
Kontraindikationen	Keine
Ziel	PaO_2 ≥ 60 mmHg oder Anstieg um 10 mmHg
	PaO_2 ≥ 60 mmHg oder Belastbarkeit verbessert

Tab. 18.2 Langzeit-Sauerstofftherapie (nach S2k-Leitlinie der DGP, 2020)

- Lungenfibrose (Sammelbegriff für zahlreiche Lungenerkrankungen, Gemeinsamkeit ist der narbige Umbau des Lungengewebes mit Zunahme der kollagenen Fasern)
- Mukoviszidose (auch cystische Fibrose, CF, genannt)
- Schwere chronische Herzinsuffizienz
- Pulmonale Hypertonie
- Neuromuskuläre Erkrankungen
- Z. n. mehreren Lungenembolien

ACHTUNG! Das Rettungsfachpersonal wird gelegentlich zu Patienten gerufen, die zu Hause oder unterwegs Sauerstoff im Rahmen einer **Langzeit-Sauerstofftherapie** erhalten. Es handelt sich um Patienten, die langfristig täglich mehrere Stunden das Medikament Sauerstoff verabreicht bekommen. Das bedeutet, dass diese Patienten schon im Alltag stark eingeschränkt und schwer krank sind. Bei einigen Patienten kann im Rahmen der rettungsdienstlichen Versorgung eine nichtinvasive Beatmung (NIV) erforderlich sein, weil die alleinige Sauerstoffgabe nicht (mehr) ausreicht.

Systeme für die Langzeit-Sauerstofftherapie (LOT/LTOT)

Als Quellen für die häusliche und (wenn der Patient die Wohnumgebung noch verlassen kann) auch mobile Sauerstofftherapie stehen **Sauerstoffkonzentratoren, Flüssigsauerstoff-Systeme** und **Sauerstoff-Druckflaschen** zur Verfügung. Um die Schleimhäute der Patienten nicht durch Austrocknung zu strapazieren, haben die Geräte oftmals einen Befeuchter, der mit destilliertem Wasser oder auch abgekochtem Wasser (gilt hygienisch als vertretbar) befüllt werden kann. Empfohlen wird die Befeuchter-Verwendung ab ≥ 2 l O_2/Min. Manche mobilen Geräte haben eine Zulassung für den Betrieb in Flugzeugen (z. B. FAA-zertifiziert, FAA = Federal Aviation Administration). In den meisten Fällen nutzen die Patienten Nasenbrillen oder Nasensonden als Applikationssystem, sie werden gut akzeptiert.

- **Sauerstoffkonzentratoren:** Sie saugen mithilfe eines Kompressors (was zu einer gewissen Geräuschbelästigung führen kann) die Umgebungsluft an und filtern Staub und Stickstoff heraus. Das Ergebnis ist eine Luft, die fast reinen Sauerstoff erhält (bis zu 96 %, **aber:** je höher der Flow in l/Min., desto niedriger der O_2-Gehalt). Die meisten Geräte können ca. 1–5 l O_2/Min. bereitstellen, sog. High-Flow-Geräte auch bis zu 10 l/Min. Es gibt sog. Standgeräte (z. B. Philips Respironics Everflo, Kröber O2, DeVilbiss 525KS, VisionAire), die mit haushaltsüblichem Strom betrieben werden, oder kleinere, mobile Geräte, die mit Akku betrieben werden (z. B. Inogen One G4, Philips Respironics SimplyGo). Letztere befinden sich i. d. R. in einer Tragetasche oder einem Rucksack. Durch Mitführen von Reserve-Akkus lässt sich die Betriebszeit deutlich erhöhen, manche Geräte lassen sich sogar im Auto über den Zigarettenanzünder aufladen. Die mobilen Sauerstoffkonzentratoren können meist nur 2–4 l O_2/Min. bereitstellen. Dies schränkt ihren Wert für Patienten ein, die mehr Sauerstoff benötigen.

- **Flüssigsauerstoff:** Der Chemiker Karol Olszewski und der Physiker Zygmunt Wroblewski gelten als die Ersten, denen es gelang, Sauerstoff in Flüssigkeit zu verwandeln und in diesem Zustand zu erhalten. Dem Maschinenbauer und Ingenieur Carl von Linde gelang es bereits 1895, Luft zu verflüssigen und in ihre Bestandteile zu zerlegen („Linde-Verfahren"). Er schuf damit den Grundstein für die industrielle Herstellung von Sauerstoff. Die Technologie wurde weiterentwickelt und 1902 gelang es erstmals, industriell und in großem Umfang Flüssigsauerstoff (LOX, Liquid Oxygen) herzustellen. Im Rahmen der LOT/LTOT bekommen die Patienten ein Standgerät mit LOX-Vorratsbehälter (sog. Reservoir) nach Hause. Der Vorratsbehälter wird mit Flüssigsauerstoff befüllt. Dies erfolgt durch den Gashersteller, sodass bei diesen Geräten eine entsprechende 24-Stunden-Logistik erforderlich ist. Auch benötigen die Patienten eine intensive Aufklärung wegen der Brand- und Explosionsgefahr (v. a. Raucher). Ein 40 l-Behälter entspricht rund 35 000 l gasförmigem Sauerstoff. Als Faustformel gilt: 1 l Flüssigsauerstoff ergibt etwa 850 l gasförmigen Sauerstoff. Neben dem „großen Tank" für die Heimtherapie gibt es kleinere Behälter (Satellitentanks), in die der Flüssigsauerstoff für unterwegs abgefüllt werden kann. Somit ermöglicht Flüssigsauerstoff im Vergleich mit gasförmigem Sauerstoff die Hinterlegung **(Deposition)** deutlich größerer Sauerstoffmengen.
- **Sauerstoff-Druckflaschen:** Erst ab 1868 war es durch die sog. Druckgastechnik möglich, Sauerstoff in Gaszylindern zu speichern. Diese waren zunächst aus Kupfer, später aus Stahl. Lange Zeit stellten die ungenauen Dosierungsvorrichtungen aufgrund des teuer herzustellenden Gases ein Problem dar. Die Grundlagen für verlässlich dosierbare Mengen an Inhalationsgasen schufen die Lübecker Heinrich Dräger und sein Sohn, Dr. Bernhard Dräger. Die Druckgasventiltechnologie wurde vorangetrieben und führte 1889 zur Einführung des Druckreduzierventils „Lubeca" durch Dräger; es wog 4 kg. Ein weiterer Meilenstein war der Roth-Dräger-Narkoseapparat von 1902. Die Technologie der Druckreduktionsventile erlaubte es, das unter hohem Druck gespeicherte Gas mit niedrigerem Druck zurückzuführen, den Gasfluss zu regulieren sowie Gasgemische herzustellen. Heutzutage wird Sauerstoff in Stahlflaschen, aber auch in Karbonflaschen (Füllungsdruck bis 300 bar) angeboten. Im Rahmen der Langzeit-Sauerstofftherapie gelten Druckflaschen nur für den mobilen Einsatz als geeignet, nicht für zu Hause. Der Grund ist, dass die Kapazität der Flaschen zu gering ist. Selbst eine 10-l-Druckflasche fasst bei 200 bar Füllungsdruck nur 2 000 l Sauerstoff. Die Flaschen für den mobilen Einsatz fassen üblicherweise 0,8 l bis 2 l Volumen. Dies entspricht bei 200 bar Füllungsdruck einer Menge von 160 bis 400 l Sauerstoff.

Praktisch werden die Systeme auch kombiniert. So kann ein Patient z. B. sowohl zu Hause als auch mobil LOX haben, er kann aber auch zu Hause LOX haben und mobil einen Sauerstoffkonzentrator oder Druckgasflaschen usw.

MERKE

Zwei Technologien haben entscheidend dazu beigetragen, Sauerstoff als medizinisches Basistherapeutikum zu etablieren: zum einen das Verfahren der industriell durchführbaren Luftzerlegung und -verflüssigung, zum anderen das der steuerbaren Applikationsweise mittels Druckreduktionsventilen.

Spar- oder Demand-Systeme

Als Spar- oder Demand-System (nicht zu verwechseln mit dem in → Kap. 18.3.5 besprochenen Demand-Ventil) bezeichnet man im Zusammenhang mit der LOT/LTOT ein Ventil, das sich nur bei der Inspiration öffnet (ausgelöst durch den Patienten) und gemäß bestimmten eingestellten Parametern eine vorgegebene Menge an Sauerstoff abgibt. Bei der Exspiration schließt sich das Ventil. Diese Ventile sind zwar grundsätzlich sinnvoll, weil dadurch der Sauerstoff-Vorrat deutlich länger ausreicht; dies ist insbesondere bei mobilem Einsatz bedeutsam. Jedoch kann es bei sauerstoffbedürftigen Patienten auch zu einer Gefährdung kommen. Die „Demand-Fähigkeit" muss getestet werden, bevor ein dauerhafter Einsatz erfolgt, weil nicht jeder Patient in der Lage ist, die Öffnung des Ventils adäquat zu **triggern** (auszulösen), vor allem bei körperlicher Belastung. Der Grund ist, dass Patienten in diesen Situationen häufig zur Mundatmung neigen, sodass der inspiratorische Trigger nicht ausgelöst wird und dementsprechend gar keine Sauerstoffabgabe erfolgt.

IM FOKUS

Langzeit-Sauerstofftherapie

- Definiert als:
  - Applikation von **Sauerstoff für ≥ 16 Std./Tag** oder
  - **tägliche Sauerstoffgabe** nur bei körperlicher Belastung.
- Grunderkrankungen sind oft **pulmonal** (obstruktiv/restriktiv), **neurologisch** oder **kardial.**
- Verschiedene System existieren (**stationär** und **mobil**):
  - Patienten kennen sich i. d. R. gut aus.
  - Auf Positionierung der Flaschen (z. B. aufrecht) achten.
  - An Sauerstoffvorrat und/oder Reserveakkus denken.
- Sauerstoffgabe beim Transport nach Patientenwunsch, im Notfall bedarfsgerecht anpassen.

18.3.5 Beatmungsmaske mit Demand-Ventil

Ein Demand-Ventil (englisch: *demand* = Bedarf) ist ein zwischen Sauerstoffflasche und Maske angeschlossenes Ventil, das sich nur durch negativen Druck (Sog) öffnet. Es kann im Rahmen einer Spontanatmung oder mit einem Beatmungsbeutel (→ Abb. 18.17) verwendet werden.

- **Spontanatmung:** Atmet der Patient ein, öffnet sich das Ventil und gibt Sauerstoff an den Patienten ab. Hiermit kann dem ausreichend spontanatmenden Patienten Sauerstoff in nahezu reiner Form zugeführt werden.
- **Beatmung mit Beatmungsbeutel:** In diesem Fall wird Sauerstoff gespart, da das Ventil lediglich Sauerstoff abgibt, um den Beatmungsbeutel nach Betätigung wieder aufzufüllen. Außerdem füllt sich der Beatmungsbeutel mit reinem Sauerstoff, ohne dass nebenbei Raumluft in den sich füllenden Beutel strömt. Nur mit einem Demand-Ventil ist eine Beatmung mit 100 % Sauerstoff über den Beatmungsbeutel möglich.

18.3.6 Sauerstoffmaske mit Reservoir

Häufig werden Sauerstoffmasken im Rettungsdienst eingesetzt, da sie eine Sauerstofftherapie mit hohem inspiratorischem Sauerstoffgehalt ermöglichen (→ Abb. 18.18). Der Reservoirbeutel füllt sich durch das kontinuierliche Zuführen von Sauerstoff. Während der Inspiration atmet der Patient den Sauerstoff aus dem Reservoir ein, sodass das Reservoir etwas schrumpft. Ein Ventil sorgt dann bei der Exspira-

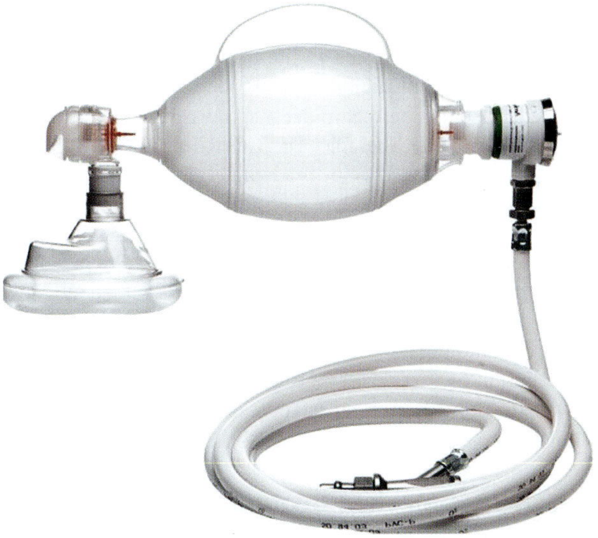

Abb. 18.17 Demand-Ventil am Beatmungsbeutel [V872]

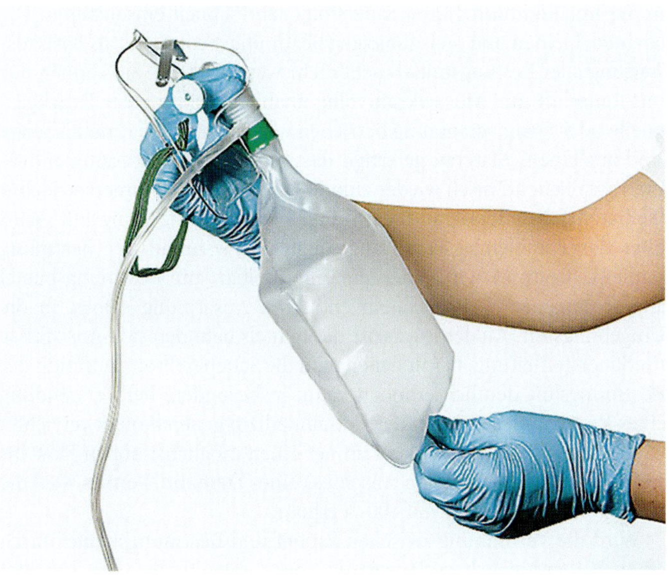

Abb. 18.18 Sauerstoffmaske mit Reservoir [J747]

tion dafür, dass die Ausatemluft nicht in das Reservoir gelangen kann (Nichtrückatemventil), sondern in die Umluft entweicht. Während dieser Phase, in der der Patient ausatmet, befüllt der Sauerstoffstrom das Reservoir wieder.

MERKE

Notfallpatienten tolerieren manchmal die Sauerstoffmaske nicht sofort. Die Aufgabe des Rettungsfachpersonals ist es dann, dem Patienten sehr einfühlsam den Nutzen der Sauerstofftherapie zu erklären. Dabei beachten: Die Kommunikation mit dem Patienten kann in dieser besonderen Situation beeinträchtigt sein.

Vorgehen:

1. Sauerstoffmaske an den Druckminderer anschließen und einen hohen Flow einstellen (bis zu 15 l/Min.).
2. Sauerstoffeinlassventil am Maskenboden zuhalten, damit eine gewisse Vorfüllung des Reservoirs erreicht wird.
3. Rechtzeitig loslassen, damit das Reservoir nicht platzt.
4. Wenn der Reservoirbeutel weitgehend gefüllt ist, die Maske auf das Gesicht des Patienten setzen.
5. Halteband über den Kopf des Patienten legen.
6. Metallsteg an den Nasenrücken des Patienten anpassen.
7. Halteband anpassen.
8. Kontrolle: Wenn die Maske ausreichend eng anliegt, erkennt man, dass bei jeder Inspiration Sauerstoff aus dem Reservoir gezogen wird (es schrumpft dann etwas).

18.3.7 Sauerstoffmaske ohne Reservoir

Mit der einfacheren Ausführung einer Sauerstoffmaske ohne Reservoir werden nur mittlere Sauerstoffkonzentrationen erreicht. Sie werden zur unterstützenden Sauerstofftherapie eingesetzt. Der Sauerstofffluss (Flow) sollte im Allgemeinen 6–8 l/Min. betragen (Herstellerangaben beachten!). Bei einem Flow unterhalb der vom Hersteller angegebenen Mindestmenge besteht die Gefahr der Rückatmung von CO_2-reicher Exspirationsluft. Sauerstoffmasken, die dafür gedacht sind, Medikamente zu vernebeln (z. B. Salbutamol oder Adrenalin), sind ebenfalls in den meisten Fällen für einen Flow von ca. 6–8 l/Min. vorgesehen. Diese Masken werden als Verneblermasken bezeichnet.

MERKE

Grundsätzlich gilt: Alle Sauerstoffmasken nur mit einem Mindestfluss von 6 l/Min. betreiben, um bei der Inspiration die Aufnahme von CO_2 zu verhindern.

Für geringere Flussraten empfiehlt sich die Sauerstoffbrille.

18.3.8 Sauerstoffbrille

Die Sauerstoffbrille wird zur Applikation von Sauerstoff bei Patienten eingesetzt, die keinen hoch dosierten Sauerstoff benötigen. Dies können z. B. Patienten sein, die aufgrund ihrer Vorerkrankung dauerhaft auf Sauerstoff angewiesen sind. Wird die Sauerstoffbrille korrekt angewendet, wird sie von Patienten i. d. R. gut toleriert (→ Abb. 18.19).

Sauerstoffbrillen können nur mit einem Flow von maximal 6 l/Min. eingesetzt werden, da bei höheren Flussraten die Nasenschleimhaut geschädigt werden kann. Außerdem führen hohe Flussraten nur theoretisch zu einer Erhöhung der inspiratorischen Sauerstoffkonzentration, da in der Praxis ein streng durch die Nase und normofrequent atmender Patient erforderlich wäre.

Vorgehen:

1. Nasenkanülen in die Nasenlöcher des Patienten einlegen
2. Sauerstoffleitung hinter die Ohren des Patienten legen
3. Nasenbrille durch Verschieben des Kunststoffrings anpassen

IM FOKUS

Applikation von Sauerstoff

- **Beatmungsmaske mit Demand-Ventil:**
  - Zwei Möglichkeiten: Spontanatmung und Beatmung

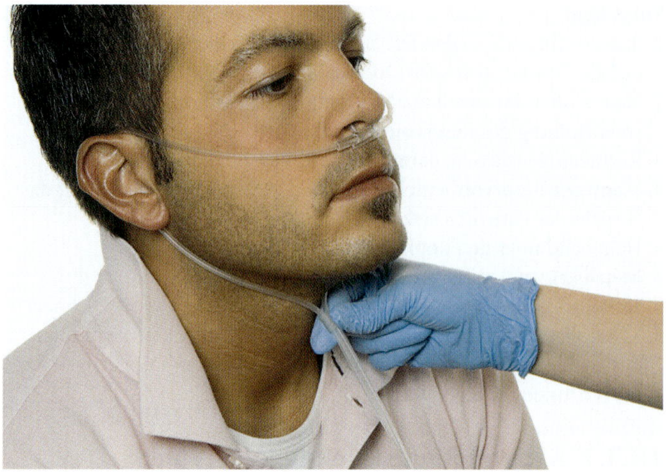

Abb. 18.19 Patient mit angelegter Sauerstoffbrille [J747]

- – Ventil gibt nur soviel Sauerstoff ab, wie bei Atemzug benötigt
- **Sauerstoffmaske mit Reservoir:**
  - Höchste FiO_2 nach BMV
  - Wird oftmals von Patienten initial nicht toleriert
- **Sauerstoffmaske ohne Reservoir:**
  - Nur mittlere Sauerstoffkonzentrationen erreichbar

Masken immer mit einem Mindestfluss von 6 l/Min. betreiben!

- **Sauerstoffbrille:**
  - Wird gut toleriert
  - In der Regel maximaler Flow von 6 l/Min.
  - Sonderfall: apnoeische Oxygenierung (→ Kap. 18.6.6)

18.4 Beatmung des Patienten

Ist die Eigenatmung eines Patienten nicht oder nicht ausreichend vorhanden, drohen unmittelbar schwerwiegende Schäden für den Patienten durch Hypoxie.

DEFINITION

Allgemein unterscheidet man bei der Beatmung eine Durchführung **ohne** (Mund-zu-Mund- und Mund-zu-Nase-Beatmung) und **mit Hilfsmittel** (Beutel-Maske-Beatmung, supra- bzw. extraglottische Atemweghilfen, endotracheale Intubation).
Zudem werden für eine Beatmungstherapie im Rettungsdienst die **assistierte** und die **kontrollierte Beatmung** voneinander unterschieden.

Bei der **assistierten Beatmung** weist der Patient eine Eigenatmung auf, die aber ungenügend ist. Die Sauerstoffversorgung des Körpers ist dadurch hochgradig gefährdet. Eine Sauerstoffgabe zu diesem Zeitpunkt würde aufgrund des geringen Atemminutenvolumens das Blut des Patienten nicht genügend oxygenieren. Bei der assistierten Beatmung wird die Spontanatmung berücksichtigt, jedoch so ergänzt, dass die Aufrechterhaltung der Sauerstoffversorgung gelingt.

Ist ein Patient z. B. ateminsuffizient im Sinne einer zu niedrigen Atemfrequenz < 10/Min. (Bradypnoe) oder zu hohen Atemfrequenz > 30/Min. (Tachypnoe, Angaben für Erwachsene) oder sind die Atemzüge nicht tief genug, kann eine assistierte Beutel-Masken-Beatmung indiziert sein. Dies geschieht bei Bradypnoe, indem der Patient zwischen zwei eigenen Atemzügen mit dem Beatmungsbeutel beatmet wird. Bei einer Tachypnoe kann jede zweite Inspiration unterstützt werden, indem man Volumen hinzugibt.

Eine weitere Option besteht in der nichtinvasiven Beatmung (→ Kap. 19.2.7) oder der CPAP-Therapie. Die CPAP-Therapie verbessert aber vorrangig den Gasaustausch; eine Bradypnoe oder viel zu flache Atmung lässt sich dadurch nicht beheben.

Bei der **kontrollierten Beatmung** atmet der Patient nicht mehr eigenständig. Die Dauer und die Tiefe der Inspiration werden vom Anwender bestimmt. Im Rettungsdienst stehen verschiedene Möglichkeiten der Beatmung zur Verfügung. Grob gesagt unterscheidet man manuelle Beatmungsgeräte (Beatmungsbeutel) und maschinelle Beatmungsverfahren (→ Kap. 19). Einfache Techniken ohne Hilfsmittel wie die Mund-zu-Mund-Beatmung werden im professionellen Rettungsdienst nicht durchgeführt.

18.4.1 Beutel-Masken-Beatmung (BMB)

Die Beutel-Masken-Beatmung (BMB, auch: BMV = Beutel-Masken-Ventilation, Bag-Mask-Ventilation) ist nahezu weltweit die **Standardmethode zur notfallmäßigen Beatmung** eines Patienten. Allerdings wird diese Standardmethode seit einigen Jahren kritischer bewertet.

Ohne Zusatzeinrichtungen ist der Beatmungsbeutel für eine Beatmung mit Raumluft (21 % Sauerstoff) sehr schnell einsatzbereit. Die leichten, kleinen und preisgünstigen Beatmungsbeutel sind als Basisausstattung aller Rettungsmittel nicht mehr wegzudenken. Sie können nur mit Raumluft und Muskelkraft völlig unabhängig von einer Druckgasquelle oder Stromversorgung betrieben werden. Handbeatmungsbeutel sind aus einem Material gefertigt, das sich nach dem Zusammendrücken ausreichend rasch wieder zum ursprünglichen Volumen ausdehnt **(selbstentfaltender Handbeatmungsbeutel).** Umgebungsluft wird über das Beuteleinlassventil angesaugt, das während der Beatmung schließt. Beatmet wird über ein unmittelbar am Beatmungsbeutel angeschlossenes Nichtrückatemventil. Die Ausatmung erfolgt in die Umgebungsluft. An der Rückseite des Beutels befinden sich Anschlüsse für Sauerstoffleitungen, mit denen man die Sauerstoffkonzentration der Beatmungsluft deutlich erhöhen kann, insbesondere bei Verwendung eines Reservoirs, auf das in der Notfallmedizin generell nicht verzichtet werden sollte. Stellen Sie dabei immer einen möglichst hohen Flow bis 15 l O_2/Min. ein. Durch den Anschluss eines **Demand-Ventils** wird die Sauerstoffkonzentration auf 100 % erhöht.

Wird die Verbindung zwischen Patient und Beatmungsbeutel durch einen Faltenschlauch verlängert, so muss unbedingt darauf geachtet werden, dass das Nichtrückatemventil direkt via Filter am Tubus oder an der Maske angebracht wird. Bei atembeutelnahem Sitz des Nichtrückatemventils kann es durch den Faltenschlauch zu einer wesentlichen Totraumerhöhung mit Pendelluftbeatmung und folgender Hypoxie und Hyperkapnie kommen.

Erwachsenen-Handbeatmungsbeutel

Erwachsenen-Handbeatmungsbeutel sind für **Erwachsene und Kinder ab 3 Jahren bzw. über 15 kg Körpergewicht** geeignet. Sie sollten mit nur einer Hand betätigt werden, wobei das Auspressen des Beutels durch vorsichtiges Abstützen an einem Widerlager (z. B. Oberschenkel) unterstützt werden kann. Dieses Vorgehen ist allerdings nicht unumstritten; manche Autoren lehnen es ab, weil damit die Gefahr verbunden sei, dass der Patient mit zu viel Volumen beatmet wird. Beim Ausdrücken mit zwei Händen besteht die Gefahr, dass ein zu hoher Atemwegsdruck mit möglichen Folgeschäden an der Lunge bewirkt wird. Nach dem Ausdrücken des Beatmungsbeutels wird sofort losgelassen und die Hand etwas abgehoben, um ein ungehindertes Selbstfüllen des Beutels zu gewährleisten. Die Beatmung erfolgt bei Erwachsenen idealerweise mit einer Frequenz von 10 Beatmungen pro Minute; mit einer Hand sind Atemhübe von 400–500 ml meist gut erreichbar. Daher ist die Gefahr der Hyperventilation durchaus groß. Letztlich ist die Beatmung ausreichend, wenn es zu sichtbaren Thoraxexkursionen kommt.

Kinder- und Baby-Beatmungsbeutel

Kleinere Kinder und vor allem Säuglinge und Neugeborene brauchen nur sehr kleine Atemhubvolumina. Als Anhalt gilt, wie bei Erwachsenen auch, ein Atemhubvolumen von 6 ml/kg ideales Körpergewicht. Ein einjähriges Kind wird demnach mit einem Volumen von gerade einmal ca. 60 ml beatmet.

MERKE

Durch unsachgemäße Beutelbeatmung des Neugeborenen mit zu hohen Drücken kann ein Pneumothorax entstehen. Aus diesem Grund möglichst immer einen **Beatmungsbeutel mit Druckbegrenzung** für Neugeborene und Säuglinge wählen.

Ideal für Neugeborene, Säuglinge und Kinder unter 3 Jahren ist die Beatmung mit einem speziellen kleinen Kinder-Beatmungsbeutel. Die im Fachhandel erhältlichen Baby-Beatmungsbeutel eignen sich nur für Neugeborene.

Die Sauerstoffanreicherung erfolgt über einen Reservoirschlauch, der am Beuteleinlassventil aufgesetzt und vom zugeführten Sauerstoff durchströmt wird. Da das Volumen des angesetzten Reservoirschlauchs größer ist als der Inhalt des Beatmungsbeutels, füllt sich dieser mit reinem Sauerstoff.

Es gibt auch Beatmungsbeutel, die durch eine besondere Formgebung einen Erwachsenen- und einen Kinderbeatmungsgriff ermöglichen.

Die kleineren Volumina können auch mit guten Erwachsenen-Beatmungsbeuteln improvisiert werden. Der Beutel wird dabei exzentrisch angefasst und nur sehr vorsichtig mit zwei oder drei Fingern und Daumen eingedrückt. Entscheidend dafür, ob eine kleinvolumige Beatmung gelingt, ist das empfindliche Ansprechverhalten des Nichtrückatemventils, das auch bei dem geringen Atemflow eines kleinen Atemzugvolumens gegen den Ausatem-Teil hin abdichten muss. Vorsicht ist bei der Sauerstoffgabe mit zu hohem Sauerstoffflow geboten, denn es kann bei manchen Patientenventilen zu Ventilblockieren, unkontrollierbarem Druckanstieg und schweren Komplikationen kommen. Die Sauerstoffgabe ist nur mit offenen Reservoirsystemen, die einen unkontrollierten Druckaufbau nicht zulassen, erlaubt.

18.4.2 Durchführung der Beutel-Masken-Beatmung (BMB, BMV)

Der Beatmungsbeutel ist ein sehr häufig genutztes Hilfsmittel. Allerdings verlangt die effektive Beutel-Masken-Beatmung ein hohes Maß an Fertigkeit und Training. Die Beutel-Masken-Beatmung ist bei der Durchführung durch ungeübtes Personal häufig insuffizient, da eine besondere Schwierigkeit das wirklich dichte Aufsetzen der Gesichtsmaske darstellt. So können anatomische oder pathophysiologische Gegebenheiten die Maskenbeatmung erschweren (→ Kap. 18.4.3, → Kap. 18.4.4).

Die Ventilation des Magens mit nachfolgender Regurgitation und Aspiration stellt ein häufiges Problem dar. Weiterhin werden viele Patienten mit beobachteten Beatmungsfrequenzen bis zu 40/Min. deutlich hyperventiliert. Sowohl beim Schädel-Hirn-Trauma als auch während einer Reanimation resultiert daraus ein schlechteres Behandlungsergebnis, weil der venöse Rückstrom vermindert wird.

Wie bereits oben beschrieben, sollte der Notfallsanitäter primär supra- bzw. extraglottische Atemwegshilfen (SGA, EGA; → Kap. 18.5) zur Beatmung nutzen, da in der Notfallmedizin die Effektivität der Beatmung mit SGA/EGA höher ist als mit der Beutel-Masken-Beatmung und die Risiken der Aspiration geringer sind.

Dennoch ist das Beherrschen der Beutel-Masken-Beatmung für den Notfallsanitäter obligat. So muss die Beatmung, z. B. nach einem gescheiterten Versuch der Beatmung über SGA/EGA, über die Beutel-Masken-Beatmung im Sinne einer Rückfallebene sichergestellt werden können. Weiterhin sind assistierte Beatmungen von nicht tief bewusstlosen Patienten mit der BMV durchzuführen.

Vorgehen bei der Beutel-Masken-Ventilation (BMV):

1. Notfallsanitäter oder Rettungssanitäter/Rettungsassistent positioniert sich am Kopfende des Patienten.
2. Guedel- oder Wendl-Tubus einlegen (Guedel-Tubus lässt sich schneller und einfacher einführen).
3. Kopf ggf. reklinieren (**Cave:** HWS-Verletzung, aber: Lebensrettung hat Vorrang) und/oder Esmarch-Griff durchführen. Darauf achten, dass ausschließlich knöcherne Strukturen gefasst werden und kein Druck auf die Weichteile des Mundbodens ausgeübt wird.
4. Maske zunächst mit der schmalen Seite auf die Nasenwurzel des Patienten setzen und dann absenken. Der breite Teil der Maske sollte idealerweise im Bereich der Vertiefung zwischen Unterlippe und Kinnspitze aufliegen.
5. Daumen und Zeigefinger greifen C-förmig um die Maske und drücken die Maske auf das Gesicht des Patienten (→ Abb. 18.20).
6. Beatmungsbeutel sanft ausdrücken (ca. 1 Sek. bei der Reanimation, ansonsten besser über 2 Sek.), dabei ein Atemhubvolumen von ca. 6 ml/kg (Ideal-)KG anstreben (= 350–500 ml bei Erwachsenen).
7. Auf eine Brustkorb- oder Oberbauchbewegung achten; nur wenn Atembewegungen sichtbar sind, ist die Beatmung effektiv.
8. Auf Leckagen achten, die durch Undichtigkeiten an der Gesichtsmaske entstehen. Dies kann z. B. bei Bartträgern der Fall sein, tritt bei Ungeübten jedoch häufig auf.

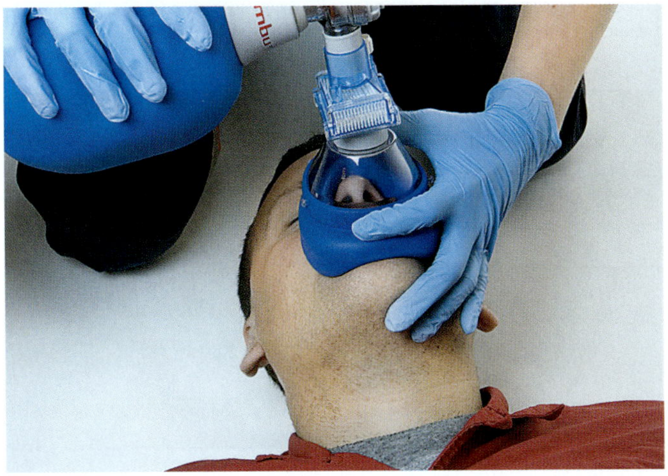

Abb. 18.20 C-Griff bzw. CE-Griff. Daumen und Zeigefinger bilden dabei ein C, die drei restlichen Finger erinnern an ein E. Im deutschsprachigen Raum ist die Bezeichnung C-Griff eher üblich. [J747]

9. Bei schlechter Dichtigkeit der Gesichtsmaske beidhändigen C-Griff oder beidhändigen TE-Griff mit zwei Helfern anwenden (→ Abb. 18.21, → Abb. 18.22). Dabei fassen zwei Hände die Maske und dichten den Maskenwulst ab. Ein weiterer Helfer drückt sanft den Beatmungsbeutel, bis Thoraxexkursionen sichtbar sind.

MERKE

Zwei-Helfer-Technik der Beutel-Masken-Beatmung

Die ERC-Leitlinie 2021 führt aus, dass eine Beutel-Masken-Ventilation durch eine einzelne Person beträchtliche Fertigkeiten verlangt. Oft ist es schwierig, eine leckagefreie Abdichtung zwischen der Maske und dem Gesicht des Patienten zu erreichen und gleichzeitig mit einer Hand den Atemweg offen zu halten und mit der anderen Hand den Beutel zusammenzudrücken. Der ERC empfiehlt deshalb, die **Zwei-Helfer-Technik** der Beutel-Masken-Beatmung **zu bevorzugen.** Auf diese Weise wird eine bessere Abdichtung erreicht und der Patient kann effektiver und sicherer beatmet werden. Der ERC favorisiert dafür die „Beide-Daumen-unten"-Technik (TE-Griff, → Abb. 18.22). Einige Untersuchungen haben gezeigt, dass der **beidhändige TE-Griff** dem beidhändigen C-Griff (CE-Griff, → Abb. 18.21) **überlegen** ist. Dies zeigte sich sowohl bei der Beatmung von Erwachsenen als auch in einer Studie, die in der Kinderanästhesie bei Kindern im Alter bis zu zwei Jahren durchgeführt wurde. Andere Studien fanden zwar keine Überlegenheit für eine der Zwei-Helfer-Techniken, zeigten aber eindeutig, dass sowohl die eine wie die andere der einhändigen Technik überlegen ist.

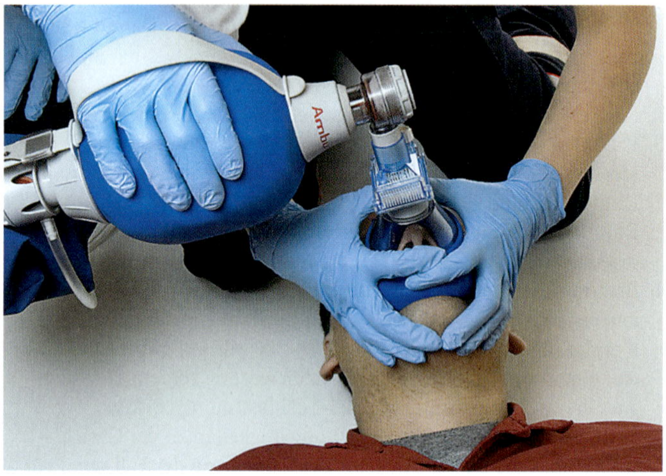

Abb. 18.21 Doppelter C-Griff bzw. beidhändiger C-Griff. In der englischsprachigen Literatur auch als beidhändiger CE-Griff (Both-Hand CE Technique) bezeichnet. [J747]

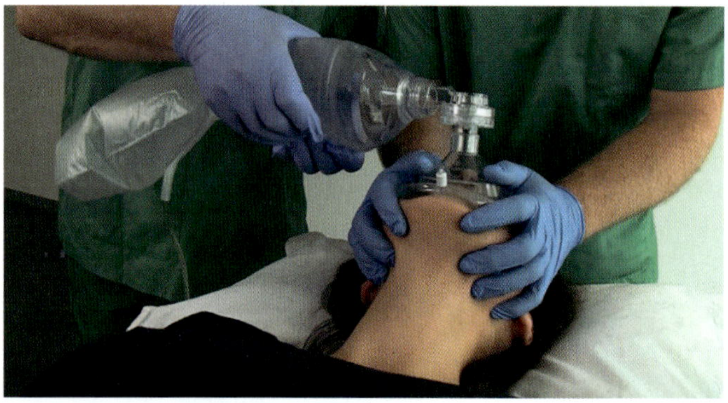

Abb. 18.22 Beidhändiger TE-Griff (Thenar Eminence- oder auch „Two Thumbs Down-Technique"). Dabei werden die Daumen und der Daumenballen auf jeder Seite der Maske platziert, während die übrigen vier Finger den Kiefer nach oben „in die Maske" ziehen. [M840]

PRAXISTIPP

Bei Säuglingen und Kleinkindern ist eine gute **Lagerung** wichtig für eine erfolgreiche Maskenbeatmung. In dieser Altersgruppe ist der Kopf groß und der Hals kurz. Legen Sie ein zusammengerolltes Handtuch o. Ä. unter die Schulterregion. Dadurch wird der Kopf in eine Neutralposition gebracht (sog. Schnüffelstellung, → Abb. 18.23). Dies trägt wesentlich dazu bei, die Atemwege freizuhalten. Wie auch bei Erwachsenen kann die Maskenbeatmung erleichtert werden, indem ein Helfer die Maske mit zwei Händen hält.

IM FOKUS

Beutel-Masken-Beatmung

Zwei Formen:

- **Assistierte Beatmung** (Patient atmet selbstständig, aber unzureichend):
  - Entweder Unterstützung einzelner Atemhübe oder Zwischenbeatmungen durchführen
- **Kontrollierte Beatmung** (Ventilation nur über Beatmung):
  - Kopfposition und C-Griff bzw. beidhändige Techniken des Maskehaltens sind wesentlicher Bestandteil für Beatmungserfolg
  - Gegebenenfalls supraglottische Atemweghilfe nutzen

Beatmungsbeutel:

- Unterschiedliche Größen von Beutel und Maske; V. a. für Kinder möglichst passende Auswahl treffen
- Immer Demand-Ventil oder O_2-Reservoir verwenden

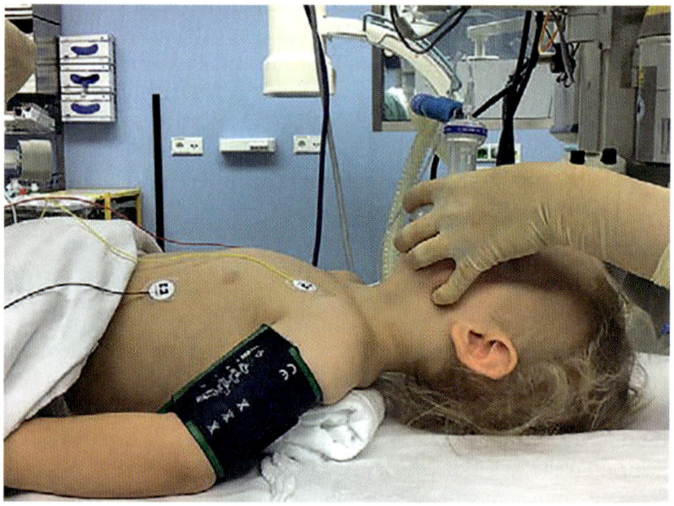

Abb. 18.23 Für eine erfolgreiche Maskenventilation ist die optimale Lagerung des Kindes obligatorisch. [F985–002]

18.4.3 Risikofaktoren für eine schwierige Maskenbeatmung

Vorhersagevariablen **(Prädiktoren)** für eine schwierige Maskenbeatmung sind:

- Alter > 55 Jahre
- Narben, Tumoren im Gesicht
- Verletzungen von Lippe und Gesicht
- Adipositas (BMI > 30 kg/m²)
- Teilweise oder vollständig vergrößerte Zunge **(Makroglossie)**
- Fehlende Zähne oder desolater Zahnstatus
- Vollbart

MERKE

Nur wenn deutliche Brustkorb- oder Oberbauchbewegungen zu sehen sind, wird der Patient ausreichend beatmet. Daher auf ausreichende Tidalvolumina achten. Den Patient jedoch nicht hyperventilieren. Dies ist genauso schädlich wie eine ineffektive BMV. Deshalb: BMV immer wieder im Klinikpraktikum üben!

PRAXISTIPP

Sollte die Gesichtsmaske nicht dicht abschließen, den beidhändigen C-Griff oder beidhändigen TE-Griff (jeweils mit zwei Helfern) anwenden. Falls möglich, sollte dies zur Optimierung der Technik routinemäßig durchgeführt werden.

Probleme bei der Anwendung

- Verwendung von **zu großen** oder **zu kleinen Masken:** Die Spitze der Maske muss auf dem Nasenrücken aufliegen, die Basis liegt in der Vertiefung zwischen der Unterlippe und dem Kinn (Kinn-Lippen-Rinne).
- Bei zahnlosen Patienten ist eine kleinere Maske häufig Erfolg versprechender.
- Durchführung der **Beatmung von der Seite:** Eine Maskenbeatmung lässt sich nur fachgerecht gestalten, wenn sie vom Kopfende des Patienten aus durchgeführt wird. Ansonsten wird es nicht gelingen, den Kopf zu überstrecken und zugleich eine ausreichende Abdichtung der Maske zu gewährleisten.
- **Mangelnde Überstreckung des Kopfes** während der Beatmung: Muss die Maskenbeatmung über längere Zeit durchgeführt werden, wird die Überstreckung des Kopfes vernachlässigt. Darum ständig darauf achten, dass Mittel-, Ring- und kleiner Finger den Unterkiefer anheben, während Zeigefinger und Daumen über den C-Griff die Abdichtung der Maske gewährleisten.
- **Druck auf den Mundboden:** Darauf achten, dass Mittel-, Ring- und kleiner Finger ausschließlich knöcherne Strukturen des Unterkiefers fassen.
- **Mangelnde Kontrolle der Effektivität einer Beatmung:** Das gleichmäßige Heben und Senken des Brustkorbs gibt einen wichtigen Hinweis auf eine korrekt durchgeführte Beatmung. Deshalb Veränderungen des Hautkolorits (z. B. zyanotisch, rosig) beobachten und Monitoring (Pulsoxymeter) verwenden.
- **Maskenbeatmung ohne** vorheriges Einlegen eines Tubus: Grundsätzlich lässt sich ein Patient auch ohne die Verwendung eines **Guedel- oder Wendl-Tubus** beatmen. Bei manchen Patienten sind die anatomischen Verhältnisse im Rachenraum jedoch derart gestaltet, dass ohne einen Tubus kein ausreichender Beatmungserfolg gesichert werden kann. Darum in der Notfallmedizin z. B. Guedel-Tuben bei der BMV verwenden.

MERKE

Vor Anwendung der Beutel-Masken-Beatmung im Rettungsdienst möglichst immer einen Guedel-Tubus einlegen.

18.4.4 Bewertung der Beutel-Masken-Beatmung

Gefahren und Nachteile der Beutel-Masken-Beatmung

Untersuchungen haben gezeigt, dass sowohl Notärzte als auch das Rettungsfachpersonal aufgrund klinischer Unerfahrenheit und eines Mangels an praktischem Training häufig eine insuffiziente Maskenbeatmung durchführen. Neben der oben genannten Hypoventilation stellt die **Überblähung des Magens** durch zu hohe Beatmungsdrücke eine weitere Gefahr dar. Der geblähte, mit Luft gefüllte Magen bewirkt einen Zwerchfellhochstand. Dieser wiederum erschwert im Verlauf die Belüftung der Lungen, was wiederum dazu führt, dass vermehrt Luft in den Magen gelangt. So entsteht ein Teufelskreis. Wird der Magen exzessiv überbläht, kann dies sogar zur lebensbedrohlichen Kreislaufbeeinträchtigung durch eine Verminderung des venösen Rückstroms führen.

Schon bei Beatmungsdrücken von 20 mbar öffnet sich die Speiseröhre, sodass Luft in den Magen gelangen kann. Der M. sphincter pylori am Magenausgang hält dem Druck im Magen länger stand als die Speiseröhre. Bevor die Luft im Magen über den Darm entweichen kann, nimmt sie den Weg zurück über den Ösophagus (Regurgitation). Dabei wird Mageninhalt mitgerissen, der aspiriert werden kann. Diese Form der Aspiration ist besonders gefürchtet, da Magensaft Salzsäure enthält, die Schäden an den Tracheal- und Bronchialschleimhäuten bewirkt. Gefährliche Aspirationspneumonien sind die Folge; in seltenen Extremfällen kommt es zum akuten Atemnotsyndrom (ARDS). So sind die größten **Nachteile einer BMV,**

- dass kein Aspirationsschutz besteht,
- die Atemwege bei mangelnder Überstreckung verlegt werden können und
- das Vorschalten einer Beatmungsmaske den respiratorischen Totraum um das Volumen der Maske vergrößert.

Daher wird vor allem im Kindesalter empfohlen, Beatmungsbeutel mit Ventilen zur Druckbegrenzung zu verwenden.

ACHTUNG! Bei reanimationspflichtigen Patienten öffnet sich die Speiseröhre schon bei deutlich geringeren Beatmungsdrücken. Hier erhält oben beschriebene Problematik eine besondere Brisanz. Daher empfiehlt sich der Einsatz einer SGA/EGA als primäre Maßnahme.

Vorteile und Erfolg der Beutel-Masken-Beatmung

Zu den Vorteilen müssen der verbesserte **Infektionsschutz** gegenüber einer Mund-zu-Mund- oder Mund-zu-Nase-Beatmung für das Personal und die Möglichkeit gewertet werden, mit **höheren Sauerstoffkonzentrationen** beatmen zu können. Der Beatmungsbeutel ist keine Maschine, deren Regler auf eine optimale Beatmungstherapie eingestellt werden können. Nirgendwo lassen sich konkrete Messdaten erheben. Die Beutelbeatmung ist eine professionelle praktische Maßnahme. Dies hat den Vorteil, dass der Anwender einen direkten Kontakt zum Patienten hat und Veränderungen unmittelbar beurteilen können sollte, z. B. einen sich verändernden Beatmungsdruck.

Der **Erfolg einer Beutel-Masken-Beatmung** lässt sich leicht an fünf Merkmalen feststellen:

1. Der Brustkorb des Patienten hebt und senkt sich unter der Beatmung gleichmäßig.

2. Die pulsoxymetrisch gemessene Sauerstoffsättigung steigt an.
3. Die Hautfarbe des Patienten verändert sich, die Haut wird rosig.
4. Es sind keine Geräusche zu hören, die auf eine mangelnde Abdichtung der Maske schließen lassen.
5. Die Kapnografie zeigt eine beatmungssynchrone Kurve an (Cave: niedrige $etCO_2$-Werte im Kreislaufstillstand).

Effektivität der Beutel-Masken-Beatmung

Der **Beatmungsdruck** muss groß genug sein, dass er die natürlichen Widerstände in der Lunge auch überwinden kann. Bei Erwachsenen reichen hierzu bereits 15–20 mbar. Der aufkommende Stress und der Wunsch, dem Patienten viel Luft zuzuführen, führt häufig zu einer Beatmung mit sehr hohen Drücken, sodass der Magen überbläht werden könnte. Aber auch das Lungengewebe kann geschädigt werden; Zerreißungen der feinsten Strukturen, von Alveolen oder Bronchiolen, gerade bei Kindern, sind möglich. Für die maschinelle Beatmung gilt, dass Drücke oberhalb von ca. 30 mbar vermieden werden. Höhere Drücke können Lungenverletzungen verursachen. Diese Sicherheitseinrichtung ist bei Handbeatmungsbeuteln nicht gegeben, außer dass sich bei einem vorgegebenen Grenzdruck ein Sicherheitsventil öffnet. Manche Beutel bieten als Option auch eine **Druckbegrenzung** auf 20 mbar. Es wird empfohlen, diese Druckbegrenzung bei der Maskenbeatmung anzuwenden.

Ein Erwachsener atmet in Ruhe mit einem Atemzug etwa 350–500 ml Luft ein. Die Beatmungsbeutel sind dafür eingerichtet und liefern entsprechende **Beatmungsvolumina.** Diese müssen natürlich der Größe des Patienten angemessen sein. Ein kleiner Erwachsener benötigt geringere Volumina als ein 2 Meter großer, athletischer Sportler. Auch muss bedacht werden, dass der anatomische Totraum (in allen Altersgruppen 2 ml/kg KG, also beim Erwachsenen ca. 150 ml) nicht am Gasaustausch teilnimmt. Von 500 ml nehmen also nur 350 ml am Gasaustausch teil. Die Beobachtung der Thoraxbewegungen gibt Aufschluss über das richtig gewählte Beatmungsvolumen.

Ausreichende Volumina führen bei einer zu gering gewählten **Beatmungsfrequenz** zu einer ungenügenden Belüftung der Lunge (Hypoventilation). Im Ruhezustand atmet ein Erwachsener ca. 12- bis 18-mal in der Minute. Findet eine Beatmung alle 5 Sekunden statt, wird diese Normoventilation erreicht. Höhere Beatmungsfrequenzen, gleichbleibende Atemzugvolumina vorausgesetzt, ergeben eine **Hyperventilation.** In der Praxis werden Notfallpatienten nicht selten versehentlich mit zu hohen Beatmungsfrequenzen beatmet, was in der Hektik bzw. in der Unerfahrenheit begründet sein mag. Oft nehmen dabei die Beatmungsvolumina ab, weil die völlige Entfaltung des Beutels nicht abgewartet wird. **Hypoventilation** ist die Folge.

Sauerstoffgabe bei der Beutel-Masken-Beatmung

Nur die frühzeitig einsetzende hoch dosierte Anreicherung der Einatemluft mit Sauerstoff gewährleistet auf Dauer einen Therapieerfolg. Die Atemspende ohne Hilfsmittel (z. B. Mund-zu-Mund-Beatmung) bietet dem Patienten lediglich einen inspiratorischen Sauerstoffanteil von 17 %. Durch Einsatz eines Beatmungsbeutels lässt sich dieser Anteil auf 21 % steigern, dies entspricht dem Sauerstoffgehalt in der Umgebungsluft. Führt man dem Beutel zusätzlich Sauerstoff zu, gelingt es bei einem Flow von 4–6 l/Min., den Sauerstoffgehalt auf 50 % zu steigern. Durch Vorschalten eines Reservoirsystems lässt sich dieser Anteil auf 80–95 % erhöhen. Um diese Sauerstoffwerte erzielen zu können, muss allerdings mit einem sehr hohen Flow von 12 l/Min. gearbeitet werden. Es ist daher sinnvoll, mit regelbaren Druckminderern zu arbeiten. Für den beatmungspflichtigen Notfallpatienten ist insbesondere in der Frühphase der Therapie immer der höchste Sauerstoffgehalt anzustreben. Das **komplette BMB-System** besteht aus Beatmungsbeutel, Filter mit Maske und O_2-Reservoir, Sauerstoffflasche mit Zuführungsschlauch und regelbarem Druckminderer, der bereits auf 12 l/Min. eingestellt ist.

IM FOKUS

Vor- und Nachteile der Beutel-Masken-Beatmung

Vorteile:
- Veränderungen beim Patienten werden unmittelbar festgestellt (z. B. Erbrechen, steigender Beatmungsdruck)
- Deutlich höherer Infektionsschutz im Vergleich zur Mund-zu-Mund-/Nase-Beatmung
- Hohe Sauerstoffkonzentrationen in Einatemluft möglich

Nachteile:
- Überblähung des Magens möglich
- Kein Aspirationsschutz
- Anspruchsvolle Technik, die einiges an Übung bedarf

18.5 Supra- bzw. extraglottische Atemwegshilfen

DEFINITION

Supraglottische Atemwegshilfen (SGA): auch als extraglottische Atemwegshilfen (EGA) bezeichnet. So werden Beatmungshilfen genannt, welche die Atemwege offen halten, aber **außerhalb** (meist oberhalb) der Stimmritze **(Glottis)** liegen.

SGA/EGA haben einen hohen Stellenwert in der Notfallmedizin und haben die endotracheale Intubation (ETI) in einigen Bereichen bereits verdrängt. Der Notfallsanitäter muss den Umgang mit ihnen im Anästhesiepraktikum gründlich üben.

18.5.1 SGA/EGA-Gruppen

Grundsätzlich kann man **zwei Gruppen von SGA/EGA** unterscheiden:
1. Die Gruppe vom **Larynxmaskentyp** (Laryngeal Mask Airway, LMA). LMA dichten die Trachea mit einem Cuff um den Larynxeingang ab und ermöglichen so eine Beatmung.
2. Die Gruppe der **ösophagealen Verschlusstuben** (z. B. Larynx-Tubus, LT bzw. LTS-D). Die Verschlusstuben platzieren je einen Cuff im Ösophagus und im Rachen. Eine Beatmungsöffnung (oder mehrere) zwischen diesen Cuffs ermöglicht die Beatmung.

Die SGA/EGA der ersten Generation ermöglichten lediglich eine Beatmung. Die moderneren Ausführungen der zweiten Generation ermöglichen außerdem das Einlegen einer Magensonde über einen sog. Drainagekanal. In der Notfallmedizin sollten ausschließlich SGA mit gastrischem Kanal eingesetzt werden.

Bewertung von SGA/EGA

Der Einsatz von SGA/EGA erhöht – im Vergleich mit der Gesichtsmaskenbeatmung – die Effektivität der Beatmung deutlich. Auch vermindern SGA/EGA die Gefahr der Magenüberblähung und der möglichen Aspiration. Die Verwendung maschineller Beatmungsgeräte ist möglich.

MERKE

Das Auftreten von Komplikationen bei der endotrachealen Intubation (ETI) durch untrainiertes Personal ist inakzeptabel hoch. Dabei gibt es keinen Unterschied zwischen einem untrainierten Arzt oder Notfallsanitäter. Auch die Beutel-Masken-Beatmung erfordert ein hohes Maß an Können und ist nicht selten unter präklinischen Bedingungen ineffektiv. Daher stellen SGA/EGA eine **gute Alternative** dar.

Im Vergleich zur endotrachealen Intubation (ETI) ist die Technik der SGA/EGA deutlich einfacher zu erlernen. Dennoch muss auch die Anwendung von SGA/EGA ausreichend trainiert werden. Eine Studie, die mit Larynxmasken durchgeführt wurde, zeigte sogar, dass bis zu 40 und mehr LMA-Anwendungen empfohlen werden sollten, um die Lernkurve optimal auszuschöpfen und eine hohe Sicherheit für die Patienten zu gewährleisten. Aus diesem Grund scheint ein intensives Training in einer Klinik unverzichtbar zu sein.

MERKE

Auch der Umgang mit SGA/EGA sollte trainiert werden. 45 SGA/EGA-Anwendungen am Patienten sind heutzutage die **Minimalanforderung,** außerdem sollen 3 Anwendungen pro Jahr zum Erhalt der Fertigkeit durchgeführt werden. Das alleinige Training am Phantom scheint nicht ausreichend.

Reanimationsstudien zeigen, dass die Unterbrechungszeit der Herzdruckmassage deutlich reduziert werden kann, wenn zur Sicherung der Atemwege durch Rettungsfachpersonal, das in der endotrachealen Intubation ungeübt ist, eine Sicherung mit einer supraglottischen Atemwegshilfe erfolgt. Auch in dieser Situation wird explizit empfohlen, ausschließlich Larynx-Tuben bzw. Larynxmasken mit Drainagekanal einzusetzen. Die Thoraxkompressionen führen zur Entstehung hoher Beatmungsdrücke. Dadurch strömt Luft am Cuff vorbei zum Magen und erhöht den Druck im Magen (gastraler Druck). Der erhöhte gastrale Druck führt im Verlauf wiederum zur Verschlechterung der Lungencompliance, wodurch sich wiederum der Beatmungsdruck erhöht. Auf diese Art entsteht ein Teufelskreislauf (Circulus vitiosus), der nur mit einer eingelegten Magensonde verhindert bzw. durchbrochen werden kann.

MERKE

Unter klinischen Bedingungen führen Beatmungsdrücke > 30–35 mbar bei einem Cuffdruck von 60 cm H_2O beim Larynx-Tubus zu Undichtigkeiten. Diese Drücke werden bei Thoraxkompressionen überschritten, sodass die Einlage einer Magensonde dringend anzuraten ist.

Die SGA/EGA sind daher für in der Intubation ungeübte Personen als primäre Atemwegssicherung besser geeignet und vorgesehen. Sie sind aber für den Ungeübten kein Allheilmittel! Sie stellen zudem auch für den in der ETI Geübten eine wertvolle Alternative bzw. Rückfallebene bei unerwartet schwieriger Intubation dar.

MERKE

Extra- oder supraglottische Atemwegshilfen sollten möglichst frühzeitig eingesetzt werden und die Beutel-Masken-Beatmung ersetzen. Idealerweise sollte man zum Erlernen der Technik 45 oder mehr Anwendungen unter kontrollierten klinischen Bedingungen durchgeführt haben und die Anwendung mindestens dreimal jährlich wiederholen.

Welche SGA/EGA einsetzen?

Es existieren keine Studien, die einen Vorteil einer speziellen supra-/extraglottischen Atemwegshilfe belegen. Welches System im Einsatz verwendet wird, hängt deshalb meist von lokalen Gegebenheiten ab. Idealerweise sollte man im Rettungsdienst mit den Hilfsmitteln arbeiten, die man während der Ausbildung in der Anästhesieabteilung gut kennengelernt und am Patienten eingesetzt hat. Dies würde für den Einsatz der Larynxmaske sprechen, weil diese in den Anästhesieabteilungen quasi überall verwendet wird, während der Larynx-Tubus dort sehr selten eingesetzt wird.

Bereits 2016 veröffentlichte die Deutsche Gesellschaft für Anästhesiologie und Intensivmedizin (DGAI) eine Stellungnahme, die sich mit dem **Stellenwert von supraglottischen Atemweghilfen in der Kindernotfallmedizin** befasste. Das Fazit: *„Unter Berücksichtigung der wissenschaftlichen Datenlage und der großen langjährigen klinischen Erfahrung mit der Larynxmaske in der Elektiv- und Notfallanwendung bei Kindern kann derzeit zum alternativen Atemwegsmanagement im Kindesalter mit einem SGA ausschließlich die Larynxmaske empfohlen werden. Für diese besteht für die Anwendung in jeder Altersgruppe bis hin zum Frühgeborenen ab 1,5 kg KG und bei Kindern mit schwierigem Atemweg eine große Evidenz.“* Die Experten sprechen sich gegen den Larynx-Tubus im Kindesalter aus. Vor dem Hintergrund stellt sich die Frage, ob es Sinn macht, für Kinder Larynxmasken zu bevorraten und für Jugendliche bzw. Erwachsene den Larynx-Tubus. Dies würde bedeuten, dass man zwei unterschiedliche Typen SGA/EGA im Sortiment hätte, was unpraktikabel erscheint.

IM FOKUS

SGA/EGA

= **supraglottische/extraglottische** Atemwegshilfe

- Am häufigsten verwendet: **Larynx-Tuben** und **Larynxmasken.**
- Für Säuglinge und Kinder ausschließlich **Larynxmasken** verwenden.
- Die Beatmungsqualität steigt, das Risiko der Magenüberblähung sinkt.
- Dennoch **kein definitiver Aspirationsschutz** vorhanden.
- Atemwege werden relativ **lagerungsunabhängig** offengehalten.
- Beatmungsgerät kann angeschlossen werden.
- Die Anlage einer **Magensonde** über den Drainagekanal sollte grundsätzlich erfolgen.
- Der Einsatz setzt ein entsprechendes Training voraus.

18.5.2 Larynx-Tubus (LT, LTS-D)

Der Larynx-Tubus (LT) ist ein einlumiger Tubus, der im Rettungsdienst häufig eingesetzt wird (→ Abb. 18.24). 1999 wurde er von der Firma VBM Medizintechnik entwickelt. Er verfügt über **zwei Cuffs,** von denen einer die Speiseröhre und der andere den Rachen abdichtet. Die beiden Cuffs werden über einen gemeinsamen Zugang geblockt. Eine in den Anfangsjahren verfügbare Version ohne Drainagekanal war unter der Bezeichnung LT-D verfügbar. Der Bezeichnungszusatz „D“ (Disposable) kennzeichnet das Produkt als Einmalartikel. Der Hersteller bietet seit Mitte 2017 nur noch den LTS-D an, hier steht

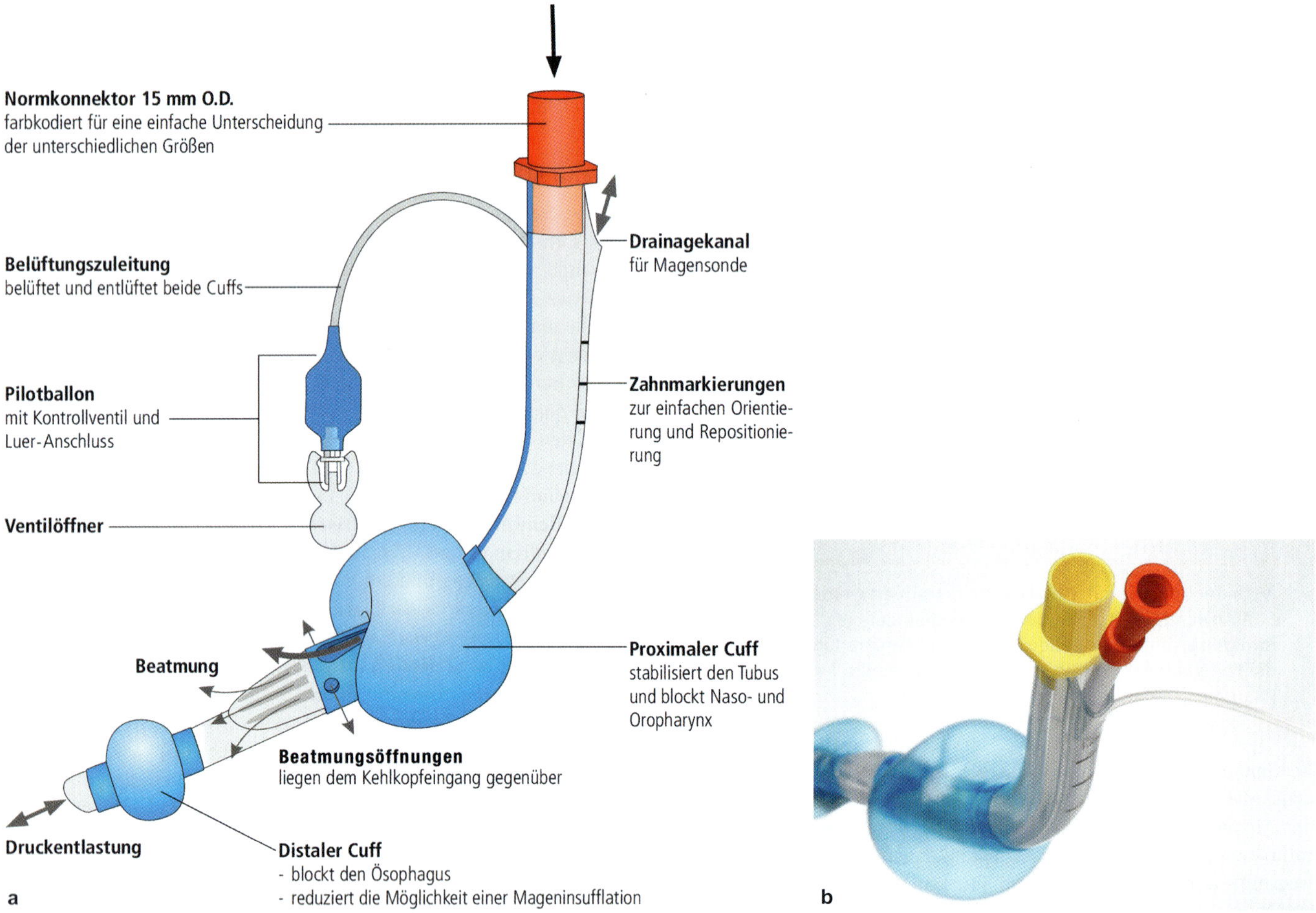

Abb. 18.24 Larynx-Tubus **a)** gesamter Tubus **b)** Detailansicht vom 15-mm-Normkonnektor für den Anschluss der Beatmung (hier gelber Konnektor) und Drainagekanal, hier mit eingeführter Magensonde [V348]

das „S" für Suction (engl. suction = absaugen, gemeint ist das Vorhandensein eines Drainagekanals, über den eine Magensonde platziert werden kann). Der LTS-D gehört damit zu den SGA/EGA der zweiten Generation. Die Begriffe LT, LT-D und LTS-D werden in diesem Buch synonym genutzt.

> **ACHTUNG!** Über den Drainagekanal muss im Rettungsdienst eine Magensonde gelegt werden. Damit – und mit dem Absaugen von Mageninhalt – werden der gastrointestinale Druck und damit das Zurückdringen von Mageninhalt in den Mund **(Regurgitation)** sowie das Aspirationsrisiko verringert. Außerdem spielt die Magensonde eine wichtige Rolle bei der Lagekontrolle – dazu unten mehr.

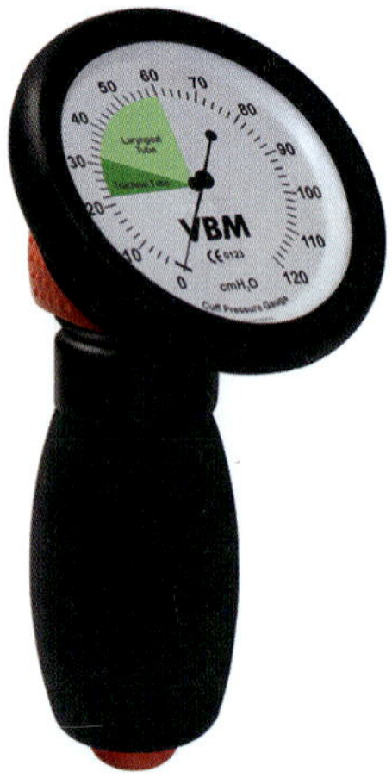

Abb. 18.25 Cuffdruckmesser [V348]

Der LTS-D bietet keinen sicheren, aber durch den Drainagekanal bzw. die liegende Magensonde einen akzeptablen Aspirationsschutz; er kann ohne weitere Hilfsmittel eingeführt werden. Die Cuffs dichten relativ gut ab, können aber einen bedrohlichen Druck auf die Schleimhäute und die Zunge ausüben. Daher muss auch schon präklinisch direkt nach der Einlage des LTS-D der Cuffdruck gemessen und unter 60 cm H_2O gehalten werden, um Schäden (z. B. Drucknekrosen, Zungenschwellung) zu vermeiden (→ Abb. 18.25). Selbst nach Cuffdruckmessung ist die Anwendung des LTS-D auf wenige Stunden begrenzt. Eine Überblockung führt zu einer venösen Drosselung des Zungenbetts, wobei der arterielle Blutstrom normalerweise nicht betroffen ist, weil der Druck hier höher ist als der durch den Cuffdruck ausgeübte Kompressionsdruck. Einfach gesagt, strömt Blut in die Zunge hinein, kann jedoch nicht abfließen. Es kommt zur Schwellung der Zunge mit deutlicher Volumenzunahme und blauschwarzer Verfärbung; auch neurologische Schäden sind beschrieben worden (→ Abb. 18.26). Hingegen ist beim angioneurotischen Ödem (früher auch Quincke-Ödem genannt) eine Permeabilitätserhöhung der Gefäßwände ursächlich, die Zungenschwellung in → Abb. 18.27 beruht nicht auf einer venösen Abflussbehinderung.

ACHTUNG!

Zungenschwellungen bei Anwendung von Larynx-Tuben

Bei der Anwendung von Larynx-Tuben wurden zum Teil lebensbedrohliche Zungenschwellungen beschrieben. Dies scheint wohl einerseits der spezifischen Bauweise (d. h., großer Cuff liegt distal der Zunge und hemmt venösen Blutabfluss) als auch der Überblockung des LT-Cuffs über die empfohlenen 60 cm H_2O hinaus geschuldet. Die Empfehlung, den Cuffdruck zu adaptieren, ist essenziell, wird aber leider vom Rettungsfachpersonal oft nicht immer stringent umgesetzt. Die spezielle Bauweise des LT führt offenbar häufiger als bei einer LMA bei Cuff-Überblockung zu einer bedrohlichen Zungenschwellung. Sich auf das maximal mögliche insufflierbare Volumen (wie auf den Herstellerspritzen angegeben) zu verlassen, reicht nicht, um ein Zungenödem zu vermeiden. Die Notwendigkeit einer Tracheotomie nach LT-Anwendung wurde mehrfach dokumentiert. Insbesondere bei Zungenschwellungen, die über das Zahnniveau reichen, sollte der Wechsel auf einen Endotrachealtubus nur unter Vorhaltung von erweiterten Hilfsmitteln einer Atemwegssicherung (z. B. Videolaryngoskop, Bougie, Koniotomie-Set) und von einem erfahrenen Team in Notfallkoniotomiebereitschaft durchgeführt werden.

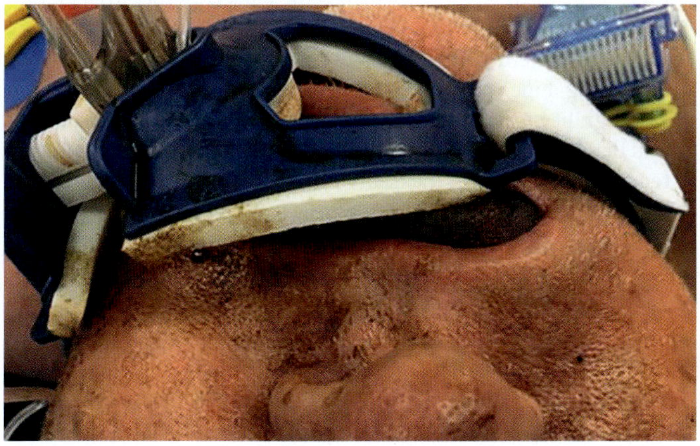

Abb. 18.26 Livide verfärbte und geschwollene Zunge aufgrund eines überblockten und nach links verdrängten LTS-D. Die Einlage einer Magensonde unterblieb. [H108–001]

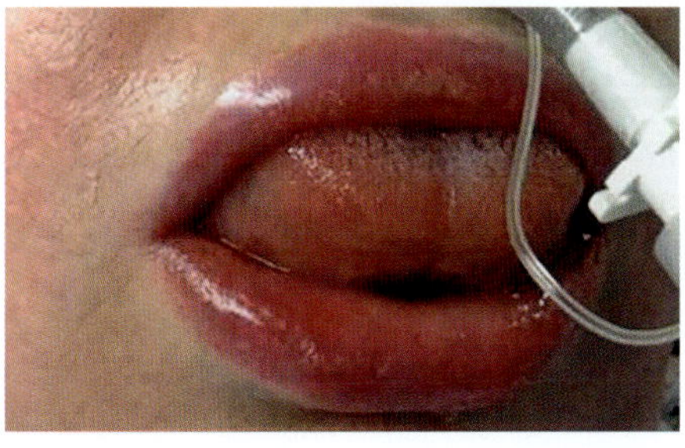

Abb. 18.27 Angioneurotisches Ödem mit massiver Zungenschwellung. Da hier ein Schrankenschaden und keine Zirkulationsstörung ursächlich ist, haben Lippen und Zunge dieselbe Farbe. [H108–001]

Den LT gibt es in verschiedenen farbcodierten Größen. Die Farben der Konnektoren finden sich auf der mitgelieferten Blockerspritze wieder und geben das jeweilige Füllvolumen für beide Cuffs gemeinsam an (→ Abb. 18.28). Die Größe des zu verwendenden Larynx-Tubus orientiert sich nach Herstellerangaben bis Gr. 2 am Körpergewicht, ab Gr. 2,5 an der Körperlänge des Patienten (→ Tab. 18.3). Es sei jedoch auf die eingangs geschilderte Empfehlung der DGAI hingewiesen, den Larynx-Tubus in der Kinder-Notfallmedizin nicht einzusetzen.

Der Larynx-Tubus bietet eine schnelle Möglichkeit der Atemwegssicherung auch unter schwierigen äußeren Bedingungen, wie z. B. bei eingeklemmten Personen.

Vorgehen bei der Einlage (→ Abb. 18.29 und → Abb. 18.30):

1. Korrekte Größe des Larynx-Tubus bestimmen (→ Tab. 18.3).
2. Cuffs komplett entlüften.
3. Larynx-Tubus mit Gleitmittel versehen.
4. Kopf des Patienten in Neutralposition halten.
5. Mund des Patienten öffnen und Kinn anheben (Esmarch-Handgriff) *oder* Kinn anheben und dabei Zunge mit der Hand fixieren.
6. Larynx-Tubus wie einen Stift halten und mittig in den Mund einführen.
7. Larynx-Tubus am harten Gaumen entlang einführen, bis die obere (proximale) Zahnreihenmarkierung auf Niveau der Zahnreihe liegt (bis dahin Schritt 5 beibehalten).
8. Cuffs mit der Luftmenge der Farbcodierung auf der Spritze blocken und Spritze sofort entfernen, damit das Cuffventil schließt.
9. Cuffdruck messen und unter 60 cm H_2O halten.
10. Magensonde durch den Drainagekanal legen. Lässt sich die Magensonde nicht einführen, kann die Tubusspitze umgeschlagen sein (→ Abb. 18.31). In diesem Fall soll der LTS-D komplett entfernt werden.

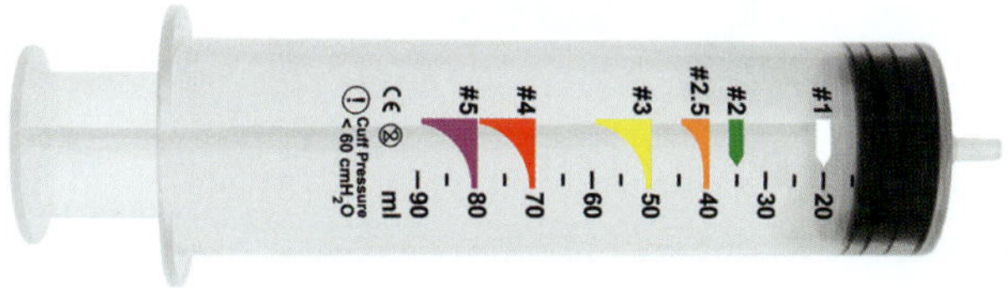

Abb. 18.28 Blockerspritze für Larynx-Tubus [V348]

Größe des LT	Patient Gewicht/Größe (nach Hersteller)	Farbe des Konnektors	Drainagekanal (max. Größe)
0	Neugeborene < 5 kg	Transparent	10 Fr.
1	Säuglinge 5–12 kg	Weiß	10 Fr.
2	Kinder 12–25 kg	Grün	16 Fr.
2,5	Kinder/Jugendliche 125–150 cm	Orange	16 Fr.
3	Jugendliche/kleine Erwachsene < 155 cm	Gelb	18 Fr.
4	Erwachsene 155–180 cm	Rot	18 Fr.
5	Erwachsene > 180 cm	Violett	18 Fr.

Tab. 18.3 Größenempfehlungen für den LTS-D und maximale Größe der Magensonde

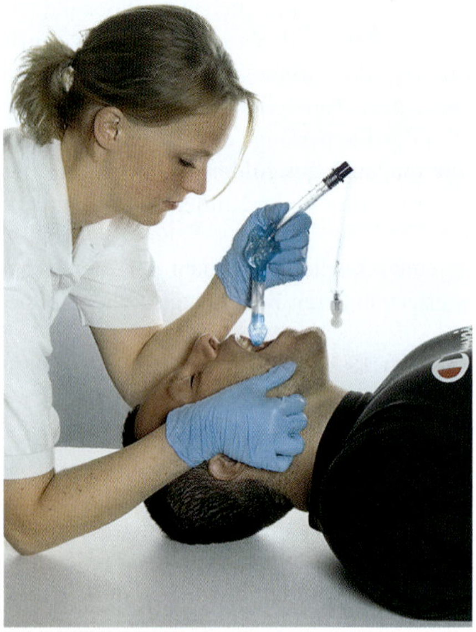

Abb. 18.29 Einlage des Larynx-Tubus [J747]

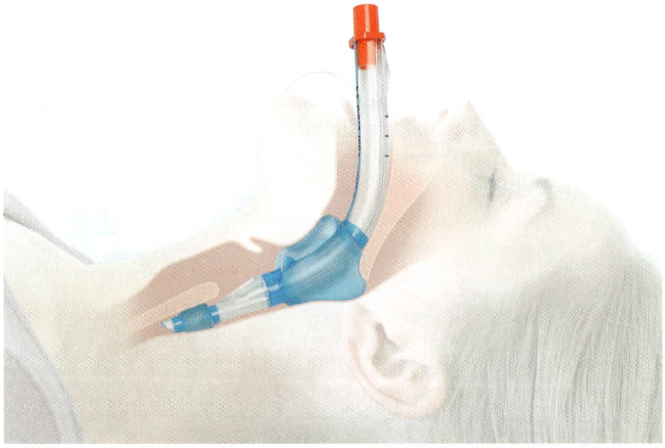

Abb. 18.30 Schematische Darstellung des Larynx-Tubus in situ [V348]

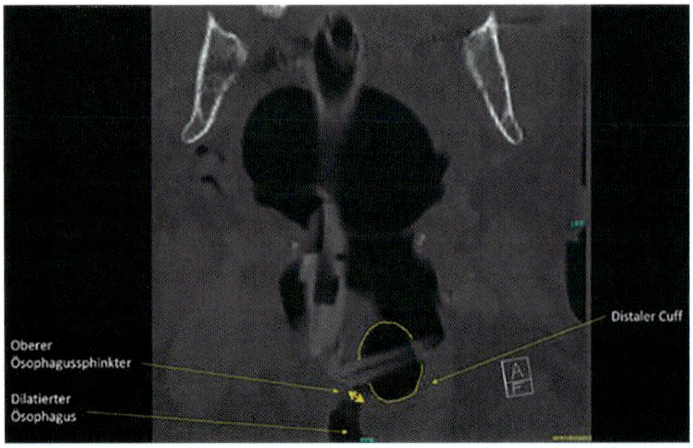

Abb. 18.31 Im rechten Sinus piriformis umgeschlagener LTS-D [H108–001]

11. Beatmungsbeutel mit Beatmungsfilter anschließen, endtidale CO_2-Messung verwenden und Erfolgskontrolle durchführen.
12. Erfolgskontrolle: beidseitige Brustkorbbewegungen bei der Beatmung beobachten. Patienten auskultieren. Kapnografiekurve beachten!
13. Im Rahmen der Reanimation gelingt die Einlage des LT i. d. R. ohne Unterbrechung der Thoraxkompressionen.

18.5.3 Vorgehen bei Problemen mit dem LTS-D

Anwender müssen wissen, dass die Doppelcuffkonstruktion des Larynx-Tubus einige Besonderheiten mit sich bringt. Sind diese unbekannt, kann die Beatmung erschwert oder sogar unmöglich sein.

- Wurde der Larynx-Tubus **zu tief** eingeführt, kann es zu einer Verlegung der Stimmritze **(Glottis)** durch den proximalen Cuff (den Rachencuff) kommen. Die Beatmungsöffnungen befinden sich in dieser Situation teilweise oder ganz im Ösophagus. So ist eine ausreichende Beatmung nicht möglich. Ziehen Sie in diesem Fall den LTS-D mit belüfteten Cuffs soweit zurück, bis die korrekte Lage erreicht ist, d. h., bis eine widerstandsfreie Beatmung gelingt.
- Wurde der LTS-D **nicht tief genug** eingeführt, kann es durch den im Hypopharynx liegenden distalen Cuff (den ösophagealen Cuff) zur Atemwegsobstruktion kommen. In diesem Fall wird die erneute Einführung empfohlen. Entlüften Sie den LTS-D, ziehen Sie ihn heraus und führen Sie ihn erneut ein, bis die obere (proximale) Zahnreihenmarkierung auf Niveau der Zahnreihe liegt.
- Auch eine **Verdrehung** des Larynx-Tubus in seiner Längsachse während des Einführens oder danach bewirkt mitunter eine Obstruktion der Beatmungsöffnungen durch Kontakt mit der Schleimhaut, was wiederum zu deutlich schlechteren Beatmungsbedingungen führt. Erkennbar ist dies daran, dass die Flügel des ISO-Konnektors nicht mehr parallel zu den Lippen stehen. Der Tubus muss mittig ausgerichtet werden, eine Entblockung der Cuffs ist meist nicht notwendig. Eine **tracheale Fehllage** ist daran erkennbar, dass die Kapnografie „nichts anzeigt", ein hoher Beatmungsdruck besteht und der Bauchumfang mit jeder Beatmung zunimmt **(Magendistension).** Achtung, bei trachealer Fehllage kann eine Magensonde durch den LTS-D vorgeschoben werden, sodass in diesem speziellen Fall eine Bestätigung der korrekten Lage durch problemloses Einführen der Magensonde **nicht möglich** ist.

ACHTUNG! Die Probleme, die im Zusammenhang mit dem Larynx-Tubus auftreten können, lassen sich größtenteils durch Wachsamkeit, Ausbildung und Qualifikation der Anwender erkennen und beheben. Zu den wichtigsten Aspekten gehören:
- Chin-Lift-Manöver beim Einführen anwenden
- Die Cuffdruckmessung mit einer Obergrenze von 60 cm H_2O
- Die Nutzung der endtidalen CO_2-Messung (Kapnografie)
- Das unmittelbare Einlegen einer Magensonde nach Einführen des LTS-D

Korrekt angewendet kann der LT Leben retten.

FALLBEISPIEL

In → Abb. 18.31 ist ein umgeschlagener LTS-D zu sehen (CT-Bild der aufnehmenden Klinik); der Patient wurde aufgrund eines häuslichen Treppensturzes versorgt. Aufgrund Intubationsunmöglichkeit wurde ein LTS-D der Größe 5 eingelegt. Das applizierte Beatmungsvolumen gelangte mit Druck in den Patienten hinein, aber nicht mehr hinaus. Der distale Cuff verhinderte ein passives Entweichen von Luft aus dem Magen und bewirkte so einen gastralen Ventilmechanismus.

Folgen waren schon während der rettungsdienstlichen Versorgungsphase eine stetige zu beobachtende Volumenzunahme des Magens und ein Anstieg der Beatmungsdrücke. Später in der Klinik war eine videolaryngoskopische Intubation unmöglich, weil eine massive Zungenschwellung bestand. Es entwickelte sich ein abdominales Kompartmentsyndrom. Der Patient verstarb 2,5 Stunden nach Klinikaufnahme. Aus klinischer Sicht war dieses am ehesten todesursächlich. Der Versuch, eine Magensonde zu legen, war durch das Rettungsteam unterblieben.

ACHTUNG! Lässt sich beim Larynx-Tubus die Magensonde nicht vorschieben, liegt dies meistens an einer Fehllage des Tubus.

Limitierungen des Larynx-Tubus

Die Technik der Larynx-Tubuseinlage ist relativ einfach und in den meisten Fällen effektiv. Allerdings gibt es für den Larynx-Tubus **Limitierungen:**

- Patienten mit hohem Atemwegswiderstand oder schlechter Dehnbarkeit der Lunge, z. B. bei COPD oder Bronchospasmus (Asthma, Anaphylaxie), lassen sich möglicherweise nicht ausreichend beatmen, da aufgrund des hohen erforderlichen Beatmungsdrucks große Mengen Luft an den Cuffs vorbei entweichen können.
- Patienten, die nicht tief bewusstlos sind, tolerieren den LT ohne Narkose nicht.
- Laut DGAI für Säuglinge und Kinder kein LT-Einsatz empfohlen.
- Um einen bestmöglichen Aspirationsschutz zu gewährleisten, kann der Patient im weiteren Verlauf endotracheal intubiert werden. Ob dies geplant unter klinischen Bedingungen erfolgt oder noch im Rettungsdienst, ist eine Einzelfallentscheidung und liegt im Ermessen des Notarztes.

IM FOKUS

Larynx-Tubus

- Tubus, dessen Spitze im Ösophagus platziert wird; über einen **Beatmungskanal** wird dann Luft oberhalb der Stimmritze eingebracht.
- **Doppelte Blockung** (in Speiseröhre und oberhalb der Beatmungsschlitze).
- Blockung selbst kann Probleme bereiten, z. B. **Zungenschwellung.**
- **Verschiedene Größen** zur Auswahl (bei Erwachsenen: **größenadaptiert,** bei Kindern: **gewichtsadaptiert – hier jedoch ablehnende Haltung seitens DGAI).**
- Größter Vorteil sind die ziemlich einfache Handhabung auch in problematischen Situationen und der relativ gute (aber nicht vollumfängliche) Aspirationsschutz.

18.5.4 Larynxmaske (LMA)

Die LMA Classic™ wurde 1985 von dem englischen Anästhesisten Archibald Brain, ihrem Erfinder, als ein Mittelweg zwischen der Maskenbeatmung und der endotrachealen Intubation (ETI) vorgestellt. Die LMA ist heutzutage weltweit in Gebrauch und wurde millionenfach eingesetzt. Die in der Literatur auch als Standardlarynxmaske bezeichnete LMA Classic™ besteht aus einem recht großlumigen Tubus, der am distalen Ende einen aufblasbaren, elliptisch geformten Cuff aufweist. Der Cuff umschließt den Kehlkopfeingang, sodass eine Beatmung möglich ist. Die Abkürzung LMA steht für den englischen Begriff Laryngeal Mask Airway, wird aber auch im deutschsprachigen Raum verwendet. Ein Vorteil der LMA ist, dass sie für alle Altersgruppen verfügbar ist. Eine Leitlinie empfiehlt, bei Kindern – insbesondere < 10 kg – ausschließlich SGA/EGA vom LMA-Typ einzusetzen. Es gibt sie für den Rettungsdienst und die Klinik als Einmalartikel. In diversen Algorithmen zur Beherrschung des schwierigen Atemwegs hat die Larynxmaske ihren Platz.

Die Verwendung von LMA durch in der Intubation nicht geübtes Personal ist in Studien untersucht worden und hat sich als effektiv erwiesen. Auch für geübtes Personal stellt die LMA eine gute Rückfallebene dar. Sie ist z. B. indiziert in Situationen, in denen die Intubation unerwartet erschwert ist. Um die LMA sicher anwenden zu können, bedarf es Training unter Aufsicht erfahrener Anwender am Patienten. Heutzutage existieren zahlreiche Variationen der LMA, z. B. solche, die einen Drainagekanal haben, oder Modelle, über die intubiert werden kann. Sie werden sowohl vom ursprünglichen Anbieter als auch von anderen Herstellern (z. B. Ambu®) vertrieben. Nicht alle Varianten sind jedoch auch für alle Altersklassen verfügbar (→ Abb. 18.32 und → Tab. 18.4).

MERKE

Auch die Beatmung mit der LMA ist effektiver und einfacher als die Beutel-Masken-Beatmung und deshalb vorzuziehen.
Die Larynxmaske bietet wie der Larynx-Tubus keinen sicheren Aspirationsschutz. Es sollen nur Modelle der zweiten Generation mit einem **Drainagekanal** eingesetzt werden (z. B. LMA Supreme™, Ambu® AuraGain™). Die LMA Supreme™ erlaubt Beatmungsdrucke bis ca. 30 cm H_2O.

Vorgehen beim Einführen der LMA:

1. LMA geeigneter Größe auswählen. Grundsätzlich gilt für Erwachsene: Größe 5 ist für die meisten Männer, Größe 4 für die meisten Frauen passend.
2. Je nach lokalem Protokoll gibt es zwei Varianten für die Vorbereitung des Cuffs: Entweder der Cuff wird entblockt oder aber man lässt bewusst eine gewisse Menge Luft im Cuff, damit die Spitze der LMA beim Einführen nicht so leicht umschlägt.
3. Gleitmittel auf den Teil des Cuffs aufbringen, der beim Einführen zum Gaumen weist.
4. LMA wie einen Stift halten und in den Mund einführen.

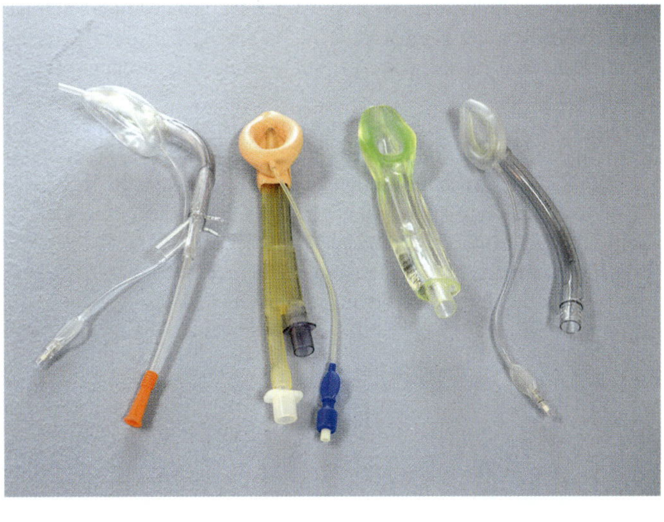

Abb. 18.32 Verschiedene Larynxmasken und Größen [O998]

Größe/ Nr.	Altersgruppe/ Gewicht	Cuff-Füllvolumen bis max. ml*	Max. Größe der Magensonde
1	Neugeborene und Säuglinge bis 5 kg	5	6 Fr.
1,5	Säuglinge 5–10 kg	8	6 Fr.
2	Kleinkinder 10–20 kg	12	10 Fr.
2,5	Kinder 20–30 kg	20	10 Fr.
3	Kinder und Jugendliche 30–50 kg	30	14 Fr.
4	Erwachsene 50–70 kg	45	14 Fr.
5	Erwachsene 70–100 kg	45	14 Fr.

* Dies sind Maximalvolumina, die nicht überschritten werden dürfen. Es wird empfohlen, den Cuff auf einen maximalen Innendruck von 60 cm H_2O aufzublasen.

Tab. 18.4 Größenempfehlungen für die LMA Supreme™

5. Außenfläche der LMA am Gaumen entlanggleiten lassen und die LMA entlang der Rachenhinterwand weiterschieben, bis ein federnder Widerstand zu spüren ist.
6. Cuff nach Herstellerempfehlung mit Blockerspritze blocken.
7. Beobachten, ob sich die LMA beim Blocken des Cuffs selbstständig positioniert. Die LMA wird dabei evtl. noch etwas aus dem Mund herausgedrückt.
8. Lage kontrollieren: beidseitige Brustkorbbewegungen bei der Beatmung beobachten. Patienten auskultieren.
9. Immer eine endtidale CO_2-Messung verwenden (wie bei jeglicher Beatmung). Mittels Cuffdruckmesser den Cuffdruck bestimmen (sollte max. 60 cm H_2O betragen). Oftmals lassen sich die Patienten mit deutlich niedrigeren Cuffdrücken gut beatmen.
10. So bald wie möglich eine Magensonde durch den Drainagekanal einführen.

Limitierungen der Larynxmaske

- Bei Patienten, die mit hohen Beatmungsdrücken beatmet werden müssen (hoher Atemwegswiderstand oder geringe Lungencompliance), kann eine **ausgeprägte Leckage am Cuff** entstehen. Die Gefahr besteht in einer unzureichenden Ventilation. Sofern sich der Brustkorb des Patienten noch ausreichend unter der Beatmung hebt, sind in der Notfallsituation kleine Leckagen akzeptabel.
- Eine weitere Limitierung der LMA ist der deutlich **geringere Schutz vor Aspiration** (im Vergleich zur Intubation). Daher sollen Modelle mit einem Drainagekanal für die Einlage einer Magensonde verwendet werden.

Es existieren verschiedene Versionen und Ausstattungsvarianten der Larynxmaske:

- Mit der **LMA Fastrach** (Intubationslarynxmaske) kann nach der Einlage über einen Kanal ein spezieller Endotrachealtubus eingeführt werden. Ein ähnliches Produkt eines anderen Herstellers ist die Ambu® aura-i-Intubationslarynxmaske. Ein alternatives Hilfsmittel ist der Larynx-Tubus mit Option zum Intubieren, der iLTS-D (→ Abb. 18.33).

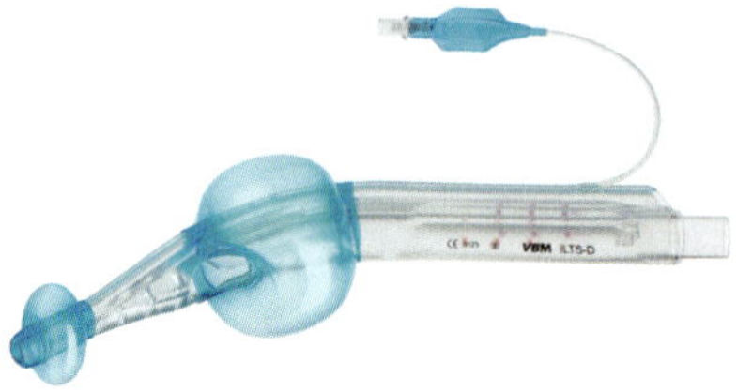

Abb. 18.33 Larynx-Tubus mit Intubationsoption (iLTS-D) [V348]

- Eine weitere Besonderheit stellt die **i-gel** dar. Bei der i-gel ist der Cuff aus einem thermoplastischen Material gefertigt, das sich nach dem Einbringen ausdehnt und sich der anatomischen Form des Rachens anpasst. Der Cuff muss also nicht mit Luft geblockt werden und erreicht dabei einen Leckagedruck von bis zu 24 mm H_2O.

Zum allgemeinen Vorgehen in der Präklinik hat die Deutsche Gesellschaft für Anästhesiologe und Intensivmedizin (DGAI) einen „Algorithmus zum präklinischen Atemwegsmanagement der DGAI" veröffentlicht (→ Abb. 18.34).

IM FOKUS

Larynxmaske

- Die Larynxmaske „legt sich von oben auf Kehlkopf", schient so den Atemweg und gibt die Beatmungsluft oberhalb der Stimmritze ab.
- Einfache Handhabung, da kein Laryngoskop erforderlich ist. Steile Lernkurve beim Erlernen der Technik.
- Verschiedene Größen sind vorhanden **(gewichtsadaptiert).**
- **Problem:** hohe Beatmungsdrücke = nur geringer Aspirationsschutz.
- Heutzutage sollen im Rettungsdienst Larynxmasken **mit Drainagekanal** für Magensonden verwendet werden.
- **Sonderformen:**
  - LMA Fastrach (Intubationslarynxmaske)
  - i-gel (muss nicht geblockt werden)

18.6 Endotracheale Intubation (ETI)

DEFINITION

Das Einbringen eines Beatmungsschlauchs (Endotrachealtubus, ETT) in die Luftröhre wird **endotracheale Intubation (ETI)** genannt. Dies kann sowohl durch den Mund als auch durch die Nase geschehen, wobei Letzteres unüblich ist. Die Standardtechnik in der Notfallmedizin ist die **orale Intubation.**
Durch einen aufblasbaren Ballon (Cuff) am unteren Ende des Tubus wird die Luftröhre dicht abgeschlossen (geblockt), sodass keine Fremdkörper in die Lungen geraten können.

Bereits 1880 führte William Mac Ewen die erste orotracheale Intubationsnarkose durch.

Die ETI im Rettungsdienst sollte einer Leitlinie zufolge **primär mit einem Videolaryngoskop** durchgeführt werden, also unter Zuhilfenahme eines Monitors (→ Kap. 18.6.5). Dennoch ist die direkte Laryngoskopie der innerklinische Standard, und genauso, wie ein „junger" Anästhesist das Intubieren meist mit einem herkömmlichen Laryngoskop erlernt, wird auch der angehende Notfallsanitäter sehr wahrscheinlich zuerst an diese Technik herangeführt.

Dringlichkeit einer Sicherung der Atemwege

Es wird empfohlen, die Dringlichkeit einer Sicherung der Atemwege in der Notfallmedizin in Abhängigkeit von der individuellen Diagnose in zwei Kategorien zu unterteilen: **sofortige und dringliche Intervention:**

- Ein Beispiel für die sofort notwendige Atemwegssicherung ist ein Patient mit anhaltendem Atemstillstand.
- Eine akute Atemnot oder ein Bewusstseinsverlust sind Beispiele für eine dringliche Intervention.

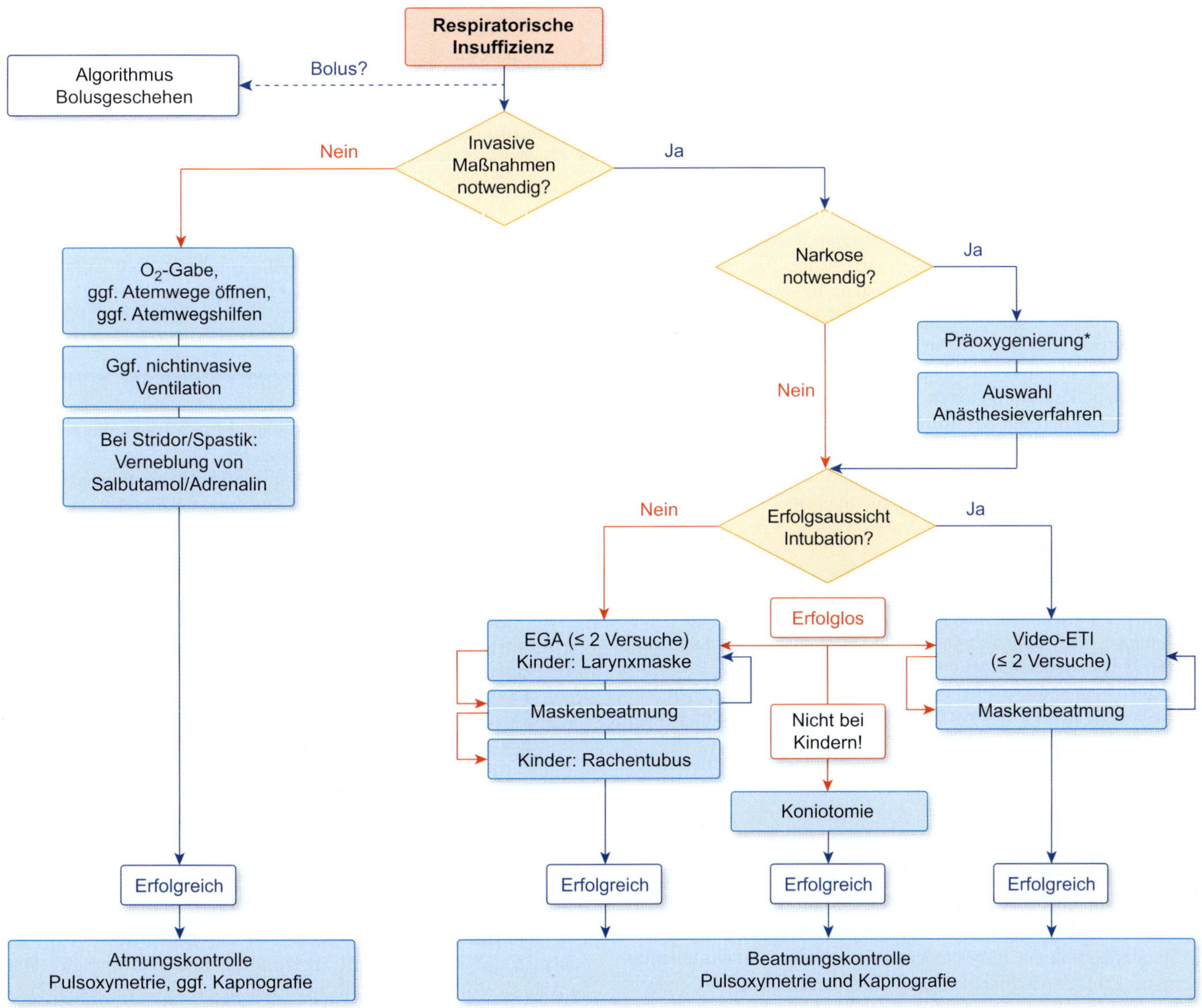

Abb. 18.34 Algorithmus zum präklinischen Atemwegsmanagement der DGAI (S1-Leitlinie Prähospitales Atemwegsmanagement, 2019) [W1210-003, L143]
EGA = Extraglottische Atemwegshilfe; ETI = Endotracheale Intubation; * = bei ausreichender Spontanatmung

Bei dringlicher Intervention bleibt normalerweise noch Zeit für eine orientierende Untersuchung im Hinblick auf einen schwierigen Atemweg und für die Vorbereitung der adäquaten Ausrüstung für ein alternatives Atemwegsmanagement.

MERKE

Die endotracheale Intubation ist die einzige Technik, die einen nahezu 100-prozentigen **Schutz vor Aspiration** bietet, und gilt daher als **Goldstandard der Atemwegssicherung.** Allerdings sind auch hier sog. Mikroaspirationen möglich, d. h., es können kleinste Mengen Sekret am Cuff vorbei in die Lunge eindringen.

Über den liegenden Tubus ist eine maschinelle Beatmung mit genauer Druck- und Volumenkontrolle möglich. In der Notfallmedizin ergibt sich die **Indikation zur Intubation** vor allem zur Sicherstellung der Atmung bei respiratorischer Insuffizienz oder bei Ausfall der Schutzreflexe und Aspirationsgefahr. Bei jeder präklinischen Narkose wird die Sicherung der Atemwege durch Intubation angestrebt.

Allerdings ist die endotracheale Intubation sowohl bezüglich der Durchführung als auch der Vorbereitung das aufwendigste Verfahren. Die Intubation wird nur im Stadium der tiefen Bewusstlosigkeit toleriert. Abgesehen von Patienten, die sich im Kreislaufstillstand befinden, benötigen alle Notfallpatienten (auch bewusstlose) für die endotracheale Intubation eine Narkose, die in Deutschland dem Arzt vorbehalten ist (→ Kap. 22).

Der Erfolg einer Intubation ist von vielen Faktoren abhängig, insbesondere aber von der Erfahrung des Durchführenden und den individuellen Intubationsbedingungen.

Bei der **Intubation in der Klinik** kann der Intubateur von folgender Situation ausgehen: Der Patient und seine medizinischen Probleme sind i. d. R. nach der Prämedikationsvisite zur Narkosevorbereitung bekannt. Der Patient ist im Regelfall nüchtern, d. h., er hat seit Stunden nicht gegessen, getrunken oder geraucht. Zur Intubation erhält er eine schonende Narkose und ist relaxiert. Im Narkoseeinleitungsraum bzw. Operationssaal stehen alle Hilfsmittel (Absaugeinheit, Narkosegerät, Pulsoxymetrie, Kapnometrie, EKG-Monitoring, Blutdruckmessung, Temperaturmessung) bereit.

Dennoch gelingt auch unter optimalen Bedingungen bei Weitem nicht jede Intubation. Eine erfolgreiche Intubation erfordert regelmäßige Praxis und sollte daher nur von Personen durchgeführt werden, die diese sicher beherrschen. Die DGAI als Fachgesellschaft empfiehlt: Zum Erlernen der Technik sollten wenigstens 100 durchgeführte Intubationen und nachfolgend 10 Intubationen pro Jahr am Patienten dokumentiert werden. Dies ist für einen Notfallsanitäter kaum zu erreichen. Dennoch sollte dieser die Intubation so umfassend wie möglich im Krankenhauspraktikum trainieren.

Im **Notfall außerhalb der Klinik** liegen häufig durch den Notfall erschwerte Intubationsbedingungen vor: Der Patient ist unbekannt und grundsätzlich als nicht nüchtern anzusehen. Außerdem ist immer von einer erschwerten Atemwegssicherung auszugehen.

MERKE

Unter präklinischen Bedingungen sollen nach den DGAI-Empfehlungen nicht mehr als zwei Intubationsversuche unternommen werden. Jeder Intubationsversuch sollte nicht länger als 30 Sekunden andauern, bei laufender Reanimation sogar nicht länger als 5 Sekunden! Zwischen zwei Intubationsversuchen sollte eine Maskenbeatmung durchgeführt werden, alternativ kann ein SGA/EGA erwogen werden. **Der Patient stirbt nicht am fehlenden Tubus, sondern am fehlenden Sauerstoff!**

18.6.1 Intubationsverfahren

Der Tubus kann über drei Wege in die Trachea eingebracht werden. Der Weg durch Mundöffnung und Kehlkopf ist als **orotracheale Intubation** das Standardverfahren, insbesondere auch bei der Notfallintubation. Alternativ kann der Kehlkopfeingang über den nasalen Weg erreicht werden **(nasotracheale Intubation)** oder der Luftröhrenzugang wird chirurgisch durch **Eröffnen der Trachea** (Tracheotomie, Notfallkoniotomie) geschaffen.

18.6.2 Material für die endotracheale Intubation

Vor Beginn der Intubation muss das benötigte Material vorbereitet und auf seine Funktionstüchtigkeit überprüft werden (→ Abb. 18.35). Auch das Material, das beim Scheitern der Intubation benötigt wird, sollte zumindest zur Hand sein (ohne dass man es erst suchen muss!).

- Endotrachealtubus in der korrekten Größe (bei Kindern stets noch eine Nummer größer und kleiner bereithalten)
- Blockerspritze
- Führungsstab, alternativ Intubations-Bougie (→ Kap. 18.6.6)
- Eventuell Gleitmittel
- Je nach Verfügbarkeit und Ausbildungsstand:
  - Vorzugsweise Videolaryngoskop (→ Kap. 18.6.5)
  - Alternativ konventionelles Laryngoskop mit Laryngoskopgriff (am besten zwei) mit korrektem Spatel (Macintosh Gr. 3 und 4 für Erwachsene, andere Größen und Ausführungen für Kinder, → Kap. 18.6.4)
- Fixiermaterial mit Beißschutz
- Absauggerät (einsatzbereit mit Katheter)
- Beatmungsbeutel mit Filter
- Beatmungsmasken
- Sauerstoff
- Material zur Lagekontrolle (Stethoskop, Kapnografie)
- Cuffdruckmesser
- Gegebenenfalls Tubusverlängerung „Gänsegurgel"
- Gegebenenfalls Magill-Zange
- Alternative Hilfsmittel wie Larynx-Tubus oder Larynxmaske (für den Fall, dass der Intubationsversuch scheitert)
- Notfallkoniotomie-Set (für den Fall, dass alle anderen Techniken zur Atemwegssicherung und die Maskenbeatmung scheitern)

IM FOKUS

Endotracheale Intubation

- Bei der endotrachealen Intubation **(ETI)** wird ein Endotrachealtubus **(ETT)** in die Trachea eingeführt.
- Sie bietet einen nahezu 100-prozentigen **Aspirationsschutz** und gilt als Goldstandard der Atemwegssicherung.
- **Drei mögliche Zugangswege:**
  - Orotracheal
  - Nasotracheal
  - Alternativ Notkoniotomie (bei sofort notwendiger Atemwegssicherung, die anders nicht möglich ist)
- Jeder Intubationsversuch sollte **nicht länger als 30 Sekunden** andauern, bei Reanimation sollte der Intubationsversuch **5 Sekunden nicht überschreiten.**
- Zwischen zwei Intubationsversuchen sollte eine Maskenbeatmung durchgeführt werden. Alternativ kann zur Oxygenierung ein supraglottischer Atemweg genutzt werden.
- Außerhalb der Klinik oftmals **erschwerte** Intubationsbedingungen.

18.6.3 Endotrachealtubus (ETT)

Der Standardtubus (Magill-Tubus) ist ein gebogener, formstabiler Schlauch aus Kunststoff mit abgerundeter und abgeschrägter Spitze (→ Abb. 18.35). Murphy modifizierte den ursprünglichen Magill-Tubus, indem er eine Öffnung **(Murphy-Auge, Murphy's Eye)** an der Seite des Tubus anbrachte, die einen Luftdurchlass ermöglicht, falls die Tubusspitze z. B. durch Schleim verstopft wird. Die Öffnung ist am distalen Ende zwischen Tubusspitze und Cuff lokalisiert. Eine Simulation zeigte, dass das Murphy-Auge ein nützliches Konstruktionsmerkmal ist, das aus Sicht der Autoren wahrscheinlich unzählige Leben gerettet hat.

Am proximalen Ende befindet sich ein Normkonnektor, der unabhängig von der Tubusgröße den Anschluss an alle gebräuchlichen Beatmungsbeutel, Notfallrespiratoren, Narkosegeräte oder Intensivrespiratoren ermöglicht. Für spezielle Anwendungen im Klinikbereich gibt es für spezielle Einsatzbereiche verschiedenartig geformte Tuben aus unterschiedlichen Materialien.

Blockmanschette (Cuff)

Knapp oberhalb der in der Trachea liegenden Spitze befindet sich ein Ballon (Cuff), in den durch einen in der Tubuswand verlaufenden Kanal Luft mit einer Spritze injiziert wird (→ Abb. 18.35). Der Cuff entfaltet sich und verschließt so die Trachea. Ein kleiner Kontrollballon (Pilotballon) am proximalen Ende des Zuführungskanals dient der Überprüfung der Füllung des Cuffs. Der Verschluss des Cuffsystems erfolgt durch ein am Spritzenkonus eingebautes Ventil, das durch Aufsetzen

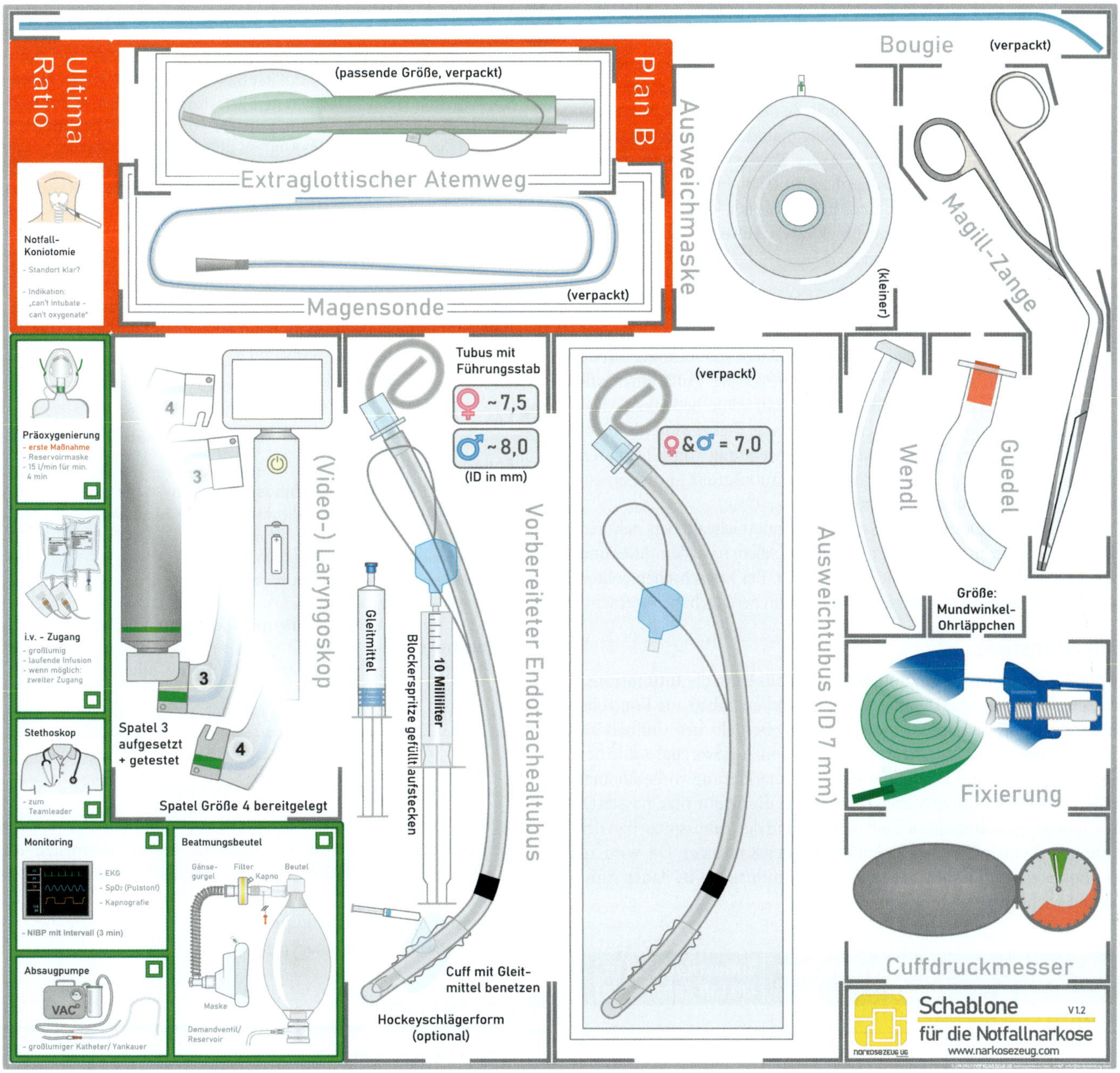

Abb. 18.35 RSI-Schablone für Erwachsene zur übersichtlichen Vorbereitung aller Materialien für die Intubation. Die grün umrandeten Felder geben einen Anhalt für die allgemeine Vorbereitung der Narkose (Maßnahmen und Geräte). Rot umrandet sind Maßnahmen und Materialien der Rückfallebene, falls die Intubation nicht gelingt. Die übrigen Felder ermöglichen die übersichtliche Platzierung aller Materialien. [U394]

der Luftspritze (Cuffspritze) geöffnet und durch Abziehen der Spritze geschlossen wird. Das Ventil ist in den Kontrollballon integriert.

Der Cuff soll einen **luftdichten Abschluss zwischen Tubus und Trachealwand** herstellen, so die Überdruckbeatmung ermöglichen und die Aspiration von Magensaft, Blut etc. weitestgehend verhindern. Zu starkes Aufblasen des Cuffs (hoher Cuffdruck) schädigt die Trachealschleimhaut. Grundsätzlich sollte der **Cuffdruck** gerade so hoch sein, dass die Aspiration verhindert wird und ein Beatmungsgerät ohne Entweichen von Atemluft angeschlossen werden kann. Die Kontrolle des Cuffdrucks sollte in jedem Fall mit einem Cuffdruckmesser durchgeführt werden (→ Abb. 18.25).

Tubusgröße

Die Dickenangabe des Trachealtubus erfolgt als Innendurchmesser (ID) in Millimeter, gelegentlich werden auch Charrière (Ch) als Maß für den Außendurchmesser angegeben. Für den Atemwegswiderstand spielt der Innendurchmesser des Trachealtubus (neben seiner Länge) eine entscheidende Rolle.

Beim **Erwachsenen** ist die engste Stelle des Intubationswegs die Stimmbandebene, sodass der Kehlkopfeingang die Tubusgröße limitiert. Es empfiehlt sich zur Sicherheit, auch den nächstkleineren Tubus bereitzulegen. Im Regelfall können für Frauen Tuben im Bereich von

7,0–7,5 mm ID und für Männer von 7,5–8,0 mm ID problemlos verwendet werden.

Innerklinisch wurden bei **Kindern** bis zum Alter von 8–10 Jahren lange Zeit nicht blockbare Tuben, also Tuben ohne Cuff, empfohlen. Ausgehend davon, dass sich die engste Stelle des kindlichen Atemwegs im subglottischen Bereich befindet, nutzte man diese Tuben, die durch direktes Anliegen an der Schleimhaut der Trachea abdichten sollten, um die empfindliche Trachealschleimhaut zu schonen. Dies wurde auch lange notfallmedizinisch empfohlen. In den letzten Jahren aber traten die entscheidenden **Vorteile von blockbaren Tuben** wieder mehr in den Vordergrund. Dazu zählen u. a.:

- Der bessere Aspirationsschutz
- Die störungsfreie Anwendbarkeit der Kapnografie
- Die einfachere Tubusgrößenwahl

Daher sollten in der Notfallmedizin auch bei Kindern blockbare Tuben verwendet werden, bevorzugt solche mit Low-Pressure-Cuffs; eine Cuffdruckmessung (max. 20 mbar) ist obligat. Man sollte bedenken, dass blockbare Tuben vom Außendurchmesser etwas dicker sind als nicht blockbare. Für die Praxis heißt das: Bei Verwendung von blockbaren Tuben im Kindesalter ist eine etwas kleinere Tubusgröße als bei einem nicht blockbaren Tubus die passende Wahl.

Die Tubendurchmesser eines Satzes von Endotrachealtuben nehmen um jeweils 0,5 mm zu. Die Tubusgröße wird vor allem nach dem Alter und der Größe des Patienten gewählt (→ Tab. 18.5). Bei Erwachsenen sollten Tuben mit den Innendurchmessern 7–8(–9) mm bereitgehalten werden.

Intubationstiefe

An der Zentimeter-Längsgraduierung des Tubus kann die **Intubationstiefe** abgelesen werden. Die meisten Einmaltuben haben zur Kontrolle der Intubationstiefe einen schwarzen Ring oberhalb des Cuffballons oder bei Kindertuben eine schwarz gefärbte Spitze. Bevorzugt sollte der Tubus unter Sicht und Beachtung der Tubusmarkierung vorgeschoben werden (bis die schwarze Markierung gerade die Stimmritze passiert). Die Längenangabe bezieht sich auf den Abstand der Tubusspitze von der Zahnreihe (beim zahnlosen Patienten von der Kauleiste). Oft wird zu tief intubiert; eine Kenntnis der üblichen Einführtiefen ist daher sinnvoll und wichtig.

Alter	Innendurchmesser (mm)	Tubustiefe oral in cm (ab Zahnleiste)
Kinder		
Frühgeborene (> 1 500 g)	2,5	6 + kg KG
Neugeborene	3,0	9–10
6 Monate	3,5	11
1 Jahr	4,0	12
2 Jahre	4,5	13
4 Jahre	5,0	14
6 Jahre	5,5	15
8 Jahre	6,0	16
10 Jahre	6,5	18
12 Jahre	7,0	20
Erwachsene		
Frauen	7–7,5	20–21
Männer	7,5–8	22–23

Tab. 18.5 Richtwerte für die Tubusgröße (Innendurchmesser) und die Intubationstiefe bei oraler Intubation

PRAXISTIPP

Als Faustregel sollte bei Frauen die Markierung „20–21 cm", bei Männern „22–23 cm" in Höhe der oberen Zahnreihe liegen. Wenn der Tubus maximal so weit eingeführt wird, lassen sich endobronchiale Fehllagen (d. h., es wird nur eine Lungenhälfte beatmet) recht sicher vermeiden. Bei Kindern ab 1 Jahr ist die Formel Alter/2 + 12 ein guter Anhalt.

MERKE

Die Tuben aller Größen sind deutlich länger als die notwendige orale Intubationstiefe; ein komplettes Vorschieben bedeutet eine tiefe endobronchiale Intubation mit einseitiger Ventilation (bei Erwachsenen meist in den rechten Hauptbronchus).

IM FOKUS

Endotrachealtubus (ETT)

- Standardtubus = **Magill-Tubus mit Murphy-Auge**
- In der Regel mit **Cuff** (Cuffdruck auch präklinisch kontrollieren!)
- **Größe:**
  - Innendurchmesser (ID) in Millimeter
  - Außendurchmesser in Charrière (Ch)
- **Länge:**
  - Zentimeter-Längsgraduierung für Intubationstiefe
- **Faustregeln:**
  - Durchmesser: 7,0–7,5 mm ID für Frauen und 7,5–8,0 mm ID für Männer
  - Einführtiefe: 20–21 cm bei Frauen; 22–23 cm bei Männern

18.6.4 Konventionelle Laryngoskope

Laryngoskope dienen dazu, die Weichteile von Mund und Rachen abzudrängen, und den Kehlkopf und hier insbesondere die Stimmritze sichtbar zu machen, um den Endotrachealtubus in die Trachea einführen zu können.

Konventionelle Laryngoskope ermöglichen die direkte Betrachtung des Kehlkopfs (direkte Laryngsokopie).

DEFINITION

Direkte Laryngoskopie: Im Kontext der Intubation ist mit **direkter** Laryngoskopie (DL) gemeint, dass der Anwender mithilfe eines konventionellen Laryngoskops **direkt** (**ohne Monitor** wie bei der Videolaryngoskopie, VL) die Stimmritze (Glottis) sichtbar macht, um (möglichst) unter **direkter Sicht** einen Endotrachealtubus einzuführen (→ Abb. 18.36).

Konventionelle Laryngoskope bestehen aus einem **Griff** mit Batteriefach und dem daran rechtwinklig aufgesteckten **Laryngoskopspatel:**

- Am meisten verbreitet und für unkomplizierte Intubationen am einfachsten zu verwenden sind die **gebogenen Spatel** nach **Macintosh.**
- Die **geraden Spatel** nach **Miller/Foregger** sind weniger gebräuchlich, können jedoch bei schwierigen anatomischen Verhältnissen hilfreich sein.

Ein kompletter Satz von Laryngoskopspateln beinhaltet **verschiedene Größen,** die das Spektrum vom Neugeborenen bis zum großen Erwachsenen abdecken. In der Nähe der Spatelspitze liegt eine **Lichtquelle** zum

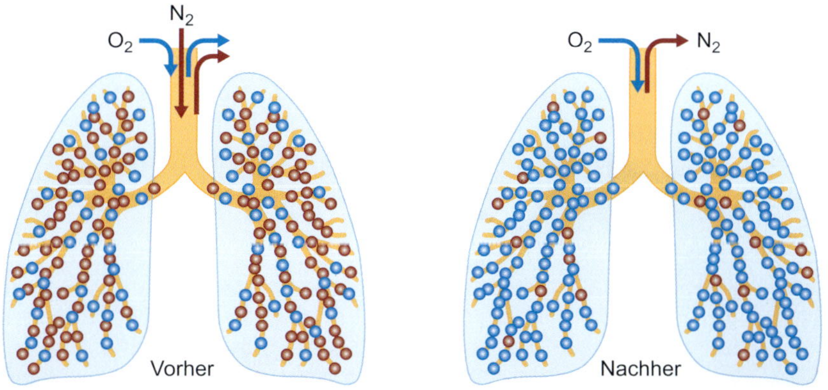

Abb. 18.44 Prinzip des Präoxygenierens/Denitrogenierens. Links vor Beginn der Maßnahme, rechts: Denitrogenierung weitgehend abgeschlossen. [L143]

Während der gesamten Vorbereitung soll der noch ausreichend spontan atmende Patient durch Sauerstoffgabe **präoxygeniert** werden, möglichst mehrere Minuten (eine länger als vierminütige Präoxygenierung des spontanatmenden kritisch kranken Patienten führt nicht zu einer weiteren Optimierung des arteriellen Sauerstoffpartialdrucks). Dies geschieht dadurch, dass dem Patienten Sauerstoff hoch dosiert über eine dichtsitzende Maske mit Reservoir und Nichtrückatemventil verabreicht wird. Der Patient soll dabei dazu angehalten werden, tief einzuatmen. Dadurch wird Stickstoff aus den Alveolen ausgewaschen **(denitrogeniert)** und die Gefahr der Hypoxie während der Intubation verringert. Eine Alternative zum zuvor beschriebenen Vorgehen besteht darin, den Patienten z. B. mit kontinuierlichem positivem Atemwegsdruck (CPAP-Therapie) zu präoxygenieren. Dadurch lässt sich die Effektivität der Präoxygenierung steigern; insbesondere bei bestimmten Patienten, z. B. bei Adipositas oder bei eingeschränkter pulmonaler Funktion, sollte so vorgegangen werden. CPAP bewirkt eine Zunahme der belüfteten Lungenabschnitte. Wenn möglich, ist eine Oberkörperhochlagerung dabei günstig. Im Fall der erschwerten Intubation wird eine verlängerte Zeitspanne für die Intubationsversuche erreicht, bevor Hypoxie eintritt. Gegebenenfalls werden jetzt die Medikamente zur Narkoseeinleitung verabreicht (→ Kap. 22).

Eine Sonderform der Präoxygenierung ist die **Delayed Sequence Intubation** (DSI). Die DSI ist eine Technik zur Präoxygenierung von Patienten, die die üblichen Formen der Präoxygenierung nicht tolerieren und bei denen eine Intubation im Sinne einer RSI aufgrund des Risikos einer Hypoxämie unsicher wäre, Einzelheiten → Kap. 22.6.

Direkte Laryngoskopie (DL)

- Laryngoskop in der linken Hand halten und vom rechten Mundwinkel so einführen, dass die Zunge aufgeladen und nach links abgedrängt wird. Den Mund mit der rechten Hand (z. B. mit Kreuzgriff) öffnen. Bei einer anderen Variante wird der rechte Zeigefinger auf den Gaumen gelegt, der rechte Mittelfinger drückt das Kinn des Patienten fußwärts. Mit dieser Technik ist der Mund besser einsehbar als mit dem Kreuzgriff. Egal, welche Technik verwendet wird: Dabei dürfen die Lippen mit dem Laryngoskop nicht gequetscht werden.
- Mit der Spatelspitze, die jetzt in der Mittelebene geführt wird, tiefer tasten, bis als Leitstruktur die Epiglottis sichtbar wird. Spitze des **gebogenen Spatels** zwischen Zungengrund und Epiglottis einlegen. Diese bleibt sichtbar und wird nicht auf den Spatel aufgeladen.
- Danach unter leichter Betonung der Spatelspitze mittels Längszug am Laryngoskopgriff Zungengrund und Unterkiefer nach vorn abdrängen. Dadurch richtet sich die Epiglottis auf und der Blick auf die Kehlkopfeingangsebene wird frei. Ziel des Spateldrucks ist das Wegdrücken des Mundbodens. Mit dem Laryngoskop werden Zungengrund und Epiglottis angehoben und so die freie Sicht auf die Stimmbänder geschaffen (direkte Laryngoskopie).
- Unbedingt ein **Hebeln** mit dem Laryngoskop **vermeiden** (kippende Bewegungen am Laryngoskopgriff mit den Zähnen des Oberkiefers als Drehpunkt). Das gefährdet nicht nur die Zähne (Abbrechen und Ausbrechen von Zähnen), sondern macht das Einführen des Tubus möglicherweise schwerer. Daher in Griffrichtung mit „steifem Handgelenk" ziehen.
- Bei der Verwendung des **geraden Spatels (Miller-Spatel)** wird die Epiglottis mit aufgeladen, d. h., die Lichtquelle an der Spatelspitze beleuchtet den Intubationsweg und den Kehlkopfeingang.

PRAXISTIPP

Störend einfallendes Sonnen- oder Scheinwerferlicht kann von einem Helfer abgeschirmt werden, z. B. durch Vorhalten einer Jacke.

PRAXISTIPP

BURP ist ein englisches Akronym und steht für **Backward-Upward-Rightward-Pressure.** Gemeint ist damit, dass der Kehlkopf (genauer: der Schildknorpel) mittels Druck von außen nach hinten (zur Wirbelsäule hin), nach oben (in Richtung Kopf) und nach rechts (auf den **Patienten** bezogen) verschoben wird. Dies erleichtert in vielen Fällen die laryngoskopische Einstellbarkeit der Stimmbandebene, sodass dieses Manöver in der Anästhesie zu den Standardtechniken gehört. In einer Studie ließ sich mithilfe des BURP eine signifikante Reduktion der schwierigen Larynxeinstellbarkeit von 12,5 % auf 5 % erzielen (→ Kap. 22.5.6).

Einführen des Tubus

Nach Einstellung des Kehlkopfeingangs und freier Sicht auf die Stimmbänder den Tubus vom rechten Mundwinkel her einführen (→ Abb. 18.45). Dabei wird seine Krümmung ausgenutzt, um den Kehlkopfeingang zu erreichen. Die Passage durch den Kehlkopf kann durch leichte Drehbewegungen unterstützt werden. Die Abschrägung der Tubusspit-

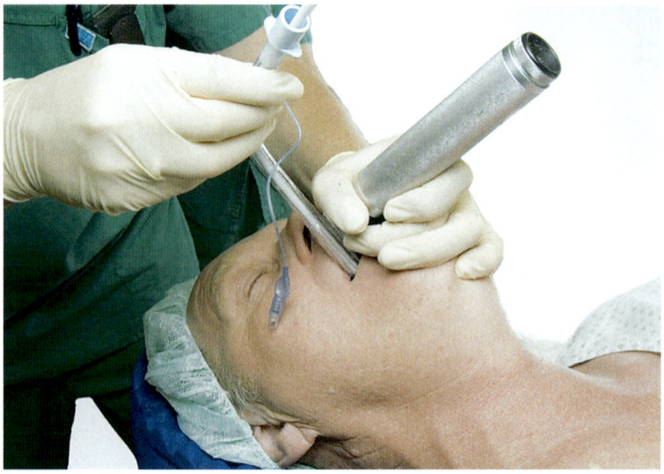

Abb. 18.45 Einführen eines Tubus [J747]

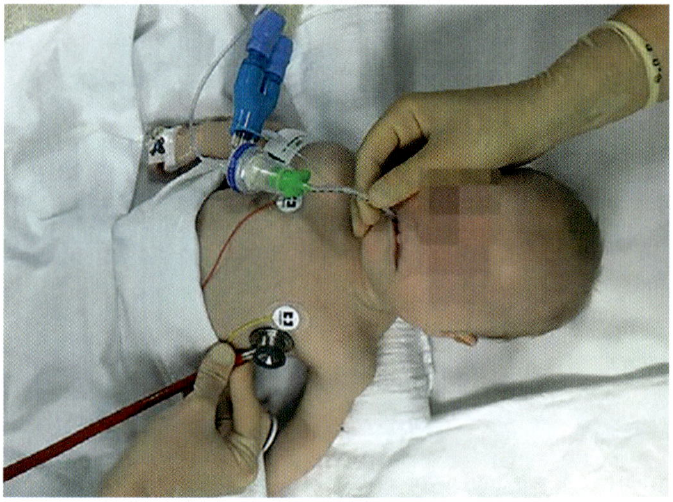

Abb. 18.46 Die auskultatorische Lagekontrolle und kontinuierliche Kapnografie sind obligatorisch. [F985–002]

ze hilft, den Eintrittswinkel in die Trachea zu überwinden. Der Tubus wird so weit eingeführt, dass die Ringmarkierung in Stimmbandhöhe liegt; der Cuff ist dann optimal in der Trachea platziert.

Blockung des Tubus

Der Cuff wird mit der bereitgehaltenen Blockerspritze aufgeblasen, was bei der Notfallintubation zur Aspirationsvermeidung rasch zu erfolgen hat. Meist werden dafür bei den Tuben für Erwachsene 8 ml Luft benötigt. Der Cuff wird gerade so weit geblockt, dass unter Überdruckbeatmung keine Luft mehr neben dem Tubus aus der Trachea entweichen kann, d. h., bis das vorher vorhandene Strömungsgeräusch bei Beatmung verschwindet. Kontrollieren Sie den Cuffdruck mit einem Cuffdruckmesser.

Überprüfung der korrekten Lage des Tubus

Die Tubusspitze soll beim Erwachsenen ca. 3 cm oberhalb der Bifurkation liegen, sodass eine Belüftung beider Lungen gewährleistet ist. Es stehen verschiedene Möglichkeiten der Lagekontrolle zur Verfügung, von denen möglichst viele genutzt werden sollten, da Fehlintubationen im rettungsdienstlichen Alltag häufiger sind und dadurch tödliche Verläufe drohen.

Durch **Probebeatmung** mit einem Beatmungsbeutel werden die korrekte Lage des Tubus in der Trachea sowie die korrekte Intubationstiefe kontrolliert.

- Das sicherste Zeichen der korrekten Intubation ist das beobachtete Verschwinden des Tubus und die **sichtbare Tubuslage** zwischen den Stimmbändern.
- Die Messung des CO_2-Ausstroms bei der Exspiration mittels **Kapnometrie** muss zwingend eingesetzt werden, da erhöhte CO_2-Konzentrationen über mehrere Atemzüge nur aus der Lunge kommen können (→ Abb. 18.46). Das Verfahren muss bei jedem beatmeten Patienten als absolut unverzichtbar gelten.
- Von den **klinischen Zeichen** ist das beobachtbare und tastbare Heben und Senken des Brustkorbs im infraklavikulären Feld am verlässlichsten.
- Die **Auskultation** ist über dem Magen und beidseits infraklavikulär und seitlich an der Lungenbasis durchzuführen (5-Punkt-Auskultation; → Abb. 18.46). Sie kann trügerische Ergebnisse liefern, da manchmal auch bei ösophagealer Fehlintubation atemsynchrone Geräusche über der Lunge hörbar sind, die besonders unter den schwierigen akustischen Bedingungen des Rettungseinsatzes fehlgedeutet werden können. Die Auskultation eines gurgelnden Geräusches über dem Magen ist dagegen ein sicheres Zeichen einer ösophagealen Fehlintubation. Aus diesem Grund soll die Auskultation über dem Magen begonnen werden, um im Falle einer Fehlintubation nicht unnötig oft den Magen zu beatmen.
- Das Beschlagen des Tubus spricht für eine tracheale Lage. Dies ist jedoch ein unsicheres Zeichen. Bleibt das Beschlagen des Tubus allerdings aus, sollte dies als Hinweis auf eine mögliche Fehlintubation gedeutet werden. Eine Lagekontrolle muss erneut durchgeführt werden.

Die **zu oberflächliche Intubation** mit Aufblasen des Cuffs im Kehlkopfbereich sollte durch das beobachtete Einführen des Tubus vermieden werden. Sie führt zu Undichtigkeit, Aspirationsgefahr und Kehlkopfschäden. Bei der **zu tiefen Intubation** wird ein Hauptbronchus und damit ein Lungenflügel nicht oder minderbelüftet. Am häufigsten erfolgt die tiefe Intubation nach rechts wegen des steilen Winkels des rechten Hauptbronchus. Die zu tiefe, einseitig endobronchiale Intubation führt zu verminderter Thoraxexkursion und abgeschwächtem Atemgeräusch an der gegenüberliegenden Seite (meist der linken). Sie ist ein häufiger Fehler der stressbehafteten Notfallintubation und kann eine Hypoxie auslösen. Nach Lagekorrektur durch Zurückziehen des Tubus sollte eine seitengleiche Ventilation festgestellt werden können, wenn nicht andere Ursachen (z. B. Pneumothorax, Spannungspneumothorax) für eine Seitendifferenz vorliegen. Die Beachtung der oben erwähnten maximalen Einführtiefe bei Männern und Frauen trägt dazu bei, eine einseitige endobronchiale Intubation relativ sicher zu vermeiden.

MERKE

Durch Umlagern des Patienten oder Bewegen des Kopfes kann sich die Tubuslage verändern, sodass eine sichere Fixierung und laufende Kontrollen der Tubuslage erforderlich sind. Absolut unverzichtbar ist bei jedem beatmeten Patienten die ununterbrochen durchgeführte Kapnografie.

Sorgen Sie für eine gute Fixierung des Tubus (→ Abb. 18.47). Dies hat für den rettungsdienstlichen Bereich herausragende Bedeutung für die Patientensicherheit. Dazu stehen im Rettungsdienst spezielle Fixierungssysteme zur Verfügung. Mullbinden, Pflasterstreifen etc. sind zur Fixierung nicht zugelassen, werden in der Praxis aber gleichwohl verwendet.

IM FOKUS

Durchführung einer endotrachealen Intubation mittels direkter Laryngoskopie (DL)

- **Lagerung:**
  - Idealerweise verbesserte Jackson-Position
  - Bei höhergradiger Adipositas Ramped Position erwägen (sofern praktibel)
- **Präoxygenierung:**
  - Möglichst mehrere Minuten durchführen, ABER mehr als 4 Minuten steigern den Nutzen kaum
  - Sonderform: Delayed Sequence Intubation (DSI, → Kap. 22.6)
- **Einführen des Laryngoskops:**
  - Komplexer Vorgang: regelmäßiges Training notwendig!
- **Einführen des Tubus:**
  - BURP-Manöver kann hierbei eine große Hilfe sein
  - Ggf. Intubations-Bougie verwenden
- **Blocken des Tubus:**
  - Zunächst mit Blockerspritze, zeitnah Kontrolle mit Cuffdruckmesser
- **Lagekontrolle:**
  - Primär über Einführen unter Sicht und $etCO_2$; sekundär auskultatorisch

18.6.9 Besonderheiten bei der Intubation von Kindern

Bei Neugeborenen und Kleinkindern ergeben sich wegen der anatomischen Unterschiede einige Besonderheiten. Besonders bei Neugeborenen und Säuglingen mit ihrem großen Kopf und ihrer großen Zunge, ihrem kurzem Hals und hoch stehendem Larynx lassen sich die Achsen zur Intubation schlechter einstellen. Die U-förmige Epiglottis ist schwerer aufzurichten. Es empfiehlt sich die Verwendung des **geraden Spatels (Miller-Spatel).**

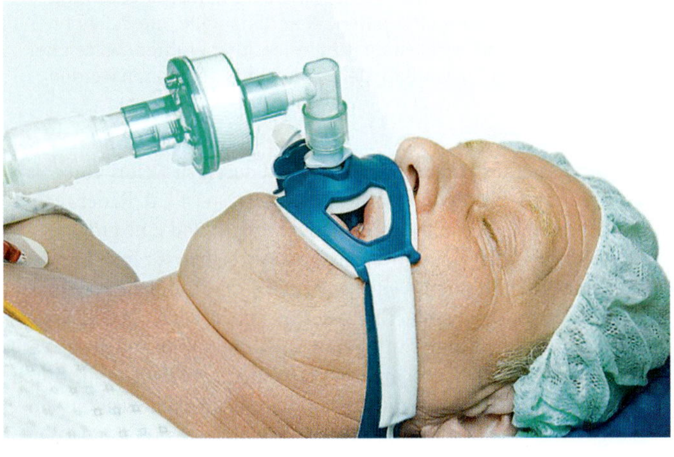

Abb. 18.47 Fixierter Tubus [J747]

Besonders sorgfältig muss die Intubationstiefe überprüft und auf seitengleiche Ventilation geachtet werden, da beim Kind die Gefahr einer einseitigen Intubation sowohl des rechten als auch des linken Hauptbronchus und damit einer Hypoxie groß ist (→ Abb. 18.46, → Abb. 18.48, → Tab. 18.5).

18.6.10 Komplikationen bei der Intubation

Die endotracheale Intubation gilt als der „Goldstandard" der Atemwegssicherung in der Notfallmedizin sowie in der Anästhesiologie und Intensivmedizin, da eine gelungene Intubation mit verschiedenen Vorteilen einhergeht. Allerdings zeigten zahlreiche Studien der vergangenen Jahre, dass Ungeübte insbesondere unter den erschwerten rettungsdienstlichen Bedingungen enorme Schwierigkeiten in der Durchführung hatten und daher die Indikation für eine Intubation deutlich sorgsamer gestellt werden sollte. Die im Jahr 2019 publizierte „Handlungsempfehlung für das präklinische Atemwegsmanagement" der DGAI rät aus diesem Grund dazu, bereits vor einem Intubationsversuch die anzunehmende Erfolgsaussicht realistisch einzuschätzen. Zu den Erfolg beeinflussenden Faktoren zählen neben der Expertise des Anwenders die Routine mit einem bestimmten Verfahren, aber auch die jeweilige Notfallsituation.

Das Vorgehen bei Komplikationen muss dem gesamten Team im Vorfeld bekannt sein.

Das häufigste Problem ist, dass der **Blick auf die Stimmritze nicht gelingt.** Dafür gibt es viele Ursachen, wie z. B. sehr adipöse Patienten, ungenügende Mundöffnung oder eine vermutete HWS-Verletzung, die eine Reklination des Kopfes verbietet oder zumindest unerwünscht macht.

Weltweit existieren mehr als 100 verschiedene Laryngoskopformen, was zeigt, dass der Blick auf den Kehlkopf eines der großen Probleme der Intubation darstellt. Ein Beispiel dafür ist der McCoy-Spatel, der eine bewegliche Spatelspitze aufweist, mit der versucht werden kann, den Kehldeckel anzuheben (→ Abb. 18.49). Dieser Spatel war früher bei der Beherrschung eines schwierigen Atemwegs oft im Einsatz, wurde zwischenzeitlich aber durch die Videolaryngoskopie verdrängt.

Innerklinisch kann mittels fiberoptischer Intubation, also der Intubation über ein Bronchoskop, mit dem man videooptisch einen Blick

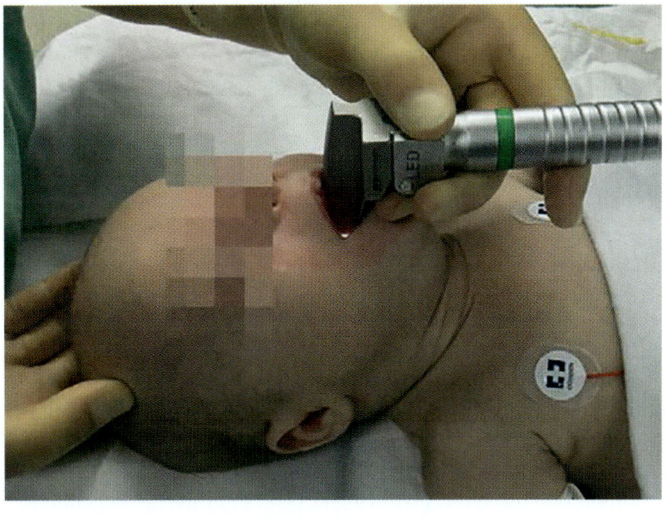

Abb. 18.48 Die endotracheale Intubation erfordert besonders in Notfallsituationen bei Kindern Erfahrung. [F985–002]

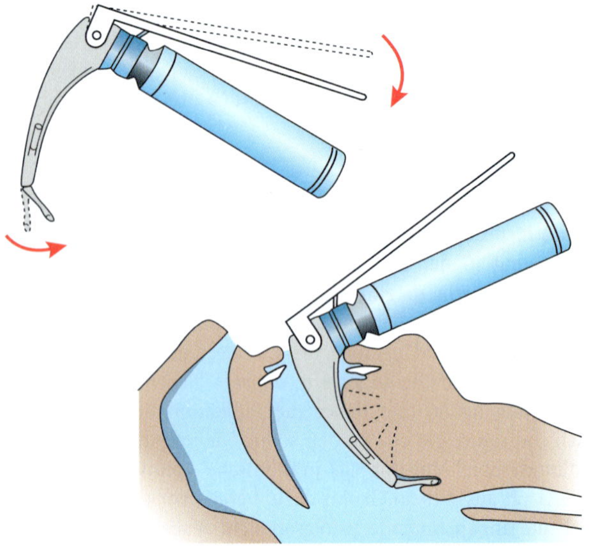

Abb. 18.49 McCoy®-Spatel [L157]

auf die Stimmbänder bekommt, ein alternatives Verfahren angewendet werden.

Im Rettungsdienst sollte primär ein Videolaryngoskop mit Macintosh-ähnlichem Spatel verwendet werden. Durch dieses Hilfsmittel hat der schwierige Atemweg etwas von seinem Schrecken verloren, gleichwohl ist es kein Wundermittel und bedarf Übung.

Traumatische Komplikationen

- **Verletzungen der Lippen durch das Laryngoskop:** Diese Verletzungen entstehen häufig dadurch, dass die Schleimhaut der Lippen bei der Intubation zwischen dem Spatel des Laryngoskops und den Zähnen eingequetscht wird.
- **Verletzungen der Zähne:** Solche Verletzungen entstehen durch Hebeln mit dem Laryngoskop. Beim Einführen des Laryngoskopspatels zur Einstellung des Kehlkopfes sind besonders die oberen Schneidezähne gefährdet, hauptsächlich bei ungünstigen anatomischen Verhältnissen oder falscher Lagerung des Kopfes. Abgebrochene Zähne sind sofort zu entfernen, um eine Aspiration zu vermeiden. Bei Säuglingen kann durch eine Verletzung der Zahnleiste die spätere Zahnentwicklung massiv beeinträchtigt werden. Deshalb ist hier die Intubation besonders schonend durchzuführen.
- **Verletzungen der Zunge und des Zungengrundes:** Sie führen häufig zu starken Blutungen, z. B. durch Einrisse des lymphatischen Gewebes am Zungengrund oder durch Verletzungen in der Tonsillennische mit Sichtbehinderung bei der Intubation und Gefahr einer Aspiration.
- **Verletzungen im Bereich des Rachens:** Es finden sich hauptsächlich Schleimhautverletzungen und Blutungen.
- **Retropharyngeale Dissektion:** Darunter versteht man ein Durchstoßen bzw. Durchbohren der Rachenhinterwand durch den Tubus, was zu einem massiven Infekt an der Vorderseite der Halswirbelsäule und der dortigen Bindegewebe führen kann.
- **Intubation des Sinus piriformis:** Der Sinus piriformis liegt dorsolateral der Stimmritze. Durch Fehlintubation in den Sinus kann es zu einem Hautemphysem, zum Pneumothorax und zur Entstehung einer Mediastinitis kommen.
- **Verletzungen des Kehlkopfs:** Es kann von Mikroverletzungen bis hin zur Perforation des Kehlkopfs mit nachfolgendem Hautemphysem und massiven Infekten kommen.
- **Verletzungen der Luftröhre:** Von Mikroverletzungen bis hin zur Trachealperforation durch den Tubus oder den Mandrin sind verschiedene Verletzungen möglich. Bei Verwendung eines Führungsstabs ist mit größter Sorgfalt vorzugehen, um Perforationen zu vermeiden. Es sollte ein weicher, kunststoffummantelter Mandrin Verwendung finden.
- **Verletzungen des Rückenmarks bei Halswirbelsäulenfrakturen:** Es besteht die Gefahr der Querschnittslähmung. Vorsichtiges und gefühlvolles Vorgehen ist bei der Intubation notwendig.

Technische Komplikationen

- **Auswahl eines zu großen Tubus:** Beim Erwachsenen ist der Stimmritzenbereich die engste Stelle im Kehlkopf. Normalerweise lässt sich jeder Erwachsene intubieren, wenn beispielsweise bei Frauen ein Tubus der Größe ID 7,0 mm und bei Männern ein Tubus der Größe ID 7,5 mm verwendet wird. Bei bestimmten Notfallsituationen, etwa einer Schwellung der oberen Atemwege, können diese Tuben aber zu groß sein und es muss dann ein kleinerer verwendet werden. Bei Säuglingen und Kindern im Alter von 8–10 Jahren liegt die engste Stelle subglottisch im Ringknorpelbereich. Beim Einführen eines zu großen Tubus kann dieser entweder nicht passieren oder es kommt zu einer Luxation der Aryknorpel mit späteren Störungen der Stimmgebung. Wird bei der Intubation beim Vorschieben des Tubus ein Widerstand bemerkt, muss ein kleinerer Tubus verwendet werden.
- Bei einer **Leckage** ist keine Abdichtung zwischen Tubus und Trachea erreichbar. Als Ursachen sind ein zu kleiner, nicht blockbarer Tubus (die in der Kinderanästhesie lange verbreitet waren), ein defekter oder zu wenig geblockter Cuff, ein versehentlich ungeblockter Tubus oder auch ein Defekt des Blockerventils denkbar.
- **Obstruktion des Tubus:** Eine Verlegung des Tubuslumens, z. B. durch Blut, Schleim, Erbrochenes, Fremdkörper, aber auch ein Abknicken des Tubus können Ursache für eine Obstruktion sein.
- **Intubation des Ösophagus:** Diese akut lebensbedrohliche Komplikation muss sofort erkannt werden, denn sonst droht innerhalb weniger Minuten der Tod des Patienten durch Sauerstoffmangel oder ein hypoxischer Hirnschaden mit Dauerbehinderung.

> **ACHTUNG!** Nutzen Sie **immer und ausnahmslos die Kapnometrie zur Tubuslagekontrolle** sowie als **Standardmonitoring für jeden beatmeten Patienten.** Viele Todesfälle, die auf einer unerkannten ösophagealen Fehlintubation beruhten, hätten bei konsequenter Anwendung der Kapnografie vermieden werden können.

- **Intubation eines Hauptbronchus:** Wird durch zu weites Vorschieben des Tubus ein Hauptbronchus intubiert, so ist i. d. R. der rechte Hauptbronchus betroffen, da er steiler verläuft und eine größere Weite als der linke Hauptbronchus hat. Anzeichen für eine Intubation eines Hauptbronchus sind asymmetrische Thoraxbewegungen und fehlendes Atemgeräusch auf der nicht belüfteten Seite. Die Auskultation ist nach der Intubation unbedingt notwendig, um eine lebensbedrohliche Hypoxämie zu vermeiden. Die Hypoxämie durch Sauerstoffmangel kann – muss aber nicht – auftreten, weil nur ein Lungenflügel belüftet ist und es meist zur Atelektase des anderen Lungenflügels kommt. Wird die Intubation eines Hauptbronchus festgestellt, so muss der Tubus bis zur korrekten Lage zurückgezogen

18.7.1 Vorbereitung

Als Grundsatz für alle Techniken gilt, dass sich der Patient möglichst in Rückenlage befindet. Den Kopf sollte man bei der Durchführung überstrecken, idealerweise mithilfe einer Unterpolsterung der Schultern, wenn dies noch zeitlich darstellbar ist. In lebensbedrohlichen Situationen kann auf etwaige HWS-Verletzungen keine Rücksicht mehr genommen werden. Falls möglich, sollte eine Hautdesinfektion erfolgen und mit Lochtuch und sterilen Handschuhen gearbeitet werden. Die Dringlichkeit der Situation wird in der Praxis darüber entscheiden, ob diese Anforderungen an hygienisches Arbeiten noch angemessen sind.

18.7.2 Techniken der Notfallkoniotomie

Prinzipiell kann man **vier Techniken** der Notfallkoniotomie unterscheiden:

1. Punktionskoniotomie (Catheter Over Needle)
2. Seldinger-Technik
3. Chirurgische Notfallkoniotomie (chirurgisch-anatomische Präpariertechnik)
4. Front of Neck Access (FONA), welcher der chirurgischen Notfallkoniotomie ähnelt und bei dem der Tubus über einen Bougie eingeführt wird

Welche davon zu bevorzugen ist, wird in der Literatur kontrovers beurteilt. Entscheidend ist, dass die jeweilige Technik geübt wurde (z. B. am Leichenpräparat) und regelmäßig wiederholt wird. Jeder Rettungsdienstmitarbeiter sollte sich regelmäßig mit dem bei ihm vorgehaltenen Material beschäftigen.

Punktionskoniotomie

Bei dieser Technik (Catheter Over Needle) wird ähnlich wie bei einer Venenverweilkanüle vorgegangen. Das Ligamentum cricothyroideum wird über einen scharf schneidenden Metallmandrin punktiert. Unter gleichzeitigem Vorschieben der Trachealkanüle (ID 1,5–6 mm) wird der Metallmandrin zurückgezogen. So verbleibt nur die Kunststoffkanüle in der Trachea. Für diese Punktionskoniotomie werden steril verpackte Sets kommerziell angeboten, z. B. das VBM Quicktrach II (→ Abb. 18.50).

Seldinger-Technik

Bei diesem Verfahren wird das Ligamentum cricothyroideum mit einer Kanüle punktiert. Es folgt dann die Einlage eines Drahtes (Führungsdraht) durch die Kanüle. Die Kanüle wird entfernt, sodass nur noch der Draht in der Trachea verbleibt. Über diesen wird nun die Trachealkanüle eingelegt, üblicherweise mithilfe eines Dilatators. Auch für die Seldinger-Technik existieren kommerziell vertriebene Sets, z. B. Melker Emergency Cricothyrotomy Catheter Set®, Cook Medical Inc./USA.

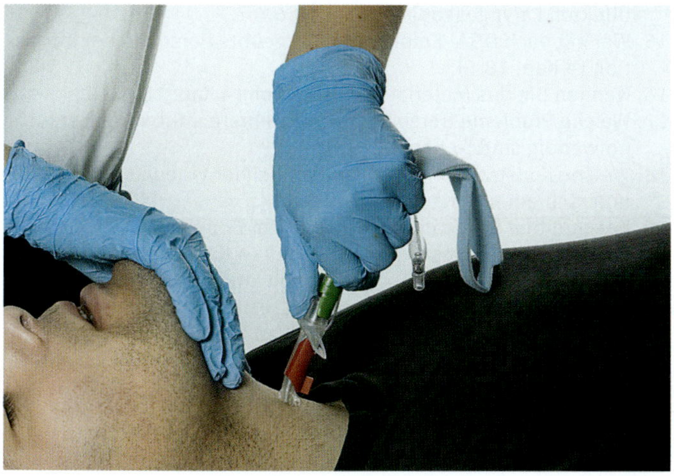

Abb. 18.50 Punktionskoniotomie VBM [J747]

Chirurgische Notfallkoniotomie

Hierbei erfolgt der Zugang mit einem Skalpell, daher die Bezeichnung „chirurgisch". Mit Zeigefinger und Daumen der nicht dominanten Hand wird die Haut über dem Kehlkopf gespannt. Dazu positioniert man sich an der Seite des Patienten. Als Rechtshänder steht man rechts vom Patienten (als Linkshänder umgekehrt), spannt den Kehlkopf mit der linken Hand und führt das Skalpell mit der rechten Hand. Mit einem spitzen Skalpell (Nr. 11) wird dann ein 2–3,5 cm langer **Längsschnitt** durchgeführt. Dieser soll von der Mitte des Schildknorpels bis zum Ringknorpel streng in der Mittellinie verlaufen. Diese Schnittführung von kranial nach kaudal wird empfohlen, weil dadurch geringere Blutungsrisiken bestehen, die Übersicht besser ist und zudem die Präparationsrichtung in die Tiefe ggf. noch korrigiert werden kann. Gegebenenfalls kann mit einer Präparierschere das Unterhautfettgewebe gespreizt werden und eine Spaltung der Prätrachealfaszie erfolgen. Im Anschluss wird das Ligamentum cricothyroideum mit der Skalpellspitze quer zur Körperlängsachse eingeschnitten. Man bezeichnet diesen Schnitt als **Querinzision.** Ziel der Querinzision ist die Vermeidung einer Verletzung der oberhalb liegenden A. cricothyroidea. Sie sollte so weit kaudal wie möglich erfolgen.

Falls kein Spreizer verfügbar ist, kann der Griff des Skalpells zur **Aufdehnung** verwendet werden. Dazu führt man den Skalpellgriff in die Inzision ein und dreht ihn dann um 90°, um die Inzision zu erweitern. Nach der Eröffnung der Trachea wird ein Tubus eingeführt und geblockt. Durch die Verwendung eines Führungsstabes kann das Einführen erleichtert sein. Es kann jedoch auch anstelle eines Führungsstabes, der recht unflexibel ist, z. B. ein Absaugkatheter als Einführhilfe eingesetzt werden, da im „Operationsgebiet" durch Blutungen oder Kulissenphänomene unübersichtliche Wundverhältnisse auftreten können. Es wird empfohlen, einen Tubus zu benutzen, der ein bis zwei volle Größe kleiner ist, als derjenige, den man üblicherweise für den Patienten nehmen würde, also z. B. ein Tubus mit ID 5,0 mm oder 6,0 mm anstelle eines Modells mit ID 7,0 mm. Anschließend wird die seitengleiche Belüftung der Lungenflügel auskultiert und der Tubus in seiner Lage fixiert.

Emergency Front of Neck Access (FONA)

Wie der Name erahnen lässt, ist diese Technik vor allem im angelsächsischen Raum verbreitet und wird beispielsweise in den **Leitlinien der Difficult Airway Society (DAS)** empfohlen. Sie wird auch als Skalpell-Bougie-Technik (Scalpel-Bougie Technique) bezeichnet, wobei ein Bougie mit Coudé-Tip empfohlen wird (→ Kap. 18.6.6), und ähnelt in vielerlei Hinsicht der chirurgischen Notfallkoniotomie. Etwas komprimiert dargestellt wird Folgendes von der DAS empfohlen:

- Der Durchführende steht auf der linken Seite des Patienten, wenn er Rechtshänder ist (umgekehrt, wenn er Linkshänder ist), und stabilisiert den Kehlkopf mit der linken Hand. Der linke Zeigefinger wird genutzt, um das Ligamentum cricothyroideum zu identifizieren.
- Das Skalpell in der rechten Hand halten und einen transversalen Stich durch die Haut und das Ligamentum cricothyroideum vornehmen, wobei die Schneide der Klinge zum Durchführenden zeigt. Das Skalpell dann senkrecht zur Haut halten und um 90° drehen, sodass die Schneide der Klinge nach kaudal (zu den Füßen) zeigt.

- Nun die Hände tauschen, sodass das Skalpell mit der linken Hand gehalten wird. Der Durchführende hält einen leichten Zug aufrecht, indem er das Skalpell mit der linken Hand zu sich heranzieht und den Skalpellgriff senkrecht (nicht schräg) zur Haut hält.
- Der Durchführende greift nun den Bougie mit der rechten Hand und führt die Spitze des Bougies über die Seite der Skalpellklinge, die am weitesten vom Anwender entfernt ist, in die Luftröhre. Nun den Bougie an der Trachea des Patienten ausrichten und vorsichtig etwa 10–15 cm weit einführen. Dann das Skalpell entfernen und die Haut mit der linken Hand spannen.
- Dann einen mit Gleitmittel benetzten blockbaren Tubus ID 6,0 mm über den Bougie vorschieben und währenddessen drehen. Ein zu tiefes Vorschieben mit endobronchialer Intubation soll dabei vermieden werden. Den Bougie entfernen, den Cuff blocken und die korrekte Lage mittels Kapnografie überprüfen. Abschließend den Tubus befestigen.

Die S3-Leitlinie Polytrauma/Schwerverletzten-Behandlung (Stand 2022) empfiehlt mit Empfehlungsgrad GPP: *Eine Koniotomie sollte in chirurgischer Technik durchgeführt werden. Besteht ein besonderer Übungsstand mit einer anderen Koniotomie-Technik, kann diese angewendet werden.*

18.7.3 Gefahren der Notfallkoniotomie

Die Notfallkoniotomie ist für den Patienten nicht ohne Risiken und normalerweise als letztes Mittel anzusehen, wenn alle anderen Maßnahmen zur Beatmung des Patienten versagen. Andererseits besteht keine Alternative, wenn die Notfallkoniotomie indiziert ist. Bei der retrospektiven Betrachtung von „Can't intubate – can't oxygenate"-Situationen wurde die Entscheidung zur Notfallkoniotomie häufig zu spät oder nicht getroffen. Die Gründe für die zögerliche Entscheidung liegen oftmals in der klinischen Fehleinschätzung der Situation und der Furcht, mit der invasiven Maßnahme „Notfallkoniotomie" mehr Schaden als Nutzen zu verursachen. Eine weitere Erklärung könnte sein, dass ein Verfahren in der Notfallsituation zur Anwendung kommt, mit dem die meisten Anwender keine Erfahrung in der jeweiligen Situation haben.

Bei bis zu mehr als 50 % aller Eingriffe kommt es zu teils schwerwiegenden Komplikationen. Ein zu hoher Schnitt kann Gefäße, Schildknorpel und Stimmbänder verletzen. Ein Schnitt zu weit seitlich führt zu einer Verletzung des N. laryngeus superior und der großen Halsgefäße. Erfolgt der Schnitt zu weit nach unten, kann eine Verletzung des Ringknorpels und der Schilddrüse mit massiver Blutung resultieren.

Die größte Gefahr besteht in einer nicht erkannten paratrachealen Lage des Tubus bzw. der Punktionskanüle. Der Patient kann dann nicht beatmet werden. Daher ist eine Auskultation der Lungenflügel und die Verwendung der Kapnografie obligat.

ACHTUNG! Die **Notfallkoniotomie** weist hohe Komplikationsraten von bis zu mehr als 50 % auf. Bei der chirurgischen Vorgehensweise sind eher Blutungskomplikationen zu verzeichnen, während bei den Punktionstechniken eher Verletzungen von benachbarten Organen auftreten.

IM FOKUS

Notfallkoniotomie

= Invasiver Zugang zur Luftröhre durch das **Ligamentum cricothyroideum** (früher: conicum)

- **Indikation:** Max. 2 Intubationsversuche < 30 Sekunden Dauer, max. 2 Versuche der Etablierung eines supraglottischen Atemwegs **und** Versuch einer suffizienten Beutel-Masken-Beatmung sind **gescheitert**
- **Vier Techniken:**
  - Punktionskoniotomie (Catheter Over Needle)
  - Seldinger-Technik
  - Chirurgische Koniotomie (chirurgisch-anatomische Präpariertechnik)
  - Front of Neck Access (FONA)
- Derzeit sind die chirurgische Koniotomie oder FONA am ehesten Mittel der Wahl
- Hohe Komplikationsraten (bis mehr als 50 %)

WIEDERHOLUNGSFRAGEN

1. Wie entfernen Sie große Fremdkörper, die vor der Stimmritze liegen (→ Kap. 18.1.2)?
2. Wie ermitteln Sie die Einführtiefe des Absaugkatheters, den Sie beim oralen Absaugen einführen (→ Kap. 18.1.3)?
3. Was ist der Esmarch-Handgriff (→ Kap. 18.1.5)?
4. Nennen Sie Indikationen für den Wendl-Tubus (→ Kap. 18.2.2).
5. Wie ermitteln Sie die Größe des einzulegenden Guedel-Tubus (→ Kap. 18.2.2)?
6. Wie viel Sauerstoff bekommt ein als potenziell oder definitiv kritisch eingeschätzter Patient (→ Kap. 18.3.3)?
7. Wie ist die Langzeit-Sauerstofftherapie definiert (→ Kap. 18.3.4)?
8. Worauf achten Sie, wenn Sie den C-Griff bei der Beutel-Masken-Beatmung durchführen (→ Kap. 18.4.2)?
9. Beschreiben Sie den beidhändigen C-Griff und den beidhändigen TE-Griff (→ Kap. 18.4.2).
10. Woran erkennen Sie, dass Sie einen Patienten effektiv mit Beutel und Maske beatmen (→ Kap. 18.4.4)?
11. Was sind die Vorteile der supra-/extraglottischen Atemwegshilfen (→ Kap. 18.5.1)?
12. Wie bewertet die DGAI den Einsatz des Larynx-Tubus in der Kindernotfallmedizin (→ Kap. 18.5.1)?
13. Welche vier Probleme sind durch die Doppel-Cuff-Konstruktion bei der Larynx-Tubus-Anwendung möglich und wie können sie gelöst werden (→ Kap. 18.5.3)?
14. Was versteht man bei der endotrachealen Intubation unter der direkten Laryngoskopie (→ Kap. 18.6.4)?
15. Wer gilt nach DGAI-Empfehlung als geübte Person in der Intubation (→ Kap. 18.6)?
16. Nennen Sie das Material zur Intubation (→ Kap. 18.6.2).
17. Welche Probleme treten auf, wenn mehrere Intubationsversuche notwendig sind (→ Kap. 18.6.5)?
18. Welche Konstruktionsarten werden bei der Videolaryngoskopie unterschieden (→ Kap. 18.6.5)?
19. Beschreiben Sie, was man unter einem Bougie versteht und nennen Sie vier Einsatzmöglichkeiten (→ Kap. 18.6.6).
20. Nennen Sie Zeichen einer gelungenen Intubation (→ Kap. 18.6.8).
21. Welche Konstellation gilt als Voraussetzung dafür, dass eine Notfallkoniotomie angezeigt ist (→ Kap. 18.7)?
22. Welche vier Techniken der Notfallkoniotomie lassen sich unterscheiden (→ Kap. 18.7.2)?

AUFLÖSUNG DES FALLBEISPIELS

Verdachtsdiagnosen

Hypoglykämie, Schlaganfall, Herzrhythmusstörung, Vergiftung

Schlüsselinterventionen

Der Patient reagiert nur ungezielt auf das Setzen eines Schmerzreizes. Bei der Beurteilung des Atemwegs werden Fremdkörper und Erbrochenes im Mund-Rachen-Raum sichtbar. Der Mund wird manuell ausgeräumt und anschließend das flüssige Sekret abgesaugt. Nach vorsichtigem Überstrecken des Kopfes verschwindet das schnarchende Atemgeräusch. Der Patient atmet jetzt normofrequent mit ausreichendem Atemzugvolumen. Zum Offenhalten des Atemwegs wird ein Nasopharyngealtubus eingelegt und dem Patienten anschließend hoch dosiert Sauerstoff über eine Sauerstoffmaske mit Reservoirsystem verabreicht.

Der periphere Puls ist gut tastbar, aber verlangsamt. Die Rekapillarisierungszeit liegt unter 2 Sekunden. Die Pupillen des Patienten sind anisokor und reagieren verzögert auf Lichteinfall. Die SAMPLER-Anamnese wird über die anwesende Ehefrau erhoben. Sie berichtet, dass ihr Mann mit rasenden Kopfschmerzen aufgewacht und anschließend in das Badezimmer gegangen sei. Bei dem Patienten ist eine Hypertonie bekannt, die mit Bisoprolol behandelt wird.

Das Standardmonitoring wird angelegt und die Vitalparameter werden exakt erhoben. Weiterhin wird ein peripherer Zugang installiert. Die Vitalwerte sind: AF = 18/Min., SpO_2 = 90 %, HF = 62/Min., RR = 150/86 mmHg, EKG = Sinusrhythmus.

Wegen des Patientenzustands wird eine Intubationsnarkose vorbereitet. Nach Eintreffen des Notarztes wird aus Sicherheitsgründen ein zweiter i.v.-Zugang gelegt. Der Patient wird narkotisiert und unter manueller Inline-Stabilisierung der HWS mit einem Videolaryngoskop mit Macintosh-ähnlichem Spatel unter Verwendung eines Intubations-Bougies intubiert. Über den Bougie wird während des Intubationsvorgangs im Sinne einer apnoeischen Oxygenierung hochdosiert Sauerstoff verabreicht. Nach Tubuslageverifizierung mittels $etCO_2$ und Auskultation wird oral unter Sicht eine Magensonde gelegt und abgesaugt. Der Patient wird im Folgenden kapnometriegesteuert beatmet (Ziel: $etCO_2$ 35–40 mmHg) und bei stabilen Kreislaufverhältnissen in 30°-Oberkörperhochlagerung schnellstmöglich unter Voranmeldung in eine Klinik mit aufnahmebereiter Neurochirurgie gebracht.

Diagnose

Intrakranielle Blutung (ICB) bei bekanntem Hypertonus.

WEITERFÜHRENDE LITERATUR

Deutsche Gesellschaft für Anästhesie und Intensivmedizin (DGAI). AWMF S1-Leitlinie „Prähospitales Atemwegsmanagement“. 2019. AWMF-Register-Nr.: 001–040. Aus: https://www.awmf.org/uploads/tx_szleitlinien/001-040l_S1_Praehospitales-Atemwegsmanagement_2019-03_1.pdf (letzter Aufruf: 26.7.2023).

Deutsche Gesellschaft für Unfallchirurgie e. V. S3-Leitlinie Polytrauma/Schwerverletzten-Behandlung (AWMF Registernummer 187-023), Version 4.0 (31.12.2022). https://www.awmf.org/leitlinien/detail/ll/187-023.html (letzter Aufruf 26.7.2023).

Flake F, Runggaldier K. Arbeitstechniken A–Z für den Rettungsdienst. 3. A. München: Elsevier/Urban & Fischer, 2018.

Ibanez B, James S, Agewall S et al. ESC Guidelines for the management of acute myocardial infarction in patients presenting with ST-segment elevation: The Task Force for the management of acute myocardial infarction in patients presenting with ST-segment elevation of the European Society of Cardiology (ESC). Eur Heart J. 2018; 39(2): 119–177.

Koehler N. Die Geschichte des Sauerstoffs – von der Entdeckung bis zur medizinischen Anwendung. Pneumologie. 2009; 70 (Suppl): 149–154.

NAEMT. PHTLS – Prehospital Trauma Life Support (PHTLS). 9. Edition – Deutsche Ausgabe Burlington (MA, USA): Jones & Bartlett Learning, 2022.

Roewer N, Thiel H. Taschenatlas Anästhesie. 6. A. Stuttgart: Thieme, 2017.

19

MASCHINELLE BEATMUNG

Stephan Dönitz

FALLBEISPIEL

Notfallmeldung

Der Rettungsleitstelle wird gegen 10:00 Uhr ein 70-jähriger Patient mit starker Atemnot in einem Einfamilienhaus gemeldet. Daraufhin werden RTW und NEF alarmiert.

Situation und Ersteindruck

Der RTW trifft 6 Minuten nach Alarmierung ein. Die RTW-Besatzung wird in eine stark nach Zigarettenrauch riechende Wohnung geführt. Dort findet sie einen auf einem Sessel sitzenden Patienten vor. Er ist ziemlich dünn und ringt verzweifelt nach Luft.

Leitsymptom

Starke Atemnot.

INHALTSÜBERSICHT

19.1 GRUNDLAGEN DER MASCHINELLEN BEATMUNG

- Die Vielzahl an differenzierten Beatmungsmethoden, die moderne Geräte bieten, erfordert ein fundiertes pathophysiologisches Wissen. Dazu gehören Kenntnisse über technische Grenzen/Möglichkeiten des verwendeten Geräts sowie an den Patienten angepasste Einstellungen.
- Zu den wichtigsten Widerständen in der Atemmechanik gehören die Compliance und Resistance. Die Compliance (C) beschreibt die elastischen Widerstände, die Resistance (R) die Strömungswiderstände.
- Vereinfacht besteht das respiratorische System aus der muskulären Atempumpe und dem Lungenparenchym (gasaustauschendes Organ). Daraus ergeben sich bei Störungen dieser Komponenten zwei zu unterscheidende Pathophysiologien, nämlich die ventilatorische Insuffizienz (Versagen der Atempumpe) und die Oxygenierungsstörung (hypoxämische Ateminsuffizienz). Zudem treten auch Mischformen auf.

19.2 FORMEN DER BEATMUNG

- Man unterscheidet die nichtinvasive (NIV) von der invasiven Beatmung. Der wesentliche Unterschied zwischen NIV und invasiver Beatmung ist, dass bei der NIV der Beatmungszugang in Form einer Maske außerhalb des Körpers liegt, bei der invasiven Beatmung befindet er sich im Körper (in den Atemwegen).
- Die maschinelle Unterstützung der Spontanatmung erfolgt stets mit Überdruck, auch die Beatmung mit Respiratoren ist eine Überdruckbeatmung. Die physiologischen inspiratorischen Druckverhältnisse werden dabei umgekehrt.
- Man unterscheidet assistierte und kontrollierte Beatmungsformen, mitunter sind die Übergänge fließend. Bei der kontrollierten Beatmung kann die volumenkontrollierte Beatmung (Volume Controlled Ventilation, VCV) von der druckkontrollierten Beatmung (Pressure Controlled Ventilation, PCV) unterschieden werden.
- Mischformen wie die druckregulierte volumenkontrollierte Beatmung (Pressure Regulated Volume Controlled Ventilation, PRVC) sollen die Vorteile von VCV (Volumenkonstanz) und PCV (günstigere Gasverteilung in der Lunge) kombinieren.
- Die unterstützte Spontanatmung wird im Rettungsdienst meistens als Continuous Positive Airway Pressure-Therapie (CPAP), ggf. kombiniert mit maschineller Druckunterstützung (Assisted Spontaneous Breathing, Pressure Support) durchgeführt.
- Basisparameter der kontrollierten Beatmung sind Atemfrequenz (bzw. Beatmungsfrequenz) und Atemminutenvolumen bzw. Atemhubvolumen, maximaler Inspirationsdruck (P_{max}), I : E-Verhältnis, Positive Endexpiratory Pressure (PEEP) und inspiratorischer Sauerstoffgehalt (FiO_2), die für jeden Notfallpatienten individuell eingestellt werden müssen.
- Die Druckamplitude ΔP wird auch Driving Pressure genannt und ist die treibende Kraft für die inspiratorische Ausdehnung der Lunge.
- Das Atemhubvolumen (V_T) wird mit 6 ml/kg KG (Idealgewicht) kalkuliert. Die Beatmungsfrequenz (f) wird alters- und bedarfsgerecht angepasst. Daraus ergibt sich das Atemminutenvolumen ($f \times V_T = AMV$).
- Das Idealgewicht wird grob kalkuliert anhand folgender Formel: (Körpergröße [in cm] – 100) – 10 %.

19.3 AUSWIRKUNGEN DER MASCHINELLEN BEATMUNG

- Der Grundsatz, dass kaum ein Verfahren oder Medikamenteneinsatz ohne Nebenwirkungen einhergeht, gilt auch für die positive Druckbeatmung.
- Die Überdruckbeatmung kann durch verschiedene Mechanismen zu einer Beeinflussung des Herz-Kreislauf-Systems führen. Insbesondere spielt eine Rolle, wie der aktuelle Volumenstatus des Patienten und die Pumpleistung seines rechten und linken Ventrikels ist.

19.4 TRANSPORT BEATMETER PATIENTEN

- Die Beatmung von Notfallpatienten erfordert eine sorgfältige Beobachtung von Patient und Beatmungsgerät. Außerdem gehören EKG, RR, Pulsoxymetrie und die exspiratorische CO_2-Messung zum zwingend erforderlichen Monitoring.
- Ein sehr wichtiger Parameter ist beim beatmeten Patienten die Kohlendioxidabatmung ($etCO_2$). Ein Ausbleiben von abgeatmetem CO_2 deutet i. d. R. auf ein lebensbedrohliches Problem hin.
- Die Kapnometrie/-grafie erlaubt nicht nur eine Überwachung der Beatmung, sondern auch eine Einschätzung der Kreislaufsituation, vor allem im zeitlichen Verlauf.
- Das Einstellen von sinnvollen Alarmgrenzen gehört zu einer verantwortungsvollen Durchführung der Beatmung. Wichtige Parameter sind u. a. der maximale inspiratorische Druck P_{max} (Stenosealarm), der minimale inspiratorische Druck (Diskonnektionsalarm) sowie die untere und obere Grenze für das Atemminutenvolumen (AMV).
- Griffbereit sollen jederzeit ein Handbeatmungsbeutel mit PEEP-Ventil und Sauerstoffquelle (am besten Demand-Ventil) sein.
- Das Akronym DOPE/HAND ermöglicht ein strukturiertes Vorgehen beim Auftreten eines akuten Beatmungsproblems.

19.5 HEIMBEATMUNG

- Die Heimbeatmung, auch als außerklinische Beatmung bezeichnet, ist eine maschinelle Beatmungstherapie, die außerhalb von Intensiv- oder Überwachungsstationen erfolgt, z. B. zu Hause, in Wohngruppen oder im Pflegeheim.

19.6 BEATMUNGSSTRATEGIEN

- Sowohl Asthma bronchiale als auch die COPD können mit Air-Trapping einhergehen, weil die Schwellung der Bronchialschleimhaut die Ausatmung behindert. Die Beatmungsstrategie der Wahl ist bei COPD die nichtinvasive Beatmung.

Alter	Frequenz/Min.
Neugeborenes	40
Säugling	30
Kleinkind (1–3 Jahre)	25
Kind (4–12 Jahre)	20
Jugendlicher (ab 13 Jahre)	15

Tab. 19.2 Richtwerte für die Beatmungsfrequenz bei maschineller Beatmung im Kindesalter. Die Angaben dienen lediglich der raschen Orientierung und müssen im Einzelfall immer den Bedürfnissen des Kindes angepasst werden (z. B. mittels Kapnografie). Gute Hilfe bieten pädiatrische Lineale.

MERKE

Falls ein Patient eine Erkrankung hat, bei der es durch Kompensationsversuche zu einer Hyperventilation kommt, sollte, falls eine Beatmung notwendig wird, auch eine maschinelle Beatmung mit höherer Frequenz durchgeführt werden. Ein Beispiel ist ein Patient mit ketoazidotischem hyperglykämischem Koma. Aufgrund der metabolischen Azidose versucht der Körper, durch schnellere, tiefe Atmung (Kußmaul-Atmung) die Azidose zu begrenzen. Wird bei solch einem Patienten eine maschinelle Beatmung erforderlich, sollte die Beatmungsfrequenz diesen Umstand berücksichtigen.

Atemzeitverhältnis (I : E)

DEFINITION

Atemzeitverhältnis (auch **Beatmungszeitverhältnis** oder **I/E-Ratio**): zeitliches Verhältnis der Inspirationsdauer T_I oder auch T_{insp} zur Exspirationsdauer T_E oder T_{exsp}, daher auch **I : E** abgekürzt. Bei kontrollierter Beatmung kann das Atemzeitverhältnis vom Anwender eingestellt werden.

Normalerweise dauert die Ausatmung etwas länger als die Einatmung. **Ein Atemzeitverhältnis im Bereich von 1 : 1,5 bis 1 : 2 ist physiologisch.** Bei manchen einfachen Beatmungsgeräten, wo das I : E-Verhältnis bei kontrollierter Beatmung fest vorgegeben ist (Medumat Standard-Familie, → Kap. 19.7), wurde als Kompromiss ein dazwischen liegender Wert von 1 : 1,67 bzw. 1 : 1,7 herstellerseitig gewählt. Einige Beispiele sollen das Zusammenspiel von Frequenz und Atemzeitverhältnis verdeutlichen, da diese sich wechselseitig beeinflussen:

- Wird ein Patient mit einer Frequenz von f = 10/Min. beatmet, hat die Beatmungsmaschine pro Atemzyklus 6 Sekunden Zeit (60 Sek. ÷ 10 = 6 Sek.). Bei einem I : E-Verhältnis von 1 : 2 bedeutet das, dass von diesen 6 Sekunden 2 für die Inspiration und 4 für die Exspiration zur Verfügung stehen.
- Wird der Patient jedoch mit einer Frequenz von f = 12/Min. beatmet, stehen pro Atemzyklus nur noch 5 Sekunden zur Verfügung (60 Sek. ÷ 12 = 5 Sek.). Bei einem I : E-Verhältnis von 1 : 2 bleiben dann „nur" noch 1,66 Sekunden Zeit für die Inspiration anstatt 2 Sekunden wie oben.
- Wird eine Beatmungsfrequenz von f = 15/Min. gewählt, so stehen pro Atemzyklus der Beatmungsmaschine nur noch 4 Sekunden zur Verfügung (60 Sek. ÷ 15 = 4 Sek.). Bei einem I : E-Verhältnis von 1 : 2 stehen für die Inspiration 1,33 Sekunden zur Verfügung. Würde man das Atemzeitverhältnis auf 1 : 1 ändern, hätte das Beatmungsgerät 2 Sekunden Zeit für die Inspiration und 2 Sekunden für die Exspiration.

MERKE

- Je **höher** die eingestellte Beatmungsfrequenz ist, umso **kürzer** sind die verfügbaren Zeiten für Inspiration und Exspiration.
- Je **niedriger** die eingestellte Beatmungsfrequenz ist, umso **länger** sind die verfügbaren Zeiten für Inspiration und Exspiration.

Je nach verwendetem Beatmungsgerät kann es sein, dass das I : E-Verhältnis **direkt** am Gerät eingestellt werden kann. Bei anderen Geräten ergibt sich das I : E-Verhältnis **indirekt** daraus, welche Inspirationszeit und Beatmungsfrequenz eingestellt werden. Bei letzteren Geräten führt jede Frequenzänderung bei unveränderter Inspirationszeit folglich zu einer Änderung des I : E-Verhältnisses.

Die Auswirkung der Atemfrequenz auf das Atemzeitverhältnis verdeutlicht folgende Annahme: Patienten mit obstruktiven Lungenerkrankungen benötigen eine verlängerte Zeit, um auszuatmen. Steht diese Ausatemzeit im Rahmen einer Beatmung nicht zur Verfügung, kann es dazu kommen, dass noch ein Rest des Tidalvolumens in der Lunge verblieben ist und nicht abgeatmet werden konnte, bevor der nächste maschinelle Beatmungshub erfolgt. Die Folge ist eine zunehmende Überblähung der Lunge. Dieses Phänomen nennt man **„Air-Trapping"** (→ Kap. 19.6.1). Beatmet man z. B. einen Patienten mit einer schweren obstruktiven Lungenerkrankung und möchte die Exspirationszeit verlängern, z. B. auf 1 : 3, dann verkürzt sich dadurch die Zeit, die für die Inspiration zur Verfügung steht, erheblich.

Stellen wir uns vor, der Patient wird mit einer Frequenz von f = 15/Min. beatmet. Vier Sekunden stehen dann pro Atemzyklus zur Verfügung. Bei einem Atemzeitverhältnis von 1 : 3 steht dem Beatmungsgerät nun lediglich noch 1 Sekunde Zeit für die Inspiration zur Verfügung. Das wird jedoch zu wenig sein, um die Lunge des Patienten adäquat belüften zu können. Beatmet man diesen Patient nun mit einer niedrigeren Frequenz, z. B. mit f = 10/Min., dann stehen zwar 6 Sekunden pro Atemzyklus zur Verfügung. Aber selbst bei der Einstellung des Atemzeitverhältnisses von 1 : 3 hat das Beatmungsgerät nur 1,5 Sekunden Zeit für die Inspiration. Wenn man den Patienten womöglich nur mit einer Frequenz von f = 8/Min. beatmet, stehen zwar 7,5 Sekunden pro Atemzyklus zur Verfügung, für die Inspiration hätte das Gerät aber dennoch nur 1,875 Sekunden Zeit. Da das Ziel der Beatmung neben der Sauerstoffgabe auch in der Elimination von Kohlendioxid (CO_2) besteht, kann man die Beatmungsfrequenz natürlich nicht beliebig reduzieren.

Bei akutem hypoxämischen respiratorischen Versagen und ARDS kann eine verlängerte Inspirationszeit vorteilhaft sein, weil damit der inspiratorische Spitzendruck gesenkt werden kann. Eine Leitlinie rät, bei diesen Patienten eine Beatmung mit verlängerter Inspirationszeit im Bereich von 1 : 1 bis 1 : 1,5 vorzunehmen. Eine Umkehrung des Atemzeitverhältnisses, bei der die Inspirationszeit größer ist als die Exspirationszeit, ein sog. **inverses Atemzeitverhältnis** (IRV, Inverse ratio Ventilation), soll **nicht** angewendet werden.

Atemhubvolumen und Atemminutenvolumen

DEFINITION

Atemhubvolumen: Volumen, das pro maschinellem Atemhub verabreicht wird. Auch als Tidalvolumen (engl. Volume tidal, V_T) bezeichnet.
Atemminutenvolumen (AMV): pro Minute verabreichte Menge Atemgasvolumen. Ist bei volumenkontrollierten Beatmungsformen das Produkt aus Beatmungsfrequenz f und Tidalvolumen V_T: AMV = f × V_T.

Früher wurden Patienten mit einem recht hohen Atemhubvolumen (V_T) von 10–15 ml/kg KG Idealgewicht (ohne PEEP) beatmet. Als ein Meilenstein müssen die Ergebnisse der ARDS-Network-Studie angesehen werden, die im Jahr 2000 veröffentlicht wurden. In der Gruppe, die mit einem niedrigen Atemhubvolumen von 6 ml/kg KG Idealgewicht beatmet wurden, war das Sterberisiko um 25 % reduziert. Die Studie wurde sogar vorzeitig abgebrochen, weil man es für unethisch hielt, sie fortzuführen und die Patienten in der Gruppe mit hohem Atemhubvolumen weiter zu schädigen. Die Anwendung eines Atemhubvolumens von 6 ml/kg KG (Idealgewicht) ist seitdem eine der wenigen evidenzbasierten Leitlinien bei der Behandlung von akutem Lungenversagen. Sie stellt zugleich die Grundlage für das Konzept der lungenprotektiven Beatmung dar.

Heutzutage akzeptiert man im Einzelfall aber auch niedrigere Atemhubvolumina von 4 ml/kg KG. Wie lässt sich das erklären? Beim akuten Lungenversagen ist die Fläche, die für den Gasaustausch zur Verfügung steht, kleiner als beim gesunden Patienten. Bei einem schweren ARDS machen die normal ventilierten Lungenareale nur noch 20–30 % der physiologischen Gasaustauschfläche aus. Der ARDS-Patient hat also bildlich gesprochen nur noch die Gasaustauschfläche eines Kleinkindes. Aus diesem Grund wird für die ARDS-geschädigte Lunge auch der Begriff „Babylunge“ verwendet. Allerdings gehört zur lungenprotektiven Beatmung mehr, als den Patienten mit einem geringen Atemhubvolumen zu beatmen.

Der Großteil der ARDS-Patienten verstirbt an einem **Multiorganversagen** und nicht an einer Hypoxie oder Rechtsherzversagen (ausgelöst durch die Rechtsherzbelastung im Zuge einer Beatmung mit hohen Beatmungsdrücken bzw. hohem PEEP). Daher stellt sich die Frage, ob tatsächlich eine Reduktion des Tidalvolumens Ursache für verbessertes Überleben ist. Heute ist jedoch bekannt, dass zwischen **mechanischem Stress auf das Lungengewebe** und einer pulmonalen und systemischen Entzündungsreaktion (sog. **Inflammation**) ein Zusammenhang besteht. Dies haben zahlreiche Studien gezeigt.

MERKE

Lungenprotektive Beatmung

Der Begriff „protektiv“ bedeutet **schützen** oder **als Schutz dienend.** Somit könnte man meinen, dass die Lunge bei der lungenprotektiven Beatmung gänzlich vor schädlichen Auswirkungen einer maschinellen Beatmung geschützt werden kann. Tatsächlich kann diese Beatmungsstrategie das Ausmaß der beatmungsassoziierten Schäden jedoch eher begrenzen – nicht aber verhindern.

Eine Interpretation der Ergebnisse kann zu folgender Schlussfolgerung führen:

MERKE

Ein PEEP von 5–10 mbar in Verbindung mit einem Atemhubvolumen von (4)–**6** ml/kg KG (**Ideal**körpergewicht), eine Vermeidung von Beatmungsspitzendrücken oberhalb von 30 mbar und eine Beatmungsdruckamplitude von ≤ 15 mbar ist eine sinnvolle Einstellung, egal ob der Patient pulmonal krank ist oder aufgrund anderer Ursache beatmet wird.

ACHTUNG! Idealkörpergewicht bei Beatmung

Ist ein Patient übergewichtig, wird seine Lunge dadurch nicht größer. Das verabreichte Atemhubvolumen soll sich daher im Rahmen der maschinellen Beatmung bzw. unterstützten Spontanatmung am **Idealkörpergewicht** orientieren.

Maximaler Inspirationsdruck (P_{max})

Während bei der druckkontrollierten Beatmung der Inspirationsdruck (P_{insp}) durch den Anwender vorgegeben wird, ergibt sich bei der volumenkontrollierten Beatmung der **inspiratorische Spitzendruck** aus dem vorgegebenen Atemhubvolumen (aber auch aus dem Inspirationsflow, → Abb. 19.11). Gerade bei einer vorgeschädigten Lunge ist aber auf die Vermeidung von zu hohen Beatmungsdrücken zu achten. Generell gilt, **dass bei Erwachsenen ein Beatmungsdruck von 30 mbar dauerhaft nicht überschritten** werden sollte. Daher ist dringend anzuraten, eine **inspiratorische Druckbegrenzung (P_{max})** einzustellen. Als Anhaltswert gilt, dass diese auf den Wert eingestellt werden sollte, der 10 mbar oberhalb des Drucks liegt, der mit einem normalen Beatmungshub erzielt wird. Andere Experten empfehlen hingegen aus Gründen der Patientensicherheit, die inspiratorische Druckbegrenzung so niedrig wie möglich einzustellen.

Vorsicht ist bei Beatmungsgeräten geboten, die bei Erreichen der inspiratorischen Druckbegrenzung den Beatmungsvorgang abbrechen und auf Exspiration umschalten. Dies führt dazu, dass das beabsichtigte

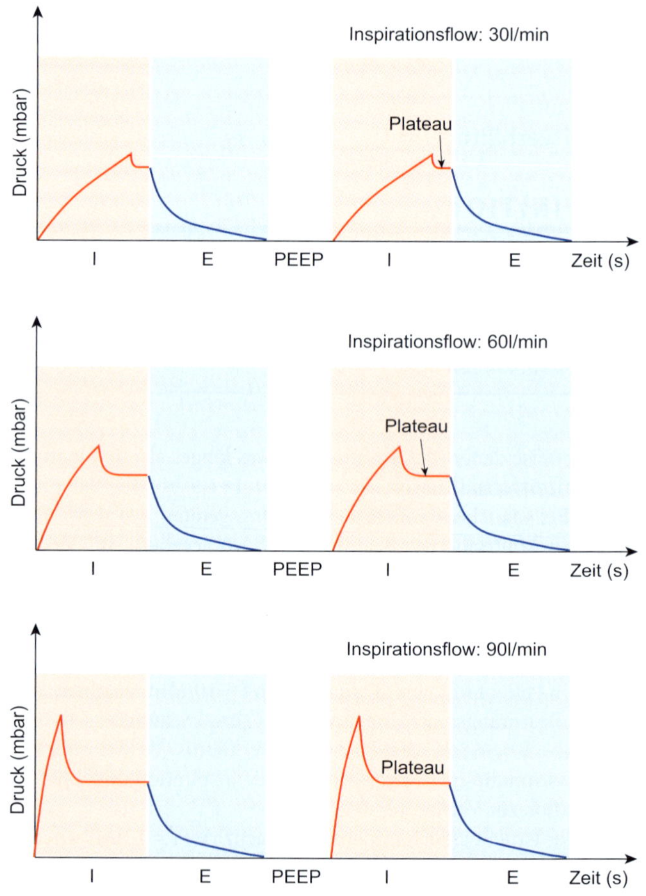

Abb. 19.11 Die Druckkurve (Druck-Zeit-Diagramm) einer volumenkontrollierten Beatmung zeigt den **Einfluss des Inspirationsflows auf den inspiratorischen Spitzendruck:** Man erkennt in der oberen Grafik einen flachen Druckanstieg und ein sehr kurzes endinspiratorisches Plateau (flacher Abschnitt der Druckkurve vor Beginn der Exspiration). In den anderen Grafiken (Mitte und unten mit höherem Inspirationsflow) ist ein zunehmend steiler Druckanstieg zu beobachten, außerdem nimmt der Atemwegsspitzendruck zu und die Plateauphase wird länger. [L143]

Tidalvolumen nicht erreicht wird. Tritt dies wiederholt auf, droht eine Hypoventilation des Patienten.

Flow (Inspirationsflow)

DEFINITION

Flow (engl.: Strömung, Durchfluss): Beschreibt die **Volumenlieferung pro Zeiteinheit.** Anders gesagt, Flow bezeichnet die **Geschwindigkeit,** mit der das Atemgas in die Lunge hinein- oder herausströmt (inspiratorischer und exspiratorischer Atemgasfluss). Der Flow wird in **l/Min.** oder **l/Sek.** angegeben.
Die meisten Respiratoren ermöglichen eine Darstellung des inspiratorischen und exspiratorischen Atemgasflusses im zeitlichen Verlauf als **Flow-Kurve (Fluss-Zeit-Kurve, Flow-Zeit-Diagramm)** auf dem Display.

Ein Vergleich verdeutlicht, was der Begriff Flow im Kontext zur Atmung/Beatmung bedeutet: Wenn man sehr ruhig atmet, strömt die Luft langsam in die Lunge hinein und heraus. Dementsprechend liegt ein niedriger Flow vor. Wenn wir bewusst sehr kräftig atmen, ist der Flow höher. Der Flow kann aber im Rahmen von krankhaften Prozessen verlangsamt sein, z. B. beim Patienten mit Asthma bronchiale, der langsamer ausatmet, weil der Atemwegswiderstand erhöht ist (erhöhte Resistance, → Kap. 19.1.2).

Zugleich ist der Flow jedoch auch ein Parameter, der bei leistungsfähigeren Beatmungsgeräten vom Anwender eingestellt werden kann, er wird dann **Inspirationsflow** (auch **Peak Flow**) genannt.

MERKE

Der Inspirationsflow ist nur bei **volumenkontrollierten** Beatmungsmustern einstellbar, während bei druckkontrollierten Beatmungen die **Druckanstiegszeit** (sog. **Rampe,** empfohlene Standardeinstellung: 0,2 Sek.) eingestellt werden kann. Im Prinzip bewirkt eine kurze Druckanstiegszeit den gleichen Effekt wie ein hoher Inspirationsflow.

Ein niedriger Inspirationsflow ermöglicht eine Beatmung mit niedrigen Drücken. Je niedriger der Flow ist, mit dem das vorgegebene Atemhubvolumen in der vorgegeben Zeit erreicht werden kann, desto besser. Je höher der Flow ist, umso schneller füllt sich die Lunge mit dem Atemgas und desto höher ist auch der inspiratorische Spitzendruck (was unerwünscht ist, → Abb. 19.11). Außerdem führt ein hoher Inspirationsflow zu einer ungleichmäßigen (inhomogenen) Verteilung des Atemgases, sodass es in den „schnellen“ Lungenabschnitten zu einer Überblähung, in den „langsamen“ Lungenabschnitten zu einer unzureichenden Belüftung kommen kann. Empfohlen wird für kontrollierte (mandatorische) Beatmungsformen ein Inspirationsflow im Bereich von 30–50 l/Min., für Spontanatmungsformen 45–90 l/Min. Oft arbeitet man bei der Beatmung von Notfallpatienten im Rettungsdienst mit der vom Gerätehersteller vorgegebenen Einstellung. Der Oxylog® 2000 plus bietet (je nach Versorgungsdruck) z. B. einen maximalen Flow von 80 l/Min. bzw. 100 l/Min.

Zudem kann bei manchen Beatmungsgeräten das **Flowprofil** eingestellt werden. Damit ist gemeint, welche Form der Flow aufweist, wenn er grafisch (Flow-Kurve) dargestellt wird: rechteckig, akzelerierend oder dezelerierend. Da der **dezelerierende** (= abnehmende) Flow (mehr dazu in → Kap. 19.2.3) am wenigsten zu beatmungsassoziierten Lungenschäden beizutragen scheint, sollte dieses Flowprofil bevorzugt werden. In → Abb. 19.17 (Mitte) ist das Flowprofil einer volumen- und einer druckkontrollierten Beatmung im Vergleich zu sehen.

PEEP (Positive End-Expiratory Pressure)

DEFINITION

PEEP (positiv endexspiratorischer Druck): Verhindern des vollständigen Entweichens der Ausatemluft durch ein Ventil. Dieser am **Ende der Ausatmung** (endexspiratorisch) in den Atemwegen aufrechterhaltene Druck ist der PEEP-Wert. Standardeinstellung: 5–8 mbar.

Die Effekte einer PEEP-Anwendung (bzw. CPAP) sind ausführlich in → Kap. 19.2.5 und → Kap. 19.3.2 besprochen. Angemerkt sei, dass aus atemphysiologischen Überlegungen auch bei der Beatmung eines lungengesunden Patienten ein PEEP von ≥ 5 mbar eingestellt werden sollte, da dies zur Aufrechterhaltung der funktionellen Residualkapazität (FRC) beiträgt. Bei Patienten mit Adipositas sind PEEP-Werte ≥ 10 mbar indiziert, da hier die FRC schon deutlich herabgesetzt ist. Im hämorrhagischen Schock kann bis zur Stabilisierung des Kreislaufs auf einen PEEP verzichtet werden. Bei Patienten, bei denen die Gefahr einer Hirndruckerhöhung besteht, sollte ein PEEP im niedrigen Bereich von z. B. 5 mbar gehalten werden.

MERKE

Der Inspirationsdruck öffnet die Lunge, der PEEP hält die Lunge offen. In der intensivmedizinischen Praxis kommen PEEP-Werte bis zu 20 mbar zur Anwendung.

Trigger

DEFINITION

Trigger: Als „triggern“ oder „Triggerung“ bezeichnet man es, wenn der Patient den **maschinellen Atemhub** innerhalb eines kontrollierten Beatmungsmusters **selbst auslöst.** Dies soll eine Interaktion zwischen Patient und Beatmungsgerät ermöglichen.
Technisch gesehen unterscheidet man zwischen dem **Drucktrigger** und dem **Flowtrigger.**
„Die Triggerschwelle ist der Betrag, um den der Druck unter den Bezugsdruck (= PEEP) abfallen muss, damit eine Inspiration ausgelöst wird (= Drucktrigger). Bei einem Flowtrigger wird die Triggerschwelle als Flowäquivalent in l/Min. eingestellt“ (Rathgeber et al. 2010). In modernen Geräten verwendet man vorrangig Flowtrigger, da die zu ihrer Auslösung erforderliche Atemarbeit (Triggerarbeit) geringer ist.

Die Triggerschwelle kann, sofern das Beatmungsgerät die Option bietet, vom Anwender eingestellt werden. Der Oxylog® 3000 plus (Flowtrigger) ist werksseitig z. B. auf einen Trigger von 3 l/Min. eingestellt.

MERKE

Empfohlene Triggerschwelle:
- Drucktrigger < 1 mbar unter PEEP
- Flowtrigger 2–5 l/min

Das Triggern setzt voraus, dass das Beatmungsgerät erkennt, dass der Patient versucht, spontan einzuatmen, wozu ein gewisses Maß an Kraft vom Patienten aufgebracht werden muss. Ist die Triggerschwelle zu hoch eingestellt, wird beim spontanatmenden Patienten die Atemarbeit erhöht, weil die Einatembemühungen ineffektiv sind. Dies kann ein Gefühl von Atemnot, Stress, Angst und motorische Unruhe auslösen. Falls der Patient das Beatmungsgerät nicht triggert, erfolgt die Beatmung zeitgesteuert, also maschinell. Die Beatmung kann dabei je nach Einstellung volumen- oder druckkontrolliert erfolgen. Aufgrund der oben beschriebenen Eigenschaften spricht man von **assistierter kontrollierter** Beatmung. Ziel ist es, die Synchronisierung zwischen Patient und Beatmungsgerät zu verbessern. Zu diesen Beatmungsformen gehören:

- VC-AC = Volume Controlled-Assist Control Ventilation
- S-CMV = Synchronized Continuous Mandatory Ventilation
- S-IPPV = Synchronized Intermittent Positive Pressure Ventilation
- IPPV-Assist = Intermittent Positive Pressure Ventilation-Assist

Oxygenierungsparameter und Ventilationsparameter

Bei der Einstellung des Beatmungsgeräts muss zwischen Oxygenierungsparametern und Ventilationsparametern unterschieden werden (→ Tab. 19.3).

Ventilationsparameter	Oxygenierungsparameter
Steuerung des CO_2-Gehalts	Steuerung des Sauerstoffgehalts
• Atemhubvolumen (V_T) • Inspiratorische Druckdifferenz (P_{insp} – PEEP) • Atemfrequenz (f)	• F_iO_2 • PEEP • I : E-Verhältnis

Tab. 19.3 Ventilations- und Oxygenierungsparameter unter maschineller Beatmung

IM FOKUS

Beatmungsparameter

- **F_iO_2: „Fraction of Inspired Oxygen (O_2)":** inspiratorische Sauerstoffkonzentration
- **Atemfrequenz/Beatmungsfrequenz (f):** Anzahl Atemhübe pro Minute
- **Atemzeitverhältnis:** Verhältnis zwischen Inspiration und Exspiration (I : E)
- **Atemhubvolumen:** Volumen, das pro Atemhub verabreicht wird (V_T)
- **Atemminutenvolumen (AMV):** pro Minute verabreichte Menge Atemgasvolumen
- **Flow:** Geschwindigkeit, mit der das Atemgas in die Lunge hinein- oder herausströmt (inspiratorischer und exspiratorischer Atemgasfluss) in l/Min. oder l/Sek.
- **PEEP: P**ositive **E**ndexpiratory **P**ressure, positiver Druck am Ende der Ausatmung
- **Trigger:** Erkennungsschwelle eines Atemversuchs

19.2 Formen der Beatmung (Beatmungsmuster)

DEFINITION

Beatmungsmuster: Die zeitlichen Veränderungen von Druck, Flow und Volumen in den Atemwegen und damit die pulmonale Gasverteilung innerhalb des Beatmungszyklus werden durch das maschinelle Beatmungsmuster vorgegeben. Es wird durch die Einstellgrößen Tidalvolumen, Beatmungsfrequenz und Inspirationsflow, das Atemzeitverhältnis (Zeitdauer von In- und Exspirationsphase), die Dauer des inspiratorischen Plateaus sowie durch die Höhe des endexspiratorischen Drucks beschrieben.

Die Anzahl der Beatmungsformen bzw. Beatmungsmuster und die Einstellungsmöglichkeiten an modernen Respiratoren sind groß. Nicht umsonst gibt es viele, teils sehr umfangreiche Fachbücher, die sich ausschließlich mit der Beatmung beschäftigen. Dieses Kapitel soll ein allgemeines Verständnis für die Funktionsweise und die Unterschiede zwischen den im Rettungsdienst verwendeten Beatmungsformen vermitteln. Damit soll ermöglicht werden, die erworbenen Kenntnisse unabhängig vom Hersteller für die jeweiligen Geräte auf die Praxis zu übertragen.

MERKE

Für die **Beatmungsformen** werden auch im deutschsprachigen Raum meistens – nicht immer – englische Begriffe bzw. deren Abkürzungen verwendet. In der Praxis hat es sich eingebürgert, diese Abkürzungen deutsch auszusprechen, obwohl dies sprachlich nicht korrekt ist.

Bislang gibt es leider **keine einheitliche Terminologie** rund um die Beatmung eines Patienten. Es gibt zwar Bemühungen um eine Vereinheitlichung, aber sowohl der Begriff der künstlichen Beatmung (engl.: Artificial Respiration) als auch der Begriff der maschinellen Beatmung (engl.: Mechanical Ventilation) werden verwendet. Für den Anwender ist es hilfreich zu wissen, dass der englische Begriff „Ventilation" für Beatmung steht, während „Ventilation" im Deutschen eher als Oberbegriff für die Belüftung der Lungen, also Spontanatmung und Beatmung gemeinsam genutzt wird.

MERKE

Es gibt rund um die Beatmung verschiedene Begriffe, die z. T. das Gleiche bedeuten können. Die Abkürzungen PSV, ASB, PS und SPN-PS stehen alle für druckkontrollierte, patientengetriggerte und gesteuerte Beatmungsformen (Pressure Support Ventilation). BIPAP, Bi-Level, Duo-PAP, Bi-Vent stehen für druckorientierte Beatmungsformen (Pressure Controlled Ventilation, → Kap. 19.2.3), bei denen Höhe und Dauer beider Druckniveaus variabel und unabhängig voneinander eingestellt werden können.
Als Anwender muss man sich daher intensiv mit seinen Geräten beschäftigen, insbesondere dann, wenn man mit Geräten verschiedener Hersteller arbeitet. Deshalb ist es wichtig, die **Funktionsweise** der Beatmungsformen zu verstehen.

Die modernen Beatmungsgeräte, die im Krankenhaus Verwendung finden, sowie die komplexeren Nofallbeatmungsgeräte (z. B. Oxylog® 2000 plus/3000/3000 plus, Medumat Transport®, HAMILTON-T1®) ermöglichen einen „fließenden" Übergang von der kontrollierten Beatmung (der Patient hat keinen eigenen Atemantrieb) bis hin zur unterstützten Spontanatmung (der Patient hat einen eigenen Atemantrieb). Dies kann mit verschiedensten **Beatmungsformen** bzw. **Beatmungsmustern** (→ Tab. 19.4) und Einstellungen realisiert werden, wobei viele davon im

Atmung/Beatmung	Atemantrieb	Atemmuskulatur
Spontanatmung	Intakt	Suffizient
Unterstützte Spontanatmung	Intakt	Geschwächt
Mischventilation	Eingeschränkt bzw. instabil	Geschwächt
Kontrollierte Beatmung	Nicht vorhanden	Intakt oder gelähmt

Tab. 19.4 Formen der Atmung/Beatmung (nach Deden, Beatmungsmodi in der Intensivmedizin)

Rettungsdienst eine untergeordnete oder gar keine Rolle spielen. Einige Grundlagen soll der Notfallsanitäter jedoch kennen:

- Kontrollierte oder mandatorische Beatmungsformen:
  - Volumenkontrolliert
  - Druckkontrolliert
- Spontanatmung: unterstützte Spontanatemmodi

19.2.1 Kontrollierte (mandatorische) Beatmung – Übersicht

DEFINITION

Kontrollierte/mandatorische Beatmung (Continuous Mandatory Ventilation, CMV): Hierbei übernimmt das Beatmungsgerät vollständig die Beatmung der Lungen. Anders gesagt: *„Das Beatmungsgerät macht alles, der Patient macht nichts."*

Mit dem Begriff **mandatorisch** wird ausgedrückt, dass die Parameter ausschließlich im Mandat des Anwenders liegen. Bei der kontrollierten Beatmung wird je nach der Zielgröße

- die **volumenkontrollierte** Beatmung (Volume Controlled Ventilation, VCV) von
- der **druckkontrollierten** Beatmung (Pressure Controlled Ventilation, PCV)

unterscheiden. Im Folgenden werden VCV und PCV näher vorgestellt.

Als unerwünschte Variante ist denkbar, dass der Patient „gegen die Maschine atmet", etwa bei einer zu flachen Narkose. Im Rahmen einer mandatorischen Beatmung wie CMV ist dies jedoch unerwünscht, da eine fehlende Synchronisierung zwischen Gerät und Patient für den Patienten immer Stress bedeutet.

19.2.2 Volumenkontrollierte Beatmung (VCV)

MERKE

Die **volumenkontrollierte Beatmung** ist dadurch charakterisiert, dass stets das gleiche Atemhubvolumen (V_T) verabreicht wird. Man nennt sie daher auch **volumenkonstante Beatmung.** Da die volumenkonstante Beatmung für Patienten gedacht ist, die keinen eigenen Atemantrieb mehr haben, z. B. in Narkose, ist ein weiterer Parameter die **Beatmungsfrequenz** (f/Min.). Man spricht daher auch von **Zeitsteuerung.** Somit ist ein häufig verwendetes Charakteristikum von einfacheren Notfallbeatmungsgeräten, dass sie **volumenkonstant** und **zeitgesteuert** arbeiten.

Wie oben erwähnt, ist die **Zielgröße** der VCV die Verabreichung eines vom Anwender vorgegebenen **Atemhubvolumens,** das auch als Tidalvolumen (VT, V_T) bezeichnet wird. Bei manchen Beatmungsgeräten ist der entsprechende Regler daher mit „VT" beschriftet (Dräger Oxylog® 2000 plus, Oxylog® 3000 plus). Das Beatmungsgerät liefert das V_T mit einem konstanten Flow. In Abhängigkeit von der Lungenmechanik und natürlich der Größe des eingestellten V_T entsteht daraus der **Inspirationsdruck** (→ Abb. 19.12). Der Anwender stellt außerdem ein, mit welcher Frequenz (f/Min.) die mandatorischen Hübe verabreicht werden. Je nach Ausstattung des Geräts ist das Atemzeitverhältnis (I:E-Verhältnis) fest vorgegeben und nicht veränderbar (z. B. 1:1,5 beim Oxylog® 1000, 1:1,67 beim Medumat® Standard, 1:1,7 beim Medumat® Standard[2]). Bei den leistungsfähigeren Geräten ist das Atemzeitverhältnis einstellbar, teilweise schon in Bereiche hinein, deren Sinn schwer nachvollziehbar ist. Darüber hinaus wird vom Anwender aus Gründen der Sicherheit ein **maximaler inspiratorischer Atemwegsdruck** P_{max} am Gerät eingestellt. Wird dieser Druck erreicht, gibt das Gerät Alarm. Je nach Gerät besteht außerdem die Möglichkeit, eine **Plateauzeit** (T_{plat}) einzustellen, die in % der Inspirationszeit angegeben ist.

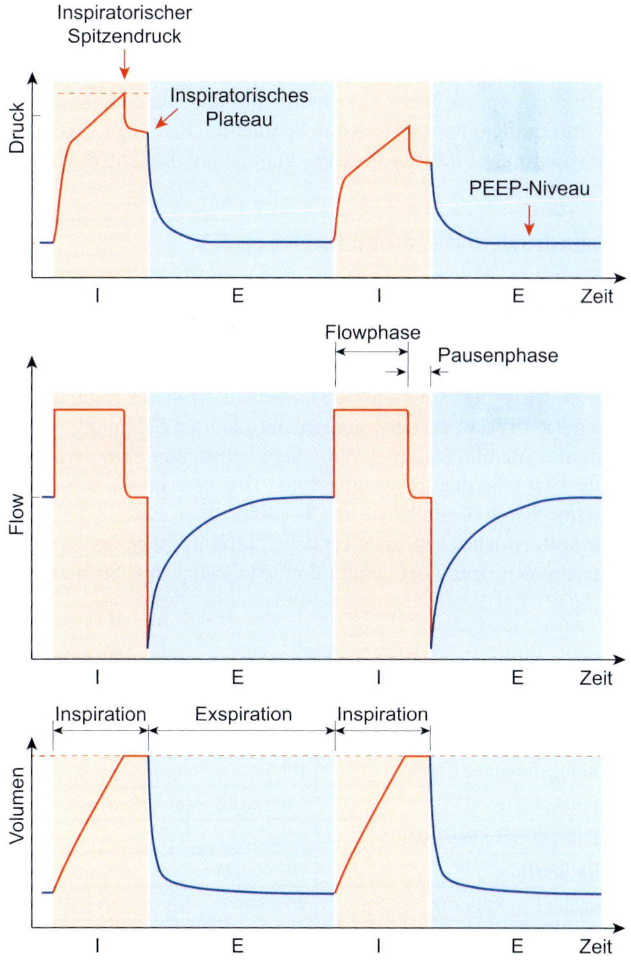

Abb. 19.12 Druck-, Flow- und Volumenkurve einer volumenkontrollierten Beatmung mit PEEP: Bei dieser Beatmungsform ist das konstante Tidalvolumen der Zielparameter. Je nachdem, wie sich Compliance und/oder Resistance verändern, verändert sich auch der Beatmungsdruck. [L143]

MERKE

Zu den **Vorteilen** der volumenkontrollierten Beatmung gehört, dass diese eine volumenkonstante (und somit „einfache und sichere“) Beatmung gewährleistet. Dies ist gerade in der Notfallmedizin oft gewünscht und beim lungengesunden Patienten auch „ausreichend“. Bei bestimmten Patienten ist die Konstanthaltung des CO_2-Partialdrucks im Blut wichtig, etwa beim Schädel-Hirn-Trauma (→ Kap. 19.6.2).
Zu den **Nachteilen** gehört, dass eine verschlechterte Lungenmechanik (Compliance und Resistance) zu einer Erhöhung des Beatmungsdrucks führt und damit zu einer Erhöhung des Drucks im Brustkorb. Dies kann den Kreislauf beeinträchtigen, vor allem aber fürchtet man die inhomogene Atemgasverteilung mit daraus resultierenden Lungenschäden (→ Kap. 19.3.1). Bei obstruktiven Ventilationsstörungen gilt die volumenkontrollierte Beatmung sogar als kontraindiziert, da die Gefahr besteht, dass sich ein intrinsischer PEEP entwickelt.

Um den Beatmungsmodus genauer zu beschreiben, verwendet man mitunter Zusätze zum Akronym. So heißt es dann z. B. bei den neueren Dräger-Beatmungsgeräten VC-CMV (volumenkontrollierte maschinelle Beatmung) oder VC-AC (volumenkontrollierte assistierte maschinelle Beatmung). Andere ältere, jedoch noch geläufige Bezeichnungen sind IPPV (Intermittent Positive Pressure Ventilation) bzw. IPPV-Assist oder CPPV (Continuous Positive Pressure Ventilation, dies entspricht einer IPPV mit PEEP).

Spitzendruck und Plateaudruck bei VCV

Für das Verständnis der Entstehung von beatmungsassoziierten Lungenschäden ist es wichtig zu wissen, dass der Spitzendruck und der Plateaudruck bei einer volumenkontrollierten Beatmung unterschiedlich zu bewerten sind. Der Plateaudruck spielt dabei eindeutig die wichtigere Rolle. Aus diesem Grund betrachten wir an dieser Stelle die Entstehung der Drücke. Bei der volumenkontrollierten Beatmung wird ein bestimmtes Atemhubvolumen mit einem konstanten Flow verabreicht (→ Tab. 19.5), die daraus resultierenden Drücke ergeben sich aus der Lungenmechanik (Compliance und Resistance).

Der **Spitzendruck** repräsentiert dabei, vereinfacht gesagt, vor allem den maximalen Druck **vor** dem Endotrachealtubus bzw. Strömungswiderstände in den oberen Atemwegen, also die **Resistance.** Grund ist, dass der Spitzendruck außerhalb des Patienten „vor“ dem Tubus gemessen wird – gleiches gilt entsprechend für die grafische Darstellung der Atemwegsdrücke (Druck-Zeit-Diagramm) durch das Beatmungsgerät. Der **Spitzen**druck spiegelt daher bei VCV **nicht** die tatsächlich in der Lunge wirksamen **Alveolardrücke** wider, daher wird ihm für die Entstehung von beatmungsassoziierten Lungenschäden eine untergeordnete Bedeutung zugeschrieben.

In beatmungstechnischer Hinsicht **beginnt die Plateauphase** zu dem Zeitpunkt, wo die **Flowphase endet.** Während der Plateauphase strömt vom Beatmungsgerät kein Atemgas in die Lungen, daher wird diese Zeitspanne auch als **No-Flow-Phase** oder **Pausenphase** bezeichnet (→ Abb. 19.13). Währenddessen ist das Exspirationsventil geschlossen. In der Lunge kann es während der No-Flow-Phase zur **Umverteilung** von Atemgas kommen, weil manche Lungenabschnitte sich langsamer füllen als andere, dies wird als **Pendelluft** bezeichnet. Das Atemgas strömt dabei von den schnellen in die langsamen Lungenareale (→ Kap. 19.3). Diese Umverteilung ist bei Betrachtung der Beatmungsdruckkurve als Abfall vom Spitzendruck auf den Plateaudruck sichtbar. Der **endinspiratorische Plateaudruck** ist ein Maß für die Compliance des Atemsystems und zugleich maßgeblich für die Entstehung von etwaigen Lungenschäden. Ist die eingestellte Inspirationszeit abgelaufen, öffnet sich das Exspirationsventil und das Atemgas wird ausgeatmet.

Parameter	Eingestellter Wert
Inspiratorischer Sauerstoffgehalt (F_iO_2)	100 % (F_iO_2 = 1,0)
Beatmungsfrequenz f/Min.	10–12
Atemhubvolumen V_T*	6 ml/kg KG = ca. 450 ml
Atemminutenvolumen (AMV)*	4,5–5,5 l
Inspirationsflow	30–40 l/Min.
Maximaler Inspirationsdruck P_{max}	30 mbar
Atemzeitverhältnis I : E	1 : 1,5–1 : 2
PEEP	5–8 mbar

* Beachten Sie die unterschiedlichen Gerätephilosophien: Man stellt im CPPV-/VC-CMV-Modus entweder Frequenz und Atem**hub**volumen (z. B. Oxylog® 2000 plus/Oxylog® 3000 plus, Medumat® Transport) oder Frequenz und Atem**minuten**volumen (z. B. Medumat® Standard, Oxylog® 1000) ein. Im letzteren Fall ergibt sich das Atem**hub**volumen, indem das Atem**minuten**volumen durch die Frequenz geteilt wird.

Tab. 19.5 Volumenkontrollierte Beatmung VC-CMV bzw. CPPV: Beispiel für eine Grundeinstellung bei einem 80 kg schweren Patienten

MERKE

Bei **volumenkontrollierter** Beatmung gilt (→ Abb. 19.13):
- Am Ende der Inspiration tritt oft ein Plateau auf
- Die Differenz aus Spitzendruck und Plateaudruck stellt die **Resistance** des respiratorischen Systems dar
- Die Differenz aus Plateaudruck und PEEP stellt die **Compliance** des respiratorischen Systems dar.

Einfach gesagt: **Die Resistance erzeugt den Spitzendruck und die Compliance den Plateaudruck.** Genauer: Bei VCV-Beatmung ist die Differenz aus Plateaudruck und PEEP ausschlaggebend für mögliche Lungenschäden. Zu beachten ist, dass bei volumenkontrollierter Beatmung der Inspirations**flow** (→ Abb. 19.11) und das vom Anwender gewählte **Tidalvolumen** die Beatmungsdrücke beeinflussen.

Ein volumenkontrolliertes Beatmungsmuster, das eine etwas bessere Synchronisierung zwischen Patient und Beatmungsgerät erreichen soll, ist VC-AC (AC = Assist/Control). Hierbei werden dem Patienten

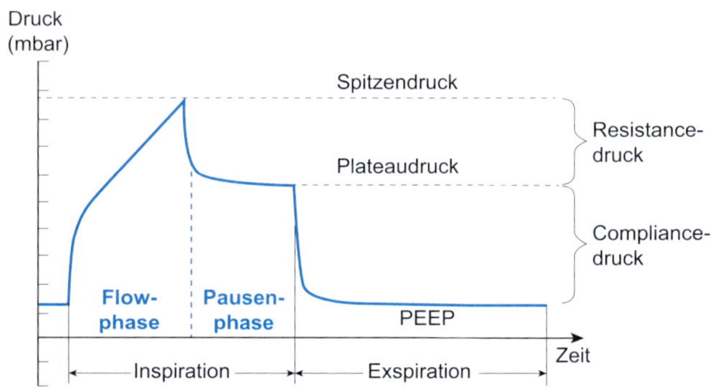

Abb. 19.13 Resistancedruck und Compliancedruck bei volumenkontrollierter Beatmung [V162, L143]

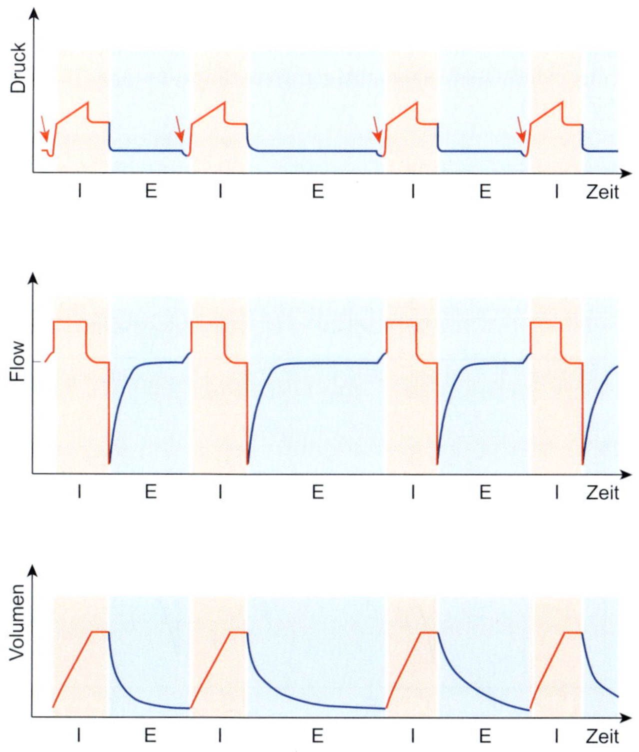

Abb. 19.14 Volumenkontrollierte assistierte maschinelle Beatmung (VC-AC) mit Drucktrigger (rote Pfeile): Der Patient kann die maschinellen Beatmungshübe selbst triggern, eine weitergehende Beeinflussung durch ihn ist nicht möglich. [L143]

ebenfalls mandatorische Beatmungshübe verabreicht, jedoch mit dem Unterschied, dass der Patient diese selbst auslösen (triggern) kann. Tut der Patient dies nicht, werden die Beatmungshübe vom Beatmungsgerät zeitgesteuert verabreicht (→ Abb. 19.14).

19.2.3 Druckkontrollierte Beatmung (PCV, PC-CMV)

Gängige Bezeichnungen sind **Pressure Controlled Ventilation** (PCV) oder **Pressure Controlled Continuous Mandatory Ventilation** (PC-CMV). Hierbei ist die vom Anwender einzustellende **Zielgröße** der **Inspirationsdruck,** er wird je nach Beatmungsgerät beispielsweise mit P_{insp} oder P_{hoch} abgekürzt. Das „insp" steht dabei für inspiratorisch.

Ein Vorteil dieser Beatmungsform ist, dass der vom Anwender eingestellte Inspirationsdruck zugleich als **Druckbegrenzung** fungiert. Das Beatmungsgerät beatmet so, dass der Inspirationsdruck nicht überschritten wird.

MERKE

Die Bezeichnung druckkontrollierte Beatmung sagt **nicht** aus, dass das Erreichen des vom Anwender eingestellten Inspirationsdrucks zum Verschluss des Inspirationsventils führt, also dass die Inspiration dann beendet wird. Stattdessen wird das Ende der Inspiration durch die **Inspirationszeit** vorgegeben. Diese wiederum ergibt sich aus der **Beatmungsfrequenz** und dem **Atemzeitverhältnis.** Sobald der Inspirationsdruck erreicht ist, wird er für die **Dauer der Inspirationszeit aufrechterhalten.**

Rampe

Hinsichtlich der Abgabe des Atemgases durch das Beatmungsgerät ist bei PCV und der Druckunterstützung (Pressure Support, PS) der Begriff **Rampe** wichtig. Außerdem kann die Rampe eingestellt werden, wenn beim Dräger Oxylog® 3000 plus ein volumenkontrolliertes Beatmungsmuster mit AutoFlow® (optional verfügbar) kombiniert wird.

DEFINITION

Rampe (auch **Druckrampe** oder **Druckanstiegszeit):** Zeit in Sekunden oder Millisekunden, innerhalb derer der vom Anwender eingestellte Inspirationsdruck erreicht wird. Eine steile Rampe liefert das Atemgas schneller als eine flache Rampe.

Die Rampe des HAMILTON® T1 ist für Erwachsene und Kinder jenseits des Neugeborenenalters standardmäßig auf 100 Millisekunden (0,1 Sekunden) eingestellt (Neugeborene 50 Millisekunden bzw. 0,05 Sek.). Beim Weinmann Medumat® Transport oder dem Dräger Oxylog® 3000 plus hingegen stellt der Anwender eine **flache** (langsame Druckanstiegszeit), **mittlere** (mittlere Druckanstiegszeit) oder **steile** Rampe (schnelle Druckanstiegszeit) ein. Beim Medumat® Transport gilt beispielsweise, dass eine flache Rampe ca. 0,4 Sek., eine mittlere Rampe ca. 0,2 Sek. und eine steile Rampe < 0,2 Sek. entspricht.

PRAXISTIPP

Die Rampe kann nicht ausgestellt werden. Selbst wenn ein Anwender die Rampe z. B. beim HAMILTON® T1 auf 0 Sekunden stellt, heißt das lediglich, dass der Inspirationsdruck **schlagartig** und somit mit **hohem anfänglichen Flow** erreicht wird. Selbst die Einstellung 0 Sekunden hätte in diesem Fall aber eine Auswirkung, für Einzelheiten sei auf die Bedienungsanleitung verwiesen.

Flow bei druckkontrollierten Modi

Das Beatmungsgerät liefert zu Beginn der Inspiration einen hohen **Flow** (= Geschwindigkeit des vom Respirator gelieferten Frischgases in l/Min. oder l/Sek.). Sobald der **Inspirationsdruck** erreicht ist (abhängig von der Einstellung der Rampe), hält das Beatmungsgerät diesen Druck für die gesamte Dauer der Inspirationszeit aufrecht. Das Atemgas strömt in die zunächst noch „leere" Lunge rasch ein. Die Lunge ist natürlich nicht wirklich leer, aber diese Formulierung trägt zum besseren Verständnis bei. Je mehr die Lunge sich füllt, umso mehr steigt der Druck in der Lunge an.

Durch die vom Anwender eingestellte Druckbegrenzung (nichts anderes ist der eingestellte Inspirationsdruck) resultiert mit zunehmender Lungenfüllung eine **kontinuierliche Verlangsamung** des anfangs hohen Flows. Von Beatmungsproblemen absehen gilt, dass der Flow im Laufe der Inspiration normalerweise auf null zurückfällt. Ist ein Flow von null erreicht, dann ist der Druck in den Lungen identisch mit dem vom Anwender eingestellten Inspirationsdruck. Es hat ein Druckausgleich stattgefunden und dementsprechend strömt kein Atemgas mehr in den Patienten (→ Abb. 19.16).

MERKE

Der Transport von Atemgas erfordert immer eine **Druckdifferenz.** Wenn jedoch der Druck in der Lunge **gleich** dem vom Beatmungsgerät aufgebauten Druck ist, strömt bei druckkontrollierter Beatmung **kein Gas** mehr in die Lunge.

Das erreichte Atemhubvolumen (V_T) hängt in diesem Fall davon ab, wie die Atemmechanik der Lunge beschaffen ist, also von Resistance und Compliance. Je nach eingestelltem inspiratorischen Druckniveau verändert sich das V_T: je höher der Druck, umso höher das applizierte Volumen (zumindest in gewissen Grenzen). Änderungen der Lungenmechanik führen zu Änderungen des verabreichten Atemhubvolumens. Das bedeutet, dass druckkontrollierte Beatmungen stets, zumindest in einem gewissen Rahmen, **volumeninkonstant** sind und man die verabreichten Volumina unbedingt beobachten muss. Sinnvollerweise geschieht dies durch Einstellung geeigneter Alarmgrenzen am Respirator. Es gilt auch hier: Angestrebt wird ein V_T von 6 ml/kg KG (**Idealgewicht,** am besten durch die Körpergröße abschätzbar).

MERKE

Betrachtet man bei einer druckkontrollierten Beatmung die **Flowkurve,** kann man erkennen, dass bei gleichbleibendem Inspirationsdruck der Flow im Lauf der Inspiration abnimmt (→ Abb. 19.16). Dies wird als **dezelerierender** (abnehmender) Flow bezeichnet. Viele Experten glauben, dass sich dadurch das verabreichte Gas in der Lunge schonender und besser verteilt als bei der volumenkontrollierten Beatmung mit konstantem Flow. Die druckkontrollierte Beatmung gilt als die **Beatmungsform der Wahl der kranken Lunge** (z. B. ARDS, Pneumonie, Lungenkontusion, COPD).

Biphasic Positive Airway Pressure (BIPAP)

Eine verbreitete Variante der druckkontrollierten Beatmung ist **Biphasic Positive Airway Pressure (BIPAP).** Andere Begriffe sind Bi-Level, Duo-PAP und Bi-Vent.

Das Besondere an BIPAP ist, dass der Patient im Vergleich zur „herkömmlichen" druckkontrollierten Beatmung **spontan atmen** kann (aber nicht muss). Somit kann BIPAP sowohl in einer „Die Maschine macht alles, der Patient nichts"-Situation (z. B. als kontrollierte Beatmungsform in der Intensivmedizin) als auch im Rahmen der NIV angewendet werden, bei der der Patient **wach** ist. Dies ist der wesentliche Unterschied zur „herkömmlichen" druckkontrollierten Beatmung, bei der ein spontanes Mitatmen nicht möglich ist. Bei der BIPAP-Beatmung wird mit zwei Druckniveaus beatmet, deren Höhe und Dauer variabel einstellbar sind. Dadurch, dass sowohl Inspirations- als auch Exspirationsventil während des gesamten Atemzyklus virtuell geöffnet bleiben, kann der Patient jederzeit auf beiden Druckniveaus atmen. Der Respirator erkennt spontane Atembemühungen und regelt den Gasfluss entsprechend, sodass der obere und der untere Atemwegsdruck erhalten bleibt. Motto: „Mitatmen statt dagegen atmen". BIPAP kombiniert im Grunde **zwei unterschiedliche CPAP-Niveaus** miteinander. Es gilt jedoch: Sofern der Patient keine Spontanatmung hat, ist BIPAP eine druckkontrollierte Beatmung (→ Abb. 19.15 und → Tab. 19.6).

Herkömmliche druckkontrollierte Beatmung

Ein wesentlicher Unterschied zu BIPAP (Bi-Level, Duo-PAP, Bi-Vent) besteht bei der Pressure Controlled Ventilation (PCV) darin, dass der Patient nicht spontan mitatmen kann. Ansonsten ist auch hier die Zielgröße der **Inspirationsdruck.** Weitere vom Anwender einzustellende Werte sind die Atemfrequenz, PEEP, das I : E-Verhältnis und der F_iO_2. Ein typisches Beispiel für PCV ist die Beatmung während der Narkose, sofern der Anästhesist druckkontrolliert beatmen möchte, jedoch keine Spontanatmung stattfindet (→ Abb. 19.16 und → Abb. 19.17).

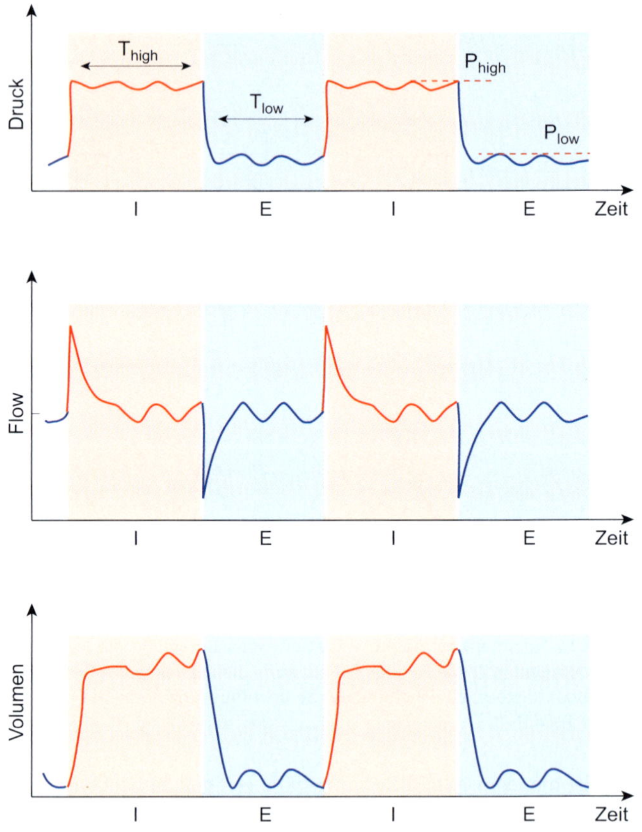

Abb. 19.15 Druck-, Flow- und Volumenkurve von BIPAP (Bi-Level, Duo-PAP, Bi-Vent): Hierbei wechseln sich zwei unterschiedliche Druckniveaus ab, die sowohl hinsichtlich der Höhe der beiden Drücke als auch ihres zeitlichen Verlaufs variabel eingestellt werden können. Der Patient kann jederzeit mitatmen. [L143]

Parameter	Eingestellter Wert
Inspiratorischer Sauerstoffgehalt (F_iO_2)	100 % (F_iO_2 = 1,0)
Beatmungsfrequenz f/Min.	10–12
Oberes Druckniveau (P_{insp})*	10–15 mbar **über** PEEP
Unteres Druckniveau (= PEEP)	5–8 mbar
Druckanstiegszeit („Rampe")	0,2 Sek.
Atemzeitverhältnis I : E	1 : 1,5 bis 1 : 2

* Das obere Druckniveau wird so eingestellt, dass das hierdurch verabreichte Atem**hub**volumen etwa 6 ml/kg **Ideal**-KG entspricht, also wie bei CPPV bzw. VC-CMV. Bei einer druckkontrollierten Beatmung sollte genau beobachtet werden, wie sich das Atemhubvolumen verhält. Nimmt die Compliance ab und/oder die Resistance zu, führt das dazu, dass weniger Volumen mit dem eingestellten Druck erreicht wird.

Tab. 19.6 Druckkontrollierte Beatmung – hier mit PC-BIPAP (Bi-Level, Duo-PAP, Bi-Vent): Beispiel für eine Grundeinstellung bei einem 80 kg schweren Patienten

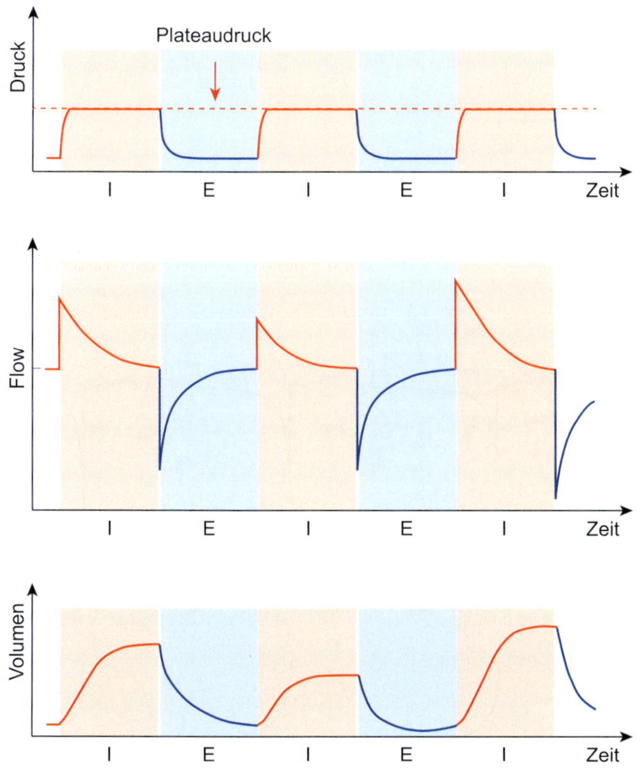

Abb. 19.16 Druck-, Flow- und Volumenkurve einer druckkontrollierten Beatmung: Hierbei ist der Druck die Zielgröße. Sobald der vom Anwender eingestellte Inspirationsdruck erreicht ist, nimmt der Flow kontinuierlich ab: Er dezeleriert. Je nachdem, wie sich die Compliance und/oder Resistance verändern, verändert sich auch das applizierte Tidalvolumen. Es ist daher stets volumen**in**konstant. [L143]

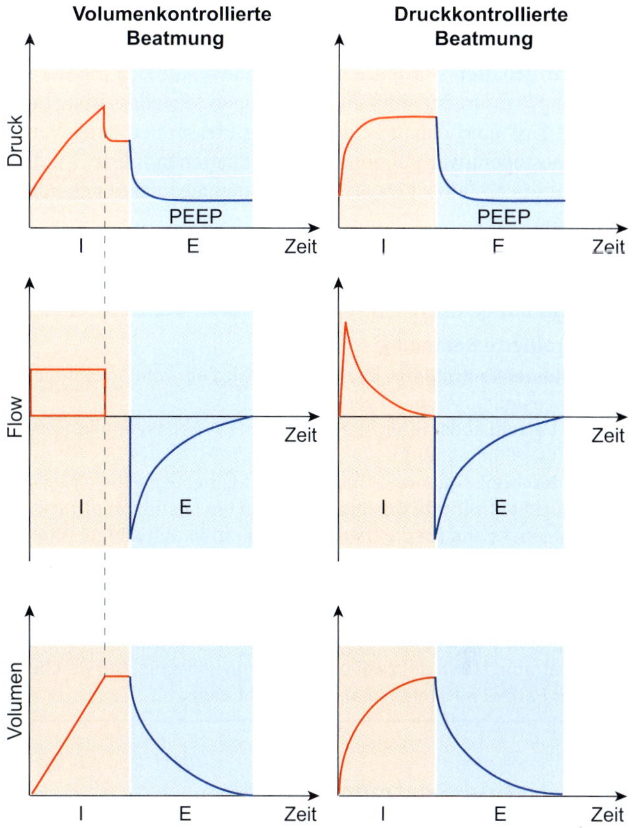

Abb. 19.17 Volumen- und druckkontrollierte Beatmung im Vergleich: Dargestellt ist die Druck-, Flow- und Volumenkurve einer volumenkontrollierten Beatmung (links) und einer druckkontrollierten Beatmung (rechts). [L143]

MERKE

Die Zielgröße ist nicht gleich der Steuergröße. Bei der maschinellen Beatmung gibt es verschiedene Steuergrößen. Betrachten wir eine Steuergröße, die bestimmend dafür ist, dass die **Inspiration beginnt:** Den Inspirationsreiz kann der Patient selbst setzen (vorausgesetzt, er schafft das). Das Gerät erkennt hier seinen Versuch, einzuatmen (**patientengetriggerte** Hübe). Den Beginn der Inspiration kann aber auch die Maschine festlegen. Hier erfolgt die Abgabe des Atemhubs ohne Aktivität des Patienten (**maschinengetriggerte** Hübe). Letzteres ist bei der kontrollierten Beatmung gegeben (z. B. VC-CMV, IPPV, CPPV), etwa im Rahmen der Intubationsnarkose. Hier übernimmt das Beatmungsgerät 100 % der Arbeit (→ Tab. 19.5). In diesem Fall ist der Umschaltmechanismus stets die **Zeitsteuerung** (die sich z. B. über die eingestellte Beatmungsfrequenz f/Min. ergibt). Die **Zielgröße** hingegen ist bei einer **volumenkontrollierten** Beatmungsform das **Tidalvolumen** (V_T) und bei einer **druckkontrollierten Beatmungsform** der Inspirationsdruck.

Druckamplitude ΔP

Die Compliance (→ Kap. 19.1.2) beschreibt das Verhältnis zwischen der **Volumenänderung** während des Atemzyklus (dem Tidalvolumen) und der **Druckamplitude ΔP** (genauer: Beatmungsdruckamplitude), die zum Erreichen dieses Volumens erzeugt wird. Diese wird auch **Driving Pressure** genannt und ist die treibende Kraft für die inspiratorische Ausdehnung der Lunge. Eine Beatmung mit kleinstmöglicher Druckamplitude trägt dazu bei, den mechanischen Stress in der Lunge möglichst gering zu halten.

MERKE

Ermittlung der Beatmungsdruckamplitude

Volumenkontrollierte Beatmung:

$$\Delta P = \text{Plateaudruck}\left(P_{plat}\right) - \text{PEEP}$$

Druckkontrollierte Beatmung:

$$\Delta P = \text{Inspirationsdruck}\left(P_{insp}\right) - \text{PEEP}$$

Die Druckamplitude ΔP (genauer: die Beatmungsdruckamplitude) ist die Differenz zwischen dem Plateaudruck (VCV) bzw. endinspiratorischen Druck (PCV) und dem PEEP.

- Bei der volumenkontrollierten Beatmung ist ΔP **keine Einstellung** am Beatmungsgerät, sondern ein **Resultat** der entsprechenden Geräteeinstellungen und der Lungenmechanik (Resistance und Compliance).
- Bei der druckkontrollierten Beatmung **stellt der Anwender** das ΔP (indirekt) ein, indem P_{insp} und PEEP am Beatmungsgerät eingestellt werden.

Studien haben gezeigt, dass ein zu hoher Driving Pressure bei ARDS-Patienten zu einer erhöhten Sterblichkeit führte. **Er soll daher ≤ 15 mbar gehalten werden.** Eine Metaanalyse, die sich mit der Rolle des Driving Pressure im Rahmen der intraoperativen Beatmung befasste, zeigte, dass eine Zunahme des Driving Pressure zu einer Verdreifachung postoperativer pulmonaler Komplikationen führte. Zu diesen Komplikationen zählten beispielsweise pulmonale Infektionen oder ein Barotrauma.

IM FOKUS

Kontrollierte Beatmung

- **Volumenkontrollierte Beatmung:** Es wird ein vom Anwender eingestelltes Volumen verabreicht.
  - **Vorteil:** konstantes Atemhubvolumen (= Sicherstellung der CO_2-Elimination)
  - **Nachteil:** Stärkere Schädigung des Lungengewebes möglich
- **Druckkontrollierte Beatmung:** Es wird ein bestimmter Druck aufgebaut und für die Dauer der Inspiration aufrechtgehalten.
  - **Vorteil:** Die Lungen werden nicht überlastet
  - **Nachteil:** Schlimmstenfalls wird ein zu geringes Atemhubvolumen verabreicht
- **Biphasic Positive Airway Pressure (BIPAP):** druckkontrollierte Beatmungsform mit zwei positiven Druckniveaus, bei welcher der Patient mitatmen kann, aber nicht muss.

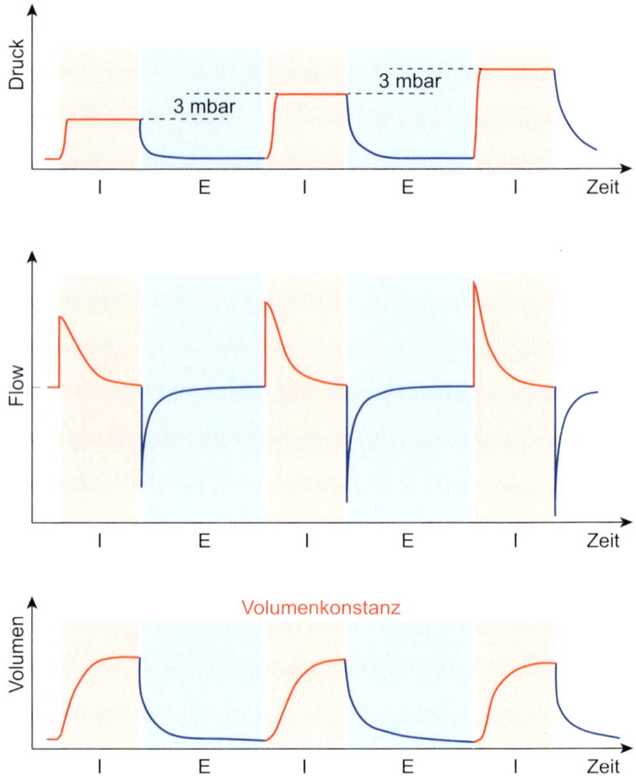

Abb. 19.18 Druck-, Flow- und Volumenkurve einer **druckregulierten volumenkonstanten Beatmung:** Wird das eingestellte Atemhubvolumen nicht erreicht, passt das Beatmungsgerät den Plateaudruck beim folgenden Atemhub an, indem dieser z. B. nach und nach erhöht wird. Die druckregulierte volumenkonstante Beatmung wird auch Pressure Regulated Volume Controlled Ventilation (PRVC) genannt. [L143]

19.2.4 Hybrid-Beatmung (PRVC)

Hybride Beatmungsformen können die Vorteile der volumenkontrollierten und der druckkontrollierten Beatmung miteinander kombinieren und damit einerseits ein **garantiertes Tidalvolumen** und andererseits eine **günstigere Gasverteilung** insbesondere innerhalb der kranken Lunge gewährleisten (→ Kap. 19.3.1). Dadurch entstehen neue Beatmungsmuster, bei denen der Anwender das **Tidalvolumen** einstellt und das Beatmungsgerät das Atemgas dennoch lungenschonend mit einem **dezelerierenden Flow** an den Patienten abgibt, was sich bei VCV bzw. PCV gegenseitig ausschließt. Es entsteht eine Mischform aus zwei klassischen Beatmungsmustern, sodass auch von **Hybrid-Beatmung** oder **Hybrid-Modus** gesprochen wird.

PRVC (Pressure Regulated Volume Controlled Ventilation)

Zu Beginn der Beatmung ermittelt das Beatmungsgerät den Beatmungsdruck, der die Beatmung mit dem eingestellten Tidalvolumen ermöglicht, indem es einige Testatemhübe verabreicht. Im Verlauf der Beatmung passt das Gerät den Beatmungsdruck an wechselnde Compliance- und Resistance-Verhältnisse an (→ Abb. 19.18). Wenngleich die Hersteller unterschiedliche Namen für dieses Prinzip verwenden, ist ein in der Literatur gängiger Begriff **Pressure Regulated Volume Controlled Ventilation** (PRVC). Der Begriff lässt sich als druckregulierte volumenkontrollierte Beatmung übersetzen. Leider verwenden Hersteller oft eigene Namen für das PRVC-Prinzip.

Andere Bezeichnungen

Weinmann behält die Bezeichnung bei und verwendet durch die Möglichkeit der Kombination mit der Druckunterstützung ASB (Assisted Spontaneous Breathing) die Bezeichnung **PRVC + ASB.** Der Modus ist im Medumat® Transport grundsätzlich enthalten und steht für Medumat® Standard[2] und Meduvent® Standard **optional** zur Verfügung. Zu Beginn verabreicht das Gerät drei **volumenkontrollierte** Atemhübe mit dem eingestellten Tidalvolumen und ermittelt den resultierenden Plateaudruck (siehe dazu auch → Kap. 19.3.1). Der Plateaudruck wird für die nachfolgenden **druckkontrollierten** Atemhübe (mit dezelerierendem Flow) als Startwert P_{insp} verwendet. Im Verlauf wird das verabreichte Tidalvolumen kontinuierlich gemessen und der P_{insp} bei sich ändernden Lungenverhältnissen in Schritten von maximal 3 mbar angepasst.

Die maximale Druckbegrenzung P_{max} wird im Sinne der Patientensicherheit auf einen passenden Wert eingestellt, z. B. 25 oder 30 mbar. Das heißt aber nicht, dass die maximale Druckbegrenzung auch erreicht wird. Der Inspirationsdruck P_{insp} liegt 5 mbar unterhalb von P_{max}. Ist das eingestellte Tidalvolumen mit dem gewählten Wert für P_{max} nicht erreichbar, wird ein Alarm niedriger Priorität ausgelöst: „Vt nicht erreichbar".

Dräger bezeichnet die Beatmungsform PRVC als **AutoFlow®**, es handelt sich um eine Zusatzfunktion für volumengesteuerte Beatmungsmodi. Bei den moderneren Dräger-Geräten werden volumenkontrollierte Beatmungsmodi immer mit VC bezeichnet und mit einem Zusatz ergänzt, beispielsweise VC-CMV (Volume Control-Continuous Mandatory Ventilation). In Verbindung mit AutoFlow® wird dieser Modus VC-CMV AF genannt. Von den Rettungsdienstgeräten kann der Oxylog® 3000 plus **optional** mit AutoFlow® ausgestattet werden. Außerdem ist die Funktion bei innerklinisch verwendeten Beatmungsgeräten der Firma Dräger wie der Evita® V800 oder der Evita® V600 und einigen Anästhesiegeräten enthalten.

Auch beim Oxylog® 3000 plus hat der P_{max}-Regler bei Verwendung von AutoFlow® die Funktion, dass der inspiratorische Druck nicht höher steigt als auf einen Druck von 5 mbar unterhalb der oberen Alarmgrenze für den Atemwegsdruck. Kann das festgelegte V_T aufgrund dieser Druckgrenze nicht erreicht werden, löst AutoFlow® den Alarm „V_T tief" aus und die entsprechende Meldung wird angezeigt.

Hamilton verwendet bei seinen Beatmungsgeräten für PRVC die Bezeichnung **(S)CMV+** (Synchronized Controlled Mandatory Ventilation) bzw. **APVcmv** (Adaptive Pressure Ventilation – Controlled Mandatory Ventilation). APV steht für adaptive Volumensteuerung und auch hier wird das eingestellte Tidalvolumen je nach den Lungenbedingungen mit möglichst geringem Druck abgegeben. APV vergleicht das eingestellte VT mit dem Durchschnittswert der tatsächlich erreichten VT und passt bei Bedarf den inspiratorischen Druck schrittweise mit maximal 2 mbar pro Atemhub an.

ASV

Eine besondere Hybrid-Beatmungsform ist **Adaptive Support Ventilation** (ASV), die an Hamilton-Beatmungsgeräten verfügbar ist und einige Innovationen beinhaltet.

Adaptive Support Ventilation basiert auf der sog. Otis-Formel aus dem Jahr 1950. Otis vertrat die These, dass Säugetiere ein **Atemmuster** nutzen (Frequenz und Tidalvolumen), welches mit der **geringsten Atemarbeit** (Work of Breathing, WOB) einhergeht. Die Otis-Formel ist kompliziert, aber im Prinzip wird kontinuierlich unter Beachtung der jeweiligen Compliance und Resistance des respiratorischen Systems das Verhältnis zwischen Tidalvolumen und Atemfrequenz so gewählt, dass die geringste Atemarbeit notwendig ist und verschiedene Lungenschutzregeln eingehalten werden (→ Abb. 19.19).

Während Anwender ansonsten entscheiden müssen, welchen Beatmungsmodus sie wählen (aktive oder passive Patienten), verfolgt ASV das Ziel, die maschinelle Beatmung zu vereinfachen, da es einen fließenden Übergang von kontrollierter Beatmung zur Spontanatmung erlaubt. Man kann sich ASV laut Bedienungsanleitung so vorstellen, als hätte der Anwender dem Beatmungsgerät eine Reihe von Anweisungen gegeben, nämlich (**fett gedruckt** = vom Anwender einstellbar):

- Erhalte ein **voreingestelltes minimales Minutenvolumen** aufrecht,
- berücksichtige spontane Atemzüge,
- verhindere Tachypnoe,
- verhindere einen AutoPEEP,
- verhindere übermäßige Totraumbeatmung,
- beatme bei Apnoe oder bei niedrigem Atemantrieb maschinell,
- übergib die Kontrolle an den Patienten, wenn die Atemaktivität ausreichend ist,
- und tue all dies, ohne einen Plateaudruck von 10 mbar unter dem **oberen Druckgrenzwert** zu überschreiten.

Bei ASV stellt der Anwender u. a. folgende **Basisparameter** ein:

- Druck (Alarmgrenzwert für „Druck zu hoch", in mbar)
- Größe (Patientengröße in cm)
- Geschlecht des Patienten
- %MinVol (Ziel-Minutenvolumen unter Berücksichtigung des idealen Körpergewichts, in % der normalen Werte)

Durch die Angabe von Größe und Geschlecht des Patienten wird vom Gerät das ideale Körpergewicht (Ideal Body Weight, IBW) in Kilogramm ermittelt. Die Parameter für die Eliminierung des CO_2 werden bei ASV auf die Einstellung **%MinVol** reduziert, dies trägt zur Vereinfachung bei.

Zeigt der Patient beispielsweise im Verlauf einen zu hohen $etCO_2$-Wert (kapnografisch) oder in der Blutgasanalyse einen zu hohen $paCO_2$-Gehalt + niedrigen pH-Wert, wird das Atemminutenvolumen durch den Anwender gesteigert, indem die Einstellung für **%MinVol** entsprechend angehoben wird, und zwar in Schritten von 10 % bis 20 %. In manchen Fällen kann der Anwender schon zu Beginn der Beatmung von einem erhöhten ventilatorischen Bedarf des Patienten ausgehen, etwa bei Fieber. Eine Faustregel besagt, dass das erforderliche Atemminutenvolumen pro Grad Celsius Temperaturerhöhung um 10 % erhöht werden sollte. Ist ein Patient wach und zeigt fortwährend Anzeichen von Atemnot, soll %MinVol in Schritten von 20 % erhöht werden. Es wird empfohlen, nach jedem Schritt 2–5 Minuten zu warten, um die Reaktion des Patienten zu beobachten.

PRAXISTIPP

Das erforderliche %MinVol kann laut Hersteller bei bis zu 200 % liegen, sollte aber 300 % nicht übersteigen. Mit Ausnahme einiger Sonderfälle wie Hypothermie oder chronischer Hyperkapnie ist eine %MinVol-Einstellung unter 100 % nur zur Förderung spontaner Atemaktivität geeignet.

Die Parameter für die Oxygenierung sind **PEEP/CPAP** und **Sauerst.**, wobei Letzteres sich auf die inspiratorische Sauerstoffkonzentration (FiO_2) bezieht.

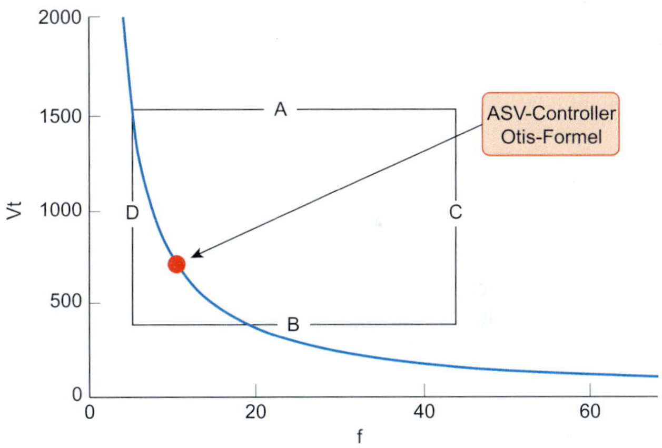

Abb. 19.19 ASV-Beispiel für die Bestimmung der optimalen Atemfrequenz (f) und des optimalen Hubvolumens (Vt) durch den ASV-Controller mithilfe der Otis-Formel. Die im Diagramm gezeigte Kurve gibt alle denkbaren Verhältnisse von Hubvolumen und Atemfrequenz an, mit denen das durch den Anwender eingegebene Atemminutenvolumen erreichbar wäre. Das **Rechteck** innerhalb des Diagramms gibt den Bereich des Atemmusters an, der aufgrund der unter ASV geltenden Lungenschutzregeln erlaubt wird, also die Ober- und Untergrenzen für Atemfrequenz und Hubvolumen: **A** maximales Hubvolumen; **B** minimales Hubvolumen; **C** maximale Atemfrequenz; **D** minimale Atemfrequenz. Der **Kreis** auf der Kurve gibt die Zielatemfrequenz an, bei der die Atemarbeit nach Berechnung des ASV-Controllers am geringsten ist. [E1215, L143]

IM FOKUS

Hybride Beatmung

- **Pressure Regulated Volume Controlled Ventilation (PRVC):**
  - **Vorteil:** garantiertes Tidalvolumen **und** zugleich schonende Beatmung.
  - **Nachteil:** es können wie bei VCV hohe Beatmungsdrücke auftreten (Grenzen „gut" einstellen).

- **ASV** passt die Beatmung innerhalb vom Anwender festgelegter Grenzen automatisch der pulmonalen Situation des Patienten an.

19.2.5 Unterstützte Spontanatmung

Bei der maschinell unterstützten Spontanatmung wird die Belüftung der Lungen, und damit die Atemarbeit, zu einem Teil von der Maschine unterstützt. Ein gewisser Atemanteil, der allerdings ziemlich **variieren** kann, wird noch vom spontan atmenden Patienten aufgebracht. Formen der maschinell unterstützten Spontanatmung gibt es in der Intensivmedizin sehr viele. Für den Rettungsdienst sind nur wenige interessant.

CPAP (Continuous Positive Airway Pressure)

DEFINITION

CPAP ist eine **reine Spontanatmung** auf einem vom Anwender vorgegebenen kontinuierlich erhöhten Druckniveau in den Atemwegen (→ Abb. 19.23). Die „einzige" Unterstützung des Patienten besteht in einer kontinuierlichen Erhöhung des Druckniveaus mit den entsprechenden Effekten.

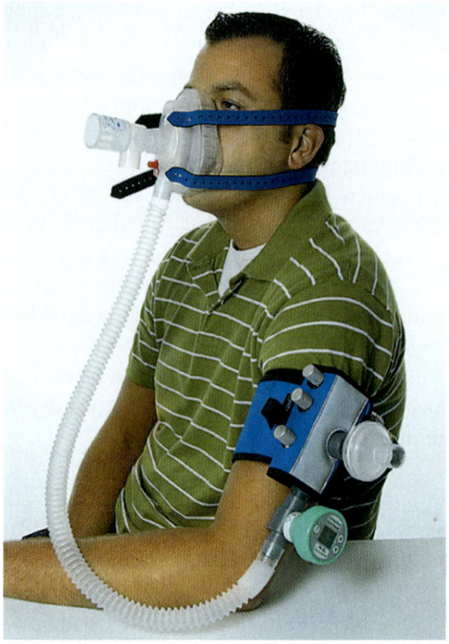

Abb. 19.21 CPAP-Therapie ohne Beatmungsgerät [J747]

Aus Sicht des Notfallsanitäters besteht die apparative (z. B. mit Boussignac-System, → Abb. 19.20) oder maschinelle Unterstützung der Spontanatmung (mit dafür geeigneten Beatmungsgeräten) vor allem in der Anwendung von **CPAP,** da die Kenntnis dieses Verfahrens zum Ausbildungskatalog gehört und die Anwendung je nach regionalem Protokoll auch für den Notfallsanitäter freigegeben ist. Eine sinnvolle Ergänzung der CPAP-Anwendung kann darin bestehen, wenn man diese mit einer Druckunterstützung kombiniert. Manche Protokolle (SOP) beinhalten, dass der Notfallsanitäter auch die Druckunterstützung im Rahmen der NIV anwenden darf.

Das **Boussignac-CPAP-System** (→ Abb. 19.20) ist ein Einmalartikel und erlaubt eine CPAP-Masken-Anwendung ohne ein Beatmungsgerät. Neben dem System wird lediglich eine Sauerstoffquelle benötigt. Der Sauerstoff strömt durch ein sog. virtuelles Ventil. In Abhängigkeit von der Sauerstoffdurchflussrate (l/Min.) resultiert ein entsprechender endexspiratorischer positiver Druck (CPAP); er entsteht durch Verwirbelungen im Ventil. Vorteilhaft ist, dass kein Beatmungsgerät für die CPAP-Behandlung benötigt wird (→ Abb. 19.21). Nachteilhaft sind ein hoher Sauerstoffverbrauch sowie die fehlende Möglichkeit, die CPAP-Atmung mit einer Druckunterstützung zu kombinieren.

Obwohl die **reine CPAP-Therapie** (ohne Druckunterstützung) noch **keine** Form der nichtinvasiven Beatmung (NIV, NIPPV) ist, hat es sich eingebürgert, die CPAP-Therapie im Rettungsdienst schon als nichtinvasive (Be-)Atmungsform zu bezeichnen. Da dies nicht korrekt ist, wird in diesem Kapitel die **CPAP-Therapie** auch nicht als NIV bezeichnet.

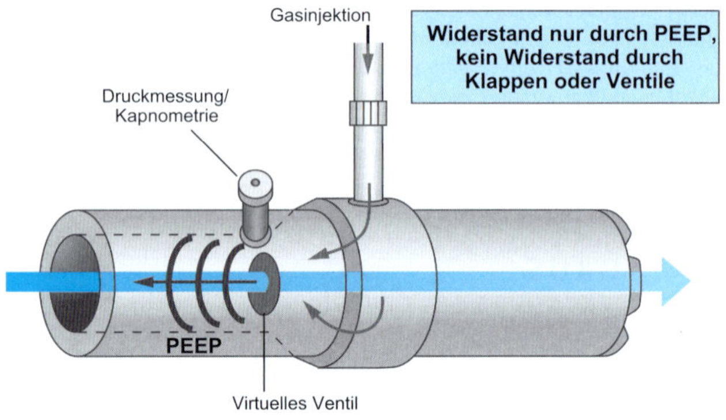

Abb. 19.20 Schematischer Aufbau des Boussignac-CPAP-Systems [L157]

MERKE

Wird CPAP mit einer darüber hinausgehenden **maschinellen Unterstützung** (Assisted Spontaneous Breathing [ASB] bzw. Pressure Support [PS] etc.) kombiniert (→ Kap. 19.2.6), müsste das CPAP als PEEP bezeichnet werden, denn PEEP ist dadurch charakterisiert, dass der vom Anwender eingestellte positive Druck lediglich **am Ende der Ausatmung** anliegt. Umgangssprachlich wird der Begriff des Ausgangsmodus meist beibehalten, z. B. spricht man von CPAP/ASB oder CPAP/PS oder SPN-CPAP/PS beim NIV, aber vom PEEP bei anderen Beatmungsformen.

Die maschinelle Unterstützung der Spontanatmung kann auf drei verschiedene Weisen erfolgen:

- **Unterstützung jedes einzelnen Atemzugs**
- **Intermittierende mandatorische Beatmungshübe**
- **Unterstützung jedes einzelnen Atemzugs + intermittierende mandatorische Beatmungshübe**

Ein typisches Beispiel für eine Unterstützung jedes einzelnen Atemzugs ist die druckunterstützte Spontanatmung (Pressure Support Ventilation [PSV], → Kap. 19.2.6). Weitere Synonyme hierfür sind ASB (Assisted Spontaneous Breathing), IPS (Inspiratory Pressure Support), IA (Inspiratory Assist), IFA (Inspiratory Flow Assistance) und PS (Pressure Support). Neuere Geräte der Fa. Dräger verwenden das Prinzip, alle **Spontanatemmodi** mit dem Begriff **„Spn"** zu kennzeichnen, und dann Zusätze zu verwenden, z. B. SpnCPAP, SpnCPAP/PS.

CPAP und PEEP

Wenngleich **CPAP** (Continuous Positive Airway Pressure) und **PEEP** (Positive Endexpiratory Pressure) nicht exakt das Gleiche sind, gibt es doch viele Gemeinsamkeiten. Deshalb werden hier beide gemeinsam vorgestellt. Um zu verstehen, was CPAP/PEEP bewirken, betrachten wir zunächst noch einmal die Compliance der Lunge. Die Grafik verdeutlicht die **(nichtlineare) Volumendehnbarkeit** in der Lunge (→ Abb. 19.22). Wenn die Lunge wie im Beispiel mit dem Luftballon schon etwas vorgedehnt ist (→ Kap. 19.1.2 Compliance), z. B. durch eine CPAP-Einstellung von 5 mbar, gelangt man in den steileren Bereich der Kurve. Das bedeutet, dass im mittleren Bereich der Kurve für einen bestimmten Volumenzuwachs weniger Druck erforderlich ist. Daraus folgt eine **Erleichterung der Atemarbeit.**

Shunt, Mismatch und Atelektase

Shunt und Mismatch

Die Atmung und das Herz-Kreislauf-System sind anatomisch und funktionell eng miteinander verbunden. Selbst beim Gesunden gibt es eine geringe Menge Blut, die zum linken Herzen gelangt, ohne am Gasaustausch teilgenommen zu haben. Dieses Blut bleibt daher sauerstoffarm und mischt sich mit dem sauerstoffreichen Blut, das in den Körperkreislauf gelangt. Man nennt dies den **physiologischen oder anatomischen intrapulmonalen Rechts-links-Shunt**. Der Begriff kommt zustande, weil auf dem Weg vom rechten Herzen (durch die Lunge) zum linken Herzen eine „Kurzschlussverbindung", ein **Shunt,** besteht (d. h., das Blut hat nicht am Gasaustausch teilgenommen).

Es gibt auch einen **pathophysiologischen Rechts-links-Shunt,** der dadurch zustande kommt, dass gewisse Abschnitte der Alveolen z. B. als Auswirkung einer Erkrankung nicht belüftet werden. Dadurch erhöht sich der Anteil des Blutes, der nicht am Gasaustausch in der Lunge teilnimmt und somit ebenfalls als sauerstoffarmes Blut zum linken Herzen gelangt. Es handelt sich demnach um ein Missverhältnis zwischen **Ventilation** (Belüftung) und **Perfusion** (Durchblutung), ein sog. **Mismatch**.

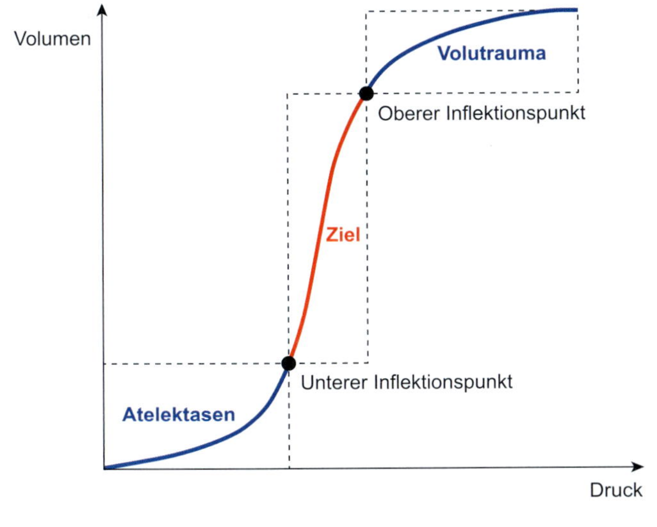

Abb. 19.22 Compliance-Kurve (Druck-Volumen-Kurve) der Lunge. Die Kurve zeigt die nichtlineare Volumendehnbarkeit in der Lunge unter den Bedingungen einer maschinellen Beatmung/NIV. Der obere Inflektionspunkt markiert einen Bereich auf der Kurve, bei dessen Überschreiten es zu einer Überdehnung der Alveolen kommt. Der untere Inflektionspunkt markiert einen Bereich der Kurve, dessen Unterschreiten einen zu niedrigen PEEP bedeutet, sodass bestimmte Alveolarkompartimente kollabieren können. [L143]

Atelektase

DEFINITION

Atelektase: Minderbelüftung des Lungenparenchyms (ein **luftleerer Lungenabschnitt**), häufig verursacht durch eine Bronchusobstruktion (Tumor, Entzündung, Fremdkörper).

Atelektasen sind charakterisiert durch ein Missverhältnis von Ventilation zu Perfusion. Sie können im Rahmen der Erkrankung des Patienten bereits bestehen. Sie können aber auch erst im Rahmen einer Beatmungstherapie auftreten, sogar bei der Narkose eines lungengesunden Patienten, etwa im Rahmen eines Wahleingriffs, was sehr häufig passiert. Der Grund dafür ist, dass sich das Zwerchfell bei einem kontrolliert beatmeten Patienten **passiv** bewegt und nicht aktiv kontrahiert wird. Dies führt zu einem geänderten Bewegungsablauf des Zwerchfells, der nicht mehr den physiologischen Gegebenheiten entspricht. Die Folge: Die dorsalen Lungenabschnitte werden schlechter belüftet als zuvor. Ungünstigerweise sind das die Bereiche, die in Rückenlage des Patienten besser durchblutet sind. Auch dies erhöht den intrapulmonalen Rechts-links-Shunt. Hier spielt nun **PEEP** (oder beim spontanatmenden Patienten **CPAP**) eine wichtige Rolle (→ Abb. 19.23 und → Abb. 19.24).

DEFINITION

Atelektrauma: Abwechseln von endinspiratorischer Dehnung und endexspiratorischem Kollaps von Alveolen.

Obige Definition bedeutet einfach gesagt: Wenn das Beatmungsgerät Luft in die Lunge presst, öffnen sich die Alveolen und wenn der Patient ausatmet, kollabieren sie wieder. Ein Atelektrauma kann für den Patienten sehr problematisch werden. Es entstehen dabei transalveoläre Scherkräfte an den Übergangszonen zwischen ventilierten und atelektatischen Lungenkompartimenten. Diese bewirken eine schwere biophysikalische Schädigung der Lunge, welche insgesamt auch als

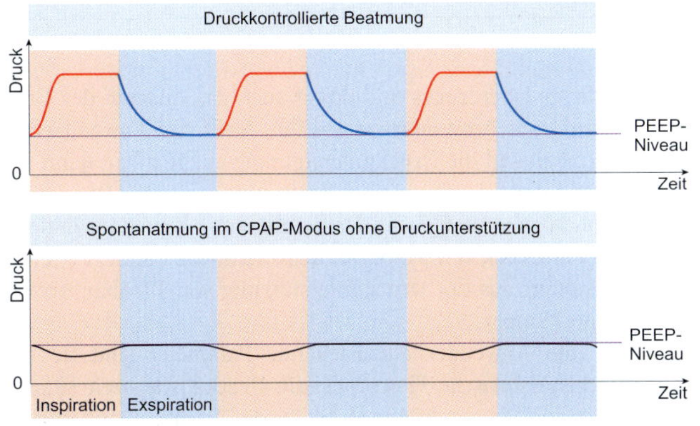

Abb. 19.23 Vergleich PCV mit CPAP: Unterschied zwischen druckkontrollierter Beatmung (PCV) und CPAP-Atmung ohne Druckunterstützung [L190]

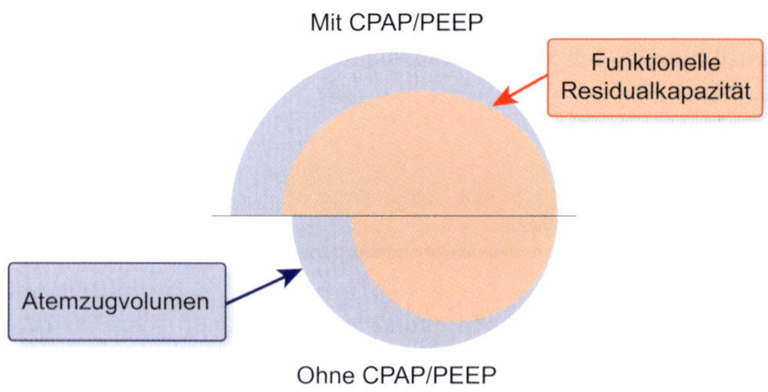

Abb. 19.24 Erhöhung der funktionellen Residualkapazität durch CPAP [L143]

Scherkräftetrauma bezeichnet wird. Dies macht deutlich, dass eine Beatmung ohne PEEP oder mit zu niedrigem PEEP nachteilhaft für den Patienten ist (→ Abb. 19.22).

MERKE

Die Anwendung des **kontinuierlich erhöhten Drucks** in den Atemwegen erfolgt einerseits, um das Auftreten von Atelektasen schon im Vorhinein zu verhindern, andererseits sollen bereits vorhandene Atelektasen wiedereröffnet werden **(Recruitment).** Im intensivmedizinischen Kontext kennt man auch noch weitere Recruitment-Manöver. Diese spielen allerdings im Rettungsdienst nur eine untergeordnete Rolle. CPAP/PEEP hingegen spielen eine wichtige Rolle zur Prävention von beatmungsassoziierten Folgeschäden.

19.2.6 Druckunterstützte Spontanatmung (ASB, IPS, PS, PSV)

DEFINITION

Druckunterstützung: Dem Patienten wird zum Zeitpunkt seiner **spontanen Einatmung** eine zusätzliche **Atemunterstützung** gegeben, indem vom Gerät durch Verabreichung eines Gasstroms ein voreingestellter **Überdruck** (inspiratorisches Druckniveau) aufgebaut wird.

Die Höhe dieses Überdrucks und damit auch das Ausmaß der Unterstützung wird vom Anwender ausgewählt. Stellt der Anwender z. B. CPAP auf 5 mbar und die Druckunterstützung auf 10 mbar, dann wird zum Zeitpunkt der Einatmung vom Beatmungsgerät eine Druckunterstützung von 10 mbar aufgebaut. Da bei diesem Beispiel am Ende der Ausatmung ein Druck von 5 mbar in den Atemwegen anliegt (CPAP = 5 mbar), resultiert aus der Druckunterstützung von 10 mbar ein Spitzendruck von 15 mbar.

Weitere vom Anwender einzustellende Parameter sind (je nach Gerät) das inspiratorische Flowprofil, die Druckanstiegszeit (Rampe/Druckrampe), die Triggerempfindlichkeit, die Atemfrequenz und ggf. das CPAP/PEEP-Niveau. Im Krankenhaus ist die druckunterstützte Spontanatmung eines der klassischen Verfahren zur Entwöhnung (Weaning) vom Beatmungsgerät.

Je nach Hersteller wird die **Druckunterstützung** z. B. als **Pressure Support** (PS), **Pressure Support Ventilation** (PSV), **Inspiratory Pressure Support** (IPS) oder **Assisted Spontaneous Breathing** (ASB) bezeichnet.

Zu bedenken ist, dass eine hohe Druckunterstützung (> 14 mbar) im Grunde nur eine „Schein"-Spontanatmung darstellt. Zwar löst der Patient den maschinellen Atemhub selbst aus, jedoch übernimmt das Beatmungsgerät annähernd vollständig die Atemarbeit. Dies kann bei ventilatorischer Insuffizienz aber durchaus gewollt sein.

ACHTUNG! Selbst bei Geräten desselben Herstellers kann es unterschiedliche Philosophien geben! Ein Beispiel soll dies verdeutlichen. Der Patient soll eine Druckunterstützung (Pressure Support, PS) von 10 mbar erhalten. Diese soll mit einem PEEP von 5 mbar kombiniert werden. Exemplarisch der Vergleich von Evita 2 und Evita 4 von der Fa. Dräger:

- Bei der Evita 2 würde die Einstellung PEEP = 5 mbar und PS = 10 mbar bewirken, dass der **Spitzendruck** auf 10 mbar begrenzt wird. Der **Hilfsdruck,** also der Wert oberhalb des PEEP, würde in diesem Beispiel nur 5 mbar betragen.
- Bei der Evita 4 würde die Einstellung PEEP = 5 mbar und PS = 10 mbar hingegen bewirken, dass der PS zum PEEP addiert wird. Es würde also ein **Spitzendruck** von 15 mbar resultieren. In diesem Beispiel beträgt der **Hilfsdruck** (oberhalb des PEEP) tatsächlich 10 mbar.

Dieses Beispiel bezieht sich zwar auf Intensivrespiratoren, verdeutlicht aber, dass man sich als Anwender in jedem Fall intensiv mit seinen Geräten beschäftigen muss!

Die Anwendung einer **Druckunterstützung** setzt voraus, dass der Patient noch über **Spontanatmung** verfügt (→ Abb. 19.25). Damit ist nicht nur gemeint, dass der Patient noch einen eigenen Atemantrieb hat, sondern er muss noch ein gewisses Maß an Kraft zur Einatmung aufbringen können. Damit sich das Beatmungsgerät an die Spontanatmung des Patienten anpassen kann, ohne dass es für den Patient zu Stress kommt, muss das Beatmungsgerät den Zeitpunkt erkennen, wo der Patient versucht, einzuatmen. Falls der Patient so erschöpft ist, dass er selbst dieses geringe Maß an Kraft nicht mehr aufbringen kann, sind die Grenzen der Druckunterstützung erreicht. In einem derartigen Fall kann erwogen werden, eine invasive Beatmung zu umgehen, indem der Patient nichtinvasiv mit **BIPAP** beatmet wird.

PRAXISTIPP

Bei der akut exazerbierten COPD kommt es zur Erschöpfung der muskulären Atempumpe **(ventilatorische Insuffizienz).** Hier profitiert der Patient davon, wenn CPAP mit der **Druckunterstützung** kombiniert wird, um die erschöpfte **Atempumpe zu entlasten.** Der Patient muss jedoch zumindest noch über die Kraft verfügen, die Druckunterstützung selbst **triggern** (auslösen) zu können. Daher kann es sinnvoll sein, die Triggerempfindlichkeit am Beatmungsgerät auf einen niedrigen Wert einzustellen.

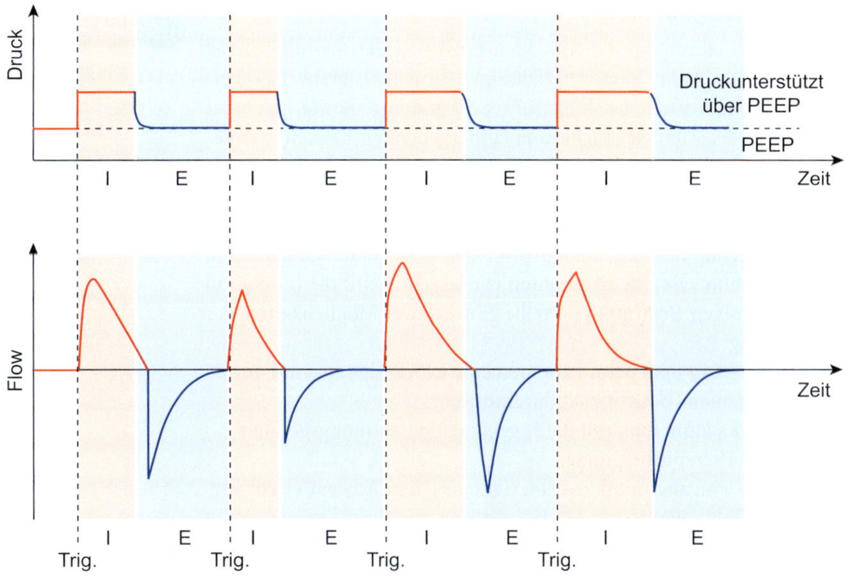

Abb. 19.25 Druck- und Flowkurve einer druckunterstützten Spontanatmung mit PEEP (CPAP/ASB bzw. CPAP/PS). Trig. = Trigger (➔ Kap. 19.1.5) [L143]

IM FOKUS

Unterstützte Spontanatmung

- **Es gibt grundsätzlich drei Formen der unterstützten Spontanatmung:**
  - Unterstützung jedes einzelnen Atemzugs
  - Intermittierende mandatorische Beatmungshübe
  - Unterstützung jedes einzelnen Atemzugs + intermittierende mandatorische Beatmungshübe
- **PEEP und CPAP** setzen beide auf eine leichte **Vordehnung** der Lungen, um den initialen größeren Atemwiderstand leichter zu überwinden.
- Sie **vergrößern** die **funktionelle Residualkapazität** (FRC) und verbessern so den Gasaustausch in der Lunge.
- Zudem tragen sie zur Verhinderung von Atelektasenbildung bei und **verringern so den Rechts-links-Shunt** und die Gefahr eines **Atelektraumas.**
- Bei einer Druckunterstützung (z. B. ASB) wird der einzelne Atemzug unterstützt.

19.2.7 Nichtinvasive Beatmung (NIV)

DEFINITION

Nichtinvasive Beatmung (NIV): maschinelle Atemhilfe ohne Einsatz eines Endotracheal- oder Tracheostomietubus. Die Beatmung erfolgt über eine dicht sitzende Nasen- oder Mund-Nasen-Maske bzw. Vollgesichtsmaske oder über einen Beatmungshelm (NIV-Helm).

Historischer Rückblick

Historisch betrachtet war die **Negativdruckbeatmung** (Negative Pressure Ventilation, NPV) im Rahmen der Poliomyelitisepidemie in den 1950er-Jahren die erste nichtinvasive Beatmung (NIV) in größerem Umfang. Es handelte sich damals um eine Negativdruckbeatmung mit **Tankrespiratoren,** besser bekannt auch als „eiserne Lunge." Damit war eine Langzeitbeatmung der ateminsuffizienten Patienten möglich.

Bekannt waren die Tankrespiratoren schon lange zuvor. Ausführlich beschrieben wurden sie erstmals im Jahr 1929. Eines der Probleme mit diesen Geräten war die weitgehende Immobilität der Patienten. Außerdem sind sie ungeeignet bei Patienten, die aufgrund einer pulmonalen Indikation beatmet werden müssen. Die hohe Atemarbeit, die infolge einer verminderten Compliance oder erhöhten Resistance erforderlich ist, vermögen die Tankrespiratoren nur unzureichend zu leisten.

Der Anästhesist Björn Ibsen verwendete im Rahmen der Poliomyelitisepidemie im Jahr 1952 erstmals eine **Positivdruckbeatmung** über ein Tracheostoma. Seitdem wurde die Negativdruckbeatmung mit der „eisernen Lunge" nach und nach von der Positivdruckbeatmung abgelöst.

Die Entwicklung der invasiven Beatmungsverfahren und -maschinen führte dazu, dass die NIV in Vergessenheit geriet. Anfang der 1980er-Jahre wurde **CPAP** (Continuous Positive Pressure Ventilation) über Gesichtsmaske zur Behandlung des obstruktiven Schlafapnoe-Syndroms (OSAS) eingeführt.

DEFINITION

Obstruktives Schlafapnoe-Syndrom (OSAS): ist die bedeutendste schlafbezogene Atemstörung (SBAS). Der Verdacht auf ein OSAS ist begründet, wenn folgende **Symptome** bestehen:

- Exzessive Tagesmüdigkeit
- Lautes und unregelmäßiges Schnarchen
- Fremdanamnestisch beobachtete Atemstillstände im Schlaf

Damit wurde es auch möglich, eine nichtinvasive Beatmung (NIV, NIPPV) über Gesichtsmaske außerklinisch durchzuführen. Eine nichtinvasive Beatmung findet seitdem in zunehmendem Maße auch bei bestimmten Indikationen in häuslicher Umgebung statt. Somit ist die CPAP-Therapie bzw. NIV in der jüngeren Vergangenheit ursprünglich eine Domäne der Schlafmedizin und Heimbeatmung gewesen. Heutzutage finden sich auch im Rettungsdienst, der Notaufnahme und der Intensivmedizin immer mehr Indikationen.

NIV im Rettungsdienst

Seit mehreren Jahren hat die NIV auch Einzug in den Rettungsdienst gehalten. Sofern keine Kontraindikationen bestehen, bietet das Verfahren mehrere Vorteile (→ Tab. 19.7). So können z. B. die mit einer Narkose und der Atemwegssicherung einhergehenden Risiken vermieden werden. Andererseits kann die NIV Erfolg versprechen, wenn eine alleinige Sauerstoffinhalation nicht ausreicht (→ Tab. 19.8).

Die nichtinvasive Beatmung ist immer Teil eines **Gesamtkonzepts,** dem die Lagerung des Patienten, die hoch dosierte Sauerstoffgabe und die Verabreichung von Medikamenten vorausgeht. Wird die Indikation zur nichtinvasiven Beatmung gestellt, gibt es zwei Möglichkeiten der Durchführung:

- Zum einen kann man beim Patienten eine CPAP-Therapie mit einfachen Systemen (Boussignac) durchführen.
- Zum anderen kann man mit dafür geeigneten Beatmungsgeräten eine CPAP-Therapie beginnen.

Wichtig: Der Umgang mit dem Material muss dem Anwender gut vertraut sein (→ Tab. 19.9).

IM FOKUS

Nichtinvasive Beatmung

- Die nichtinvasive Beatmung ist inzwischen bei zahlreichen Indikationen anzutreffen und kann **große Vorteile** bieten.
- Ihre Kontraindikationen beziehen sich zumeist auf **potenzielle Verlegungen des Atemwegs** unter der Maske und schwere Bewusstseinsstörungen. Sie sollten unbedingt beachtet werden.
- Die Anwendung muss gezielt angeleitet und durch eine entsprechende **Gesprächsführung** unterstützt werden.
- Patienten, die eine NIV im Rettungsdienst erhalten, sind streng zu überwachen.

Anwendungsmöglichkeiten	Vorteile gegenüber invasiver Beatmung
• **Akutes kardiales Lungenödem*** • **Akut exazerbierte COPD (hyperkapnisches respiratorisches Versagen)*** • **Einsatz beim Weaning von Problempatienten (innerklinisch)*** • Akutes respiratorisches Versagen bei immunsupprimierten Patienten • Asthmaanfall • Pneumonie • Neuromuskuläre Erkrankungen • Mechanische Störung der Atemexkursion • Palliative Patienten mit respiratorischer Insuffizienz, bei denen die endotracheale Intubation umgangen werden soll	• Keine Sedierung** bzw. Narkose erforderlich (daher z. B. keine Kreislaufdepression) • Natürliche Barrierefunktion der Schleimhaut des oberen Atemwegtrakts bleibt erhalten → dadurch seltener nosokomiale Infektionen • Kürzere Beatmungszeit • Geringerer Intensivaufenthalt • Patient kann kommunizieren

* Hohe Evidenz für NIV
** Mitunter ist eine leichte Sedierung, z. B. mit Morphin oder Midazolam, hilfreich. Dabei ist sehr vorsichtig zu dosieren, damit der Atemantrieb erhalten bleibt. Auch Esketamin/Ketamin ist vorteilhaft, weil damit eine Analgosedierung ohne Beeinträchtigung der Atmung erzeugt werden kann (Kontraindikationen beachten).

Tab. 19.7 Anwendungsmöglichkeiten für NIV nach Krankheitsbildern und Vorteile gegenüber invasiver Ventilation

Indikation	Kontraindikationen
• $SpO_2 < 90$ % trotz Sauerstoffgabe ≥ 6 l/Min. • AF > 25/Min. • Einsatz der Atemhilfsmuskulatur • Einziehungen	**Absolut:** • Atemstillstand oder Schnappatmung • Kreislaufstillstand • Fixierte oder funktionelle Verlegung der Atemwege • Nichthyperkapnisches Koma • Schwere gastrointestinale oder pulmonale Blutung • Ileus **Relativ:*** • Massive Agitation • Hyperkapnisch bedingtes Koma • Massiver Sekretverhalt • Schwere Hypoxämie • Hämodynamische Instabilität (kardiogener Schock, Myokardinfarkt) • Anatomische und/oder subjektive Interface-Inkompatibilität • Z. n. Operation am oberen Gastrointestinaltrakt

*Auch bei Vorliegen einer der als „relativ" eingestuften Kontraindikationen ist der Therapieversuch mit NIV nur dann gerechtfertigt, wenn das Behandlungsteam für diese Situation ausgerüstet und qualifiziert ist und eine unverzügliche Intubationsbereitschaft sichergestellt ist.

Tab. 19.8 Indikationen und Kontraindikationen für NIV

Geeigneter Patient? Indikationen und Kontraindikationen beachten	→ Tab. 19.7 → Tab. 19.8
Vorbereitung des Beatmungsgeräts	• Sauerstoffvorrat ausreichend? Gegebenenfalls Ersatzflasche bereithalten (v. a. das Boussignac-System verbraucht viel O_2) • HME/Filter und Kapnometrie/-grafie am Beatmungsschlauch angeschlossen • Gegebenenfalls Gänsegurgel verwenden • Auswahl der korrekten Maske für den Patienten (geeignete Größe)
Einstellungen am Beatmungsgerät vornehmen	• FiO_2 zu Beginn auf 1,0 = 100 % • CPAP (PEEP) zu Beginn = 5 mbar • Druckunterstützung zu Beginn auf 5 mbar* • Trigger auf niedrigsten Wert einstellen • NIV-Modus wählen (Leckagekompensation)
Start der Anwendung	• Patienten das Vorgehen erklären („*Die Maske wird sanft aufs Gesicht gesetzt und leicht angedrückt. Die ersten Atemzüge sind eventuell etwas unangenehm, danach fällt es Ihnen leichter und Sie bekommen besser Luft.*“) • Maske zu Beginn manuell aufsetzen (noch nicht die Festhaltebänder einsetzen) • Eventuell den Patienten selbst die Maske halten lassen • Bei Agitation seitens des Patienten titrierte Gabe von Morphin i. v. bis zu 5 mg erwägen*
Verlauf	**Effektivitätskontrolle:** • Akzeptanz durch Patienten • Keine zunehmende Unruhe • Keine Maskenleckage • SpO_2-Anstieg im Verlauf (> 84 %) • Abnahme der Atemnot • Abnahme von Atem- und Herzfrequenz im Verlauf • Zunehmende Vigilanz • Abnahme der $etCO_2$ **Weitere Maßnahmen**:** • **Schrittweise** Steigerung der Druckunterstützung auf 10 mbar* • **Schrittweise** Steigerung des CPAP-(PEEP)-Niveaus auf 10 mbar • Anpassung des F_iO_2, Ziel $SpO_2 > 90$ % **Abbruchkriterien:** • Keine verbesserte Oxygenierung trotz $F_iO_2 = 1{,}0$ • Zunehmende Bewusstseinsverschlechterung • Schwere Kooperationsprobleme • Nicht beherrschbare Aerophagie • Regurgitation/Erbrechen • Aspiration

* Falls nach lokalem Protokoll für Notfallsanitäter zugelassen, ansonsten verstehen sich die Angaben als mögliche Vorgehensweise im Beisein des Notarztes.
** Bei der schrittweisen Erhöhung von CPAP und/oder Druckunterstützung gilt, dass der höchste vom Patienten noch als komfortabel empfundene Wert gewählt werden sollte. Falls der Patient mit der schrittweisen Erhöhung nicht zurechtkommt, sollte die Einstellung wieder auf den Wert reduziert werden, den der Patient noch als angenehm empfindet. Falls die Kombination aus CPAP und Druckunterstützung keine Besserung bringt, kann durch den Notarzt eine nichtinvasive Ventilation im BIPAP-Modus erwogen werden. Je erfahrener das Team ist, umso eher kann eine nur zögerliche Verbesserung des Patientenzustands toleriert werden. **Cave:** Eine invasive Beatmung sollte dem Patienten nicht vorenthalten werden, sobald sich das Scheitern der NIV abzeichnet.

Tab. 19.9 Vorbereitung und Start der NIV-Therapie durch Notfallsanitäter

19.3 Auswirkungen der maschinellen Beatmung

Der Grundsatz, dass kaum ein Verfahren oder Medikamenteneinsatz ohne **Nebenwirkungen** einhergeht, gilt auch für die positive Druckbeatmung. Während die Reduzierung der Atemarbeit und die Gewährleistung des Gasaustauschs zu den positiven Beatmungseffekten zählen, können auch unerwünschte Effekte auf den Kreislauf und die Lunge auftreten. Dafür wird vor allem die Erhöhung des Drucks im Brustkorb **(intrathorakaler Druck)** verantwortlich gemacht, die im Rahmen der Überdruckbeatmung auftritt, insbesondere dann, wenn ein hoher PEEP eingestellt ist:

MERKE

Die Höhe des intrathorakalen Drucks ist direkt proportional zum **Beatmungsmitteldruck,** der durch folgende Faktoren bestimmt wird (Oczenski 2017):
- Inspirationsdruck
- Inspirationsdauer
- PEEP

Manche Nebenwirkungen der Beatmung können schon im Rettungsdienst Relevanz haben, andere erst bei längerer Beatmung und somit im Krankenhaus (oder im Rahmen der außerklinischen Beatmung).

19.3.1 Kompartimentmodell der Lunge

Zum Verständnis, wie Schäden bei der Beatmung der kranken Lunge insbesondere im Rahmen einer klassischen volumenkontrollierten Beatmung (V_T und Flow konstant) auftreten können, trägt das **Kompartimentmodell der Lunge** bei. Es handelt sich um ein vereinfachtes Modell der Lungenmechanik und besteht aus den Kompartimenten **Resistance** und **Compliance** (→ Kap. 19.1.2). Während das einfache physikalische Modell mit der zylindrischen Röhre und dem elastischen Balg bestimmte Werte für R und C aufweist (→ Abb. 19.1), kann die Lunge eines kranken Patienten aus einer **Vielzahl von Lungenkompartimenten** bestehen, in denen Resistance und Compliance **unterschiedlich** ausgeprägt sein können.

DEFINITION

Lungenkompartiment: Lungenabschnitt, in dem die atemmechanischen Eigenschaften identisch sind (ein bestimmter regionaler Strömungswiderstand sowie eine bestimmte regionale Dehnbarkeit).
Zeitkonstante: Maß für die Füll- bzw. Entleerungsgeschwindigkeit eines Lungenkompartiments. Wird in Sekunden angegeben.

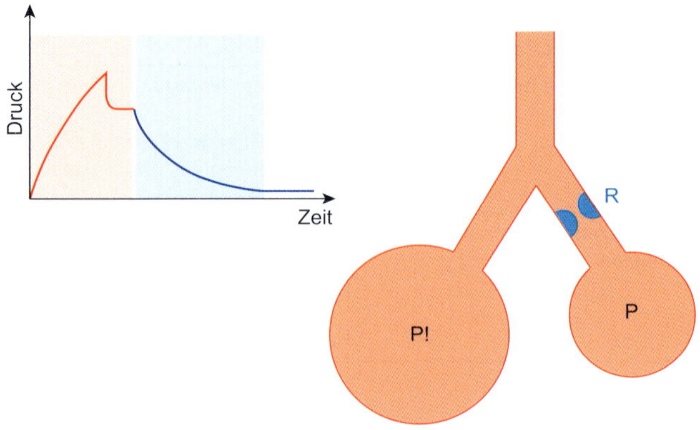

Abb. 19.26 Zwei-Kompartimentmodell zur Veranschaulichung der möglichen Auswirkungen einer volumenkontrollierten Beatmung mit konstantem Flow. Der erhöhte Atemwegswiderstand (R) im kranken Kompartiment führt zu einer schnelleren Füllung und Überdehnung des gesunden Kompartiments. Zeitweilige Druckunterschiede und unterschiedliche Füllungsvolumina der Kompartimente bewirken starke mechanische Belastungen. [V162, L143]

Das bedeutet, dass die **Füll- bzw. Entleerungsgeschwindigkeiten** der einzelnen Lungenkompartimente – die sog. **Zeitkonstante** – regional ganz unterschiedlich sein können. Schwere Lungenerkrankungen führen zu einer besonders **inhomogenen Belüftung** der Lunge mit regional stark unterschiedlichen Zeitkonstanten. Fasst man Lungenareale mit identischen atemmechanischen Eigenschaften zu Gruppen zusammen, ergeben sich daraus vier Kombinationsmöglichkeiten:

- Kompartimente mit **hoher Compliance** und **niedriger Resistance** (was dem gesunden „Ideal" entspricht)
- Kompartimente mit **hoher Compliance** und **hoher Resistance**
- Kompartimente mit **niedriger Compliance** und **niedriger Resistance**
- Kompartimente mit **niedriger Compliance** und **hoher Resistance**

Zusammenfassend ist die **Compliance** dafür bestimmend, **wie viel Atemgas** mit einem bestimmten Druck in die Lunge gelangt und die **Resistance** ist dafür maßgeblich, **wie schnell** dies erfolgt. Dadurch lassen sich die oben genannten vier Kombinationsmöglichkeiten **vereinfachend auf zwei Kompartimente** reduzieren (→ Abb. 19.26):

- Ein **schnelles** Kompartiment („schnelle" Alveolen), bei dem die **Zeitkonstante klein** ist
- Ein **langsames** Kompartiment („langsame" Alveolen), bei dem die **Zeitkonstante groß** ist

Die klassische volumenkontrollierte Beatmung mit **gleichbleibendem Tidalvolumen** und **konstantem Flow** führt in der kranken Lunge zu ungleichmäßig schneller Verteilung des Atemgases und somit zu lokalen mechanischen Belastungen. Besonders problematisch ist dabei, dass die oben als Idealzustand beschriebenen (gesunden) Kompartimente (**hohe Compliance** und **niedrige Resistance**) besonders gefährdet sind, weil sie innerhalb kurzer Zeit große Volumina aufnehmen können, die zu einer „Überforderung" führen können. Das bedeutet, dass die gesunden Areale durch eine ungeeignete Beatmung ebenfalls krank werden können und ihr Anteil am Lungengewebe vermindert wird.

Ein ARDS ist durch schnelle Kompartimente charakterisiert, weshalb bei diesen Patienten hohe Atemfrequenzen gut vertragen werden. Erkrankungen wie die COPD gehen mit langsamen Kompartimenten einher, sodass diese Patienten hohe Atemfrequenzen nicht gut tolerieren, es besteht die Gefahr von **Air Trapping,** weil die eingeatmete Luft nicht mehr komplett ausgeatmet werden kann. Beide Krankheitsbilder (u. a.) bewirken jedoch eine inhomogene Belüftung der Lunge. Wie bereits ausgeführt wurde, ist die druckkontrollierte Beatmung die Beatmungsform der Wahl für die Beatmung der kranken Lunge.

MERKE

Wird ein Patient mit inhomogener Belüftungssituation „klassisch" volumenkontrolliert beatmet, kann das insbesondere in den Kompartimenten mit normaler Resistance und Compliance zu einer Überblähung führen, was auch als **Hyperinflationstrauma** oder **Volutrauma** bezeichnet wird. Der Begriff Volutrauma ist nicht mit Barotrauma gleichzusetzen, obwohl das umgangssprachlich oft geschieht.

DEFINITION

Volutrauma: Überdehnungstrauma **ohne Luftaustritt** von der Lunge ins umliegende Gewebe. Ursache: Zu hohe Atemhubvolumina.
Barotrauma: Überdehnungen von Lungenkompartimenten **mit Luftaustritt** in das Mediastinum (Pneumomediastinum). Ursache: Zu hohe Beatmungsdrücke.

19.3.2 Herz-Kreislauf-System

Die **Überdruckbeatmung** kann durch verschiedene Mechanismen zu einer Beeinflussung des Herz-Kreislauf-Systems führen. Führt man sich vor Augen, dass sich im Brustkorb neben dem Herzen auch zahlreiche Blutgefäße befinden, sind diese Auswirkungen nachvollziehbar. Hilfreich ist es dabei, das Herz-Kreislauf-System in zwei Bereiche zu unterteilen, nämlich:

- Herz und Gefäße **im** Brustkorb
- Gefäße **außerhalb** des Brustkorbs

Für die Auswirkungen der Überdruckbeatmung spielt insbesondere eine Rolle, wie der **aktuelle Volumenstatus** des Patienten und die **Pumpleistung seines rechten und linken Ventrikels** sind. Durch Unterschiede von Patient zu Patient kann es sein, dass eine bestimmte Beatmung bei einem Patienten zur Abnahme des Herzzeitvolumens (HZV) führt, während bei einem anderen Patienten das HZV bei identischer Beatmung zunimmt. Da die Auswurfleistung des Herzens durch die kardiale Vor- und Nachlast bestimmt wird, betrachten wir die Auswirkungen der Beatmung auf diese Parameter.

MERKE

Der enddiastolische ventrikuläre Füllungsdruck bestimmt, wie hoch die **Vorlast** (Preload) ist. Nimmt der enddiastolische Füllungsdruck zu, wird die Vordehnung des Ventrikels größer und das Schlagvolumen nimmt zu. Dieser Zusammenhang wird durch den Frank-Starling-Mechanismus beschrieben, der Mechanismus funktioniert aber nur innerhalb bestimmter physiologischer Grenzen. Der venöse Rückstrom zum Herzen hat entscheidenden Einfluss auf die Vorlast.

Generell führt die maschinelle Beatmung zu einer **Verminderung der Vorlast** am Herzen, weil der unter Beatmung erhöhte intrathorakale Druck eine Verminderung des venösen Rückstroms zum Herzen bewirkt. Grund dafür ist, dass der Druckgradient zwischen den Venen außerhalb und innerhalb des Brustkorbs abnimmt. Die venöse Rückstromabnahme bewirkt wiederum, dass die Vorlast (s. o.) des rechten und linken Ventrikels abnimmt. Dadurch sinkt das Schlagvolumen (Frank-Starling-Mechanismus). Die Folge ist eine **Abnahme des Herzzeitvolumens,** es sei denn, eine Zunahme der Herzfrequenz (Erfordernistachykardie) kann dies kompensieren.

MERKE

Hingegen führt die Vorlastsenkung infolge der PEEP-(Be-)atmung bei einem Patienten mit kardialem Lungenödem zur Verbesserung der Lungenstauung. Dies wird als „Nitroeffekt" der PEEP-Anwendung bezeichnet.

Auch ein **Volumenmangel** führt im Zusammenhang mit der Überdruckbeatmung zur unerwünschten Verminderung des Herzzeitvolumens. Eine verminderte Organperfusion von Nieren, Leber, Hirn und Zwerchfell ist die Folge. Das **Ziel** sollte daher sein, einen PEEP-Wert zu wählen, der den größtmöglichen Nutzen für die Lungenfunktion und zugleich den geringstmöglichen negativen Effekt auf die Kreislaufsituation aufweist.

Für die Rettungsdienstpraxis ergibt sich, dass bei Patienten mit einer pulmonalen Schädigung ein PEEP sinnvoll ist. Bei Patienten mit ausgeprägtem Volumenmangel hingegen kann ein Verzicht auf PEEP nützlich sein. Hat ein Patient eine schwere Lungenfunktionseinschränkung und einen Volumenmangel (etwa beim Polytrauma mit starkem Blutverlust und einem schweren Thoraxtrauma), obliegt es der Einzelfallentscheidung des Notarztes, die Vor- und Nachteile des PEEP gegeneinander abzuwägen.

Weitere Komplikationen, die durch die invasive Beatmung entstehen können, sind die Entstehung eines Pneumothorax bzw. Spannungspneumothorax. Sie können nicht nur bei Thoraxtraumata auftreten, sondern auch unabhängig davon durch hohe Beatmungsdrücke bei Patienten mit Lungenemphysem, COPD oder schwerem Asthmaanfall.

19.4 Transport beatmeter Patienten

19.4.1 Überwachung der Beatmung

MERKE

In der Notfallmedizin erfolgt die Indikation zu einer nichtinvasiven oder invasiven maschinellen Beatmung aufgrund einer vitalen Funktionsstörung des Patienten, z. B. fehlende Schutzreflexe oder eine Ateminsuffizienz. Daher muss die Überwachung umfassend sein. Zur **Überwachung während einer Beatmung** gehören:

- **Patientenseitige Parameter** wie EKG, Blutdruck (nichtinvasiv, invasiv), periphere Sauerstoffsättigung (SpO_2) und **Kapnografie**
- **Parameter des Beatmungsgeräts** (z. B. alarmüberwachte Messungen von Volumina und Beatmungsdrücken)
- **Klinische Patientenbeobachtung** mit beispielsweise Auskultation (Seitenvergleich? pathologische Geräusche?) und Inspektion (Hautfarbe? Symmetrie der Thoraxbewegungen?)

Keiner dieser Parameter ist verzichtbar. Dies gilt auch für Transporte von beatmeten Patienten außerhalb der Notfallmedizin, z. B. im Intensivtransport.

19.4.2 Patientenseitige Parameter

Pulsoxymetrie

Die Pulsoxymetrie zeigt eine arterielle Hypoxämie an. Falls eine Dyshämoglobinämie vorliegt, können falsch hohe Werte angezeigt werden. Einzelheiten zur Pulsoxymetrie → Kap. 17.5.2.

Kapnografie

Sehr viele Probleme lassen sich durch die **Überwachung mittels Kapnometrie/-grafie** erkennen (→ Kap. 17.5.3).

PRAXISTIPP

Ein sehr wichtiger Parameter beim beatmeten Patienten ist die Überwachung der Kohlendioxidabatmung **($etCO_2$).** Ein Ausbleiben von abgeatmetem CO_2 deutet i. d. R. auf ein **lebensbedrohliches Problem** hin, z. B. eine Fehlintubation in den Ösophagus, den Ausfall oder die Diskonnektion des Beatmungsgeräts oder eine akzidentelle Extubation. **Beim Ausbleiben einer CO_2-Abatmung niemals einen Gerätedefekt unterstellen! Die Ursache dafür muss unverzüglich gesucht werden** (→ Tab. 19.10)! Veränderungen der Kapnografiekurve sind ebenfalls bedeutsam; so deutet die typische „Haifischflossenform" auf eine exspiratorische Flusslimitierung wie bei COPD oder einen Bronchospasmus (Asthma, Anaphylaxie) hin. Ein unerwartet niedriger $etCO_2$-Wert kann im Rahmen einer Lungenarterienembolie auftreten.

Kreislaufüberwachung durch die Kapnografie

Die Kapnometrie/-grafie ist nicht nur als reines Beatmungsmonitoring zu verstehen. Ein typischer Fehler des Unerfahrenen besteht darin, die $etCO_2$-Werte unabhängig von der Kreislaufsituation zu werten.

Die Durchblutung der Lunge hängt von der Kreislaufsituation ab, ein Phänomen, welches sehr gut bei der Reanimation zu beobachten ist. Während der Thoraxkompressionen ist der gemessene $etCO_2$-Wert recht niedrig, z. B. im Bereich von etwa 10–20 mmHg. Bekommt der Patient einen Spontankreislauf (ROSC), steigt der $etCO_2$-Wert rasch auf

$etCO_2$-Wert	Kreislauf (Zirkulation)	Beatmung (Ventilation)	Stoffwechsel (Metabolismus)
Nimmt zu	• Blutdruck steigt • Wiederkehr von Spontankreislauf (ROSC)	Hypoventilation	• Hyperthermie • Narkose zu flach (Stress ↑, Schmerzen ↑ = Stoffwechsel ↑)
Nimmt ab, geht gegen Null	• Blutdruck sinkt (z. B. Schock) • Kreislaufstillstand	• Hyperventilation • Ausfall Beatmungsgerät • Beatmungsschlauch oder Tubus abgeknickt • Akzidentelle Extubation	Hypothermie

Tab. 19.10 Einflussfaktoren auf den $etCO_2$

z. B. 50–60 mmHg an. Umgekehrt hat ein Blutdruckabfall auch einen Abfall des $etCO_2$-Wertes zur Folge. Wird z. B. während einer Narkose beobachtet, dass der $etCO_2$-Wert bei unveränderter Beatmungseinstellung sinkt, ist eine sehr wahrscheinliche – wenn auch nicht die einzige – Ursache ein Blutdruckabfall. Es wäre in diesem Fall nicht sinnvoll, die Beatmung so anzupassen, dass der $etCO_2$-Wert wieder in den gewünschten Bereich kommt. Steigt hingegen der $etCO_2$-Wert im Verlauf der Narkose an und ist zugleich ein Anstieg von Blutdruck und ggf. Herzfrequenz zu beobachten, dann spricht dies für eine zu flache Narkose. In diesem Fall ist das sinnvolle Vorgehen eine Vertiefung der Narkose und keine Anpassung der Beatmung.

PRAXISTIPP

Die **Kapnometrie/-grafie** erlaubt nicht nur eine Überwachung der **Beatmung,** sondern auch eine Einschätzung der **Kreislaufsituation,** vor allem im zeitlichen Verlauf (Trend). Ein Blutdruckabfall hat auch immer einen Abfall des $etCO_2$-Wertes zur Folge. Auch ein plötzlich auftretender **Kreislaufstillstand** resultiert in einen zügigen $etCO_2$-Abfall, der Richtung Null tendiert. Allerdings sollte dies auch anhand der EKG-Überwachung sofort erkannt werden Eine **Ausnahme** ist die fulminante **Lungenembolie,** bei der der Abfall des $etCO_2$-Wertes darauf beruht, dass die Lunge durch den Gefäßverschluss deutlich weniger durchblutet wird (→ Tab. 19.10).

19.4.3 Parameter des Beatmungsgerätes

Alarmgrenzen

Die **Alarmgrenzen am Beatmungsgerät** müssen an den jeweiligen Patienten angepasst werden. Die Überwachungsalarme erlauben in „Echtzeit" das Erkennen von Problemen während der Beatmung, einige davon können lebensgefährlich sein. Das Prinzip besteht darin, Minimal- und Maximalwerte einzustellen, sog. Begrenzungsvariable. Werden diese unter- oder überschritten, löst das Beatmungsgerät Alarm aus, normalerweise akustisch und optisch. Das Einstellen von sinnvollen **Alarmgrenzen** gehört daher zu einer verantwortungsvollen Durchführung der Beatmung.

Stenosealarm und Diskonnektionsalarm

Der Parameter des **maximalen inspiratorischen Drucks** P_{max} **(Stenosealarm)** dient dazu, Gefährdungen zu erkennen, die das Potenzial für eine Lungenschädigung durch zu hohe Atemwegsdrücke aufweisen. Eine typische Situation wäre eine zu flache Narkose, die ein Husten und Gegenatmen des Patienten gegen das Beatmungsgerät nach sich ziehen kann. Dies führt zu einem Erreichen des P_{max}-Wertes und somit zu einem umgehenden Alarm des Geräts, zumindest bei den modernen Ausführungen. Einige weitere Gründe, die diesen Alarm auslösen können, sind das Abknicken des Beatmungsschlauchs oder Endotrachealtubus, Verlegungen des Atemwegs (Tubus/Trachealkanüle) durch Sekret oder Blutkoagel, ein Bronchospasmus oder ein Spannungspneumothorax.

Die Auslösung der Alarmgrenze **minimaler inspiratorischer Druck** deutet z. B. auf eine Leckage im System hin, auf eine Diskonnektion (daher der Begriff **Diskonnektionsalarm**) oder eine unzureichende Blockung des Cuffs. Auch eine Störung des Beatmungsgeräts kann diesen Alarm hervorrufen.

MERKE

Der maximale inspiratorische Druck P_{max} **(Stenosealarm)** sollte auf einen Alarmwert eingestellt werden, der 10 mbar oberhalb des Wertes liegt, der mit einem normalen volumenkontrollierten Beatmungshub erzielt wird. Der minimale inspiratorische Druck **(Diskonnektionsalarm)** sollte 5 mbar über dem PEEP eingestellt werden.

Minimales und maximales Atemminutenvolumen

Eine weitere wichtige Einstellung ist die **untere Alarmgrenze für das Atemminutenvolumen** (AMV). Wenn der Patient z. B. mit einer f = 12/Min. und einem V_T = 500 ml beatmet wird, ergibt dies ein Atemminutenvolumen von 6 l. In diesem Beispiel wäre es sinnvoll, den unteren AMV-Grenzwert z. B. auf etwa 5 l einzustellen (ca. 20 % unterhalb des beabsichtigten AMV). Man kann die Alarmgrenzen aber auch enger definieren. Wird dieser Wert unterschritten, löst das Beatmungsgerät einen Alarm aus. Gerade bei druckkontrollierten Beatmungsformen ist diese Alarmgrenze wichtig, weil eine Abnahme der Compliance oder Zunahme der Resistance dazu führt, dass ein niedrigeres V_T abgegeben wird. Bei druckunterstützter Spontanatmung deutet die Unterschreitung des eingestellten AMV-Grenzwertes z. B. darauf hin, dass die Spontanatmungsfrequenz des Patienten zu niedrig ist, eine Atempumpschwäche vorliegt oder die Gerätefunktion gestört ist.

Gerade bei Spontanatmung oder unterstützter Spontanatmung ist es wichtig, zusätzlich eine **obere Alarmgrenze für das Atemminutenvolumen** einzustellen (ca. 20 % oberhalb eines für sinnvoll erachteten AMV). Bei kontrollierter Beatmung kann diese Alarmgrenze den Anwender vor einer versehentlichen Hyperventilation des Patienten bewahren. Allerdings sollte dies auch in der Kapnografie auffallen.

ACHTUNG! Moderne Beatmungsgeräte versuchen bei Erreichen des P_{max}-Wertes, durch bestimmte Anpassungen das vom Anwender gewünschte Atemhubvolumen vollständig zu verabreichen. Einfache, ältere Beatmungsgeräte (Medumat Standard®, Oxylog® 1000), die durchaus heute noch Verwendung finden, reagieren auf das Erreichen des P_{max}-Wertes, indem die Beatmung abgebrochen wird oder das Gerät die Druckspitze „abbläst". Dies kann zu einer unzureichenden Beatmung des Patienten führen.

19.4.4 Geräteausfall und Beatmungsproblem

ACHTUNG! Die notwendige Überwachung der Parameter des Beatmungsgerätes dient dabei vor allem dazu, folgende **Komplikationen zu vermeiden bzw. umgehend zu erkennen:**

- Der Patient wird gar nicht beatmet (z. B. Geräteausfall, fehlender Gasfluss, Diskonnektion, akzidentelle Extubation).
- Der Patient wird unzureichend beatmet (Atemhubvolumen bzw. Atemminutenvolumen reicht nicht mehr aus).

MERKE

Der maschinell beatmete Patient ist in **potenzieller Lebensgefahr,** wenn das Beatmungsgerät ausfällt. Für die Fehlersuche hat man in dieser Situation nur wenig Zeit. Aus diesem Grund muss beim **Transport beatmeter Patienten,** insbesondere auch außerhalb des Fahrzeugs bzw. Hubschraubers, immer ein **Beatmungsbeutel** mitgeführt werden. Falls der Patient maschinell mit einem hohen PEEP beatmet wird, empfiehlt es sich dringend, auch an den Beatmungsbeutel ein PEEP-Ventil anzuschließen. Anderenfalls kann eine Beatmung mit Beatmungsbeutel und dem damit einhergehenden PEEP-Abfall einen kritischen SpO_2-Abfall hervorrufen. Für spezielle Anforderungen (z. B. im Intensivtransport) gibt es auch PEEP-Ventile, die den Bereich bis 20 mbar abdecken. Das Standard-PEEP-Ventil deckt nur den Bereich bis 10 mbar ab (→ Abb. 19.27).

In → Kap. 19.5.3 sind die Besonderheiten und Überlegungen bzgl. des Transports von heimbeatmeten Patienten beschrieben, in → Kap. 19.5.4 das Vorgehen beim Beatmungsproblem eines tracheotomierten Patienten (Träger einer Trachealkanüle).

19.4.5 DOPE/HAND-Schema

Ein Beatmungsproblem beim maschinell beatmeten Patienten kann rasch dazu führen, dass dieser hypoxisch wird und Organe (wie das Gehirn) geschädigt werden, schlimmstenfalls kann der Patient versterben. Ein wichtiger Aspekt bei Beatmungsproblemen ist daher das rasche und strukturierte Vorgehen, um die Ursache des Problems zu erkennen und zu lösen. Für die meisten Mitarbeiter im Rettungsdienst ist es keine alltägliche Situation, beatmete Patienten zu betreuen, und selbst wenn, ist die Beherrschung eines Beatmungsproblems eine seltene und anspruchsvolle Situation.

Wie es beispielsweise von der ABCDE-Vorgehensweise oder der SAMPLER-Anamnese bekannt ist, sind auch bei Beatmungsproblemen Akronyme sehr nützlich und empfehlenswert. Verbreitet ist das Akronym **DOPE**. Ursprünglich wurde es für pädiatrische Patienten entwickelt, DOPE kann aber auch bei Erwachsenen angewendet werden. Fandler et al. (2018) haben eine SOP Akutes Beatmungsproblem vorgestellt, bei der **DOPE** mit dem Akronym **HAND** kombiniert wird. Die Idee ist, dass bei Auftreten von Beatmungsproblemen, etwa einer anhaltenden oder fortschreitenden Hypoxämie oder Hyperkapnie – trotz liegendem Endotrachealtubus – folgende Punkte zur Fehlersuche strukturiert abgearbeitet werden:

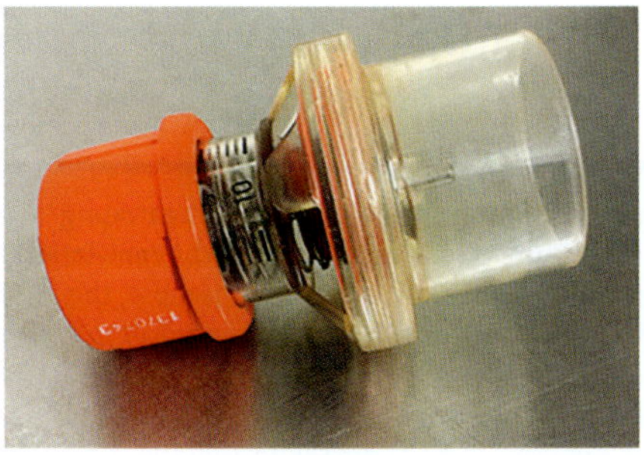

Abb. 19.27 PEEP-Ventil als Zubehör für Beatmungsbeutel [M840]

D – Dislokation des Tubus

Besteht eine **Dislokation?** Diese kann endobronchial, ösophageal oder pharyngeal sein. Eine kritische Phase, in der es leicht zur Dislokation des Tubus kommen kann, ist die Umlagerung eines Patienten. Insbesondere die **Kapnografie** ist ein ganz wesentliches Hilfsmittel, um eine Dislokation aus der Trachea zu erkennen. Im Zweifelsfall sollte mit dem Laryngoskop nachgesehen werden, ob der Tubus noch korrekt positioniert ist. Die **Auskultation** ist ein wichtiges Hilfsmittel, um einen zu tief liegenden Tubus zu erkennen.

MERKE

Die **Kapnografie** ist nicht nur wesentlich, um die korrekte Lage des Endotrachealtubus zu bestimmen. Vielmehr ist sie auch ein ganz entscheidendes und lebenswichtiges Überwachungsinstrument bei beatmeten Patienten. Daher muss die Kapnografie bei jedem beatmeten Patienten lückenlos angewandt werden!

O – Obstruktion des Tubus oder Beatmungssystems

Eine **Kompression** oder das **Abknicken** des Tubus oder von Schläuchen des Beatmungsgerätes können Beatmungsprobleme hervorrufen. In solchen Fällen macht sich das Beatmungsgerät i. d. R. durch einen plötzlichen Anstieg des Beatmungsdrucks bemerkbar. In der Praxis ist es oft hilfreich, mit einer sog. Gänsegurgel dafür zu sorgen, dass weniger Zugkräfte auf den Endotrachealtubus (oder die Trachealkanüle) wirken. Bei pädiatrischen Patienten sollte allerdings bedacht werden, dass der Einsatz einer Gänsegurgel zu einer relevanten Totraumerhöhung führt.

MERKE

Zu jeder Beatmung gehört auch die kontinuierliche Beobachtung der **Beatmungsdrücke.** Es gibt verschiedene Ursachen, die zu einem Anstieg der Beatmungsdrücke (→ 19.4.3) führen können. In jedem Fall muss umgehend nach den **Ursachen** gesucht werden. Es ist stets daran zu denken, dass bei einer druckkontrollierten Beatmung einige der infrage kommenden Ursachen für einen Druckanstieg verschleiert werden können. Es muss daher beobachtet werden, welche Atemhubvolumina (Tidalvolumen) mit dem jeweiligen Beatmungsdruck im Verlauf verabreicht werden.

P – Pneumothorax und andere pulmonale Störungen

Ein **Pneumothorax** (→ Kap. 31.4.3 und → Kap. 17.4.1) kann z. B. durch hohe Beatmungsdrücke, aber auch traumatisch oder spontan entstehen. Als pulmonale Ursache können ein **Bronchospasmus** oder ein Lungenödem Beatmungsprobleme verursachen. Sie können sich in einer mehr oder weniger ausgeprägten Steigerung des Beatmungsdrucks bemerkbar machen. Ein Bronchospasmus ist an einer „haifischflossenförmigen“ Kapnografiekurve erkennbar.

Die Auskultation ist ein wichtiges Hilfsmittel, um einen Bronchospasmus oder ein Lungenödem zu erkennen. Im Rahmen des kombinierten DOPE/HAND-Vorgehens (→ Abb. 19.28) wird die Auskultation eigentlich bei „H" (Hand) aufgeführt. Letztlich ist entscheidend, dass sie überhaupt erfolgt, und nicht, welchem Buchstaben sie zugeordnet ist.

E – Equipmentversagen

Ein Problem, das zum Ausfall des Beatmungsgeräts führen kann, ist der Ausfall der **Sauerstoffversorgung.** Dies kann auftreten, wenn die Sauerstoffflasche leer ist oder weil im Bereich der Steckkupplung zwischen Gerät und Gasversorgung eine Diskonnektion vorliegt. Bei akkubetriebenen Geräten kann zudem der **Akku** leer sein. Abgeklemmte Beatmungsschläuche oder verklebte Ventile können ebenfalls Beatmungsprobleme hervorrufen. Wann immer Probleme auftreten, darf nicht zu viel Zeit mit der Fehlersuche vergeudet werden. In einem solchen Fall sollte der Patient schnellstens mit einem Handbeatmungsbeutel beatmet werden (siehe „H").

MERKE

Der **maschinell beatmete Patient** ist in potenzieller Lebensgefahr, wenn kein Handbeatmungsbeutel mitgeführt wird, um einen etwaigen Geräteausfall zu kompensieren.

H – Patient „an die Hand" nehmen

Für Mitarbeiter aus der Anästhesie ist es geradezu ein Reflex, den Patienten bei unklaren Beatmungsproblemen erst einmal „an die Hand" zu nehmen. Gemeint ist damit, die maschinelle Beatmung auszuschalten und den Patienten mit dem Beutel des Narkosekreisteils von **Hand zu beatmen.** Auch im Rettungsdienst wird dies – hier mit dem Beatmungsbeutel – umgesetzt, dabei wird mit 100 % Sauerstoff beatmet. Der Durchführende wendet dabei das **Sehen-Hören-Fühlen-Konzept** an:

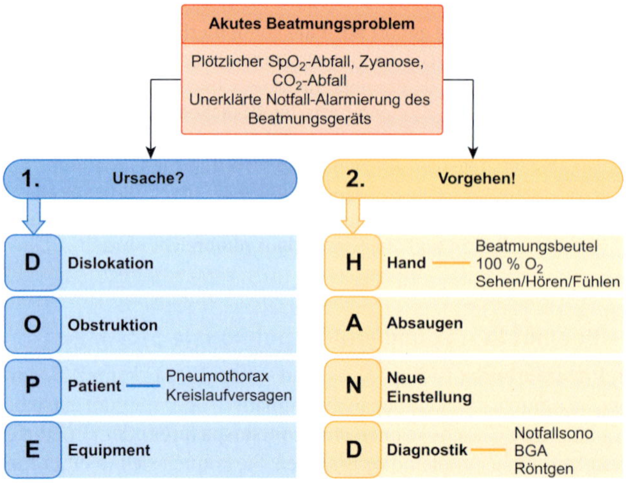

Abb. 19.28 DOPE- und HAND-Algorithmus zur Einschätzung und zum Vorgehen bei akuten Beatmungsproblemen [F985-004, L143]

- **Sehen:** Heben sich beide Thoraxhälften beatmungssynchron? Befindet der Tubus sich noch auf einer zum Patienten passenden Einführtiefe (z. B. Frauen 20–21 cm, Männer 21–23 cm auf Zahnreihe)? Wie sieht die Kapnografiekurve unter der Beatmung aus?
- **Hören:** Hier geht es um die Atemgeräusche. Ist die Lunge beidseits belüftet (Auskultation)? Hört man ein Blubbern neben dem Tubus, das auf einen Cuffdefekt oder eine Dislokation hindeutet?
- **Fühlen:** Wie lässt sich die Handbeatmung durchführen? Geht die Luft leicht in den Patienten hinein? Presst der Patient gegen die Beatmung an und benötigt eine Narkosevertiefung? Fühlt es sich so an, als würde kein Widerstand vorhanden sein?

A – Absaugen

Durch Sekrete oder Blut kann es zu einer partiellen oder kompletten **Verlegung des Tubus bzw. Tracheostomas** kommen. Lässt der Absaugkatheter sich problemlos einführen, zeigt dies zumindest die Durchgängigkeit des Tubus. Im Rahmen dieses Manövers kann der Patient auch abgesaugt werden, um etwaiges stenosierendes Sekret etc. zu entfernen.

N – Neue Einstellungen

Sind die Einstellungen der Beatmung korrekt? Sind die Beatmungsform und die Alarmgrenzen passend für den Patienten? Zum Beispiel kann bei hochgradiger Obstruktion ein Air-Trapping (→ Kap. 19.1.5) auftreten.

D – Diagnostik

Je nach Verfügbarkeit im Rettungsdienst gehören hierzu eine arterielle Blutgasanalyse und eine fokussierte Thoraxsonografie. Mittels thorakaler Sonografie lässt sich z. B. ein Spannungspneumothorax ausschließen. Wendet man das DOPE/HAND-Schema innerklinisch an, kann eine Röntgenaufnahme des Thorax zusätzliche Informationen liefern.

IM FOKUS

Troubleshooting beim Beatmungstransport

- **DOPE** („Woran kann das Problem liegen?")
  - **D**islokation? – Kapnografie und Schläuche prüfen
  - **O**bstruktion? – Tubus und Schläuche, Beatmungsdrücke und Kapnografie prüfen
  - **P**ulmonale Probleme? – Auskultation durchführen und Kapnografie prüfen
  - **E**quipment? – Einstellungen prüfen
- **HAND** („Wie kann ich auf das Problem reagieren?")
  - **H**ändische Beatmung (Beatmungsbeutel) und klinische Prüfung des Patientenzustands
  - **A**bsaugen
  - **N**eue Einstellungen wählen
  - Weitere **D**iagnostik durchführen

19.5 Heimbeatmung (ISB, HMV)

DEFINITION

Eine **Heimbeatmung,** auch als **intermittierende Selbstbeatmung** (ISB), **außerklinische Beatmung** oder **Home Mechanical Ventilation** (HMV) bezeichnet, ist eine maschinelle Beatmungstherapie, die außerhalb von Intensiv- oder Überwachungsstationen erfolgt, z. B. zu Hause, in Wohngruppen oder im Pflegeheim. Es wird in den allermeisten Fällen mit Überdruck beatmet (im Gegensatz zur Negativdruckbeatmung); es sind sowohl druckkontrollierte als auch volumenkontrollierte Modi möglich.

Bezeichnung (Hersteller)	Charakteristik	Beatmungsformen	Ausgewählte Einstelloptionen bzw. fixe Einstellungen
Medumat Standard a® (Weinmann Emergency) [V083] 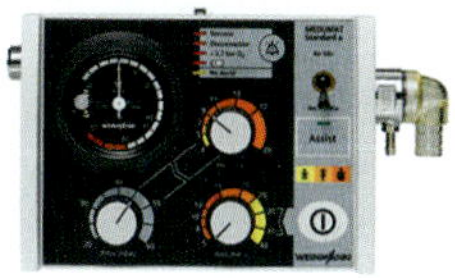	Notfallbeatmungsgerät	Volumenkontrollierte Beatmung, assistierte volumenkontrollierte Beatmung	• F_iO_2: Air-Mix/No Air-Mix • I : E (Atemzeitverhältnis): – 1 : 1,67 (fix) – Bei assistierter Beatmung 1 : 1–1 : 2,33 variabel • Beatmungsfrequenz: 8–40/Min. • Atemminutenvolumen: 3–20 l/Min. • Max. Beatmungsdruck P_{max}: 20–60 mbar • PEEP: nur über externes, optionales PEEP-Ventil
Medumat Standard 2® (Weinmann Emergency) [V083] 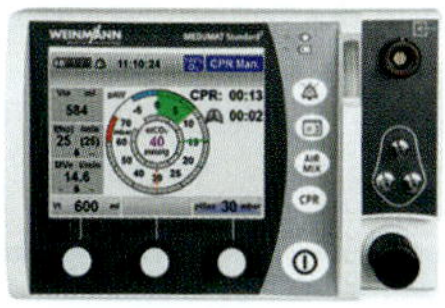	Notfallbeatmungsgerät	• Unterstützte Spontanatmung: CPAP • Volumenkontrollierte Beatmung: – IPPV – CPR – SIMV (optional) – S-IPPV (optional) – RSI – Inhalation (optional) • Unterstützte Spontanatmung: CPAP	• F_iO_2: Air-Mix/No Air-Mix • I : E (Atemzeitverhältnis): – 1 : 1,7 (mandatorisch = fix) – sonst triggerabhängig (± 10 %) • Beatmungsfrequenz: 5–50/Min. • Tidalvolumen: 50–2 000 ml (± 450 ml) oder (± 20 %) • PEEP: 0–20 mbar
Medumat Transport® (Weinmann Emergency) [V083] 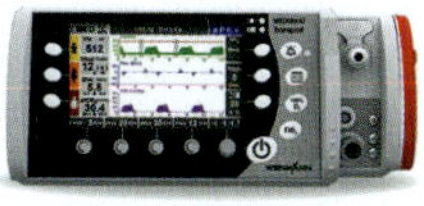	Notfall- und Intensivtransportbeatmungsgerät	• Spontanatemunterstützung: CPAP, CPAP/ASB • Volumenkontrollierte Beatmung (jeweils auch assistiert): IPPV, S-IPPV, SIMV • Druckkontrollierte Beatmung: PCV, aPCV, BiLevel/ASB, PRVC (Hybridmodus) • Optional: Präoxygenierung, Sauerstoffinhalation	• F_iO_2: Zwischen 40 % und 100 % (einstellbar in 10 %-Schritten) • I : E (Atemzeitverhältnis): 59 : 1–1 : 59 • Beatmungsfrequenz: 0–60/Min. • Tidalvolumen: 50–2 000 ml • Druckunterstützung ΔP: 0–30 mbar • PEEP: 0–30 mbar • Peakflow-Inspiration: 150 l/Min.
Meduvent Standard® (ab Software 2.1) (Weinmann Emergency) [V083] 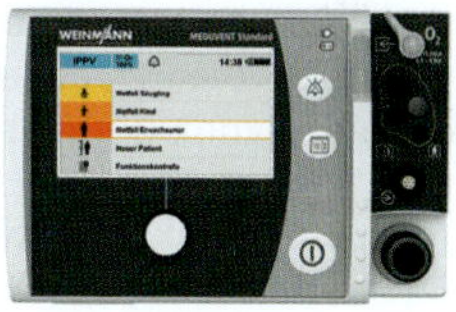	• Notfallbeatmungsgerät • **Hinweis:** kein Sauerstoffverbrauch für den Eigenbetrieb wegen integrierter Turbine	• Spontanatemunterstützung: CPAP, CPAP + PS (optional) • Volumenkontrollierte Beatmung: IPPV, S-IPPV (optional), SIMV (optional), Manuell • Druckkontrollierte Beatmung: PRVC + PS (Hybridmodus, optional)	• F_iO_2: Zwischen 21 % und 100 % • I : E (Atemzeitverhältnis): 1 : 2 (fix), 1 : 1 im Modus Manuell • Beatmungsfrequenz: 5–40/Min. • Tidalvolumen: 50–2 000 ml • Druckunterstützung ΔP: 0–30 mbar (nur bei CPAP + PS, PRVC + PS) • PEEP: 0–20 mbar • Maximaler Ausgangsflow 150 l/Min.
HAMILTON-T1 (Hamilton Medical) [V603] 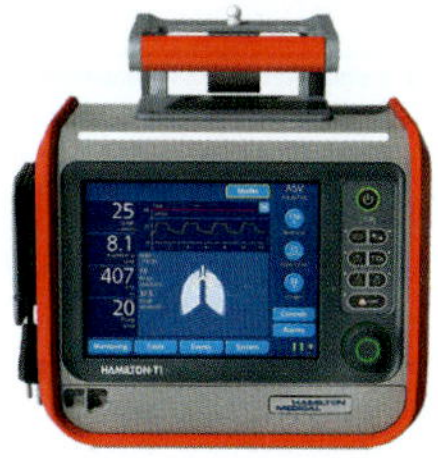	• Notfall- und Intensivtransportbeatmungsgerät • **Hinweis:** kein Sauerstoffverbrauch für den Eigenbetrieb wegen integrierter Turbine • Pädiatrische Beatmung ab 3 kg möglich, mit Neonatenschläuchen ab 250 g	• Spontanatemunterstützung: NIV, NIV-ST, SPONT, nCPAP, nCPAP-PC • Volumenkontrollierte Beatmung: CMV+, PSIMV+, SIMV+, SIMV+/APVcmv • Druckkontrollierte Beatmung: PCV+, PCV, DuoPAP, APRV, ASV • Präoxygenierung	• F_iO_2: Zwischen 21 % und 100 % • I : E (Atemzeitverhältnis): 1 : 9–4 : 1 (DuoPAP 1 : 599–149 : 1) • Beatmungsfrequenz: 1 (4/5)–80/Min., vom Muster abhängig • Tidalvolumen: 20–2 000 ml (2–300 ml Neo) • Druckunterstützung ΔP: 0–60 mbar (0–45 mbar Neo), jeweils zusätzlich zu PEEP/CPAP • PEEP: 0–35 mbar (3–25 mbar Neo) • Peakflow-Inspiration: 260 l/Min. (40 l/Min. Neo)

Tab. 19.13 Respiratoren: Modelle, Charakteristika, Einstelloptionen *(Forts.)*

WIEDERHOLUNGSFRAGEN

1. Wie unterscheiden sich Spontanatmung und maschinelle Beatmung (→ Kap. 19.1.2, → Kap. 19.2)?
2. Was sagt die Bewegungsgleichung des respiratorischen Systems aus (→ Kap. 19.1.2)?
3. Was ist der Unterschied zwischen Compliance und Resistance (→ Kap. 19.1.2)?
4. Was sind die Basisparameter der kontrollierten Beatmung (→ Kap. 19.1.5)?
5. Wie kalkuliert man das Atemhubvolumen (→ Kap. 19.1.5)?
6. Wie ist die Grundeinstellung des Beatmungsgeräts für eine volumenkontrollierte Beatmung (→ Kap. 19.2.2)?
7. Wie ist die Grundeinstellung des Beatmungsgeräts für eine BIPAP-Beatmung (→ Kap. 19.2.3)?
8. Inwiefern führt eine CPAP-Therapie zur Erleichterung der Atemarbeit (→ Kap. 19.2.5)?
9. Wie ist die Grundeinstellung des Beatmungsgeräts für eine NIV (→ Kap. 19.2.7)?
10. Was sind Kontraindikationen für eine nichtinvasive Ventilation (NIV, → Kap. 19.2.7)?
11. Was sind Erfolgskriterien für eine NIV (→ Kap. 19.2.7)?
12. Was versteht man unter dem „Nitroeffekt“ der CPAP/PEEP-Anwendung (→ Kap. 19.3.2)?
13. Was bedeutet der Begriff Rampe bei der Beatmung (→ Kap. 19.2.3)?
14. Wie wird die Beatmungsdruckamplitude ΔP bei volumen- und bei druckkontrollierter Beatmung berechnet (→ Kap. 19.2.3)?
15. Wodurch zeichnet sich die Beatmungsform PRVC im Vergleich zur „klassischen“ VCV und PCV aus (→ Kap. 19.2.4)?
16. Welche Ursachen kann ein Anstieg bzw. Abfall des endtidalen CO_2-Gehalts haben (→ Kap. 19.4.2)?
17. Wofür stehen die Buchstaben beim Akronym DOPE/HAND (→ Kap. 19.4.5)?
18. Wie ist die Heimbeatmung definiert (→ Kap. 19.5)?
19. Wann und wie erfolgt ein notfallmäßiger Trachealkanülenwechsel beim außerklinisch beatmeten Patienten (→ Kap. 19.5.4)?
20. Was versteht man unter Air-Trapping (→ Kap. 19.6.1)?
21. Welche Auswirkungen haben Hypokapnie und Hyperkapnie auf die Hirndurchblutung (→ Kap. 19.6.2)?

AUFLÖSUNG DES FALLBEISPIELS

Verdachtsdiagnosen

- Exazerbierte COPD
- Asthmaanfall
- Lungenödem

Schlüsselinterventionen

Der Patient hat einen freien Atemweg, die Atmung ist tachypnoisch mit flachen Atemzügen. Die Lungen sind beidseits gut belüftet, allerdings sind am Brustkorb deutliche Einziehungen sichtbar.

Der Patient erhält umgehend hoch dosiert (15 l/Min.) Sauerstoff über eine Sauerstoffmaske mit Reservoirsystem. Der periphere Puls ist gut tastbar und rhythmisch, die Rekapillarisierungszeit liegt bei ca. 2–3 Sekunden. Die Haut des Patienten fühlt sich warm und feucht an. Er ist zeitlich und örtlich orientiert, die Pupillen sind unauffällig. Bei der Erhebung der SAMPLER-Anamnese berichtet der Patient, dass er seit Jahren eine COPD (chronisch-obstruktive Lungenerkrankung) – aktuell Stadium GOLD III – hat. Den Rettungsdienst habe er alarmiert, weil die Atemnot heute besonders schlimm sei.

Das Rettungsteam legt sich auf die Verdachtsdiagnose „akut exazerbierte COPD“ (AE-COPD) fest. Der Patient erhält daraufhin Salbutamol und Ipratropiumbromid über eine Verneblermaske. Bis jetzt geht es dem Patienten nicht besser. Die exakte Erhebung der Vitalparameter ergibt eine Atemfrequenz von 30/Min., die Herzfrequenz liegt bei 110/Min. Die Sauerstoffsättigung ergibt einen Wert von 84 %. Das angelegte EKG zeigt einen Sinusrhythmus.

Der mittlerweile eingetroffene Notarzt bestätigt die Verdachtsdiagnose der RTW-Besatzung. Der Patient erhält 250 mg Prednisolon i. v. Die nichtinvasive Beatmung wird vorbereitet und dem Patienten die beabsichtigte Maßnahme erklärt. Vorsorglich wird das Material für eine Intubationsnarkose vorbereitet. Der Notarzt entscheidet sich initial für den Modus CPAP/PS/NIV mit einem PEEP-Niveau von 5 mbar und einer Druckunterstützung (PS) von 5 mbar. Die Maske wird dem Patienten zunächst von Hand sanft auf das Gesicht gedrückt. Im Verlauf können der PEEP auf 8 mbar und die Druckunterstützung auf 10 mbar erhöht werden. Diese Einstellung empfindet der Patient als angenehm. Atemfrequenz und Herzfrequenz nehmen ab, nach einer Weile beträgt die SpO_2 = 90 %, sodass die F_iO_2 angepasst wird. Inzwischen toleriert der Patient die Befestigung der Maske mit den Gummihaltebändern.

Nach erfolgter Anmeldung in der nächsten Klinik mit internistischer Intensivstation wird der Patient unter Fortführung der NIV-Therapie in den RTW gebracht. Der Transport verläuft komplikationslos, die Übergabe erfolgt bei deutlich gebessertem Zustand.

Diagnose

Akut exazerbierte COPD.

WEITERFÜHRENDE LITERATUR

Deutsche Gesellschaft für Pneumologie und Beatmungsmedizin e. V. (DPG). S2k-Leitlinie Nichtinvasive Beatmung als Therapie der akuten respiratorischen Insuffizienz. https://register.awmf.org/assets/guidelines/020-004l_Nichtinvasive-Beatmung-Therapie-akute-respiratorische-Insuffizienz_2023-07.pdf (letzter Aufruf: 22.9.2023).

Muellenbach R. Schwieriger Wechsel einer Trachealkanüle. In: Meybohm P, Muellenbach R, Heinrichs W et al. Fehler und Irrtümer in der Intensivmedizin. Stuttgart: Thieme, 2016. 206–208.

Oczenski W. Atmen – Atemhilfen. 10. A. Stuttgart: Thieme, 2017.

Rathgeber J et al. Grundlagen der maschinellen Beatmung. 2. A. Stuttgart: Thieme, 2010.

Von Hintzenstern U, Bein T. München. Praxisbuch Beatmung. 7. A. München: Elsevier/Urban & Fischer, 2019.

20

MEDIKAMENTÖSE THERAPIE

Thomas Semmel

MEDIKAMENTÖSE THERAPIE

FALLBEISPIEL

Notfallmeldung
Die Leitstelle alarmiert einen Rettungswagen zu einer bewusstlosen Person in einer Wohnung.

Situation und Ersteindruck
Die Ehefrau des Patienten führt das Team des Rettungswagens in das Schlafzimmer der Wohnung. Schon beim Betreten des Raums hört die RTW-Besatzung deutlich ein schnarchendes Atemgeräusch. Der Patient liegt auf dem Rücken in seinem Bett und reagiert nicht auf das Eintreten des Rettungsteams. Das Alter des Patienten wird auf ca. 70 Jahre geschätzt.

Leitsymtome
- Atemwegsverlegung
- Bewusstlosigkeit

INHALTSÜBERSICHT

20.1 APPLIKATIONSARTEN UND -WEGE
- Periphervenöser und intraossärer Zugang stellen häufig angewendete Zugangsarten zum menschlichen Körper dar. Für die periphervenöse oder intraossäre Punktion können verschiedene Punktionsorte am menschlichen Körper verwendet werden.
- Insbesondere für die Anwendung von intraossären Zugängen gibt es eine Reihe von Kontraindikationen.
- Bei beiden Zugangsformen kann es zu Komplikationen kommen, die sich allerdings bei korrekter Anwendung vermeiden lassen.
- Auch in der Notfallsituation steht eine Reihe von alternativen Applikationsarten zur Verfügung. Medikamente können z. B. bukkal, inhalativ und nasal appliziert werden. Eine spezielle Applikationshilfe (Mucosal Atomization Device – MAD) bringt das Arzneimittel bei der nasalen Applikation in den korrekten Resorptionsbereich der Nasenhöhle.
- Der zentralvenöse Katheter (ZVK) wird über die V. cava bis kurz vor den rechten Vorhof platziert. Punktionsstellen sind u. a. die V. jugularis externa, die V. subclavia oder die V. basilica. Die relativ hohe Komplikationsrate sollte zu einem sehr zurückhaltenden Einsatz in der präklinischen Notfallmedizin führen.
- Die intramuskuläre Punktion nimmt heutzutage notfallmedizinisch einen besonderen Stellenwert bei der Versorgung von Patienten mit einer schweren Anaphylaxie ein. Als Punktionsort sollte in dieser Situation der Oberschenkel ausgewählt werden.
- Die rektale Gabe von Arzneimitteln unterliegt einigen Besonderheiten hinsichtlich der Resorption des Wirkstoffs. Gerade bei Kindern mit entzündlich bedingten Obstruktionen der oberen Atemwege werden Arzneimittel rektal appliziert.

20.2 PHARMAKOLOGIE
- Um sich im Fachgebiet Pharmakologie zurechtzufinden, ist die Kenntnis spezieller Fachbegriffe notwendig. Beispielsweise werden die Begriffe Wirkstoff und Arzneistoff ebenso erklärt wie die Begriffe Indikation oder Kontraindikation.
- Um als Notfallsanitäter Arzneimittel verabreichen zu dürfen, sind neben rechtlichen Aspekten auch die Vorgaben des zuständigen Ärztlichen Leiters Rettungsdienst zu beachten.
- Die Empfehlungen der jeweiligen Fachgesellschaften und aktuelle Leitlinien definieren, welche Medikamente in welchen Notfallsituationen sinnvoll anwendbar sind.
- Sowohl die Arzneimittelumverpackung und die Packungsbeilage als auch die Fachinformationen der Hersteller beinhalten wichtige Informationen über das vorliegende Arzneimittel.
- Arzneimittel werden für den stationären Gebrauch hergestellt. Dort ist eine adäquate Lagerung einfacher möglich. Die Lagerung auf Rettungsmitteln stellt für das verantwortliche Personal eine Herausforderung dar. Die Beachtung einfacher Regeln ist sehr hilfreich.
- Auch für die präklinische Notfallmedizin liegen Arzneimittel in den unterschiedlichsten Formen vor. Man unterscheidet z. B. Emulsionen, Lösungen oder Suppositorien.
- Die Pharmakokinetik ist ein Teilgebiet der Pharmakologie. Sie beschreibt die Einflussnahme des Körpers auf ein Arzneimittel, d. h. die Arzneimittelaufnahme, -resorption, -verteilung und -exkretion.
- Arzneimittel durchlaufen bei der Anwendung drei Phasen: die pharmazeutische, die pharmakokinetische und die pharmakodynamische Phase.
- Die Resorption eines Arzneimittels ist von zahlreichen Faktoren abhängig, wie z. B. der Arzneimittelform oder der Applikationsart.
- Unter der Biotransformation eines Arzneistoffs versteht man den Umbau des Stoffes in sog. Metaboliten. Diese Stoffwechselprodukte können mehr oder weniger wirksam sein als die Ausgangssubstanz.
- Arzneimittel werden auf verschiedenen Wegen aus dem Körper ausgeschieden. Die wichtigsten Ausscheidungsorgane sind Niere und Leber.
- Arzneistoffe wirken im Körper auf unterschiedliche Art und Weise. Manche Arzneistoffe wirken z. B. an bestimmten Rezeptoren, andere beeinflussen die Transportsysteme des Körpers.
- Arzneistoffe, die an Rezeptoren wirken, lassen sich in Agonisten und Antagonisten unterscheiden.
- Die therapeutische Breite beschreibt die Dosiersicherheit eines Arzneimittels.
- Bei Kindern und älteren Menschen können physiologische Besonderheiten der jeweiligen Altersgruppe Pharmakokinetik und Pharmakodynamik der eingesetzten Arzneistoffe beeinflussen.

20.3 MEDIKAMENTE IM RETTUNGSDIENST
- Analgetika gehören sicherlich zu den am häufigsten im Rettungsdienst verabreichten Substanzen. Deshalb beschäftigt sich ein separates Kapitel mit der Analgesie im Rettungsdienst (→ Kap. 21).
- Sedativa wirken anxiolytisch, antikonvulsiv, amnestisch, zentral muskelrelaxierend und selbstverständlich sedierend. Der Wirkstoff Midazolam wird im Notfall häufig verwendet.
- Neuroleptika gehören zur Gruppe der Psychopharmaka. Sie wirken antipsychotisch, sedierend und sie beeinflussen die Psychomotorik. Zusätzlich haben manche Neuroleptika auch eine antiemetische Wirkung. Notfallmedizinisch kommen vor allem die Wirkstoffe Promethazin und Haloperidol zum Einsatz.
- Klassisch eingesetzte Antiemetika sind Metoclopramid und Dimenhydrinat. Daneben existieren mit den 5-HT_3-Antagonisten sehr potente Antiemetika.
- Die inhalative Therapie stellt die Behandlung der ersten Wahl bei einer akuten Bronchospastik dar. Insbesondere das β-2-Mimetikum Salbutamol und das Anticholinergikum Ipra-

tropiumbromid sind wichtige Wirkstoffe zur Behandlung einer Bronchospastik.
- Zu den Narkotika zählt man die Gruppe der Hypnotika, der Muskelrelaxanzien sowie stark wirksame Analgetika und Sedativa.
- Der Begriff Kardiaka fasst viele Wirkstoffe zusammen, die am Herz-Kreislauf-System wirken. Neben Antiarrhythmika gehören Antihyper- und Antihypotonika sowie Diuretika in diese Arzneimittelgruppe, genauso wie die Katecholamine, Antikoagulanzien, Thrombozytenaggregationshemmstoffe, Fibrinolytika und die Nitrate.
- Zu den Mineralstoffpräparaten gehören die Mineralstoffe Kalzium, Kalium, Magnesium und Zink. Notfallmedizinisch kommen aber überwiegend nur Kalzium und Magnesium zum Einsatz.
- Seit der größeren Verbreitung der intraossären Punktion ist eine Beschäftigung mit Lokalanästhetika sehr wichtig. Bei dem Wirkstoff Lidocain handelt es sich um den einzigen Wirkstoff dieser Gruppe, der intravenös bzw. intravasal appliziert werden darf.
- Antihistaminika werden bei allergischen Reaktion eingesetzt. Allerdings genießen sie für diese Indikation nicht den höchsten Stellenwert und werden von den Fachgesellschaften als Medikamente der zweiten Wahl bezeichnet.
- Kortikoide sind Hormone der Nebennierenrinde. Man unterscheidet Glukokortikoide und Mineralkortikoide. In der Notfallmedizin finden die Glukokortikoide ihren Einsatz u. a. im Rahmen von allergischen Reaktionen, entzündlichen Atemwegsobstruktionen und bei Reizgasinhalationen.
- Spasmolytika werden zur Behandlung von kolikartigen Schmerzen eingesetzt. Neben dem Wirkstoff Butylscopolamin hat auch das nichtopioide Analgetikum Metamizol eine spasmolytische Wirkung.
- Die Gruppe der Gynäkologika lässt sind unterteilen in Tokolytika und Uterotonika. Das bekannteste Tokolytikum stellt der Wirkstoff Fenoterol dar.
- Die Tranexamsäure ist ein Antifibrinolytikum, das man auch als Hamöstyptikum bezeichnen kann. Hämostyptika sind blutstillende, die Gerinnung fördernde Wirkstoffe.
- Als Antidote bezeichnet man Gegengifte. Neben Atropin gehören u. a. Naloxon, Aktivkohle und Toloniumchlorid zur Mindestausstattung der im Rettungsdienst verfügbaren Gegengifte.

20.4 Infusionslösungen im Rettungsdienst

- Infusionslösungen unterscheidet man in kristalloide und kolloidale Infusionslösungen.
- Präklinisch werden heutzutage hauptsächlich kristalloide Infusionslösungen als Trägerlösung, zum Offenhalten von intravasalen Zugängen oder zur Volumensubstitution eingesetzt. Glukoselösungen werden den Infusionslösungen ebenso wie das Natriumhydrogenkarbonat zugerechnet.

20.1 Applikationsarten und -wege

Arzneistoffe können auf unterschiedliche Arten verabreicht werden. Wird der Arzneistoff z. B. intravenös appliziert, so handelt es sich um eine **parenterale Gabe**. Hierunter versteht man die Applikation unter Umgehung des Magen-Darm-Trakts. Zu den parenteralen Applikationsarten gehören neben der intravenösen Applikation u. a. auch die intraossäre oder die intramuskuläre Applikation. Durch die Umgehung des Verdauungstrakts kommt es zu einem deutlich schnelleren Wirkungseintritt. Wird ein Arzneistoff z. B. peroral aufgenommen, so spricht man von einer enteralen Gabe. Die Arzneistoffe durchlaufen bei der **enteralen Gabe** nach der Resorption im Darm den Pfortaderkreislauf und müssen die Leber passieren. Dort werden die Arzneistoffe verstoffwechselt. Man spricht von der **Biotransformation eines Arzneistoffs.** Das so entstandene Stoffwechselprodukt kann in seiner Wirkung deutlich abgeschwächt oder verstärkt, mitunter toxisch sein.

20.1.1 Intravasale Applikation

Die **intravasale Applikation** stellt die gebräuchlichste Applikationsart für **Notfallmedikamente** dar. Der Wirkstoff wird nicht erst resorbiert und somit ist ein schneller Wirkungseintritt zu erwarten. Neben der Punktion peripherer Venen, z. B. die V. cephalica, steht die intraossäre Punktion als Alternative zur Verfügung. Bei der intraossären Punktion wird in den meisten Fällen die Markhöhle der großen Röhrenknochen punktiert. So applizierte Arzneistoffe werden sehr schnell der systemischen Zirkulation zugeführt.

Periphervenöser Zugang

Aufbau und Größen

Der prinzipielle Aufbau der für den Rettungsdienst geeigneten **Verweilkanülen** (→ Abb. 20.1 und → Abb. 20.2) ist bei zahlreichen Marken gleich. Das Innenteil der Kanüle besteht aus einer Stahlpunktionsnadel mit angeschliffener Spitze **(Mandrin).** Die Qualität des Anschliffs ist entscheidend dafür, wie gut die Kanüle bei der Punktion durch die Haut dringt. Über die Stahlpunktionsnadel ist die eigentliche **Verweilkanüle aus Kunststoff** aufgezogen. Diese sollte mit einer **Zuspritzpforte** ausgestattet sein,

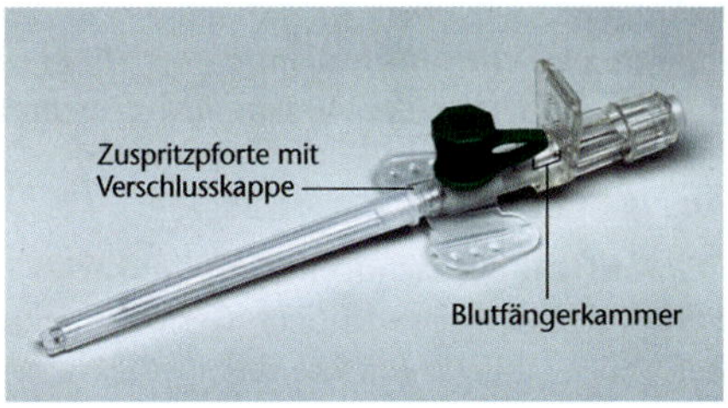

Abb. 20.1 Venenverweilkanüle [K183]

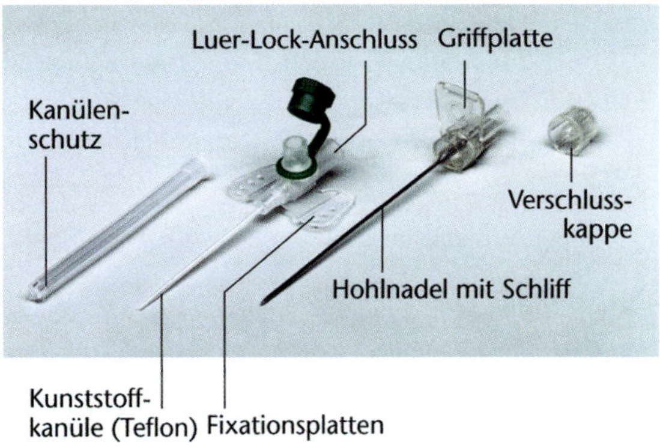

Abb. 20.2 Venenverweilkanüle, zerlegt in ihre Einzelteile [K183]

um auch bei angeschlossener Infusion hygienisch einwandfreie Injektionen durchführen zu können. Die Verweilkanüle sollte mit einer ausreichend großen **Griffplatte** für den Daumen der Punktionshand und einer **Bodenplatte** versehen sein, um eine einwandfreie Führung bei der Punktion und eine anschließende Fixierung der Verweilkanüle zu ermöglichen. Die Verweilkanüle ist an ihrem stumpfen Ende verschlossen, sodass nach der Venenpunktion kein Blut austreten kann.

Unterschiedliche **Größen** sind farblich gekennzeichnet. Entscheidend für die Geschwindigkeit der Volumengabe ist der Innendurchmesser, der die Durchflussrate in ml/Min. bestimmt. Die Verwendung möglichst großlumiger Venenverweilkanülen sollte nur dann erfolgen, wenn große Infusionsvolumina appliziert werden müssen.

MERKE

Je größer allerdings der Außendurchmesser der Kanüle bzw. des Kunststoffverweilkatheters im Verhältnis zum Gefäßlumen ist, desto größer ist die **Gefahr der Venenwandreizung und der Thrombosebildung.**

Kleinere Katheter gestatten in entsprechend größeren Gefäßlumen einen stärkeren Blutfluss. Hierdurch wird eine schnellere Verdünnung der applizierten Medikamente erreicht und so das Risiko einer Gefäßschädigung verringert. Hinzu kommt, dass der Einsatz kleinerer Kanülen auch geringere mechanische Reizungen hervorruft und es somit zu einer Schmerzreduzierung kommt.

Das Einbringen einer Verweilkanüle aus Kunststoff in die Vene bietet eine jederzeit verfügbare Verbindung zur Beeinflussung des Kreislaufs. Sie ermöglicht die sichere und schnelle **Zufuhr von Medikamenten und Infusionslösungen.**

Indikationen für einen periphervenösen Zugang sind:

- Vorsorge (Offenhalten einer Vene)
- Diagnostische Blutentnahme
- Intravenöse Applikation von Medikamenten und Infusionslösungen

Auswahl des Punktionsortes

Die Auswahl des richtigen **Punktionsortes** (→ Abb. 20.3) sollte unter Beachtung einiger wichtiger Gesichtspunkte erfolgen. Der Zustand der Venen, die angedachte therapeutische Maßnahme, die Größe des Venenverweilkatheters und der Patientenkomfort müssen in Betracht gezogen werden. Bei einer Punktion über Gelenken kann der Patient in seiner Bewegung eingeschränkt werden und es kann zusätzlich zu einer verstärkten Venenreizung durch Bewegungen führen. Auch die Dislokation des Venenverweilkatheters ist so einfacher möglich. Als ideale Punktionsorte erscheinen die Venen des Unterarms. Eine Punktion in diesem Bereich hilft, zusätzlich das **Abknicken des Venenverweilkatheters** zu verhindern, wie dies z. B. bei der Punktion eines Gefäßes in der Ellenbeuge vorkommen kann. Sollte nur dort eine Punktion möglich sein, sollte der Arm des Patienten anschließend z. B. mittels einer Punktionsschiene immobilisiert werden. Neben der Gefahr des Abknickens besteht bei der Punktion eines Gefäßes in der Ellenbeuge die zusätzliche **Gefahr,** versehentlich eine **Arterie zu punktieren** oder eine nachfolgende **Dislokation des Katheters** in eine Arterie. Neben einer Punktion der Gefäße am Unterarm oder in der Ellenbeuge stellt auch das Gefäßnetz des Handrückens einen alternativen Punktionsort dar. Allerdings bestehen auch dort nach der Punktion eine Bewegungseinschränkung des Patienten sowie die Gefahr des Abknickens und der Dislokation. Auch in diesem Fall sollte der Unterarm nach der Punktion immobilisiert werden. Lässt es die Einsatzsituation zu, so kann in Erfahrung gebracht werden, ob es sich bei dem Patienten um einen Rechts- oder Linkshänder handelt. Eine Punktion der nicht dominierenden Seite stellt einen erheblichen Komfortgewinn für den Patienten dar.

ACHTUNG! Hat der Patient bestehende Paresen, so sollte der paretische Arm möglichst nicht punktiert werden.

Durchführung der Punktion

Vor der eigentlichen **Punktion** ist der Patient über die Maßnahme aufzuklären und sollte sein Einverständnis zu dieser Maßnahme geben. Dies ist auch unbedingt im Notfallprotokoll zu dokumentieren. Damit die Durchführung zügig erfolgen kann, ist das Material vorher bereitzulegen. Bewährt hat sich die Bereitstellung von **Punktionssets** (→ Abb. 20.4), bei denen sich z. B. in einer Nierenschale das gesamte Material für die Punktion befindet. Eine anschlussfertige Infusionslösung sollte ebenfalls vorbereitet werden.

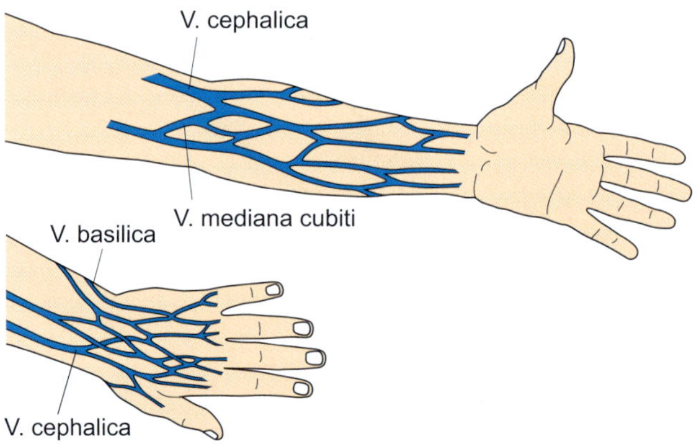

Abb. 20.3 Punktionsorte zur Anlage eines periphervenösen Zugangs [L143]

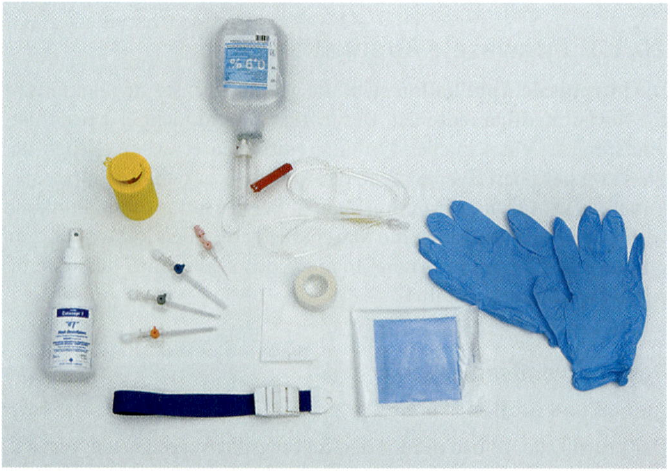

Abb. 20.4 Material zur Punktion eines peripheren Gefäßes [J747]

20.1.3 Inhalative Applikation

Die inhalative Applikation von Medikamenten erfolgt meist über **Verneblermasken** (sog. Feuchtverneblermasken; → Abb. 20.8) oder **Dosieraerosole.** Die Medikamente gelangen so direkt an ihren Wirkort. Hierdurch wird das Entstehen unerwünschter Nebenwirkungen deutlich reduziert. Im Rettungsdienst werden am häufigsten Adrenalin, Anticholinergika, β-2-Mimetika, Kortikoide und Sauerstoff inhalativ appliziert.

Während der Patient beim Einsatz von Dosieraerosolen mitarbeiten muss, ist dies bei der Verwendung von Sauerstoff- und Verneblermasken sowie Sauerstoffbrillen nicht notwendig.

Sauerstoffbrillen können für einen Sauerstofffluss bis 6 l/Min. verwendet werden; höhere Flussraten führen zu keiner Erhöhung der inspiratorischen Sauerstoffkonzentration und können zusätzlich die Nasenschleimhaut schädigen. **Sauerstoffmasken ohne Reservoir** eignen sich für Flussraten von 6–10 l/Min.; höhere Flussraten werden die inspiratorische Sauerstoffkonzentration durch Beimischung von Umgebungsluft nicht steigern. Sollen hohe inspiratorische Sauerstoffkonzentrationen erreicht werden, müssen **Sauerstoffmasken mit Reservoirsystem und Nichtrückatemventil** verwendet werden. So kann man bei einer Flussrate von 15 l/Min. eine inspiratorische Sauerstoffkonzentration von 0,85 erreichen.

Die im Rettungsdienst üblichen Verneblermasken werden mit 6–8 l/Min. Sauerstoff betrieben. Für die korrekte Funktion muss sich bei vielen Verneblermasken zu Applikationsbeginn mindestens eine Flüssigkeitsmenge von 5 ml im Verneblertopf befinden. Ist die zu applizierende Wirkstoffmenge geringer, ist der Verneblertopf mit NaCl 0,9 % aufzufüllen.

PRAXISTIPP

„Regel der 6“: Sauerstoff- oder Verneblermasken müssen mindestens mit einem **Sauerstofffluss von 6 l/Min.** betrieben werden. Ein geringerer Sauerstofffluss kann zu einer Rückatmung von ausgeatmetem CO_2 führen.

Bei der **Anwendung von Dosieraerosolen** sind unterschiedliche Anwendungsschritte zu beachten:

- Patienten über die Maßnahme aufklären
- Alle Schritte der Maßnahme erklären
- Dosieraerosol vor der Anwendung gut schütteln (Vermischung Wirkstoff und Treibmittel)
- Patienten anleiten, vor der Inhalation kräftig auszuatmen
- Tief einatmen und dabei Aerosolstoß synchron applizieren
- Patient muss den Atem nach Abgabe des Aerosolstoßes mindestens 5 Sekunden anhalten
- Weiteren Aerosolstoß frühestens nach 30 Sekunden applizieren

Die Applikation mit einem Dosieraerosol kann durch die **Verwendung einer Applikationshilfe** oder durch sog. **Spacer** vereinfacht werden. Beispielsweise wird eine kleinvolumige Applikationshilfe auf ein Dosieraerosol aufgesteckt und mit der Verschlusskappe des Aerosols verschlossen. Der Aerosolstoß wird in die Applikationshilfe abgegeben und anschließend kann der Patient aus der Applikationshilfe inhalieren. Spacer werden hauptsächlich für die Inhalation von Kortikoiden verwendet. Neben den Dosieraerosolen existieren noch weiterentwickelte Applikationssysteme, z. B. sog. Autohaler oder Easi-Breathe-Systeme, bei denen das Aerosol durch den Atemzug getriggert abgegeben wird.

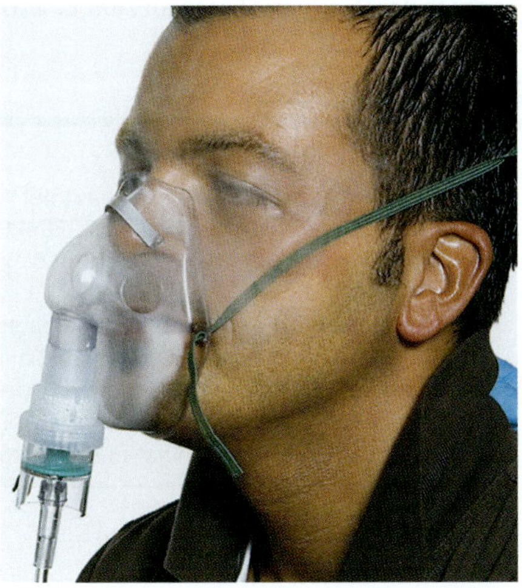

Abb. 20.8 Inhalative Applikation mittels Verneblermaske [J747]

ACHTUNG! Seit dem Erscheinen der ERC-Guidelines 2010 wird die **endobronchiale (endotracheale) Medikamentenapplikation** nicht mehr empfohlen.
Unvorhersehbare Plasmakonzentrationen und vorwiegend β-adrenerge Effekte des Adrenalins können für den Patienten nachteilig sein. Weiterhin können sich aufgrund einer geringeren Lungenperfusion unter kardiopulmonaler Reanimation Wirkstoffdepots bilden, aus denen bei Wiedereintritt eines Spontankreislaufs das Adrenalin freigesetzt wird und zum erneuten Auftreten von lebensbedrohlichen Herzrhythmusstörungen führen kann.

IM FOKUS

Inhalative Applikation

- Das wichtigste Medikament, das inhalativ verabreicht wird, ist **Sauerstoff.**
- Je nachdem, ob eine Nasenbrille, eine Sauerstoffmaske oder eine Sauerstoffmaske mit Reservoir verwendet wird, verändert sich der **effektive F_iO_2.**
- Sauerstoff kann beim Einsatz von Verneblermasken auch als **Trägermedium** für flüssige Arzneien dienen. Hier muss auf einen ausreichenden Fluss geachtet werden.
- Beim Einsatz von Dosieraerosolen kann ein **Spacer** helfen, dass weniger Arzneimittel im Mund-Rachenraum „hängen bleibt“ und damit mehr Wirkstoff in die Lungen gelangt.

20.1.4 Bukkale und sublinguale Applikation

Einige Medikamente sollen **sublingual,** also **unter die Zunge,** appliziert werden. Der Wirkstoff des Nitrolingual® Pumpsprays wird z. B. sublingual gegeben. Sicherlich gelingt dies aber nicht immer und die Wirkstoffe werden **bukkal** appliziert. Hierunter versteht man die **Applikation auf die Mund- und Zungenschleimhaut.** Ob bukkal oder sublingual, die Wirkstoffe werden dort sehr rasch resorbiert und es kommt häufig sehr schnell zu einer systemischen Wirkung. Auch das Antikonvulsivum Lorazepam wird in Form eines speziellen Plättchens (Tavor® Expidet®) bukkal appliziert. Das Plättchen zergeht sehr schnell auf der Mund- oder Zungenschleimhaut und es kommt rasch zu einer systemischen Wirkung.

20.1.5 Orale Applikation

Im Rettungsdienst **werden nur wenige Wirkstoffe oral appliziert.** Hierzu gehören z. B. die Aktivkohle oder Simeticon. Soll ein Wirkstoff oral appliziert werden, darf das Bewusstsein des Patienten nicht gestört sein. Die Wirkung tritt verzögert ein und die Wirkstoffe unterliegen dem First-Pass-Metabolismus. Die Bioverfügbarkeit ist deutlich geringer als bei parenteralen Applikationsformen.

20.1.6 Intramuskuläre Applikation

Bei der intramuskulären Applikation werden die **Wirkstoffe** mittels einer zur intramuskulären Punktion geeigneten Kanüle (z. B. 0,8 × 40 mm, grün) **in den Muskel eingebracht.** Bei der intramuskulären Applikation kommt es nicht so schnell zu einer systemischen Wirkung wie z. B. bei der intravenösen Applikation. Allerdings ist auch die Rate an unerwünschten Nebenwirkungen geringer. Insbesondere bei einer schweren Anaphylaxie ist diese Applikationsart das Mittel der Wahl, um das überlebenswichtige Adrenalin zu verabreichen. Applikationsort ist häufig der Oberschenkel; dort wird der M. vastus lateralis punktiert (→ Abb. 20.9).

Das Rettungsdienstpersonal kann aber auch mit Patienten konfrontiert werden, die Autoinjektoren mit sich führen und in der Notfallsituation möglicherweise Hilfe bei der Applikation benötigen. Beispielsweise handelt es sich hierbei um Adrenalin-Autoinjektoren mit einem Wirkstoffgehalt von 0,15–0,5 mg.

PRAXISTIPP

Durchführung einer **intramuskulären Applikation:**
- Bein leicht anwinkeln und nach innen rotieren
- Punktionsort identifizieren
- Haut desinfizieren
- Senkrecht durch die Haut in den Muskel einstechen
- Applikation des Wirkstoffs über 10 Sekunden
- Injektionskanüle nach Applikation zügig entfernen und sicher entsorgen
- Punktionsstelle mit einem Tupfer komprimieren und anschließend mit einem Wundschnellverband versorgen

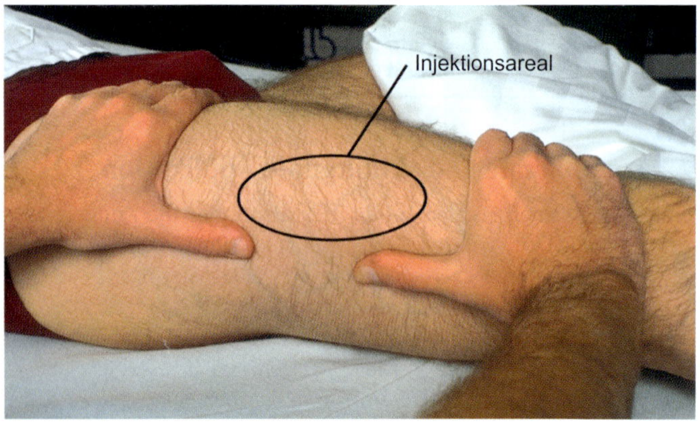

Abb. 20.9 Punktionsort für die intramuskuläre Applikation am Oberschenkel [K183]

20.1.7 Subkutane Applikation

Bei der subkutanen Applikation wird der **Wirkstoff in das Unterhautfettgewebe (Subkutis) verabreicht.** Wirkstoffe werden aus der Subkutis nur langsam resorbiert, am Punktionsort bilden sich Wirkstoffdepots aus. Im Rettungsdienst werden nur wenige Wirkstoffe wie z. B. Terbutalin subkutan appliziert. Teilweise werden in Notfallsituationen aber auch Analgetika, Antidote oder Neuroleptika subkutan verabreicht.

Unter Umständen wird das Rettungsdienstpersonal mit Palliativpatienten konfrontiert, denen aufgrund der Unmöglichkeit einer sonstigen Flüssigkeitsaufnahme Infusionen subkutan appliziert werden. Mögliche Punktionsstellen sind das ventrolaterale Abdomen, der ventrolaterale Oberschenkel oder der Rücken (zwischen den Schulterblättern). Punktiert wird häufig mit einer Butterfly-Kanüle (23 G) und die Infusion wird langsam (180 ml/Std.) appliziert.

20.1.8 Rektale Applikation

Verglichen mit anderen Applikationsarten weist die rektale Applikation eine **geringere Resorptionsrate** auf. Werden die Wirkstoffe über die unteren Hämorrhoidalvenen aufgenommen, kann es zu einer Umgehung der Leber kommen. Dies ist von der Einführtiefe und dem Beginn der Auflösung der Suppositorien (Zäpfchen) abhängig. Werden die Suppositorien nicht zu tief eingeführt und beginnen sich rasch aufzulösen, kann es eher zu einer Aufnahme in die unteren Hämorrhoidalvenen kommen. Kommt es im Gegensatz hierzu zu einer Aufnahme über die obere Hämorrhoidalvene, wird der Wirkstoff über die Pfortader der Leber zugeführt und er durchläuft den First-Pass-Metabolismus (→ Abb. 20.10).

Im Rettungsdienst werden **Suppositorien hauptsächlich bei pädiatrischen Notfällen** verabreicht. Hierbei handelt es sich meist um Kortikoide, Ibuprofen und Paracetamol.

Neben den Suppositorien kommen überdies Rektaltuben zur Anwendung. Der Wirkstoff liegt in den Rektaltuben in einer Lösung vor. Zur Anwendung wird die Rektaltube aus der Umverpackung entnommen, anschließend die Verschlusskappe entfernt und die Tubenspitze in den Analkanal eingeführt. Der Inhalt der Rektaltube wird durch kräftigen Druck entleert. Die Rektaltube muss anschließend unter aufrechterhaltenem Druck wieder entfernt werden. Wird dieser Druck beim Entfernen nicht aufrechterhalten, kann die Rektallösung unter Umständen wieder zurückgesaugt werden. Nach der Entfernung der Rektaltube sollten die Gesäßbacken des Patienten, wie auch bei der Applikation von Suppositorien, für einige Zeit zusammengedrückt werden, um ein Herauslaufen der Lösung zu verhindern. Als Rektaltube kommt hauptsächlich der Wirkstoff Diazepam zum Einsatz.

IM FOKUS

Weitere Applikationsformen
- **Bukkal:** Nutzung der Schleimhaut der Wangen als Resorptionsfläche, Umgehung des First-Pass-Effekts
- **Oral:** Wirkung über den „normalen Weg" im Verdauungstrakt, First-Pass-Effekt
- **Intramuskulär:** Depoteffekt, dadurch gute Steuerung möglich
- **Subkutan:** selten im Rettungsdienst anzutreffen, Anwendung manchmal in Pflegeeinrichtungen in der Flüssigkeitstherapie
- **Rektal:** Nutzung der Schleimhaut des Rektums als Resorptionsfläche, Umgehung des First-Pass-Effekts

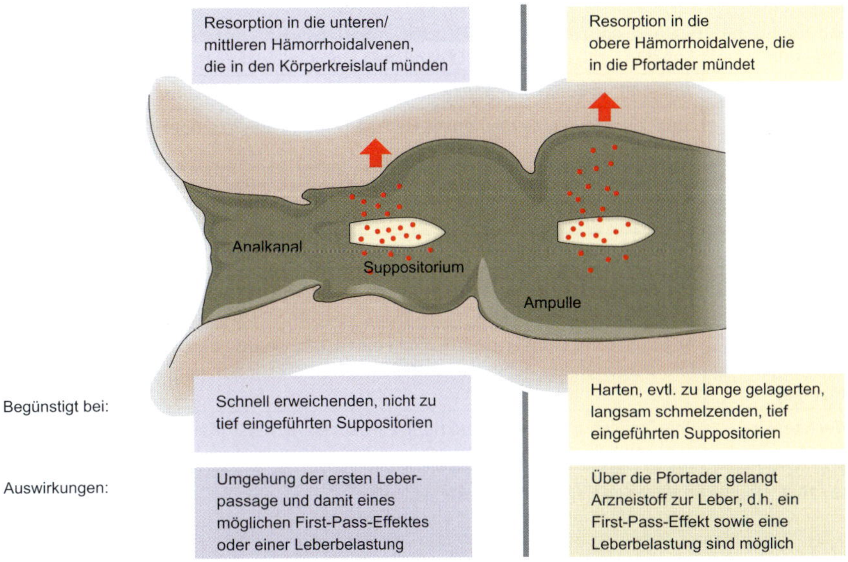

Abb. 20.10 Rektale Resorption [L157]

20.2 Pharmakologie

20.2.1 Grundlagen der Pharmakologie

DEFINITION

Die Pharmakologie ist die **Lehre von den Wechselwirkungen zwischen Arzneistoffen und dem Organismus.** Man unterteilt die Pharmakologie in die Fachgebiete **Pharmakokinetik, Pharmakodynamik** und **Toxikologie.**

Bis zum Ende des 19. Jahrhunderts wurden zur Behandlung von Krankheiten hauptsächlich frische oder getrocknete Pflanzen oder Pflanzenteile verwendet. Schon früh machte man die medizinisch wirksamen Substanzen der Pflanzen durch Trocknen oder Einlegen in Alkohol haltbar. Gerade viele heimische Pflanzen bieten eine Unzahl von Wirkstoffen, die auch noch heute – allerdings meist synthetisch hergestellt – zur Behandlung von Krankheiten dienen. Beispiele hierfür sind:

- Digitalis purpurea (Roter Fingerhut): Digoxin (Herzglykosid)
- Salix alba (Korb- oder Silberweide): Salicylsäure (Analgetikum)
- Colchicum autumnale (Herbstzeitlose): Kolchizin (Mittel bei Gichtanfällen)

Heute werden Arzneimittel in pharmazeutischen Unternehmen entwickelt und hergestellt. Von der **Entwicklung bis zur Zulassung eines Arzneimittels** vergehen teilweise mehr als 10 Jahre. Bevor ein Arzneimittel zugelassen wird, muss es mehrere **Prüfphasen** durchlaufen. Von rund 10 000 Substanzen, die zu Beginn der Entwicklung synthetisiert wurden, bleibt nach Abschluss aller Prüfphasen lediglich ein Wirkstoff übrig.

Während der ersten Prüfung, der sog. „präklinischen Prüfung", werden die Wirkung auf Körperfunktionen, der Wirkmechanismus und die Giftigkeit einer Substanz untersucht. Dies geschieht an Zellkulturen, isolierten Körperzellen, isolierten Organen und im Tierversuch. Nach Beendigung dieser Prüfphase bleiben von den ursprünglichen 10 000 Substanzen gerade noch 10 übrig.

An die **präklinische Prüfung** schließen sich **drei klinische Prüfphasen** an. Hier werden die Substanzen zuerst an gesunden Versuchspersonen eingesetzt. In der ersten Phase wird die Wirkung auf die Körperfunktion und die Pharmakokinetik betrachtet. Diese Phase dient auch der Dosisfindung. Während der zweiten klinischen Prüfphase werden die Substanzen an ausgewählten Patienten auf Verträglichkeit, Dosierung und vor allen Dingen Wirkung in Bezug auf die Krankheit hin untersucht. Zeigt sich in dieser Phase eine gute Verträglichkeit mit geringen Nebenwirkungen, werden die Substanzen an einer größeren Zahl von Patienten untersucht. Um die Wirkungsbeeinflussung durch den Faktor Mensch zu eliminieren, führt man häufig Blindstudien durch. Hierbei wissen die Anwender nicht, ob sie die zu untersuchende Substanz oder ein Placebo einnehmen.

Nach Durchlaufen der dritten klinischen Prüfphase bleibt nur noch ein Wirkstoff übrig, der nun auf Antrag des Herstellers durch das **Bundesinstitut für Arzneimittel und Medizinprodukte** (BfArM) zugelassen wird. Nach der Zulassung und Beginn des Vertriebs des Arzneimittels schließt sich eine letzte klinische Prüfung an. Während dieser vierten klinischen Prüfphase erfolgt eine Abwägung von Nutzen und Risiko des Arzneimittels in der Langzeitanwendung. Nicht selten passiert es, dass sich erhebliche Risiken von Arzneimitteln erst während der Langzeitanwendung zeigen. Beispiele hierfür sind Contergan, Lipobay oder auch Teldane – alles Arzneimittel, die in der Langzeitanwendung zu Behinderungen oder gar zum Tod geführt haben.

Wichtige Begriffe der Pharmakologie

Um sich im Fachgebiet Pharmakologie zurechtzufinden, ist die Kenntnis einiger **Fachbegriffe** notwendig. Einige der Fachbegriffe sind durch das Arzneimittelgesetz (AMG) geregelt, andere Begriffe stammen aus dem Fach Pharmakologie (→ Tab. 20.2).

Wirkstoff

Das **Arzneimittelgesetz** definiert **Stoffe** im Sinne des Gesetzes. Man unterscheidet hierbei:

- Chemische Elemente und chemische Verbindungen sowie deren natürlich vorkommende Gemische und Lösungen
- Pflanzen, Pflanzenteile, Pflanzenbestandteile sowie Algen, Pilze und Flechten in bearbeitetem oder unbearbeitetem Zustand

Begriff	Definition
Wirkstoff	Substanz, die in lebenden Organismen eine biologische Wirkung hervorruft
Arzneistoff	Wirkstoff, der zur Vorbeugung, Linderung, Heilung oder Erkennung von Erkrankungen dienen kann
Hilfsstoff	Stoff, der kaum eine nennenswerte Eigenwirkung besitzt, aber den Geschmack, das Aussehen oder die Haltbarkeit von Arzneistoffen beeinflusst
Generika	Arzneimittel, die nach Ablauf des Patentschutzes meist unter der INN-Bezeichnung auf den Markt kommen
INN	International Nonproprietary Name (internationaler Freiname)
Indikation	Grund für den Einsatz von Arzneimitteln; in der Packungsbeilage oder Fachinformation auch als Anwendungsgebiet bezeichnet
Nebenwirkung	Wirkungen, die neben der Hauptwirkung eines Arzneimittels auftreten; im allgemeinen Sprachgebrauch sind damit zumeist unerwünschte Nebenwirkungen gemeint.
Kontraindikation (Gegenanzeige)	Angabe, wann ein Arzneimittel nicht eingesetzt werden darf. Man unterscheidet in absolute und relative Kontraindikationen. In den Fachinformationen der Hersteller sind die Kontraindikationen immer unter dem Begriff Gegenanzeigen angegeben.
Wechselwirkung	Physikalisch-chemische Reaktionen zwischen Arzneistoffen untereinander oder diesen und den pharmazeutischen Grund- und Hilfsstoffen sowie Nahrungsmitteln

Tab. 20.2 Übersicht: Wichtige Begriffe der Pharmakologie

- Tierkörper, auch lebender Tiere, sowie Körperteile, -bestandteile und Stoffwechselprodukte von Mensch und Tier in bearbeitetem oder unbearbeitetem Zustand
- Mikroorganismen einschließlich Viren sowie deren Bestandteile oder Stoffwechselprodukte

Wirkstoffe sind Substanzen, die in einem lebenden Organismus eine biologische Wirkung hervorrufen.

Arzneistoff

Der Begriff Arzneistoff ist **spezifischer als der Begriff Wirkstoff.** Arzneistoffe sind, gemäß Arzneimittelgesetz, Stoffe oder Zubereitungen aus Stoffen, die zur Anwendung im oder am menschlichen Körper bestimmt sind. Sie sind als Mittel mit Eigenschaften zur Heilung, Linderung oder zur Verhütung menschlicher Krankheiten oder krankhafter Beschwerden bestimmt. Oder es werden damit Stoffe bezeichnet, die im oder am menschlichen Körper verabreicht werden können, um entweder physiologische Funktionen durch pharmakologische, immunologische oder metabolische Wirkung wiederherzustellen, zu korrigieren oder zu beeinflussen. Weiterhin können Arzneistoffe der Diagnosestellung dienen.

Hilfsstoff

Als Hilfsstoffe werden Stoffe bezeichnet, die **neben dem eigentlichen Arzneistoff in einem Arzneimittel enthalten** sind. Sie besitzen häufig kaum eine Eigenwirkung, beeinflussen aber das Aussehen, die Form, den Geschmack oder die Haltbarkeit der Arzneimittel. Teilweise können sie mit anderen Arzneistoffen oder den Hilfsstoffen von Arzneistoffen Wechselwirkungen hervorrufen.

Generika

Der Duden bezeichnet Generika als *„Arzneimittel, die einem auf dem Markt befindlichen und als Markenzeichen eingetragenen Präparat in der Zusammensetzung gleichen, i. d. R. aber günstiger angeboten werden"*. Bei den Generika handelt es sich um Arzneimittel, die nach Ablauf des Patentschutzes unter der INN-Bezeichnung auf den Markt kommen. Heute sind viele altbekannte Präparate überhaupt nicht mehr verfügbar. Deshalb ist das Einprägen der INN-Bezeichnung sinnvoller, als sich Präparatenamen zu merken. So wird auch z. B. die rettungsdienstbereichsübergreifende Zusammenarbeit viel einfacher.

Internationaler Freiname (International Nonproprietary Name – INN)

Der internationale Freiname ist die international verwendete pharmakologische Kurzbezeichnung eines Arzneistoffs. Das **INN-System** wurde im Jahr 1950 von der Weltgesundheitsorganisation (WHO) zur Etablierung international einheitlicher Bezeichnungen für Wirkstoffe ins Leben gerufen. Die chemisch korrekten Bezeichnungen der Wirkstoffe sind kompliziert, sehr lang und so nicht gut zu merken. Ein Beispiel für eine chemische Wirkstoffbezeichnung wäre:

- N-[2-[[5-[(Dimethylamino)methyl]furfuryl]thio]ethyl]-N'-methyl-2-nitrovinylidendiaminmonohydrochlorid
- Der INN dazu lautet: Ranitidin

Indikation

In der Pharmakologie versteht man unter dem Begriff Indikation den **Grund für den Einsatz eines Arzneimittels.** Häufig gibt es nicht nur einen Grund, ein Arzneimittel einzusetzen. In den Fachinformationen der Hersteller wird die Indikation auch als Anwendungsgebiet bezeichnet.

Nebenwirkung

Als Nebenwirkungen bezeichnet man **Wirkungen, die neben der Hauptwirkung eines Arzneimittels auftreten.** Allgemein versteht man darunter unerwünschte Wirkungen eines Arzneimittels. Nicht selten werden Arzneimittel aber gerade wegen ihrer Nebenwirkung eingesetzt. Ein Beispiel hierfür ist sicherlich das Arzneimittel Aspirin® i. v. 500 mg. Eigentlich handelt es sich dabei um ein nichtopioides Analgetikum. Der häufigste Einsatz ist aber die Thrombozytenaggregationshemmung im Rahmen eines ACS.

Kontraindikation

In den Fachinformationen der Hersteller werden Kontraindikationen auch als **Gegenanzeigen** bezeichnet. Eine Kontraindikation gibt an, wann ein Arzneimittel nicht eingesetzt werden darf. Man unterscheidet in absolute und relative Kontraindikationen. Liegt eine **absolute** Kontraindikation vor, darf das Arzneimittel auf keinen Fall eingesetzt werden. Handelt es sich aber um eine **relative** Kontraindikation, muss eine Nutzen-Risiko-Abwägung durchgeführt werden. Liegt der Nutzen höher als das zu erwartende Risiko, wird man sich für die Applikation des Arzneimittels entscheiden.

Wechselwirkung

Generell versteht man unter einer Wechselwirkung eine **physikalisch-chemische Reaktion** zwischen Arzneistoffen oder den Arzneistoffen und pharmazeutischen Grund- und Hilfsstoffen sowie Nahrungsmitteln. Wechselwirkungen lassen sich in pharmakokinetische und pharmakodynamische Wechselwirkungen sowie Wechselwirkungen mit Nahrungsmitteln unterscheiden:

- **Pharmakokinetische** Wechselwirkungen können sowohl bei der Resorption, der Verteilung, der Biotransformation als auch bei der Exkretion auftreten. Bei der Resorption kann z. B. eine Veränderung des pH-Wertes eine Wechselwirkung hervorrufen.
- Zu **pharmakodynamischen** Wechselwirkungen kommt es, wenn verschiedene Arzneimittel verabreicht werden und sich diese in ihrer Wirkung beeinflussen. Wechselwirkungen können auch durch die gleichzeitige Aufnahme von Alkohol oder Tabakrauch entstehen. Werden z. B. Arzneistoffe mit zentral dämpfender Wirkung zusammen mit Alkohol eingenommen, so kann die Wirkung dieser Arzneistoffe deutlich verstärkt werden. Ein Beispiel hierfür ist die Einnahme von Benzodiazepinen in Verbindung mit Alkohol. Hierdurch entstehen schnell schwerwiegende Vergiftungen (→ Kap. 40.3.1).
- Arzneimittel können auch bei gleichzeitiger Aufnahme verschiedener **Nahrungsmittel** Wechselwirkungen hervorrufen. Der Verzehr der Grapefruit (auch der Saft der Grapefruit) hemmt Enzyme, die für die Biotransformation wichtig sind. Hierdurch können Arzneistoffe in ihrer Wirkung verstärkt werden (z. B. Verapamil).

Weitere **Lebensmittel,** die in Verbindung mit bestimmten Arzneimitteln Wechselwirkungen hervorrufen, sind:

- Milch und Milchprodukte
- Zitrate (z. B. in Limonaden oder Fruchtsäften enthalten)
- Vitamin-K-haltige Nahrungsmittel
- Tyraminhaltige Nahrungsmittel
- Koffeinhaltige Getränke und Nahrungsmittel
- Gerbstoffe (z. B. in Rotwein enthalten)
- Eisen(II)salze

Dosierung von Arzneimitteln in der Notfallmedizin

Die applizierte Menge eines Arzneimittels sollte so gewählt sein, dass sie zwar den gewünschten Effekt auslöst, jedoch keine Nebenwirkungen auftreten. Die Größe der Dosis ist von vielen Faktoren abhängig, die bei der Applikation berücksichtigt werden müssen. Körpergewicht, Lebensalter, Begleiterkrankungen, eingeschränkte Organfunktionen sind nur einige davon. In der Notfallmedizin sollen Arzneimittel einen **raschen Wirkungseintritt** besitzen und **gut steuerbar sein,** d. h. eine **kurze Wirkdauer aufweisen.**

Man unterscheidet die **Initialdosis** und die **Repetitionsdosen** (Wiederholungsgaben). Die ideale Dosierung wird u. a. durch die therapeutische Breite (→ Kap. 20.2.3) des Pharmakons bestimmt.

Schachtel, Packungsbeilage und Fachinformation

Informationen über Arzneimittel erhält man aus der Packungsbeilage und der Umverpackung (→ Abb. 20.11). Im Arzneimittelgesetz ist geregelt, welche **Angaben auf der Umverpackung** aufgebracht sein müssen. Neben dem Namen und der Anschrift des Herstellers müssen Zulassungsnummer, falls erforderlich besondere Vorsichtsmaßnahmen bei der Beseitigung von nicht verwendeten Arzneimitteln sowie Hinweise zur Aufbewahrung des Arzneimittels vermerkt sein. Besonders wichtig sind aufgebrachte Angaben wie:

- Bezeichnung des Arzneimittels
- Stärke des Arzneimittels
- Darreichungsform
- Internationaler Freiname (INN)
- Inhalt nach Gewicht, Raum und Stückzahl
- Art der Anwendung
- Verfalldatum
- Bei verschreibungspflichtigen Arzneimitteln der Hinweis „verschreibungspflichtig"

Weitergehende Informationen findet man auf der **Packungsbeilage** des Arzneimittels. Hierin finden sich Angaben über:

- Wirkstoff und Wirkstoffmenge
- Anwendungsgebiete (Indikationen)
- Warnhinweise und Vorsichtsmaßnahmen
- Anwendungs- und Dosierungshinweise
- Wechselwirkung mit anderen Arzneimitteln
- Nebenwirkungen
- Aufbewahrungshinweise

Die umfangreichsten Informationen erhält man allerdings aus der **Fachinformation** der Hersteller. Auf diese kann man nach Anmeldung über die Internetplattform www.rote-liste.de zugreifen oder man erhält sie auf Nachfrage direkt bei den Herstellern.

Die Abfrage der Bedarfs- oder Dauermedikation erfolgt im Rahmen der Erhebung der SAMPLER-Anamnese (→ Kap. 17.1.11). Patienten und Angehörige sind allerdings nicht immer in der Lage, adäquate Auskunft über die einzunehmenden Medikamente zu geben. Ein Blick auf die Umverpackung oder die Packungsbeilage an der Einsatzstelle vorhandener Medikamente kann bei der Diagnostik sehr hilfreich sein.

Lagerung von Arzneimitteln im Rettungsdienst

Arzneimittel werden für den stationären Bedarf hergestellt. Dort werden sie unter optimalen Bedingungen gelagert. Generell sollten Arzneimittel **lichtgeschützt, bei konstanter Temperatur und trocken** gelagert werden. Diese Voraussetzungen sind auf den Rettungsmitteln leider nicht gegeben. In den Fahrzeugen und Notfallkoffern/-rucksäcken kommt es zu enormen Temperaturschwankungen und mechanischen Einflüssen. Man geht davon aus, dass diese Einflüsse die Laufzeiten der Arzneimittel deutlich verkürzen können.

Für die Lagerung der Arzneimittel gilt, dass die Lagerungshinweise der Hersteller in jedem Fall zu beachten sind. Diese findet man in der Packungsbeilage bzw. in der jeweiligen Fachinformation.

Arzneimittel für den Rettungsdienst sollten in den Einsatzfahrzeugen wie auch im Medikamentenlager auf der Rettungswache nur in **einsatztaktisch sinnvollen Mengen** vorgehalten werden. Ansonsten gelten die Prinzipien, wie sie für die stationäre Vorhaltung von Medikamenten gelten, d. h., die Medikamente müssen

- lichtgeschützt,
- trocken,
- bei konstanter Temperatur,
- u. U. gekühlt (Vorhaltung von Kühlschränken auf Rettungswache und im Rettungsmittel) und
- unter Verschluss

gelagert werden. Der Bestand muss regelmäßig kontrolliert und dokumentiert werden. Für Betäubungsmittel gelten besondere Aufbewahrungspflichten. Die Lagerhaltung kann durch Rettungsdienstpersonal vorgenommen werden; verantwortlich für die Arzneimittelsicherheit, -information und -versorgung ist ein Apotheker. Ein Arzt ist zuständig für die Arzneimittelverordnung.

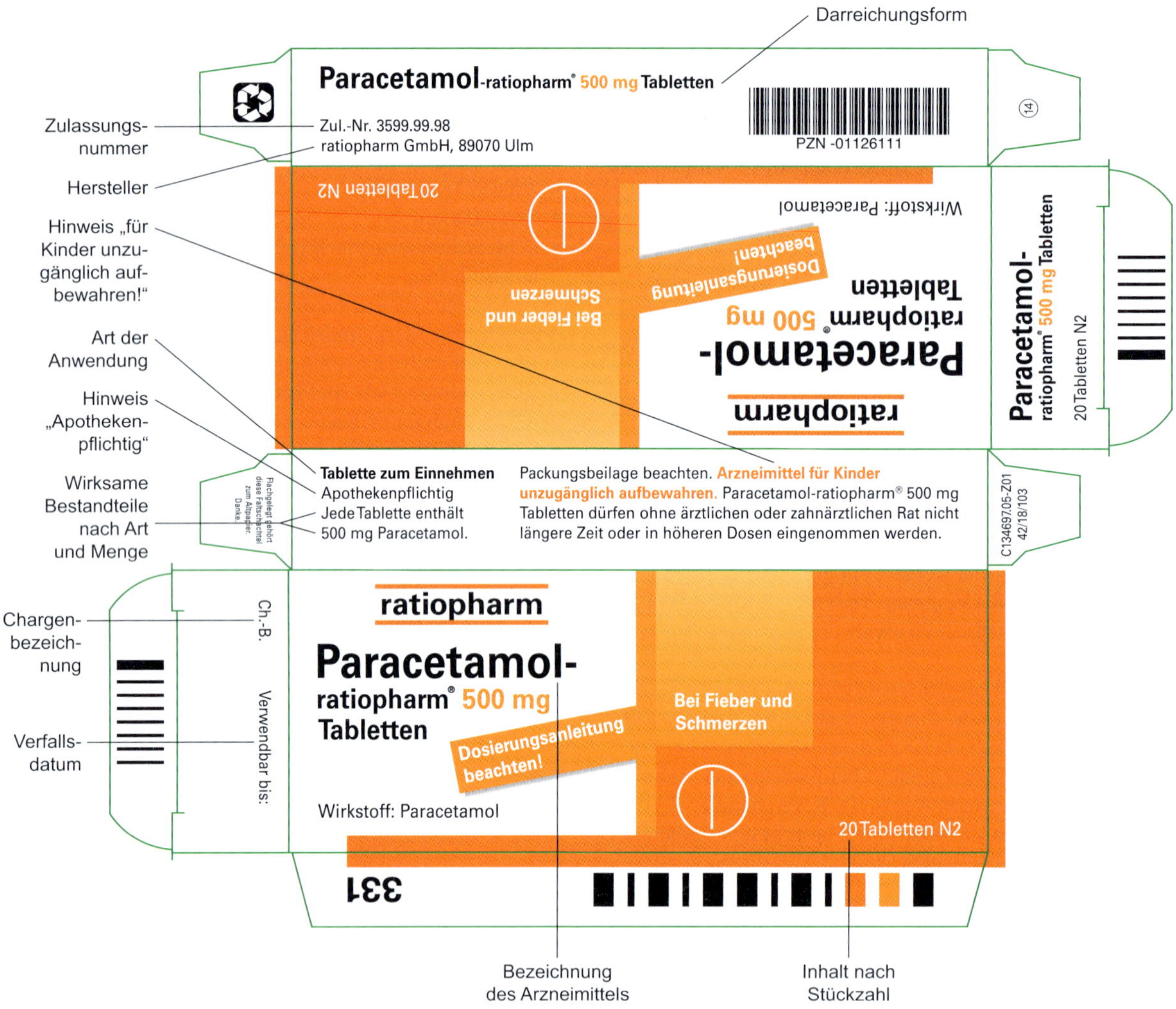

Abb. 20.11 Wichtige Informationen einer Arzneimittelverpackung [U230]

Auswahl der Arzneimittel

Arzneimittel, die im Rettungsdienst eingesetzt werden, müssen eine Reihe von **Voraussetzungen** erfüllen, um den Anforderungen nach Wirksamkeit und Sicherheit gerecht zu werden:

- Die eingesetzten Pharmaka sollten einen raschen Wirkungseintritt, eine kurze Wirkdauer und eine gute Steuerbarkeit aufweisen.
- Sie sollten keine negativen Auswirkungen auf kardiozirkulatorische, respiratorische und zerebrale Funktionen haben, keine allergische Potenz besitzen und nicht mit anderen Arzneimitteln und Infusionen interagieren, z. B. Wirkungen vermindern oder verstärken.
- Eine unkomplizierte Lagerung (licht- und temperaturunempfindlich) und einfache Applikation sollten gewährleistet sein.

Die Auswahl der Arzneimittel sollte nicht nur nach dem Aspekt der **Kostensenkung** und danach, mit welchem Medikament das eingesetzte Personal die meisten persönlichen Erfahrungen gemacht hat, geschehen. Wichtig hingegen ist auch der Anspruch, dass die medikamentöse Therapie hinsichtlich Auswahl und Dosierung kontinuierlich dem **aktuellen Wissensstand** angepasst wird. Es ist ratsam, **neue Arzneimittel kritisch zu betrachten,** da neue Medikamente nicht automatisch auch die besseren sind. Auf neue Medikamente sollte dann umgestellt werden, wenn die oben genannten Voraussetzungen besser erfüllt werden als bei den aktuell gebräuchlichen. Die Wahl der Notfallmedikamente, die beim Einsatz mitgeführt werden, sollte sich auf ca. 30 Arzneimittel beschränken, wobei die Zusammenstellung nach individuellen Gesichtspunkten innerhalb des Einsatzbereichs erfolgt. Eine Norm gibt es nicht.

Die **Einteilung in den Rettungsmitteln oder den Notfallrucksäcken/-koffern** geschieht entweder alphabetisch oder nach Indikationsgruppen. Sie sollte für alle Rettungsmittel eines Einsatzbereichs identisch sein.

PRAXISTIPP

8-R-Regel zum Umgang mit Arzneimitteln: Um Fehler bei der Applikation von Arzneimittel zu vermeiden, sollte jeder, der Arzneimittel appliziert, die acht **„Rs"** beachten:

- **R**ichtiges Medikament (Namensähnlichkeiten)
- **R**ichtiger Patient (Kontraindikationen)

- **R**ichtige Menge (Körpergewicht, Alter, Grunderkrankung)
- **R**ichtige Konzentration (Einheiten g, mg, %)
- **R**ichtige Applikationsart (z. B. Terbutalin: Zulassung nur zur subkutanen Applikation)
- **R**ichtige Lagerung (verschlossen, kein Frostschaden)
- **R**ichtige Applikationstemperatur (Infusionen)
- **R**ichtige Vorbereitung (gelöst, gemischt)

Rechtliche Aspekte

Das **Notfallsanitätergesetz** regelt in § 4, Abs. 2, Nr. 1, welche invasiven Maßnahmen der Notfallsanitäter durchführen darf. Hierzu gehört auch die Gabe von Medikamenten. Der Ärztliche Leiter Rettungsdienst (ÄLRD) entscheidet darüber, welche Medikamente in seinem Rettungsdienstbereich durch Notfallsanitäter eigenverantwortlich oder im Rahmen der Mitwirkung bzw. der Assistenz verabreicht werden dürfen.

Um bundesweit eine Einheitlichkeit zu erreichen, wurde vom Bundesverband der Ärztlichen Leiter Rettungsdienst der sog. Pyramidenprozess initiiert. Aus diesem Prozess ist ein **Medikamentenkatalog** hervorgegangen, der den Mindestumfang der Medikamente darstellt, die während der Ausbildung zum Notfallsanitäter erlernt werden soll (→ Tab. 20.3).

Welche Medikamente in einem Rettungsdienstbereich vorgehalten und eingesetzt werden dürfen, darüber wird auch zukünftig der zuständige Ärztliche Leiter Rettungsdienst entscheiden.

Arzneimittelgesetz und Betäubungsmittelgesetz

Das **Gesetz über den Verkehr mit Arzneimitteln** (Arzneimittelgesetz, AMG) sorgt im Interesse einer ordnungsgemäßen Arzneimittelversorgung von Mensch und Tier für die Sicherheit im Verkehr mit Arzneimitteln. Das **AMG** regelt Begriffsbestimmungen und die Kennzeichnung von Arzneimitteln. Es macht Vorgaben zur Packungsbeilage und zu den Fachinformationen des jeweiligen Arzneimittels. Es regelt die Herstellung, Zulassung und das Inverkehrbringen von Arzneimitteln. Auch die Produkthaftung der Hersteller ist im Arzneimittelgesetz geregelt.

Neben dem **Betäubungsmittelgesetz** (BtMG) ist die Betäubungsmittel-Verschreibungsverordnung (BtMVV) für den Umgang mit Medikamenten, die unter das **BtMG** fallen, von Bedeutung. Wie im AMG sind im BtMG besondere Begriffe geregelt. Weiterhin sind darin u. a. die Erlaubnis zum Verkehr mit Betäubungsmitteln, die Sachkenntnis, die Abgabe und der Erwerb, die Verschreibung und die Abgabe auf Verschreibung sowie Sicherungsmaßnahmen, die Vernichtung und Aufzeichnungen geregelt.

Zum BtMG gehören **drei Anlagen,** in denen die Wirkstoffe aufgelistet sind, die als Betäubungsmittel gelten:

- In **Anlage 1** sind nicht verkehrsfähige Betäubungsmittel gelistet, hierzu gehören z. B. die Rauschdroge Cathinon, Phencyclidin oder Psilocybin.
- **Anlage 2** listet alle verkehrs-, aber nicht verschreibungsfähigen Betäubungsmittel. Das sind z. B. Methamphetamin oder Cannabis.
- **Anlage 3** beinhaltet alle verkehrsfähigen und verschreibungsfähigen Betäubungsmittel. Hierin findet man Wirkstoffe wie Fentanyl,

Medikament	Anwendungsbereich
Adrenalin i. m. (→ Tab. 20.37)	Anaphylaxie
Adrenalin i. v. (→ Tab. 20.37)	Reanimation, Anaphylaxie, Bradykardie
Adrenalin inhalativ (→ Tab. 20.37)	Asthma, Anaphylaxie, Pseudokrupp
Amiodaron (→ Tab. 20.28)	Reanimation, ventrikuläre Tachykardie
Antiemetika (→ Tab. 20.16 und → Tab. 20.17)	Starke Übelkeit und Erbrechen
Acetylsalicylsäure (→ Tab. 20.5)	ACS
Atropin (→ Tab. 20.30)	Bradykardie, Vergiftung mit Alkylphosphaten
Benzodiazepine (→ Tab. 20.14)	(Fieber-)Krampfanfall, Status epilepticus, Sedierung, Erregungszustände
β-2-Sympathomimetika und Ipratropiumbromid (→ Tab. 20.18 und → Tab. 20.19)	Asthma, COPD, Bronchitis
Butylscopolamin (→ Tab. 20.45)	Koliken
Furosemid (→ Tab. 20.33)	Lungenödem
Glukose (→ Tab. 20.53)	Hypoglykämie
H1- und H2-Blocker (→ Tab. 20.41, → Tab. 20.42)	Allergische Reaktion
Heparin (→ Tab. 20.34)	ACS
Ibuprofen und Paracetamol (→ Tab. 20.7, → Tab. 20.8)	Antipyretika, Analgesie
Ketamin (→ Tab. 20.13)	Analgesie
Kortison (→ Tab. 20.43 und → Tab. 20.44)	Asthma, Allergie
Kristalloide Infusion (balancierte VEL, → Tab. 20.51**)**	Volumenersatz, Medikamententräger
Kolloidale Lösungen (→ Tab. 20.52)	Volumenersatz
Lidocain (→ Tab. 20.40)	Intraossäre Punktion
Metamizol (→ Tab. 20.6)	Antipyretika, Analgesie
Naloxon (→ Tab. 20.49)	Opiatintoxikation
Nitrate (→ Tab. 20.36)	ACS, Lungenödem
Opiate (→ Tab. 20.10, → Tab. 20.11 und → Tab. 20.12)	Analgesie bei ACS und Trauma
Nitrendipin (→ Tab. 20.32)	Hypertone Krise

Tab. 20.3 Medikamentenkatalog gemäß Pyramidenprozess (Stand Februar 2014) [H108-005]

Morphin oder Piritramid. Diese Anlage enthält aber auch Wirkstoffe wie Diazepam und Midazolam. Sie gehören, wie alle Benzodiazepine, zu den Betäubungsmitteln, fallen allerdings nicht unter die BtMVV.

Die **BtMVV** regelt auch die Verschreibung von Betäubungsmitteln für den Rettungsdienst. Danach muss der Träger oder Durchführende des Rettungsdienstes einen Arzt beauftragen, der die benötigten Betäubungsmittel verschreibt. Weiterhin müssen die Belieferung mit Betäubungsmitteln sowie die halbjährliche Überprüfung der Vorräte mit einer Apotheke vereinbart werden. Der Bestand sowie Ab- und Zugänge sind in einem Betäubungsmittelbuch genau zu dokumentieren.

Bei Großschadensfällen dürfen die benötigten Betäubungsmittel durch den zuständigen Leitenden Notarzt (LNA) verschrieben werden.

Internationale Empfehlungen und Leitlinien

Nicht immer decken sich die verwendeten Dosierungen von Medikamenten mit den Dosierungsangaben der Hersteller. Vielmehr orientieren sie sich an internationalen Empfehlungen oder Leitlinien der Fachgesellschaften, wie beispielsweise des **European Resuscitation Councils** (ERC) oder der **European Society of Cardiology** (ESC).

Arzneimittelformen

Es existieren unzählige **Arzneimittelformen,** von denen allerdings nicht alle auch im Rettungsdienst Anwendung finden. Generell unterscheidet man feste, halbfeste, flüssige und gasförmige Arzneiformen sowie Parenteralia.

Zu den **festen** Arzneiformen gehören z. B. Granulate, Pulver oder Tabletten. Als **halbfeste** Arzneiform bezeichnet man Cremes, Gele oder Salben. Emulsionen, Säfte oder Tropfen werden den **flüssigen** Arzneimittelformen zugerechnet. Sogenannte „reine Gase“, also medizinische Gase in höchster Reinheit, wie Narkosegase oder Sauerstoff gehören zu den **gasförmigen** Arzneiformen. Daneben gehören selbstverständlich auch die Aerosole zur Gruppe der gasförmigen Arzneistoffe. Zu den **Parenteralia** zählt man sterile Injektions- und Infusionszubereitungen, aber auch Implantate, wie z. B. das Osteosynthesematerial bei Knochenbrüchen.

PRAXISTIPP

Um alles Wesentliche über die Notfallmedikamente zu lernen, ist es sinnvoll, sich erst einmal einen Überblick über die vorhandenen Präparate im eigenen Rettungsdienstbereich zu verschaffen. Da Lesen und Schreiben die Merkfähigkeit deutlich steigern, ist es sinnvoll, sich alle vorhandenen Notfallmedikamente zu notieren. Danach können die Medikamente einzelnen, vorher festgelegten Arzneimittelgruppen zugeordnet werden.

Nun beginnt das Lernen, für das verschiedene Hilfen zur Verfügung stehen. Beispielsweise gibt es das **Karteikastensystem.** Der Karteikasten wird in vier Bereiche unterteilt. Zuerst kommen alle Karteikarten in die erste Unterteilung. Karten, die richtig beantwortet werden, können direkt in die vierte Unterteilung gesteckt werden. Karten, bei denen man länger überlegen muss, um auf die richtige Antwort zu kommen, gehören in die dritte Unterteilung. Karten, bei denen man überhaupt nicht richtig lag, kommen in die zweite Unterteilung. Bei der nächsten Lerneinheit beginnt man dann am besten mit der zweiten Unterteilung. Dies wiederholt man so lange, bis alle Karten in der vierten Unterteilung gelandet sind.

So ist gewährleistet, dass man schon einmal alle im eigenen Rettungsdienstbereich vorhandenen Arzneimittel entsprechenden Arzneimittelgruppen richtig zuordnen kann. Wer es eher technisch mag, kann auch auf Computer, Smartphone oder Tablet zurückgreifen. Viele der erhältlichen **Vokabeltrainer** lassen sich frei programmieren und so kann man statt fremdsprachlicher Vokabeln auch Notfallmedikamente und die dazugehörigen Arzneimittelgruppen lernen.

Danach sollte man mit dem **Lernen der internationalen Freinamen** weitermachen. Die sog. Generika kommen immer häufiger vor und es ist zunehmend weniger sinnvoll, sich Handels- bzw. Präparatenamen zu merken.

Weiter geht es mit den Notfallmedikamenten, die gemäß lokalem Algorithmus durch das Rettungsdienstpersonal appliziert werden dürfen. Wer **Notfallmedikamente** anwenden möchte, muss Indikation, Wirkung, Nebenwirkung, Kontraindikationen und die richtige Dosierung kennen. Ebenso muss man wissen, was zu tun ist, wenn etwaige Nebenwirkungen auftreten.

20.2.2 Pharmakokinetik

DEFINITION

Die Pharmakokinetik beschäftigt sich mit der **Aufnahme,** der **Resorption,** der **Verteilung** und der **Elimination** von Arzneistoffen.

Um zu verstehen, was der Begriff Pharmakokinetik bedeutet, hilft bei der Betrachtung eines Arzneimittels die Frage: „Was macht der Körper mit dem Arzneimittel?“

Phasen des Arzneimittels im Körper

Generell kann man den Weg eines Arzneimittels im Körper in **drei Phasen** unterteilen (→ Abb. 20.12). Zwei dieser Phasen werden der Pharmakokinetik zugerechnet. Dies sind die **pharmazeutische** und

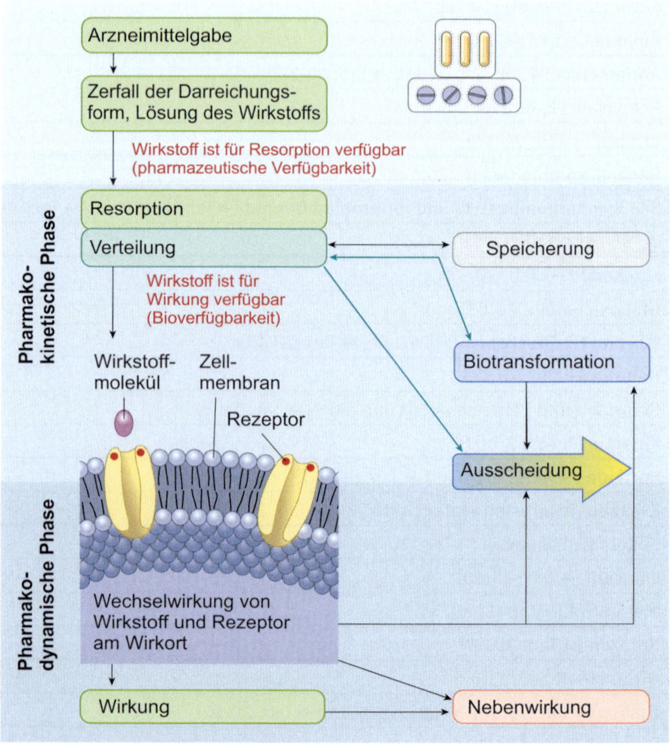

Abb. 20.12 Phasen eines Arzneimittels im Körper [A400]

die **pharmakokinetische** Phase. Dazwischen liegt die **pharmokodynamische** Phase. Die pharmazeutische Phase beschreibt die Aufnahme des Arzneimittels in den Körper (Applikationsarten und -wege, → Kap. 20.1).

Arzneimittelresorption und -verteilung

Wie viel in welcher Zeit von einem Arzneistoff resorbiert wird, hängt von mehreren Faktoren ab:

- Arzneiform
- Dosierung
- Applikationsart
- Größe der Resorptionsfläche
- Durchblutung des Resorptionsorgans
- Zustand der Membranen
- Physikalisch-chemische Eigenschaften des Arzneistoffs

Arzneistoffe müssen in der Lage sein, bestimmte Membranen zu passieren, um zu ihrem vorgesehenen Wirkort zu gelangen. Die wichtigste Resorptionsbarriere ist hierbei die Lipidmembran.

Den Arzneistoffen stehen grundsätzlich **drei Verteilungsräume** zur Verfügung. Entweder bleiben sie im **Gefäßsystem,** verteilen sich in umliegendes **Gewebe** oder sie verteilen sich in der **intrazellulären Flüssigkeit.** Entscheidend für die Verteilung von Arzneistoffen ist auch deren Affinität, also die Tendenz eines Arzneistoffs, eine bestimmte Bindung einzugehen oder sich in bestimmten Strukturen anzureichern. Dabei spielt auch die Eiweißbindung von Arzneistoffen eine große Rolle. Gehen Arzneistoffe eine Plasma-Eiweiß-Bindung ein, stehen sie für eine Wirkung nicht zur Verfügung. Wirksam sind nur nicht eiweißgebundene Stoffe. Da Arzneistoffe mit hoher Eiweißbindung häufig zur Kumulation neigen, muss dies für Repetitionsgaben (Wiederholungsgaben) beachtet werden, um Überdosierungen vorzubeugen.

Biotransformation

DEFINITION

Viele Medikamente werden im Körper verstoffwechselt. Diesen Vorgang bezeichnet man als **Biotransformation.** Die Stoffwechselprodukte, die nach der Biotransformation entstehen, heißen **Metaboliten** und können wirksamer oder weniger wirksam, giftiger oder weniger giftig, kürzer oder länger wirksam als der ursprüngliche Wirkstoff sein.

Die Leber ist das wichtigste Organ für die Biotransformation. Beim Vorhandensein von Biokatalysatoren können die Biotransformationsreaktionen auch in anderen Bereichen des Körpers stattfinden. Die wichtigste **Aufgabe der Biotransformation** ist es, die Arzneistoffe in ausscheidungsfähige Stoffe umzuwandeln.

Die Biotransformation wird von unterschiedlichen Faktoren beeinflusst. Beispielsweise ist bei Erkrankungen der Leber die Biotransformation häufig vermindert. Da Säuglinge und ältere Menschen nicht selten über geringere Enzymaktivitäten verfügen, kann bei diesen die Biotransformation vermindert sein. In solchen Fällen ist eine Dosisanpassung der Arzneistoffe notwendig.

Die Wirkung und Dosierung eines Arzneistoffs wird durch das Ausmaß und die Geschwindigkeit der Biotransformation beeinflusst. In diesem Zusammenhang spielt der **First-Pass-Effekt** einiger Arzneistoffe eine wichtige Rolle. Insbesondere nach oraler Applikation passiert der Arzneistoff zuerst die Leber, bevor er seinen Wirkort erreicht. Arzneistoffe mit einem hohen First-Pass-Effekt werden zu großen Teilen verstoffwechselt und abgebaut und nur ein kleiner Anteil erreicht den Wirkort. Glyceroltrinitrat (→ Kap. 20.3.7, → Tab. 20.36) ist z. B. ein Arzneistoff mit einem sehr hohen First-Pass-Effekt. Es wird nicht nur sublingual verabreicht, um einen schnellen Wirkungseintritt zu erzielen, sondern auch, um den First-Pass-Effekt zu umgehen.

Exkretion/Elimination

Nach Resorption, Verteilung, Bindung und Wirkung muss der Arzneistoff auch wieder aus dem Körper ausgeschieden werden (→ Abb. 20.13). Die wichtigsten Ausscheidungsorgane stellen hierbei die Niere und die Leber dar. Gasförmige Arzneistoffe werden auch über die Lunge ausgeschieden. Die Haut spielt als Ausscheidungsorgan eine eher untergeordnete Rolle. Da Arzneistoffe durch Ausscheidung auch in die Muttermilch übergehen können, muss eine mögliche Beeinflussung des Säuglings durch das Stillen berücksichtigt werden.

Halbwertszeit

Die Zeit, nach der die Arzneistoffkonzentration im Blut bzw. im Organismus um 50 % abgenommen hat, wird als Halbwertszeit (HWZ) oder auch als **Eliminationshalbwertszeit** bezeichnet.

IM FOKUS

Pharmakokinetik

„Was macht der Körper mit dem Arzneimittel?“ Hilfreich ist hier das sog. **LADME**-Schema:

- **L:** Liberation; Freisetzung des Wirkstoffs, z. B. im Magen
- **A:** Absorption; Aufnahme des Wirkstoffs, z. B. in der Darmmukosa
- **D:** Distribution; Verteilung im Organismus, z. B. Einlagerung im Fettgewebe
- **M:** Metabolisierung; Verstoffwechselung, z. B. Abbau oder (bei Prodrugs) Umwandlung in Wirkform
- **E:** Exkretion/Elimination: Ausscheidung über Harnwege, Darm, Schweiß, Muttermilch etc.; **wichtiger Begriff: Halbwertszeit**

20.2.3 Pharmakodynamik

DEFINITION

Die Pharmakodynamik beschreibt die **Wirkweisen eines Arzneimittels** im Körper.

Um die Pharmakodynamik besser zu verstehen, sollte man sich die Frage stellen: „Was macht das Arzneimittel mit dem Körper?“ Generell können **vier Wirkweisen** beschreiben werden:

- Rezeptorvermittelte Arzneimittelwirkung
- Hemmung oder Aktivierung von Enzymen
- Beeinflussung des Stoffwechsels von Mikroorganismen
- Hemmung oder Aktivierung von Transportsystemen oder Ionenkanälen

Rezeptorvermittelte Arzneimittelwirkungen

Wirkt ein Arzneimittel an einem bestimmten Rezeptor und löst dort einen Reiz aus, wird das Arzneimittel als **Agonist** oder als „Spieler“ bezeichnet (→ Abb. 20.14). Der „Gegenspieler“ wird **Antagonist** genannt. Bei den Rezeptoren handelt es sich um Bindungsstellen an der Zellmembran oder in der Zelle selbst. Nur Arzneistoffe mit passender Struktur können sich an einen Rezeptor binden. Man kann die

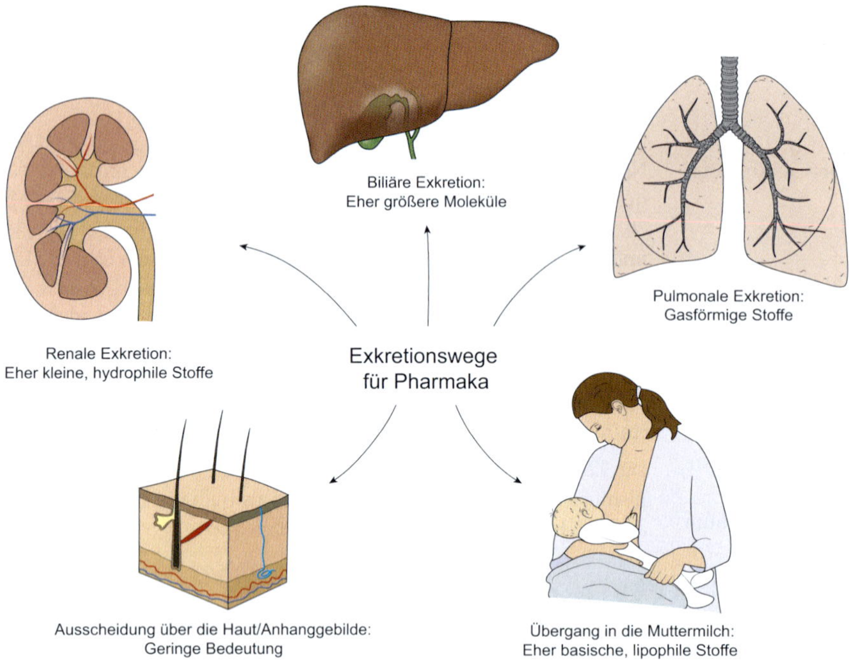

Abb. 20.13 Mögliche Exkretionswege für Arzneistoffe [L264]

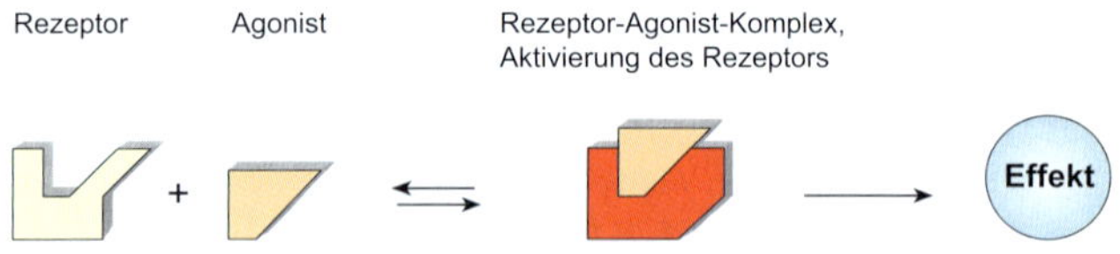

Abb. 20.14 Wirkung eines Agonisten [L157]

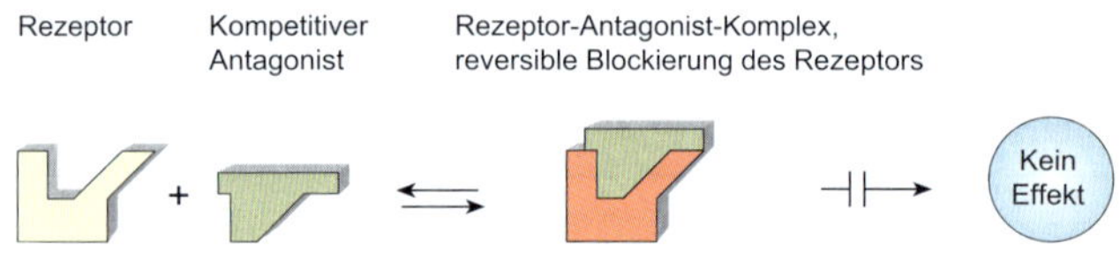

Abb. 20.15 Kompetitiver Antagonismus [L157]

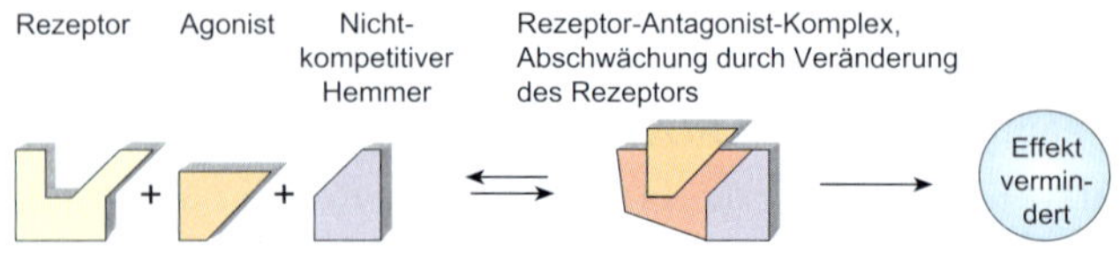

Abb. 20.16 Nichtkompetitiver Antagonismus [L157]

Verbindung von Arzneimitteln mit Rezeptoren mit einem „Schlüssel-Schloss-Prinzip" vergleichen. Der Agonist entspricht dem Schlüssel, der in das Schloss passt. Ist der richtige Schlüssel im Schloss, öffnet sich die Tür. Einen Antagonisten kann man sich wiederum als „Kaugummi" vorstellen, der ins Schloss geklebt wird und verhindert, dass in der nächsten Zeit ein Schlüssel in das Schloss geschoben werden kann.

Antagonisten können auf verschiedene Weisen an den Rezeptoren wirken:

- Verdrängen die Antagonisten aufgrund einer größeren Wirkstoffmenge oder einer höheren Bindungsfähigkeit den Agonisten vom Rezeptor, spricht man von einem **kompetitiven Antagonismus** (→ Abb. 20.15). Ein Beispiel hierfür sind die Betablocker, die hauptsächlich an den β-1-Rezeptoren wirken. Als Agonist fungiert am β-1-Rezeptor z. B. Adrenalin.
- Bindet ein Antagonist neben dem Agonist an einem Rezeptor und verändert er im Grunde genommen lediglich die strukturelle Oberfläche, wird dies als **nichtkompetitiver Antagonismus** (→ Abb. 20.16) bezeichnet. Dies führt dazu, dass z. B. Reize nicht voll ausgebildet werden. Ein Beispiel für einen nichtkompetitiven Antagonismus ist das Esketamin, das am NMDA-Rezeptor anbindet. Dort blockiert das Esketamin nicht den Neurotransmitter Glutamat, sondern nur die Porenkanäle.

Neben kompetitiven und nichtkompetitiven Antagonisten gibt es noch funktionelle und chemische Antagonisten. Unter einem **funktionellen Antagonismus** wird die entgegengesetzte Wirkung eines Arzneistoffs an einem anderen Rezeptor verstanden. Führt Histamin z. B. über eine agonistische Wirkung an Histaminrezeptoren zu einer Bronchokonstriktion, wirkt das β-2-Mimetikum Salbutamol an den β-2-Rezeptoren bronchodilatatorisch. Beim **chemischen Antagonismus** werden Stoffe umgewandelt. Ein Beispiel hierfür ist die Umwandlung des Methämoglobin-Zyanid-Komplexes in Rhodanid durch Natriumthiosulfat.

Hemmung oder Aktivierung von Transportsystemen oder Ionenkanälen

Manche Arzneistoffe wirken durch die Hemmung oder Aktivierung von Transportsystemen oder Ionenkanälen. **Antiarrhythmika** der Klasse I (→ Kap. 20.3.7) hemmen den schnellen Natriumeinstrom in die Zelle durch direkte Blockade der Natriumkanäle. Amiodaron, ein Antiarrhythmikum der Klasse III, beeinflusst die Kaliumkanäle.

Ein Beispiel für die Beeinflussung von Transportsystemen ist das **Schleifendiuretikum Furosemid** (→ Kap. 20.3.7). Furosemid verhindert die Wiederaufnahme von Kochsalz. Dies führt dazu, dass auch Wasser nicht wiederaufgenommen, sondern ausgeschieden wird. Grund hierfür ist eine Hemmung des Na^+-K^+-$2Cl^-$-Transporters.

Arzneimittelwirkungen an Enzymen

Viele Reaktionen im Körper werden erst dadurch möglich, dass ein Enzym mit einem Wirkstoff einen Komplex bildet. Ein Beispiel für die Hemmung oder Aktivierung von Enzymen ist die Hemmung der Prostaglandinsynthese zu Schmerzbekämpfung (→ Kap. 20.3.1 und → Kap. 21) durch **nichtopioide Analgetika** wie die **Acetylsalicylsäure.**

Arzneimittelwirkungen durch Beeinflussung des Stoffwechsels von Mikroorganismen

Wirken Arzneistoffe durch die Beeinflussung des Stoffwechsels von Mikroorganismen, so sind an erster Stelle die **Antibiotika** zu nennen. **Penizilline** unterdrücken z. B. den Zellwandaufbau vieler Bakterien.

Therapeutische Breite eines Arzneimittels

Die **therapeutische Breite** eines Arzneimittels beschreibt den Bereich von minimal therapeutischer zur minimal toxischen Konzentration eines Arzneimittels (→ Abb. 20.17). Die therapeutische Breite gilt als **Maß für die Sicherheit bei der Dosierung** von Arzneimitteln. Je größer die therapeutische Breite eines Arzneimittels, desto sicherer kann es angewendet werden. Ein Beispiel für ein Arzneimittel mit einer sehr geringen therapeutischen Breite ist der Wirkstoff Theophyllin (→ Kap. 20.3.5).

Schwellendosis, Letaldosis und Effektivdosis

Ein Arzneistoff beginnt zu wirken, wenn die Schwellendosis erreicht wurde. Bezogen auf die therapeutische Breite eines Arzneimittels entspricht die Schwellendosis der **minimal therapeutischen Konzentration** (→ Abb. 20.17).

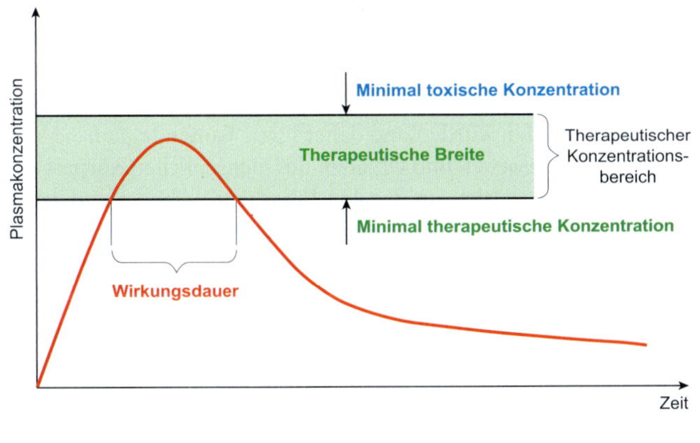

Abb. 20.17 Therapeutische Breite eines Arzneimittels [M844, L143]

Die **Letaldosis** (LD_{50}) bezeichnet die Menge des Arzneistoffs, nach deren Applikation 50 % der Versuchstiere im Labor sterben. Die **Effektivdosis** (ED_{50}) ist die Dosis, bei der ein halbmaximaler Effekt nach der Gabe eines Arzneistoffs erreicht wird, d. h., bei 50 % der Versuchstiere wird die gewünschte Wirkung erzielt.

Aus dem Verhältnis von Effektivdosis und Letaldosis ergibt sich der therapeutische Quotient bzw. die therapeutische Breite eines Arzneistoffs.

> **IM FOKUS**
>
> **Pharmakodynamik**
>
> **„Was macht das Medikament mit dem Körper?"**
> Es gibt **vier typische Wirkweisen:**
> - Rezeptorvermittelte Arzneimittelwirkung
> - Hemmung oder Aktivierung von Enzymen
> - Hemmung oder Aktivierung von Transportsystemen oder Ionenkanälen
>   → Bei allen drei Formen existieren sowohl ein **kompetitiver** als auch ein **nichtkompetitiver Antagonismus** sowie natürlich **agonistische Wirkungen.**
> - Beeinflussung des Stoffwechsels von Mikroorganismen
>
> **Therapeutische Breite:** Bereich von minimal therapeutischer bis zur minimal toxischen Konzentration eines Arzneimittels

20.2.4 Besonderheiten der medikamentösen Therapie in bestimmten Altersgruppen

Sowohl bei Kindern als auch bei älteren Menschen müssen bei der medikamentösen Therapie einige Besonderheiten in Bezug auf die Pharmakokinetik und -dynamik beachtet werden.

Medikamentöse Therapie bei Kindern

Das Kind durchläuft einige Entwicklungsstadien, bis es erwachsen geworden ist. Diese Stadien, vom Frühgeborenen bis hin zum Adoleszenten, sind hinlänglich bekannt. Jedes dieser Stadien muss bei der medikamentösen Therapie besondere Beachtung finden.

Bei **Früh- und Neugeborenen** wird beispielsweise die gastrointestinale Absorption durch verminderte Säureproduktion oder einen noch gering ausgeprägten First-Pass-Effekt beeinflusst. Geringere Muskelmasse, ein höherer Anteil an Körperwasser sowie der sich schnell verändernde Fettgehalt des Körpergewichtes beeinflussen die Arzneimittelverteilung im Körper eines Früh- oder Neugeborenen. Die so veränderte Arzneimittelverteilung macht eine hohe Initialdosis notwendig, um einen möglichst schnellen Wirkungseintritt zu erzielen. Durch die für viele Medikamente leicht passierbare Blut-Liquor-Schranke bei Früh- und Neugeborenen lässt sich eine erhöhte Empfindlichkeit des ZNS mit einer hauptsächlich hemmenden Wirkung auf die zentrale Atem- und Temperaturregulation sowie die zentrale Herz-Kreislauf-Funktion erklären.

Rezeptoren, Transportmechanismen oder Ionenkanäle scheinen dem Entwicklungsprozess des Kindes unterworfen zu sein und beeinflussen so die Pharmakodynamik. Dies erklärt möglicherweise, warum Früh- und Neugeborene trotz einer Applikation von analgetisch unwirksamen Dosen eine Atemdepression oder Bradykardien entwickeln.

Bei **Säuglingen und Kleinkindern** kommt es zu schnellen Reifungsprozessen von Leber und Nieren. Hierdurch verfügen Kinder in diesem Alter über eine extrem hohe Entgiftungsleistung (Clearance) des Körpers. Dies macht u. U. deutlich höhere Dosen und ein kürzeres Dosisintervall der jeweiligen Wirkstoffe notwendig.

Auch beim **Adoleszenten** kommt es in der Umbauphase der Pubertät zu zahlreichen Veränderungen in der Pharmakokinetik und -dynamik. Es werden Veränderungen in der Absorption, der Verteilung, der Metabolisierung sowie der Ausscheidung beobachtet. Andererseits können applizierte Medikamente Einfluss auf die körperliche Entwicklung in der Pubertät nehmen.

Medikamentöse Therapie bei älteren Menschen

Untersuchungen zeigen, dass 80 % der Menschen, die älter als 65 Jahre sind, an mindestens einer chronischen Erkrankung leiden. Sind die Menschen zwischen 70 und 90 Jahre alt, so liegen häufig sogar zwischen 5 und 10 Dauerdiagnosen vor. Das Spektrum der Diagnosen reicht hierbei von kardiovaskulären Erkrankungen, Diabetes mellitus, COPD über Nierenfunktionsstörungen bis hin zum Morbus Parkinson und der Demenz. Bei einer größeren Zahl von Erkrankungen ergibt sich unweigerlich auch eine größere Zahl medikamentöser Therapien. Wird der Patient leitliniengerecht therapiert, so können in vielen Fällen mehr als 10 gleichzeitig gegebene Wirkstoffe zum Einsatz kommen.

Physiologische Veränderungen im Alter haben Einfluss auf die Pharmakokinetik und -dynamik applizierter Wirkstoffe. Insbesondere betroffen ist die Elimination von Arzneistoffen aufgrund eines altersbedingten Rückgangs der glomulären Filtrationsrate, aber auch bedingt durch pathologische Einschränkungen der Nierenfunktion der Patienten. Im Alter nimmt der Fettanteil des Körpers zu, der Wasseranteil nimmt ab. Hierdurch steigt das Verteilungsvolumen von fettlöslichen Stoffen, während auf der anderen Seite das Verteilungsvolumen von hydrophilen Stoffen abnimmt. So kann es einerseits zu einer Verlängerung der Eliminationshalbwertszeit und andererseits zu sehr hohen Konzentrationen beispielsweise nach einer Bolusgabe kommen. Zusätzlich kann die Aktivität metabolisierender Enzyme im Körper vermindert sein, weshalb bei der Gabe von einigen Wirkstoffen eine erhöhte Bioverfügbarkeit entstehen kann. Bei einer Insuffizienz der Leber ist die Elimination verlangsamt, wodurch eine Kumulation der eingesetzten Wirkstoffe möglich ist.

Pharmakodynamisch ist eine erhöhte Empfindlichkeit gegenüber bestimmten Substanzen ebenso denkbar wie eine verminderte Empfindlichkeit. Eine Störung notwendiger Gegenregulationsmechanismen kann beispielsweise zu einem verstärkten Blutdruckabfall nach der Gabe von Vasodilatanzien führen oder es treten paradoxe Reaktionen wie Aggressionen z. B. nach der Applikation von Benzodiazepinen auf.

Auch **funktionelle Defizite,** die mit zunehmendem Alter auftreten können, haben möglicherweise Einfluss auf die Wirksamkeit und Risiken einer Arzneimitteltherapie bei älteren Menschen. Beispielsweise können Einschränkungen der Sehkraft oder der manuellen Geschicklichkeit die richtige Vorbereitung und Einnahme von Medikamenten erschweren oder gar unmöglich machen. Unter- oder auch Überdosierungen können die Folge sein. Die bereits oben erwähnte größere Anzahl von verschiedenen einzunehmenden Arzneistoffen steigert das Risiko für Nebenwirkungen durch Interaktionen zwischen den einzelnen Arzneistoffen zusätzlich.

Eine gründliche Kurzanamnese mithilfe des SAMPLER-Schemas (→ Kap. 17.1.11) ist notwendig, um beispielsweise eine Überdosierung von Vasodilatanzien als Ursache für eine Hypotonie bei einem älteren Menschen zu identifizieren und entsprechende Maßnahmen einzuleiten. Nicht selten ist die medikamentöse Therapie bei älteren Menschen auch ursächlich für Stürze oder delirante Syndrome.

IM FOKUS

Pharmakologische Therapie bei verschiedenen Patientengruppen

- **Kinder:**
  - Umso kleiner die Kinder, desto **höhere Medikamentendosen** scheinen sie zu benötigen.
  - Sie verfügen über eine **andere Verteilung** von Körperfett, Muskelmasse und Flüssigkeit und haben eine hohe renale **Clearance.**
  - Dennoch können sich auch bei geringen Dosen teilweise sehr schwere **Nebenwirkungen** zeigen. Eine **klare Indikationsstellung** ist bei ihnen sehr wichtig.
- **Ältere Menschen:**
  - Die meisten älteren Menschen haben mindestens eine **chronische Erkrankung** und nehmen oftmals **mehrere Medikamente** ein.
  - Zudem sind ihr **Stoffwechsel** und ihre **Verteilung** von Körperfett, Muskelmasse und Flüssigkeit verändert.
  - Es kann bei ihnen leichter zu **Über- und Unterdosierungen** kommen.

20.3 Medikamente im Rettungsdienst

Die Anzahl an sog. **Notfallmedikamenten** ist überschaubar. Sie lassen sich nach ihren Einsatzgebieten gruppieren. Die Anwendung von Arzneimitteln im rettungsdienstlichen Einsatz setzt das Wissen über Indikation, Wirkung, Nebenwirkungen, Kontraindikationen, die richtige Applikationsart und die korrekte Dosierung voraus. Ebenso wichtig ist das Wissen darüber, wie aufgetretene Nebenwirkungen effektiv behandelt werden können.

20.3.1 Analgetika

Analgetika sind Wirkstoffe, mit denen eine **Schmerztherapie** (→ Kap. 21) durchgeführt werden kann. Man unterscheidet generell zwei Gruppen. Dies sind die nichtopioiden Analgetika sowie die Opioid-Analgetika. Esketamin nimmt hierbei eine Sonderstellung ein. Eigentlich handelt es sich um ein Anästhetikum, allerdings mit einer hohen analgetischen Potenz.

Nichtopioid-Analgetika

Nichtopioide Analgetika wirken analgetisch, antipyretisch (fiebersenkend) und teilweise antiphlogistisch (entzündungshemmend). Der Wirkmechanismus besteht in einer Hemmung des Enzyms Cyclooxygenase. Hierdurch wird die Synthese von Prostaglandinen und Thromboxan verhindert.

- **Prostaglandine** sind Gewebshormone, die zuerst im Sekret der Prostata gefunden wurden und daher ihren Namen tragen. Sie kommen in allen Geweben und Organen des menschlichen Körpers vor. Prostaglandine werden aus der Arachidonsäure gebildet und haben Effekte auf die Schleim- und Säureproduktion des Magens, können Uteruskontraktionen auslösen und scheinen auch für die Bronchodilatation mitverantwortlich zu sein. Daneben sind die Prostaglandine an der Entstehung von Entzündungen und Schmerzen beteiligt.
- **Thromboxane** fördern die Thrombozytenaggregation. Hierdurch kommt es zur Bildung von Plättchenthromben. Thromboxan besitzt zudem eine vasokonstriktorische Wirkung.

Im Rettungsdienst werden **hauptsächlich** Acetylsalicylsäure (→ Tab. 20.5), Ibuprofen, Metamizol (→ Tab. 20.6) und Paracetamol (→ Tab. 20.7 und → Tab. 20.8) vorgehalten.

Die Gruppe der nichtopioiden Analgetika wird in saure und nichtsaure Analgetika unterschieden. Zu den sauren nichtopioiden Analgetika zählen Acetylsalicylsäure und Ibuprofen. Metamizol und Paracetamol gehören der Gruppe der nichtsauren Analgetika an.

Durch die Hemmung der Cyclooxygenase wird eine Reihe von **Nebenwirkungen** auf die unterschiedlichen Organsysteme verursacht (→ Tab. 20.4).

Organsystem	Nebenwirkung
ZNS	Kopfschmerzen, Schwindel, Hör- und Sehstörungen
Lunge	Bronchokonstriktion, sog. „Analgetika-Asthma"
Magen-Darm-Trakt	Magenbeschwerden, Ulzera, GI-Blutungen, Diarrhö
Niere	Ödeme, Hyperkaliämie, Diureseminderung
Uterus	Kontraktionshemmung
Thrombozytenaggregation	Aggregationshemmung

Tab. 20.4 Durch Cyclooxygenase-Hemmung verursachte Nebenwirkungen

Int. Freiname	Acetylsalicylsäure
Indikationen	• Akute mäßige bis starke Schmerzen, Fieber, akute Behandlung der Kopfschmerzphase von Migräneanfällen • **Rettungsdienstrelevanter Einsatz: Thrombozytenaggregationshemmung bei ACS**
Darreichungsformen	1 Durchstechflasche – Inhalt entspricht 0,5 g Acetylsalicylsäure – und 1 Ampulle – 5 ml – Lösungsmittel
Nebenwirkungen	Schlechte Magenverträglichkeit, Ulkusneigung, Übelkeit, Erbrechen bei hohen Dosierungen, Auslösung einer Bronchokonstriktion möglich
Kontraindikationen	Überempfindlichkeit gegen den Wirkstoff oder andere Salicylate, Asthmaanfälle in der Vergangenheit durch Salicylate ausgelöst, akute gastrointestinale Ulzera, hämorrhagische Diathese, Leber- und Nierenversagen, schwere nicht eingestellte Herzinsuffizienz, letztes Trimenon der Schwangerschaft
Dosierung	• Analgesie und Antipyrese: 500–1 000 mg langsam i. v. • Thrombozytenaggregationshemmung bei ACS: 250 mg langsam i. v.
Pharmakokinetische Daten	• Thrombozytenaggregationshemmung ab < 30 mg/d • Wirkungseintritt: nach ca. 30 Min. • Wirkdauer: Analgesie: 4–6 Std., Thrombozytenaggregation: mehrere Tage • HWZ: 2–3 Std.
Bemerkungen	ASS kann zur Thrombozytenaggregationshemmung auch oral (z. B. Aspirin® Protect 300 mg) verabreicht werden (Empfehlung: ERC/ESC) Der Hersteller weist in der aktuellen Fachinformation daraufhin, dass bei der Applikation zur Sicherheit ein 5 µm Filter (z. B. Sterifix® Pury) verwendet werden soll. Grund hierfür ist die mögliche Einbringung von Verunreinigungen durch die Verwendung „halbstumpfer" Aufziehkanülen bei der Herstellung der Lösung.

Tab. 20.5 Aspirin® i. v.

Int. Freiname	Metamizol
Indikationen	Akute starke Schmerzen, z. B. nach Verletzungen, Koliken, therapieresistentes Fieber
Darreichungsformen	1 Ampulle 2 ml – 1 g Metamizol
Nebenwirkungen	Ausgeprägte Hypotension, anaphylaktische Reaktionen bis hin zum anaphylaktischen Schock, Analgetika-induziertes Asthmasyndrom, Übelkeit, Erbrechen, Agranulozytose
Kontraindikationen	Überempfindlichkeit gegen den Wirkstoff, bekanntes Analgetika-Asthma, 1. und 3. Trimenon der Schwangerschaft nur nach strenger Indikationsstellung (Nutzen-Risiko-Abwägung), bestehende Hypotonie und instabile Kreislaufsituation
Dosierung	Initial 0,5–1 g, idealerweise in 100 ml NaCl 0,9 % als Kurzinfusion über 15 Min.
Pharmakokinetische Daten	• Wirkungsbeginn nach 20–30 Min. • Wirkdauer: ca. 3–5 Std. • HWZ: 4–7 Std.

Tab. 20.6 Novalgin® 1 g-Injektionslösung

Int. Freiname	Paracetamol
Indikationen	Kurzzeitbehandlung von mäßig starken Schmerzen sowie zur Kurzzeitbehandlung von Fieber
Darreichungsform	1 Durchstechflasche 100 ml – 1 000 mg Paracetamol
Nebenwirkungen	Überempfindlichkeitsreaktionen wie Flush, Urtikaria, Erythem, Pruritus bis hin zum anaphylaktischen Schock, Tachykardie, Leber- und Nierentoxizität nach Überdosierung
Kontraindikationen	Bekannte Überempfindlichkeit gegen den Wirkstoff, schwere Leberinsuffizienz, Gabe in der Schwangerschaft nur nach sorgfältiger Nutzen-Risiko-Abwägung

Tab. 20.7 Paracetamol B. Braun 10 mg/ml Infusionslösung

Dosierung	Patienten ohne Risikofaktoren für eine Lebertoxizität: • **> 50 kg KG:** 1 000 mg i. v. langsam über 15 Min. • **≥ 33 kg KG und ≤ 50 kg KG:** 15 mg/kg KG i. v. langsam über 15 Min. • **> 10 kg KG und ≤ 33 kg KG:** 15 mg/kg KG i. v. langsam über 15 Min. • **≤ 10 kg KG:** 7,5 mg/kg KG
Pharmakokinetische Daten	• Wirkungsbeginn: 5–10 Min. • Wirkdauer: 6–8 Std. • HWZ: 2 Std.
Bemerkungen	Bei Überdosierung können schwere Vergiftungen auftreten (→ Kap. 40.3.1)

Tab. 20.7 Paracetamol B. Braun 10 mg/ml Infusionslösung *(Forts.)*

Int. Freiname	Paracetamol
Indikationen	Symptomatische Behandlung leichter bis mäßig starker Schmerzen und/oder Fieber
Darreichungsformen	1 Zäpfchen (Suppositorium) – 75, 125, 250, 500 oder 1 000 mg Paracetamol
Nebenwirkungen	Anstieg der Lebertransaminasen, Thrombozytopenie, Agranulozytose, bei prädisponierten Patienten: Bronchospasmus (Analgetika-Asthma), Überempfindlichkeitsreaktionen wie Hautrötung, Urtikaria bis hin zum anaphylaktischen Schock, Leber- und Nierentoxizität nach Überdosierung
Kontraindikationen	Bekannte Überempfindlichkeit gegen den Wirkstoff, schwere Leberinsuffizienz, Gabe in der Schwangerschaft nur nach sorgfältiger Nutzen-Risiko-Abwägung, Säuglinge < 3 kg
Dosierung	• 3–6 kg KG: 75 mg Supp. rektal • 7–12 kg KG: 125 mg Supp. rektal • 13–25 kg KG: 250 mg Supp. rektal • 26–43 kg KG: 500 mg Supp. rektal • > 43 kg KG: 500–1 000 mg Supp. rektal
Pharmakokinetische Daten	• Wirkungsbeginn: 30–60 Min. • Wirkdauer: 6–8 Std. • HWZ: 2 Std.
Bemerkungen	Bei Überdosierung können schwere Vergiftungen auftreten (→ Kap. 40.3.1)

Tab. 20.8 ben-u-ron®-Zäpfchen

Opioid-Analgetika

Im **Rettungsdienst häufig** zu findende Opioid-Analgetika sind Morphin (→ Tab. 20.11), Fentanyl (→ Tab. 20.12) und Piritramid (→ Tab. 20.10). Neben diesen Wirkstoffen existieren selbstverständlich noch weitere Opioid-Analgetika (→ Kap. 21). Die Opioid-Analgetika wirken an den Opioidrezeptoren. Dort wirken auch die körpereigenen Endorphine. Opioidrezeptoren kommen sowohl im ZNS als auch peripher vor. Man unterscheidet:

- μ(Mü)-Rezeptoren
- κ(Kappa)-Rezeptoren
- δ(Delta)-Rezeptoren

Die einzelnen Wirkstoffe rufen an den verschiedenen Opioidrezeptoren unterschiedlich starke Effekte hervor. Sie fungieren je nach Rezeptor als Agonist, Antagonist bzw. als partieller Agonist oder Antagonist. Die Aktivierung der Rezeptoren führt zu einer Blockade von präsynaptischen Kalziumkanälen und verhindert so die Freisetzung von Neurotransmittern. An der Postsynapse werden Kaliumkanäle geöffnet und somit die Nervenmembran hyperpolarisiert. Sie wird hierdurch schlechter erregbar.

Die Wirkungen der Opioid-Analgetika lassen sich in zentrale und periphere Wirkungen unterscheiden. Zu den **zentralen Wirkungen** gehören:

- Analgesie
- Sedierung
- Anxiolyse
- Euphorie und Dysphorie
- Atemdepression
- Antitussive Wirkung
- Rigidität der Skelettmuskulatur
- Übelkeit und Erbrechen
- Miosis
- Antidiuretische Wirkung

An **peripheren Wirkungen** sind bekannt:

- Analgesie
- Verzögerte Magenentleerung
- Kontraktion der Sphinkteren im Bereich der Gallenwege
- Tonussteigerung von Harnblasenmuskulatur und Blasenschließmuskel
- Tonusreduktion der Blutgefäße
- Histaminfreisetzung

Die **Nebenwirkungen,** die nach der Gabe von Opioid-Analgetika auftreten, sind abhängig von dem Rezeptor, an dem die Opioide wirken. Obstipation, Übelkeit und Erbrechen, Sedierung, Atemdepression, Hypotension, Harnverhalt, Miosis, Juckreiz, Schwitzen, Bronchospasmus, Thoraxrigidität und eine Hyperalgesie können als Nebenwirkungen auftreten.

Morphin gilt als Referenzsubstanz zur Beurteilung der analgetischen Potenz der übrigen Opioid-Analgetika (→ Tab. 20.9).

Opioid	Analgetische Potenz bei parenteraler Applikation
Fentanyl (→ Tab. 20.12)	125
Morphin (→ Tab. 20.11)	1
Pethidin	0,1
Piritramid (→ Tab. 20.10)	0,7
Sufentanil	1 000
Tramadol	0,1–0,2

Tab. 20.9 Analgetische Potenz der verschiedenen Opioid-Analgetika

Int. Freiname	Piritramid
Indikationen	Starke und stärkste Schmerzen
Darreichungsformen	1 Ampulle – 2 ml – 15 mg Piritramid
Nebenwirkungen	Tachykardie, Hypotonie, Stupor, Schwindel, Somnolenz, Übelkeit, Würgereiz, Erbrechen, Blässe, Kopfschmerzen, Bradypnoe, Anaphylaxie, anaphylaktischer Schock, Bewusstlosigkeit, Miosis, Bradykardie, Bradyarrhythmie, Atemdepression, Bronchospasmus
Kontraindikationen	Überempfindlichkeit gegen den Wirkstoff, komatöse Zustände, Atemdepression, Schwangerschaft und Stillzeit
Dosierung	7,5–22,5 mg langsam i. v.
Pharmakokinetische Daten	• Wirkungseintritt: 5–10 Min. • Wirkdauer: 4–6 Std. • HWZ: 6–8 Std.
Bemerkungen	2 ml auf 15 ml Gesamtlösung verdünnen, ergibt 1 mg/ml

Tab. 20.10 Dipidolor 7,5 mg/ml Injektionslösung

Int. Freiname	Morphin
Indikationen	Starke bis stärkste Schmerzen
Darreichungsformen	• 1 Ampulle – 1 ml – 10 mg Morphin • 1 Ampulle – 1 ml – 20 mg Morphin
Nebenwirkungen	Kopfschmerzen, Schwindel, Tremor, unwillkürliches Muskelzucken, Hyperalgesie oder Allodynie insb. bei hoher Dosierung, Euphorie oder Dysphorie, Sedierung, verschwommenes Sehen, Doppelbilder, Miosis, Übelkeit, Erbrechen, Mundtrockenheit, Ileus, Bauchschmerzen, Gallenkoliken, Störungen der Blasenentleerung, Nierenkoliken, Muskelkrämpfe, Bronchospasmen, Dyspnoe, Schwitzen, Überempfindlichkeitsreaktionen, Hypo- und Hypertonie, Brady- und Tachykardie, Gesichtsrötungen, Herzklopfen
Kontraindikationen	Überempfindlichkeit gegen Morphin, Ileus, Atemdepression, schwere chronische Atemwegserkrankungen, akutes Abdomen, Anwendung in der Schwangerschaft nur nach sorgfältiger Nutzen-Risiko-Abwägung, Stillzeit: Nach Morphingabe sollte das Stillen abgesetzt werden
Dosierung	• Erwachsene: 5–10 mg langsam i. v. • Kinder: 0,05–0,1 mg/kg KG langsam i. v.
Pharmakokinetische Daten	• Wirkungseintritt: 1–2 Min. • Wirkdauer: ca. 3–5 Std. • HWZ: ca. 2 Std.
Bemerkungen	**Morphin Merck® 10 mg:** Lösung mit NaCl 0,9 % auf 10 ml verdünnen, ergibt 1 mg/ml

Tab. 20.11 Morphin Merck® 10 mg/20 mg

Int. Freiname	Fentanyl
Indikationen	Narkoseprämedikation, Neuroleptanalgesie, als analgetische Komponente bei Anästhesien mit endotrachealer Intubation und Beatmung, Monoanästhetikum bei Allgemeinanästhesie, zur Schmerzbehandlung in der Intensivmedizin
Darreichungsformen	• 1 Ampulle – 2 ml – 0,1 mg Fentanyl • 1 Ampulle – 10 ml – 0,5 mg Fentanyl
Nebenwirkungen	Übelkeit, Erbrechen, Muskelrigidität, Dyskinesie, Sedierung, Schwindel, Sehstörung, Miosis, Bradykardie, Tachykardie, Arrhythmie, Hypotonie, Hypertonie, Venenschmerz, Laryngospasmus, Bronchospasmus, Apnoe, Euphorie, Kopfschmerz, Phlebitis, Hyperventilation, Schluckauf, Schüttelfrost, Hypothermie, anaphylaktische Reaktionen bis hin zum anaphylaktischen Schock, Ruhelosigkeit, Halluzinationen, Krampfanfall, Bewusstlosigkeit, Myoklonie, Herzstillstand, orthostatische Regulationsstörungen, Atemdepression, Obstipation, Pruritus, Schwitzen, Tonuserhöhung der ableitenden Harnwege
Kontraindikationen	Überempfindlichkeit gegen Fentanyl oder andere Opioide, Schwangerschaft und Stillzeit
Dosierung	Analgesie: 1–2 µg/kg KG i. v.
Pharmakokinetische Daten	• Wirkungseintritt: nach Sekunden • Wirkdauer: 0,3–0,5 Std. • HWZ: 3–3,5 Std.

Tab. 20.12 Fentanyl B. Braun 0,1 mg/0,5 mg Injektionslösung

Esketamin und Ketamin

Ketamin ist ein Derivat des Phencyclidin, besser bekannt als **„Angel Dust"** oder PCP. Ketamin wurde während der 1960er-Jahre von der Firma Parke-Davis entwickelt. Erste klinische Erfahrungen stammen von Domino und Corssen aus dem Jahr 1966. Bei Ketamin handelt es sich um ein Racemat aus zwei Enantiomeren, dem S(+)-Ketamin und dem R(−)-Ketamin. Seit 1997 ist das Esketamin verfügbar, beim dem es gelungen ist, das S(+)-Ketamin vom R(−)-Ketamin zu trennen.

Esketamin (→ Tab. 20.13) und Ketamin bewirken eine sog. **dissoziative Anästhesie.** Hierunter versteht man einen unvollständigen Bewusstseinsverlust mit fehlender Assoziations- und Kooperationsfähigkeit. Beide wirken durch einen nichtkompetitiven Antagonismus am NMDA-Rezeptor. Zusätzlich wirken sie agonistisch an Opiatrezeptoren. Esketamin und Ketamin beeinflussen die zentrale und periphere cholinerge und monoaminerge Übertragung. Auch die periphere Wiederaufnahme von Katecholaminen wird durch Esketamin und Ketamin gehemmt.

Esketamin ist doppelt so stark wirksam wie Ketamin. Im Gegensatz dazu scheinen die **Aufwachreaktionen** (→ Tab. 20.13) nach der Gabe von Esketamin geringer ausgeprägt.

20.3.2 Sedativa

Sedieren bedeutet dämpfen oder beruhigen, z. B. durch die Gabe eines Sedativums. Zu den klassischen Sedativa gehören die **Barbiturate** und die **Benzodiazepine**. Daneben haben aber auch noch andere Medikamente eine sedierende Wirkung; hierzu gehören z. B. benzodiazepinähnliche Substanzen (z. B. Zolpidem), Chloralhydrat, Antihistaminika, Antidepressiva oder Neuroleptika.

Zur **Sedierung im Rettungsdienst** kommen hauptsächlich **Benzodiazepine** zum Einsatz. Benzodiazepine wirken im Allgemeinen

- sedierend,
- antikonvulsiv,
- anxiolytisch,
- amnestisch sowie
- zentral muskelrelaxierend.

Im Rettungsdienst häufig **verwendete Benzodiazepine** sind:

- Clonazepam
- Diazepam
- Lorazepam
- Midazolam

Benzodiazepine wirken an den gabaergen Rezeptoren. Dort verstärken die Benzodiazepine den Effekt von GABA, der Gammaaminobuttersäure. Es kommt zu einem vermehrten Einstrom von Chloridionen in den Intrazellulärraum und nachfolgend zu einer Hyperpolarisation der Zellmembran und einer hieraus resultierenden verminderten Erregbarkeit des Neurons. Es sind zwei unterschiedliche GABA-Rezeptoren bekannt, der $GABA_A$- und der $GABA_B$-Rezeptor. Benzodiazepine binden an den $GABA_A$-Rezeptor. An den gleichen Rezeptor binden auch die Barbiturate.

GABA-Rezeptoren finden sich im gesamten ZNS. Nicht alle dieser Rezeptoren besitzen eine Bindungsstelle für die Benzodiazepine. Rezeptoren, die eine entsprechende Bindungsstelle aufweisen, befinden sich hauptsächlich im limbischen System.

MERKE

Benzodiazepine weisen eine **große therapeutische Breite** auf. Ist einmal die Maximaldosis erreicht, sind Wirkungssteigerungen nahezu unmöglich. Dies bezeichnet man auch als den sog. **Ceilingeffekt.**

Trotz der großen therapeutischen Breite kann es z. B. durch die zentral muskelrelaxierende Wirkung zu einer Atemwegsbehinderung kommen. Auch ein Blutdruckabfall ist möglich, kann aber durch eine langsame Applikation vermieden werden. Bei Patienten jenseits des 60. Lebensjahres und bei Menschen mit eingeschränkter Atmungs- und/oder Herz-Kreislauf-Funktion ist die Wahrscheinlichkeit einer Atemwegsbehinderung oder eines Blutdruckabfalls durch eine zu schnelle Applikation deutlich erhöht. Insbesondere bei Patienten in hohem Alter und bei Patienten mit Zerebralsklerose sowie bei Kindern kann es nach

Int. Freiname	Esketamin
Indikationen	Einleitung und Durchführung einer Allgemeinanästhesie ggf. in Kombination mit Hypnotika, Anästhesie und Schmerzbekämpfung in der Notfallmedizin, Intubation im Status asthmaticus in Kombination mit einem Muskelrelaxans, Schmerzbekämpfung bei künstlicher Beatmung
Darreichungsformen	• 5 mg/ml – 1 Ampulle – 5 ml – 25 mg Esketamin • 25 mg/ml – 1 Ampulle – 2 ml – 50 mg Esketamin
Nebenwirkungen	Anaphylaktische Reaktionen, Aufwachreaktionen (lebhafte Träume, Albträume, Schwindel und motorische Unruhe), Halluzinationen, Dysphorie, Angst, Orientierungsstörungen, tonisch-klonische Kontraktionen, Nystagmus, verschwommenes Sehen, Doppeltsehen, Zunahme des intraokularen Drucks, Blutdruck- und Herzfrequenzanstieg (häufig Anstieg über 20 % des Ausgangswerts), temporäre Tachykardie, Arrhythmie, Bradykardie, Hypotonie, erhöhte Mukussekretion, erhöhter Sauerstoffverbrauch, Laryngospasmus und temporäre Atemdepression, Übelkeit, Erbrechen, erhöhte Salivation, Hautrötung, Exanthem, Schmerzen an der Injektionsstelle
Kontraindikationen	Überempfindlichkeit gegen den Wirkstoff, Patienten, für die ein erhöhter Blutdruck oder ein gesteigerter Hirndruck ein ernsthaftes Risiko darstellt, schlecht eingestellter oder unbehandelter Hypertonus (arterielle Hypertonie RR > 180/100 mmHg in Ruhe), Eklampsie und Präeklampsie, drohende Uterusruptur, Nabelschnurvorfall, Anwendung als einziges Anästhetikum bei manifesten ischämischen Herzerkrankungen, Schwangerschaft
Dosierung	• Analgesie: 0,125–0,25 mg/kg KG langsam i. v. • Intubation beim Status asthmaticus: 0,5–1,0 mg/kg KG, bei Bedarf bis 2,5 mg/kg KG i. v.
Pharmakokinetische Daten	• Wirkungsbeginn: 30 Sek. • Wirkdauer: 5–15 Min. • HWZ: 2–3 Std.

Tab. 20.13 Ketanest® S

Int. Freiname	Propofol
Indikationen	Einleitung und Aufrechterhaltung einer Narkose bei Erwachsenen und Kindern ab dem 1. Monat, Sedierung von beatmeten Patienten, Sedierung bei chirurgischen und diagnostischen Maßnahmen
Darreichungsformen	1 Durchstechflasche – 20 ml Emulsion – 200 mg Propofol
Nebenwirkungen	Atemdepression, Hyperventilation, Hustenreiz, Blutdruckabfall, Bradykardie, Krampfanfälle, Muskelzuckungen, Kopfschmerzen, Schwindelgefühl, Frösteln und Kälteempfindungen, schwere anaphylaktische Reaktionen, metabolische Azidose, Hyperkaliämie, Übelkeit und Erbrechen, Schluckauf, sexuelle Enthemmtheit, lokale Schmerzen bei der Injektion
Kontraindikationen	Hypovolämie, Herzinsuffizienz, Überempfindlichkeit auf Soja oder Erdnüsse, Schwangerschaft, Neugeborene
Dosierung	• Narkoseeinleitung: 1,5–2–2,5 mg/kg KG • Narkoseaufrechterhaltung: 4–6(–10) mg/kg KG/Std. • Analgosedierung: 0,5–1,0 mg/kg KG
Pharmakokinetische Daten	• Wirkungsbeginn: 30–40 Sek. • Wirkdauer: 5–8 Min. • HWZ: ca. 55 Min.

Tab. 20.22 Propofol 1 % (10 mg/1 ml) MCT Fresenius

Int. Freiname	Handelsname	Anschlagzeit (Sek.)	Wirkdauer (Min.)
Atracurium	Atracurium-hameln 10 mg/ml	90	60 (mittellang)
Cisatracurium	Nimbex® 5 mg	120	60 (mittellang)
Mivacurium	Mivacron® 10 mg	120	15–25 (kurz)
Pancuronium	Pancuroniumbromid-Rotexmedica 2 mg/ml	120–150	90–120 (lang)
Rocuronium	Esmeron® 10 mg/ml (→ Tab. 20.25)	60–90	60–90 (mittellang)
Vecuronium	Vecuronium Inresa 10 mg	120–180	60–90 (mittellang)

Tab. 20.23 Nicht depolarisierende Muskelrelaxanzien

Depolarisationsblock. Dieser kann nicht durch die Gabe von Medikamenten aufgehoben werden.

Durch die Gabe hoher Dosen der depolarisierenden Muskelrelaxanzien kann es zur Entstehung eines **Dualblocks (Phase-II-Block)** kommen; dieser lässt sich mit Cholinesterasehemmstoffen wie Neostigmin oder Pyridostigmin antagonisieren.

Der Wirkstoff **Suxamethoniumchlorid** (→ Tab. 20.24) stellt das einzige depolarisierende Muskelrelaxans dar. Aufgrund seiner ultrakurzen Anschlagzeit wird es häufig für die Narkoseeinleitung beim aspirationsgefährdeten Patienten verwendet. Für diese Form der Narkoseeinleitung werden mehrere Begriffe synonym verwendet:

- Ileuseinleitung
- Blitzeinleitung
- Crush-Intubation

Heutzutage wird vermehrt der Begriff **Rapid Sequence Induction** (RSI, → Kap. 22.5.1) für diese Form der Narkoseeinleitung verwendet.

Der Einsatz von Suxamethoniumchlorid wird aufgrund der **teilweise schweren Nebenwirkungen** zunehmend kritisch bewertet. Beispielsweise hat der Arbeitskreis Kinderanästhesie der Deutschen Gesellschaft für Anästhesiologie und Intensivmedizin e. V. (DGAI) ausdrücklich den Verzicht auf Suxamethoniumchlorid gefordert.

Mit dem nicht depolarisierenden Muskelrelaxans **Rocuronium** (→ Tab. 20.25) ist eine interessante Alternative verfügbar. Rocuronium ist eine Weiterentwicklung des Wirkstoffs Vecuronium. Der Name Rocuronium bezieht sich auf die sehr kurze Anschlagzeit und bedeutet „Rapid Onset Vecuronium". Rocuronium ist seit 1996 verfügbar und seit 2008 mit Sugammadex der dazugehörige Antagonist. Sugammadex ist nicht nur in der Lage, die Wirkung von Rocuronium, sondern auch die von Vecuronium zu antagonisieren.

Int. Freiname	Suxamethoniumchlorid (Succinylbicholin)
Indikationen	Muskelrelaxation zur Intubation im Rahmen einer Narkoseeinleitung
Darreichungsformen	1 Ampulle – 2 ml – 100 mg Suxamethoniumchlorid
Nebenwirkungen	Hyperkaliämie, Herzrhythmusstörungen wie Bradykardie oder junktionale Rhythmen, vermehrte Speichel- und Bronchialsekretion, laryngeales und pulmonales Ödem, Bronchospasmen, Anstieg des intragastralen Drucks (Gefahr von Erbrechen und Aspiration), Erhöhung des Augeninnendrucks, Histaminfreisetzung, möglicherweise Trigger einer malignen Hyperthermie, Myoglobinämie, Muskelschmerzen, Faszikulationen der Muskulatur häufig an Hals-, Brust-, Schulter- und Rückenbereich
Kontraindikationen	Überempfindlichkeit gegen den Wirkstoff, fehlende Möglichkeit zur Durchführung einer künstlichen Beatmung, Patienten mit schwerwiegenden Verbrennungen oder schwerwiegenden Verletzungen, schwere Sepsis, maligne Hyperthermie, schwere Hyperkaliämie, Herzrhythmusstörungen, Stillzeit
Dosierung	1,0–1,5 mg/kg KG i. v.
Pharmakokinetische Daten	• Wirkungsbeginn: 40–60 Sek. • Wirkdauer: 5–10 Min. • HWZ: 3–10 Min.

Tab. 20.24 Lysthenon® 5 %-Injektionslösung

Int. Freiname	Rocuronium
Indikationen	Muskelrelaxation zur Erleichterung der endotrachealen Intubation
Darreichungsformen	1 Durchstechflasche – 10 ml – 100 mg Rocuronium
Nebenwirkungen	Anaphylaktische Reaktion, schlaffe Lähmung, Hautrötung, Tachykardie, Hypotonie, Schock, Bronchospasmus, Ateminsuffizienz, Apnoe, Urtikaria, Pruritus, Exanthem
Kontraindikationen	Überempfindlichkeit gegenüber Rocuronium oder das Bromidion
Dosierung	RSI: 1,0 mg/kg KG
Pharmakokinetische Daten	• Wirkungsbeginn: 60–90 Sek. • Wirkdauer: 20–40 Min. • HWZ: 66–80 Min.
Bemerkungen	Als Antagonist steht Sugammadex (Bridion®) zur Verfügung

Tab. 20.25 Esmeron® 10 mg/ml

20.3.7 Kardiaka

DEFINITION

Unter dem Begriff Kardiaka sind alle Wirkstoffe mit vorwiegender **Wirkung auf das Herz-Kreislauf-System** zusammengefasst.

Antiarrhythmika

Antiarrhythmika werden zur Behandlung von Herzrhythmusstörungen eingesetzt. Der ERC hat zur Behandlung bradykarder und tachykarder Herzrhythmusstörungen entsprechende Algorithmen (→ Kap. 23.5) herausgegeben.

Antiarrhythmika lassen sich in vier Klassen unterteilen (→ Tab. 20.26). Vaughan Williams hat diese Klassifizierung aufgrund des elektrophysiologischen Wirkungsspektrums der Antiarrhythmika im Jahr 1970 vorgenommen:

- Klasse I: Natriumkanalblocker
- Klasse II: Betarezeptorenblocker
- Klasse III: Kaliumkanalblocker
- Klasse IV: Kalziumkanalblocker

Antiarrhythmika der Klasse I werden noch einmal in drei Unterklassen unterteilt.

Neben den so klassifizierten Antiarrhythmika existieren noch weitere Wirkstoffe, die zur Therapie von Herzrhythmusstörungen eingesetzt

Klasse	Wirkung	Wirkstoffe (Beispiele)
Ia (Chinidintyp)	Verlängerung des Aktionspotenzials (AP) und der Refraktärzeit	Ajmalin, Chinidin
Ib (Lidocaintyp)	Verkürzung des AP, keine Beeinflussung oder nur geringe Verkürzung der Refraktärzeit	Lidocain, Mexiletin
Ic	Kein Einfluss auf AP-Dauer, Verlängerung der Refraktärzeit, Verlangsamung der Erregungsausbreitung	Flecainid, Propafenon
II	Unterdrückung von Katecholamineffekten (v. a. Kalziumeinstrom)	Atenolol, Bisoprolol, Esmolol, Metoprolol (→ Tab. 20.27), Propranolol
III	Kaliumaustromhemmung, Verlängerung des AP und der Refraktärzeit	Amiodaron (→ Tab. 20.28), Dronedaron, Sotalol
IV	Kalziumeinstromhemmung, Leitungsverzögerung v. a. im Sinus- und AV-Knoten	Diltiazem, Gallopamil, Verapamil

Tab. 20.26 Antiarrhythmikaklassen

Int. Freiname	Metoprolol
Indikationen	Tachykarde Herzrhythmusstörungen, akuter Myokardinfarkt
Darreichungsformen	1 Ampulle – 5 ml – 5 mg Metoprolol
Nebenwirkungen	Blutdruckabfall, Synkopen, Palpitationen, Bradykardie, Belastungsdyspnoe, AV-Überleitungsstörungen, Verstärkung einer Herzinsuffizienz, kardiogener Schock, Atemnot, Auslösung einer Bronchokonstriktion, Müdigkeit, Schwindel, Kopfschmerz, allergische Reaktionen, Parästhesien
Kontraindikationen	Manifeste Herzinsuffizienz, Schock, AV-Block II. oder III. Grades, Sinusknotensyndrom, sinuatrialer Block, Bradykardie, Hypotonie (RR_{sys} < 90 mmHg), Azidose, bronchiale Hyperreagibilität, gleichzeitige Einnahme von MAO-Hemmern, Überempfindlichkeit gegenüber anderen Betarezeptorenblockern, i. v. Applikation von Beloc®, bei Patienten unter Therapie mit Kalziumantagonisten vom Verapamil- und Diltiazemtyp sowie der i. v. Gabe der genannten Kalziumantagonisten
Dosierung	Initial 5 mg langsam (1–2 mg/Min.) i. v.
Pharmakokinetische Daten	• Wirkungsbeginn: 3–4 Min. • Wirkdauer: 8–15 Std. • HWZ: 2–5 Std.

Tab. 20.27 Beloc® i. v.

werden können. Hierzu gehören Digitalis (z. B. Lanicor®) und Adenosin (z. B. Adrekar®).

Auch wenn Atropin zur Behandlung bradykarder Herzrhythmusstörungen eingesetzt wird, gehört es nicht zu den Antiarrhythmika im engeren Sinn.

Als Antiarrhythmikum der Klasse I wird im Rettungsdienst hauptsächlich **Ajmalin** (Gilurytmal®) zur antiarrhythmischen Therapie eingesetzt. Bei dem Klasse-Ib-Antiarrhythmikum **Lidocain** handelt es sich eigentlich um ein Lokalanästhetikum. Zur Therapie von Herzrhythmusstörungen wird Lidocain kaum noch verwendet. Durch die häufigere Anwendung intraossärer Zugänge auch bei wachen Patienten wird Lidocain nach erfolgreicher intraossärer Punktion als Lokalanästhetikum eingesetzt (→ Kap. 20.1.1 und → Kap. 20.3.8).

Betarezeptorenblocker (Klasse-II-Antiarrhythmika) werden als Antihypertensiva, Antianginosa, Antiarrhythmika, aber auch zur Prophylaxe der Migräne als Bedarfs- oder Dauermedikation eingesetzt. Sie wirken ausschließlich antagonistisch an den Betarezeptoren und blockieren dort die Katecholaminwirkungen (Adrenalin und Noradrenalin). Manche Betarezeptorenblocker werden als sog. **Beta-1-selektive Betablocker** bezeichnet. Dies bedeutet, dass sie vorwiegend an den Beta-1-Rezeptoren blockierend wirken. Leider können aber auch diese Betablocker an den Beta-2-Rezeptoren antagonistisch wirken, hierdurch kann bei prädisponierten Patienten ein Bronchospasmus ausgelöst werden.

Amiodaron (Cordarex®, → Tab. 20.28) ist sicherlich der bekannteste Vertreter der Antiarrhythmika. Als **Klasse-III-Antiarrhythmikum** hemmt es den Kaliumausstrom. Amiodaron hat Lidocain bei der kardiopulmonalen Reanimation zu größten Teilen abgelöst. Bis zum Erscheinen der Guidelines im Jahr 2000 war Lidocain das Antiarrhythmikum der Wahl zur Behandlung von therapierefraktärem Kammerflimmern oder einer pulslosen ventrikulären Tachykardie. Neuere Untersuchungen haben nun gezeigt, dass Amiodaron und Lidocain zur Behandlung eines Kreislaufstillstands bei Kammerflimmern gleichwertig scheinen (→ Kap. 23.3.3).

Von den **Klasse-IV-Antiarrhythmika** ist der Wirkstoff **Verapamil** (Isoptin®) im Rettungsdienst am häufigsten verbreitet. Verapamil hemmt den Kalziumeinstrom in die Zelle. Es wird zur Behandlung supraventrikulärer Tachykardien sowie zur Therapie von Vorhofflimmern oder -flattern eingesetzt.

MERKE

Generell sollten bei der Behandlung von Herzrhythmusstörungen die Algorithmen des ERC **(Brady- und Tachykardiealgorithmus)** beachtet werden (→ Kap. 23.5).

Adenosin (Adrekar®) galt als Mittel der Wahl (siehe Bemerkungen in → Tab. 20.29) bei regelmäßigen supraventrikulären Tachykardien. Es wirkt durch die Aktivierung von Kalium- und Natriumkanälen in Sinus- und AV-Knoten. Zusätzlich führt es zu einer Verlängerung der AV-Knotenrefraktärzeit durch eine Hemmung des Kalziumeinstroms. Es kommt zu einer Hemmung der AV-Überleitung.

Digitalis kommt im Rettungsdienst nur noch sehr selten zum Einsatz. Grund hierfür ist die geringe therapeutische Breite dieses Wirkstoffs und die damit verbundenen schnell auftretenden Nebenwirkungen. Digitalispräparate wirken durch eine Hemmung der Natrium-Kalium-Pumpe.

Anticholinergika

Neben Ipratropiumbromid (→ Tab. 20.19) gehört das Atropin zu den **Anticholinergika** oder auch Parasympatholytika. **Atropin** (→ Tab. 20.30) wird sowohl als Antidot bei Vergiftungen mit Cholinesterasehemmstoffen (→ Kap. 40.3.3) als auch zur Behandlung bradykarder Herzrhythmusstörungen eingesetzt. Im Rahmen einer Narkose wird der generelle Einsatz von Atropin zur Prämedikation nicht mehr empfohlen.

Bei bradykarden Herzrhythmusstörungen (→ Kap. 23.5.1) wird einem instabilen Patienten gemäß ERC-Bradykardiealgorithmus 0,5 mg Atropin i. v. appliziert. Bei nicht ausreichender Wirkung können bis zu 3 mg Atropin gegeben werden.

Atropin wirkt durch eine kompetitive Hemmung von Acetylcholin an muskarinergen, cholinergen Neuronen. Die Wirkungen von Atropin sind dosisabhängig und rufen im Maximalfall ein anticholinerges Syndrom (→ Kap. 40.2.2) hervor. Nach der Gabe von 3 mg Atropin kommt es bei einem Erwachsenen zu einer kompletten Blockade des N. vagus. Diese Dosis reicht allerdings bei Vergiftungen mit Cholinesterasehemmstoffen häufig nicht aus. Der konkurrierende Kampf um den Rezeptor ist abhängig von der Menge des jeweiligen Wirkstoffs. Sobald der Antagonist in einer höheren Dosierung vorliegt, ist er in der Lage, den Agonisten vom Rezeptor zu verdrängen.

Int. Freiname	Amiodaron
Indikationen	Symptomatische behandlungsbedürftige tachykarde supraventrikuläre Herzrhythmusstörungen wie AV-junktionale Tachykardie, supraventrikuläre Tachykardien bei WPW-Syndrom, paroxysmales Vorhofflimmern, schwerwiegend symptomatische Herzrhythmusstörung, im Rahmen der kardiopulmonalen Reanimation bei therapierefraktärem Kammerflimmern und pulsloser ventrikulärer Tachykardie
Darreichungsformen	1 Ampulle – 3 ml – 150 mg Amiodaron
Nebenwirkungen	Bradykardie, AV-Blockierungen bis hin zur Asystolie, proarrhythmische Wirkungen mit Veränderung oder Verstärkung der Herzrhythmusstörung bis hin zum Herz-Kreislauf-Stillstand, in Einzelfällen Torsade-de-pointes-Tachykardien und Kammerflimmern
Kontraindikationen	Sinusbradykardie, alle Formen der Leitungsverzögerung, AV-Block II. und III. Grades, bi- und trifaszikuläre Blöcke, vorbestehende QT-Verlängerung, Hypokaliämie, Kreislaufkollaps, Hypotonie, schwere Ateminsuffizienz, Herzinsuffizienz
Dosierung	• 5 mg/kg KG über mind. 3 Min. i. v., Repetition frühestens nach 15 Min. • Nach **nicht** erfolgreicher Kardioversion: 300 mg i. v. über 10–20 Min. • Kardiopulmonale Reanimation (therapierefraktäres VF/pVT): 300 mg als Bolus direkt nach der ersten Adrenalingabe (direkt nach dem 3. Schock), weitere 150 mg nach dem 5. Defibrillationsschock
Pharmakokinetische Daten	• Wirkungsbeginn: wenige Minuten nach i. v. Gabe • Wirkdauer: bis zu 4 Std. • HWZ: bei oraler Therapie bis zu 100 Tage

Tab. 20.28 Cordarex® Injektionslösung

Int. Freiname	Adenosin
Indikationen	Paroxysmale AV-junktionale Tachykardien; paroxysmale supraventrikuläre Tachykardien bei Kindern und Jugendlichen
Darreichungsformen	1 Durchstechflasche – 2 ml – 6 mg Adenosin
Nebenwirkungen	• **Sehr häufig** (≥ 10 %): Bradykardie, Asystolie (i. d. R. transient und selbst limitierend), Sinuspause, Herzstolpern, Vorhofextrasystolen, AV-Block, erhöhte ventrikuläre Erregbarkeit (z. B. ventrikuläre Extrasystolen), Arrhythmien (anhaltende oder selbst limitierende ventrikuläre Tachykardien), Dyspnoe, Gefühl der Brusteinengung, Brustschmerz, Brustdruck, Flush • **Häufig bzw. gelegentlich:** anaphylaktische Reaktionen, innere Unruhe, Kopfschmerzen, Schwindel, Benommenheit, Bewusstlosigkeit, Krampfanfälle, Sehstörungen, Sinustachykardie, Palpitationen, Blutdruckabfall, Vorhofflimmern, Myokardinfarkt, Hyperventilation, Bronchospasmus, akute Ateminsuffizienz, Apnoe, Übelkeit, Erbrechen, metallischer Geschmack, brennendes Gefühl, Schwitzen, allgemeines Unwohlsein
Kontraindikationen	Überempfindlichkeit gegen Adenosin, AV-Block II. und III. Grades, Sick-Sinus-Syndrom, Vorhofflimmern oder -flattern, chronisch-obstruktive Lungenerkrankung, Asthma bronchiale, verlängertes QT-Intervall, schwere Hypotonie, dekompensierte Herzinsuffizienz
Dosierung	• Initial 3 mg i. v. als Bolus schnell über 2 Sek., bei Wirkungslosigkeit nach jeweils 1–2 Min.: • 2. Dosis: 6 mg • 3. Dosis: 9 mg • 4. Dosis: 12 mg jeweils als i. v. Bolus schnell über 2 Sek. • **ERC-Empfehlung:** 6–12–12 mg jeweils als Bolus schnell über 2 Sek. i. v.
Pharmakokinetische Daten	• Wirkungsbeginn: sofort nach Applikation • Wirkdauer: < 10 Sek. • HWZ: < 10 Sek.
Bemerkungen	Der Hersteller informiert in der aktuellen Fachinformation (Stand Februar 2021), dass sich Adrekar® bei Patienten mit Vorhof- oder Kammertachykardien oder Tachykardien, die auf Vorhofflimmern oder -flattern zurückzuführen sind, als **wirkungslos erwiesen** hat

Tab. 20.29 Adrekar®

Int. Freiname	Atropinsulfat (Atropin)
Indikationen	Narkoseprämedikation, Kurzzeittherapie von akut aufgetretenen bradykarden Herzrhythmusstörungen, Antidot bei Vergiftungen mit Parasympathomimetika (Cholinesterasehemmstoffe)
Darreichungsformen	• 1 Ampulle – 1 ml – 0,5 mg Atropin • 1 Ampulle – 10 ml – 100 mg Atropin (Antidot)
Nebenwirkungen	Mundtrockenheit, Abnahme der Schweißsekretion, Sehstörungen, Halluzinationen, Auslösung eines anticholinergen Syndroms, tachykarde Herzrhythmusstörungen, Erhöhung des myokardialen Sauerstoffverbrauchs
Kontraindikationen	Tachykarde Herzrhythmusstörungen, Tachykardie bei Herzinsuffizienz, Koronarstenose, akutes Lungenödem, Engwinkelglaukom, paralytischer Ileus, bekannte Überempfindlichkeit gegenüber Atropin oder anderen Anticholinergika
Dosierung	• **Symptomatische Bradykardie:** 0,5–3 mg i. v. • **Vergiftung mit Parasympathomimetika:** – Erwachsene: initial 2–5 mg i. v. – Kinder: initial 0,5–2 mg i. v.
Pharmakokinetische Daten	• Wirkungsbeginn: 5–40 Sek. • Wirkdauer: 30–120 Min. • HWZ: 2,5 Std.

Tab. 20.30 Atropinsulfat B. Braun 0,5 mg/ml/Atropinsulfat – 100 mg (Antidot)

Antihypertonika

Zur **Therapie der arteriellen Hypertonie** werden Betarezeptorenblocker, Kalziumantagonisten, Diuretika, Alpharezeptorenblocker und ACE-Hemmer eingesetzt. Im Rettungsdienst findet man neben den Diuretika als klassische Antihypertonika die Alpha-2-Rezeptorenagonisten und Alpha-1-Rezeptorenantagonisten sowie die Kalziumantagonisten zur Behandlung des hypertensiven Notfalls (→ Kap. 27.2.7):

- **Clonidin** (Catapresan®) ist ein Imidazolinderivat mit agonistischer Wirkung an den α-2-Rezeptoren.
- **Urapidil** (→ Tab. 20.31) blockiert die postsynaptischen α-1-Rezeptoren, was zu einer peripheren Vasodilatation führt. Zusätzlich verursacht es durch zentrale Stimulierung von Serotoninrezeptoren eine Sympathikolyse. Es kommt zu einer Abnahme des pulmonalarteriellen Drucks sowie der links- und rechtsventrikulären Fülldrücke.
- **Nitrendipin** (Bayotensin® akut, → Tab. 20.32) ist ein Kalziumantagonist vom Nifedipin-Typ. Diese wirken vermehrt an der glatten Muskulatur der Gefäße. Durch die Blockade des Kalziumeinstroms kommt es zu einer Dilatation der Widerstandsgefäße und der epikardialen Koronarien.

Antihypotonika

Abhängig von der Ursache kann eine **Hypotonie** unter anderem durch die direkten und indirekten Sympathomimetika behandelt werden. Ist ein Volumenmangel Grund der Hypotonie, muss dieser natürlich zuerst behandelt werden.

Nicht immer sind potente direkte Sympathomimetika wie die Katecholamine (→ Tab. 20.37, → Tab. 20.38) notwendig. Oftmals ist das Wirkstoffgemisch **Theodrenalin/Cafedrin** (Akrinor®) zur Behandlung der

Int. Freiname	Urapidil
Indikationen	Hypertensive Notfälle, schwere und schwerste Formen der Hypertonie, therapieresistente Hypertonie
Darreichungsformen	1 Ampulle – 10 ml – 50 mg Urapidil
Nebenwirkungen	Schwindel, Kopfschmerzen, Übelkeit, Erbrechen, Schweißausbrüche, Müdigkeit, Herzklopfen, Brady- oder Tachykardie, Arrhythmie, Druckgefühl oder Schmerzen in der Brust (ähnlich Angina pectoris), Dyspnoe, allergische Reaktionen wie Pruritus, Hautrötung und Exantheme, Angioödem, Urtikaria, Priapismus, Verminderung der Thrombozytenzahl
Kontraindikationen	Überempfindlichkeit gegen den Wirkstoff, bekannte Aortenisthmusstenose und arteriovenöser Shunt, Stillzeit
Dosierung	10–50 mg langsam i. v.
Pharmakokinetische Daten	• Wirkungsbeginn: innerhalb von 5 Min. • Wirkdauer: 1–3 Std. • HWZ: 2–4 Std.

Tab. 20.31 Ebrantil® i. v. 50 mg

Int. Freiname	Nitrendipin
Indikationen	Behandlung des hypertensiven Notfalls
Darreichungsformen	1 Phiole – 1 ml – 5 mg Nitrendipin
Nebenwirkungen	Allergische Reaktionen, Angstzustände, Schlafstörungen, Kopfschmerzen, Schwindel, Benommenheit, Müdigkeit, Hypästhesien, Sehstörungen, Palpitationen, Angina pectoris, Thoraxschmerzen, Tachykardie, Ödeme, Flush mit Erythem, Hypotonie, Dyspnoe, Epistaxis, Flatulenz, gastrointestinale und abdominelle Schmerzen, Durchfall, Völlegefühl, Übelkeit, Erbrechen, Mundtrockenheit, Dyspepsie, Obstipation, Gastroenteritits, Leberenzymerhöhungen, Myalgie, Polyurie, unspezifischer Schmerz
Kontraindikationen	Überempfindlichkeit gegen den Wirkstoff, Schock, instabile Angina pectoris, akuter Myokardinfarkt (innerhalb der ersten 4 Wochen), dekompensierte Herzinsuffizienz, höhergradige Aortenstenose, Schwangerschaft, Stillzeit
Dosierung	**1 Phiole – 5 mg** wird in den Mund hinein ausgedrückt und die Lösung sofort hinuntergeschluckt, Repetition nach 30–60 Min. möglich
Pharmakokinetische Daten	• Wirkungsbeginn: rasch • Wirkdauer: 4–6 Std. • HWZ: 8–12 Std.

Tab. 20.32 Bayotensin® akut

Hypotonie ausreichend. Theodrenalin ist ein Gemisch aus Theophyllin und Noradrenalin, Cafedrin ein Gemisch aus Koffein und Ephedrin.

Das Wirkstoffgemisch wirkt zweiphasig. In der ersten Phase kommt es zu einer Stimulation von α- und β-1-Rezeptoren. Hieraus resultieren eine Kontraktilitätszunahme des Myokards und eine Erhöhung des peripheren Widerstands. Diese Phase wird durch Theodrenalin hervorgerufen. Die zweite Phase setzt verzögert ein, in dieser Phase wird die Betarezeptorenstimulation durch Cafedrin wieder reduziert. Dies führt zu einer Tonuserhöhung der großen Venen mit nachfolgender Erhöhung der ventrikulären enddiastolischen Wandspannung. Dies führt insbesondere bei relativem Volumenmangel zu einer Verbesserung der Kontraktilität. Das Medikament wird nach klinischer Wirkung dosiert.

Diuretika

Diuretika sind Wirkstoffe, die eine **vermehrte Harnausscheidung** bewirken. Im Rettungsdienst kommt das Schleifendiurektikum **Furosemid** zum Einsatz (→ Tab. 20.33). Schleifendiuretika wirken an der Henle-Schleife. Dort führen sie zu einer reversiblen Hemmung des Na^+-K^+-$2Cl^-$-Transporters. Als Folge werden diese Elektrolyte vermehrt ausgeschieden. Durch den Volumenverlust kommt es zu einer Vorlastsenkung und zu einer milden Senkung der Nachlast durch Vasodilatation.

Antikoagulanzien

Antikoagulanzien verhindern durch eine verminderte Fibringerinnselbildung den endgültigen Wundverschluss, die sekundäre Hämostase wird gehemmt. Man unterscheidet **direkte** und **indirekte Antikoagulanzien.** Zu den direkten Antikoagulanzien gehört das **Heparin** (→ Tab. 20.34). Es greift unmittelbar hemmend in die Gerinnungskaskade ein. Indirekte Antikoagulanzien führen über eine verminderte Bildung des Prothrombins zu einer gerinnungshemmenden Wirkung.

Heparin wird bei einem ACS (→ Kap. 27.2.5) in einer Dosierung von 70–100 IE/kg KG bis zu einer maximalen Dosierung von 5 000 IE eingesetzt.

Thrombozytenaggregationshemmstoffe

Thrombozytenaggregationshemmstoffe werden **beim ACS** eingesetzt. Die **Acetylsalicylsäure,** eigentlich ein Schmerzmittel, gilt hierfür als Standardwirkstoff. ASS (→ Tab. 20.5) führt zu einer irreversiblen Hemmung der Cyclooxygenase. Folge hiervon ist die Hemmung der Thromboxansynthese.

Geschichte der Acetylsalicylsäure

Die Acetylsalicylsäure ist das älteste nichtopioide Analgetikum. Schon Hippokrates erkannte, dass die Rinde und Blätter des Weidenbaums zu medizinischen Zwecken zu gebrauchen waren. Im Jahr 1897 gelang es Felix Hofmann, einem Chemiker der Firma Bayer, den Wirkstoff Acetylsalicylsäure in reiner und stabiler Form herzustellen. Zwei Jahre später wurde das Medikament „Aspirin" in die Warenzeichenrolle des kaiserlichen Patentamtes aufgenommen und somit offiziell zu einer Marke. 1900 wurde die erste 500-mg-Tablette auf den Markt gebracht und Aspirin war damit eines der ersten Medikamente der Welt, das in einer exakt dosierbaren Form erhältlich war. Nach dem Zweiten Weltkrieg entdeckte Singer die Blutungstendenz nach chirurgischen Interventionen, wenn Aspirin als Schmerzmittel eingenommen wurde. Erst im Jahr

Int. Freiname	Furosemid
Indikationen	Lungenödem (z. B. bei akuter Herzinsuffizienz), hypertensiver Notfall (neben anderen therapeutischen Maßnahmen)
Darreichungsformen	1 Ampulle – 4 ml – 40 mg Furosemid
Nebenwirkungen	Schwere anaphylaktische Reaktionen, Hypovolämie, Hypotonie, Kreislaufkollaps, Elektrolytstörungen und deren Folgen, Übelkeit, Erbrechen, Parästhesien, reversibler Hörsturz vor allem bei zu schneller Injektion
Kontraindikationen	Überempfindlichkeit gegen Furosemid und Sulfonamide, Nierenversagen mit Anurie, Koma und Praecoma hepaticum, schwere Hypokaliämie, schwere Hyponatriämie, Hypovolämie, Dehydratation, Stillzeit, Kinder < 15 Jahre dürfen Furosemid nur ausnahmsweise bei bedrohlichen Zuständen erhalten
Dosierung	• Initial 20–40 mg i. v. • Kinder: 1 mg/kg KG i. v. **(Ausnahmefälle!)**
Pharmakokinetische Daten	• Wirkungsbeginn: 2–15 Min. • Wirkdauer: 3–6 Std. • HWZ: 1 Std.

Tab. 20.33 Lasix® 40 mg-Injektionslösung

Int. Freiname	Heparin
Indikationen	ACS, akute Lungenembolie, arterielle und venöse Verschlüsse
Darreichungsformen	1 Ampulle – 0,2 ml – 5 000 IE Heparin
Nebenwirkungen	Blutungen aus Haut, Schleimhäuten, Wunden, Gastrointestinal- und Urogenitaltrakt, allergische Reaktionen bis hin zum anaphylaktischen Schock, Vasospasmen, Priapismus
Kontraindikationen	Allergisch bedingte Thrombozytopenie, hämorrhagische Diathese, Ulzera im Magen-Darm-Trakt, manifeste Blutung
Dosierung	70–100 IE/kg KG – max. 5 000 IE i. v.
Pharmakokinetische Daten	• Wirkungsbeginn. sofort nach i. v. Gabe • Wirkdauer: – • HWZ: dosisabhängig 90–120 Min.

Tab. 20.34 Heparin-Natrium-5 000-ratiopharm®

1971 entdeckte Sir John Vane die prostaglandinsynthesehemmende Wirkung von Aspirin. Im Jahr 1983 erschien die Publikation über die erste placebokontrollierte, randomisierte Doppelblindstudie über die prophylaktische Einnahme von Aspirin bei Männern mit einem ACS. Damals wurden 324 mg pro Tag eingenommen. Im Jahr 1993 erhielt Aspirin die **Zulassung zur oralen Akuttherapie** des Herzinfarkts. Seit Februar 2018 ist Aspirin i. v. auch zur Initialbehandlung eines ACS zugelassen.

Fibrinolytika

Fibrinolytika sind Wirkstoffe, welche die **Auflösung von Blutgerinnseln** fördern. Die klassischen Fibrinolytika sind die Streptokinase und die Urokinase. Beide Substanzen sind sog. Plasminogenaktivatoren, sie wirken unspezifisch auf Fibrinogen und Fibrin. Als Referenzsubstanz für die neueren Plasminogenaktivatoren, Reteplase und Tenecteplase (→ Tab. 20.35), gilt die Alteplase. Diese Wirkstoffe haben eine höhere Fibrinaffinität, wodurch es zu einer hohen lokalen Effektivität am Thrombus und zu geringeren systemischen Effekten kommt.

Präklinisch konnte sich die Lysetherapie als Mittel der ersten Wahl, z. B. bei einem ST-Hebungsinfarkt (STEMI, → Kap. 27.2.5) oder bei der Lungenarterienembolie (→ Kap. 27.3.4), nicht durchsetzen. Ihren berechtigten Einsatz hat die Lysetherapie nur in wenigen Ausnahmefällen, z. B. bei einem STEMI mit hämodynamischer Instabilität in ländlichen Gebieten. Das Gleiche gilt für eine Lungenarterienembolie. Auch im Rahmen einer kardiopulmonalen Reanimation bei vermuteter Lungenarterienembolie (LAE) als Ursache des Herz-Kreislauf-Stillstands kann eine Lysetherapie indiziert sein (→ Kap. 23).

Nitrate

Die Nitrate werden meist zur **Behandlung der Angina pectoris** als sog. Antianginosa eingesetzt. Im Rettungsdienst kommt hauptsächlich der Wirkstoff Glyceroltrinitrat (→ Tab. 20.36) zum Einsatz. Daneben gibt es noch die Wirkstoffe:

- Isosorbiddinitrat
- Isosorbidmononitrat
- Pentaerythrithyltetranitrat

Als **Spray** steht aktuell nur Glyceroltrinitrat (z. B. Nitrolingual akut® Spray) zur Verfügung. Neben Kapseln und Tabletten existieren auch transdermale **Pflaster** zur Applikation von Nitraten.

Die Tonussenkung der glatten Gefäßmuskelzelle resultiert aus der Aktivierung der Guanylatzyklase und einer damit verbundenen Erhöhung des zellulären cGMP-Gehalts. Diese Aktivierung kommt durch die Freisetzung von Stickstoffmonoxid zustande. Durch die Gabe von Nitraten wird verstärkt Stickstoffmonoxid freigesetzt. Nachfolgend kommt es zu einer Vasodilatation mit Senkung der Vorlast. In höherer Dosierung wird die Nachlast durch eine arterielle Vasodilatation gesenkt. Weiterhin nimmt die Myokardperfusion zu. Die Nitratgabe bewirkt zudem eine Dilatation der glatten Muskulatur im Bronchial-, Gastrointestinal- und Gallenwegssystem sowie dem Harnleiter.

Bei kontinuierlicher Einnahme von Nitraten kommt es zu einer **Nitrattoleranz** mit einer Abschwächung der Nitrateffekte.

Nitrate dürfen **auf keinen Fall verabreicht** werden, wenn innerhalb der letzten 48 Stunden Phosphodiesterase-5-Hemmstoffe (PDE 5) eingenommen wurden. Diese Wirkstoffe werden zu Behandlung der erektilen Dysfunktion (z. B. Viagra®) oder zur Behandlung des pulmonalen

Int. Freiname	Tenecteplase (TNK)
Indikationen	Thrombolytische Therapie bei V. a. Myokardinfarkt mit andauernder ST-Streckenhebung oder frischem Linksschenkelblock; Lysetherapie unter laufender Reanimation wenn als reversible Ursache ein thromboembolisches Ereignis (LAE) vermutet wird
Darreichungsformen	1 Durchstechflasche – 10 000 U* (50 mg) Tenecteplase + 1 Fertigspritze mit 10 ml Wasser für Injektionszwecke
Nebenwirkungen	Anaphylaktische Reaktion, intrakranielle Blutungen, Augenblutungen, Blutungen generell, Reperfusionsarrhythmien, perikardiale Blutung, Embolien (thrombotische Embolisierung), Nasenbluten, pulmonale Blutungen, GI-Blutungen, Übelkeit und Erbrechen, Fieber, selten: Herzstillstand, Re-Infarkt, kardiogener Schock, Mitralklappeninsuffizienz, Perikarderguss, venöse Thrombosen, Herztamponade, Myokardruptur
Kontraindikationen	**Absolute Kontraindikation:** schwere Blutung (akut oder innerhalb der letzten 6 Monate), orale Antikoagulanzientherapie, bekannte hämorrhagische Diathese, schwere nicht kontrollierbare Hypertonie, große Operationen, Biopsie eines parenchymatösen Organs oder schweres Trauma in den letzten 2 Monaten, kürzlich erlittene Schädelverletzungen, akute Perikarditis und/oder subakute bakterielle Endokarditis, akute Pankreatitis, schwere Leberfunktionsstörung einschließlich Leberversagen, Zirrhose, Pfortaderhochdruck (Ösophagusvarizen) und aktiver Hepatitis, aktive peptische Ulzera, arterielles Aneurysma und bekannte arteriovenöse Missbildungen, hämorrhagischer Schlaganfall oder Schlaganfall unklarer Genese in der Anamnese in den vergangenen 6 Monaten, Demenz, Überempfindlichkeit gegen den Wirkstoff
Dosierung	• Gewichtsbezogene Dosierung: – < 60 kg KG = 6 000 U* – 60–70 kg KG = 7 000 U – 70–80 kg KG = 8 000 U – 80–90 kg KG = 9 000 U – > 90 kg KG = 10 000 U • Maximaldosis: 10 000 U
Pharmakokinetische Daten	HWZ: 24 Min.
* U = Units, wird mit IE = internationale Einheiten gleichgesetzt	

Tab. 20.35 Metalyse® 10 000 U

Int. Freiname	Glyceroltrinitrat
Indikationen	Behandlung des akuten Angina-pectoris-Anfalls, akuter Myokardinfarkt, akute Linksherzinsuffizienz
Darreichungsformen	• 1 Flasche mit 20 ml Spray • 1 Sprühstoß – 0,4 mg Glyceroltrinitrat
Nebenwirkungen	Kopfschmerz (Nitratkopfschmerz), Reflextachykardie, Blutdruckabfall, Kollapszustände, bradykarde Herzrhythmusstörungen, Flush, allergische Reaktionen, Übelkeit, Erbrechen, Methämoglobinämie
Kontraindikationen	Überempfindlichkeit gegen Glyceroltrinitrat, akutes Kreislaufversagen, ausgeprägte Hypotonie (RR_{sys} < 90 mmHg), hypertrophe obstruktive Kardiomyopathie, Erkrankungen die mit einem erhöhten intrakraniellen Druck einhergehen (zerebrale Blutungen, SHT), schwere Anämie, Einnahme von PDE-5-Hemmern innerhalb der letzten 48 Stunden
Dosierung	1–3 Sprühstöße (entspricht 0,4–1,2 mg); Sprühstöße im Abstand von ca. 30 Sek. bei angehaltenem Atem in die Mundhöhle sprühen
Pharmakokinetische Daten	• Wirkungsbeginn: 1–2 Min. • Wirkdauer: 30–60 Min. • HWZ: 3 Min.

Tab. 20.36 Nitrolingual®-Spray

Hochdrucks (z. B. Revatio®) eingesetzt. PDE 5 ist für den Abbau von Stickstoffmonoxid verantwortlich. Die Kombination von PDE-5-Hemmstoffen und Nitraten würde zu einem Überschuss an Stickstoffmonoxid und letztendlich zu massiven Blutdruckabfällen führen.

ACHTUNG! Vor der Applikation von Nitraten müssen alle Patienten, unabhängig von Alter und Geschlecht, **zwingend** nach einer möglichen **Einnahme von PDE-5-Hemmstoffen** gefragt werden. Patienten die innerhalb der letzten 48 Stunden PDE-5-Hemmstoffe eingenommen haben, dürfen keine Nitrate erhalten. PDE-5-Hemmstoffe sind die Wirkstoffe:

- Sildenafil (z. B. Viagra®, Revatio®, Sildeagil®)
- Tadalafil (z. B. Cialis®, Adcirca®, Talamanco®)
- Vardenafil (z. B. Levitra®)

Katecholamine

Als **Katecholamine** bezeichnet man die Gruppe der biogenen Amine. Dopamin und Noradrenalin werden als primäre Katecholamine, Adrenalin als sekundäres Katecholamin bezeichnet.

Die Synthese der Katecholamine erfolgt durch die Umwandlung von L-Tyrosin im Zytoplasma der Nervenzelle und in der Nebennierenmarkszelle zu Dopamin. Durch die Dopamin-Beta-Hydroxylase entsteht in den sympathischen Nervenenden und im Nebennierenmark Noradrenalin. Adrenalin entsteht durch die Umwandlung von Noradrenalin mittels der Phenyl-N-Methyltransferase im Nebennierenmark sowie einigen Neuronen des ZNS.

Adrenalin (→ Tab. 20.37), Dopamin und Noradrenalin (→ Tab. 20.38) sind also natürlich vorkommende Katecholamine, während Isoprenalin, Dobutamin und Dopexamin synthetische Katecholamine darstellen.

Int. Freiname	Adrenalin (Epinephrin)
Indikationen	Kardiopulmonale Reanimation, schwere anaphylaktische Reaktion, anaphylaktischer Schock, hämodynamisch wirksame Bradykardie, Obstruktion der oberen Atemwege aufgrund allergischer/entzündlicher Reaktionen
Darreichungsformen	1 Ampulle – 1 ml – 1 mg Adrenalin
Nebenwirkungen	Tachykarde Herzrhythmusstörungen bis hin zum Kammerflimmern, pectanginöse Beschwerden, Myokardischämie, Hypertonus, Hypokaliämie, Hypomagnesiämie, Dyspnoe, Lungenödem, zerebrale Krampfanfälle, evtl. schwere Hypoglykämie, Mydriasis, Kopfschmerz, Tremor, Hypersalivation, Übelkeit, Erbrechen, Blässe, Muskelkrämpfe, Oligurie, Anurie, Miktionsstörungen, ischämische Nekrosen im Anwendungsgebiet insbesondere bei para- oder perivasaler Gabe
Kontraindikationen	Tachykarde Herzrhythmusstörungen, Hypertonus, Cor pulmonale, schwere Niereninsuffizienz
Dosierung	• **Kardiopulmonale Reanimation:** – Erwachsene: 1 mg alle 3–5 Min. i. v. oder i. o. – Kinder: 0,01 mg/kg KG alle 3–5 Min. • **Schwere anaphylaktische Reaktion:** – Erwachsene/Kinder > 12 Jahre: 0,5 mg i. m. – Kinder 6–12 Jahre: 0,3 mg i. m. – Kinder < 6 Jahre: 0,15 mg i. m. • **Atemwegsobstruktion aufgrund allergischer/entzündlicher Reaktionen:** Verneblung: 2–5 mg
Pharmakokinetische Daten	• Wirkungsbeginn: 30–60 Sek. • Wirkdauer: 3–5 Min. • HWZ: 3–10 Min.

Tab. 20.37 Suprarenin®-Ampullen

Int. Freiname	Noradrenalin (Norepinephrin)
Indikationen	Septischer Schock, wenn durch alleinige Volumentherapie keine Kreislaufstabilisierung erreicht werden kann
Darreichungsformen	1 Ampulle – 1 ml – 1 mg Noradrenalin
Nebenwirkungen	Herzklopfen, pectanginöse Beschwerden, myokardiale Ischämie, Hypertonus, reflektorische Bradykardie, Herzrhythmusstörungen bis hin zum Kammerflimmern, Vasokonstriktion, Kältegefühl in den Extremitäten, Hyperglykämie, metabolische Azidose, Dyspnoe, Lungenödem bei zu starkem Blutdruckanstieg, Hypersalivation, Übelkeit, Erbrechen, Kopfschmerzen, Unsicherheits- und Angstgefühl, Zittern, Ruhelosigkeit, Verwirrtheitszustände und Psychosen, Oligurie, Anurie, Miktionsstörungen, Blässe, Schwitzen, ischämische Nekrosen im Anwendungsgebiet insbesondere bei para- oder perivasaler Gabe
Kontraindikationen	Hypertonie, Hyperthyreose, Phäochromozytom, Engwinkelglaukom, paroxysmale Tachykardie, hochfrequente absolute Arrhythmie, schwere Nierenfunktionsstörungen, Prostataadenom mit Restharnbildung, Koronar- und Herzmuskelerkrankungen, sklerotische Gefäßveränderungen, Cor pulmonale
Dosierung	0,014–0,28 µg/kg KG/Min. i. v., Applikation idealerweise über eine Spritzenpumpe: 5 ml Noradrenalin (entspricht 5 mg) mit NaCl 0,9 % auf 50 ml Gesamtvolumen. Laufgeschwindigkeit: 0,6–12 ml/Std.
Pharmakokinetische Daten	• Wirkungsbeginn: sofort • Wirkdauer: 1–2 Min. • HWZ: 2 Min.

Tab. 20.38 Arterenol® 1 ml

Katecholamine kommen vorwiegend zur Behandlung von **Erkrankungen mit Einschränkungen der Hämodynamik** zum Einsatz. Die wichtigsten Effekte der Katecholamine sind die Vasokonstriktion (arteriell und venös) und die Vermittlung von positiv chrono- und inotropen Effekten am Herzen. Katecholamine wirken unterschiedlich ausgeprägt über ihre mimetische Wirkung an Alpha- und Betarezeptoren.

Mineralstoffpräparate – Kalzium und Magnesium

Kalzium und Magnesium sind Mineralstoffe. **Kalzium** wird zur Behandlung von Flusssäureverätzungen eingesetzt. Hierbei wird das Kalzium in die verletzte Haut infiltriert. Weiterhin wird Kalzium im Rahmen der Behandlung einer Hyperkaliämie zur Neutralisierung der hyperkaliämischen Effekte am Myokard eingesetzt. Hierzu werden 10 ml Kalziumglukonat 10 % über 2–5 Minuten intravenös appliziert. Die Wirkung von Kalium und Kalzium ist am Herz- und Skelettmuskel sowie an der Nervenzelle antagonistisch.

Magnesium ist an mehr als 300 intrazellulären und membranassoziierten Reaktionen beteiligt. Dies beruht auf der Funktion von Magnesium als Kofaktor enzymatischer Reaktionen und der Wirkung als Kalziumantagonist. Magnesium wirkt relaxierend auf die glatte Muskulatur.

Es wird zur Therapie ventrikulärer Herzrhythmusstörungen (→ Kap. 27.2.9) in Form einer **Torsade-de-pointes-Tachykardie** eingesetzt. Hierzu werden 2 g Magnesiumsulfat (z. B. Cormagnesin 400) langsam i. v. appliziert (→ Tab. 20.39).

Magnesiumsulfat kann ebenfalls zur Therapie von **Präeklampsie und Eklampsie** eingesetzt werden. Zur Therapie eines eklamptischen Anfalls werden initial 6 g Magnesiumsulfat als intravenöser Bolus über 20 Minuten appliziert.

Auch bei obstruktiven Atemwegserkrankungen kann Magnesium aufgrund seiner relaxierenden Wirkung auf die glatte Muskulatur eingesetzt werden, falls die Standardtherapie mit inhalativen Beta-2-Mimetika (→ Kap. 20.3.5) und Anticholinergika (→ Kap. 20.3.7) nicht den gewünschten Erfolg bringt.

Int. Freiname	Magnesiumsulfat
Indikationen	Kardiopulmonale Reanimation (therapierefraktäre pVT als Torsade-de-pointes-Tachykardie), Herzrhythmusstörungen besonders Torsade-de-pointes-Tachykardien, ventrikuläre Tachykardien infolge einer Digitalistherapie, Präeklampsie, Eklampsie, schwerer Asthmaanfall
Darreichungsformen	1 Ampulle – 10 ml – 2 g Magnesiumsulfat
Nebenwirkungen	Bei hoher Dosierung sind Bradykardien, Blutdrucksenkung, Überleitungsstörungen und periphere Gefäßerweiterung möglich, bei zu schneller Injektion: Übelkeit, Erbrechen, Kopfschmerz, Wärmegefühl, Schwindel und Unruhezustände
Kontraindikationen	Ausgeprägte Bradykardie, AV-Block
Dosierung	2 g langsam i. v.
Pharmakokinetische Daten	Keine Angaben

Tab. 20.39 Cormagnesin 400

20.3.8 Lokalanästhetika

Nur das Lokalanästhetikum **Lidocain** (→ Tab. 20.40) kommt im Rettungsdienst zum Einsatz. Wurde das Lidocain früher häufig als Antiarrhythmikum und im Rahmen der kardiopulmonalen Reanimation eingesetzt, so findet es derzeit meist nur noch Verwendung bei der **intraossären Punktion** (→ Kap. 20.1.1). Die intraossäre Punktion selbst ist nicht sehr schmerzhaft. Bei wachen Patienten verursacht die Applikation von Flüssigkeiten oder Medikamenten in die Markhöhle der Knochen sehr starke Schmerzen. Deshalb muss bei wachen Patienten zuerst Lidocain in die Markhöhle appliziert werden, bevor weitere Flüssigkeiten gegeben werden können.

20.3.9 Antihistaminika

Antihistaminika wirken an den Histaminrezeptoren antagonistisch. Man unterscheidet **drei Arten** von **Histaminrezeptoren** (→ Tab. 20.41).

An Histamin-1-Rezeptorenblockern stehen im Rettungsdienst **Clemastin** und **Dimetinden** (→ Tab. 20.42) zur Verfügung, zur Blockade des Histamin-2-Rezeptors der Wirkstoff **Cimetidin**.

ACHTUNG! Das im Jahr 2021 publizierte Update zur S2-*Leitlinie zu Akuttherapie und dem Management der Anaphylaxie* der Deutschen Gesellschaft für Allergologie und klinische Immunologie (DGAKI) unterstreicht die Wichtigkeit des **Adrenalins** zur Behandlung der schweren anaphylaktischen Reaktion (→ Tab. 20.37). Hierin heißt es auch, dass die Rolle der Histamin-1-Rezeptorenblocker zur Behandlung der akuten Urtikaria oder der Rhinokonjunktivitis unbestritten ist. Ihre Wirkung auf den Kreislauf und die Bronchokonstriktion ist allerdings nicht belegt. Zudem haben sie einen deutlich langsameren Wirkungseintritt als Adrenalin. Auch für die Wirksamkeit von Histamin-2-Rezeptorenblockern gibt es wenig Evidenz. In der Leitlinie heißt es, dass die kombinierte Gabe von H-1- und H-2-Rezeptorenblockern versucht werden kann.

Int. Freiname	Lidocain
Indikationen	Lokalanästhesie nach intraossärer Punktion
Darreichungsformen	1 Ampulle – 5 ml – 100 mg Lidocain
Nebenwirkungen	Hypo- und Hypertonie, Herzrhythmusstörungen, Übelkeit, Erbrechen, Parästhesien, Schwindel, allergische Reaktionen (Urtikaria, Ödem, Bronchospasmus), Atemdepression, Sehstörungen
Kontraindikationen	Überempfindlichkeit gegen den Wirkstoff
Dosierung	Als Lokalanästhetikum nach intraossärer Punktion bei Erwachsenen: • 40 mg langsam über 2 Min. intraossär, • Daran schließt sich die Bolusgabe von NaCl 0,9 % (5–10 ml) an • Anschließend weitere 20 mg langsam über 1 Min. intraossär
Pharmakokinetische Daten	• Wirkungsbeginn: 1–2 Min. • Wirkdauer: 15–20 Min. • HWZ: 1,6 Std.

Tab. 20.40 Xylocain 2 %

Histamin-1-Rezeptor	Histamin-2-Rezeptor	Histamin-3-Rezeptor
Vasodilatation mit Flush und Blutdruckabfall	Vasodilatation mit Flush und Blutdruckabfall	Präsynaptisch (ZNS), Regulation der Histaminsynthese und -freisetzung
Permeabilitätserhöhung		
Bronchokonstriktion	Steigerung der Magensaftsekretion	
Darmkontraktion		
Uteruskontraktion	Positive Chrono- und Inotropie	
Vasokonstriktion großer Gefäße		

Tab. 20.41 Wirkungen von Histamin an den unterschiedlichen Histaminrezeptoren

Int. Freiname	Dimetinden
Indikationen	Akutbehandlung allergischer Erkrankungen, unterstützend beim anaphylaktischen Schock
Darreichungsformen	1 Ampulle – 4 ml – 4 mg Dimetinden
Nebenwirkungen	Müdigkeit, Mundtrockenheit, Übelkeit, Schwindel, Erregung, Kopfschmerzen
Kontraindikationen	Kinder < 1 Jahr, Schwangerschaft, Stillzeit
Dosierung	4 mg langsam i. v.
Pharmakokinetische Daten	• Wirkungsbeginn: 30–60 Min. • Wirkdauer: 4–5 Std. • HWZ: 6 Std.

Tab. 20.42 Fenistil®-Injektionslösung

20.3.10 Kortikoide

In der Nebennierenrinde werden die physiologischen Glukokortikoide **Kortisol** und **Kortison** in einem Tag-Nacht-Rhythmus gebildet. Die Plasmakortisolkonzentration ist in den frühen Morgenstunden am höchsten. Man unterscheidet die physiologischen Glukokortikoide von den synthetischen Derivaten. Nur Prednison und Prednisolon (→ Tab. 20.43) weisen noch eine mineralkortikoide Restwirkung auf.

Kortikoide wirken antiphlogistisch, antiödematös und membranstabilisierend. Die Stabilisierung der Mastzellmembran ist auch für die antihistaminische Wirkung der Kortikoide verantwortlich.

Im Rettungsdienst werden Kortikoide inhalativ, intravenös oder rektal appliziert. Hierbei handelt es sich um die Wirkstoffe **Beclometason** (z. B. Junik® Autohaler® 100 µg), **Methylprednisolon** (z. B. Urbason® solubile forte 250/1 000 mg), **Prednison** (z. B. Rectodelt® 100) und **Prednisolon** (z. B. Solu-Decortin® H 100 mg, → Tab. 20.44).

Kortikoide werden bei anaphylaktischen Reaktionen, Bronchoobstruktion (z. B. Asthma bronchiale), Pseudo-Krupp und Reizgasinhalationen eingesetzt.

20.3.11 Spasmolytika

Spasmolytika werden zur **Therapie abdomineller, insbesondere kolikartiger Schmerzen** eingesetzt. Der Wirkstoff **Butylscopolamin** gehört zu den Parasympatholytika (Anticholinergika) und ist mit Atropin artverwandt (→ Tab. 20.45). Im Gegensatz zu Atropin ist das Butylscopolamin nicht liquorgängig. Butylscopolamin wirkt relaxierend, bevorzugt an der glatten Muskulatur des Magen-Darm-Trakts sowie der ableitenden Harnwege.

Int. Freiname	Prednisolon
Indikationen	Behandlung der stenoisierenden Laryngotracheitis (Krupp-Syndrom, Pseudo-Krupp), spastische Bronchitis, allergische Reaktionen vom Soforttyp
Darreichungsformen	1 Zäpfchen (Suppositorium) – 100 mg Prednisolon
Nebenwirkungen	Bei kurzfristiger Anwendung keine
Kontraindikationen	Bekannte Überempfindlichkeit gegen Prednisolon
Dosierung	100 mg Supp. rektal
Pharmakokinetische Daten	• Wirkungsbeginn: 30 Min. • Wirkdauer: 12–36 Std. • HWZ: 18–36 Std.

Tab. 20.43 InfectoCortiKrupp® Zäpfchen

Int. Freiname	Prednisolon
Indikationen	Allergische Reaktion, anaphylaktischer Schock; Lungenödem durch Inhalation toxischer Substanzen wie Chlorgas, Isocyanate, Schwefelwasserstoff, Phosgen, Nitrosegase; schwerer akuter Asthmaanfall, Pseudo-Krupp
Darreichungsformen	• 1 Ampulle – 50 mg Trockensubstanz Prednisolon + 1 Ampulle/1 ml Wasser für Injektionszwecke • 1 Ampulle – 100 mg Trockensubstanz Prednisolon + 1 Ampulle/1 ml Wasser für Injektionszwecke • 1 Durchstechflasche – 250 mg Trockensubstanz Prednisolon + 1 Ampulle/5 ml Wasser für Injektionszwecke • 1 Durchstechflasche – 500 mg Trockensubstanz Prednisolon + 1 Ampulle/5 ml Wasser für Injektionszwecke • 1 Durchstechflasche – 1 000 mg Trockensubstanz Prednisolon + 1 Ampulle/10 ml Wasser für Injektionszwecke
Nebenwirkungen	Im Notfall keine
Kontraindikationen	Überempfindlichkeit gegen Prednisolon
Dosierung	• Schwerer Asthmaanfall: 50–100 mg i. v. • Allergische Reaktion: 250–1 000 mg i. v.
Pharmakokinetische Daten	• Wirkungsbeginn: ca. 30 Min. • Wirkdauer: 12–36 Std. • HWZ: 18–36 Std.
Bemerkungen	**Bei der anaphylaktischen Reaktion ist Adrenalin das Mittel der 1. Wahl! Kortikoide spielen nur eine nachgeordnete Rolle.**

Tab. 20.44 Solu-Decortin® H

22

ANÄSTHESIE IM RETTUNGSDIENST

Stephan Dönitz

FALLBEISPIEL

Notfallmeldung

Die Rettungsleitstelle erhält nachts gegen 3:00 Uhr einen Notruf. Laut Anrufer ist ein Pkw an einer Bundesstraße gegen einen Baum geprallt. In dem Fahrzeug ist nur eine Person. Die Rettungsleitstelle entsendet RTW und NEF sowie Polizei und Feuerwehr zum Unfallort.

Situation und Ersteindruck

Rettungswagen und NEF treffen zeitgleich an der Einsatzstelle ein. Die Einsatzstelle ist bereits durch Polizei und Feuerwehr abgesichert. In einem stark deformierten Fahrzeug befindet sich ein Mann auf dem Fahrersitz. Der Mann ist in seinem Pkw eingeklemmt und muss durch die Feuerwehr befreit werden. Er klagt über Atemnot und starke Schmerzen. Der Patient ist blass und seine Haut kaltschweißig.

Leitsymptome

- Atemnot
- Starke Schmerzen
- Schockzeichen

INHALTSÜBERSICHT

22.1 ALLGEMEIN- UND REGIONALANÄSTHESIE

- Die Narkose **(Allgemeinanästhesie)** schaltet medikamentös Bewusstsein, Schmerzwahrnehmung und Abwehrreaktionen des gesamten Organismus aus. Zugleich kommt es zum Verlust der Schutzreflexe und der Atmung! Wer eine Narkose durchführt, muss deswegen über profunde Fertigkeiten in der Sicherung des Atemwegs verfügen.
- Bei der **Regionalanästhesie** bleibt das Bewusstsein erhalten und nur bestimmte Körperareale sind schmerzunempfindlich.

22.2 ELEMENTE DER ANÄSTHESIE

- Eine der zentralen Aufgaben der Notfallmedizin ist die Sicherung freier Atemwege. Der „Goldstandard“ zur Erreichung dieses Ziels ist (für den Geübten) die endotracheale Intubation. Voraussetzung hierfür (Ausnahme: Reanimation) ist eine Narkose, besser: eine spezielle Narkosetechnik, die als **Rapid Sequence Intubation** (RSI) bezeichnet wird.
- Die Durchführung einer Narkose im Rettungsdienst gilt als anspruchsvolles Unterfangen. Die Rahmenbedingungen sind regelhaft schwieriger als in der Klinik. Die präklinische Narkose gilt als **Risikonarkose.**
- Während der Narkose besteht das Basismonitoring aus Blutdruck, EKG (Herzfrequenz), Sauerstoffsättigung und – nach Atemwegssicherung – der **Kapnometrie/-grafie.** Sämtliche erhobenen Werte werden laufend überwacht. Dies gilt insbesondere auch für die Parameter der (maschinellen) Beatmung, die sich an die Atemwegssicherung anschließt.
- Im Rettungsdienst steht an erster Stelle die Frage, ob eine Narkose überhaupt indiziert ist oder ob weniger invasive Vorgehensweisen ggf. ausreichen, z. B. die Behandlung einer respiratorischen Insuffizienz mit Medikamenten und nichtinvasiver Beatmung (NIV).

22.3 KLINISCHE NARKOSE

- Ein wesentlicher Unterschied zwischen der Narkose im Krankenhaus und im Rettungsdienst besteht darin, dass im Krankenhaus, selbst bei dringenden Eingriffen, eine Untersuchung des Patienten erfolgt ist, bevor die Narkose durchgeführt wird.
- Durch Präoxygenierung (Denitrogenierung) über eine dicht sitzende Maske über einige Minuten wird eine Sauerstoffreserve in der Lunge aufgebaut, die das Risiko einer Hypoxämie während der Narkoseeinleitung vermindern soll.
- Auch bei Regionalanästhesieverfahren muss alles für eine ggf. erforderlich werdende Narkose vorbereitet sein (Material, Medikamente, gechecktes Narkosekreisteil).

22.4 PRÄKLINISCHE NARKOSE

- Eine Narkoseeinleitung im Rettungsdienst bietet mehrere Besonderheiten, aufgrund derer sie im Vergleich mit der innerklinischen Narkose als schwieriger und anspruchsvoller gilt.
- Das Material für Intubationsschwierigkeiten bzw. alternative Atemwegssicherung muss vorbereitet sein (z. B. McCoy-Spatel, „langer“ Spatel, Videolaryngoskop, Larynxmaske, Larynx-Tubus, Notkoniotomieset).

22.5 NARKOSEEINLEITUNG BEI NICHT NÜCHTERNEN PATIENTEN

- Eine Narkose im Rettungsdienst ist insofern etwas Besonderes, da die Entscheidung zur Narkosedurchführung deshalb getroffen wird, weil man keine Alternative hat.
- Die Vorgehensweise der Narkoseeinleitung bei einem nicht nüchternen Patienten wird als Rapid Sequence Intubation (RSI) bezeichnet.
- Die Standardlagerung beim Erwachsenen ist die Oberkörperhochlagerung, ggf. die umgekehrte Trendelenburg-Lagerung, beim Kind die Rückenlage.
- Die Kapnografie/-metrie ist absolut unverzichtbar zur Lageverifizierung des Endotrachealtubus und für die Überwachung jeder Beatmung (auch bei Verwendung supraglottischer Hilfsmittel). Es gibt keine rechtfertigende Ausnahme!

22.6 DELAYED SEQUENCE INTUBATION

- Die **Delayed Sequence Intubation** (DSI) ist eine Technik zur Präoxygenierung von Patienten, die die üblichen Formen der Präoxygenierung nicht tolerieren und bei denen eine Intubationsnarkose im Sinne einer „klassischen“ RSI aufgrund des hohen Risikos einer Hypoxämie unsicher wäre.
- Als ideal gilt dabei die Verwendung von Ketamin/Esketamin.

22.7 NARKOSEVERFAHREN BEI SPEZIELLEN NOTFALLSITUATIONEN

- Grundsätzlich gilt: Die Narkosemedikamente können in unterschiedlicher Weise für die Einleitung einer Notfallnarkose miteinander kombiniert werden. Die jeweiligen Wirkungen und Nebenwirkungen müssen berücksichtigt werden und die Auswahl der Substanzen sowie ihre Dosierung sollen „zum Patienten passen“.
- Für alle Notfallnarkoseeinleitungen gilt, dass der Einsatz von Relaxanzien verschiedene Vorteile bietet. Die Intubationsbedingungen werden dadurch besser und somit die Wahrscheinlichkeit einer erfolgreichen Intubation erhöht. Husten und Pressen während der Laryngoskopie erhöhen zudem das Risiko von Erbrechen und Aspiration. Eine Relaxierung beinhaltet jedoch auch Gefahren (z. B. Cannot-Ventilate-Cannot-Oxygenate-Situation). Wenn die Indikation für die Narkose korrekt gestellt wurde *(„Es gibt keinen Weg zurück“)*, sollte die Narkose konsequent durchgeführt werden, dies spricht dann für den Relaxanzieneinsatz. Ob Rocuronium oder Succinylcholin verwendet wird, hängt von verschiedenen Faktoren ab.

22.1 Allgemein- und Regionalanästhesie

22.1.1 Allgemeinanästhesie

DEFINITION

Anästhesie: Aufhebung **sämtlicher** peripherer Sinnesqualitäten wie Berührungs-, Tast-, Temperatur- und Schmerzempfinden.
Analgesie: bezeichnet lediglich die Schmerzlosigkeit.

Im Krankenhaus sind bestimmte Untersuchungen, Therapien und vor allem **Operationen** nur unter adäquater Ausschaltung der Schmerzwahrnehmung und Schmerzabwehr möglich. Ziel ist, dass chirurgische Manipulationen ohne Abwehr des Patienten vorgenommen werden können (chirurgische Toleranz). Der Zustand, mit dem dies erreicht wird, ist die Narkose (Anästhesie = Empfindungslosigkeit). Die Lehre von der Narkose ist Gegenstand einer der vier traditionellen Säulen des Fachgebiets **Anästhesiologie:**

- Anästhesie
- Intensivmedizin
- Notfallmedizin
- Schmerztherapie

Die **Allgemeinanästhesie** (im Volksmund „Vollnarkose" genannt; ein in Fachkreisen unüblicher Begriff) schaltet pharmakologisch induziert Bewusstsein, Schmerzempfinden und Abwehrreaktionen im gesamten Körper aus; der Patient befindet sich dabei in einem scheinbar schlafähnlichen Zustand. Das Verfahren stellt eine reversible und zeitlich limitierte dämpfende Beeinflussung des zentralen Nervensystems dar, erreicht wird sie mithilfe sog. **Anästhetika.** Diese Anästhetika können über die Lunge **(Inhalationsanästhetika)** oder **intravenös** zugeführt werden. Da bei der Allgemeinanästhesie die Spontanatmung und Schutzreflexe ausgeschaltet werden, ist das Vorgehen anspruchsvoll und birgt Gefahren, da der Patient erfolgreich beatmet (oxygeniert) werden muss. Misslingt dies, droht eine Hypoxie, ggf. der Tod. Nicht umsonst haben die Anästhesieabteilungen eine hohe Expertise in der Sicherung des Atemwegs (→ Abb. 22.1), und die meisten Abteilungen verwenden entsprechende Algorithmen. Eine weitere typische Nebenwirkung ist die durch Narkosemedikamente hervorgerufene Kreislaufdepression, auch allergische Reaktionen können vereinzelt auftreten.

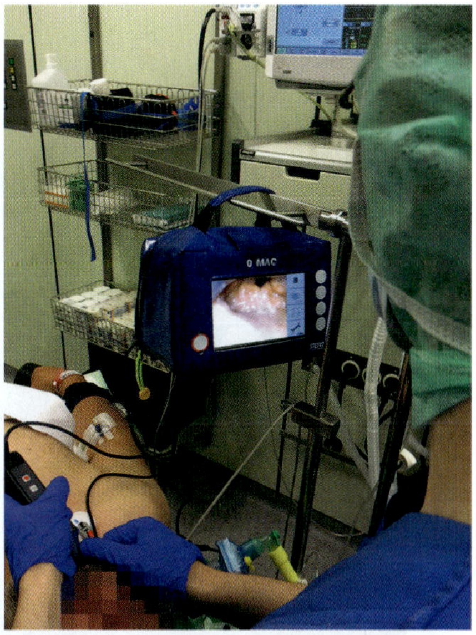

Abb. 22.1 Die Sicherung des schwierigen Atemwegs gehört zu den Kernkompetenzen der Anästhesieabteilungen. Seit mehreren Jahren hat dort die Videolaryngoskopie zunehmend Einzug gehalten – wie auch im Rettungsdienst (→ Kap. 18.6.5). [M840]

22.1.2 Regionalanästhesie

Bei der **Regionalanästhesie** wird ein bestimmter Nerv bzw. ein bestimmtes Nervenbündel ausgeschaltet, sodass eine bestimmte „Region" (Körperareal) betäubt ist. Man verwendet dazu Substanzen wie Ropivacain (Naropin®), Bupivacain (Carbostesin®) oder Mepivacain (Scandicain®), die **Lokalanästhetika** genannt werden (→ Kap. 20.3.8). Die Regionalanästhesie wird z. B.

- als **rückenmarknahe** Spinal- oder Epiduralanästhesie (Letztere z. B. oft in der Geburtshilfe) oder
- als **peripheres** Verfahren eingesetzt, etwa als Plexusanästhesie (z. B. axilläre Plexusblockade für Operationen an Arm/Hand oder interskalenäre Plexusblockade für Eingriffe an der Schulter/Oberarm), als Femoralis-Blockade (für Operationen am Bein), als IPACK/Saphenus-Blockade (für Operationen am Knie, IPACK = Interspace Between the Popliteal Artery and Capsule of the Knee) oder DIB (distaler Ischiadikus-Block) für Operationen am Bein.

DEFINITION

Rückenmarknahe Anästhesien: meist als Spinal- oder Epiduralanästhesie durchgeführt. Werden auch als **zentrale Nervenblockaden** bezeichnet, weil die Nerven ausgeschaltet werden, noch bevor oder während sie den Wirbelkanal verlassen. Oberhalb von L 2 werden dabei somatische Fasern zusammen mit sympathischen erfasst, unterhalb davon nur somatische.
Periphere Nervenblockade: vorübergehende Ausschaltung der neuralen Informationsübertragung durch Injektion von Lokalanästhetika (LA) in die unmittelbare Nähe von Nervengeflechten (Plexus), Nervenstämmen oder einzelnen Nerven. Auf diese Weise kann die Anästhesie im Wesentlichen auf das Operationsgebiet begrenzt werden.

Die Regionalanästhesie schaltet den Schmerz im Körperabschnitt des Operationsgebiets aus; das Bewusstsein bleibt dabei erhalten. Der Begriff Regionalanästhesie ist abzugrenzen von der **Lokalanästhesie.** Hierbei wird lediglich ein kleines Gebiet betäubt. Zu diesem Zweck wird in die Haut oder Schleimhaut ein Lokalanästhetikum infiltriert (was die meisten vom Zahnarzt kennen). Die Vorbereitungen des Patienten sind vergleichbar mit der Allgemeinanästhesie, was die Erfordernis eines venösen Zugangs und die Überwachung von Blutdruck, EKG und Pulsoxymetrie betrifft, damit auftretende Notfallsituationen jederzeit erkannt und behandelt werden können. Das bedeutet, dass stets alles für eine notfallmäßige Beatmung/Intubation zur Verfügung stehen muss (Medikamente, Equipment). Heutzutage ist es Standard, periphere Regionalanästhesieverfahren mithilfe eines Ultraschallgeräts durchzuführen (→ Abb. 22.2). Damit kann man den oder die zu betäubenden Nerven gezielt aufsuchen. Dieses Vorgehen hat sowohl die Erfolgsquote als auch die Sicherheit erhöht.

IM FOKUS

Allgemein- und Regionalanästhesie

- Die Allgemeinanästhesie wird oft auch **Vollnarkose** genannt. Hier werden i. d. R. Bewusstsein, Schmerzempfinden und Muskelaktivität ausgeschaltet.

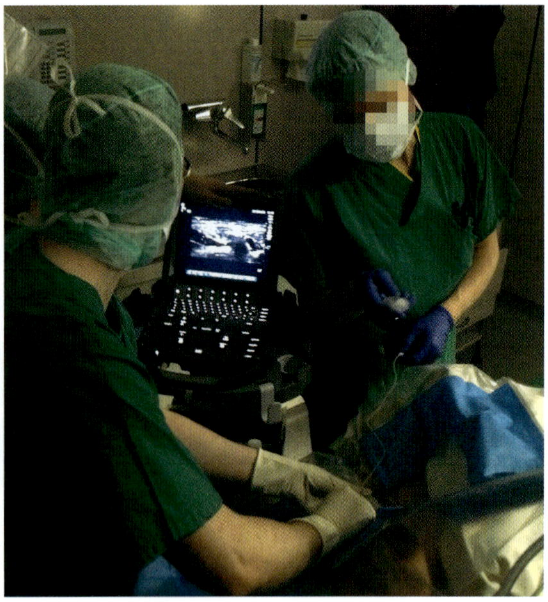

Abb. 22.2 Die Ultraschall-Verwendung **(Sonografie)** ist in der Medizin ein weitverbreitetes Verfahren. Seit einigen Jahren verbreitet sich die Sonografie auch in den Anästhesieabteilungen, da damit die Nerven im Rahmen von peripheren Regionalanästhesien gezielt identifiziert und betäubt werden können, wie hier im Bild. Auch für die Anlage von zentralen Venenkathetern (ZVK) ist die Sonografie mittlerweile Standard. Mitunter wird sie bei „schwierigen" Verhältnissen zur Identifizierung von peripheren Arterien (invasive Blutdruckmessung) und Venen eingesetzt. Zudem gibt es innerklinisch und prähospital zahlreiche notfallmedizinische Einsatzgebiete für den Ultraschall. [M840]

- Sie birgt durch den hervorgerufenen Atemstillstand die **Gefahr einer Sauerstoffunterversorgung.** Eine adäquate Oxygenierung ist von entscheidender Bedeutung.
- **Regionalanästhesien** beziehen sich auf eine **bestimmte Körperpartie** und betäuben diese bei erhaltenem Bewusstsein. Hier werden entweder rückenmarksnah oder im Bereich von peripheren Nerven Lokalanästhetika appliziert. Bei peripheren Verfahren ist die Sonografie heute Standard.

22.2 Elemente der Anästhesie

Um die in → Kap. 22.1.1 beschriebenen Wirkungen zu erreichen, kombiniert man im Rahmen der Narkoseeinleitung für die Allgemeinanästhesie mehrere Substanzgruppen miteinander: **Opioid-Analgetika, Hypnotika** und – fakultativ – **Muskelrelaxanzien** (→ Abb. 22.3). Dies hat den Vorteil, dass von der jeweiligen Substanz nur so viel verabreicht werden muss, wie zur Erzielung des jeweiligen gewünschten Effekts erforderlich ist. Bedarfsweise kommen ergänzend andere Medikamente zum Einsatz, die etwaige Nebenwirkungen verhindern oder aufheben sollen (z. B. Akrinor® oder andere Vasopressoren beim Blutdruckabfall, Atropin bei der Bradykardie).

22.2.1 Schmerzbekämpfung (Analgesie)

Die Schmerzbekämpfung durch Analgetika verfolgt nicht nur das Ziel, die Wahrnehmung von Schmerz zu verhindern; sie soll auch die negativen vegetativen Folgen der Schmerzstimulation unterbinden. Die potentesten Analgetika sind die Opioide (→ Kap. 20.3.1). Mit Ausnahme

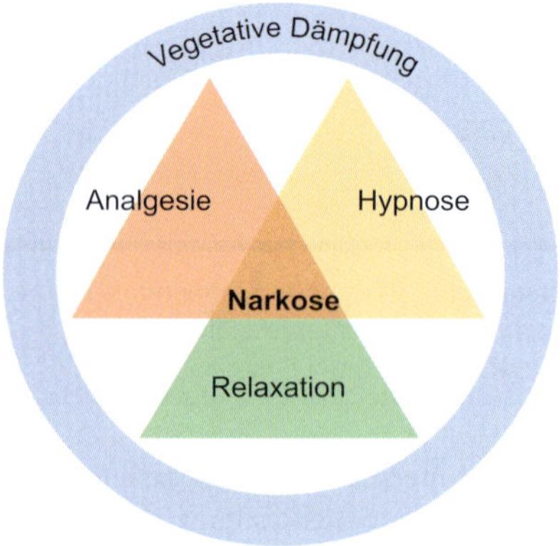

Abb. 22.3 Komponenten einer Allgemeinanästhesie [W895]

von Esketamin sind Opioide die einzigen im Rahmen der Allgemeinanästhesie verwendeten Analgetika, da andere Analgetika nicht potent genug sind. Und selbst unter den Opioiden werden nur die potentesten für die Narkosedurchführung eingesetzt. Im Rettungsdienst sind das vor allem **Fentanyl** und **Sufentanil.** Selbst das Opioid Morphin, das im Rettungsdienst für starke Schmerzen eingesetzt wird, etwa im Rahmen eines akuten Koronarsyndroms (ACS), findet eher keine Verwendung zur Narkoseeinleitung. Aus diesem Grund spricht man auch von den **Narkose-Opioiden** (Fentanyl, Sufentanil, Remifentanil) und grenzt diese damit von anderen, weniger potenten Opioiden (z. B. Pethidin, Piritramid) ab.

MERKE

Esketamin (Ketanest®-S) nimmt hier eine Sonderstellung ein, da es in niedriger Dosierung (z. B. 0,125–0,25 mg/kg KG i. v.) bei erhaltener Atmung gut analgetisch wirkt, in höherer Dosierung (z. B. 0,5–1–2 mg/kg KG i. v.) jedoch noch eine sedierende bzw. hypnotische Wirkung (dissoziative Anästhesie) hinzukommt. Insofern ist Esketamin als Schmerzmittel, für prozedurale Sedierungen und auch als Monoanästhetikum einsetzbar, wenngleich man es in der Praxis oft mit Midazolam kombiniert, um unangenehme Wahrnehmungen beim Patienten zu vermeiden. Näheres dazu im → Kap. 22.7. In vielen Ländern, u. a. auch in der Schweiz, ist heute noch der Esketamin-Vorgänger Ketamin (Ketalar®) im Einsatz.

22.2.2 Bewusstseinsausschaltung (Hypnose)

Durch Beruhigungsmittel (Sedativa) oder **schlaferzwingende Substanzen** (Hypnotika) wird ein der Bewusstlosigkeit ähnlicher „Schlafzustand" erzeugt. **Midazolam** (Dormicum®, → Tab. 20.14), ein Sedativum vom Benzodiazepin-Typ, wirkt in hoher Dosierung hypnotisch. Es kann daher im Rettungsdienst auch im Rahmen der Narkoseeinleitung gut verwendet werden. Ein im Krankenhaus sehr verbreitetes Hypnotikum, das übrigens auch zur Narkoseaufrechterhaltung verwendet werden kann, ist **Propofol.** Allerdings kann Propofol, gerade beim Volumenmangel, einen erheblichen Blutdruckabfall hervorrufen. Weitere bekannte Hypnotika sind **Thiopental** (Trapanal®) und **Etomidat** (Hypnomidate®), wobei Letzteres seit einigen Jahren wegen Beeinflussung der Nebennierenrindenfunktion in Kritik geraten ist. Manche Rettungsdienste haben Etomidat sogar aus dem Ampullarium entfernt.

Die Wirkung von leichter Sedierung bis hin zum tiefen Koma ist mehr ein quantitatives als ein qualitatives Merkmal der **Hypnotika** und **Sedativa,** hängt also von der **Dosierung** ab. Mit diesen Medikamenten allein ist auch in hoher Dosierung nicht erreichbar, dass z. B. ein chirurgischer Hautschnitt toleriert wird, weil sie **nicht analgetisch** wirken.

22.2.3 Muskelrelaxation

Medikamente, die eine reversible schlaffe Lähmung der willkürlich innervierten (quergestreiften) Skelettmuskulatur bewirken, sollen vor allem die **Intubation erleichtern.** Im Klinikalltag wird eine Vielzahl unterschiedlicher Muskelrelaxanzien verwendet, sofern überhaupt ein Relaxans erforderlich ist (→ Kap. 20.3.6).

MERKE

Bei der **Intubationsnarkose** wird ein Relaxans verwendet. Für eine **Atemwegssicherung mit Larynxmaske** ist dagegen kein Relaxans erforderlich.

In der Notfallmedizin wurde hingegen früher bei einer angestrebten endotrachealen Intubation (ETI) die Verwendung eines Muskelrelaxans **kontrovers** diskutiert. Es gab Befürworter und Gegner. Heutzutage wird die Verwendung eines Relaxans im Rahmen der Notfallnarkose als **unverzichtbar** angesehen. Eine Anforderung an das Relaxans ist, dass es sehr rasch wirkt, sodass für die Notfallnarkoseeinleitung nur Succinylcholin (= Suxamethonium, z. B. Lysthenon® oder Pantolax®) oder Rocuronium (Esmeron®) infrage kommen (→ Tab. 20.25). Falls jedoch für den Transport des bereits intubierten Patienten eine Relaxierung angestrebt wird, können auch andere Relaxanzien verwendet werden, z. B. Vecuronium (Norcuron®).

MERKE

Zu einer Allgemeinanästhesie gehören Hypnose und Analgesie, bei elektiven Narkosen fakultativ die Relaxierung. Diese Wirkungen können mit unterschiedlichen Medikamenten erreicht werden. Das Wirkungs- und Nebenwirkungsprofil der Substanzen gibt dabei vor, wie man diese im Einzelfall sinnvoll miteinander kombiniert.

ACHTUNG! In der Notfallmedizin sind die Übergänge zwischen **Analgesie, Analgosedierung und Narkose** oftmals fließend. So kann es beabsichtigt sein, einem Patienten für die Reposition einer Sprunggelenksfraktur eine Analgosedierung zukommen zu lassen, ohne eine Narkose mit anschließender Beatmung durchführen zu müssen. Eine vergleichbare Situation liegt vor, wenn bei einem eingeklemmten Patienten für die Zeitspanne der technischen Rettung eine Analgesie oder Analgosedierung erfolgt, die Spontanatmung aber erhalten bleiben muss, da eine Atemwegssicherung bei dem eingeklemmten Patienten sehr anspruchsvoll wäre. Der Anwender muss über sehr gute pharmakologische Kenntnisse verfügen, da in den hier beschriebenen Situationen die gleichen Medikamente eingesetzt werden wie bei einer Narkose, allerdings in anderen Dosierungen und mit einer ganz anderen Zielsetzung. Dazu kommt, dass die Patienten unterschiedlich auf die Medikamente reagieren können. Während ein kräftiger, junger Mann nach Gabe von 5 mg Midazolam möglicherweise nur etwas schläfrig wird, kann bei einem alten Patienten die Gabe von 2 mg Midazolam zu einem Atemstillstand führen!

IM FOKUS

Komponenten der Allgemeinanästhesie

- Eine Allgemeinanästhesie besteht zumeist aus **drei Komponenten,** die durch bestimmte vegetativ wirksame Medikamente (z. B. Katecholamine) bei Bedarf ergänzt werden können:
  - **Hypnose** (Ausschalten des Bewusstseins): Midazolam, Propofol, Etomidat, Thiopental
  - **Analgesie** (Ausschalten des Schmerzempfindens): Fentanyl, Sufentanil, Remifentanil (Narkose-Opioide)
  - **Muskelrelaxation** (Ausschalten der Muskelaktivität): Succinylcholin, Rocuronium, Vecuronium, Atracurium, Cisatracurium, Mivacurium
- Esketamin nimmt eine Sonderstellung ein, da es sowohl analgetisch als auch hypnotisch wirkt.

22.3 Klinische Narkose

Die Beschreibung der Durchführung einer Allgemeinanästhesie im Krankenhaus dient dem Verständnis der Vorgänge während des Anästhesiepraktikums. Die präklinische Narkose ist ein Sonderfall der Narkose mit eingeschränkten Mitteln und unter schwierigen Umständen. Vieles von dem, was man in der Anästhesieabteilung lernen kann, ist auch für die Narkose im Rettungsdienst nützlich. Vor allem gilt dies für die Besonderheiten der Narkoseeinleitung beim nicht nüchternen Patienten. Diese spezielle Form der Narkoseeinleitung wird als **Rapid Sequence Intubation** (RSI) oder **Rapid Sequence Induction and Intubation** (RSII) bezeichnet (→ Kap. 22.6).

22.3.1 Vorbereitung der Narkose

Ein wesentlicher Unterschied zwischen der Narkose im Krankenhaus und im Rettungsdienst besteht darin, dass im Krankenhaus, selbst bei dringenden Eingriffen, eine Untersuchung des Patienten erfolgt, bevor die Narkose durchgeführt wird. Im Rahmen dieser Prämedikationsvisite untersucht der Anästhesist den Patienten und berät ihn hinsichtlich des für den Eingriff am besten geeigneten Narkoseverfahrens und der damit verbundenen Vorteile und Risiken. Bei Wahleingriffen, die nicht dringlich sind, erfolgt dieses Gespräch am Vortag der Operation oder früher. Als Minimum wird der Anästhesist im Rahmen der Prämedikationsvisite eine Anamnese erheben und eine klinische Untersuchung durchführen. Für den Anästhesisten ist es ganz wesentlich, ob man Hinweise auf eine schwierige Sicherung des Atemwegs findet. Hierzu werden verschiedene **Screeningsysteme** verwendet, die von Klinik zu Klinik auch variieren können. Dazu gehören z. B.:

- Test nach Mallampati
- Bestimmung des thyromentalen Abstands nach Patil
- Überprüfung der Reklination des Halses
- Überprüfung der Mundöffnung
- Inspektion des Zahnstatus

Der Nutzen dieser Screeningsysteme wird unterschiedlich bewertet. Je nachdem, wie schwierig die Atemwegssicherung eingeschätzt wird, können daraus unterschiedlichste Vorgehensweisen resultieren, bis hin zur **geplanten fiberoptischen Wachintubation** beim spontanatmenden Patienten. In der Anästhesie wird dies als „erwarteter schwieriger Atemweg" bezeichnet. Durch die Verfügbarkeit der Videolaryngoskopie ist die fiberoptische Wachintubation mancherorts in den Hintergrund gerückt.

Je nach Einzelfall kann (muss) die Prämedikationsvisite durch Folgendes ergänzt werden:

- Laboruntersuchungen (z. B. Elektrolyte, Blutbild, Gerinnung)
- 12-Kanal-EKG
- Röntgenaufnahme der Lunge
- Konsiliarische Beratung durch andere Fachärzte (z. B. Internist) bei bestimmten Problemstellungen
- Blutgruppenbestimmung
- Planung von fremdblutsparenden Verfahren (z. B. maschinelle Autotransfusion, MAT)
- Bereitstellung von Blutprodukten (z. B. Erythrozytenkonzentrate, gefrorenes therapeutisches Plasma)

Nach der Ankunft im Vorbereitungsraum („Narkoseeinleitungsraum") stellt die Anästhesiepflegekraft oder der Anästhesist zuerst die Identität des Patienten fest. Neben der Überprüfung des vollständigen Namens gehört dazu auch das Geburtsdatum. Diese Angaben werden mit dem Patientenarmband verglichen, damit der Patient auch zweifelsfrei identifiziert werden kann, wenn er selbst nicht mehr auskunftsfähig ist. Weitere Fragen gelten der Nüchternheit, ob eine etwaige Prämedikation und weitere verordnete Medikamente eingenommen wurden, ob eine ggf. vorhandene Zahnprothese herausgenommen wurde, ob Allergien bestehen, zum Operationsgebiet und der zu operierenden Seite. Oftmals ist es üblich, dass der Operateur die zu operierende Region mit einem Kreuz markiert hat. In manchen Kliniken darf der Patient ohne diese Markierung nicht in den OP eingeschleust werden. Da sich Fehler durch die Verwendung von Checklisten reduzieren lassen, sollten diese verwendet werden (→ Abb. 22.4). Hingegen sollten Brillen und Hörgeräte nach Möglichkeit den Patienten gelassen werden, weil dies zu einer besseren Orientierung beiträgt und als eine der Maßnahmen zur Vermeidung eines postoperativen Delirs gilt.

„State of the Art" (aktueller Standard) ist das sog. **Pre-Warming** (→ Abb. 22.5). Darunter versteht man, dass die Patienten bereits **vor Beginn** der Narkose bzw. des Regionalanästhesieverfahrens **aktiv** gewärmt werden. Idealerweise sollte dies für eine Zeitspanne von mindestens 10, möglichst 30 Minuten erfolgen. Wissenswerte Informationen (auch für Rettungsfachpersonal) zum Thema **Thermoregulation** des Menschen und Vermeidung der Hypothermie finden sich in einer AWMF-Leitlinie. Außerdem wird sich der durchführende Anästhesist nochmals ein Bild über die anatomischen Gegebenheiten der oberen Luftwege machen, um Schwierigkeiten bei der Beatmung oder Intubation frühzeitig zu erkennen. Die Vollständigkeit der Krankengeschichte und das Vorliegen aller wichtigen Papiere werden überprüft. Dazu gehört insbesondere die schriftliche Einwilligung in die Operation und die Narkose (zwei getrennte Dokumente) und bei Bedarf auch die Einwilligung bzgl. des Einsatzes von Blutprodukten. Je nach Alter des Patienten und Eingriff wird sich der Anästhesist außerdem für die Laborbefunde und das 12-Kanal-EKG interessieren.

Sicherheits-Checkliste Chirurgie

Weltgesundheitsorganisation | Patientensicherheit – Globale Initiative für Sicherheit im Gesundheitswesen

Vor Beginn der Anästhesie
(Mindestens mit Pflegeperson und Anästhesist)

Bestätigt Patient Identität, Operationsgebiet, Art des Eingriffs und Einwilligung?
- ☐ Ja

Ist das Operationsgebiet markiert?
- ☐ Ja
- ☐ Nicht anwendbar

Narkosegerät auf Funktion getestet und Medikamente vollständig?
- ☐ Ja

Pulsoxymeter am Patienten angeschlossen und funktionsfähig?
- ☐ Ja

Hat der Patient:

Bekannte Allergien?
- ☐ Nein
- ☐ Ja

Einen schwierigen Atemweg oder ein Aspirationsrisiko?
- ☐ Nein
- ☐ Ja, Material für Airwaymanagement verfügbar

Risiko für Blutverlust > 500 ml (7 ml/kg bei Kindern)?
- ☐ Nein
- ☐ Ja, zwei i.v.-Zugänge/ZVK geplant und Infusionen bzw. Blutprodukte verfügbar

Vor Hautschnitt
(Mit Pflegeperson, Anästhesist und Operateur)

- ☐ **Alle Mitglieder des Teams haben sich mit Name/Funktion vorgestellt**
- ☐ **Bestätigen: Name des Patienten, Eingriff und wo der Hautschnitt erfolgt**

Wurde die Antibiotikaprophylaxe innerhalb der letzten Stunde verabreicht?
- ☐ Ja
- ☐ Nicht anwendbar

Vorhersehbare kritische Ereignisse

Operateur
- ☐ Besonderheiten, außergewöhnliches Vorgehen?
- ☐ Geplante Dauer des Eingriffs?
- ☐ Erwarteter Blutverlust?

Anästhesist
- ☐ Patientenspezifische Probleme?

Instrumentierende Pflegeperson/Springer
- ☐ Sterilität sichergestellt (einschließlich der Steri-Indikatoren)?
- ☐ Probleme bzgl. der Instrumente?

Benötigte Bilder (Rö, CT, MRT) sichtbar?
- ☐ Ja
- ☐ Nicht anwendbar

Bevor Patient den OP-Saal verlässt
(Mit Pflegeperson, Anästhesist und Operateur)

Pflegekraft bestätigt mündlich:
- ☐ Durchgeführter Eingriff
- ☐ Vollständigkeit von Instrumenten, Tupfern, Bauchtüchern, Nadeln etc.
- ☐ Korrekte Beschriftung der Gefäße mit Proben inkl. Patientenname
- ☐ Jegliche Probleme oder Fehlfunktionen seitens der Gerätschaften

Operateur, Anästhesist und Pflegeperson definieren:
- ☐ Wichtige Aspekte für Aufwachraum und weitere postoperative Phase

Diese Checkliste erhebt keinen Anspruch auf Vollständigkeit. Ergänzungen und Änderungen zur Anpassung an die örtliche Praxis werden empfohlen. Überarbeitete Version 1/2009

Abb. 22.4 Sicherheits-Checkliste Chirurgie. Übersetzt mit freundlicher Genehmigung der WHO. [W798–001]

- „Haben wir hier ausreichend Platz?"
- „Bringt ein anderes Vorgehen größere Vorteile mit sich?"

22.4.2 Vorbereitung zur Narkose

Zur Vorbereitung der Narkoseeinleitung sollte der **Patient in den RTW** verbracht werden, wenn es medizinisch vertretbar und realisierbar ist. Im RTW sind Lagerungsmöglichkeiten und die Zugänglichkeit des Kopfes in intubationsgerechter Höhe gegeben. Lichtverhältnisse, Witterungsschutz und vollständige Ausrüstung sind weitere Vorteile der Intubation im RTW.

Für eine Narkoseeinleitung mit Intubation sollte Folgendes gewährleistet sein:

- EKG (mit QRS-Piepston), Pulsoxymetrie und Blutdruckmanschette (mit aktiviertem Intervall, z. B. 3 Minuten) angelegt, **Kapnografie** einsatzbereit und zur Hand.
- Adäquat fixierter venöser (oder intraossärer) Zugang mit gut „laufender" Infusion, optimal ist ein 3-Wege-Hahn als Zuspritzmöglichkeit (z. B. auch für einen späteren Propofol-Perfusor®). Wenn es machbar ist, soll aus Gründen der Sicherheit ein **zweiter venöser Zugang** etabliert werden.
- Intubationsgerechte Lagerung des Patienten nach Einzelfall mit freier Zugänglichkeit zum Kopf (**cave:** bei Möglichkeit eines HWS-Traumas Inline-Intubation anstreben).
- Entfernen von lockeren Zahnteilen und Prothesen.
- Präoxygenierung/Denitrogenierung für möglichst 3–4 Minuten Dauer über eine eng sitzende Sauerstoffinhalationsmaske mit Reservoir und Nichtrückatemventil (Flow 12–15 l O_2/Min.) oder sanft aufs Gesicht gedrückte Beatmungsmaske (z. B. mit Demand-Ventil), CPAP bzw. NIV-Anwendung ist ebenfalls sinnvoll (Effektivitätssteigerung), beispielsweise bei Adipositas.
- Beatmungsbeutel mit Sauerstoffreservoir, HME-Filter, ggf. Gänsegurgel und Beatmungsmaske(n) bereitlegen.
- Zum Patienten passenden Guedel-Tubus, ggf. Wendl-Tubus bereitlegen.
- Funktionsbereites Absauggerät mit aufgestecktem und bereits ausgepacktem Absaugkatheter (Fingertipp verschlossen), Absaugpumpe eingeschaltet bei Narkosebeginn.
- Eine aktuelle Leitlinie empfiehlt, primär ein Videolaryngoskop mit Macintosh-ähnlichem Spatel zur Intubation zu verwenden. Ist dieses nicht verfügbar oder die Technik wird nicht beherrscht: zwei leuchtende Laryngoskopgriffe mit zum Patienten passendem Spatel (ggf. weitere Größen) bereithalten.
- Tubus mit eingeführtem Führungsstab, Cuff überprüft, Blockerspritze bereits aufgesteckt. Bei Verwendung des Videolaryngoskops muss – je nach Typ – der Tubus speziell vorgebogen werden, damit er eingeführt werden kann.
- Material für Intubationsschwierigkeiten bzw. alternative Atemwegssicherung bereitlegen (z. B. McCoy-Spatel, „langer" Spatel, Larynxmaske, Larynx-Tubus, Notkoniotomieset). Falls nicht primär ein Videolaryngokop verwendet wird, sollte dieses als Rückfallebene bereitgehalten werden, aber empfohlen wird der primäre Einsatz.
- Spritzfertig aufgezogene Narkosemedikamente: Analgetikum + Hypnotikum + Relaxans **oder** Esketamin + Relaxans, zusätzlich Atropin und Akrinor®; Medikamente mit Klebeetiketten eindeutig kennzeichnen (z. B. Rettiketten, → Abb. 22.10).
- Medikamente, die für die Analgosedierung nach Atemwegssicherung benötigt werden (z. B. Propofol-Perfusor).

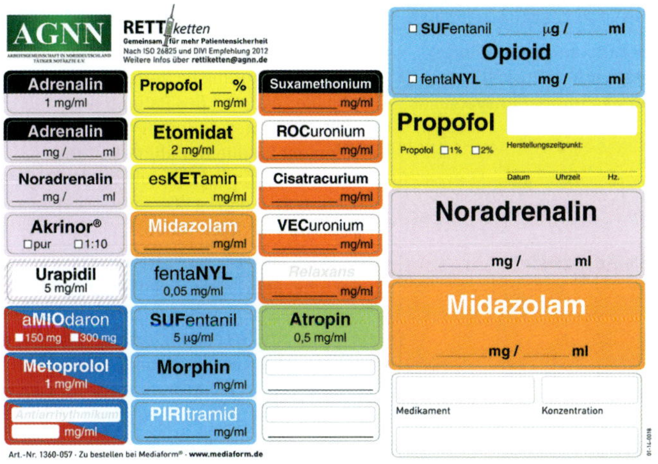

Abb. 22.10 Rettiketten der AGNN, vertrieben durch Mediaform [V666]

- Notfallbeatmungsgerät ist betriebsfertig (inkl. Einstellung der Beatmungsparameter passend zum Patienten), Sauerstoffvorrat ausreichend.
- Absprache im gesamten Team, dass alle benötigten Materialien vorbereitet und funktionsbereit sind.

22.5 Narkoseeinleitung bei nicht nüchternen Patienten

Die Vorgehensweise der Narkoseeinleitung bei einem **nicht nüchternen Patienten** – als solche sind im Rettungsdienst alle anzusehen – weist viele Parallelen, aber auch Unterschiede zu der entsprechenden Narkoseeinleitung im Krankenhaus auf. Sie wird traditionell als **Rapid Sequence Induction (RSI)** oder neuerdings auch als **Rapid Sequence Intubation** bezeichnet (Synonyme: z. B. Blitzeinleitung, Ileuseinleitung, Schnelleinleitung, → Tab. 22.1). Die RSI im Rettungsdienst ist, verglichen mit dem OP, mit einem **erhöhten Risiko für Hypoxie, Kreislaufzusammenbruch und Tod** verbunden. In der notfallmedizinischen Literatur und an den einzelnen Notarztstützpunkten wird eine Vielzahl unterschiedlicher Strategien zum Vorgehen bei der präklinischen Narkoseeinleitung und zur Medikamentenwahl, insbesondere zur Verwendung von Muskelrelaxanzien, beschrieben und vertreten. Seit einigen Jahren setzt sich in der präklinischen Notfall- und Militärmedizin allerdings zunehmend folgende Erkenntnis durch: **Je dringender die Situation ist, desto wichtiger sind Standard Operating Procedures (SOP) und umso mehr sollte man persönliche Ansichten zurückstellen.**

PRAXISTIPP

Der Notfallsanitäter sollte sich informieren, welches die übliche Vorgehensweise bei einer Rapid Sequence Intubation (RSI) in seinem Rettungsdienstbereich ist. Im Einzelfall muss außerdem eine an den Bedürfnissen des Patienten orientierte Abstimmung mit dem Notarzt erfolgen. Dringend anzuraten ist die Erstellung einer SOP durch den Ärztlichen Leiter Rettungsdienst. Diese soll nicht nur jedem Notfallsanitäter und Notarzt bekannt sein, sondern auch regelmäßig trainiert werden.

Ziel	Wird erreicht durch
Maximierung der Erfolgswahrscheinlichkeit des ersten Intubationsversuchs	• Abschätzen der Schwierigkeiten einer Atemwegssicherung im Vorfeld • Optimale Lagerung des Patienten • Bereitlegen eines definierten Minimums an Equipment für alle Notfallintubationen • Verwendung von Rocuronium zur Muskelrelaxierung (1,2 mg/kg KG), ggf. Succinylcholin (2. Wahl in vielen Fällen)
Keine Hypoxie!	• Möglichst Oberkörper 30° erhöht lagern oder umgekehrte Trendelenburg-Lagerung • Gründliche Präoxygenierung/Denitrogenierung 3–4 min (wenn möglich) • Großzügige Anwendung von Masken-CPAP (5–10 mbar), ggf. mit Druckunterstützung • Während des Intubationsvorgangs 15 l/min über Nasensonde applizieren (apnoische Oxygenierung)
Keine Hypotension oder Herzrhythmusstörungen!	• Verwendung von Ketamin/Esketamin im Schock bzw. bei RR < 100 mmHg • Bereithalten von Vasopressoren • Infusionstherapie ggf. anpassen
Keine Awareness	• Ausreichende Narkosetiefe, aber: Die Vermeidung von Hypotension und Herzrhythmusstörungen ist bei extrem kritischen Patienten wichtiger als die Vermeidung einer Awareness!

Tab. 22.1 Ziele einer RSI

22.5.1 Rapid Sequence Intubation (RSI) bei Kindern, Jugendlichen und Erwachsenen

DEFINITION

Rapid Sequence Intubation (RSI): u. a. auch bekannt als Ileus- oder Notfalleinleitung. Beschreibt ein nicht evidenzbasiertes Verfahren zur Narkoseeinleitung beim aspirationsgefährdeten Patienten. Dabei wird vom „üblichen" Vorgehen abgewichen. Der Begriff **Rapid Sequence Induction** ist ebenfalls üblich, gilt aber als weniger modern, denn Ziel einer RSI ist nicht die schnelle **Narkoseeinleitung,** sondern die schnelle **Atemwegssicherung.**

Historischer Rückblick

Eine Veröffentlichung von Mendelson aus dem Jahr 1946 lässt sich als Keimzelle der RSI betrachten. Mendelson beschäftigte sich mit Aspirationen von Mageninhalt, die bei geburtshilflichen Anästhesien in einer New Yorker Klinik aufgetreten waren. Er regte Maßnahmen zur Vermeidung dieser Komplikation an. 1970 wurde von Stept und Safar ein Artikel veröffentlicht, der Empfehlungen zum Ablauf einer sogenannten **Rapid Induction-Intubation** enthielt. Sie sollten zur Vermeidung einer Aspiration beitragen.

Unterschied Kinder/Erwachsene

Nachstehend werden zwei unterschiedliche Vorgehensweisen einer RSI einmal für Erwachsene und einmal für Kinder vorgestellt. Das hat Gründe: Früher wurde die Vorgehensweise der RSI beim Erwachsenen unkritisch auf Kinder übertragen. Seit einigen Jahren mehren sich jedoch kritische Stimmen von Kinderanästhesisten, die eine Differenzierung anmahnen. Dies führte letztlich zu geänderten **Handlungsempfehlungen.**

RSI im Kindesalter

Bei kleinen Kindern führt das Abwarten bis zur Relaxation und damit zu guten Intubationsbedingungen regelmäßig zu Hypoxien. Zudem wird oft Erbrechen ausgelöst durch den Versuch, ein nicht vollständig relaxiertes und zu waches Kind zu intubieren. Ein wesentlicher Aspekt der RSI bei Kindern ist daher, dass nach zügiger intravenöser Einleitung einer **tiefen Narkose** eine **sanfte Beatmung** (Druck < 12 mbar) mit dem Ziel einer optimalen **Oxygenierung** erfolgt, bis die Relaxierung vollständig wirkt.

Nicht die schnelle Intubation, sondern die **atraumatische Atemwegssicherung** steht im Vordergrund. **„Zeit spielt dabei keine Rolle."** Für die RSI wird die Rückenlage mit Kopf in Neutralposition empfohlen. Dies gewährleistet gute Beatmungs- und Intubationsbedingungen. Bei Bedarf kann das Kind rasch aus der Rückenlage in die Seitenlage verbracht werden. Nicht depolarisierenden Relaxanzien wird der Vorzug gegeben, der Krikoiddruck ist „out". Angemerkt sei, dass sich die Empfehlungen der Deutsche Gesellschaft für Anästhesiologie und Intensivmedizin e. V. (DGAI) an Kinderanästhesisten richten.

RSI bei Jugendlichen und Erwachsenen

Die **Rapid Sequence Intubation** ist eine *„anästhesiologische Einleitungstechnik, bei der ein Hypnotikum und ein schnell wirkendes Muskelrelaxans unmittelbar nacheinander verabreicht werden, um bei Patienten mit vermeintlich erhöhtem Risiko für eine pulmonale Aspiration von regurgitiertem Mageninhalt so rasch wie möglich Bewusstlosigkeit und eine motorische Blockade zur endotrachealen Intubation zu erzeugen. Die Technik zielt darauf ab, das Zeitintervall zwischen dem Verlust der protektiven Atemwegsreflexe während der Anästhesieeinleitung und der endotrachealen Intubation mit einem blockbaren Endotrachealtubus so kurz wie möglich zu halten."* Der traditionelle Ablauf beinhaltet Präoxygenierung, Narkose mit Verzicht auf ein Opioid, Krikoiddruck, Relaxierung mit Succinylcholin und **Apnoe bis zur Intubation.**

Manche Experten bezeichnen den Begriff Blitzeinleitung (bzw. RSI) als unzutreffend, da er impliziert, dass die schnelle Narkoseeinleitung im Vordergrund steht. Tatsache ist jedoch, dass das Ziel zumindest bei Erwachsenen darin besteht, den Endotrachealtubus rasch einzuführen und zu blocken. Daher lautet die zutreffendere und sinnvollere Bezeichnung heutzutage **Rapid Sequence Intubation** oder **Blitzintubation.** Er findet auch zunehmend in der englischsprachigen Fachliteratur Verwendung, sodass wir ihn hier ebenfalls bevorzugen. Grundsätzlich ist es aber korrekt, beide Begriffe zu nutzen.

IM FOKUS

Rapid Sequence Intubation bei verschiedenen Altersgruppen

- Bei einer RSI ist ein unterschiedliches Vorgehen bei Kindern und Jugendlichen/Erwachsenen zu wählen.
  - **Kinder neigen schneller zu Hypoxien.**
  - Eine ausgeprägte Narkosetiefe muss sehr zügig erreicht werden.
  - Bei Kindern sollten sanfte (!) **Zwischenbeatmungen** erfolgen.
  - Eine möglichst **atraumatische Intubation** ist einer möglichst schnellen Intubation vorzuziehen (nur bei Kindern).
- Bei Jugendlichen und Erwachsenen ist das Ziel, das Intervall zwischen dem Erlöschen der Schutzreflexe und der Intubation möglichst kurz zu halten.

23

REANIMATION UND PERIARREST-SITUATIONEN

Maximilian Rhiem

FALLBEISPIEL

Notfallmeldung

Über die Rettungsleitstelle werden RTW und NEF zeitgleich zu einer gerade leblos vorgefundenen Person in einem gut situierten Wohnviertel am Stadtrand alarmiert.

Situation und Ersteindruck

Die Besatzung des ersteintreffenden RTW findet einen im Flur eines Wohnhauses liegenden ca. 65 Jahre alten Patienten vor. Der leblos am Boden liegende Patient wird von zwei jüngeren Männern wiederbelebt. Die an der Tür wartende Ehefrau berichtet von einem plötzlichen Brustschmerz und einer Luftnotattacke ihres Mannes mit anschließendem Kollaps im Flur, woraufhin sie den Notruf abgesetzt und zwei im angrenzenden Garten arbeitende Nachbarn zu Hilfe gerufen habe. Diese hätten unverzüglich mit der Einleitung der BLS-Maßnahmen begonnen. Bei weiterhin fehlender Atmung und nicht tastbarem Karotispuls übernimmt die Rettungswagenbesatzung die Reanimation.

Leitsymptome

Herz-Kreislauf-Stillstand, Reanimation.

INHALTSÜBERSICHT

23.1 EINFÜHRUNG IN DIE REANIMATION

- Die Reanimation stellt ein relativ häufiges Notfallbild im präklinischen Alltag dar.
- Gezielte Abläufe und regelmäßiges Training erleichtern das Vorgehen in einer solchen Notfallsituation.
- Es gibt klare Handlungsempfehlungen (Leitlinien) zum Vorgehen bei der Reanimation.
- Die Leitlinien werden alle 5 Jahre überabeitet und in Europa durch das European Resuscitation Council (ERC) publiziert.
- Das amerikanische Pendant zum ERC ist die American Heart Association (AHA).

23.2 BASISMASSNAHMEN DER REANIMATION (BLS)

- BLS (Basic Life Support) wird bei der Diagnose Herz-Kreislauf-Stillstand eingeleitet.
- Verschiedene Ursachen können einen Kreislaufstillstand auslösen.
- Bei der Reanimation geht man nach dem ABC-Schema vor.
- Bei der Ein-Helfer- und Zwei-Helfer-Methode stehen Thoraxkompression und Ventilation im Verhältnis 30 : 2.
- Die Anwendung von automatisierten externen Defibrillatoren (AED) durch Laien kann die Zeit bis zur ersten Schockabgabe verkürzen.

23.3 ERWEITERTE MASSNAHMEN DER REANIMATION (ALS)

- ALS (Advanced Life Support) wird nach Eintreffen von professionellem notfallmedizinischem Personal durchgeführt.
- Zu den erweiterten Maßnahmen zählen unter anderem die Anlage eines intravenösen oder intraossären Zugangs, die Medikamentengabe, das erweiterte Airwaymanagement und die gezielte Elektrotherapie.
- Die vier bei der Reanimation zu erkennenden EKG-Rhythmen sind: Asystolie, pulslose elektrische Aktivität (PEA), Kammerflimmern (VF) und pulslose ventrikuläre Tachykardie (pVT).
- Die elektrische Defibrillation wird bei Kammerflimmern und pulsloser ventrikulärer Tachykardie eingesetzt.

23.4 ERC-ALGORITHMUS ZUR REANIMATION IM ÜBERBLICK

- Standardisierte Behandlungsschemata (Algorithmen) erleichtern die zielgerichtete Therapie.
- Reanimationsmaßnahmen werden international nach ihrer Wirksamkeit klassifiziert.
- Bei Kammerflimmern und pulsloser ventrikulärer Tachykardie steht die Defibrillation im Vordergrund.
- Bei Asystolie und PEA wird neben den Basismaßnahmen eine frühzeitige Medikamentengabe empfohlen.
- Die Suche nach dem Auslöser des Herz-Kreislauf-Stillstands und dessen Therapie ist für das Outcome des Patienten mitentscheidend.
- Bei einigen Krankheitsbildern ist eine Modifikation bzw. Abweichung von der Standardreanimation angezeigt.

23.5 THERAPIE LEBENSBEDROHLICHER HERZRHYTHMUSSTÖRUNGEN (PERIARREST-ARRHYTHMIEN)

- Bradykarde Rhythmusstörungen können den Einsatz eines Herzschrittmachers erforderlich machen.
- Tachykarde Herzrhythmusstörungen werden in ventrikuläre und supraventrikuläre Rhythmen unterteilt.
- Die Therapie der Tachykardien kann elektrisch oder medikamentös erfolgen.

23.6 REANIMATION IM KINDESALTER

- Beim Öffnen der Atemwege dürfen Weichteilpolster am Zungengrund nicht komprimiert werden.
- Das Atemzugvolumen reicht aus, wenn sich der Brustkorb hebt und senkt.
- Die Tubusgröße kann anhand des Nasenlochs oder des Kleinfingergrundglieds des Patienten abgeschätzt werden.
- Bei Kleinkindern wird für die Thoraxkompression mit einer Frequenz 100- bis 120-mal pro Minute auf die untere Sternumhälfte gedrückt.
- Thoraxkompression: Beatmung wird in der Zwei-Helfer-Technik im Verhältnis 15 : 2 durchgeführt.
- Notfallmedikamente sind Sauerstoff und Adrenalin.
- Die Volumengabe wird auf das Körpergewicht abgestimmt: 10 ml/kg KG.

23.7 UMGANG MIT NEUGEBORENEN UND NEW BORN LIFE SUPPORT (NLS)

- Neugeborenen-Basismaßnahmen werden bei einer Herzfrequenz < 100/Min., inadäquater Atmung oder reduziertem Grundtonus eingesetzt: Abnabelung, Abtrocknen, Einstufen nach Apgar-Schema und ggf. Beatmung.
- Bei der Beatmung ist auf ein angepasstes Tidalvolumen (VT) zu achten.
- Die Thoraxkompression wird beim Neugeborenen bei einer Herzfrequenz < 60/Min. angewendet.
- Die Kompressionsfrequenz beträgt 120-mal pro Minute, die Die Tiefe ⅓ des anterior-posterioren Thoraxdurchmessers. Das Verhältnis Thoraxkompression zu Beatmung beträgt 3 : 1.
- Bei Neugeborenen gelten andere Blutzuckergrenzwerte als beim Erwachsenen.

23.8 MASSNAHMEN IN DER POSTREANIMATIONSPHASE

- Das Vorgehen erfolgt nach dem ABCDE-Schema.
- Sicherung von Zugängen und Atemwegsequipment.
- Medikamentöse Abschirmung und Kreislaufunterstützung.

23.9 UNTERSCHIEDE DER AHA- UND ERC-EMPFEHLUNGEN ZUR REANIMATION

- Keine 5 Initialbeatmungen bei der Kinderreanimation im Algorithmus der AHA.
- Unterschiedliche Auflistung der potenziell reversiblen Ursachen.

23.1 Einführung in die Reanimation

Bei einem Versagen der Herz-Kreislauf-Funktion ist jeder betroffene Patient auf eine schnelle und zielgerichtete Behandlung angewiesen. Um einen größtmöglichen Erfolg zu erzielen, haben verschiedene Organisationen, z. B. die American Heart Association (AHA) und das European Resuscitation Council (ERC), für unterschiedliche Formen lebensbedrohlicher Herzrhythmusstörungen standardisierte **Behandlungsschemata** (Algorithmen) erarbeitet. Diese **Algorithmen** sind das Produkt umfassender Erfahrungen und Studien und sollen als Therapieempfehlung verstanden werden. Entsprechend den aktuellen Erkenntnissen in der Medizin werden diese Abläufe überprüft und ggf. aktualisiert. Doch trotz der Vorteile einer einheitlichen und bewährten Vorgehensweise kann es in besonderen Situationen notwendig werden, dass der Anwender den Pfad dieser Schemata verlässt und eigene Entscheidungen in die Behandlung einfließen lässt.

Seit 1992 existiert eine internationale Dachorganisation, die sich um eine Vereinheitlichung der international üblichen Standards der Reanimation kümmert – das International Liaison Committee on Resuscitation (ILCOR). Im Jahr 2000 wurden von dieser Organisation, deren Mitglieder die namhaften nationalen notfallmedizinisch tätigen Organisationen sind, erstmals Empfehlungen zur Durchführung einer Reanimation verabschiedet. Diese sog. „Guidelines" (Leitlinien) wurden, sofern notwendig, ebenfalls in die Algorithmen integriert.

Alle fünf Jahre werden die Leitlinien überarbeitet und an die neuesten wissenschaftlichen Erkenntnisse angepasst. Diese werden dann von den nationalen Organisationen übernommen und in die jeweilige Landessprache übersetzt. In Deutschland ist hierfür das German Resuscitation Council (GRC) zuständig. Die letzte Anpassung fand im Jahr 2021 statt.

23.2 Basismaßnahmen der Reanimation (BLS)

Basismaßnahmen, die eingeleitet werden, um dem Patienten ein Weiterleben zu ermöglichen, werden als **Basic Life Support** (BLS, Basismaßnahmen der kardiopulmonalen Reanimation) bezeichnet.

23.2.1 Ursachen des Herz-Kreislauf-Stillstands

Die **Ausgangssituation** für die Reanimation stellt der **klinische Tod** dar, bei dem Bewusstsein, Atmung sowie Kreislauftätigkeit sistieren (→ Kap. 45.4).

MERKE

Als **Wiederbelebungszeit des Gehirns,** d. h. der Zeitspanne, nach der spätestens eine Reperfusion stattfinden sollte, bevor irreversible Schäden entstehen, werden **3–5 Minuten** angegeben. In dieser kurzen Zeit müssen die Diagnosestellung und die Einleitung wesentlicher Basismaßnahmen erfolgen.

Verschiedene Ursachen können einen Herz-Kreislauf-Stillstand bewirken und die Einleitung einer Reanimation erforderlich machen.

ACHTUNG! Pro Minute Herz-Kreislauf-Stillstand ohne Reanimationsmaßnahmen sinkt die Chance auf eine erfolgreiche Wiederbelebung um 10 %.

Die Ursachen der Reanimation sind vielfältig, einige Beispiele dazu finden sich in → Tab. 23.1.

Da die Art der Grunderkrankung bzw. die direkte Ursache des Herz-Kreislauf-Stillstands wesentlich für die weitere Diagnostik und Therapie des Patienten sein kann, sollten ursächliche Zusammenhänge und wichtige Daten aus der Vorgeschichte des Patienten geklärt werden. Die Basismaßnahmen der Reanimation haben Priorität, daher erfolgt die Informationssuche parallel zur Therapie bzw. nach Stabilisierung des Patienten.

Zur zielgerichteten Abfrage und Suche nach **potenziell reversiblen Ursachen** für eine Reanimation verwendet man die Akronyme **4 Hs und HITS (ERC) oder aber 5 Hs und 5 Ts (AHA)** (→ Tab. 23.2 und → Kap. 17.1.15).

MERKE

Vor Durchführung der Basismaßnahmen immer auch auf **Eigenschutz** achten (z. B. Stromunfall). Die Basismaßnahmen dürfen nicht durch die erweiterte Diagnostik verzögert werden.

IM FOKUS

Ursachen eines Herz-Kreislauf-Stillstands

- **Klinischer Tod:** potenziell reversibler Zustand; Bewusstsein, Atmung und Kreislauf erloschen.
- Irreversible Schäden sind ab 3–5 Min. Stillstandszeit erwartbar. Pro Minute sinkt die Chance auf eine erfolgreiche Wiederbelebung um 10 %.
- Es gibt zahlreiche mögliche Ursachen für Herz-Kreislauf-Stillstand, Fokus auf **4 Hs und HITS.**
- Die wichtigste Basismaßnahme ist der Eigenschutz.
- **Basismaßnahmen haben immer Priorität** vor erweiterten Maßnahmen.

23.2.2 Erkennen des Herz-Kreislauf-Stillstands

Um bei einem Notfallpatienten rasch und gezielt Hilfe leisten zu können, muss die Diagnose Herz-Kreislauf-Stillstand durch Prüfung der Vitalfunktionen unverzüglich gestellt werden. Die Symptome (→ Tab. 23.3) der akut sistierenden Kreislauftätigkeit treten schon nach kurzer Zeit auf und müssen festgestellt werden. Der Basischeck umfasst:

- Bewusstseinskontrolle
- Atmungskontrolle

Respiratorische Ursachen	Kardiozirkulatorische Ursachen	Sonstige Ursachen
• Bewusstlosigkeit mit Atemwegsverlegung • Aspiration/Verlegung der Atemwege durch Fremdkörper • Bolusgeschehen • Schwellung der Atemwege: Anaphylaxie (Angioödem), Inhalationstrauma • Medikamente (z. B. Opiate, Muskelrelaxanzien) • Ausgeprägtes SHT • Hirnstammschäden • Intrazerebrale Blutung (ICB) • Thoraxtrauma	• Akutes Koronarsyndrom (ACS, AKS) • Lungenarterienembolie (LAE) • Verschiedene Schockformen • Ausgedehntes Trauma • Störungen des Herzreizleitungssystems • Herzfehler • Klappenerkrankungen	• Stromunfälle • Ertrinkungsunfälle • Erfrierungen • Elektrolytentgleisungen • Störungen im Säure- und Basen-Haushalt • Vergiftungen

Tab. 23.1 Ursachen für eine Reanimationssituation (Beispiele)

4 Hs	HITS
• **H**ypoxie • **H**ypo-/**H**yperthermie • **H**ypo-/**H**yperkaliäme und andere Elektrolytentgleisungen/metabolische Ursachen • **H**ypovolämie	• **H**erzbeuteltamponade • **I**ntoxikation • **T**hromboembolisches Geschehen • **S**pannungspneumothorax

Tab. 23.2 Potenziell reversible Ursachen der Reanimation: 4 Hs und HITS (ERC)

Zeitpunkt/Zeitdauer	Symptome
Sofort	Pulslosigkeit
Nach 10–20 Sek.	Eintritt der Bewusstlosigkeit
Nach 15–30 Sek.	Beginn des Atemstillstands bzw. der Schnappatmung
Nach 60–90 Sek.	Weite, reaktionslose Pupillen

Tab. 23.3 Zeitliches Auftreten der Symptome beim Herz-Kreislauf-Stillstand

International wird das ABCDE-Schema verwendet (→ Kap. 17.1.4):

- **A**irway: Freimachen des Atemwegs, z. B. durch Reklination des Kopfes
- **B**reathing: Achte auf sichtbare Thoraxexkursionen und Atmung
- **C**irculation: Kreislaufkontrolle und/oder Suche nach sonstigen Lebenszeichen

Da das **Gehirn** die geringste Ischämietoleranz aller Körperorgane besitzt, können im Rahmen schwerwiegender Vitalfunktionsstörungen auftretende Versorgungsmängel zur akuten zerebralen Gefährdung des Patienten führen. Die Prognose und das Ausmaß bleibender Schäden stehen im engen zeitlichen Zusammenhang mit der Wiederherstellung der zerebralen Perfusion. Die **Beurteilung der Bewusstseinslage** des Patienten stellt somit die Grundlage für die Einschätzung der Gesamtgefährdung und die weitere Therapie dar. Im Rahmen der kardiopulmonalen Reanimation wird durch gezielte Schritte das Vorliegen einer Bewusstseinsstörung geprüft. Reagiert der Patient auf laute Ansprache nicht, so testet man anschließend seine Reaktion auf Berührung und Schütteln an den Schultern. Im Fall des klinischen Todes liegt eine Bewusstlosigkeit vor.

ACHTUNG! Bei erkennbaren Verletzungen im Bereich des Kopfes bzw. der Wirbelsäule unnötige Bewegungen vermeiden.

Der **Atemstillstand** stellt die schwerste Form der respiratorischen Insuffizienz dar. Der klinische Tod korreliert mit dem Vorliegen eines Atemstillstands. Es muss sofort mit Maßnahmen begonnen werden. Im Rahmen akuter kardialer und pulmonaler Insuffizienz bei drohendem Kreislaufstillstand kann es zu terminalen Atemmustern, z. B. der Schnappatmung, kommen.

DEFINITION

Schnappatmung: kurze Kontraktionen der Atemmuskulatur, die nur wenig Luftbewegung in den Atemwegen erzeugen und für eine Oxygenierung **nicht** ausreichen.

MERKE

BLS-Maßnahmen stellen die Grundlage und das wichtigste Element einer Reanimation dar und müssen ohne Verzögerung angewendet werden. Ohne effizient durchgeführte Basismaßnahmen ist eine Durchbrechung des Kreislaufstillstands praktisch nicht möglich.

Zur **Feststellung des Atemstillstands** oder einer abnormalen Atmung wird der Kopf des Patienten mit beiden Händen überstreckt. Eine Hand fasst Stirn-/Scheitelbein, die andere Hand zieht das Kinn des Patienten nach oben. Der Helfer hält sein Ohr über den Mund des Patienten, um evtl. Atemzüge zu spüren und zu hören (→ Abb. 23.1). Gleichzeitig schaut er nach Atemexkursionen und weiteren Lebenszeichen (z. B. Bewegung). Die Feststellung des Atemstillstands darf 10 Sekunden nicht überschreiten. Bei dringendem V. a. eine Aspiration oder ein Bolusgeschehen müssen die Atemwege vor Kopfreklination inspiziert und frei gemacht werden. Durch die Entfernung von Fremdkörpern aus den Luftwegen wird möglicherweise schon die Ursache für den Atemstillstand behoben.

Kann kein Lebenszeichen erkannt werden oder zeigt sich ein abnormales Atemmuster (Schnappatmung), wird mit den Maßnahmen zur Wiederbelebung begonnen.

Eine ergänzende Palpation der der A. carotis findet in den 2021 veröffentlichten Leitlinien keine Berücksichtigung mehr.

IM FOKUS

Erkennen des Herz-Kreislauf-Stillstands

- Vorgehen:
  - **A**irway: Freimachen des Atemweges, z. B. durch Reklination des Kopfes
  - **B**reathing: Achte auf sichtbare Thoraxexkursionen und Atmung (10 Sek.)
  - **C**irculation: Kreislaufkontrolle und/oder Suche nach sonstigen Lebenszeichen
- Bei der Überprüfung der Atmung kann eine sog. **Schnappatmung** eine suffiziente Atmung vortäuschen.
- Bei Vorliegen einer Apnoe oder eines abnormalen Atemmusters wird mit den Maßnahmen zur Wiederbelebung begonnen.

ACHTUNG! Eine ventrikuläre Tachykardie kann auch bei einem **Patienten mit tastbarem Puls,** d. h. ausreichendem kardialen Auswurf, vorliegen. Ist dies der Fall, so stellen je nach Klinik des Patienten eine Kardioversion oder aber eine medikamentöse Therapie die Maßnahmen der Wahl dar (→ Kap. 23.5.2). Eine **Defibrillation** wäre in diesem Fall zu **unterlassen,** da sie – wie oben bereits beschrieben – in die vulnerable Phase der Herzreizleitung treffen könnte und so wiederum die Ursache für ein Kammerflimmern sein kann.

Umgang mit dem Defibrillator

Jeder, der mit einem Defibrillator umgeht, muss nach den Bestimmungen des Medizinproduktegesetzes in die Handhabung dieses Geräts eingewiesen sein. Die Abgabe des elektrischen Defibrillationsimpulses erfolgt bei der in der präklinischen Notfallmedizin angewendeten externen Defibrillation über zwei großflächige Elektroden. Diese Elektroden werden **Pads** genannt und sind in unterschiedlichen Größen erhältlich. Es befinden sich heute überwiegend vorgefertigte Klebeelektroden im Einsatz, die auf die Haut aufgeklebt werden und dort für den Einsatz auch verbleiben können. Diese Klebeelektroden sind für den Einmalgebrauch bestimmt (→ Abb. 23.7). Allerdings finden sich vereinzelt an Defibrillationseinheiten noch alte Hard-Paddles, die durch den Anwender nach vorherigem Gelauftragung mit einem Anpressdruck von 8–10 kg auf die Patientenbrust in Apex-Sternum-Position gedrückt werden müssen. Hard-Paddles müssen zukünftig vollständig durch Einmalelektroden abgelöst werden.

Bei den Defibrillatoren werden **monophasische** von **biphasischen Geräten** unterschieden:

- Bei monophasichen Geräten wird die Energie (360 J) von einer Elektrode zur anderen gesendet.
- Bei biphasischen Geräten läuft der Impuls (150–360 J) von einer Elektrode zur anderen und dann sofort zurück.

Seit einigen Jahren werden zur Defibrillation biphasische Rechteckimpulse eingesetzt. Die gewählte Energie kann bei gleichbleibender Effizienz deutlich geringer gewählt werden als bei monophasischen Geräten. Die Vorteile sind geringere Hautschäden sowie reduzierter Verlust an Myozyten, da auch die Defibrillation zu Schäden am Myokard führt.

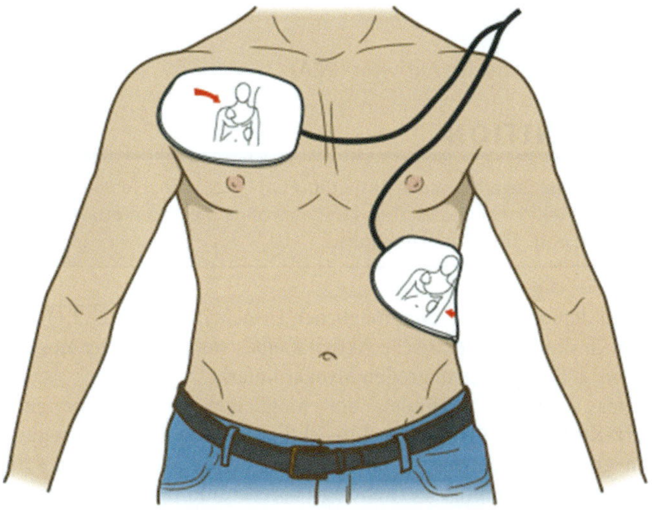

Abb. 23.7 Position der Defibrillationspads [G704-002]

Die gewünschte **Defibrillationsenergie** wird am Energiewahlschalter des Geräts eingestellt und entspricht nach aktuellen Empfehlungen beim Erwachsenen initial 360 J beim Einsatz von monophasischen und 150–360 J beim Einsatz von biphasischen Geräten. Bindend ist hierbei die vom Hersteller angegebene Defibrillationsenergie für das jeweilige Gerät. Die eingestellte Energie wird durch Betätigen des Lademechanismus geladen und somit zur Defibrillation bereitgestellt. Sobald die vorgewählte Energiemenge vorhanden ist, wird dies vom Gerät angezeigt.

ACHTUNG! Der Anwender muss sich vergewissern, dass kein Anwesender mehr Kontakt zum Patienten hat. Der Warnhinweis **„Achtung, weg vom Patienten, Defibrillation!"** muss laut wahrnehmbar für alle Anwesenden durch den Anwender erfolgen. Erst nachdem er sich davon überzeugt hat, dass kein Patientenkontakt zu den Anwesenden und zu ihm selbst mehr besteht, erfolgt die Abgabe der elektrischen Energie. Die Leitlinien zur Reanimation 2021 geben keine Empfehlung zur „Hands-On-Defibrillation" (Defibrillation unter kontinuierlich fortgeführter manueller Thoraxkompression).

MERKE

Der Anwender des Defibrillators ist für die Sicherheit aller Anwesenden verantwortlich. Klar gesprochene Warnhinweise vor der Defibrillation gehören zu seinen Aufgaben.

Die richtige **Platzierung der Defibrillationselektroden** ist für den Erfolg wichtig. Es stehen zwei Möglichkeiten zur Verfügung:

- Aufgrund der einfacheren Handhabung wird eine Elektrode unterhalb des rechten Schlüsselbeins und rechts des Brustbeins des Patienten aufgesetzt **(Sternumelektrode),** die andere Elektrode wird an der linken Thoraxhälfte im Bereich der Herzspitze **(Apexelektrode)** aufgesetzt. Diese Platzierung der Elektroden wird auch **Anterior-laterale- oder Apex-Sternum-Position** genannt.
- Eine alternative Möglichkeit bei anatomischen Besonderheiten oder Lagen sowie z. B. auch bei der Defibrillation von kleinen Säuglingen, ist die Positionierung der Pads in der **Anterior-posterior-Position.** Dabei wird eine Elektrode auf der linken Brustkorbhälfte über dem Herzen platziert, die andere in gleicher Höhe auf der linken Rückenseite. Diese Position kann ebenfalls bei therapierefraktärem Kammerflimmern in Erwägung gezogen werden.

Bei der Defibrillation soll sich der Herzmuskel optimal in der Strombahn zwischen beiden Elektroden befinden, damit ein möglichst großer Teil des elektrischen Stroms durch das Herz fließt. Da Luft ein schlechter elektrischer Leiter ist, empfiehlt sich die **Defibrillation in Exspirationsstellung** des Brustkorbs. Unmittelbar nach durchgeführter Defibrillation wird die Thoraxkompression wieder aufgenommen und die Maßnahmen der Reanimation werden für 2 Minuten fortgeführt. Eine Ausnahme stellt der präklinisch beobachtete Übergang in ein Kammerflimmern oder eine pVT dar. Hier wird alternativ eine Drei-Schock-Strategie angewendet, d. h. bis zu drei aufeinanderfolgende Defibrillationen ohne zwischenzeitliche Thoraxkompression bei fortbestehend schockpflichtigem Rhythmus. Besteht weiterhin eine defibrillationspflichtige Rhythmusstörung, erfolgt dann eine weitere Defibrillation gemäß den Algorithmen der Reanimation. Bei verändertem Rhythmus und Zeichen eines einsetzenden Kreislaufs (ROSC) erfolgt eine zentrale Pulskontrolle. Die weitere Behandlung richtet sich nach den dann am Patienten erhobenen Befunden.

Eine synchronisierte, gleichzeitige Schockabgabe von zwei Defibrillatoren wird zum aktuellen Zeitpunkt nur im Bereich von Studien durchgeführt. Ein spontanes experimentelles Vorgehen sollte außerhalb dieser unterlassen werden, da die Herstellergarantie der Geräte hierbei erlischt.

MERKE

Frei strömender Sauerstoff muss vor Schockabgabe aus dem Fließbereich des elektrischen Stroms entfernt werden. Ein Beatmungsbeutel mit Reservoir sollte ca. 1 m weit vom Patienten entfernt werden. Geschlossene Systeme (z. B. nach Intubation und Verwendung eines Demand-Ventils) können am Patienten belassen werden.

ACHTUNG! Bei Patienten mit vorhandenem internem Defibrillator (ICD) oder Schrittmacher müssen die Defibrillationselektroden im ausreichenden Abstand (optimal > 8 cm) zu dem entsprechenden Device geklebt werden.

Durchführung der Defibrillation in der Übersicht

- Defibrillator einschalten
- Elektroden aufkleben
- Gewünschte Energiemenge wählen
- Defibrillationswürdigen Rhythmus verifizieren
- Gewählte Energiemenge unter fortlaufender Thoraxkompression laden und laut warnen: *„Achtung, Defibrillator wird geladen!“*
- Kommando *„Weg vom Patienten!“* sowie Unterbrechung der Thoraxkompression
- Vergewissern, dass niemand Kontakt zum Patienten hat
- Warnruf *„Achtung, Defibrillation!“* und Entladung auslösen
- Sofortige Fortführung der Reanimation für 2 Minuten

MERKE

Unterbrechungen der Thoraxkompressionen sollten nur kurzzeitig zur Durchführung erweiterter Maßnahmen (z. B. Defibrillation, Intubation, Schrittmachertherapie) erfolgen. Diese sog. **No-Flow-Phasen** (engl.: keine Perfusion) gilt es zu vermeiden.

ACHTUNG! Anmerkung: Der **präkordiale Faustschlag** ist nur sofort nach Eintreten eines Kreislaufstillstands indiziert, falls der Eintritt eines defibrillationswürdigen Rhythmus am Monitor beobachtet wird und ein Defibrillator nicht sofort verfügbar ist. Diese Situation wird in der präklinischen Notfallrettung nur selten vorkommen.

PRAXISTIPP

Praktisch alle EKG/Defibrillator-Einheiten haben die Möglichkeit, im **halbautomatischen Modus** betrieben zu werden. Hierbei wird die Analyse des vorliegenden Rhythmus vom Gerät durchgeführt. Dies hat den entscheidenden Nachteil, dass dafür die Thoraxkompressionen unterbrochen werden müssen.
Im professionellen Einsatz sollte von jedem Notfallsanitäter im **manuellen Modus** defibrilliert werden, um die No-Flow-Phase so kurz wie möglich zu halten.
Allerdings gibt es mittlerweile auch EKG-Defibrillationseinheiten, die unter aktiver Thoraxkompression im semi-automatischen Modus eine Rhythmusanalyse durchführen können. Dies verkürzt die No-Flow-Phase und kann auch im professionellen Bereich zu einer Arbeitserleichterung führen.

IM FOKUS

Defibrillation

- **Ziel:** synchrone Depolarisation möglichst vieler Herzmuskelzellen
- Defibrillationspflichtige Rhythmen: **Kammerflimmern** und **pulslose ventrikuläre Tachykardie (pVT)**
- **Elektrodenposition:** sternal-apikal oder anterior-posterior
- Defibrillationsenergie ist geräteabhängig, biphasische Defibrillatoren nutzen weniger Energie als monophasische
- Defibrillation idealerweise in Exspirationsphase durchführen
- **Schutz des Teams ist notwendig:** lautes Ansagen der Defibrillation und prüfen, ob Patient nicht berührt wird

Nicht defibrillierbare Rhythmen

Zu den nicht defibrillierbaren Rhythmen gehören die Asystolie und die pulslose elektrische Aktivität (PEA).

Asystolie

DEFINITION

Die **Asystolie** (Nulllinie) entspricht dem völligen Erliegen der Reizbildung und -leitung und ist neben dem initialen Vorliegen der Herzrhythmus, der auch immer beim Endzustand des Herz-Kreislauf-Stillstands sichtbar ist. Im EKG ist die Asystolie als leicht wellenförmige Grundlinie erkennbar.

Bei Vorliegen dieses Bildes beschränken sich die Maßnahmen auf guten Basic Life Support (BLS) und medikamentöse Unterstützung mit 1 mg Adrenalin i. v./i. o. alle 3–5 Minuten, sobald ein Zugang geschaffen wurde.

Im Verlauf der Reanimation kann die Bestätigung einer Asystolie durch das Abrufen mehrerer EKG-Ableitungen erfolgen.

Die Aussichten einer erfolgreichen Reanimation sind bei initial vorliegender Asystolie verringert, sodass früher als bei anderen EKG-Rhythmen die Einstellung aller Maßnahmen in Erwägung gezogen werden kann. Ausnahmen stellen v. a. Patienten mit einer Hypothermie dar.

ACHTUNG! Bei einer vollkommen geraden Grundlinie an gelöste Elektroden oder einen Kabeldefekt denken.

Pulslose elektrische Aktivität (PEA)

DEFINITION

Die **pulslose elektrische Aktivität (PEA)** ist gekennzeichnet durch eine elektrische Aktivität des Herzens ohne messbare Auswurfleistung, d. h. ohne tastbaren Puls.

Neben den oben genannten möglichen Ursachen (→ Kap. 23.2.1) kann sie auch die letzte elektrische Aktivität eines sterbenden Herzens darstellen, z. B. nach einem großen Myokardinfarkt.

Das schnelle Ergründen der möglichen Ursache für einen Herz-Kreislauf-Stillstand ist hinsichtlich der schlechten Prognose von großer Bedeutung. Parallel zu den ersten Maßnahmen sollte deshalb eine **Anamneseerhebung** (Vorerkrankungen, Medikamente) durchgeführt werden. Ein Beispiel für die Ursache einer elektrischen Aktivität ohne Auswurf wäre die Perikardtamponade. Hierbei kommt es zu einer Einschränkung des kardialen Auswurfs durch

Ansammlung von Blut im Herzbeutel. Die Herzreizleitung ist allerdings primär nicht betroffen. Das EKG-Bild entspricht hier ggf. einer Sinustachykardie. Trotzdem kann der Patient reanimationspflichtig sein.

IM FOKUS

Nicht defibrillierbare Rhythmen

- **Asystolie:**
  - „Nulllinie"
  - Aussichten auf Erfolg relativ gering, dennoch muss auch hier sehr gründlich gearbeitet werden
- **PEA (pulslose elektrische Aktivität):**
  - Mögliche Restaktivität eines „sterbenden Herzens", z. B. bei großflächtigen Infarkten oder traumatischem Geschehen (z. B. Herzbeuteltamponade)
  - Sehr großer Variantenreichtum des EKG-Bildes, zumeist breit und plump, prinzipiell aber auch als Sinusrhythmus möglich
- **Bei beiden Störungen:**
  - Fokus auf BLS, Atemwegssicherung, Adrenalingabe und Beheben der auslösenden Ursachen

23.3.2 Erweitertes Atemwegsmanagement

Ergänzend zur Beutel-Masken-Ventilation (BMV) bzw. der Benutzung von supra-/extraglottischen Atemwegshilfsmittteln (→ Kap. 18.5) kann in verschiedenen Notfallsituationen die **Intubation** mit einem endotrachealen Tubus erwogen werden (→ Kap. 18.6).

Aktuelle Daten zeigen keinen Überlebensvorteil bei der Reanimation im Vergleich von kontinuierlicher BMV zu endotrachealer Intubation. Wie alle Studien sind sie allerdings differenziert zu betrachten.

MERKE

Die endotracheale Intubation ist weiterhin als „Goldstandard" der Atemwegssicherung anzusehen und bietet als einziges Hilfsmittel kompletten Aspirationsschutz. Ein weiterer Vorteil gegenüber der BMV oder nicht gut abdichtenden LMA oder dem LT ist die kontinuierlich durchführbare Thoraxkompression ohne Unterbrechung zur Beatmung.

Allerdings empfehlen die einschlägigen Fachgesellschaften die Anwendung der endotrachealen Intubation **nur für den geübten Anwender.** Um die Technik der Intubation zu beherrschen, empfiehlt die Deutsche Gesellschaft für Anästhesiologie und Intensivmedizin die dokumentierte Durchführung von mindestens 100 erfolgreichen Intubationen und nachfolgend 10 dokumentierte endotracheale Intubationen pro Jahr unter Aufsicht. Ein weiteres Werkzeug im Zusammenhang mit dem Airwaymanagement ist die Kapnografie (→ Kap. 17.5.3). Diese kann durch Anzeigen eines plötzlichen $etCO_2$-Anstiegs einen Hinweis auf die Wiederherstellung eines Spontankreislaufs (ROSC, Return of Spontaneous Circulation) liefern. Der Anschluss einer Kapnografie nach erfolgter Intubation ist obligat. Sie stellt den Goldstandard zur Detektion der korrekten Tubuslage dar.

Näheres zum präklinischen Airwaymanagement und zur Beatmung findet sich in → Kap. 18 und → Kap. 19.

23.3.3 Medikamentöse Therapie bei der Reanimation

Zur Medikamentengabe werden bei der Reanimation der **intravenöse** und der **intraossäre** Applikationsweg (→ Kap. 20.1.1) angewendet. Im Vergleich scheint nach aktueller Datenlage der intravenöse Zugang mit einem dezent besseren Reanimationserfolg einherzugehen. Allerdings sollte bei schwierigen Venenverhältnissen oder Fehlpunktionen sehr frühzeitig der intraossäre Zugangsweg etabliert werden. Die Dosierung der jeweiligen Medikamente unterscheidet sich nicht. Ein anderer Applikationsweg wird nicht empfohlen!

Die medikamentöse Therapie bei der Reanimation ist in den letzten Jahren immer weiter in den Hintergrund gerückt und stellt nach jetzigem Wissensstand nur noch eine Unterstützung der wichtigen Basismaßnahmen und der Defibrillation dar. Es fehlen valide Studien zu den einzelnen Medikamenten bzw. ihrer Indikation in der Reanimation.

Deshalb beschränken sich die Empfehlungen noch auf einige wenige ausgewählte Medikamente. Die zwei wesentlichen bei der Reanimation verwendeten Substanzen sind **Adrenalin** (→ Kap. 20.3.7) und **Amiodaron** (Cordarex®, → Kap. 20.3.7). Jedoch hat in den aktuellen Empfehlungen der Fachgesellschaften ERC und AHA die Gabe von Lidocain (→ Kap. 20.3.8) als Alternative zu Amiodaron einen gleichen Stellenwert erhalten. Zurzeit ist aber davon auszugehen, dass im deutschsprachigen Raum weiterhin primär Amiodaron verabreicht wird.

Beide Substanzen (Adrenalin und Amiodaron, oder Adrenalin und Lidocain) werden beim Vorliegen von defibrillationswürdigen Rhythmen (VF, pVT) **nach der 3. Schockabgabe** appliziert.

- **Adrenalin** wird hierzu in einer Dosis von 1 mg (= 1 ml einer 1 : 1 000-Lösung) appliziert. Es empfiehlt sich, das Medikament mit 9 ml Trägersubstanz (NaCl oder Aqua dest.) in einer 10-ml-Spritze aufzuziehen, da es durch einen größeren Volumenbolus schneller in den Kreislauf des Patienten gespült werden kann.
- Die Reanimationsdosis von **Amiodaron** ist einmalig 300 mg. Sie wird unverdünnt über den gewählten Zugangsweg appliziert. Eine weitere Gabe von 150 mg Amiodaron kann im Verlauf erwogen werden und sollte nach der 5. erfolglosen Schockabgabe erfolgen. Alternativ erfolgt die Gabe von 100 mg Lidocain. Eine Zweitgabe nach der 5. erfolglosen Schockabgabe sollte 50 mg betragen.

Magnesium wird aktuell nicht mehr als medikamentöse Ergänzung bei defibrillierbaren Rhythmen empfohlen.

Bei den **nicht defibrillationswürdigen Rhythmen** im Herz-Kreislauf-Stillstand (Asystolie und PEA) wird Adrenalin in o. g. Dosierung appliziert, sobald ein geeigneter Zugangsweg geschaffen wurde.

Je nach zugrunde liegender Ursache kann das Medikamentenmanagement noch erweitert werden (Elektrolytgabe, Pufferung). Dies sollte aber nur nach Erhebung entsprechender Parameter und keinesfalls blind erfolgen.

MERKE

Medikamente, die bei der Reanimation eingesetzt werden:

- Defibrillierbare Rhythmen (Kammerflimmern und pVT): nach dem 3. Schock
  - Adrenalin 1 mg, dann alle 3–5 Min. wiederholen plus
  - Amiodaron 300 mg einmalig (und ggf. weitere 150 mg nach dem 5. Schock) oder
    Alternativ Lidocain 100 mg (und ggf. weitere 50 mg nach dem 5. Schock)
- Nicht defibrillierbare Rhythmen (Asystolie und PEA): Adrenalin 1 mg frühestmöglich, dann alle 3–5 Min. wiederholen

23.4 ERC-Algorithmus zur Reanimation im Überblick

ERC-Algorithmus zur Reanimation → Abb. 23.8.

MERKE

Wesentliche **Säulen der Reanimation:**
- Thoraxkompression
- Atemwegsmanagement
- Medikamentengabe
- Ausschluss und Therapie der reversiblen Ursachen (4 Hs und HITS)

Die erweiterten Maßnahmen der Reanimation dürfen nicht zu einer Vernachlässigung der wichtigen Basismaßnahmen führen.

23.4.1 Reanimation unter besonderen Umständen

Die dem Herz-Kreislauf-Stillstand zugrunde liegenden Ursachen sind vielfältig (→ Tab. 23.1). Einige spezielle Umstände (engl. Special Circumstances) müssen aber während der Standardreanimation zusätzlich therapiert werden. Generell gilt der universelle ALS-Algorithmus. Auf ausgewählte Umstände und deren Therapieergänzung/oder -abweichung wird im Folgenden eingegangen.

Reanimation bei Hypothermie

Im Rahmen einer Reanimation bei hypothermen Patienten gibt es aufgrund der stark herabgesetzten Stoffwechsellage einige **Besonderheiten** zu beachten. Diese sind:
- Maximal 3 Defibrillationsversuche bei einer Körperkerntemperatur < 30 °C
- Keine Medikamentengabe < 30 °C Körperkerntemperatur, toxische Plasmakonzentrationen können durch Akkumulation auftreten
- Verdoppeltes Medikamentenintervall (6–10 Min.) bei einer Körperkerntemperatur zwischen 30 und 35 °C
- Verabreichung von warmen Infusionen und Vorheizen des RTW
- Frühzeitige Transportentscheidung und Verbringung unter Reanimation in ein Zentrum mit der Möglichkeit zur ECLS (Extracorporal Life Support, d. h. sinnvollerweise in ein ECMO-Zentrum)

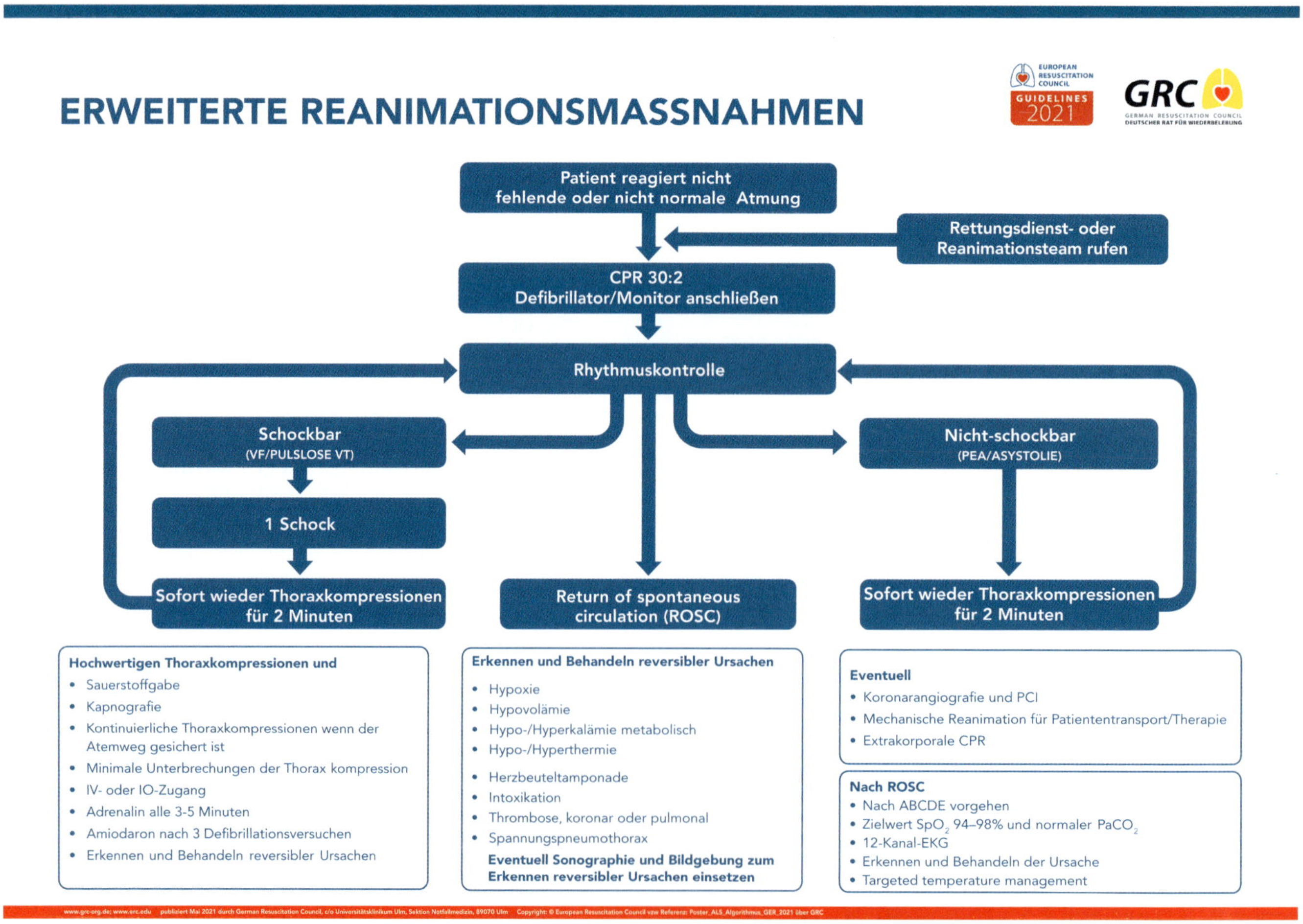

Abb. 23.8 ERC-Algorithmus Erweiterte Reanimationsmaßnahmen © German Resuscitation Council (GRC) und Austrian Resuscitation Council (ARC) 2021 [F781–035]

MERKE

- Kein zu frühzeitiger Abbruch der Maßnahmen, da das neurologische Outcome der hypothermen Patienten häufig gut ist („Nobody is dead until he is warm and dead").
- Bei Ertrinkungsopfern ist die Einstellung eines hohen PEEP (10–20 cmH_2O) sinnvoll. Hierzu ist eine endotracheale Intubation notwendig.

Reanimation bei Anaphylaxie und Asthmaanfall

Bei der Anaphylaxie (hier Grad V, Tod) gibt es mehrere potenziell reversible Ursachen, die zum akuten Herz-Kreislauf-Versagen führen. Vorreitend sind hier die Hypoxie und die Hypovolämie. Folgende Punkte gilt es unter Reanimation zu beachten:

- Frühzeitige Verabreichung von Adrenalin in Reanimationsdosis zur Behebung der Vasoplegie, des Kapillarlecks und des Bronchospasmus.
- Frühzeitige Atemwegssicherung, wenn möglich mittels Endotrachealtubus bei drohender Atemwegsschwellung und erschwerter Beatmung.
- Zügige Infusion von Volumen (1–3 Liter VEL).
- Die Verabreichung von Antihistaminika und Kortison hat zweitrangige Bedeutung.
- Gegebenenfalls zwischenzeitliche Diskonnektion des Tubus zur Entlastung des Auto-PEEP aufgrund von Air-Trapping durch den Bronchospasmus.
- V. a. bei Patienten mit vorbekanntem Emphysem, aber auch bei einem extremen Asthmaanfall kann ein Spannungspneumothorax (z. T. beidseitig) vorliegen (→ Kap. 31.4.3). Dieser muss unverzüglich mittels Minithorakotomie behoben werden. Bei fehlender Expertise Nadelthorakostomie mit einer geeigneten Kanüle (→ Kap. 31.5).

MERKE

Rechnen Sie mit schwierigem Atemweg und Beatmung aufgrund von Schwellung und Spasmus.

Reanimation bei Schwangerschaft

Die präklinische Reanimation bei Schwangerschaft ist glücklicherweise ein selteneres Ereignis, das allerdings umso fordernder für alle Einsatzkräfte ist. Zwar gibt es mittlerweile das Bemühen, durch hochspezielle Trainings eine präklinische Not-Sectio unter Reanimation durchzuführen, dies wird aber ähnlich der Clamshell-Thorakotomie auch in den nächsten Jahren in Deutschland eine Seltenheit sein. Folgende Punkte sind für die präklinische Notfallrettung relevant:

- Manuelle Verlagerung des Uterus durch einen Helfer nach links (ab ca. der 20. SSW. Gefahr eines Vena-cava-Kompressionssyndroms).
- Schnellste Verbringung in ein Perinatalzentrum zur Not-Sectio (ab 20. SSW); u. U. Anfahren der nächstgelegenen geeigneten Geburtshilfe.
- Frühzeitige Intubation; Tubus 1,0 mm ID kleiner als normal wählen aufgrund der schwangerschaftsbedingten Atemwegsschwellung. Mit einem schwierigen Atemweg ist zu rechnen.
- Bei V. a. Lungenembolie kritisches Überdenken der Fibrinolyse-Therapie, wenn eine Not-Sectio durchgeführt werden soll.

MERKE

Eine Linksseitenlage auf dem Spineboard ist zwar sinnvoll, schränkt aber i. d. R. die Effektivität der Thoraxkompressionen ein. Von daher bleibt präklinisch die manuelle Uterusverlagerung Mittel der Wahl. Auf automatische Reanimationshilfen sollte in fortgeschrittener Schwangerschaft aufgrund der Verletzungsgefahr für das Ungeborene verzichtet werden.

Reanimation bei Trauma

Der traumatische Herz-Kreislauf-Stillstand (**Traumatic Cardiac Arrest, TCA,** → Kap. 31.13.1) unterscheidet sich in wesentlichen Punkten von der Reanimation bei internistischer Ursache. Allerdings darf nicht vergessen werden, dass es u. U. primär eine internistische Reanimationsursache gab, auf die nur im Verlauf ein Trauma z. B. durch einen Sturz oder Verkehrsunfall folgte. Das Augenmerk beim TCA muss auf der frühzeitigen Behebung der reversiblen Ursachen liegen, wenn möglich unter Reanimation. Oftmals liegt noch ein Minimalkreislauf vor. Gegebenenfalls müssen die Basismaßnahmen (Thoraxkompression) kurzzeitig unterbrochen und als zweitrangig angesehen werden, allerdings sobald wie möglich weiter fortgeführt werden. Fakt ist, dass ohne Therapie der behebbaren Probleme kein Kreislauf zu etablieren sein wird. Zu den **Maßnahmen** gehören:

- Blutungen stoppen, mittels Druck(verband), Tourniquet oder sonstigen Hilfsmitteln
- Frühzeitige Atemwegssicherung und aggressive Bekämpfung der Hypoxie; mit schwierigem/verlegtem Atemweg ist zu rechnen
- Wenn möglich, rasche sonografische Untersuchung (E-FAST o. Ä.)
- Ggf. Bilaterale Nadel-Thorakostomie, besser Minithorakotomie und ggf. zusätzliche Drainageanlage im Verlauf
- Bei V. a. Perikardtamponade und/oder V. a. aortale Gefäßverletzung: bei entsprechendem Kenntnisstand Durchführung einer Clamshell-Thorakotomie (→ Kap. 31.13.6) zur Eröffnung des Herzbeutels sowie zur proximalen Kompression der Aorta
- Zügiger Transport und angepasste Volumengabe
- Großzügige Verabreichung von Tranexamsäure (Cyklokapron®)

All dies erfordert viele Hände und ein hohes Maß an Ausbildung. Gerade die präklinische Clamshell-Thorakotomie ist in Deutschland aufgrund fehlender Ausbildung eher eine sehr selten durchgeführte Maßnahme. Somit bleibt oftmals nur nach Einleitung initial lebensrettender Maßnahmen, den Patienten unverzüglich in die Klinik zu verbringen.

MERKE

Blut ist das Volumen der Wahl. Benzin und Diesel führen dorthin. Denn Blutprodukte gibt es momentan fast nur im Krankenhaus.

IM FOKUS

Reanimation unter besonderen Umständen

- **Hypothermie:**
  - Medikamentengabe und Defibrillation anpassen (z. B. kein Einsatz unter 30 °C Körperkerntemperatur)
  - Kein zu früher Abbruch der Reanimation, prognostisch günstige Ausgangslage
- **Anaphylaxie/Asthma:**
  - Adrenalingabe früh und in Reanimationsdosis
  - Zügige Infusionstherapie

- **Schwangerschaft:**
  - Manuelle Uterusverlagerung nach links
  - Tubus 1,0 mm ID kleiner als normal
- **Trauma:**
  - Taktik: ggf. sonografische Diagnostik vor Ort und zügiger Transport
  - Therapie: Blutungen stoppen, ggf. Entlastungspunktion/Thorakotomie durchführen, Tranexamsäure verabreichen

23.5 Therapie lebensbedrohlicher Herzrhythmusstörungen

DEFINITION

Lebensbedrohliche tachy- oder bradykarde Herzrhythmusstörungen werden auch als **Periarrest-Arrhythmien** bezeichnet.

Analog zum universellen Algorithmus der Reanimation gibt es Leitlinienempfehlungen zum Umgang mit lebensbedrohlichen **Herzrhythmusstörungen** (HRST). Obwohl ein Großteil dieser Herzrhythmusstörungen nicht unmittelbar lebensbedrohlich ist, gibt es einige Reizleitungsstörungen, die zum Herz-Kreislauf-Stillstand führen können.

MERKE

Das Erkennen einer bevorstehenden lebensbedrohlichen Situation und die frühzeitige Intervention, bevor es zum Kreislaufzusammenbruch kommt, ist von **entscheidender Bedeutung** für das Überleben des Patienten.

Hierzu ist es notwendig, einen stabilen von einem instabilen Patienten unterscheiden zu können. Dies geschieht mithilfe des ABCDE-Schemas (→ Kap. 17.1.4).

Instabilitätskriterien sind:

- Anzeichen eines Schocks
- Angina pectoris, Infarktsymptomatik
- Synkope und Bewusstseinstrübung
- Anzeichen für eine Herzinsuffizienz, z. B. Dyspnoe, Lungenödem und Zyanose

Unterschieden werden bradykarde und tachykarde Herzrhythmusstörungen. Zu beiden Herzrhythmusstörungen gibt es einen jeweiligen Algorithmus, der dem Notfallmediziner Unterstützung in der Entscheidungsfindung und Therapie der jeweiligen Störung gibt.

Im Folgenden wird auf die wesentlichen Arrhythmien eingegangen. Zu bedenken ist, dass es eine Fülle von Arrhythmien gibt, die in der Notfallsituation nicht immer differenziert werden können. Deshalb gilt bei vornehmlich stabilen Patienten das Prinzip des „Minimal Handlings", d. h., dass diese Patienten unter kontinuierlicher Überwachung in die nächste geeignete internistische Abteilung verbracht werden.

23.5.1 Bradykardien

Bei den **bradykarden Arrhythmien** stehen die AV-Blockierungen im Fokus (→ Abb. 23.9). Diese können regelhaft auftreten und ohne größere Bedeutung (AV-Block I) bis hin zur maximalen Herzinsuffizienz mit drohendem Herz-Kreislauf-Stillstand (AV-Block III) variieren.

Bei stabilen Patienten wird ein zügiges Verbringen in eine entsprechende Fachabteilung empfohlen. Bei drohender Asystolie (bereits stattgefunden, höhergradige AV-Blockierung) kann eine medikamentöse Unterstützung angedacht werden. Ratsam ist es in diesem Fall, schon prophylaktisch die Schrittmacher-Pads auf die Patientenbrust zu kleben (Apex-Sternum- oder alternativ Anterior-posterior-Position) und eine leichte Analgosedierung, z. B. in Form eines Benzodiazepins und eines Opiats, bereitzuhalten.

PRAXISTIPP

Immer Schrittmacher (Defi)-Pads und EKG-Elektroden aufkleben, da sonst kein Impuls abgegeben wird.

Zeigt der Patient Kriterien einer Instabilität, so muss unverzüglich eine frequenzsteigernde Therapie eingeleitet werden. Bei Patienten mit niedriger Herzfrequenz und geringem Auswurf kann u. U. eine zusätzliche Inotropikagabe notwendig sein. Oftmals reicht jedoch eine primäre Frequenzsteigerung aus, die mit einer Zunahme des Auswurfs korreliert (sog. **Bowditch-Effekt**).

Die Leitlinien aus dem Jahr 2021 bleiben gegenüber den Leitlinien von 2015 unverändert und empfehlen eine Gabe von Atropin 0,5 mg i. v., evtl. wiederholt bis zu einer Gesamtdosis von 3 mg. Dies entspricht einer kompletten Parasympathikolyse.

Kritisch ist dies in Bezug auf **hochgradige AV-Blockierungen** (Grad IIb, Grad III) zu sehen, da Atropin hier paradoxerweise die Überleitung weiter herabsetzen und so eine Asystolie auslösen kann (Klasse III). Bei **herztransplantierten Patienten** sollte Atropin nicht zur Anwendung kommen.

Es empfiehlt sich bei diesen EKG-Bildern, direkt mit einer transkutanen Schrittmachertherapie zu beginnen oder, falls diese nicht verfügbar ist, Adrenalin in sehr geringer Dosierung von 2–10 µg/Min. einzusetzen.

ACHTUNG! Eine Atropindosis von unter 0,5 mg als Bolus bei Erwachsenen sollte aufgrund der paradoxen bradykardisierenden Wirkung unterlassen werden.

PRAXISTIPP

Die Schrittmachertherapie bietet einige Vorteile und sollte nicht zu lange hinausgezögert werden. Bedenke: Den Strom kann man an- und abschalten, ein appliziertes Medikament verbleibt im Körper. Auf eine ausreichende (Analgo-)Sedierung ist zu achten.

PRAXISTIPP

3 Ampullen Adrenalin (= 3 mg) auf 50 ml NaCl verdünnt in die Perfusorspritze aufziehen. Entspricht 60 µg/ml. Bei einer Rate von 2 ml/Std. entspricht dies den empfohlenen 2 µg/Min.
Alternativ: 1 Ampulle Adrenalin (1 mg) in 100 ml NaCl verdünnen. Davon milliliterweise (= 10 µg) aus der Hand titrieren. Dies ist im Notfall meist schneller gerichtet und kann überbrückend angewendet werden.

Vorgehen bei transkutaner Schrittmachertherapie

- Anlage der Defibrillationselektroden (anterior-lateral) **und** der EKG Elektroden
- Analgosedierung wenn notwendig (initial je nach Patientenzustand z. B. 0,5 mg/kg Propofol oder 1–2 mg Midazolam plus 0,1–0,2 mg Fentanyl oder 20 mg Esketamin)

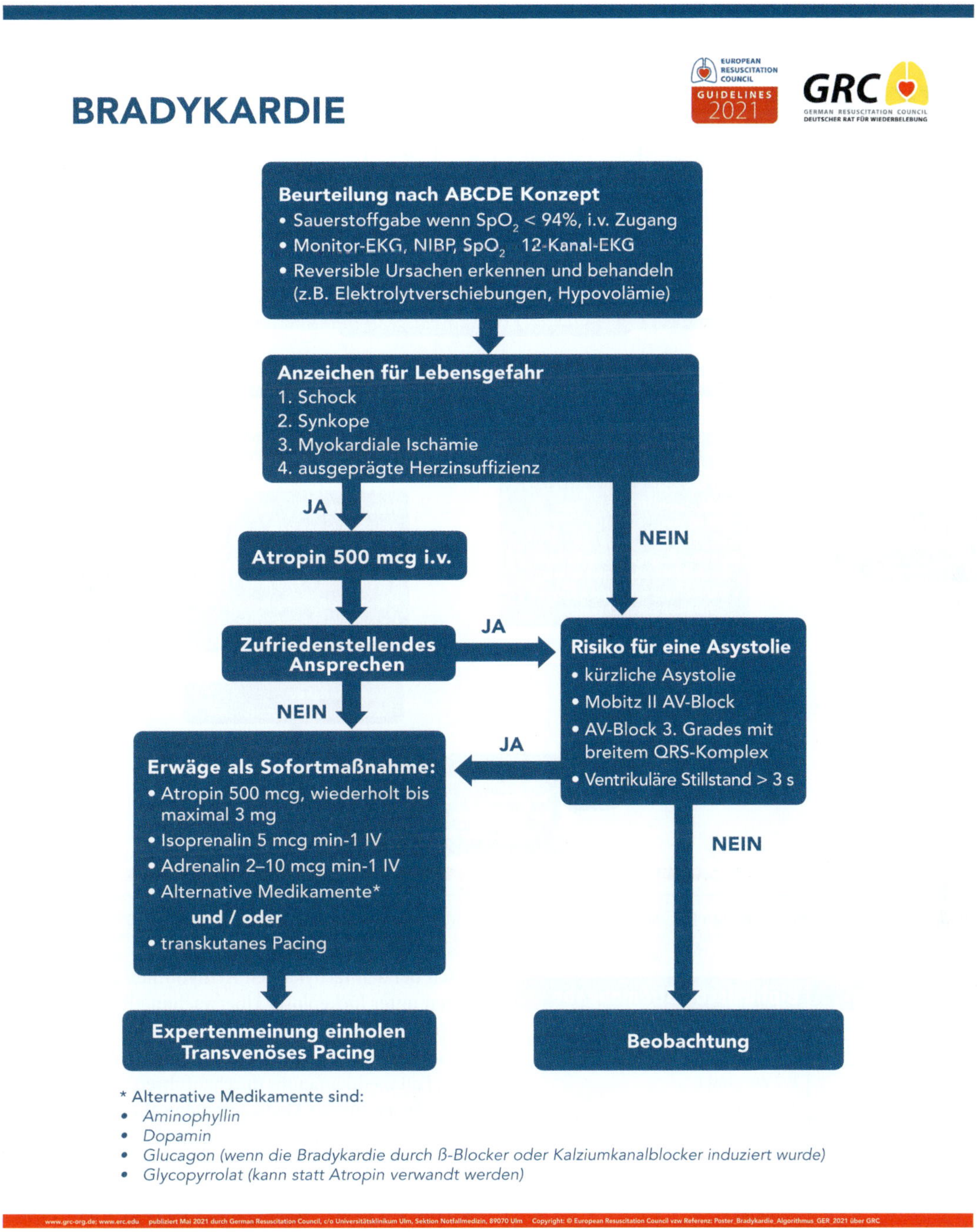

Abb. 23.9 ERC-Algorithmus Bradykardie © German Resuscitation Council (GRC) und Austrian Resuscitation Council (ARC) 2021 [F781–035]

- Demandmodus im Schrittmachermenü auswählen, Herzfrequenz 70/min
- Energieabgabe ab 30 mA zügig in 5–10 mA-Schritten steigern
- Bei Überleitung jeder Vorhofaktivität Energie merken und + 10 mA als Puffer wählen

23.5.2 Tachykardien

Ebenso wie zu den Bradykardien gibt es im Bereich der **tachykarden Herzrhythmusstörungen** Leitlinienempfehlungen zur Therapie, die anhand eines Algorithmus abgearbeitet werden können (→ Abb. 23.10).

Die Diagnose und Therapie der morphologisch unterschiedlichen Tachykardien kann mitunter sehr schwierig sein, weshalb hier nur auf die wesentlichen, häufiger auftretenden Arrhythmien eingegangen wird.

Es gilt wie immer, primär die Basismaßnahmen zu ergreifen und die Instabilitätskriterien zu prüfen. Bei Vorliegen einer solchen Instabilität ist die elektrische Therapie in Form einer **Kardioversion** das Mittel der Wahl zur Beendigung der malignen Herzrhythmusstörung. Dies gilt gleichermaßen für Schmal- oder Breitkomplex-Tachykardien (QRS > 120 ms). Die zu wählenden Stromstärken zeigt → Tab. 23.6. Zu beachten ist bei einigen Defibrillatoren die Defibrillatorumstellung auf eine

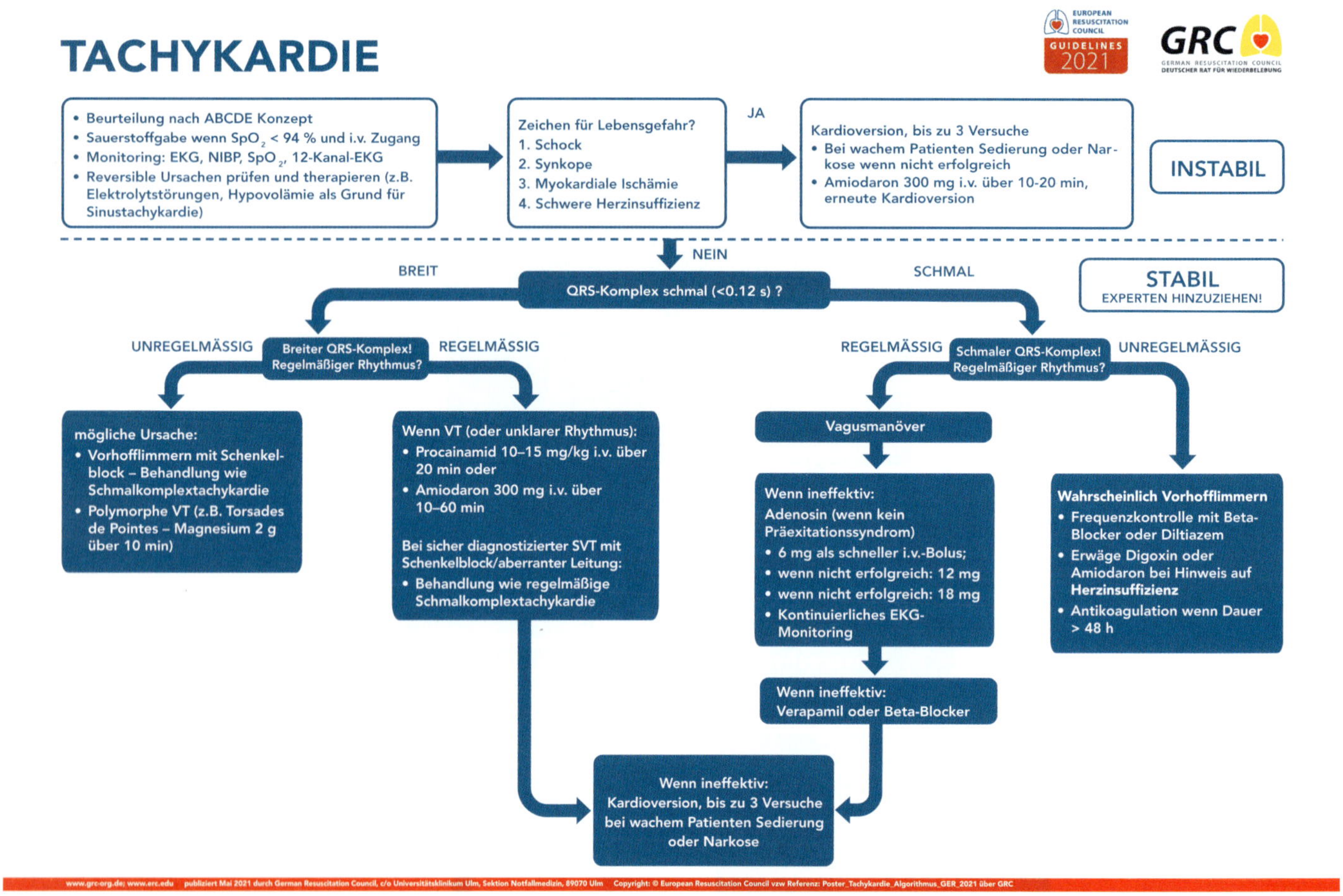

Abb. 23.10 ERC-Algorithmus Tachykardie © German Resuscitation Council (GRC) und Austrian Resuscitation Council (ARC) 2021 [F781–035]

Diagnose	Biphasische Stromabgabe
Ventrikuläre Tachykardie	1. 120–150 J 2. Steigern
Vorhofflimmern (VHF, AF)	1. 120–360 J 2. Steigern
SVT/Vorhofflattern	1. 70–120 J 2. Steigern
VF/pVT (Defibrillation)	1. ≥ 150 J 2. Steigern

Tab. 23.6 Stromstärken bei der Kardioversion/Defibrillation

synchronisierte Schockabgabe, da eine versehentliche Defibrillation in die vulnerable Phase der Reizleitung ein Kammerflimmern zur Folge haben kann. Deshalb findet die Kardioversion auch **nur in Reanimationsbereitschaft** statt. Weiterhin sollte bei Patienten mit vorhandenem Bewusstsein eine Analgosedierung bzw. eine Kurznarkose vor der schmerzhaften Elektrotherapie eingeleitet werden.

PRAXISTIPP

Eine Anfangsenergie von **120 J biphasisch** bei allen tachykarden HRST ist leitliniengerecht.

Auch bei den tachykarden Arrhythmien empfiehlt es sich, stabile Patienten unter lückenloser Überwachung in eine geeignete Fachabteilung zu transportieren.

Sollte dennoch eine Intervention angestrebt werden, so ist sie in diesem Fall medikamentös durchzuführen.

Hilfreich für die Medikamentenwahl ist die Unterteilung in Schmal- und Breitkomplextachykardien sowie die Einordnung in rhythmische oder arrhythmische Störungen. Ausgewählte EKG-Bilder und deren Therapie sind:

- QRS < 120 ms, regelmäßig → SVT; AVNRT
- QRS < 120 ms, unregelmäßig → Vorhofflimmern (VHF)
- QRS > 120 ms, regelmäßig → ventrikuläre Tachykardie (VT)
- QRS > 120 ms, unregelmäßig → Torsade de Pointes; Vorhofflimmern + Schenkelblock

Die **supraventrikuläre Tachykardie** (SVT) gilt es vor allem von einer Sinustachykardie abzugrenzen. Während der Sinustachykardie meist eine andere Ursache, wie Volumenmangel, Aufregung oder Schmerz, zugrunde liegt, ist die SVT als eigentliche Rhythmusstörung das Problem und muss spezifisch therapiert werden.

Ein nichtinvasiver Behandlungsversuch kann in Form eines **Valsalva-Manövers** (vagale Reizstimulation) versucht werden. Hierzu lässt man den Patienten z. B. versuchen, den Stempel einer 20-ml-Spritze herauszupusten (ggf. kombiniert mit anschließender Oberkörperflach- und Beinhochlagerung). Der dabei entstehende intrathorakale Druck stimuliert die Barorezeptoren in Brustkorb und Hals, woraufhin die Herzfrequenz reflektorisch absinken kann. Dies funktioniert allerdings nicht immer.

Die medikamentöse Therapie der SVT wird mit Adenosin (Adrekar®) in steigender Dosierung (z. B. 6–12–18 mg) empfohlen. Zu beachten sind die extrem kurze Halbwertszeit des Medikaments und die auftretende pectanginöse Symptomatik. Hierauf muss der Patient in jedem Fall hingewiesen werden. Weiterhin ist es dringend anzuraten, eine **Reanimationsbereitschaft** herzustellen, da sich nach Applikation des Medikaments eine Asystolie einstellen kann. Diese ist meist selbstlimitierend und nur von kurzer Dauer.

Ein **Vorhofflimmern** (schmale Komplexe, arrhythmisch, keine klare Vorhofaktivität erkennbar) ist eine häufige Diagnose, gerade bei Patienten in höherem Lebensalter. Ist dies anamnestisch bekannt, so muss keine weitere Intervention vor Ort getätigt werden. Handelt es sich um eine neu aufgetretene Rhythmusstörung, so kann eine Frequenzkontrolle mittels Betablocker, Kalzium-Antagonisten oder Diltiazem versucht werden. Auf keinen Fall dürfen diese Substanzgruppen gemeinsam appliziert werden.

Notfallpatienten, die noch keiner gerinnungshemmenden Therapie mit Vitamin-K-Antagonisten (z. B. Cumarin) oder neueren oralen Antikoagulanzien (NOAK) unterliegen, bedürfen einer antikoagulatorischen Behandlung mit 5 000 IE Heparin i. v., da sich bei einem VHF vermehrt Thromben im Bereich des linken Atrium bilden können, welche dann fatalerweise über das Gefäßsystem weitergeleitet werden und einen Apoplex auslösen können.

Regelmäßige Breitkomplextachykardien sind in bis zu 80 % der Fälle ventrikuläre Tachykardien (VT). Die Therapie beim stabilen Patienten ist die Gabe von 300 mg Amiodaron i. v. über einen Zeitraum von 10–60 Minuten mittels Perfusor oder als Kurzinfusion (Verdünnung mit G 5 %).

Dieses EKG-Bild macht deutlich, wie wichtig es ist, den Zustand des Patienten in die Entscheidungsfindung zur Therapie mit einzubeziehen. Drei unterschiedliche Notfallsituationen erfordern, trotz gleicher ursächlicher Störung verschiedene Behandlungsstrategien:

- VT ohne Puls → Defibrillation
- VT mit Puls, instabil → Kardioversion
- VT mit Puls, stabil → Amiodaron

Unregelmäßige Breitkomplextachykardien sind im Gegensatz zu den regelmäßigen seltener, oftmals aber lebensbedrohlich. Es ist immer ratsam, eventuelle Vor-EKGs zu betrachten, da so die Diagnose, z. B. bei vorbestehendem Schenkelblock oder Vorhofflimmern, erleichtert werden kann. Amiodaron stellt auch hier eine Therapieoption dar. Eine Besonderheit im Bereich dieser HRST ist die **Spitzenumkehrtachykardie** (Torsade de Pointes), die mit der intravenösen Verabreichung von 2 g Magnesium über 5–10 Minuten behandelt wird.

MERKE

- Basismaßnahmen nicht vernachlässigen.
- Je instabiler der Patient, desto großzügiger ist die Indikation zur Elektrotherapie zu stellen.
- Stabile Patienten sollten unter strenger Beobachtung in die nächste geeignete Fachabteilung transportiert werden.

IM FOKUS

Tachykardien

Differenzierte Therapie, je nach Ausgangslage:

- QRS < 120 ms, regelmäßig → **SVT; AVNRT**
  - Valsalva, Adenosin, Kardioversion
- QRS < 120 ms, unregelmäßig → **Vorhofflimmern (VHF)**
  - Antiarrhythmika, ggf. Kardioversion, ggf. Antikoagulation
- QRS > 120 ms, regelmäßig → **ventrikuläre Tachykardie (VT)**
  - Je nach Stabilität: Defibrillation, Kardioversion, Amiodaron
- QRS > 120 ms, unregelmäßig → **Torsade de Pointes;** Vorhofflimmern + Schenkelblock
  - Magnesium, Defibrillation, Amiodaron

23.6 Reanimation im Kindesalter

Grundsätzlich unterscheidet sich das Vorgehen beim **Pediatric Life Support (PLS)** nur wenig von dem bei Erwachsenen. Die Leitlinien wurden so weit wie möglich vereinfacht und angeglichen, da es in der Praxis immer wieder zu Verzögerungen bei der Anwendung des BLS für Kinder kam. Helfer fühlten sich häufig unsicher in der Umsetzung der notwendigen Maßnahmen bei Kindern. Einige Besonderheiten sind jedoch zu beachten, einige Tipps und Tricks aus der Praxis können hilfreich sein:

- Säuglinge mit **plötzlichem Kindstod** (SIDS, → Kap. 35.6) werden von den Eltern oftmals erst Stunden nach Eintritt des Atemstillstands leblos aufgefunden. Der Rettungsdienst sieht sich dann mit einem Säugling konfrontiert, der schon zum Zeitpunkt der Alarmierung irreversible hypoxische Schäden erlitten hat. Die Einleitung von Reanimationsmaßnahmen trotz verzweifelt auf Hilfe hoffender Eltern ist in einer solchen Situation für den Rettungsdienst oftmals von vornherein erkennbar aussichtslos. Glücklicherweise ist die Säuglingssterblichkeit in Deutschland sehr niedrig. 2020 verstarben 84 Säuglinge am SIDS. Nur wenige Kinder erleiden nach dem ersten Lebensjahr krankheitsbedingt einen Atem- und Kreislaufstillstand.
- Einen großen Faktor spielt die Hypoxie im Kindesalter, die frühestmöglich aggressiv therapiert werden muss. Kardiale Ereignisse als Auslöser eines Herz-Kreislauf-Stillstands sind in dieser Patientengruppe eher selten und dann meist mit schon Vorerkrankungen vergesellschaftet.
- Das **Versagen vitaler Systeme** im Kindesalter stellt zumeist den erwarteten Endzustand eines absehbar zum Tode führenden unheilbaren Leidens dar, sei es eine Tumorkrankheit oder die finale respiratorische Insuffizienz eines jungen Patienten mit einem Erbleiden wie Muskeldystrophie.

Zum Glück gibt es genug ermutigende Berichte über die erfolgreiche Reanimation von Kindern, bei denen allerdings als Notfallsituation fast ausnahmslos Ertrinkungs- und Unterkühlungsunfälle, Intoxikationen und mechanische Atemwegsverlegungen vorlagen.

MERKE

Potenziell reversible Ursachen des Herz-Kreislauf-Stillstands im Kindesalter sind wie beim Erwachsenen unter den Hs und HITS zusammengefasst.

23.6.1 Pediatric Basic Life Support (PBLS)

Die aktuellen Leitlinienempfehlungen zur Reanimation bei Kindern beziehen sich auf Patienten im Alter zwischen 0–18 Jahren, mit Ausnahme des Neugeborenen im Rahmen der Geburt. Sollte der Patient erwachsen erscheinen, kann mit den Standardwiederbelebungsmaßnahmen begonnen werden. Es ist also im fortgeschrittenen Jugendalter eine teils individuelle Entscheidung, ob man die Reanimation nach BLS- oder PBLS-Standards (→ Abb. 23.11) durchführt. **Essenziell** ist es in jedem Fall, zügig zu beginnen, ganz gleich, für welchen Weg man sich entscheidet.

Steht bei Erwachsenen primär ein Herz-Kreislauf-Versagen, z. B. aufgrund einer akuten Herzrhythmusstörung, im Vordergrund der Reanimation, so ist dies bei Kindern eher sekundär. Die meisten Kinderreanimationen sind **Endzustände eines respiratorischen Versagens,** ausgelöst durch verschiedene Ursachen wie z. B. eine Aspiration, ein Bolusgeschehen oder auch eine starke Hypoxie bei einem Infekt. Da Säuglinge und Kleinkinder wenig körperliche Reserven aufweisen, erschöpfen sie bei Atemnot und Anstrengung schnell, was wiederum eine respiratorische Unterversorgung in kürzester Zeit nach sich zieht. Auch die kardiale Sauerstoffreserve ist stark eingeschränkt, was zur Folge hat, dass die Sauerstoffunterversorgung relativ schnell eine kardiale Dekompensation bewirkt. Diesen Teufelskreis gilt es frühzeitig durch zielgerichtete Maßnahmen zu unterbrechen. Dies spiegelt sich im Bereich der Basismaßnahmen wider, da im Kindesalter vor Beginn der Thoraxkompressionen fünf Initialbeatmungen durchgeführt werden mit dem Ziel, eine ausreichende Oxygenierung sicherzustellen. Auch

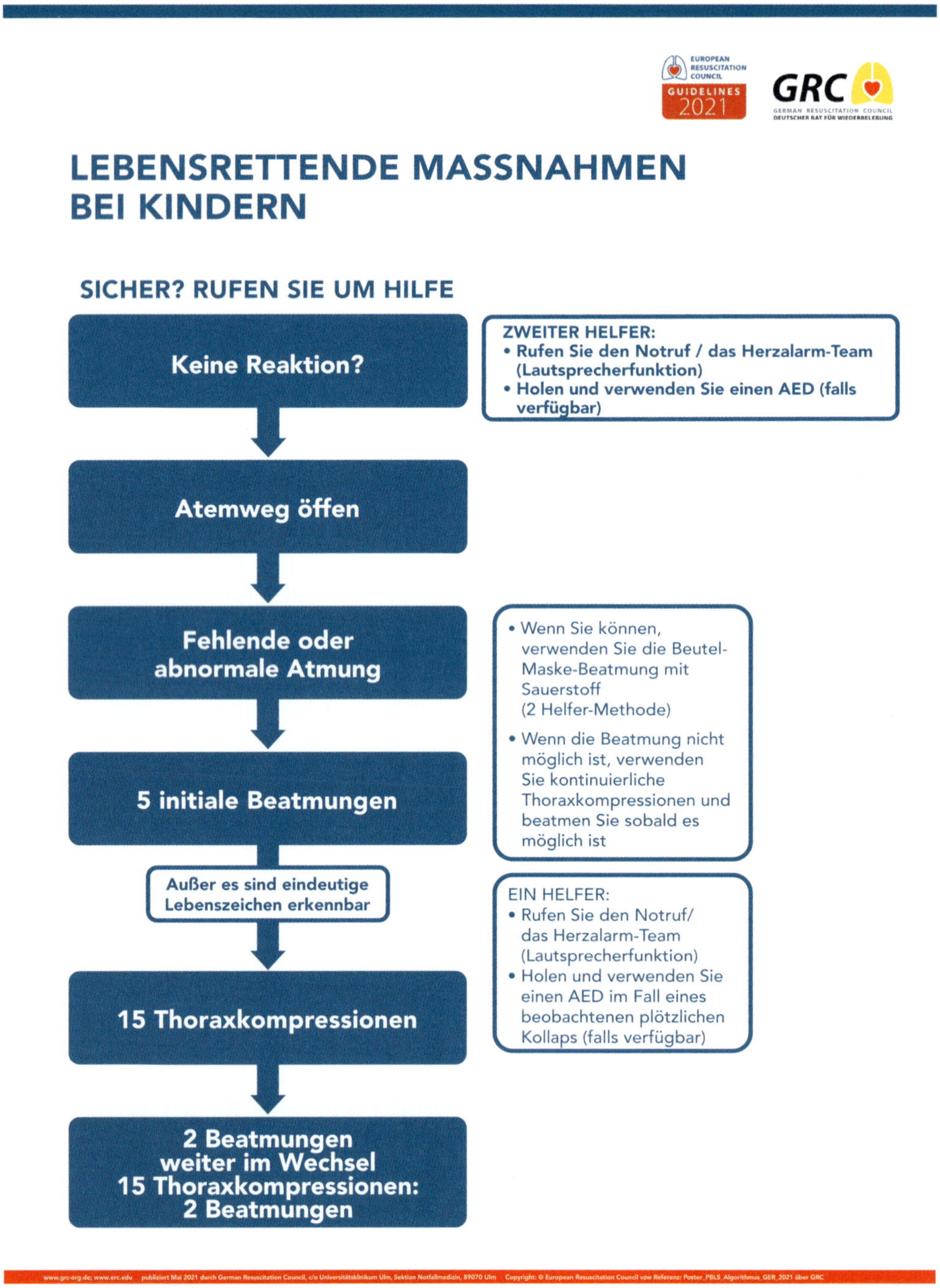

Abb. 23.11 PBLS-Algorithmus Kinder © German Resuscitation Council (GRC) und Austrian Resuscitation Council (ARC) 2021 [F781–041]

das Verhältnis von Thoraxkompression zu Ventilation ist mit 15:2 zugunsten der Beatmung anders als bei der Erwachsenenreanimation.

Feststellen des Kreislaufstillstands

Analog zur Feststellung des Herzkreislaufstillstands beim Erwachsenen wird bei Säuglingen und Kindern initial nach normaler Atmung und sonstigen Lebenszeichen gesucht. Während der lauten Ansprache sollte gleichzeitig eine taktile Stimulation, etwa durch Entlangstreichen an der Fußsohle oder am Kopf des Säuglings/Kindes erfolgen.

Parallel kann bei Säuglingen die Pulstastung an der A. brachialis in der Oberarminnenseite oder der A. femoralis in der Leistenbeuge erfolgen. Bei guten anatomischen Verhältnissen eignet sich im Kleinkindalter auch die A. carotis als Palpationsort.

Durch den oben beschriebenen Teufelskreis aus Hypoxie und Bradykardie/kardialer Dekompensation ist es bei der Kinderreanimation nötig, schon ab einer Pulsfrequenz von < 60/Min. mit der mechanischen Reanimation (Herzdruckmassage) zu beginnen.

ACHTUNG! Bei Unsicherheit bezüglich des Vorliegens von Atmung, Lebenszeichen oder Puls muss unverzüglich mit der Reanimation begonnen werden.

Atemwege und Beatmung

Grundsätzlich gibt es einige anatomische **Besonderheiten im Säuglings- und Kleinkindalter,** die dem Rettungsfachpersonal zwingend bekannt sein müssen, da einige Maßnahmen anders als beim Erwachsenen durchgeführt werden müssen. Hierzu zählt insbesondere die Kenntnis über die Anatomie des kindlichen Respirationstrakts.

- Die **Zunge** ist im Verhältnis zum Mund-Rachen-Raum relativ groß, sodass bei einer Beutel-Masken-Beatmung beachtet werden muss, dass die Finger des Helfers nur an den harten Unterkiefer gelegt werden und niemals die Weichteile unterhalb des Kinns komprimieren dürfen, da es hierdurch zu einer Verlegung der Atemwege kommen kann.
- Der kindliche **Kehlkopf** liegt etwas höher als der des Erwachsenen (ca. 2–3 cm) und ist leicht nach vorn gekippt, weshalb der Kopf beim Freimachen der Atemwege nicht zu stark rekliniert werden darf. Er sollte in einer Neutralstellung gehalten werden, da es sonst wiederum zu einem Verschluss des Atemwegs kommen kann. Orientierend sollte die Nase des Kindes den höchsten Punkt bilden (sog. Schnüffelstellung; → Abb. 23.12). Je älter das Kind wird, desto eher wird der Kopf rekliniert. Auch hier gilt „Hören, Sehen und Fühlen" der Atmung.
- Bei unfallbedingtem Atemstillstand ist an die Möglichkeit einer Halswirbelsäulenverletzung zu denken.
- Der beim Kind im Verhältnis zum Körper relativ große **Kopf** führt beim Dezelerationstrauma nicht selten zu schweren HWS-Traumata mit folgendem Atemstillstand.
- Das Tidalvolumen des Atemzugs beim Kind entspricht rein rechnerisch mit 6 ml/kg KG dem eines Erwachsenen, in der Gesamtmenge ist dies bei geringerem Körpergewicht natürlich viel weniger. Eine sichtbare Thoraxexkursion reicht auch hier aus, um ein adäquates Atemhubvolumen zu gewährleisten, jedoch beträgt die Atemfrequenz ein Vielfaches der eines Erwachsenen (Säuglinge: ca. 30–40/Min.).

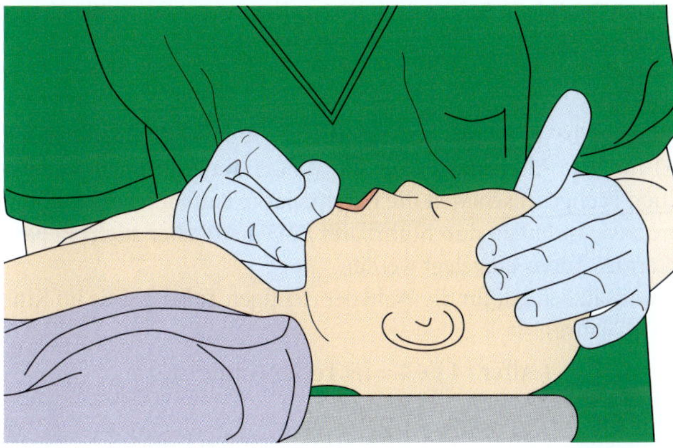

Abb. 23.12 Neutralposition des Kopfes zum Freimachen der Atemwege beim Kind [L143]

Auch bei der Kinderreanimation wird eine möglichst hoch dosierte Sauerstoffapplikation angestrebt, sodass schon bei den oben genannten fünf Initialbeatmungen mit 100 % Sauerstoff beatmet werden soll.

MERKE

- Je älter das Kind, desto eher muss der Kopf zum Freimachen der Atemwege rekliniert werden.
- Weichteile dürfen nicht komprimiert werden.

Thoraxkompression

Mit einer Thoraxkompression wird im Kindesalter schon ab einer Pulsfrequenz von < 60/Min. begonnen, da der kindliche Kreislauf als einzige Stellgröße die Herzfrequenz aufweist. Erst nach einigen Jahren bildet sich der Reflex einer Gefäßengstellung aus, die beim Erwachsenen dann zumindest kurzfristig ein ausreichendes Herzminutenvolumen (HZV, HMV) gewährleisten kann.

Der **Druckpunkt** liegt **bei Kleinkindern** ebenfalls auf der unteren Sternumhälfte. Kinder haben einen höheren relativen Sauerstoffbedarf als Erwachsene. Bei der Reanimation wird nach jeweils 15 Kompressionen zweimal beatmet. Die Druckfrequenz entspricht mit 100–120/Min. der bei der Erwachsenenreanimation (→ Tab. 23.7). Als ausreichende Drucktiefe werden ca. ⅓ der Brustkorbhöhe angegeben. Zwei Methoden kommen zur Anwendung:

- Beim **Zangengriff** (→ Abb. 23.13) umfasst der Helfer den Brustkorb des Säuglings und platziert beide Daumen nebeneinander auf dem Druckpunkt .
- Bei der **Zwei-Finger-Methode** werden die Spitzen von Zeige-und Mittel- bzw. Mittel- und Ringfinger nebeneinander auf den Druckpunkt aufgesetzt.

Je älter das Kind, desto eher wird es nötig, auch mit dem kompletten Handballen einer Hand zu komprimieren (→ Abb. 23.14). Im Bereich der Laienreanimation wird der Einfachheit halber ein Verhältnis von 30:2 gelehrt. Dies ist ebenfalls eine Option für einen alleinigen „Profihelfer". Im Gegensatz zum ALS-Algorithmus sollte im Kinderbereich vor dem Absetzen des Notrufs zunächst eine Minute lang reanimiert werden, da

	Herzdruckmassage	Thoraxkompression: Beatmung
Neugeborenes	120/Min.	3 : 1
Kind	100–120/Min.	15 : 2
Kind, ein Helfer, Profi	100–120/Min.	15 : 2
Kind, Laienreanimation	100–120/Min.	30 : 2

Tab. 23.7 Richtwerte für die CPR im Kindesalter

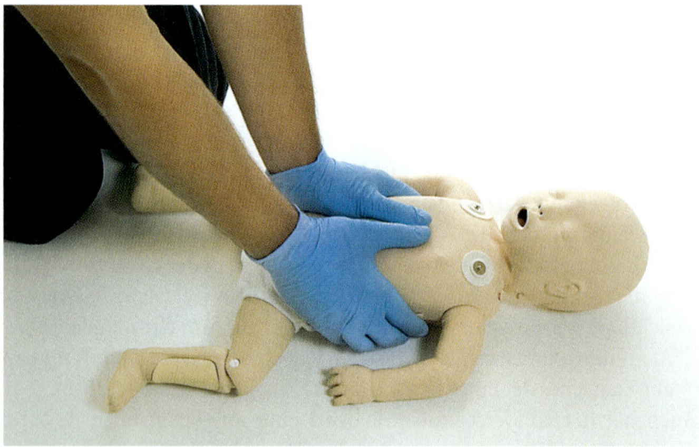

Abb. 23.13 Zangengriff zur Thoraxkompression bei Säuglingen [J747]

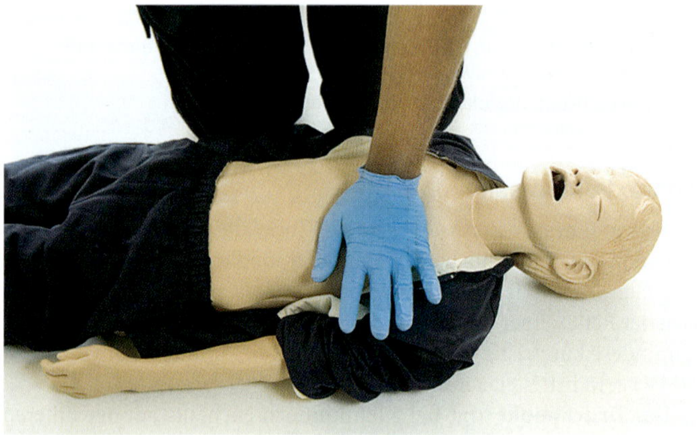

Abb. 23.14 Thoraxkompression beim Schulkind [J747]

es eine erhöhte Chance gibt, durch die initialen Beatmungen sowie die Stimulation des Kreislaufs bereits ein Widerherstellen der Eigenatmung des Kindes sowie einen ausreichenden Kreislauf zu erreichen.

Die einzige Ausnahme hierzu stellt der beobachtete Bewusstseinsverlust mit V. a. eine kardiale Genese im Kindesalter dar.

IM FOKUS

Reanimation im Kindesalter – Grundlagen

- **Feststellung:** Atmung wichtiger Indikator; Puls nur schwer tastbar
- Gegebenenfalls gute Prognose bei bestimmten Störungen (z. B. Ertrinken in kaltem Wasser)
- Bei **Herzfrequenz < 60/Min.** mit Reanimationsmaßnahmen beginnen
- **Thoraxkompressionen:**
  - ⅓ des Thoraxdurchmessers
  - Drucktechnik anpassen (z. B. einhändig, Zangengriff, Zwei-Finger-Methode)
  - 15 Kompressionen, 2 Beatmungen
- **Beatmungen:**
  - Kopf in „Schnüffelposition“
  - Beatmung, bis Thorax sich hebt und senkt
  - An HWS-Verletzung denken

23.6.2 Pediatric Advanced Life Support (PALS)

Wenn genügend Helfer am Einsatzort eingetroffen sind, kann die kindliche Reanimation um weitere Maßnahmen ergänzt werden. Die einzelnen Maßnahmen des European Paediatric Advanced Life Support (EPALS) entsprechen denen des ALS (→ Abb. 23.15):

- Elektrotherapie
- Gefäßzugänge
- Medikation
- Erweiterte Methoden der Beatmung
- Anamnese und Ursachenforschung

Das ABC-Schema wird erweitert:

- **Airway:** erweitertes Airwaymanagement (→ Kap. 18.6.9)
- **Breathing:** Beatmung ggf. über den Endotrachealtubus mit Beatmungsbeutel oder einem Notfallrespirator, Kapnografie
- **Circulation:** EKG-Anlage und Beurteilung. Defibrillation wenn indiziert; Schaffung eines venösen/intraossären Zugangs, Volumengabe und Medikamentenapplikation

Erweitertes Atemwegsmanagement

Wer selten oder nie kleine Kinder intubiert hat, sollte bis zum Eintreffen des Notarztes mit Maske, Beutel und angeschlossenem Sauerstoffreservoir (FiO_2 1,0) oxygenieren.

ACHTUNG! Ein fehlerhafter Intubationsversuch kann durch fortgesetzte Manipulation an den Weichteilen des Atemwegs zur weiteren Schwellung führen und damit dramatische Folgen für das Überleben des Kindes haben. Somit ist v. a. präklinisch die Intubation von Kleinkindern – sofern nicht zwingend indiziert – durch ungeübte Anwender zu unterlassen.

Vorteilhafterweise lässt sich allerdings ein hoher Prozentsatz der Kinder sehr gut mit einer BMV versorgen, weshalb dies eine essenzielle Maßnahme darstellt, die von jedem im Rettungsdienst Tätigen beherrscht werden muss. Gegebenenfalls kann das Freihalten des Atemwegs durch einen Oro- oder Nasopharyngealtubus unterstützt werden. Die Größenauswahl entspricht den Kriterien des Erwachsenenalters.

PRAXISTIPP

Ein **Guedel-Tubus sollte bei Säuglingen und Kleinkindern über einen Spatel mit Spitze nach unten eingelegt** werden. Bei älteren Kindern erfolgt die Einlage analog zum Erwachsenen.

Ebenfalls gibt es supra-/extraglottische Atemwegshilfsmittel (SGA, EGA) für jede Altersklasse. Für die Verwendung im Kindesalter wird von den Fachgesellschaften die Larynxmaske empfohlen. Bei fehlender Alternative und nicht durchführbarer BMV kann aber auch ein passender Larynx-Tubus eingelegt werden.

Grundsätzlich gilt für die Wahl der richtigen **Tubusgröße** im Kindesalter (> 2 Jahre):

$$(\text{Alter}/4)+4=\text{ID Tubus}\,(\text{ohne Cuff})$$

$$(\text{Alter}/4)+3{,}5=\text{ID Tubus}\,(\text{mit Cuff})$$

$$\text{Einführtiefe oral}=12+\tfrac{1}{2}\,\text{cm pro Lebensjahr}$$

24

WUNDBEURTEILUNG UND WUNDVERSORGUNG

Frank Flake

FALLBEISPIEL

Notfallmeldung

An einem Freitagabend um 23:15 Uhr wird ein RTW zu einem chirurgischen Notfall alarmiert. Nach Rückfrage bei der Leitstelle soll es sich um einen jungen Mann handeln, der offenbar verwirrt sei und sich möglicherweise in suizidaler Absicht mit einer Flasche verletzt habe. Anruferin ist die Freundin des Patienten.

Situation und Ersteindruck

Der Einsatzort befindet sich in einem Mehrfamilienhaus im Erdgeschoss. Die RTW-Besatzung wird von der Freundin des Patienten empfangen. Durch die Eingangstür sind im Flur bereits verschmierte Blutstreifen auf dem Boden zu sehen. Die aufgelöste Freundin führt das RTW-Team schnell in ein Arbeitszimmer voller leerer Weinflaschen, in dem der Patient auf dem Boden liegt und sich die Hand an den linken Halsbereich hält. Der Patient ist ca. 25 Jahre alt und blutet offensichtlich aus einer Wunde am Hals. Zwischen seinen Fingern rinnt Blut die Hand herunter. Er wirkt verwirrt, schaut Sie an und fragt, was Sie hier wollen.

Leitsymptome

- Blutende Wunde am Hals
- Alkoholabusus
- Verwirrtheit

INHALTSÜBERSICHT

24.1 WUNDURSACHEN

- Verletzungen der Haut führen zu Funktionseinbußen, was lebensbedrohlich sein kann.
- Die Haut grenzt den Körper gegen die Umwelt ab. Sie schützt vor physikalischen, chemischen und bakteriellen Einwirkungen.

24.2 WUNDARTEN

- Wundarten lassen sich nach Ihrer Ursache unterscheiden.
- Bestimmte Wundarten sind äußerlich kaum sichtbar, verursachen aber nach innen einen großen Schaden.

24.3 BLUTSTILLUNG BEI LEBENSBEDROHLICHEN BLUTUNGEN

- Die Blutstillung ist eine der vordringlichsten Maßnahmen in der Notfallmedizin.
- Neben dem klassischen Druckverband stehen noch das Tourniquet, die iTClamp und Hämostatika zur Blutstillung zur Verfügung.

24.4 WUNDHEILUNG

- Dauer und Ergebnis einer Wundheilung sind von der Art und vom Zustand der Wunde abhängig.
- Um die Wundheilung zu optimieren, werden verschiedene Verbandstoffe eingesetzt.

24.5 WUNDVERSORGUNG UND VERBÄNDE

- Blutstillung stark blutender Wunden hat Vorrang vor anderen Hilfeleistungen. Hierfür eignet sich der Druckverband am besten.
- Präklinisch wird die Wunde nur steril verbunden, ohne Reinigung, Manipulation oder Desinfektion. Fremdkörper werden nicht entfernt, Organe nicht reponiert.
- Der Rettungsdienst muss nach Amputaten suchen.

24.1 Wundursachen

Eine gesunde, intakte Haut besitzt für den Menschen einen sehr hohen Wert. Verletzungen der Haut führen zu Funktionseinbußen, die zum einen lebensbedrohlich sein können, zum anderen kann, z. B. bei großflächigen Brandwunden, der Heilungsverlauf jahrelanges Leiden bedeuten. Zurückbleibende Narben können den Menschen so entstellen, dass ihn von nun an seelische Probleme begleiten.

Die **Haut** grenzt den Körper gegen die Umwelt ab. Sie schützt vor physikalischen, chemischen und bakteriellen Einwirkungen. Sie dient außerdem als Sinnesorgan, Ausscheidungsorgan, Speicherorgan und nicht zuletzt der Wärmeregulation. Bei einer Schädigung der Haut sind diese Aufgaben gestört. Durch Defekte können Krankheitserreger ungehindert in den Körper eindringen. Lokale Wundinfektionen stören den Heilungsverlauf empfindlich und können zu einer Sepsis (schwere Allgemeininfektion mit Einschwemmung von Erregern in die Blutbahn; → Kap. 41.3) führen.

DEFINITION

Wenn es im Organismus zu Gewebszerstörung oder der Eröffnung von Schleimhäuten und Haut kommt, wird dies als **Wunde** bezeichnet.

Die Ursachen für die **Entstehung von Wunden** sind mechanische Gewalteinwirkung, Hitze, Kälte, Strahlung oder elektrische Energie. Bei direktem Kontakt mit starken Säuren oder Laugen treten Verätzungen auf. Wunden können offen oder geschlossen sein. Bei der **Beurteilung von Wunden** sind folgende Kriterien zu beachten:

- Wundart
- Lokalisation
- Wundränder
- Wundtiefe
- Art der Blutung
- Kontamination
- Mitverletzungen von Organen
- Heilungsverlauf

24.2 Wundarten

Die Wundarten lassen sich nach ihrer Ursache unterscheiden:

- **Platzwunden** (→ Abb. 24.1 ①) treten nach Einwirkung stumpfer Gewalt an Hautregionen, die direkt dem Knochen aufliegen, auf (z. B. Schienbein, Gesichts- und Hirnschädel). Es entstehen dabei mittelstarke Blutungen und zerfetzte Wundränder. Diese bieten durch Ausbildung kleiner Nischen eine erhöhte Infektionsgefahr. Eine verzögerte Wundheilung ist hier häufig zu beobachten.

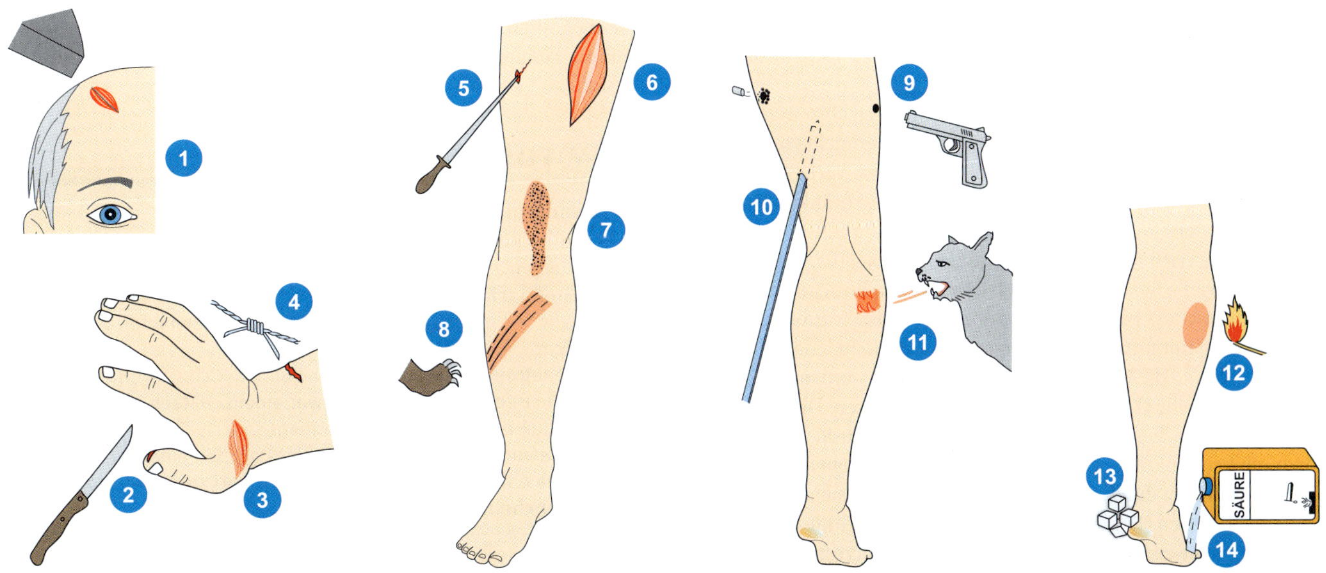

Abb. 24.1 Die verschiedenen Wundarten können auch kombiniert auftreten, etwa als Rissquetschwunde. [L143]

- **Schnittwunden** (→ Abb. 24.1 ②) sind stark blutende Hautdefekte mit schwer zu beurteilender Tiefe. Man erkennt glatte, auseinanderklaffende Wundränder. Ein Blutsee verdeckt unter Umständen tiefe, bis auf den Knochen gehende Wunden. Dabei können Strukturen wie Sehnen, Organe, Nerven usw. mitverletzt sein. Durch eine anschließende chirurgische Wundversorgung heilen Schnittwunden in aller Regel folgenlos. Es bleibt allerdings eine Narbe sichtbar. Das Infektionsrisiko ist eher gering.
- **Quetschwunden** (→ Abb. 24.1 ③) entstehen durch mechanische Gewalteinwirkungen, die das Gewebe von zwei Seiten zusammenpressen, ähnlich einer Zange, und somit schädigen. Da die Gewalt von zwei Seiten wirkt, sind größere Gewebedefekte möglich. Diese **sehr schmerzhaften Wunden** bluten äußerlich nicht. In der Tiefe bilden sich Blutergüsse (Hämatome) und das Gewebe ödematisiert. Der Heilungsverlauf ist teilweise langwierig.
- **Risswunden** (→ Abb. 24.1 ④) betreffen überwiegend die Haut, aber auch Organeinrisse, z. B. der Leber, sind möglich. In den großen Wundtaschen, die entstehen, können Krankheitskeime gut gedeihen. Durch die zerfetzten Wundränder tritt die Wundheilung nur verzögert ein. **Kratzwunden** (→ Abb. 24.1 ⑧) sind oberflächliche Risswunden, verursacht durch Tierkrallen oder Kratzen bei Juckreiz.
- **Stichwunden** (→ Abb. 24.1 ⑤, → Abb. 24.2, → Kap. 15.9.3) bieten oft ein harmloses äußeres Erscheinungsbild. In der Tiefe können sich jedoch Schädigungen von Muskulatur, Nerven oder Gefäßen mit inneren Blutungen befinden. Durch das Eindringen von Keimen über den Stichkanal sind Infektionen möglich. Eine endgültige Beurteilung der Wunde und möglicher Organbeteiligung ist bei noch belassenem Stichwerkzeug präklinisch häufig nicht möglich. Beim Eindringen großer Gegenstände (z. B. Hölzer, Eisenstangen o. Ä.) insbesondere in den Rumpf sprechen wir von **Pfählungsverletzungen** (→ Abb. 24.1 ⑩, → Kap. 15.9.3).
- Bei traumatischen Ablösungen großer Haut- bzw. Gewebeflächen durch Scherkräfte sprechen wir von **Ablederungen** (Décollement, → Abb. 24.1 ⑥) und, wenn die Kopfhaut betroffen ist, von **Skalpierung** (→ Abb. 24.3). Sie können durch das Überrollen von Extremitäten durch die Räder eines Fahrzeugs verursacht werden. Bei Ablederungen entstehen große Hämatome. Die Durchblutung kann dabei so stark gestört sein, dass später Nekrosen entstehen.

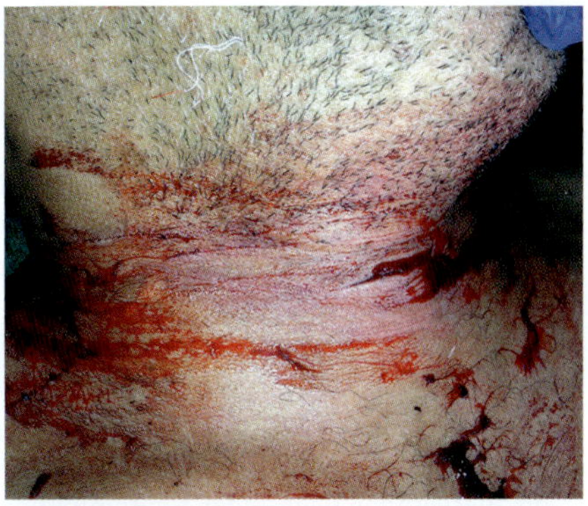

Abb. 24.2 Stichwunde [M235]

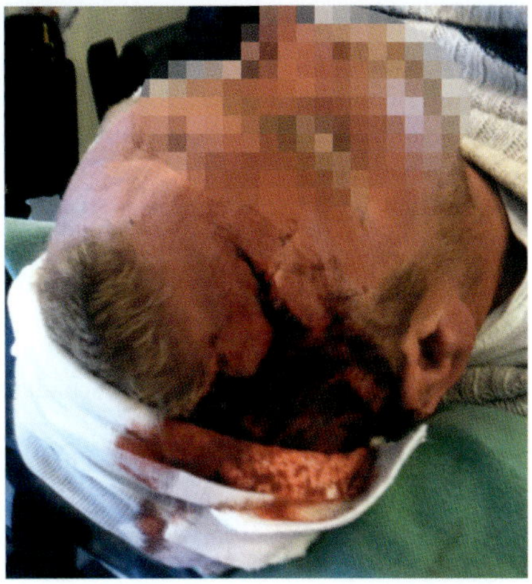

Abb. 24.3 Skalpierungsverletzung [M235]

- **Schürfwunden** (→ Abb. 24.1 ⑦) sind oberflächliche Verletzungen der Epidermis, die kaum bluten. Die Heilung erfolgt nach einer Schorfbildung ohne zurückbleibende Narben. Das Infektionsrisiko ist bei diesen schmerzhaften Wunden gering.
- **Prellungen** (Kontusionswunden) entstehen durch einseitige Gewalteinwirkung auf Gewebestrukturen. Sie sind daher nicht so tief und ausgedehnt wie Quetschwunden. Durch diese Verletzungsart entstehen Hämatome, Ödeme und Funktionseinschränkungen.
- **Schusswunden** (→ Abb. 24.1 ⑨) können sich sehr unterschiedlich darstellen, je nach Form, Art und Größe des Projektils. Man unterscheidet **Streif-, Steck- und Durchschüsse.** Die Einschussöffnung beim Durchschuss ist eher klein und es entsteht eine größere Austrittsöffnung mit unregelmäßigen Wundrändern. In jedem Fall sollte zur Beurteilung die Geschossbahn rekonstruiert werden, da sich daraus eventuelle Organverletzungen ableiten lassen. Die Geschosse können an Knochen abprallen oder ihn zerschmettern, sodass dadurch kaum nachvollziehbare Wundkanäle entstehen. Bei Einschussöffnungen durch Schüsse aus nächster Nähe sieht man häufig Schmauchspuren (Pulverreste). Besonders ausgedehnte Gewebszerstörungen werden durch Schrotschüsse aus kürzester Entfernung hervorgerufen. Bei zunehmender Schussdistanz aus Schrotgewehren finden sich viele isolierte Einschüsse (→ Kap. 15.9.3).
- **Explosionswunden** sind durch eine Druckwelle verursachte große Hautläsionen, wobei auch tiefere Gewebeschichten zerstört sein können. Umherfliegende Splitter können wie Geschosse in den Körper eindringen. Eine genaue Inspektion nach Entfernen der Kleidung ist hier entscheidend. Bei großen Detonationen sollte man immer auch an Begleitverletzungen wie Trommelfellrupturen oder Lungeneinrisse denken (→ Kap. 15.8.2).
- **Bisswunden** (→ Abb. 24.1 ⑪) stellen sich häufig als Rissquetschwunden dar. Meist handelt es sich um Hundebisse. Sie reichen von leichten Oberhautdefekten bis zu tiefen, ausgedehnten Gewebeschäden. Es ist möglich, dass Teile der Haut und des darunterliegenden Gewebes vollständig herausgebissen werden. Bei Katzen- und Schlangenbissen entstehen durch die dünnen, spitzen Zähne stichwundenartige Verletzungen, die gerade an Händen und Füßen bis in Gelenkhöhlen reichen können. Eine große Gefahr bei Bisswunden liegt in der Kontamination durch den bakterienhaltigen Speichel. Eine Besonderheit stellen **Schlangenbisse** dar. Die in Europa beheimateten Giftschlangen wie die Kreuzotter oder einige Viperarten hinterlassen zwei ca. 1 cm auseinanderliegende kleine Stichwunden. Durch die Giftwirkung kommt es rasch zu lokalen Reaktionen wie Schwellung, blauviolette Verfärbungen und Schmerzen. Als allgemeine Symptome können Übelkeit, Schwindel, Erbrechen und eine Hypotonie auftreten. Selten führen diese Vergiftungen zum Tode.
- **Brandwunden** (→ Abb. 24.1 ⑫) sind durch Hitze oder Strahlen hervorgerufene Hautschädigungen. Das Ausmaß der Schädigung ist abhängig von der Temperatur und der Einwirkungszeit. Ihre Schwere wird nach Tiefe und Fläche der Schädigung beurteilt (→ Kap. 42.5).
- **Erfrierungen** (→ Abb. 24.1 ⑬) sind in der heutigen Zeit sehr selten. Wenn Erfrierungen auftreten, so sind im Regelfall nur Regionen betroffen, die vom Körperkern entfernt liegen, z. B. Ohren, Finger, Zehen (→ Kap. 42.3).
- **Verätzungen** (→ Abb. 24.1 ⑭) entstehen durch den Kontakt mit aggressiven Chemikalien, die, sobald sie mit der Haut in Kontakt kommen, eine chemische Reaktion mit Freisetzung von Wärme auslösen. Grundsätzlich wird dabei zwischen Säuren und Laugen unterschieden. Erstere führen zu einer Verschorfung, da der Organismus sie z. T. abpuffern kann, Letztere schmelzen das Gewebe ein (Kolliquationsnekrosen). Das Ausmaß ist abhängig von der Einwirkdauer, dem pH-Wert, der Konzentration und der Menge des Stoffs.

IM FOKUS

Wundarten

- Je nachdem, welche Wundart vorliegt, hat dies auch Auswirkungen auf die therapeutischen Entscheidungen.
- **Großflächige** (Ablederungen, Abschürfungen) oder sehr tiefe Wunden neigen eher dazu, zu **verschmutzen** und zu **entzünden.**
- **Penetrierende Wunden** (Stichwunden, Schusswunden) sind in ihrer Bedrohlichkeit nur **schwer einzuschätzen,** weil sie bis tief in den Körper vordringen können.
- **Bisswunden** können, je nach Verursacher, eine spezielle **Keimflora** aufweisen, **Gifte** in die Haut einbringen oder bestimmte **Krankheiten** verursachen.

24.3 Blutstillung bei lebensbedrohlichen Blutungen

Das Stillen von lebensbedrohlichen Blutungen gehört zu den vordringlichsten Maßnahmen in der Notfallmedizin. Es hat **Vorrang** vor allen anderen Hilfeleistungen. Dem wurde vor allem beim Trauma Rechnung getragen, indem man dem ABCDE-Schema (→ Kap. 17.1.4) ein X voranstellt. Das X beim X-ABCDE steht dabei für „**Ex**sanguinating Hemorrhage", also lebensbedrohliche Blutung.

Blutende Wunden sind häufig durch die Kleidung oder durch die Lagerung des Verletzten verdeckt (z. B. Blutung aus einer Rückenwunde in Rückenlage). Beim Auffinden verletzter Personen muss immer nach Blutungen aus verdeckten Wunden gesucht werden. Eine frühzeitige Kopf-bis-Fuß-Untersuchung bringt Klarheit (→ Kap. 17.2).

Die ideale Lösung zur Stillung von Blutungen stellt der **Druckverband** dar. Mehr als 90 % aller Blutungen lassen sich so stillen. Vor Anlage eines Druckverbands muss eine Fraktur ausgeschlossen werden. Bis zur Durchführung und während des Verbindens sollte die Blutungsquelle möglichst über das Herzniveau gebracht werden. Dadurch lässt die Intensität der Blutung nach. Dabei kann die zur Wunde führende Arterie abgedrückt werden. Diese Maßnahme setzt gute anatomische Kenntnisse über den Verlauf entsprechender Arterien voraus. Besonders effektiv und leicht durchzuführen ist die digitale Kompression an der A. temporalis, A. carotis, A. brachialis (→ Abb. 24.4), A. femoralis (→ Abb. 24.5) und der A. poplitea.

Bereitet das Abdrücken der Arterie Schwierigkeiten, so muss sofort mit sterilen Kompressen direkter Druck auf das Wundgebiet ausgeübt werden. Beim Druckverband werden mithilfe eines Druckpolsters Wundränder und eröffnete Gefäße komprimiert. Damit wird der Blutaustritt zum Stillstand gebracht. Das Druckpolster muss elastisch sein und die Wundränder überdecken (→ Kap. 24.3.1). Bei jedem Druckverband ist zu beachten, dass Stauungen unbedingt vermieden werden müssen. Er muss ständig kontrolliert werden. Tropft oder blutet der Verband durch, so ist ein weiteres Druckpolster aufzubringen. Bei einem Druckverband, besonders an Kopf oder Rumpf, ist unter Umständen trotz mehrerer Druckpolster der Druck nicht ausreichend. Dann muss bis zur chirurgischen Versorgung zusätzlich **manuell komprimiert** oder eine iTClamp (→ Abb. 24.9) eingesetzt werden.

25

LAGERUNG, TRANSPORT UND RETTUNGSTECHNIKEN

Torsten Moeser (25.1, 25.3–25.5.5, 25.6, 25.8, 25.9), Frank Flake, Tobias Sambale (25.2, 25.5.6), Timo Alberding (25.7)

FALLBEISPIEL

Notfallmeldung

Die Leitstelle alarmiert einen Rettungswagen und ein NEF in einen nahe gelegenen Industriebetrieb. Dort sei ein junger Mann mit plötzlich aufgetretenen starken Kopfschmerzen.

Situation und Ersteindruck

Der Patient befindet sich im Sanitätsraum im Erdgeschoss des Gebäudes. Es handelt sich um einen ca. 20-jährigen Mann, der mit leicht erhöhtem Oberkörper auf einer Untersuchungsliege liegt. Der Ersthelfer des Betriebs betreut den jungen Mann.

Leitsymptom

Starke Kopfschmerzen.

INHALTSÜBERSICHT

25.1 RETTUNG UND LAGERUNG

- Schutzhelme müssen frühzeitig abgenommen werden, um eine Aspiration zu verhindern, Verletzungen zu demaskieren und eine Stabilisierung der HWS zu ermöglichen.
- Rettungsgriffe dienen der Rettung des Patienten aus dem Gefahrenbereich.
- Der Rettungsgriff nach Heimlich findet Anwendung bei Fremdkörperaspiration, wenn andere Maßnahmen nicht ausreichen.
- Eine stabile Seitenlage kann heute auch in vereinfachter Form durch die Recovery-Position hergestellt werden. Entscheidend ist, dass der Kopf der tiefste Punkt ist und ggf. Erbrochenes ungehindert abfließen kann sowie die Atemwege offen gehalten werden.
- Die Lagerung auf der Vakuummatratze eignet sich besonders zur Fixierung des Rumpfes, des Beckens und der Oberschenkel. Bei Transportzeiten > 10 Min. ist die Vakuummatratze dem Spineboard vorzuziehen.
- Für viele Erkrankungen gibt es spezielle Lagerungstechniken, deren Durchführung zu den Basismaßnahmen eines jeden Notfallsanitäters gehört.

25.2 PFLEGERISCHE ASPEKTE IN KRANKENTRANSPORT UND NOTFALLEINSATZ

- Bedingt vor allem durch den demografischen Wandel ist Rettungsfachpersonal immer öfter mit Pflegebedürftigen und der Notwendigkeit von Pflegemaßnahmen während der rettungsdienstlichen Patientenversorgung konfrontiert.
- Um eine optimale Weiterversorgung des Patienten zu gewährleisten, müssen alle Patienten strukturiert übernommen und übergeben werden. Dabei ist ein Pflegeüberleitungsbogen eine große Hilfe.

25.3 KRANKENTRANSPORT

- Unter dem Begriff Krankentransport werden alle Transporte zusammengefasst, die aus medizinischen Gründen notwendig sind, um einen Patienten, der aufgrund seiner Erkrankung oder seines Zustands kein öffentliches Verkehrsmittel benutzen kann, zu transportieren.
- Unterschieden werden qualifizierte und nicht qualifizierte Krankentransporte. Bei Letzteren werden Patienten von medizinisch nicht geschultem Personal transportiert.

25.4 NOTFALLTRANSPORT

- Unter einem Notfalltransport versteht man den Transport oder die Rettung von vital lebensbedrohlich verletzten oder erkrankten Personen. Ebenso kann es sich dabei um die Verhinderung von Sekundärschäden handeln, z. B. bei Frakturen etc.
- Es gibt verschiedene Strategien zur Abarbeitung eines Notfalltransports. Hierzu zählen „Load and Go", „Load, Go and Treat" sowie „Stay and Play".

25.5 SEKUNDÄR- BZW. INTENSIVTRANSPORT

- Sekundäreinsätze sind Transporte von Patienten von einem Krankenhaus in ein anderes zum Zweck der besseren Patientenversorgung, einer konsiliarischen Mitbehandlung durch eine spezielle Fachabteilung oder der Einleitung von frührehabilitativen Maßnahmen nach erfolgten Akutinterventionen, vor allem bei neurologischen und neurochirurgischen Patienten.
- Pro Jahr werden bundesweit im Rettungsdienst ca. 1 Mio. Sekundäreinsätze durchgeführt, wovon ca. 10 % kontinuierlich intensivmedizinischen Standard in der Überwachung und Therapie der Patienten erfordern.

SACHLICHE UND MATERIELLE VORAUSSETZUNGEN

- Die sachlichen und materiellen Voraussetzungen sind so zu wählen, dass die für die Patienten erforderlichen Therapie- und Überwachungsmaßnahmen während des gesamten Transports sichergestellt werden können.
- Mindestausstattung sollte sein: EKG-Monitor, Beatmungsgerät, Pulsoxymetrie, Spritzenpumpe, noninvasive Blutdruckmessung, Defibrillator und Transkutanschrittmacher.
- Für High-Risk-Patienten zusätzlich: invasive Blutdruckmessung, 12-Kanal-EKG, Kapnometrie, spezielle Beatmungsgeräte aus der Intensivmedizin. Hier darf aber die Ladungssicherung nicht außer Acht gelassen werden. In der Praxis wird oft schon modular gedacht, indem eine Grundausstattung auf Rettungswagen vorgehalten wird, die fakultativ durch Sonderausstattung ergänzt wird, die in NEF vorgehalten wird und auch in die Gerätehalterungen der RTW passt. Ebenso können im RTW zusätzlich Halteschienen verarbeitet sein, die dann Zusatzausstattung, z. B. Perfusoren, aufnehmen können.

LOGISTIK DES SEKUNDÄRTRANSPORTS

- Jeder Sekundäreinsatz erfordert spezielle logistische Vorbereitungen und eine gesonderte Einsatzplanung, um die Risiken im „Falle eines Falles" so weit wie möglich zu reduzieren. In manchen Bundesländern gibt es spezielle Koordinierungsstellen für Sekundärverlegungen, in anderen sind die örtlich zuständigen Rettungsleitstellen in der organisatorischen Verantwortung.

DURCHFÜHRUNG EINES SEKUNDÄREINSATZES

- Ein geeignetes Organisationsschema zur Durchführung eines Sekundäreinsatzes besteht aus acht Bestandteilen: Indikation zur Verlegung, Herstellung der Transportfähigkeit, Absprache zwischen verlegendem und aufnehmendem Arzt, Meldung an die Rettungsleitstelle, Organisation des Rettungsmittels, Übernahme in der verlegenden Klinik, Transportdurchführung und Übergabe in der aufnehmenden Klinik.

25.5.6 Sonderfall: ECMO-Transport

DEFINITION

ECMO steht für *„extrakorporale Membranoxygenierung"*. Das Blut des Patienten wird bei diesem Verfahren über große Kanülen entnommen, in einem **Oxygenator** mit Sauerstoff angereichert und wieder in den Kreislauf des Patienten zurückgeleitet. Die Lungen werden so umgangen und geschont.

ECMO-Transporte finden im Rettungsdienst vorwiegend als Sekundärtransporte statt (→ Abb. 25.26). In einigen Rettungsdienstbereichen kann eine ECMO auch präklinisch im Rahmen einer Reanimation angelegt werden (→ Kap. 23.2.7). Die notwendigen Maßnahmen werden in beiden Fällen von einem spezialisierten **ECMO-Team** durchgeführt. Dieses besteht zumeist aus einem Kardiochirurgen, einem Kardiotechniker und einer spezialisierten Pflegekraft. Dies bedeutet für das Rettungsfachpersonal eine ungewohnte Situation, da sie die Einsatzleitung fast komplett in die Hand von Unbekannten geben müssen. Dennoch darf es bei ECMO-Transporten unter keinen Umständen zu Verantwortungskonflikten kommen.

Abb. 25.26 ECMO-Transport. Der Notfallsanitäter vorne links trägt das ECMO-Gerät in der Hand. [K405]

Vor einem Transport sollte klar erfragt werden, welche Erwartungen das ECMO-Team an das Rettungsfachpersonal hat und wie man gemeinsam auf Komplikationen reagieren könnte.

VORSICHT! Der schlimmste anzunehmende Zwischenfall ist die **Dislokation einer Kanüle.** Dabei kann der Patient innerhalb von nur einer Minute 6–7 l Blut verlieren. Schläuche, Geräte und Patient müssen also während der Fahrt so gesichert sein, dass zu keinem Zeitpunkt ein Risiko für die Schlauchverbindungen besteht. Der Fahrstil muss entsprechend ruhig und gleichmäßig erfolgen: **Schnelles Anfahren und Abbremsen vermeiden!**

25.6 Schwerlasttransport

Stark adipöse Patienten sind heute im Rettungsdienst keine Ausnahme mehr. Entsprechend wächst die Anzahl der bereits vorgehaltenen **Schwerlast-Rettungswagen** (S-RTW) jährlich (→ Abb. 25.27) und auch im KTW-Bereich werden immer mehr S-KTW stationiert. Um die Fahrzeuge besser nutzen zu können, werden sie teilweise so ausgestattet, dass sie gleichzeitig auch für Intensivtransporte oder für den Transport von Inkubatoren genutzt werden können. Zum Teil werden Adipositaskonzepte auch mit Großraum-Rettungswagen (G-RTW) verwirklicht. Während die Einsatzhäufigkeit in Großstadt- und Ballungszentren höher ist, wird im ländlichen Bereich meist bereichsübergreifend die Vorhaltung sichergestellt.

S-RTW kommen zum Einsatz, wenn das Gewicht des Patienten die höchstzulässige Ladung einer Patiententrage von 130–250 kg (je nach Trage auch mehr) überschreitet oder der Tragetisch diese Lasten nicht verarbeiten kann. Natürlich ist auch die Besatzung selbst ein limitierender Faktor. Auch wenn Trage und Tragetisch für derart hohe Gewichte ausgelegt sind, ist es eine Besatzung, bestehend aus zwei Teammitgliedern, sicher nicht. Hier müssen weitere Kräfte vorgehalten werden, denn meist muss der Patient ja aus seinem häuslichen Umfeld erst einmal auf die Schwerlasttrage verbracht werden. Dies erfolgt entweder durch mehrere Helfer (auch Kräfte der Feuerwehr) mit speziellen Adipositas-Tragetüchern. Ist dies nicht möglich, so müssen andere Techniken wie Drehleiter oder Höhenrettung mit einem Kranwagen eingesetzt werden. Zur gefahrlosen Bedienung der Spezialtragesysteme müssen die S-RTW-Besatzungen entsprechend eingewiesen sein.

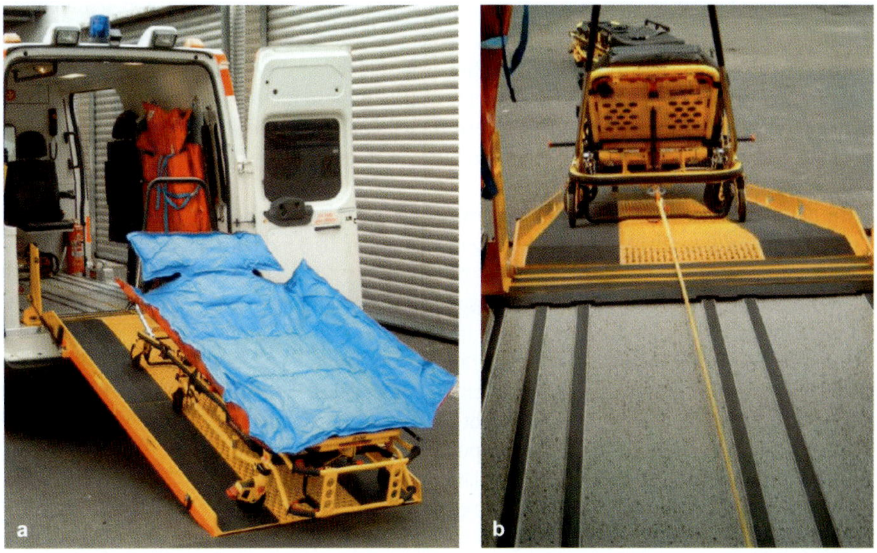

Abb. 25.27 Schwerlast-Rettungswagen: **a)** Außenansicht, **b)** Zugvorrichtung der Trage [W936–001]

Bei der Übernahme des Patienten auf die Spezialtrage und dem Beladevorgang in den RTW ist darauf zu achten, dass sich die Helfer gleichmäßig um die Trage verteilen, damit ein Kippen bei der Lastverteilung, z. B. durch Unebenheiten, verhindert wird. Gleiches gilt beim Entladen in der Zielklinik. Mittlerweile gibt es aber auch schon gute automatische Tragesysteme, welche die Trage kraftgetrieben heben und absenken sowie die Beladung des Tragetischs ermöglichen.

Bei der Lagerung des Patienten sind **Zustand und Krankheitsbild** zu beachten. Flaches Liegen ist für adipöse Patienten häufig mit einem Problem verbunden, da die Bauchorgane auf das Zwerchfell drücken und so einen Zwerchfellhochstand hervorrufen, der die Atemmechanik behindert. Daher bieten sich Oberkörperhochlagerungen an. Weiterhin ist zu bedenken, dass die Patienten meist schwerwiegende Begleiterkrankungen, wie z. B. ein metabolisches Syndrom, haben. Mit Komplikationen ist entsprechend immer zu rechnen. Ein engmaschiges Monitoring und eine genaue Beobachtung des Patienten sind hier äußerst wichtig.

PRAXISTIPP

Handelt es sich beim Schwerlasttransport um eine in diesem Fall eher seltene Konsiliar- oder Behandlungsfahrt, so sollte bedacht werden, dass gerade das Personal in der Einrichtung, in der das Konsil oder die Behandlung durchgeführt werden soll, meist weder sachlich noch konstitutionell auf derartige Patienten eingestellt ist. Gegebenenfalls ist hier mit Wartezeit zu rechnen, um den Patienten nach der Behandlung oder dem Konsil gleich wieder aufnehmen zu können. Unnötiges Umlagern kann so verhindert und der Patient auf der Schwerlasttrage belassen werden.

25.7 Infektionstransport

Die Zahl der Infektionstransporte nimmt vor allem wegen multiresistenter Keime deutlich zu.

Zu unterscheiden ist, ob die Infektionskrankheit bei Auftragserteilung bekannt ist oder sich der Verdacht erst später festigt, wenn das Rettungsfachpersonal beim Patienten oder dieser in der Klinik untersucht worden ist.

Ist die Infektion bei Auftragserteilung nicht bekannt und stellt sich der Verdacht erst bei der Versorgung heraus, so ist das Fahrzeug nach diesem Transport nicht mehr einsatzbereit und muss entsprechend den Anweisungen des gültigen Hygienekonzepts aufbereitet werden (→ Kap. 16.1.5).

In einigen wenigen großstädtischen Bereichen gibt es spezielle Fahrzeuge für Infektionstransporte. Allerdings werden diese nicht für den „Standard-Infektionstransport", sondern für seltene schwere Fälle genutzt, z. B. bei der Berufsfeuerwehr Hamburg, in deren Einzugsbereich das Tropeninstitut liegt.

In beiden Fällen muss die Besatzung prüfen, ob sie den Transport mit den mitzuführenden Infektionsschutzausrüstungen bewerkstelligen kann.

Wenn sichergestellt ist, dass der Transport durchgeführt werden kann, so ist zu klären, ob die Einrichtung, in die der Transport durchgeführt werden soll, über die Infektionskrankheit informiert ist. Am Zielort müssen ggf. Vorbereitungen für eine Isolation des Patienten getroffen werden. In manchen Kliniken gibt es für Infektionspatienten separate Zugänge, um eine Keimverschleppung durch die gesamte Klinik zu vermeiden. Auch dies muss ggf. geklärt werden.

Je nach Infektionskrankheit und vorgenommenen Schutzmaßnahmen muss die Fahrzeugbesatzung klären, ob eine **Desinfektion vor Ort** mit mitgeführten Desinfektionsmitteln möglich ist. Manche Rettungsdienstbereiche haben für diese Zwecke in den Liegendaufnahmen Desinfektionseinrichtungen, in denen fertig gemischte Desinfektionslösungen entnommen werden können.

Ist eine **Desinfektion nur auf der Rettungswache** möglich, so wird diese angefahren und das Fahrzeug entsprechend dem Hygieneplan desinfiziert sowie verwendetes medizinisches Material aufbereitet. Entsprechende Einwirkzeiten, die vom Hygienehandbuch vorgegeben sind, müssen eingehalten werden. Die übliche Einsatzdokumentation wird i. d. R. durch ein spezielles Infektionstransportprotokoll vervollständigt, das neben organisatorischen Daten die angewandten Schutzmaßnahmen beim Personal und beim Patienten sowie die anschließenden Desinfektionsarbeiten dokumentiert.

Erst wenn alle Arbeiten abgeschlossen und das Desinfektionsmittel ausreichend eingewirkt hat, ist das Fahrzeug wieder einsatzbereit.

IM FOKUS

Besondere Patiententransporte

- **Intensivtransporte:** große Variabilität; wichtig sind gründliche Planung des Einsatzes, geschultes Personal und richtige technische Ausstattung
- **ECMO-Transporte:** immer Hochrisikotransporte; spezialisiertes ECMO-Team im Einsatz; Lebensgefahr bei Dislokation einer Kanüle
- **Schwerlasttransporte:** Einsatz von S-RTW und speziellem Team; unnötige Patiententransfers vermeiden; Lagerung als besondere Problemstellung
- **Infektionstransporte:** angemessene Vorbereitung notwendig (!); Schutzmaßnahmen hängen von Erreger ab; bestimmte Keime erfordern Spezialfahrzeuge

25.8 Sonstige Transporte

Zu den sonstigen rettungsdienstlichen Transporten, die nicht alltäglich sind, zählen insbesondere Blut-, Material- und Organtransporte. Selten, aber durchaus vorkommend sind ebenfalls Repatriierungen bzw. Transporte von Transplantationsteams, Gewebeproben oder Antiseren.

- Beim **Bluttransport** müssen in absoluten Notfallsituationen Blutkonserven für einen Patienten in eine Klinik transportiert werden. Das ist z. B. dann nötig, wenn die klinikeigenen Reserven aufgebraucht sind und der zuständige Blutspendedienst nicht schnell genug nachliefern kann. Diese Transporte werden i. d. R. von speziellen Diensten übernommen. Falls diese jedoch ausgelastet sind, können diese Transporte auch auf den Regelrettungsdienst zukommen.
- **Materialtransporte** können dann notwendig werden, wenn z. B. in Kliniken eines Klinikverbunds Geräte (z. B. Beatmungsgeräte etc.) oder OP-Besteck aus Kapazitätsgründen ausgetauscht werden muss oder sogar ein Gerät zur externen Herzdruckmassage zu einer laufenden Reanimation unter Lyse gebracht werden soll.
- Auch sog. **Schnellschnitte** werden manchmal durch den Rettungsdienst transportiert. Hierbei ist eine schnellstmögliche histologische Abklärung eines Operationsbefunds notwendig. Die Patienten sind während der Zeit weiterhin in Narkose und im Operationssaal, um umgehend eine Resektion einzuleiten, wenn es sich um einen malignen Tumor handelt.
- **Organtransporte bzw. der Transport von Transplantationsteams** gehören zu den Sondertransporten. Entweder werden durch den Rettungsdienst Organe, die in einer Klinik explantiert wurden, in die

implantierende Klinik oder aber zu einem Flughafen transportiert, um luftgebunden an den Implantationsort verbracht zu werden. Dies kann mit oder ohne Transplantationsteam erfolgen. Auch die Abholung eines Organs an einem Flughafen, um das Team in die Klinik zu transportieren oder gar den Organempfänger zur Transplantation zu bringen, kann sich hinter dieser Transportart verbergen.

- Seltener sind **Arzneimitteltransporte,** wenngleich sie schon vielen Menschen das Leben gerettet haben. Gerade nach Bissen hochgiftiger Tiere, die heute auch in deutschen Wohnzimmern in Terrarien oder Aquarien gehalten werden, beginnt ein Wettlauf mit der Zeit. Nicht alle Antiseren sind überall sofort verfügbar, sodass Transporte dieser Antiseren über weite Strecken notwendig sind.
- **Repatriierungen** sind Sondertransporte im Sinne von Auslandsrückholungen. Meist betrifft dies Urlauber, die im Urlaubsgebiet verunfallt oder erkrankt sind, aber auch Personen, die im Ausland für deutsche oder ausländische Unternehmen beschäftigt sind. Auftraggeber sind meist Auslandskranken- oder Reiserückholversicherungen. Einer der größten Anbieter von Reiserückholungen ist der ADAC.
  Repatriierungen werden auf viele Arten durchgeführt:
  - Ein Lotse, je nach Erfordernis mit oder ohne medizinische Ausbildung, reist an den Abholungsort und fährt den Patienten mit dessen Pkw oder einem mitgebrachten Pkw zurück nach Deutschland.
  - Die nächste Form ist der Transport mit einem KTW, KTW mit Arztbesetzung sowie RTW oder RTW mit Arztbesetzung, je nachdem, wie sich das Krankheitsbild für den Arzt der Versicherung im Gespräch mit dem behandelnden Arzt vor Ort darstellt.
  - Über weite Strecken kommen Linienflüge in Betracht, die durch Ärzte oder Notfallsanitäter und Rettungsassistenten begleitet werden müssen. Muss der Patient dabei liegen, so kommt ein Stretcher (→ Abb. 25.28) zum Einsatz, auf dem der Patient liegen kann. Hierfür werden Sitze des Linienflugzeugs entfernt.
  - Muss der Patient aufwendig überwacht oder gepflegt werden, so kommen Ambulanzflugzeuge zum Einsatz. Auf sehr langen Strecken, die bei einem Ambulanzflugzeug mehrere Tankstopps erfordern würden, kann in Verkehrsflugzeugen der Lufthansa das Patient Transportion Compartment (PTC) genutzt werden. Hierbei handelt es sich um eine in sich geschlossene Intensivstation, die nach Entfernen dreier Sitzreihen im Flugzeug installiert wird und auf transkontinentalen Flügen kostengünstiger und zeiteffizienter ist.

Abb. 25.28 Stretcher [V669]

25.9 Transport aus der Sicht des Patienten

Einen RTW zu fahren ist mehr, als bloß einen Patienten von Punkt A zu Punkt B zu transportieren. Den RTW richtig durch den Verkehr zu steuern, ist ein bedeutender Aspekt der Patientenversorgung. Dabei geht es nicht nur darum, den **Patienten** in bestimmten Fällen rasch und sicher ins Krankenhaus zu begleiten. Die **Teamkollegen** im Patientenraum sollten in der Lage sein, den Patienten auch während der Fahrt zu betreuen. Dabei muss bedacht werden, dass es für den Kollegen, der die Betreuung übernimmt, nur die Sicherung auf dem Betreuersitz gibt. Sollte zwischendurch ein Aufstehen notwendig werden, z. B. um ein Medikament aufzuziehen, besteht keine Sicherung. Nicht zuletzt ist ein unsanfter Transport für den Patienten eine zusätzliche psychische und physische Belastung; bestehende Verletzungen können sogar verschlimmert werden. Insbesondere kann als Transporttrauma eine Kinetose ausgelöst werden, indem die Fahrphysik eine wiederholte Stimulation des Vestibularsystems verursacht. Hierfür sind plötzlich einsetzende Beschleunigung und Bremsen sowie unsanfte Richtungsänderungen und Kurvenfahrten verantwortlich. Dies kann zu vegetativen Störungen wie Übelkeit, Kopfschmerzen, Schwindel und Blutdruckschwankungen führen.

Hat der RTW einen Patienten an Bord, ist es die Hauptaufgabe des Lenkers, ruhig, schonend und sanft zu fahren. Ein sehr geringer Teil der Notfallpatienten benötigt einen Transport ins Krankenhaus unter Inanspruchnahme von Sonderrechten. Sollten diese trotzdem beansprucht werden, muss plötzliches Abbremsen oder Beschleunigen dennoch vermieden werden. Durch eine vorausschauende Fahrweise erkennt man Straßenunebenheiten und kann diese sanft um- oder überfahren. Spurwechsel, die notwendig werden, sollten tangential statt ruckartig erfolgen.

ACHTUNG! Bedenkt man die zunehmende Klagelust der Bevölkerung, so muss man das Thema Patiententransport auch juristisch bedenken. Es gibt Urteile, so z. B. vom OLG Hamm, dass bereits dann ein Verkehrsunfall vorliegt, wenn ein Fahrzeuginsasse durch **unvorsichtige Fahrweise** des Fahrers verletzt oder geschädigt wird.

Besser als nur die Vorstellung der auf den Patienten einwirkenden Kräfte ist das Erleben am eigenen Körper. Die Lenker von Fahrzeugen des RD sollten daher mindestens zweimal jährlich im RTW während der Fahrt probeliegen, um Verständnis für die Situation des Patienten zu erhalten. Noch besser sind Fahrerschulungen, die dies im rotierenden System für alle möglichen Plätze wie Fahrer-, Beifahrer-, Betreuersitz und die Trage vorsehen, denn so kann sich der Fahrer in alle Positionen eindenken und -fühlen.

WIEDERHOLUNGSFRAGEN

1. Welche Risiken versucht man mit der Helmabnahme zu umgehen (→ Kap. 25.1.1)?
2. Was möchte man mit dem Heimlich-Handgriff oder -Manöver bewirken und wann wird er/es eingesetzt (→ Kap. 25.1.3)?
3. Welchen Effekt möchte man bei der stabilen Seitenlage oder der Recovery-Position erreichen (→ Kap. 25.1.4)?
4. Wann ist eine Vakuummatratze indiziert (→ Kap. 25.1.4)?
5. Wann ist der unblutige Aderlass indiziert und wie wird er durchgeführt (→ Kap. 25.1.5)?
6. Bis wie viel Grad sollte das Kopfteil einer Trage beim SHT aufgestellt werden (→ Kap. 25.1.5)?
7. Warum ist die Anwendung der Schocklage umstritten (→ Kap. 25.1.5)?
8. Welche verschiedenen Arten eines Krankentransports gibt es (→ Kap. 25.3)?
9. Wie viel Gepäck darf auf einem Krankentransport befördert werden (→ Kap. 25.3)?
10. Was verbirgt sich hinter dem Begriff „Stay and Play" (→ Kap. 25.4)?
11. Was sind Sekundärtransporte und wie viele Transporte fallen bundesweit pro Jahr an (→ Kap. 25.5)?
12. Was ist hinsichtlich der sachlichen und materiellen Voraussetzungen bei Sekundärtransporten zu beachten und warum (→ Kap. 25.5.1)?
13. Welche logistischen Vorbereitungen sind bei jedem Sekundärtransport vorzunehmen und wie sieht eine konkrete Einsatzplanung eines solchen Transports aus (→ Kap. 25.5.2)?
14. Welche Bestandteile hat eine optimale Durchführung eines Sekundäreinsatzes (→ Kap. 25.5.3)?
15. Nennen Sie typische Gefahren und Komplikationen von Sekundärtransporten (→ Kap. 25.5.5).
16. Wann kommen Schwerlast-Rettungswagen zum Einsatz (→ Kap. 25.6)?
17. Worauf ist bei Infektionstransporten im Besonderen zu achten (→ Kap. 25.7)?
18. Nennen Sie zwei wichtige Unterschiede in der Organisation von Infektionstransporten (→ Kap. 25.7).

AUFLÖSUNG DES FALLBEISPIELS

Verdachtsdiagnosen

Schlaganfall, Infektion, Vergiftung

Schlüsselinterventionen

Der Patient ist wach und reagiert auf das Eintreffen der RTW-Besatzung. Der Atemweg des Patienten ist frei, die Atmung leicht beschleunigt. Peripher ist der Puls gut tastbar und die Rekapillarisierungszeit entspricht der Norm. Beide Pupillen reagieren seitengleich auf Licht und sind mittelweit.

Der Patient gibt an, dass er noch nie so starke Kopfschmerzen hatte. Sie seien plötzlich aufgetreten und hauptsächlich hinter der Stirn und der Schläfe lokalisiert. Der Patient bewertet den Schmerz mit NRS = 8. Weiterhin berichtet er über ein Pelzigkeitsgefühl im linken Arm. Bei der Untersuchung ist hier auch eine diskrete motorische Schwäche feststellbar. Ansonsten war der junge Mann bisher weder krank noch hatte er größere Verletzungen oder größere Operationen. Eine Dauermedikation wird nicht eingenommen. Die Vitalparameter sind unauffällig.

Nach Eintreffen des Notarztes und einer kurzen Übergabe entscheidet dieser, den Patienten unter Voranmeldung in eine Klinik mit neurologischer Abteilung zu transportieren. Der Transport verläuft komplikationslos.

Klinik

Kurz nach Eintreffen in der interdisziplinären Notaufnahme der Klinik erbricht der junge Patient schwallartig. Dabei zeigt sich eine Pupillendifferenz rechts > links und eine nun voll ausgeprägte linksseitige Hemiparese.

Der Patient wird umgehend intubiert und beatmet. Danach wird er sofort zur CT-Diagnostik gebracht.

Dort zeigt sich eine atypische intrazerebrale Blutung bei einer arteriovenösen Malformation. Es zeigt sich weiterhin eine Mittellinienverlagerung, der rechte Ventrikel ist im Bereich des Vorderhorns leicht komprimiert, sodass nach telemedizinischer Übermittlung der Bilder eine neurochirurgische Interventionsindikation gestellt wird.

Der Patient muss nun in die Neurochirurgie einer Klinik der Maximalversorgung verlegt werden, die Transportdauer wird bodengebunden etwa 20–30 Minuten, luftgebunden etwa 11 Minuten dauern.

Da zur neurochirurgischen Intervention bei bereits eingetretener Mittellinienverlagerung und beginnender Kompression des Ventrikels eine zeitlich kritische Verlegung vorliegt, wird von der Rettungsleitstelle ein entsprechendes Rettungsmittel angefordert.

Die in diesem Bundesland zuständige Koordinierungsstelle für Intensiv- und Sekundärtransporte hat kein schnelleres Rettungsmittel zur Verfügung. Da im Berufsverkehr mit einer längeren bodengebundenen Transportzeit zu rechnen ist, wird der regional zuständige Rettungshubschrauber zur Verlegung alarmiert.

Bereits 10 Minuten nach Alarm landet der Hubschrauber auf dem Dachlandeplatz der abgebenden Klinik. Nach dem Arzt-Arzt-Gespräch und während der Übergabe durch die Pflege wird der Patient an die Beatmung des Hubschraubers übernommen, was bei IPPV komplikationslos funktioniert.

Nach Umlagerung erfolgt eine nochmalige Re-Evaluierung und Feststellung der Transportfähigkeit. Nach 11-minütigem komplikationslosem Flug wird der Patient an das Schockraumteam des Maximalversorgers übergeben und nach kurzer Übergabe direkt zur OP-Schleuse gebracht.

Diagnose

Intrazerebrale Blutung.

WEITERFÜHRENDE LITERATUR

Flake F, Runggaldier K. Arbeitstechniken A–Z für den Rettungsdienst. 4. A. München: Elsevier/Urban & Fischer, 2023.

Häske D, Blumenstock G, Hossfeld B et al. Entscheidungshilfe zur prähospitalen Wirbelsäulenimmobilisation (Immo-Ampel). In: Deutsches Ärzteblatt. 2022; 119(44): 753–758.

Luxem J, Kühn D, Runggaldier K. Rettungsdienst heute. 5. A. München: Elsevier/Urban & Fischer, 2010.

Luxem J, Kühn D, Runggaldier K. Rettungsdienst RS/RH. 4. A. München: Elsevier/Urban & Fischer, 2017.

NAEMT (Hrsg.) Advanced Medical Life Support – Präklinisches und klinisches Notfallmanagement. München: Elsevier/Urban & Fischer, 2013.

NAEMT (Hrsg). Präklinisches Traumamanagement – Prehospital Trauma Life Support (PHTLS). 3. A. München, Elsevier/Urban & Fischer, 2017.

G

26

MEDIZINISCHE GRUNDLAGEN

Jürgen Luxem

INHALTSÜBERSICHT

26.1 KRANKHEITSLEHRE (NOSOLOGIE)

- Gesundheit ist laut WHO der Zustand völligen körperlichen, geistigen und sozialen Wohlbefindens.
- Krankheit ist eine Störung der normalen Lebensvorgänge sowie die Reaktion des Körpers.
- Ätiologie ist die Lehre von den Krankheitsursachen. Sie beschreibt die Pathogenese (Entstehung und Entwicklung einer Krankheit).
- Man unterscheidet innere Krankheitsursachen und äußere Krankheitsursachen.
- Die Pathogenese beschreibt die Entstehungsweise und Entwicklung krankhafter Prozesse.
- Pathophysiologie ist die Lehre von den funktionellen Störungen einer Krankheit im Organismus.
- Symptome sind Krankheitszeichen, die eine Diagnose ermöglichen. Man unterscheidet spezifische, unspezifische und Kardinalsymptome sowie subjektive und objektive Symptome.
- Als Krankheitsausgang sind Heilung, Defektheilung, Rezidiv oder der Tod möglich.

26.2 FACHTERMINOLOGIE

- Terminologie ist die Lehre von den Fachbegriffen.
- Die medizinische Fachsprache war und ist einem Wandel unterworfen.
- Als Fachbegriffe existieren Bezeichnungen aus der griechischen, lateinischen, englischen und französischen Sprache sowie Eigennamen.
- Eine Vorsilbe (Präfix) ist eine Worterweiterung, die dem Wortstamm vorangestellt wird. Im Gegensatz dazu wird eine Endsilbe (Suffix) an den Wortstamm angehängt.
- Damit sich die Bedeutung der medizinischen Fachbegriffe erschließt, kann das Instrument der Wortanalyse genutzt werden. Dabei wird der Fachbegriff in die einzelnen sinngebenden Bestandteile (Wortstamm, Präfix und Suffix) zerlegt und nach deren Übersetzung ergibt sich die Bedeutung des Terminus.
- Zur Beschreibung der Lagebeziehungen im bzw. zum Körper werden Achsen und Ebenen unterschieden.

26.3 ENGLISCHE FACHSPRACHE – MEDICAL ENGLISH

- Viele englische medizinische Fachbegriffe leiten sich vom Lateinischen ab. Geschrieben werden sie gleich, aber ihre Aussprache ist unterschiedlich. Beispiel sublingual: *lat.* [sʊbˈlɪŋ.guaːl] versus *engl.* [sʌbˈlɪŋ.gwəl]
- Es ist eine gebräuchliche Methode, für medizinische Fachbegriffe eine verkürzte Version des oder der Wörter zu erstellen.
- Die gebräuchlichste Art, medizinische Fachbegriffe abzukürzen ist es, den ersten Buchstaben jedes beteiligten Worts hervorzuheben und einen neuen Begriff zu prägen.
- Für manche Abkürzungen gibt es mehrere Bedeutungen.
- Auch im Englischen kann über die Wortanalyse die Bedeutung der medizinischen Fachbegriffe bestimmt werden, wenn die Wortwurzel bekannt ist.

26.1 Krankheitslehre (Nosologie)

Gesundheit wird von der World Health Organization (WHO) folgendermaßen definiert:

DEFINITION

Gesundheit ist der Zustand völligen körperlichen, geistigen und sozialen Wohlbefindens.

Diese Definition ist im Sinne eines wünschenswerten Idealzustands sehr weit gefasst. Ein Mensch ist beispielsweise gesund, wenn er sich wohl fühlt, leistungsfähig ist, gut und erholsam schläft, Appetit hat und seine Ansprüche auf zwischenmenschliche Beziehungen erfüllt werden.

Die Störung solcher normalen Lebensvorgänge und die Reaktion des Körpers darauf bezeichnet man als **Krankheit.** Bezogen auf die WHO-Definition von Gesundheit bezeichnet Krankheit die Störung des körperlichen, geistigen oder sozialen Wohlbefindens oder kurz einen gestörten Gesundheitszustand. Die Grenzen zwischen Gesundheit und Krankheit sind fließend und nicht immer eindeutig feststellbar. So gibt es Menschen, die sich trotz offensichtlich vorhandener Krankheitszeichen (Symptome) nicht krank fühlen, während andere Menschen trotz scheinbaren Wohlbefindens krank sind.

Die **Krankheitslehre** (Nosologie) ist die systematische Beschreibung der Krankheiten und ein Teilgebiet der Pathologie, die sich mit den durch Krankheit verursachten Veränderungen im menschlichen Organismus befasst. Sie umfasst die folgenden Teilgebiete:

- **Ätiologie:** die Lehre von den Krankheitsursachen
- **Pathogenese:** die Lehre von Entstehung und Verlauf der Krankheiten
- **Pathophysiologie:** die Lehre von den funktionellen Auswirkungen der Krankheit auf den Organismus

Die **Ätiologie** stellt den Ausgangspunkt der Pathogenese dar, die Ursache, welche die Krankheitsentstehung ins Rollen bringt. Die **Pathogenese** beschreibt hingegen den gesamten Prozess, also v. a. den zeitlichen Verlauf der Krankheitsentstehung mit ihren ganzen Facetten. Die **Pathophysiologie** hingegen beschreibt, nach Entstehung und Entwicklung der Krankheit, anhand der Funktionsveränderung die Auswirkungen der veränderten, abweichenden Körperfunktionen auf den Organismus.

26.1.1 Krankheitsursachen (Ätiologie)

Jeder Mensch ist täglich einer Vielzahl von Störfaktoren ausgesetzt, die seine Gesundheit gefährden und ihn erkranken lassen können. Solche Störfaktoren sind z. B. **Viren, Bakterien, Strahlen, Hitze, Kälte** oder **Gifte.** Die moderne Medizin fasst heute die Entstehung von Krankheiten weiter. So ist der Grundsatz, dass für eine Krankheit auch eine Ursache verantwortlich ist, so nicht haltbar. Vielfach ist die Ätiologie bestimmt durch mehrere Faktoren. Bestimmend für Gesundheit oder Krankheit eines Menschen ist auch das soziale **Umfeld** (Familie, Beruf, Wohnverhältnisse), in das er integriert ist. Störungen in diesem Umfeld bewirken Krisensituationen, die möglicherweise ohne akute Folgen bleiben, die jedoch langfristig Krankheiten auslösen können, z. B. Magengeschwüre, Bluthochdruck und Herzinfarkt.

So ist es bei dem Herzinfarkt **pathophysiologisch** ein verschlossenes Herzkranzgefäß, das für die Minderdurchblutung des Herzmuskels verantwortlich ist, häufig ist dies jedoch der **Endpunkt eines Geschehens,** das mit Fehlernährung, Bewegungsmangel oder Fettstoffwechselstörungen begonnen hat.

Die **psychosomatische Medizin** betrachtet Krisensituationen, die gehäuft im Leben eines Menschen auftreten, als Vorläufer von Erkrankungen. Sie versucht, Verbindungen zwischen Erkrankungen, z. B.

einem gehäuft auftretenden Magengeschwür, und der Lebensweise bzw. Lebenseinstellung transparent zu machen und zu therapieren.

MERKE

Man unterscheidet bei den Krankheitsursachen **innere** (genetische oder endogene) und **äußere** (Umwelt- oder exogene) **Faktoren.** Die äußeren Faktoren werden weiter unterteilt in belebte und unbelebte Faktoren (→ Abb. 26.1).

Innere Krankheitsursachen

Im Gegensatz zu den von außen bewirkten Krankheiten (s. u.) sind Erkrankungen, die aufgrund einer von innen bewirkten Ursache, den Körper erkranken, nicht beeinflussbar. Innere Ursachen sind **genetische Defekte** oder bestehende **Dispositionen.**

Bei Genmutationen oder Chromosomenveränderungen ist das in den Zellkernen lagernde Erbgut verändert. Man bezeichnet solche Krankheiten als **Erbkrankheiten.** Eine bekannte durch Genmutation ausgelöste Erbkrankheit, die auch für den Rettungsdienst von Bedeutung ist, ist die Bluterkrankheit (Hämophilie). Patienten mit einer Hämophilie leiden schon bei kleinsten Verletzungen unter schweren, nicht zu stillenden Blutungen.

DEFINITION

Unter **Disposition** (Veranlagung oder Vorherbestimmung) versteht man die Krankheitsbereitschaft eines Organismus, auch tatsächlich zu erkranken. Sie umfasst die Gesamtheit der inneren Krankheitsbedingungen, die den Organismus für eine Erkrankung empfänglich machen.

Es werden verschiedene Arten von Dispositionen unterschieden:

- **Geschlechtsdisposition:** Verschiedene Krankheiten kommen deutlich häufiger entweder bei Männern oder bei Frauen vor. So erkranken Männer z. B. neunmal häufiger an Gicht als Frauen.
- **Altersdisposition:** Darunter versteht man das gehäufte Auftreten mancher Erkrankungen in bestimmten Altersstufen. Kinder erkranken zehnmal häufiger an Erkältungskrankheiten als Erwachsene. Mit zunehmendem Alter manifestiert sich bei vielen Erwachsenen der sog. Altersdiabetes.
- **Disposition durch Krankheit:** Bei bereits bestehenden Erkrankungen des Patienten ist vielfach die Anfälligkeit für zusätzliche Krankheiten erhöht. So begünstigt beispielsweise der Diabetes mellitus (Zuckerkrankheit) das Entstehen von Gefäß-, Nieren- und Augenerkrankungen.

Äußere Krankheitsursachen

Nicht alles, was auf den Körper einwirkt, ist schädlich oder störend. Daher ist die Bedeutung äußerer Krankheitsursachen für die Entstehung von Krankheiten unterschiedlich, denn jeder Körper besitzt ein **unterschiedliches Maß an Anpassungsfähigkeit,** die es ihm gestattet, innerhalb einer Toleranz Abweichungen auszugleichen.

MERKE

Zur Krankheitsursache wird eine äußere Einwirkung erst, sobald die Abweichungstoleranz erschöpft ist und eine qualitative oder quantitative Grenze überschritten wird.
Äußere Krankheitsursachen sind im Gegensatz zu inneren Krankheitsursachen beeinflussbar und lassen sich in **unbelebte** und **belebte** äußere Krankheitsursachen unterscheiden.

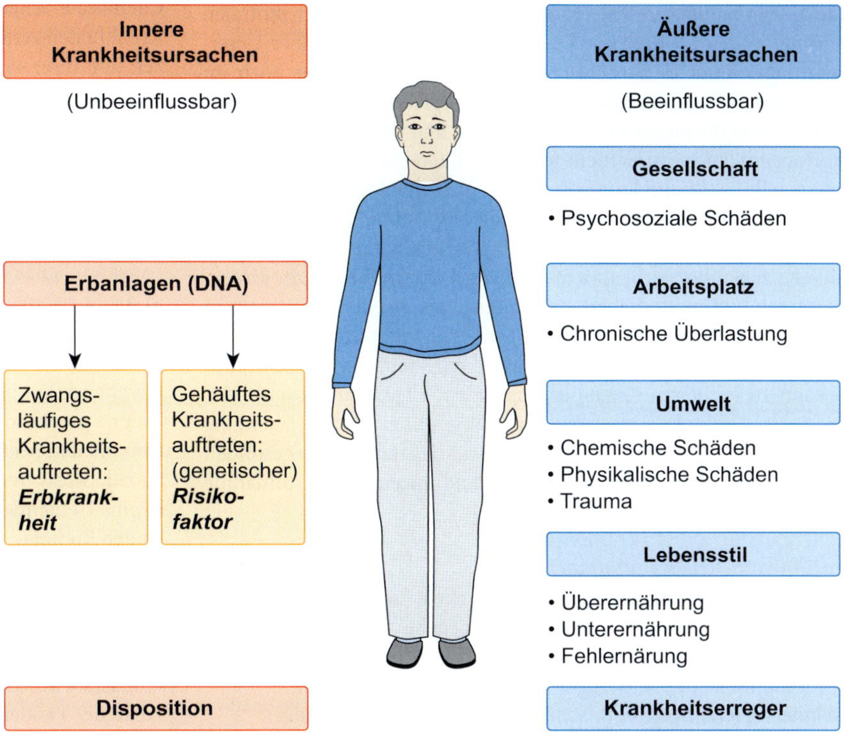

Abb. 26.1 Innere und äußere Krankheitsursachen [L143]

Unbelebte äußere Krankheitsursachen

Zu den **unbelebten äußeren Krankheitsursachen** (→ Abb. 26.1) gehören:
- Störungen der Nahrungsaufnahme (Fehlernährung)
- Mechanische Krankheitsursachen:
  - Verletzungen (Traumen)
  - Abnutzung und Verschleiß (z. B. berufliche körperliche Belastungen)
- Schäden aufgrund chemischer und/oder physikalischer Einwirkungen (Gift, Hitze, Kälte, Strahlung, Schädigung durch elektrischen Strom):
  - Strahlenbedingte Krankheitsursachen
  - Chemische Krankheitsursachen
  - Thermische Krankheitsursachen
- Psychosoziale Schäden oder traumatische Erlebnisse (seelische Belastungsstörungen)
- Gesundheitsschädigendes Lebensumfeld (unzureichende Hygiene, Armut, Hunger, Verelendung)

Störungen der Nahrungsaufnahme

Die Nahrungsaufnahme kann in mehrfacher Hinsicht gestört sein:

Bei der **Überernährung** wird dem Organismus zu viel Nahrung zugeführt. Eine übermäßige Nahrungsaufnahme, überwiegend durch eine gerade in Industrieländern häufige hyperkalorische, fett- und kohlenhydratreiche Ernährung, führt zunächst zu einer deutlichen allgemeinen Verfettung (Adipositas). Die Adipositas führt zu einer starken Beeinträchtigung vieler Organfunktionen und insgesamt auch zu einer verminderten Lebenserwartung. Es steht heute außer Frage, dass die Überernährung einen wichtigen Faktor zur Entstehung von Herz-Kreislauf-Erkrankungen darstellt. Die Folgen der Überernährung werden als **metabolisches Syndrom** bezeichnet, da nicht ein Symptom allein auftritt, sondern eine **Vielzahl von Symptomen** diese Erkrankung charakterisiert, die in der Folge, z. B. bei Luftnot und Kollaps, auch rettungsdienstliche Relevanz erhält.

Bei der **Unterernährung** wird dem Organismus zu wenig Nahrung zugeführt. Lang dauernde Hungerzustände bzw. eine unzureichende Nahrungsaufnahme führen zu Unterernährung und schließlich zum Tode. In der heutigen Zeit stellt die Unterernährung eines der zentralen Probleme in den Ländern der Dritten Welt dar. Als Folge einer Unterernährung kommt es zunächst zu einer Mobilisierung aller noch im Organismus vorhandenen Substrat- oder Energiereserven. Des Weiteren kommt es zu Störungen der Eiweißbildung und damit zum Auftreten von Hungerödemen. Außerdem führt die Unterernährung zu einer allgemeinen Resistenzminderung, sodass schließlich Infektionen zum Tode führen. Dies ist ein weiteres Beispiel für die Disposition durch Krankheit.

Wenn dem Organismus eine qualitativ falsch zusammengesetzte Nahrung zugeführt wird, spricht man von **Fehlernährung**. In diesem Fall werden bestimmte Nährstoffe, Spurenelemente oder Vitamine dem Körper nicht in ausreichender Menge zur Verfügung gestellt, was zu verschiedenen Störungen des Organismus führen kann. Ein **Vitaminmangel** kann zu leichteren Krankheitszuständen (Hypovitaminosen) oder schwereren Erkrankungen (Avitaminosen) führen. Zur Vermeidung von Ernährungsstörungen und der Gewährleistung einer gesunden Ernährung ist daher eine ausgewogene und angemessene Aufnahme aller Nährstoffe notwendig (→ Kap. 7.2.10).

Mechanische Krankheitsursachen

Es gibt die unterschiedlichsten mechanischen Einwirkungen, die zu Krankheiten führen, deren Bilder überwiegend vom Charakter des Traumas bestimmt werden.
Die mechanischen Einwirkungen lassen sich untergliedern in:
- **Akute Verletzungen,** z. B. Schnittverletzungen, Quetschungen Knochenbrüche
- **Chronische Überlastungen,** z. B. der Wirbelsäule bei häufigem Heben und Tragen

Während bei akuten Verletzungen i. d. R. ein Ursache-Wirkungs-Prinzip, z. B. Messer und Stichverletzung, erkennbar ist, sind gerade bei chronischen Überlastungen die möglichen Wirkungen nicht direkt erkenn- oder vorstellbar. Eine falsche Tragetechnik im Rettungsdienst macht anfangs keine Beschwerden, die Gefahren von Spätfolgen wie Rückenschmerzen oder gar Bandscheibenvorfälle werden dabei häufig nicht gleich erkannt.

Strahlenbedingte Krankheitsursachen

Bei den strahlenbedingten Krankheitsursachen sind neben den Bestandteilen des sichtbaren Lichts, wie Infrarot- und Ultraviolettstrahlen, ionisierende Strahlen von besonderer Bedeutung.
- Folgen von **Infrarotstrahlen** und **ultravioletten Strahlen** können Hyperpigmentierung („Bräunung der Haut"), Sonnenbrand, aber auch die sog. Lichtschrumpfhaut (Xeroderma pigmentosum) und Hautkarzinome sein.
- Zu den **ionisierenden Strahlen** gehören Röntgen-, Gamma- und korpuskuläre Strahlen. An der einzelnen Zelle können diese Strahlen zu Membranveränderungen, Permeabilitätsstörungen und Elektrolytverschiebungen führen. Diese Strahlenreaktionen der Zelle führen beispielsweise an den Gefäßen zu Plasmaaustritt, Fibrosen oder Ischämien, im Bindegewebe zu Sklerosen und an der Haut und den Schleimhäuten zur Strahlendermatitis (→ Kap. 44.1).

Thermische Krankheitsursachen

Grundsätzlich lassen sich thermische Krankheitsursachen in **örtliche** und **allgemeine** sowie in **hitze-** und **kältebedingte Schäden** einteilen. Zu den örtlichen thermischen Schäden gehören die Verbrennung und die Erfrierung, zu den allgemeinen thermischen Schäden die Überhitzung und Unterkühlung (→ Kap. 42).

Chemische Krankheitsursachen

Chemische Schadstoffe sind häufig ursächlich für die Entstehung von Krankheiten verantwortlich. Ohne auf die Vielzahl chemischer Substanzen und ihrer Wirkungen detailliert einzugehen, sei darauf hingewiesen, dass chemische Substanzen zahlreiche Schäden wie Entzündungen, Tumoren, Nekrosen und Fehlbildungen verursachen können. Wichtige Faktoren sind beispielsweise **Gase** (Kohlenmonoxid, Kohlendioxid), **Flüssigkeiten** (Äthanol, Benzol, Phosphorsäureester), **Schwermetalle** (Arsen, Blei), **Medikamente** (Digitalis, Paracetamol) oder auch Gifte aus der Tier- und Pflanzenwelt (ab → Kap. 40.3.5). Wenn Säuren und Laugen in suizidaler Absicht oder auch aufgrund von Verwechslungen in die Speisewege gelangen, führen sie dort zu schweren Verätzungen im Bereich der Speiseröhre und des Magens.

Psychosoziale Schäden

Unter psychosoziale Gesundheitsschäden fallen unterschiedliche Krankheitsaspekte, wie z. B. fehlende soziale Teilhabe, Depressionen, Suizid, Stress und Sucht (→ Kap. 39.2, → Kap. 39.4, → Kap. 39.5). Sich in eine Gemeinschaft nicht sozial eingebunden zu fühlen, also die fehlenden Kontakte zu Angehörigen, Freunden, Bekannten oder Nachbarn, kann Erkrankungen wie Depressionen oder Stress hervorrufen oder eine Suchtproblematik hervorbringen bzw. verstärken.

So kann z. B. SARS-CoV-2, neben der direkten Einwirkung des Virus auf den Körper (s. u.), auch psychosoziale Auswirkungen auf den Menschen haben. So deuten Studienergebnisse darauf hin, dass sich die erste Welle der Pandemie sowie die getroffenen Schutzmaßnahmen negativ auf die psychische Gesundheit ausgewirkt haben könnten.

Gesundheitsschädigendes Lebensumfeld

Die Lebens-, Arbeits- und Umweltbedingungen können als Rahmenbedingungen ursächlich für eine Krankheitsentstehung sein oder einer Gesundheitserhaltung entgegenstehen. Zu nennen sind hier beispielhaft unzureichende Hygiene, Armut, Hunger und/oder Verelendung. Die Betroffenen leben dabei nicht nur in Entwicklungsländern.

Arme Bevölkerungsschichten sind besonders verwundbar gegenüber Lebens-, Arbeits- und Umweltveränderungen, weil sie existenziellen Risiken (Krankheit, Hunger etc.) stärker ausgesetzt sind und kaum über Bewältigungs- und Anpassungsfähigkeiten verfügen. Ein objektiv gesundheitsschädliches Verhaltens- bzw. Konsummuster (z. B. Sucht) kann aus der Perspektive des Betroffenen aber auch eine selbst gewählte Bewältigungsstrategie im Umgang mit Stressoren sein.

Belebte äußere Krankheitsursachen

Zu den **belebten** äußeren Krankheitsursachen zählen vermehrungsfähige Krankheitserreger, die in den Organismus eindringen und Krankheiten verursachen. Man unterscheidet sechs große Gruppen von Krankheitserregern:

- Bakterien (z. B. Clostridien – Darminfektion),
- Viren (z. B. Masernvirus – Maserninfektion),
- Bakterienähnliche Erreger (z. B. Borrelien – Borreliose),
- Pilze (z. B. Candida – Soorerkrankungen),
- Helminthen (Würmer – Bandwurmerkrankungen)
- Protozoen (tierische Einzeller – Malaria, Ruhr, Schlafkrankheit),

die ausführlich in → Kap. 41.1 beschrieben werden.

Bakterien sind beispielsweise Salmonellen oder Staphylokokken. Salmonellen verursachen eine typische Lebensmittelerkrankung, die Salmonellose. Staphylokokken wiederum können Abszesse oder eine Sepsis verursachen. Aber auch Krankheiten wie Tuberkulose, Keuchhusten, Scharlach oder Harnwegsinfekte werden durch Bakterien verursacht.

Viren können harmlose Krankheiten wie eine banale Erkältung oder Lippenherpes auslösen. Die meisten der Magen-Darm-Infektionen werden ebenfalls von Viren verursacht. Viren verursachen aber auch schwerwiegende Infektionen, wie HIV/AIDS oder eine Leberentzündung (Hepatitis), und zudem viele Kinderkrankheiten (z. B. Windpocken, Masern oder Röteln).

Pilze verursachen zumeist harmlose Erkrankungen (sog. Mykosen) der Haut, Nägel oder Schleimhäute. Nur selten sind innere Organe wie beispielsweise die Lunge betroffen, wo Pilzerkrankungen großen Schaden anrichten können.

26.1.2 Krankheitsentstehung (Pathogenese)

Unter **Pathogenese** wird die Entstehungsweise und Entwicklung krankhafter Prozesse verstanden. Dabei unterscheidet man folgende Formen:

- **Kausale Pathogenese:** umfasst die Krankheit auslösenden inneren und äußeren Ursachen (→ Kap. 26.1.1).
- **Formale Pathogenese:** beinhaltet die sich an die kausale Pathogenese anschließenden Funktions- und Strukturveränderungen im Organismus in ihren Wechselwirkungen.

Anhand der Beispiele für Entzündungsreaktion und Tumorentstehung sollen die Funktions- oder Strukturveränderung des betroffenen Körperteils dargestellt werden.

Entzündung

Die Reaktion des Organismus auf verschiedenen Noxen (lat. noxa: Schaden) führt zu einer **Entzündungsreaktion**. Die Entzündungsreaktion ist der Versuch des Körpers, eine Krankheitsgefahr einzugrenzen, sie abzuwehren und anschließend den Schaden zu reparieren. Mit diesem Mechanismus reagiert der Körper z. B. auf Krankheitserreger (Bakterien und Viren), fremdkörperbedingte Hautverletzungen (z B. bei einem Splitter im Finger) und auf physikalische Reize (z. B. Hitze oder Druck). Diese nahezu immer gleich ablaufende Entzündungsreaktion kann **lokal begrenzt** sein oder aber den **gesamten Körper** betreffen

Ursache für die Auslösung einer Entzündung kann eine der o. g. Krankheitsursachen sein. Beispielhaft sei hier die Quetschung eines Fingers an der Trage genannt. Nachdem der Schmerz nachlässt, lassen sich die für eine **Entzündung typischen fünf Symptome** nachweisen.

- **Rubor** – Rötung des betroffenen Bereichs
- **Tumor** – Schwellung des Gewebes
- **Dolor** – Schmerzen
- **Calor** – Erwärmung des Gewebes
- **Functio laesa** – Eingeschränkte Funktion des betroffenen Areals

MERKE

Die typischen fünf Symptome lassen sich bei jeder Entzündung beobachten, wenn auch ihre Stärke unterschiedlich stark ausgeprägt ist.

Auslöser für die Symptome war die Quetschung des Fingers, aber der Organismus sorgt mit dem Mechanismus der Entzündung für eine Schadensbegrenzung und eingegrenzte Lokalisation. Durch die auslösende Verletzung werden Zellen geschädigt und zerstört, dabei gelangen zelluläre Elemente in das betroffene Gewebe und führen zu einer Freisetzung von Mediatoren. In der Folge treten die Symptome der Entzündung auf. In diesem Prozess beteiligte **Mediatoren** sind:

- **Histamin:** Gefäßerweiterung und Erhöhung der Durchlässigkeit
- **Prostaglandine:** Schmerzentstehung, Gefäßerweiterung
- **C-reaktives Protein:** Aktivierung der Immunzellen
- **Interleukine:** Aktivierung von Immunzellen, Fieberreaktion

Natürlich sind auch **Zellen des Immunsystems** an der Entzündung beteiligt, die Leukozyten sorgen für einen geregelten Ablauf der Entzündung und für eine Beseitigung der Zelltrümmer und möglichen Erreger. In vielen Fällen kommt es bei der Entzündung zu einer Mitreaktion des gesamten Organismus, z. B. bei der Lungenentzündung (Pneumonie) oder der „Blinddarmentzündung" (Appendizitis). Abhängig von der Immunitätslage des Organismus bleibt die Entzündung dabei lokal begrenzt und heilt ab oder aber der betroffene Mensch erkrankt lebensbedrohlich (**Sepsis,** → Kap. 41.3).

Entzündungen können auch abgekapselt verlaufen, als **Abszess, Emphysem,** oder sich flächenhaft über die Haut ausbreiten **(Phlegmone).**

Tumor

DEFINITION

Der Begriff „Tumor" (lat. tumoris: Schwellung) beschreibt eine Gewebeanschwellung oder Geschwulst, unabhängig wie diese entstanden ist. Im engeren Sinne des biologischen Verhaltens beschreibt der Begriff „Tumor" allerdings die selbstständige und unkontrollierte Zunahme von körpereigenem Gewebe im Rahmen von gutartigen oder bösartigen **Geschwulsten (Neoplasien, Karzinome).**

Auch hier können die unterschiedlichsten **Krankheitsursachen** eine Tumorentstehung auslösen: chronische Belastung mit chemischen Gasen, Asbestpartikel, Viren oder Drogen. Es ist hier nicht möglich, im Gegensatz zur Entzündungsreaktion, nach einem Kontakt sofort die Folgen der Tumorentstehung wahrzunehmen. Vielmehr handelt es sich um einen zunächst eher **schleichenden Prozess,** der jedoch den gesamten Organismus in Mitleidenschaft zieht und zu Auszehrung/ Unterernährung (Kachexie) und Blutarmut (Anämie) führen kann. Unterschieden werden **gutartige (benigne)** und **bösartige (maligne)** Tumoren (→ Tab. 26.1). Diese Unterscheidung hat für die Betroffenen eine wesentliche Konsequenz: Benigne Tumoren können oftmals gut therapiert werden, bei den malignen Tumoren kommt es auf einen frühen Zeitpunkt der Diagnose an, um eine Heilung zu erreichen.

Ausgangspunkt der Tumorentstehung ist die **Veränderung von DNS in den Zellkernen,** die irreparabel geschädigt ist. Es entstehen im Verlauf atypische Zellen, die sich teilweise schneller als normale Zellen vermehren und über ein großes Verdrängungspotenzial verfügen. Sie halten sich auch nicht an vorgegebene Gewebestrukturen, sondern wachsen infiltrativ in Nachbarorgane ein.

Merkmal	Benigne	Maligne
Wachstum	Langsam	Schnell
Abgrenzbarkeit	z. T. abgekapselt	Infiltrativ ohne Organgrenze
Tochtergeschwülste (Metastasen)	Keine	Ausstreuung über Blut und Lymphe in andere Organe
Blutgefäße	Bildet wenig eigene Blutgefäße	Ist gut mit Blutgefäßen versorgt (vaskularisiert)

Tab. 26.1 Vergleich benigner und maligner Tumoren

26.1.3 Krankheitszeichen (Symptome)

An Krankheitszeichen lassen sich Krankheiten erkennen. Sie dienen somit der Erstellung einer Diagnose. Es gibt vier Gruppen von Symptomen.

- **Unspezifische Symptome:** Unspezifische Symptome sind Symptome, die sich (zunächst) nicht eindeutig einzelnen Krankheiten zuordnen lassen oder die unterschiedliche Ursachen haben können. Beispiele für solche unspezifischen Symptome sind Gewichtsverlust oder Leistungsschwäche.
- **Spezifische Symptome:** Spezifische Symptome sind Symptome, die sich eindeutig bestimmten Krankheiten zuordnen lassen. Ein Beispiel für ein solches spezifisches Krankheitszeichen ist die Himbeerzunge bei Scharlach.
  Als **Kardinalsymptome** werden Krankheitszeichen bezeichnet, die so spezifisch sind, dass sie bei Vorliegen die Diagnose ohne weitere Diagnostik erlauben. Zum Beispiel existieren bei einer Entzündung die Kardinalsymptome Schmerz, Schwellung, Rötung, Erwärmung und Funktionsverlust (s. o.). Diese Symptome liegen beispielsweise alle bei einer Zahnwurzelentzündung vor: geschwollene und erwärmte Wange, Rötung und Schmerz des Zahnfleisches sowie die Unmöglichkeit, auf der betroffenen Seite zu kauen!
- **Objektive Symptome:** Objektive Symptome sind Symptome, die eindeutig, offensichtlich und unverkennbar sind. Solche objektiven Krankheitszeichen sind die Fehlstellung bei verschobenen Frakturen oder der Abriss einer Extremität bei einer Amputationsverletzung.
- **Subjektive Symptome:** Subjektive Symptome sind Symptome, die dem individuellen und persönlichen Empfinden des Patienten unterliegen und von außen nicht objektiv beobachtet werden können. Beispiele für solche subjektiven Symptome sind Schmerzen, Übelkeit und Abgeschlagenheit.

Die Kenntnis von Symptomen und insbesondere die Differenzierung und Bedeutung der verschiedenen Symptomengruppen ist für die adäquate und effiziente präklinische Versorgung von Notfallpatienten im Rettungsdienst von großer Bedeutung. Es kommt für das Rettungsfachpersonal darauf an, alle Symptome kritisch dahingehend zu überprüfen, ob sie wirklich entscheidende Bedeutung für den Zustand des Patienten haben.

Beispielsweise scheint bei einem verunfallten Motorradfahrer das Symptom einer blutenden tiefen Fleischwunde am Unterschenkel auf den ersten Blick häufig viel dramatischer und bedrohlicher für den Patienten zu sein als die versteckte Symptomatik einer Wirbelsäulenverletzung, die sich in leichter Übelkeit, Schwindel, Kopfschmerzen, Schmerzen im Nacken und leichten Sensibilitätsstörungen im Bereich der Extremitäten widerspiegelt. Verstärkt wird diese Fehleinschätzung teilweise auch durch das subjektive Empfinden des Patienten, dem die Wunde im Unterschenkel große Schmerzen bereitet und der die intensive rote Farbe des austretenden Blutes als subjektiv sehr bedrohlich und beängstigend empfindet. Es ist daher unbedingt erforderlich, dass das Rettungsfachpersonal versucht, alle Symptome zu erfassen, und im Hinblick auf eine effektive Versorgung und Behandlung des Patienten nach dem Grad der Gefährdung bzw. vitalen Bedrohung einordnet.

Ein **Syndrom** ist ein **Komplex von Symptomen,** der immer in derselben Zusammenstellung von Krankheitszeichen vorkommt und so ein Krankheitsbild charakterisiert.

26.1.4 Krankheitsverlauf (Profil)

Jeder Krankheitsverlauf kann nach dem zeitlichen Verlauf und Schweregrad einer Krankheit eingeteilt werden. Es ist möglich, ihn fein abgestuft und nuanciert mit Hinblick auf den Zeitpunkt des Auftretens, die Geschwindigkeit des Verlaufs, die Krankheitsschwere oder weitere Eigenschaften zu beschreiben. Die Beschreibungen können je nach Krankheitsbild kombiniert verwendet werden, um eine möglichst exakte Bezeichnung zu erzielen.

MERKE

Der Krankheitsverlauf kann durch die Symptome einer Erkrankung **(qualitatives Profil)** und die zeitliche Abfolge **(quantitatives Profil)** der Erkrankung beschrieben werden.

Qualitatives Profil

Der Verlauf einer Erkrankung kann von Patienten zu Patienten variieren und im Vergleich zwischen Patienten mit der gleichen Erkrankung unterschiedlich schwer erscheinen. So wurde im Rahmen der Coronapandemie festgestellt, dass eine nicht unerhebliche Anzahl von Patienten an symptomlosen, milden oder moderaten Formen von COVID-19 erkrankte. Bei vielen Menschen wurde die Erkrankung gar nicht entdeckt. Andererseits hatten ca. 15 % aller Erkrankten einen schweren bis tödlichen Krankheitsverlauf.

Qualitativ können Krankheitskriterien z. B. anhand des **Fortschritts** der Symptome beschrieben werden als:

- **Paroxysmal:** anfallsartige einsetzender Krankheitsverlauf mit kompletter Symptomatik
- **Progredient:** fortschreitende, sich verschlimmernde Symptomatik
- **Exazerbiert:** verschlechterte Symptomatik im Rahmen einer chronischen Erkrankung

(MWBO) der Bundesärztekammer eingeflossen und im November 2018 verabschiedet worden. Für die Umsetzung sind nun die Landesärztekammern zuständig, da die Musterweiterbildungsordnung nur empfehlenden Charakter für die Landesärztekammern hat. In der Umsetzung der Musterweiterbildungsordnung gehen die einzelnen Landesärztekammern allerdings unterschiedliche Wege. Im übrigen Europa und im englischsprachigen Raum ist die Notfallmedizin dagegen eine **klinische Fachdisziplin** mit Facharztausbildung. Der Facharzt (specialist) für Notfallmedizin wird hauptsächlich in Zentralen Notaufnahmen (emergency departments = ED, accident and emergency = A & E) eingesetzt.

26.3.2 Rettungsmedizin – Rescue Medicine

Die **Rettungsmedizin** bezeichnet dagegen eine außerhalb von Kliniken durchgeführte (präklinische) Notfallmedizin, die in Deutschland von Ärzten, Rettungsassistenten und Notfallsanitätern durchgeführt wird. Im englischsprachigen Raum umfasst die Rettungsmedizin (rescue medicine) ebenfalls die außerhalb der Kliniken, **vornehmlich aber von nichtärztlichem Personal** (paramedics und EMT = emergency medical technicians) durchgeführte Notfallmedizin.

MERKE

Trotz aller unterschiedlichen Ausführungen und Systeme sind **Rettungsmedizin** und **Notfallmedizin** weder fachlich noch inhaltlich von der Notfallmedizin in der Klinik zu trennen.

26.3.3 Regeln zum Verständnis der englischen Fachsprache

Es bestehen keine allgemeingültigen Regeln, wie medizinische Fachbegriffe innerhalb des englischsprachigen Gesundheitssystems in Wort und Schrift zu gebrauchen und anzuwenden sind. Daher werden die gebräuchlichsten Abkürzungen und Wortwendungen vorgestellt, um dem Rettungsfachpersonal im Umgang mit Patienten und/oder englischsprachigem Fachpersonal eine Hilfestellung zu bieten.

Abkürzungen der Vitalzeichen – Abbreviations Related to Vital Signs

Das Verständnis des englischen medizinischen Textes oder der gebräuchlichen Abkürzungen ist der beste Schlüssel zum Verständnis eines medizinischen Begriffs oder seiner Abkürzung. So kann z. B. die Abkürzung „BS" Darmgeräusch (bowel sound) oder Atemgeräusch (breath sounds) bedeuten. Daher ist es wichtig zu wissen, ob der Gesprächspartner über die Lunge oder das Abdomen spricht. Hat der Patient also eine Erkrankung der Lunge oder des Abdomens, auf das sich sein aktuelles Problem bezieht?

MERKE

Die Bedeutung der Abkürzung ergibt sich oft erst aus der Situation und den begleitenden Umständen. Was geschieht gerade? Worüber handelt die Unterhaltung? Was sind die gebräuchlichsten Begriffe im Kontext?

Das Auswendiglernen der Bedeutung der häufig vorkommenden Wortstämme und der Vor- und Endsilben kann hilfreich sein. Einige **Abkürzungen im Englischen** werden nur **in der Schriftsprache** angewandt, wie z. B. ein kleines geschriebenes „c̄" mit einem Balken über dem „c", das sich aus der lateinischen Präposition „cum" ableitet und „mit" bedeutet, oder die Redewendung „ad lib" = ad libitum = for pleasure (nach Belieben). Die Bezeichnung „ad lib" wird sowohl mündlich als auch schriftlich angewandt und hat mittlerweile auch den Weg in die englische Umgangssprache gefunden.

Die häufigsten Vitalzeichen werden als regelmäßig wiederkehrende Begriffe in → Tab. 26.5, gegliedert nach gebräuchlicher Abkürzung, gesprochenem Wort und Schriftsprache, nebeneinander aufgelistet.

Klinische Abkürzungen – Clinical Abbreviations

Die gebräuchlichste Art, medizinische Fachbegriffe abzukürzen, ist es, **den ersten Buchstaben jedes beteiligten Wortes hervorzuheben** und einen neuen Begriff zu prägen. Beispiele hierfür sind die „COPD = chronic obstructive pulmonary disease" oder „SOB = short of breath" (Kurzatmigkeit) (→ Tab. 26.6, → Tab. 26.7).

Abbreviation (written)	Abbreviation (verbal)	Term	Example
c/o	"complain"	complain	Written note: "c/o chest pain." "He complains about chest pain."
BP	"B-P"	blood pressure	"The chart indicates the patient's BP is above the normal range."
BP cuff	"B-P cuff"	blood pressure cuff	"Please get me a BP cuff."
p	"pulse"	pulse	p 80 "His pulse rate is 80."
pulse oxSpO_2	"pulse ox" "sat" or "sats"	pulse oximetry peripheral capillary oxygen saturation	Progress note: "Pulse ox 98 (or) SpO_2 98" The nurse said: "The pulse ox reading is normal, 98." Or: "His sat is 98."
rr	"respiratory rate"	respiratory rate	rr 2 "The respiratory rate is increasing."
temp or t	"temp"	temperature	t 39.1 (C) "I took his temp two hours ago."
TPR	"T-P-R"	temperature, pulse, respirations	TPR: t 101, p 90, and rr 26 "His TPR needs to be taken every four hours."
vs	"vital signs"	vital signs	Written note: "vs are within normal limits" "His vitals are normal."

Tab. 26.5 Abkürzungen der Vitalzeichen – Abbreviations Related to Vital Signs

Abbreviation (written)	Term (spoken)	Description	Term (written)
Neurological System			
A&O × 3	alert and oriented to time, place and person or A&O or A&O × 3	awareness of time, place and person	"A&O × 3."
LOC	level of consciousness	degree of or level of awareness of self or surroundings	"LOC decreasing."
PEERLA	pupils equal, round, react to light and accommodation	neurological evaluation of optic nerve function	
Heart and Lungs			
BS (written only)	breath sounds	sounds of breath heard with a stethoscope	"BS = rales at left base."
NSR	normal sinus rhythm	normal heart beat seen on electrocardiogram	"No c/o chest pain. NSR. R 24."
SOB (written)	short of breath	feeling that one cannot breathe fully or comfortably	Progress note: "Less c/o SOB." She said: "The patient is short of breath with slight exertion."
Gastrointestinal System			
ABD (written only)	abdomen		"ABD palpation negative for pain."
BM	bowel movement or BM	evacuation of feces from the lower intestine	Progress note: "BM × 2." She said: "Check this BM. Is this melana?"
BS (written only)	bowel sounds	sounds made by movement in the intestine during peristalsis; usually heard with a stethoscope	Progress note: "BS active 12 hrs. S/P colectomy." The paramedic asked: "Are bowel sounds active yet?"
GI	gastrointestinal	esophagus, stomach, small and large intestines	"GI workup reveals tumor near head of the pancreas."
N/V (written only)	nausea and vomiting		"No n/v."

Tab. 26.6 Klinische Abkürzungen – Clinical Abbreviations

Abbreviation (most are verbalized using initials)	Term	Definition	Example
AAA or triple A	abdominal aortic aneurysm	an abnormal dilation of the abdominal aorta, often asymptomatic; may require repair to prevent or treat rupture	"He complains of severe abdominal pain with low blood pressure. Triple A is a likely diagnosis."
A-fib (AF)	atrial fibrillation	a common cardiac arrhythmia produced by rapid unsynchronized movement of the atria and consequent irregular pulse; often asymptomatic; known to increase risk of CVA or stroke	"He was 82, when he noticed irregularity in his pulse. His doctor diagnosed A-fib and placed him on a drug to help prevent stroke."
CAD	coronary artery disease	a narrowing or blockage of the arteries that provide oxygen and nutrients to the cells of heart	"His father died of an MI in his forties."
CA	cancer	uncontrolled growth of abnormal cells in various organs or the body; formal name carcinoma	"CA can affect any body tissue, when normal cells mutate, becoming abnormal and having uncontrolled growth."
COPD	chronic obstructive pulmonary disease	chronic narrowed airway with occurrences of bronchitis and emphysema	"Mr. Smith, who has been a cigarette smoker for 20 years, was diagnosed with COPD."
CVA	cerebral vascular accident	impaired brain function resulting from decrease of blood flow to the brain	"CVA can be caused by a blood clot." "in the brain or brain vessel rupture"
DMe. g. IDDM "type 1 DM"	Diabetes mellituse. g. Insulin dependent Diabetes mellitus or Type 1 Diabetes or Type 1 DM	a group of metabolic diseases characterized by a lack of effective processing of glucose and consequent development of elevated blood glucose levels	"Mr. Simpson needs to inject insulin for his DM disease."
DVT	deep vein thrombosis	a blood clot in a major vein that usually develops in the legs and/or pelvis	"A DVT may be causing his complaints of pain in the back of his calf when walking."
GSW	gunshot wound	a form of physical trauma from the discharge of a type of ammunition	"The patient suffered a GSW to the chest."
HIV/AIDS "H-I-V/aids"	human immunodeficiency virus/acquired immunodeficiency syndrome	disease characterized by progressive deterioration of the immune system and occurrence of opportunistic infections and cancers; contracted from transfer of blood, semen, vaginal fluid, pre-ejaculate or breast milk	"The patient said, that he had an HIV test a year ago and it was negative. He knew he had a possible exposure, when he learned that a former lover, he was with six months ago, was recently diagnosed with AIDS."

Tab. 26.7 Abkürzungen von Verletzungen und Erkrankungen – Diseases Related Abbreviations

Abbreviation (most are verbalized using initials)	Term	Definition	Example
MI	myocardial infarction	destruction of heart muscle cells as a result of an interruption of blood supply	"He complains of chest discomfort radiating to his left shoulder and jaw."
MVA	motor vehicle accident	a collision of two or more motor vehicles resulting in personal injuries or death	"MVA's are a major cause of morbidity in industrialized countries."
PE	pulmonary embolism	is the obstruction of the pulmonary artery by a blood clot or thrombus	"Six hours after his return from the OR, Mr. Smith complained of severe SOB and dyspnea. He said he felt he was dying. We suspected a PE."
TBI	traumatic brain injury	occurs when an external force injures the brain; common causes are falls, vehicular accidents and violence	"The young man suffered a TBI, when his head hit the windshield during a car accident."
TIA	transient ischemic attack	a temporary reduction in the blood supply and adequate oxygen to brain cells	"My patient suffered a TIA with slurring of speech and weakness of his right face and arm."
V-fib or VF	ventricular fibrillation	Abnormal fatal arrhythmia usually caused by lack of oxygen to heart muscle; the ventricles quiver rather than contract, cardiac output stops, and unless circulation is restored, the person dies	The physician said: "He's in VF. Stand back, I must defibrillate now."

Tab. 26.7 Abkürzungen von Verletzungen und Erkrankungen – Diseases Related Abbreviations *(Forts.)*

Ein weiterer Weg zur Abkürzung medizinischer Fachbegriffe besteht darin, **die ersten Buchstaben der beteiligten Wortsilben** zu benutzen, z. B. „NG-tube = nasogastric tube" (transnasale Magensonde) oder „GI = gastrointestinal" (Magen und Darm betreffend). Die meisten Abkürzungen werden dabei mit der Betonung jedes einzelnen Buchstabens ausgesprochen, z. B. „personal protective equipment = PPE" wird ausgesprochen „P-P-E".

Andere Abkürzungen dagegen werden als neue Wörter oder Akronyme ausgesprochen. „AIDS = acquired immunodeficiency syndrome" oder „SARS = severe acute respiratory syndrome" sind gute Beispiele hierfür.

MERKE

Beachte den **Textzusammenhang** und die gebräuchlichsten **Redewendungen,** um die Wortbedeutung zu bestimmen.

Eine weitere gebräuchliche Methode der Wortabkürzung in der Medizin im Englischen ist es, eine verkürzte Version des oder der Wörter zu erstellen. Dies können die erste Silbe oder/und der erste Buchstabe von Silben sein. Beispiele hierfür sind:

- medications = meds
- catheter = cath
- ventricular fibrillation = V-fib or VF
- endotracheal tube = endo tube or ET tube

MERKE

Wenn ein Wort oder Wortteil unbekannt erscheint, versuchen Sie die **abgekürzte Silbe** zu **vervollständigen,** um die sinnvolle Wortbedeutung zu bestimmen.
Beispiel: endo tube = endotracheal tube

Silben- und Wortstammliste – Prefix-Roots-Suffix (PRS)-List

Bei vielen Begriffen und Bedeutungen kann auch im Englischen über die Wortanalyse die Bedeutung geschlussfolgert werden, wenn die **Wortwurzel** bekannt ist (→ Kap. 26.2.4), da sich auch viele englische Begriffe vom Lateinischen ableiten.

So bedeutet das Präfix „hyper" = over or extreme, und das englische Wort „hyperthermia" bezieht sich auf eine extrem hohe Körpertemperatur (hyperthermia = extremely high body temperature). Im Gegensatz dazu steht das Präfix „hypo = under or less" im Zusammenhang mit der Körpertemperatur für eine Unterkühlung (hypothermia = low body temperature).

Mit der nachfolgenden PRS-Liste können komplexe englische Medizinbegriffe entschlüsselt werden (→ Tab. 26.8).

MERKE

Achten Sie auf die **Bestätigung,** dass eine Redewendung vom Angesprochenen auch **verstanden** wurde, und wenden Sie diese korrekte Redewendung regelmäßig in der Praxis an, damit werden sich die medizinische Fachsprache und deren Abkürzungen immer leichter einsetzen lassen.

Prefix/Root	Meaning	Example
A		
ab-	away from	abduct
ad-	towards	adduct
adipo-	fat	adipose tissue
an-	without	anuria
angio-	vessel	angiogram
ante-	before	antepartum
anti-	against	antibiotic
B		
bi-	twice or double	bilateral
brachi-	arm	brachial plexus
brady-	slow	bradycardia

Tab. 26.8 PRS-List (Prefix-Roots-Suffix)

Prefix/Root	Meaning	Example
C		
cardio-	heart	cardiomegaly
cephal-	head	hydrocephalic
cerebro-	brain	cerebral cortex
D		
de-	removal of, lack of	decompress
dextro-	right	dextrocardia
dorsi-	the back	dorsal
dys-	difficulty	dyspnea
E		
-ectomy	removal	appendectomy
-edema	swelling	lymphedema
-emesis	vomiting	hematemesis
-emia	blood condition	anemia
encephalo-	brain	encephalitis
G		
gastri/o-	stomach	gastric
glyco-	glukose, sugar	glycogen
gyne-	woman	gynecology
-globin	protein	hemoglobin
H		
hemato-	blood	hematocrit
hemi-	half	hemiplegia
hemo-	blood	hemoglobin
hepato-	liver	hepatomegaly
hydro/a-	water	hydrocephalus
hyper-	high, excessive	hypertension
hypno-	sleep	hypnotic medication
hypo-	low	hypothyroidism
I		
infra-	below	infraclavicular lymph nodes
intra-	within	intracranial pressure
iso-	equal	isotonic solution
L		
laparo-	abdomen	laparoscopy
leuko-	white	leukocyte
lip-	fat	lipoma
M		
mal-	bad	malabsorption
-megaly	enlargement	hepatomegaly
N		
narco-	sleep	narcotic
naso-	nose	nasal
neo-	new	neoplasm
nephro-	kidney	nephritis
O		
optic-	eye, vision	optic nerve
ortho-	straight, upright	orthodontist
-osis	disease	psychosis
oxi-	oxygen	oxidation

Tab. 26.8 PRS-List (Prefix-Roots-Suffix) *(Forts.)*

-paresis	weakness	hemiparesis
-pectoris	chest	pectoral muscles
-phasia	speak	aphasia
-phlebo	blood, vein	phlebotomy
-phobia	fear of	claustrophobia
-plegia	paralysis	quadriplegic
-pnea	breathing	dyspnea
pneumo-	lung	pneumothorax
S		
sanguine	blood	serosanguinous
semi-	half, part	semiconscious state
sero-	serum	serology
-stalsis	contraction	peristalsis of the intestine
-stasis/ic	stop	hemostatic agent
-staxis	dripping	epistaxis
sub-	beneath	subcutaneous
super/ra-	above	supraventricular tachycardia
T		
tachy-	rapid	tachycardia
-tension	pressure	hypertension
therm-	heat	thermometer
thorax-	upper chest	thoracotomy
thrombo-	blood clot	deep vein thrombosis
trans-	across	transfusio
U		
uni-	one	unilateral
uri/o-	urine	urinalysis
V		
vaso-	vessel	vasoconstriction
ventro-	belly, front	ventral hernia

Tab. 26.8 PRS-List (Prefix-Roots-Suffix) *(Forts.)*

26.3.4 Befragung nach SAMPLER – The SAMPLER approach

Die Anamnese eines Patienten wird in einer strukturierten Reihenfolge erhoben und steht im Regelfall am **Anfang einer Patientenbefragung** und nicht am Ende, es sei denn, dass lebensrettende Maßnahmen im Vordergrund stehen. Die Befragung wird verwendet, um wesentliche Informationen zur Krankengeschichte zu sammeln, und um die Beschwerden des Patienten zu diagnostizieren und Behandlungsentscheidungen treffen zu können. Hier folgen einige Empfehlungen zur Anwendung der Befragung nach SAMPLER in englischer Sprache. Zum Inhalt und der Vorgehensweise in deutscher Sprache siehe → Kap. 17.1.11.

S – Signs and Symptoms

Das Rettungsfachpersonal wird am Patienten Befunde (engl. signs: [Krankheits-]zeichen) durch Hören, Sehen und Messen erheben. So ist der Blutdruck messbar, Atemgeräusche sind hörbar und eine Zyanose sichtbar.

Symptome beschreiben dagegen das vom Patienten geschilderte Beschwerdebild. Unter dieser Voraussetzung ist es wenig sinnvoll, den Patienten zu fragen *„What are your signs and symptoms?"*, ohne befürchten zu müssen, eine lange Krankheitsgeschichte erzählt zu bekommen. Besser man fragt: *„Why did you call for an ambulance?"* und stellt anschließend Fragen zu den vom Patienten benannten Symptomen.

A – Allergies

Do you have any allergies?
Are you allergic to any medications?
Do you have any other allergies we should know about?

M – Medication

What medication do you take?
Did you take your medications as prescribed?
Did you take any over-the-counter medications, supplements or homeopathic formulations not prescribed by a physician?

P – Past Medical History

Do you have any medical conditions or history we should know about?
Have you ever been admitted to a hospital?
What was the reason for your admittance to the hospital?

L – Last Meal – Last ins and outs

Have you been eating and drinking normally?
What is normal for you?
What has kept you from drinking/eating normally and for how long?

E – Events

What happened leading to your illness or injury?
Can you give a frame-by-frame description of what happend?
Can you give me a better understanding of what happened?

R – Risk Factors

Unter Risikofaktoren werden nicht die Vorerkrankungen oder Verhaltensweisen des Patienten erfasst. Diese werden über den Punkt „P – Past Medical History" (s. o.) erfragt. Es ist vielmehr eine andere Blickweise zur Informationsgewinnung notwendig. Während sich die bisherigen Fragen an den Patienten richten, um Informationen zu gewinnen, zielt die Informationsgewinnung zu den Risikofaktoren (risk factors) auf das Rettungsfachpersonal selbst, wobei es sich selbst bewusst machen muss, ob Risikofaktoren vorhanden sind, oder ob diese vielleicht übersehen oder gar durch besondere Umstände verdeckt werden.

Risikofaktoren umfassen ein weites Feld und werden von anderen vordringlichen Aspekten oft verdeckt. Daher muss zum Hergang des Notfallereignisses, dessen Verlauf und zum Notfallort selbst genauestens reflektiert und beobachtet werden. Unter dieser Voraussetzung ist es wenig sinnvoll, den Patienten zu fragen „*What are your risk factors?*", vielmehr stellt sich z. B. die Frage „*What might have caused the fall and the fracture?*"

26.3.5 Befragung nach OPQRST – The OPQRST approach

Die weitere Anamnese eines Patienten wird ebenfalls in strukturierter Reihenfolge erhoben. Hier folgen einige Empfehlungen zur Anwendung der Befragung nach OPQRST in englischer Sprache. Zum Inhalt und der Vorgehensweise in deutscher Sprache siehe → Kap. 17.1.12.

O – Onset

Are you in pain?
Did your pain start suddenly or got worse and worse?
What were you doing when your pain started?

P – Palliates or Provokes

What makes your pain better or worse?

Q – Quality

What does your pain feel like?
What words would you use to describe your pain?

R – Region or Radiation

Point to where it hurts the most.
Where does your pain go from there?

S – Severity

Please tell me the number that best describes your discomfort or pain if 0 is none and 10 is as bad as you can imagine.

T – Time

When did the pain start?

WIEDERHOLUNGSFRAGEN

1. Wie sind die Begriffe Gesundheit und Krankheit definiert (→ Kap. 26.1)?
2. Welche Krankheitsursachen gibt es (→ Kap. 26.1.1)?
3. Was bedeuten die Begriffe „Ätiologie, Pathogenese und Pathophysiologie" (→ Kap. 26.1)?
4. Welche Symptomarten existieren und welche Bedeutung haben Symptome für die Diagnose (→ Kap. 26.1.3)?
5. Was sind Kardinalsymptome (→ Kap. 26.1.3)?
6. Was bedeutet bei einem Krankheitsverlauf das Auftreten eines Rezidivs (→ Kap. 26.1.4)?
7. Was bedeutet der Begriff „Terminologie" (→ Kap. 26.2)?
8. Welche Sprachen bilden den Wortschatz der medizinischen Fachbegriffe (→ Kap. 26.2)?
9. Nennen Sie häufige Vorsilben, ein Beispiel und die Bedeutung (→ Tab. 26.2).
10. Nennen Sie wichtige Lagebezeichnungen (→ Kap. 26.2.5).
11. Woraus ergibt sich i. d. R. die Bedeutung der englischsprachigen Bezeichnung (→ Kap. 26.3.3)?
12. Worauf ist zu achten, um die Wortbedeutung am ehesten zu verstehen (→ Kap. 26.3.3)?
13. Was enthält die PRS-Liste (→ Kap. 26.3.3)?

WEITERFÜHRENDE LITERATUR

Gerdes S. English for Medical Assistants. 2. Aufl. Stuttgart: Holland und Josenhans, 2015.
Gödde D, Sellmann T, O'Connell C. Medizin im Ausland. Berlin/Wien: Springer, 2005.
Gross P, Baumgart D. Medical English (Sprachkurs). 5. Aufl. Stuttgart: Thieme, 2006.
Müllauer S, Hohenester S, Haag Chr. Englisch im klinischen Alltag: Kitteltaschenbuch. 2. Aufl. München: Lehmans, 2016.
Stollmaier W. Feuchte Chr. Fachbegriffe für Medizinische Fachangestellte. 5. Aufl. Stuttgart: Holland und Josenhans, 2015.

27

KARDIOZIRKULATORISCHE NOTFÄLLE

Stefan Dreesen

FALLBEISPIEL

Notfallmeldung

Der Rettungswagen wird mit dem Einsatzstichwort „Krampfanfall" alarmiert. Auf der Anfahrt erfährt die Besatzung über Funk, dass es sich um eine Nachforderung durch den Hausnotrufdienst handelt. Die Patientin sei initial gestürzt, habe dann jedoch im Beisein des Hausnotruf-Helfers die Augen verdreht und gekrampft. Der Notarzt sei auch alarmiert.

Situation und Ersteindruck

Beim Eintreffen sitzt die 78-jährige Patientin auf dem Boden und wird vom Mitarbeiter des Hausnotrufdienstes gestützt. Er hat ihr bereits eine Sauerstoffbrille mit einem Flow von 4 l/Min. angelegt. Die Anamnese ergibt, dass die Patientin sich nicht erinnern kann, was passiert ist: Sie habe sich plötzlich auf dem Teppich im Wohnzimmer liegend wiedergefunden und sei von alleine nicht mehr hochgekommen. Der „junge Mann" habe ihr dann aufhelfen wollen, doch dann habe sie wieder für kurze Zeit einen Blackout gehabt und könne sich an nichts erinnern. Bereits seit dem Vorabend sei ihr ohnehin auch ein bisschen übel und sie habe einen Druck auf dem Magen. Als Vorerkrankungen werden auf dem Datenblatt des Hausnotrufdienstes aufgezählt: „Herzinsuffizienz, KHK, Hypertonie, Diabetes mellitus, Hüft-TEP rechts, Osteoporose". In der Medikation finden sich ASS, Metoprolol, Simvastatin, Ramipril sowie ein Vitamin-D-/Kalzium-Kombipräparat. Vitalparameter: Puls 62/Min., RR 160/88 mmHg, SpO_2 96 % unter bereits laufender O_2-Gabe. Auf dem EKG zeigt sich ein unregelmäßiger Rhythmus mit einigen polymorphen VES. Während der Notfallsanitäter den Monitor noch betrachtet, schlägt der Rhythmus plötzlich um in eine Kammertachykardie. Die Patientin verdreht die Augen, beginnt kurz zu krampfen und bleibt dann bewusstlos liegen. Der Notfallsanitäter tastet nach dem Karotispuls, während er simultan die Atmung überprüft und beginnt dann bei persistierender VT mit der Herzdruckmassage.

Leitsymptome

Bewusstlosigkeit, Bild eines Krampfanfalls.

INHALTSÜBERSICHT

27.1 STÖRUNG DER HERZ-KREISLAUF-FUNKTION

- Kardiologische Notfälle gehören zu den häufigsten Einsatzgründen im Rettungsdienst.
- Der retrosternale Thoraxschmerz ist ein Leitsymptom kardialer Notfälle, kann jedoch zahlreiche Ursachen haben.
- Weitere typische Symptome sind Dyspnoe und Herzrhythmusstörungen.
- Die Beurteilung der Symptome bei kardialen Notfällen erfordert grundsätzlich die Ergänzung der Diagnostik um ein EKG.

27.2 KRANKHEITEN DES HERZ-KREISLAUF-SYSTEMS

- Typische Folge einer Linksherzinsuffizienz ist der Rückstau von Flüssigkeit in den Lungenkreislauf mit Gefahr eines Lungenödems.
- Die stabile koronare Herzkrankheit (KHK) entsteht im Allgemeinen durch eine reversible Durchblutungsstörung der Herzkranzgefäße. Leitsymptom ist die Angina pectoris (AP).
- Instabile Angina pectoris (iAP), Nicht-ST-Strecken-Hebungsinfarkt (NSTEMI) und ST-Strecken-Hebungsinfarkt (STEMI) werden unter dem Begriff „akutes Koronarsyndrom" (ACS) zusammengefasst.
- Beim Rechtsherzinfarkt kann eine Vorlastsenkung schädlich sein.
- Ein kardiales Lungenödem ist häufig Folge einer akuten Herzinsuffizienz oder Erscheinungsform eines hypertensiven Notfalls.
- Synkopen können harmlose und gefährliche Ursachen haben, z. B. Herzrhythmusstörungen.
- Vorhofflimmern ist ein wichtiger Risikofaktor für Thromboembolien.

27.3 ARTERIELLE UND VENÖSE GEFÄSSERKRANKUNGEN

- Hauptursache arterieller Gefäßerkrankungen ist die Arteriosklerose.
- Der akute arterielle Verschluss einer Extremität kann durch eine Embolie oder auf dem Boden einer peripheren arteriellen Verschlusskrankheit (pAVK) entstehen.
- Die Hauptgefahr der Beinvenenthrombose ist die Lungenembolie.
- Nimmt eine Lungenembolie akut lebensbedrohliche Ausmaße an, so kann bereits präklinisch eine Lyse indiziert sein.
- Als Aortenaneurysma bezeichnet man eine Aufweitung der Aorta. Es ist eine gedeckte oder freie Perforation möglich.
- Das akute Aortensyndrom ist ein Notfall, bei dem eine Dissektion oder Ruptur der Aorta droht oder bereits vorliegt.
- Der Verschluss einer Mesenterialarterie verursacht einen paralytischen Ileus und kann innerhalb von Stunden zum Tode führen.

27.1 Störung der Herz-Kreislauf-Funktion

27.1.1 Symptome

Einige Leitsymptome, wie z. B. Thoraxschmerz und Dyspnoe, sind typisch für Erkrankungen des Herzens. Um eine adäquate (Verdachts-)Diagnose zu stellen, ist immer ein umfassendes Bild der Situation notwendig. Viele verschiedene Erkrankungen können ähnliche Symptome hervorrufen und nicht zuletzt sind die Symptome bei einigen Patienten atypisch. Bei allen potenziell kardial bedingten Notfällen muss daher immer eine vollständige Diagnostik mit Erhebung der Vitalwerte inkl. SpO_2 sowie der Ableitung eines EKGs mit mindestens 12 Ableitungen angestrebt werden.

Schmerzen

Der retrosternale, also hinter dem Brustbein lokalisierte, **Thoraxschmerz** ist das klassische Leitsymptom des kardial bedingten Notfalls. Die Schmerzqualität kann hierbei sehr unterschiedlich sein. Viele Patienten berichten anstatt von einem Schmerz eher von einem Druckgefühl, „als ob der Brustkorb zusammengeschnürt" oder „ein Stein darauf liegen" würde. Dieses Engegefühl verlieh dem Leitsymptom auch seinen Namen: **Angina pectoris (Brustenge).** Die Schmerzen sind meist atemunabhängig und nicht durch Druck auslösbar. Eine Ausstrahlung in die linke Schulter oder den linken Arm ist häufig, aber nicht zwingend. Auch über eine Ausstrahlung in den Hals-/Kieferbereich, den Rücken oder das Epigastrium wird oft berichtet.

Ursache ist eine Unterversorgung des Herzmuskels mit Sauerstoff bzw. Energie, die zum sog. **Ischämieschmerz** führt. Die Ischämie entsteht entweder aus einer reduzierten Zufuhr von Blut bzw. Sauerstoff, z. B. bei der koronaren Herzerkrankung, oder auf dem Boden eines erhöhten Sauerstoffverbrauchs im Myokard, wie er z. B. bei tachykarden Herzrhythmusstörungen auftreten kann. Auch eine Anämie, z. B. bei akutem Blutverlust, kann zu einer Unterversorgung des Herzmuskels mit Sauerstoff führen.

MERKE

Atypische Beschwerden bei einem Herzinfarkt finden sich gehäuft bei **älteren Patienten > 75 Jahre, Frauen** sowie Menschen mit **Diabetes mellitus,** chronischer **Niereninsuffizienz** oder **Demenz.** Insbesondere Diabetes ist ein wichtiger Risikofaktor für kardiovaskuläre Erkrankungen, sodass auch geringe oder gar fehlende Symptome bei Diabetes nicht unterschätzt werden dürfen. Eine Schädigung der schmerzverarbeitenden Nerven im Rahmen einer **diabetischen Polyneuropathie** kann einen Infarkt manchmal sogar schmerzlos ablaufen lassen (→ Kap. 30.1.5). Läuft ein Herzinfarkt ohne Schmerzen ab, spricht man vom **stummen Infarkt.**

ACHTUNG! Ein **Leitsymptom** ist zwar für eine bestimmte Erkrankung typisch, es **beweist** jedoch diese Erkrankung genauso wenig, wie das Fehlen eines Leitsymptoms eine Erkrankung **ausschließt.** Es gilt immer, sich ein so umfassendes Bild wie möglich zu machen und alle Differenzialdiagnosen in die Überlegungen mit einzubeziehen. Gerade bei den kardiovaskulären Notfällen ist die Ergänzung der manuellen Diagnostik durch die apparative Diagnostik (EKG, SpO_2 und, wo vorhanden, ggf. Herz-Ultraschall und BGA) zwingend erforderlich.

Dyspnoe

Der Begriff „Dyspnoe" bezeichnet eine **subjektiv erschwerte Atmung bzw. Atemnot.** Hierbei kann, muss aber nicht zwingend, eine Störung der Atmung vorliegen. Viele Patienten empfinden beispielsweise im Rahmen eines Angina-pectoris-Anfalls Atemnot und haben den Eindruck, „nicht richtig durchatmen zu können", obwohl die Blutgase vollkommen normal sind. Im Gegensatz hierzu kann es aber auch bei einer Pumpschwäche des linken Ventrikels zu einer akuten Linksherzinsuffizienz kommen, die zu einem Rückstau von Blut in den Lungenkreislauf führt. Dieser Dyspnoe liegt dann eine tatsächliche Beeinträchtigung des Gasaustauschs zugrunde.

Hautfarbe

Die Hautfarbe ist ein vielzitiertes, jedoch leider nicht immer zuverlässiges Symptom. Die Haut ist im Schock aufgrund der Kreislaufzentralisierung oft blass, kann aber auch zyanotisch sein. Umgekehrt werden Patienten mit einer schlechten Sauerstoffversorgung in der Literatur als zyanotisch geschildert, jedoch sind sie in der Praxis stattdessen manchmal doch blass oder haben im Einzelfall sogar eine rötliche Hautfarbe, da sie sich bei der Atmung stark anstrengen.

Eine **periphere Zyanose** an Nase, Lippen, Fingern und Ohren ist deutlich häufiger zu sehen, jedoch muss auf diese Zeichen aktiv geachtet werden.

Schockzeichen

Schockzeichen weisen bei kardialen Notfällen auf eine kritische Situation hin, es muss hier immer eine **Reanimationsbereitschaft** hergestellt werden. Als klassische Symptome sind neben der Kombination aus **Tachykardie und Hypotonie** v. a. die **Kaltschweißigkeit** zu nennen sowie in vielen Fällen ein **beeinträchtigtes Bewusstsein.** Die Hautfarbe ist meist **blass oder zyanotisch** (→ Kap. 32.1.4).

ACHTUNG! Die für einen Schock typische **Tachykardie** kann bei kardialen Notfällen aus diversen Gründen **fehlen.** Beispielsweise sind viele Patienten mit bradykardisierenden Medikamenten wie Betablockern vorbehandelt oder haben altersbedingt degenerative Veränderungen, die einen Frequenzanstieg verhindern. Zudem kann das Reizleitungssystem auch akut, z. B. im Rahmen eines Infarkts, geschädigt sein. Eine fehlende Tachykardie schließt also einen Schock nicht sicher aus.

Rhythmusstörungen

Das Erkennen bestimmter Herzrhythmusstörungen ist in der Notfalldiagnostik von herausragender Bedeutung. Hierzu ist **immer die Auswertung eines EKGs mit mindestens 12 Ableitungen** notwendig. Weder das Pulsoxymeter noch das EKG können für sich alleine eine ausreichende Aussage zum Puls machen. Dieser sollte immer zunächst peripher (A. radialis), wenn dort nicht tastbar auch zentral (A. carotis, A. femoralis), getastet werden, wobei bei bewusstseinsklaren Patienten grundsätzlich eine Einverständniserklärung einzuholen ist. (Nicht jeder Mensch toleriert die unvorhergesehene „Hand an der Gurgel".)

Bei allen Herzrhythmusstörungen ist abzuklären, ob die Rhythmusstörung symptomatisch und/oder sogar vital bedrohlich ist, da dies das weitere Vorgehen wesentlich beeinflusst. Subjektive Wahrnehmungen von „Herzstolpern" oder „Herzklopfen" werden als **Palpitationen** bezeichnet. Ursachen können harmlos (z. B. Extrasystolen), aber auch gefährlich sein (z. B. ventrikuläre Tachykardie, VT). Synkopen und Beinahe-Synkopen können Hinweis auf bereits aufgetretene Rhythmusstörungen sein. Informationen zur EKG-Diagnostik finden sich in → Kap. 17.5.7 und → Kap. 17.5.8, zudem werden einige wichtige Herzrhythmusstörungen auch im → Kap. 27.2.9 behandelt.

MERKE

Herzrhythmusstörungen können episodenhaft auftreten, sodass sich beim Patientenkontakt das EKG wieder normalisiert haben kann. Die Anamnese muss daher immer Fragen nach Palpitationen (Herzstolpern, Herzklopfen, Herzrasen) und Beinahe-Synkopen (z. B. Schwarzwerden vor den Augen) beinhalten.

27.1.2 Allgemeine Maßnahmen bei Störungen der Herz-Kreislauf-Funktion

Eine der schwersten Formen der Herz-Kreislauf-Störung ist der **Kreislaufschock,** für den es neben einer kardialen zahlreiche weitere Ursachen gibt. Dieses Kapitel befasst sich jedoch nur mit den primär kardiovaskulär bedingten Störungen, die verschiedenen Schockarten werden im → Kap. 32 behandelt.

Die Versorgung des kardialen Notfallpatienten erfolgt nach den Prinzipien des allgemeinen Vorgehens am Notfallort. Feststehende Schemata zum Vorgehen (ABCDE, SAMPLER etc., → Kap. 17.1) sind hilfreich, um verschiedene Aspekte von Anamnese und Untersuchung nicht zu vergessen, ersetzen aber nicht die fachkompetente Bewertung und Kombination der erhobenen Befunde (→ Kap. 17.4).

Grundsätzlich sollte auch immer nach dem **Vorhandensein eines Herzschrittmachers** oder **ICDs** gefragt werden. In der Regel sind diese Geräte links oder rechts im Bereich des Oberkörpers unterhalb des

Schlüsselbeins implantiert, ca. streichholzschachtelgroß und meist gut zu tasten. Auch die Kenntnis vorbestehender, chronischer EKG-Veränderungen ist von großer Bedeutung.

Da kardiale Notfälle zum einen oft einen vital bedrohlichen Charakter haben, zum anderen die Herz-Kreislauf-Tätigkeit eng mit dem vegetativen Nervensystem und somit dem psychischen Zustand verknüpft ist, sollte das Vorgehen grundsätzlich sowohl so **ruhig und beruhigend** wie möglich als auch so **zügig** wie möglich sein.

PRAXISTIPP

Mit zunehmender Technisierung des Rettungsdienstes werden oft einfache Erste-Hilfe-Maßnahmen vergessen. Die **richtige Lagerung** kann oft mit einfachsten Mitteln große Effekte bewirken. Wilder Aktionismus ist hierbei aber nicht angebracht: Auch das Sitzenlassen auf dem Stuhl kann die richtige Lagerungsform sein **(Herzbettlagerung).** Zudem gilt der Grundsatz, nie eine Lagerung gegen den Patientenwillen zu erzwingen.

Ein **komplettes Monitoring** (AF, EKG, RR, SpO_2, BZ- und Temperaturmessung) ist verpflichtend und beinhaltet bei allen kardialen Notfällen auch immer ein EKG mit mindestens 12 Ableitungen. Die alleinige technische Messung von Werten reicht hierbei nicht aus, man muss die Werte auch **bewusst wahrnehmen, dokumentieren und interpretieren.** Verdächtige EKG-Befunde sind immer auszudrucken, um sie später kardiologisch befunden zu lassen. Hierbei ist zu bedenken, dass sich ein EKG sowohl im Verlauf verändern kann als auch, dass es Herzrhythmusstörungen gibt, die nur kurzzeitig auftreten, deren Erkennen jedoch für die weitere Behandlung von essenzieller Bedeutung ist.

Je nach Krankheitsbild sollten auch bereits **Medikamente** vorbereitet werden, wobei allerdings insbesondere bei Antiarrhythmika oft mehrere Wege ans Ziel führen und die Auswahl der Medikamente eine notärztliche Entscheidung ist.

Früher gültige dogmatische Regelungen wie „jeder Patient braucht Sauerstoff" und „keine Schocklagerung beim kardiogenen Schock" müssen heutzutage vom Rettungsfachpersonal je nach Krankheitsbild differenziert betrachtet werden. Näheres hierzu findet sich in den nachfolgenden Kapiteln.

27.2 Krankheiten des Herz-Kreislauf-Systems

27.2.1 Herzinsuffizienz

DEFINITION

Die **Herzinsuffizienz** ist ein klinisches Syndrom, das durch typische Symptome charakterisiert wird, wie z. B. Atemnot, Knöchelödeme und Leistungsverlust. Es kann von speziellen Zeichen begleitet werden, wie gestaute Halsvenen, pulmonale Rasselgeräusche und periphere Ödeme, und wird verursacht durch eine strukturelle und/oder funktionelle Störung des Herzens, die in Ruhe oder unter Stress zu einer verminderten Auswurfleistung und/oder erhöhten intrakardialen Drücken führt.

Vereinfacht kann man festhalten: Herzinsuffizienz beschreibt die **Unfähigkeit des Herzens, das vom Organismus benötigte Herzzeitvolumen (HZV) zu fördern.** Ursache kann beispielsweise eine Muskelschwäche des Ventrikels sein. Kann dieser sich nicht mehr ausreichend kontrahieren, sinkt das Herzschlagvolumen (HSV), man spricht von einer **systolischen Herzinsuffizienz.** Es gibt allerdings auch eine **diastolische Herzinsuffizienz,** bei der zwar die Kontraktion normal sein kann, sich der Herzmuskel aber in der Diastole nicht richtig entspannt und somit nicht normal füllt. Im Englischen und somit in der Literatur wird die Herzinsuffizienz als **„Heart Failure" (HF)** bezeichnet. Man unterscheidet bei der Herzinsuffizienz je nach Anteil des aus dem linken Ventrikel ausgeworfenen Blutes **(Ejektionsfraktion, EF):**

- **HF-pEF** (preserved EF ≥ 50 % = normale EF, erhaltene Pumpfunktion)
- **HF-mrEF** (mildly reduced EF 41–49 % = mäßiggradig reduzierte EF)
- **HF-rEF** (reduced EF ≤ 40 % = stark reduzierte EF)

Diese Abkürzungen tauchen sehr häufig in Entlassungsbriefen und Diagnoselisten auf, weswegen man sie auch im Rettungsdienst kennen sollte.

Klinisch wird die Herzinsuffizienz nach der Schwere der Symptome in sog. **NYHA-Stadien** unterteilt (→ Tab. 27.1). Hierbei widerspricht strenggenommen das Stadium NYHA I den gängigen Definitionen, da hierbei noch keine Symptome vorhanden sind, jedoch können z. B. echokardiografisch bereits Funktionseinschränkungen gemessen werden.

Ist der linke Ventrikel von der Herzinsuffizienz betroffen, spricht man von einer **Linksherzinsuffizienz,** beim rechten Ventrikel entsprechend von einer **Rechtsherzinsuffizienz.** Sind beide Ventrikel insuffizient, so besteht eine **Globalinsuffizienz** oder **biventrikuläre Insuffizienz** des Herzens.

Prinzipiell entstehen durch die Herzinsuffizienz funktionell zwei Probleme: Zum einen wird nicht mehr genügend Blut in das arterielle System hineingepumpt **(Vorwärtsversagen),** zum anderen wird nicht mehr genug Blut aus dem venösen System abtransportiert, sodass es sich hier staut **(Rückwärtsversagen).** Eine Lungenstauung durch Rückwärtsversagen des linken Ventrikels bedeutet gleichzeitig eine Nachlasterhöhung für den rechten Ventrikel und kann somit sekundär zu einer Rechtsherzinsuffizienz führen. Man erkennt daher auch bei einer Linksherzinsuffizienz oft zusätzlich Zeichen der Rechtsherzinsuffizienz.

Zwei Begriffe werden in diesem Zusammenhang häufig gebraucht: **Vorlast** (engl. **preload**) bezeichnet im engeren Sinne die Dehnung der Herzmuskelfasern am Ende der Diastole, die natürlich davon abhängt, wie stark der Ventrikel gefüllt ist. Sie ist wiederum abhängig vom venösen Rückstrom zum Herzen. **Nachlast** (engl. **afterload**) bezeichnet hingegen den Widerstand, gegen den der Herzmuskel das Blut in der Systole ausstoßen muss. Hauptfaktor ist für den linken Ventrikel der

Stadium	Klinik
NYHA I	Keine Einschränkung der körperlichen Aktivität. Normale körperliche Aktivität führt nicht zu Luftnot, Müdigkeit oder Palpitationen.
NYHA II	Leichte Einschränkung der körperlichen Aktivität. Beschwerdefreiheit unter Ruhebedingungen. Bei normaler körperlicher Aktivität kommt es zu Luftnot, Müdigkeit oder Palpitationen.
NYHA III	Deutliche Einschränkung der körperlichen Aktivität. Beschwerdefreiheit unter Ruhebedingungen; aber bereits bei geringer körperlicher Aktivität Auftreten von Luftnot, Müdigkeit oder Palpitationen
NYHA IV	**Unfähigkeit, körperliche Aktivität ohne Beschwerden auszuüben.** Symptome **unter Ruhebedingungen** können vorhanden sein. Jegliche körperliche Aktivität führt zur Zunahme der Beschwerden.

Tab. 27.1 Schweregrade nach New York Heart Association (NYHA) [W867-008]

systemische arterielle Widerstand, der beispielsweise durch Kontraktion der Arterien und der damit einhergehenden Blutdruckerhöhung beeinflusst wird, für den rechten Ventrikel der pulmonalarterielle Widerstand, der im Rahmen von Lungenerkrankungen oder einer „durchgestauten" Linksherzinsuffizienz erhöht sein kann.

PRAXISTIPP

Hintergrundinfos zur Medikamentenanamnese

Typische Medikamente, die zur Behandlung einer Herzinsuffizienz verschrieben werden, sind:

- **ACE-Hemmer** (enden meist auf „-pril", z. B. Ramipril, Enalapril etc.) oder **Angiotensin-II-Rezeptorblocker** (enden meist auf „-sartan", z. B. Candesartan, Losartan, Valsartan etc.)
- **Betablocker** (enden meist auf „-olol", z. B. Metoprolol, Bisoprolol etc.)
- **Aldosteronantagonisten** (= Mineralkortikoid-Rezeptorantagonist, **MRA**) wie Spironolacton oder Eplerenon (v. a. bei fortgeschrittener Herzinsuffizienz)
- **Kombinationspräparate, z. B. Sacubitril + Valsartan (Entresto®)**
- **SGLT-2-Hemmer** (z. B. Dapagliflozin oder Empagliflozin), die ursprünglich zur Therapie des Diabetes mellitus entwickelt wurden, jedoch auch bei Herzinsuffizienz ohne gleichzeitigen Diabetes mellitus eine gute Wirkung zeigen
- **Diuretika** bei Stauungszeichen:
  - Primär **Schleifendiuretika** (z. B. Furosemid oder Torasemid)
  - **Thiazide** (z. B. Hydrochlorothiazid [HCT], oft auch als Kombipräparat)
  - **Kaliumsparende Diuretika,** wie Triamteren
- Vericiguat (Verquvo®) bei HF-rEF
- Ivabradin (Procoralan®, Ivabalan®) zur Reduktion der Herzfrequenz
- Digitalispräparate (Digitoxin, Digoxin und Derivate)
- Präparate zur Behandlung der Grunderkrankung (oft KHK und/oder arterielle Hypertonie), z. B. Nitrate

Eine Herzinsuffizienz ist häufig gut mit Medikamenten behandelbar und im Zustand einer stabilen, **chronischen Erkrankung** i. d. R. **kompensiert.** Zu einer **Dekompensation** kann es durch verschiedene Ursachen wie Veränderung der Medikation, Verschlechterung der Grunderkrankung, Erhöhung der Trinkmenge oder dem Auftreten zusätzlicher Erkrankungen mit unterschiedlicher Geschwindigkeit über einen Zeitraum von Tagen bis Wochen kommen. Tritt aber ein Ereignis auf, welches innerhalb von Minuten bis Stunden dazu führt, dass sich die Symptome der Herzinsuffizienz akut verschlechtern, so spricht man von einer **akut dekompensierten** bzw. **akuten Herzinsuffizienz** (engl. acute heart failure, **AHF**). Eine **akute Herzinsuffizienz** kann aber nicht nur als Verschlechterung einer vorbestehenden Insuffizienz auftreten, sondern auch **de novo** (lat.: von Neuem) im Rahmen eines akuten, zusätzlichen Krankheitsauslösers, z. B. bei einem schweren Herzinfarkt.

Ursachen der akuten Herzinsuffizienz (AHF)

Der Begriff **akute Herzinsuffizienz (AHF)** bezeichnet das **rasche Einsetzen** bzw. die allmähliche **Verschlechterung** der Symptome und/oder Zeichen einer Herzinsuffizienz, die so schwer sind, dass der Körper sie nicht mehr kompensieren kann. Es ist ein potenziell **lebensbedrohlicher Zustand,** der eine umgehende Einschätzung und Behandlung erfordert und üblicherweise zu einer dringlichen Krankenhausaufnahme führt.

Ursachen für eine rettungsdienstlich relevante akute Herzinsuffizienz sind u. a. die **Myokardischämie** (insbesondere der Herzinfarkt), **Herzrhythmusstörungen,** seltener Herzklappenfehler und die Perikardtamponade. Zudem kann eine plötzliche Druckerhöhung in den nachgeschalteten Arterien ursächlich sein: Beim **linken Herzen** eine **hypertensive Entgleisung,** beim **rechten Herzen** z. B. eine **Lungenembolie,** ein schwerer Asthmaanfall bzw. die Exazerbation einer COPD, ein (Spannungs-)Pneumothorax, aber auch das Lungenödem bei primärer Linksherzinsuffizienz.

MERKE

Das Akronym **CHAMPIT** steht für die typischen Ursachen der akuten Herzinsuffizienz:

- C – Acute **C**oronary Syndrome (ACS = akutes Koronarsyndrom, → Kap. 27.2.5)
- H – **h**ypertensiver Notfall (→ Kap. 27.2.7)
- A – **A**rrhythmien (→ Kap. 27.2.9)
- M – akute **m**echanische Ursache*
- P – **P**ulmonalarterienembolie (Lungenembolie, → Kap. 27.3.4)
- I – **I**nfektionen (z. B. Myokarditis, → Kap. 27.2.2)
- T – **T**amponade des Herzbeutels (→ Kap. 31.4.5)

Zu den mechanischen Ursachen zählen z. B. Myokardrupturen nach Infarkt, Thoraxtrauma, akute Herzklappenvitien, Aortendissektion oder Thromben.

Im Extremfall führen die genannten Ursachen zum lebensbedrohlichen Kreislaufschock. Hier ist der kardiogene vom obstruktiven Schock zu unterscheiden.

Der **kardiogene Schock** ist gekennzeichnet durch eine kritisch verminderte kardiale Pumpleistung (z. B. Herzinfarkt, Herzklappenvitien, Rhythmusstörungen etc.) mit daraus resultierender Minderdurchblutung der Organe (→ Kap. 32.2).

Wird der Schock hingegen durch eine mechanische Behinderung des Blutflusses außerhalb des Herzens hervorgerufen (z. B. Lungenembolie, Spannungspneumothorax, Herzbeuteltamponade), handelt es sich um einen **obstruktiven Schock** (→ Kap. 32.4).

Symptome der kompensierten (chronischen) Herzinsuffizienz

Die Symptome der chronischen Herzinsuffizienz hängen primär davon ab, welcher der beiden Ventrikel betroffen und wie schwerwiegend die jeweilige Funktionsstörung ist (→ Abb. 27.1).

Eine Funktionseinschränkung des linken Ventrikels macht sich i. d. R. zunächst durch **Leistungsminderung und Belastungsdyspnoe** bemerkbar. Insbesondere flaches Liegen fällt den Betroffenen schwer, sodass viele nachts mit mehreren Kissen unter dem Oberkörper schlafen. Grund hierfür ist der Rückstau von Blut in den Lungenkreislauf (Rückwärtsversagen). Das Vorwärtsversagen hingegen führt zunächst zu Leistungsminderung, in schweren Fällen auch zu Verwirrtheit oder Synkopen.

Eine **Rechtsherzinsuffizienz** tritt selten primär auf, sondern meist infolge einer **pulmonalen Grunderkrankung** (COPD, Lungenfibrose, → Kap. 28.2.2). Häufig findet sich eine **Globalherzinsuffizienz,** die die Anzeichen von Links- und Rechtsherzinsuffizienz vereint. Es kommt zum Rückstau von Blut in das venöse System des großen Kreislaufs. Frühzeichen ist die **obere Einflussstauung.** Der Schwerkraft folgend bilden sich **Ödeme** i. d. R. im Bereich der unteren Extremitäten (→ Abb. 27.2).

Diese Ödeme können sehr ausgeprägt sein und in Verbindung mit einer stauungsbedingten Venenschädigung zu einer Verdickung und Verhärtung der Haut sowie zu offenen, schlecht heilenden Wunden

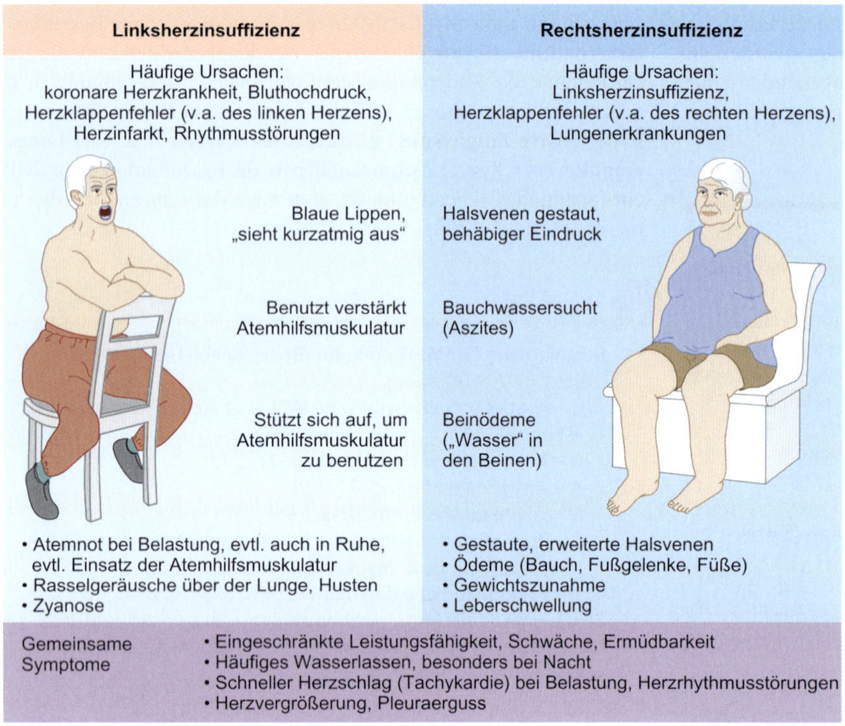

Abb. 27.1 Symptome der Herzinsuffizienz [L190, L231]

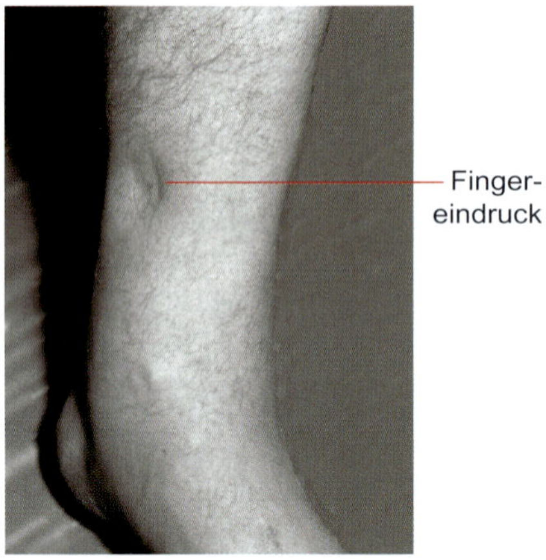

Abb. 27.2 Knöchelödeme bei Herzinsuffizienz [T127]

führen (Unterschenkelgeschwür, **Ulcus cruris**). Lagerungsabhängige, subkutane Ödeme, die bei Bettlägerigkeit häufig am Rücken auftreten, bezeichnet man als **Anasarka.** Weiterhin können **Pleuraergüsse** und **Aszites** sowie durch den Blutrückstau in den Venen des Gastrointestinaltrakts **Stauungsgastritis** (Magenschmerzen oder Völlegefühl) und **Stauungsleber** (mit Leberkapselspannungsschmerz im rechten Oberbauch) bis hin zur Leberzirrhose (sog. **Cirrhose cardiaque**) auftreten.

ACHTUNG! Die **obere Einflussstauung** (gestaute Vv. jugulares) ist einfach zu erkennen, aber nicht immer einfach zu interpretieren, da es für gestaute Halsvenen zahlreiche Ursachen gibt (u. a. atem- und lageabhängig). Deutliche Krankheitszeichen sind kontinuierlich gestaute, evtl. sogar pulsierende Jugularvenen bei erhöhtem Oberkörper.

Typisches Symptom für beide Formen der Herzinsuffizienz ist die **Nykturie** (mehrfacher nächtlicher Harndrang), da die am Tage retinierte Flüssigkeit im Liegen mobilisiert wird, meist aus den Beinen.

Der Übergang in Symptome der dekompensierten Herzinsuffizienz kann fließend sein.

Symptome der dekompensierten (akuten) Herzinsuffizienz

Auch die Symptome der akuten Herzinsuffizienz hängen davon ab, welcher der beiden Ventrikel betroffen und wie schwerwiegend die jeweilige Funktionsstörung ist.

Akut dekompensierte Linksherzinsuffizienz

Bei der **akut dekompensierten Linksherzinsuffizienz** kommt es infolge des **Rückwärtsversagens** zunächst zur Flüssigkeitsansammlung im Zwischenzellraum des Lungengewebes **(interstitielles Lungenödem),** das zu auskultatorischen Zeichen der bronchialen Obstruktion wie bei Asthma oder COPD führt (Giemen). Man spricht daher gelegentlich auch vom **Asthma cardiale.** Innerhalb von Minuten bis zu mehreren Stunden entwickelt sich ein intraalveoläres Ödem mit zunächst fein-, dann grobblasigen, feuchten Atemgeräuschen, die im Extremfall auch schon als typisches „Brodeln" ohne Stethoskop zu hören sind. Husten und blutig tingiertes Sputum sind ebenfalls möglich. Die Betroffenen verspüren Dyspnoe bis hin zur schwersten Orthopnoe, auch die Entwicklung einer Zyanose ist möglich. Die SpO_2 ist normalerweise deutlich vermindert oder aufgrund von Zentralisation und/oder Unruhe nicht messbar. Wache Patienten versuchen oft von selbst, eine atemerleichternde Sitzhaltung mit erhöhtem Oberkörper und aufgestützten Armen einzunehmen. Eine Vigilanzminderung ist sowohl durch die zentrale Sauerstoffunterversorgung als auch durch die Erschöpfung der Atemmuskulatur mit Entwicklung einer respiratorischen Azidose bei Hyperkapnie **(sog. CO_2-Narkose)** möglich. Vegetative Symptome wie Angst, Übelkeit, Kaltschweißigkeit, Blässe und Tachykardie können zusätzlich auftreten.

Das Vorwärtsversagen kann außerdem zu einem **Blutdruckabfall** führen, den der Körper seinerseits meist durch eine **Tachykardie** zu kompensieren versucht. Eine schlechte zerebrale Durchblutung führt in Kombination mit Hypoxämie zu **Bewusstseinsstörungen** wie Verwirrtheit und Somnolenz. Im Extremfall kommt es zu einem lebensgefährlichen **kardiogenen Schock** (→ Kap. 32.3).

PRAXISTIPP

Der oft zitierte **„fleischwasserfarbene Schaum"** vor dem Mund ist selten und tritt nur bei schwersten Lungenödemen auf. Muss der Patient in diesem Zusammenhang jedoch endotracheal intubiert werden, tritt dieser Schaum häufig über den Tubus aus und muss dann abgesaugt werden.

Akut dekompensierte Rechtsherzinsuffizienz

Das **Rückwärtsversagen** bei der **akut dekompensierten Rechtsherzinsuffizienz** führt zu typischen Symptomen wie **gestauten Halsvenen** und **Beinödemen.** Im akuten Krankheitsfall liegt jedoch häufig eine Globalinsuffizienz vor, die durch ein primäres Linksherzversagen (mit-)verursacht wurde.

Viel gefährlicher ist das **Vorwärtsversagen,** wie es z. B. bei einem **akuten Rechtsherzinfarkt** auftreten kann. Hierbei kann es ebenfalls zu einem Blutdruckabfall bis hin zum kardiogenen Schock mit all seinen Begleiterscheinungen kommen, jedoch ohne das sonst typische Lungenödem, sofern der linke Ventrikel intakt ist.

MERKE

Ein **Schock** mit **oberer Einflussstauung,** aber **ohne Lungenödem,** der schlecht oder gar nicht auf die Gabe von Katecholaminen anspricht, ist immer verdächtig auf eine akute Rechtsherzinsuffizienz (z. B. **kardiogener Schock** bei **Rechtsherzinfarkt**) bzw. einen **obstruktiven** Schock, z. B. bei Lungenembolie oder Spannungspneumothorax.

Therapie der dekompensierten (akuten) Herzinsuffizienz

MERKE

Bei der Beurteilung von Patienten mit **V. a. akute Herzinsuffizienz** sind vorrangig drei Punkte zu klären:

- Handelt es sich tatsächlich um eine **Herzinsuffizienz** oder liegt eine **andere Ursache** für die Symptomatik vor (z. B. COPD, Anämie, Niereninsuffizienz, Lungenembolie)?
- Gibt es eine **Ursache** für die Herzinsuffizienz, die eine **sofortige Behandlung** erfordert (z. B. eine Herzrhythmusstörung oder ein akutes Koronarsyndrom)?
- Ist die Situation **akut lebensbedrohlich,** z. B. Hypoxie, lebensbedrohliche Herzrhythmusstörungen oder ein drohender kardiogener Schock?

Therapiegrundsätze

Die Therapie der **akut dekompensierten Herzinsuffizienz** umfasst sowohl die Kontrolle der Symptome, um dem Patienten schnellstmöglich den Leidensdruck zu nehmen, als auch die Therapie der zugrunde liegenden akuten Erkrankung. Allgemeine Maßnahmen bei der akuten Linksherzinsuffizienz umfassen neben den Standardmaßnamen mit kontinuierlichem Monitoring die **Herzbettlagerung,** die einen **erhöhten Oberkörper** mit **herabhängenden Beinen** kombiniert (→ Abb. 27.3). Dies führt über eine Verminderung des venösen Rückstroms zur Vorlastsenkung und drosselt die Flüssigkeitszufuhr zum Lungenkreislauf, was sich positiv auf die Entwicklung des Lungenödems auswirkt. Die Sauerstoffgabe wird bei einer **SpO_2 < 90 %** empfohlen.

PRAXISTIPP

Bei Patienten, bei denen von einer **chronischen Hypoxie und Hyperkapnie** auszugehen ist (z. B. fortgeschrittene COPD, schwere chronische Herzinsuffizienz), ist zur Vermeidung einer „CO_2-Narkose" eine **SpO_2 von 88–92 %** anzustreben (→ Kap. 28.1.2). Höhere Werte sind ggf. je nach klinischer Ausprägung erforderlich, jedoch muss auf Zeichen der Vigilanzminderung geachtet werden!

Die Behandlung der Dyspnoe erfolgt zudem durch die Gabe von **Morphin** in individueller Dosis, beginnend z. B. mit 5 mg i. v. Bei normalem oder erhöhtem Blutdruck ist außerdem ein **Nitratspray** (z. B. 2–3 Hübe Nitrolingual®-Spray) hilfreich, um über ein venöses Pooling die Vorlast weiter zu senken. Die Anwendung des Nitratsprays sollte jedoch aufgrund der weiteren blutdrucksenkenden Wirkung nur bei Blutdrücken > 100–110 mmHg erfolgen. Ein rasch wirksames Schleifendiuretikum wie **Furosemid** hilft, weitere Flüssigkeit rasch auszuschwemmen und bewirkt ebenfalls eine geringfügige Vorlastsenkung.

Gerät der Patient in einen **kardiogenen Schock,** sollte seine Lagerung je nach Wirkung auf den Blutdruck erfolgen. Führt die Oberkörperhochlagerung zu einem Blutdruckabfall, so muss stattdessen eine Flachlagerung des Patienten erfolgen. Die Anwendung einer Schocklage kann dagegen durch Vorlasterhöhung die Symptomatik verschlechtern, beim Rechtsherzinfarkt aber auch positive Effekte haben.

Im kardiogenen Schock ist eine **Katecholamingabe** erforderlich, z. B. mit einer Kombination aus Noradrenalin (Arterenol®) und Dobutamin via Spritzenpumpen, deren Wirkung **engmaschig überwacht** werden muss. Da eine invasive Blutdruckmessung im Rettungsdienst nur selten zur Verfügung steht, ist am EKG-Monitor ein minimales RR-Messintervall einzustellen oder alternativ eine manuelle Messung in kurzen Abständen (≤ 3 Min.) durchzuführen, um die Dosis anpassen zu können.

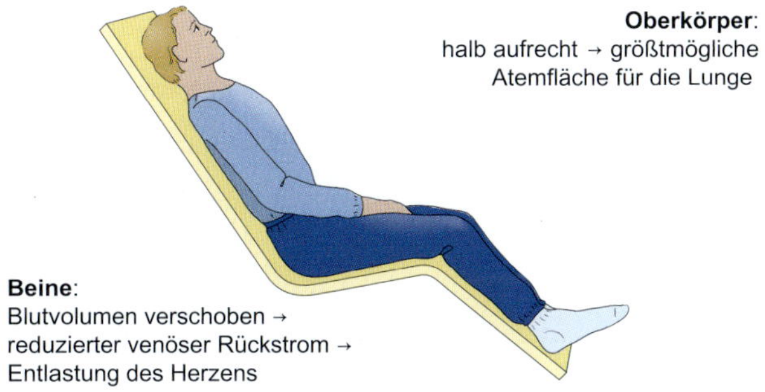

Abb. 27.3 Herzbettlagerung bei Herzinsuffizienz [L190]

PRAXISTIPP

Beim Lungenödem ist auch heutzutage immer noch der **unblutige Aderlass** hilfreich. Hierbei werden jeweils 3 Extremitäten proximal mit RR-Manschetten knapp oberhalb des diastolischen Drucks gestaut, alle 15–20 Min. wird reihum eine andere Extremität frei gemacht, um Thrombosen zu verhindern. Durch die Stauung des Blutes in den Extremitäten wird die Vorlast am Herzen gesenkt.

Kausale Therapie

Um die Ursachensuche zu strukturieren, ist die Klärung zweier Fragen wichtig:

Erstens muss geklärt werden, ob eine schlechte Durchblutung **(Hypo- oder Minderperfusion)** vorliegt. Zeichen hierfür sind z. B. Kaltschweißigkeit, Verwirrtheit und ein schlecht tastbarer peripherer Puls mit verlängerter Rekapillarisierungszeit. Da sich die Haut kalt anfühlt, wird er der Kategorie **„kalt“** zugeordnet. Bei normaler oder gesteigerter Perfusion der Kategorie **„warm“**.

Zweitens muss nach Zeichen einer **Stauung** gesucht werden, wie einem Lungenödem, gestauten Halsvenen, peripheren Ödeme u. ä. Liegt eine Stauung vor, spricht man von **„feucht“**, andernfalls erfolgt die Zuordnung in die Kategorie **„trocken“**. Somit erhält man vier mögliche Kombinationen, wie in → Abb. 27.4 dargestellt.

Die mit 95 % deutlich vorherrschende klinische Erscheinungsform ist „**feucht**“.

- Sind die Betroffenen **feucht und warm,** liegt i. d. R. ein normaler oder erhöhter Blutdruck vor. Therapiepfeiler sind neben der Ursachenbekämpfung Vasodilatatoren (z. B. Nitratspray) und Diuretika. Man unterscheidet:
  - Vaskulärer Typ mit Hypertonie als Hauptproblem. Ein hypertensiver Notfall kann z. B. ein hypertensives Lungenödem verursachen (→ Kap. 27.2.6).
  - Kardialer Typ, z. B. durch Rhythmusstörungen oder Myokardinfarkt
- Bei der Kombination **feucht und kalt** ist immer an einen kardiogenen Schock (→ Kap. 32.3) zu denken. Bei einem RR < 90 mmHg systolisch müssen positiv inotrope Substanzen (z. B. Dobutamin) und Vasopressoren (z. B. Noradrenalin) erwogen werden.
- Der **trockene und kalte** herzinsuffiziente Patient hat i. d. R. einen Volumenmangel und benötigt trotz Herzinsuffizienz Volumen unter Monitoring von HF, RR und SpO_2. Erst wenn dies nicht ausreicht, sollte an positiv inotrope (herzkraftsteigernde) Medikamente gedacht werden.
- Am dankbarsten ist die Erscheinungsform **trocken und warm.** Es liegt weder eine Stauung noch eine Minderperfusion vor, daher ist die Herzinsuffizienz i. d. R. nicht akut.

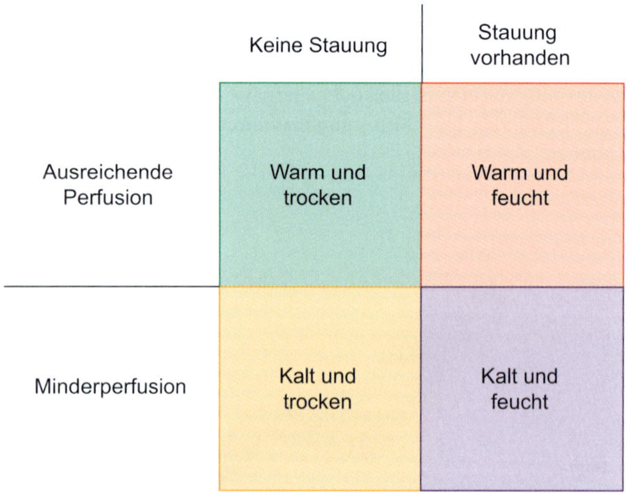

Abb. 27.4 Das klinische Erscheinungsbild einer akuten Herzinsuffizienz wird zur strukturierten Klärung der Ursache den Kategorien warm/kalt und trocken/feucht zugeordnet (Erläuterung im Text). [W867-008, L143]

Besonderheiten bei der akuten Rechtsherzinsuffizienz

Die **akute Rechtsherzinsuffizienz** weist gegenüber der Linksherzinsuffizienz einige Besonderheiten auf: Der rechte Ventrikel muss, da er nur den Lungenkreislauf versorgt, deutlich weniger Druck aufbauen und hat eine schwächere Muskulatur als der linke. Er ist stark abhängig vom **Frank-Starling-Mechanismus (je höher die enddiastolische Ventrikelfüllung, desto stärker die nachfolgende systolische Kontraktion).** Eine Vorlastsenkung beim Rechtsherzinfarkt kann die Koronarperfusion – die immer durch den linken Ventrikel erfolgt, der seinerseits das Blut aus dem rechten Ventrikel erhält – weiter verschlechtern und eine akute Rechtsherzinsuffizienz sogar noch verstärken (→ Abb. 27.5). **Bei einem ausgeprägten Vorwärtsversagen des rechten Ventrikels** ist daher die **Gabe von Nitraten kontraindiziert,** die Therapie erfolgt im Gegenteil durch **Volumengabe!** Die akute Rechtsherzinsuffizienz spricht zudem oft schlecht auf Katecholamine an. Hauptursache der akuten primären Rechtsherzinsuffizienz ist der Rechtsherzinfarkt (→ Kap. 27.2.5). Dies gilt jedoch nicht bei der Lungenembolie, da dort das Rechtsherzversagen auf einer Nachlasterhöhung beruht, der rechte Ventrikel ist dann i. d. R. ohnehin bereits deutlich „überfüllt“.

IM FOKUS

Herzinsuffizienz

Ursachen

- Akronym: **CHAMPIT** (s. o.)
- KHK (ca. 60 %), Myokardischämie, z. B. Herzinfarkt, Tako-Tsubo-Syndrom, Prinzmetal-Angina etc.
- Hämodynamisch relevante Herzrhythmusstörungen (z. B. ventrikuläre Tachykardie)
- Nachlasterhöhung:
  - Links:
    - Chronisch: arterielle Hypertonie (ca. 20 %)
    - Akut: hypertensiver Notfall
  - Rechts:
    - Chronisch: Lungenerkrankungen (COPD, Lungenfibrose etc.)
    - Akut: Lungenembolie, Pneumothorax, Lungenödem etc.
- Vorlasterhöhung: Volumenbelastung durch Überinfusion oder zu hohe Trinkmenge bei vorbestehender Herzinsuffizienz
- Myokarditis, akut und als Spätschaden
- Klappenvitien (z. B. Aortenklappenstenose)
- Herzbeuteltamponade
- Strukturelle Veränderungen des Myokards (z. B. Hypertrophie bei chronischer Hypertonie)

Erweiterte Maßnahmen

- i. v.-Zugang, BZ-Kontrolle, je nach lokalem Standard ggf. Blutabnahme
- Infusion nur sehr langsam tröpfeln lassen, um Zugang offenzuhalten. Bei V. a. Hypotonie durch Rechtsherzinfarkt ggf.

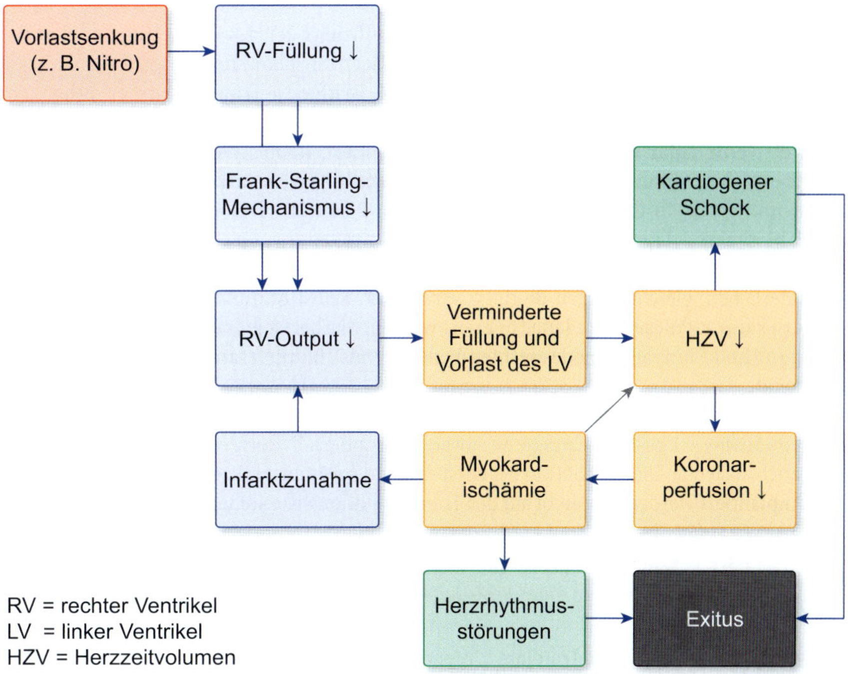

Abb. 27.5 Pathophysiologische Zusammenhänge beim akuten Rechtsherzinfarkt und Gefahr der Vorlastsenkung [L143]

Testbolus mit 250 ml VEL unter permanenter Kontrolle von Klinik und RR-Verlauf.
- Kausale Therapie → Ursache identifizieren und behandeln!
- Rhythmusstörungen behandeln, die die Symptomatik verursachen oder verschlechtern (z. B. Antiarrhythmika, notfalls Elektrokardioversion).
- Nichtinvasive Beatmung (NIV, ➜ Kap. 19.2.4) erwägen bei SpO_2 < 90 % und AF > 25/Min., je nach Toleranz.
- Gegebenenfalls Morphin geben (nicht bei Bewusstseinstrübung).
- Gegebenenfalls Intubation vorbereiten inkl. Medikamente zur Narkoseeinleitung und RR-Stabilisierung.
- Bei Lungenödem und langem Transportweg ohne Möglichkeit zur medikamentösen Therapie ggf. unblutigen Aderlass durchführen.
- Je nach Prognose und Ursache ist die passagere Anlage mechanischer Kreislaufunterstützungssysteme oder einer ECMO in einem geeigneten Zentrum zu erwägen (Auswahl der Zielklinik).

Medikamente und Dosierungsempfehlungen
- Zur Vorlastsenkung: Glyceroltrinitrat, initial 2 Hübe (je 0,4 mg) s. l., wenn $RR_{systol.}$ > 100 mmHg (bzw. Nitro über Spritzenpumpe [z. B. Perfusor®], wenn $RR_{systol.}$ > 110 mmHg)
- Diuretika: Furosemid (Lasix®) 20–40(–80) mg i. v.
- Opiat: Morphin z. B. 5–10 mg i. v.
- Gegebenenfalls Medikamente zur kausalen Therapie je nach auslösender Ursache geben.
- **Hypotonie/kardiogener Schock:**
  - Dobutamin über Spritzenpumpe zur Herzkraftsteigerung (positiv inotrop):
    - Empfohlene Dosis: 0,12–0,6 mg/kg KG/Std.
    - Praktische Dosierung: Fertigprodukt (250 mg/50 ml), Laufrate beginnend z. B. mit 2 ml/Std., je nach Wirkung ggf. steigern bis 24 ml/Std.

  Wegen Vasodilatation Kombination erwägen mit:
  - Noradrenalin (Arterenol®) über Spritzenpumpe zur RR-Anhebung mittels arterieller Vasokonstriktion. Über Nachlasterhöhung verbesserte diastolische Koronarperfusion:
    - Empfohlene Dosis: 0,9–6 µg/kg KG/Std.
    - Praktische Dosierung: 5 ml (5 mg) mit 45 ml NaCl 0,9 % in 50 ml-Spritze aufziehen, Laufrate nach individueller Wirkung (Beginn z. B. 2–5 ml/Std.)
  - Bei therapierefraktärer Bradykardie alleinige Gabe von Adrenalin (Suprarenin®) über Spritzenpumpe nach Wirkung:
    - Praktische Dosierung: 5 ml Adrenalin 1:1 000 (= 5 mg) mit 45 ml NaCl 0,9 % in 50 ml-Spritze aufziehen, Laufrate nach individueller Wirkung (z. B. Beginn mit 2–5 ml/Std.)

  Alle Katecholamingaben erfordern eine kontinuierliche Blutdruckkontrolle, am besten durch invasive (arterielle) Messung. Da diese im Rettungsdienst allerdings in den seltensten Fällen vorhanden ist, besonders engmaschige Blutdruckkontrolle!

ACHTUNG! Im Rahmen der **Narkoseeinleitung** zur endotrachealen Intubation kommt es nicht selten zu **vital bedrohlichen Blutdruckabfällen,** da der Sympathikotonus gedämpft wird. Schon im Vorfeld müssen daher Katecholamine (z. B. Noradrenalin) vorbereitet sein und der Blutdruck ist ununterbrochen zu kontrollieren.

MERKE

Push-Dose-Pressors

Bei fehlenden Perfusoren, z. B. noch in der Wohnung, wird häufig das System der Push-Dose-Pressors empfohlen, bei dem beispielsweise 1 ml Noradrenalin (Arterenol®) in 100 ml NaCl gelöst, in eine 10-ml-Spritze aufgezogen und wiederholt in z. B. 1-ml-Schritten aus der Hand i. v. gegeben wird. Hier ist Erfahrung im Umgang mit Katecholaminen hilfreich. Cave! Kurze Wirkdauer!

Sonderfall: Ventrikuläre Unterstützungssysteme

Zur endgültigen Therapie einer schweren Herzinsuffizienz NYHA IV kann unter bestimmten Voraussetzungen eine Herztransplantation erwogen werden. Zur Überbrückung der Wartezeit (**„Bridge-to-Transplant"**) werden immer häufiger linksventrikuläre Unterstützungssysteme **(left ventricular assist device, LVAD)** implantiert. Beim LVAD handelt es sich um eine Pumpe, die das Blut aus dem linken Ventrikel ableitet und direkt in die Aorta befördert (→ Abb. 27.6). Die Besonderheit hierbei ist, dass hierbei häufig **kein Puls** zu finden ist, da die Pumpe das Blut nicht wie das Herz stoßweise auswirft, sondern einen kontinuierlichen, gleichmäßigen Blutfluss verursacht. Selbst Kammerflimmern kann auf diese Weise lange toleriert werden, hierbei ist jedoch die Füllung und Pumpleistung des rechten Ventrikels als „Blutlieferant" limitierend.

Die Pumpe wird durch aus dem Körper herausgeführte Anschlüsse über redundante Akkus mit Energie versorgt. Im Sonderfall kann ein LVAD auch als letzte Therapieoption bei entsprechend selektierten Patienten implantiert werden, die nicht auf der Transplantationsliste stehen.

ACHTUNG! **Fehlender Puls** ist bei Patienten mit einem LVAD-System **kein** Zeichen eines Kreislaufstillstands.

Rechtsventrikuläre und biventrikuläre Unterstützungssysteme gibt es ebenfalls, sie sind allerdings extrem selten.

27.2.2 Entzündliche Herzerkrankungen

Entzündliche Herzerkrankungen können alle Schichten des Herzens betreffen: Das **Perikard (Herzbeutel)**, das **Myokard (Herzmuskel)** und das **Endokard (Herzinnenhaut).** Je nachdem, welche der Strukturen in erster Linie betroffen ist, werden

- Endokarditis,
- Myokarditis und
- Perikarditis

unterschieden. Es können auch mehrere Schichten gleichzeitig betroffen sein, wie bei der Perimyokarditis, oder sogar alle Schichten, dann spricht man von einer Pankarditis.

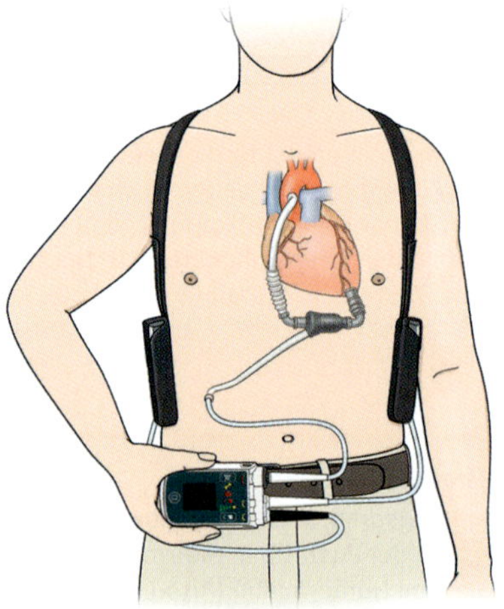

Abb. 27.6 Schematische Darstellung eines LVAD [V670]

Endokarditis

Die Endokarditis bezeichnet die Entzündungen der Herzinnenhaut und der Herzklappen, die als eine dünne Einfaltung des Endokards unter erheblicher mechanischer Belastung stehen und besonders empfindlich sind. Die wesentliche Bedeutung der Endokarditis liegt darin, dass sie durch Befall der Herzklappen zur Ausbildung von **Herzklappenfehlern** (→ Kap. 27.2.3) führen kann. Die Entzündungsfolgen können an den Herzklappen bewirken, dass diese ihre Fähigkeit, sich zu schließen **(Herzklappeninsuffizienz),** verlieren oder aber durch narbige Prozesse schrumpfen und verengen **(Herzklappenstenose).**

Es wird zwischen der bakteriellen und der abakteriellen Endokarditis unterschieden. Die **abakterielle Endokarditis** tritt häufig beim rheumatischen Fieber auf. Im Anschluss an einen nicht ausreichend mit Antibiotika behandelten Infekt mit Streptokokken (z. B. Scharlach) bilden sich durch eine Antigen-Antikörper-Reaktion Immunkomplexe. Diese lagern sich am Schließungsrand einer Herzklappe ab und beeinträchtigen deren Funktion. Die **bakterielle Endokarditis** ist hingegen durch eine direkte Besiedlung der Herzklappe mit dem Krankheitserreger (meist Staphylokokken, Streptokokken oder Enterokokken) gekennzeichnet.

Ursächlich muss eine Eintrittspforte der Bakterien vorhanden sein, z. B. eine Nierenbeckenentzündung, eine Zahnextraktion oder venöse Katheter, über die akut oder schleichend (subakut) die Besiedlung der Herzklappe erfolgt. Es bilden sich große Bakterienkolonien (Vegetationen = „Bewuchs"), die echokardiografisch wie Thromben in Erscheinung treten. Auch eine Besiedlung von ins Herz eingebrachtem Fremdmaterial ist möglich, wie z. B. auf Herzschrittmachersonden. Obwohl es sich nicht um eine direkte Besiedlung des Endokards handelt, spricht man in diesem Fall von einer (Schrittmacher-)Sondenendokarditis.

Die **subakute Form** wird auch als **Endocarditis lenta** bezeichnet. Sie wird meist durch Streptokokken hervorgerufen. Befallen werden in erster Linie vorgeschädigte Herzklappen. Im fortgeschrittenen Stadium treten Probleme wie Herzinsuffizienzzeichen oder Herzrhythmusstörungen auf.

Symptome

Die Symptome der **akuten Endokarditis** sind häufig zunächst Fieber, Gewichtsverlust und Nachtschweiß. Wechselnde Herzgeräusche und Herzinsuffizienzzeichen können auftreten. Hinzu kommen **typische petechiale Blutungen** in Form von

- 1–4 mm großen Blutungen an Hand- oder Fußsohle (Janeway-Läsionen),
- kleinen festen, dunklen, oft schmerzhaften Knötchen an den Akren (Osler-Splits) und
- sog. Splitterblutungen unter den Finger- und Zehennägeln.

Notfallmedizinisch tritt die akute Endokarditis durch **zwei gravierende Komplikationen** in Erscheinung:

- **Sepsis:** Die akute Endokarditis kann zu einer fulminanten Sepsis mit septischem Schock führen. Die Prognose ist dann ernst.
- **Septische Embolien:** Von den bakteriellen Vegetationen können sich durch den Blutstrom und die mechanische Bewegung immer wieder kleine oder größere Teile ablösen, die zu Mikro- sowie Makroembolien führen können. Septische Lungenembolien oder **Schlaganfälle** sind möglich und führen oft zu einer Infektion des Emboliegebiets.

Die Inzidenz der akuten Endokarditis nimmt gegenüber der subakuten Form zu.

Therapie

Die präklinische Therapie entspricht neben den allgemeinen rettungsdienstlichen Maßnahmen der Behandlung der verursachenden Problematik (z. B. akute Herzinsuffizienz, Schlaganfall etc.). Tritt die **akute Endokarditis** als **fulminante Sepsis** in Erscheinung, so erfolgt auch hier die Behandlung nach den Grundsätzen der Therapie der Sepsis bzw. des septischen Schocks (→ Kap. 41.3, → Kap. 32.6). Im Falle einer Sepsis ist bereits präklinisch eine Antibiotikagabe sinnvoll (z. B. Unacid®, 3 g i. v.). Zur Notwendigkeit der vorherigen Entnahme von Blutkulturen siehe → Kap. 41.3.2.

> **MERKE**
>
> Im septischen Schock muss die Antibiotikagabe so früh wie möglich erfolgen, da sich die Letalität stündlich erhöht.

Myokarditis

Die Myokarditis ist eine überwiegend durch Viren (z. B. Coxsackie-Virus, Zytomegalievirus), aber auch durch Bakterien, Protozoen und Parasiten hervorgerufene Infektion des Herzmuskels. In einigen Fällen ist der Herzbeutel mit einbezogen (Perimyokarditis). Oft findet sich in der Anamnese ein tage- bis wochenlang **vorausgegangener grippaler oder gastrointestinaler Infekt.** Auch immunologisch vermittelte oder toxisch bedingte Myokarditiden kommen vor.

> **MERKE**
>
> **COVID-19-Myokarditis**
>
> Die Myokarditis ist bei COVID-19 mit einer Inzidenz von 40:1.000.000 sehr selten. Noch seltener (1–10:1.000.000) tritt sie, vermutlich als Autoimmunreaktion, nach einer Impfung gegen COVID-19 auf. Der Verlauf ist i. d. R. milde und selbstlimitierend. Häufig verlaufen Routineuntersuchungen normal und die Diagnose ist nur im MRT erkennbar.

Symptome

Der Verlauf ist sehr variabel und reicht von asymptomatischen oder milden Erkrankungen (häufig) bis hin zu einem tödlichen Ausgang (selten). Es können unspezifische Symptome wie **Müdigkeit und Leistungsverlust** auftreten, oft finden sich auch Herzrhythmusstörungen wie eine **Extrasystolie** und subjektiv empfundene **Palpitationen.** Die Prognose ist meist gut, die meisten Viruskarditiden heilen aus. Insbesondere bei nichtviralen Erregern kann es aber auch zur Manifestation der Herzinsuffizienz kommen.

Schwere Verläufe können zum Auftreten von **ventrikulären Herzrhythmusstörungen bis hin zu Kammerflimmern** oder **AV-Blöcken** führen und dann notfallmedizinisch relevant sein. Auch die Entwicklung einer akuten **Herzinsuffizienz** ist möglich. Eine Mitbeteiligung der äußeren Muskelschichten führt im Rahmen einer Perimyokarditis häufig zu Veränderungen der ST-Strecke im EKG (→ Kap. 27.2.5).

Therapie

Die Therapie ist **symptomatisch** und folgt neben körperlicher Schonung den Prinzipien der Behandlung der Herzinsuffizienztherapie (→ Kap. 27.2.1), der Behandlung von Herzrhythmusstörungen und bei Thoraxschmerzen der Therapie des akuten Koronarsyndroms. Bei ST-Hebung wird bis zum Beweis des Gegenteils nach den STEMI-Leitlinien gehandelt (→ Kap. 27.2.5).

Perikarditis und Perimyokarditis

Die Perikarditis ist eine Entzündung des Herzbeutels, die mit oder ohne Perikarderguss auftreten kann. Ursache sind Autoimmunprozesse oder Infektionen mit Viren (z. B. Coxsackie) oder Bakterien (z. B. Streptokokken). Auch die Ansammlung toxischer Substanzen im Blut bei der Niereninsuffizienz kann zu einer sog. **urämischen Perikarditis** führen.

Durch die mechanische Reizung des entzündeten Herzbeutels kommt es häufig zu **retrosternalen Schmerzen.** Die Entzündung führt zur vermehrten Sekretion von Flüssigkeit im Perikard **(Pericarditis exsudativa),** es entsteht ein **Perikarderguss.** Da hierdurch die Reibung wieder vermindert wird, nehmen auch die Schmerzen im Verlauf meist wieder ab. Der Körper kann einen Perikarderguss, sofern er über Tage bis Wochen entsteht, mit bis zu vielen 100 ml Flüssigkeit tolerieren. Entwickelt sich der Perikarderguss jedoch sehr schnell, droht eine lebensbedrohliche **Perikardtamponade (Herzbeuteltamponade),** bei der vor allem der rechte Ventrikel durch die Flüssigkeit komprimiert und die Herzfüllung erheblich behindert wird. Bildet sich im Rahmen der Herzbeutelentzündung kein Perikarderguss aus, wird die Entzündung **Pericarditis sicca** genannt (trockene Perikarditis).

Eine Perikarditis kann auch Anteile des äußeren Myokards mitbetreffen **(Perimyokarditis)** und dann zu AP-Beschwerden und ST-Hebungen im EKG führen. Diese ST-Hebungen sind oft etwas anders geformt als beim STEMI und passen nicht immer zu einem koronaren Versorgungsgebiet (→ Abb. 27.7).

> **PRAXISTIPP**
>
> Gerade bei jungen Patienten sind AP-Beschwerden, Herzrhythmusstörungen und infarktähnliche EKG-Veränderungen häufig durch entzündliche Prozesse am Herzen bedingt, jedoch kann ein STEMI nur in der Klinik ausgeschlossen werden. Der Thoraxschmerz mit ST-Hebung ist daher präklinisch **grundsätzlich wie ein STEMI zu behandeln.**

Im Rahmen eines Herzinfarkts oder nach einem herzchirurgischen Eingriff können Zellbestandteile ins Blut gelangen, gegen die das Immunsystem vorübergehend Antikörper entwickelt. Tage bis Wochen nach dem Infarkt können diese dann zu einer Perikarditis führen, die leicht mit einem Re-Infarkt verwechselt wird. Man spricht vom **Dressler-Syndrom.**

Symptome

Trockene Perikarditis

- Retrosternaler Schmerz, verstärkt im Liegen, bei tiefer Inspiration und beim Husten
- Perikardreiben mit dem Stethoskop auskultierbar
- Bei Perimyokarditis: ST-Streckenveränderungen im EKG (typischerweise ST-Hebung)

Exsudative Perikarditis

- Abnahme der Schmerzen
- Leiser werdendes Herzgeräusch
- Mit Zunahme des Ergusses zunehmende Zeichen der Rechtsherzinsuffizienz durch Kompression des rechten Ventrikels mit Verminderung des diastolischen Füllvolumens (→ Kap. 27.2.1)

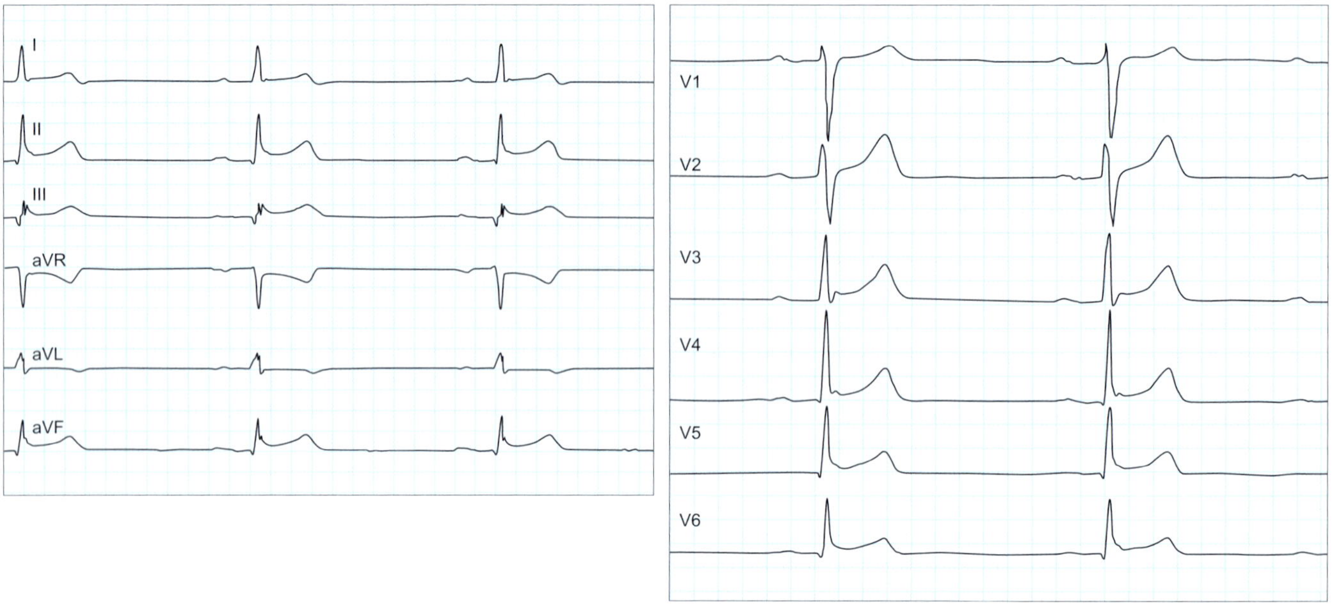

Abb. 27.7 ST-Hebungen bei Perimyokarditis sind oft schwer von einem STEMI zu unterscheiden. [L139]

Herzbeuteltamponade

- Zeichen des kardiogenen Schocks mit Rechtsherzversagen (gestaute Halsvenen) → Lebensgefahr!
- Leises Herzgeräusch
- Kußmaul-Zeichen: paradox vermehrte Jugularvenenfüllung während der Inspiration
- EKG: evtl. Niedervoltage (R-Zacken < 0,5 mV in den Extremitätenableitungen), evtl. elektrischer Alternans (verschiedene R-Zackengrößen bzw. Lagetypen innerhalb eines EKGs durch sich im Erguss bewegendes Herz, sog. **Swinging Heart**)

Therapie

Eine Peri(myo)karditis kann im Rettungsdienst nicht ursächlich behandelt werden, die Therapie beschränkt sich auf die Behandlung von Komplikationen und Symptomen wie Schmerzen, Herzinsuffizienz und Herzrhythmusstörungen. Bei ST-Hebungen ist vorsichtshalber immer ein Transport in eine kardiologische Klinik mit Herzkatheter anzustreben.

PRAXISTIPP

Bei einem hämodynamisch relevanten **Perikarderguss** (drohende Herzbeuteltamponade) kann die **Gabe von Volumen** den Gegendruck im rechten Ventrikel erhöhen und die Symptomatik dadurch vorübergehend entscheidend verbessern.

ACHTUNG! Die in vielen Notfalltaschenbüchern beschriebene **Perikardpunktion** bei der Herzbeuteltamponade ist präklinisch – v. a. ohne Sono-/Echokardiografie – **so gut wie unmöglich,** da bei blinder Punktion insbesondere die Gefahr einer Verletzung des rechten Ventrikels extrem groß ist.

27.2.3 Herzklappenfehler

Die Herzklappenfehler **(Herzklappenvitien)** werden unterteilt in **Stenosen** (Verengungen) und **Insuffizienzen** (unvollständiger Klappenschluss). Auch kombinierte Herzklappenfehler sind möglich, wenn sich durch Verkalkung der Klappe diese weder vollständig öffnet noch vollständig schließt. Herzklappenfehler können sowohl Krankheitsfolge einer Endokarditis als auch deren Ursache sein (siehe Mitralstenose). Als weitere Ursachen kommen mechanische, rheumatische (z. B. rheumatisches Fieber) und autoimmune Krankheitsprozesse infrage. Sekundäre Insuffizienzen entstehen z. B. auf dem Boden einer Vorhof- und/oder Ventrikeldilatation, wodurch der Herzklappenring, bei ansonsten intakter Anatomie, auseinandergezogen wird.

Im Folgenden sollen besonders die Klappenvitien des linken Herzens Beachtung finden:

Mitralklappenstenose (Mitralstenose)

Die Mitralstenose (Verengung der Mitralklappe) führt durch die Ausflussbehinderung zu einer schlechten Füllung der linken Herzkammer und zu einer Drucksteigerung im linken Vorhof. Es kommt durch die zunehmende Dehnung des Vorhofs zu einer Gefügestörung des Myokards und zu einer **Vergrößerung des linken Vorhofs.** Dies führt zu Störungen der elektromechanischen Erregungsabläufe. Schließlich können sich chaotische Erregungen im Vorhof ausbilden **(Vorhofflimmern).** Durch die turbulenten Strömungsverhältnisse im linken Vorhof kommt es zur Ausbildung von Thromben, die arterielle Embolien auslösen können (→ Kap. 27.3.2).

Die Drucksteigerung im linken Vorhof erhöht das Volumen und damit den Druck im Lungenkreislauf und führt bis zum Lungenödem. Schließlich kann sich das Blut über die Lungenstrombahn und das rechte Herz bis in das venöse System zurückstauen. Die Mitralklappenstenose entwickelt sich oft schleichend über Jahre bis Jahrzehnte. Typisches Zeichen ist bei Betroffenen die **Facies mitralis** (Mitralgesicht, Mitralbäckchen) mit rötlich-zyanotischen Wangen. Durch die mechanische Belastung und die stärkeren Blutverwirbelungen beim Passieren der

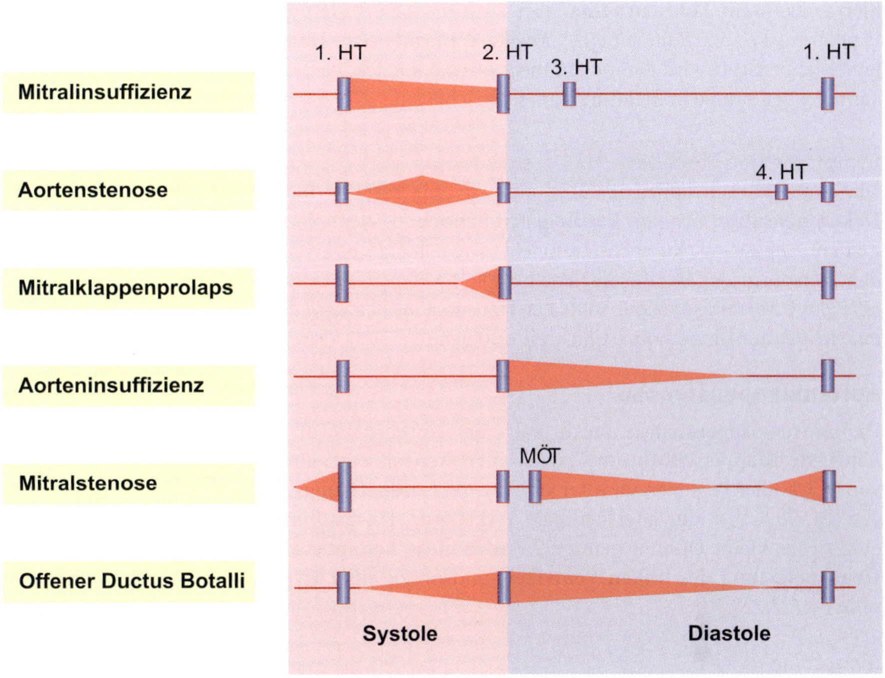

Abb. 27.8 Herzgeräusche und ihre zeitliche Zuordnung zu den Herztönen [L157]

Klappenöffnung kann es leichter zu Endokardläsionen kommen, die die Entwicklung einer **Endokarditis** begünstigen können (s. o.). Auffälligster Auskultationsbefund ist ein diastolisches Decrescendo-Geräusch (leiser werdendes „Fauchen“) im 5. ICR in der linken Medioklavikularlinie oder über der Herzspitze (→ Abb. 27.8). Optimale Lagerung zur Auskultation ist die Linksseitenlage.

PRAXISTIPP

Patienten mit einer künstlichen Mitralklappe müssen **Antikoagulanzien** einnehmen (→ Kap. 27.2.9, Abschnitt „Vorhofflimmern“). Diese erhöhen zwar die allgemeine Blutungsgefahr, jedoch kann die Nichteinnahme zur Thrombenbildung an der Kunstklappe und damit zum Schlaganfall oder anderen arteriellen Embolien führen.

Mitralklappeninsuffizienz (Mitralinsuffizienz)

Die Mitralklappeninsuffizienz wird je nach Verlauf unterteilt in eine akute oder chronische Form. Sie ist nach der Aortenklappenstenose das zweithäufigste Klappenvitium bei Erwachsenen.

Chronische Mitralinsuffizienz

Die **chronische** Mitralinsuffizienz entsteht häufig durch eine **Dilatation des linken Herzens,** z. B. bei einer dilatativen Kardiomyopathie (DCM, → Abb. 27.9) oder Linksherzinsuffizienz unterschiedlicher Genese. Durch die allgemeine Dehnung des linken Ventrikels werden auch die Mitralklappensegel auseinandergezogen und können dann nicht mehr richtig schließen. Auch eine **Endokarditis** oder **degenerative Erkrankungen** können durch eine Zerstörung der Segel zu einer Mitralinsuffizienz führen.

Durch die undichte Mitralklappe fließt ein Teil des Blutes während der Systole zurück in den linken Vorhof **(Regurgitationsvolumen).** Es kommt zur Lungenstauung und reaktiv zur pulmonalen Hypertonie. Diese belastet das rechte Herz und führt wiederum zur Rechtsherzinsuffizienz. Da das Regurgitationsvolumen dem großen Kreislauf fehlt, erfolgt die Kompensation durch Steigerung des Herzschlagvolumens (HSV), wodurch eine Hypertrophie und Dilatation des linken Ventrikels entstehen. Die Ventrikeldilatation kann die Mitralinsuffizienz weiter verstärken.

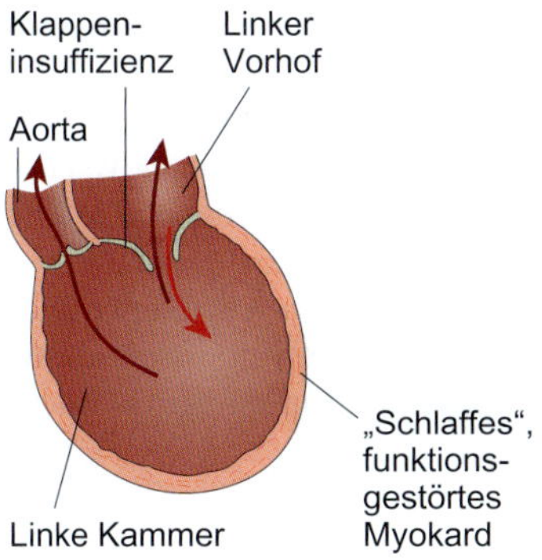

Abb. 27.9 Volumenbelastung des linken Herzens durch Pendelblut (dilatative Kardiomyopathie) [L190]

Symptome

Die chronische Mitralinsuffizienz entsteht langsam, sodass der Körper sich anpassen kann und Symptome lange Zeit fehlen bzw. nur gering ausgeprägt sind. Erst nachdem sich eine relevante Linksherzinsuffizienz entwickelt hat, zeigen sich die typischen Symptome, die aufgrund der ähnlichen Pathophysiologie (Belastung des linken Vorhofs mit entsprechenden Folgen) denen der Mitralklappenstenose entsprechen.

Der Auskultationsbefund unterscheidet sich jedoch, da das Blut ja nun in der Systole zurückfließt, somit hört man ein bandförmiges Systolikum (gleichmäßiges Rauschen oder „Fauchen“ während der Systole). Am besten zu hören ist dieses im 5. ICR der linken Medioklavikularlinie bzw. über der Herzspitze in Linksseitenlage. Auch kann ein paukender 1. Herzton auftreten.

Akute Mitralinsuffizienz

Akut kann die Mitralklappeninsuffizienz entstehen, wenn die **Chordae tendineae (Sehnenfäden)** oder die **Papillarmuskeln** reißen. Ursache hierfür kann ein **Thoraxtrauma,** aber auch die Nekrotisierung eines Papillarmuskels im Rahmen eines **Myokardinfarkts** sein. Das betroffene Klappensegel wird dann nicht mehr in Position gehalten, sondern kann bei der Systole in Richtung Vorhof umschlagen.

Symptome und Therapie

Die akute Mitralinsuffizienz führt meistens zur **raschen kardialen Dekompensation** bis zum **kardiogenen Schock,** da dem Körper die Zeit zur Anpassung (Kompensation) fehlt. Die Behandlung erfolgt nach den Prinzipien der Herzinsuffizienztherapie (→ Kap. 27.2.1). Bei V. a. eine akute Mitralinsuffizienz sollte der Transport idealerweise direkt in eine Klinik mit Herz-Thorax-Chirurgie erfolgen.

Aortenklappenstenose

Die Aortenklappenstenose (auch: valvuläre Aortenstenose) ist das **häufigste Klappenvitium** im Erwachsenenalter mit einer Prävalenz von ≥ 3 % aller Personen im Alter von über 65 Jahren. Häufigste Ursache (ca. 50 %) ist eine altersbedingte Verkalkung. Da das Blut durch eine viel zu kleine Öffnung gepumpt werden muss, kommt es zu einer **Druckbelastung des linken Ventrikels** und oft zu einer **Hypertrophie** (→ Abb. 27.10).

Symptome

Bei erhaltener systolischer Funktion entsteht über die Zeit meist zuerst eine **diastolische Linksherzinsuffizienz** mit **Lungenstauung, Leistungsminderung** und **Luftnot.** Die Druckbelastung führt am hypertrophierten Herzen zu einer zunehmenden Wandspannung. Die Mikrozirkulation des Myokards im Bereich der Herzinnenseite (endokardnah) ist durch die erhöhte Wandspannung beeinträchtigt, sodass es auch bei normalem koronarem Blutfluss zu einer **Angina-pectoris-Symptomatik** kommen kann.

Des Weiteren können **Synkopen** und **Schwindel** auftreten. Als Ursachen hierfür kommen ein **vermindertes Herzminutenvolumen** sowie **Rhythmusstörungen** infrage. Möglicherweise verursacht der erhöhte Druck im Ventrikel auch eine Aktivierung von Barorezeptoren, die in fälschlicher Annahme einer arteriellen Hypertonie zu einer Weitstellung von Blutgefäßen führt.

Die Auskultation der Aortenklappe erfolgt im **2. ICR rechts parasternal** und zeigt bei der Stenose ein **spindelförmiges Systolikum,** das gewöhnlich in die **Karotiden weitergeleitet** wird und auch dort beidseits auskultiert werden kann.

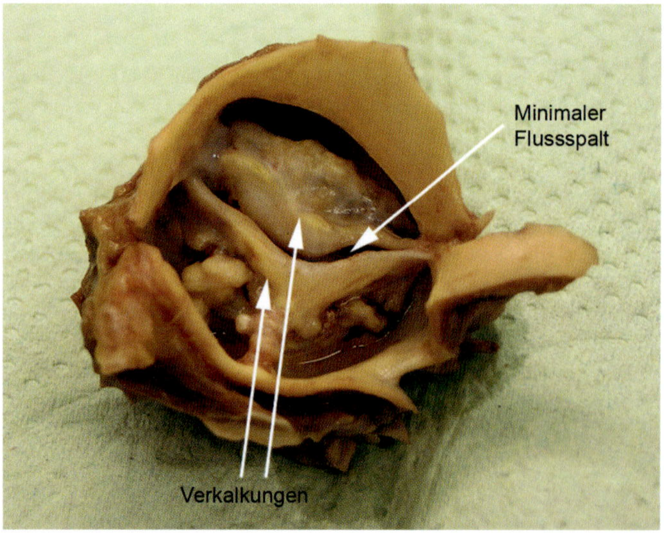

Abb. 27.10 Aortenklappenstenose [M235]

Therapie

> **ACHTUNG!** **Einige Notfall-Antihypertensiva** sind bei der höhergradigen Aortenstenose **kontraindiziert.** Hierunter fallen z. B. Dihydralazin, Nitrendipin, Urapidil und auch Nitrospray (nur mit besonderer Vorsicht anzuwenden).

Symptomatische Aortenklappenstenosen erfordern grundsätzlich einen Klappenersatz. Die Therapie erfolgt durch Operation am offenen Herzen. Für Patienten mit erhöhtem OP-Risiko hat sich in den letzten Jahren jedoch die interventionelle Implantation einer Aortenklappe etabliert. Die Klappe wird hierbei durch einen Ballonkatheter aufgedehnt und eine stentmontierte biologische Klappe eingebracht. Der Name dieses Verfahrens lautet: **Transcatheter Aortic Valve Implantation,** kurz **TAVI**.

Aortenklappeninsuffizienz (AI)

Die Aortenklappeninsuffizienz wird je nach Verlauf unterteilt in eine **akute** oder **chronische** Form. Durch die undichte Aortenklappe fließt in der Diastole Blut aus dem Körperkreislauf in den linken Ventrikel zurück **(Pendelblut).** Hierdurch ist die **Windkesselfunktion beeinträchtigt** und der diastolische Blutdruckwert ist auffallend klein (z. B. 150/30 mmHg). Kompensatorisch kommt es zu einer Erhöhung des Schlagvolumens und zur Tachykardie mit **schnellem und kräftigem Puls (Pulsus celer et altus).** Die erhöhte Blutdruckamplitude kann auch zu einem positiven Kapillarpuls (dabei führt ein leichter Druck auf einen Fingernagel zu pulssynchroner Rötung und Aufhellung des Nagelbetts) oder seltener zu pulssynchronem Kopfnicken führen. Oft sind bereits bei der Betrachtung des Patienten an Hals, Leisten, Ellenbeugen und an den Handgelenken „hüpfende" Pulse mit bloßem Auge zu erkennen.

Chronische Aortenklappeninsuffizienz

Da das Schlagvolumen des linken Ventrikels dauerhaft um das Pendelvolumen vergrößert ist, führt die **Dilatation des linken Ventrikels** zu einer **Linksherzhypertrophie.** Wenn das vergrößerte Herz jedoch eine gewisse Größe überschreitet, kann das Schlagvolumen nicht mehr aufrechterhalten werden, es kommt zur **Linksherzinsuffizienz.** Weitere Symptome, die im Rahmen der Aorteninsuffizienz auftreten können, sind **Synkopen** und **Rhythmusstörungen.** Durch die langsame Krankheitsentwicklung können Symptome lange Zeit fehlen oder schwach ausgeprägt sein. Eine ausgeprägte Aortenklappeninsuffizienz kann jedoch auch bei geringer Symptomatik dauerhafte Schäden am Herzen verursachen. Der richtige Zeitpunkt für eine Klappenoperation darf daher nicht verpasst werden.

Akute Aortenklappeninsuffizienz

Die akute Aortenklappeninsuffizienz kann bei einem **Thoraxtrauma** entstehen bzw. bei einer **Aortendissektion des Typs A** (→ Kap.

27.3.5). Auch die Entstehung im Rahmen einer **Aortenklappenendokarditis** ist möglich. Durch die akute Belastung des linken Ventrikels und das verminderte Minutenvolumen kommt es rasch zur **kardialen Dekompensation** mit **Lungenödem** bis hin zum **kardiogenen Schock.** Die Notfalltherapie richtet sich nach den Prinzipien der Herzinsuffizienz bzw. des kardiogenen Schocks. Die Diagnosesicherung erfordert eine Bildgebung und ist somit präklinisch kaum möglich.

27.2.4 Koronare Herzkrankheit (KHK, chronisches Koronarsyndrom [CCS])

Die koronare Herzkrankheit (KHK) entsteht durch verengte Herzkranzgefäße, die zu Durchblutungsstörungen führen. Wichtigste Ursache ist die **Arteriosklerose in den Herzkranzgefäßen (Koronararterien),** bei der es nach und nach zu Ablagerungen in den Gefäßen kommt, die letztlich die Durchblutung einschränken können (→ Kap. 27.3.1). Sie entsteht normalerweise langsam über viele Jahre und bleibt zunächst oft asymptomatisch. Bei einer Zunahme der Stenose(n) kommt es mit der Zeit unter immer geringeren Belastungen zu Beschwerden. Die KHK kann klinisch als **chronisches** oder – für den Rettungsdienst sehr wichtig – **akutes Koronarsyndrom** in Erscheinung treten.

ACHTUNG! Die Abkürzung **„CCS“** kann in Zusammenhang mit der KHK zum einen für das **chronische Koronarsyndrom** stehen, zum anderen wird sie aber auch verwendet, um den Schweregrad einer Angina-pectoris-Symptomatik nach der **Canadian Cardiovascular Society** (CCS-Klasse, → Tab. 27.2) einzuteilen.

Kritische Stenosen werden mittels Herzkathetertechniken eröffnet (→ Kap. 27.2.5, PCI) und i. d. R. mit einem Stent versorgt. Ist dies nicht möglich, erfolgt die Behandlung durch eine Bypass-Operation, bei der die Engstellen mit operativen Techniken überbrückt werden (→ Abb. 27.11). Es ist jedoch nicht auszuschließen, dass sich sowohl in Stents als auch in Bypässen über die Jahre ebenfalls wieder behandlungspflichtige Stenosen bilden.

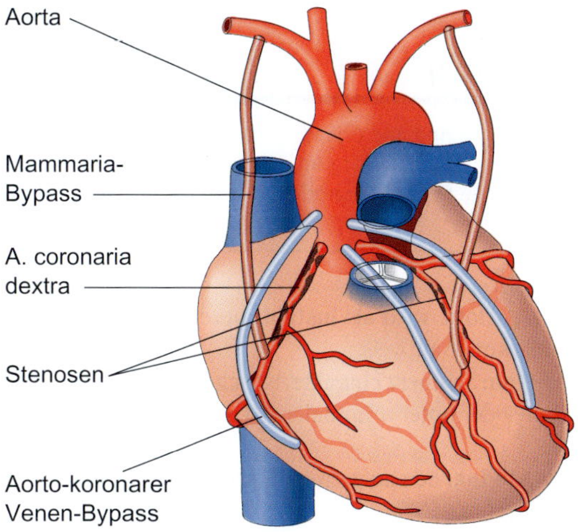

Abb. 27.11 Umgehung von Koronarstenosen, hier durch drei aortokoronare Venenbypässe (ACVB) und zwei Neuanschlüsse der A. thoracica (Syn. mammaria) interna (Mammaria-Bypässe) [L190]

IM FOKUS

Koronare Herzerkrankung (KHK)

Ursachen und Risikofaktoren
- Arteriosklerose der Koronararterien

Epidemiologie
- Häufigste Todesursache in Industrieländern, in Deutschland 20 % aller Todesfälle
- Männer sind doppelt so häufig betroffen wie Frauen.
- Die Inzidenz steigt mit zunehmendem Alter.

Erscheinungsformen
- Asymptomatische KHK
- Symptomatische KHK:
  - Stabile Angina pectoris
  - Akutes Koronarsyndrom
  - Ischämische Herzmuskelschädigung
  - Herzrhythmusstörungen (auch maligne HRST)
  - Plötzlicher Herztod

Angina pectoris (AP)

Die **Angina pectoris** ist das Leitsymptom der koronaren Herzkrankheit und beschreibt **retrosternal** (hinter dem Brustbein) lokalisierte **Schmerzen,** die in **Hals, Unterkiefer** bzw. Zähne, **Schulter** und **Arm** (i. d. R. links, selten auch rechts) ausstrahlen können (→ Abb. 27.12). Eine begleitende **Dyspnoe** ist nicht selten.

Typische Auslöser dieser Schmerzsymptomatik sind **körperliche und psychische Belastungen** mit erhöhtem myokardialen Sauerstoffverbrauch. Umfangreiche Mahlzeiten oder Kälteexposition, durch die reflektorisch die Durchblutung des Herzmuskels herabgesetzt wird, können ebenfalls einen Angina-pectoris-Anfall auslösen. Die hierdurch eintretende Sauerstoffunterversorgung im nachgeschalteten Versorgungsgebiet des Herzmuskels erzeugt den Brustschmerz **(Ischämieschmerz).**

Die Angina pectoris wird je nach Schweregrad nach CCS eingeteilt (CCS = Canadian Cardiovascular Society) (→ Tab. 27.2).

Die Angina pectoris wird auch anhand des Beschwerdebildes unterteilt (→ Tab. 27.3).

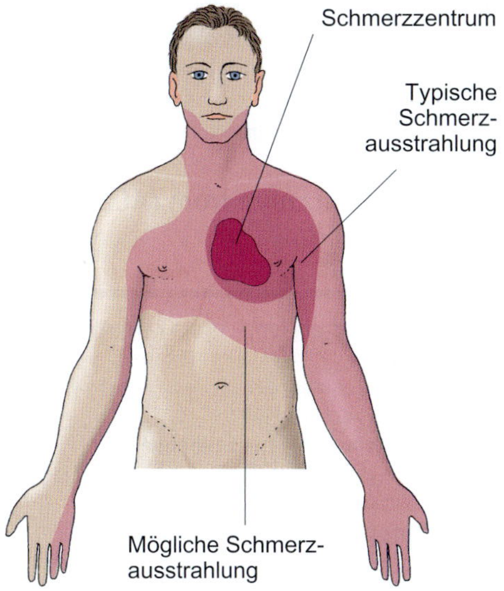

Abb. 27.12 Schmerzlokalisation und -ausstrahlung bei der typischen Angina pectoris [L190]

Schweregrad	Klinik
CCS I	Keine AP bei normaler Belastung
CCS II	Geringe Beeinträchtigung der normalen körperlichen Aktivität durch AP
CCS III	Erhebliche Beeinträchtigung der normalen körperlichen Aktivität durch AP
CCS IV	AP bei geringster körperlicher Belastung oder Ruheschmerzen

Tab. 27.2 CCS-Klassifikation der Angina pectoris [F1159]

Typische Angina pectoris
Alle drei der folgenden Kriterien sind erfüllt: • **Retrosternale Schmerzen** und/oder Schmerzen im Bereich von **Hals, Kiefer, Schulter oder Arm** (s. o.) • Hervorgerufen durch **körperliche Anstrengung** • Besserung **innerhalb von 5 Min.** durch **Ruhe** und/oder **Nitrate** (z. B. Glyceroltrinitrat-Spray [Nitrolingual®])
Atypische Angina pectoris
• 2 der 3 Kriterien für die typische AP sind erfüllt.
Nicht-anginöser Brustschmerz
• ≤ 1 Kriterium für die typische AP ist erfüllt.

Tab. 27.3 Einteilung der Angina pectoris nach Schmerzcharakteristik

MERKE

Die **instabile Angina pectoris** ist präklinisch nicht von einem NSTEMI zu unterscheiden und fällt daher unter die Arbeitsdiagnose **„akutes Koronarsyndrom“.**

Sonderformen der Angina pectoris

Die Prinzmetal-Angina (vasospastische AP, Variant-AP) entsteht durch Spasmus eines Koronargefäßes mit oder ohne vorbestehende Stenosen. Sie tritt in Ruhe und ohne äußere Provokation mit ST-Hebungen im EKG auf. Die EKG-Veränderungen sind jedoch reversibel und die körperliche Leistungsfähigkeit bleibt gut. In der Akutphase ist die Prinzmetal-Angina nicht vom STEMI zu unterscheiden.

Die **Walking-through-Angina** ist eine Angina pectoris, die unter körperlicher Belastung abnimmt. Als **Angina nocturna** bezeichnet man eine aus dem Schlaf heraus auftretende Angina pectoris.

27.2.5 Akutes Koronarsyndrom (ACS)

DEFINITION

Das **akute Koronarsyndrom** (engl. **acute coronary syndrome,** Abk. **ACS**) ist eine kardiologische Arbeitsdiagnose, die folgende drei akute Krankheitsbilder beinhaltet:

- **Instabile Angina pectoris (iAP)**
- **Myokardinfarkt ohne ST-Streckenhebung** (engl. non-ST-elevating myocardial infarction, **NSTEMI**)
- **Myokardinfarkt mit ST-Streckenhebung** (engl. ST-elevating myocardial infarction, **STEMI**)

Das klinische Leitsymptom des ACS ist der **akute Thoraxschmerz,** entsprechend der **instabilen Angina pectoris.** Diese ist präklinisch (z. B. ohne einen Troponin-T Test, s. u.) nicht von einem **NSTEMI** zu unterscheiden. Daher werden beide Begriffe unter dem Oberbegriff **NSTE-ACS** (akuter Brustschmerz ohne ST-Strecken-Hebung) zusammengefasst. Der **STEMI** unterscheidet sich vom NSTE-ACS durch typische EKG-Veränderungen (→ Abb. 27.16). Der Übergang der drei Krankheitsbilder kann fließend sein, somit stellen sie die **potenziell lebensbedrohlichen Phasen der KHK** dar. Wichtige differenzialdiagnostische Ursachen für einen akuten Thoraxschmerz sind in → Tab. 27.4 aufgeführt.

MERKE

Das **Monitoring** sollte so früh wie möglich angelegt und **nicht unterbrochen** werden.

Lokalisation	Mögliche Ursachen
Kardial	Myo-/Perikarditis, Kardiomyopathie, Klappenvitien, Tako-Tsubo-Syndrom, Herzrhythmusstörungen
Pulmonal	Lungenembolie, Pneumonie/Pneumonitis, Pneumothorax
Hämatologisch	Anämie, Sichelzellkrise
Vaskulär	Aortenaneurysma/-dissektion, zerebrovaskuläre Erkrankungen
Gastrointestinal	Ösophaguserkrankungen, gastrointestinales Ulkus
Orthopädisch/infektiös	Thoraxtrauma/Rippenfraktur, Bandscheibenerkrankung, Muskelverletzung/-entzündung, Costochondritis, Herpes Zoster

Tab. 27.4 Differenzialdiagnosen des ACS

Instabile Angina pectoris (iAP)

Weist eine Angina pectoris die Kriterien der Instabilität auf (s. o.), so besteht im Vergleich zur stabilen AP ein **deutlich erhöhtes Risiko.** Im Gegensatz zum Myokardinfarkt ist zwar bei der reinen Angina pectoris noch kein Herzmuskelgewebe zugrunde gegangen, jedoch kann der Übergang von der iAP zum NSTEMI fließend sein.

DEFINITION

Die instabile Angina pectoris ist definiert als myokardialer Ischämieschmerz im Brustraum, der in Ruhe oder bei geringster Belastung ohne Schädigung oder Untergang von Herzmuskelzellen auftritt.

Eine Angina pectoris wird als **instabil** bezeichnet, wenn sie eines der folgenden Merkmale aufweist:

- **Ruhe-Angina:** Schmerz charakteristischer Art und Lokalisation, der in Ruhe oder unter minimaler Belastung und länger als 20 Min. auftritt
- **De-novo-Angina:** neu aufgetretene Angina pectoris (jedes erstmalige Auftreten)
- **Crescendo-Angina:** bereits bekannte Angina, die jedoch über einen kurzen Zeitraum an Schwere und Intensität allmählich zunimmt und einen niedrigeren Schwellenwert erreicht (Symptome bei geringerer Belastung)

In der Regel lassen sich die Krankheitsbilder instabile Angina pectoris (iAP) und NSTEMI präklinisch nicht voneinander unterscheiden. Im Krankenhaus wird die Unterscheidung durch den klinischen Verlauf und bestimmte Laborwerte getroffen. Hier ist u. a. das **kardiale Troponin** zu nennen (Troponin I oder Troponin T), das insbesondere bei hochsensitiven Testverfahren im Falle eines NSTEMI rasch positiv wird, bei der iAP jedoch nicht signifikant ansteigt. Da es für eine Troponinerhöhung neben dem Infarkt noch andere Gründe geben kann (z. B. Herzinsuffizienz, Rhythmusstörungen, Niereninsuffizienz etc.), ist bei grenzwertig erhöhtem Troponin v. a. der Verlauf des Laborwerts entscheidend: Bei den heute zunehmend verwendeten hochsensitiven Testverfahren kann der Enzymverlauf bereits nach einer Stunde die iAP vom NSTEMI unterscheiden.

Solange die AP-Beschwerden noch bestehen, sind die Patienten grundsätzlich so zu behandeln, als hätten sie einen Herzinfarkt. Die englische Abkürzung für die iAP ist UAP (unstable AP).

ACHTUNG! **Nitratspray** darf **nicht** zur *diagnostischen* Differenzierung zwischen Angina pectoris und Herzinfarkt eingesetzt werden. Das Ergebnis ist nicht verlässlich. Nitrospray wird ausschließlich zu *therapeutischen* Zwecken verabreicht.

Akuter Myokardinfarkt (AMI)

DEFINITION

Der Myokardinfarkt ist – bezogen auf die Pathologie – definiert als **myokardialer Zelltod (Myokardnekrosen),** hervorgerufen durch eine anhaltende Ischämie.

Beim akuten Myokardinfarkt (Herzinfarkt) kommt es durch ein regionales Missverhältnis von Sauerstoffangebot und -bedarf im Herzmuskel zu einer **Ischämie,** die in dem betroffenen Versorgungsgebiet zum **Absterben von Herzmuskelzellen (Nekrosenbildung,** → Abb. 27.13) führt.

Ein Myokardinfarkt kann durch verschiedene Ursachen entstehen. Es werden fünf Typen des Myokardinfarkts unterschieden:

- **Myokardinfarkt Typ 1:** Diesem Typ liegt die häufigste Infarktursache zugrunde: Die Arteriosklerose der Koronararterien (KHK, → Kap. 27.2.4) führt zur Bildung einer Plaque unter dem Endothel. Beim akuten Infarkt reißt die Plaque auf (sog. **Plaqueruptur**) und es bildet sich in kurzer Zeit an der eröffneten Oberfläche ein Thrombus, der das Koronargefäß ganz oder teilweise verlegt. Diese Läsion lässt sich zwar im Herzkatheterlabor prinzipiell gut behandeln, es kann aber auch zu multiplen Embolien in den Arteriolen mit einer anhaltenden Ischämie kommen. Auch eine Einblutung in die Plaque ist möglich.
- **Myokardinfarkt Typ 2:** Hier kommt es **ohne Plaqueruptur** zu einem Missverhältnis zwischen Sauerstoffangebot und -bedarf im Myokard. Die Ursachen sind vielfältig und umfassen unter anderem:
  - KHK (z. B. bei hochgradigen Stenosen und akut gesteigertem O_2-Bedarf)
  - Vasospasmus oder mikrovaskuläre Dysfunktion
  - Dissektion der Koronararterie (ohne Plaqueruptur als Ursache)
  - Koronararterienembolie
  - Anhaltende tachykarde Herzrhythmusstörungen (massiv gesteigerter O_2-Bedarf)
  - Anhaltende bradykarde Herzrhythmusstörungen (vermindertes O_2-Angebot durch insuffiziente Koronardurchblutung)
  - Schwere Hypertonie (hohe Wandspannung des Ventrikels kann die Durchblutung beeinträchtigen, hohe Nachlast führt zu erhöhtem O_2-Bedarf)
  - Respiratorische Insuffizienz (vermindertes O_2-Angebot, meist in Kombination mit reflektorischer Tachykardie = gesteigerter myokardialer O_2-Bedarf)
  - Schwere Anämie (Mangel an O_2-Trägern, häufig z. B. bei Patienten mit akuter GI-Blutung und vorbestehender KHK)
  - Hypotension/Schock (verminderte Durchblutung, häufig kombiniert mit Tachykardie)

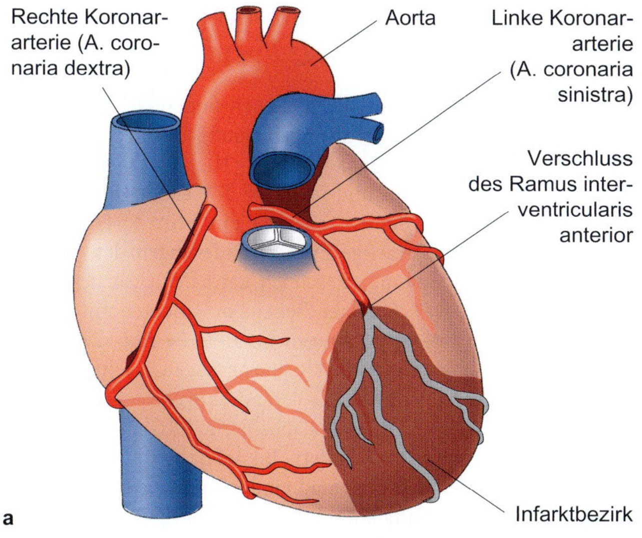

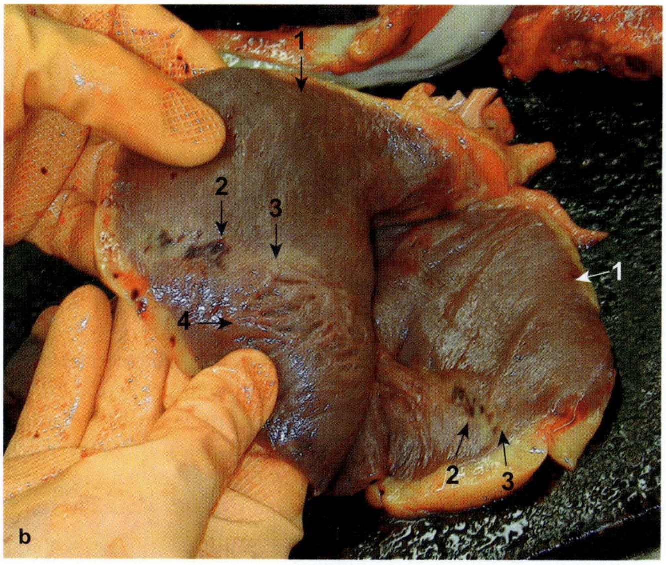

Abb. 27.13 Herzinfarkt. **a)** Durch Verschluss einer Koronararterie stirbt das von dieser Arterie (hier: RIVA) versorgte Herzmuskelgewebe ab. **b)** Transversalschnitt durch Infarktgebiet nach RIVA-Verschluss; 1: linke Herzkammer (Transversalebene), 2: Herzmuskeleinblutung (rote Flecken), 3: Herzmuskelnekrose (blassgelbe Flecken), 4: Herztrabekel. [a: L190; b: M235]

- **Myokardinfarkt Typ 3:** Die Bezeichnung wird verwendet bei Patienten, die einen **plötzlichen Herztod** erleiden und bei denen im Vorfeld Symptome eines akuten Myokardinfarkts, verdächtige EKG-Veränderungen oder eine ventrikuläre Tachykardie vorgelegen haben, auch wenn vor dem Tod keine kardialen Biomarker (z. B. Troponin) bestimmt werden konnten.
- **Myokardinfarkt Typ 4:** Dieser Typus steht in Zusammenhang mit einer **Koronarintervention** (z. B. Stentthrombose Jahre nach PCI) und wird in die **Subtypen a–c** unterteilt, auf die hier nicht näher eingegangen werden soll.
- **Myokardinfarkt Typ 5:** Der letzte Typus steht in Zusammenhang mit einer **Bypass-OP,** bei einem postoperativen Myokardinfarkt innerhalb von 48 h nach dem Eingriff.

Ist bei einem Herzinfarkt angiografisch keine Koronarstenose festzustellen, wird dieser Befund als Myokardinfarkt mit nichtobstruktiven Koronararterien (**MINOCA** – myocardial infarction with non-obstructive coronary arteries) bezeichnet.

Ist beim Myokardinfarkt nur die innere Schicht der Herzmuskulatur betroffen (**endokardnahe** Abschnitte), so können EKG-Veränderungen fehlen oder beispielsweise in Form von ST-Senkungen oder T-Negativierungen auftreten. In diesem Fall liegt ein **NSTEMI** vor.

Bei einer Beteiligung der außen **(epikardnah)** gelegenen Myokardanteile kommt es i. d. R. zu typischen EKG-Veränderungen. Da die Außenschichtdurchblutung erst nach der Innenschichtdurchblutung ausfällt, ist die Außenschicht so gut wie nie alleine betroffen, sondern der Infarkt zieht sich dann durch die gesamte Dicke der Muskelwand. Man spricht auch von einem **transmuralen Infarkt** (lat. murus = Wand, transmural = „durch die gesamte Wand hindurch"). Da die EKG-Veränderungen in der Akutphase zu einer **Anhebung der ST-Strecke im EKG** führen, nennt man diese Infarktform auch **STEMI** (s. o.). Beim STEMI ist die Durchblutungsstörung i. d. R. kritischer und die Betroffenen sind daher auch stärker gefährdet.

Gefahren des Herzinfarkts

In verschiedenen Phasen des Herzinfarkts können unterschiedliche Gefahren auftreten.

Gefahren in der Akutphase

Während in der Kernzone des Infarktgebiets die Zellen bereits abgestorben sind, leben die Zellen in den Randbereichen der Infarktzone zwar noch, sind jedoch in ihrer Funktion gestört. Da die Herzmuskelzellen für Bildung und Weiterleitung der elektrischen Erregung des Herzens verantwortlich sind, kann dies zu **malignen** (bösartigen, potenziell lebensbedrohlichen) **Herzrhythmusstörungen** führen. Häufig tritt eine **ventrikuläre Tachykardie** (**VT,** Kammertachykardie, → Kap. 27.2.9) auf, die auch schnell in **Kammerflimmern** degenerieren kann. Herzrhythmusstörungen treten zu über 90 % in der Akutphase auf und sind in dieser Zeitspanne die **häufigste Todesursache.**

Insbesondere bei einem Infarkt im Versorgungsgebiet der rechten Koronararterie (RCA) können auch direkt Abschnitte des Reizbildungs- und -leitungssystems geschädigt werden, sodass es zu bradykarden Herzrhythmusstörungen wie z. B. einem AV-Block III° oder einer Asystolie kommen kann. Herzrhythmusstörungen können die Koronardurchblutung weiter beeinträchtigen und so die Ischämie ihrerseits verstärken.

Eine weitere Gefahr in der Akutphase ist die **akute Herzinsuffizienz,** oft mit **kardialem Lungenödem** (bei ca. 30 % der Patienten mit akutem Myokardinfarkt), bis hin zum **kardiogenen Schock** (→ Kap. 32.4). Je nach Infarktgröße und -lokalisation führt der Funktionsausfall der Herzmuskelzellen zu einem Kraftverlust der Herzmuskulatur, es resultiert eine Pumpschwäche. Auch Herzrhythmusstörungen können zur Symptomatik einer akuten Herzinsuffizienz führen bzw. sie verstärken. Der kardiogene Schock ist die **zweithäufigste Todesursache** (7 % der Patienten mit akutem Myokardinfarkt, davon 90 % in der Klinik).

Mittel- und langfristige Gefahren

Durch die Nekrosen kann das Gewebe an Festigkeit verlieren und einreißen. Die höchste Gefahr hierfür besteht innerhalb von 3–10 Tagen nach einem Infarkt, da die Narbenbildung noch nicht abgeschlossen ist, aber bereits Nekrosematerial vom Körper abgebaut wird. Beispielsweise kann die Ruptur eines **infarzierten Papillarmuskels** zu einer **akuten Mitralinsuffizienz** (→ Kap. 27.2.3) mit plötzlich einsetzenden Herzinsuffizienzzeichen führen. Auch die Ruptur der Herzwand ist gefürchtet und verläuft über eine **Herzbeuteltamponade** schnell tödlich. Diese Komplikationen sind, ebenso wie eine Ruptur des Ventrikelseptums, jedoch selten.

Je nach Ausmaß des Infarkts kann es zur **Herzinsuffizienz** unterschiedlicher Ausprägung sowie zu **Herzrhythmusstörungen** kommen. Im Bereich der Myokardnarbe kann sich zudem eine Aussackung bilden **(Herzwandaneurysma),** die wiederum zur Bildung von **Thromben** prädisponiert. **Thromboembolische Komplikationen** wie Schlaganfälle können dann die Folge sein.

EKG-Diagnostik

MERKE

Ein **EKG mit mindestens 12 Ableitungen** muss beim ACS **schnellstmöglich** innerhalb von 10 Min. nach dem ersten medizinischen Kontakt (RTW) registriert werden (ausdrucken!). Im Idealfall werden auch die erweiterten Ableitungen zusätzlich registriert.
Bei jedem neuerlichen Auftreten von Symptomen ist das EKG erneut zu beurteilen und bei Veränderungen auch auszudrucken.

Die EKG-Diagnostik ist bei kardialen Notfällen von herausragender Bedeutung. Sie soll daher hier gesondert thematisiert werden. Weitere Informationen finden Sie in → Kap. 17.4.7, → Kap. 17.4.8 und → Kap. 27.2.9.

Bei kardiologisch vorerkrankten Patienten finden sich auch in stabilem Zustand und bei Symptomfreiheit häufig EKG-Veränderungen ohne notfallmedizinischen Krankheitswert. Hierzu zählen insbesondere **ST-Streckensenkungen** und **negative T-Wellen.** Derartige Veränderungen sind auch bei der instabilen AP und beim NSTEMI häufig. Grundsätzlich erhärten derartige EKG-Veränderungen den Verdacht, dass die Krankheitssymptome tatsächlich kardialer Ursache sind, sie haben aber **keinen** Beweischarakter. Bei einem Patienten mit ACS und ST-Senkungen oder T-Negativierungen im EKG (→ Abb. 27.14) wird jedoch von einem höheren kardialen Risiko auszugehen sein als bei singulären Thoraxschmerzen ohne EKG-Veränderungen.

Beim **STEMI** zeigen sich hingegen spezifische EKG-Veränderungen, die sich im Laufe des Infarkts verändern. Bis auf das Frühstadium haben alle rettungsdienstlich relevanten Stadien des STEMI gemeinsam, dass sie eine **ST-Streckenhebung** im EKG aufweisen. Später kommt eine pathologische **Q-Zacke** hinzu, die normalerweise dauerhaft erhalten bleibt und für den früher verwendeten Begriff „Q-Wave-Infarkt" verantwortlich ist.

Das **Frühstadium** besteht oft nur sehr kurz **(ca. 5–30 Min.),** sodass es im Rettungsdienst nur sehr selten gesehen wird. Es handelt sich um

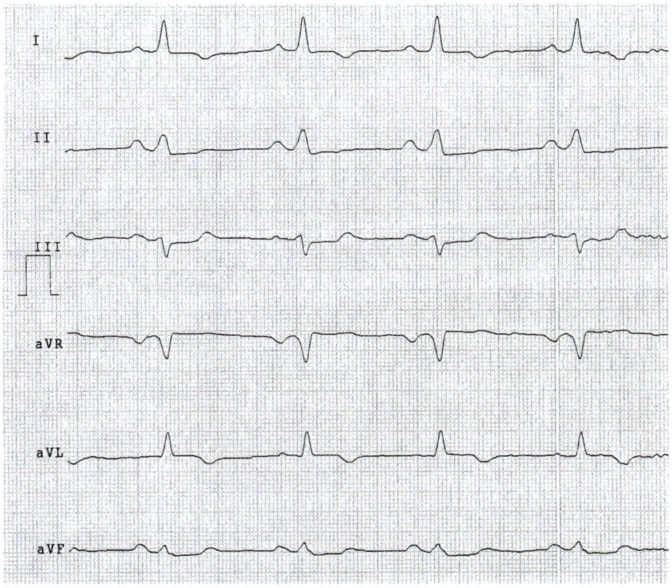

Abb. 27.14 ST-Senkungen II, III, aVF, T-Negativierung I und aVL. Solche Veränderungen deuten zwar auf eine Herzerkrankung hin, sind aber weder zum Beweis noch zum Ausschluss eines Infarkts geeignet. [P100]

ein sogenanntes **Erstickungs-T,** eine gleichschenklige, spitze und überhöhte T-Welle (→ Abb. 27.15).

Die Stadien des STEMI und seine typischen EKG-Veränderungen sind in → Abb. 27.16 zusammengefasst.

Folgende Grundregeln zur Ableitung eines EKGs bei Verdacht auf einen Myokardinfarkt sind zu beachten:

- Beim ACS ist schnellstmöglich innerhalb der ersten 10 Min. nach Erstkontakt zum Patienten **immer** ein **EKG mit mindestens 12 Ableitungen** zu registrieren. Extremitätenableitungen alleine sind nicht ausreichend!
- Die Positionen der Brustwandelektroden des 12-Kanal-EKGs sind **exakt definiert** und dürfen nicht „Pi-mal-Daumen" geklebt werden. EKGs sind sonst im Verlauf nicht miteinander vergleichbar und können zu Fehleinschätzungen führen.
- Weitere EKG-Ableitungen können hilfreich sein:
  - **Rechtspräkordiale Ableitungen** ($V3_R$ und $V4_R$) werden spiegelbildlich zu V3 bzw. V4 geklebt. Man nimmt dafür die Elektrode von V4 (braun) und klebt sie in den 5. ICR der **rechten** Medioklavikularlinie. Die Elektrode von V3 (grün) wird zwischen $V4_R$ und V1 geklebt. Das EKG wird normal ausgedruckt und V3 und V4 werden handschriftlich mit einem „R" oder „rechts" markiert. Ein **Rechtsherzinfarkt** lässt sich oft nur so identifizieren, was relevant für die Therapie sein kann (→ Abb. 27.5).
  - **Dorsal erweiterte Ableitungen** (V7–V9) können einen rein **posterior lokalisierten Infarkt** identifizieren. Verdächtig hierfür sind ST-Senkungen in den anterioren Ableitungen V1–V3. Alle Elektroden, in diesem Fall nutzt man braun, schwarz und violett, kommen auf gleiche Höhe wie V4(–V6). V7: hintere Axillarlinie, V8: Skapularlinie (Mitte des Schulterblatts), V9: Paravertebrallinie (neben der Wirbelsäule). Die Ableitungen müssen je nach EKG-Gerät meistens per Hand beschriftet werden.

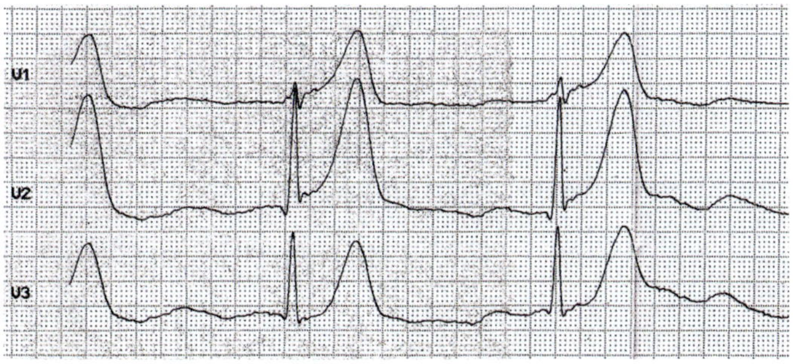

Abb. 27.15 Vorderwandinfarkt im selten zu beobachtenden Frühstadium (Erstickungs-T) [P100]

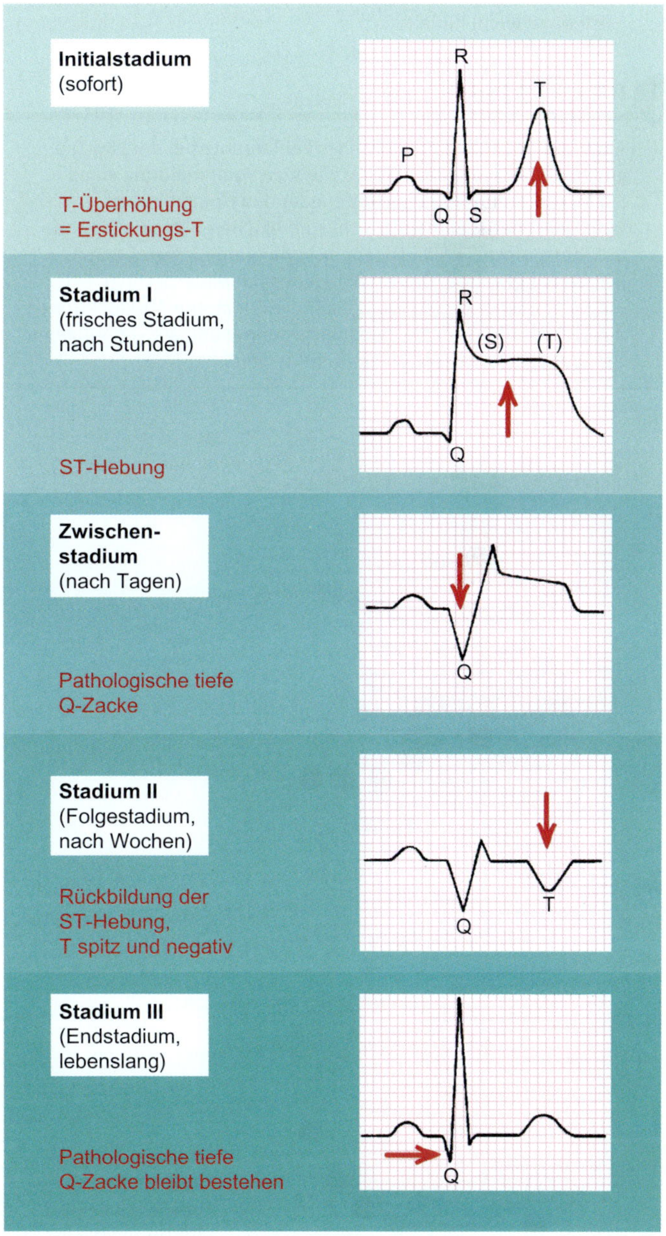

Abb. 27.16 EKG-Stadien des transmuralen Infarkts (ST-Elevating Myocardial Infarction = STEMI) [L190]

ACHTUNG! Die Brustwandelektroden müssen exakt an die standardisierten Positionen geklebt werden. Auch bei Frauen ist es nicht gestattet, diese zur Vereinfachung unter die Brust zu kleben. Bei größeren und mobilen Brüsten ruhige Lagerung finden und die Elektroden dann gemäß der Interkostalräume und Orientierungslinien platzieren. Die genauen Positionen sind (→ Abb. 27.17):

- V1 (rot): 4. Interkostalraum (ICR), rechts unmittelbar neben das Sternum (parasternal)
- V2 (gelb): 4. ICR links parasternal
- V3 (grün): genau zwischen V2 und V4 (unabhängig vom Rippenverlauf)
- V4 (braun): 5. ICR auf der Medioklavikularlinie
- V5 (schwarz): vordere Axillarlinie auf Höhe V4 (entspricht nicht zwingend dem 5. ICR, da die Rippen diagonal verlaufen können)
- V6 (violett): mittlere Axillarlinie auf Höhe V4/V5

Eigentlich muss man sich nur V1 und V4 merken, der Rest lässt sich dann leicht herleiten.

PRAXISTIPP

Aufgrund der hohen präklinischen Fehlerquote bei der EKG-Diagnostik führt in der Realität die alleinige Voranmeldung eines STEMI durch den Notfallsanitäter oder den Notarzt in der Rufbereitschaftszeit häufig nicht zum Aktivieren des Herzkatheterlabors, bis die STEMI-Diagnose in der Kardiologie oberärztlich bestätigt wurde. Daher sollte jedes infarktverdächtige EKG umgehend nach Registrierung über die Telemetrie-/Faxfunktionen des EKG-Monitors an die Zielklinik gesendet und ein vorläufiges Übergabegespräch telefonisch geführt werden.

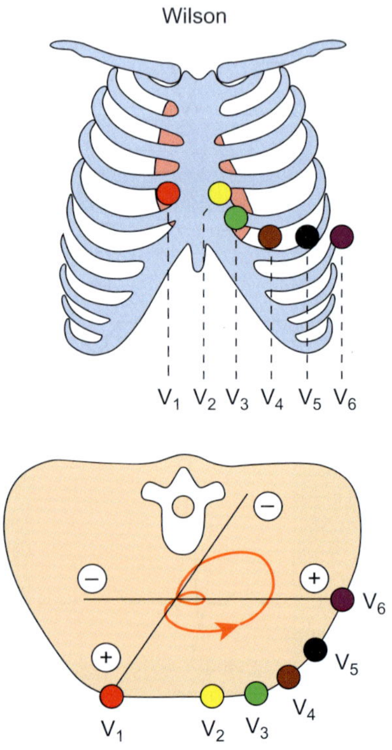

Abb. 27.17 Elektrodenpositionen der Brustwandableitungen nach Wilson [L231, L143]

→ Abb. 27.18 zeigt ein im Einsatz abgeleitetes EKG eines Patienten mit STEMI (Stadium I). Die ST-Hebungen zeigen sich sehr deutlich in den Ableitungen II, III, aVF, V5 und V6. Als weiteres auffälliges Merkmal kommen eine ausgeprägte ST-Senkung mit T-Negativierung in aVL sowie ST-Senkungen in V1 und V2 hinzu („spiegelbildliche" Senkung).

PRAXISTIPP

Die **Ableitung aVR** steht im Vergleich zu den anderen Extremitätenableitungen gewissermaßen „auf dem Kopf", da sie die einzige Ableitung ist, die von rechts oben „auf das Herz schaut", sodass ST-Hebungen in aVR eigentlich wie Senkungen anzusehen sind und Senkungen wie Hebungen (→ Abb. 27.18 und → Abb. 27.21).

Bei einem **Linksschenkelblock (LSB)** (→ Kap. 17.5.8) sind die Endstrecken im EKG immer verändert, sodass eine Beurteilung hier extrem schwierig ist (→ Abb. 27.19). Zudem ist ein LSB häufig Folge eines akuten Infarkts. Jeder (vermutlich) **neu aufgetretene LSB** in Kombination mit **Symptomen des akuten Koronarsyndroms** ist wie ein **STEMI** zu behandeln. Bei hoher klinischer Wahrscheinlichkeit gilt dies auch für den **Rechtsschenkelblock (RSB).**

PRAXISTIPP

Die Eichung von standardmäßig eingestellten EKG-Geräten in der Klinik entspricht 10 mm pro 1 mV. Dementsprechend finden sich in der Literatur für ST-Streckenveränderungen häufig Angaben in Millimeter, entsprechend 1 mm = 0,1 mV. Da im Rettungsdienst jedoch das bedruckte Papier gerätebedingt deutlich kleiner ist, wird die Eichung durch die verwendeten Geräte häufig automatisch verändert, teilweise sogar während laufenden Ausdrucks („Kalibersprung" der Amplitude), sodass die Regel 1 mm = 0,1 mV **nicht** ohne Weiteres auf EKG-Ausdrucke aus dem Rettungsdienst zu übertragen ist.

Obwohl man im Rettungsdienst sicherheitshalber jede ST-Hebung bis zum Beweis des Gegenteils als STEMI behandeln sollte, sollen hier der Vollständigkeit halber die als signifikant geltenden EKG-Kriterien zur Diagnose eines STEMI nach Leitlinie aufgeführt werden. Dabei gilt die Faustregel: Nachfolgende Angaben in mV mit 10 multiplizieren und man erhält die EKG-Veränderungen in Millimeter gemäß der im vorstehenden Praxistipp erwähnten Standardeichung:

- **ST-Streckenhebung ≥ 0,1 mV in mindestens zwei benachbarten Ableitungen** (→ Abb. 27.20, → Abb. 27.21) außer V2 und V3
- Für V2 und V3 gilt:
  - ST-Streckenhebung ≥ 0,25 mV bei Männern unter 40 Jahren
  - ST-Streckenhebung ≥ 0,20 mV bei Männern ab 40 Jahren
  - ST-Streckenhebung ≥ 0,15 mV bei Frauen, altersunabhängig

Diese Kriterien gelten nicht beim Vorliegen eines Schenkelblocks.

ACHTUNG! Jede **ST-Hebung** ist im Rettungsdienst bis zum Beweis des Gegenteils als STEMI zu behandeln.
Jedes Akute Koronarsyndrom mit einem **neu aufgetretenen Linksschenkelblock** ist wie ein STEMI zu behandeln.
Bei entsprechend hoher klinischer Wahrscheinlichkeit kann sich auch hinter einem **Rechtsschenkelblock** ein Infarkt verbergen.

IM FOKUS

Akutes Koronarsyndrom

Ursachen

- Ischämie des Herzmuskelgewebes durch ein Missverhältnis von Sauerstoffangebot und -bedarf, entweder mit Absterben von Herzmuskelgewebe (Myokardinfarkt mit oder ohne ST-Streckenhebung im EKG) oder ohne Myokardnekrosen (instabile Angina pectoris)
- Meist im Rahmen einer vorbestehenden KHK mit höhergradigen Stenosen in den Koronararterien durch unzureichenden Durchfluss sauerstoffreichen Blutes Auslösung auch durch Mangel an Sauerstoffträgern (Anämie) oder erhöhten Sauerstoffverbrauch des Myokards möglich
- Bei **Plaqueruptur** akute **Thrombenbildung** in den Koronararterien, dann oftmals akuter Herzinfarkt durch (sub)totalen Verschluss des Gefäßes mit Absterben von Herzmuskelgewebe
- Koronarspasmus
- Ohne Koronarbeteiligung: z. B. Tako-Tsubo-Syndrom

Symptome

- **Leitsymptom** ist der **retrosternale Schmerz, der häufig** mit **Ausstrahlung in den linken Arm** oder weitere Körperregionen einhergeht (➔ Abb. 27.12):
  - Die Beschwerden können sehr **variabel** sein und reichen vom Vernichtungsschmerz bis zu einem leichten thorakalen Engegefühl.
  - **Atypische Beschwerden** finden sich v. a. bei **Diabetikern,** Patienten > 75 Jahren, Niereninsuffizienz, Demenz und generell bei **Frauen.**
- **Dyspnoe** durch subjektives Engegefühl und/oder akute Herzinsuffizienz ist ein sehr häufiges Begleitsymptom.
- Eventuell Zeichen der **akuten Links- und/oder Rechtsherzinsuffizienz** bis hin zum **kardiogenen Schock:**
  - Halsvenenstauung, Beinödeme
- Auskultationsbefund bei Lungenstauung: zu Beginn Giemen und Brummen, dann feinblasige und später grobblasige Rasselgeräusche.
  - RR-Abfall, ggf. Tachykardie
  - Eventuell Blässe oder Zyanose
  - Eventuell Zentralisation mit kühlen Extremitäten
- **Vegetative Symptome:** Angst, Unruhe, Übelkeit, Erbrechen, Kaltschweißigkeit
- **EKG-Veränderungen:**
  - Eventuell tachy- oder bradykarde **Herzrhythmusstörungen,** evtl. gehäuftes Auftreten von ventrikulären Extrasystolen (VES)
  - Speziell bei **iAP und NSTEMI:**
    - Häufig ST-Senkungen oder T-Negativierungen
    - Das EKG kann auch vollkommen normal sein!
  - Speziell bei STEMI:
    - Typische ST-Streckenhebungen in den Ableitungen des Infarktgebiets
    - Im Frühstadium ggf. „Erstickungs-T"
    - Neu aufgetretener Linksschenkelblock (bei ACS-Symptomatik = STEMI)

Maßnahmen

Monitoring

- AF, SpO_2, Rekapillarisierungszeit, Puls (peripher/zentral), RR, BZ, GCS, Temperatur, **12-Kanal-EKG,** nach Möglichkeit immer auch $V3_R$+ $V4_R$, evtl. V7–V8:
  - **Erstes EKG immer ausdrucken!**
  - Monitoring nicht unterbrechen, jederzeit mit Reanimationspflichtigkeit rechnen.

Basismaßnahmen und Lagerung

- Das ACS ist grundsätzlich eine **Notarztindikation.**
- Angst und Anstrengung vermeiden: Patienten beruhigen und betreuen, nicht laufen lassen.
- Lagerung:
  - Herzbettlagerung bei Herzinsuffizienz
  - Flachlagerung (ggf. leicht erhöhter Oberkörper) bei Hypotonie/Schock
  - Bei Hypotonie durch Rechtsherzinfarkt ohne Lungenstauung ggf. Schocklage
- O_2-Gabe bei Dyspnoe oder SpO_2 < 90 %, dann mit Zielwert 95 %
  - Bei chronischen Atemwegserkrankungen mit Gefahr der CO_2-Retention (z. B. fortgeschrittene COPD) auf Anzeichen einer CO_2-Narkose achten, ggf. ist als Ziel ein SpO_2 je nach aktueller Klinik 88–92 % ausreichend.
- Anamneseerhebung:
  - Schmerzqualität, -stärke und -ausstrahlung
  - Allergien/Unverträglichkeiten
  - Medikamente
  - Vorerkrankungen/letzter Arztbrief oder Entlassungsbrief nach Krankenhausaufenthalt
  - Letzte Mahlzeit
  - Zeitpunkt und Dauer der Beschwerden
  - Risikofaktoren
- Auskultation Lunge (Stauungszeichen?)

Erweiterte Maßnahmen

- i. v. Zugang und ggf. Laborblutentnahme
- Infusion nur zum Offenhalten langsam tröpfeln lassen. Volumentherapie ausschließlich bei Hypotonie durch Rechtsherzinfarkt.
- 2–3 Hub Nitrospray s. l. (0,8–1,2 mg Glyceroltrinitrat) bei RR > 100 mmHg nach Ausschluss von Rechtsherzinfarkt und PDE-5-Hemmer-Einnahme
  - Bei unzureichender Wirkung ggf. Wiederholung nach 5–10 Min., zuvor erneute RR-Kontrolle
- ASS 250 mg i. v.
- Heparin (UFH) 5 000 IE i. v. (70–100 IE/kg KG) oder Enoxaparin (Clexane®) 0,5 mg/kg KG i. v.
- Analgesie: Morphin 2,5–10 mg i. v. (10 mg auf 10 ml aufziehen zur besseren Dosierbarkeit)
- Antiemetika:
  - Metoclopramid (MCP) 10 mg langsam, ggf. als Kurzinfusion, i. v.
  - Dimenhydrinat (z. B. Vomex A®) 62 mg als Kurzinfusion i. v.
  - Evtl. Ondansetron 4–8 mg als Kurzinfusion i. v.
- Bei Lungenstauung: Diuretika, z. B. Furosemid 40–80 mg i. v.
- Bei Tachykardie und Hypertonie: Betablocker (z. B. Metoprolol 5 mg langsam i. v.)
- Bei hohem RR (z. B. > 180 mmHg) vorsichtige Gabe von Antihypertensiva (z. B. Urapidil 20–50 mg, kurz aber stark wirksam!) Hierbei ist die zusätzliche RR-senkende Wirkung von Nitro zu berücksichtigen.
- Bei Herzrhythmusstörungen ggf. Antiarrhythmika, ggf. 2 g Magnesium als Kurzinfusion langsam i. v.
- Gegebenenfalls Lyse

ACHTUNG! In den von einigen ÄLRD freigegebenen Algorithmen für ihren regionalen Rettungsdienstbereich findet sich als Standardtherapie gegen Übelkeit Ondansetron (z. B. Zofran®). Dieses ist jedoch nur zugelassen für Übelkeit in Zusammenhang mit einer Chemotherapie oder bei postoperativer Übelkeit und Erbrechen (PONV). Es handelt sich also in allen anderen Zusammenhängen um einen Off-Label-Use.

27.2.6 Kardiales Lungenödem

Das kardiale Lungenödem entsteht durch ein Rückwärtsversagen des linken Ventrikels und ist Hauptsymptom der **schweren akuten Linksherzinsuffizienz** (→ Kap. 27.2.1). Durch den Rückstau von Blut im Lungenkreislauf kommt es zunächst zu einem Übertritt von Flüssigkeit in das Interstitium der Lunge **(interstitielles Lungenödem)** mit einem zunächst giemenden Atemgeräusch. Einige Zeit später tritt die Flüssigkeit dann in die Alveolen über und verursacht so das **alveoläre Lungenödem**. Durch die **Verlängerung der Diffusionsstrecke** wird der Gasaustausch in der Lunge behindert und es kommt zur **Hypoxämie** und den im → Kap. 27.2.1 beschriebenen Symptomen.

Neben einem akuten Pumpversagen des linken Ventrikels (z. B. beim akuten Myokardinfarkt) und der akuten Dekompensation einer Herzinsuffizienz ist der hypertensive Notfall (→ Kap. 27.2.7) eine weitere Ursache des kardialen Lungenödems. Im **hypertensiven Lungenödem** muss der linke Ventrikel gegen einen stark erhöhten peripheren Gefäßwiderstand arbeiten, was zu einer relativen Herzinsuffizienz führt.

ACHTUNG! Das Lungenödem kann auch Form eines **hypertensiven Notfalls** sein. In diesem Fall ist die RR-Senkung rasch durchzuführen, da sich das Lungenödem sonst weiter verschlechtert.

Symptome

Die Symptomatik lässt sich aus den zuvor beschriebenen Mechanismen ableiten: Die Patienten klagen über Dyspnoe und die Atemfrequenz ist meist beschleunigt **(Tachypnoe).** Trotz Einsatz der Atemhilfsmuskulatur (Orthopnoe) und schneller Atmung ist häufig eine **Zyanose** zu beobachten. Im EKG können gelegentlich Herzrhythmusstörungen als Ausdruck der Hypoxie beobachtet werden. Der Blutdruck kann initial erhöht sein (Hypertonie). Mit zunehmender Ödembildung in der Lunge nimmt die Atemnot zu. Es kommt zu einer Tachykardie mit flachem Puls, blasser Zyanose und klassischerweise zu **Rasselgeräuschen** (Brodeln) über den Lungenfeldern, die oft schon aus der Entfernung hörbar sind. Der Notfallpatient im Lungenödem wirkt unruhig und ängstlich bis hin zur Todesangst. Oft können die Symptome durch Oberkörperhochlagerung und Tieflagerung der Beine (Herzbett) kurzzeitig gemildert werden.

Therapie

Die Therapie des hypertensiven Lungenödems ist in der Frühphase einfach und besteht in der **Vor- und Nachlastsenkung** durch Nitrate, der **Blutdrucksenkung** durch Antihypertensiva (z. B. Urapidil) und der Verminderung der psychovegetativ bedingten Sympathikotonuserhöhung (z. B. Morphin zur Minderung der Dyspnoe und **leichten Sedierung**). Wird die rechtzeitige Blutdrucksenkung versäumt, kann sich das Lungenödem jedoch verstärken und zur Intubations- und Beatmungspflichtigkeit führen. Zur Therapie des nicht-hypertensiven Lungenödems s. Kasten „Im Fokus".

PRAXISTIPP

- Im Frühstadium klingt ein Lungenödem oft noch nicht feucht, sondern eher obstruktiv (wie Asthma bzw. COPD, **Asthma cardiale**). Bei Patienten mit vorbestehender COPD kann ein beginnendes Lungenödem allerdings eine „echte" Exazerbation auslösen.
- Wichtige Differenzialdiagnosen für grobblasige Rasselgeräusche, insbesondere, wenn sie schon auf größere Distanz zu hören sind:
  - Pneumonie
  - Aspiration, typischerweise bei pflegebedürftigen Patienten, die via Ernährungspumpe über eine PEG ernährt werden und sich dabei in flacher Rückenlage befinden.

IM FOKUS

Kardiales Lungenödem

Ursachen

Dekompensierte Linksherzinsuffizienz

- Kardiale Ursache: KHK, akutes Koronarsyndrom, entzündliche Herzerkrankung, Herzrhythmusstörung, Mitralklappeninsuffizienz
- Extrakardiale Ursache: Überdosierung mit Infusionen oder zu hohe Trinkmenge bei bestehender Herzinsuffizienz, hypertensive Krise

Symptome

- Dyspnoe bis hin zur schwersten Orthopnoe, evtl. Zyanose
- Teils Husten und blutig tingiertes Sputum
- Zunächst giemendes, obstruktives Atemgeräusch (interstitielles Lungenödem), später:
- Fein- bis grobblasiges Atemgeräusch, bei ausgeprägtem Ödem auch als Distanzbrodeln ohne Stethoskop hörbar (intraalveoläres Lungenödem)
- Erniedrigte SpO_2
- Eventuell spontanes Einnehmen einer atemerleichternden Sitzhaltung mit erhöhtem Oberkörper und aufgestützten Armen
- Vigilanzminderung durch zentrale Hypoxie als auch durch Erschöpfung der Atemmuskulatur mit Entwicklung einer respiratorischen Azidose (CO_2-Narkose)
- Blutdruckveränderungen:
  - Hypotonie durch Vorwärtsversagen bei Linksherzinsuffizienz bis hin zum kardiogenen Schock (z. B. bei großem Herzinfarkt) oder
  - ausgeprägte Hypertonie > 180 mmHg, meist > 200 mmHg, dann oft als Ursache für das Ödem im Sinne eines hypertensiven Notfalls (→ Kap. 27.2.7)
- Zeichen der Rechtsherzinsuffizienz (v. a. gestaute Halsvenen) durch Erhöhung des Widerstands im Lungenkreislauf
- Eventuell zusätzliche Symptome der auslösenden Ursache, z. B. ACS/Infarktzeichen (→ Kap. 27.2.5) oder Herzrhythmusstörungen
- Typisch ist zudem eine Tachykardie als Ausdruck der Sympathikusaktivierung bei Dyspnoe und Hypoxie, ggf. auch als Kompensationsversuch einer Hypotonie. Die Herzfrequenz kann durch eine vorbestehende Medikation beeinflusst sein und in die Irre führen. Bradykarde Herzrhythmusstörungen können, z. B. beim Herzinfarkt, ebenfalls auftreten.

Maßnahmen

Monitoring

- AF, SpO_2, Rekapillarisierungszeit, Puls (peripher/zentral), RR, BZ, GCS, EKG mit mindestens 12 Ableitungen (Infarkt als Ursache?), Temperatur
  - **Erstes EKG immer ausdrucken!**
  - Monitoring nicht unterbrechen, jederzeit mit Reanimationspflichtigkeit rechnen.

Basismaßnahmen und Lagerung

- Basischeck, Basismaßnahmen, Beruhigung und Betreuung
- Anstrengung vermeiden, Patient nach Möglichkeit nicht laufen lassen.
- Lagerung: Herzbettlagerung (→ Abb. 27.3), bei Hypotonie/Schock nach Möglichkeit Flachlagerung mit erhöhtem Oberkörper durchführen.
- O_2-Gabe bei SpO_2 < 90 % mit Ziel-SpO_2 95 % bzw. nach Klinik

Erweiterte Maßnahmen

- i. v. Zugang und ggf. Laborblutabnahme
- Je nach Transportdauer und Therapieoptionen ggf. unblutigen Aderlass durchführen (→ Kap. 27.2.1).
- Infusion nur sehr langsam tröpfeln lassen, um Zugang offenzuhalten.
- Zur Vorlastsenkung und Verbesserung der Koronardurchblutung:
  Nitrospray, initial 2 Hübe (je 0,4 mg) s. l., wenn $RR_{systol.} >$ 100 mmHg
- Diuretika: Furosemid (Lasix®) 40–80 mg i. v.
- Opiat: Morphin z. B. 5–10 mg i. v. zur Linderung der Dyspnoe (nicht bei ausgeprägter Hypotonie oder Vigilanzminderung)
- Bei schlechter SpO_2 trotz maximaler O_2-Gabe ggf. CPAP-Atmung oder NIV je nach Toleranz
- Kausale Therapie: Ursache identifizieren und behandeln!
  - Gegebenenfalls Therapie des akuten Koronarsyndroms (→ Kap. 27.2.5)
  - Gegebenenfalls Therapie eines hypertensiven Notfalls (→ Kap. 27.2.7)
  - Gegebenenfalls Behandlung von Rhythmusstörungen, die die Symptomatik verursachen oder verschlechtern (z. B. Antiarrhythmika, notfalls Elektrokardioversion)
- Gegebenenfalls Intubation vorbereiten inkl. Medikamente zur Narkoseeinleitung und RR-Stabilisierung.
- Gegebenenfalls Medikamente zur kausalen Therapie geben, je nach auslösender Ursache.
- Hypotonie/kardiogener Schock (jeweilige Dosierungsempfehlungen: → Kap. 27.2.1):
  - Dobutamin über Spritzenpumpe zur Herzkraftsteigerung (positiv inotrop)
  - Noradrenalin (Arterenol®) über Spritzenpumpe zur RR-Anhebung mittels arterieller Vasokonstriktion. Über Nachlasterhöhung verbesserte diastolische Koronarperfusion

27.2.7 Hypertensiver Notfall und hypertensive Krise

Bei körperlicher Anstrengung ist ein Anstieg des Blutdrucks physiologisch, beim Gesunden normalisiert er sich innerhalb weniger Minuten nach Beendigung der Belastung.

Die **arterielle Hypertonie** (Bluthochdruck) wird dagegen definiert als ein Krankheitsbild mit dauerhaft erhöhten Blutdruckwerten ≥ 140 mmHg systolisch oder ≥ 90 mmHg diasystolisch bei allen Patienten ab 16 Jahren, wobei die Blutdruckwerte bei drei Messungen an zwei verschiedenen Tagen gemessen werden müssen. Eine arterielle Hypertonie verläuft oft lange Zeit symptomlos und führt über Jahre zu Schäden an verschiedenen Organen und Organsystemen.

Bei der überwiegenden Anzahl der an Hypertonie erkrankten Patienten kann eine Krankheitsursache nicht eindeutig festgestellt werden. Nur in ca. 10 % d. F. ist eine körperliche Ursache eindeutig auszumachen. Entsprechend dürftig fällt die Einteilung der Hypertonie aus:

- **Primäre (essenzielle) Hypertonie** (ca. 90 % der Patienten, Ursache unbekannt)
- **Sekundäre Hypertonien:**
  - Renale Hypertonie (die Niere ist ein wichtiges Organ der Blutdruckregulation)
  - Endokrine Hypertonie (hormonbedingt, auch hormonproduzierende Tumore wie das Phäochromozytom, das Adrenalin und Noradrenalin ausschütten kann)
  - Medikamentös/ernährungsbedingt
  - Kardiovaskulär (z. B. bei Gefäßstenosen im Bereich von Druckrezeptoren, die dem Körper einen niedrigeren Blutdruck vortäuschen oder z. B. Nierenarterienstenose)
  - Schwangerschaftsinduzierte Hypertonie (SIH) (→ Kap. 34.4.3)

Die Fachbegriffe **hypertensive Krise** und **hypertensiver Notfall** sind in der Literatur nicht einheitlich definiert und teilweise unscharf voneinander abgegrenzt. Erfahrungsgemäß kann mit blutdruckbedingten Symptomen ab systolischen Blutdruckwerten von ca. > 170–180 mmHg gerechnet werden, meistens sind die Werte jedoch deutlich höher (> 200 mmHg). Als diastolische Grenze finden sich in der Literatur Angaben von > 120 mmHg. Da jeder Patient aber anders auf Blutdruckschwankungen reagiert, dienen diese Zahlen nur als grober Anhaltspunkt.

Viel wichtiger ist die Dynamik, nämlich der **plötzliche** Blutdruckanstieg auf Werte **deutlich oberhalb des Normaldrucks.** Gängige Definitionen sind:

- **Hypertensiver Notfall** (engl. hypertensive emergency): plötzlicher, starker Blutdruckanstieg **mit** Zeichen eines akuten Organschadens
- **Hypertensive Krise** (engl. hypertensive urgency): plötzlicher, starker Blutdruckanstieg **ohne** Zeichen eines akuten Organschadens

Ein Großteil der Autoren beschränkt die Definition des hypertensiven **Notfalls** auf die Störung lebenswichtiger Organsysteme (ZNS, Herz-Kreislauf-System). In diesem Fall würde beispielsweise die unkomplizierte Epistaxis (Nasenbluten) zu den Symptomen der hypertensiven **Krise** gerechnet. Kopfschmerz dagegen ist ein Symptom, das bei Hypertonie häufig auftritt und meist harmlos ist, es kann aber auch Zeichen einer beginnenden ZNS-Schädigung sein und liegt somit irgendwo dazwischen. Wiederum andere Autoren gehen bei der hypertensiven **Krise** von einer kompletten Symptomfreiheit aus, wobei diese Definition nicht sinnvoll erscheint, da sie sich dann lediglich auf zufällig gemessene RR-Werte beschränken würde.

Die **hypertensive Krise** ist also nicht symptomfrei, sie erfordert aber **kein zeitkritisches, notfallmedizinisches Einschreiten** zur Abwendung bleibender Schäden.

Der **hypertensive Notfall** hingegen erfordert dies schon. Hierbei scheint es logisch, nicht nur die unmittelbar lebensbedrohlichen Erkrankungen in die Definition mit aufzunehmen, sondern auch beispielsweise die Netzhauteinblutung, deren **notfallmedizinische Versorgung absolut zeitkritisch** ist, um bleibende Schäden (in diesem Fall Erblindung) zu verhindern.

Symptome

Die Symptome bzw. Folgen des hypertensiven Notfalls können vielfältig sein und im Rahmen vieler Erkrankungen passager oder ursächlich auftreten. Die häufigsten Symptome bzw. Folgen des **hypertensiven Notfalls** sind:

- **Akutes Koronarsyndrom:** Durch die Hypertonie nimmt die Wandspannung der Herzmuskulatur zu, sodass es zu einer Störung der Mikrozirkulation kommen kann. Gleichzeitig steigt aufgrund der Hypertonie der Sauerstoffbedarf am Herzen.
- **Aortendissektion:** Durch den hohen Druck im Gefäß kann es zu Blutverwirbelungen kommen, die das Endothel mechanisch schädigen, sodass es einreißen und dissezieren kann (→ Kap. 27.3.5).
- **Kardiales Lungenödem (hypertensives Lungenödem,** → Kap. 27.2.6): Das Herz muss gegen den massiv erhöhten arteriellen Widerstand anarbeiten, wodurch es zur Dekompensation kommen kann. Die zum ACS führenden Mechanismen (s. o.) können zusätzlich aufgrund der reduzierten Sauerstoffversorgung auch zu einer akuten Pumpschwäche (Herzinsuffizienz) führen.

- **Hypertensive Enzephalopathie:** Die Grenzen der Autoregulationsmechanismen der Hirndurchblutung werden überschritten. Durch erhöhten Hirndruck kann es zu neurologischen Störungen kommen, wie Kopfschmerzen, Übelkeit, Erbrechen, Sehstörungen, Schwindel, Bewusstseinsstörungen, Sprachstörungen, Krämpfe etc.
- **Apoplex/ICB:** Es kann sowohl zum unblutigen Apoplex (z. B. durch Plaquerupturen und Embolien) als auch zum blutigen Apoplex kommen (z. B. SAB bei Ruptur eines intrazerebralen Aneurysmas oder intrazerebrale Massenblutung).
- **Augenschäden:** Es kann zu Netzhautblutungen oder im Rahmen der Hirndruckerhöhung zum Papillenödem (Ödem an der Einmündung des Sehnervs in die Netzhaut) kommen, eine Erblindung droht.
- **Nierenschäden** werden häufig mit zu den Folgen des hypertensiven Notfalls gerechnet, sind aber im Rettungsdienst kaum zu diagnostizieren und spielen in der Akutphase daher eine untergeordnete Rolle.

Die Symptome der **hypertensiven Krise** sind i. d. R. milde und bleiben auf Kopfschmerzen, Epistaxis und Benommenheit beschränkt.

Therapie

Die Therapie der **hypertensiven Krise** beschränkt sich i. d. R. auf einfache Erste-Hilfe-Maßnahmen wie Beruhigung, Betreuung sowie Lagerung des Patienten (Herzbett, → Abb. 27.3). Beim Vorliegen von moderaten Symptomen wie Epistaxis kann eine RR-Senkung indiziert sein, oft haben Patienten mit einer bekannten Hypertonie auch eine Bedarfsmedikation, die sie selbst einnehmen können.

PRAXISTIPP

Nitrospray ist ein häufig angewandtes und gut bekanntes Medikament im Rettungsdienst, bewirkt meist eine gute Blutdrucksenkung, **ist jedoch allein zu diesem Zweck nicht zugelassen.**

Der hypertensive Notfall ist äußerst **heterogen.** Die spezifische Therapie richtet sich nach dem durch die Hypertonie entstandenen Notfallbild. Allgemein kann man festhalten, dass eine **Blutdrucksenkung** als ursächliche Therapie so rasch wie möglich einzuleiten ist, jedoch darf der Blutdruck **nicht zu schnell zu stark** gesenkt werden: Gehirn und Nieren verfügen zur Optimierung ihrer Durchblutung über einen Autoregulationsmechanismus, der allerdings nur in bestimmten Grenzen funktioniert und beim hypertensiven Notfall regelmäßig gestört ist. Eine zu rasche Blutdrucksenkung führt dann zu einer Minderdurchblutung, was sich klinisch im Notfalleinsatz meist als Bewusstseineintrübung oder -verlust bemerkbar macht.

Als Faustregel kann man festhalten, dass eine **RR-Senkung von 15 bis maximal 25 % des Ausgangswerts** innerhalb der ersten Stunde erfolgen soll. wobei es je nach Krankheitsbild Ausnahmen gibt (Im-Fokus-Kasten).

IM FOKUS

Hypertensiver Notfall

Ursachen

- Vegetativ: Stress, Aufregung, Angst, Schmerzen
- Hormonell: Hyperthyreose, Phäochromozytom etc.
- Idiopathisch: Exazerbation einer essenziellen Hypertonie ohne erkennbare Ursache
- Nierenarterienstenose und andere Gefäßstenosen
- Drogen (Kokain, Amphetaminderivate)
- Entzug von Alkohol oder anderen dämpfenden Substanzen

Symptome

- Allgemeinsymptome bei Hypertonie:
  - Häufig hochroter Kopf
  - Kopfschmerzen, Schwindel, Sehstörungen
  - Übelkeit, Erbrechen, Angst, Unruhe
- Akutes Koronarsyndrom: Thoraxschmerz, evtl. Dyspnoe, evtl. Zeichen der Herzinsuffizienz (→ Kap. 27.2.1)
- Aortendissektion: plötzlicher Zerreißschmerz, evtl. RR-Differenz, evtl. Infarktzeichen (→ Kap. 27.3.5)
- Kardiales Lungenödem/hypertensives Lungenödem: Dyspnoe, Zyanose, ggf. fein- bis grobblasiges Atemgeräusch (→ Kap. 27.2.6)
- Hypertensive Enzephalopathie: Kopfschmerzen, Bewusstseinsstörungen, neurologische Ausfälle, ggf. Symptome wie bei einer TIA. Normalerweise reversibel.
- Apoplex/intrakranielle Blutung (ICB): Schwierig von der hypertensiven Enzephalopathie zu unterscheiden, bleibende Schäden sind möglich (→ Kap. 33.4)
- Augenschäden: Sehstörungen, Erblindung (i. d. R. nur ein Auge betroffen) (→ Kap. 37.9)
- Schwangerschaftsinduzierte Hypertonie (SIH, Präeklampsie, früher: „EPH-Gestose"), evtl. zusätzlich Licht- und Lärmüberempfindlichkeit → drohende Eklampsie (→ Kap. 34.3.5)

Maßnahmen

Monitoring

- AF, SpO_2, Rekapillarisierungszeit, Puls (engmaschig), RR, BZ, GCS, 12-Kanal-EKG, Temperatur

Basismaßnahmen und Lagerung

- Patienten beruhigen und betreuen.
- Notarzt nachfordern, soweit noch nicht alarmiert.
- Herzbettlagerung (→ Abb. 27.3) oder Oberkörperhochlagerung
- Klären, ob die Hypertonie evtl. nicht Ursache, sondern Symptom ist:
  - z. B. Cushing-Reflex bei Hirndruck (Druckpuls, gepaart mit Bradykardie) oder
  - Schmerzbedingt (Analgesie notwendig)

Erweiterte Maßnahmen

- i. v. Zugang legen und BZ-Messung, offenhalten mit langsam tropfender Infusion.
- Nach den jeweiligen **Standards** behandeln (z. B. ACS, akute Linksherzinsuffizienz, Apoplex etc., siehe dort), unter besonderer Berücksichtigung der Blutdrucksituation.
- RR-Senkung frühzeitig, aber vorsichtig!
  - Eine zu starke RR-Senkung kann zu Durchblutungsstörungen in Gehirn und Nieren führen (gestörte Autoregulation des Blutdrucks).
  - Erste Senkung auf hochnormale oder leicht erhöhte Werte anstreben, bis zu 25 % des Ausgangswerts innerhalb der ersten Stunde.
- Gegebenenfalls bei stark agitierten Patienten leichte Sedierung (z. B. Diazepam 5–10 mg i. v. oder Midazolam 3–5 mg i. v.)

Spezifische Therapie

Die Therapie richtet sich nach der jeweiligen Manifestationsform des hypertensiven Notfalls und/oder der auslösenden Faktoren (s. jeweilige Kapitel):

- **Hypertensive Enzephalopathie**
  - Senkung des arteriellen Mitteldrucks (MAP) um 20–25 % des Ausgangswerts, z. B. Urapidil 12,5–25 mg als Bolus, ggf. wiederholt, ggf. Kurzinfusion mit Laufrate nach Wirkung (kontinuierliche RR-Kontrollen)
  - Zur Regel der Blutdrucksenkung beim Apoplex → Kap. 33.3

Die **erweiterten Maßnahmen** umfassen die Anlage venöser Zugänge entsprechend dem Venenstatus zur medikamentösen Therapie und Volumensubstitution sowie Schockprophylaxe. Bei Auftreten einer Luftembolie ist eine umgehende Intubation und Überdruckbeatmung mit Einsatz des PEEP-Ventils erforderlich.

31.3.2 Verletzungen des Kehlkopfes

ACHTUNG! Gewalteinwirkungen auf den Kehlkopf können zu begleitenden Verletzungen der Hals- und Brustwirbelsäule und des Rückenmarks führen.

Durch stumpfe Gewalteinwirkung (z. B. Aufprall auf das Lenkrad im Pkw, Schlägereien, Strangulationsverletzung) kann es zum Anschwellen der Kehlkopfweichteile mit Blutung, Hautemphysem (Luftansammlung unter der Haut) oder Frakturen der Kehlkopfknorpel (→ Abb. 31.18) kommen. Stumpfe Kehlkopfverletzungen sind mit etwa 0,3 % selten. Allerdings kann trotz initial normalem Befund in kürzester Zeit eine lebensbedrohliche Obstruktion der oberen Atemwege entstehen (→ Abb. 31.19).

Symptome

Die klassischen Zeichen sind – neben Prellmarken, Schwellungen und Hämatom im Halsbereich – **Dyspnoe, inspiratorischer Stridor, Heiserkeit und ein subkutanes Hals- bzw. Nackenemphysem.** Scharfe Gewalteinwirkung (Schnitt- und Stichwunden) kann zu einer Eröffnung des Kehlkopfes mit der zusätzlichen Gefahr der Aspiration von Blut führen. Hier sind beispielsweise auch Suizidversuche zu nennen.

Therapie

Die **Basismaßnahmen** umfassen bei stumpfen Kehlkopfverletzungen abschwellende physikalische Hilfen wie das Auflegen eines Eisbeutels (Eiskrawatte). Sind die Atemwege blutig eröffnet, wird zur Vermeidung einer Aspiration Blut oder Sekret abgesaugt. Die Atemwege werden bestmöglich freigemacht und freigehalten und Sauerstoff mittels O_2-Maske mit Reservoir und Nichtrückatemventil verabreicht. Es ist zu beachten, dass der Sauerstoff bei eröffneten Atemwegen (Trachea, Kehlkopf) nicht über Mund oder Nase, sondern direkt am eröffneten Atemweg verabreicht wird.

Die **erweiterten Maßnahmen** umfassen die Anlage eines venösen Zugangs, die Vorbereitung der Intubation und ggf. der Notfallkoniotomie. Die Sicherung der Atmung ist bei Gefahr der Kehlkopfschwellung

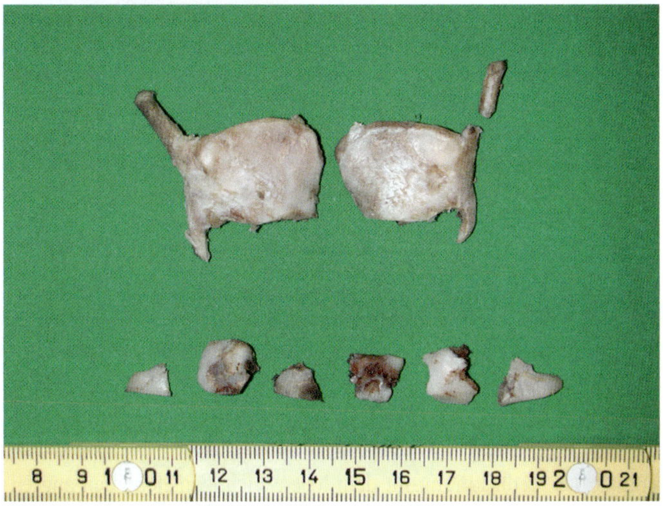

Abb. 31.18 Kehlkopffraktur [M235]

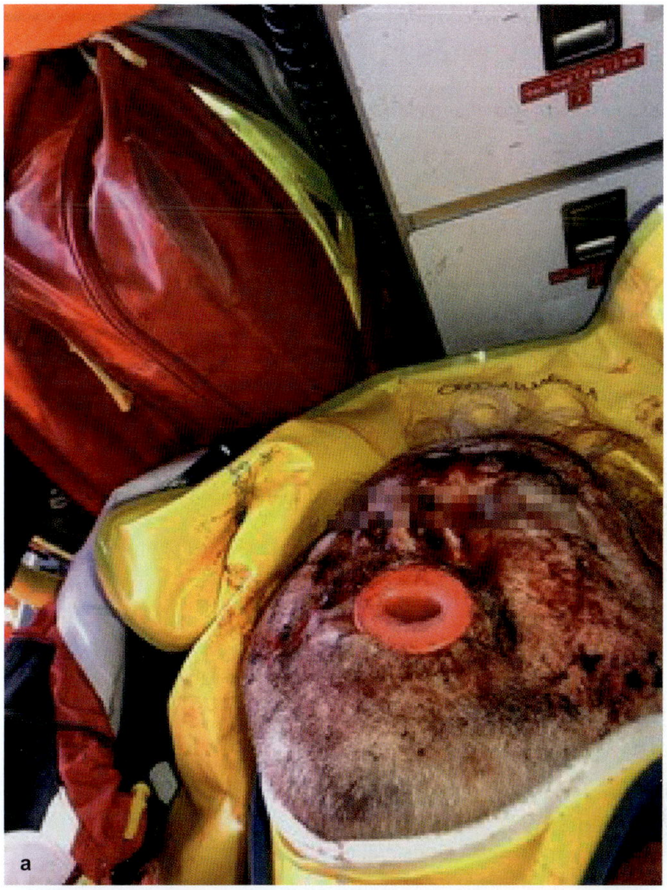

a

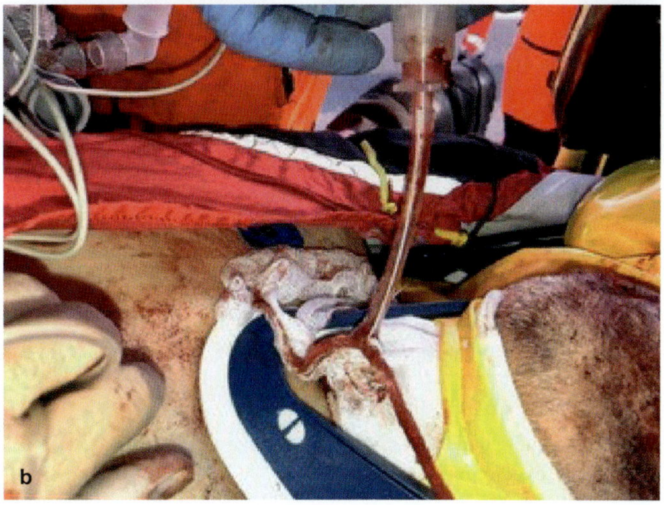

b

Abb. 31.19 Kehlkopffraktur [M235] **a)** Motorradfahrer, der mit einem Halbschalenhelm (Braincap) auf einen SUV aufgefahren war. Der Motorradfahrer erlitt dabei ein SHT, Mittelgesichtsfrakturen und eine Kehlkopffraktur.
b) Notwendige Notfalltracheotomie bei dem Motorradfahrer.

durch frühzeitige Intubation und Beatmung, bei Einbruch des Kehlkopfgerüsts oder offener Kehlkopfverletzung durch Notfallkoniotomie zu gewährleisten (→ Kap. 18.7). Prednisolon i. v. in einer Dosierung von 3–5 mg/kg KG kann eingesetzt werden, um das weitere Anschwellen des Larynx zu verhindern.

IM FOKUS

Verletzungen des Halses

Ursachen

- Stumpfe oder spitze Gewalteinwirkung auf die Halsregion durch:
  - Unfall
  - Handlungen in suizidaler Absicht
  - Strafbare Handlung

Symptome

- **Arterielle Verletzungen**
  - Spritzende Blutungen hellroten Blutes
  - Pulsierender Bluterguss
  - Kompression der Luftwege durch Bluterguss und Zunahme des Halsumfangs
  - Ausfall von Hirnfunktionen (Bewusstseinsstörungen, Hemiparese, Aphasie)
- **Nervenverletzungen**
  - N. vagus (10. Hirnnerv): führt reflektorisch zur mäßigen Tachykardie.
  - N. phrenicus: führt zu Zwerchfelllähmung mit Ateminsuffizienz oder Apnoe.
- **Atemwege und Kehlkopf**
  - Atemnot
  - Subkutanes Hals- bzw. Nackenemphysem
  - Weichteilschwellung durch stumpfe Gewalt
  - Inspiratorischer Stridor
  - Heiserkeit
  - Aufgeschäumtes Blut durch eröffnete Atemwege

Maßnahmen

Monitoring

- AF, SpO_2, Rekapillarisierungszeit, Puls (peripher/zentral), RR, BZ, GCS, EKG

Basismaßnahmen und Lagerung

- Freimachen und Freihalten der Atemwege
- Sterile Abdeckung und Kompressionsverband des verletzten Gefäßes zur Blutstillung
- O_2-Gabe über Maske mit Reservoir 15 l/Min.
- Kühlung durch Eisbeutel (Eiskrawatte)
- Bewusstseinsklarer Patient: Lagerung in leichter Oberkörperhochlage (30° Drehpunkt Hüfte) zum Aspirationsschutz
- Bewusstloser Patient: laterale Traumaposition; frühzeitige Intubation anstreben.
- Beugung, Überstreckung oder starker Seitwärtsdrehung des Kopfes vermeiden.

Erweiterte Maßnahmen

- i. o. Zugang nach Venenstatus, frühzeitig i. o. Zugangsweg erwägen (EZ-IO®)
- Intubation oder ggf. Notfallkoniotomie

Medikamente und Dosierungsempfehlungen

- Analgosedierung i. v./i. o. z. B. mit:
  - 1–2 µg/kg KG Fentanyl und 1–2 mg Midazolam (Dormicum®)
  - **oder** 1 mg/kg KG Esketamin (Ketanest-S®) und 1–2 mg Midazolam (Dormicum®)
  - **oder** 2 mg/kg KG Ketamin (Ketalar®) und 1–2 mg Midazolam (Dormicum®)
- Infusionstherapie: z. B. 500–1 000 ml balancierte Vollelektrolytlösung i. v. (je nach Versorgungskonzept: permissive Hypotension angezeigt/kontraindiziert?)
- Bei Kreislaufdepression und **Kontraindikation** für permissive Hypotension: Einsatz von Akrinor® **oder** Noradrenalin (Arterenol®) 1 : 100 000 oder über Spritzenpumpe i. v./i. o. ergänzend zur Volumengabe möglich

Notfallnarkose und Beatmung

- **Isolierte** Halsverletzung – i. v./i. o.-Narkoseeinleitung z. B. mit:
  - 4–5 µg/kg KG Fentanyl
  - **plus** 0,1–0,2 mg/kg KG Midazolam (Dormicum®)
  - **plus** 4–5 mg/kg KG Thiopental (Trapanal®) **oder** 1,5–2 mg/kg KG Propofol
  - **plus** 1–1,5 mg/kg KG Succinylcholin **oder** 1 mg/kg KG Rocuronium (Esmeron®)
- Halsverletzung beim **Polytrauma** – i. v./i. o.-Narkoseeinleitung z. B. mit:
  - 1 mg/kg KG Esketamin (Ketanest-S®) **oder** 2 mg/kg KG Ketamin (Ketalar®)
  - **plus** 0,1–0,2 mg/kg KG Midazolam (Dormicum®)
  - **plus** 1–1,5 mg/kg KG Succinylcholin **oder** 1 mg/kg KG Rocuronium (Esmeron®)
- Gegebenenfalls Notfallkoniotomie (antizipieren!)
- Beatmung nach Kapnografie steuern: VCV/PCV/PRVC (→ Kap. 19.2.1), $etCO_2$-Gehalt 35–40 mmHg, nur wenn begleitend SHT mit **Einklemmungszeichen** (Hirndruck): Hyperventilation mit Ziel-$etCO_2$ 25–30 mmHg

Einsatztaktik

- Die Zielklinik sollte über eine HNO-Abteilung verfügen.
- RTH-Transport antizipieren (z. B. in ländlichen Regionen) und RTH ggf. frühzeitig nachfordern.

31.4 Verletzungen des Thorax

DEFINITION

Thoraxtrauma

Gewalteinwirkung auf den Brustkorb **(Thorax),** die zu Verletzungen des knöchernen Thorax oder der inneren Thoraxorgane führt.

Etwa 45 % aller Traumapatienten weisen eine Brustkorbverletzung auf (Traumaregister DGU 2019–2021). Verletzungen des Brustkorbs werden in **stumpfe (geschlossene)** und **penetrierende (offene) Thoraxtraumen** unterteilt. Unabhängig davon, ob eine offene oder geschlossene Verletzung vorliegt, können mehrere Strukturen des Brustkorbes in Mitleidenschaft gezogen sein. Die Verletzungen des Thorax stellen nach dem Schädel-Hirn-Trauma die zweithäufigste Todesursache bei Traumapatienten dar.

MERKE

Die größte **Gefahr** bei Verletzungen des Brustkorbs ist die Störung der Sauerstoffaufnahme über die Lunge **(Hypoxie).**

Der Brustkorb zählt anatomisch zu den großen Körperhöhlen. Er enthält das Mediastinum mit dem lebenswichtigen Herz, den angrenzenden großen Gefäßen und der Speiseröhre. Benachbart zum Mediastinum liegen rechts und links die Lungenflügel, die einerseits mit dem Gefäßsystem verbunden sind und andererseits den Gasaustausch

- Die Schaufeltrage ist auch mit wenig Training leichter anwendbar, was hier nicht als Grund gegen ein Spineboard zählen soll.
- Die Schaufeltrage kann, wie das Spineboard, beispielsweise zu einem Unfall im Wald etc. mitgenommen werden. Der Patient kann von dort auf der Schaufeltrage zum RTW/RTH getragen werden.

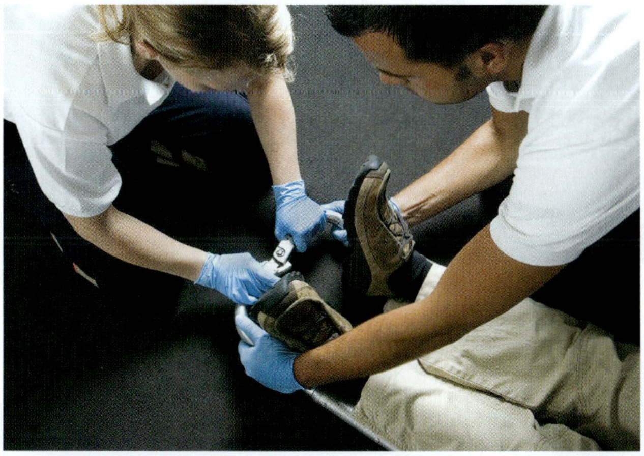

g) Verschließen der beiden Tragehälften am Fußende

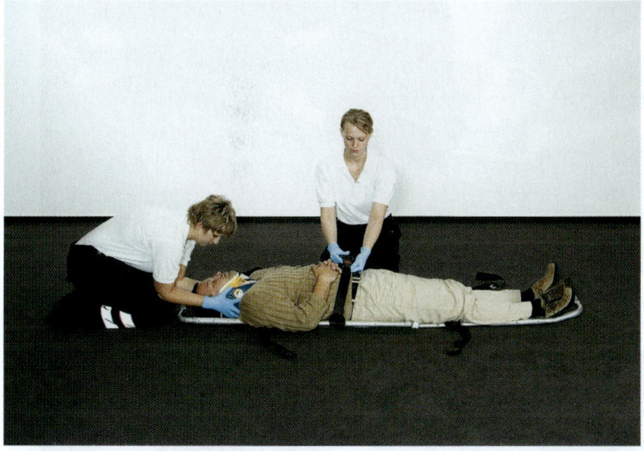

h) Fixierung der Haltegurte

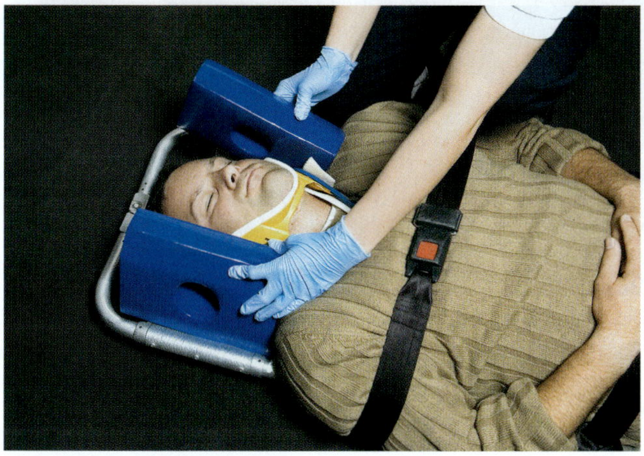

i) Aufbringen der Kopf-Blocks

Abb. 31.43 Handhabung der Schaufeltrage *(Forts.)* [J747]

- Bei Verdacht auf Beckenfraktur ermöglicht die Schaufeltrage eine relativ schonende Umlagerung des Patienten, ohne dass er gedreht werden muss (im Gegensatz zum Spineboard).
- Nachteilhaft ist, dass sich die Schaufeltrage auf unebenem Grund oft nicht gut verschließen lässt. Dies führt dann mitunter zu nicht gewünschten, unvermeidbaren Patientenbewegungen.
- Außerdem führt der Einsatz der Schaufeltrage dazu, dass der Rücken eines in Rückenlage befindlichen Patienten oftmals nicht inspiziert wird. Da die Inspektion des Rückens jedoch häufig keine therapeutische Konsequenz hat, obliegt es dem Einzelfall, ob dies als Nachteil zu werten ist.

Vakuummatratze

- Die Vakuummatratze ist eines der schonendsten Geräte zur Bewegungseinschränkung der Wirbelsäule (→ Abb. 31.44). Sie benötigt aber vergleichsweise mehr Zeit zur Vorbereitung und Verwendung an der Einsatzstelle, nicht zuletzt, weil sie noch angepasst und abgesaugt werden muss.
- Vorteil der Vakuummatratze ist ihre universelle Einsetzbarkeit. Vom Polytrauma mit mehreren Frakturen bis zur isolierten proximalen Femurfraktur im Altenheim können alle Patienten damit gut bewegungseingeschränkt werden.
- Manche Patienten haben anatomische Deformitäten, beispielsweise einen Morbus Bechterew. Bei solchen Patienten kann die Bewegungseinschränkung der Wirbelsäule mit einer Vakuummatratze besser erreicht werden, weil sie flexibler ist.
- Auch bei Patienten, die in Oberkörperhochlage bewegungseingeschränkt werden sollen (SHT), stellt die Vakuummatratze einen guten Kompromiss dar. Mit einem Spineboard ist lediglich eine komplette Schrägstellung des Körpers möglich, was aber für die Kreislaufsituation abträglich sein kann.

PRAXISTIPP

Ein Laken auf die Vakuummatratze legen, bevor der Patient darauf gelagert wird. Dies schützt die Matratze etwas vor etwaigen Glassplittern (Windschutzscheibe) in der Patientenbekleidung und erleichtert in der Klinik deutlich das Umlagern, sobald der Patient aus der Vakuummatratze herausgehoben werden soll.

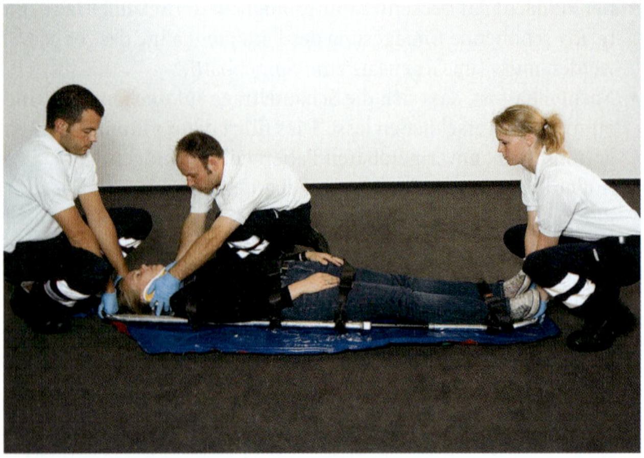

a) Umlagern einer Patientin auf die Vakuummatratze

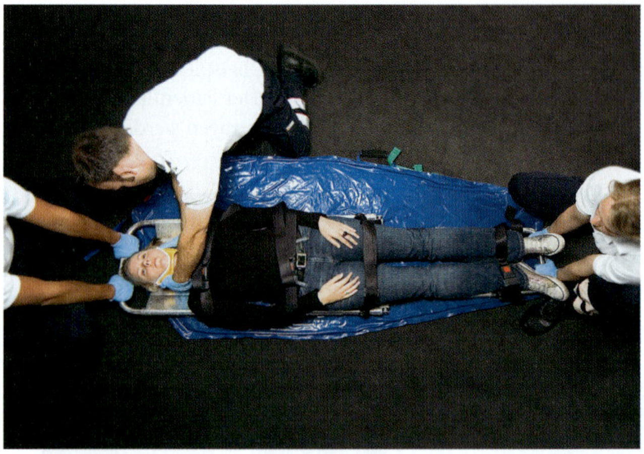

b) Lagerung einer Patientin mit Extremitätenverletzung auf Vakuummatratze (Randposition)

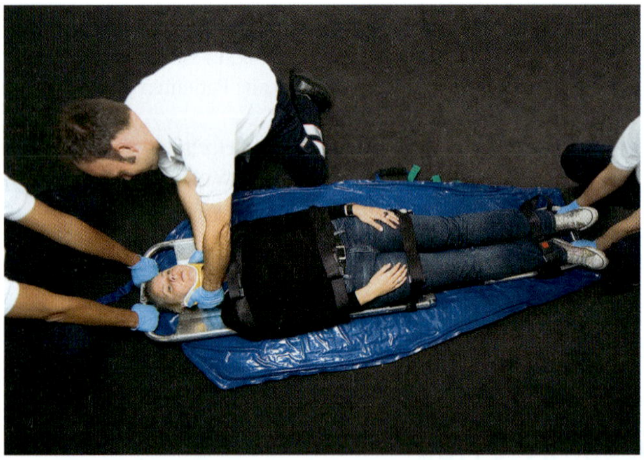

c) Lagerung einer Patientin mit Becken- oder Wirbelsäulenverletzung auf Vakuummatratze (zentrale Position)

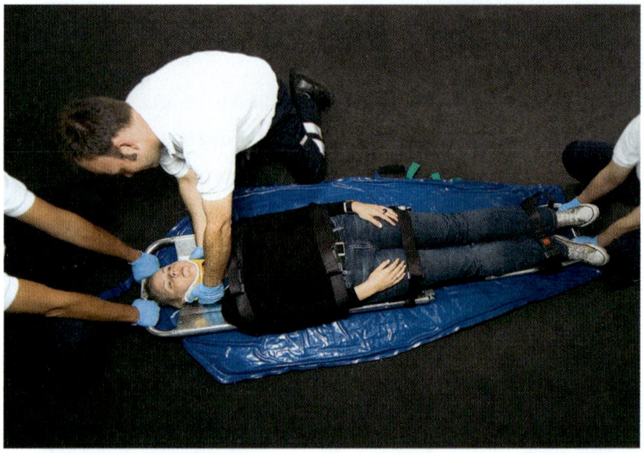

d) Öffnen des Sicherheitsventils bei evakuierter Vakuummatratze

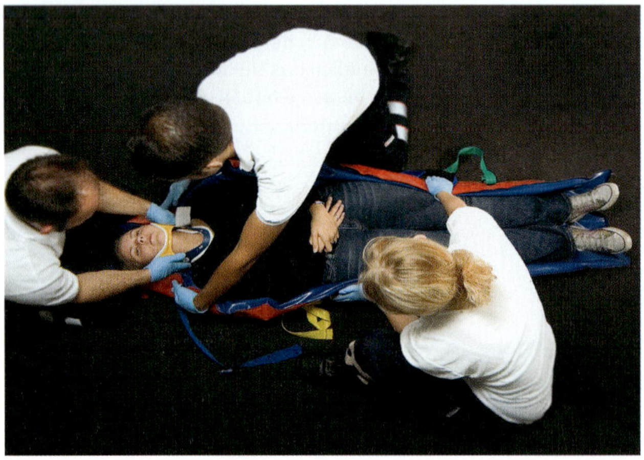

e) Anmodellieren der Vakuummatratze

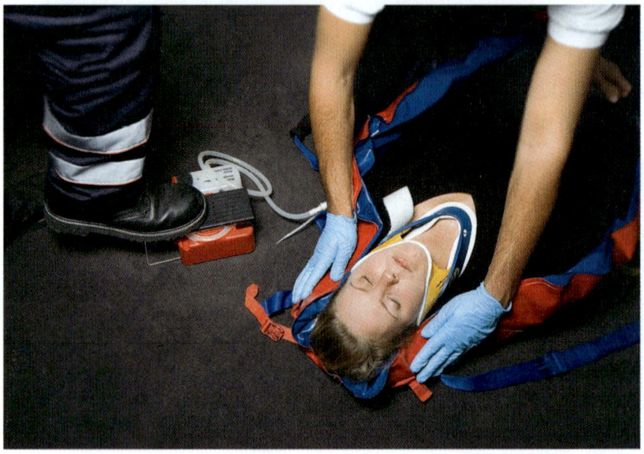

f) Absaugen der Vakuummatratze unter weiterer Anmodellierung

Abb. 31.44 Bewegungseinschränkung der Wirbelsäule durch Einsatz der Vakuummatratze [J747]

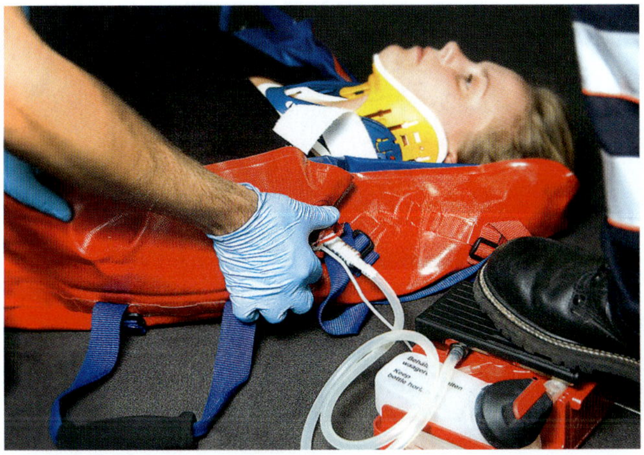

g) Verschließen des Sicherheitsventils nach dem Absaugen

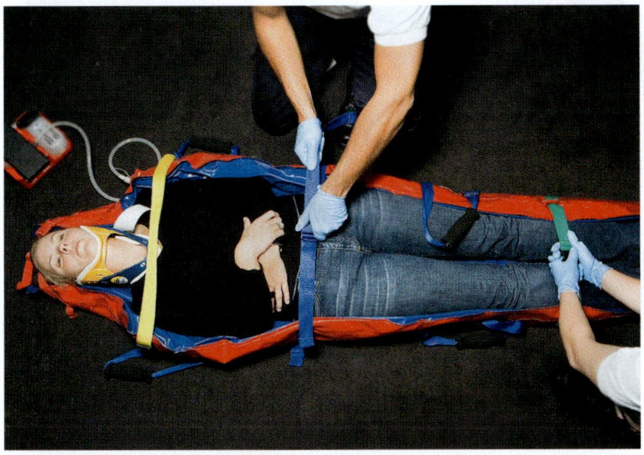

h) Sichern der Patientin auf der Vakuummatratze

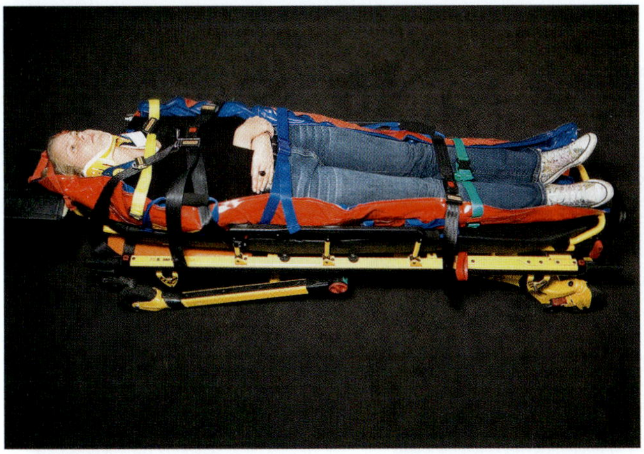

i) Sichern der Vakuummatratze auf der Trage

Abb. 31.44 Bewegungseinschränkung der Wirbelsäule durch Einsatz der Vakuummatratze *(Forts.)* [J747]

Zervikalstütze

- Besteht der Verdacht auf eine Schädigung der Halswirbelsäule, kann zur **Stabilisierung** mit zwei Helfern eine starre Zervikalstütze (z. B. Stifneck®, → Abb. 31.45) angelegt werden. Dabei ist auf die richtige Größenauswahl zu achten und der Fixierungserfolg einer Sichtkontrolle zu unterziehen (→ Abb. 31.46). Beim Umlagern muss jede Bewegung der Wirbelsäule, insbesondere ein Abknicken, vermieden werden.
- Es muss auch nach Anlage einer HWS-Orthese eine manuelle In-line-Fixierung durchgeführt werden.

31.8.2 Bewegungseinschränkung der Wirbelsäule im ständigen Wandel

Wie bereits in → Kap. 31.2.5 erörtert wurde, hat es sich in den letzten Jahren in den USA eingebürgert, den Begriff „Immobilisation der Wirbelsäule" (**[traditional] spinal immobilization, TSI/SI**) durch „Bewegungseinschränkung der Wirbelsäule" (**spinal motion restriction, SMR**) zu ersetzen. Die Protokolle der Rettungsdienste in vielen US-Bundesstaaten haben sich dahingehend entwickelt, dass die TSI mit **Spineboards und Head-Blocks nicht mehr** für den routinemäßigen prähospitalen Einsatz empfohlen wird. Alternativ werden Patienten mit einer oft als spinal motion restriction (SMR) bezeichneten Vorgehensweise versorgt. Jedoch gibt es unterschiedliche Auffassungen von den Begrifflichkeiten. Die **National Registry of Emergency Medical Technicians** (NREMT) führt dazu aus:

- Unter „Bewegungseinschränkung der Wirbelsäule" versteht man den Versuch, die Wirbelsäule in ihrer anatomischen Ausrichtung zu halten und größere Bewegungen zu vermeiden, unabhängig von Hilfsmitteln oder Vorrichtungen.
- Der Begriff „Wirbelsäulenimmobilisierung" wird definiert als die Verwendung von Hilfsmitteln (z. B. HWS-Orthese, Spineboard usw.), die zur Minimierung der Bewegung der Wirbelsäule eingesetzt werden.

Hingegen führt das **American College of Surgeons Committee on Trauma** (ACS-COT) dazu aus:

- Der Begriff „spinal motion restriction" (SMR) wird anstelle von „Immobilisierung" empfohlen, da die derzeitigen Techniken zwar die unerwünschte Bewegung der Wirbelsäule begrenzen oder reduzieren, aber keine wirkliche Ruhigstellung der Wirbelsäule darstellen. Ein Spineboard, eine Schaufeltrage, eine Vakuummatratze, eine normale Trage/Krankenliege oder andere ähnliche Vorrichtungen können verwendet werden, um SMR zu erreichen.

Eine Variante der spinal motion restriction sieht vor, dass der Patient nach Anlage einer starren HWS-Orthese flach auf einer „normalen" RTW-Trage fixiert oder eine Vakuummatratze verwendet wird. Jedoch werden teilweise auch noch Spineboards verwendet. Zusammenfassend wird heutzutage jedoch eher von Bewegungseinschränkung der Wirbelsäule (SMR) gesprochen. Betrachten wir das Thema jedoch der Reihe nach.

Wer schon viele Jahre im Rettungsdienst tätig ist, hat in Sachen Immobilisation bzw. Bewegungseinschränkung der Wirbelsäule schon einiges an Hilfsmitteln und Empfehlungen kennengelernt. In den letzten Jahren sind einige der Hilfsmittel, speziell die **Zervikalstütze,** zunehmend in die Kritik geraten. Aus diesem Grund lohnt es sich, einige wenige Studien anzuschauen. Sie vermitteln einen guten Eindruck davon, wie bestimmte Dinge entstanden sind, und dass manches weniger klar ist, als es mitunter den Anschein hat.

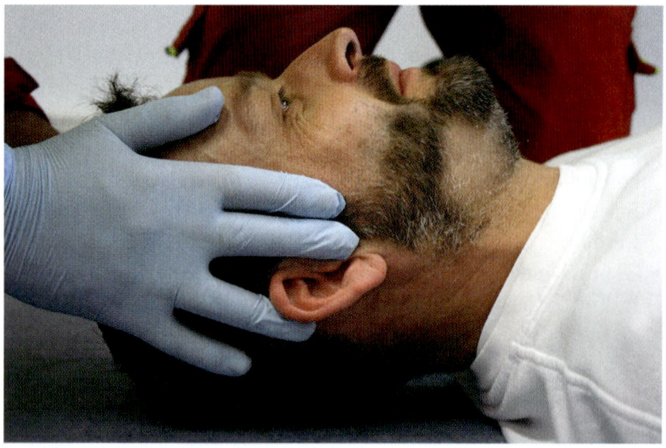

a) Helfer 1 befindet sich am Kopfende und hält die Halswirbelsäule in Neutralposition, hierbei Zug/Extension unbedingt vermeiden.

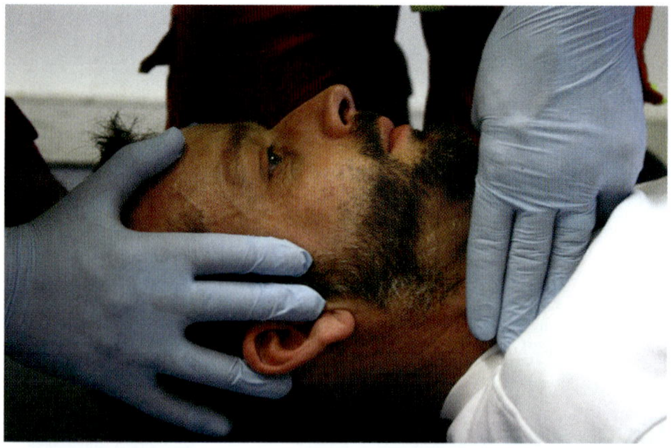

b) Helfer 2 misst mit den Fingern den Abstand zwischen Trapeziusmuskel und Kinn des Patienten, um die passende Einstellung auszuwählen.

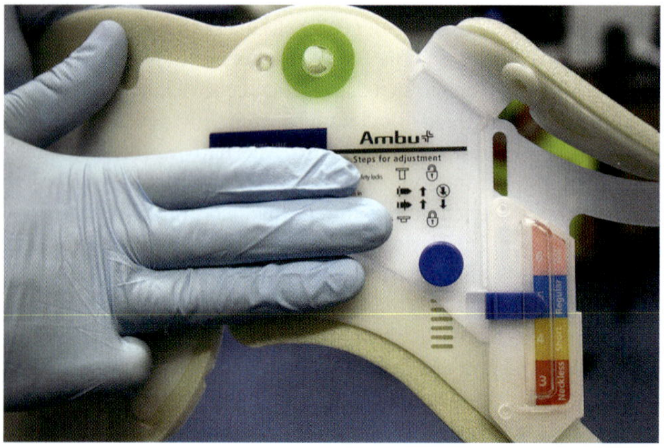

c) Der Ambu® Perfit ACE™ ist hier bereits vorbereitet. Das Kinnstück wurde von innen nach außen geklappt. Die Verriegelungsknöpfe sind herausgezogen und die Rasterpfeile nach außen geschoben. Helfer 2 legt den Zeigefinger der Hand an die schwarze Markierungslinie und zieht das Kinnteil so weit nach unten, bis der Schaumstoff mit dem Mittelfinger (wie in diesem Beispiel ausgemessen) abschließt.

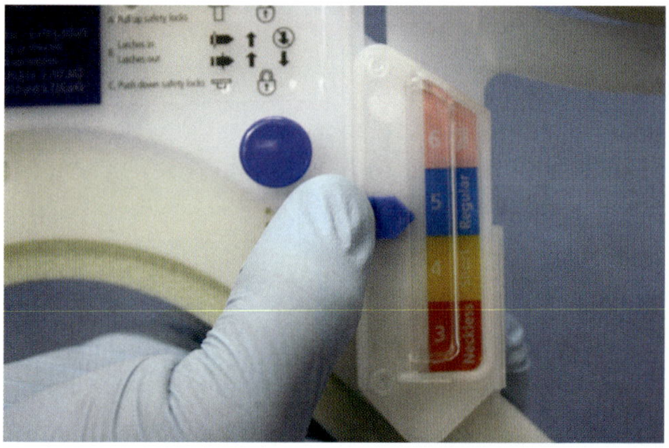

d) Die Rasterpfeile werden nun nach innen geschoben.

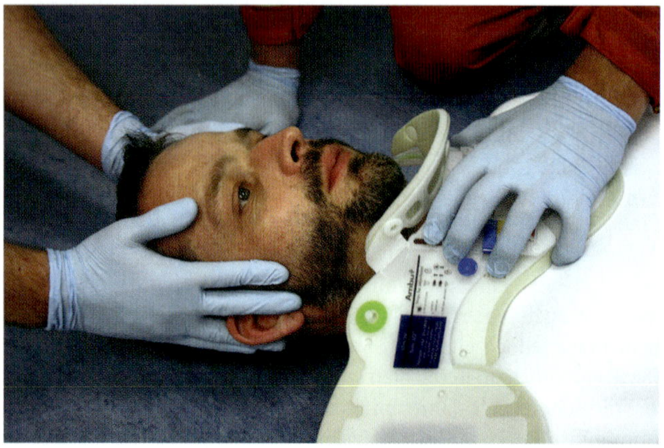

e) Helfer 2 legt den Ambu® Perfit ACE™ zunächst brustwärts fest an den Hals an.

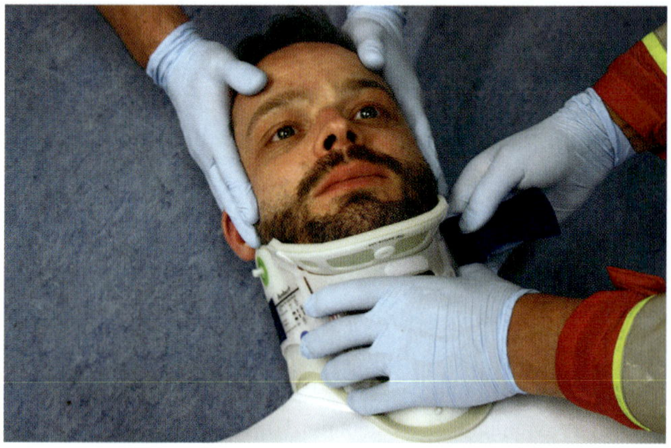

f) Unter gleichzeitiger Beibehaltung der HWS-Neutralposition durch Helfer 1 wird die freie Lasche um den Nacken gelegt und anschließend am seitwärts liegenden Klettverschluss straff fixiert. Ein Verschieben des Kinnteils ist jetzt noch möglich. Erst durch drücken der Verriegelungsköpfe nach unten ist der Ambu® Perfit ACE™ abschließend gesichert.

Abb. 31.45 Anlegen einer Ambu® Perfit ACE™ Zervikalstütze. Wie im Text ausgeführt wird, geht der Trend zusehends dahin, eine Bewegungseinschränkung der Wirbelsäule ohne starre Zervikalstütze durchzuführen. Da diese Hilfsmittel aber noch verbreitet sind, wird die korrekte Anlage hier gezeigt. [P151]

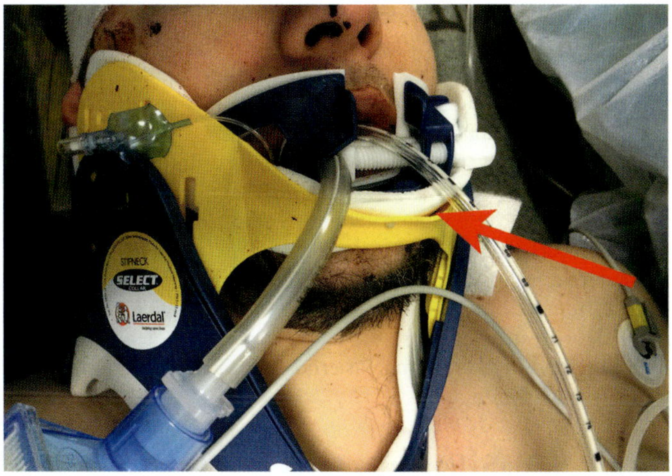

Abb. 31.46 Fehlerhafte Anlage einer Zervikalstütze. Die Kinnstütze (Pfeil) befand sich bei Aufnahme im Schockraum unterhalb der Unterlippe. [M235]

Vorteil oder Nachteil?

Die Theorie, dass die Bewegungseinschränkung der Wirbelsäule eine sekundäre neurologische Verschlechterung verhindert, wurde im Jahr **1966** geäußert, als Geisler et al. in einer retrospektiven Analyse Patienten beschrieben, bei denen es nach einer Wirbelsäulenverletzung zu einer neurologischen Verschlechterung kam. Sie kamen zu dem Schluss, dass die Lähmungen in allen Fällen darauf zurückzuführen waren, dass die Verletzung nicht erkannt oder die Patienten nicht vor den Folgen ihrer instabilen Wirbelsäule geschützt wurden. Für diese These gab es zwar keine Beweise, zumal wir heute wissen, dass sekundäre neurologische Schäden durch Ödeme oder kleine Einblutungen verzögert auftreten können, aber der Beitrag lieferte die Grundlage für **die Idee, dass eine prähospitale Bewegungseinschränkung der Wirbelsäule eine neurologische Verschlechterung verhindern könne.**

1979 kam es zur Einführung des Kursformats **ATLS** (Advanced Trauma Life Support), wodurch die innerklinische Traumaversorgung einen großen Schritt nach vorn machte. Ein mit dem ATLS-Kursformat verbundener Unfallchirurg (Dr. Norman McSwain) entwickelte daraufhin eine prähospitale Version des ATLS-Programms, die als Prehospital Trauma Life Support **(PHTLS)** weltbekannt wurde. Der erste PTHLS-Kurs fand 1983 statt (2007 in Deutschland). PHTLS vertrat die Theorie, dass die Ruhigstellung der Wirbelsäule eine neurologische Verschlechterung verhindert und das Risiko von Sekundärverletzungen verringert.

1998 veröffentlichten Hauswald et al. allerdings eine Studie, in der an zwei Universitätskliniken retrospektiv über einen 5-Jahreszeitraum alle Patienten mit akuten stumpfen, traumatischen Verletzungen der Wirbelsäule oder des Rückenmarks, die direkt vom Unfallort ins Krankenhaus transportiert wurden, ausgewertet wurden. Keiner der 120 Patienten an der Universität von Malaya (Malaysia) wurde während des Transports immobilisiert, während alle 334 Patienten an der Universität von New Mexico (USA) vollimmobilisiert wurden. Die beiden Krankenhäuser waren hinsichtlich der Ausbildung der Ärzte und der klinischen Ressourcen vergleichbar. Zwei Ärzte teilten die Patienten unabhängig voneinander und ohne zu wissen, aus welchem Krankenhaus diese stammten, in zwei Kategorien ein: mit und ohne neurologische Beeinträchtigung. **Bei den nicht-immobilisierten malaysischen Patienten traten weniger neurologische Beeinträchtigungen auf** (Wahrscheinlichkeit von < 2 %, dass die Immobilisation eine positive Wirkung hat). Die Ergebnisse waren ähnlich, wenn die Analyse auf Patienten mit Verletzungen der Halswirbelsäule beschränkt wurde.

2010 untersuchten Haut et al. insgesamt 45 284 Patienten mit penetrierendem Trauma. Hintergrund war, **dass die prähospitale Immobilisierung der Wirbelsäule** bei diesen Patienten möglicherweise nur einen minimalen Nutzen hat, aber **wertvolle Zeit kostet.** Bei 4,3 % von ihnen wurde die Wirbelsäule immobilisiert. In dieser Gruppe war die **Sterblichkeit** im Vergleich zu den nicht-immobilisierten Patienten **doppelt so hoch.**

FALLBEISPIEL

Ein Fallbericht aus dem Jahr 2010 schildert einen 59-jährigen Patienten mit **Morbus Bechterew** (auch ankylosierende Spondylitis genannt), der in häuslicher Umgebung rücklings stürzte. Obwohl er sich dabei eine Fraktur der Halswirbelsäule zuzog, war er noch imstande aufzustehen und vollständig mobil. In der nächsten Woche reduzierte er zwar seine Aktivitäten, jedoch konnte er laufen und alle Extremitäten bewegen. 8 Tage nach dem Sturz begab er sich in die örtliche Notaufnahme, da er in den Händen ein Kribbeln verspürte. Die Bildgebung zeigte eine Fraktur im 7. Halswirbelkörper und dem Patienten wurde daher eine **Zervikalstütze angelegt.** Unglücklicherweise bewirkte dies eine Überstreckung seines Halses **(Hyperextension).** Es kam dadurch zu einer Kompression des Rückenmarks auf Höhe der Fraktur. Die Neurologie des Patienten verschlechterte sich zusehends und er benötigte eine intensivmedizinische Behandlung mit Intubation und Beatmung. Letztlich entwickelte er ein Multiorganversagen, an dem er verstarb. (Clarke et al. 2010)

MERKE

Eine Bewegungseinschränkung der Wirbelsäule mit Hilfsmitteln ist – wie auch vieles andere in der Medizin – eine Maßnahme, die mit **Nebenwirkungen und Nachteilen** einhergehen kann!

Da eine Vielzahl von Unfallmechanismen eine Verletzung der Wirbelsäule hervorrufen können, haben Rettungskräfte nach wie vor Sorge, Patienten mit einer möglichen Wirbelsäulenverletzung weiteren Schaden zuzufügen, indem Rettungs-, Lagerungs- oder Transportmaßnahmen unsachgemäß durchgeführt werden. Niemand möchte einen neurologischen Schaden hervorrufen, womöglich eine Querschnitts-lähmung, da dies das ganze weitere Leben des Patienten gravierend beeinträchtigt. **Daher ist die Wirbelsäulenimmobilisierung bei Traumapatienten über Jahrzehnte als Routinemaßnahme durchgeführt worden.** Die Indikationsstellung für eine Wirbelsäulenimmobilisierung wurde sehr großzügig gestellt und praktisch jeder Traumapatient wurde mit einer **starren Zervikalstütze** (HWS-Orthese, z. B. Stif-Neck®, Ambu-Perfit®) versorgt, was sich auch im Schritt „**A**" der ABCDE-Vorgehensweise widerspiegelt, bei dem die Bewegungseinschränkung der Halswirbelsäule auf einer Stufe mit dem Airway-Management steht, wenngleich erstere beim Schritt „A" initial als **manuelle** In-Line-Stabilisierung erfolgt.

Die Sorge davor, einem schlecht oder gar nicht immobilisierten Patienten Schaden zuzufügen, führte gewissermaßen dazu, dass im Zweifelsfall **jeder Patient** immobilisiert wurde.

MERKE

Über viele Jahre und Jahrzehnte hinweg wurde offenbar nicht ausreichend beachtet, dass eine Wirbelsäulenimmobilisierung bzw. Bewegungseinschränkung der Wirbelsäule nicht nur Vorteile für einen Traumapatienten bietet, sondern mit Nebenwirkungen einhergehen und sogar Schäden hervorrufen kann.

Behandlungsprinzipien zur Bewegungseinschränkung der Wirbelsäule

Da **bewusstlose** oder bewusstseinsverminderte Traumapatienten im Rahmen der Notfalluntersuchung keine Angaben zu Symptomen machen können, ist eine Wirbelsäulenverletzung im Zusammenhang mit einem Unfallereignis grundsätzlich nicht auszuschließen, **weshalb eine Bewegungseinschränkung der Wirbelsäule erfolgen sollte** (aber nicht zwingend muss).

Aber auch bei **ABCD-instabilen Patienten,** beispielsweise mit traumatischen inneren Blutungen mit Kreislaufinstabilität, kann einerseits eine Wirbelsäulenimmobilisierung angezeigt sein und andererseits **spielt das Zeitmanagement eine wichtige Rolle.**

Schließlich gibt es Patienten, die **weder ein ABCD-Problem noch eine GCS-Verminderung** haben. Wenn diese Patienten beispielsweise Rückenschmerzen angeben oder ein neurologischer Ausfall durch den Verletzungsmechanismus aufgetreten ist, kann die **Bewegungseinschränkung der Wirbelsäule** üblicherweise **ohne Zeitdruck** durchgeführt werden.

MERKE

Es ist nicht sinnvoll, **pauschal bei jedem** Traumapatienten eine Bewegungseinschränkung der Wirbelsäule durchzuführen bzw. viel Zeit darauf zu verwenden. Genauso wenig ist es aber sinnvoll, bei jedem Traumapatienten darauf zu **verzichten,** um Zeit zu sparen. Die Lösung besteht darin, die Bewegungseinschränkung der Wirbelsäule **gezielt** im Sinne einer medizinisch indizierten Maßnahme einzusetzen.

Es lassen sich demnach folgende **Kernaussagen** zusammenfassen (Näheres zu den Hilfsmitteln → Kap. 31.8.1):

- Die **Vakuummatratze** bietet eine bessere und schonendere Ganzkörper-Immobilisation als das Spineboard. Zudem ermöglicht sie eine 30°-Oberkörperhochlagerung beim SHT-Patienten.
- Durch die Ganzkörper-Immobilisation auf dem **Spineboard** kann es zu **Schmerzen** im Rücken, zur Einschränkung der **Ventilation,** zur **Zeitverzögerung,** zu **Druckstellen** bei längeren Transporten und zur erhöhten Mortalität kommen. Darüber hinaus wird die klinische Beurteilung des Patienten durch zusätzliche Schmerzen im Rückenbereich erschwert.
- Die alleinige Anwendung einer HWS-Orthese führt zu keiner ausreichenden Immobilisation der Halswirbelsäule. Das kann nur mit einer **Ganzkörper-Immobilisation** erreicht werden. Das alleinige Anlegen einer HWS-Orthese, womöglich noch beim Patienten, der zu Fuß die Notaufnahme betritt, ist überflüssig. Begründung: Viele Verletzungen treten am Übergang von der Hals- zur Brustwirbelsäule bzw. von der Brust- zur Lendenwirbelsäule auf.
- Die **HWS-Orthese** bewirkt keinen zusätzlichen Benefit, wenn der Patient Ganzkörper-immobilisiert wird.
- Das Anwenden einer **HWS-Orthese** kann zu einem **erhöhten ICP** (durch Kompression der V. jugularis und Behinderung des venösen Abstroms aus dem Kopf) und **erschwertem Atemwegsmanagement** (durch eine Einschränkung der Mundöffnung) führen. Nicht umsonst wird empfohlen, für die endotracheale Intubation die Zervikalstütze zu öffnen und währenddessen eine manuelle In-Line-Stabilisierung des Kopfes vorzunehmen.
- Bei Patienten mit speziellen **chronischen Erkrankungen des Bewegungsapparats** (z. B. Morbus Bechterew) kann die HWS-Orthese die neurologische Symptomatik massiv verschlimmern (s. o.).

Für die Einschätzung, ob eine Bewegungseinschränkung der Wirbelsäule durchgeführt werden soll bzw. muss oder gar zu unterlassen ist **(Indikationsstellung),** haben sich unterschiedliche Vorgehensweisen **(Algorithmen)** etabliert, die u. a. darauf zielen, den scheinbaren Widerspruch zwischen Immobilisierung und Zeitvorteil im Sinne des Patienten aufzulösen.

31.8.3 E. M. S. Immo Protocol

2016 haben Experten aus Deutschland das E. M. S. Immo Protocol erstellt (→ Abb. 31.47). Es befasst sich mit der Indikationsstellung der prähospitalen Wirbelsäulenimmobilisation. Aus Sicht der Ersteller war die Entwicklung des E. M. S. Immo Protocols notwendig, weil manche Entscheidungshilfen lediglich für die Fragestellung entwickelt wurden, ob ein Patient in der Notaufnahme geröntgt werden soll – sie sollten hingegen keine Entscheidungshilfe sein, ob eine Immobilisierung notwendig ist. Andere Algorithmen sind nur für wache, orientierte Patienten gedacht, einige schließen penetrierende oder stumpfe Verletzungen aus und oftmals berücksichtigen die Entscheidungshilfen auch nicht, in welchem Zustand der Patient sich befindet.

Erläuterungen

Während der gesamten ABCDE-Versorgung soll eine manuelle In-Line-Stabilisierung der HWS durchgeführt werden. Für die Fixierung des Kopfes nutzt der Retter seine Hände oder Unterarme. Ziel ist die Vermeidung einer Verzögerung des Primary Survey durch die Anlage einer Zervikalstütze. Falls jedoch die personellen Ressourcen nicht ausreichen, kann ausnahmsweise auf die manuelle In-Line-Stabilisierung verzichtet werden. Wird beim **„Schritt B" ein schweres Thoraxtrauma mit Beeinträchtigung der Atmung festgestellt, erachten die** Ersteller des Protokolls eine Immobilisation auf dem Spineboard als kritisch, da gerade hierfür eine Beeinträchtigung der Lungenfunktion berichtet wurde.

Finden sich beim **„Schritt C"** Instabilitätszeichen, liegt eine hohe Transportpriorität vor. Konkret wird noch unterschieden:

- Ist der Verletzungsmechanismus **penetrierend** oder **stumpf?**
  - Beim penetrierenden Trauma im Bereich von Kopf, Hals oder Rumpf soll **keine Immobilisierung** durchgeführt werden und ein zügiger Transport in die nächste geeignete Klinik hat Priorität.
  - Beim stumpfen Trauma soll allenfalls eine **minimale Immobilisierung** durchgeführt werden. Jedoch sollte hierdurch der Transport nicht verzögert werden. Unter einer minimalen Immobilisierung verstehen die Ersteller des Protokolls die alleinige Anlage einer Zervikalstütze. Sie räumen ein, dass dies die Bewegungsausmaße der Halswirbelsäule nicht ausreichend einschränkt. Die verbleibende Restbeweglichkeit wird allerdings in Kauf genommen, da eine komplette Immobilisierung den raschen Transport verzögern würde. Damit ist nicht gemeint, dass lebensrettende Maßnahmen unterbleiben sollen, um Zeit zu sparen.

Wird beim **„Schritt D"** ein Schädel-Hirn-Trauma mit **Hirndruckzeichen** festgestellt, wird die Immobilisierung in einer 30°-Oberkörper-

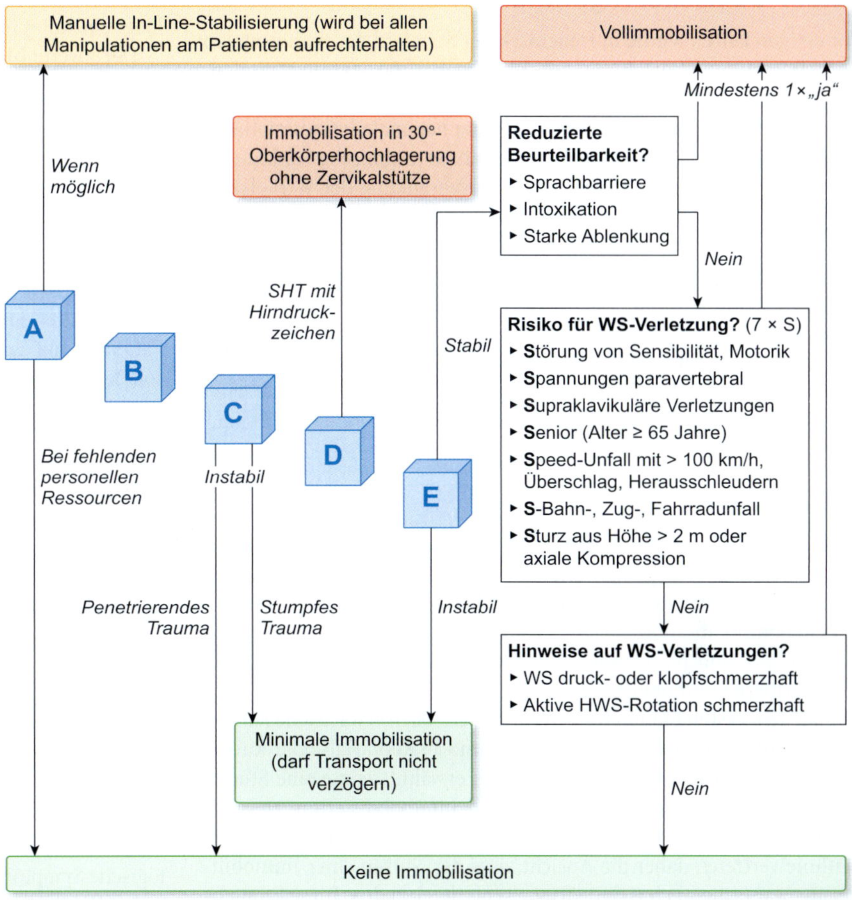

Abb. 31.47 E. M. S. Immo Protocol. Das ABCDE-Schema ist zentraler Bestandteil des Protokolls. In Abhängigkeit vom Patientenzustand erfolgt eine differenzierte Indikationsstellung der verschiedenen Möglichkeiten der Immobilisation der Wirbelsäule. Bei stabilen Patienten erfolgt die Indikationsstellung auf der Basis der 7S-Kriterien und einer Untersuchung der Halswirbelsäule, nachdem die Beurteilbarkeit des Patienten evaluiert wurde (SHT = Schädel-Hirn-Trauma, WS = Wirbelsäule, HWS = Halswirbelsäule). [F781-048, L231]

hochlagerung **ohne Zervikalstütze** (wegen der Gefahr der signifikanten Hirndrucksteigerung) empfohlen. Dazu wird eine Vakuummatratze verwendet, ggf. ergänzt durch Head-Blocks. Da bei Schädel-Hirn-Trauma-Patienten oftmals die Halswirbelsäule verletzt ist, rät das E. M. S. Immo Protocol zur Verwendung der Vakuummatratze.

MERKE

Hirndruckzeichen

Zu den möglichen Hinweisen auf einen steigenden Hirndruck gehört beispielsweise die Vigilanzminderung oder eine verzögerte Pupillenreaktion. Zu sicheren Hinweisen gehören beidseitig erweiterte Pupillen, eine Anisokorie bei Vigilanzminderung u. a.

Falls der Patient sich im Verlauf der Untersuchung stabil zeigt, sollte beim **„Schritt E“** die Entkleidung erfolgen und nach der abschließenden Untersuchung eine Entscheidung über die Transportpriorität fallen. Wird der Patient nun – am Ende der ABCDE-Vorgehensweise – beim „Schritt E“ doch noch als instabil eingestuft, steht wiederum ein zügiger Transport im Vordergrund und es sollte allenfalls eine minimale Immobilisierung durchgeführt werden.

Bleibt die Einschätzung des Patienten an dieser Stelle dabei, dass dieser als stabil eingestuft wird, hängt es von verschiedenen Faktoren ab, ob keine Immobilisierung erforderlich ist oder ob eine Vollimmobilisation durchgeführt wird. Hierzu führt das Protokoll unterschiedliche Bereiche auf. Diese basieren auf einer Literaturrecherche, anhand der Kriterien zusammengestellt wurden, die aufgrund der Studienlage für eine Immobilisation der Wirbelsäule sprechen. Der **erste Bereich** bezieht sich auf eine **herabgesetzte Beurteilbarkeit** durch Sprachbarriere, Intoxikation oder eine ablenkende Verletzung. Trifft einer der drei Punkte zu, soll vollimmobilisiert werden.

Der **nächste Bereich umfasst sieben Punkte,** die ein Risiko für Wirbelsäulenverletzung beinhalten. Sie werden im E. M. S. Immo Protocol als 7× **S-Kriterien** bezeichnet:

- Störung von Sensibilität und/oder Motorik
- Spannungen paravertebral
- Supraklavikuäre Verletzungen
- Seniorität (Alter ≥ 65 Jahre)
- Speed-Unfall mit > 100 km/h oder Überschlag oder Herausschleudern
- S-Bahn-, Zug- oder Fahrradunfall
- Sturz aus einer Höhe größer 2 m oder axiale Kompression der Wirbelsäule

Der **dritte Bereich** kommt zur Anwendung, wenn die 7× S-Kriterien komplett ausgeschlossen wurden. Hierbei wird die Wirbelsäule auf **Druck- und Klopfschmerzhaftigkeit** untersucht. Ist dabei kein pathologischer Befund zu erheben, wird der Patient aufgefordert, den **Kopf aktiv um 45° nach rechts und links zu drehen.** Kann der Patient diese Bewegung der Halswirbelsäule schmerzfrei durchführen, kann auf eine Immobilisation verzichtet werden.

31.8.4 Dänischer Algorithmus

Vor einigen Jahren wurde in Dänemark der Standard der prähospitalen Wirbelsäulenimmobilisierung mit Spineboard und starren Zervikalstützen infrage gestellt, da es an hochwertigen Studien mangelt, die seine Wirksamkeit belegen. Daher wurde eine nationale interdisziplinäre Arbeitsgruppe eingerichtet, um eine aktualisierte klinische Leitlinie für prähospitale Verfahren zur Bewegungseinschränkung der Wirbelsäule bei erwachsenen Traumapatienten in Dänemark zu erstellen. Auf Basis einer systematischen Durchsicht der Literatur und einer Bewertung der Evidenz sowie einem standardisierten Konsensverfahren wurde im Jahr 2018 eine Leitlinie veröffentlicht (2019 englischsprachig). Inhalt ist ein einfach anzuwendender, praxisnaher Algorithmus für Patienten ab 18 Jahren mit Verdacht auf Wirbelsäulenverletzung (→ Abb. 31.48).

Hauptpunkte sind Empfehlungen **gegen** die Verwendung der starren Zervikalstütze und des Spineboards und **für** die Verwendung der Vakuummatratze in der Präklinik.

Erläuterungen

Im mittleren Bereich des Algorithmus sieht man **drei Patientengruppen,** die, vereinfacht gesagt, folgende rettungsdienstliche Vorgehensweisen für Patienten mit Verdacht auf Wirbelsäulenverletzung vorsehen:

- Keine Immobilisation
- Immobilisation auf der Vakuummatratze ohne Zervikalstütze
- Zeitkritische Immobilisation

Gemäß dem **ersten blauen Kasten** ganz oben sollen erwachsene Patienten mit **isoliertem penetrierendem Trauma** an Kopf, Hals oder Rumpf **nicht immobilisiert** werden. Wie bereits erwähnt, zeigte eine Studie, dass bei diesen Patienten eine Wirbelsäulenimmobilisierung zu einer **Verdoppelung der Sterblichkeit** führte. Die Ersteller der dänischen Leitlinie vertreten daher die Ansicht, dass der Nutzen einer Immobilisierung wahrscheinlich viel niedriger ist als der Schaden. Diese Empfehlung steht auch mit den PHTLS-Empfehlungen zu 100 % im Einklang. Liegt ein stumpfes Trauma vor, kommt der nächste Kasten ins Spiel.

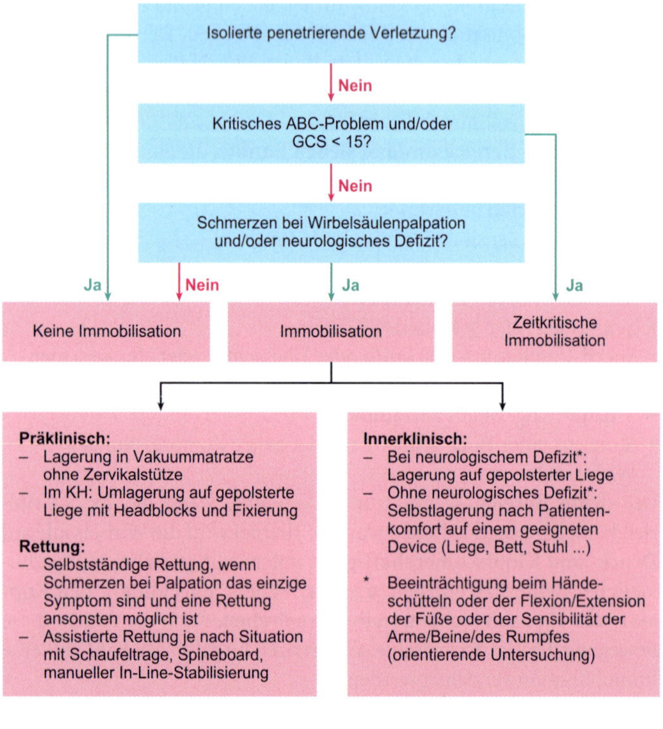

Abb. 31.48 Dänischer Algorithmus [F781-044, L231]

Der **zweite blaue Kasten** bezieht sich auf Patienten, die ein **A-, B- oder C-Problem und/oder eine GCS-Verminderung** aufweisen. Hier **kann** eine Immobilisierung durchgeführt werden, aber die Rettungskräfte sollen **zügig arbeiten.** Die Leitlinienersteller führen dazu aus: Ein **Spineboard soll nicht verwendet** werden, **außer** es handelt sich um **zeitkritische instabile Patienten,** bei denen die Spineboard-Verwendung zu einer Zeitersparnis führt.

Der **dritte blaue Kasten** bezieht sich auf die Fälle, in denen die Fragen in den ersten beiden Kästen jeweils mit „Nein" beantwortet wurden. Hier empfehlen die Leitlinienersteller Folgendes: Bei stabilen Patienten mit neurologischen Ausfällen oder Wirbelsäulenschmerzen soll die **Vakuummatratze** zur Immobilisierung verwendet werden. Als Begründung wird ausgeführt, dass die Verwendung eines Spineboards nicht auf hochwertigen Studien beruht und Vorteile nicht gezeigt werden konnten. Stattdessen zeigen viele Studien Nachteile.

Starre Zervikalstützen: Laut den dänischen Leitlinienerstellern soll eine starre Zervikalstütze bei erwachsenen Traumapatienten **nicht verwendet** werden. Stattdessen wird bevorzugt die Verwendung von einer manuellen **In-Line-Stabilisierung (MILS), Head-Blocks** und der **Vakuummatratze** empfohlen. Begründung ist, dass die Verwendung von starren Zervikalstützen auf anatomischen und mechanischen Überlegungen beruht und nicht auf hochwertigen Studien, die einen positiven Effekt zeigen konnten. Stattdessen zeigen viele Studien ungünstige Effekte. In einer Stellungnahme von PHTLS Deutschland wurde schon 2015 darauf hingewiesen, dass es durch das Anlegen einer starren Zervikalstütze zur signifikanten Steigerung des Hirndrucks und zu einem erschwerten Atemwegsmanagement kommen kann. Bei Patienten mit Morbus Bechterew kann das Anlegen einer Zervikalstütze die neurologische Symptomatik z. T. drastisch verschlechtern.

Im **Kasten unten links** wird die **präklinische selbstständige Rettung** erwähnt. Verschiedene Fachleute vertreten die Auffassung, dass bewusstseinsklare Patienten ohne ABCD-Problem ihre Wirbelsäule intuitiv selbst stabilisieren und automatisch die Haltung einnehmen, die für Sie am schonendsten ist. Daher scheint hier ein Verzicht auf eine Immobilisierung keine schädlichen Auswirkungen zu haben. Andere Untersuchungen kommen zu dem Ergebnis, dass die technische Rettung am schonendsten ist, wenn der Patient sich selbst befreit und auf die Trage legt.

31.8.5 Immo-Ampel

Die Immo-Ampel wurde von Experten aus Deutschland für **erwachsene auskunftsfähige Patienten** entwickelt und 2022 veröffentlicht (→ Abb. 31.49).

Erläuterungen

Traumapatienten werden, wie bei einer Ampel in die drei Kategorien „Rot", „Gelb" und „Grün" unterteilt.

- „**Rot**" = Notwendigkeit einer vollständigen Immobilisation
- **„Gelb"** = Anwender sollen eine Bewegungseinschränkung erwägen
- „**Grün**" = keine Immobilisation erforderlich

Wie im **ersten Kasten** ersichtlich ist, gilt auch bei der Immo-Ampel, dass bei einem isolierten **penetrierenden Trauma des Rumpfes keine Immobilisierung** angezeigt ist. ABC-Probleme bei instabilen Patienten haben Vorrang gegenüber einer Immobilisation.

Der **zweite Kasten „offensichtlich schwer verletzt"** erfordert eine Einschätzung und Interpretation durch Fachpersonal. Gemeint ist, dass mit der Verletzungsschwere und der Zahl der betroffenen Körperregio-

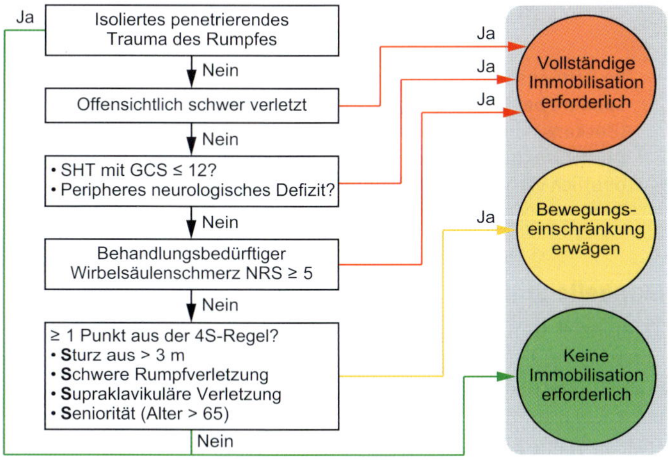

Abb. 31.49 Die Immo-Ampel für erwachsene, auskunftsfähige Patienten [F201-045, L231]

nen auch die Wahrscheinlichkeit einer Wirbelsäulenverletzung ansteigt. Wird die Frage mit „Ja" beantwortet, verweist der Pfeil daher auf die **Kategorie „Rot"** (vollständige Immobilisierung).

Der **dritte Kasten** bezieht sich auf **Schädel-Hirn-Trauma-Patienten mit einem GCS von < 13 Punkten.** Gemäß Traumaregister der DGU liegt bei rund 12 % der Patienten mit scheinbar isoliertem SHT und bei rund 41 % der Patienten mit SHT im Rahmen einer Mehrfachverletzung eine Wirbelsäulenverletzung vor. Somit findet sich auch hier der Verweis auf die Kategorie „Rot". **Periphere motorische und neurologische Defizite** sind in der Analyse des Traumaregisters der DGU die stärksten Prädiktoren für Wirbelsäulenverletzungen in Bezug auf die gesamte Wirbelsäule bzw. die Halswirbelsäule und müssen deshalb als Warnsignal gesehen werden. Daher gilt bei diesem Befund die Kategorie „Rot".

Im **vierten Kasten** wird gefragt, ob ein **behandlungsbedürftiger Wirbelsäulenschmerz mit ≥ 5 Punkten** auf der Schmerzskala NRS vorliegt. Laut den Autoren der Immo-Ampel findet man kaum Studien zu Schmerzen im Sinne der Fragestellung. Da Schmerzen aber generell als Warnsignal für evtl. vorliegende Verletzungen betrachtet werden sollten, wird auch hier eine vollständige Immobilisation für notwendig erachtet.

Ist der Untersuchungsbefund der Wirbelsäule bis so weit unauffällig, d. h. beispielsweise, die Patienten haben keine Schmerzen oder periphere neurologische Defizite etc., soll im **fünften Kasten** die **4S-Regel** angewendet werden. Hierbei bezieht man sich auf eine Datenanalyse aus dem Traumaregister der DGU und hat vier unabhängige Risikofaktoren für Wirbelsäulenverletzungen identifiziert, die als die 4S in die Immo-Ampel aufgenommen wurden:

- Sturz aus einer Höhe von 3 m oder mehr
- Schwere Rumpfverletzung
- Supraklavikuläre Verletzung
- Seniorität (Alter ab 65 Jahre)

Liegt einer der 4S-Risikofaktoren für eine Wirbelsäulenverletzung vor (oder mehrere), wird der Patient der **Kategorie „Gelb"** zugeordnet. In diesem Fall können die Retter eine Bewegungseinschränkung erwägen. Die Überlegungen hierzu sind **widersprüchlich:**

A) Einerseits konnte ein Autor zeigen, dass bei Patienten mit stumpfen Wirbelsäulenverletzungen ohne Immobilisation weniger neurologische Schädigungen als mit Immobilisation auftreten. Zwei Literatur-Reviews fanden zudem keinen Vorteil für eine Immobilisation.

B) Andererseits fanden sich Fallserien, denen zufolge instabile Wirbelsäulenverletzungen auch vorkommen, wenn initial ein unauffälliger neurologischer Befund vorliegt. Eine gutachterliche Betrachtung von Patienten mit Wirbelsäulenverletzungen führte bei einigen Patienten eine neurologische Verschlechterung im Verlauf auf eine fehlende bzw. unzureichende Immobilisation zurück. Aus diesem Grund sind die Autoren der Immo-Ampel der Ansicht, dass ein kompletter Verzicht auf Ruhigstellungsmaßnahmen bei vorliegenden Risikofaktoren nicht angemessen erscheint, selbst wenn die Untersuchungsbefunde bis dahin unauffällig waren. Begründung: Unwillkürliche Bewegungen können durch den Transport nicht ausgeschlossen werden.

Der **Kategorie „Grün"** werden schließlich diejenigen Patienten zugeordnet, die einen **klinisch unauffälligen Untersuchungsbefund der Wirbelsäule ohne weitere Risikofaktoren** gezeigt haben (natürlich auch diejenigen mit einem isolierten penetrierenden Trauma des Körperstammes). Die Autoren geben zudem Handlungsvorschläge für eine Immobilisation der Patienten in den Kategorien „Rot" und „Grün".

31.9 Verletzungen des Beckens

DEFINITION

Beckenringfraktur: Frakturen, die eine Kontinuitätsunterbrechung der gedachten Ringstruktur des Beckens hervorrufen. Davon abgegrenzt werden Frakturen, welche den Ring nicht betreffen.
Komplexe Beckenverletzung: Beckenringfraktur mit begleitendem peripelvinem Weichteilschaden, d. h. Verletzungen der beckennahen Gefäße, Nerven, Eingeweide und der Muskulatur.

Etwa 15 % aller Traumapatienten weisen eine Verletzung des Beckens auf (Traumaregister DGU 2019–2021). Das Becken ist **ringförmig** aufgebaut. Seine Bestandteile sind im Rückenbereich das (zur Wirbelsäule gehörende) Kreuzbein (Os sacrum), welches links und rechts über die Iliosakralgelenke mit den Hüftbeinen verbunden ist. Bauchwärts ist der Beckenring in der **Symphyse** (Schambeinfuge) geschlossen.

Durch den ringförmigen Aufbau des Beckens treten Verletzungen, welche eine Kontinuitätsunterbrechung hervorrufen, immer an mehreren Stellen auf **(ein Ring kann nicht nur an einer Stelle brechen bzw. verletzt werden).** Zwar sind Beckenringfrakturen seltene Verletzungen (Inzidenz 2–8 %), aber wenn sie auftreten, sind sie mit einer hohen Letalitätsrate verbunden.

31.9.1 Erkennen von Beckenverletzungen

Beckenverletzungen treten isoliert oder häufig im Rahmen einer Polytraumatisierung (s. u.) auf. Da Beckenverletzungen bereits als isolierte Verletzung eine kritische Blutung verursachen können, ist es wichtig, das Beckentrauma bereits frühzeitig zu erkennen und die ersten therapeutischen Maßnahmen bereits präklinisch zu ergreifen.

Unfallmechanismus

Schwere Beckenverletzungen entstehen meist durch ein **Hochrasanztrauma.** Gehäuft treten Beckenfrakturen als **Teil eines Multisystemtraumas** (→ Kap. 31.12) auf, typischerweise bei jungen Menschen im Alter von 20–30 Jahren durch Verkehrsunfälle (z. B. Motorradunfälle, Überrolltrauma, seitlicher Anprall im Pkw, vom Pkw angefahrene Fußgänger, Verschüttung) oder Stürze aus großer Höhe. Bei Stürzen aus niedriger Höhe ist Obacht geboten, wenn Pferde involviert sind. Insbesondere, wenn das Pferd gestürzt ist und den Reiter unter sich begraben hat, sind schwere Verletzungen möglich.

Ein weiterer Altersgipfel ist ab etwa 70 Jahren zu verzeichnen, hier sind dann oft häusliche Stürze ursächlich. Bei osteoporotischen Patienten reichen bereits **niedrige Energien,** um eine Beckenfraktur zu bewirken, deshalb sind Frauen dieser Altersgruppe deutlich häufiger betroffen. Dies sollte bei der Versorgung von älteren Patienten, die gestürzt sind, bedacht werden.

Symptome

Das Becken muss während der Prähospitalphase untersucht werden. Sollten im Rahmen der Untersuchung bei vorsichtiger Palpation

- Spontanschmerzen oder
- Druckschmerzen (Schmerzangaben des Patienten im Bereich von Becken/Hüfte oder Lendenwirbelsäule/Kreuzbein) oder
- sichtbare äußere Verletzungen (hierzu zählen auch Prellungen, Hämatome, Schürfungen)

auffallen, so müssen diese als **indirekte Hinweise** bzw. Anzeichen auf eine Beckenringverletzung betrachtet werden.

MERKE

Ein geeigneter Unfallhergang, kombiniert mit zwei indirekten Anzeichen (Spontanschmerzen, Druckschmerzen oder sichtbare äußere Verletzungen), ist mit einer 50-prozentigen Wahrscheinlichkeit für eine instabile Beckenfraktur verbunden.

Auch Rotationsfehlstellungen oder Verkürzungen von einem Bein (oder beiden) können auftreten. Verkürzte Beine sollten durch Längszug reponiert werden. Sind Blutaustritte aus dem Anus, der Urethra oder Vagina festzustellen, ist dies ein Hinweis auf eine Komplexverletzung.

MERKE

Patienten mit klinischen Anhaltspunkten für eine Beckenringverletzung oder instabiler Beckenringverletzung und hämodynamischer Instabilität sollten einen Beckengurt erhalten (S3-Leitlinie Schwerverletzten-Behandlung, 2022).

Eine Kreislaufinstabilität kann den Verdacht auf Beckenfraktur erhärten, kann aber auch durch Blutverluste aus anderen Körperregionen hervorgerufen werden, gerade beim Polytrauma. Beckenfrakturen können aufgrund der großen Verteilungsräume (intrapelvin, retroperitoneal) mit **erheblichem Blutverlust** von bis zu 5 l einhergehen. Grund ist, dass im Becken viele Gefäße an Knochen anliegen und Kompressions- und Scherkräfte die Gefäße verletzen können. Die resultierenden Blutungen im Becken entstammen meist dem präsakralen und paravesikalen Venenplexus und sind massiv. Weitere Blutungsquellen treten im Bereich frakturierter spongiöser Knochenflächen auf. Arterielle Blutungen machen etwa 10–15 % aus.

Viele Untersuchungen haben gezeigt, dass der hämorrhagische Schock oft unterschätzt wird. Die Entwicklung eines Schockzustands sollte daher nicht abgewartet, sondern als erster Behandlungsansatz die **Beckenschlinge** bzw. der **Beckengurt** bei passendem Unfallmechanismus großzügig eingesetzt werden. Die Anwendung führt zu einer Stabilisierung des Beckenrings, wodurch die die Blutungsräume verkleinert sowie Frakturbewegungen reduziert werden.

MERKE

Im Rettungsdienst werden vermutete Beckenfrakturen **(insbesondere bei C-Problem)** zügig mit kommerziellem **Beckengurt** (Beckenschlinge) stabilisiert. Die Stabilisierung einer instabilen Beckenfraktur kann die hämodynamische Situation des Patienten deutlich verbessern. Die häufigste Todesursache bei Beckenverletzungen sind Massenblutungen.

Manuelle Stabilitätsuntersuchung

Traditionell wurde gelehrt, das Becken auch manuell auf Stabilität zu untersuchen, indem der Untersucher das Becken kräftig von oben nach unten (ventrodorsal) und von den Seiten komprimiert und nach Instabilitäten sucht. Im Laufe der Jahre fand man heraus, dass sich dadurch nur etwa die Hälfte der Beckenringverletzungen erkennen lässt, eine Untersuchung kam sogar zu dem Ergebnis, dass zwei Drittel der potenziell instabilen Frakturen hierbei übersehen werden können. Außerdem besteht die Sorge, dass eine grobe Untersuchungstechnik eine durch die Blutgerinnung hervorgerufene Selbsttamponade verhindern oder verzögern kann.

Die Konsequenz war, dass die manuelle Untersuchung – wenn überhaupt – vorsichtig durchgeführt werden sollte, d. h., das Becken wird dann nur auf Schmerzhaftigkeit abgetastet. Mehrere Experten halten die manuelle Stabilitätsuntersuchung im Rettungsdienst generell für verzichtbar.

Die S3-Leitlinie Schwerverletztenversorgung (2022) **empfiehlt im Rahmen der klinischen Untersuchung,** eine vorsichtige Palpation des Beckens vorzunehmen und dabei auf Druckschmerzen zu achten (Empfehlungsgrad B). Dies gilt als indirekter Hinweis auf eine Beckenringverletzung.

Ein weiterer Punkt ist die mechanische Stabilitätstestung. Dabei wird zunächst versucht, das Becken von seitlich zu komprimieren. Ist dabei eine Instabilität tastbar, wird die Diagnose gestellt und das Manöver abgebrochen. Tastet sich der Beckenring in dieser Kompressionsrichtung stabil, kann in einem zweiten Schritt versucht werden, das Becken durch Kompression von vorne auf die Spina iliaca anterior superior beidseitig auseinander bzw. nach dorsal zu drücken. Wenngleich die Leitlinie selbst einräumt, dass diese mechanische Stabilitätstestung ein umstrittenes Manöver darstellt und der verletzte Bereich dadurch mechanisch belastet wird, findet sich die Beschreibung im Leitlinientext. Weiter wird dort ausgeführt: *„Angesichts der Gefährlichkeit von komplexen Beckenfrakturen kann man auch postulieren, dass bei hinreichendem klinischem Verdacht und gleichzeitiger hämodynamischer Instabilität auch ohne Hinweis auf ein tastinstabiles Becken die Anlage eines Beckengurtes eine folgerichtige Maßnahme darstellt.“*

Der Autor dieses Kapitels vertritt die Ansicht, dass eine vorsichtige Palpation des Beckens auf Druckschmerzhaftigkeit nicht verkehrt ist, eine mechanische Stabilitätsprüfung – so wie oben beschrieben – jedoch im Rettungsdienst unterbleiben sollte.

KISS-Schema

Von PHTLS-Deutschland (2018) wird empfohlen, nach dem KISS-Schema vorzugehen:

- **K**inematik
- **I**nspektion
- **S**chmerzen
- **S**tabilisierung

Hier soll zunächst die **Kinematik (K)** betrachtet werden: Lässt der Unfallmechanismus (s. o.) ein Beckentrauma vermuten, **kann** das Becken daraufhin stabilisiert werden. Finden sich im Rahmen der **Ins-**

pektion (I) des Beckens Prellmarken, Hämatome oder sonstige Hinweise einer Gewalteinwirkung, **soll** das Becken stabilisiert werden. Gibt der Patient **Schmerzen (S)** im Beckenbereich an, ist auch dies Indikation zur **Stabilisierung (S),** wofür das zweite S in KISS steht.

PRAXISTIPP

Anwendung des KISS-Schema

Bei einem auskunftsfähigen Patienten, der keine Schmerzen äußert, keine klinischen Zeichen einer Beckenverletzung aufweist und unauffällige Vitalwerte zeigt, kann laut PHTLS Deutschland (2018) die Anlage der Beckenschlinge unterbleiben. Die Kinematik und Inspektion verstehen sich insbesondere beim **nicht auskunftsfähigen** oder **verwirrt erscheinenden** Patienten als Entscheidungskriterien für oder gegen die Anlage der Beckenschlinge.

Die Ausführungen in obigem Praxistipp zielen darauf ab, die Beckenschlinge nicht unnötig anzulegen. Ohnehin gibt es auch Experten, die das KISS-Schema skeptisch sehen. Sie vertreten die Ansicht, dass bei stabilen Patienten, die kein Trauma mit hoher Krafteinwirkung erlitten und lediglich Schmerzen im Bereich der Trochanteren haben, eher keine Beckenschlinge angelegt werden sollte, da beispielsweise bei isolierten Acetabulumverletzungen oder pertrochantären Frakturen die Beckenschlinge möglicherweise eher schadet als nützt. Diese Überlegungen können bei Anwendern zu Unsicherheiten führen, weshalb im Zweifelsfall auf das lokale Protokoll verwiesen sei.

31.9.2 Stabilisierung von Beckenverletzungen

Zur Stabilisierung des Beckens wird eine **Beckenschlinge** bzw. **Beckengurt** (auch Pelvic Binders, alle Begriffe meinen das Gleiche) in Höhe der Trochanteren (große Rollhügel) angelegt. Je nach verwendetem Modell wird dann im Anschluss auf unterschiedliche Weise Kompression erzeugt, z. B. durch Ziehen am Klettverschluss bis zum Hören eines Klickens beim SAM® Pelvic Sling II (s. u.) oder durch eine pneumatische Kompression bei der VBM-Beckenschlinge™.

Ziel der Beckenstabilisierung mit Beckenschlinge (Beckengurt) ist es, die anatomischen Verhältnisse wiederherzustellen (Schließen des Beckenrings) und damit das innere Volumen (den „Blutungsraum") zu verkleinern. Dies soll die Blutung verringern und das Ablaufen der Gerinnungskaskade an den verletzten Gefäßen fördern.

ACHTUNG! Damit die Stabilisierung optimal gelingt, muss die Beckenschlinge auf **Höhe der beiden Trochanteres majores** (große Rollhügel) angebracht werden (→ Abb. 31.50). Die Trochanteren übertragen dann die Kraft über das jeweilige Acetabulum auf den Beckenring. Sehr oft wird der Beckengurt **zu hoch,** etwa über den Beckenschaufeln angelegt (→ Abb. 31.52). **Vermeiden** Sie das und speichern Sie den Begriff „Beckenschlinge" fortan gedanklich als **Trochanterschlinge** ab. Experten empfehlen, die Beckenschlinge möglichst direkt auf der Haut anzulegen (allenfalls eine Unterhose ist noch akzeptabel).

Die Beine können vor Anlage der Beckenschlinge (Beckengurt) unter Längszug **innenrotiert** werden. Dadurch soll der Druck noch leicht erhöht werden. PHTLS (10. engl. Auflage 2023) erwähnt dieses Vorgehen nicht mehr, auch andere Fachleute sehen es nicht als zwingend notwendig an. Daher empfiehlt es sich, die lokalen Protokolle des jeweiligen Rettungsdienstbereichs zu beachten. In jedem Fall sollte die Innenrotation jedoch unterbleiben, wenn Frakturen der unteren Extremität vorliegen.

Wie oben schon erwähnt, ist die größte Fehlerquelle bei der Stabilisierung des Beckens eine zu hohe Anlage der Beckenschlinge im Bereich der Darmbeinschaufeln. Deshalb müssen vorher immer **beide Trochanteren** getastet werden, um eine richtige Anlage sicherzustellen. Eine Untersuchung zeigte, dass in nur 15 % der Fälle die Beckenschlinge (Beckengurt) optimal angelegt war. Vor der Durchführung (bzw. im Anschluss) kann eine suffiziente **Analgesie** erforderlich sein, damit die Patienten die Maßnahme tolerieren. Die Erfahrung zeigt, dass manche Patienten die Anlage der Beckenschlinge (Beckengurt) ohne vorherige Analgesie nicht tolerieren.

PRAXISTIPP

Die **Hosentaschen des Patienten müssen vor Anlage** der Beckenschlinge (Beckengurt) **geleert** werden, damit keine Ulzera durch die Druckausübung entstehen.

ACHTUNG! Eine im Rettungsdienst angelegte Beckenschlinge (Beckengurt) wird in der Prähospitalphase **nicht** mehr gelöst.

Die Öffnung der Beckenschlinge (Beckengurt) erfolgt somit frühestens in der Klinik. Selbst in der Schockraumversorgung wird das Öffnen eines **korrekt** anliegenden Beckengurts kontrovers diskutiert. Als

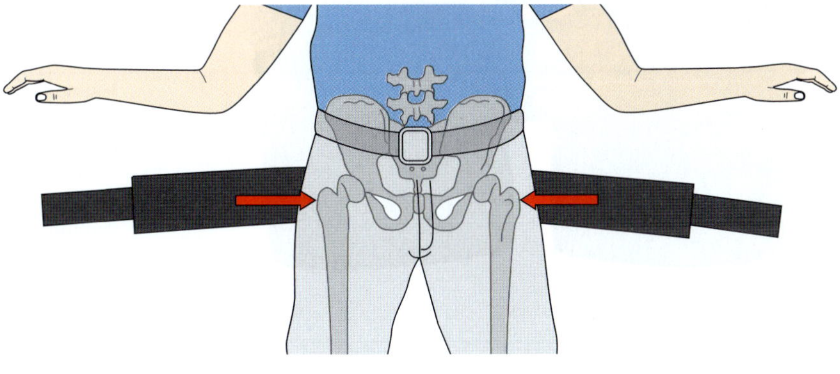

Abb. 31.50 Korrekte Position des Beckengurtes auf Höhe der Trochanter majores [L143]

Gründe gegen eine frühzeitige Öffnung werden eine Zerstörung frisch gebildeter Blutgerinnsel und das erneute Eintreten einer instabilen Kreislaufsituation genannt. Zunehmend wird die Meinung vertreten, dass es besser ist, den Gurt im Rahmen der Ersteinschätzung zu belassen und zunächst eine Bildgebung vorzunehmen.

Beckenschlinge (Beckengurt)

Es gibt verschiedene Hersteller, die **Beckengurte** anbieten (z. B. SAM® Pelvic Sling II, VBM Beckenschlinge™, T-Pod Responder®). Exemplarisch sei hier ein Beckengurt vorgestellt (→ Abb. 31.51): Der SAM® Pelvic Sling II hat ein schmales, konisch zulaufendes Vorderteil, das ermöglicht, dass im Krankenhaus beispielsweise ein Blasenkatheter gelegt werden oder eine Bauchoperation durchgeführt werden kann, ohne dass der Gurt abgenommen werden muss. Er ist in drei Größen erhältlich, die Standardgröße (Umfang 81–127 cm) soll für 95 % der Bevölkerung passend sein. Als Ergänzung gibt es noch die Größen „Klein" (Umfang 69–114 cm) und „Groß" (Umfang 91–137 cm). Das Material ist röntgendurchlässig mit Ausnahme der zwei Edelstahlfedern der Gurtschnalle, sodass Röntgenbilder oder CT-Scans mit anliegendem Gurt durchführbar sind (→ Abb. 31.52).

REBOA

Ein im Rettungsdienst noch sehr wenig verbreitetes System ist REBOA (Resuscitative Endovascular Balloon Occlusion of the Aorta, → Kap. 31.13.7). Es handelt sich um die Platzierung und Blockung eines Ballonkatheters über die Leistenarterie in der Aorta, um z. B. bei schwerem Beckentrauma mit massivem Blutverlust die Blutzufuhr in die untere Körperhälfte zu stoppen und damit den Blutverlust bis zur operativen chirurgischen Versorgung zu kontrollieren.

REBOA wurde bereits 2014 in die Joint Theatre Trauma System Clinical Practice Guidelines (JTS CPG) der US-Armee als Verfahren für die Kontrolle von unkontrollierbaren Stamm- und Extremitätenblutungen aufgenommen. Insbesondere bei den angloamerikanischen NATO-Partnern ist die endovaskuläre Ballonokklusion der Aorta als Maßnahme im Schockraum etabliert. Mittlerweile ist sie seit 2014 im Rettungsdienst Londons eingeführt und wird erstmals präklinisch im zivilen Bereich angewandt.

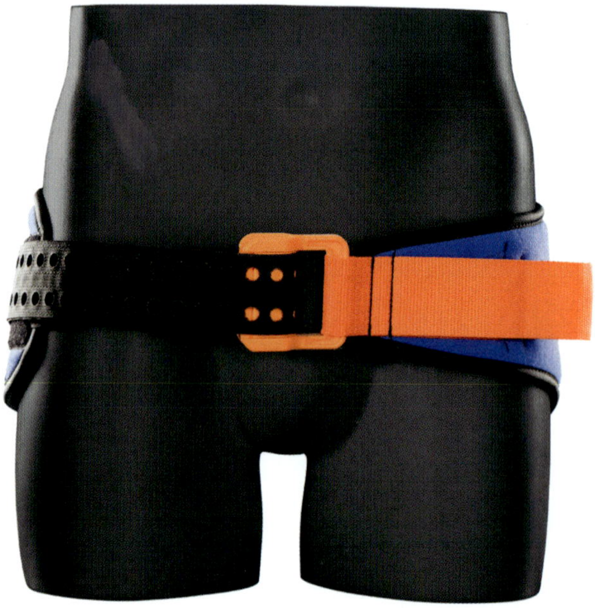

Abb. 31.51 Beckengurt, hier der SAM® Pelvic Sling II [V870]

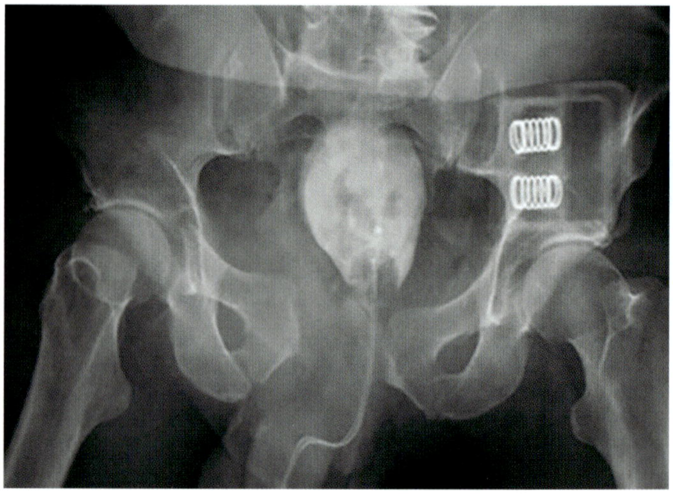

Abb. 31.52 Röntgenübersicht einer komplexen Beckenfraktur im Schockraum. Gut erkennbar ist der deutlich zu hoch angelegte Beckengurt. Dadurch versagte die Funktion des Beckengurts, den Blutungsraum zu verkleinern. [M235]

IM FOKUS

Beckenfraktur

Ursachen

- Junge Patienten: Hochrasanztraumen und Stürze aus großer Höhe
  - Motorradunfälle
  - Überrolltrauma
  - Seitlicher Anprall im Pkw
  - Vom Pkw angefahrene Fußgänger
  - Verschüttungen
- Ältere Patienten: Niedrigenergietraumen (insbesondere bei Frauen)

Symptome

- Im Bereich von Becken/Hüfte oder Lendenwirbelsäule/Sakrum:
  - Prellungen
  - Hämatome
  - Schürfungen
  - Weichteilverletzungen
  - Schmerzen
- Rotationsfehlstellungen oder Verkürzungen von einem Bein (oder beiden)

Maßnahmen

- Daran denken, stabilisieren, zügig transportieren.
- Vorsichtige Palpation ist sinnvoll, manuelle Stabilitätsprüfung des Beckens unterlassen.
- KISS-Schema als Versorgungsstrategie

Monitoring

- AF, SpO_2, Rekapillarisierungszeit, Puls (peripher/zentral), RR, BZ, GCS, EKG, Temperatur

Basismaßnahmen

- O_2-Gabe über Maske mit Reservoir 15 l/Min.
- Beckengurt anlegen (Höhe Trochanteren, „Trochanterschlinge")

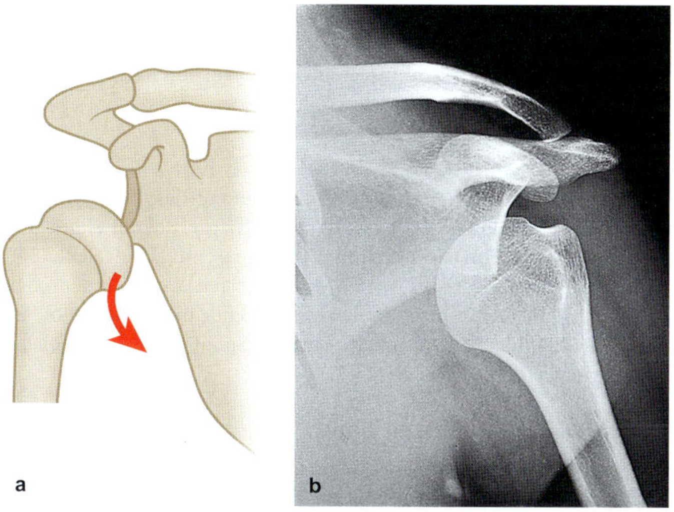

Abb. 31.57 Schulterluxation: Oberarmkopf ist aus der Gelenkpfanne nach ventral und kaudal luxiert. **a)** Skizze, **b)** Röntgenbild. [a: L231, b: M502]

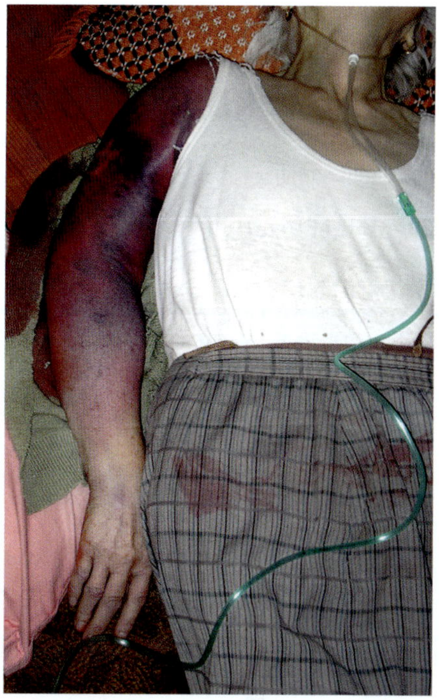

Abb. 31.58 Oberarmfraktur mit Hämatom (Fraktur 2 Tage alt) [M235]

ter. Generell lässt sich sagen, dass die Verletzung bei jüngeren Patienten selten und bei älteren häufig ist.

Symptome

Der Patient beklagt stärkere bis massive Schmerzen, der Arm ist typischerweise federnd fixiert und kann nicht angehoben bzw. bewegt werden. Die Gelenkpfanne des Schultergelenks ist leer, sodass im Bereich des Oberarmkopfes eine Delle tastbar ist.

Therapie

Die **Basismaßnahme** umfasst die Immobilisation des Arms in Beugestellung mit Dreiecktuch und zusätzlicher Fixierung mit Dreiecktuchbinden **(Desault-Verband)**. Je nach lokalem Protokoll erfolgt eine intravenöse oder intranasale Schmerzbekämpfung. Eine eventuelle Reposition durch den Notarzt nach Analgesie oder Kurznarkose sollte erfolgen, wenn fehlende periphere Pulse, Parästhesien oder motorische Ausfälle bestehen. Ansonsten ist keine sofortige Reposition erforderlich. Heutzutage sollte eine Reposition der Schulter langsam und schonend geschehen, weil forcierte Techniken zu Nervenläsionen führen können. So sollte beispielsweise nicht mehr die Ferse des Behandlers in die Axilla gestemmt werden, weil Plexusläsionen resultieren können.

Oberarmbrüche (Humerusfrakturen)

Oberarmbrüche in der Nähe des Schultergelenks (subkapitale Humerusfraktur) sind besonders **im Alter** nach Stürzen auf den ausgestreckten Arm häufig.

Symptome

Oft ist der Humeruskopf im Schultergelenk mitbetroffen. Liegt die Fraktur einige Tage zurück, können umfangreiche Hämatome an der Oberarminnenseite und seitlichen Brustkorbwand zu erkennen sein (→ Abb. 31.58).

Bei Frakturen im Mittelstück des Oberarms (Humerusschaftfrakturen) ist eine Zerreißung des N. radialis, der sich um den Oberarmknochen herumwindet, als Komplikation besonders gefürchtet. Der Ausfall des N. radialis führt zur Fallhand (→ Abb. 31.59). Bei Humerusschaftfrakturen kann es zu kräftigen Blutverlusten kommen.

Ellenbogennahe Oberarmbrüche entstehen durch Sturz auf den gebeugten Ellenbogen. Hierbei ist besonders der N. ulnaris gefährdet, bei dessen Verletzung typische Folgeerscheinungen (→ Abb. 31.59) auftreten.

Abb. 31.59 Lähmungen bei Schädigung der Nerven im Armbereich. Alle drei Lähmungen sind mit Sensibilitätsstörungen in dem Versorgungsbereich des jeweiligen Nervs verbunden. [L231]
a) Schädigung des **N. radialis** im Oberarmbereich; es kommt zur Fallhand: Der Patient kann die Hand nicht mehr gegen die Schwerkraft strecken.
b) Schädigung des **N. medianus** führt zur charakteristischen Schwurhand. Der Patient kann die Hand nicht mehr zur Faust ballen, sondern nur noch die ulnaren Finger beugen.
c) Schädigung des **N. ulnaris** mit Krallenhand. Besonders Ring- und Kleinfinger sind im Grundgelenk überstreckt und im Mittelgelenk gebeugt.

Therapie

Die **Basismaßnahmen** zielen auf die Immobilisation der Fraktur durch Lagerung des Patienten auf eine **Vakuummatratze.** Die Durchblutung des Arms wird anhand der Pulse überprüft. Die Beweglichkeit des Arms und eventuelle Ausfallserscheinungen der Sensibilität und Motorik werden dokumentiert.

Ellenbogenluxation

DEFINITION

Eine **Ellenbogenluxation** ist die vollständige Verlagerung der am Ellenbogengelenk beteiligten Knochenanteile. Die Verlagerung erfolgt durch das Herausgleiten der Gelenkfläche des Oberarmknochens (Humerus) aus seiner scharnierartigen Einfassung durch die Elle (Ulna) und den Verlust des Kontakts zwischen dem Kopf der Speiche (Radius) und dem Oberarmknochen.

Die **Ellenbogenluxation** ist mit einer Inzidenz von 5 pro 100 000 Einwohner (Stand: 2021) nach der Schulterluxation die zweithäufigste Gelenkverletzung. Bei Kindern ist sie die häufigste Gelenkluxation. Meist tritt die Ellenbogenluxation in der Folge eines Sturzes auf den gestreckten oder leicht gebeugten Arm auf.

Symptome

Die Luxation des Ellenbogens führt häufig zum Einriss gelenkstabilisierender Bänder, wodurch die Gelenkkapsel sich erweitert und die sonst fest verbundenen Knochen sich im Gelenk gegeneinander verschieben. In schweren Fällen kommt es neben dem Bänderriss zur Fraktur der am Gelenkaufbau beteiligten Knochen **(Ellenbogenluxationsfraktur).**

Bedingt durch die Verlagerung der am Gelenkaufbau beteiligten Knochenanteile zeichnet sich die Ellenbogenluxation durch eine sichtbare Fehlstellung im Gelenk mit starken Schmerzen, Schwellung und einer erheblichen Bewegungseinschränkung aus.

Therapie

Bei der Ellenbogenluxation ist nach Überprüfung von Nerven- und Gefäßstatus die rasche Reposition indiziert. Diese muss aufgrund der meist massiven Schmerzen in Analgosedierung erfolgen. Die geschlossene Reposition ist praktisch immer möglich, insbesondere wenn keine Fraktur vorliegt. Dazu sollte bei fixiertem Oberarm in strecknaher Stellung ein Längszug auf den Unterarm zur Reposition ausgeübt werden.

Frakturen am Unterarm (Radius und Ulna)

DEFINITION

Die **Unterarmschaftfraktur** umfasst die gleichzeitige Fraktur beider Unterarmknochen (Ulna und Radius). Zu unterscheiden ist sie von isolierten Frakturen nur eines Unterarmknochens.

Symptome

Unterarmbrüche entstehen zumeist durch **Sturz auf die Hand** (reflektorische Abfangbewegung von Arm und Hand bei einem Sturz). Schwellung und Schmerz im Bereich des Handgelenks sowie eine sehr schmerzhafte Drehbewegung des Unterarms sind charakteristische Kennzeichen dieser Fraktur.

Sind beide Unterarmknochen (Radius und Ulna) gebrochen, ist der Unterarm völlig instabil (→ Abb. 31.60). Solche Frakturen entstehen beispielsweise als **Parierfraktur,** wenn ein Schlag durch den schützend erhobenen Arm abgewehrt werden sollte.

Therapie

Die **Basismaßnahmen** umfassen die Schienung des Unterarms auf einer Vakuumschiene oder in Sam-Splint®. Hierbei sollten **Hand** und **Handgelenk in Funktionsstellung** (Beugung im Handgelenk 30°, locker gebeugte Finger) fixiert werden. Dies erreicht man, indem man dem Patienten eine noch zusammengerollte Binde in die Hand gibt, auf die er die Mittelhand locker auflegt. Der Sam-Splint® kann entsprechend vorgeformt werden.

Frakturen im Bereich der Hand

Frakturen im Bereich der Hand umfassen Brüche der Handwurzelknochen, der Mittelhandknochen und der Fingerknochen (→ Abb. 31.61).

Symptome

Unter Umständen weisen lediglich Schmerz und Schwellung auf eine mögliche Fraktur hin, die erst in der Klinik durch eine Röntgenaufnahme gesichert werden kann.

Therapie

Die **Basismaßnahme** ist die Ruhigstellung der Fraktur durch Schienung von Hand und Unterarm.

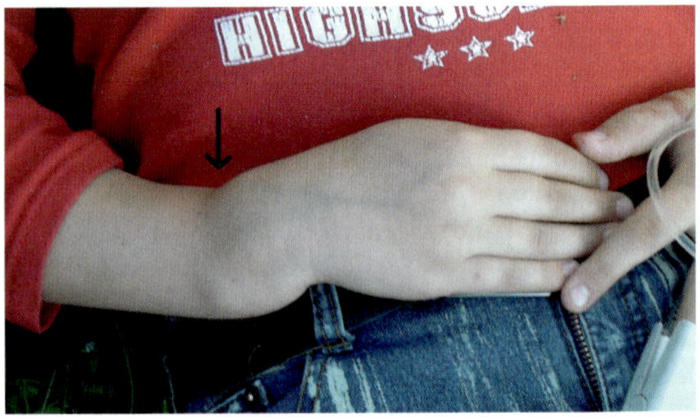

Abb. 31.60 Unterarmfraktur; Stufenbildung am Unterarm durch Verschiebung der Bruchenden [M235]

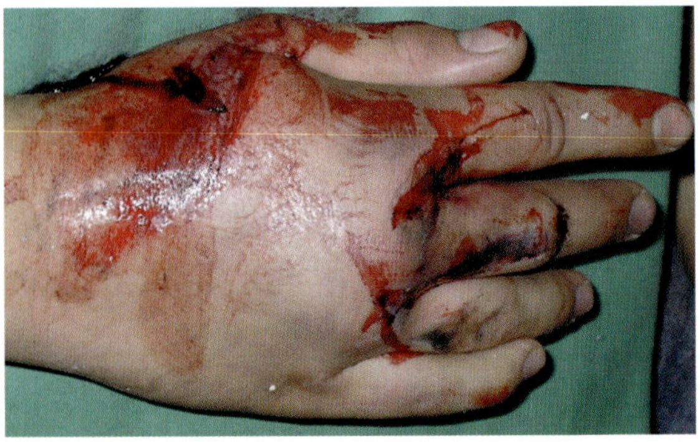

Abb. 31.61 Handfraktur durch Quetschung [M235]

31.10.3 Frakturen und Luxationen der unteren Extremität

Laut der Gesundheitsberichterstattung des Bundes bestand im Jahre 2021 in Deutschland eine Häufigkeit von 141 Unterschenkelfrakturen oder 239 Femurfrakturen (inkl. Schenkelhalsfrakturen) pro 100 000 Einwohner. Sie treten damit häufiger auf als Frakturen der oberen Extremitäten.

Frakturen des Oberschenkels (Femurfrakturen)

DEFINITION

Oberschenkelhalsfraktur: Fraktur des Halses (collum) des Oberschenkelknochens (Femur).
Pertrochantäre Femurfraktur: Fraktur im Übergang zwischen Oberschenkelhals und Oberschenkelschaft (im Trochanter major).
Femurschaftfraktur: Fraktur des Oberschenkelschafts.

Die hüftgelenksnahen Frakturen des Oberschenkelhalses und des Übergangs zwischen Oberschenkelhals und Oberschenkelschaft treten bei jungen Patienten i. d. R. nur nach starker Gewalteinwirkung auf, in höherem Alter sind sie jedoch u. a. infolge Knochenentkalkung (Osteoporose) sehr häufig. Bei proximalen Oberschenkelfrakturen kann das Becken beteiligt sein, sodass eine Stabilisierung mittels Beckengurts angezeigt sein kann.

Man unterscheidet die wesentlich häufigeren **medialen Schenkelhalsbrüche,** bei denen der Bruchspalt innerhalb der Hüftgelenkkapsel verläuft, von den **lateralen Schenkelhalsbrüchen,** den außerhalb der Hüftgelenkkapsel gelegenen Frakturen.

Symptome

Schenkelhalsfrakturen fallen durch die typische Stellung des verletzten Beins auf, das **nach außen gedreht steht und verkürzt** wirkt. Bei **pertrochantären Femurfrakturen** ist diese Fehlstellung noch ausgeprägter. Zudem bestehen bei beiden Frakturtypen ein Stauchungsschmerz bei Druck auf die Ferse und ein Druckschmerz im Hüftbereich. Die Beweglichkeit des betroffenen Beins ist stark eingeschränkt.

Das Femur ist der kräftigste Röhrenknochen des Menschen. Daher entstehen **Oberschenkelschaftfrakturen** meist durch hohe Krafteinwirkung (z. B. Sturz aus großer Höhe, Hochrasanzunfälle im Straßenverkehr, Quetsch- und Überrollmechanismen). Dementsprechend findet sich diese Verletzung oftmals bei Mehrfachverletzten. In Deutschland sehr selten, aber international und in der Militärmedizin von Bedeutung sind zudem Schussverletzungen des Oberschenkels.

Bei der Oberschenkelfraktur stehen der erhebliche Blutverlust (nach Studienlage durchschnittlich 1 250 ml) und die ausgeprägten Schmerzen im Vordergrund. Durch eine begleitende Verletzung der A. femoralis (selten) kann es zu einer unzureichenden Blutversorgung des Unterschenkels kommen. Diagnostisch bereitet die Femurschaftfraktur i. d. R. keine Probleme, da fast immer eine Dislokation mit entsprechender Instabilität vorliegt (→ Abb. 31.62). **Distale (kniegelenksnahe) Oberschenkelfrakturen** entstehen oft nach direkten Traumata, beispielsweise bei Verkehrsunfällen durch Anprall des gebeugten Knies auf das Armaturenbrett („Dashboard Injury", → Abb. 31.63). Oft sprengt die Kniescheibe wie ein Keil den distalen Oberschenkel auseinander. Dabei sind offene Frakturen nicht selten. Bei Knieanpralltraumen sollte man immer auch an mögliche Verletzungen des Hüftgelenks (Acetabulumfraktur) bzw. an Beckenringfrakturen denken.

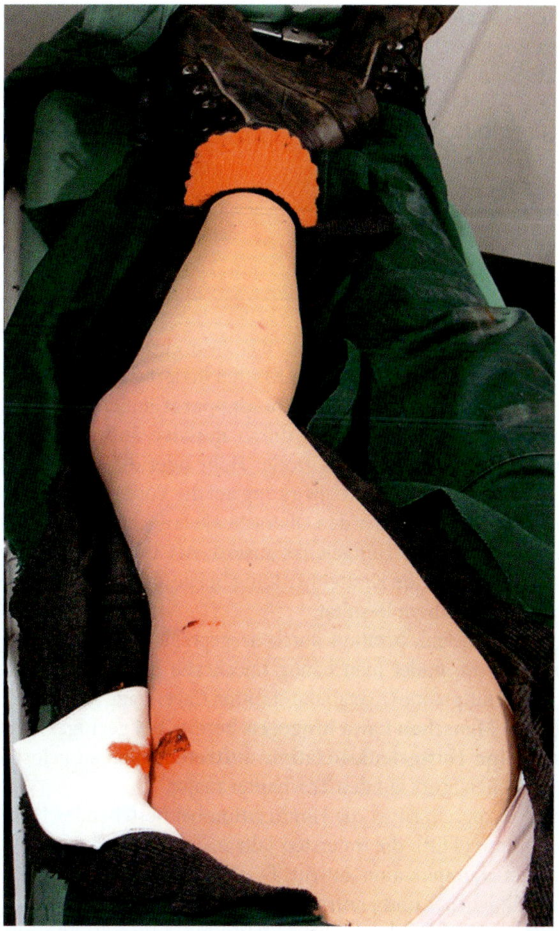

Abb. 31.62 Oberschenkelfraktur mit Einblutung [M235]

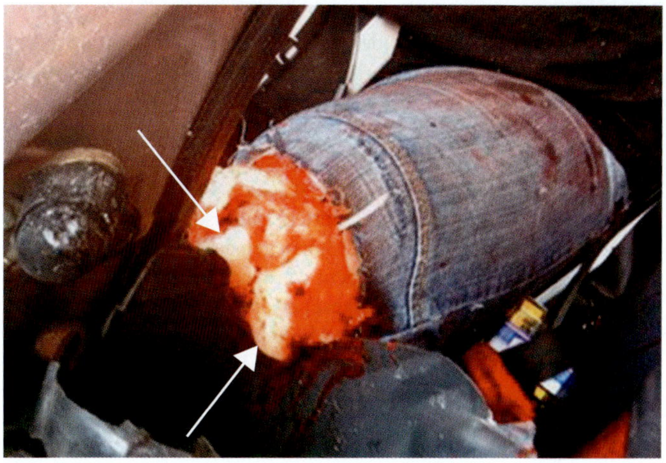

Abb. 31.63 Dashboard Injury , Pfeile Oberschenkelrolle (Femurkondylus) [M235]

Therapie

Die **Basismaßnahmen** umfassen die sterile Abdeckung der Wunden und offenen Frakturen. Der Patient wird auf einer Vakuummatratze gelagert und der gesamte Körper durch Absaugen der Luft geschient.

Die **erweiterten Maßnahmen** zielen nach Anlage venöser Zugänge entsprechend dem Venenstatus (ggf. i. o. Zugangsweg erwägen) auf die adäquate Schmerz- und Volumentherapie.

Hüftgelenksluxation

DEFINITION

Hüftgelenksluxation
Luxation des Femurkopfs aus der Hüftgelenkpfanne.

Im Gegensatz zum Schultergelenk, das zwar eine hohe Beweglichkeit aufweist, aber mit relativ geringen Kräften luxiert werden kann, ist das Hüftgelenk durch einen **straffen Bandapparat** äußerst stabil gebaut. Eine **Hüftgelenksluxation** kann durch **massive äußere Gewalt** auftreten. Typisch sind Stürze aus großer Höhe oder die sog. „Dashboard Injuries", bei denen die Krafteinwirkung auf die Vorderseite des gebeugten Kniegelenks wirkt, über den Oberschenkelknochen fortgeleitet wird und eine Luxation des Hüftgelenks auslöst. Als ähnlicher Verletzungsmechanismus wirkt die Krafteinwirkung bei gestrecktem Knie über die Fußsohle mit gleichem Resultat.

Da die Hüftgelenksluxation durch ausgeprägte Krafteinwirkung hervorgerufen wird, findet man häufig knöcherne Begleitverletzungen im Bereich der Hüftpfanne (Acetabulumfraktur, Cave: keine Beckenschlinge). **Bei älteren Menschen kann hingegen bereits bei geringer Krafteinwirkung eine Hüftgelenksluxation auftreten,** hier ausgelöst durch einen seitlichen Sturz auf den Trochanter major.

Davon abzugrenzen ist die Hüftluxation bei bestehender Hüft-Totalendoprothese (TEP), die im ersten Jahr nach der Operation in ca. 2 % der Fälle als Komplikation auftritt. Die **Hüft-TEP-Luxation** tritt meist bei eher alltäglicher und kontrollierter Bewegung auf und lässt auf eine insuffiziente Gewebe- bzw. Muskelspannung oder auf eine intraoperative Fehlpositionierung der TEP-Komponenten (Kopf und Pfanne) schließen.

Symptome

Charakteristisch ist die federnde Fixierung des nach innen oder außen gedrehten ausgerenkten Beins. Der Patient hat starke Schmerzen und kann das Bein nicht aktiv bewegen. Begleitend können Nerven (N. ischiadicus, Taubheitsgefühl am dorsalen Oberschenkel und Unterschenkel; N. obturatorius, Taubheitsgefühl an der Oberschenkelinnenseite) und Gefäße (A. femoralis) verletzt sein.

Der Repositionsversuch der luxierten Hüfte sollte in der Präklinik nach allgemeinem Konsens nur bei Störungen der Durchblutung, Motorik oder Sensibilität (DMS) versucht werden. In diesem Falle ist eine Kurznarkose (ggf. Intubationsnarkose) erforderlich, da eine Reposition des Hüftgelenks durch den starken Muskelzug oftmals nur in Narkose und Muskelrelaxierung möglich ist. Liegen keine DMS-Probleme vor, reicht eine analgetische Versorgung des Patienten, Ruhigstellung auf der Vakuummatratze und der schonende Transport ins nächste geeignete Krankenhaus.

Therapie

Die **Basismaßnahme** umfasst die Immobilisierung des Patienten in der Vakuummatratze. Diese ist allerdings oft erst nach einer adäquaten Schmerztherapie durch den Notarzt möglich.

MERKE

Repositionsbemühungen seitens des Rettungsdienstpersonals sind zu **unterlassen.**

Frakturen der Kniescheibe (Patellafrakturen)

Eine typische Verletzung bei **Knieanpralltraumen** sind Patellafrakturen. Offene Frakturen sind dabei häufig. Hinweise auf eine mögliche Fraktur kann das Betasten der oberflächlich gelegenen Kniescheibe (Delle) geben. Das Bein kann bei Querfrakturen der Kniescheibe nicht gestreckt hochgehoben werden.

Therapie

Die **Basismaßnahme** umfasst die Stabilisierung des betroffenen Beins auf der Vakuummatratze bei leichter Beugung im Kniegelenk **(Knierolle).**

Frakturen von Unterschenkel und Knöchel

Durch Stauchen des Beins in Längsrichtung, etwa nach einem Sturz aus großer Höhe auf das ausgestreckte Bein, kann es zu Frakturen des kniegelenksnahen Schienbeins kommen **(Tibiakopffrakturen).** Das Kniegelenk ist dann immer mitbeteiligt, oft ist der Bandapparat des Kniegelenks geschädigt. **Unterschenkelschaftfrakturen** (→ Abb. 31.64) entstehen durch direkte Gewalt (Stoßstangenverletzung verunfallter Fußgänger) oder im Rahmen von Rotationstraumen (Skiunfälle). **Knö-**

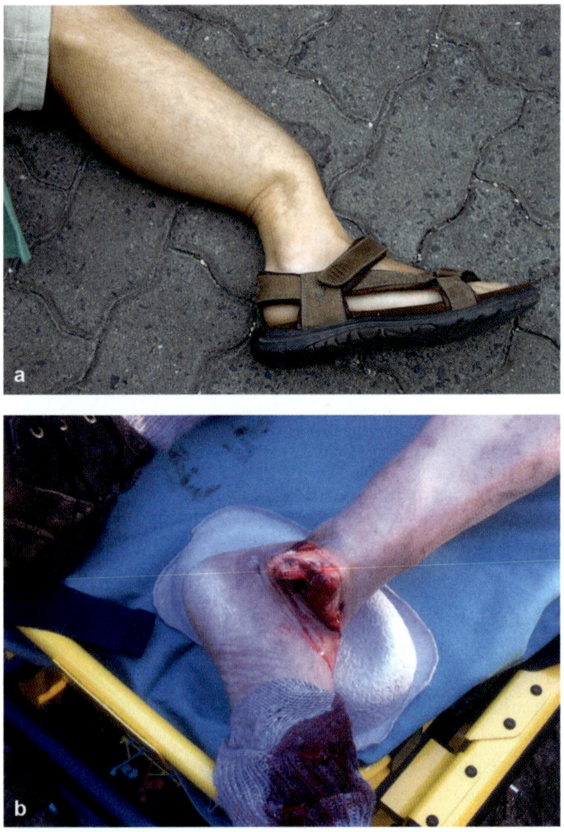

Abb. 31.64 **a)** Unterschenkelschaftfraktur, **b)** Sprunggelenksluxationsfraktur [M235]

chelbrüche sind häufige Frakturen, die infolge Umknickens des Fußes nach außen **(Supinationstrauma)** oder nach innen **(Pronationstrauma)** entstehen können. Begleitende Bänderverletzungen sind die Regel. Knöchelfrakturen lassen sich oft schwer von reinen Bandverletzungen oder Verstauchungen des Sprunggelenks unterscheiden.

Therapie

Die **Basismaßnahme** umfasst die **Fixierung** des betroffenen Unterschenkels in der Vakuummatratze oder Vakuumschiene. Sofern möglich, sollte eine **Kühlung** der geschlossenen Fraktur (insbesondere bei Knöchelfrakturen als typische Sportverletzung) erfolgen.

Achillessehnenruptur

Die Achillessehne reißt zumeist infolge degenerativer Vorschädigung im Rahmen von Bagatelltraumen oder auch ohne besondere Belastung. Bei sportlicher Betätigung tritt die Verletzung typischerweise ohne Einwirkung des Gegners auf. Die Patienten geben einen sich rasch reduzierenden stechenden Schmerz an, evtl. wird auch von einem knallenden Geräusch berichtet. Eine deutliche **Delle** in der oberflächlich verlaufenden Sehne kann getastet werden; die Patienten können sich nicht mehr auf die Zehen stellen.

Therapie

Die **Basismaßnahme** umfasst die bequeme Lagerung der betroffenen Extremität unter Einbeziehung des Patienten. Eine unbedingte Fixierung ist nicht notwendig. Wenn möglich, sollte eine **Kühlung** der Verletzung bereits auf dem Transport erfolgen.

31.10.4 Reposition

Die **Reposition** (Einrenkung) ist eine notfallmedizinische Maßnahme mit dem Ziel, die anatomisch korrekte Lage möglichst gut wiederherzustellen. Sie findet Anwendung bei:

- Fraktur mit Fehlstellung
- Offener Fraktur (→ Abb. 31.65)
- Luxation **mit** neurovaskulärem Defizit
- Luxationsfraktur des oberen Sprunggelenks (Vermeidung von Nerven-, Gefäß- und Weichteilschäden)

Sie ist immer dann durchzuführen, wenn **distal der Fraktur keine oder eine nicht mehr ausreichende Durchblutung** vorgefunden wird. Darüber hinaus sind Motorik und Sensibilität weitere Entscheidungskriterien für eine Reposition dislozierter Frakturen, wenn diese nicht mehr vorhanden sind. **Ziel** soll sein, den sekundären Nervenschaden so gering wie möglich zu halten und eine regelhafte Durchblutung wieder herbeizuführen.

Durchführung

Zunächst muss der Patient über die Maßnahme, Notwendigkeit (mögliche Nerven- und Extremitätenschäden bis hin zum Extremitätenverlust) und das Vorgehen aufgeklärt werden. Eine ausreichende **Analgosedierung** (z. B. mit Fentanyl/Propofol **oder** Esketamin/Midazolam) ist grundlegende Voraussetzung für den Erfolg, denn u. U. verhindert der durch Schmerz stark erhöhte, reflektorische Muskeltonus eine erfolgreiche Reposition. Weiterhin muss als vorbereitende Maßnahmen die **Kleidung** an der betroffenen Extremität **entfernt** werden und passendes **Schienungsmaterial** präpariert und bereitgelegt werden.

Für die anatomischen Reposition wird durch einen Helfer der proximal zur Fraktur liegende Extremitätenabschnitt fixiert, distal der Fraktur nimmt ein anderer Helfer die Extremität unter achsengerechtem Längszug in seine Hände und bringt den distalen Extremitätenabschnitt

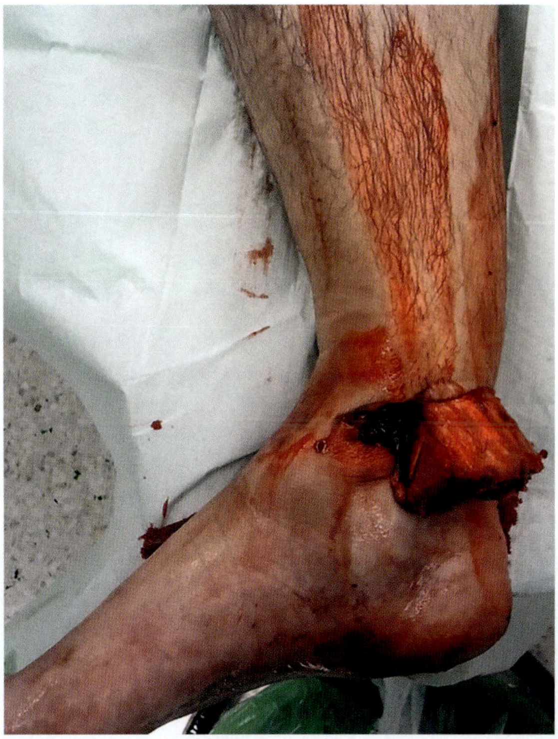

Abb. 31.65 Beispiel für eine offene Sprunggelenkluxationsfraktur, die präklinisch reponiert werden soll [M235]

unter Ausgleich eines vorliegenden Rotationsfehlers in die anatomisch korrekte Lage zurück. Im Anschluss an die Reposition muss die Fraktur geschient werden. Vor und nach der Reposition sowie nach der Schienung muss eine **DMS-Kontrolle** sattfinden (DMS = Durchblutung, Motorik, Sensibilität). Im folgenden Zeitraum der Patientenversorgung und während des Transports sollte alle 5–10 Min. eine DMS-Kontrolle durchgeführt werden. Hilfreich erscheint die Anlage eines **Pulsoxymeters** distal der Fraktur, da hierdurch kontinuierlich die Durchblutung überwacht werden kann.

31.11 Amputationsverletzung

Nur etwa jeder tausendste Notfalleinsatz gilt der Erstversorgung einer Amputationsverletzung. Die entscheidende Bedeutung der rettungsdienstlichen Maßnahmen für den Verletzten erfordert allerdings gerade für diese seltene Situation eine **zielgerichtete Strategie** und **Rettungstaktik,** um ein Maximum an Rehabilitationschancen zu sichern.

Amputationsverletzungen werden unterteilt in:

- **Glatte Amputationen** ohne Quetschverletzung der umgebenden Weichteile
- **Sägeamputationen** mit oberflächlicher Zerreißung der Weichteile
- **Ausrissamputation** mit Dehnungsverletzung insbesondere der Gefäß- und Nervenbahnen
- **Quetschamputation** durch flächige Gewalteinwirkung mit ausgedehntem Weichteilschaden (→ Abb. 31.66)

Im Vordergrund steht zunächst die Abwehr lebensbedrohlicher Risiken, da alle klinischen Maßnahmen zur Replantation nur bei stabilisierten Kreislaufverhältnissen und nach Versorgung bedrohlicherer Verletzungen stattfinden können. Es gilt schon bei der Erstversorgung durch den

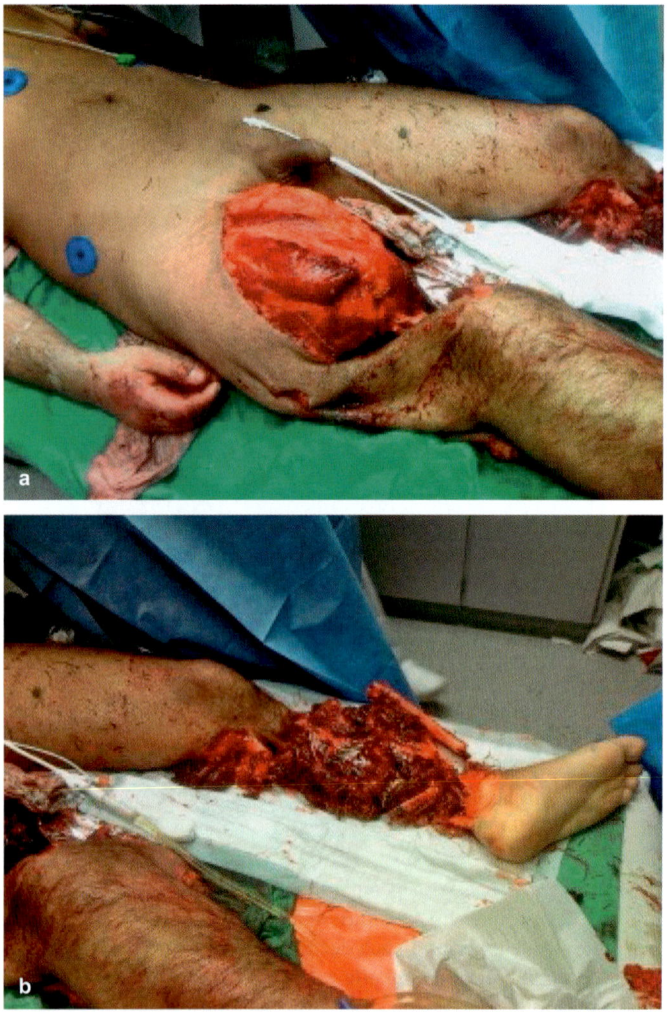

Abb. 31.66 Oberschenkel- (**a**) und Unterschenkelamputation (**b**) (Quetschamputation) [M235]

Rettungsdienst das **Prinzip der Stabilisierung der Vitalfunktionen** vor Einleitung amputationsspezifischer Maßnahmen.

MERKE

Grundprinzip bei der Versorgung Amputationsverletzter:
„Life before limb = Leben vor Gliedmaßen".

Therapie

Die wichtigste **Basismaßnahme** bei Amputationsverletzungen ist die Sicherung der Vitalfunktionen nach ABCDE. Sind diese Funktionen sichergestellt, erfolgt die Versorgung der Amputation.

MERKE

Bei schwerwiegenden Amputationsverletzungen (Arm/Bein) erfolgt die Blutstillung am Stumpf durch das **sofortige Anwenden eines Tourniquets** oder einer passenden Blutdruckmanschette. Druckverbände benötigen in der Anlage meist mehr Zeit, was mit einem erhöhten Blutverlust einhergeht.

Das Setzen von Arterienklemmen oder Abbinden führt i. d. R. zu schweren Gewebeschäden und kann eine Replantation durch Quetschen der Gefäßstümpfe unmöglich machen. Nur in verzweifelten Situationen, bei denen der Tod des Verletzten durch eine spritzende Blutung aus dem Stumpf nicht anders abwendbar scheint, kann man Klemme oder Abbindung rechtfertigen. Dies sind aber extreme Ausnahmesituationen, denn arterielle Blutungen begrenzen sich bei Amputationsverletzungen in aller Regel von selbst, und sogar bei Oberschenkelamputationen gelingt praktisch immer eine ausreichende **Blutstillung** durch ein oder mehrere **Tourniquets** (→ Kap.24.3.2) (→ Abb. 31.67).

Die klinische Unterscheidung von **Mikro- und Makroreplantation,** d. h. Replantation von Fingern, Zehen, Ohren, Nase, Penis einerseits und Unterarm, Unterschenkel, Arm oder Bein andererseits, ist für die Maßnahmen des Rettungsdienstes in der präklinischen Notfallsituation zu vernachlässigen.

Die **Versorgung von Stumpf und Amputat** unterscheidet sich hierbei nicht grundsätzlich. Prinzipiell ist jedoch zu unterscheiden zwischen **totalen Amputationen** mit Unterbrechung der Gewebeverbindung zwischen Verletztem und Amputat und **subtotalen Amputationen,** bei denen zwar Gefäße, Nerven und knöcherne Verbindung durchtrennt sind, aber in irgendeiner Weise doch noch eine Gewebeverbindung zwischen dem „Beinahe-Amputat" und „Beinahe-Stumpf" verblieben ist. Diese Verbindung, wie unbedeutend sie beim ersten rettungsdienstlichen Angriff auch erscheinen mag, muss unter allen Umständen geschont werden und erhalten bleiben. Schädigung durch Lagerung und Transport ist durch entsprechenden Verband, Schienung und andere Maßnahmen auszuschließen. Ein intaktes Stück Haut, eine scheinbar unbedeutende Hautvene in der Gewebebrücke können dem Replantationsteam im Krankenhaus die Wiederherstellung des Verletzten entscheidend erleichtern.

Bei **totalen Amputationsverletzungen** kommt nach Durchführung der Stabilisierung und sterilem Verband des Stumpfes der Sicherung des Amputats besondere Bedeutung zu. Es liegt in der Verantwortung des Einsatzleiters vor Ort, alle nur möglichen Maßnahmen zu ergreifen, um das Amputat (oder die Amputate) zunächst einmal aufzufinden und vollständig sichern zu lassen (z. B. Finger zählen). Das Amputat wird sodann von groben Verschmutzungen oberflächlich gereinigt und trocken steril verbunden in dem inneren Plastikbeutel des Replantbeutels

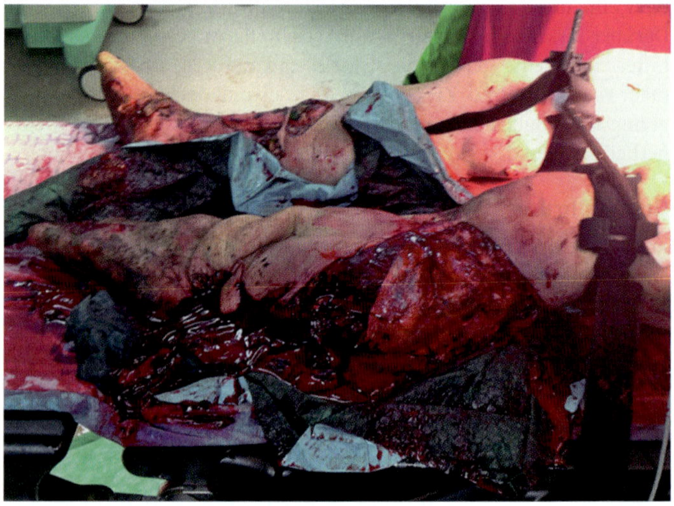

Abb. 31.67 Beidseitige Anlage eines Tourniquets, proximal der Kniegelenke bei subtotaler Amputation beider Oberschenkel mit schwerer Blutung im Rahmen eines Polytraumas [F985-005]

verpackt. Der äußere Beutel wird nun mit Eis oder dem mitgeführten Kühlmittel und Wasser gefüllt (→ Abb. 31.68, → Abb. 31.69). **Keinesfalls** darf das Amputat **nass** transportiert werden. Ungeeignet ist auch die behelfsmäßige Kühlung mit Eis aus Haushaltstiefkühltruhen, die zu Erfrierungsverletzungen am Amputat führen kann. Optimal sind Transporttemperaturen um 2 °C, die durch den beschriebenen Zwei-Beutel-Transport mit einer Eis-Wasser-Mischung erreicht werden können.

Wenn nicht lebensbedrohliche Begleitverletzungen ein Warten auf die Amputatasservierung ausschließen (z. B. Blutung in die Bauchhöhle), soll der Verletzte grundsätzlich zusammen mit dem leitliniengerecht versorgten Amputat in die Klinik gebracht werden. Andernfalls ist das Amputat schnellstmöglich mit einem geeigneten Rettungsmittel nachzusenden.

Zu den **erweiterten Maßnahmen** ist die Anlage mehrerer venöser Zugänge zu zählen. Die konsequente Volumentherapie, eine adäquate Schmerztherapie und die evtl. notwendige Narkoseeinleitung zur Beatmung sind von dem Vorhandensein der venösen Zugänge abhängig.

Transport von Patienten und Amputat

Die chirurgische Versorgung von Amputationsverletzungen mit dem Ziel der Replantation ist nur in **spezialisierten Zentren** möglich. Der Transport des Verletzten mit Amputat ist dringlich und nach Möglichkeit direkt in ein solches Zentrum durchzuführen. Die Rettungsleitstelle sollte frühzeitig, spätestens nach der ersten Lagemeldung durch Rettungsmittel vor Ort, Kontakt mit dem zuständigen Replantationsteam im Krankenhaus herstellen und klären lassen, ob der Verletzte für die i. d. R. außerordentlich zeitaufwendige mikrochirurgische Versorgung aufgenommen werden kann. Der Transport wird sinnvollerweise zumeist mit dem RTH durchgeführt.

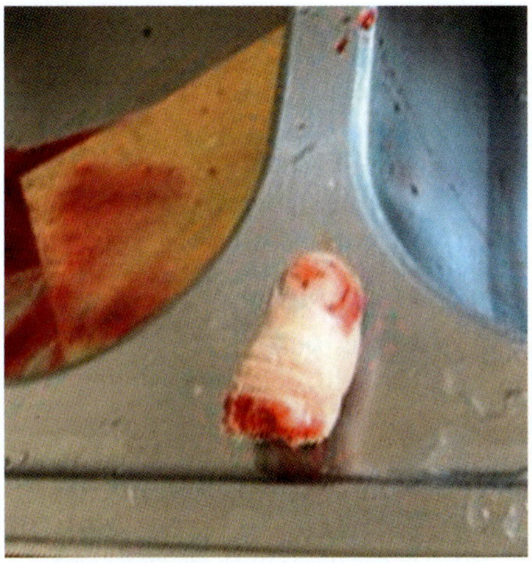

Abb. 31.68 Daumenamputation vor Anwendung des Replantatbeutels [M235]

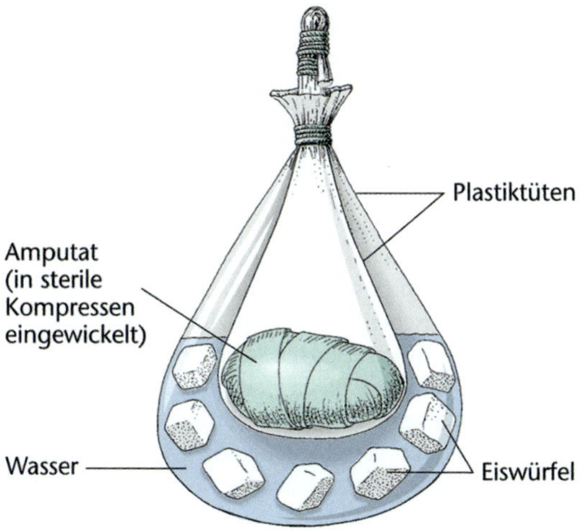

Abb. 31.69 Anwendung des Replantatbeutels (Details im Text) [L190]

MERKE

Selbst bei der **Auswahl der Zielklinik** darf das Prinzip **„Life before limb"** nicht außer Acht gelassen werden. Ist der Patient durch Begleitverletzungen vital bedroht, hat die Versorgung im nächstgeeigneten Krankenhaus absoluten Vorrang. Langstreckentransporte zur Replantation sind dann zu unterlassen.

IM FOKUS

Amputationsverletzungen

Ursachen
- Glatte Amputation
- Sägeamputation
- Ausrissamputation
- Quetschamputation

Symptome
- Totale oder subtotale Amputation (Pulslosigkeit an der verletzen Extremität)
- Blutende Stumpfwunde
- Sichtbarer Amputatstumpf
- Schmerzen
- Funktionsverlust

Maßnahmen

Monitoring
- AF, SpO_2, Rekapillarisierungszeit, Puls (peripher/zentral), RR, BZ, GCS, EKG, Temperatur

Basismaßnahmen und Lagerung
- Direkte Kompression (steriler Druckverband auf der Wunde)
- Indirekte Kompression: Benutzung eines Tourniquets oder Blutdruckmanschette
- Nur grobe Reinigung (Blätter etc.)
- Kein Desinfektionsmittel in die Wunde einbringen.
- Ultima Ratio: Setzen von Arterienklemmen durch den chirurgisch erfahrenen Notarzt
- Penetrierende Fremdkörper in der Wunde belassen.
- Immobilisation der verletzten Extremität (Schienung), anschließend Flachlagerung der verletzten Extremität
- Flachlagerung des Patienten bei Kreislaufinsuffizienz
- O_2-Gabe über Maske mit Reservoir und Nichtrückatemventil 15 l/Min.
- **Subtotale Amputation**
  - Gewebeverbindung zwischen „Beinahe-Amputat" und „Beinahe-Stumpf" muss unter allen Umständen geschont und erhalten werden.
- **Totale Amputation**
  - Amputat auffinden und vollständig sichern.
  - Amputatasservierung nur im Replantatbeutel
  - Keinesfalls das Amputat nass transportieren.
  - Keinesfalls das Amputat „einfrieren".

Erweiterte Maßnahmen
- i. v. Zugänge entsprechend Venenstatus, frühzeitig i. o. Zugangsweg (EZ-IO®) erwägen

Medikamente und Dosierungsempfehlungen

- Analgosedierung i. v./i. o. z. B. mit:
  - 0,25–0,5 mg/kgKG Esketamin (Ketanest-S®) und 1–2 mg Midazolam (Dormicum®)
  - **oder** 0, 5–1 mg/kgKG Ketamin (Ketalar®) und 1–2 mg Midazolam (Dormicum®)
- Infusionstherapie: z. B. 500–1 000 ml balancierte Vollelektrolytlösung (je nach Versorgungskonzept: permissive Hypotension angezeigt/kontraindiziert?)

Notfallamputation

Die Notfallamputation am Einsatzort ist ein äußerst seltenes Ereignis, da die meisten eingeklemmten Extremitäten durch technisches Equipment und Know-how des Einsatzpersonals, das für die technisches Rettung zuständig ist, befreit werden können. Sollte dennoch einmal eine Notfallamputation notwendig werden, sollte dies nach Einleitung einer **Notfallnarkose** durch einen **Chirurgen an der Einsatzstelle** durchgeführt werden. Auf notarztbesetzten Einsatzmitteln kann ein **Amputationsset** vorgehalten werden.

31.12 Herausforderung Polytraumaversorgung

Die Ausführungen in diesem Kapitel sollen verdeutlichen, dass die Schwerverletztenversorgung viele Aspekte umfasst und daher sehr anspruchsvoll ist. Neben den zahlreichen technischen Fertigkeiten sind nicht-technische Fähigkeiten (Teamarbeit), taktische Überlegungen (z. B. richtiges Krankenhaus, richtiges Transportmittel) und ein angemessenes Zeitmanagement wesentlich für den Erfolg.

Weiterhin spielt eine Zusammenarbeit mit anderen Fachdiensten, vor allem der Feuerwehr, eine tragende Rolle. Gerade bei der technischen Rettung bedarf es einem gemeinsamen Verständnis von definierten Begriffen (Sofortrettung, schnelle Rettung, schonende Rettung) und einer guten Kommunikation mit dem Feuerwehreinsatzleiter, weil hier die Patientenversorgung und die technische Rettung parallel ablaufen müssen, ohne dass einer den anderen behindert (→ Abb. 31.70).

DEFINITION

Polytrauma (traditionelle Definition nach Tscherne): mehrere, gleichzeitig entstandene Verletzungen verschiedener **Körperregionen,** von denen eine Verletzung oder deren Kombination lebensbedrohlich ist.
Polytrauma (neuere sog. Berlin-Definition): relevante Verletzungen von mindestens zwei Körperregionen mit einem AIS (Abbreviated Injury Scale) ≥ 3 **und** mindestens einem pathologischen Wert folgender Parameter (abgesehen vom Alter handelt es sich dabei um pathologische Werte):

- Alter > 70 Jahre
- Systolischer Blutdruck < 90 mmHg
- Bewusstlosigkeit am Unfallort (GCS < 9)
- Azidose (BE ≤ 6)
- Koagulopathie (PTT ≥ 40, INR ≥ 1,4)

Barytrauma: schwere, lebensgefährliche Einzelverletzung.
Multisystemtrauma: mehrere gleichzeitig entstandene Verletzungen verschiedener Körpersysteme. Die Körpersysteme sind:

- Kardiovaskuläres System
- Magen-Darm-System
- Muskelsystem
- Nervensystem
- Atmungssystem
- Skelettsystem

Aus rettungsdienstlicher Sicht ist die Berlin-Definition des Polytraumas zwar **nicht vollständig anwendbar,** weil sie erst nach abgeschlossener Diagnostik (d. h. Labor und Bildgebung) im Schockraum erhoben werden kann, jedoch sind das **Alter,** der **Blutdruck** und der **GCS** im Rettungsdienst durchaus zu erheben, sodass die Definition für den Rettungsdienst nicht wertlos ist.

Die neuere Berlin-Definition ist **mortalitätsbasiert,** d. h., sie bezieht **physiologische Probleme** wie Schock und Vigilanz und damit die messbare und erkennbare Auswirkung des Traumas auf den Organismus mit ein. Außerdem wird das Alter des Patienten berücksichtigt. Bei über 70-Jährigen beträgt die Mortalität 38 %. Die Berlin-Definition erlaubt somit einen Rückschluss auf die Verletzungsschwere und die zu erwartende Mortalität, was mit der traditionellen Definition nach Tscherne nicht möglich ist.

Ein Bestandteil der Berlin-Definition ist der sog. **AIS-Code** (engl. **Abbreviated Injury Scale** = vereinfachte Verletzungsskala), der sich als valides Mittel zu Beschreibung der Überlebenswahrscheinlichkeit von Einzelverletzungen etabliert hat.
Hierfür werden **sechs Körperregionen** unterteilt:

- Kopf/Hals
- Gesicht
- Thorax/BWS
- Abdomen/LWS
- Extremitäten/Becken
- Weichteile

und der **Grad der Verletzung** mit den Zahlen 1–6 beschrieben:

- AIS 1 = geringfügig
- AIS 2 = leicht
- AIS 3 = schwer, nicht lebensbedrohlich
- AIS 4 = lebensbedrohlich
- AIS 5 = kritisch, Überleben unsicher
- AIS 6 = tödlich

MERKE

Da sich das Polytrauma als eine Kombinations- oder Mehrfachverletzung verschiedener Körperregionen darstellt, ist sein Schweregrad durch die Verletzungsschwere der beteiligten Körperregionen klassifiziert. Der Schweregrad wird jedoch nicht aus der Summe der Einzelverletzungen, sondern durch die Potenzierung der aus den Einzelverletzungen für den Patienten resultierenden Gefahren bestimmt. Zudem spielen zusätzliche Gefahren, wie etwa die Unterkühlung des Patienten, prognostisch eine wichtige Rolle.

Etwa 30 000 Menschen erleiden pro Jahr in Deutschland eine schwere Verletzung. Es wird zu Recht gesagt, dass das **Polytrauma** unter medizinischen und taktischen Gesichtspunkten eine der größten Herausforderungen der präklinischen Notfallmedizin darstellt. Aber warum ist die Versorgung von Schwerverletzten so anspruchsvoll? Warum werden Fehler gemacht? Warum wird oft zu viel Zeit benötigt? Warum gelangen Patienten in eine ungeeignete Klinik? Um diese Fragen zu beantworten, wird das Thema hier von verschiedenen Seiten betrachtet, ohne einen Anspruch auf Vollständigkeit zu erheben:

- SSS und X-ABCDE
- Nicht-technische Fähigkeiten (Teamleitung, Teammitarbeit)
- Luftrettung
- Zeitmanagement

Abb. 31.70 Eingeklemmte Person durch umgestürzte Stahlträger [M235]

a), b) Untere Extremitäten frakturiert, Stahlträger liegt auf Becken und Oberschenkel. Der Oberkörper wird gegen ein Stahlgeländer gedrückt. Der Kopf kann nicht rekliniert werden.

c) Nachdem das Geländer im Rücken des Patienten abgeflext wurde, kann der Patient intubiert und beatmet werden.

d), e) Anschließend werden die Stahlträger entfernt.

f), g) Unter Sicherung des Endotrachealtubus wird der Patient mit der Schaufeltrage befreit und auf die Trage umgelagert.

h) Vollständige Entkleidung und Untersuchung des Patienten nach Rettung aus der Einklemmung.

31.12.1 Erforderliche Fertigkeiten (Procedural Skills)

Auch – und gerade – bei der Polytraumaversorgung ist es von besonderer Bedeutung, **strukturiert und prioritätenorientiert** zu untersuchen und zu behandeln. Das Rettungsfachpersonal beurteilt im Sinne des Eigenschutzes die Szene, Sicherheit sowie Situation (SSS, → Kap. 17.1.2) und widmet sich erst dann der Behandlung des Patienten. Im Anschluss an die Beurteilung der Einsatzstelle und der Kinematik, die auf den Patienten eingewirkt hat, wird gemäß dem Prinzip der Untersuchung des Patienten und der Behandlung von Problemen nach der **X-AB-CDE**-Regel vorgegangen. Dabei stehen freie Atemwege, die Atmung und der Kreislauf (ABC-Probleme) im Vordergrund (→ Kap. 31.1).

Die Herausforderung für das Rettungsfachpersonal besteht darin, dass – je nach Einzelfall – eine Vielzahl von speziellen Maßnahmen erforderlich werden, die vom Rettungsfachpersonal nur **selten** angewendet werden und nun unter **Zeitdruck** erfolgen müssen. Die erforderlichen Fertigkeiten sind:

- **Blutungskontrolle:** direkter Druck auf die Wunde, Druckverband, Tourniquet, Hämostyptika, Beckenschlinge, Tranexamsäure
- **Intraossärer Zugang:** als Alternative zum i. v. Zugang (beim Traumapatienten oft auch in der eher ungewohnten Insertionsstelle proximaler Humerus, etwa bei Einklemmung oder Verletzungen der unteren Extremitäten)
- **Reposition** von Frakturen und Luxationen
- **Präklinische Notfallnarkose** (z. B. Kenntnis der DGAI-Handlungsempfehlung, → Kap. 22)
- **Präklinisches Airway-Management:** Kenntnis der DGAI S1-Leitlinie, (→ Kap. 18) und Beherrschung beispielsweise der Videolaryngoskopie oder der Notfallkoniotomie
- **Maschinelle Beatmung:** Beherrschung des Beatmungsgeräts. Wer wird wie beatmet? Beatmungsprobleme erkennen und behandeln können (→ Kap. 19).
- **Nadeldekompression:** Kenntnisse zur Pleurapunktion, Kenntnis der **Minithorakotomie** und **Thoraxdrainage** (→ Kap. 31.5)
- Umgang mit **Schaufeltrage, Vakuummatratze, Spineboard, starren Zervikalstützen** (Kenntnis z. B. vom „Dänischen Algorithmus", dem „E. M. S. Immo Protocol" oder der „Immo-Ampel")
- Kenntnis und Anwendung von Strategien, z. B. **permissive Hypotension** (Für wen, für wen nicht?)

Diese **Fertigkeiten** sind so komplex, dass sie zum Teil eigene Kapitel in diesem Buch ausfüllen. Sie **müssen regelmäßig trainiert und geübt werden.** Zugleich erfordern sie, dass jeder Mitarbeiter seine Arbeitsumgebung bestens kennt und nicht erst überlegen muss, wo sich dieses oder jenes im Rucksack oder im Fahrzeug finden lässt. Nicht umsonst verwenden Rettungsdienste **Standard Operating Procedures (SOP)** für vorbestimmte Maßnahmen, etwa die Notfallnarkose. Je dringender die Situation ist, desto wichtiger sind Standard Operating Procedures (SOP) und umso mehr sollte man persönliche Ansichten zurückstellen. Zertifizierte Trauma-Kursformate sind hierfür als Fortbildung hilfreich und wichtig.

31.12.2 Erforderliche Fähigkeiten (Non-Technical Skills, NTS, NOTECHS)

Die in → Kap. 31.12.1 genannten Fertigkeiten sind für eine erfolgreiche Schwerverletztenversorgung wichtig. Neben der Beherrschung von praktischen Fertigkeiten und dem fachlichen Können und Wissen des Rettungsfachpersonals ist die Fähigkeit zu effektiver und zielführender Kooperation und Kommunikation der einzelnen Teammitglieder ganz entscheidend für den Erfolg der Patientenversorgung (→ Kap. 11.3.2).

MERKE

Die Patientenversorgung wird nicht von „Einzelkämpfern" erbracht, sondern sie bedarf einer effektiven Arbeitsleistung des Teams.

DEFINITION

Die **nicht-technischen Fertigkeiten,** die auch als **Non-Technical Skills** (NOTECHS, NTS) bezeichnet werden, sind definiert als die kognitiven und zwischenmenschlichen Fertigkeiten, die zur effektiven Arbeitsleistung des Teams beitragen. Es wird geschätzt, dass 70–80 % der Zwischenfälle im Gesundheitswesen auf einem Mangel an diesen Fertigkeiten beruhen.

Teamleitung

Es besteht Einigkeit, dass ein guter Teamleiter Führungsqualitäten aufweisen sollte. Uneinigkeit besteht jedoch darüber, wie man Führungsqualitäten definiert. Es gibt einen gemeinsamen Nenner:

MERKE

Ein guter Teamleiter sollte Überblick über die gesamte Situation haben.

Das ist im Rahmen einer Polytraumaversorgung nicht einfach, denn i. d. R. wird der Notarzt, zumindest nach seinem Erscheinen an der Einsatzstelle, die Teamleitung innehaben. Bestimmte Maßnahmen kann er delegieren, andere wird er selbst durchführen, etwa die Intubation des Patienten oder die Anlage einer Thoraxdrainage. Hier den Überblick zu behalten, ist schwierig.

MERKE

Es bedarf daher guter Teammitglieder, die effektiv kommunizieren.

Die Fähigkeiten, die einen guten Teamleiter ausmachen, sind beispielsweise:

- Er teilt dem Team mit, **was geplant ist**, und verteilt Aufgaben an die Teammitglieder.
- Er teilt dem Team mit, welches der **Plan B** bei Problemen ist, z. B.: „Wenn die Intubation im zweiten Anlauf nicht gelingt, möchte ich eine Larynxmaske Größe 5 haben. Bitte bereite diese daher mit vor." Oder z. B.: „Wenn die Uniklinik in X-Stadt uns ablehnt, dann frage nach, ob die BG-Klinik in Z-Stadt den Patienten aufnimmt."
- Er behält den **Überblick** und achtet darauf, ob **Maßnahmen erfolgreich durchgeführt** werden bzw. ob sie überhaupt durchgeführt werden. Beispiel: „Ich sehe, dass die Venenpunktion nicht gelingt, lass mal den XY schauen, der hat da viel Erfahrung." Oder: „Der Patient hat offenbar schlechte Venenverhältnisse, lass uns stattdessen einen intraossären Zugang legen." Oder: „Hat die Anmeldung des Patienten im Traumazentrum geklappt?"
- Er **antizipiert** und **plant anstehende Maßnahmen im Voraus,** damit Teammitglieder Zeit haben, den Auftrag umzusetzen. Das gilt vor allem dann, wenn die Vorbereitung bestimmter Dinge Zeit in Anspruch nimmt. Beispiel: „XY, bereite bitte schon mal im RTW die Notfallnarkose und Beatmung gemäß unserer SOP vor, während wir den Patienten aus dem Fahrzeug retten und umlagern." Oder: „XY, wir brauchen hier einen Rettungshubschrauber für den Transport, die Leitstelle soll einen organisieren, während wir den Patienten hier versorgen."

Teammitarbeit

Wie oben angedeutet wurde, bedarf es neben einem guten Teamleiter auch guter Mitarbeiter. Insbesondere, wenn der formale Teamleiter (der Notarzt) noch unerfahren ist, sind eine gute Mitarbeit und eine Unterstützung durch erfahrene Mitglieder des Teams wichtig und wertvoll. Die Fähigkeiten, die gute Teammitglieder ausmachen, sind z. B.:

- Sie geben **Rückmeldungen** an den Teamleiter und **kommunizieren** effektiv. Beispiel: „Ich schaffe es nicht, den zweiten Zugang zu legen. Ich brauche hier Hilfe." Oder: „Achtung, der Blutdruck ist gerade 80/50, soll ich da was machen?"
- Sie **achten** auch auf Ihre Kollegen und bieten Hilfe an (auch, aber nicht nur, wenn Probleme auftauchen). Beispiel: „Ich sehe gerade, dass du die Medikamente für die Narkose noch nicht fertig hast. Ich helfe dir mal eben." Oder: „Doc, soll der Patient Tranexamsäure bekommen?"
- Sie arbeiten **ruhig, konzentriert und zügig.** Aufgaben werden ohne Diskussionen befolgt, außer es gibt berechtigte Bedenken um die Patientensicherheit.
- Sie **passen sich an Änderungen** der Situation an. So unterbricht ein Teammitglied z. B. seine Tätigkeit, weil der Patient plötzlich erbricht.
- Sie **antizipieren,** genau wie ein guter Teamleiter, und **denken voraus.** Beispiel: „Soll ich für den Patienten schon mal einen Platz im Traumazentrum organisieren?" Oder: „Sollten wir für diesen Patienten einen Hubschrauber anfordern?"

31.12.3 Luftrettung

Schwerverletzte Patienten profitieren, wenn sie **rasch** und direkt in das **nächstgelegene** Krankenhaus transportiert werden, welches für die medizinische Versorgung ihrer Verletzungen **geeignet** ist (siehe dazu das Fallbeispiel in → Kap. 31.12.4). Gerade in ländlichen Regionen ist der Rettungshubschrauber meist das Transportmittel der Wahl, weil bodengebundene Transporte in ein Krankenhaus der Maximalversorgung dort häufig erheblich mehr Zeit beanspruchen. Dies gilt zumindest für den Fall, dass ein Rettungshubschrauber nachgefordert werden muss. So zeigte eine Studie, dass die präklinischen Versorgungszeiten von der **Dispositionsstrategie** abhängig waren.

Die **kürzesten Versorgungszeiten** waren festzustellen, wenn **Parallelalarmierungen** von RTW und RTH als alleiniges notarztbesetztes Rettungsmittel erfolgten. Bei **sequenzieller Alarmierung** von RTW, Nachalarmierung NEF und anschließender Nachalarmierung RTH waren die **Versorgungszeiten** hingegen **am längsten.** Die Studie kam weiterhin zu dem Ergebnis, dass Regionen ohne ein eigenes Luftrettungsmittel eine Inhomogenität bei der Einsatzdisposition und -strategie aufweisen, die auf ein nicht ausreichend koordiniertes Nebeneinander von boden- und luftgebundener Rettung deuten. Dies weist darauf hin, dass die Alarmierung von Luftrettungsmitteln nicht in allen Rettungsdienstbereichen klar geregelt ist und technische Möglichkeiten zur **georeferenzierten Anzeige** einsatzbereiter Luftrettungsmittel noch nicht standardmäßig genutzt wurden.

31.12.4 Zeitmanagement

Die S3-Leitlinie Polytrauma betont, dass die Versorgung von Schwerverletzten **zeitkritisch** ist. Das heißt aber **nicht,** dass zugunsten einer kurzen Prähospitalzeit auf lebensrettende Interventionen verzichtet werden soll. Bestimmte Maßnahmen, beispielsweise die chirurgische Blutstillung in den Körperhöhlen, können üblicherweise aber erst in der Klinik durchgeführt werden kann. Das Eckpunktepapier zur notfallmedizinischen Versorgung der Bevölkerung empfiehlt eine **Prähospitalzeit** von maximal 60 Min. Dies umfasst die Zeitspanne vom Notfallereignis bis zum Erreichen der Klinik. Für den Rettungsdienst ist die Versorgungszeit also kürzer, denn die Anfahrt/der Anflug zur Einsatzstelle und der Transport zur Klinik sind in den 60 Min. enthalten. Für manche Patientengruppen ist sogar ein schnellerer Transport besser, z. B. bei penetrierenden Verletzungen und schweren Schädel-Hirn-Traumata. Solche Verletzungen können in kürzester Zeit eine operative Behandlung erfordern. Bei diesen Patienten sind 60 Min. Prähospitalzeit oftmals **viel zu lang.**

Die Herausforderung besteht darin, für den einzelnen Patienten zu erkennen, welche Maßnahmen er vor Ort benötigt, und mit welchem Rettungsmittel er wann wohin transportiert werden soll.

Die folgende reale Kasuistik verdeutlicht, wie schnell man in die Irre geführt werden kann.

FALLBEISPIEL (DEUTSCHLAND)

An einem warmen, trockenen Tag im Spätsommer werden RTW und NEF gegen 13 Uhr zu einem Verkehrsunfall in ländlichem Gebiet disponiert. Ein Pkw ist in einer Kurve gegen einen Baum geprallt. Das Auto fing Feuer, dies wurde aber rasch durch Ersthelfer gelöscht. RTW und NEF haben eine Anfahrt von etwa 12 Min. Von der Einsatzstelle aus benötigen RTW/NEF etwa 25 Min. ins nächste überregionale Traumazentrum. Beim Eintreffen von RTW und NEF sind Polizei und Feuerwehr schon vor Ort, die Einsatzstelle ist sicher. Das Team erhebt folgende Befunde:

- Eingeklemmte Frau, 24 Jahre alt
- A: frei
- B: Atemfrequenz 24/Min., Lunge beidseits belüftet, Brustschmerz beim Atmen, Sauerstoffsättigung vor Sauerstoff-Gabe 94 %, danach 98 %
- C: stumpfes Abdominaltrauma, Puls ca. 110/Min, Haut kühl und blass
- D: GCS von 15, Pupillen beidseits isokor, mittelweit, lichtreagibel
- E: Patientin weist im Bereich der Arme und des Rumpfes zweitgradige Verbrennungen auf, geschätzt 15–20 % KOF.

Nach einer Rettungszeit von 15 Min., während der die Patientin mit Sauerstoff, Monitoring, i. v. Zugang und Schmerzmittel versorgt wird, kann sie in den RTW gebracht werden. Im RTW hat sie einen Blutdruck von 90/60 mmHg, der Puls beträgt 115/Min. Die Atemfrequenz ist unverändert um 25/Min. Der Notarzt entscheidet sich nun, einen Rettungshubschrauber anzufordern, damit die Patientin ins nächstgelegene Brandverletztenzentrum geflogen wird. Der RTH hat eine Anflugzeit von 20 Min. und benötigt etwa 35 Min. Flugzeit ins Brandverletztenzentrum.

Epikrise

Die Patientin hatte ein thermomechanisches Kombinationstrauma, eine Kombination aus thermischem Trauma und „chirurgischen" Begleitverletzungen. Die Arbeitsdiagnosen lauteten: Thoraxtrauma, stumpfes Abdominaltrauma mit Schocksymptomatik sowie eine auf 15–20 % Körperoberfläche geschätzte Brandverletzung II°. Somit bestand hier eine hohe Wahrscheinlichkeit, dass eine chirurgische Intervention zur Blutungskontrolle erforderlich sein könnte.

Durch die Anflugzeit des RTH von 20 Min., Übergabe der Patientin, Umladen in den Hubschrauber und 35 Min. Flugzeit ins Brandverletztenzentrum erreichte die Patientin in diesem Fall etwa 70 Min. nach RTH-Anforderung (etwa 100 Min. nach Unfall) die Zielklinik, anstatt innerhalb von 25 Min. Die Patientin verstarb im schweren hämorrhagischen Schock im OP der Zielklinik. Das thermomechanische Kombinationstrauma war verkannt worden und die Brandverletzung wurde priorisiert. Richtig wäre es gewesen, die Patientin zur nächstgelegenen geeigneten Klinik zu transportieren.

IM FOKUS

Polytrauma

Ursachen

- Einwirkung starker Gewalt auf den Körper mit lebensgefährlicher Verletzung verschiedener Körperregionen, z. B. durch:
  - Verkehrsunfall (Hochrasanztrauma, Motorradunfall)
  - Person von Pkw angefahren
  - Sturz aus großer Höhe

Symptome

- Die Symptome sind abhängig vom individuellen Verletzungsmuster und Verletzungsumfang der betroffenen Körperregionen. Die häufigsten Symptome sind:
  - Schockzeichen: erhöhte AF; feuchte, kalte, blasse Haut; Lippen- und Akrenzyanose; verzögerte Rekapillarisierung; peripher schlechter tachykarder Puls
  - Starke Schmerzen
  - Bewusstseinsstörungen bis Bewusstlosigkeit
  - Dyspnoe
  - Zeichen von Frakturen
  - Anzeichen eines SHT, einer Thorax-, Abdominal-, Becken- und/oder Extremitätenverletzung

Maßnahmen

Monitoring

- AF, SpO_2, Rekapillarisierungszeit, Puls (peripher/zentral), RR, BZ, GCS, EKG, Temperatur

Basismaßnahmen und Lagerung

- Starke äußere Blutungen stillen
- Freimachen und Freihalten der Atemwege, initial manuelle HWS-Immobilisation
- Ausreichende Oxygenierung sicherstellen, z. B. initial O_2-Gabe über Maske mit Nichtrückatemventil und Reservoir 15 l/Min. oder Beatmungsbeutel mit Demand-Ventil bzw. Reservoir
- Offene Wunden nur steril abdecken, Fremdkörper in Wunde belassen.
- Immobilisation der Halswirbelsäule mit starrer Zervikalstütze (z. B. Stifneck®) und zusätzliche Wirbelsäulenimmobilisation (Combi-Carrier®, Vakuummatratze, Spineboard)
- Bewusstseinsklarer Patient: Lagerung je nach Befund (s. einzelne Krankheitsbilder), meist Flachlagerung v. a. bei Schockzeichen
- Bewusstloser Patient: Lagerung je nach Befund (s. einzelne Krankheitsbilder)
- Schienung von Frakturen unter achsengerechtem Längszug
- Umlagerung und Transport unter Immobilisation der Wirbelsäule
- Transport vorzugsweise in Vakuummatratze mit Head-Blocks oder vergleichbaren Mitteln (ggf. plus starrer Zervikalstütze). Combi-Carrier® oder Spineboard nur nutzen, wenn ein deutlicher Zeitgewinn aus der Anwendung resultiert
- Wärmeerhalt (s. auch Volumentherapie!)

Erweiterte Maßnahmen

- i. v. Zugänge entsprechend Venenstatus, frühzeitig i. o. Zugangsweg (EZ-IO®) erwägen.
- Frühintubation und Beatmung (Narkose)
- Eventuell umgehende Entlastung des Spannungspneumothorax
- Keine zeitaufwendige Versorgung von Bagatelltraumen an der Einsatzstelle

Medikamente und Dosierungsempfehlungen

- Analgosedierung zur Rettung/Umlagerung i. v./i. o. z. B. mit:
  - 0,25–0,5 mg/kg KG Esketamin (Ketanest-S®) **plus** 1–2 mg Midazolam (Dormicum®)
  - oder 0,5–1 mg/kg KG Ketamin (Ketalar®) **plus** 1–2 mg Midazolam (Dormicum®)
- Infusionstherapie: z. B. 500–1 000 ml angewärmte balancierte Vollelektrolytlösung i. v. (je nach Versorgungskonzept: permissive Hypotension angezeigt/kontraindiziert?)
- Ggf. 1 g Tranexamsäure über 10 Min.
- Bei Kreislaufdepression und **Kontraindikation** für permissive Hypotension: Einsatz von Akrinor® **oder** Noradrenalin (Arterenol®) 1 : 100 000 oder über Spritzenpumpe i. v./i. o. ergänzend zur Volumengabe möglich

Notfallnarkose und Beatmung

- Narkoseeinleitung i. v./i. o. z. B. mit:
  - 1 mg/kg KG Esketamin (Ketanest-S®) **oder** 2 mg/kg KG Ketamin (Ketalar®)
  - **plus** 0,1–0,2 mg/kg KG Midazolam (Dormicum®)
  - **plus** 1–1,5 mg/kg KG Succinylcholin **oder** 1 mg/kg KG Rocuronium (Esmeron®)
- Beatmung nach Kapnografie steuern: VCV/PCV/PRVC, (→ Kap. 19.2.1) $etCO_2$ 35–40 mmHg, nur wenn begleitend SHT mit **Einklemmungszeichen** (Hirndruck): Hyperventilation mit Ziel-$etCO_2$ 25–30 mmHg

Einsatztaktik

- Transport möglichst in überregionales Traumazentrum
- Rechtzeitig Hubschraubertransport antizipieren, vor allem in ländlichen Regionen

31.13 Prozeduren im Umfeld des traumatisch bedingten Kreislaufstillstands (TCA)

Seit vielen Jahren beträgt die Zeitspanne zwischen Unfallzeitpunkt und Eintreffen in der Klinik bei schwerverletzten Patienten in Deutschland etwa 60 Min. Das bedeutet einerseits, dass es für einige Patienten zu lange dauern würde, sie der Behandlung in einer geeigneten Klinik zuführen – sie versterben vorher. Andererseits wird zunehmend die Frage gestellt, ob nicht komplexere **Vorgehensweisen (Prozeduren, engl. procedure)** am Unfallort in Einzelfällen mehr Erfolg versprechen könnten.

Seit einigen Jahren ist dieser Trend zu immer komplexeren Prozeduren auch im Rettungsdienst erkennbar. Diese Prozeduren sind mittlerweile in verschiedenen Leitlinien (z. B. ERC-Algorithmus für den traumatisch bedingten Kreislaufstillstand) aufgeführt und werden darüber hinaus auch im deutschen Rettungsdienst vereinzelt angeboten.

Neben den Prozeduren im Rahmen des **traumatisch bedingten Kreislaufstillstands** (traumatic cardiac arrest, TCA, → Kap. 31.13.1) sind es bei Traumapatienten folgende Prozeduren:

- Die **Clamshell-Thorakotomie** (Resuscitative Thoracotomy, RT bzw. Prehospital Resuscitative Thoracotomy, PHRT, → Kap. 31.13.6)
- **REBOA** (Resuscitative Endovascular Balloon Occlusion of the Aorta, → Kap. 31.13.7)
- **Bluttransfusionen** (inklusive Gabe von Gerinnungspräparaten wie Fibrinogen, PPSB, → Kap. 31.13.8)

31.13.1 Traumatisch bedingter Kreislaufstillstand (TCA)

Auch heute noch wird die Herangehensweise beim traumatisch bedingten Kreislaufstillstand **(TCA, traumatic cardiac arrest)** kontrovers betrachtet. Lange galten Reanimationen beim traumatisch bedingten Kreislaufstillstand ziviler Patienten als aussichtslos. Überlebte der Patient den Kreislaufstillstand, ging man von einer hohen Rate an bleibenden neurologischen Behinderungen aus. Manche betrachteten daher

Diese Aussagen dürfen nicht missverstanden werden. Bei der Hypoxie bzw. Asphyxie als TCA-Ursache sind neben einer Atemwegssicherung und Beatmung mit möglichst viel Sauerstoff auch die Thoraxkompressionen wichtig, um das oxygenierte Blut im Körper zu verteilen. Sie führt aber nicht zum Erfolg, wenn man – wie bei der „internistischen" Reanimation – erst Thoraxkompressionen durchführt und die Atemwegssicherung/Beatmung später erfolgt. Selbstverständlich kann auch eine isolierte Contusio cordis zum Kreislaufstillstand geführt haben. Aber auch hier sind Beatmung und Thoraxkompressionen zielführend.

Eine weitere Besonderheit ist die sog. **impact brain apnoea (IBA)**. Hier kann es im Rahmen eines Schädel-Hirn-Traumas zu einer mehr oder weniger langen Zeitdauer eines Atemstillstands kommen. Auch nach Freimachen des Atemwegs wird keine Spontanatmung einsetzen, was die IBA vom SHT mit Bewusstlosigkeit und mechanischer Verlegung der oberen Atemwege unterscheidet. Patienten mit IBA sollen insgesamt eine gute Prognose haben, wenn sie überbrückend beatmet werden, weil der IBA kein struktureller Hirnschaden zugrunde liegt.

Es obliegt also dem traumatologischen/medizinischen Einzelfall, ob Thoraxkompressionen zielführend sind oder ob sie gerade die Behandlung reversibler Ursachen behindern oder verzögern.

MERKE

Auch beim traumatischen Kreislaufstillstand (TCA) soll ein aufeinanderfolgendes therapeutisches Vorgehen gewählt werden (→ Kap. 31.1.1):

- **Blutstillung** bei massiven äußeren Blutungen (→ Kap. 31.13.3 und Kap. 30.10.1)
- **Atemwegssicherung** (→ Kap. 18 und → Kap. 19)
- Bilaterale **Pleuradekompression** (Minithoraktotomie) (→ Kap. 31.5.2 und → Kap. 31.13.5)
- Externe **Beckenstabilisierung** (Beckenschlinge, Beckengurt) (→ Kap. 31.9.2)
- **Blutprodukte** sowie in bestimmten Konstellationen (→ Kap. 31.13.8)
- Notfallthorakotomie zur Beseitigung einer Perikardtamponade (→ Kap. 31.13.5) und proximalem Aortenclamping (→ Kap. 31.13.6) oder REBOA (→ Kap. 31.13.7)

(nach S3-Leitlinie Schwerverletzten-Behandlung, 2022)

Die dabei bedeutsamen reversiblen Ursachen des traumatischen Kreislaufstillstands sind:

- Hypovolämie und Hämorrhagie (→ Kap. 31.13.3, → Kap. 31.13.7, → Kap. 31.13.8)
- Hypoxie (→ Kap. 31.13.4)
- Spannungspneumothorax (→ Kap. 31.13.4)
- Perikardtamponade (→ Kap. 31.13.5, → Kap.31.13.6)

31.13.3 Hypovolämie als reversible Ursache des TCA

In 48 % aller traumatischer Kreislaufstillstände (TCA) ist ein Blutverlust Ursache für den Kreislaufstillstand. Zur Behandlung des schweren hypovolämischen Schocks gehören verschiedene Maßnahmen. **Das wichtigste Ziel ist dabei das verzögerungsfreie Erreichen einer Blutstillung.** Für den Rettungsdienst bedeutet dieses Prinzip traditionell, dass der Patient in eine Klinik gebracht werden muss, da nur dort i. d. R. eine operative Blutstillung möglich ist. Einige spezialisierte Rettungsdienste bieten jedoch bereits komplexe Prozeduren, wie Clamshell-Thorakotomie, REBOA und die präklinische Bluttransfusion (inkl. Gerinnungsfaktoren) an, um Behandlungsoptionen, die bislang der Klinik vorbehalten waren, zum Patienten zu bringen.

Blutungskontrolle

Extremitätenblutungen können in der Regel als **äußere Blutungen** durch manuelle Kompression, Druckverbände, Wundtamponaden („packing") und ggf. Hämostyptika gut beherrscht werden, sowohl in der Militärmedizin als auch im zivilen Rettungsdienst. Das „packing" bedeutet sinngemäß „Ausstopfen" der Wunde mit blutstillender Gaze (Hämostypika). Falls diese Maßnahmen nicht ausreichen oder von vorneherein verworfen werden müssen, können an den Extremitäten auch Tourniquets angelegt werden. Somit gibt es mehrere Möglichkeiten, schwere äußere Blutungen zu stoppen (zu „kontrollieren"). Zu den Behandlungsprinzipien von Extremitätenblutungen siehe auch → Kap. 31.10.1.

Die überwiegende Anzahl der Traumapatienten, die in den zivilen Rettungsdiensten Europas lebensbedrohliche Blutungen aufweisen, erleiden jedoch **innere Blutungen des Körperstamms** oder **körperstammnahe Blutungen (NCTH,** non-compressible torso haemorrhage oder **NCH,** non-compressible haemorrhage), **die von außen nicht komprimierbar sind.** Interessanterweise machen Blutungen der Extremitäten auch bei militärischen Einsätzen den geringsten Teil der tödlichen Blutungen aus.

MERKE

Nichtkomprimierbare Körperstammblutungen entstehen durch Verletzungen der Rumpfgefäße, des Lungenparenchyms, der soliden Bauchorgane oder durch Blutgefäße im Becken.

Da **Blutungen nach innen (NCTH)** nicht durch direkten Druck oder das Anlegen von Druckverbänden kontrolliert werden können, ist die Sterblichkeit hoch. Etwa die Hälfte dieser Patienten erreichen die Klinik gar nicht erst bzw. versterben im Schockraum.

Mit Ausnahme der Beckenschlinge gibt es keine einfach durchzuführende Möglichkeit, präklinisch eine Blutungskontrolle einzuleiten – und selbst diese nützt natürlich nur bei Beckenringfrakturen. Bislang bestehen die Handlungsoptionen also im Wesentlichen darin, Verbände oder Tourniquets und ggf. eine Beckenschlinge anzulegen, Tranexamsäure zu verabreichen, eine permissive Hypotension hinzunehmen und den Patienten **zügig** in die nächste geeignete Klinik zu transportieren.

ACHTUNG! Suche nach Blutungsquellen

Traumapatienten müssen in angemessener Weise entkleidet werden, um nach äußeren Blutungen zu suchen. Das wird im Einzelfall bedeuten, dass der Patient vollständig entkleidet werden muss, entweder an der Einsatzstelle oder im RTW. Für das Entdecken penetrierender Verletzungen ist eine Inspektion der Körperrückseite wichtig!

Intraossäre Zugänge beim Trauma

MERKE

Bei Traumapatienten, bei denen ein venöser Zugang nicht gelingt, soll ein intraossärer Zugang zur Infusions- und Medikamententherapie gelegt werden.

Bei Patienten mit Verletzungen im Bereich

- der Oberschenkel,
- des Beckens und/oder
- des Abdomens

sollten dabei **keine intraossären Zugänge distal der Verletzung** (also in der Tibia) genutzt werden. Hier besteht die Gefahr, dass Infusionslösungen und Medikamente nicht den systemischen Kreislauf erreichen, sondern durch weiter proximal lokalisierte Gefäßverletzungen austreten. Auch der Hersteller der EZ-IO weist in seinem Anwenderhandbuch darauf hin, dass bei den oben beschriebenen Verletzungen **bevorzugt der proximale Humerus** und das Sternum (nur mit zugelassenem System in der Militärmedizin!) genutzt werden sollen. Als Vorteile für diese Insertionsstelle werden u. a. angegeben, dass applizierte Medikamente innerhalb von 3 Sek. das Herz erreichen, die Flussrate für Infusionen durchschnittlich 5 l/Std. beträgt und bislang keine Berichte über ein Kompartmentsyndrom nach intraossärer Kanülierung an dieser Stelle vorliegen.

PRAXISTIPP

Für die Insertionsstelle proximaler Humerus mit der EZ-IO wird bei Erwachsenen stets die gelbe 45-mm-Kanüle verwendet.

31.13.4 Hypoxie als reversible Ursache des TCA

In 13 % aller TCA ist eine Hypoxie Ursache für den Kreislaufstillstand. Eine häufige Ursache ist die Verlegung der oberen Atemwege im Rahmen eines schweren Schädel-Hirn-Traumas. Die Grundpfeiler zur Behandlung der Hypoxie sind ein **effektives Atemwegsmanagement** und eine **suffiziente Beatmung.**

Effektive Beatmung

Erforderliche Maßnahmen sind:

- Absaugen der Atemwege
- Inspektion der Atemwege durch direkte Laryngoskopie
- Inspektion des Halses auf der Suche nach äußeren Hinweisen für Verletzungen
- Kontrolle der korrekten Tubuslage beim intubierten Patienten durch Auskultation und Kapnografie

Die Kapnografie ist dabei unverzichtbar. Von der DGAI wird eine **100-prozentige** Kapnografierate gefordert, um die Beatmung kontrolliert normokapnisch durchführen zu können. Zu beachten ist dabei jedoch, dass der $etCO_2$ im Rahmen von Hypotensionen und hohem Blutverlust vom arteriellen CO_2-Partialdruck ($paCO_2$) deutlich abweichen kann.

MERKE

*„Die Kapnometrie/-grafie soll prähospital im Rahmen der endotrachealen Intubation zur Tubuslagekontrolle und danach zur **Dislokations- und Beatmungskontrolle** angewendet werden."*
(S3-Leitlinie Schwerverletzten-Behandlung, 2022)

Die ERC-Leitlinien heben hervor, dass die Intubation bei Traumapatienten eine anspruchsvolle Prozedur ist und bei Ungeübten oft mit einer **hohen Misserfolgsrate** einhergeht. Die DGAI empfiehlt, zur Optimierung der Einstellbarkeit der Stimmbandebene und des Intubationserfolgs im ersten Versuch primär ein Videolaryngoskop mit Macintosh-ähnlichem Spatel zur endotrachealen Intubation einzusetzen.

PRAXISTIPP

In besonders schwierigen Situationen können geübte Anwender zusätzlich einen hyperangulierten Spatel verwenden.

Aufgrund der Schwierigkeiten der Atemwegssicherung beim Traumapatienten sollten Anwender aber zur Sicherstellung der Oxygenierung einfache Techniken des Atemwegsmanagements und supra/-extraglottische Atemwegshilfen der zweiten Generation nutzen, wenn die endotracheale Intubation nicht beim ersten Anlauf gelingt.

PRAXISTIPP

Liegt zugleich ein ausgeprägter Volumenmangel vor, können der Verzicht auf eine Beatmung mit erhöhten PEEP-Werten sowie die Verwendung **niedriger** Atemhubvolumina und **niedriger** Beatmungsfrequenzen die kardiale Vorlast verbessern.

Pleuraentlastung

In 13 % aller TCA ist ein **Spannungspneumothorax** Ursache für den Kreislaufstillstand. Der Spannungspneumothorax und seine Therapie wurden bereits im → Kap. 31.5 vorgestellt. Er kann im Rahmen eines traumatisch bedingten Kreislaufstillstands (TCA) schwierig zu erkennen sein, weil einige typische Anzeichen (Hautemphysem, Halsvenenstauung) hier fehlen können. Hinweisgebend können aber hohe Beatmungsdrücke bei volumenkontrollierter Beatmung bzw. niedrige Tidalvolumina bei druckkontrollierter Beatmung sein. Für geübte Anwender besteht auch die Möglichkeit der raschen und sicheren Erkennung eines Spannungspneumothorax in der Notfallsonografie.

Beim TCA soll grundsätzlich eine **Pleuraentlastung** durch **beidseitige Thorakostomien im 5. Interkostalraum** in der Medioaxillarlinie (→ Kap. 31.5.2) durchgeführt werden. Der Grund dieser Empfehlung ist, dass die Minithorakotomie bei überdruckbeatmeten Patienten **wirksamer** als Nadeldekompressionen ist, **zugleich schneller** durchgeführt werden kann als die Einlage von Thoraxdrainagen und bei Bedarf zu einer Clamshell-Thorakotomie (→ Kap. 31.13.6) erweitert werden kann.

MERKE

Der Spannungspneumothorax ist die **häufigste reversible Ursache** des traumatischen Herzkreislaufstillstands und muss in der Präklinik durch den Notarzt mittels **bilateraler Minithorakotomien** (Thorakostomien) entlastet werden. Die Entlastung muss bei jedem TCA erfolgen, wenn ein Thoraxtrauma möglich ist (auch an mögliche Verletzungen durch Thoraxkompressionen denken).

31.13.5 Perikardtamponade als reversible Ursache des TCA

Die Herzaußenhaut besteht aus zwei Teilen (Epikard und Perikard), die gemeinsam den **Herzbeutel** (Perikardsack) bilden. Das Epikard überzieht das Herz von außen und stellt das innere Blatt des Herzbeutels dar. An der Herzbasis schlägt das Epikard um und formt das äußere Blatt **(Perikard).** Zwischen Epikard und Perikard entsteht auf diese Weise ein Spalt.

MERKE

Wenn im Rahmen einer Verletzung Blut in den Herzbeutel fließt **(Hämoperikard),** behindert es die Ausdehnung des Ventrikels und die Pumpfunktion des Herzens wird eingeschränkt. Ist die Blutansammlung so groß, dass sie die Bewegung des Herzens unmöglich macht, wird dies als **Perikardtamponade** bezeichnet.

In 10 % aller TCA ist die Perikardtamponade Ursache für den Kreislaufstillstand. Um sie zu erkennen, ist die Notfallsonografie ein sehr gutes Hilfsmittel und sollte bei Verfügbarkeit genutzt werden. Eine Niedervoltage im EKG kann ebenfalls einen Hinweis auf die Perikardtamponade geben

ACHTUNG! Für traumatisch bedingte „blutige" Perikardtamponaden gilt: Die früher propagierte Punktion des Perikards mit einer Kanüle, um das Blut aus dem Herzbeutel zu aspirieren, egal ob mit/ohne Sonografie, gilt als nicht erfolgversprechend, weil das Blut üblicherweise schon geronnen ist. Sie wird daher nicht mehr empfohlen. In dieser Situation stellt die Notfallthorakotomie (Clamshell-Thorakotomie, → Kap. 31.13.6) das Verfahren der Wahl dar. Nur so lässt sich nach Schnitteröffnung des Perikards das geronnene Blut beseitigen und eine Re-Tamponade ausschließen. Es ist möglich, dass die Patienten eine interne Herzmassage benötigen, um wieder eine spontane Herzaktivität zurückzuerlangen.

Notfallsonografie

Der Einsatz von Ultraschall (Sonografie) ist seit Jahrzehnten ein fester Bestandteil bei der Erstuntersuchung von Traumapatienten. Ultraschall ist sowohl ein **wertvolles Hilfsmittel bei der Identifizierung reversibler Ursachen für einen Kreislaufstillstand** als auch bei der Beurteilung der Herzfunktion, wenn es darum geht, ob Wiederbelebungsmaßnahmen unterlassen oder beendet werden sollen. Die Ultraschalluntersuchung des Herzens bei einem Kreislaufstillstand ist Teil der **FAST-Untersuchung** (Focused Abdominal Sonography for Trauma), insbesondere um ein Hämoperikard zu erkennen, das zu einer Herzbeuteltamponade geführt hat.

Der Herzultraschall kann auch dazu beitragen, das Überleben von Patienten mit TCA vorherzusagen. In einer Studie war die Überlebensrate bei Patienten mit Herzbewegungen im Ultraschall höher als bei Patienten ohne Herzbewegungen (Cureton et al., 2012). Die Autoren kamen zu dem Schluss, dass die Ultraschallbeurteilung der Herzbewegung bei pulslosen Traumapatienten mit verlängerter präklinischer kardiopulmonaler Reanimation ein schnelles Mittel sein kann, um festzustellen, welche Patienten bei tödlichen Verletzungen keine Überlebenschance haben, sodass vergebliche Wiederbelebungsmaßnahmen eingestellt werden können.

Wie bereits erwähnt, hat auch die rasche Feststellung eines Pneumothorax bei TCA hohe Priorität. Die **eFAST-Untersuchung** (Extended Focused Abdominal Sonography for Trauma Examination) hat sich als Standardverfahren in der Traumatologie etabliert und weist eine höhere Sensitivität bei der Erkennung von Pneumothorax auf als die Röntgenaufnahme des Thorax.

Notfallthorakotomie

Traditionell spielte die Notfallthorakotomie im Rahmen einer Reanimation in Deutschland eine geringe Rolle. Die ERC-Leitlinien 2015 haben durch erstmalige Präsentation eines TCA-Algorithmus, der in den Leitlinien 2021 weitgehend unverändert beibehalten wurde, dazu geführt, dass aktuell ein großes Interesse an Techniken wie der Notfallthorakotomie/Perikardentlastung besteht. Auch die S3-Leitlinie Schwerverletzten-Behandlung erwähnt die Notfallthorakotomie als lebensrettende Maßnahme.

MERKE

Unabhängig von ihrer Verfügbarkeit gilt: Liegen ein Kreislaufstillstand und **zusätzlich** ein **penetrierendes** Thorax- oder Oberbauchtrauma vor, kann eine Notfallthorakotomie (resuscitative thoracotomy, **RT**), die Clamshell-Thorakotomie (→ Kap. 31.13.6), lebensrettend für den Patienten sein.

Aber auch im Rahmen stumpfer epigastraler oder thorakaler Traumata existieren Fallberichte über lebensrettende Thorakotomien bei Perikardtamponade (siehe Kasuistik in → Kap. 31.13.6). Als besonders Erfolg versprechend gilt laut ERC die Situation, dass beim Patienten **initial noch Lebenszeichen** vorhanden waren **und ein penetrierendes Thoraxtrauma** im Bereich der sog. **Cardiac Box** (Stich- und Schussverletzungen) als Ursache des Kreislaufstillstands angesehen wird.

MERKE

Das primäre Einsatzgebiet für die Notfallthorakotomie ist eine kleine Patientengruppe, nämlich diejenigen mit einer **einfachen** Verletzung des Herzens, die zur Perikardtamponade und infolgedessen zum Kreislaufstillstand führt.

DEFINITION

Cardiac Box

Die Cardiac Box bzw. Anterior Cardiac Box (→ Abb. 31.74) beschreibt einen Bereich, den man sich in etwa als ein auf den Brustkorb des Patienten gelegtes Viereck vorstellen kann. Dieses wird folgendermaßen begrenzt:

- Oben von der Drosselgrube (Jugulum)
- Links und rechts seitlich von der Medioklavikularlinie
- Unten von einer gedachten Linie (links und rechts bis zu den beiden Medioklavikularlinien) zwischen den Rippenbögen etwa auf Höhe des Xiphoids

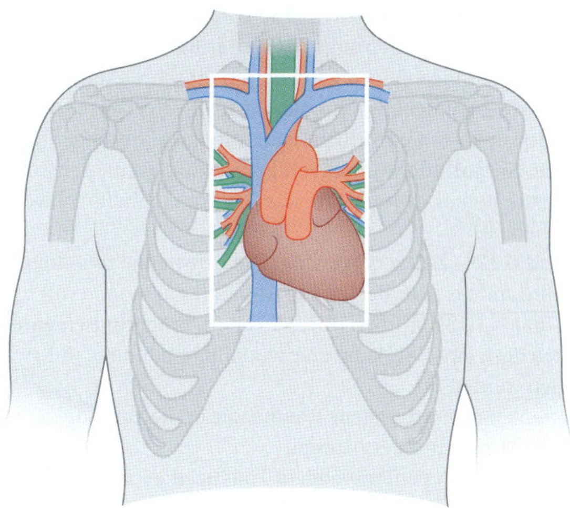

Abb. 31.74 Cardiac Box, projiziert auf die Körperoberfläche mit innenliegenden Organen und angrenzenden Strukturen [F780-005, L231]

MERKE

Im angloamerikanischen Sprachraum bezeichnet man eine im Rettungsdienst/Schockraum durchgeführte Sofort- oder Notfallthorakotomie bei Patienten mit schwerster hämodynamischer Instabilität bzw. beim traumatisch bedingten Kreislaufstillstand als **resuscitative thoracotomy (RT)** oder **emergency department thoracotomy (EDT).** Für den Einsatz einer RT im prähospitalen Umfeld wird auch der Begriff **„prehospital resuscitative thoracotomy** (PHRT)**"** verwendet.
Die RT/EDT ist nicht mit einer Thorakotomie zu verwechseln, die beispielsweise zur chirurgischen Blutstillung eines Hämatothorax im Operationssaal erfolgt. Insofern sind die angloamerikanischen Begriffe eindeutiger, weil sie den lebensrettenden Charakter deutlicher machen.

Aufgrund der vorgenannten begrifflichen Unschärfe soll **hier** der Begriff **„Notfallthorakotomie"** im Sinne einer **resuscitative thoracotomy (RT)** oder **emergency department thoracotomy (EDT)** verstanden werden. Es gilt zu beachten, dass dies in Deutschland nicht dem üblichen Sprachgebrauch entspricht. Manche Autoren nutzen zur Verdeutlichung den Begriff der **wiederbelebenden Thorakotomie.**

4-E-Regel

ACHTUNG! Die Durchführung der Notfallthorakotomie ist an die Anwendung der für den Erfolg jeder invasiven Maßnahme wesentliche **4-E-Regel** gebunden. Sie beschreibt bestens, wann eine Notfallthorakotomie angewendet werden kann oder auch nicht, denn **ist nur eines der 4-E-Kriterien nicht erfüllt, ist eine Notfallthorakotomie aussichtslos.**

Die **vier E** beziehen sich auf die englischen Begriffe **E**xpertise, **E**quipment, **E**nvironment und **E**lapsed time.

- **Expertise – Erfahrung:** Teams, die eine Notfallthorakotomie durchführen, **müssen** laut ERC von einem sehr gut ausgebildeten und kompetenten Arzt geführt werden und unter strukturierten Rahmenbedingungen arbeiten.
- **Equipment – Ausrüstung:** Eine adäquate Ausrüstung zur Durchführung der Notfallthorakotomie und Behandlung der intrathorakal erhobenen Befunde **muss** zwingend vorhanden sein.
- **Environment – Umgebung:** Das Kriterium verlangt eine Einschätzung zum jeweiligen Umfeld und einschränkenden Faktoren zur Durchführung einer Thorakotomie. Idealerweise **soll** die Notfallthorakotomie in einem Operationssaal durchgeführt werden. Sie **soll nicht** durchgeführt werden, wenn der Zugang zum Patienten erschwert oder das Zielkrankenhaus schwer zu erreichen ist.
- **Elapsed time – Zeitverzögerung:** Die Zeitspanne zwischen Kreislaufstillstand bis zum Beginn der Notfallthorakotomie **soll** im Rettungsdienst **10 Min. nicht überschreiten.** Innerklinisch wird etwas differenziert, laut ERC kann eine Notfallthorakotomie in Erwägung gezogen werden für:
  - Patienten nach stumpfem Trauma, die im Rettungsdienst weniger als 10 Min. reanimiert wurden
  - Patienten nach penetrierendem Trauma, die im Rettungsdienst weniger als 15 Min. reanimiert wurden

Einschränkend wird vom ERC betont, dass, wenn nur eines der Kriterien der „4-E-Regel" nicht erfüllt werden kann, die Notfallthorakotomie aussichtslos ist und das Team unnötigen Risiken ausgesetzt ist.

Für die Rettungsteams besteht das Dilemma nun darin, dass es ideal erscheint, wenn eine Notfallthorakotomie im OP-Saal durchgeführt wird, am besten durch einen erfahrenen Herz- oder Thoraxchirurgen. Andererseits schaffen es Patienten mit einem Herz-Kreislauf-Stillstand nach penetrierendem Trauma kaum noch in einen OP-Saal. Dieses Dilemma muss das Team rasch lösen, denn das Aufschieben der Maßnahme bedeutet Zeitverlust ohne sicheren Zugewinn an Erfolgsaussicht.

In einer SOP des britischen Luftrettungsdienstes Essex & Herts Air Ambulance heißt es dazu: „Wenn ein traumatischer Herzstillstand bestätigt wird und eine Thorakotomie indiziert ist, sollte die Entscheidung zur Durchführung einer Thorakotomie innerhalb von 10–15 Sekunden getroffen werden. Dies ist eine klinische Diagnose und erfordert kein Monitoring."

Insbesondere der **Faktor Zeit** gilt als entscheidend. Während der ERC präklinisch 10 Min. als Obergrenze für die Dauer des Kreislaufstillstands bis zur Notfallthorakotomie ansieht, sieht die S3-Leitlinie Schwerverletzten Behandlung (2022) die Obergrenze bei 15 Min.

Derzeit und auch für die nähere Zukunft ist in Deutschland davon auszugehen, dass die Notfallthorakotomie, inklusive der sich anschließenden Behandlung der intrathorakalen Befunde, nicht flächendeckend verfügbar sein wird. Vorreiter sind aktuell (2023) die Uniklinik Heidelberg und das Land Berlin (s. u.).

31.13.6 Clamshell-Thorakotomie

DEFINITION

Clamshell-Thorakotomie: „horizontale" (im Verlauf der Rippen) Eröffnung des Thorax von der linken bis zur rechten mittleren Axillarlinie im 5. ICR unter Durchtrennung des Sternums (→ Abb. 31.76).

Der TCA-Algorithmus des ERC hat dazu geführt, dass ein großes Interesse an bislang selten im deutschsprachigen Rettungsdienst durchgeführten Techniken wie der Notfallthorakotomie/Perikardentlastung besteht.

Indikationen

Für eine Notfallthorakotomie (RT/PHRT) gibt es mehrere Zugangswege. In der klinischen Notfallmedizin ist die Clamshell-Thorakotomie (bilaterale anteriore Thorakotomie) heute als schnelle, effektive und sichere Methode beschrieben. Sie dient

1. dem Zugang zum Herzbeutel bei vermuteter bzw. sonografisch nachgewiesener Perikardtamponade im Sinne einer reversiblen Ursache eines Herz-Kreislauf-Stillstands,
2. der direkten Kontrolle von Blutungen der Lunge,
3. der proximalen Aortenkompression,
4. der offenen Herzmassage (jedoch ist es nach allgemeinem Konsens **nicht** angezeigt, eine Notfallthorakotomie nur hierfür durchzuführen).

MERKE

Die wichtigste Indikation für eine Clamshell-Thorakotomie beim penetrierenden Trauma ist die Behandlung einer **Perikardtamponade.**

Mögliche Indikationen für die Clamshell-Thorakotomie sind (einige davon innerklinisch):

tastbar ist. Es gibt allerdings auch Rettungsdienste, die den Cutdown gegenwärtig nicht anwenden. Die Auswertung einer Fallserie zeigte, dass die perkutane Kanülierung und die Gefäßdarstellung mittels Cutdown zu etwa gleichen Teilen erfolgten. Eine militärmedizinische Leitlinie erachtet die sonografiegesteuerte Punktion der Oberschenkelarterie als die bevorzugte Methode, räumt jedoch ein, dass in bis zu 50 % der Fälle der chirurgische „Cutdown" erforderlich ist.

Entwicklung im Überblick

Bereits 1954 wurde die REBOA im Korea-Krieg vom amerikanischen Militärarzt Hughes beschrieben. Das Verfahren wurde einige Jahrzehnte wieder vergessen und erfuhr erneute Aufmerksamkeit im Rahmen der innerklinischen Anwendung. Gefäßchirurgen nutzten vergleichbare Verfahren beispielsweise zur Blutungskontrolle bei rupturierten abdominellen Aortenaneurysmen (AAA), heutzutage ist die REBOA im klinisch-operativen Alltag von Gefäßchirurgen Routine. Außerdem erfolgten bereits REBOA-Anwendungen bei schweren oberen gastrointestinalen und nachgeburtlichen Blutungen sowie im Rahmen der elektiven Leberchirurgie oder während elektiver Eingriffe am Becken. Seit mehreren Jahren wird geprüft, ob die REBOA präklinisch eingesetzt werden kann/soll und unter welchen Voraussetzungen. Zahlreiche Arbeitsgruppen untersuchten das Verfahren im Tiermodell und fanden die Ergebnisse überzeugend, andererseits gibt es auch Berichte über einen schlechteren Outcome der Patienten. Bei einigen zivilen Traumapatienten könnten bestimmte nichtkomprimierbare Blutungen des Körperstamms (NCTH) mittels REBOA temporär rasch und effektiv kontrolliert werden, dies würde das Zeitfenster vergrößern, welches den Patienten zur Verfügung steht. Der Zugangsweg ist minimalinvasiv und es muss keine Körperhöhle für das Verfahren eröffnet werden.

Auch im militärischen Umfeld könnte die REBOA sinnvoll sein, so kam eine retrospektive Studie an schwerverletzten Soldaten aus dem Vereinigten Königreich (UK) zu dem Ergebnis, dass bei 18,5 % der Soldaten eine mögliche Indikation für die REBOA bestand. Die Autoren schlussfolgerten: Bei einem von fünf im Kampfeinsatz schwer Verwundeten bestanden Blutungen im Abdomen oder in der Beckenregion, die möglicherweise für einen REBOA-Einsatz geeignet sind. Das britische Militär solle REBOA als mögliche „En-route"-Blutungskontrolle untersuchen.

Das Joint Trauma System (JTS) des US-Verteidigungsministeriums hat erstmals 2014 eine Leitlinie (Joint Trauma System Clinical Practice Guidelines, JTS CPG) zum REBOA-Einsatz im hämorrhagischen Schock herausgegeben, die zuletzt 2020 aktualisiert wurde. Dort finden sich viele Hintergründe zum Verfahren, u. a. REBOA Pitfalls, detaillierte Beschreibungen und Algorithmen.

Indikationen

Wird die Aorta verschlossen, findet distal der Blockung keine (Durch-)blutung mehr statt. Ziel ist die notfallmäßige Beherrschung massiver nichtkomprimierbarer Blutungen des Körperstamms (Abdomen, Becken), die anderenfalls nicht therapierbar wären. Damit stellt die REBOA in bestimmten Fällen eine Alternative zu dem traditionellen offenen (= im Rahmen einer notfallmäßigen Thorakotomie) chirurgischen Abklemmen (Clamping) der Aorta bei entsprechenden Blutungen dar. Die REBOA ist jedoch weit weniger invasiv als die Notfallthorakotomie. Die Effekte sind eine Steigerung des proximalen Aortendrucks und somit des systolischen Blutdrucks, wodurch Herz, Lunge und Gehirn besser durchblutet werden. Mögliche Indikationen für die REBOA sind:

- Rupturiertes Aortenaneurysma
- Schweres stumpfes Bauch-/Beckentrauma mit Verdacht auf massive Blutung der Aorta oder eines nachgeschalteten Gefäßes
- Hochrasanztrauma
- Komplexe Beckenfrakturen mit massiven Blutungen
- Stich- oder Schussverletzungen mit Verdacht auf Verletzung großer Blutgefäße

MERKE

Patienten mit schwersten inneren Blutungen, die unterhalb des Zwerchfells lokalisiert sind (Abdomen, Becken), sind potenzielle Kandidaten für die REBOA-Anwendung. Mit dieser Form der Blutungskontrolle **(resuscitative aortic occlusion, RAO)** können etwa 30–90 Min. Zeit bis zur definitiven chirurgischen Blutstillung gewonnen werden.

Ergebnisse

Im Einzelnen hängen die Ergebnisse davon ab, welche Aortenzone okkludiert wird (s. u.). Generell gilt, dass lange Verschlusszeiten zu Stoffwechselentgleisungen und Organschäden führen, die nicht überlebt werden können. Idealerweise sollte die Okklusionszeit so kurz wie möglich sein. Gute Behandlungsergebnisse wurden erzielt, wenn diese in der Aortenzone 1 < 30(–45) Min. und in der Aortenzone 3 < 60 Min. lag → (Abb. 31.81)

Positionierung des REBOA-Katheters

Nach Stannard et al. wird die Aorta für die Positionierung des Okklusionsballons in drei Zonen unterteilt. Der **Ballon** des REBOA-Katheters sollte in der Zone 1 oder 3 positioniert werden (→ Abb. 31.80, → Abb. 31.81, → Abb. 31.82). Mit dem ER-REBOA™ Katheter (Prytime Medical) steht mittlerweile ein führungsdrahtfreies System zur Verfügung, welches eigens für REBOA entwickelt wurde und auch für den Einsatz im Rettungsdienst gut geeignet ist (→ Abb. 31.80).

PRAXISTIPP

Einige **Landmarken** helfen dem Anwender, die Kathetereinführlänge für die jeweilige Aortenzone zu bestimmen (→ Abb. 31.82). Dabei gilt als grobe Orientierung:

- Zone 1: Jugulum bis zum distalen Ende des Xiphoids
- Zone 2: Xiphoid bis ca. Hälfte der Strecke zum Bauchnabel
- Zone 3: von diesem Punkt bis ca. Bauchnabel

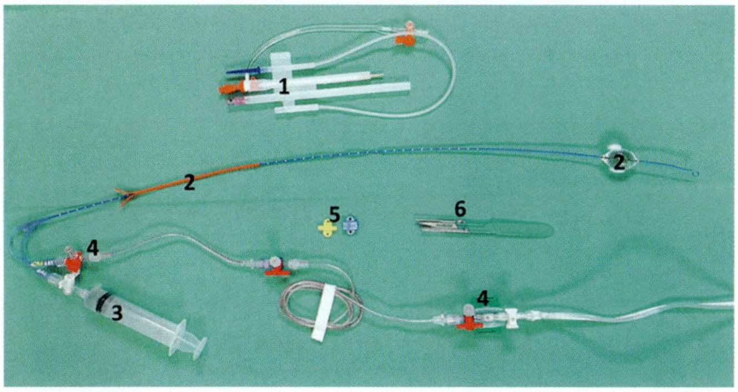

Abb. 31.80 Vorbereitetes Set eines ER-REBOA™-Katheter mit 7-Fr-Schleuse und angeschlossenem arteriellen Drucksystem: 1 = 7-Fr-Schleuse, 2 = ER-REBOA™-Katheter mit Peel-away-Einführhilfe (orangefarben) und geblocktem Okklusionsballon, 3 = aufgesetzte Blockerspritze auf dem entsprechenden Anschluss des Katheters, 4 = mit dem Druckkanal des Katheters verbundenes arterielles Druckmesssystem, 5 = Katheterfixationsklemme, die eine Migration des Katheters nach distal verhindert, 6 = Skalpell. [H108-004]

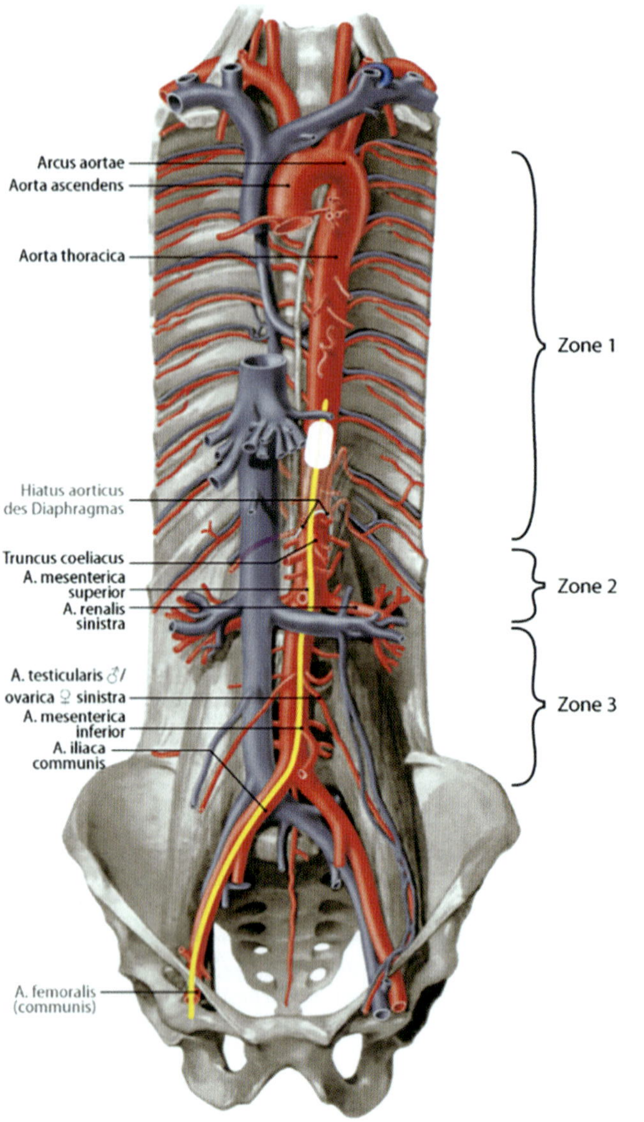

Abb. 31.81 REBOA-Schema und REBOA-Aortenzonen. Ein blockbarer Katheter ermöglicht den teilweisen oder vollständigen Verschluss der Aorta. [E633]

- **Aortenzone 1:** Sie umfasst den Bereich vom Abgang der linken A. subclavia bis direkt oberhalb des Truncus coeliacus (gemeinsamer Anfangsabschnitt von drei Arterien aus der Bauchaorta). Dieser befindet sich kurz unterhalb des Durchtritts durch das Zwerchfell. Theoretisch kann die REBOA auch bei Blutungen im Thorax eingesetzt werden, jedoch sollte bei Blutungen oberhalb des Zwerchfells die **Clamshell-Thorakotomie** bevorzugt werden. Bei Blutungen im **Abdominalbereich** sollte der Ballon im Bereich der distalen Aorta, ungefähr auf Höhe des Zwerchfells geblockt werden. Mitunter ist es möglich, den Draht/Ballon mittels Sonografie bis in Zone 2 zu verfolgen. Alternativ kann zur „Sicherheit" der Draht neben den Patienten gehalten und markiert werden, um eine Orientierung für die passende Einführtiefe zu bekommen. Für die Aortenzone 1 ist dabei die Strecke von der Punktionsstelle (Leiste) bis zur Mitte des Sternums die Referenz. Eine Leitlinie empfiehlt eine Einführtiefe von 46 cm.
- **Aortenzone 2:** Diese umfasst den Bereich zwischen Truncus coeliacus und dem distalen Ende des Abgangs der Nierenarterien. In diesem Abschnitt befinden sich die Gefäßabgänge zur Versorgung der Bauchorgane. Da eine Katheterblockung hier mit einem hohen Ischämie- und Dislokationsrisiko einhergehen würde, aber keine Vorteile bringt, soll der Ballon dort **nicht platziert** werden **(„Non Occlusion Zone").**
- **Aortenzone 3:** Sie umfasst den Bereich unterhalb des Abgangs des letzten Nierengefäßes bis zur Aortenbifurkation. Die Blockung sollte dort bei **Beckenblutungen** bzw. Blutungen aus den Iliakalgefäßen oder **stammnahen Amputationen einer unteren Extremität** erfolgen. Für die Aortenzone 3 ist für die Einführtiefenbestimmung (s. o.) die Strecke von der Punktionsstelle (Leiste) bis knapp oberhalb des Bauchnabels die Referenz. Eine Leitlinie empfiehlt eine Einführtiefe von 27 cm.

Okklusionsphase

Sobald der Katheter in die entsprechende Aortenzone (je nach vermuteter Blutungsquelle) vorgeschoben wurde, wird er **vorsichtig und langsam geblockt,** bis ein leichter Widerstand wahrgenommen wird. Es hängt vom Hersteller und der Okklusionszone ab, welches Volumen hierfür benötigt wird. Auf jeden Fall muss vermieden werden, den Ballon zu „überblocken", weil es anderenfalls zu Gefäßverletzungen und schlimmstenfalls sogar zur Gefäßperforation kommen kann. Wurde der Katheter richtig platziert, sollte es nach der Okklusion zu einer Kreislaufstabilisierung kommen. Der **Zeitpunkt** der Okklusion wird dokumentiert, damit die Ischämiezeit bekannt ist.

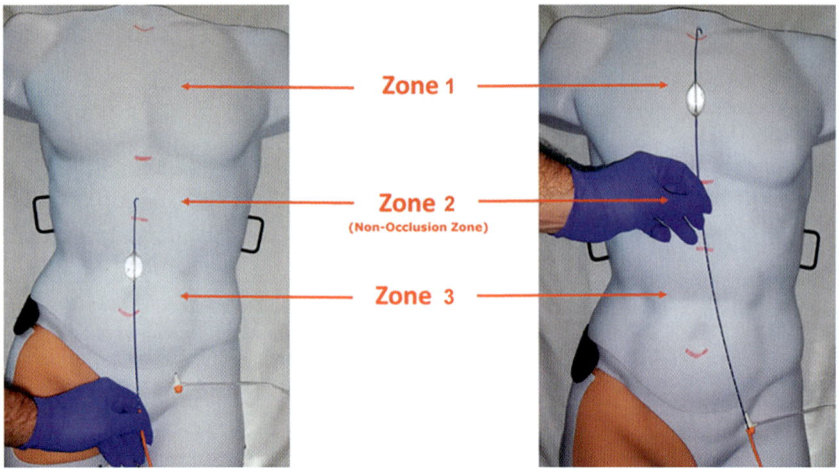

Abb. 31.82 Aortenzonen und Ausmessen der Kathetereinführlänge. Der Okklusionsballon sollte bei Zone 1 ca. auf Mitte des Sternums und bei Zone 3 kurz über dem Nabel platziert werden, dann entspricht die Längenmarkierung an der liegenden Schleuse der ungefähren Einführtiefe des Katheters. [H108-004]

Erfahrungen in der Präklinik

So, wie gute Erfahrungen in der Militärmedizin zum weitverbreiteten Einsatz von Tourniquets in der zivilen Notfallmedizin geführt haben, verhält es sich mit dem Einsatz von Blutkonserven. Auch hier haben positive Erfahrungen beim Militär dazu geführt, dass einige zivile Rettungsdienste überlegt haben, Blutkonserven für Schwerverletzte mitzuführen. Eine Vorreiterfunktion hatte hier wieder einmal mehr der Trauma-Rettungshubschrauber in London. Dort zeigte sich, dass die prähospitale Transfusion von Erythrozytenkonzentraten (EK) dazu führte, dass mehr Traumapatienten lebend den Schockraum erreichen und somit von einer klinischen Versorgung profitieren können. Auch in den USA und Skandinavien ist die Verfügbarkeit von Blutkonserven im Rettungsdienst deutlich weiterverbreitet als hierzulande, in Israel kann sie sogar als flächendeckend bezeichnet werden. In Deutschland ist seit August 2019 das sog. Medical Intervention Car (MIC) am Universitätsklinikum Heidelberg stationiert und führt aktuell sechs Erythrozytenkonzentrate der Blutgruppe 0 RhD-negativ sowie Fibrinogen- und Prothrombinkomplex(PPSB)-Präparate mit.

Ebenfalls im Jahr 2019 starteten die Stationen Greifswald und Mannheim der DRF-Luftrettung mit dem sog. Projekt „HeliBlut“, die Station Regensburg startete 2021. Eine Auswertung des Zeitraums Juli 2017 bis März 2021 zeigte, dass 24 Patienten präklinisch transfundiert wurden. Somit bleibt die präklinische Transfusion ein seltenes Ereignis, was auch daran liegt, dass das Einsatzspektrum der deutschen Hubschrauber sich teilweise erheblich von dem Spektrum der internationalen Systeme unterscheidet. Ein nicht unerheblicher Teil der Patienten verstarb im Rettungsdienst oder in der frühen innerklinischen Versorgungsphase. Die Daten deuten darauf hin, dass die Chance auf einen ROSC durch eine präklinische Transfusion bei bereits länger bestehendem Herz-Kreislauf-Stillstand eher gering, bei beobachtetem TCA dagegen deutlich besser ist.

FALLBEISPIEL (DEUTSCHLAND)

Präklinische Bluttransfusion bei lebensbedrohlicher Blutung

In einem Rohbau führt ein 31-jähriger Mann Arbeiten mit einer Kettensäge durch. Dabei zieht der Arbeiter sich eine tiefe Schnittverletzung im Bereich der rechten Leiste zu. Seine Kollegen alarmieren den Rettungsdienst, führen jedoch weitere Maßnahmen am Patienten durch. RTW und NEF treffen zeitgleich beim Verletzten ein. Er befindet sich in einer dunklen Ecke zwischen Bauschutt in einer ausgedehnten Blutlache und reagiert nicht auf die Helfer. Die Evaluation ergibt einen traumatischen Herz-Kreislauf-Stillstand. Das Rettungsteam beginnt umgehend mit der Reanimation. Die zeitkritischen Maßnahmen erfolgen parallel, um reversible Ursachen so schnell wie möglich zu beheben.

Bei offensichtlicher, kritischer Blutung mit Kreislaufstillstand wird das MIC des Universitätsklinikums Heidelberg nachalarmiert. Da ein Tourniquet bei der stammnahen Wunde nicht möglich ist, wird durch einen Notfallsanitäter (NFS) ein „Packing“ der Wunde mit Kompressen zur Blutungskontrolle vorgenommen. Zeitgleich wird mittels Beutel und Maske beatmet und Thoraxkompressionen durchgeführt, ohne hierbei die weitere Behandlung reversibler Ursachen des Kreislaufstillstands zu verzögern. Bei schlechtem Venenstatus wird mittels EZ-IO-System je eine intraossäre Kanüle in beide proximalen Humeri eingebracht. Die Infusionstherapie beginnt mit 500 ml Hydroxyethylstärke 6 % und 500 ml Vollelektrolytlösung. Außerdem werden 1 mg Adrenalin und 1 g Tranexamsäure intraossär verabreicht. Die Blutglukosekonzentration (BZ) beträgt 118 mg/dl. Im Zuge der anschließenden endotrachealen Intubation zeigt der Patient schwache Spontanbewegungen, weshalb Midazolam und Rocuronium verabreicht werden. In der ersten Rhythmuskontrolle zeigt sich eine pulslose elektrische Aktivität (PEA) mit breiten Komplexen. Eine periphere Sauerstoffsättigung kann nicht gemessen werden. Nach Infusion von insgesamt ca. 1 000 ml Vollelektrolyt- und 500 ml Hydroxyethylstärkelösung kann eine Sinustachykardie abgeleitet und ein schwacher zentraler Puls an der A. carotis getastet werden (return of spontaneous circulation [ROSC]). Das Team entscheidet nun, umgehend den Transport des Patienten einzuleiten.

Nun trifft der Notarzt des MIC am Einsatzort ein. Der Patient ist zu diesem Zeitpunkt instabil. Das weitere Vorgehen wird abgestimmt. Die Teams von RTW und NEF bereiten weiter den raschen Transport des Patienten mittels Schaufeltrage zum RTW vor. Gemäß dem Algorithmus für kritisch blutende Patienten (→ Abb. 31.86) sowie der Checkliste Bluttransfusion (→ Abb. 31.87) trifft der MIC-Notarzt alle notwendigen Vorbereitungen für die präklinische Transfusion von Blutprodukten. Eine Blutprobe für die Blutgruppenbestimmung und Durchführung eines Bedside-Tests wird entnommen und dann noch auf der Baustelle die Transfusion von zwei Erythrozytenkonzentraten (EK) der Blutgruppe 0 RhD-negativ über die beiden intraossären Zugänge begonnen. Die EKs werden im MIC unter Einhaltung und Kontrolle der Kühlkette in einem speziellen Blutkühlschrank für den prähospitalen Einsatz vorgehalten (→ Abb. 31.85).

Zum Zeitpunkt der Übergabe im Schockraum wird gerade das fünfte EK verabreicht, zudem wurden bereits 4 g Fibrinogen und 2 000 IE PPSB gegeben. Der Patient wird umgehend operiert. Bereits am nächsten Tag kann bei stabilen Verhältnissen die Extubation erfolgen. Zentral-neurologische Einschränkungen zeigen sich nicht, ebenso keine Hinweise auf mögliche Komplikationen der Transfusion.

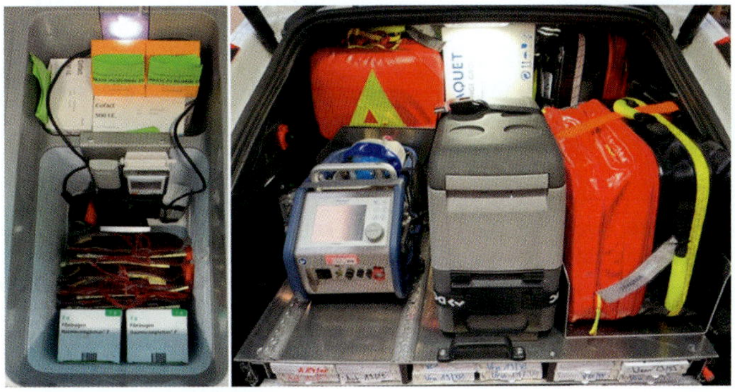

Abb. 31.85 Blutkühlschrank des MIC mit Blutprodukten und Temperaturmessung. Position des Kühlschranks im Fahrzeug zwischen dem Cardiohelp-System der Firma Getinge AB, Stockholm, Schweden, und dem speziellen Trauma-/Transfusionsrucksack von PAX, X-CEN-TEK GmbH, Wardenburg, Deutschland. (Schneider et al. 2022, licensed under CC BY 4.0) [F781-047, L231]

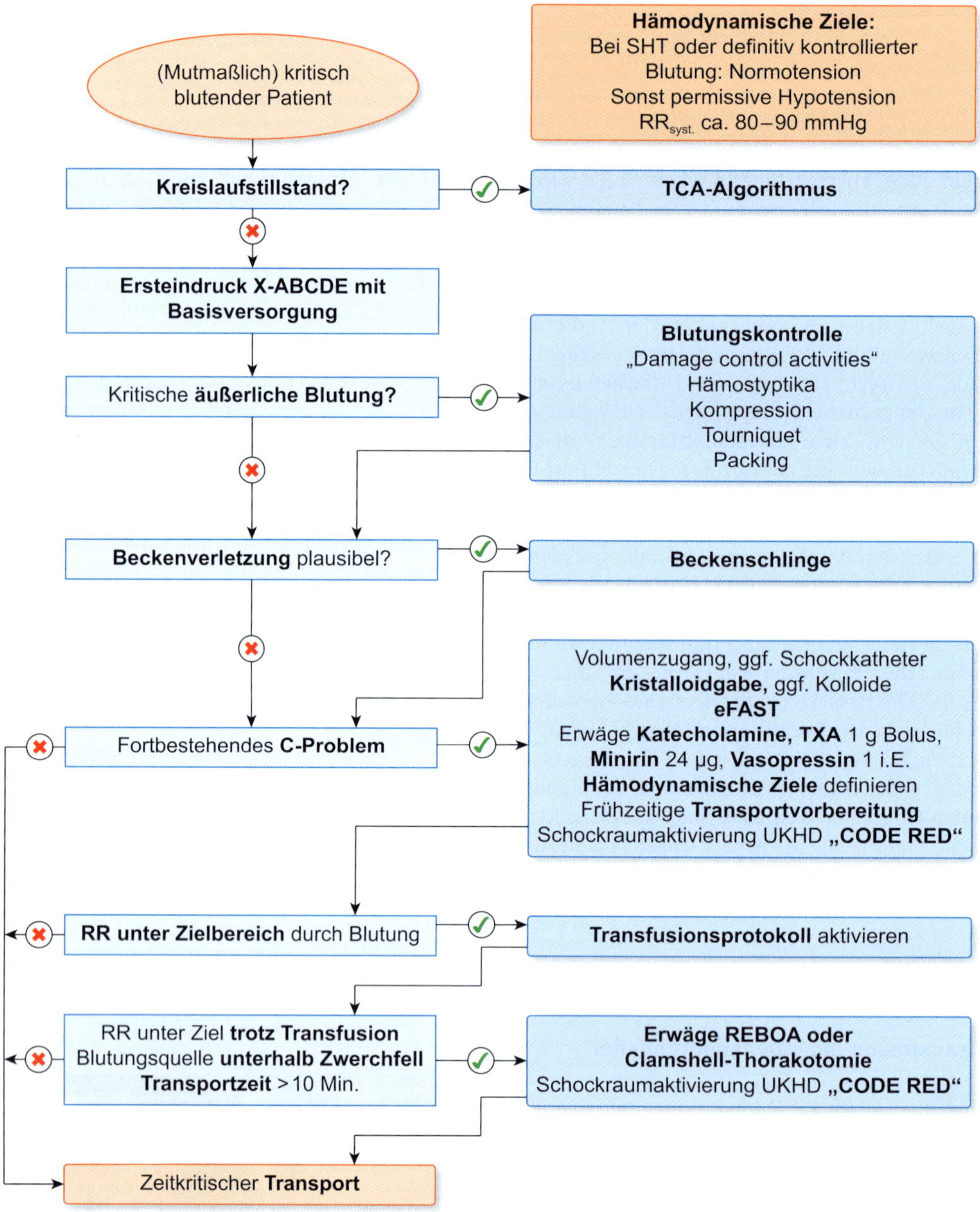

Abb. 31.86 Algorithmus für (mutmaßlich) kritisch blutende Patienten des Medical Intervention Car, Universitätsklinikum Heidelberg. SHT Schädel-Hirn-Trauma, TCA traumatic cardiac arrest, TXA tranexamic acid, eFAST extended focused assessment with sonography for trauma, Schockkatheter 3-Lumen-12 F-Shaldon-Katheter, CODE RED besondere Schockraumalarmierung bei schwerstverletzten und/oder reanimationspflichtigen Patienten. (Schneider et al. 2022, licensed under CC BY 4.0) [F781-047, L231]

SWIFT-Studie

In Deutschland ist es üblich, Blutkomponenten und kein Vollblut zu verabreichen (ähnlich dem Blut, wie es vom Blutspender gespendet wird). Stattdessen findet eine Auftrennung in Erythrozyten, Plasma und Thrombozyten statt. Auch die zivilen Luftrettungsdienste transfundieren üblicherweise Erythrozytenkonzentrate und ggf. Plasma. Diese befinden sich in unterschiedlichen Beuteln, müssen bestimmte Temperaturanforderungen erfüllen und werden den Patienten einzeln transfundiert (oder parallel über mehrere Zugänge).

Im Vereinigten Königreich (UK) befasst sich die SWIFT-Studie (Study of Whole Blood in Frontline Trauma) mit der Fragestellung, ob die Transfusion von sog. **Vollblut** (Erythrozyten, Plasma und Thrombozyten in **einem** Beutel) in zivilen Luftrettungsdiensten Vorteile bringen würde. Es scheint einige Belege für den Nutzen der Verwendung von Vollblut zu geben. Bislang fehlt es in UK noch an Studien, die die klinische Wirksamkeit und Kosteneffizienz belegen. Die Verwendung von Vollblut bringt allerdings den Nachteil mit sich, dass der Beutelinhalt nicht mehr für die Herstellung einzelner Komponenten verwendet werden kann. Theoretisch könnte die frühzeitige Transfusion von Vollblut jedoch den Bedarf an weiteren Bluttransfusionen bei der Ankunft der Patienten im Krankenhaus verringern. Diese Fragestellungen sollen mit der beschriebenen Studie geklärt werden. Die Studie wird voraussichtlich bis Ende 2024 dauern.

Checkliste kritische Blutung

Indikation	
Schwerer hämorrhagischer Schock RR < 90 mmHg	
Klinischer Eindruck	
Verlust Radialispuls	
Verlust Bewusstsein (wenn zuvor wach)	
Aktive Blutung	

Blood Transfusion Needs Score

> 8 und Blutung → Indikation

Alter	0–55	0	
	56–70	1	
	> 70	2	
Verletzung	Stumpf	0	
	Penetrierend	2	
Puls/Min.	< 60	−4	
	60–119	0	
	≥ 120	3	
RR sys. mmHg	< 90	7	
	≥ 90	0	
GCS	3–8	3	
	9–13	1	
	14–15	0	
Summe			

Wang, Hao et al. „A Derivation and Validation Study of an Early Blood Transfusion Needs Score for Severe Trauma Patients." Journal of clinical medicine research vol. 8,8 (2016): 591-7. doi:10.14740/jocmr2598w

Aktive Blutungen, wenn möglich, stillen (Tourniquet, Tamponade, Beckenschlinge, Packing)!

Timing	
Primär EKs: kritische O_2-Schwelle, z.B. CPR	
Primär Gerinnung: Volumeneffekt, Koagulopathie	

Ziel	
SHT: Normotension	
Gestillte Blutung: Normotension	
Nicht kontrollierbare Blutung: $RR_{syst.}$ 80–90 mmHg	

WICHTIG vor Gabe:
BLUTENTNAHME KREUZBLUT für Blutbank!

Durchführung: Blutwärmer? Tranexamsäure?

Durchführung	
EKs 0 negativ? Plasma AB negativ?	
Verfallsdatum?	
Normaler Aspekt, Beutel intakt?	
Transfusionsbesteck?	
Tranexamsäure	
Fibrinogen	
PPSB	
Kalzium	

Information UKHD „CODE RED"

Nach dem Einsatz	
Aufkleber sichern	
Dokumentation auf Protokoll (Patientenakte)	
Dokumentation Stationsunterlagen	
Kontakt zur Blutbank Tel.: 06221 56 34040	
Frische Blutprodukte	
Neue Gerinnungspräparate	
Thermometer/Datenlogger ausgelesen	

Abb. 31.87 Checkliste Blutprodukte des Medical Intervention Car, Universitätsklinikum Heidelberg. GCS Glasgow Coma Scale, RR Blutdruckmessung nach Scipione Riva-Rocci, CODE RED Spezielles Schockraumprotokoll des UKHD. (Schneider et al. 2022, licensed under CC BY 4.0) [F781-047, L231]

WIEDERHOLUNGSFRAGEN

1. In welchen Situationen soll ein Tourniquet als erste Maßnahme zur Blutungskontrolle eingesetzt werden (→ Kap. 31.1.1)?
2. Wie wird im Rettungsdienst die Schweregradeinteilung beim Schädel-Hirn-Trauma vorgenommen (→ Kap. 31.2.1)?
3. Was ist der Unterschied zwischen einer direkten und einer indirekten Hirnschädigung (→ Kap. 31.2.1)?
4. Was ist ein Hirnödem (→ Kap. 31.2.2)?
5. Wie werden traumatische intrakranielle Blutungen weiter unterteilt (→ Kap. 31.2.4)?
6. Wie lauten die fünf Fragen der NEXUS-Kriterien zur HWS-Bewegungseinschränkung (→ Kap. 31.2.5)?
7. Erklären Sie den Unterschied zwischen Pneumothorax und Spannungspneumothorax (→ Kap. 31.4.3).
8. Was ist eine Lungenkontusion (→ Kap. 31.4.4)?
9. Wie sind die Nadeldekompression, die Minithorakotomie und die Thoraxdrainage definiert (→ Kap. 31.5)?
10. Wo ist die Insertionsstelle der ersten Wahl für die Nadeldekompression und wie lang sollte die Kanüle mindestens sein (→ Kap. 31.5.1)?
11. Was ist bei einer Verletzung der Bauchorgane zu erwarten (→ Kap. 31.6)?
12. Was versteht man unter einer instabilen Wirbelkörperfraktur (→ Kap. 31.7)?
13. Was ist das Ziel einer Beckenstabilisierung mit Beckenschlinge und wo genau muss diese angelegt werden (→ Kap. 31.9.2)?
14. Was steht im Vordergrund der Versorgung einer Amputationsverletzung (→ Kap. 31.11)?
15. Benennen Sie fünf technische Fertigkeiten, die beim Polytrauma-Management eine Rolle spielen können (→ Kap. 31.12.1).
16. Benennen Sie vier Eigenschaften (nichttechnische Fertigkeiten), die ein gutes Teammitglied ausmachen (→ Kap. 31.12.2).
17. Inwiefern verlagern sich die Prioritäten bei der Behandlung des traumatisch bedingten Kreislaufstillstands (→ Kap. 31.13.2)?
18. Was sagt die 4-E-Regel des ERC aus (→ Kap. 31.13.5)?
19. Inwiefern wird der Spannungspneumothorax beim traumatisch bedingten Kreislaufstillstand anders behandelt als beim lebenden Patienten (→ Kap. 31.13.2)?
20. In welchem Zeitfenster nach Auftreten eines Kreislaufstillstands kann eine Clamshell-Thorakotomie nach penetrierender epigastrischer und/oder Thoraxverletzung noch indiziert sein (→ Kap. 31.13.6)?
21. In welcher Aortenzone wird die REBOA bei lebensgefährlichen Blutungen des Beckens platziert (→ Kap. 31.13.7)?

AUFLÖSUNG DES FALLBEISPIELS

Verdachtsdiagnosen

Thoraxtrauma, Beckenverletzung, Volumenmangelschock, Polytrauma.

Schlüsselinterventionen

Offensichtliche starke äußere Blutungen sind nicht zu sehen. Der Atemweg des Patienten ist frei, die Atmung tachypnoeisch. Die SpO_2 beträgt unter Raumluft 92 %. Der Patient hat Druckschmerzen im rechten Thorax, das Atemgeräusch ist dort abgeschwächt. Der periphere Puls ist nur sehr schwach tastbar und tachykard, die Rekapillarisierungszeit liegt bei 4 Sek. Die Haut des Patienten fühlt sich kühl und feucht an. Das Abdomen ist weich. Im Hüftbereich gibt der Patient Schmerzen an. Die Pupillen des Patienten sind isokor und reagieren adäquat auf Lichteinfall. Der GCS wird auf 14 Punkte eingestuft. Das linke Knie ist schmerzempfindlich, der rechte Unterschenkel ist geschlossen frakturiert.

Der Patient erhält parallel zur Untersuchung hoch dosiert Sauerstoff über eine Sauerstoffmaske mit Reservoirsystem und Nichtrückatemventil. Der Notfallsanitäter legt einen periphervenösen Zugang (G 18) in den rechten Handrücken des Patienten. Sein Kollege bereitet die Beckenschlinge, Schaufeltrage und Vakuummatratze vor. Inzwischen ist das NEF eingetroffen.

Nach kurzer Ersteinschätzung durch den Notarzt fordert der Notfallsanitäter des NEF über die Leitstelle einen Rettungshubschrauber nach und bittet darum, im nächstgelegenen überregionalen Traumazentrum anzufragen, ob der Patient dort aufgenommen werden kann. Für den Fall, dass die Klinik ablehnt, benennt der Notfallsanitäter des NEF vorsorglich eine alternative Zielklinik, die von der Leitstelle dann ohne weitere Rückfragen angefragt werden kann.

Der Patient erhält zur Umlagerung 20 mg Esketamin und 2 mg Midazolam. Er wird dann aus seiner seitlichen Lage auf die Schaufeltrage gedreht, dabei wird die Beckenschlinge so einbezogen, dass diese auf Höhe der Trochanteren geschlossen werden kann, sobald der Patient auf dem Rücken liegt. Der Patient wird dann zunächst in den warmen RTW gebracht. Die Schaufeltrage wird noch unter ihm belassen, damit die Umlagerung auf die RTH-Trage zügig und ohne Materialtausch erfolgen kann.

Im RTW wird die Bekleidung komplett aufgeschnitten und der Patient inspiziert. Parallel bekommt er 1 g Tranexamsäure als Kurzinfusion. Das Monitoring wird komplettiert und die nicht-invasive Blutdruckmessung auf ein Intervall von 2,5 Min. eingestellt. Der Notarzt legt einen zweiten Zugang (14 G) in den linken Arm. Nach Gabe von 80 mg Esketamin, 5 mg Midazolam und 80 mg Rocuronium wird der Patient unter Zuhilfenahme eines Intubationsbougies orotracheal mit einem Videolaryngoskop mit Macintosh-ähnlichem Spatel intubiert und kontrolliert beatmet (Tubus ID 8,0). Die Beatmung erfolgt normokapnisch mit einem $etCO_2$ im Bereich von 35–40 mmHg. Der Cuffdruck wird auf 25 cm H_2O eingestellt. Eine Bülau-Drainage wird rechtsthorakal angelegt, da hier offensichtlich Frakturen vorliegen und das Atemgeräusch stark abgeschwächt ist. In der Folge wird der Patient der Besatzung des Rettungshubschraubers anvertraut und ins überregionale Traumazentrum geflogen, welches ihn bereits im Schockraum erwartet.

Klinik

Im Schockraum wird bei dem kreislaufinstabilen Patienten eine Sonografie des Abdomens durchgeführt, die keinen Anhalt für freie Flüssigkeit ergibt. Danach erfolgt eine Traumaspirale im CT. Die Röntgendiagnostik zeigt eine Rippenserienfraktur 4–8 rechts mit Hämatothorax, eine bimalleoläre Fraktur des oberen Sprunggelenks links, eine proximale Tibiafraktur links und eine „Open-book"-Fraktur des Beckenrings. Die Frakturen werden noch am Unfalltag osteosynthetisch versorgt. Im OP erhält der Patient 800 ml Blut aus der maschinellen Autotransfusion sowie 6 Erythrozytenkonzentrate und 4 Beutel therapeutisches Plasma, 2 g Fibrinogen, mehrfach Kalzium, 1 500 ml kristalloide Infusionslösung und einen niedrig dosierten Noradrenalin-Perfusor®. Bei Aufnahme auf der Intensivstation ist der Patient kreislaufstabil und normotherm (36,8 °C). Die Blutgasanalyse deutet auf eine Lungenkontusion mit mäßiger Gasaustauschstörung hin. Postoperativ treten keine wesentlichen Probleme auf, sodass der Patient am 2. postoperativen Tag extubiert werden kann.

Diagnosen

Rippenserienfraktur 4–8 rechts mit Hämatothorax und Lungenkontusion, bimalleoläre Fraktur des oberen Sprunggelenks links, proximale Tibiafraktur links, „Open-book"-Fraktur des Beckenrings, hämorrhagischer Schock.

WEITERFÜHRENDE LITERATUR

AWMF S1 Leitlinie „Prähospitales Atemwegsmanagement". 2019.
DGAI-Handlungsempfehlung Prähospitale Notfallnarkose beim Erwachsenen. 2015.
INTECH Advanced Kurs. Universitätsklinikum Heidelberg. https://www.klinikum.uni-heidelberg.de/INTECH-Advanced.141236.0.html.
United States Army Institute of Surgical Research. The tactical combat casualty care guidelines for medical personnel. 2018; https://www.naemt.org/docs/default-source/education-documents/tccc/tccc-mp/guidelines/tccc-guidelines-for-medical-personnel-180801.pdf?sfvrsn=13fc892_2.
Zoidl P. Der traumatische Herz-Kreislauf Stillstand – Part 1. https://foamina.blog/2018/06/21/tca-part-i/.
Zoidl P. Der traumatische Herz-Kreislauf Stillstand – Part 2. https://foamina.blog/2018/07/09/der-traumatische-herz-kreislauf-stillstand-part-2/.

32

SCHOCK UND STÖRUNGEN DES FLÜSSIGKEITSHAUSHALTS

Matthias Klausmeier (32.2–32.10), Jürgen Luxem (32.1)

FALLBEISPIEL

Notfallmeldung

Die Integrierte Leitstelle erhält von der Polizeieinsatzzentrale die Mitteilung über einen Verkehrsunfall auf einer vierspurig ausgebauten Bundesstraße. Dort sei ein Lastwagen in einer Baustelle auf ein Baustellenfahrzeug aufgefahren. Der Lkw-Fahrer sei eingeklemmt und schwer verletzt.

Situation und Ersteindruck

Auf der autobahnähnlich ausgebauten Bundesstraße ist ein Lastkraftwagen scheinbar ungebremst auf einen Verkehrssicherungsanhänger (VSA) aufgeprallt. Das frontgelenkte Führerhaus ist auf der gesamten Breite keilförmig nach innen verformt. Der Fahrer befindet sich noch im Führerhaus. Er ist verletzt und auf seinem Sitz eingeklemmt, aber er ist wach und ansprechbar. Er klagt über starke Schmerzen in beiden Beinen, die er zwar nicht bewegen, aber spüren kann. Er gibt an, dass die Beine in der Pedalerie eingeklemmt sind. Eine Fehlstellung der Beine ist zu erkennen. Außerdem klagt er über Atemnot. Er könne nicht richtig durchatmen, weil das Lenkrad gegen seinen Bauch drücke. Er gibt an, dass ihm immer wieder schwarz vor Augen werde.

Leitsymptome

- Atemnot
- Atem- und Kreislaufbehinderung durch Einklemmung am Lenkrad
- Starke Schmerzen
- Fehlstellung beider Beine

INHALTSÜBERSICHT

32.1 ALLGEMEINE PATHOPHYSIOLOGIE DES SCHOCKS

- Schock stellt eine lebensbedrohliche Form der akuten Kreislaufinsuffizienz dar, die mit einer inadäquaten Sauerstoffverwertung der Zellen einhergeht.
- Gemeinsame Endstrecke des Missverhältnisses von Blutvolumen und Perfusion ist die Hypoxie.
- Man unterscheidet das kompensierte, dekompensierte und irreversible Schockstadium. Übergänge können fließend sein.
- Die Diagnostik im Schock folgt einem „roten Faden", der sich aus der Beurteilung von Notfallpatienten nach einer strukturierten Vorgehensweise ergibt.

32.2 HYPOVOLÄMISCHER SCHOCK

- Der hypovolämische Schock ist charakterisiert durch Volumenverlust nach innen und/oder außen.
- Bekanntester Vertreter dieser Schockform ist der hämorrhagische Schock, bei dem der Patient Blutvolumen aus dem zirkulatorischen System verliert.
- Die Blutung kann dabei nach außen oder nach innen erfolgen.

32.3 KARDIOGENER SCHOCK

- Der kardiogene Schock ist primär durch eine kritische Verminderung der kardialen Pumpleistung mit nachfolgend Sauerstoffunterversorgung der Organe und Gewebe gekennzeichnet.

32.4 OBSTRUKTIVER SCHOCK

- Dem obstruktiven Schock liegt entweder eine extrakardiale Flussbehinderung oder eine intra- oder extrakardiale Füllungsbehinderung zugrunde, die beide eine dekompensierte Herz- und Kreislaufinsuffizienz nach sich ziehen.

32.5 ANAPHYLAKTISCHER SCHOCK

- Der anaphylaktische Schock ist eine akute Verteilungsstörung des Blutvolumens, der durch IgE-vermittelte oder IgE-unabhängige Überempfindlichkeitsreaktionen ausgelöst wird.

32.6 SEPTISCHER SCHOCK

- Der septische Schock ist eine Sepsis-induzierte Verteilungsstörung des zirkulierenden Blutvolumens.
- Er entsteht infolge einer Infektion mit pathogenen Keimen oder deren toxischer Produkte.

32.7 NEUROGENER SCHOCK

- Der neurogene Schock beruht auf einer generalisierten und ausgedehnten Vasodilatation infolge einer Störung der sympathischen und parasympathischen Regulation der glatten Gefäßmuskulatur.

32.8 STÖRUNGEN DES WASSER- UND ELEKTROLYTHAUSHALTS

- Hyperhydratation bedeutet einen erhöhten, Dehydratation einen verminderten Wassergehalt des Organismus.
- Die Störungen können isoton, hyperton oder hypoton sein.
- Elektrolyte können entweder erhöht (z. B. Hypernatriämie oder Hyperkaliämie) oder erniedrigt sein (z. B. Hyponatriämie und Hypokaliämie) und unterschiedlich ausgeprägte Störungen auslösen.

32.9 STÖRUNGEN DES SÄURE-BASEN-HAUSHALTS

- Der normale Blut-pH-Wert beträgt 7,35–7,45.
- Störungen der Isohydrie, die von den Puffersystemen nicht mehr ausgeglichen werden, können nach der basischen oder nach der sauren Seite erfolgen.
- Als Azidose wird eine Abweichung vom pH-Wert unter 7,35, als Alkalose eine Abweichung vom pH-Wert über 7,45 bezeichnet.

32.1 Allgemeine Pathophysiologie des Schocks

Der **Schock** präsentiert sich in der Notfallmedizin als Summe komplexer pathophysiologischer Vorgänge, die in Folge einer für den späteren Schock ursächlichen Erkrankung oder Verletzung auftreten. Der Schock ist somit kein eigenständiges Krankheitsbild, das einer spezifischen Ursache folgt, sondern ein **Symptomkomplex** aufgrund unterschiedlicher Krankheitsursachen, die in eine akute und lebensbedrohliche Störung des Herz-Kreislauf-Systems mit konsekutiver Minderversorgung des Gewebes mit Sauerstoff **(Gewebehypoxie)** einmünden.

32.1.1 Schockformen

Allen Schockformen ist eine **isolierte oder kombinierte Störung** der drei Regelgrößen der Blutzirkulation
- Pumpfunktion des Herzens,
- Blut- und Flüssigkeitsvolumen und
- Gefäßtonus

gemeinsam. Allein schon durch den absoluten- oder relativen Volumenmangel vermindert sich das Herzzeitvolumen und es entsteht eine Umverteilung (→ Abb. 32.1). Ausgehend von den vier Organsystemen werden vier **Schockformen** (→ Tab. 32.1) in Hauptgruppen unterschieden:
- Hypovolämischer Schock: Primär ist der Blut-Flüssigkeitsraum betroffen (→ Kap. 32.2).
- Kardiogener Schock: Primär ist das Herz betroffen (→ Kap. 32.3).
- Obstruktiver Schock: Primär ist das Kreislaufsystem betroffen (→ Kap. 32.4).
- Distributiver Schock: Primär ist das Gefäßsystem betroffen (→ Kap. 32.5, → Kap. 32.6, → Kap. 32.7).

Den verschiedenen Schockformen ist gemeinsam, dass sie unabhängig von der Krankheits- oder Verletzungsursache zu einer Abnahme der Organdurchblutung führen und Organstörungen auslösen. Durch die **verminderte Organdurchblutung** wird **weniger Sauerstoff** als benötigt im Organgewebe angeboten und es entsteht ein Missverhältnis zwischen Sauerstoffangebot und Sauerstoffbedarf. Eine Störung der Zellfunktion im betroffenen Organgewebe **(Gewebehypoxie)** mit Beeinträchtigung des Zellmetabolismus und des Energiestoffwechsels in der terminalen Strombahn sind die Folge.

32.1.2 Terminale Strombahn

Die **terminale Strombahn** (→ Abb. 32.2) umfasst den das Blut zu den Organgeweben hinführenden, arteriellen Schenkel (Arteriolen) und den aus diesem hervorgehenden, das Blut abführenden, venösen Schenkel (Venolen) der peripheren Blutbahn. Die terminale Strombahn ist der Organabschnitt, auf deren Ebene die Körperzellen Zugang zum strömenden Blut erhalten, und wo die Stoffwechselfunktionen im

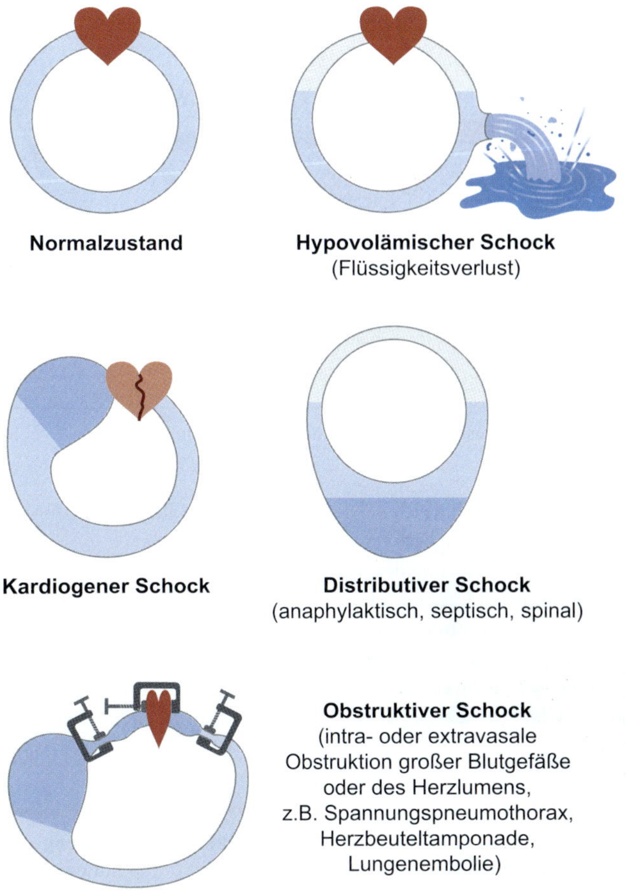

Abb. 32.1 Fahrradschlauch-Modell zur Pathophysiologie der Schockformen [O646, L141, L231]

Oberbegriff	Schockform	Ursache	Auslöser
Hypovolämie (→ Abb. 32.1)	Hypovolämischer Schock	Intravasaler Volumenmangel	Verlust von Wasser, Elektrolyten, Plasma oder Blut nach innen oder außen
Kardiogen (→ Abb. 32.1)	Kardiogener Schock (→ Abb. 32.9)	Myokardiales Pumpversagen (intrakardial)	• Akuter Myokardinfarkt • Herzrhythmusstörungen • Dekompensierte Herzinsuffizienz • Herzklappenfehler • Myokarditis • Kardiomyopathie
Obstruktiv (→ Abb. 32.1)	Obstruktiver Schock	Myokardiales Pumpversagen (extrakardial)	• Lungenarterienembolie • Spannungspneumothorax • Herzbeuteltamponade • Status asthmaticus (selten)
Distributiv (→ Abb. 32.1)	Anaphylaktischer Schock (→ Abb. 32.10)	Störung der Vasomotorik mit erhöhter Kapillar- und Zellmembranpermeabilität	Allergische Reaktion mit Freisetzung von Histamin (Antigen-Antikörper-Reaktion)
	Septischer Schock (→ Abb. 32.11)	Mikrozirkulationsstörung durch Eröffnung arteriovenöser Shunts, gestörte Zellfunktion und veränderter Metabolismus der Zellen	z. B. durch Endotoxine gramnegativer Bakterien
	Neurogener Schock (→ Abb. 32.12)	Störung bzw. Ausfall der Vasomotorik aufgrund von Störungen des sympathischen Nervensystems	Blockade des sympathischen Nervensystems, z. B. durch Wirbelsäulentrauma oder pharmakologische (Spinal-, Periduralanästhesie) Blockade des sympathischen Nervensystems

Tab. 32.1 Ursachen und Auslöser der einzelnen Schockformen

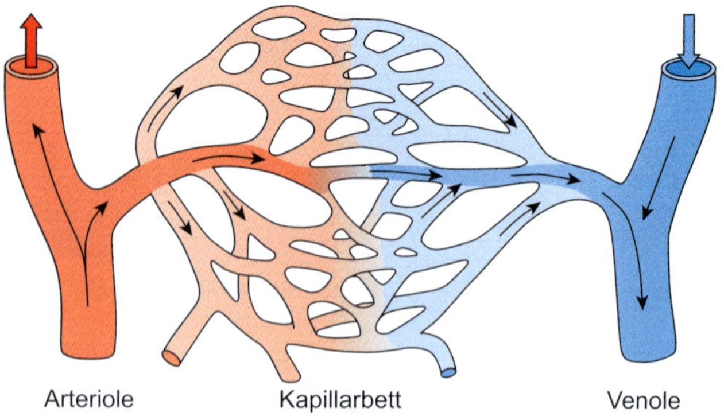

Abb. 32.2 Gefäßabschnitte der terminalen Strombahn [L143]

Kapillarbett möglich werden. Diese transkapilläre Stoffwechselfunktion macht Leben erst möglich.

Aufgrund der Störung des Sauerstoffangebots durch die verminderte Durchblutung auf Ebene der terminalen Strombahn kann im Schock die regelhafte **aerobe Energiegewinnung** auf Zellebene nicht mehr erfolgen und wird eingestellt. Ersatzweise stellt der Körper auf die **anaerobe Energiegewinnung** um, die unter Verzicht von Sauerstoff die Aufrechterhaltung lebenswichtiger Organprozesse noch ermöglicht.

MERKE

Der Schock ist eine **lebensbedrohliche generalisierte Störung des Kreislaufsystems** mit nicht ausreichender Durchblutung der terminalen Strombahn lebenswichtiger Organe und konsekutiver Minderversorgung der Organgewebe mit Sauerstoff (Gewebehypoxie).

32.1.3 Glykolyse

Die anaerobe Energiegewinnung erfolgt durch **Glykolyse.** In der Glykolyse wird Traubenzucker **(Glukose)** in zehn Einzelschritten zu Brenztraubensäure **(Pyruvat)** abgebaut (→ Abb. 32.3). In der Summe wird dabei während der Glykolyse Energie in Form von zwei Molekülen ATP je einem Molekül abgebauter Glukose bereitgestellt. Aber es entstehen auch zwei Moleküle Brenztraubensäure (Pyruvat) pro Molekül Glukose, sodass die Glykolyse zu einer intensiven Anhäufung von Pyruvat führt, während die Ausbeute an Energie übertragenden Molekülen (ATP) gering ist.

Das Pyruvat aus der Glykolyse gelangt in die Mitochondrien und wird dort zu aktivierter Essigsäure (Acetyl-CoA) und Kohlendioxid (CO_2) zerlegt **(oxidative Decarboxylierung).** Die Essigsäure gelangt in den **Zitratzyklus,** in dem Kohlendioxid abgespalten und Wasserstoff (H^+) auf Coenzyme (FAD und NAD^+) übertragen wird. Das entstandene Kohlendioxid (CO_2) wird über die Lunge ausgeatmet. Der in großer Menge an NADH und $FADH_2$ gebundenen Wasserstoff (H^+) fließt in die Atmungskette, die der Energiegewinnung dient.

Da aber unter Sauerstoffmangel Pyruvat im Zitratzyklus nicht weiterverwertet werden kann, wird es ersatzweise in der Milchsäuregärung mit NADH zu Milchsäure **(Laktat)** umgewandelt (→ Abb. 32.3). Eine intensive Anhäufung von Laktat ist die unmittelbare Folge. Ist der Laktatanfall aber zu hoch, wird die Pufferkapazität des Bluts überschritten und der pH-Wert des Bluts fällt erheblich ab. Es entsteht eine metabolische **Laktatazidose** (erkennbar am erhöhten Laktatspiegel im Blut), welche die semipermeable Membran der Zellwände zerstört. Eine Minderperfusion im Gewebe ist die Folge und die notwendigen Stoffwechselfunktionen auf Zellebene werden verhindert.

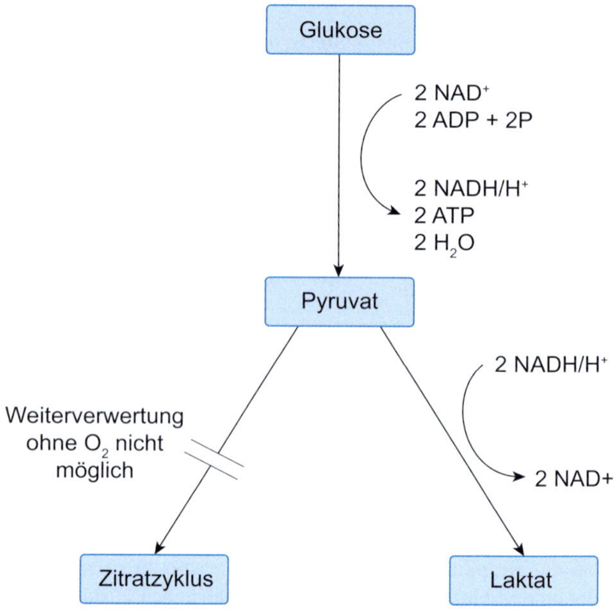

Abb. 32.3 Glykolyse und Laktatanhäufung [L143]

Der entstehende Teufelskreis muss durch frühzeitige Schocktherapie konsequent vermieden werden. Wird der Schock zu spät behandelt, stellt er eine Bedrohung für alle Organe dar und wird in einem Multiorganversagen enden.

32.1.4 Kompensationsmechanismen des Schocks

Um eine ausreichende Durchblutung der lebenswichtigen Organe zu gewährleisten, wird es immer Ziel des Organismus sein, den arteriellen Blutdruck im Körper so lange wie möglich mit allen Mitteln aufrechtzuerhalten. Hierzu bedient er sich einiger Kompensationsmechanismen, die in ihrem **Zusammenspiel im Rahmen der Schockstadien** (→ Kap. 32.1.5) näher erläutert werden.

Zentralnervöse sympathikoadrenerge Stimulation

Bereits im frühen Stadium des Schocks wird das zentralnervöse symphathikoadrenerge System in der Medulla oblongata aktiviert. Durch die Aktivierung der dort liegenden Biosensoren erfolgt die Ausschüttung von Katecholaminen, die am Herzen zu einer Steigerung der Herzfrequenz und der Herzkraft führen. Das Herz-Zeit-Volumen (HZV) wird erhöht. Durch die gleichzeitig einhergehende arterielle Gefäßverengung erfolgt eine Umverteilung des Blutvolumens zu Gehirn, Herz und Lunge, zu Lasten v. a. der Haut, der Skelettmuskulatur, der Nieren und der Leber. Die ebenfalls resultierende Verengung der großen venösen Kapazitätsgefäße führt zu einem vermehrten venösen Rückstrom zum Herzen und damit ebenfalls zur **Steigerung des HZV.**

Adrenalin

Die sympathikoadrenerge Stimulation wird durch die Freisetzung von Adrenalin aus dem Nebennierenmark verstärkt (→ Kap. 32.1.5, Stadium 1 und 2).

Renin-Angiotensin-Aldosteron-System (RAAS)

Durch den renalen Blutdruckabfall wird das Renin-Angiotensin-Aldosteron System **(RAAS)** aktiviert. Es werden gefäßverengendes Angiotensin II und Wasser zurückhaltendes Aldosteron freigesetzt, wodurch ein **Anstieg des HZV** unterstützt wird (→ Abb. 32.15).

32.1.5 Stadien des Schocks

Abhängig vom auslösenden Mechanismus des Schockgeschehens wird zwischen absolutem und relativem Missverhältnis mit der Folge einer Hypovolämie unterschieden. Die **absolute Hypovolämie** wird durch den Verlust an zirkulierendem Volumen nach außen oder innen ausgelöst. Bei **relativer Hypovolämie** wird durch Herz- oder Gefäßinsuffizienz Volumen in der Körperperipherie umverteilt. In beiden Fällen wird der venöse Rückstrom zum Herzen vermindert. Der Schock wird in **drei Stadien** eingeteilt.

Stadium 1 (kompensiertes Stadium)

Die Auslösung der ersten Schockreaktionen erfolgt durch einen **Volumenverlust** von ca. 500 ml aus dem zirkulierenden Volumen oder durch eine Fehlverteilung des Volumens im Gefäßsystem. Da das kardiovaskuläre System noch nicht auf die Volumenveränderung reagiert hat, ist die Schocksymptomatik noch unvollständig (→ Abb. 32.4).

Erste Reaktion im Kreislauf ist eine **Verminderung des venösen Rückstroms** zum Herzen. Die Vorlast und das enddiastolische Füllungsvolumen der Ventrikel sind reduziert. Direkte Folge ist der Abfall des Schlagvolumens und des Herzzeitvolumens. In dieser unmittelbaren Frühphase des Schocks werden die entscheidenden **Kompensationsmechanismen** initiiert:

Die **Pressorezeptoren** (oder auch **Barorezeptoren**) im Aortenbogen und Sinus caroticus registrieren schnell den Blutdruckabfall im Gefäßsystem; über eine Rückkopplung via Kreislauf- und Vasomotorenzentrum in der Medulla oblongata wird die gewünschte **sympathoadrenerge Reaktion** im Organismus ausgelöst. Die **Katecholamine** Adrenalin, Noradrenalin und Dopamin werden aus dem Nebennierenmark in das zirkulatorische System ausgeschüttet. Ziel der Reaktion ist die **Aufrechterhaltung eines adäquaten Herzzeitvolumens** und eines **ausreichenden Blutdrucks** zur Organdurchblutung.

- An den peripheren Arterien und Arteriolen wird durch die α-Rezeptoren-Wirkung eine **Gefäßverengung (Vasokonstriktion)** verursacht, der periphere Gefäßwiderstand steigt.
- Am Herzen wird durch Stimulierung der β_1-Rezeptoren eine **Herzkraftsteigerung (positive Inotropie)** und **Zunahme der Herzfrequenz (positive Chronotropie)** ausgelöst. Die Zunahme der Herzfrequenz lässt sich im Rettungsdienst früh als typische kompensatorische Sinustachykardie diagnostizieren.
- Der Blutdruck bewegt sich meist in normotonen Grenzen, da die sympathoadrenerge Reaktion in der Makrozirkulation einen Druckabfall verhindert.

Das wichtigste Ziel der sympathoadrenergen Reaktion ist die Aufrechterhaltung der Blutzirkulation in Gehirn, Myokard und Lunge. Aufgrund des vorliegenden Volumenmangels kommt es in einigen Organen bereits frühzeitig zu kompensatorischen **Mikrozirkulationsstörungen,** da die Perfusion in diesen Organen gedrosselt wird. Vor allem die Haut, die Skelettmuskulatur, das Mesenterialgebiet (Dünndarmdurchblutungsgebiet im engeren Sinne), die Nieren und die Leber sind von der sympathoadrenergen Reaktion betroffen. Durch Veränderung des Druckgradienten zwischen dem arteriellen und dem venösen Schenkel nimmt die Resorption von Volumen aus dem Interstitium in den Intravasalraum zu. Diese Reaktion ermöglicht zusammen mit der

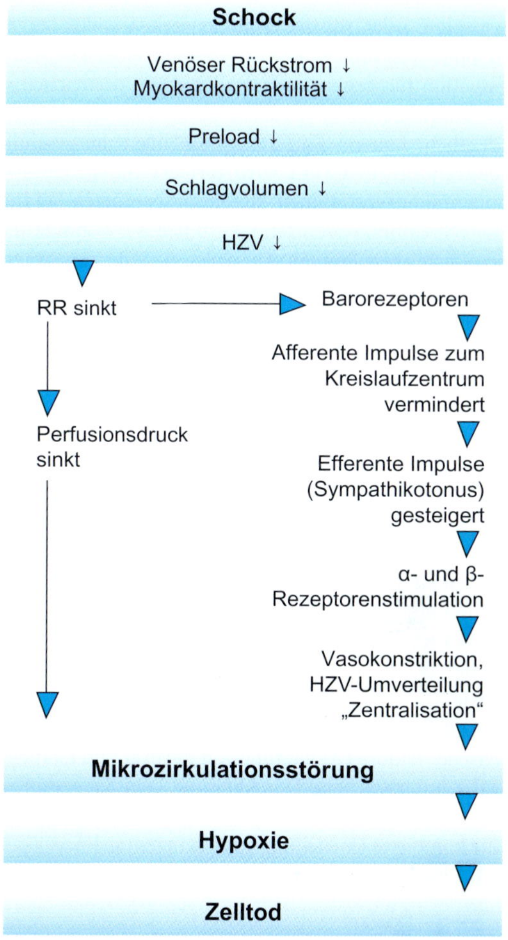

Abb. 32.4 Pathophysiologie des Schocks [L157]

Reaktion des sympathischen Nervensystems, dass Volumendefizite bis zu 20 % der Norm durch körpereigene Mechanismen kompensiert werden können. Bei einem Erwachsenen mit einem Gewicht von 70 kg und einem zirkulierenden Blutvolumen von ca. 5,6 l (8 % des Körpergewichts) kann also maximal ein Verlust bis ca. 1,2 l ausgeglichen werden. Die Mikrozirkulationsstörungen in Verbindung mit der beschriebenen Volumenverschiebung verlangen jedoch in jedem Fall eine dem Verlust entsprechende **Volumentherapie,** obwohl viele der Betroffenen zu diesem Zeitpunkt noch nahezu normale Blutdruckverhältnisse bieten.

IM FOKUS

Symptomatik im Schock

Stadium 1

- Unruhe
- Blässe
- Zyanose der Akren (nicht zwingend, z. B. Anämie)
- Lufthunger (Dsypnoe)
- Hyperventilation (Tachypnoe)
- Tachykardie (Herzfrequenz über 100/Min.)
- Blutdruck normal bis erniedrigt (systolisch ca. 100 mmHg)
- Durst
- Patient wach und ansprechbar

Stadium 2 (dekompensiertes Stadium)

Hält der absolute oder relative Volumenverlust weiter an oder verstärkt sich, ohne dass eine suffiziente Therapie eingeleitet wurde, wird sich die Situation für den betroffenen Patienten dramatisch verschärfen. Durch kontinuierlichen Druckabfall im arteriellen Gefäßsystem werden deutlich höhere Katecholaminmengen ausgeschüttet. Die **sympathoadrenerge Reaktion wird forciert** durch deutlich erhöhte Katecholaminkonzentrationen, die im ausgeprägten Stadium 2 des Schocks Katecholaminkonzentrationen um das 30- bis 50-Fache der Normalwerte erreichen können. Die Folge ist eine zunehmende, später fixierte **Kreislaufzentralisation,** wodurch die betroffenen Organe vollständig von der weiteren Durchblutung und Sauerstoffversorgung abgetrennt werden. Die Arteriolen verfügen über Sphinkter, die ringförmig am Beginn der Arteriolen angeordnet sind. Der ausgeprägt vasokonstriktorische Effekt wird unterstützt durch die Ausschüttung von Mediatoren, z. B. Endothelin. Wird der kritische Verschlussdruck der Arteriolen bei sinkendem Blutdruck unterschritten, wird das betroffene Kapillargebiet vollständig von der weiteren Durchblutung abgetrennt (Ischämie). Im betroffenen Kapillargebiet kommt das Blutvolumen zum Stehen (Stase) (→ Abb. 32.5). Folgende **Mikrozirkulationsstörungen** prägen den Ablauf dieser Phase des Schockgeschehens:

- Minderdurchblutung der Organe
- Ischämie der Kapillargefäße
- Hypoxämie
- Zellhypoxie
- Anaerobe Glykolyse
- Metabolische Azidose (Anhäufung von Pyruvat und Laktat)

Da durch die unterbrochene Durchblutung kein Sauerstoff mehr das Kapillargebiet erreicht, erfordert die Ischämie der betroffenen Kapillarbereiche die komplette Umstellung auf die anaerobe Energiegewinnung (Glykolyse). Eine intensive Anhäufung von Pyruvat und in der Folge Laktat führt rasch zur **akuten metabolischen Azidose** (→ Abb. 32.6). Die Azidose führt wiederum zu einer kompensatorischen Hyperkaliämie (Kalium von intra- nach extrazellulär), u. a. mit einer weiteren Zunahme der Tachykardie.

IM FOKUS

Symptomatik im Schock

Stadium 2

- Unruhe, Angst
- Bewusstseinstrübung (Somnolenz) bis zum Koma
- Kaltschweißigkeit
- Hyperventilation (Tachypnoe)
- Massive Tachykardie (über 120/Min.)
- Hypotension (RR systolisch unter 80 mmHg)
- Oligurie (verminderte Urinausscheidung)
- Metabolische Azidose

Stadium 3 (irreversibler Schock)

Kann die Stase in der Mikrozirkulation nicht rechtzeitig unterbrochen werden, treten weitere Komplikationen auf. Der Entzug des intravasalen Volumens im Kapillargebiet führt zu einer steigenden Blutviskosität (Eindickung des Bluts). Die im Gefäß verbleibenden korpuskulären (festen) Bestandteile des Bluts verändern sich ebenfalls. Die Erythrozyten verlieren durch den hohen osmotischen Druckgradienten der Zellen ihre Flüssigkeit. Sie verlieren ihre ursprüngliche Form und werden rund. Wie Geldrollen legen sie sich aneinander und blockieren das Kapillargefäß. Dieser Zustand wird als **Sludge-Phänomen** (engl. für Schlamm) bezeichnet (→ Abb. 32.7). Setzt zu diesem Zeitpunkt die Reperfusion der Kapillare ein, ist es nicht möglich, die verstopften Kapillargefäße wieder zu öffnen.

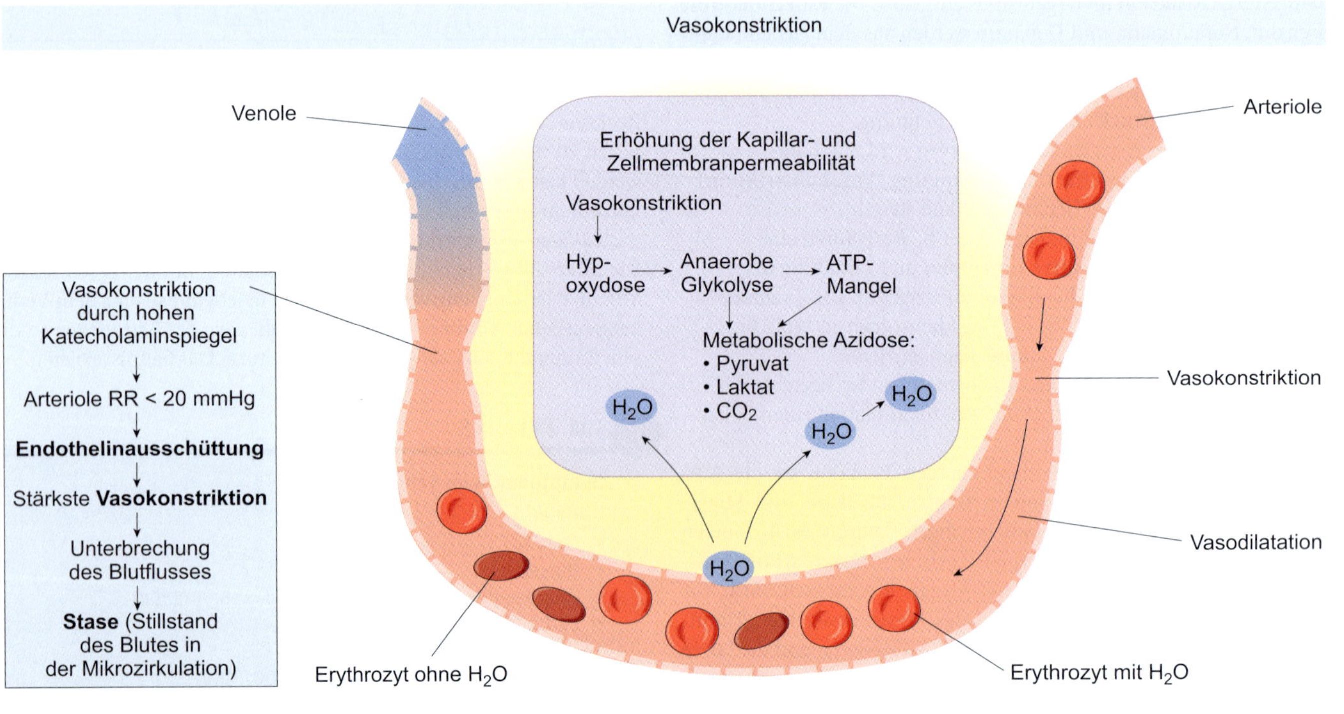

Abb. 32.5 Mikrozirkulationsstörungen im Schock: Zentralisation und Stase [L190]

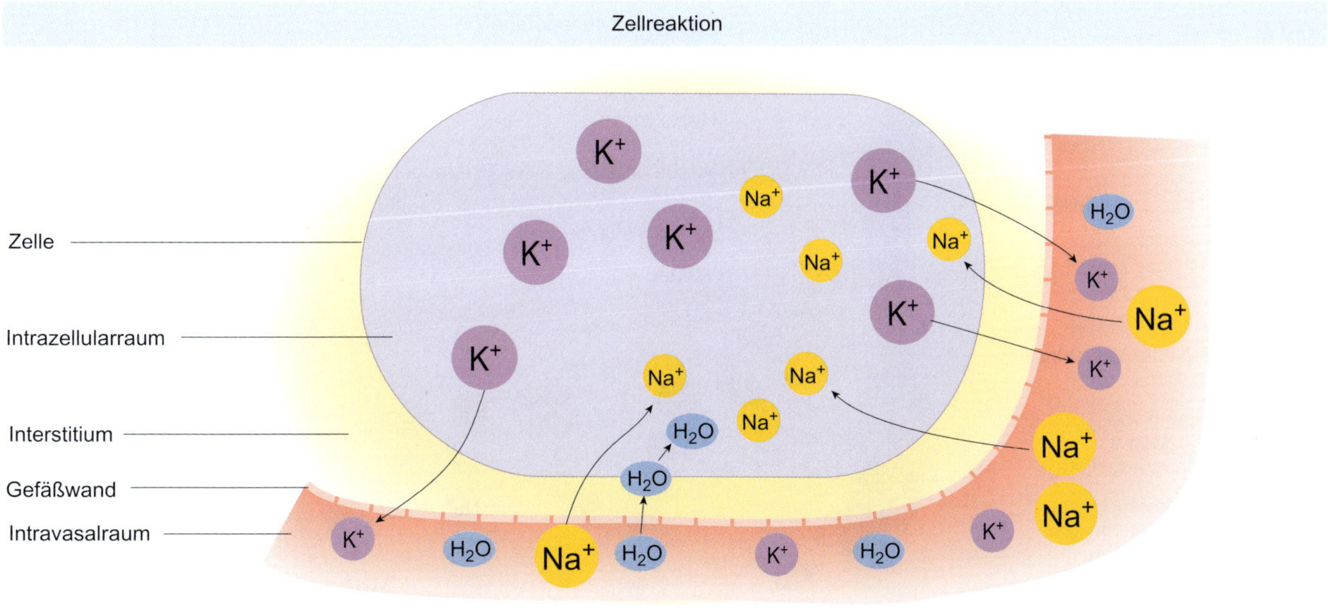

Abb. 32.6 Mikrozirkulationsstörungen im Schock: metabolische Azidose und erhöhte Kapillar- und Zellpermeabilität [L190]

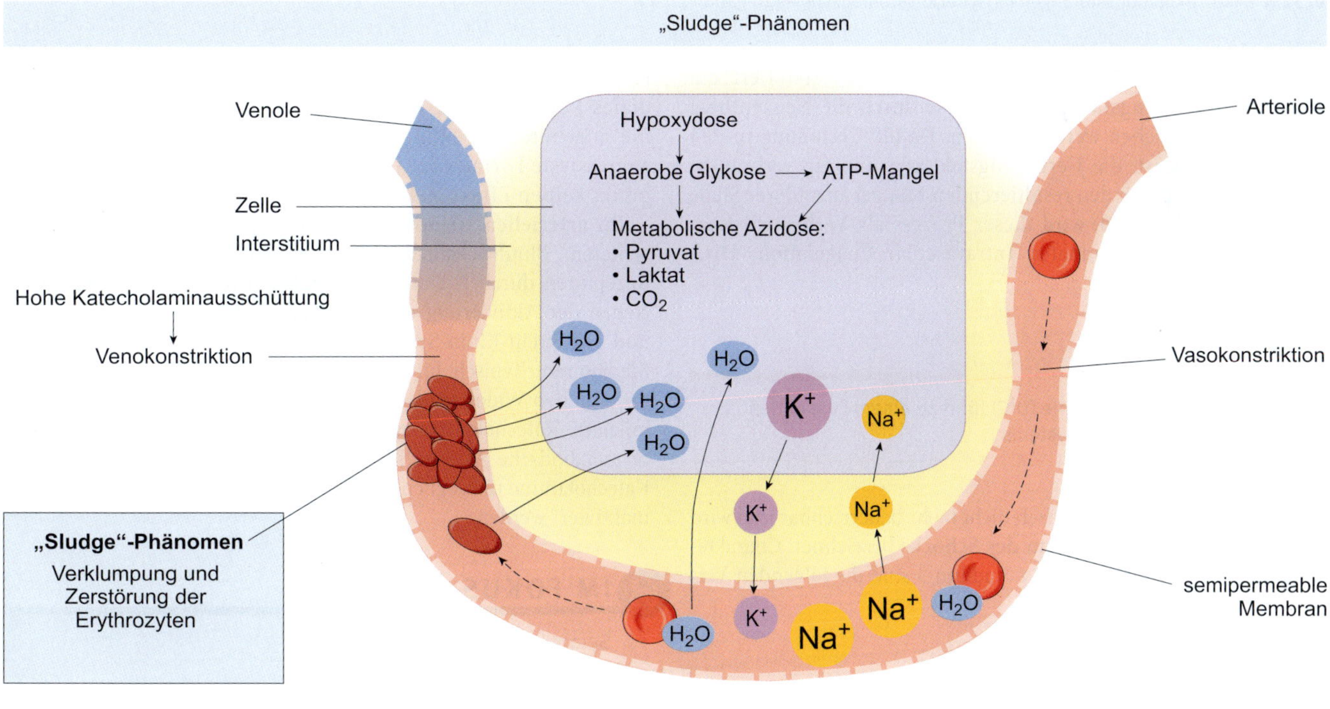

Abb. 32.7 Mikrozirkulationsstörungen im Schock: Sludge-Phänomen [L190]

Gelingt es, die Erythrozyten erneut zum Fließen zu bringen, drohen sie sich als Gerinnsel (Thrombus, Embolus) in anderen Gefäßen festzusetzen. Die Thrombozyten, die neben Fibrinogen und Kalzium für die Blutgerinnung notwendig sind, werden durch die Stase u. U. aktiviert. Dann kommt es zu einer Thrombozytenaggregation mit Koagel- (Gerinnsel-)Bildung (→ Abb. 32.8). Dies äußert sich laborchemisch durch eine Thrombozytopenie bis hin zum **Thrombozytensturz.** Die durch die Stase in den Kapillaren ausgelöste **ungerichtete Blutgerinnung** führt zu einem Verbrauch und einer Abnahme von einzelnen Gerinnungsfaktoren (Faktor I, II, V, VII und VIII), ohne

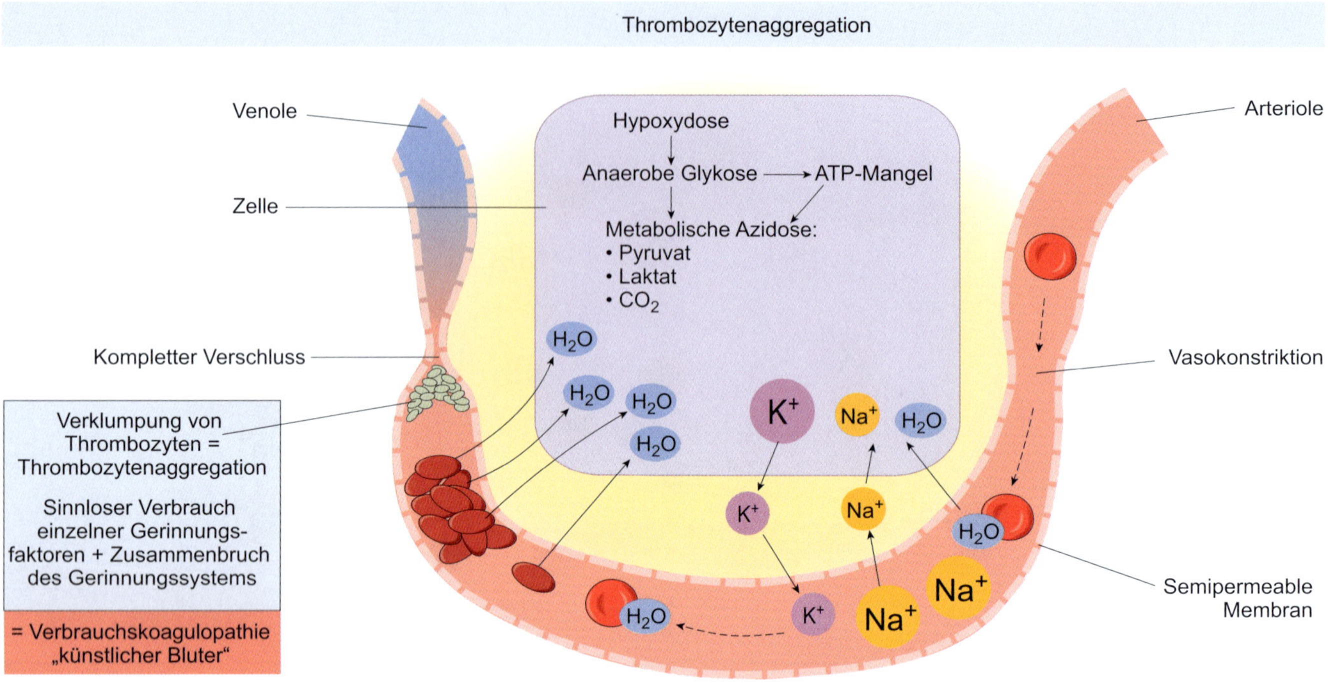

Abb. 32.8 Mikrozirkulationsstörungen im Schock: Thrombozytenaggregation [L190]

dass eine Blutgerinnung tatsächlich stattfindet. Es resultiert ein **Mangel an Gerinnungsfaktoren,** da diese durch die Neusynthese nicht mehr ausgeglichen werden können. Da die Gerinnung in den Kapillaren sinnlos ist, die Gerinnungsfaktoren unnötig verbraucht werden und diese durch den resultierenden Mangel an anderer Stelle zur Blutgerinnung fehlen, wird dieser Prozess als **Verbrauchskoagulopathie** (engl. **D**issaminated **I**ntravascular **C**oagulation, **DIC**) bezeichnet.

MERKE

Die Verbrauchskoagulopathie (DIC) führt zu einem Zusammenbruch des Blutgerinnungssystems.

Das dritte Stadium ist therapeutisch nicht mehr beherrschbar und wird deshalb als **irreversibles Stadium des Schocks** bezeichnet. Charakteristisch für die Pathophysiologie in Stadium 3 sind die folgenden Veränderungen:

- Schwere metabolische Azidose
- Ausfall des Zitronensäurezyklus in der Zelle
- Extrazellulärer Natriummangel
- Zelltod

Zu diesem Zeitpunkt kommt es zu einer Minderperfusion der Organe und in der Folge zu **„Schockorganen":** In der Niere folgt ein akutes Nierenversagen mit Oligurie/Anurie, in der Lunge ein akutes Lungenversagen mit Mikroembolien, Ödem und einem gestörten Gasaustausch und in der Leber Nekrosen mit Funktionsausfall. Am **Herzen** wird die elektromechanische Kopplung außer Kraft gesetzt. Die Abnahme der Herzfrequenz und Rhythmusstörungen sind die Folge. Die myokardiale Kontraktilität ist durch Hypoxie und Azidose herabgesetzt; es entwickelt sich ein myokardiales Pumpversagen. Die Ventrikel sind nicht mehr in der Lage, die angebotenen Volumina in die Kreisläufe auszuwerfen. Selbst aggressivste Formen der Infusionstherapie erzielen zu diesem Zeitpunkt keinen Effekt mehr.

Im **arteriellen Gefäßsystem** ist eine generelle Vasodilatation mit weiterem Blutdruckabfall zu verzeichnen, da die Gefäßzellen und Rezeptoren durch Hypoxie und Azidose irreversibel geschädigt sind. Neben der Aktivierung des Gerinnungs-, Fibrinolyse-, Komplement- und Kallikrein-Kinin-Systems kommt es zur Freisetzung zahlreicher Mediatoren. Typisch für dieses Stadium ist, dass weder am Herzen noch an den Widerstandsgefäßen eine Reaktion auf körpereigene oder injizierte Katecholamine ausgelöst werden kann. Vor allem die schwere metabolische Azidose macht eine pharmakologische Wirkung der Katecholamine unmöglich, da deren Wirkstoffe in stark saurem Milieu inaktiviert werden.

IM FOKUS

Symptomatik im Schock

Stadium 3

- Zusammenbruch des kardiozirkulatorischen Systems, Koma
- Blutdruckabfall bzw. fehlender Blutdruck trotz Volumentherapie
- Abnahme der Körperkerntemperatur (Hypothermie)
- Kalte, feuchte, marmorierte Haut
- Abnahme der Atemfrequenz (Bradypnoe)
- Abnahme der Herzfrequenz (Bradykardie)
- Rhythmusstörungen
- Anurie (trotz Infusionstherapie keine Ausscheidung messbar)

Medikamente und Dosierungsempfehlungen
(Kontraindikationen beachten):
- Antiemetikum: z. B. Ondansetron: 4 mg i. v. (Off-Label-Use), Granisetron 10–40 µg/kg KG (1–3 mg) langsam über 30 Sek. i. v. oder Dimenhydrinat 62 mg i. v.
- Analgesie: Morphin: 2 mg i. v. titriert bis max. 10 mg – Ziel: NRS ≤ 4
- Thrombozytenaggregationshemmung bei ACS
- Antikoagulation bei ACS
- Bradykarde Herzrhythmusstörungen:
  - Atropinsulfat: 0,5 mg alle 3–5 Min. bis max. 3 mg i. v.
  - Norepinephrinperfusor: 2–10 µg/Min.
  - Transthorakale Schrittmachertherapie
- Tachykarde Herzrhythmusstörungen:
  - Kausale Therapie: Ursache identifizieren und behandeln.
  - Kardioversion
  - Bei drei erfolglosen Kardioversionen: Amiodaron 300 mg i. v. in G5 % Infusion (100 ml) als Kurzinfusion über 20 Min.

Vorbereitung/Assistenz bei der Behandlung durch den Notarzt
- z. B. Vorbereitung von Narkose, Intubation und Beatmung
- z. B. Vorbereitung der Katecholamintherapie:
  - Dobutamin: 250 mg ≙ 50 ml in eine 50 ml Perfusorspritze
  - Norepinephrin: 5 mg ≙ 5 ml mit 45 ml NaCl 0,9 % in eine 50 ml Perfusorspritze
- Zügiger Transport in eine Klinik mit Herzkatheterlabor bei ACS

32.4 Obstruktiver Schock

DEFINITION

Der obstruktive Schock führt aufgrund einer extrakardialen **Flussbehinderung** oder einer intra- bzw. extrakardialen **Füllungsbehinderung** zur akuten Kreislaufinsuffizienz.

Für das klinische Bild des obstruktiven Schocks sind mechanische **extrakardiale Ursachen** verantwortlich (→ Tab. 32.5). Die Pathogenese umfasst Krankheitsbilder, die zu einer Flussbehinderung außerhalb des Herzens führen und solche, die das Herz an einer effektiven Füllung hindern.

Pathophysiologie

Die pathophysiologischen Abläufe, die den obstruktiven Schock kennzeichnen, entsprechen denen des kardiogenen Schocks (→ Kap. 32.3). Im Vordergrund steht ein **myokardiales Pumpversagen,** das jedoch durch eine **Leistungsbehinderung** ausgelöst wird. Es ist unerlässlich, den genauen Auslöser des obstruktiven Schocks zu bestimmen, um die zielgerichteten lebensrettenden Schlüsselinterventionen einzuleiten. Im Vordergrund der Therapie steht also eine unmittelbare Beseitigung der auslösenden Ursachen.

Ursachen	Auslöser
Mechanische	• Extrakardiale Flussbehinderung: – Lungenarterienembolie (LAE) • Intra- bzw. extrakardiale Füllungsbehinderung: – Herzbeuteltamponade (Hämoperikard; Perikardtamponade) – Spannungspneumothorax – Lebensbedrohlicher Asthmaanfall – Vena-cava-Kompressionssyndrom (aortocavales Kompressionssyndrom)

Tab. 32.5 Ursachen und Auslöser des obstruktiven Schocks

MERKE

Das myokardiale Pumpversagen ist die Folge einer extrakardialen Leistungsbehinderung und nicht die Ursache einer intrakardialen Funktionsstörung.

Eine primäre Behandlung der kardialen Insuffizienz wie beim kardiogenen Schock wäre demnach wenig sinnvoll.

Symptome

Die Symptomatik des obstruktiven Schocks ist der des kardiogenen Schocks sehr ähnlich (→ Kap. 32.3). Für das Erscheinungsbild der Patienten sind allerdings die klinischen Leitsymptome der auslösenden Ursache von Bedeutung.

Therapie

Die Therapie des obstruktiven Schocks zeichnet sich durch eine hohe Vielfalt aus. Das ist durch den Umstand begründet, dass die auslösenden Ursachen sowohl internistischer als auch traumatologischer Genese sein können. Es ist daher unabdingbar, neben dem obstruktiven Schock selbst die exakt auslösende Ursache zu erkennen. Nur dann ist die lebensrettende Kausaltherapie möglich.

IM FOKUS

Obstruktiver Schock

Symptome

Zusätzlich zur allgemeinen Symptomatik des kardiogenen Schocks:
- Lungenarterienembolie (LAE): plötzlich einsetzende Dyspnoe, unproduktiver Reizhusten, blutiger Husten (Hämoptoe), Kragenzyanose (Dekolleté-Zyanose), initiale Synkope, atemabhängiger Thoraxschmerz
- Spannungspneumothorax: Kinematik des Traumas, einseitig fehlendes Atemgeräusch, akute und plötzliche Vigilanzminderung, fehlender Radialispuls, gestaute Halsvenen
- Perikardtamponade: Beck'sche Trias (arterielle Hypotension, zentralvenöse Hypertonie als Halsvenenstauung, abgeschwächte Herztöne), Niedervoltage, Bildgebung (Focused Assessment with Sonography for Trauma, FAST)
- Lebensbedrohlicher Asthmaanfall: exspiratorisches Giemen und Brummen, verlängertes Exspirium, deutlich abgeschwächte Atemgeräusche (Airtrapping, silent lung), respiratorische Erschöpfung, Resistenz gegenüber der Standardpharmakotherapie
- Vena-cava-Kompressionssyndrom: Schwangerschaft im letzten Trimenon, Übelkeit, Blässe, Zyanose, Vigilanzminderung, Tachykardie, Hypotension, verzögerte Rekapillarisierungszeit, evtl. Synkope, kühle Extremitäten, hauptsächlich ausgelöst durch Rückenlage oder Lagerung auf der rechten Seite, Besserung durch leichte Linksseitenlage bei Entlastung der V. cava inferior

Maßnahmen

Basismaßnahmen und Lagerung
- Spannungspneumothorax: Nadeldekompression als lebensrettende Schlüsselintervention bei der Initialbeurteilung

- Notarztruf
- Lagerung:
  - Bewusstsein erhalten: Oberkörper 15–30° erhöht
  - Thoraxtrauma mit Polytrauma: Flachlagerung
  - Vena-cava-Kompressionssyndrom: Linksseitenlage
- Bewusstlosigkeit: stabile Seitenlage
- Hochdosierte Sauerstoffgabe (10–15 l/Min.)

Erweiterte Maßnahmen

- Peripherer Venenzugang
- Balancierte Vollelektrolytlösung (VEL)
- Volumentherapie bei hämorrhagischem bzw. hypovolämischem Schock

Medikamente und Dosierungsempfehlungen

Kontraindikationen beachten:

- Antiemetikum:
  - z. B. Ondansetron: 4 mg i. v. (Off-Label-Use)
  - z. B. Granisetron: 10–40 µg/kg KG (1–3 mg) i. v.
  - z. B. Dimenhydrinat: 62 mg i. v.
- Analgesie:
  - Morphin: 2 mg i. v. titriert bis max. 10 mg – Ziel: NRS ≤ 4
  - Esketamin: 0,125–0,25 mg/kg KG i. v.
- Antikoagulation bei LAE:
  - Heparin 5 000 I. E. i. v.
- Bronchodilatation bei lebensbedrohlichem Asthmaanfall:
  - Salbutamol: 2,5–5 mg unverdünnt inhalativ (lokales Protokoll)
  - Ipratropiumbromid: 500 µg unverdünnt inhalativ (lokales Protokoll)
  - Methylprednisolon: 50–100 mg bzw. 1 mg/kg KG i. v. (lokales Protokoll)
  - NIV (non-invasive Ventilation)
  - Ultima Ratio: Narkose, Intubation und Beatmung: Esketamin; 2,5 mg/kg KG i. v. (Notarzt)

Vorbereitung/Assistenz bei der Behandlung durch den Notarzt

- z. B. Vorbereitung von Narkose, Intubation und Beatmung
- z. B. Vorbereitung der Katecholamintherapie (LAE):
  - Dobutamin: 250 mg ≙ 50 ml in eine 50 ml Perfusorspritze
  - Norepinephrin: 5 mg ≙ 5 ml mit 45 ml NaCl 0,9 % in eine 50 ml Perfusorspritze

32.5 Anaphylaktischer Schock

DEFINITION

Anaphylaxie ist eine schwere, lebensbedrohliche, generalisierte oder systemische Hypersensitivitätsreaktion (modifiziert nach ERC-Leitlinie 2021). Sie ist die Maximalvariante einer akuten allergischen Sofortreaktion, die potenziell lebensbedrohlich ist und alle Organsysteme betreffen kann.

Für die Entstehung eines anaphylaktischen Schocks verantwortlich ist die überschießende Immunantwort des Körpers, wenn er in Kontakt mit Substanzen gerät, auf die er allergisch reagiert. Folgende Substanzen sind am häufigsten Auslöser des anaphylaktischen Schocks (→ Tab. 32.6, → Tab. 32.7).

Auslöser	Beispiele
Medikamente	Penicillin, Metamizol, Acetylsalicylsäure, Morphin
Nahrungsmittel	Obst, Nüsse, Eiweißprodukte
Insektengifte, Tierepithelien	Bienen, Wespen, Hornissen, Hunde- und Katzenhaare

Tab. 32.6 Ursachen und Auslöser des anaphylaktischen Schocks

Mediatorsubstanz	Wirkung
Histamin	• Bronchiolenobstruktion • Vasodilatation von Arterien, Arteriolen und Venolen • Erhöhung der Kapillar- und Zellmembranpermeabilität
Serotonin	• Vasodilatation der Arterien in der Skelettmuskulatur • Vasokonstriktion (Lunge, Nieren)
Bradykinin	• Vasodilatation der peripheren Arterien und Arteriolen
SRS-A (slow reacting substances of anaphylaxis: z. B. Leukotriene)	• Erhöhung der Kapillar- und Zellmembranpermeabilität • Bronchiolenspasmus • Schleimhautödem
Prostaglandine	• Vermehrte Schleimproduktion • Hautreaktionen: – Hautrötung/Erythem – Hautausschlag (Exanthem) – Juckreiz (Pruritus) – Juckende Quaddelbildung (Urtikaria)

Tab. 32.7 Mediatorsubstanzen und ihre Auswirkungen

Pathogenese und Pathophysiologie

Der **anaphylaktische Schock** als lebensbedrohliche Variante der Anaphylaxie ist eine **distributive Schockform** mit **akuter Kreislaufinsuffizienz** aufgrund einer **Verteilungsstörung des Blutvolumens** (→ Abb. 32.10) und wird durch **IgE-abhängige oder IgE-unabhängige Sofortreaktionen** ausgelöst (→ Tab. 32.8). Beide Sofortreaktionen lassen sich klinisch nicht unterscheiden. Die lebensrettende Akuttherapie erfordert keine Differenzierung und folgt einem standardisierten Therapieschema.

Der anaphylaktische Schock führt in kürzester Zeit zu akut lebensbedrohlichen Situationen, die unmittelbar im Kreislaufstillstand enden können. Je nach Schweregrad und Lokalisation lassen sich Veränderungen an folgenden Organsystemen feststellen (→ Tab. 32.9):

Haut

Hautreaktionen können als Leitsymptom für alle Schweregrade der allergischen Reaktion auftreten. Die typischen Symptome, die überwiegend durch die Mediatorsubstanz Prostaglandin ausgelöst wird, sind Hautrötungen **(Erytheme)**, Hautausschläge **(Exantheme)**, Juckreiz **(Pruritus)** und juckende Quaddelbildung **(Urtikaria).** Bei lokaler Begrenzung ohne weitere Begleitsymptome sind sie charakteristisch für subakute Formen der Anaphylaxie.

Gastrointestinaltrakt

Durchfall und Erbrechen können Begleitsymptome einer allergischen Reaktion sein. Deren Beteiligung ist Ausdruck einer bereits ausgeprägten allergischen Reaktion.

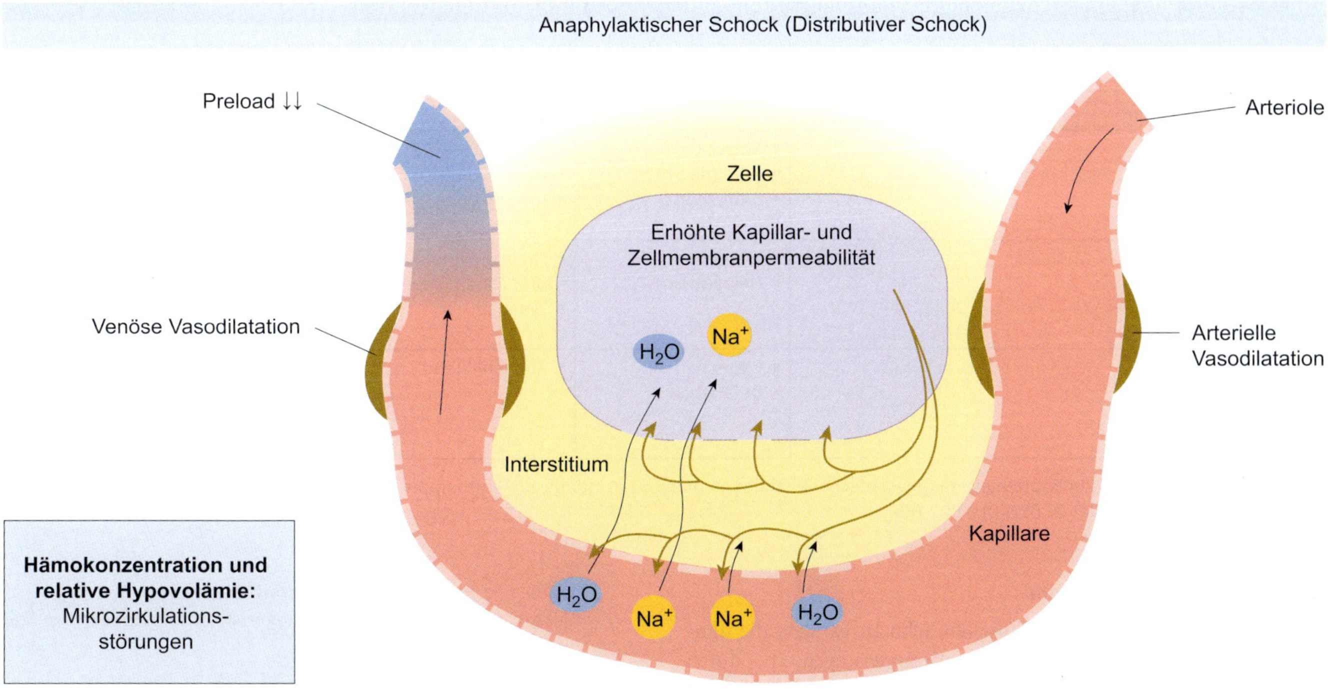

Abb. 32.10 Anaphylaktischer Schock [L143]

Formen	Auslöser
IgE-vermittelte Anaphylaxie	• Immunologische Sofortreaktion vom Typ I • Erstkontakt mit dem Antigen einige Wochen zuvor • Bildung spezieller Immunglobuline (IgE) als Antikörper durch B-Lymphozyten • Sensibilisierung des betroffenen Organismus • Erneuter Kontakt mit dem Antigen verursacht erst nach Bildung der Antikörper eine Reaktion. • Bindung der Antikörper an speziellen Rezeptoren der basophilen Granulozyten im Intravasalraum und an den Mastzellen • Bei erneutem Kontakt mit dem Antigen: Antigen-Antikörper-Reaktion mit Ausschüttung spezieller Mediatorsubstanzen: Histamin, Bradykinin, Prostaglandine, Serotonin, Leukotriene
Komplementvermittelte Reaktion	• Auslösung durch menschliche Proteine aus Blutkomponenten möglich • Komplementsystem als Teil der angeborenen Immunabwehr steht im Vordergrund. • Vermutlich Vernetzung der Antigene durch IgG-Antikörper • Bildung von Antigen-Antikörper-Komplexen mit Aktivierung der Komplementkaskade • Freisetzung von Mediatoren über Komplementfaktoren C3a und C5a
Nichtimmunologische Reaktion	• Sog. **„anaphylaktoide"** Reaktion • Ausschüttung der Mediatorsubstanzen aus Basophilen und Mastzellen sofort bei Erstkontakt mit dem Antigen ohne vorherige Antikörperbildung • Typische Auslöser für diese IgE-unabhängige Reaktion sind: – Physikalische Stimuli, z. B. Hitze- oder Kältereiz – Osmotische Stimuli: hypertone Infusionslösungen: z. B. Kontrastmittel, Mannitol, Dextran – Chemische Stimuli, z. B. Medikamente: Opiate, Opioide, Antibiotika, Lokalanästhetika

Tab. 32.8 Formen und Auslöser der Anaphylaxie

Respiratorisches System

Neben einfacheren Symptomen wie das Nasenlaufen **(Rinorrhö)** und Niesen sprechen weitergehende Symptome für eine schwere bis lebensbedrohliche allergische Reaktion. Durch **Histaminausschüttung** resultiert eine erhöhte Kapillar- und Zellmembranpermeabilität, die am Larynx, Pharynx und der Epiglottis zu einer bedrohlichen Schleimhautschwellung mit Dyspnoe und respiratorischer Insuffizienz führen können. Im schlimmsten Fall kann daraus bei drohendem Ersticken (Asphyxie) die Notwendigkeit einer Koniotomie resultieren. In den unteren Atemwegen verursachen die Mediatorsubstanzen Histamin und Leukotrien die typische pathophysiologische Trias des Asthmaanfalls mit Bronchiolenspasmus, Schleimhautödem und Hypersekretion mit Dyskrinie (→ Kap. 28.2.3). Treten die Veränderungen der unteren Atemwege isoliert auf, handelt es sich um einen allergischen Asthmaanfall. Sind die Symptome mit akuten Veränderungen des kardiozirkulatorischen Systems gekoppelt, spricht man von einem anaphylaktischen Schock.

Grad	Haut- und subjektive Allgemeinsymptome	Abdomen	Respirationstrakt	Herz-Kreislauf
I	• Juckreiz • Flush • Urtikaria • Angioödem			
II	• Juckreiz • Flush • Urtikaria • Angioödem	• Nausea • Krämpfe • Erbrechen	• Rhinorrhö • Heiserkeit • Dyspnoe	• Tachykardie (Anstieg > 20/Min.) • Hypotension (Abfall > 20 mmHg syst.) • Arrhythmie
III	• Juckreiz • Flush • Urtikaria • Angioödem	• Erbrechen • Defäkation	• Larynxödem • Bronchospasmus • Zyanose	• Schock
IV	• Juckreiz • Flush • Urtikaria • Angioödem	• Erbrechen • Defäkation	• Atemstillstand	• Kreislaufstillstand

Tab. 32.9 Schweregradskala zur Beurteilung anaphylaktischer Reaktionen (nach S2k-Leitlinie zu Akuttherapie und Management der Anaphylaxie 2021 – Ring et al. 2021, licensed under CC BY 4.0) [F802-004]

Kardiozirkulatorisches System

Führendes Merkmal des anaphylaktischen Schocks ist stets die **akute Kreislaufinsuffizienz.** Die primären Veränderungen, die durch Ausschüttung der Mediatorsubstanzen ausgelöst werden, sind durch Tachykardie, Blutdruckabfall und evtl. auftretende Arrhythmien gekennzeichnet. Im Stadium III der Anaphylaxie (→ Tab. 32.9), das als anaphylaktischer Schock bezeichnet wird, dominieren die Veränderungen der akuten Kreislaufinsuffizienz. Die generelle Vasodilatation der Arterien, Arteriolen und Venolen führen in Kombination mit erhöhter Kapillar- und Zellmembranpermeabilität zu deutlichen Mikrozirkulationsstörungen und charakterisieren den distributiven Schock:

- Hypoperfusion der Mikrozirkulation
- Flüssigkeitsverlust in den interstitiellen und intrazellulären Raum durch erhöhte Kapillar- und Zellmembranpermeabilität
- Relative Hypovolämie durch Verteilungsstörung des Volumens
- Globale Ödembildung in den Organen und Geweben
- Akute Verminderung des venösen Rückstroms (Absinken des Preloads)
- Reduktion des Schlag- und Herzminutenvolumens
- Verminderung der myokardialen Vordehnung und Kontraktilität
- Massive Hypotension
- Atem- und Kreislaufstillstand (Schweregrad IV)

Therapie

Zunächst muss geprüft werden, ob eine Verhinderung der weiteren Allergenexposition möglich ist. Wenn ja, muss die Aufnahme des Allergens sofort gestoppt werden, um eine Verschlechterung des Patientenzustands zu verhindern.

Die Therapie der Anaphylaxie muss zeitnah und symptomgerecht erfolgen. Dabei bestimmen der Schweregrad der Anaphylaxie Art und Dringlichkeit der Therapie. Zur Beurteilung der Patienten erfolgt eine Einteilung der Anaphylaxie nach Schweregraden (→ Tab. 32.9). Eine Verschlechterung der Patienten ist jederzeit möglich und erfordert eine regelmäßige Neubeurteilung.

ACHTUNG!

- Keine Epinephringabe bei Schweregrad I
- Frühestmögliche Gabe von Epinephrin bei Anaphylaxie ab Schweregrad II
- Keine Verzögerung der Epinephringabe bei gesichertem Verdacht durch anderweitige diagnostisch-therapeutische Maßnahmen

IM FOKUS

Anaphylaktischer Schock

Symptome

- Dyspnoe, Tachypnoe, Orthopnoe
- Inspiratorischer Stridor
- Exspiratorisches Giemen und/oder Brummen (exspiratorischer Stridor)
- Verlängertes Exspirium
- Angioödeme
- Larynx, Pharynx und/oder Schleimhäute im Mund/Rachenraum
- Juckreiz (Pruritus), Hautrötungen (Erythem), Hautausschläge (Exanthem)
- Juckende Quaddelbildung (Urtikaria), anfallsartige Hautrötung mit Hitzegefühl (Flush)
- Bewusstseinsstörungen bis Bewusstlosigkeit
- Blässe; kühle, kalte, feuchte Haut, Kaltschweißigkeit
- Tachykardie
- Verzögerte Rekapillarisierungszeit (> 2 Sek.)
- Fehlende Radialispulse
- Hypotension; Blutdruck nicht mehr messbar
- Kreislaufstillstand

Maßnahmen

Basismaßnahmen und Lagerung

- Notarztruf
- Lagerung:
  - Kreislaufstabil: Oberkörper 45–60° erhöht
  - Anaphylaktischer Schock mit A- und B-Problem: Oberkörper 15–30° erhöht
  - Anaphylaktischer Schock mit C-Problem: Schocklage
  - Bewusstlosigkeit: stabile Seitenlage
- Hochdosierte Sauerstoffgabe (10–15 l/Min.), ggf. adaptieren

Erweiterte Maßnahmen

- Ab Schweregrad II: Epinephrin i. m.
  ERC 2021:
  - Kinder < 6 Jahre: 0,15 mg unverdünnt
  - Kinder 6–12 Jahre: 0,3 mg unverdünnt

Die Flüssigkeitsräume unterliegen einem ständigen Austausch an Wasser. Für die unterschiedliche Wasserverteilung ist die Verteilung der osmotisch wirksamen Substanzen (Ionen) auf die Flüssigkeitsräume verantwortlich (→ Abb. 32.14). In der intrazellulären Flüssigkeit sind vornehmlich Kaliumkationen (K^+) und ionisierte Phosphate (Phosphatester) vorhanden. In der extrazellulären Flüssigkeit überwiegen das Kation Natrium (Na^+) und die Anionen Chlorid (Cl^-) und Bikarbonat (HCO_3^-). Aufgrund des unterschiedlichen Eiweißgehalts ergeben sich im Regelfall nur geringe Ionenverschiebungen zwischen interstitieller und intravasaler Flüssigkeit.

Osmolarität, Osmolalität, osmotischer Druck, onkotischer Druck

Die **Osmolarität** ist die Konzentration aller gelösten Teilchen (Na^+, K^+, Glukose, Harnstoff etc.) in einem **Liter** Lösungswasser. Die **Osmolalität** hingegen beschreibt die Konzentration aller gelösten Teilchen pro **Kilogramm** Lösungswasser. Der osmotische Druck des Plasmas steigt und fällt mit der Anzahl der in ihm gelösten Teilchen (Normwert der Osmolalität: 280–285 mOsmol/kg H_2O). Die Konstanthaltung der Osmolalität im Körper wird als **Isoosmolalität** oder **Isotonie** bezeichnet und hauptsächlich durch Na^+ bestimmt.

Ein Sonderfall des osmotischen Drucks ist der **kolloidosmotische (onkotische) Druck.** Er tritt an Zellmembranen (z. B. Blutkapillaren) auf, die für größere Eiweiße (Kolloide) undurchlässig, aber für Elektrolyte durchlässig sind. Für den Flüssigkeitsaustausch in den Kapillaren ist das Wechselspiel zwischen dem Druck im Zwischenzellraum und dem Plasma von großer Bedeutung.

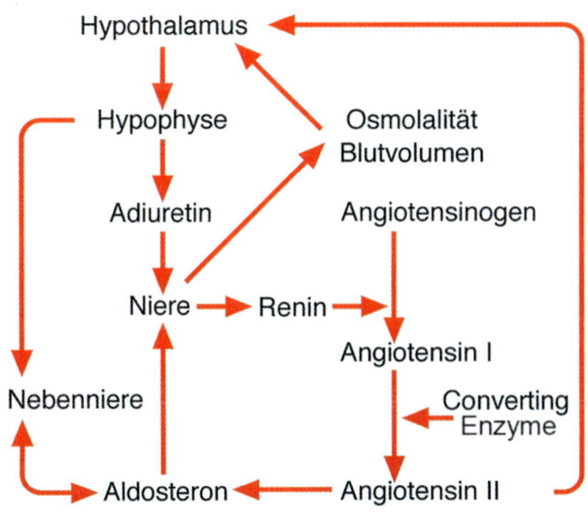

Abb. 32.15 Regulation des Flüssigkeits- und Elektrolythaushalts [L108]

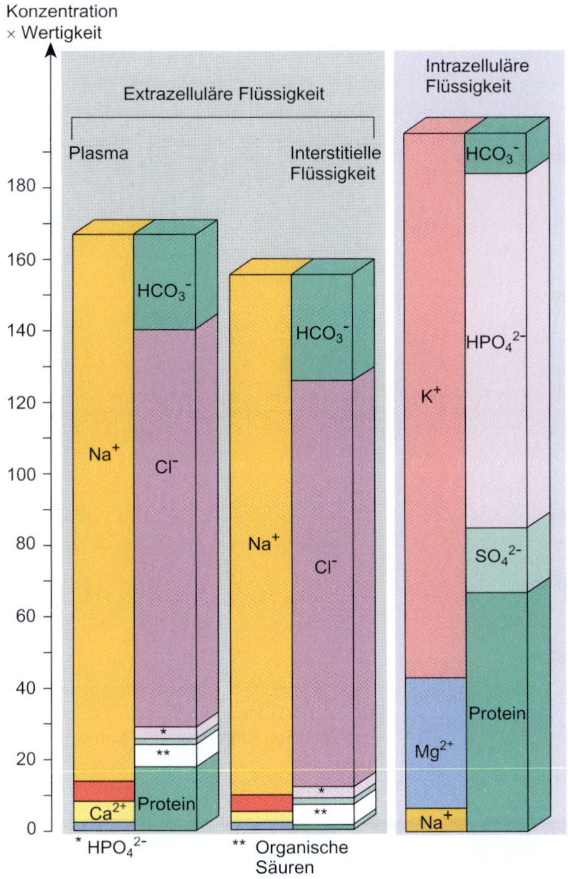

Abb. 32.14 Elektrolytkonzentrationen von Plasma, interstitieller Flüssigkeit und intrazellulärer Flüssigkeit im Vergleich. Die K^+-Konzentration in der Zelle ist am höchsten, die Na^+-Konzentration dagegen am niedrigsten. Interessant ist auch, dass der Proteingehalt der interstitiellen Flüssigkeit verschwindend gering im Vergleich zum Plasma ist; große Eiweißkörper können nämlich bei der Filtration in Kapillargebieten die kleinen Poren in den Blutgefäßen nicht durchdringen und erreichen somit nicht den interstitiellen Raum. Der hohe Proteingehalt in der Zelle erklärt auch die Tatsache, dass jede Zelle dauernd Proteine herstellt. [L190]

Regulation der Körperflüssigkeiten

Eine wesentliche Voraussetzung für das Leben überhaupt ist die **Homöostase** (physiologisches Streben nach Gleichgewicht, hier die Verteilung der Körperflüssigkeiten). Das Volumen und die Zusammensetzung der Körperflüssigkeiten müssen daher innerhalb enger Grenzen durch **komplexe Regelmechanismen** konstant gehalten werden (→ Abb. 32.15). Jede deutliche Abweichung außerhalb dieser Grenzen geht mit einer vitalen Bedrohung einher. Durch den osmotischen und den kolloidosmotischen (onkotischen) Druck wird die **Flüssigkeitshomöostase** im Organismus geregelt. Die osmotischen Verhältnisse sind für die Wasserverteilung in den Kompartimenten des Organismus verantwortlich. So erfolgt z. B. ein **Einstrom von Wasser** in die Zelle entweder bei einem Absinken der Osmolalität im extrazellulären Flüssigkeitsraum oder bei einem Anstieg der Osmolalität im intrazellulären Flüssigkeitsraum. Gegensätzliche Veränderungen (Osmolalität im Extrazellulärraum steigend oder intrazellulär abfallend) bewirken einen **Wasserausstrom** aus der Zelle. Ziel der Regulation ist die Gewährleistung von **Isotonie** und **Isovolämie,** d. h. die Aufrechterhaltung der normalen osmotischen Konzentration und die konstante Erhaltung des Volumens im Extrazellularraum. Der physiologische Wasser- und Elektrolythaushalt wird durch die Balance zwischen **Aufnahme** (Resorption) und **Ausscheidung** (Niere, Magen-Darm-Trakt) gewährleistet (→ Abb. 32.16).

32.8.2 Störungen der Isovolämie und/oder Isotonie

Abweichungen von der Isovolämie und Isotonie sind eng miteinander verknüpft. Es ist von großer Bedeutung, zwischen den Störungen des Flüssigkeitshaushalts und Störungen des Elektrolythaushalts, insbesondere des Natriumhaushalts, zu unterscheiden (→ Abb. 32.17, → Tab. 32.10):

- **Störungen der Flüssigkeitsbilanz** werden z. B. durch eine verminderte Flüssigkeitszufuhr bei vermehrter Ausfuhr von Körperflüssigkeit verursacht.
- **Störungen der Flüssigkeitsverteilung** werden v. a. durch Zufuhr wässriger Lösungen ohne ausreichenden Elektrolytgehalt ausgelöst.
- **Störungen der Flüssigkeitsregulation** werden in erster Linie durch Erkrankung der renalen, kardialen oder endokrinen Organe verursacht.

Abb. 32.16 Physiologische Flüssigkeitsaufnahme und -ausfuhr [A400]

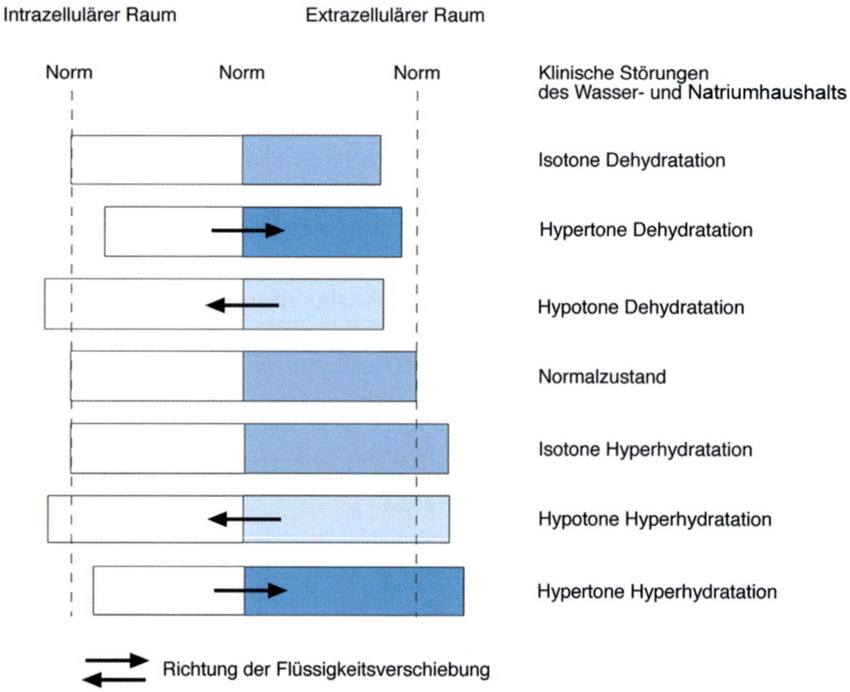

Abb. 32.17 Flüssigkeitsverschiebungen bei verschiedenen Störungen des Natriumhaushalts [L108]

	Ursache	Natriumgehalt im Plasma	Eiweißgehalt	Hämatokrit	Erythrozytenzahl
Hypotone Dehydratation	Natriummangel, zu viel freies Wasser	↓	↑	↑	↑
Hypertone Dehydratation	Verlust von freiem Wasser, Hypovolämie	↑	↑	↑	↑
Isotone Dehydratation	Flüssigkeitsmangel • Blutmangel • Plasmamangel	Normal	Normal	Normal	Normal
Isotone Hyperhydratation	Zu viel Volumen und Natrium	Normal	↓	↓	↓
Hypotone Hyperhydratation	Zu viel freies Wasser, Volumen	↓	↓	↓	↓
Hypertone Hyperhydratation	Wenig freies Wasser, zu viel Natrium	↑	↓	↓	↓

Tab. 32.10 Störungen des Flüssigkeits- und Elektrolythaushalts in der Übersicht

Als **Hyperhydratation** werden Störungen mit einem erhöhten Wassergehalt bezeichnet, als **Dehydratation** Störungen mit einem verminderten Wassergehalt. **Osmolalitätsstörungen** sind von der Natriumkonzentration abhängige Störungen des Flüssigkeitsstatus und werden als **isoton, hyperton oder hypoton** bezeichnet.

Dehydratation

- Die **isotone Dehydratation** bezeichnet eine Verminderung der Körperflüssigkeit bei normaler Osmolalität des Serums (z. B. Blut- und Plasmaverluste).
- Die **hypertone Dehydratation** ist die Verminderung der Körperflüssigkeit bei gleichzeitig erhöhter Osmolalität des Serums (z. B. massive renale Flüssigkeitsverluste beim Diabetes insipidus, Wasserverlust durch Glukosurie bei Coma diabeticum oder der Wassermangelhitzeerschöpfung).
- Die **hypotone Dehydratation** bezeichnet die Verminderung der Körperflüssigkeit bei erniedrigter Osmolalität des Serums, d. h., der Verlust an Natrium ist größer als der an Wasser (z. B. durch Wasser-Elektrolyt-Verlust bei starkem Schwitzen, der durch unzureichende Mengen elektrolytarmer oder -freier Flüssigkeiten nicht gedeckt wird).

Hyperhydratation

- Die **isotone Hyperhydratation** bezeichnet eine Vermehrung der Körperflüssigkeit bei erhaltener normaler Osmolalität des Serums (z. B. Volumenüberladung mit isotonen Lösungen).
- Die **hypotone Hyperhydratation** ist die Vermehrung der Körperflüssigkeit bei erniedrigter Osmolalität des Serums (Wasserintoxikation, Beinaheertrinken in Süßwasser).
- Die **hypertone Hyperhydratation** ist eine Vermehrung der Körperflüssigkeit bei erhöhter Osmolalität des Serums (z. B. Trinken von hypertonen Lösungen oder Meerwasser).

32.9 Störungen des Säure-Basen-Haushalts

32.9.1 Physiologische Grundlagen

Die Steuerung des Säure-Basen-Haushalts im Körper bedeutet die Einstellung einer festen Wasserstoffionenkonzentration **(Isohydrie).** Die Notwendigkeit der **Isohydrie (pH-Wert 7,35–7,45)** ergibt sich aus der Tatsache, dass z. B. Enzymaktivitäten und Stoffwechselkreise nur innerhalb enger Grenzen überhaupt funktionieren und innerhalb dieser pH-Werte ein Optimum besitzen. Die Ausnutzung der Stoffwechselzyklen ist somit von der genauen Einstellung des pH-Werts abhängig. Mehrere Reaktionssysteme (Puffer) nehmen an der Einstellung des pH-Werts teil:

- **Bikarbonatsystem:** Es besteht aus dem Gleichgewicht der Konzentrationen von Hydrogenkarbonat (HCO_3^-) und Kohlendioxid (CO_2). Die Normalkonzentration von HCO_3^- (Base) liegt im Blut bei 24 mmol/l und wird als Standardbikarbonat bezeichnet. Die Normalkonzentration von CO_2 (Säure) im Blut (pCO_2) liegt bei 1,2 mmol/l. Da Base und Säure beide im Blut gelöst vorliegen, ergibt sich daraus für den normalen pH-Wert ein Verhältnis von 24:1,2 = 20:1.
- **Proteinsystem:** Dies beruht auf der Möglichkeit der Eiweiße, H^+ und OH^- abzugeben bzw. aufzunehmen. Das vorhandene Gleichgewicht saurer und basischer Gruppen in den Eiweißen sowie zwischen Hämoglobin (Hb) und (HbO_2) stellt den pH-Wert ein.

Die Summe der an der Einstellung des pH-Werts beteiligten Moleküle (HCO_3^-, Hb- und Proteinbasen) heißt **Pufferbasen** und beträgt 48 mmol/l. Dieser Wert ist der Bezugswert für die Bestimmung des **Basenüberschusses** (Base Excess, BE). Er hat den Normalwert null (± 2). Eine Vermehrung der Pufferbasen ergibt einen zunehmend positiven, eine Abnahme einen zunehmend negativen Base Excess.

32.9.2 Störungen der Isohydrie

Störungen der Isohydrie, die von den Puffersystemen nicht mehr ausgeglichen werden, können nach der basischen oder nach der sauren Seite erfolgen. Die Abweichung des pH-Werts unter 7,35 wird **Azidose,** die des pH-Werts über 7,45 wird **Alkalose** genannt. Die Verschiebungen erfolgen aufgrund veränderter Kohlendioxidabgabe mit der Atmung (Hypo- oder Hyperventilation) oder durch vermehrten Anfall von Säuren bzw. Basen aus den Stoffwechselkreisläufen des Körpers. Erstere heißen daher **respiratorische Störungen** und letztere **metabolische Störungen** (Azidose bzw. Alkalose). Alle verändern den pH-Wert des Bluts. Die respiratorischen Störungen verändern zusätzlich den CO_2-Partialdruck (pCO_2) des Bluts, die metabolischen den Base-Excess-Wert, da sie Pufferbasen vermehrt in Anspruch nehmen.

Regulationsmechanismen

Metabolische Störungen werden primär über die Atmung und respiratorische Störungen primär über die Niere ausgeglichen. Die Kompensation einer **metabolischen Azidose** verläuft hauptsächlich über eine vermehrte Abgabe von Kohlendioxid über die Atmung (Hyperventilation, Azidose- oder Kußmaul-Atmung). Die **respiratorische Azidose** wird hauptsächlich kompensiert über die Ausscheidung von H^+-Ionen über die Niere. Die Kompensation einer **metabolischen Alkalose** erfolgt über eine verminderte, flache Atmung (Hypoventilation), um vermehrt Kohlendioxid zurückzuhalten. In der Realität ist dies jedoch nur bis zu einem sehr begrenzten Maße möglich. Die **respiratorische Alkalose** wird kompensiert über die renale Ausscheidung von Bikarbonat (→ Abb. 32.18).

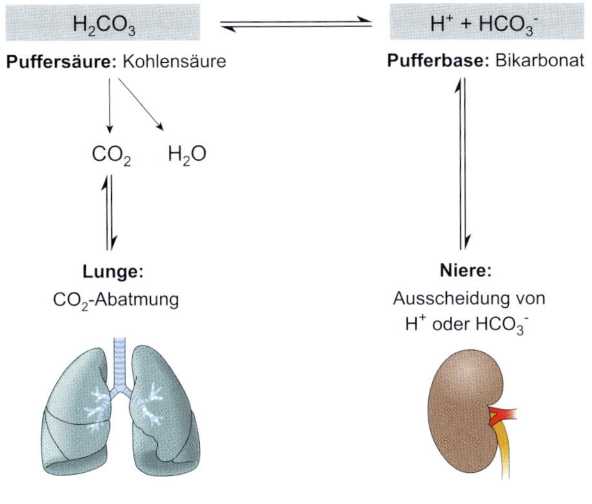

Abb. 32.18 Das Bikarbonat-Puffersystem [L190]

WIEDERHOLUNGSFRAGEN

1. Definieren Sie den Begriff „Schock" (→ Kap. 32.1).
2. Erläutern Sie die allgemeine Pathophysiologie des Schocks (→ Kap. 32.1).
3. Welche drei Stadien des Schocks gibt es (→ Kap. 32.1.5)?
4. Welche Schockformen werden unterschieden (→ Kap. 32.2, → Kap. 32.3, → Kap. 32.4, → Kap. 32.5, → Kap. 32.6, → Kap. 32.7, → Tab. 32.1)?

AUFLÖSUNG DES FALLBEISPIELS

Verdachtsdiagnosen

Hypovolämischer Schock, stumpfes Bauchtrauma, Unterschenkelfrakturen.

Schlüsselinterventionen

Der Patient wird umgehend beurteilt. Der Atemweg ist frei, die Atmung ist deutlich erschwert und tachypnoeisch. Der periphere Puls ist nicht tastbar, lässt sich aber an der A. carotis tasten. Der Patient ist tachykard, die Rekapillarisierungzeit liegt bei ca. 4 Sek. Der Patient ist zeitlich und örtlich desorientiert und kann sich nicht an den Unfallhergang erinnern (GCS 14). Die Pupillen sind isokor und reagieren adäquat auf Lichteinfall. Der Patient erhält umgehend hoch dosiert Sauerstoff über eine Sauerstoffmaske mit Reservoirsystem.

Durch die zerstörte Seitenscheibe auf der Fahrerseite kann der verletzte Fahrer seinen linken Arm heraushängen lassen, wodurch die Möglichkeit besteht, eine medizinische Grundversorgung zu beginnen. Der Notarzt sichert am linken Arm einen peripheren Venenzugang (G 14), über den zügig 1 000 ml balancierte Vollelektrolytlösung infundiert werden.

Zur Entlastung des eingeklemmten Fahrers muss der Raum zwischen der Brüstung (Instrumententräger, Lenkeinheit, Pedale) und dem Sitz erweitert werden.

Um die Frontpartie dafür nach vorn drücken zu können, sind Entlastungsschnitte in der Führerhauskarosserie notwendig. Im Anschluss kann ein Rettungszylinder zwischen A- und B-Säule in Höhe des Armaturenbretts angesetzt und die Frontpartie zurückgedrängt werden. Unmittelbar nach Entlastung des Bauchbereichs durch die Rückverlagerung des Lenkrads wird der systolische Blutdruck mit RR 120 mmHg gemessen. Der Notarzt und ein Notfallsanitäter haben nunmehr die Möglichkeit, in das Führerhaus zum Patienten einzusteigen.

Die Rettung des Patienten kann nur erfolgen, wenn Teile der Pedalerie abgeschnitten werden können. Um den Patienten zügig unter Ausschluss von Schmerzen aus seiner eingeklemmten Lage zu befreien, entschließt sich der Notarzt zur Intubationsnarkose. Nach Anlage eines zweiten Venenzugangs an der rechten Hand wird die Narkose mit 200 mg Propofol® sowie 0,3 mg Fentanyl® und 3 mg Dormicum® eingeleitet und der Patient mit einem Tubus (ID 8,5) in sitzender Position orotracheal intubiert.

Nach Freigabe durch den Notarzt wird mit wenigen Schnitten das im Unterschenkel steckende Bremspedal oberhalb der Eintrittsstelle abgeschnitten und ein weiterer Rettungszylinder in das Führerhaus eingesetzt. Unter Einsatz der Schaufeltrage kann der intubierte und beatmete Patient über den linken Türeinstieg aus der Zwangslage befreit werden. Noch auf der Krankentrage wird das geschlossen luxierte Sprunggelenk links reponiert und die offene Fraktur am rechten Sprunggelenk steril abgedeckt und verbunden. Das abgeschnittene Bremspedal wird in der Wunde belassen. Im Rettungswagen werden die beiden verletzten Beine mit Kramerschienen fixiert. Er wird nach Abschluss der Maßnahmen im Rettungswagen in den mittlerweile eingetroffenen Rettungshubschrauber umgelagert und in eine Universitätsklinik geflogen.

Klinik

Noch im Schockraum wird eine abdominelle Sonografie durchgeführt, die den Nachweis eines schmalen, intraperitonealen Bands von freier Flüssigkeit im Bauchraum ergibt. Da der Patient kreislaufstabil ist, wird eine CT-Untersuchung durchgeführt, die jedoch keinerlei Anhalt für eine intraabdominelle blutende Verletzung ergibt.

Die CT-Untersuchungen des Schädels und des Brustkorbs sind unauffällig. Die Röntgenuntersuchungen der unteren Extremität ergeben den Befund einer komplexen offenen Fraktur des rechten Unterschenkels in Kombination mit einer Fibulafraktur des rechten Beins. Im Bereich des linken Sprunggelenks finden sich zwar Zeichen einer Bänderüberdehnung, jedoch keine Anzeichen für eine Fraktur.

Diagnose

Frakturen der unteren Extremität.

WEITERFÜHRENDE LITERATUR

Dönitz St, Flake F. Mensch Körper Krankheit für den Rettungsdienst. München: Elsevier/Urban & Fischer, 2022.

33

NEUROLOGISCHE NOTFÄLLE

Julia Henke

FALLBEISPIEL

Notfallmeldung

Die Rettungsleitstelle erhält über Notruf die Meldung über eine plötzlich zur Seite gekippte nicht mehr ansprechbare Person.
Der Disponent alarmiert einen RTW und ein NEF zum Notfallort.

Situation und Ersteindruck

In einem Privathaushalt findet die RTW-Besatzung einen 70-jährigen Mann am Küchentisch sitzend vor. Der Patient ist nicht bewusstlos, er reagiert allerdings nicht auf Ansprache und der rechte Mundwinkel und der Arm hängen herab. Die Ehefrau berichtet, dass ihr Mann auf einmal nicht mehr gesprochen habe und zur Seite gekippt sei. Auf Nachfrage des Rettungsdienstes erklärt sie, die Beschwerden hätten vor 30 Min. beim Frühstück begonnen.

Leitsymptome

Hemiparese rechts mit Aphasie.

INHALTSÜBERSICHT

33.1 STÖRUNG DES BEWUSSTSEINS

- Qualitative Bewusstseinsstörungen: Die Qualität des Erlebens ist verändert. Störungen der Wahrnehmung und der Merk- und Denkfähigkeit sind typisch.
- Quantitative Bewusstseinsstörungen: graduelle Verminderungen oder Steigerung des bewussten Erlebens und der Wachheit (= Vigilanz). Abstufungen der Vigilanzminderung: Benommenheit, Somnolenz, Sopor und Bewusstlosigkeit (= Koma).
- Die Bewusstseinslage lässt sich mit der Glasgow Coma Scale (GCS) objektivieren.
- Primäre und sekundäre Hirnfunktionsstörungen und Hirnerkrankungen können die Ursache für Veränderungen des Bewusstseins sein.
- Primäre Hirnerkrankungen sind Schlaganfälle, Hirnblutungen, epileptische Anfälle, Hirn- und Hirnhautentzündungen und viele andere.
- Sekundäre Ursachen sind Sauerstoffmangel bei Atemwegs- oder Herzerkrankungen, körpereigene oder aufgenommene Giftstoffe, metabole oder endokrine Störungen.
- Jede Form von Bewusstseinsstörung kann durch Ausfall der Schutzreflexe zur Aspiration mit nachfolgender Atemstörung und Sauerstoffmangel des Gehirns führen.
- Bewusstlose, spontan atmende Patienten werden in die stabile Seitenlage gebracht.
- Bei Bewusstlosigkeit (Koma) als schwerster Form einer quantitativen Bewusstseinsstörung ist der Patient nicht durch äußere Reize erweckbar.
- Je nach Tiefe wird das Koma zusätzlich in die Stadien I–IV eingeteilt.

33.2 ERHÖHUNG DES INTRAKRANIELLEN DRUCKS

- Das zur Verfügung stehende Gesamtvolumen des Schädelinhalts kann sich nicht vergrößern, da die Schädelhöhle durch die sie begrenzende Knochenstruktur starr und nicht nachgiebig ist.
- Ab einer bestimmten Volumenvergrößerung des Gehirns (durch Blut, Tumor oder Schwellung) sind die Kompensationsmechanismen des Organismus erschöpft.
- Es kommt zur Verlagerung und zum Einklemmen von Gehirnanteilen an den Schädelöffnungen mit neurologischen Ausfällen.
- Wie schnell der intrakranielle Druck ansteigt, ist je nach Krankheitsbild unterschiedlich.

33.3 APOPLEX (ISCHÄMISCHER SCHLAGANFALL)

- Störungen der arteriellen Blutversorgung des Hirns können schlagartig (apoplektisch) zu zentralnervösen neurologischen Ausfällen führen.
- Ein Apoplex („Hirninsult“) ist eine plötzliche Funktionsstörung des ZNS durch eine im Schädel gelegene Verstopfung eines Blutgefäßes im Gehirn, die eine Minderversorgung mit Sauerstoff und Nährstoffen auslöst, deren Symptome nur kurz oder länger als 24 Std. anhalten und z. T. mit einem nachweisbaren strukturellen Hirnschaden (Narbe) einhergehen.
- Venöse Durchblutungsstörungen verursachen eher langsam beginnende und dann zunehmende neurologische Ausfälle.
- 80 % aller Schlaganfälle verlaufen als unblutige (ischämische) Infarkte. Die übrigen 20 % sind blutige (hämorrhagische) Insulte in Form nichttraumatischer intrakranieller Blutungen (→ Kap. 33.4)
- Ursachen ischämischer Insulte sind Gefäßeinengungen (Stenosen), thrombotische oder embolische Gefäßverschlüsse oder eine Gefäßkompression von außen.
- Ischämische Insulte treten mit einer Symptomdauer von mehr als 24 Std. auf und führen nicht zu einem nachweisbaren strukturellen Hirnschaden (Narbe) in der diagnostischen Bildgebung.
- Ischämische Infarkte treten mit einer Symptomdauer von mehr als 24 Std. auf und zeigen den Nachweis einer frischen ischämischen Läsion in der diagnostischen Bildgebung.
- Die transitorisch ischämische Attacke (TIA) zeichnet sich durch eine vorübergehende Durchblutungsstörung aus, die zu passager auftretenden neurologischen Ausfällen für weniger als 24 Std. (meist < 1 Std.) führt, ohne dass der Nachweis einer strukturellen Hirnläsion in der diagnostischen Bildgebung erbracht werden kann.
- TIA-Patienten sind hochgradig gefährdet, in den folgenden 5 Jahren einen kompletten Apoplex zu erleiden.
- Ob ein ischämischer oder hämorrhagischer Schlaganfall vorliegt, kann präklinisch anhand der Symptome nicht unterschieden werden.
- Zur raschen Erkennung eines Schlaganfalls hat sich der Face-Arm-Speech-Time-Test (FAST-Test) bewährt.

33.4 HIRNBLUTUNG (HÄMORRHAGISCHER SCHLAGANFALL)

- Ein hämorrhagischer Schlaganfall ist eine plötzlich auftretende Funktionsstörung des ZNS durch eine im Schädel gelegene Blutung (intrakranielle Blutung). 20 % aller Apoplexien verlaufen als blutige (hämorrhagische) Insulte.
- Durch die Einblutung ins Gehirn (Hirnblutung) kommt es zu plötzlich auftretenden Hirnfunktionsstörungen.
- Die hämorrhagischen Schlaganfälle werden entsprechend ihrer Lokalisation unterschieden: in eine Blutung in das Hirngewebe (intrazerebrale Blutung = ICB) oder die Hirnkammern (Ventrikelblutung), eine spontane **SAB,** eine **Stauungsblutung** bei Hirnvenen- oder Sinusthrombose oder ein **epi- oder subdurales Hämatom.** Diese sind meist traumatisch verursacht.

- Ursache einer Hirnblutung ist oft, aber nicht immer, eine bestehende arterielle Hypertonie.
- Im Gegensatz zu ischämischen Schlaganfällen tritt eine Hirnblutung häufiger unter Belastung auf.
- Die Subarachnoidalblutung (SAB) entsteht meistens durch Zerreißen eines arteriellen Aneurysmas des vorderen Hirnkreislaufs (A. carotis interna, A. cerebri anterior und A. cerebri media).
- Der Blutaustritt in den Subarachnoidalraum kann zu einer Tamponade der äußeren Liquorräume führen.
- Die folgende Störung der Liquorzirkulation bewirkt einen akuten Anstieg des intrakraniellen Drucks (intracranial pressure = ICP), der umgehend lebensbedrohlich werden kann.

33.5 EPILEPTISCHE ANFÄLLE UND EPILEPSIEN

- Epileptische Anfälle sind plötzlich auftretende abnorme Entladungen der Nervenzellen der Hirnrinde, die eine vorübergehende Funktionsstörung des Gehirns verursachen.
- Es kommt zu hochsynchronen und hochfrequenten zeitlich begrenzten pathologischen Entladungen von Nervenzellgruppen, die je nach Lage und Ausdehnung zu verschiedenen Arten von epileptischen Anfällen führen.
- Man unterscheidet generalisierte, fokale, unklassifizierbare epileptische Anfälle sowie Anfälle mit unklarem Beginn. Diese sehen je nach auslösender Hirnregion sehr unterschiedlich aus.
- Bei einem generalisierten Krampfanfall kommt es zu einer Spontanentladung zentraler Neurone und das gesamte Gehirn wird von Entladungen der Nervenzellen erfasst.
- Bei einem fokalen Anfall (lat. focus = Herd) finden die Entladungen nur an einem Ort im Gehirn statt, wodurch eine bestimmte Hirnregion abnorm aktiviert wird, sodass nur einzelne Körperregionen betroffen sind.
- Myoklonische Anfälle zeichnen sich durch plötzliche, „einschießende" und kurzdauernde Zuckungen meist umschriebener Muskelgruppen des Körpers ohne Bewusstseinsstörung aus.
- Jeder epileptische Anfall, der länger als 5 Min. anhält (oder mindesten zwei aufeinanderfolgende Anfälle über einen Zeitraum von mehr als 5 Min. ohne Wiedererlangen des präiktalen neurologischen Ausgangsstatus), wird als Status epilepticus bezeichnet.

33.6 DYSKINESIEN

- Dyskinesien sind motorische Fehlfunktionen, meist in Form einer Zunahme von Muskelkontraktionen. Auslöser einer Dyskinesie sind z. B. die Dopaminrezeptorantagonisten Metoclopramid (MCP, Paspertin®) und typische Neuroleptika (z. B. Haloperidol).
- Es werden Früh- und Spätdyskinesien unterschieden.
- Dyskinesien mit Zungen- und Schlundkrämpfen können gut mit Biperiden (Akineton®) behandelt werden.

33.7 INFEKTIONEN DES GEHIRNS (ENZEPHALITIS) UND SEINER HÄUTE (MENINGITIS)

- Entzündungen des zentralen Nervensystems werden als Infektion durch Viren, Bakterien und Parasiten verursacht. Sonderfälle sind autoimmun vermittelte, nicht infektiöse Hirn(haut-)entzündungen.
- Die infektiösen Entzündungen entstehen durch Einschwemmung der Erreger mit dem Blut (hämatogen), fortgeleitet von Entzündungen angrenzender Strukturen (Nasennebenhöhlen, Mittelohr) oder primär durch Eindringen von Krankheitserregern bei einem offenen Schädel-Hirn-Trauma.

33.8 HYDROZEPHALUS

- Bei einem Hydrozephalus nimmt die Menge an Gehirnwasser (Liquor cerebrospinalis) innerhalb des Schädels zu Ungunsten des Raums für das Hirngewebe (Parenchym) zu.
- Drei Mechanismen sind ursächlich verantwortlich: vermehrte Liquorproduktion, Störung des Liquorabflusses oder Verminderung der Liquorresorption.

33.9 DEMENZ

- Demenz ist ein Syndrom des Gehirns mit Störung von Gedächtnis, Denken, Orientierung, Auffassung, Rechnen, Lernfähigkeit, Sprache, Sprechen, emotionaler Kontrolle, Sozialverhalten und Motivation und Entscheidungsfähigkeit (vgl. DGN-Leitlinie Demenz von 2009). Das Bewusstsein, Sinnesorgane und Wahrnehmung funktionieren normal.
- Primäre Demenzen und sekundäre Demenzformen des Erwachsenen werden unterschieden.
- Im Umgang mit einem dementen Patienten ist auf seine Situation und seine subjektive Wahrnehmung einzugehen. Der Patient ist mit empathischer Zuwendung zu beruhigen, ihm ist das Vorgehen in einfachen Worten zu erklären. Die Informationen und Anweisungen sind einfach zu halten.

33.10 BANDSCHEIBENVORFALL

- Einrisse im Faserring der Bandscheibe führen zu einem Austritt des gelartigen Bandscheibenkerns in den Rückenmarkskanal hinein und drücken dann auf die aus dem Rückenmark abgehenden Spinalnerven.
- Bandscheibenvorfälle ereignen sich am häufigsten an der Lendenwirbelsäule (LWS), gefolgt von der Halswirbelsäule (HWS).
- Typisch sind plötzlich auftretende von der HWS in die Arme oder der LWS in die Beine ausstrahlende, ziehende Schmerzen, die den Dermatomen der Spinalnerven folgen und zu Gefühlsstörungen in dem Bereich, ggf. auch Lähmungen und Blasen- oder Mastdarmstörungen (Inkontinenz) führen.

Neurologische Schädigungen oder Erkrankungen können einzelne Nervenstränge, aber auch größere Einheiten, z. B. das gesamte Gehirn, betreffen. Erschwerend für die Therapie im Rettungsdienst ist, dass sich das pathophysiologische Geschehen **nicht von außen einsehbar** vollzieht.

So lässt sich bei dem klinischen Syndrom **Apoplex** ohne eine bildgebende Untersuchung des Gehirns (mit Computertomografie, CT) eine Hirnblutung (hämorrhagischer Insult) zwar durch klinische Zusatzbefunde vermuten, jedoch ist diese vor Ort nicht von einem ischämischen Schlaganfall (ischämischer Insult) abgrenzbar und somit in ihrer Bedrohung schwer einzuschätzen. Im Zweifel ist die bedrohlichste Differenzialdiagnose anzunehmen und entsprechend rasch zu handeln. Daher müssen alle vorgefundenen Symptome dokumentiert und in eine konsequente Therapie umgesetzt werden. Der kompletten Notfalluntersuchung kommt in diesem Fall eine entscheidende Bedeutung zu (→ Kap. 17.1).

33.1 Störung des Bewusstseins

Die **Vitalfunktion Bewusstsein** steht im Mittelpunkt der Tätigkeit im Rettungsdienst. Bewusstseinsstörungen können Ursache oder Folge von lebensbedrohlichen Zuständen sein. Das Phänomen der **Bewusstlosigkeit** zu erklären, ist dabei nicht einfach, da es keine anatomischen Strukturen bzw. physiologischen Vorgänge gibt, die die Bewusstlosigkeit definieren. Es ist aber möglich zu sagen, dass ein Mensch, der die Kriterien des Bewusstseins nicht erfüllt, bewusstlos ist.

DEFINITION

Zum Bewusstsein gibt es bis heute keine allgemeingültige Definition. Man kann Bewusstsein als einen Zustand geistiger Klarheit mit voller Herrschaft über die Sinne beschreiben.

Demnach ist ein Mensch bei Bewusstsein, wenn er wach, zur eigenen Person, Situation, Ort und Zeit voll oder teilweise orientiert ist und seine Denkabläufe formal-logischen Gesetzen folgen.

ACHTUNG! Ein Demenzpatient kann völlig desorientiert und trotzdem wach sein. Er würde als „bei vollem Bewusstsein" bezeichnet und seine Denkabläufe formal-logischen Gesetzen folgen (außer er leidet an einer psychischen Erkrankung, die seine Denkabläufe stört, obwohl er bei vollem Bewusstsein ist).

33.1.1 Formen der Bewusstseinsstörung

Man unterscheidet **zwei Formen:**

1. **Qualitative Bewusstseinsstörungen** sind Bewusstseinsveränderungen, bei denen die normalen psychischen Abläufe gestört sind. Es kommt zu gestörter Denk- und Merkfähigkeit (kognitive Störung), Veränderungen von Stimmung und Antrieb (affektive Störung), psychomotorischen und Wahrnehmungsstörungen (z. B. Halluzinationen) in verschiedenen Formen:
   - Bewusstseinstrübung
   - Bewusstseinseinengung
   - Bewusstseinserweiterung, Bewusstseinsverschiebung
2. **Quantitative Bewusstseinsstörungen** sind Störungen bei denen die Wachheit (Vigilanz) meist vermindert, manchmal aber auch gesteigert ist. Vigilanzstörungen werden untergliedert in:
   - **Vigilanzminderung:**
     - **Benommenheit:** Die Reaktionen sind verlangsamt und können unpräzise sein.
     - **Somnolenz:** Der Patient ist schläfrig, aber durch Ansprache prompt erweckbar. Er befolgt einfache Aufforderungen („Öffnen Sie die Augen." „Drücken Sie meine Hand.").
     - **Sopor:** Der Patient ist nur durch starke Schmerzreize kurzzeitig erweckbar.
     - **Koma:** Der Patient ist trotz starker Schmerzreize nicht erweckbar.
   - **Vigilanzsteigerung:**
     - **Hypervigilität:** Der Patient ist übermäßig wach, evtl. psychomotorisch unruhig.
     - **Delir:** Der Patient befindet sich in einem Zustand gesteigerter Wachheit und nimmt seine Umgebung dabei nicht mehr richtig wahr. Er ist desorientiert, psychomotorisch unruhig, ängstlich und agitiert und zeigt zusätzlich Kreislauf- und vegetative Störungen. Das Delir ist eine potenziell lebensbedrohliche Bewusstseinsstörung, die intensivmedizinisch behandelt wird.

Diese klassische Einteilung der Vigilanz ist sehr subjektiv, d. h., ein Bewusstseinsbefund ist in der Verlaufsbeobachtung des Kranken nicht beliebig nachvollziehbar, da der Zustand sich rasch ändern kann.

33.1.2 Ursachen der Bewusstseinsstörung

Viele Erkrankungen aus den unterschiedlichsten Fachgebieten können Ursache einer Bewusstseinsstörung sein, die in der Folge je nach Schwere lebensbedrohlich wird.

Die **primäre Hirnfunktionsstörung** mit einer unmittelbaren Störung im Gehirn als Ursache der Bewusstlosigkeit kann durch folgende Krankheitsbilder bedingt sein:

- Gefäßbedingte Erkrankung (Apoplex, Hirnblutung, Subarachnoidalblutung)
- Entzündliche Erkrankung (Hirnentzündung = Enzephalitis, Hirnhautentzündung mit Beteiligung des Gehirns = Meningoenzephalitis)
- Hirntumor
- Trauma
- Epileptische Anfälle
- Degenerative Erkrankung (Morbus Alzheimer und andere Demenzerkrankungen im Endstadium)

Die **sekundäre Hirnfunktionsstörung** wird durch eine außerhalb des Gehirns liegende Störung verursacht und führt sekundär zur Bewusstseinsstörung:

- Sauerstoffmangel (Hypoxie)
- Exogene Intoxikation (z. B. Alkohol, Medikamente, illegale Drogen)
- Endogene Intoxikation (urämische und hepatische Enzephalopathie bei Nieren- und Lebererkrankungen)
- Metabolische Störung (z. B. Hypoglykämie, Hypo- oder Hypernatriämie, Hyperkalzämie, Exsikkose)
- Endokrine Störung (z. B. Diabetes mellitus mit Hypoglykämie oder Ketoazidose)

Neben der Beherrschung der **Störung der Vitalfunktion Bewusstsein** als Folge einer Erkrankung muss die Suche nach der Ursache (Diagnostik) im Vordergrund stehen.

Das Kernstück der **Diagnostik** ist die **Anamnese.** Die Diagnostik muss darauf ausgerichtet sein, möglichst alle Ursachen zu erfassen. Bei der Anamneseerhebung eines Notfallpatienten sind so viele medizinische Daten zu sammeln wie möglich. Dabei können auch Personen des persönlichen Umfelds des Patienten behilflich sein. Gerade bei bewusstseinsgestörten Patienten ist die **Fremdanamnese** häufig die entscheidende Möglichkeit, weitere Informationen über den Patienten zu erhalten und so die **Notfalluntersuchung** zu komplettieren (→ Kap. 17.1). Es muss zielgerichtet nach Vorerkrankungen gefragt werden, die die Bewusstseinstrübung erklären könnten, und diese sind zu dokumentieren.

ACHTUNG! Es ist grundsätzlich nach respiratorischen oder kardialen Ursachen der Bewusstlosigkeit zu forschen, da diese durch einen akuten Sauerstoffmangel des Gehirns (= zerebrale Hypoxie) bei fehlender Akutbehandlung innerhalb von Minuten zu einem hypoxischen Hirnschaden mit dauerhafter Behinderung oder gar Tod des Patienten führen können.

Respiratorische Ursachen von Bewusstlosigkeit (hypoxämische Hypoxie): Hier führt die akute Gasaustauschstörung zu einer Reduktion des Sauerstoffpartialdrucks im arteriellen Blut und ist ursächlich für den Sauerstoffmangel im Gewebe → Sauerstoffmangel des Gehirns und/oder Hyperkapnie mit CO_2-Narkose mit Atemdepression und sekundärem Sauerstoffmangel:

- Verlegung der Atemwege
- Lungenödem
- Lungenembolie
- Thoraxtrauma
- Allergische Reaktion
- Obstruktive oder restriktive Lungenerkrankungen

Kardiale Ursachen von Bewusstlosigkeit (ischämische Hypoxie): Hier ist die verminderte Durchblutung (Perfusion) ursächlich für den Sauerstoffmangel im Gewebe → Sauerstoffmangel des Gehirns kann zur Bewusstlosigkeit führen:

- Myokardinfarkt
- Herzrhythmusstörung (→ gestörte Pumpfunktion des Herzens)
- Kardiogener Schock

33.1.3 Beurteilung der Bewusstseinslage

Das ungetrübte Bewusstsein ohne neurologische Störungen ist Ausdruck einer normalen Funktion von Hirnrinde und Hirnstamm. In dieser Situation sind die zentral regulierten **Schutzreflexe** des Patienten erhalten. Ist das **Bewusstsein gestört** (→ Kap. 17.3.2), **vermindern** sich **Reizaufnahme und Steuerungsfunktion des Zentralnervensystems.**

Bewusstseinsstörungen sind **Ausdruck einer akuten Hirnfunktionsstörung** und stellen eine für den Patienten lebensbedrohliche Situation dar. Zur Beurteilung der Bewusstseinslage und des Verlaufs einer Bewusstseinsstörung eignet sich besonders die **Glasgow Coma Scale (GCS).** Diese wurde ursprünglich 1974 von den Glasgower Neurochirurgen Teasdale und Jennett eingeführt zur raschen und objektiven Beurteilung von Patienten mit geschlossenem Schädel-Hirn-Trauma. Zunächst war sie auch nur für solche Patienten validiert, d. h. auf ihre Aussagekraft überprüft. 2014 wurde eine Anpassung der GCS vorgestellt, die die Beurteilung des Trauma-Patienten weiter vereinfachen soll.

Für Kinder unter 36 Monaten gibt es wegen des noch nicht vollständigen Sprachvermögens eine spezielle **pädiatrische Version der GCS.** Für eine schnelle Einschätzung des kindlichen Bewusstseinszustands bietet sich jedoch der **AVPU-Score** an (→ Kap. 35.2.2)

Die GCS bietet ein Punktesystem, in dem je nach Schwere der Bewusstseinsstörung 3 (Koma) bis 15 Punkte (Bewusstseinsklarheit) vergeben werden (→ Tab. 33.1).

Mit der GCS kann eine objektive Beurteilung anhand der Summe aus den Beurteilungsfeldern:

- **„Augen öffnen“** (1–4 Punkte),
- **„Beste verbale Reaktion“** (1–5 Punkte) und
- **„Beste motorische Reaktion“** (1–6 Punkte)

erfolgen. Jedoch ist sie z. B. bei Patienten mit einer Aphasie und Demenzerkrankten nur eingeschränkt anwendbar.

Bei der **„erweiterten GCS“** werden weitere Parameter bewertet. Die Befunde werden für die linke und die rechte Körperseite getrennt erhoben (→ Tab. 33.2).

Zur Klassifizierung eines kompletten Bewusstseinsverlusts (Bewusstlosigkeit) dient die Einteilung in Komastadien (→ Kap. 33.1.4).

Augen öffnen	
Spontan	4 Punkte
Auf Geräusch (Ansprache/lautes Rufen)	3 Punkte
Auf Druck	2 Punkte
Kein Augenöffnen	1 Punkt
Beste verbale Reaktion	
Spricht und ist orientiert (Kind: verständlich)	5 Punkte
Spricht und ist verwirrt	4 Punkte
Einzelne Worte	3 Punkte
Unverständliche Laute (Kind: nur schreien)	2 Punkte
Keine	1 Punkt
Beste motorische Reaktion	
Befolgt Aufforderungen	6 Punkte
Gezielte Reaktion/Abwehr auf Schmerzreiz	5 Punkte
Ungezielte Reaktion/Abwehr auf Schmerzreiz	4 Punkte
Beugt abnormal	3 Punkte
Streckt	2 Punkte
Keine Bewegung, schlaffer Muskeltonus	1 Punkt
Beurteilung der Gesamtpunktzahl	
Leichtes Schädel-Hirn-Trauma (SHT)	13–15 Punkte
Mittelschweres SHT	8–12 Punkte
Schweres SHT	3–7 Punkte
Konsequenz der Einstufungen für den Rettungsdienst:	
Keine spezifischen Maßnahmen erforderlich	15–14 Punkte
Engmaschige Überwachung: wiederholte Erhebung des GCS	13–12 Punkte
Seitenlage, engmaschige Überwachung, Notarztruf	11–9 Punkte
Zusätzlich Vorbereitung von Intubation, Reanimationsbereitschaft und Transport nur mit Arztbegleitung	8–3 Punkte

Tab. 33.1 Glasgow Coma Scale (GCS) von Teasdale und Jennett, 1974, adaptiert 2014 [F201-008]

Untersuchung	Resultat
Extremitätenbewegungen (getrennt nach Seite und Arm und Bein)	• Normal • Leicht vermindert • Stark vermindert
Pupillenweite	• Eng • Mittel • Weit • Entrundet
Lichtreaktion	• Ja • Nein
Kornealreflex: Die Berührung der Augenhornhaut von seitlich führt zum reflektorischen Lidschluss. (Dieser Reflex fällt beim komatösen Patienten als letzter aus.)	• Ja • Nein
Meningismus: Beim Beugen des Kopfes auf die Brust werden durch Reizung der Hirnhäute die Beine automatisch angezogen, um den Schmerz zu lindern. (**Cave:** kann beim Komatösen fehlen).	• Ja • Nein

Tab. 33.2 Die erweiterte GCS

33.1.4 Klassifizierung der Bewusstseinslage (Koma)

Als Koma bezeichnet man eine **tiefe Bewusstlosigkeit,** aus der der Patient durch äußere Reize (z. B. Ansprache, Berührung oder Schmerz) nicht erweckbar ist. Gezielte oder ungezielte Abwehrbewegungen auf Schmerzreize können je nach Tiefe des Komas erhalten sein.

Die Komaeinteilung erfolgt nach Übereinkunft der World Federation of Neurosurgical Societies (WFNS) in **vier Stadien:**

- **Koma I:** Bewusstlosigkeit ohne neurologische Ausfälle:
  → Keine Parese, Pupillen isokor mit seitengleicher Lichtreaktion, gezielte Beugereaktion auf Schmerz
- **Koma II:** Bewusstlosigkeit mit neurologischen Ausfällen:
  → Paresen, Pupillen anisokor

- **Koma III:** tiefe Bewusstlosigkeit:
  → Zusätzlich Streckkrämpfe (spontan oder auf Reiz) und Augenbewegungsstörungen
- **Koma IV:** tiefste Bewusstlosigkeit:
  → Keine motorische Reaktion auf Schmerzreize, weite, reaktionslose Pupillen, Ausfall von Hirnstammreflexen (Kornealreflex, Schluckreflex und Hustenreflex), aber erhaltene Spontanatmung.

Dem Koma IV folgt der **„irreversible Hirnfunktionsausfall“ = IHA,** früher als **Hirntod** bezeichnet, der nicht umkehrbare Ausfall aller Hirnfunktionen. Die Eigenatmung erlischt (Apnoe), ebenso die Regulation von Blutdruck und Körpertemperatur. Ohne intensivmedizinische Maßnahmen zum Erhalt der Organfunktionen für eine Organspende nach Feststellung der irreversiblen Hirnfunktionsausfalls folgt schrittweise der Tod des gesamten Organismus (→ Kap. 45.3.1).

33.2 Erhöhung des intrakraniellen Drucks

Das Gehirn befindet sich vollständig von Knochen umgeben im Schädel. Zusätzlich finden sich im Schädel Blut und das **Hirnwasser** (Liquor cerebrospinalis). Innerhalb des Schädels führen die Volumina von Hirnsubstanz, Blut und Liquor zusammen zum **intrakraniellen Druck (Intracranial Pressure = ICP).** Da die einzelnen Schädelknochen im Laufe der Kindheit zusammenwachsen, führt eine Zunahme des Gesamtvolumens aus Gehirn, Blut oder Liquor schnell zu einer Steigerung des intrakraniellen Drucks (ICP).

DEFINITION

Die Summe der drei Volumenkomponenten von **Gehirngewebe, Blut und Liquor** muss innerhalb der Schädelhöhle stets gleichbleiben, um den intrakraniellen Druck konstant zu halten. Die Volumenzunahme einer Komponente führt notwendigerweise zur Abnahme einer oder der beiden anderen. Ist eine Kompensation nicht möglich, kommt es zum Anstieg des Hirndrucks **(Monro-Kellie-Doktrin).**

Laut der **Monro-Kellie-Doktrin** muss das Gesamtvolumen im Schädel konstant bleiben, um eine Veränderung des intrakraniellen Drucks zu vermeiden. Da die Schädelhöhle aber durch die sie begrenzende Knochenstruktur starr und nicht nachgiebig ist, lässt sich das zur Verfügung stehende Gesamtvolumen des Schädelinhalts nicht vergrößern. Nimmt also das Volumen einer Komponente zu, so muss im Gegenzug das Volumen einer anderen Komponente abnehmen.

Bei einer Volumenzunahme des Gehirns (z. B. Hirnödem) wird zunächst mehr Liquor aus den inneren Hirnkammern (Ventrikel), den äußeren Liquorräumen und Blut aus den Venen des Gehirns abgepresst, um für ein konstantes Volumen innerhalb des Schädels zu sorgen. Ist dieser Kompensationsmechanismus aufgebraucht, führt eine weitere Volumenzunahme des Gehirns zu einer Erhöhung des Drucks im Hirnschädel.

Die Durchblutung des Gehirns ist entsprechend folgender Formel unmittelbar vom ICP abhängig:
Zerebraler Perfusionsdruck = mittlerer arterieller Druck – intrakranieller Druck:

$$CPP = MAD - ICP$$

Daher führt eine **Erhöhung des ICP** zu einer **Verschlechterung der Hirndurchblutung,** wenn nicht der mittlere arterielle Druck kompensatorisch gesteigert wird. Übersteigt der ICP aber bestimmte Werte, so kommt es zur weiteren Verminderung der Hirndurchblutung und die Schwellung des Gehirns nimmt weiter zu. Damit entsteht ein Kreislauf aus

- Volumenzunahme des Gehirns,
- Verschlechterung der Hirndurchblutung und
- weiterer Hirnschwellung,

bis schließlich die Hirndurchblutung zusammenbricht und der Betroffene bewusstlos wird und schließlich stirbt (→ Kap. 31.2.2).

Welche Erkrankung zu einer Volumenzunahme im Schädel führt (Apoplex, Blutung, Tumor, Ödem oder Entzündung), ist für den daraus resultierenden Prozess zweitrangig. Je nach Erkrankung unterscheidet sich nur die Geschwindigkeit, mit der der ICP steigt.

Abhängig vom Ort des Krankheitsprozesses kommt es zu Störungen der Blutzufuhr, des Blutabflusses oder der Liquorzirkulation. Ein langsam wachsender Tumor kann lange unbemerkt bleiben, wohingegen eine **Subarachnoidalblutung (SAB)** mit akuter Verlegung der Liquorabflusswege innerhalb von Minuten zu einer **bedrohlichen ICP-Erhöhung** mit Verlagerung und Einklemmung von Gehirnanteilen in die hintere Schädelgrube und das Hinterhauptsloch (Foramen occipitale magnum) führen kann. Bewusstlosigkeit und Tod des Patienten u. U. noch vor Eintreffen des Rettungsdienstes oder im Krankenhaus können die Folge sein.

Symptome

Typische **Anfangssymptome** eines erhöhten Hirndrucks **(Hirndruckzeichen)** sind Kopfschmerzen, Übelkeit, Erbrechen, Schluckauf (Singultus), Nackensteifigkeit (Meningismus), Sehstörungen (Sehen von Doppelbildern durch Augenbewegungsstörungen, Augenfehlstellungen mit neu aufgetretenem Schielen durch Funktionsstörung der Augenmuskelnerven), Koordinationsstörungen mit Ataxie, Antriebs- und Orientierungsstörungen. Bei fortgeschrittener Symptomatik kommen Massen- und Wälzbewegungen, Beuge- oder Streck-Synergismen, Bewusstseinsstörungen/Bewusstlosigkeit, **Cushing-Reflex (hoher Blutdruck bei niedriger Herzfrequenz),** Atemstörungen und Lärm- und Lichtscheu (Phono- und Photophobie) hinzu. Die Pupillenmotorik ist verlangsamt und es kommt zu **Blickwendungen (Blickdeviationen).** Ursache für diese Phänomene ist eine zunehmende

- **Einklemmung des Großhirns** in der hinteren Schädelgrube **(obere Einklemmung),** d. h., Großhirnanteile werden in das Kleinhirnzelt (Tentorium cerebelli) verdrängt mit nachfolgender
- **Einklemmung des Hirnstamms** und von Kleinhirnanteilen **(untere Einklemmung)** im Hinterhauptloch (Foramen occipitale magnum) mit Schädigung der Hirnnerven und ihrer Funktion.

In Abhängigkeit vom Schädigungsgrad und der Tiefe der Bewusstlosigkeit erlöschen die Funktionen der Großhirnrinde und des Hirnstamms; der Bewusstlose verliert die Kontrolle über die quergestreifte Muskulatur und die Schutzreflexe fallen aus.

In der Medulla oblongata (Markhirn), dem am weitesten kaudal gelegenen Teil des Hirnstamms, befindet sich das Atemzentrum. Wird die Medulla oblongata durch die Einklemmung komprimiert, erleidet der Patient unweigerlich einen Atemstillstand, wodurch es zur Hypoxämie mit nachfolgender hypoxischer Gehirnschädigung kommt.

Therapie

Die **Basismaßnahmen** zielen auf die Vermeidung eines weiteren intrakraniellen Druckanstiegs. Neben dem Freimachen und Freihalten der Atemwege und der Sicherung der Vitalfunktionen muss der Patient in **15–30°-Oberkörperhochlagerung** mit Kopfstellung in Neutralposition zur Verbesserung des venösen Abflusses gelagert werden. Ist der Patient bewusstseinsgetrübt, wird diese Maßnahme mit der stabilen Seitenlage kombiniert.

ACHTUNG! Eine Beugung, Überstreckung oder starke Seitwärtsdrehung des Kopfes müssen vermieden werden, da diese Maßnahme zur Kompression der venösen Gefäße mit zusätzlicher Erhöhung des ICP führen kann.
Begleitend zur Lagerung des Patienten muss eine kontinuierliche Überwachung (SpO_2, RR, Puls, EKG, AF) etabliert werden. Die Vitalfunktionen werden kontinuierlich überwacht und der bewusstlose Patient erhält nach Bedarf Sauerstoff über eine Insufflationsmaske mit einem Zielwert der pulsoxymetrisch gemessenen Sauerstoffsättigung (SpO_2) von 94–98 %.

PRAXISTIPP

Um eine Hypoglykämie auszuschließen, ist die Bestimmung des Blutzuckers bei allen akuten neurologischen Erkrankungen besonders wichtig.

Die **erweiterten Maßnahmen** umfassen nach Anlage eines venösen Zugangs und langsamer Infusionsgabe (z. B. balancierte Vollelektrolytlösung) die medikamentöse Therapie (z. B. Antidote, Glukose) durch den Notarzt. Der Notarzt wird nach Übergabe die eingeleiteten Maßnahmen fortführen und die Anamneseerhebung und Ursachenforschung intensivieren.

Ist eine Hypoglykämie ausgeschlossen und die Bewusstlosigkeit erreicht auf der **Glasgow Coma Scale** Werte von 8 oder weniger Punkten, muss von einem Ausfall der Schutzreflexe ausgegangen werden. Dann kann der Patient zum Schutz vor Aspiration und zur Aufrechterhaltung der Sauerstoffversorgung des Körpers durch den anwesenden Notarzt nach Abwägung der Gesamtsituation narkotisiert, intubiert und kontrolliert beatmet werden. Hypotone Kreislaufwerte werden zur Sicherstellung eines ausreichenden zerebralen Perfusionsdrucks mit Infusionen oder Katecholaminen behandelt. Anschließend erfolgt der umgehende arztbegleitete Transport in die nächstgelegene geeignete Klinik.

MERKE

Der ICP kann prähospital nicht bestimmt werden. Entsprechend Leitlinie der DGN soll der zerebrale Perfusionsdruck (CPP) bei > 60 mmHg liegen. Eine Erhöhung des ICP liegt bei Werten > 23 mmHg vor. Somit ist nach o. g. Formel für den mittleren arteriellen Druck (MAD) ein Wert von > 83 mmHg anzustreben.

IM FOKUS

Intrakranieller Druckanstieg

Ursachen
- Apoplex, Blutung, Tumor, Ödem, Entzündung

Symptome
- **Frühstadium:** Kopfschmerzen, Übelkeit, Erbrechen, Schluckauf, Nackensteife, Seh- und Augenbewegungsstörungen, Antriebs- und Orientierungsstörungen, reflektorische vegetative Symptome
- **Spätstadium:** Massen- und Wälzbewegungen, Beuge- oder Streck-Synergismen, Bewusstseinsstörungen/Bewusstlosigkeit, Cushing-Reflex (hoher Blutdruck bei niedriger Herzfrequenz), Atemstörung, Ausfall der Schutzreflexe, Lärm- und Lichtscheu

Maßnahmen

Monitoring
- AF, SpO_2, Rekapillarisierungszeit, Puls (peripher/zentral), RR, BZ, GCS, EKG, Temperatur, ggf. $etCO_2$

Basismaßnahmen und Lagerung
- Freimachen und Freihalten der Atemwege
- O_2-Gabe über Maske oder Nasensonde nach SpO_2 (Zielwert: 94–98 %)
- Bewusstseinsklarer Patient: Lagerung in leichter Oberkörperhochlage (bis 30° Drehpunkt Hüfte) zum Aspirationsschutz und Vermeidung eines weiteren intrakraniellen Druckanstiegs mit Kopf in Neutralstellung
- Bewusstloser Patient: stabile Seitenlage mit leichter Oberkörperhochlage
- Vermeiden von Beugung, Überstreckung oder starker Seitwärtsdrehung des Kopfes

Erweiterte Maßnahmen
- i. v. Zugang und Blutentnahme

Medikamente und Dosierungsempfehlungen
- Analgesie: 5–10 mg Morphium i. v., kein ASS
- Volumentherapie: restriktiv; maximal 500 ml balancierte Vollelektrolytlösung i. v., **keine** Gabe von Mannit- oder Sorbitlösungen
- Ggf. Krampfanfallsbehandlung mit Midazolam nasal 2 ml = 10 mg, davon je die Hälfte pro Nasenloch, Diazepam 10 mg i. v. (Valium®), Medikamentengabe auch als Rektiole möglich
- Bei weiterer Therapieresistenz: Narkoseeinleitung mit
  - 4–5 µg/kg KG Fentanyl
  - **plus** 0,1–0,2 mg/kg KG Midazolam (Dormicum®)
  - **plus** 4–5 mg/kg KG Thiopental (Trapanal®), wirkt hirndrucksenkend und **Cave:** atem- und kreislaufdepressiv!

33.3 Apoplex (Ischämischer Schlaganfall)

DEFINITION

Ein Apoplex („Hirninsult") ist eine plötzliche Funktionsstörung des ZNS durch eine im Schädel gelegene Verstopfung eines Blutgefäßes im Gehirn, die eine Minderversorgung mit Sauerstoff und Nährstoffen auslöst, deren Symptome nur kurz oder länger als 24 Std. anhalten und z. T. mit einem nachweisbaren strukturellen Hirnschaden (Narbe) einhergehen.

Mit dem Oberbegriff **„Schlaganfall" (Apoplex)** wird ein schlagartig auftretendes neurologisches Defizit bezeichnet, das durch eine akute **Minderversorgung des Gehirns mit Blut** und so **mit Sauerstoff und Glukose** verursacht wird. Es gibt auch Schlaganfälle im Rückenmark, die hier nicht behandelt werden. Da sowohl ein akuter Gefäßverschluss als auch ein Zerreißen eines Hirngefäßes mit Blutung ins Gehirn (→ Kap. 33.4.1) oder die Hirnhäute (→ Kap. 33.4.2) zu solchen Ausfällen führen können, die ganz unterschiedlich zu behandeln sind, wird hier, dieser Ursachen übergreifende – sich im Sprachgebrauch etablierte – Begriff „Schlaganfall", differenziert verwendet.

MERKE

Ein **Insult** beschreibt die zeitliche Komponente einer medizinischen Schädigung (plötzlich auftretend, Anfall).
Ein **Infarkt** ist das morphologische Korrelat einer medizinischen Schädigung infolge einer Durchblutungsstörung oder eines Verschlusses einer das nachfolgende Gewebe versorgenden Arterie.

80 % aller Schlaganfälle verlaufen als unblutige **(ischämische) Infarkte** (→ Abb. 33.1). Der komplette Gefäßverschluss verursacht im zu versorgenden Hirnareal den Untergang von Hirngewebe (Nekrose). Das Gewebe erweicht und nimmt nicht mehr an der Hirnfunktion teil.

Die übrigen 20 % sind blutige **(hämorrhagische) Insulte** in Form nichttraumatischer intrazerebraler Blutungen (→ Kap. 33.4.1). Diese kommen als hypertensiv bedingte Blutung oder bei oraler Gerinnungshemmung (Antikoagulation) mit Phenprocumon (Marcumar®) oder einem der **d**irekten **o**ralen **A**nti**k**oagulans (DOAK) (Pradaxa®, Xarelto®, Eliquis® oder Lixiana®) vor. Andere Ursachen sind die spontane Subarachnoidalblutung (→ Kap. 33.4.2) oder ein Trauma mit sub- oder epiduralem Hämatom (→ Kap. 31.2.3) (→ Abb. 33.2).

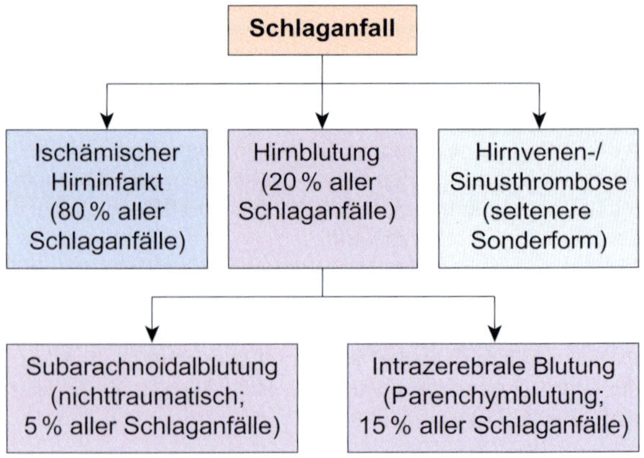

Abb. 33.1 Einteilung der Schlaganfälle [L231]

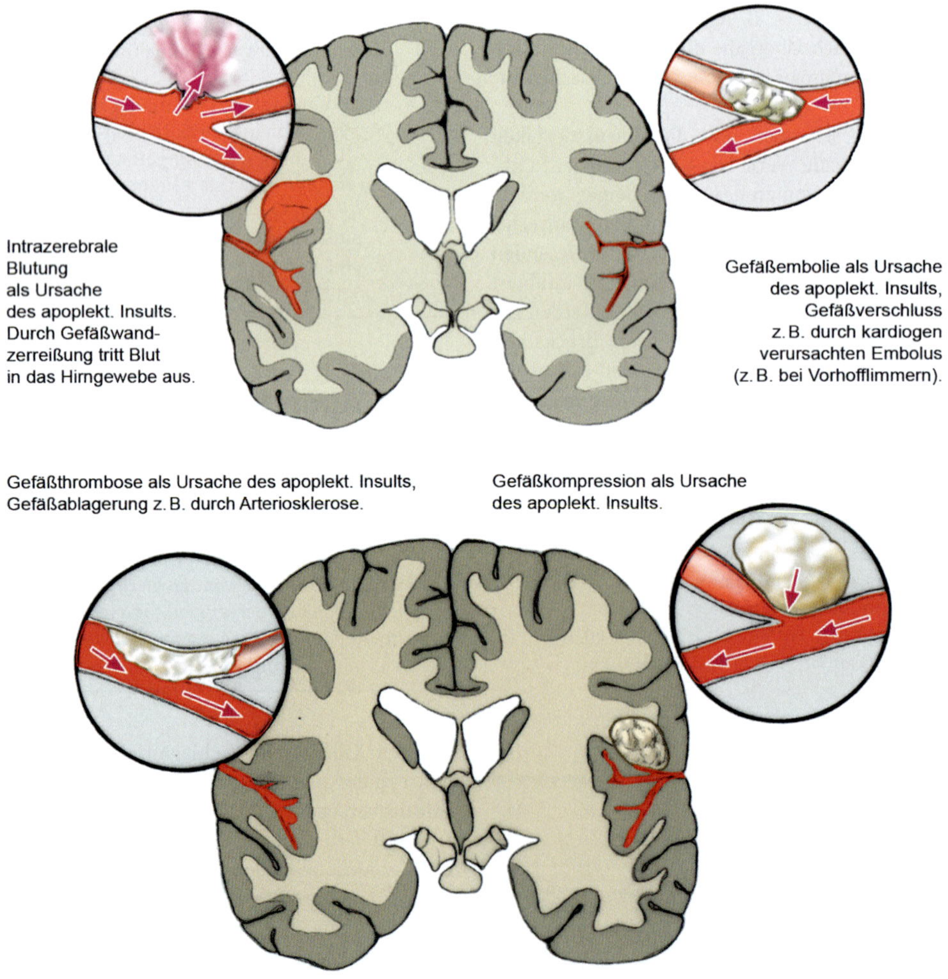

Abb. 33.2 Ursachen für ischämische und hämorrhagische Insulte [L108]

Ursache des **ischämischen Schlaganfalls** ist meist ein **akuter Verschluss einer Hirnarterie (plötzliche Symptome),** ausgelöst durch

- Arteriosklerose in den Hirngefäßen
- Arterielle Embolien durch Blutgerinnsel (z. B. Vorhofflimmern) oder Kalkablagerungen
- Gefäßverengungen durch Gefäßverkrampfungen (Vasospasmen)
- Seltener durch einen **thrombotischen Verschluss einer Hirnvene** mit dann **langsam auftretenden Symptomen** und zu nehmenden neurologischen Ausfällen

Abhängig davon, wie stark und wie lange die Durchblutung des Gehirns beeinträchtigt ist, kann das betroffene Gehirnareal seine Aufgabe vorläufig oder dauerhaft nicht mehr erfüllen. Begrifflich werden unterschieden:

- **Transitorisch ischämische Attacke (TIA)** durch eine vorübergehende Durchblutungsstörung, die zu passager auftretenden neurologischen Ausfällen für weniger als 24 Std. (meist < 1 Std.) führt, ohne dass der Nachweis einer strukturellen Hirnläsion im cCT oder k(c)raniellen MRT (cMRT) als Ausdruck einer zerebralen Durchblutungsstörung erbracht werden kann. **TIA-Patienten** sind hochgradig gefährdet, in den folgenden 5 Jahren einen Apoplex zu erleiden. Dies tritt bei bis zu 40 % der Patienten auf. Daher muss auch nach einer TIA-Symptomatik eine komplette Stroke-Diagnostik erfolgen, um eine gezielte Sekundärprophylaxe und Risikoreduktion zu gewährleisten.
- **Ischämischer Insult:** mit einer Symptomdauer von mehr als 24 Std., der nicht zu einem nachweisbaren strukturellen Hirnschaden (Narbe) in der diagnostischen Bildgebung (cCT oder cMRT) führt
- **Ischämischer Infarkt:** mit einer Symptomdauer von mehr als 24 Std. im cCT oder cMRT Nachweis einer frischen ischämischen Läsion, die sich im weiteren Verlauf zu einer Narbe im Gehirn umwandelt.
- **Sonderfälle:**
  - **„TIA mit Nachweis einer ischämischen Läsion"** in der diffusionsgewichteten MRT-Sequenz (je leistungsstärker die MRT-Geräte sind, umso häufiger feststellbar; dann liegt aber genau genommen ein Infarkt vor).
  - **„Progressive Stroke":** über Stunden zunehmende neurologische Symptomatik, z. B. bei einem embolischen Verschluss der A. basilaris

Typische **beeinflussbare Risikofaktoren** für das Auftreten **ischämischer Insulte oder ischämischer Infarkte** sind arterielle Hypertonie, Atherosklerose, Vorhofflimmern als häufigste Herzrhythmusstörung der meist älteren Patienten, Fettstoffwechselstörungen, Diabetes mellitus, Fettleibigkeit (Adipositas) und Rauchen. Weitere Risikofaktoren sind eine koronare Herzkrankheit (KHK), Herzinsuffizienz, Thromben im Herzen, Herzklappenerkrankungen, Entzündungen der Blutgefäße (Vaskulitiden) oder SARS-CoV-2-Infektion.

Nicht beeinflussbare Risikofaktoren sind Alter, Geschlecht (w > m), ein unbehandeltes persistierendes Foramen ovale, erblich bedingte Blutgerinnungsstörungen (Thrombophilien), z. B. die homozygote Faktor-V-Mutation, u. a.

Nach einer TIA, einem ischämischen Insult oder ischämischen Infarkt sollte eine Reihe weiterer Untersuchungen erfolgen, um eine gezielte Sekundärprophylaxe einleiten zu können. Die Diagnostik umfasst neben der kranialen Bildgebung (CT und MRT) eine Doppler- und Duplexsonografie der extra- und intrakraniellen Gefäße, ein 24-Stunden-EKG sowie eine 24-Stunden-Blutdruckmessung, eine transösophageale sowie transthorakale Echokardiografie und gezielte Laboruntersuchungen, wie z. B. Blutfettwerte, Blutzucker, Gerinnungsfaktoren und Vaskulitisparameter (spezielle Antikörper etc.).

Symptome

Ob eine Blutung, ein Insult oder ein Infarkt vorliegen, kann präklinisch anhand der Symptome nicht unterschieden werden. Eine **TIA** mit kurzzeitigen Beschwerden über wenige Minuten, deren Symptome bei Eintreffen des Rettungsfachpersonals bereits verschwunden sind, kann Vorbote eines zweiten, ggf. schlimmeren Apoplex sein (s. o.). Deshalb gehört der Patient mit einem Apoplex unmittelbar **in eine geeignete Klinik mit einer Schlaganfall-Station (Stroke Unit)** zur Therapie und diagnostischen Abklärung. Therapeutische Entscheidungen (z. B. Thrombolyse, mechanische Rekanalisation [Thrombektomie]) dürfen erst nach **bildgebenden Untersuchungen** erfolgen.

> **MERKE**
>
> Präklinisch ist eine Unterscheidung der Krankheitsursache (Ischämie oder Blutung) allein anhand der Symptome nicht möglich.

Ischämische Schlaganfälle treten zu jeder Tages- und Nachtzeit auf, dann werden die Beschwerden u. U. aber erst morgens bemerkt. Auch bei einem sog. **Wake-up-Stroke** sollte ein umgehender Transport in eine neurologische Klinik mit der Möglichkeit einer MRT-Untersuchung erfolgen. Mittels MRT kann entschieden werden, ob eine Thrombolyse/Thrombektomie trotz unklarem Zeitfensters noch möglich ist. Liegt im MRT ein **„DWI-FLAIR-Mismatch"** vor, bedeutet dies, dass das Gewebe durch den Gefäßverschluss nicht mehr perfundiert aber durch Diffusion weiterhin versorgt wird (→ Abb. 33.3). Ist dies der Fall, kann eine Thrombolyse/Thrombektomie immer noch erfolgen.

Je nach Lokalisation können manchmal (bei Gefäßeinriss [Dissektion] mit Ischämie sogar Tage zuvor) als **erste Warnzeichen** untypische Symptome, wie **Kopfschmerzen** und ein **Schwindelgefühl,** auftreten. Schwindel ist ein Symptom für eine Schädigung im Hirnstamm oder Kleinhirn und somit für Infarkte im vorderen arteriellen Stromgebiet nicht typisch. Ein hoher Blutdruck kann als Ausdruck einer gesteigerten Durchblutung im Gehirn (**Bedarfshypertonie**) auftreten.

> **MERKE**
>
> Die eigentlichen neurologischen Symptome treten „schlagartig" und ohne Vorwarnung auf, was dem Schlaganfall seinen Namen gegeben hat.

Typische **neurologischen Symptome** sind die **Lähmung** einer Körperseite **(Hemiparese),** Lähmung einer Gesichtshälfte **(faziale Parese),** d. h., Augenlid und Mundwinkel hängen herab, unkontrollierter Speichelfluss, Gefühlsstörung, Sehstörung (z. B. **Hemianopsie**), Sprach- oder Sprechstörung **(Aphasie oder Dysarthrie),** Koordinationsstörung, Schluckstörung **(Dysphagie)**, Wahrnehmungs- und Bewusstseinsstörungen. Manchmal tritt auch der unkontrollierte Abgang von Stuhl oder Urin auf.

Zur raschen Erkennung hat sich der **Face-Arm-Speech-Time-Test (FAST-Test)** bewährt (→ Abb. 33.4). Die Hinweiszeichen sind:

- (**F**ace) Ein herabhängender Mundwinkel
- (**A**rm) Lähmungserscheinungen einer Extremität
- (**S**peech) Sprachstörungen

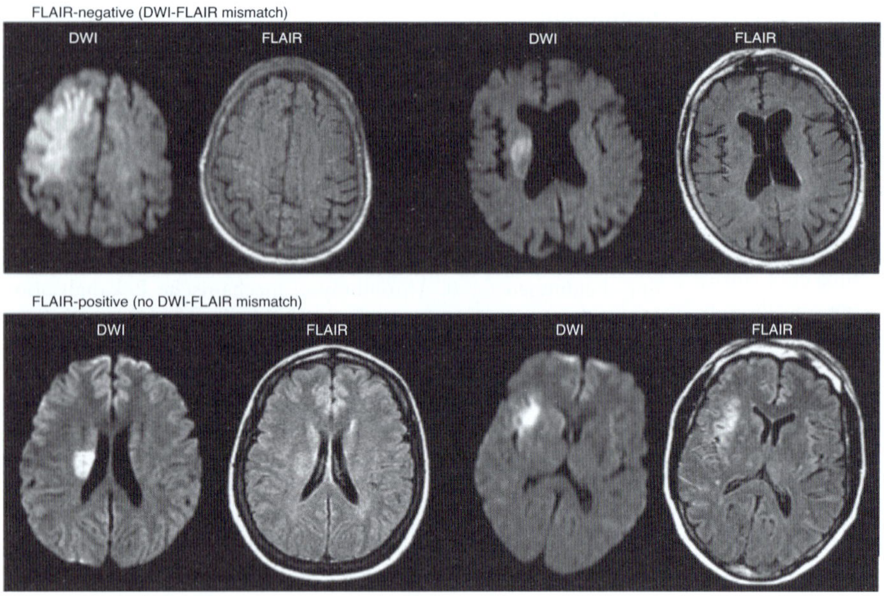

Abb. 33.3 DWI-FLAIR-Mismatch [F999-003]

Abb. 33.4 FAST-Test [L143]

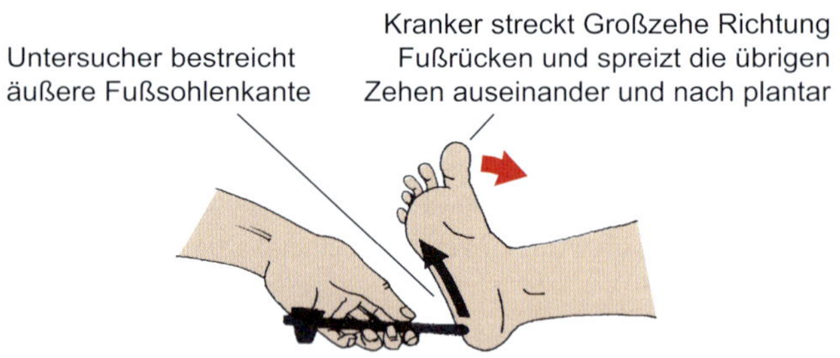

Abb. 33.5 Babinski-Zeichen [L215]

- (Time) Zeitspanne seit Symptombeginn im Hinblick auf frühestmöglichen Beginn der Therapie

Bei einer **zentralen Lähmung** ist die Pyramidenbahn (1. motorisches Neuron) im zentralen Nervensystem geschädigt, was zum Wiederauftreten des frühkindlichen Fluchtreflexes führt, der als **Babinski-Zeichen** bekannt ist (→ Abb. 33.5). Dabei werden bei festem Bestreichen des lateralen Fußrandes die Großzehe hochgezogen und die anderen Zehen gespreizt.

Abhängig von der Lage der Durchblutungsstörung (→ Tab. 33.3) treten verschiedene aber jeweils typische Symptome auf (→ Abb. 33.6, → Abb. 33.7).

Gefäßregion	Neurologische Symptomatik
A. cerebri anterior (vordere Hirnarterie)	• Beinbetonte sensomotorische Hemiparese/-plegie • Zerebrale Blasenstörung
A. cerebri media (mittlere Hirnarterie)	• Komplette sensomotorische Hemiparese/-plegie oder • Brachiofazial betont, d. h. vor allem Arm und Gesicht betreffend • Sprachstörung (Aphasie) bei Infarkt links im Hirn oder • Nichtwahrnehmen der erkrankten Körperseite (Neglect) bei Infarkt rechts im Hirn
A. cerebri posterior (hintere Hirnarterie)	• Halbseitige Gefühlsstörung (Hemihypästhesie) • Halbseitenblindheit durch Gesichtsfeldausfall (Hemianopsie)
A. basilaris und A. vertebralis	• Bewusstseinsstörungen, Augenbewegungsstörungen, Nystagmus, Ataxie, Dysarthrie, Dysphagie, gekreuzte Hirnstammsymptome

Tab. 33.3 Typische neurologische Ausfälle bei ischämischen Insulten je nach betroffenem arteriellem Versorgungsgebiet

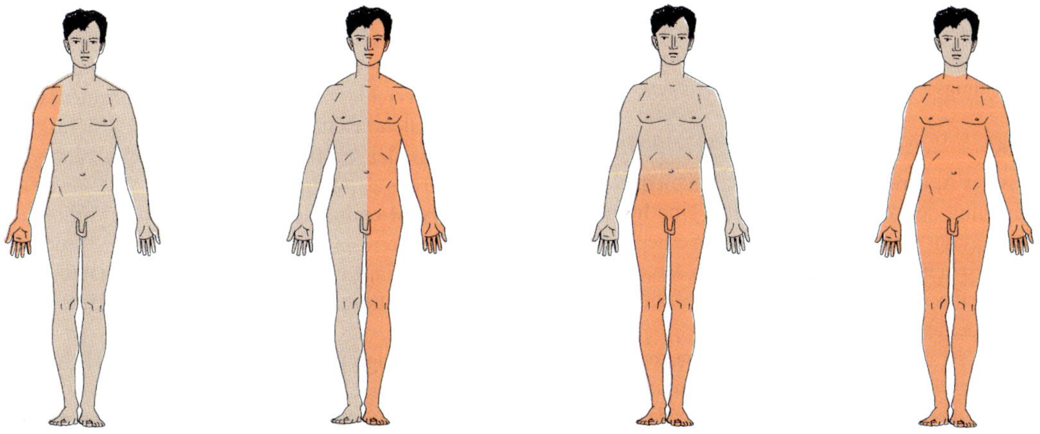

Abb. 33.6 Einteilung der Lähmungen [L215]

Abb. 33.7 Spastische Hemiparese links nach einem Apoplex. Typischerweise verharrt der Arm in Beugestellung und das Bein in Streckstellung. Durch die Beinstreckung und die Spitzfußstellung würde das Bein beim Gehen ständig den Boden berühren. Um das zu verhindern, führen Schlaganfall-Patienten ihr behindertes Bein beim Gehen kreisförmig nach vorn (Zirkumduktion). Auf der Abbildung ist außerdem eine faziale Parese zu erkennen. [L231]

MERKE

Da die meisten Nervenfasern im ZNS von einer Seite auf die andere kreuzen, führt ein **rechtshirniger Insult** zu einer **Störung der linken Körperseite** und umgekehrt.

A. cerebri anterior

Ein Verschluss der **A. cerebri anterior** führt zu einer **beinbetonten Hemiparese** auf der anderen (= kontralateralen) Körperseite. Gelegentlich kommt es zu Harninkontinenz durch Störung des Blasenzentrums in der Großhirnrinde. Zusätzlich kommt es zu psychischen Veränderungen (z. B. verminderter Antrieb).

A. cerebri media

Bei Läsionen im Stromgebiet der **A. cerebri media (sog. „Mediainfarkt")** treten typischerweise **sensomotorische kontralaterale Halbseitensymptomatiken** (z. B. Hemiparese links bei Hirninfarkt rechts) und Blickwendungen (Blickdeviation) zur Seite des Infarkts auf.

MERKE

Eine **Parese** ist eine leichte Lähmung (z. B. Arm kann angehoben werden, aber deutlich schwächer im Vergleich zur Gegenseite). Eine **Plegie** ist eine vollständige Lähmung (keine Bewegung mehr möglich).

Ist die sprachdominante Hirnhälfte betroffen (i. d. R. linke Hemisphäre), findet sich zusätzlich eine Störung des Sprachzentrums, die sich durch eine Aphasie, also eine gestörte Sprachproduktion oder ein gestörtes Sprachverständnis, bemerkbar macht.

Eine **Broca-Aphasie** führt zu einer **motorischen Sprachstörung,** der Patient spricht nicht oder nur noch einzelne Worte („Jaja", „Nein"). Die **Wernicke-Aphasie** ist eine **sensorische Sprachverständnisstörung,** bei der der Patient völlig unverständlich, manchmal jedoch ganz viel spricht („Wortsalat"). Er begreift nicht, dass die Umstehenden ihn nicht verstehen und er selbst versteht die Umstehenden ebenso wenig, als wenn plötzlich verschiedene Sprachen gesprochen würden. Fälschlich werden diese Patienten oft als „verwirrt" bezeichnet, das sind sie aber nicht! Eine Aphasie, v. a. die Wernicke-Aphasie, kann für die Patienten eine schwere Behinderung bedeuten und dann auch die Einrichtung einer juristischen Betreuung (nach Betreuungsrecht der Länder) nötig machen.

A. cerebri posterior

Bei einem Verschluss der **A. cerebri posterior** zeigt sich typischerweise durch Beeinträchtigung der okzipitalen Sehrinde eine **homonyme Hemianopsie**. Hierbei ist das Gesichtsfeld zur gegenüberliegenden Seite eingeschränkt. Dabei sehen die Patienten mit beiden Augen, nehmen aber nur noch eine Seite ihres Gesichtsfelds wahr. Sie bezeichnen es oft als Sehstörung eines einzelnen Auges.

Um dies zu prüfen, lässt man die Patienten ein Auge zuhalten und fragt sie, ob sie nun alles wieder vollständig sehen. Dann wäre es eine Sehstörung eines Auges, die ihre Ursache im Auge oder dem vorderen Teil des Sehnervs hat. Bei einem Visusausfall an einem Auge durch Verschluss der Netzhautarterie **(Amaurosis fugax)** handelt es sich ebenfalls um einen Apoplex. Sehen die Patienten aber weiterhin zu einer Seite nicht, so liegt eine Hemianopsie vor. Allerdings wird der Gesichtsfeldausfall vom Patienten oft nicht wahrgenommen, wenn z. B. die rechte Hirnhälfte betroffen ist **(visueller Neglect).**

Bei beidseitigem Verschluss der A. cerebri posterior resultiert eine beidseitige Schädigung der okzipitalen Sehrinde. Dies wird als „kortikale Blindheit" bezeichnet. Der Patient erblindet aufgrund einer Hirnschädigung.

A. basilaris und A. vertebralis

Verschlüsse der **A. basilaris** oder **A. vertebralis** (also im „hinteren Hirnkreislauf") beginnen häufiger mit **Kopfschmerz** und **Schwindel.** Hinzu kommen Stürze, **Augenbewegungsstörung,** unwillkürliche, rhythmische Augenbewegungen **(Nystagmus),** Störung der Bewegungskoordination **(Ataxie)** und Sprechstörungen (undeutliches „verwaschenes" Sprechen = **Dysarthrie**) bei erhaltener Sprachfähigkeit. Eine Schluckstörung (= **Dysphagie**) gehört ebenfalls dazu. Besonders relevant sind aber die Störungen der im Hirnstamm verlaufenden Fasern, die für Wachheit und Bewusstsein sowie die vegetativen Funktionen zuständig sind. Ihre Beteiligung führt zu **Bewusstseins- und vegetativen Störungen mit Bradykardien und Blutdruckentgleisungen.** Da alle Fasern vom und ins ZNS durch den Hirnstamm verlaufen, kann es zu diagnostisch hilfreichen **„gekreuzten Hirnstammsymptomen"** kommen. Dabei treten gleichseitige **(ipsilaterale)** Hirnnervenausfälle und gegenseitige **(kontralaterale)** Hemisphärensymptome auf. Es gibt verschiedene Syndrome, die in neurologischen Fachbüchern genauer aufgelistet sind.

Pathophysiologie der zerebralen Ischämie

Folgende **Mechanismen** liegen der zerebralen Ischämie zugrunde:

- **„Makroangiopathie"** mit mindestens 50-prozentiger-Einengung oder Verschluss einer Hirnarterie. Hierunter fallen auch die arterio-arteriellen Insulte bei vorbestehender Atherosklerose des Aortenbogens, der A. carotis communis, der A. carotis interna oder der A. vertebralis/A. basilaris.
- **„Kardial-embolische Ursache"** durch Vorhofflimmern, ein persistierendes Foramen ovale (= PFO), Thromben im Herzen, Erkrankungen der Herzklappen, eine dilatative Kardiomyopathie, eine infektiöse Endokarditis (dann ggf. mit septischen Embolien) u. a.
- **„Mikroangiopathie"** bei unterhalb der Hirnrinde (subkortikal) gelegenen kleinen (< 15 mm Durchmesser) ischämischen Läsionen, die durch lokale Gefäßveränderungen mit daraus folgendem Verschluss entstehen und Schlaganfälle mit gering ausgeprägten Symptomen verursachen. Darunter fallen z. B. die Lähmung oder Sensibilitätsstörung nur eines Arms oder Beins.

Kommt es akut zu einem **Verschluss einer Hirnarterie,** z. B. der mittleren Hirnarterie (A. cerebri media), so sind innerhalb von wenigen Minuten der noch vorhandene Sauerstoff und die Glukose im nachgeschalteten Hirnareal verbraucht. Nun gehen die Nervenzellen vom **Funktions-** in den **Strukturstoffwechsel** über, d. h., sie funktionieren nicht mehr, aber sie haben noch genug Energie, um ihre Zellstruktur aufrechtzuerhalten. Löst sich der Gefäßverschluss innerhalb dieser wenigen Minuten wieder auf (**Autolyse,** ein Prozess, der tagtäglich in den Blutgefäßen vorkommt, da ein Gleichgewicht von Gerinnselbildung und -auflösung besteht), können die Hirnzellen ihre Funktion wieder aufnehmen. Das ist der Prozess, der einer TIA zugrunde liegt. Bleibt der Gefäßverschluss bestehen, bricht auch der Strukturstoffwechsel der Hirnzellen zusammen und sie sterben ab, denn eine Energiereserve gibt es im Hirn nicht (→ Abb. 33.8). Dieser Bereich bildet den **Infarktkern,** der selbst bei schnellster Therapie nicht zu retten ist. Das umliegende Gewebe wird auch von anderen Arterien mit Blut versorgt, sodass diese zwar nicht mehr richtig funktionieren, aber ihre Struktur noch erhalten können.

Diese Zone der ischämischen Hirnläsion wird als **„Penumbra"** bezeichnet und beinhaltet das „rettbare" Hirngewebe. Durch die gestörte Funktion werden diese Hirnzellen nun unmittelbar abhängig von dem meist reflektorisch erhöhten Blutdruck. Wird jetzt der Blutdruck gesenkt, erhalten sie zu wenig Blut und auch der Strukturstoffwechsel bricht zusammen. Dadurch kommt es zu einer Zunahme der neurologischen Ausfälle, was früher als fortschreitender Schlaganfall

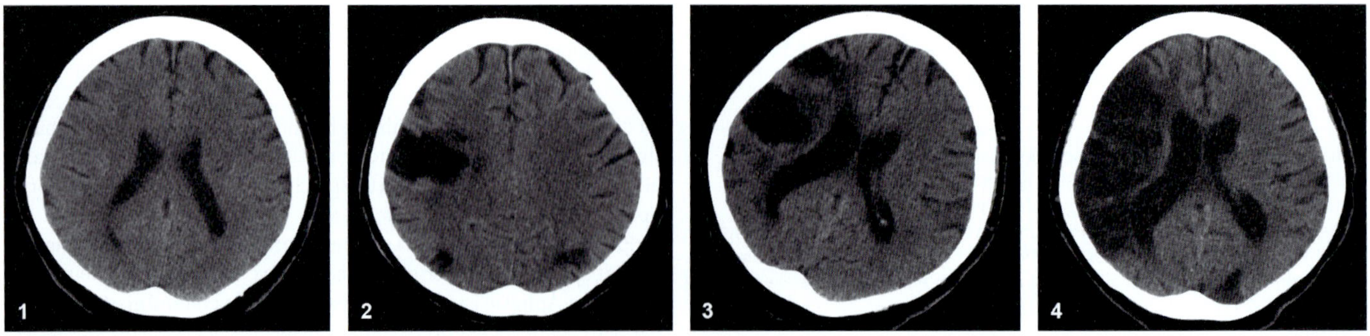

Abb. 33.8 Das CCT zeigt den Verlauf bei einer 67-jährigen Frau, die in sieben Jahren vier Schlaganfälle (1–4) erlitten hat. Es zeigen sich zunehmend dunkle (hypodense) Anteile von abgestorbenem Hirngewebe. [T381]

(**„Progressive Stroke“**) bezeichnet wurde. Wird durch eine rasche Thrombolysebehandlung in der Klinik die Blutversorgung wieder hergestellt, nehmen diese Zellen ihre Funktion wieder auf und die **Lysetherapie** war erfolgreich.

PRAXISTIPP

Der Apoplex ist wie der Herzinfarkt oder die Lungenembolie als **potenziell lebensbedrohlicher Notfall** zu behandeln. Beim Verdacht auf einen Apoplex jeden Schweregrades soll der Rettungsdienst, bei schwerem Apoplex mit Bewusstseinsstörung oder bei Patienten mit kardiorespiratorischen Störungen der Notarzt dazu gerufen werden.

Therapie

Um heute eine rasche Erkennung eines Apoplex zu ermöglichen, wird die Bevölkerung in Kampagnen unterrichtet und die Mitarbeiter der Rettungsleitstellen werden geschult. Der primär eintreffende Rettungsdienst erfasst die Symptome z. B. anhand des oben genannten **Face-Arm-Speech-Tests (FAST).** Telefonisch werden Patienten mit Verdacht auf einen Apoplex in einem geeigneten Krankenhaus, am besten mit einer eigenen Schlaganfallstation **(Stroke Unit)** und einer **24-stündigen CT-Bereitschaft** angekündigt. Auf der Stroke Unit wird der Patient durch apparatives Monitoring engmaschig überwacht. Es werden Herzfrequenz, Blutdruck, EKG, Atmung und Sauerstoffsättigung gemessen. Ebenso werden Körpertemperatur und Blutzucker engmaschig kontrolliert. Dies sollte für mindestens 24 Std., nach Möglichkeit jedoch 72 Std. nach dem Ereignis erfolgen. Bei kreislaufinstabilen Patienten oder Zustandsverschlechterung auch länger. In ländlichen Gegenden ohne Krankenhaus mit Stroke Unit bietet der Einsatz der Telemedizin einschließlich Teleradiologie die Möglichkeit, die Patienten trotzdem so rasch wie möglich einer Thrombolyse und/oder Rekanalisation zuzuführen.

ACHTUNG! **„Time is brain“:** Jede Minute Verzögerung führt zum Absterben weiterer Hirnzellen und verschlechtert die Prognose der Patienten.

PRAXISTIPP

Um die Versorgung beim akuten Apoplex zu optimieren und Abläufe zu beschleunigen, haben verschiedene Rettungsdienstbereiche mit ihren ärztlichen Leitern, zentralen Notaufnahmen der Kliniken sowie Stroke Units **Ablaufschemata** (Standard Operating Procedures = SOP) vereinbart, die das Vorgehen für den Rettungsdienst verbindlich festlegen und für die beteiligten Notärzte als Handlungsempfehlung dienen.

Entsprechend der DGN-Leitlinie sind die **Ziele der Behandlung** durch den Rettungsdienst das **rasche Erkennen des Apoplex** und der **rasche Transport** in eine geeignete Klinik mit telefonischer Vorankündigung zur optimierten Versorgung im Zielkrankenhaus. Der Notarzt ist bei schwerem Apoplex mit Bewusstseinsstörung und/oder kardiorespiratorischen Störungen hinzuzuziehen. Sein Einsatz darf die definitive Therapie, die nur in der Klinik erfolgen kann, aber nicht verzögern. Notfalls treffen sich RTW und NEF auf dem Weg in die Klinik.

Die **Basismaßnahmen** beim ischämischen Schlaganfall (→ Abb. 33.9) zielen in erster Linie auf die Aufrechterhaltung der Vitalfunktionen Atmung und Bewusstsein und eines für die Durchblutung der „Penumbra“-Zone ausreichenden Blutdrucks. Bewusstseinsgetrübte Patienten werden in stabiler Seitenlage gelagert.

Apoplexien treten oft bei älteren Menschen auf, die auch an **kardiopulmonalen Begleiterkrankungen** leiden, aber auch jüngere Erwachsene, selbst Kinder können betroffen sein. Sauerstoffmangel führt zu einer Verschlechterung der Funktion der Hirnzellen in der durchblutungsgestörten Hirnregion. Daher ist bei einer Sauerstoffsättigung (SpO_2) < 94 % die **initiale Sauerstoffgabe** unbedingter Standard (**Zielwert** der pulsoxymetrisch gemessenen Sauerstoffsättigung **[SpO_2]: 94–98 %**).

MERKE

Eine **unerkannte Hypoglykämie** kann jede Form eines Apoplex imitieren. Deshalb gehört zu den ersten Maßnahmen nach dem Eintreffen die **Bestimmung des Blutzuckers.** Liegt eine Hypoglykämie vor, so ist diese umgehend durch Kurzinfusion von 5–10 g Glukose (= 25–50 ml 20-prozentige Glukoselösung, G 20 % = 2 g/10 ml) zu beseitigen.

Der bewusstseinsklare Patient wird bei bestehender Hypertonie in 15–30° Oberkörperhochlagerung und bei Hypotonie flach gelagert. Bei Paresen sind die gelähmten Extremitäten sicher zu lagern, sodass keine sekundären Verletzungen eintreten können.

Die **erweiterten Maßnahmen** (→ Abb. 33.9) umfassen die Anlage eines venösen Zugangs und die medikamentöse Therapie. Ein bewusstseinsklarer Patient ist durch die plötzlich auftretende Lähmung, Sprach-/Sprech-, Seh- oder Wahrnehmungsstörung oft verängstigt und kann sich womöglich nicht mehr geordnet mitteilen. Der Patient wird verbal beruhigt und nur wenn es nicht anders möglich ist, leicht sediert, um einem weiteren Blutdruckanstieg (gefährlich v. a. bei Blutungen) oder Herzrhythmusstörungen durch endogene Adrenalinausschüttung zu begegnen.

MERKE

Die **reflexhafte Blutdrucksenkung** ist beim frischen Apoplex **nicht** angebracht. Beim akuten ischämischen Apoplex werden nur Blutdruckwerte > 220 mmHg systolisch und/oder > 120 mmHg diastolisch vorsichtig gesenkt.

Eine **arterielle Hypertonie** soll zur Aufrechterhaltung des zerebralen Perfusionsdrucks erhöht bleiben, solange sie Blutdruckwerte von 220 mmHg (systolisch) oder 120 mmHg (diastolisch) nicht überschreitet. Innerhalb dieser Bandbreite erfolgt keine Blutdrucksenkung. Sollte bei noch höheren Blutdruckwerten eine Senkung notwendig sein, empfiehlt sich eine **vorsichtige Senkung des übermäßig erhöhten Blutdrucks** mit Urapidil (Ebrantil®) in 5- bis 10-mmHg-Schritten bis zu einer Grenze von 180–200 mmHg (systolisch), die nicht unterschritten werden soll. Alternativ zu Urapidil kann auch Clonidin 0,15 mg i. v. verabreicht werden. Ein zu starker Abfall des Blutdrucks verschlechtert die Prognose aus oben genannten Gründen. Andererseits muss eine bestehende **Hypotonie** therapiert werden, um einen ausreichenden Perfusionsdruck im Gehirn zu gewährleisten. Der Blutdruck sollte **mindestens 140–150 mmHg (systolisch)** erreichen und nicht darunter abfallen. Ist der niedrige Blutdruck durch eine Exsikkose verursacht, ist diese durch Gabe kristalliner Lösungen (500–1 000 ml balancierte Vollelektrolytlösung) zu therapieren. Ist hierdurch der Blutdruck nicht ausreichend anzuheben, können nach Volumengabe und Ausschluss

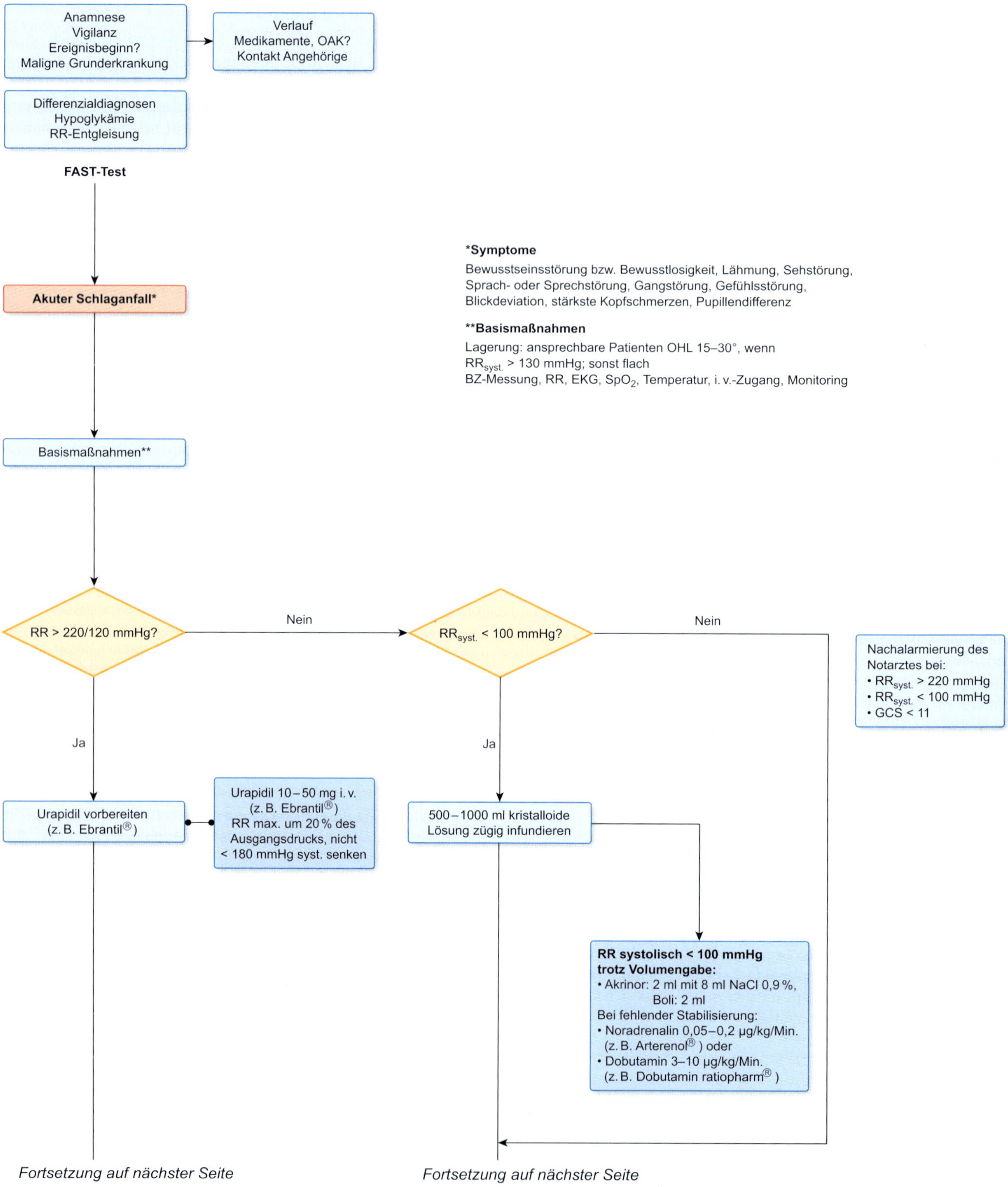

Abb. 33.9 SOP: präklinisches Apoplexmanagement [R134, L143]

PRAXISTIPP

Präklinisch muss eine Senkung auf unter 180 mmHg systolisch jedoch unterbleiben, da es unmöglich ist, eine Ischämie von einer Blutung als Ursache der Ausfälle zu unterscheiden.

33.4.2 Subarachnoidalblutung

Das Gehirn ist von **drei Hirnhäuten** umgeben:

- Die äußere harte Hirnhaut ist direkt mit dem Knochen verwachsen **(Dura mater).**
- Die mittlere ist die Spinnengewebshaut **(Arachnoidea),** die, mit Liquor gefüllt, den äußeren Liquorraum bildet und das gesamte Gehirn umgibt. In dieser verlaufen zahlreiche Arterien, die das Gehirn mit Blut versorgen, besonders an der Hirnunterfläche (Hirnbasis).
- Die innere ist die weiche Hirnhaut **(Pia mater),** die direkt dem Hirn aufliegt und die Oberfläche vollständig bedeckt.

Eine **Subarachnoidalblutung (SAB)** ist eine akute Blutung in den Subarachnoidalraum (→ Abb. 33.12c, → Abb. 33.13). Die Blutung entsteht meist spontan (ohne Trauma) durch das Zerreißen (Ruptur) eines angeborenen oder erworbenen arteriellen Aneurysmas oder traumatisch bei einer Schädel-Hirn-Verletzung. Ein **Aneurysma** ist eine sack- oder spindelförmige Erweiterung einer Arterie durch eine Bindegewebsveränderung, die oft an Gefäßaufzweigungen gelegen ist. 2 % der Erwachsenen haben ein intrakranielles Aneurysma. Etwa 80 % der Aneurysmen finden sich am vorderen intrakraniellen Gefäßsystem (A. carotis interna, A. cerebri media und A. cerebri anterior mit ihren Verzweigungen) (→ Abb. 33.14, → Abb. 33.15). Eine **„spontane"**, d. h. nicht traumatische, **SAB** ist neben dem ischämischen und dem hämorrhagischen Insult die dritthäufigste Ursache eines Apoplex. Das mittlere Alter der Patienten beträgt 50 Jahre. Innerhalb der ersten 30 Tage nach dem Ereignis sterben auch heute noch etwa 45 % an einer SAB. 15 % versterben sogar, bevor sie eine Klinik erreichen. Innerhalb der ersten 6 Std. nach der ersten Aneurysmablutung kommt es bei knapp der Hälfte der Patienten zu einer u. U. letalen Nachblutung. Somit ist die Subarachnoidalblutung ein **absoluter Notfall mit akuter Lebensgefahr.**

Der Blutaustritt in den Subarachnoidalraum führt zu einer Tamponade der äußeren Liquorräume. Dadurch kann der Liquor nicht mehr richtig fließen (Liquorzirkulation) und nicht mehr resorbiert werden (Liquorresorption). Das führt akut zu einem **Liquorstau** im Schädel und zu lebensbedrohlich erhöhtem ICP. Dies behindert den venösen Abfluss und verursacht ein Hirnödem mit ggf. auch Behinderung der arteriellen Durchblutung des Gehirns.

Oft besteht eine **arterielle Hypertonie** als Vorerkrankung. Subarachnoidalblutungen haben unabhängig von ihrer Ursache eine einheitliche Symptomatik, die jedoch nicht immer als solche erkannt wird (→ Tab. 33.4).

Symptome

Das **klassische Leitsymptom** einer SAB ist der **plötzliche stärkste Kopfschmerz,** der oft im **Hinterkopf oder Nacken** lokalisiert ist, innerhalb von Sekunden bis Minuten sein Maximum erreicht und den

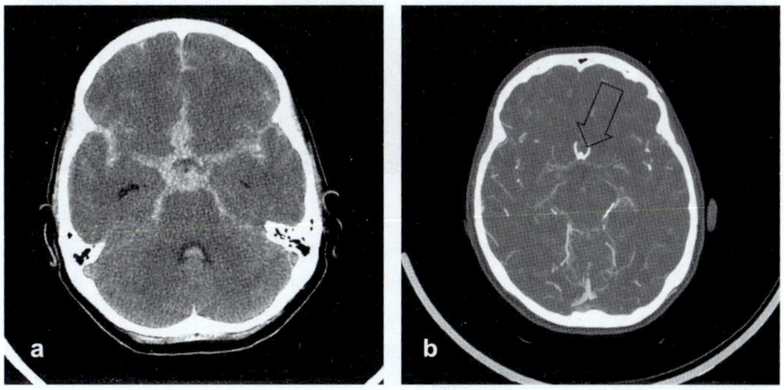

Abb. 33.13 Subarachnoidalblutung. **a)** Hyperdense Flüssigkeitsansammlungen in den basalen Zisternen als Ausdruck frischen Blutes. **b)** CT-Angiografie. Aneurysma der A. communicans anterior. [M464]

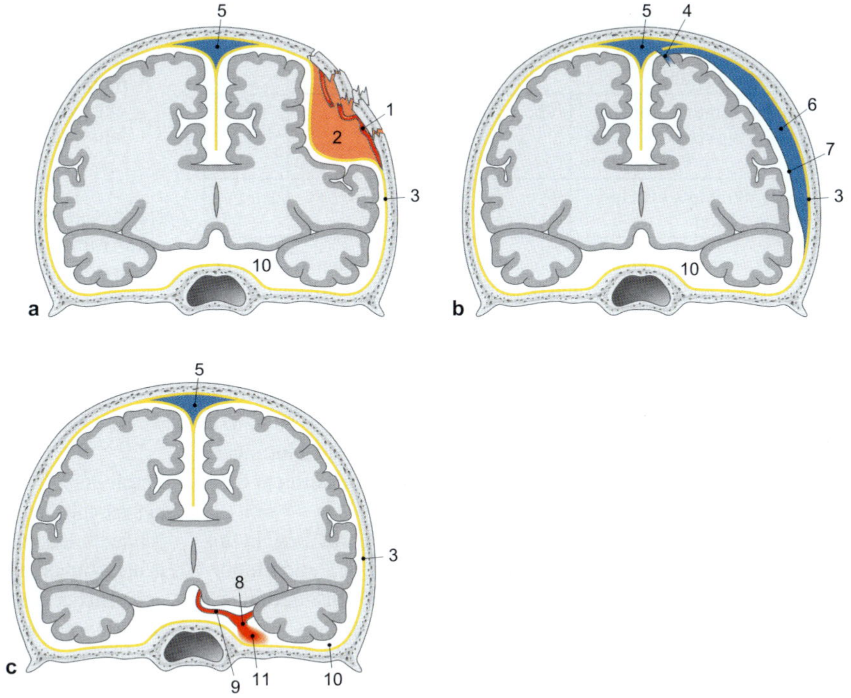

Abb. 33.12 Die verschiedenen Arten der intrakraniellen Blutungen. Nicht berücksichtigt: intrazerebrale Blutungen ins Hirnparenchym. **a)** Epiduralblutung. Die epidurale Blutung entsteht durch den Riss einer meningealen Arterie (1) im Rahmen eines Schädeltraumas, wodurch arterielles Blut (2) zwischen Schädelknochen und Dura mater (3) tritt und dort durch seine rasche Ausbreitung das Gehirn komprimiert. **b)** Subduralblutung. Bei der subduralen Blutung reißt eine Brückenvene (4) zwischen oberflächlichem Gehirnvenen und intraduralem Sinus (5), sodass venösen Blut (6) zwischen Dura (3) und Ararchnoidea (7) tritt und die beiden Hirnhäute auseinanderdrängt. **c)** Subarachnoidalblutung. Bei der subarachnoidalen Blutung platzt (meist ohne Trauma) z. B. ein Aneurysma (8) einer gehirnversorgenden Arterie (9), die im Subarachnoidalraum (10) an der Schädelbasis verläuft, sodass arterielles Blut (11) in den Subarachnoidalraum pulsiert. [T873, L106]

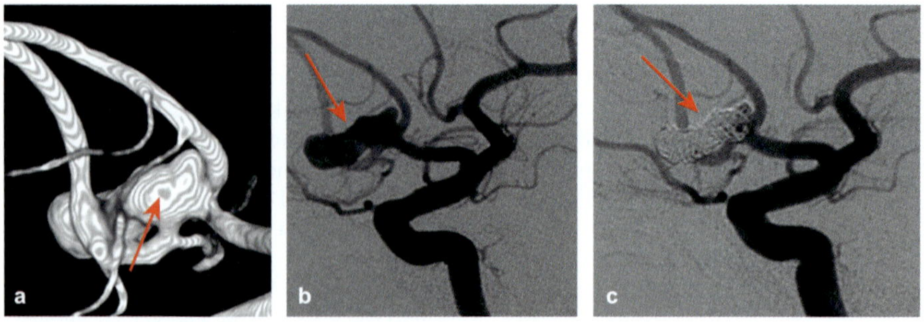

Abb. 33.14 Angiografie eines Aneurysmas. **a)** 3D-Rekonstruktion zu b. **b)** Rupturiertes Aneursyma der A. communicans anterior. **c)** Verschluss des Aneurysmas durch endovaskuläres Coiling. [R261]

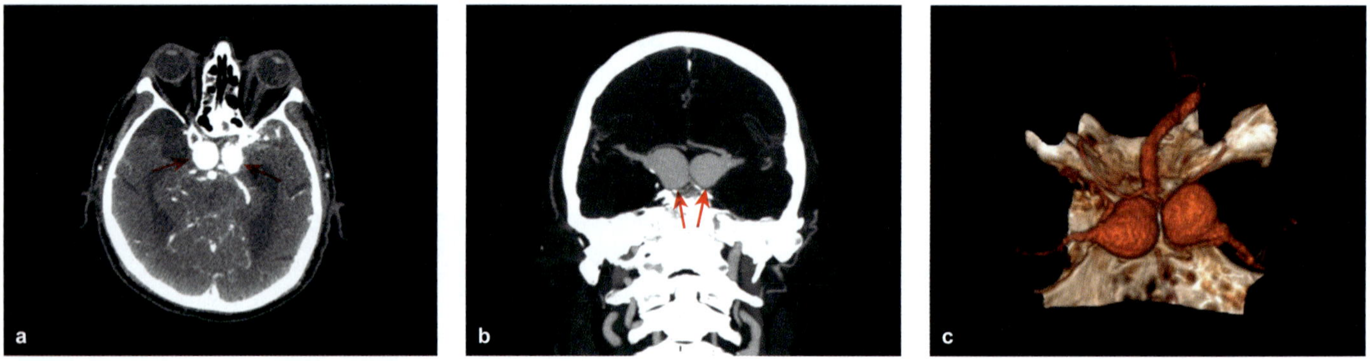

Abb. 33.15 Zweifaches augapfelgroßes Aneursyma. Patient männlich, 67 Jahre, wach und kontaktfähig, Übelkeit, Erbrechen. Pupillendifferenz rechts > links, leichte Fußheberschwäche rechts. CT-Angiografie: **a)** axial, **b)** sagittal und **c)** als 3D-Rekonstruktion. [T381]

Hunt und Hess		WFNS		
Symptome	**Grad**	**GCS**	**Hemiparese, Aphasie**	**Grad**
Asymptomatisch oder leichter Kopfschmerz und/oder leichter Meningismus	I°	15	Nein	Grad I
Starker Kopfschmerz, Meningismus, Hirnnervensymptome	II°	14–13	Nein	Grad II
Somnolenz, Verwirrtheit, fokale neurologische Ausfälle	III°	14–13	Ja	Grad III
Sopor und vegetative Störungen, mäßige bis schwere fokale Ausfälle	IV°	12–7	Ja/nein	Grad IV
Koma, Streckkrämpfe als Einklemmungszeichen	V°	6–3	Ja/nein	Grad V

Tab. 33.4 Schweregrade einer Subarachnoidalblutung nach den Skalen von Hunt und Hess (1968) und der World Federation of Neurological Surgeons (WFNS, Teasdale et al. 1988)

der Patient noch nie zuvor erlebt hat (**„Kopfschmerz wie noch nie“**). Allerdings tritt dieser **Vernichtungskopfschmerz** nur in ca. 50 % d. F. auf. Es ist zudem bekannt, dass ca. 25 % der Patienten Warnblutungen, mit dem Leitsymptom „leichterer Kopfschmerz mit unbekanntem Charakter“, vor der eigentlichen SAB hatten.

Wenn ein Vernichtungskopfschmerz angegeben wird, besteht bis zum sicheren Ausschluss einer SAB in der Klinik mit cCT und Liquorpunktion der dringende Verdacht auf diese akut lebensbedrohliche Erkrankung und der Patient ist entsprechend zu behandeln.

Eine körperliche Anstrengung vor der Blutung gibt etwa die Hälfte der Patienten an. Bis zu zwei Drittel der Patienten mit einer SAB zeigen bis zum Eintreffen in der Klinik eine Bewusstseinsstörung. Die Patienten entwickeln Übelkeit, Erbrechen und Lichtempfindlichkeit als Ausdruck der meningealen Reizung und Bewusstseinsstörungen bis zum Koma. Zusätzlich kommt es zum Meningismus und gelegentlich zu Krampfanfällen.

MERKE

Meningismus = Nackensteife: Beim passiven Beugen des Kopfes nach vorn tritt reflektorisch hoher Widerstand der Nackenmuskulatur auf.

Nachweis oder Ausschluss einer Subarachnoidalblutung sind außerhalb einer Klinik unmöglich. Zur Basisdiagnostik gehört die Erfassung der Vitalzeichen wie bei jedem Notfallpatienten.

ACHTUNG! **Vorsicht** ist bei einem **EKG** geboten! Eine SAB kann aus bisher nicht geklärten Gründen zu verschiedensten EKG-Veränderungen, häufig auch zu **ST-Hebungen,** führen.

In Fall einer ST-Hebung im EKG kann die Gabe von ASS und Heparin (unter der fälschlichen Vorstellung eines akuten Koronarsyndroms mit nachfolgender Bewusstseinsstörung) für den Patienten zu einer akut lebensbedrohlichen Zunahme der Subarachnoidalblutung führen. Das **Leitsymptom „plötzlicher Kopfschmerz wie noch nie“** zusammen mit einer Bewusstseinsstörung muss die Therapie in die richtige Richtung leiten.

Therapie

Bei Verdacht auf eine SAB richtet sich die Notfalltherapie nach dem klinischen Zustand des Patienten und der Symptomatik. Zu den wichtigsten **Basismaßnahmen** gehören neben dem Freimachen und Freihalten der Atemwege eine sofortige Immobilisation des Patienten mit 15°-Oberkörperhochlagerung und Lagerung des Kopfes in Neutralposition.

Die **erweiterten Maßnahmen** umfassen die Anlage eines venösen Zugangs, die Sauerstoffgabe über O_2-Sonde für den Erhalt einer SpO_2 von 94–98 % und die medikamentöse Therapie. Agitierte Patienten müssen sediert werden, z. B. mit Diazepam (Valium®) oder Midazolam (Dormicum®) i. v. Zur Analgesie werden zentral wirkende Analgetika eingesetzt. **ASS (Aspirin®) ist kontraindiziert,** da es die Fähigkeit der Blutplättchen hemmt, einen gefäßabdichtenden Pfropf zu bilden (Thrombozytenaggregationshemmung) und so zu einer Blutungszunahme führen kann.

Ein **erhöhter Blutdruck wird auf Werte um 140 mmHg systolisch gesenkt,** um eine Minderperfusion des Gehirns zu vermeiden. Systolische Blutdrücke über 160 mmHg sollten vermieden werden. Dann erfolgt der sofortige, möglichst schonende Transport in eine neurochirurgische Klinik.

Eine kausale Therapie kann **nur in der Klinik** erfolgen. Zur Diagnosesicherung erfolgt hier als erstes eine k(c)ranielle Computertomografie (cCT, → Abb. 33.13a). Zeigt diese eine SAB, folgt direkt eine CT-Angiografie (→ Abb. 33.13b), die heute oft schon das Aneurysma als Blutungsquelle nachweisen kann. Ist die kranielle Computertomografie ohne auffälligen Befund, folgt als Nächstes eine Liquorpunktion, die einen blutigen oder gelblich gefärbten Liquor aufweist, wenn die Blutung in den letzten 7 Tage zuvor aufgetreten ist. Bei pathologischem Liquorbefund wird dann ebenfalls eine CT-Angiografie durchgeführt. Lässt sich mit einer CT-Angiografie oder sonst bei nachfolgender konventioneller Katheterangiografie ein **verursachendes arterielles Aneurysma** nachweisen, gibt es **zwei unterschiedliche Therapiemöglichkeiten:**

- **Coiling:** Je nach Aufbau des Aneurysmas erfolgt heute oft eine neuroradiologisch interventionelle Therapie, bei der das Aneurysma bei einer konventionellen Katheterangiografie aufgesucht und durch das Einbringen von Platinspiralen (→ Abb. 33.14) in das Lumen verschlossen wird.
- **Clipping:** Die zweite Möglichkeit ist die operative Therapie durch den Neurochirurgen. Hierbei wird nach Schädeleröffnung das Aneurysma mit einer Klammer aus dem arteriellen Kreislauf ausgeschlossen.

Die Patienten sind in der Folgezeit vital gefährdet durch Nachblutungen aus dem Aneurysma und durch Verkrampfungen (= Vasospasmen) der Hirnarterien mit nachfolgenden ischämischen Schlaganfällen. Sie werden unbedingt auf einer Intensivstation überwacht und behandelt.

IM FOKUS

Spontane Subarachnoidalblutung (SAB)

Ursachen
- Blutaustritt in den Subarachnoidalraum

Symptome
- Plötzlicher, heftigster **Vernichtungskopfschmerz** „wie noch nie", Nackenschmerz
- Übelkeit, Erbrechen, Lichtempfindlichkeit, motorische Unruhe, Meningismus, neurologische Herdsymptome, Krampfanfälle
- Reflektorische vegetative Symptome (starkes Schwitzen), Hypo- oder Hypertonie, ggf. EKG-Veränderungen
- Bewusstseinsstörung bis zum Koma

Maßnahmen

Monitoring
- AF, SpO_2, Rekapillarisierungszeit, Puls (peripher/zentral), RR, BZ, GCS, EKG, Temperatur, ggf. $etCO_2$

Basismaßnahmen und Lagerung
- Freimachen und Freihalten der Atemwege
- O_2-Gabe über Maske oder Nasensonde, Ziel: SpO_2 94–98 %
- Bewusstseinsklarer Patient: Lagerung in leichter Oberkörperhochlage (15°, Drehpunkt Hüfte) zum Aspirationsschutz und zur Vermeidung eines weiteren intrakraniellen Druckanstiegs
- Bewusstloser Patient: stabile Seitenlage

Erweiterte Maßnahmen
- i. v. Zugang und Blutentnahme
- Sedierung und **Blutdrucksenkung auf RR_{syst} um 140 mmHg**

Medikamente und Dosierungsempfehlungen
- Analgesie: 5–10 mg Morphium i. v., kein ASS
- Sedierung: 2–5 mg Midazolam i. v. (Dormicum®), Clonazepam 1 mg i. v. (Rivotril®) oder Diazepam 10 mg i. v. (Valium®). Ggf. Krampfanfallsbehandlung mit Midazolam nasal 2 ml = 10 mg, davon je die Hälfte pro Nasenloch.
- Medikamentengabe von Diazepam auch als Rektiole möglich
- Blutdrucksenkung: 12,5–50 mg Urapidil (Ebrantil®) fraktioniert
- Volumentherapie: restriktiv; maximal 500 ml Vollelektrolytlösung i. v., **keine** Gabe von Mannit- oder Sorbitlösungen
- Bei tiefer Bewusstlosigkeit und Erbrechen mit fehlenden Schutzreflexen Narkoseeinleitung mit
  - 4–5 µg/kg KG Fentanyl
  - **plus** 0,1–0,2 mg/kg KG Midazolam (Dormicum®)
  - **plus** 4–5 mg/kg KG Thiopental (Trapanal)
  - Ggf. Relaxierung **mit** 1–1,5 mg/kg KG Succinylcholin **oder** 1 mg/kg KG Rocuronium (Esmeron®)

33.5 Epileptische Anfälle und Epilepsien

DEFINITION

Ein **epileptischer Anfall** ist *„ein vorübergehendes Auftreten von Anzeichen und/oder Symptomen aufgrund einer pathologisch exzessiven oder synchronen neuronalen Aktivität im Gehirn".* (Deutsche Gesellschaft für Neurologie [DGN], 2017)

DEFINITION

*„**Epilepsie** ist ein Zustand des Gehirns … (mit) andauernder Prädisposition, epileptische Anfälle zu generieren."* (Deutsche Gesellschaft für Neurologie [DGN], DGN-Leitlinie „Erster epileptischer Anfall und Epilepsien im Erwachsenenalter", Stand April 2017)

Bei einem epileptischen Anfall kommt es zu einer plötzlichen Funktionsstörung des ZNS durch abnorme Entladungen der Nervenzellen an der Hirnrinde. Abhängig vom Ort und der Ausprägung variiert das Erscheinungsbild (die Phänomenologie) erheblich. Sie reicht von nur wenige Sekunden dauernden motorischen und sensiblen Phänomenen über Aussetzer (Absencen) und Abläufe mit Zuckungen eines Arms oder Beins bis hin zu komplexen Bewegungs- und Bewusstseinsphänomenen und zu klassischen tonisch-klonischen Anfällen.

Ein epileptischer Anfall **(Krampfanfall)** dauert meist nicht länger als 2 Min. Im epileptischen Anfall ist der Patient im **iktalen Zustand,** danach folgt der **postiktale Zustand,** der bei älteren Patienten bis über

24 Std. andauern kann und durch fokale neurologische Ausfälle (z. B. Todd Parese), psychische, psychotische und ggf. aggressive Störungen auffällig ist. Zwischen zwei epileptischen Anfällen ist der Patient im **interiktalen Zustand,** in dem das ZNS normal funktioniert. Eine **Aura** ist ein subjektives Wahrnehmen von Empfindungen (z. B. „aus dem Bauch aufsteigendes Gefühl"), Gerüchen, Hör- oder Seheindrücken und ist bereits Teil des Anfalls.

1. Die „International League Against Epilepsy" (ILAE)-Kommission zur **Klassifizierung** und Terminologie hat 2017 eine überarbeitete Version zur Terminologie der epileptischen Anfälle und Epilepsien veröffentlicht (→ Abb. 33.16). Diese Klassifikation besitzt eine mehrstufige Grundstruktur: In der **ersten Stufe** soll die Anfallsform bestimmt werden. In der neuen Klassifikation der Anfälle werden weiterhin generalisierte, fokale und unklassifizierbare Anfälle unterschieden. Als neue Kategorie wurden Anfälle mit unklarem Beginn hinzugefügt.
2. Die **nächste Stufe** ist durch die Art der Epilepsie bestimmt. Hier werden fokale, generalisierte, kombiniert fokale und generalisierte und unklare Epilepsien unterschieden.
3. Auf der **dritten Stufe** steht das Epilepsiesyndrom, das durch typische Befundkonstellationen definiert ist, welche die Anfallsart, EEG und oft das Erkrankungsalter mit einbeziehen.

MERKE

Epileptische Anfälle werden in generalisierte Anfälle, fokale Anfälle mit erhaltenem und/oder eingeschränktem Bewusstsein, Anfälle mit unklarem Beginn und in unklassifizierbare Anfälle unterteilt.

Epileptischen Anfällen liegen verschiedenste Krankheitsursachen zugrunde, wie z. B. genetische Veranlagung, Stoffwechseldefekte, Hirnmissbildungen (angeboren oder perinatal erworben), Entzündung, Trauma, Schlaganfall, Hirnblutung oder demenzielle Erkrankungen. In der neuen Struktur werden daher verschiedene Ursachen und auslösende Faktoren (Ätiologien) unterschieden, welche auch kombiniert verwendet werden können: strukturell, generalisiert, infektiös, metabolisch, autoimmun und unbekannt (→ Abb. 33.16).

Das Risiko eines einmaligen epileptischen Anfalls im Leben liegt bei > 10 %. Das Risiko, eine Epilepsie zu entwickeln beträgt etwa 5 % und steigt im Alter mit zunehmenden Hirnveränderungen an. Ein Drittel der Epilepsien entsteht erst im Alter über 60 Jahre.

Folgende typische **Ursachen** für epileptische Anfälle sind im Rettungsdienst relevant:

- Hirnorganische Schädigungen (raumfordernde Prozesse, Hirnverletzungen)
- Vaskuläre Störungen
- Eklampsie (→ Kap. 34.3.5)
- Substanzkonsum oder -entzug (Drogen, Alkohol)
- Hirnschäden nach Hypoxie (Z. n. Kreislaufstillstand) oder Verletzung (Z. n. SHT)
- Stoffwechselstörungen (z. B. Hypoglykämie, Hyponatriämie, Exsikkose)
- Genetische Ursachen

Symptome

Bei einem **generalisierten Krampfanfall** kommt es zu einer Spontanentladung zentraler Neurone und das gesamte Gehirn wird von Entladungen der Nervenzellen erfasst. Dies führt zu einer abnormen elektrischen Aktivität des Gehirns und umfasst in seiner Auswirkung die Muskelgruppen des ganzen Körpers.

Bei einem **fokalen Anfall** (lat. focus = Herd) finden die Entladungen hingegen nur an einem Ort im Gehirn statt, wodurch eine bestimmte Hirnregion abnorm aktiviert wird, sodass nur einzelne Körperregionen betroffen sind.

Myoklonische Anfälle zeichnen sich dagegen durch plötzliche, „einschießende" und kurz dauernde Zuckungen meist umschriebener Muskelgruppen des Körpers **ohne** Bewusstseinsstörung aus.

Die zugehörigen Anfallserscheinungen der Epilepsien sind in → Abb. 33.17 dargestellt.

Um einen epileptischen Anfall besser beschreiben zu können, sollte man die möglichen **Krampfarten** kennen.

- Bei **tonischen Krämpfen** (Streckkrämpfe) kommt es zur maximalen Streckung aller Körperteile. Die Muskulatur ist angespannt und der Körper starr.
- **Klonische Krämpfe** können initial auftreten oder sich innerhalb von Sekunden nach tonischen Krämpfen entwickeln (tonisch-klonisch). Es kommt zu schüttelnden und heftig zuckenden Bewegungen der Muskulatur.
- **Myoklonien** sind kurze, unvermittelt auftretende Muskelzuckungen einzelner Muskeln (Hand, Arm oder Rumpf).
- **Absencen** wiederum sind kurzzeitige Bewusstseinspausen.

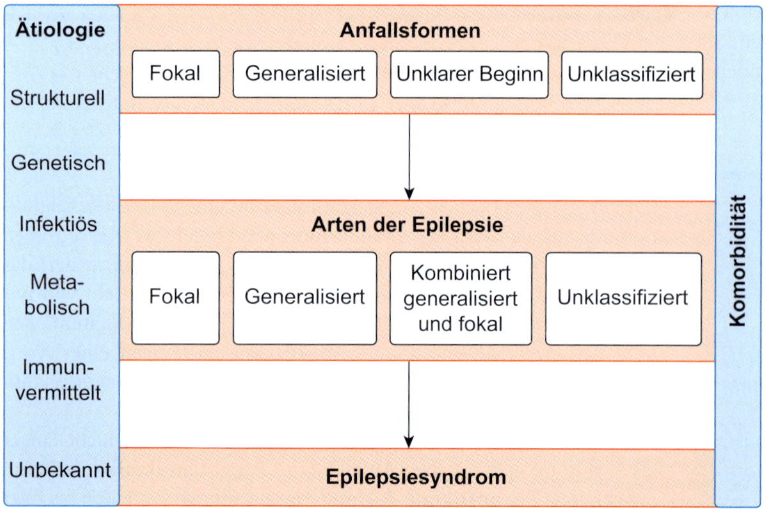

Abb. 33.16 Gerüst der Epilepsieklassifikation nach ILAE 2017 [L143]

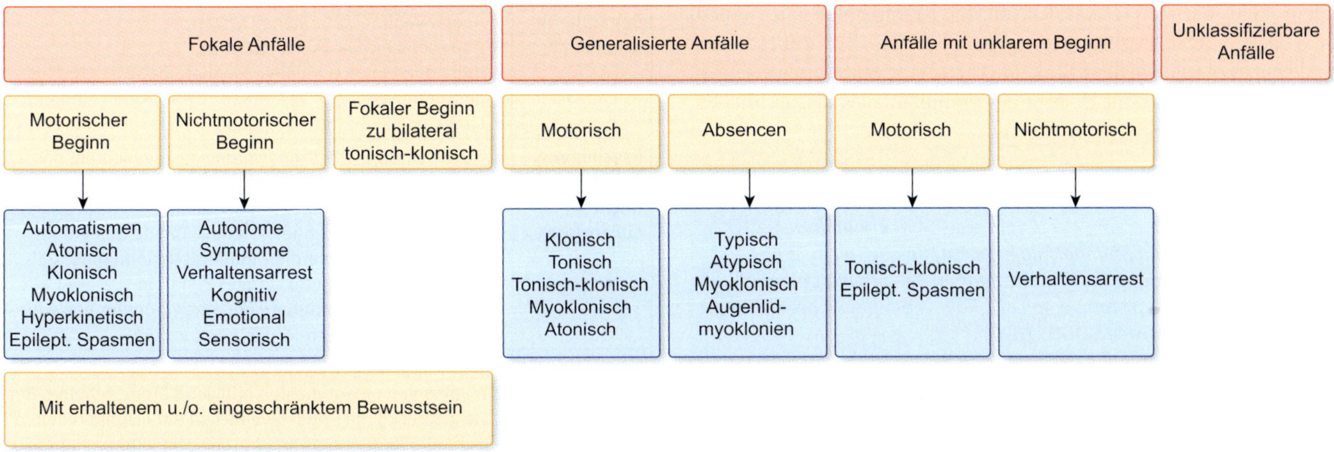

Abb. 33.17 Klassifikation epileptischer Anfälle (Anfallsformen) [L143]

- **Atonische Anfälle** zeichnen sich durch einen Verlust der Muskelspannung aus. Je nachdem welche Muskelgruppen betroffen sind, sackt der Patient zusammen.

Um epileptische Anfälle neben der Beschreibung des Krampfes auch nach ihrem Ablauf einordnen zu können, ist eine genaue Befragung der Anwesenden über **Art** (ein- oder beidseitig) und **Verlauf** (z. B. Beginn in der Hand, dann Ausbreitung auf eine Körperseite, dann Bewusstseinsverlust und Zucken am ganzen Körper), **Dauer** des Krampfanfalls, die oft überschätzt wird, und die Frage nach der **Reorientierung** des Patienten wichtig.

PRAXISTIPP

Wird ein Anfall durch das Rettungsfachpersonal miterlebt, muss der **Krampfanfall möglichst genau beschrieben** werden, da der Ablauf des epileptischen Anfalls für die weitere Einordnung entscheidend ist.

Ein **generalisierter tonisch-klonischer Anfall** hat z. B. folgenden Ablauf:

- Plötzlich einsetzende **Bewusstlosigkeit:** Patient ist nicht mehr reaktionsfähig, abwesend.
- **Tonische Phase:** Der Körper wird ganz steif und der Patient atmet nicht, wird evtl. zyanotisch.
- **Initialschrei** durch tonische Verkrampfung des Zwerchfells, dann Entweichen von Luft aus der Lunge durch die verkrampften Stimmbänder
- Sturz des Patienten auf den Boden und Übergang in die **klonische Phase** mit rhythmischen gleichmäßigen Zuckungen der Skelettmuskulatur
- **Postiktale Phase** mit Nachschlaf bis über 24 Std. oder psychomotorische Unruhe

Während des Anfalls kann es zu Zungenbiss, Urin- und Stuhlinkontinenz kommen.

ACHTUNG! Dem Patienten **keinen Beißschutz** in den Mund schieben, da es zu Zahnschäden (mit Gefahr der Aspiration) oder Verletzungen der Helfer kommen kann.

Seine Zunge hat noch kein Patient „verschluckt". Durch den Sturz allerdings kann der Patient sich schwer verletzen. Während eines Anfalls wird ein Patient nicht festgehalten, das führt eher zu weiteren Verletzungen bis zu Knochenbrüchen, sondern es wird Sorge getragen, dass er sich nicht verletzen kann (Gegenstände beiseite räumen, Patient auf Boden legen, beengende Kleidung lösen etc.). Zu beachten ist, dass der Patient regelhaft in der **tonischen Phase** nicht atmet (atmen kann) und deshalb **zyanotisch** wird. Dies ist kein reanimationspflichtiger Zustand! Die Apnoe geht in der **klonischen Phase** in schnarchende Atembewegungen über, es wird durch den im Mund gesammelten Speichel ausgeatmet, was zum Schaum vor dem Mund führt.

Die Pupillen sind im Anfall oft maximal weit und reagieren nicht auf Licht. Der Puls steigt stark an, ist aber oft nicht tastbar. Der Blutdruck kann hoch oder niedrig sein. Da ein typischer generalisierter tonisch-klonischer Anfall nach spätestens 2 Min. vorbei ist, kann das Ende des Anfalls abgewartet werden. Eine Intubation sollte nicht erfolgen! Besteht jedoch weiterhin nach dem Anfall eine Atemwegsverlegung oder fehlende Spontanatmung, sind Maßnahmen zur Atemwegssicherung zu ergreifen.

Während ein generalisierter tonisch-klonischer Anfall leicht zu erkennen und zu beschreiben ist, kann dagegen das Erkennen **fokaler Anfälle,** bei denen der Patient nestelt, Automatismen ausführt (Lippenlecken, an Knöpfen spielen) und dabei nicht reagiert, da das Bewusstsein gestört ist, schwierig sein.

Meist ist der **epileptische Anfall** bei Eintreffen des Rettungsdienstes beendet und der Patient befindet sich bereits in der postiktalen Phase. Falls Angehörige greifbar sind, ist eine ausführliche Fremdanamnese hilfreich. Es muss erfragt werden, ob eine Epilepsie bei dem Patienten bekannt ist oder ob es sich um einen erstmaligen Krampfanfall handelt. Nach Möglichkeit sollten die Angehörigen den Ablauf des Anfalls genau beschreiben. Auch die Dauer des Anfalls sollte mitgeteilt werden.

PRAXISTIPP

Bei einer bekannten Epilepsie ist es wichtig, die Medikamente des Patienten mit Wirkstoff, Dosierung und Herstellerfirma präzise aufzuschreiben bzw. die Medikamente bei einem Transport des Patienten in die Klinik mitzunehmen. Da in den Kliniken auf die Gabe von Generika verzichtet werden sollte, werden durch einen Präparatewechsel, selbst innerhalb der Wirkstoffgruppe (Stichwort: Generika), immer wieder Krampfanfälle beobachtet.

Zudem sollte nachgefragt werden, ob der Krampfanfall nach einem schon bekannten Anfallsmuster abgelaufen ist. Bei unbekannten Anfallsmustern sollte in der Klinik umgehend eine Bildgebung erfolgen, um eine nicht epileptogene Ursache des Krampfanfalles auszuschließen.

DEFINITION

Jeder epileptische Anfall, der länger als 5 Min. anhält (oder mindesten zwei aufeinanderfolgende Anfälle über einen Zeitraum von mehr als 5 Min. ohne Wiedererlangen des präiktalen neurologischen Ausgangsstatus), soll als Status epilepticus bezeichnet und behandelt werden. (DGN, 2020)

Krampft der Patient also weiterhin, ist die erste Frage,
- ob er zwischendurch wach und bei Bewusstsein war **(Anfallsserie)** oder
- ob das Bewusstsein zwischen den einzelnen Anfällen **nicht** wiedererlangt wurde.

Dann liegt genauso wie beim fortdauernden epileptischen Anfall ein **Status epilepticus,** also ein **anhaltender epileptischer Zustand** vor. Dabei kommt es zur Minderversorgung des Gehirns mit Blut und damit mit Sauerstoff und Glukose. Folge ist ein Hirnödem, das zu schwerer Hirnschädigung oder Tod führen kann. Der Status epilepticus ist ein **absoluter Notfall, der medikamentös zu durchbrechen ist.**

Etwas weniger gefährlich sind Status epileptici fokaler Anfälle. Aber gerade **nicht-konvulsive Anfälle,** d. h. ohne erkennbare Muskelzuckungen, aber mit Bewusstseinsstörung, können **nur in der Klinik im EEG erkannt** und auch nur dann passend behandelt werden.

MERKE

Jeder epileptische Anfall, der **länger als 5 Min.** dauert, ist potenziell lebensbedrohlich → umgehende **Notarztnachforderung.**

Der „Krampfanfall" gehört zu den häufigsten Alarmierungsgründen im Rettungsdienst. Aber ist jeder Krampfanfall auch ein epileptischer Anfall? Anhand der phänotypischen Ausprägung der Anfälle lässt sich oft bereits am Notfallort eine epileptische Genese von einer nichtepileptischen Genese abgrenzen. Als Hilfe zur Einordnung dient → Tab. 33.5.

Der epileptische Anfall	• Augen geöffnet, Pupillen lichtstarr • Dauer des Anfalls meist < 2 Min. • Individuell unterschiedliche Symptomatik des Anfallsgeschehens, jedoch von Anfall zu Anfall gleichbleibend • Langsame Reorientierung postiktal (Dauer variabel)
Psychogener Anfall (nicht epileptisch)	• Augen sind geschlossen, werden oft zugekniffen, passive Oberlidanhebung durch den Untersucher kaum möglich • Anfallsdauer meist länger als 2 Min. • Wechselnde Anfallsphänomene während des Anfalls möglich, Anfallsablauf oft dramatisch anmutend, teilweise aber auch Stupor-artiges Erstarren • Verzögerte Reorientierung mit retrograder Amnesie für das Ereignis möglich
Konvulsive Synkope	• Geöffneten Augen werden nach oben verdreht • Myoklonien nicht synchron erfolgend (Arme gebeugt, Beine gestreckt) mit unterschiedlichen Anfallsphänomenen • Schnelle Reorientierung (< 1 Min., bei älteren Patienten auch länger möglich)
Transiente globale Amnesien	• Akut einsetzende Störung aller biografischen Gedächtnisinhalte (retrograde Amnesie) • Zur eigenen Person sind die Patienten jedoch orientiert! • Nach dem Ereignis besteht eine Gedächtnislücke für diese Zeit • Handlungsabläufe der Patienten sind nicht betroffen • Viele repetitive Fragen. Das Kurzzeitgedächtnis ist mit einer Behaltensspanne auf 30–180 Sek. deutlich reduziert (retrograde Amnesie). • Patienten wirken völlig ratlos • Dauer der TGA 1 bis maximal 24 Std. • **Cave:** Eine mögliche Differenzialdiagnose der TGA ist ein ischämischer Insult im Bereich des Hippocampus, daher ist ein umgehender Transport in eine neurologische Klinik erforderlich!

Tab. 33.5 Differenzialdiagnose „Krampfanfall"

Therapie

Die **Basismaßnahmen** (→ Abb. 33.18) umfassen den Schutz des Patienten vor Verletzungen im Krampfanfall (jedoch **niemals einen Beißschutz**). Während des Anfalls ist darauf zu achten, dass sich der Patient nicht an Gegenständen in seinem Umfeld verletzt, er wird aber **nicht festgehalten.** Gegebenenfalls erfolgt zu diesem Zeitpunkt eine Initialtherapie durch Laien, Angehörige oder Pflegepersonal bei bekannter Epilepsie und vorhandenem „Notfallmedikament", meist einem Benzodiazepin. Ist der Anfall vorüber, werden der Patient und seine Angehörigen beruhigt und die Atemwege freigemacht bzw. freigehalten. Der Patient ist bei Vigilanzstörung in der stabilen Seitenlagerung zu lagern.

Entscheidend ist, dass jeder epileptische Anfall durch die damit einhergehende Apnoe zu einer hypoxischen Hirnschädigung führen kann (Sauerstoffmangel), weshalb ihm, aufgrund des zu erwartenden Sauerstoffmangels, Sauerstoff zu verabreichen ist (Ziel: SpO_2 94–98 %). Zusätzlich muss bei jedem Krampfanfall eine Blutzuckerbestimmung durchgeführt werden.

MERKE

Die sog. **„Krampfschwelle"** ist nach einem epileptischen Anfall niedriger, sodass eine kontinuierliche Überwachung unerlässlich ist. Es kann jederzeit zu einem erneuten Krampfanfall kommen.

Zu den **erweiterten Maßnahmen** gehört die Anlage eines gesicherten venösen Zugangs zur Gabe antikonvulsiver Medikamente bei erneutem Anfall. Ein bei Eintreffen des Rettungsdienstes immer noch anhaltender Krampfanfall gilt wegen der Dauer für Alarmierung und Anfahrt des Rettungsdienstes als Status epilepticus und ist möglichst schnell medikamentös mit einem Benzodiazepin, z. B. Lorazepam (Tavor®), Clonazepam (Rivotril®) oder Midazolam (Dormicum®) zu beenden und eine weitere Hypoxie ist zu beheben.

Midazolam (Dormicum®) wird präklinisch zunehmend **nasal** angewendet, wenn (noch) kein venöser Zugang vorhanden ist. Die Verabreichung erfolgt mit einem speziellen Vernebleraufsatz auf der Spritze (MAD, → Kap. 20.1.2), wird dabei direkt in beide Nasenlöcher gesprüht und von der Schleimhaut etwa genauso rasch aufgenommen wie nach i. v. Gabe.

Alternativ kann Midazolam auch über die Schleimhäute in der Wangentasche (**„bukkal"**) verabreicht werden. Ohne einen vorhandenen venösen Zugang ist diese Medikamentengabe einfacher auszuführen als die rektale Applikation. Nach Beendigung des Krampfanfalls ist dann sofort ein venöser Zugang, z. B. am Unterarm, nicht in der Nähe des Ellenbogens oder Handgelenks zu legen.

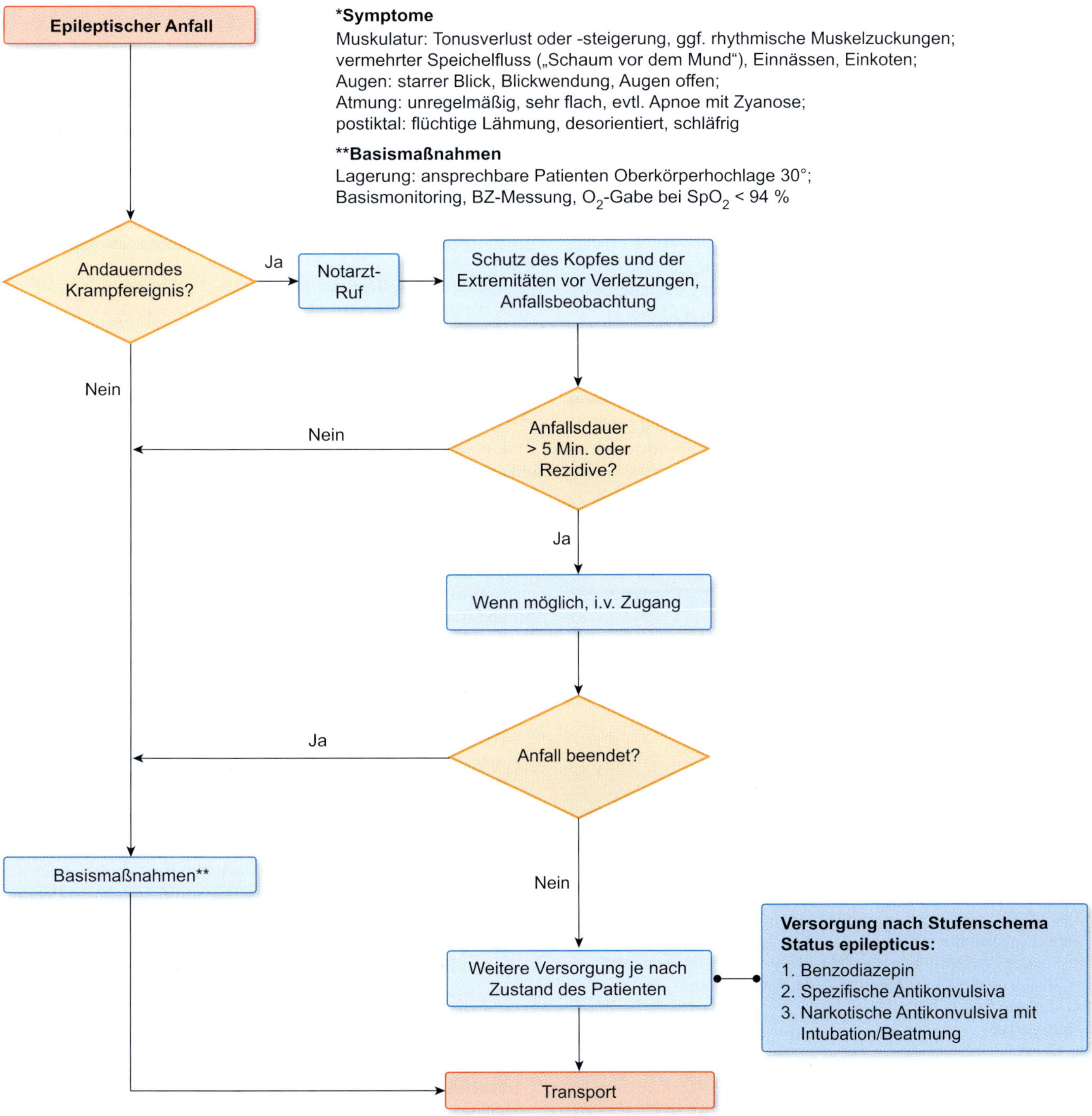

Abb. 33.18 Algorithmus „Krampfanfall" [R134]

Stufenschema bei generalisiertem tonisch-klonischem Status epilepticus

Während der einmalige epileptische Anfall meist keiner medikamentösen Akutbehandlung mehr bedarf, muss ein **Status epilepticus** unterbrochen werden:

- **Stufe 1: Benzodiazepin:**
  - **Lorazepam = Tavor®, 2–4 mg i. v.** (2 mg/Min., ggf. nach 5 Min. wiederholen maximal 0,1 mg/kg)
  - **Diazepam = Valium®, 0,15 mg/kg i. v.** (5 mg/Min. ggf. nach 5 Min. wiederholen, maximal 30 mg)
  - **Clonazepam = Rivotril®, 0,015 mg/kg i. v.** (0,5 mg/Min., ggf. nach 5 Min. wiederholen, maximal 3 mg)
  - Alternativ Midazolam 0,2–0,5 mg/kg **nasal** oder Lorazepam bis 4 mg **bukkal** (Wangentasche)
- Die **Stufen 2 und 3** erfolgen im Rahmen der erweiterten Notfalltherapie oft bereits in der Klinik unter Intensivüberwachung:
  - **Stufe 2: spezifische Antikonvulsiva:**

– Phenytoin-Infusionskonzentrat 20 mg/kg i. v. (max. 50 mg/Min., maximal 30 mg/kg) über einen separaten und sicher intravenösen Zugang
– Valproinsäure 20–30 mg/kg i. v.
– Levetiracetam 30–60 mg/kg i. v. oder
– Phenobarbital (Luminal®) 20 mg/kg i. v.
- **Stufe 3: narkotische Antikonvulsiva:**
  – Thiopental (Trapanal®) 5 mg/kg i. v.
  – Midazolam 0,2 mg/kg i. v.
  – Propofol 2 mg/kg i. v. (**Cave:** Propofolinfusionssyndrom [PRIS], eine schwerwiegende Stoffwechselentgleisung, die bei einer Langzeitgabe [> 24 Std.] von Propofol auftreten kann)
  – Dann jeweils Fortsetzen der Narkose mit einer Erhaltungsdosis EEG-gesteuert für 24 Std. mit Beatmung. Parallel aufdosieren spezifischer Antikonvulsiva in hohe Blutspiegel.

PRAXISTIPP

Zur **Anfallsbeendigung** ist bei fehlendem Venenzugang die Gabe von Midazolam nasal, Midazolam oder Lorazepam bukkal oder Diazepam (Valium®) als Rektiole möglich.
Lorazepam in löslicher Tablettenform (Tavor Expidet®) braucht 30 Min., bis es wirkt. Die Gabe ist somit im Krampfanfall obsolet!

IM FOKUS

Epileptischer Anfall („Krampfanfall")

Ursachen
- Genetische bedingte Epilepsien (von Geburt an)
- Symptomatische Epilepsien (infolge einer Erkrankung oder Verletzung)
  - Substanzmissbrauch (Drogen, Alkoholentzug)
  - Intrakranielle Raumforderung (z. B. Tumor)
  - Entzündungen (z. B. Meningitis)
  - Hirnschaden durch Hypoxie (z. B. nach CPR oder Geburtstrauma)
  - Fieber (z. B. der Fieberkrampf des Kleinkinds)
  - Stoffwechsel (z. B. Hypoglykämie, Elektrolytstörungen)
  - Schwangerschaftsinduzierte Anfälle (z. B. Eklampsie)

Symptome

Anfallsäquivalente
- Tonische Anfälle (mit hohem Muskeltonus = „Streckkrämpfe")
- Klonische Anfälle (mit rhythmischen Bewegungen = „Beugekrämpfe")

Anfallsarten
- Generalisierter Anfall
- Fokaler Anfall mit Bewusstsein
- Fokaler Anfall ohne Bewusstsein

Fakultative Symptome
- Bewusstseinsstörung, Aura
- Zungenbiss, Inkontinenz, verstärkter Speichelfluss (Schaum vor dem Mund)
- Übelkeit, Erbrechen, Unruhe

Maßnahmen

Monitoring
- AF, SpO_2, Rekapillarisierungszeit, Puls (peripher/zentral), RR, BZ, GCS, EKG, Temperatur, ggf. $etCO_2$

Basismaßnahmen und Lagerung
- Freimachen und Freihalten der Atemwege
- O_2-Gabe über Maske, Ziel: SpO_2 94–98 %
- Bewusstseinsklarer Patient: Lagerung in leichter Oberkörperhochlage (15–30° Drehpunkt Hüfte)
- Bewusstloser Patient: stabile Seitenlage

Erweiterte Maßnahmen
- i. v. Zugang und Blutentnahme

Medikamente und Dosierungsempfehlungen
- Anfallsdurchbrechung:
  - Erwachsene: 2× 5 mg Midazolam nasal, 2–4 mg Lorazepam i. v. oder 1–2 mg Clonazepam i. v.
  - Schulkinder (über 15 kg KG): Midazolam 0,2–0,5 mg/kg i. v. oder Lorazepam 0,05 mg/kg i. v. (max. 4 mg), alternativ **nasal oder bukkal**
  - Säuglinge und Kleinkinder (unter 15 kg KG): 2–5 mg Valium® i. v., Applikation von Valium® ist auch als Rektiole möglich.
- Im **Status epilepticus:** nach o. g. Stufenschema
- Bei Hypoglykämie: z. B. 10–40 ml Glukose 40 % i. v. (= 4–16 g Glukose)

33.6 Dyskinesien

Dyskinesien sind Störungen im Bewegungsablauf. Sie betreffen einerseits **die glatte Muskulatur** (Gallenwege oder Uterus). Diese Krankheitsbilder sind aber für den Rettungsdienst nicht relevant. Es können aber auch Störungen im Bewegungsablauf **der quergestreiften Skelettmuskulatur** auftreten, die zum Einsatz des Rettungsdienstes führen. Diese Dyskinesien treten z. B. als unerwünschte Nebenwirkung einer medikamentösen Therapie mit einem Dopaminrezeptor-Antagonisten auf und werden manchmal beim Notfalleinsatz übersehen oder als atypischer Krampfanfall fehlgedeutet.

MERKE

Für den Rettungsdienst relevante akute Dyskinesien sind Störungen im Bewegungsablauf der quergestreiften Muskulatur und werden durch Medikamente wie MCP oder Haloperidol ausgelöst.

Auslöser einer **akuten Dyskinesie** können z. B. Metoclopramid (MCP, Paspertin®) als Antiemetikum und klassische Neuroleptika (wie Haloperidol) oder Langzeitantipsychotika zur intramuskulären Depotmedikation (wie Imap, Fluspirilen) sein, die antipsychotisch eingesetzt werden. Oft sind jüngere Patienten betroffen.

Treten die Bewegungsstörungen bei einer antipsychotischen Therapie auf, werden sie als **tardive (verspätete) Dyskinesien** bezeichnet. Je nach Zeitpunkt des Auftretens werden dabei zwei Formen unterschieden:
- **Frühdyskinesien** (Beginn in der 1. Behandlungswoche, meist innerhalb der ersten 48 Std.), die nach Absetzen der Therapie rasch abklingen
- **Spätdyskinesien** (nach Therapie mit Neuroleptika über > 6 Monate), die auch nach Absetzen der Therapie u. U. lebenslang bestehen bleiben und nur schlecht medikamentös beeinflussbar sind.

Die Pathogenese medikamentös induzierter Dyskinesien ist unklar. Vermutet werden eine arzneimittelinduzierte Rezeptorsensitivierung und eine Störung der GABAergen Neurone. Da Dopamin für eine Vielzahl von lebensnotwendigen Steuerungs- und Regelungsvorgängen benötigt wird, sind Nebenwirkungen durch die Blockade der Dopaminrezeptoren nicht verwunderlich. Die Blockade zentraler und peripherer Dopaminrezeptoren führt zur Erhöhung des Neurotransmitters Acetylcholin, der z. B. im synaptischen Spalt zwischen Nervenzelle und Muskelzelle freigesetzt wird. Insbesondere bei Kindern unter 10 Jahren treten Dyskinesien nach Einnahme von Metoclopramid häufiger auf als bei Erwachsenen. 2014 wurde die Zulassung für Metoclopramid-haltige Arzneimittel mit > 1 mg/ml (Tropfen), > 5 mg/ml (i. v.-Lösung) und > 20 mg Einzeldosis (Suppositorien) zurückgenommen, um das Risiko für diese Nebenwirkung von MCP zu reduzieren.

Symptome

Oft treten Dyskinesien als **akute Zungen- und Schlundkrämpfe** auf oder zeigen sich als Bewegungen der Finger, Arme, Zehen oder Beine, die in überschießende, evtl. aber auch verringerte, stockende oder krampfartige Bewegungen übergehen können. Schmerzhafte Muskelspasmen, die mit Verdrehung des ganzen Rumpfes einhergehen, aber auch Blickkrämpfe oder Schiefhals, können bereits am ersten Tag (bei Einnahme von Metoclopramid), ansonsten in der ersten Behandlungswoche (bei Einnahme von Neuroleptika) auftreten (→ Abb. 33.19).

Therapie

Die **Basismaßnahmen** bestehen darin, den Patienten während der Dyskinesie vor Begleitverletzungen zu schützen. Er ist von scharfen Kanten und spitzen Ecken fernzuhalten. In keinem Fall darf er festgehalten und so versucht werden, den vermeintlichen Krampf zu durchbrechen.

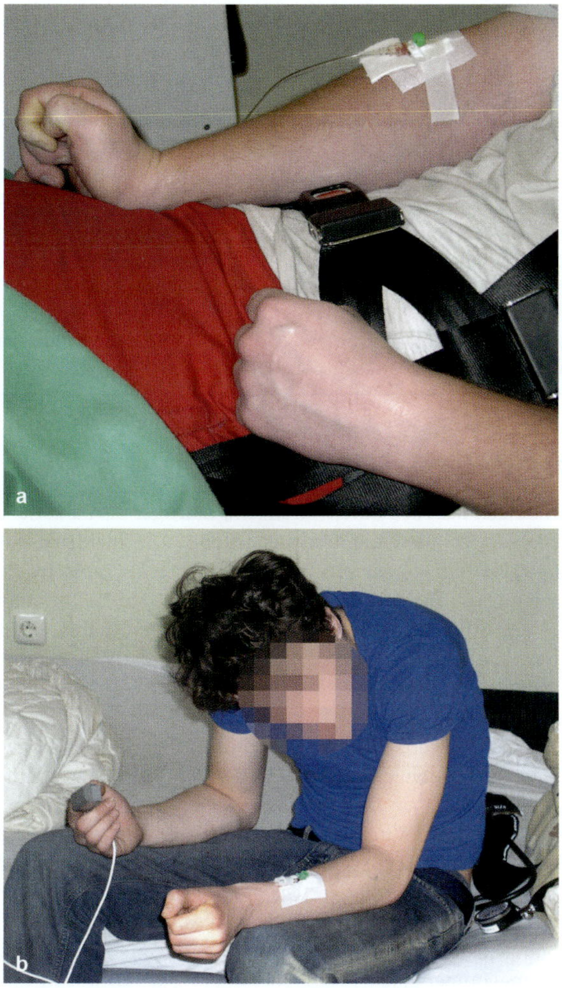

Abb. 33.19 Dyskinesie: **a)** Schmerzhafte Muskelspasmen; **b)** mit Verdrehung des Rumpfes und Schiefhals, jeweils nach Einnahme von Metoclopramid (MCP) [M235]

Der Notarztruf ist obligat. Die **erweiterten Maßnahmen** umfassen die Anlage eines venösen Zugangs und die Blutabnahme durch den Notarzt. Während die durch Metoclopramid ausgelösten Dyskinesien durch die langsame intravenöse Gabe von 2,5–5 mg Biperiden (Akineton®) mit unmittelbar sichtbarem Erfolg behandelt werden können, ist eine effektive Therapie bei den besonders quälenden tardiven Dyskinesien nicht verfügbar.

33.7 Infektionen des Gehirns (Enzephalitis) und seiner Häute (Meningitis)

Entzündungen des zentralen Nervensystems werden als **Infektion durch Viren, Bakterien und Parasiten** verursacht. Auf die nicht infektiösen Entzündungen des ZNS bei autoimmunen Erkrankungen (z. B. limbische Enzephalitis oder NMDA-Rezeptor-Enzephalitis, paraneoplastische Myelitis bei Tumoren) wird hier nicht eingegangen.
Die infektiösen Entzündungen entstehen

- auf dem Blutweg (**hämatogene Streuung** bei Bakteriurie oder Sepsis, z. B. bei einer Herzklappenendokarditis),
- **fortgeleitet** von Infektionen angrenzender Strukturen (Nasennebenhöhlen, Mittelohr), dabei durchwandern die Erreger die papierdünnen Knochen der Schädelbasis,
- **direkt** bei einem offenen Schädel-Hirn-Trauma oder
- **iatrogen** (z. B. nach Peridural- oder Spinalanästhesie oder bei intrakraniellem VA/VP-Shunt)

Die verschiedensten Erreger können eine Entzündung des Gehirns und der Hirnhäute (= Meningoenzephalitis) verursachen.

DEFINITION

Eine **Meningitis** ist eine reine Entzündung der Hirnhäute.
Eine **Enzephalitis** ist eine reine Entzündung des Hirnparenchyms.

33.7.1 Bakterielle Meningoenzephalitis

Eine bakterielle Meningoenzephalitis ist eine **akut lebensbedrohliche Erkrankung.** Bis zu 30 % der Patienten versterben trotz intensivmedizinischer Therapie. Die Häufigkeit einer bakteriellen Meningitis wird in Deutschland auf 1 Patienten/100 000 Einwohner pro Jahr geschätzt.
Häufigste Erreger bei **Erwachsenen** sind:

- **Pneumokokken** (*Streptococcus pneumoniae,* grampositiv), 15–20 % der Fälle letal
- **Meningokokken** (*Neisseria meningitidis,* gramnegativ), **ansteckend,** 3–10 % der Fälle letal
- **Listerien (V. a.** *Listeria monocytogenes,* **grampositiv)** (< 5 % der Fälle, davon aber: 20–30 % der Fälle letal)
- Staphylokokken, grampositiv (1–9 %, meist durch Fremdkörper, z. B. Liquorshunt oder bei Sepsis)
- Gramnegative Enterobakterien und *Pseudomonas aeruginosa,* gramnegativ (< 10 % der Fälle)
- *Haemophilus influenzae,* gramnegativ (1–3 %, seit Einführung der Impfung deutlich weniger Fälle)

Häufigste Erreger bei **Kindern:**

- **Pneumokokken** (*Streptococcus pneumoniae,* grampositiv)
- **Meningokokken** (*Neisseria meningitidis,* gramnegativ, **ansteckend**)

Neugeborene erkranken eher durch:

- **B-Streptokokken,** grampositiv. Am Ende der Schwangerschaft wird ein B-Streptokokken-Abstrich durch den Gynäkologen durchgeführt und bei positivem Befund eine Infektion der Mutter im Mutterpass vermerkt. Während der Geburt erhält die Mutter daraufhin eine i. v.-Antibiose, um das Übertragungsrisiko der B-Streptokokken auf das Neugeborene zu minimieren.
- **Listerien**

MERKE

Bakterielle Meningoenzephalitiden sind **meldepflichtige Erkrankungen.** Details regelt das Infektionsschutzgesetz (IfSG §§ 6 und 7, → Kap. 16.1.2).
Es sind alle Vorkehrungen für einen ordnungsgemäßen Infektionstransport und eine Desinfektion von Menschen und Material nach dem Transport zu treffen.

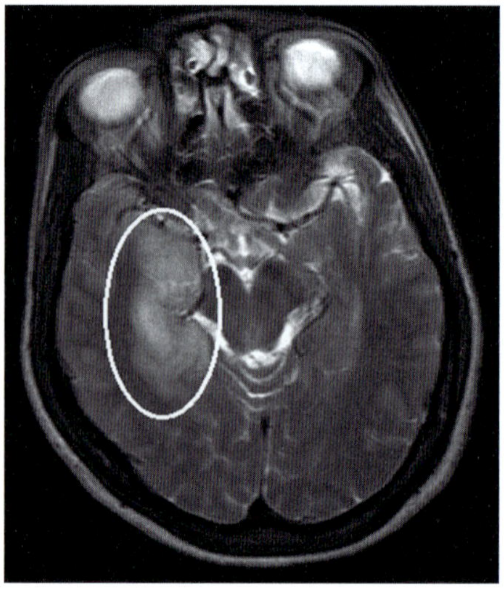

Abb. 33.20 Enzephalitis [E1238]

Während sich die Erkrankung bei den meisten viralen Entzündungen eher langsam entwickelt, ist die **eitrige, bakterielle Entzündung** ein schweres, **akut lebensbedrohliches** Krankheitsbild. Betroffen von der Entzündung sind nicht nur die Hirnhäute, sondern auch die angrenzende Hirnoberfläche (Meningoenzephalitis). **Es tritt immer ein begleitendes Hirnödem auf.**

Symptome

Typische **Leitsymptome** einer bakteriellen Meningoenzephalitis sind **Kopf- oder Nackenschmerz, hohes Fieber und Nackensteifigkeit (Meningismus)**. Dazu kommen Übelkeit, Erbrechen, Lärm- und Lichtscheu und Berührungsempfindlichkeit. Manchmal treten durch die Hirnbeteiligung zusätzlich **Verwirrtheitszustände, epileptische Anfälle, fokal-neurologische Defizite (z. B. Hemiparese)** und **Bewusstseinsstörungen bis zum Koma** auf. Hirnnervenbeteiligung, Hörstörung und Hautveränderungen, manchmal mit **Petechien,** d. h. kleinen punktförmigen Einblutungen in die Haut bei Meningokokkenerkrankungen (→ Abb. 41.10), kommen ebenso vor. Der Verlauf ist akut und kann innerhalb von Stunden bis Tagen durch ein generalisiertes Hirnödem oder andere Komplikationen tödlich sein.

Komplikationen im Verlauf sind ein generalisiertes Hirnödem, Hirninfarkte oder Hirnvenenthrombosen, Hydrozephalus (mit schlechter Prognose), Ertaubung, Hirnnervenausfälle, Hirnphlegmone, intrazerebrale Blutungen (z. B. bei Verbrauchskoagulopathie), nur selten Abszesse.

Bei Klinikaufnahme erfolgen Blutabnahme (inkl. Blutkulturen), i. v.-Antibiose und i. v.-Kortisongabe (Dexamethason) und eine Bildgebung (Schädel-CT bzw. -MRT; → Abb. 33.20). Kann in der Bildgebung eine Hirndrucksteigerung ausgeschlossen werden, folgt eine Liquorpunktion (**Cave:** Bei Hirndruck darf nicht punktiert werden, da es sonst zu einer zerebralen Herniation, d. h. einer Verschiebung von Hirnstrukturen, kommen kann). Die Diagnose einer bakteriellen Meningitis wird durch den Erregernachweis im Liquor und/oder in der Blutkultur gesichert. Mikroskopisch werden mittels Gram- oder Methylenblau-Färbung die Bakterien sichtbar gemacht.

Therapie

Die **Basismaßnahmen** umfassen neben der Sicherung der Vitalfunktionen die Sauerstoffgabe über O_2-Sonde und die Patientenlagerung entsprechend dem Bewusstseinszustand. In Rücken- oder Seitenlage wird der Patient immer in 30°-Oberkörperhochlagerung transportiert.

Die **erweiterten Maßnahmen** umfassen die Anlage eines venösen Zugangs und bei Bedarf die symptomatische analgetische, antiemetische und medikamentöse Therapie zur Fiebersenkung. Zur Behandlung epileptischer Anfälle → Kap. 33.5.

PRAXISTIPP

Entgegen einer weitverbreiteten Annahme sind akute bakterielle und virale Infektionen des Zentralnervensystems **keine hoch infektiösen Erkrankungen.**
Eine **Antibiotikaprophylaxe** wird **nur bei engen Kontaktpersonen** von Patienten empfohlen, die an einer **Meningokokkenmeningitis** erkrankt sind. Die Organisation ist Aufgabe des zuständigen Gesundheitsamts, das umgehend bereits bei Verdacht, spätestens jedoch innerhalb von 24 Std. vom diagnosestellenden Arzt zu informieren ist (→ Kap. 16.1.2, IfSG §6 und §8).

33.7.2 Virale Meningoenzephalitis

Entzündungen des ZNS durch Viren sind **häufiger** als bakterielle und, im Gegensatz zu diesen, **nicht ansteckend.** Die Inzidenz wird mit 10–20/100 000 Einwohner pro Jahr angegeben. Als **typische Erreger** kommen infrage: Herpes-Viren (HSV-1 in 95 % und HSV-2 in 5 % der Fälle), VZV, EBV, HIV, Mumps- und Masern-Viren, Entero- und Tollwutviren. Aber auch viele andere Viren können das ZNS befallen. Die Coronapandemie hat gezeigt, dass auch SARS-CoV-2 Hirnhautentzündungen hervorrufen kann.

Oft ist der Erreger jedoch nicht sicher nachzuweisen. Die Diagnosestellung erfolgt daher aufgrund der Symptomatik sowie auffälliger Liquorbefunde.

Für die wenigsten Viren gibt es eine kausale Therapie. Besteht der Verdacht auf eine **Herpes-Virus-Enzephalitis** (Herpes-simplex-Virus), ist noch vor Sicherung der Diagnose virustatisch, typischerweise mit Aciclovir (Zovirax®), zu behandeln, da es sonst zu schweren Hirnschädigungen und **unbehandelt in 70 %,** mit intensivmedizinischer Behandlung immer noch in 20–30 % der Fälle, **zum Tod** kommen kann. Das FSME-Virus verursacht die gleichnamige Frühsommermeningoenzephalitis, die u. U. auch einer intensivmedizinischen Therapie bedarf.

Symptome

Die Symptome der viralen Entzündungen im ZNS sind wie bei den bakteriellen, nur verlaufen sie häufiger langsamer und nicht mit so hohem Fieber. Deshalb werden sie oft erst durch **Komplikationen (epileptische Anfälle, psychotische Verwirrtheitszustände, Aphasien etc.)** nach Ausbreitung auf das Hirn klinisch erkennbar.

Für den geübten Mitarbeiter sind **meningeale Reizsyndrome** auslösbar. Dieses sind allesamt „Nervendehnungszeichen". Dabei führt ein Zug an den das Rückenmark umgebenden Häuten zu einer reflektorischen Bewegung des Patienten, um den auftretenden Schmerz zu lindern. Folgende meningeale Reizsyndrome (→ Abb. 33.21) sind einfach klinisch zu prüfen:

- Beim sog. „**Meningismus**" fällt bei passiver Kopfbeugung nach vorn ein schmerzhafter Muskelwiderstand im Nacken auf. Wenn ein Meningismus vorhanden ist, ist er zwar diagnostisch hilfreich, aber gerade in der Frühphase einer Meningitis, bei Kindern und bei komatösen Patienten fehlt er oft.
- **Brudzinski-Zeichen:** Bei passiver Kopfbeugung werden die Hüft- und Kniegelenke zur Entlastung automatisch gebeugt.
- **Kernig-Zeichen:** Der Patient liegt flach auf dem Rücken und beugt das Bein bei gestreckten Knien im Hüftgelenk. Das Kernig-Zeichen ist positiv, wenn er dabei unwillkürlich die Knie beugt. Alternativ können Hüft- und Kniegelenk 90° gebeugt werden und passive Streckung im Knie führt dann zu Schmerzen.
- **Lasègue-Zeichen:** Das passive Anheben des gestreckten Beins bis zu 90°-Hüftbeugung führt zu heftigen Schmerzen im Bein, Gesäß oder Rücken.

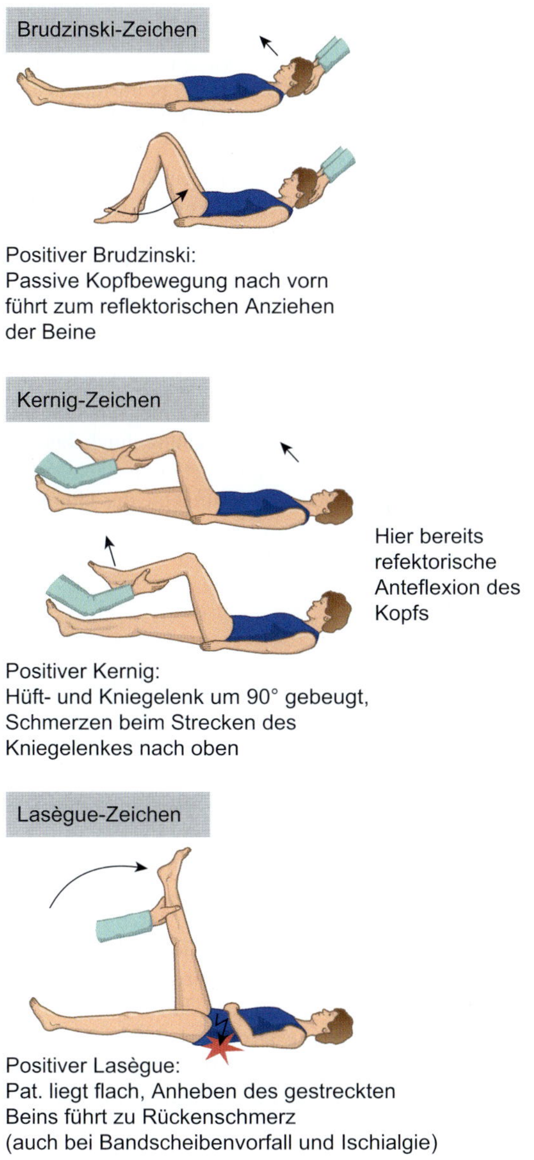

Abb. 33.21 Die wichtigsten meningealen Reizsyndrome [L157]

PRAXISTIPP

Patienten mit Verdacht auf eine Meningitis müssen umgehend zur Sicherung der Diagnose und zur kausalen Therapie (z. B. Antibiotika bzw. Virustatika) unter Beachtung des Eigenschutzes (persönliche Schutzausrüstung) in ein Krankenhaus gebracht werden.

IM FOKUS

Infektionen des Gehirns

Ursachen

- Hämatogene Streuung (z. B. Endokarditis)
- Komplikation einer Entzündung im Kopfbereich (z. B. Durchwanderungsmeningitis bei Otitis media oder Mastoiditis)
- Direkte Einbringung von Erregern beim offenen Schädel-Hirn-Trauma
- Iatrogen (z. B. nach Peridural- oder Spinalanästhesie, bei intrakraniellem ventrikuloperitonealem [VP-]Shunt oder nach intrakraniellem Eingriff)

Symptome

- Akutes Auftreten eines **„meningitischen Syndroms":**
  - Hohes **Fieber**
  - **Kopfschmerz,** Nacken- und Rückenschmerzen
  - Lichtempfindlichkeit **(Photophobie)**
  - **Meningismus**
- Übelkeit, Erbrechen
- Lärm- und Berührungsempfindlichkeit
- Bewusstseinsstörungen

Maßnahmen

Monitoring

- AF, SpO_2, Rekapillarisierungszeit, Puls (peripher/zentral), RR, BZ, GCS, EKG, Temperatur, ggf. $etCO_2$

Basismaßnahmen und Lagerung

- Freimachen und Freihalten der Atemwege
- O_2-Gabe über Maske oder Nasensonde, Ziel: SpO_2 94–98 %
- Bewusstseinsklarer Patient: Rückenlagerung in leichter Oberkörperhochlage (30° Drehpunkt Hüfte)
- Bewusstloser Patient: stabile Seitenlage (möglichst auch in 30°-Oberkörperhochlage)

Erweiterte Maßnahmen

- i. v. Zugang und Blutentnahme

Medikamente und Dosierungsempfehlungen

- Analgesie (z. B. 1–2,5 g Novaminsulfon i. v., Nebeneffekt: Fiebersenkung, **Cave:** Blutdruckabfall mit Verschlechterung der Hirndurchblutung), kein ASS wegen Thrombozytenaggregationshemmung

- Volumentherapie: kristalloide Infusionen (z. B. balancierte Vollelektrolytlösung) 500–1 500 ml i. v.
- Gegebenenfalls Therapie epileptischer Anfälle (Lorazepam oder Clonazepam)
- In der Klinik: umgehende antibiotische oder virale Therapie nach Blutkultur (und je nach Situation: Liquorpunktion und zerebrale Bildgebung [CCT oder cMRT])

33.8 Hydrozephalus

DEFINITION

Unter einem Hydrozephalus versteht man die Erweiterung der inneren und äußeren Liquorräume des Gehirns (→ Abb. 33.22). Er entsteht durch eine Vermehrung des „Nervenwassers" (Liquor cerebrospinalis) im Kopf: Die Hohlräume im Gehirn füllen sich mit übermäßig viel Liquor cerebrospinalis, erweitern und vergrößern sich und verdrängen so die feste Gehirnsubstanz.
Im Volksmund wird die Erkrankung auch „Wasserkopf" genannt.

Ein Hydrozephalus entsteht durch ein Ungleichgewicht zwischen Produktion und Wiederaufnahme des „Nervenwassers" (Liquor) oder aufgrund einer Abflussstörung des Liquors im Kopf. Aufgrund des **Entstehungsmechanismus** und des **Entstehungsortes** im Gehirn wird unterschieden zwischen:

- **Hydrocephalus externus:** erhöhte Liquormenge in den äußeren Liquorräumen und
- **Hydrocephalus internus:** erhöhte Liquormenge in den Ventrikeln

Drei **Mechanismen** sind für die Bildung des Hydrozephalus verantwortlich:

- Erhöhte **Liquorproduktion (selten)**
- Gestörter **Liquorabfluss (Hydrocephalus occlusus)**
- Verminderte **Liquorresorption (Hydrocephalus malresorptivus/aresorptivus)**

Ihnen ist gemeinsam, dass im Hirnschädel übermäßig viel Liquor vorhanden ist. Entsprechend der **Monro-Kellie-Doktrin** (→ Kap. 33.2) muss die Summe der drei intrakraniellen Volumenkomponenten (Hirngewebe, Liquor cerebrospinalis und Blut) gleichbleiben, um den Hirndruck konstant zu halten. Die **Volumenzunahme einer Komponente** führt zu einer Abnahme einer oder der beiden anderen Komponenten. Ohne Kompensationsmöglichkeit kommt es zur **Hirndrucksteigerung** (intrakraniellem Druckanstieg). Kann dieser Druckanstieg nicht ausgeglichen werden, kommt es zur Bewusstseinsstörung bis hin zum Koma.

Ein Hydrozephalus kann angeboren (z. B. im Rahmen von Fehlbildungen) oder erworben sein (z. B. nach ICB, SAB, SHT, Entzündungen oder durch einen Tumor).

Beim kindlichen Schädel sind die Schädelnähte noch nicht geschlossen. Eine dauernde Vermehrung der Liquormenge (früher „Gehirnwassersucht" genannt) führt durch die konstante Erhöhung des intrakraniellen Drucks zu einem Auseinanderweichen der einzelne Schädelknochenanteile, die sich erst später verbinden. Dann hat das Volumen des Schädels bereits dauerhaft zugenommen und es ist ein typischer vergrößerter Schädel („Wasserkopf") entstanden (→ Abb. 33.22).

Ist der Schädel aber im Wachstum einmal geschlossen, so kommt die **Monro-Kellie-Regel** zum Tragen: Die Volumenzunahme innerhalb des Schädels (Apoplex, Hirnblutung, Schwellung durch Entzündung oder Schädel-Hirn-Trauma, Tumor u. a.) führt rasch zu einem Versagen der Kompensationsmöglichkeiten. Eine Zunahme der Liquormenge durch die drei oben genannten Mechanismen verursacht schnell eine Zunahme des intrakraniellen Drucks (ICP), die u. U. lebensbedrohlich werden kann.

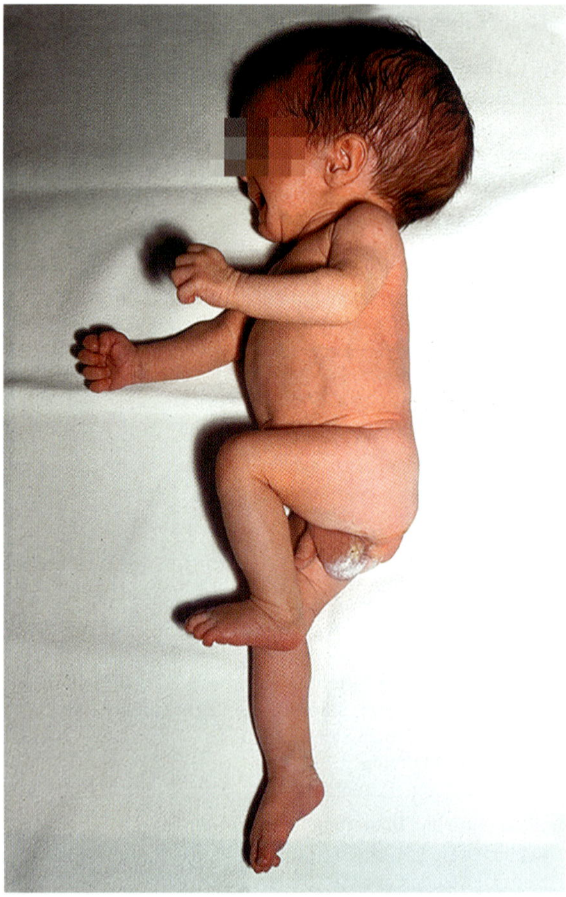

Abb. 33.22 Hydrozephalus bei einem Säugling, der bereits zu einer deutlichen Vergrößerung des Schädels geführt hat [T112]

Symptome

Es kommt zu Abgeschlagenheit, Kopfschmerzen, Übelkeit, Erbrechen, evtl. epileptischen Anfällen und bei weiterer ICP-Erhöhung zur Bewusstseinsstörung (→ Kap. 33.2). Kinder sind apathisch und weinerlich.

Therapie

Abhängig von der Geschwindigkeit des Hirndruckanstiegs gibt es verschiedene Therapien:

- Ein **akuter Hydrozephalus** bei Blutung, durch Trauma, Entzündung oder andere Ursache wird mit einem **Liquorabfluss nach außen** behandelt. Hierzu legt der Neurochirurg eine Drainage in die inneren Hirnkammern (= Ventrikel), durch die Liquor nach außen (= extern) abfließen kann (externe Ventrikeldrainage = EVD).
- Ein angeborener oder **chronischer Hydrozephalus** wird mit einem im Körper geschaffenen künstlichen Liquorabfluss behandelt. Je nach Ursache kann der normale Liquorabflussweg wieder hergestellt werden oder es wird operativ ein **Drainagesystem** (ventrikulo-atrialer oder ventrikulo-peritonealer Shunt, VA- oder VP-Shunt) mit einem druckabhängigen Ventil in den Körper eingelegt. Dadurch

34

GYNÄKOLOGISCHE NOTFÄLLE UND GEBURTSHILFE

Jürgen Luxem

FALLBEISPIEL

Notfallmeldung

Der Rettungsleitstelle wird eine gestürzte Frau in einem Treppenhaus gemeldet. Näheres ist nicht bekannt, da der Anrufer kein Deutsch spricht. Der Disponent entsendet einen Rettungswagen zum Unfallort.

Situation und Ersteindruck

Im Treppenhaus eines Mietshauses ist eine 20-jährige Frau kollabiert. Die Patientin ist US-Amerikanerin, wodurch die Verständigung erschwert ist. Die Besatzung kann jedoch feststellen, dass die Patientin nicht gestürzt, sondern schwanger ist und vaginal blutet. Umgehend wird ein Notarzt nachbestellt und die Patientin in den Rettungswagen transportiert.

Leitsymptome

Hypovolämischer Schock, vaginale Blutung ante partum.

INHALTSÜBERSICHT

34.1 UNTERBAUCHSCHMERZEN

- Die isolierte Entzündung des Eileiters (Salpingitis) ist eine aufsteigende Infektion durch Bakterien.
- Die Adnexitis (Oophorosalpingitis) ist eine kombinierte Entzündung von Eileiter (Salpingitis) und Eierstock (Oophoritis).
- Ist das umgebende Gewebe ebenfalls von der Entzündung betroffen, entwickelt sich das Krankheitsbild zur Unterleibsentzündung (engl. pelvic inflammatory disease – PID)
- Leitsymptom der Stieldrehung ist der akut auftretende Zerreißungsschmerz.
- Im Rahmen einer Endometriose finden sich fehlerhafte Ansiedlungen von Geweben der Gebärmutterschleimhaut im Körper, die typischerweise zyklusabhängige Schmerzen 1–2 Tage vor der Menstruation verursachen.

34.2 VAGINALE BLUTUNGEN

- Die Hypermenorrhö (überstarke Regelblutung) geht oftmals mit starken Unterbauchschmerzen einher und wird als Dysmenorrhö bezeichnet.
- Tumoren im Genitalbereich können jederzeit zu unterschiedlich starken Blutungen führen. Besonders das Kollumkarzinom kann im Rahmen einer Zerfallsblutung zu einem massiven Blutverlust führen.
- Verletzungen der Genitalien treten meistens als Begleitverletzungen im Rahmen von Verkehrsunfällen auf.
- Bei allen Verletzungen im Genitalbereich steht die Blutstillung im Vordergrund.
- Bei Pfählungsverletzungen sind die sichtbaren äußeren Verletzungen meist viel geringer als die nicht sichtbaren inneren Verletzungen.

34.3 ENTWICKLUNG IN DER SCHWANGERSCHAFT

- Die Keimentwicklung wird in drei Abschnitte unterteilt: die Blastogenese, die Embryogenese und die Fetogenese.

34.4 KOMPLIKATIONEN WÄHREND DER SCHWANGERSCHAFT

- Der Hauptort einer ektopischen Schwangerschaft ist der Eileiter. Durch Ausdehnung der wachsenden Eizelle dort reißt der Eileiter ein und löst eine Blutung aus.
- Aus medizinischer Sicht wird als Fehlgeburt die ungewollte Beendigung einer Schwangerschaft bis zur 24. SSW bezeichnet. Häufigste Ursache ist eine Veränderung in der Chromosomenstruktur. Nach der 23. SSW bis zur 37. SSW spricht man von einer Frühgeburt.
- Die Plazentainsuffizienz beschreibt das Missverhältnis zwischen dem mütterlichen Nährstoff- und Sauerstoffangebot und dem fetalen Bedarf.
- Bei der Placenta praevia hat sich die Eizelle in den tiefer gelegenen Arealen der Gebärmutter eingenistet. Durch diese ungünstige Lage kann die Plazenta den Geburtskanal versperren. Es entsteht im schlimmsten Fall eine geburtsunmögliche Situation.
- Als Hypertonus in der Schwangerschaft wird die Erhöhung des Blutdrucks während einer Schwangerschaft bezeichnet. Es ist zu unterscheiden zwischen schwangerschafts**un**abhängigen Hypertonien und schwangerschafts**ab**hängigen Hypertonien.
- Im Krankheitsbild der schwangerschaftsinduzierten Hypertonie (SIH) tritt erst mit der Schwangerschaft ein isolierter Bluthochdruck nach der 20. Schwangerschaftswoche (SSW) auf. Definitionsgemäß tritt die schwangerschaftsinduzierte Hypertonie immer ohne Ausscheidung von Proteinen im Urin (Proteinurie) auf.
- Wird die schwangerschaftsinduzierte Hypertonie von einer Proteinurie begleitet, wird das Krankheitsbild als Präeklampsie bezeichnet, da sie als Vorbote der Eklampsie gilt.
- Die Präeklampsie umfasst drei Leitsymptome: Ödeme, Proteinurie und Hypertonie. Die allen drei Leitsymptomen zugrunde liegende Störung ist eine Neigung zu Gefäßspasmen.
- Ein im Rahmen einer Präeklampsie auftretender Krampfanfall, der keiner anderen Ursache zugeordnet werden kann, wird als Eklampsie bezeichnet. Der eklamptische Krampfanfall ist einem epileptischen Krampfanfall sehr ähnlich.
- Unter den schwangerschaftsinduzierten Hypertonien ist das HELLP-Syndrom die gefährlichste Komplikation für Mutter und Kind. Die Komplikationen ergeben sich als typische Kombination aus Blutgerinnungsstörungen, pathologischen Leberenzymwerten und Thrombozytenabfall.
- Der an Größe und Volumen zunehmende Uterus führt durch direkte Druckwirkung auf die untere Hohlvene (Vena-cava-Syndrom) zu einer Abflussbehinderung des venösen Rückstroms und einem relativen Volumenmangel. Durch das Vena-cava-Syndrom kann auch das Kind unterversorgt werden. Im Extremfall entwickelt sich für Mutter und Kind eine lebensbedrohliche Situation.

34.5 GEBURTSHILFE

- Die Geburt wird unterschieden in Eröffnungs-, Austreibungs- und Nachgeburtsperiode.
- Eine Geburt, die ungeplant außerhalb der Klinik stattfindet, wird als Notgeburt bezeichnet.
- Eine Geburt in der Wohnung ist einer Geburt im Rettungswagen vorzuziehen.
- Partusisten® verzögert die Wehentätigkeit.
- Nahezu alle Notfälle mit Neugeborenen werden durch Sauerstoffmangel ausgelöst und können durch Sauerstoffzufuhr behoben werden.

34.6 KOMPLIKATIONEN UNTER DER GEBURT

- Im Rahmen von Abgang des Fruchtwassers kann in einigen Fällen auch bei Schädellage die im Fruchtwasser treibende Nabelschnur im Geburtskanal vor den Kopf rutschen. Während der Austreibungsperiode würde der Kopf die Nabelschnur gegen das Becken abdrücken.
- Geburtsfehllagen werden in Quer- und Längslagen eingeteilt. Querliegende Kinder können grundsätzlich nicht auf normalem Wege geboren werden.
- Bei Längslagen werden Schädel- und Beckenlagen unterschieden.
- Die häufigste Beckenendlage ist die reine Steißlage.
- Bei der Steißlage liegt das Kind in verkehrter Richtung im Geburtskanal. Während der Austreibungsperiode würde das Kind mit dem Kopf im Geburtskanal festsitzen und die eigene Nabelschnur abdrücken.
- Bei der Schulterdystokie bleibt unter der Geburt in Schädellage, die vordere kindliche Schulter hinter dem Schambein (Symphyse) der Mutter hängen.
- Der wichtigste physiologische Mechanismus zur Blutstillung nach der Ausstoßung der Plazenta ist die Kontraktion der Gebärmutter. Bei einer Uterusatonie erfolgt diese Kontraktion der Gebärmutter nicht. Es folgt eine lebensbedrohliche, massive Blutung.

Das Fachgebiet der Frauenheilkunde (Gynäkologie) umfasst neben Geburtshilfe und schwangerschaftsbedingten Erkrankungen die Erkrankungen und Verletzungen der weiblichen Genitalorgane. Nur wenige der mit diesen Erkrankungen verbundenen Symptome können zu Notfallsituationen führen, die eine präklinische Erstversorgung notwendig erscheinen lassen. Akute Unterbauchschmerzen, starke vaginale Blutungen, Komplikationen während der Schwangerschaft oder eine frühzeitig einsetzende Geburt sind die häufigsten Indikationen, die zu einer Alarmierung des Rettungsdienstes führen.

34.1 Unterbauchschmerzen

Unterbauchschmerzen können durch verschiedene Erkrankungen hervorgerufen werden. Ist eine Schwangerschaft ausgeschlossen, sind häufig Entzündungen oder Tumoren die Auslöser.

34.1.1 Entzündungen des inneren Genitales

Entzündliche Erkrankungen des **äußeren Genitales,** d. h. der Scheide (Kolpitis) oder der Schamlippen (Vulvitis), sind unangenehm, aber meist harmlos und stellen i. d. R. keine Indikation für die Alarmierung des Rettungsdienstes dar.

Entzündungen des **inneren Genitales** können dagegen als **isolierte Entzündung** des Eileiters **(Salpingitis)** oder als kombinierte Entzündung von Eileiter und Eierstock **(Adnexitis)** sehr schmerzhaft sein und schnell zu einer Alarmierung des Rettungsdienstes führen.

Krankheitsursache für eine **Salpingitis** (→ Abb. 34.1) ist eine aufsteigende **Infektion** der Eileiter durch Bakterien (Staphylokokken, Kolibakterien oder vornehmlich Chlamydien) über den Muttermund, vornehmlich während des Geschlechtsverkehrs. Ist durch die Infektion neben dem Eileiter auch der Eierstock (Ovar) betroffen, wird die kombinierte Entzündung als **Adnexitis,** bei Beteiligung des umgebenden Gewebes als Unterleibsentzündung (engl. **Pelvic inflammatory disease – PID**), bezeichnet, die unbehandelt in eine lebensgefährliche Sepsis (→ Kap. 41.3) übergehen kann. Alle drei Entzündungen sind sehr schmerzhaft.

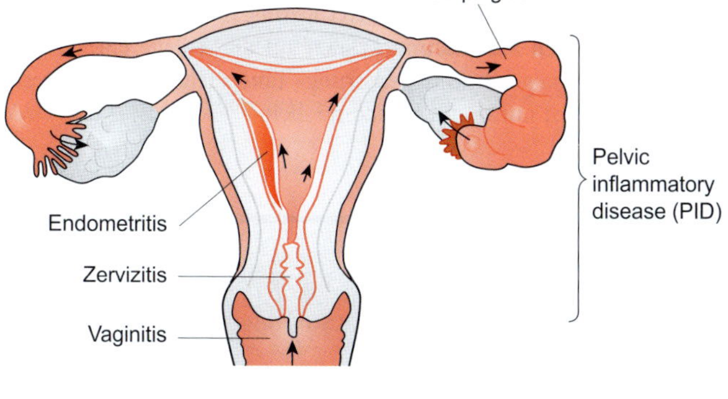

Abb. 34.1 Entzündungen des inneren und äußeren Genitals. Die Pfeile zeigen den Weg der „aufsteigenden Infektion" der Mikroorganismen. [L143]

DEFINITION

Die **Adnexitis** (Oophorosalpingitis) ist eine kombinierte Entzündung von Eileiter (Salpingitis) und Eierstock (Oophoritis).

MERKE

Infektionen der weiblichen inneren Genitalorgane führen zu **starken Unterleibsschmerzen** und können als Infekt mit **hohem Fieber** verlaufen.

Symptome

Die Symptome entwickeln sich innerhalb weniger Tage und gehen mit akut auftretenden, starken und dumpfen, meist seitenbetonten Unterleibsschmerzen einher. Die meisten Fällen treten die Entzündungen zwar beidseitig auf, der Schmerz wird von den Patientinnen aber meist seitenbetont wahrgenommen. Bei **einseitigen Schmerzen,** insbesondere im rechten Unterbauch, muss differenzialdiagnostisch immer auch an eine **Appendizitis** gedacht werden.

Die Unterbauchschmerzen gehen mit Fieber, Übelkeit, Obstipation oder einem geblähten Abdomen (Meteorismus) einher. Neben diesen Symptomen können Schmierblutungen oder vaginaler Ausfluss als Zeichen der Begleitinfektion des Endometriums auftreten. Im Rahmen der Eileiterentzündung besteht immer die Gefahr, dass bei längerem Krankheitsverlauf die Erreger in die freie Bauchhöhle vordringen und dort zu einer Bauchfellentzündung (Peritonitis) führen.

Therapie

Die **Basismaßnahmen** am Notfallort zielen auf die Reduzierung der abdominellen Schmerzen durch Entlastung der angespannten Bauchdecke und Versorgung einer eventuellen vaginalen Blutung. Die Patientin wird in Rückenlage verbracht und zur Entlastung der Bauchdecke winkelt sie die Knie an, die mit einer Knierolle unterpolstert werden.

Im Falle einer Blutung wird die Patientin ebenfalls in Rückenlage gelegt und eine Blutung wird durch Vorlage einer sterilen und saugstarken Wundauflage direkt vor dem Genitalbereich versorgt. Neben der Aufnahme von Blut dient die Wundauflage auch der Beurteilung

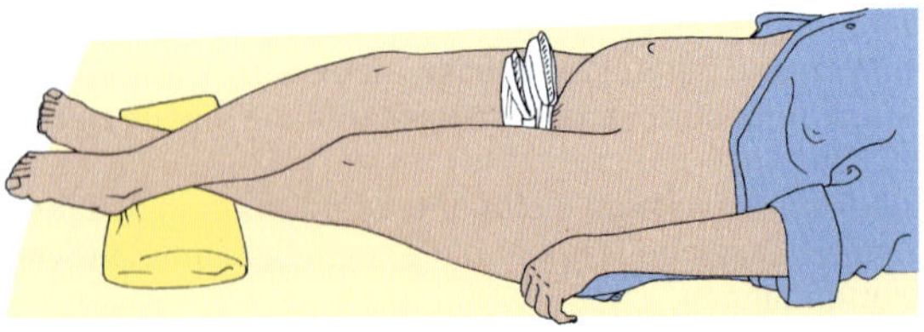

Abb. 34.2 Lagerung nach Fritsch. Die Beine sind gestreckt, die Unterschenkel übereinandergeschlagen. Eine saugstarke Wundauflage liegt direkt vor dem Genitalbereich. [L215]

der Blutungsstärke. Anschließend werden die Beine der Patientin im Bereich der Unterschenkel auf Höhe der Kniegelenke überkreuzt (**Fritsch-Lagerung,** → Abb. 34.2).

IM FOKUS

Entzündungen des inneren Genitals

Ursachen

- Entzündung der Eileiter (Salpingitis)
- Entzündung von Eileiter und Eierstock (Oophorosalpingitis, Adnexitis)
- Entzündung von Eileiter, Eierstock und Parametrium (engl. pelvic inflammatory disease – PID)
- Haupterreger der Infektion: Chlamydien

Symptome

- Seitenbetonte, teilweise sehr starke Unterbauchschmerzen
- Fieber
- Übelkeit

Maßnahmen

Monitoring

- AF, SpO_2, Rekapillarisierungszeit, Puls (peripher/zentral), RR, BZ, GCS, EKG, Temperatur

Basismaßnahmen und Lagerung

- Lagerung in leichter Oberkörperhochlage (15° Drehpunkt Hüfte) und mit angewinkelten Knien (Knierolle), um die Bauchdecke zu entspannen und dadurch Schmerzen zu reduzieren, bzw. bei Blutdruckabfall in flacher Rückenlage und mit Knierolle

Erweiterte Maßnahmen

- i. v. Zugänge entsprechend Venenstatus und ggf. Laborblutentnahme

Medikamente und Dosierungsempfehlungen

- Spasmolyse: N-Butylscopolamin (Buscopan®) 20 mg langsam i. v.
- Analgosedierung: 1–2,5 g Novalgin® und/oder 0,1 mg Fentanyl® i. v., 2–5 mg Dormicum®

In seltenen Fällen sind **erweiterte Maßnahmen** durch den Notarzt zur Schmerzbekämpfung angezeigt. Ist sie erforderlich, sollte die Analgesie (z. B. Novalgin®) in Verbindung mit einem Spasmolytikum (z. B. Buscopan®) durchgeführt werden.

34.1.2 Stieldrehungen (Ovarialtorsion)

Plötzlich auftretende Schmerzen im Unterbauch können auch eine **mechanische Ursache** haben. Schnelle Drehbewegungen, wie sie beim Tanzen vorkommen, können durch das Drehmoment zu Verdrehungen von Tumoren oder Myomen, eines Eierstocks **(Ovar)** oder einer Zyste im Bereich der Eierstöcke **(Ovarialzyste)** um die eigene Achse führen. Dieser Vorgang wird als Stieldrehung bezeichnet (→ Abb. 34.3).

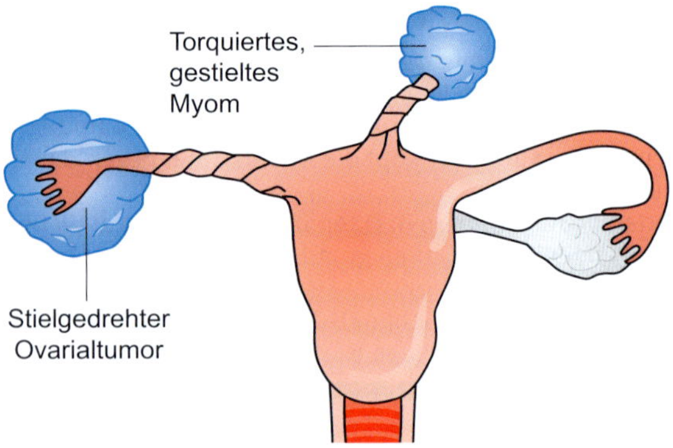

Abb. 34.3 Stieldrehungen [L143]

Durch die Drehung kommt es einer Einengung bzw. einem kompletten Verschluss des venösen Gefäßes, während der arterielle Zufluss erhalten bleibt. Es folgen ein Blutstau und eine Gewebshypoxie durch Minderperfusion im betroffenen Organ, die zur Nekrose führen kann.

Symptome

Leitsymptom ist ein akuter, einseitiger Unterbauchschmerz, der manchmal von Übelkeit und Erbrechen begleitet wird. Den plötzlichen Schmerzen können unregelmäßige, krampfartige Schmerzen vorausgehen.

Nach der Unterbrechung der Blutzufuhr treten die Schmerzen akut und einseitig auf. Aufgrund der nahen Lage zum Blinddarm auf der rechten Seite, kann eine akute Stieldrehung des Eierstocks auch mit einer **Blinddarmentzündung verwechselt** werden. Wenn die Stieldrehung nicht vollständig ist, besteht manchmal auch ein anhaltender, zunächst leichterer Schmerz, der aber langsam zunimmt. Fieber tritt erst später auf und zeigt einen komplizierten Verlauf mit stärkerer Gewebeschädigung an.

MERKE

Das Leitsymptom der Stieldrehung ist der **einseitige krampfartige Schmerz im Unterbauch.**

Therapie

Die **Basismaßnahmen** umfassen die Überwachung und Sicherung der Vitalparameter der Patientin und deren Lagerung mit angewinkelten Knien.

Die **erweiterten Maßnahmen** zielen auf die Anlage eines venösen Zugangs zur Analgesie und Sedierung. Eine zielgerichtete Therapie (Laparoskopie) ist nur in der Klinik möglich.

IM FOKUS

Stieldrehung

Ursachen

- Drehbewegung des gesunden Ovars oder einer Ovarialzyste um die eigene Achse

Symptome

- Akuter Zerreißungsschmerz im Unterbauch

Maßnahmen

Monitoring

- AF, SpO_2, Rekapillarisierungszeit, Puls (peripher/zentral), RR, BZ, GCS, EKG, Temperatur

Basismaßnahmen und Lagerung

- Bei Blutdruckabfall Lagerung in flacher Rückenlage und mit angewinkelten Knien (Knierolle), um die Bauchdecke zu entspannen und dadurch Schmerzen zu reduzieren

Erweiterte Maßnahmen

- i. v. Zugänge entsprechend Venenstatus und ggf. Laborblutentnahme

Medikamente und Dosierungsempfehlungen

- Spasmolyse: N-Butylscopolamin (z. B. Buscopan®) 20 mg langsam i. v.
- Analgesie: Metamizol (z. B. Novalgin®) 1–2,5 g i. v. und 5–10 mg Morphium i. v
- Eventuell Sedierung: Benzodiazepin (z. B. Dormicum®) 1–3 mg i. v.

34.1.3 Endometriose

Normalerweise ist Gewebe der Gebärmutterschleimhaut (Endometrium) ausschließlich in der Gebärmutterhöhle zu finden. Manchmal lässt sich dieses oder **endometriumähnliches Gewebe der Gebärmutterschleimhaut** allerdings auch **außerhalb der Gebärmutterhöhle** auffinden (Endometriose). Fehlerhafte Ansiedlungen im Körper finden sich im Bauchfell des Beckens, in den Eierstöcken, in den Eileitern, im Darm oder in der Blase.

Die Endometriose ist normalerweise nicht gefährlich, kann aber **wiederkehrende Schmerzen** je nach Lokalisation der Endometrioseherde hervorrufen. Die Schmerzen reichen von Miktionsschmerzen (Lokalisation Blase) über Defäkationsschmerzen (Lokalisation Darm) bis zu starken Unterbauchschmerzen bei diffuser Endometriose im Bauchfell. Im Vordergrund stehen dabei zyklusabhängige Schmerzen, die typischerweise 1–2 Tage vor der Menstruation auftreten. Die Schmerzen werden durch eine erhöhte Prostaglandinsynthese hervorgerufen.

Eine spezifische Therapie ist im Rettungsdienst nicht möglich, sodass lediglich eine symptomorientierte Therapie erfolgen kann. Die **Basismaßnahmen** umfassen die Überwachung und Sicherung der Vitalparameter der Patientin und deren Lagerung mit angewinkelten Knien. Die **erweiterten Maßnahmen** zielen auf die Anlage eines venösen Zugangs zur Analgesie.

Eine sichere Diagnose sowie eine zielgerichtete Therapie sind nur durch eine Laparoskopie in der Klinik möglich.

34.2 Vaginale Blutungen

Vaginale Blutungen sind Ausdruck unterschiedlicher Krankheitsbilder (→ Abb. 34.4). Ihnen zuzuordnen sind:

- Mehrtägige Blutungen außerhalb der Regel
- Eine verlängerte Menstruation
- Plötzlich auftretende Blutungen in der Postmenopause

Eine Klärung der Blutungsursache ist außerhalb der Klinik zumeist nicht möglich. Gelegentlich sind vaginale Blutungen aber auch ein Symptom lebensgefährlicher Tumorerkrankungen oder Komplikationen in der Schwangerschaft (→ Kap. 34.4), die zu nicht sichtbaren, gefährlichen Blutungen nach innen führen, sich nach außen aber lediglich als vaginale Schmierblutungen darstellen.

34.2.1 Hypermenorrhö und Dysmenorrhö

Menstruationsstörungen sind Abweichungen vom normalen Menstruationszyklus. Sie können organische oder auch psychische Ursachen haben. Für den Rettungsdienst ist lediglich das Krankheitsbild der **Hypermenorrhö,** die starke Regelblutung von Bedeutung, die oftmals mit starken Unterbauchschmerzen einhergeht und dann als **Dysmenorrhö** bezeichnet wird. Als Ursachen kommen meistens chronische

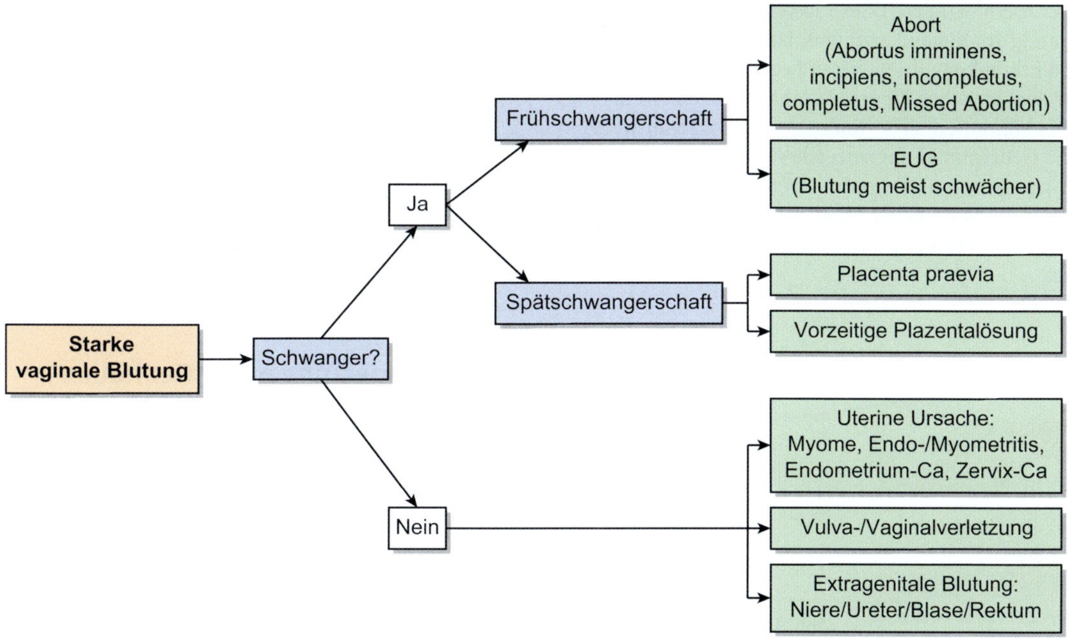

Abb. 34.4 Differenzialdiagnostik vaginaler Blutungen [L231]

Entzündungen von Uterus und Adnexen, hormonelle Störungen, Myome oder ein Intrauterinpessar infrage.

Symptome

Neben der verstärkten Regelblutung (> 5 Vorlagen/Tampons pro Tag) treten bei der Dysmenorrhö starke, krampfartige Schmerzen im Unterbauch kurz vor oder während der Menstruation auf. Die Schmerzen sollten auf jeden Fall durch einen Gynäkologen abgeklärt werden. In einigen Fällen kann die Hypermenorrhö mit einer Anämie einhergehen. Die Patientinnen klagen über ein allgemeines, unspezifisches Krankheitsgefühl und neigen zum Kreislaufkollaps.

Therapie

Die **Basismaßnahmen** umfassen die Überwachung der Kreislaufparameter und die Lagerung der Patientin mit angewinkelten Knien.

Die **erweiterten Maßnahmen** bestehen in der Anlage eines venösen Zugangs und der medikamentösen Schmerztherapie. Die Wahl der Medikamente und deren Dosierungsempfehlung orientieren sich an den Empfehlungen zur Salpingitis bzw. Stieldrehung. Eine ursachenklärende Untersuchung ist nur in der Klinik möglich.

34.2.2 Tumorerkrankungen im Unterbauch

Im fortgeschrittenen Stadium können Tumorerkrankungen der weiblichen Genitalien zu rettungsdienstrelevanten Komplikationen führen. In den meisten Fällen ist der Patientin die Tumorerkrankung bereits bekannt. Unterschieden werden:

- Gutartige Tumore (z. B. Schleimhautpolypen, Myome)
- Bösartige Tumore (z. B. Kollum- bzw. Zervixkarzinom, Endometriumkarzinom, → Abb. 34.5)

Symptome

Gutartige (z. B. Myome) und bösartige Tumoren (z. B. Kollumkarzinome) können jederzeit zu unterschiedlich starken Blutungen führen. Die **Myomblutungen** sind jedoch äußerst selten und führen nur zu minimalen Blutverlusten. Größere Blutverluste resultieren i. d. R. nur aus der Tumorblutung des Kollumkarzinoms. Das **Kollumkarzinom** ist überwiegend eine Erkrankung des höheren Lebensalters. Das mittlere Erkrankungsalter liegt zwischen 70 und 75 Jahren. Es zerstört anfangs das Gewebe des Gebärmutterhalses (Kollum) und befällt im weiteren Verlauf das an die Gebärmutter angrenzende Gewebe (Parametrium). Durch Arrodierung der im Parametrium verlaufenden Gefäße (A. und V. uterina) oder durch Zerfallsblutung aus einem Karzinomkrater kann ein **massiver Blutverlust** mit Ausbildung eines hämorrhagischen Schocks entstehen.

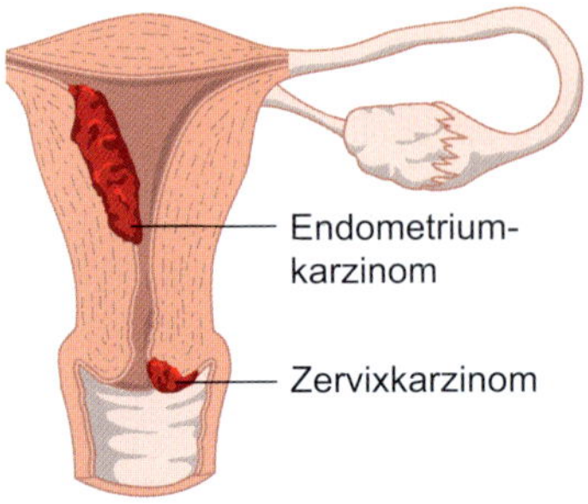

Abb. 34.5 Typische Lokalisationen von Zervixkarzinom und Endometriumkarzinom [L138]

Therapie

Die **Basismaßnahmen** zielen auf die Sicherung der Vitalfunktionen und umfassen neben der klassischen Schocklage die Gabe von Sauerstoff über O_2-Sonde und ein engmaschiges Monitoring (AF, RR, EKG, SpO_2).

Die **erweiterten Maßnahmen** umfassen die Anlage mehrerer großlumiger venöser Zugänge und die Durchführung einer adäquaten Volumentherapie und Schmerzbekämpfung (→ Kap. 32.2).

ACHTUNG! Größere Blutverluste resultieren in der Regel nur aus der Tumorblutung des Kollumkarzinoms.

MERKE

Volumenmangel wird mit **Volumengabe** therapiert.

Auf keinen Fall sollte am Notfallort versucht werden, eine **Vaginaltamponade** zur lokalen Blutstillung durchzuführen. Die Gefahr des Aufreißens weiterer Gefäße oder Tumorgewebe ist zu hoch und kann zur Verschlimmerung des Zustands der Patientin führen. Die **sterilen Kompressen** sollten daher **nur lokal vor die Vagina** platziert werden.

IM FOKUS

Tumorblutung im Unterbauch

Ursachen
- Tumorblutung des Kollumkarzinoms (Gefäßarrodierung)

Symptome
- Massiver vaginaler Blutverlust

Maßnahmen

Monitoring
- AF, SpO_2, Rekapillarisierungszeit, Puls (peripher/zentral), RR, BZ, GCS, EKG, Temperatur

Basismaßnahmen und Lagerung
- Bei Blutdruckabfall Lagerung nach Fritsch
- Schocklagerung

Erweiterte Maßnahmen
- i. v. Zugänge entsprechend Venenstatus und ggf. Laborblutentnahme
- Operative Blutstillung in der Klinik

Medikamente und Dosierungsempfehlungen
- Volumentherapie: z. B. 500–1 500 ml balancierte Elektrolytlösung i. v.
- Analgosedierung: 0,1 mg Fentanyl® i. v., 2–5 mg Dormicum®

34.2.3 Verletzungen der Genitalien

Verletzungen der Genitalien können durch **stumpfe oder spitze Gewalteinwirkung** hervorgerufen werden. Die meisten genitalen Verletzungen treten durch stumpfe Traumata im Rahmen von Verkehrsunfällen oder Sturzereignissen auf. Durch Beteiligung des Beckenbodens bei Beckenbrüchen kann es zu Spätkomplikationen mit Prolaps von Uterus oder Vagina kommen. Stumpfe Traumen gegen den Damm, z. B. beim Sturz auf eine Leitersprosse, führen zu ausgedehnten Weichteilverletzungen des äußeren Genitals.

Häufig sind die stumpfen genitalen Verletzungen mit schwerwiegenden Verletzungen anderer Organe verbunden (z. B. Polytrauma). Penetrierende Bauchverletzungen oder urogenitale Perforationen treten im Rahmen von Unglücksfällen, seltener durch sexuelle Missbrauchshandlungen und Fremdkörpermanipulationen auf.

Defloration

Beim ersten Geschlechtskontakt zerreißt das **Hymen,** eine dünne Haut, die den Scheideneingang verengt **(Defloration).** Der Einriss ist niemals gefährlich, kann jedoch durch den Schmerz zu einer großen Angst führen. Dabei kann eine **geringgradige vaginale Blutung** auftreten.

Kohabitationsverletzungen und Vergewaltigung

Verletzungen im Rahmen des Geschlechtsverkehrs **(Kohabitationsverletzungen)** können bei jungen Mädchen durch den noch nicht ausgereiften Genitalapparat hervorgerufen werden. Bei älteren Patientinnen in der Postmenopause treten Verletzungen durch die verminderte Elastizität des Gewebes und Atrophie der Schleimhäute auf, in deren Folge sich die Scheide verengt und die Schleimhäute verletzlicher werden. Weiterhin können außergewöhnliche Sexualpraktiken zu Verletzungen der weiblichen Genitalien führen. Im Rahmen einer **Vergewaltigung** treten durch gewaltsames Vorgehen ebenfalls häufig Verletzungen auf.

Symptome

Alle Organstrukturen der weiblichen Genitalien können betroffen sein, jedoch sind i. d. R. Vulva oder Vagina verletzt. **Einrisse** der Vulva, insbesondere bei Verletzungen der Klitoris, können zu **erheblichem Blutverlust** führen.

Therapie

Im Vordergrund der **Basismaßnahmen** steht in allen Fällen die Blutstillung bei größeren Verletzungen. Diese erfolgt durch Vorlage einer oder mehrerer steriler Kompressen. Anschließend werden die Beine der Patientin auf Höhe des Sprunggelenks gekreuzt (**Fritsch-Lagerung,** → Abb. 34.2). Eine Tamponade wird nicht durchgeführt, da durch diese Maßnahme weitere Gewebestrukturen verletzt und die Blutung verstärkt werden kann. Da die sich dem Rettungsfachpersonal darstellende Blutung nicht unbedingt mit dem tatsächlichen Blutverlust einhergehen muss (beispielsweise **Blutung nach innen**), ist zur Beurteilung des Blutverlusts eine Überwachung der Vitalparameter mittels eines kontinuierlichen Monitorings erforderlich, um frühzeitig Schockzeichen zu erkennen.

Die **erweiterten Maßnahmen** zielen, falls erforderlich, auf die Kreislaufstabilisierung mit nachfolgender Analgesie der Patientin. Sind Schocksymptome erkennbar, wird die Patientin in einer Kombination aus Schocklage und Fritsch-Lagerung gelagert. Je nach Ausmaß der Blutung erfolgt die Anlage eines oder mehrerer venöser Zugänge zur Volumentherapie. Auf keinen Fall vernachlässigt werden darf die **Angst der Patientinnen.** Besonders bei Vergewaltigungsopfern steht die psychische Komponente im Vordergrund. In diesen Fällen muss mit viel Geduld und Einfühlungsvermögen gearbeitet werden. Besteht der Verdacht auf eine kriminelle Handlung, ist die Patientin meistens nicht in der Lage, über die Möglichkeit einer eventuellen Strafverfolgung des Täters nachzudenken.

> **PRAXISTIPP**
>
> Um eine **spätere Beweissicherung** durch den Gynäkologen bzw. ein rechtsmedizinisches Institut zu ermöglichen, sollten folgende **Verhaltensweisen** beachtet werden:
> - Manipulationen an der Patientenkleidung sollten unterbleiben.
> - Mit Blut und Sekreten kontaminierte Gegenstände werden einzeln in Plastiktüten verpackt.
> - Die Patientin sollte aufgefordert werden, weder ihre Haare zu kämmen noch die Fingernägel zu reinigen.
> - Es ist zu beachten, dass die Patientin nicht ihre Kleidung wechselt, badet oder duscht, bevor sie von einem Gynäkologen untersucht wurde.

Pfählungsverletzungen

Pfählungsverletzungen der äußeren und inneren Genitalien mit möglichen Begleitverletzungen können durch Sturz auf spitze Gegenstände bei Verkehrsunfällen (z. B. Fahrradlenker) oder durch verschiedene Sexualpraktiken hervorgerufen werden. Sie sind besonders gefährliche Verletzungen, da sie neben der Verletzung des äußeren Genitales mit Einriss im Bereich der Scheide auch innere Organstrukturen, z. B. Uterus, Harnblase und Darm, betreffen können. Bei Pfählungsverletzungen sind die sichtbaren äußeren Verletzungen meist viel geringer als die **inneren Verletzungen.**

Die **Basis-** und **erweiterten Maßnahmen** sind in → Kap. 31.6.2 beschrieben.

34.3 Entwicklung in der Schwangerschaft

Die Schwangerschaft umfasst den Zeitraum von der Befruchtung bis zur Geburt. Aufgrund der Unsicherheit über den exakten Befruchtungszeitpunkt wird eine Berechnungsmethode **(Naegele-Regel)** angewandt, bei der der erste Tag der letzten Menstruation als Startpunkt herangezogen wird. Bei einem Zyklus von 28 Tagen, in dessen Mitte in der Regel der Eisprung liegt, ergibt sich somit eine rechnerische Schwangerschaftsdauer von 40 Wochen (= 280 Tagen), obwohl die Frau in den ersten Wochen noch gar nicht schwanger war.

> **MERKE**
>
> Nach der **Naegele-Regel** wird das voraussichtliche Schwangerschaftsende errechnet (ET = errechneter Termin), indem vereinfacht ausgedrückt auf den ersten Tag der letzten Monatsblutung 280 Tage addiert werden (40 Wochen).

Eine **Schwangerschaft** dauert somit 40 Wochen vom Beginn der letzten Regelblutung bis zur Geburt. Sie **wird in drei Drittel** (Trimester oder Trimenon) mit unterschiedlicher Dauer **unterteilt:**
- Erstes Trimenon (**Frühschwangerschaft,** 1.–12. SSW)
- Zweites Trimenon (**fortgeschrittene Schwangerschaft,** 13.–24. SSW)
- Drittes Trimenon (**Spätschwangerschaft,** 25.–40. SSW)

Die meisten Schwangerschaften verlaufen problemlos und unkompliziert. Das ungeborene Kind unterliegt in der Schwangerschaft aber auch zahlreichen Einflüssen, die es schädigen können. Entsprechend des zeitlichen Auftretens im Verlauf einer Schwangerschaft werden die Notfälle mit Schwangerschaftsbezug analog der Zeitspanne unterteilt (→ Abb. 34.6).

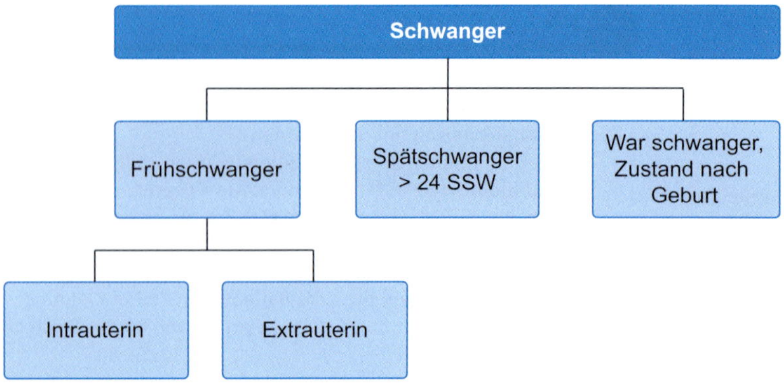

Abb. 34.6 Einteilung der Schwangerschaftsnotfälle [L143]

34.3.1 Mutterpass

Die Schwangere wird nach Feststellung der Schwangerschaft in regelmäßigen Abständen die speziellen Vorsorgeuntersuchungen beim Frauenarzt wahrnehmen. Diese umfassen die Feststellung des Geburtstermins (s. o.), Bestimmung der Blutgruppe, körperliche Untersuchungen, aber auch Ultraschalluntersuchungen zur Beurteilung des Alters und der Entwicklung des Kindes.

Die Ergebnisse und Befunde werden im Mutterpass, den die Schwangere stets mit sich führen sollte, eingetragen. Der Mutterpass dient dem schnellen Überblick aller Besonderheiten bei plötzlich auftretenden Problemen. Bei Notfällen mit Schwangeren sollte das Rettungsfachpersonal daher immer einen Blick in das Vorsorgeheft werfen und dieses unbedingt mit in die Klinik nehmen. Wichtige Seiten im Mutterpass sind:

- Seite 5–6 (Seite 21–22 bei zweiter Schwangerschaft): u. a. besondere Befunde und der errechnete Geburtstermin
- Seite 7–9 (23–24): wichtige Daten zur Kindslage, Blutdruck der Schwangeren, Schwangerschaftswoche etc.
- Seite 10, 11 und 14 (25): wichtige Daten zum Kind sowie Vermerke der Ultraschalldiagnostik

Das aktuelle Schwangerschaftsstadium der Patientin wird in Schwangerschaftswochen (SSW) angegeben. Weil aber der genaue Tag der Verschmelzung von Eizelle und Spermium (Befruchtung) meist nicht bekannt ist, wird im Mutterpass üblicherweise die Schwangerschaftsdauer ab dem Tag der letzten Menstruation (**post menstruationem, p. m.**) berechnet, einfach weil dieser Termin gewöhnlich bekannt ist.

Im Mutterpass wird auch die bisherige Anzahl der Schwangerschaften und Geburten in römischen Zahlen verzeichnet. Die Bezeichnung **Gravida** (lat. graviditas = Schwangerschaft) wird für alle bestätigen Schwangerschaften der Mutter benutzt. Dazu zählen auch Schwangerschaften, die zu einer Fehlgeburt geführt haben. Die Bezeichnung **Para** (lat. parere = gebären) dagegen bezeichnet nur die Schwangerschaften, aus denen ein Kind hervorgegangen ist.

i PRAXISTIPP

Zur Anmeldung einer Schwangeren in der Klinik sind folgende Informationen wichtig:

- **Gravida** – Hier wird die Anzahl der Schwangerschaften angegeben (Mutterpass, Seite 5).
- **Para** – Hier wird die Anzahl der wirklichen Geburten angegeben (Mutterpass, Seite 5).
- **Schwangerschaftswoche (SSW)** – Angabe im Mutterpass, Seite 7 im Gravidogramm 3. Spalte von links

Beispiel: Eine Frau ist in der 32. Woche erstmalig schwanger, **Gravida = I, Para = 0, 32. SSW**

34.3.2 Keimentwicklung in der Schwangerschaft

Die Keimentwicklung bezeichnet die Entwicklung des Lebewesens aus der Keimzelle. Nach der Implantation des Keims in der Gebärmutterschleimhaut besteht der Keim aus **Embryoblast** und **Trophoblast.** Während sich der Embryoblast im Verlauf der Schwangerschaft zu den verschiedenen embryologischen Körperstrukturen weiterentwickelt, ist der Trophoblast vor allem an der Ausbildung des pränatalen Versorgungssystems beteiligt.

Blastogenese

Unter dem Einfluss von **follikelstimulierendem Hormon (FSH)** und **luteinisierendem Hormon (LH)** werden Wachstums- und Reifungsprozesse der Eizelle in den Follikeln der Eierstöcke in Gang gesetzt. Am 14. Tag des Zyklus springt der Eifollikel im Ovar auf **(Ovulation)** und gibt eine Eizelle in die freie Bauchhöhle frei. Dort wird sie von den Fimbrien der Eileiter aufgenommen. Im Eileiter ist die Eizelle über 8 Std. befruchtungsbereit und wird im ampullären Tubenabschnitt durch die Samenzelle befruchtet. Der anschließende Transport der befruchteten Eizelle durch die Tube in die Gebärmutter dauert ca. 3–4 Tage. Während dieser Transportphase teilt sich die Eizelle in rascher Folge und erreicht das Stadium einer Blastozyste, die sich abschließend im Endometrium der Gebärmutter einnistet **(Nidation)** (→ Abb. 34.7). Zu diesem Zeitpunkt ist der erste Abschnitt **(Blastogenese)** der Keimentwicklung abgeschlossen.

Embryogenese

Anschließend folgt die **Embryogenese,** in der die Organe des Embryos gebildet werden. Sie dauert bis zum Ende der 8. Schwangerschaftswoche (SSW) an (→ Abb. 34.8). In dieser Zeit bilden die Zellen des **Embryoblasten** die zweiblättrige Keimscheibe aus, die aus **Ektoderm** und **Entoderm** besteht. In der 3. SSW drängen sich umgewandelte Embryonalzellen zwischen Ektoderm und Entoderm und bilden das dritte Keimblatt, das **Mesoderm.** Aus diesen **drei Keimblättern** entwickelt sich eine Reihe spezifischer Organe. Das Ektoderm bildet z. B. die **Anlage des ZNS,** das Entoderm u. a. die **Anlage des Magen-Darm-Trakts** und das Mesoderm die **Anlage für Skelett, Muskulatur und Bindegewebe.**

Fetogenese

Ab der 9. SSW folgt als dritter Abschnitt der Keimentwicklung die **Fetogenese,** die durch Wachstum und Differenzierung der Organsynthese gekennzeichnet ist. Die Wachstumsvorgänge der Fetogenese verlaufen schubweise bis zur 37. SSW (→ Abb. 34.9 und → Abb. 34.10).

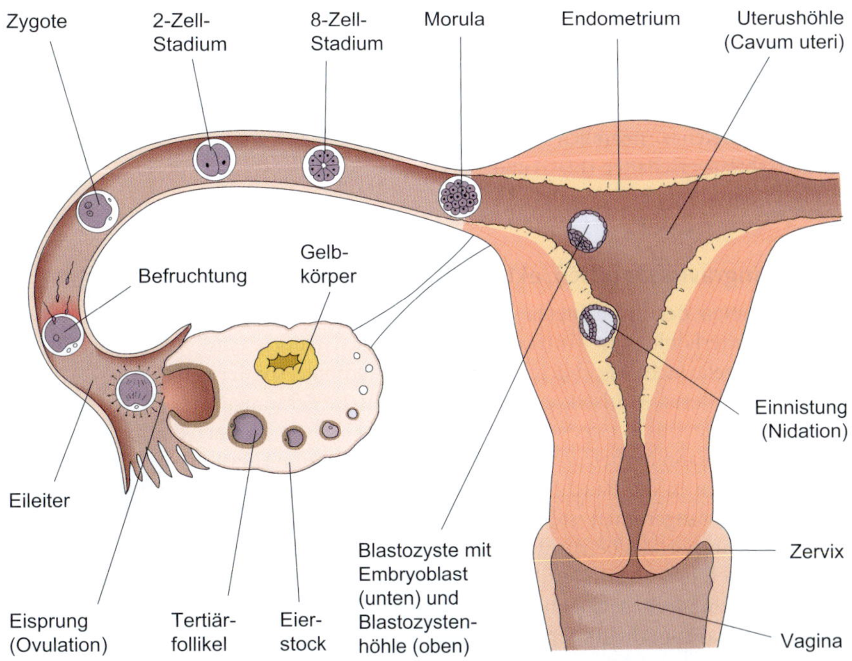

Abb. 34.7 Keimentwicklung von der Eizelle bis zur Blastozyste, die sich im Endometrium einnistet (Blastogenese) [L190]

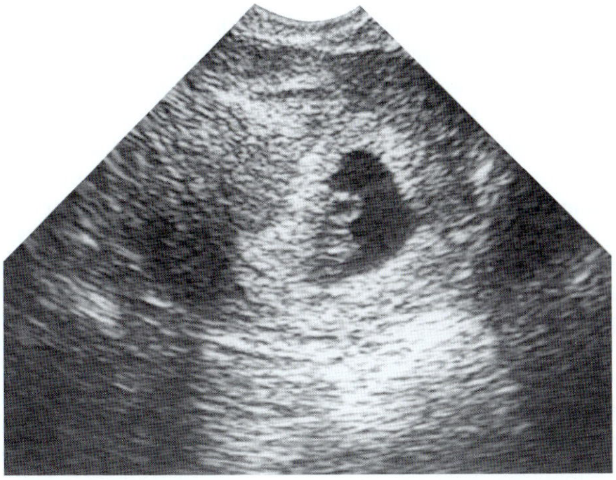

Abb. 34.8 Sonografiebild eines Embryos in der 8. SSW (Embryogenese) [O144]

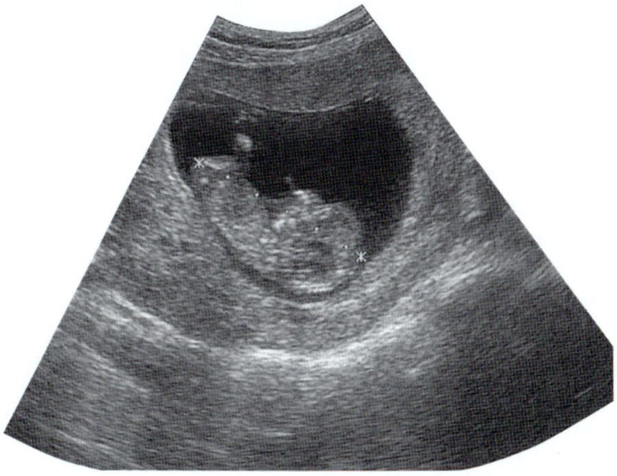

Abb. 34.9 Sonografiebild eines Fetus in der 11. SSW (Fetogenese) [R194–004]

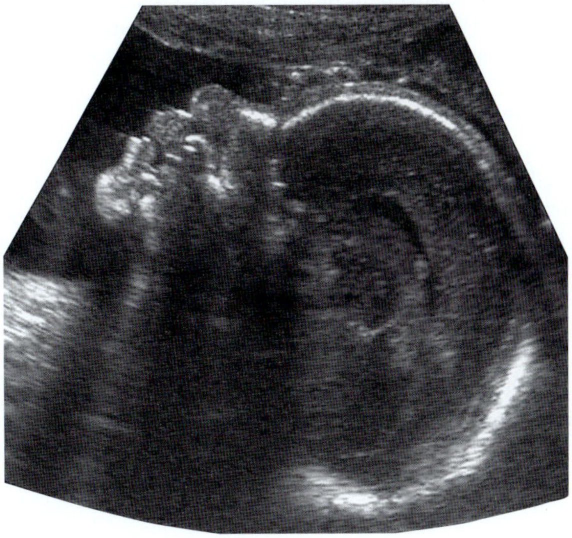

Abb. 34.10 Sonografiebild eines Fetus in der 34. SSW (Fetogenese) [R194–004]

34.4 Komplikationen während der Schwangerschaft

Komplikationen können innerhalb einer Schwangerschaft zu jedem Zeitpunkt unerwartet oder erwartet eintreten. Wenn aufgrund der Vorgeschichte der Schwangeren oder wegen eines aktuellen Befunds mit einem erhöhten Risiko (Komplikationen) für das Leben und die Gesundheit von Mutter oder Kind im Verlauf der Schwangerschaft zu rechnen ist, wird die Schwangerschaft als **Risikoschwangerschaft** bezeichnet.

34.4.1 Komplikationen in der Frühschwangerschaft

Unterbauchschmerzen im ersten Drittel der Schwangerschaft sind häufig und, wenn sie nicht mit einem Trauma oder einer Blutung einhergehen, meist auch relativ harmlos. Ursächlich für die Schmerzen ist der Dehnungsschmerz durch Zug an den Mutterbändern, der in die Leistenregion ausstrahlt. Die weiter oben beschriebenen Eileiterentzündungen oder Stildrehungen (→ Kap. 34.1.1, → Kap. 34.1.2) treten in der Frühschwangerschaft praktisch nicht auf. In der Frühschwangerschaft (→ Abb. 34.4) treten vornehmlich

- Eileiterschwangerschaften (EUG) und
- Fehlgeburten (Frühaborte)

auf.

Extrauteringravidität (EUG)/ektopische Schwangerschaft

Die Implantation der befruchteten Eizelle findet normalerweise in der Gebärmutterhöhle statt **(intrauterin).** Wenn sich jedoch eine befruchtete Eizelle nicht wie üblich in der Gebärmutterhöhle, sondern außerhalb des Uterus einnistet, entsteht eine ektopische Schwangerschaft (griech. ektopos = ungewöhnlich, → Abb. 34.11). Ist z. B. der Eileiter undicht, kann die befruchtete Eizelle auf dem Weg zum Uterus in seltenen Fällen in die Bauchhöhle gelangen. Der **Hauptort** einer ektopischen Schwangerschaft ist jedoch in 95 % der **Eileiter.**

Wird der Transport der befruchteten Eizelle auf dem Weg vom Ovar zum Uterus im Eileiter behindert, so wird die Eizelle versuchen, sich am Ort der Behinderung einzunisten (**extrauterin,** → Abb. 34.12). **Ursache der Transportbehinderung** können Verwachsungen innerhalb der Tube nach Infektionen oder eine gestörte Tubenperistaltik sein. Durch die Ausdehnung der wachsenden Eizelle wird der **Eileiter einreißen** und eine **intraabdominelle Sickerblutung** auslösen. Auf diese Weise können mehrere Liter Blut in die Bauchhöhle fließen.

Symptome

Die Symptome der Extrauteringravidität können je nach Implantationsstelle sehr unterschiedlich ausgeprägt sein. Uncharakteristische Schmerzempfindungen treten etwa ab der 5. SSW auf. Das Wachstum des Embryos führt zunehmend zur Beengung im Eileiter und später zur Perforation des Eileiters **(Tubenruptur).**

MERKE

Das Leitsymptom der Tubenruptur ist der **akut auftretende einseitige Zerreißungsschmerz im Unterbauch.**

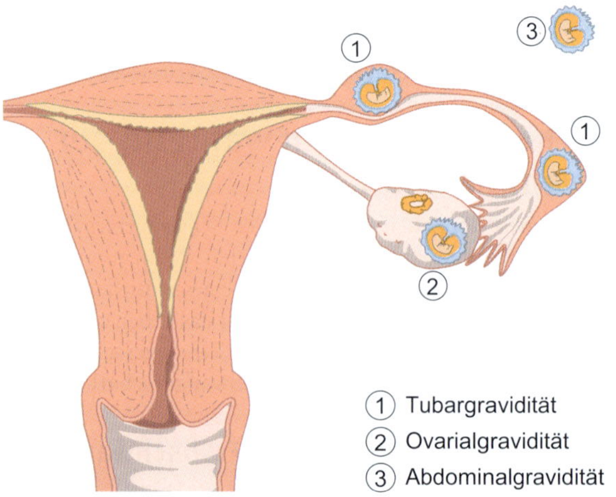

Abb. 34.11 Mögliche Lokalisationen einer Extrauteringravidität [L138]

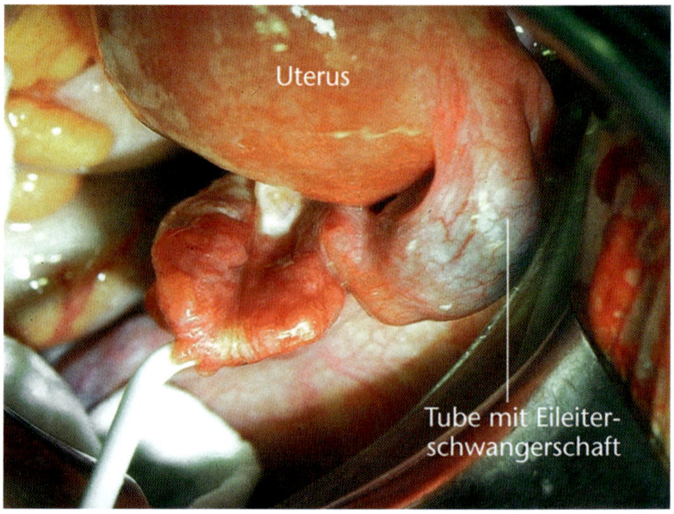

Abb. 34.12 OP-Situs einer Extrauteringravidität im engen uterusnahen Abschnitt der Tube. Erkennbar sind der vergrößerte, gut durchblutete Uterus und das linke hyperämische Tubusende. Der uterusnahe Tubenabschnitt ist verdickt und schimmert weißlich-livide. [T194]

Bei der **Tubenruptur** steht ein **plötzlich** auftretender einseitiger Zerreißungsschmerz im Unterleib im Vordergrund. Durch die nachfolgende Sickerblutung aus der Tube folgt ein **langanhaltender, unspezifischer Unterleibsschmerz** durch die Bauchfellreizung. Diese Form der Schmerzsymptomatik tritt jedoch auch auf, wenn die Blastozyste sich direkt in der freien Bauchhöhle **(Bauchhöhlenschwangerschaft)** einnistet. Beide Schmerzformen können mit oder ohne Anspannung der Bauchdecke und mit oder ohne Druckschmerzen auftreten Differenzialdiagnostisch muss eine Blinddarmentzündung (Appendizitis) ausgeschlossen werden. Aufgrund der Vieldeutigkeit der Symptome kann die Verdachtsdiagnose einer extrauterinen Schwangerschaft sehr schwierig sein. In der Regel imponiert die Tubenruptur um die 7. SSW mit einer anhaltenden Sickerblutung in die Bauchhöhle, die nicht spontan stoppt, sodass Blutverluste von mehreren Litern drohen.

PRAXISTIPP

Es ist wichtig, nach der letzten Regelblutung der Patientin zu fragen, da die Tubenzerreißung fast immer in der 7. SSW, d. h. 4–5 Wochen nach Ausbleiben der letzten Regelblutung, auftritt.

Therapie

Die therapeutischen Maßnahmen richten sich nach der Schwere der Schocksymptome durch den lebensgefährlichen Blutverlust. Die **Basismaßnahmen** umfassen die Anwendung der Schocklage, Sauerstoffgabe und ein engmaschiges Monitoring.

Die **erweiterten Maßnahmen** zielen auf die Kreislaufstabilisierung durch adäquate Volumengabe nach Anlage **mehrerer** venöser Zugänge (→ Kap. 31.6.2). Da eine kausale Therapie nur in der Klinik durchgeführt werden kann (Laparoskopie), ist der schnellstmögliche Transport in die nächste Frauenklinik oder chirurgische Klinik durchzuführen.

MERKE

Nur eine **operative Blutstillung** vermag das Leben der Patientin zu retten.

IM FOKUS

Extrauteringravidität (EUG)

Ursachen

- Fehleinnistung der befruchteten Eizelle in Eileiter oder Bauchhöhle

Symptome

- Plötzlich auftretender einseitiger Zerreißungsschmerz im Unterleib
- Schocksymptome

Maßnahmen

Monitoring

- AF, SpO_2, Rekapillarisierungszeit, Puls (peripher/zentral), RR, BZ, GCS, EKG, Temperatur

Basismaßnahmen und Lagerung

- Bei Blutdruckabfall Lagerung in flacher Rückenlage und mit angewinkelten Knien (Knierolle), um die Bauchdecke zu entspannen und dadurch Schmerzen zu reduzieren

Erweiterte Maßnahmen

- Mindestens zwei großlumige i. v. Zugänge und Laborblutentnahme
- Operative Blutstillung in der Klinik

Medikamente und Dosierungsempfehlungen

- Volumentherapie: z. B. 500–1 500 ml balancierte Elektrolytlösung i. v.
- Analgosedierung: 0,1 mg Fentanyl® i. v. und 2–5 mg Dormicum® i. v.

Fehlgeburten

Fehlgeburt, Lebendgeburt und Totgeburt sind juristische Begriffe und klar in der Personenstandsverordnung (PStV) definiert.

DEFINITION

Lebendgeburt: *liegt vor, wenn bei einem Kind nach der Scheidung vom Mutterleib entweder das Herz geschlagen oder die Nabelschnur pulsiert oder die natürliche Lungenatmung eingesetzt hat* ... (§31 [1] PStV)

Totgeburt: *hat sich keines der in Absatz 1 genannten Merkmale des Lebens gezeigt, gilt die Leibesfrucht als ein tot geborenes Kind (Totgeburt) [...], wenn das Gewicht des Kindes mindestens 500 Gramm beträgt oder das Gewicht des Kindes weniger als 500 Gramm* beträgt, aber die 24. Schwangerschaftswoche erreicht wurde ... (§31 [2] Satz 1 PStV)

Fehlgeburt: *im Übrigen um eine Fehlgeburt* (§31 [2] Satz 1 PStV), (d. h., Gewicht des Kindes beträgt weniger als 500 Gramm vor Ende der 23. SSW).

Aus **medizinischer Sicht** wird als **Fehlgeburt (Abort)** die ungewollte Beendigung einer Schwangerschaft bis zur 24. SSW bezeichnet. Bis zum Ende der 12. SSW wird die Fehlgeburt als Frühabort, danach als Spätabort bezeichnet. **Frühaborte** verlaufen bis zur 12. SSW i. d. R. als vollständige Aborte ab, d. h., die Frucht und die Plazenta werden vollständig ausgestoßen. **Spätaborte** nach der 16. SSW zeigen einen geburtsähnlichen Verlauf.

MERKE

Nach der 23. SSW bis zur 37. SSW spricht man von einer **Frühgeburt.**

Fehlgeburten stellen mit 10–20 % die häufigste Komplikation während der Schwangerschaft dar. Zur Fehlgeburt kommt es aufgrund

- hormoneller Störungen,
- Fehlbildungen der Gebärmutter oder
- Fehlentwicklung der Frucht.

Die Fehlentwicklung der Frucht kann durch Veränderungen in der Chromosomenstruktur, exogene Gifte, Medikamente oder Infektionen (z. B. Röteln) hervorgerufen werden. Während der Embryonalzeit können z. B. Pharmaka bereits in den ersten 2 Schwangerschaftswochen über Diffusion den Embryo erreichen, ihn schädigen **(Embryopathie)** und zu einem Frühabort führen, der wie eine verspätete Regelblutung verläuft. Die häufigste Ursache ist jedoch eine Veränderung in der Chromosomenstruktur.

Symptome

Da viele Fehlgeburten sehr früh in der Schwangerschaft auftreten, werden sie nicht als solche erkannt. Das **Leitsymptom** der gestörten Schwangerschaftsentwicklung in der Frühphase ist die unverhofft einsetzende schmerzlose **vaginale Blutung.** Die Frau weiß gar nicht, dass sie eigentlich schwanger war und bemerkt nur eine vermeintlich verstärkte „Menstruationsblutung". Ursache sind zumeist eine Fehlbildung der Gebärmutter oder eine Fehlentwicklung des Fetus. Vermuten lässt sich ein Abort, wenn in der Frühphase der Schwangerschaft plötzlich Blutungen mit Abgang von Blutklumpen oder lederartigem Gewebe auftreten.

Therapie

Die **Basismaßnahmen** umfassen die Vorlage einer sterilen Kompresse und die Fritsch-Lagerung (→ Abb. 34.2) der Patientin. Kreislaufstabilisierende Maßnahmen (z. B. Volumensubstitution, Schocklage) sind i. d. R. nicht notwendig, da die vaginalen Blutungen nicht stark ausgeprägt sind. In jedem Fall muss die Patientin in einer gynäkologischen Klinik vorgestellt werden, um sicherzustellen, dass der Uterus vollständig von fetalem Gewebe entleert wird. Dies geschieht abhängig vom Abortzeitpunkt medikamentös oder durch eine Ausschabung (Kürettage). Andernfalls können im Uterus verbleibende Gewebereste zum Ausgangspunkt einer Entzündung oder lebensbedrohlichen Nachblutung werden.

34.4.2 Komplikationen in der fortgeschrittenen Schwangerschaft und Spätschwangerschaft

Die Trennung zwischen der Früh- (1. Trimenon), der fortgeschrittenen und der Spätschwangerschaft (2.–3. Trimenon) erfolgt, da sich die Häufigkeit und Art der Erkrankungen stark verändern. So sind Fehlgeburten in der fortgeschrittenen Schwangerschaft nur noch selten und eine Eileiterschwangerschaft nicht mehr relevant. In der Spätschwangerschaft treten

- Minderleistung des Mutterkuchens (Plazenta),
- vorzeitige Wehen,
- Blutdruckerhöhung und
- Kreislaufprobleme

in den Vordergrund.

Plazentainsuffizienz

Die Plazenta (Mutterkuchen) entsteht im Bereich der Gebärmutterschleimhaut an der Stelle, an der sich die befruchtete Eizelle eingenistet hat. Normalerweise befindet sie sich an der Vorder- oder Hinterwand der Gebärmutter. Aufgabe der Plazenta ist es, den Fetus über Kontakt zum mütterlichen Blutkreislauf zu ernähren und am Leben zu erhalten. Der mütterliche Organismus, die Plazenta und der Fetus bilden dabei eine funktionelle Einheit. Mit zunehmendem Wachstum des Fetus benötigt dieser immer mehr Nährstoffe und Sauerstoff. Um dies zu gewährleisten, wird die Plazenta immer größer, um dadurch die Austauschfläche zwischen dem fetalen und mütterlichen Kreislauf zu vergrößern.

MERKE

Je größer der Fetus, umso mehr Sauerstoff und Nährstoffe benötigt er.

Kommt es durch Leistungseinschränkung der Plazenta zu einem **Missverhältnis zwischen** dem **mütterlichen Nährstoff- und Sauerstoffangebot** und dem **fetalen Bedarf,** spricht man von einer **Plazentainsuffizienz.** Im Rahmen der Plazentainsuffizienz kann es durch Sauerstoffmangel zu einem Absterben des Fetus im Mutterleib kommen.

Vorzeitige Plazentalösung

Eine für Mutter und Fetus besonders gefährliche Situation entsteht, wenn sich die normal sitzende Plazenta von der Gebärmutterwand ablöst (→ Abb. 34.13). Die **Ursachen** einer vorzeitigen Plazentaablösung können stumpfe Gewalteinwirkung auf den Bauch (z. B. durch die Wirkung des Beckengurts im Rahmen eines Verkehrsunfalls) oder eine vorbestehende Erkrankung der Mutter (z. B. Hypertonus, Diabetes) sein. Durch die vorzeitige Ablösung der Plazenta kommt es einerseits zu einer **Verminderung der Versorgungsoberfläche** für den Fetus mit der Gefahr des Absterbens, andererseits treten durch die Ablösung der Plazenta **ausgedehnte Blutungen** zwischen Uterus und Plazenta auf und die Mutter erleidet einen lebensbedrohlichen Blutverlust **(retroplazentares Hämatom).** Eine Gabe von Partusisten® bei schmerzhafter Uteruskontraktion im Rahmen der vorzeitigen Plazentaablösung ist **kontraindiziert,** da die schmerzhafte Kontraktion des Uterus über Kompression des blutenden Gewebes zu einer Tamponade der Blutung führt.

Symptome

Die Patientinnen klagen i. d. R. über einen heftigen Schmerz im Bereich der Plazentaablösung. Vaginale Blutungen fallen gering aus oder werden gar nicht sichtbar. Der Schmerz wird durch eine schmerzhafte Dauerkontraktion des Uterus ausgelöst. Das Abdomen der Mutter ist hart und schmerzhaft gespannt. Die kindlichen Herztöne sind auffallend leise oder gar verstummt. Die Kindsbewegungen lassen nach oder hören auf.

ACHTUNG! Eine Besonderheit der vorzeitigen Plazentalösung ist, dass **keine oder nur eine schwache vaginale Blutung** (dunkle Schmierblutung) einsetzt. Entgegen dem sichtbaren Befund besteht aber für Mutter und Kind Lebensgefahr.

Placenta praevia

Der normale Sitz der Plazenta an der Gebärmuttervorder- oder -hinterwand gewährleistet, dass es unter der Geburt zu keiner Funktionsstörung oder Behinderung kommt. Bei der Placenta praevia (im Weg liegende Plazenta) kommt es dagegen zum Einnisten der Eizelle und

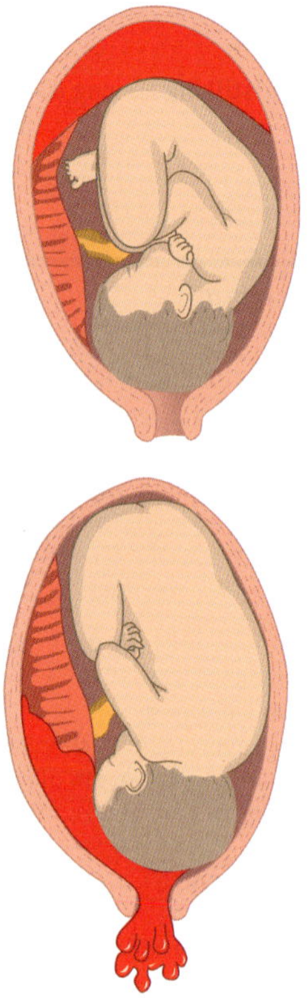

Abb. 34.13 Vorzeitige partielle Plazentalösung ohne und mit Blutung nach außen [L138]

Entwicklung der Plazenta in den tief gelegenen (kaudalen) Abschnitten der Gebärmutter. Durch die **ungünstige Lage** der tiefen Einnistung (Nidation) der befruchteten Eizelle in der Gebärmutter kann die Plazenta den Geburtskanal versperren.

Man teilt die Placenta praevia in vier Grade ein, die sich nach Lage der Plazenta vor dem Muttermund unterscheiden (→ Abb. 34.14):

- Tiefsitzende Plazenta, der untere Rand der Plazenta erreicht den inneren Muttermund nicht, sitzt jedoch tiefer als gewöhnlich,
- **Placenta praevia marginalis** (randständig), der untere Rand der Plazenta erreicht den inneren Muttermund, verlegt ihn aber nicht,
- **Placenta partialis** (teilweise), der innere Muttermund ist von der Plazenta teilweise bedeckt,
- **Placenta totalis** (komplett), der innere Muttermund ist vollständig bedeckt.

MERKE

Im schwersten Fall, der Placenta praevia totalis, entsteht eine **geburtsunmögliche Situation.**

Die Gefahr der Placenta praevia besteht in einer vorzeitigen Ablösung von der Uteruswand in den letzten Monaten der Schwangerschaft. Durch Verschiebungen der Gewebeanteile zwischen Plazenta und ihrer Haftstelle im tief gelegenen Uterusanteil kommt es zur Abscherung der Plazenta von der Uteruswand. Setzen die Eröffnungswehen ein, löst sich die Plazenta und es drohen massive Blutungen. Besonders bedrohlich ist, dass sich die Blutung mit jeder Wehe verstärkt.

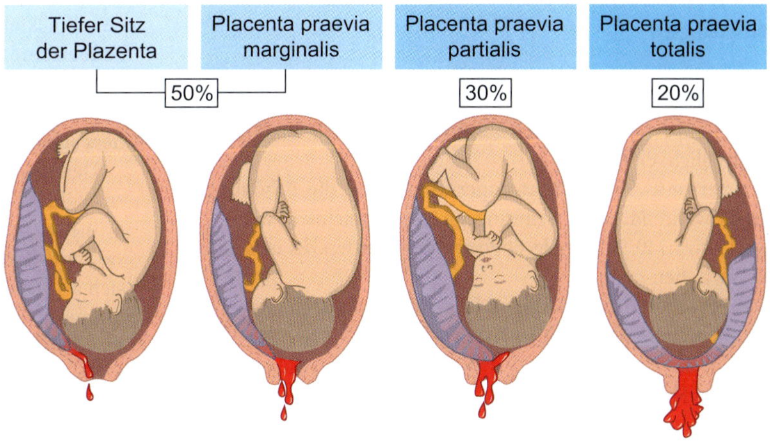

Abb. 34.14 Die Formen der Placenta praevia [L138]

Symptome

Hinweise auf eine Placenta praevia ergeben sich aus dem Mutterpass und dem Anamnesegespräch mit der Mutter, die in der Regel von ihrem Frauenarzt auf die Gefahr hingewiesen wurde. Die ersten Symptome sind meistens leichte, u. U. aber auch massive vaginale hellrote Blutungen **im letzten Drittel** der Schwangerschaft. Die Patientin verspürt dabei, anders als bei der klassischen, sich von der Normalposition lösenden Plazenta, i. d. R. keine Schmerzen.

> **MERKE**
>
> Bei **vaginalen Blutungen im letzten Drittel** der Schwangerschaft ist immer an eine vorzeitige Plazentalösung oder eine Placenta praevia zu denken.

Therapie

Im Rahmen der Krankheitsbilder mit einer Beteiligung der Plazenta können mehr oder weniger starke Blutungen nach innen oder außen auftreten. Die Behandlung des Schocks steht im Vordergrund.

Die **Basismaßnahmen** umfassen die modifizierte Schocklage der Patientin in Kombination aus Kopftief- und Fritsch-Lagerung. Ein engmaschiges Monitoring aus Blutdruck- und Pulsmessung, Pulsoxymetrie und EKG wird kontinuierlich durchgeführt.

Die **erweiterten Maßnahmen** orientieren sich am Ausmaß der Blutung. Generell erfolgt je nach Ausmaß der Blutung die Anlage eines oder mehrerer, möglichst großlumiger venöser Zugänge und die Gabe einer balancierten Vollelektrolytlösung zur Volumentherapie. Um die kindliche Versorgung aufrechtzuerhalten, ist ein mütterlicher Blutdruck von mindestens 120 mmHg anzustreben. Eine definitive Therapie ist nur in der Klinik möglich (operative Blutstillung, Sectio). Daher muss die Patientin so schnell wie möglich, nach Stabilisierung der Vitalfunktionen, in die Klinik transportiert werden.

IM FOKUS

Vorzeitige Plazentalösung und Placenta praevia

Ursachen

Vorzeitige Plazentalösung
- Stumpfe Gewalteinwirkung auf den Bauch (z. B. Verkehrsunfall)
- Vorbestehende Erkrankung der Mutter (z. B. Hypertonus, Diabetes)

Placenta praevia
- Einnisten der Eizelle und Entwicklung der Plazenta in den tief gelegenen (kaudalen) Abschnitten der Gebärmutter
- Plazentalösung spätestens bei Einsetzen der Wehentätigkeit
- Auftreten im letzten Drittel der Schwangerschaft

Symptome

Vorzeitige Plazentalösung
- Keine oder schwache vaginale dunkle Schmierblutung
- Starke Blutung ins Körperinnere zwischen Uterus und Plazenta
- Heftiger Schmerz im Bereich der Plazentaablösung (Uterusdruckschmerz)
- Schocksymptome trotz geringer Blutung nach Außen, d. h. Diskrepanz zwischen sichtbarem Blutverlust und Kreislaufsituation

Placenta praevia
- Leichte bis massive vaginale hellrote Blutungen
- Keine Schmerzen
- Sichtbarer Blutverlust entspricht Kreislaufsituation

Maßnahmen

Monitoring
- AF, SpO_2, Rekapillarisierungszeit, Puls (peripher/zentral), RR, BZ, GCS, EKG, Temperatur

Basismaßnahmen und Lagerung
- Modifizierte Schocklage der Patientin in Kombination aus Kopftief- und Fritsch-Lagerung
- O_2-Gabe über Maske oder Nasensonde 4–6 l/Min.
- Keine aktiven Bewegungen der Patientin zulassen (z. B. zum RTW gehen)

Erweiterte Maßnahmen
- Mindestens zwei großlumige i. v. Zugänge und Laborblutentnahme
- Operative Blutstillung in der Klinik

Medikamente und Dosierungsempfehlungen
- Volumentherapie: z. B. 500–1 500 ml balancierte Elektrolytlösung i. v.
- Analgosedierung: 0,1 mg Fentanyl® i. v. und 2–5 mg Dormicum® i. v.
- Keine Gabe von Partusisten®

34.4.3 Hypertensive Schwangerschaftserkrankungen

Die hypertensiven Schwangerschaftserkrankungen können schwerwiegende gesundheitliche Probleme für Mutter und Kind haben. Sie treten in 6–8 % aller Schwangerschaften auf und tragen zu 20–25 % der perinatalen Sterblichkeit bei.

Als **Hypertonus in der Schwangerschaft** wird die Erhöhung des Blutdrucks während einer Schwangerschaft bezeichnet, wenn Blutdruckwerte von 140/90 mmHg überschritten werden. Es ist zu unterscheiden zwischen

- **schwangerschafts<u>un</u>abhängigen** Hypertonien und
- **schwangerschafts<u>ab</u>hängigen** Hypertonien.

Chronische Hypertonie

Als **schwangerschaftsunabhängig** werden Hypertonien angenommen, wenn sie

- **vor** der 20. Schwangerschaftswoche (SSW) auftreten oder
- länger als 40 Tage **nach** der Entbindung anhalten.

Sie werden **als chronische Hypertonie** bezeichnet (→ Kap. 27.2.7).

Entweder sind diese Hypertonien als vorbestehend bekannt oder werden zu Beginn der Schwangerschaft erstmals festgestellt, da vor der Schwangerschaft keine regelmäßigen Blutdruckmessungen durchgeführt wurden. In 80 % der Fälle ist eine Ursache der Hypertonie nicht feststellbar (essenzielle Hypertonie). Nur in 20 % der Fälle kann eine kardiovaskuläre, renale oder endokrine Ursache gefunden werden.

Schwangerschaftsinduzierte Hypertonie (SIH)

Die schwangerschaftsinduzierte Hypertonie (SIH) gehört als **schwangerschaftsabhängige** zu den bedrohlichsten Komplikationen in einer fortgeschrittenen Schwangerschaft und ist in Europa für 10–15 % der mütterlichen Todesursachen verantwortlich.

Vor der Schwangerschaft sind die Patientinnen beschwerdefrei und haben normale Blutdruckwerte. Erst mit der Schwangerschaft tritt ein isolierter Bluthochdruck von über 140/90 mmHg **nach** der 20. Schwangerschaftswoche (SSW) auf.

MERKE

Bei der isolierten schwangerschaftsinduzierten Hypertonie (SIH) finden sich **keine** Ausscheidung von Proteinen im Urin (Proteinurie).

Der Schweregrad der schwangerschaftsinduzierten Hypertonie wird ausschließlich über das Ausmaß der Hypertonie bestimmt. Spätestens 12 Wochen nach der Schwangerschaft normalisieren sich die Blutdruckwerte wieder.

Präeklampsie

Präeklampsie ist eine Systemerkrankung, die die mütterlichen Gefäße – und damit die mütterlichen Organe – schädigt. Sie gilt als Vorbote der Eklampsie.

DEFINITION

Präeklampsie umfasst jede (auch vorbestehende) Blutdruckerhöhung über 140/90 mmHg in der Schwangerschaft mit mindestens einer neu aufgetretenen Organmanifestation, die keiner anderen Ursache zugeordnet werden kann.

Die Definition der Präeklampsie ist im Wandel. Bisher mussten für eine Präeklampsie zwei Kriterien erfüllt sein: **Bluthochdruck** und eine bedeutsame **Proteinurie** (> 300 mg/d). In der Präeklampsie zeigen sich aber auch andere Symptome, wie Störungen der Leber, der Niere, des Nervensystems und der Blutgerinnung. Das macht die Diagnose besonders schwierig.

Der erhöhte Blutdruck bleibt das wichtigste Kriterium. Treten aber zusätzlich Organveränderungen auf, die keiner anderen Ursache zugeordnet werden können, spricht man von Präeklampsie. Die Präeklampsie wurde früher **EPH-Gestose** genannt. Diese ältere Bezeichnung leitet sich als Akronym von den englischen Anfangsbuchstaben der Leitsymptome

- Ödem (**„edema“**),
- Proteinurie (**„proteinuria“**) und
- Hypertonus (**„hypertension“**)

ab.

Dem Auftreten der Leitsymptome liegen die folgenden, vereinfacht dargestellten pathophysiologischen Vorgänge zugrunde: Dem **Auftreten von Ödemen** im Rahmen der hypertensiven Schwangerschaftserkrankungen geht die Verminderung der uteroplazentaren Durchblutung voraus. Um die drohende Ischämie des Uterus zu vermeiden, wird im Körper eine Gegenregulation zur Steigerung der uteroplazentaren Durchblutung eingeleitet. Durch Freisetzung von Renin aus dem Uterus wird der Renin-Angiotensin-Mechanismus in Gang gesetzt, an dessen Ende die Nebenniere Aldosteron ausschüttet, das zu einer vermehrten **Natriumrückresorption** in der Niere führt. Mit dem Natrium wird zusätzlich **Wasser im Körper zurückgehalten.** Das überflüssige Wasser verbleibt jedoch nicht im Gefäßsystem (Intravasalraum), sondern wird im Gewebe eingelagert **(Ödem).**

Im Rahmen der Ischämie des Uterus wird von der Außenwand der Blastozyste Gewebematerial freigesetzt, das über mehrere Schritte zu **Fibrinablagerungen** in den Nierenglomeruli führt. Diese Fibrinablagerungen führen zu einer **gesteigerten Durchlässigkeit von Albumin** (Eiweiß, Protein) über die Nieren in den Urin. Die durch Thromboxan erhöhte Vasokonstriktion wird durch die Aktivierung des Renin-Angiotensin-Mechanismus (Angiotensin II) noch verstärkt. Die **Vasokonstriktion** ist Ursache des **erhöhten Blutdrucks** und kann sich bis zum Gefäßspasmus entwickeln.

Die allen drei Leitsymptomen direkt oder indirekt zugrunde liegende Störung ist eine **allgemeine Neigung zu Gefäßspasmen** (Angiospasmen). Die **Gefäßspasmen** treten in allen Organen auf und führen zu weiteren Symptomen aufgrund der verminderten Organdurchblutungen. In der Niere bewirken sie eine Abnahme der Durchblutung und Verminderung der Filtrationsrate in den Glomeruli. In der Leber kommt es in schweren Fällen zu einer zellulären Schädigung mit Anstieg der Leberenzyme. Im Nervensystem führen sie zu einer gesteigerten Reflexneigung und **Senkung der Krampfschwelle**

Symptome

Das Krankheitsbild der Präeklampsie wird durch ihre Leitsymptome beschrieben. Die **Hypertonie** geht in vielen Fällen mit **Ödemen einher,** die im Bereich der Unterschenkel gut tastbar sind (→ Abb. 34.15). **Die Hypertonie bestimmt den Schweregrad der Erkrankung,** weshalb sie auch das Leitsymptom darstellt. In schweren Fällen steigen die Blutdruckwerte systolisch über 160 mmHg und diastolisch über 110 mmHg an. Die Patientinnen klagen oft über Kopfschmerzen und Ohrensausen. Neben der vorzeitigen Plazentalösung drohen gefährliche Krampfanfälle, sog. Eklampsien.

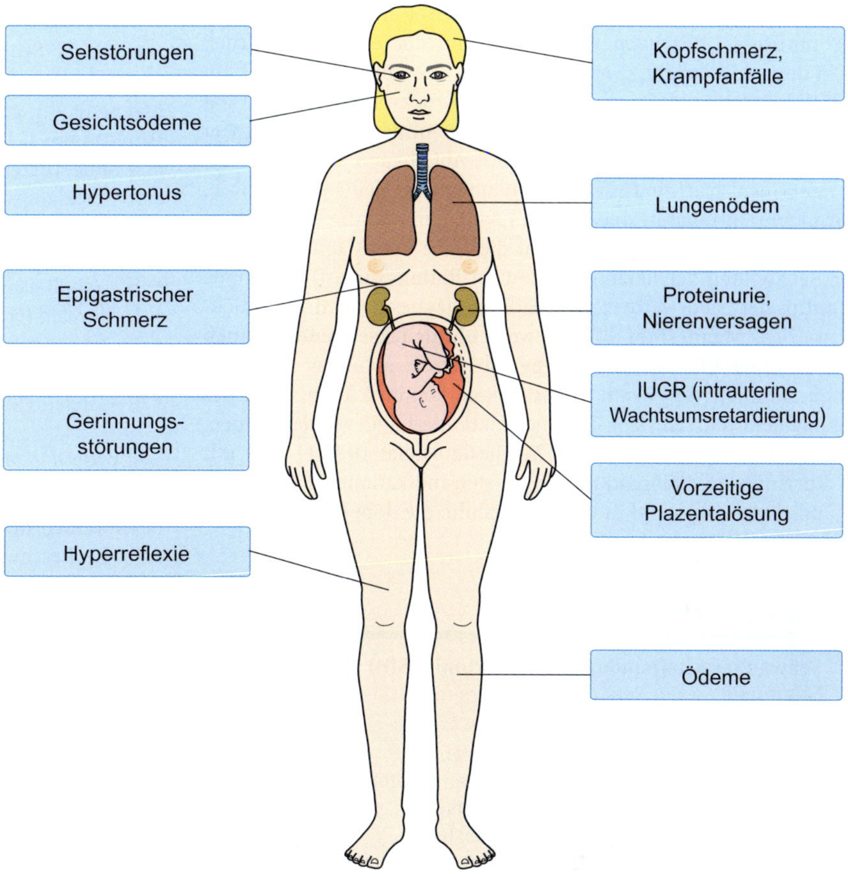

Abb. 34.15 Manifestation von Komplikationen der SIH und Präeklampsie [L143]

Eklampsie

DEFINITION

Ein im Rahmen einer Präeklampsie auftretender Krampfanfall, der keiner anderen Ursache zugeordnet werden kann, wird als **Eklampsie** bezeichnet.

Der **eklamptische Krampfanfall** ist einem epileptischen Anfall sehr ähnlich. Es treten generalisierte tonisch-klonische Krampfanfälle mit Zungenbiss und Schaumbildung vor dem Mund auf. Im eklamptischen Krampfanfall besteht die Gefahr der Hypoxie für Mutter und Kind. Warnzeichen im Vorfeld des eklamptischen Krampfanfalls sind stark erhöhte Blutdruckwerte in Kombination mit subjektiven Symptomen wie Kopfschmerzen, Schwindelgefühl, Ohrensausen, Sehstörungen und Übelkeit. Objektive Symptome der Eklampsie sind motorische Unruhe, Hyperreflexie, Bewusstseinstrübung durch intrakranielle Hypoxie (im Rahmen des Gefäßspasmus) und Erbrechen durch die intrakranielle Drucksteigerung. Jeder optische oder akustische Reiz kann bereits einen Krampfanfall auslösen. Die zu ergreifenden Maßnahmen im Rahmen eines eklamptischen Krampfanfalls entsprechen denen des epileptischen Krampfanfalls (→ Kap. 33.5).

Therapie

Eine kausale Therapie der hypertensiven Schwangerschaftserkrankungen mit ihren Folgen ist nicht möglich. Die **Basismaßnahmen** orientieren sich an den vorliegenden Krankheitssymptomen. Die Ödeme sind für den Rettungsdienstmitarbeiter i. d. R. leicht zu erkennen. Nach leichtem Druck auf den Unterschenkel bleibt eine deutlich sichtbare Delle bestehen **(prätibiales Ödem).** Gezielte Fragen auf Veränderung des Körpergewichts werden eine exzessive Gewichtszunahme der Patientin (ca. 0,5–1 kg/SSW) ergeben. Zur Überwachung der Vitalfunktionen muss ein engmaschiges Monitoring (Blutdruckkontrolle, EKG, Pulsoxymetrie) durchgeführt werden.

Bewusstseinsklare Patientinnen werden in leicht nach links geneigter Oberkörperhochlagerung, bewusstseinsgetrübte Patientinnen in stabiler Linksseitenlage (wie bei Vena-cava-Kompression, → Abb. 34.16) gelagert und auch transportiert.

Die **erweiterten Maßnahmen** umfassen die Anlage eines venösen Zugangs und die medikamentöse Therapie durch den Notarzt. Dabei ist zu beachten, dass die Medikamente den Fetus nicht schädigen dürfen, denn das Risiko für die Mutter ist bei milder Hypertonie gering, während eine deutliche Blutdrucksenkung die Plazentadurchblutung erheblich vermindern und das Risiko für das Kind erhöhen kann. Auch gelten bei einer Behandlung der Hypertonie während der Schwangerschaft andere Grenzwerte (> 140 $mmHg_{syst.}$/> 90 $mmHg_{diast.}$) als außerhalb einer Schwangerschaft.

MERKE

Es hat sich ein Zielkorridor von 130–150 $mmHg_{syst.}$/80–100 $mmHg_{diast.}$ etabliert.

Zur Behandlung der akuten Hypertonie hat sich während der Schwangerschaft Ebrantil® (Urapidil) bewährt, wobei die Behandlung erst bei anhaltend hohen Blutdruckwerten über 160 $mmHg_{syst.}$ und/oder 100 $mmHg_{diast.}$ begonnen werden soll und der erhöhte Blutdruck nicht unter 130 $mmHg_{syst.}$ und 80 $mmHg_{diast.}$ gesenkt werden darf. Im Notfall werden in Abhängigkeit vom Blutdruckverhalten 10–50 mg Urapidil langsam als Kurzinfusion mit einer initialen Dosierung von 2 mg/Min. infundiert. Ein zu starker RR-Abfall kann ansonsten zum intrauterinen Fruchttod führen. Antikonvulsive Medikamente (z. B. Dormicum® intranasal) sind im Krampfanfall notwendig. Dazu gehört auch Magnesium (Mg^{2+}), denn auf die Gabe von Magnesiumsulfat zur Behandlung der Eklampsie kann im Rettungsdienst, auch ohne Kenntnis der Laborwerte (z. B. Kreatinin, Magnesium), nicht verzichtet werden. **Magnesium wirkt sowohl blutdrucksenkend als auch im Fall einer Eklampsie antikonvulsiv.** Da es unter der Gabe von Magnesium allerdings zum Atemstillstand kommen kann, sollte das Medikament nur sehr langsam und fraktioniert angewendet werden. Die intravenöse Gabe erfolgt als Magnesiumsulfat 10 % (1 g/10 ml) als Kurzinfusion. Während für die meisten Indikationen 2 g langsam infundiert werden, wird in der Geburtshilfe die doppelte Dosis (4 g) und ggf. mehr verwendet.

IM FOKUS

Schwangerschaftsinduzierte Hypertonie (SIH) und Eklampsie

Ursachen

Nicht eindeutig geklärt, diskutiert werden z. B.:
- Vermehrte Produktion von Thromboxan im Uterus
- Störungen im Prostaglandinstoffwechsel
- Gestörte Implantation des Trophoblasten
- Fehlentwicklung arterieller Gefäße in der Plazenta

Symptome
- Ödeme
- Proteinurie
- Hypertonie

Maßnahmen

Monitoring
- AF, SpO_2, Rekapillarisierungszeit, Puls (peripher/zentral), RR, BZ, GCS, EKG, Temperatur

Basismaßnahmen und Lagerung
- O_2-Gabe über Maske oder Nasensonde 4–6 l/Min.
- Bewusstseinsklare Patientinnen: Lagerung in leicht nach links geneigter Oberkörperhochlagerung
- Bewusstseinsgetrübte Patientinnen: stabile Linksseitenlage (wie bei Vena-cava-Kompression)

Erweiterte Maßnahmen
- i. v. Zugänge entsprechend Venenstatus und ggf. Laborblutentnahme

Medikamente und Dosierungsempfehlungen
- Systolischer RR < 160 mmHg und diastolischer RR < 105 mmHg (Zielkorridor von 130–150 $mmHg_{syst.}$/80–100 $mmHg_{diast.}$)
  - Antihypertonika: z. B. 10–50 mg Ebrantil® i. v. **Cave:** Ein starker RR-Abfall kann zum intrauterinen Fruchttod führen!
- Diuretika: z. B. 10–20 mg Lasix® i. v.
- Antikonvulsiva: z. B. 1–3 mg Dormicum® i. v. oder 10–15 mg Dormium® nasal
- Magnesiumsulfat 10 %: z. B. 4–6 g als Kurzinfusion über 20 Min. **Cave:** Atemstillstand, dann Beatmung und Antidot 10 ml Kalziumglukonat 10 % über 3 Min.
- Keine Flüssigkeitsgabe, Infusion nur zum Offenhalten der Vene

HELLP-Syndrom

Das HELLP-Syndrom ist eine unkalkulierbar verlaufende, lebensbedrohliche Komplikation hypertensiver Schwangerschaftserkrankungen und stellt die gefährlichste Komplikation für Mutter und Kind dar. HELLP kann sich in einer Schwangerschaft innerhalb weniger Stunden und ohne Vorzeichen entwickeln. Oft geht der Erkrankung allerdings eine Präeklampsie voraus. Der Begriff HELLP selbst ist ein Akronym und erklärt das Krankheitsbild über die Anfangsbuchstaben seiner Symptome:
- **H** – emolysis (Hämolyse)
- **E** – levated (erhöhte)
- **L** – iver enzymes (Leberenzyme, Transaminasen)
- **L** – ow (erniedrigte)
- **P** – latelets (Blutplättchen, Thrombozyten)

Symptome

Viele Symptome sind unspezifisch und können auf ganz harmlosen Beschwerden innerhalb der Schwangerschaft beruhen. Hinzu kommt, dass die Beschwerden unterschiedlich stark ausgeprägt sein können und das HELLP-Syndrom typischerweise in Schüben verläuft, sodass die Beschwerden häufig wieder nachlassen und zu einem späteren Zeitpunkt erneut auftreten.

Wichtigstes Leitsymptom sind **Schmerzen im rechten Oberbauch oder im Epigastrium** der Schwangeren. Sie sind das entscheidende Warnsignal. Sie treten bei ca. 90 % der an HELLP Erkrankten auf und werden durch eine Dehnung der Leberkapsel verursacht. Auch ein erhöhter Blutdruck (> 140/90 mmHg) und eine Proteinurie deuten auf die Erkrankung hin. Eine sichere Diagnose und Therapie können aber nur in der Klinik erfolgen, da der Nachweis über Laborparameter geführt werden muss. Laborchemisch manifestiert sich das HELLP-Syndrom als typische Kombination aus
- Gerinnungsstörungen,
- pathologischen Leberenzymwerten und
- Thrombozytenabfall.

Bei den meisten Schwangeren tritt das HELLP-Syndrom in der **32.–34. Schwangerschaftswoche** auf, wobei v. a. die Durchblutung der Leber gestört ist. In der Folge kommt es zu Leberzellschädigungen, die in Kombination mit der resultierenden Blutgerinnungsstörung und dem Abfall der Thrombozyten zu inneren Organblutungen, intrazerebralen Blutungen und Leberruptur durch Blutung unter die Leberkapsel mit Hämatombildung sowie vorzeitiger Plazentaablösung (→ Kap. 34.4.2) mit Atemstillstand des Fetus führen können.

Da der Verlauf des HELLP-Syndroms schwer einzuschätzen ist, wird immer eine **intensivmedizinische Überwachung** der Schwangeren notwendig sein. Eine schwere Verlaufsform des HELLP-Syndroms ist eine Indikation zu einer vorzeitigen Entbindung per Kaiserschnitt.

34.4.4 Vena-cava-Kompressionssyndrom

Der während der Schwangerschaft an Größe und Volumen zunehmende Uterus führt durch direkte Druckwirkung auf die untere Hohlvene **(V. cava inferior)** gegen die links darunter verlaufende Wirbelsäule zu einer Abflussbehinderung des venösen Rückstroms und zur Zunahme des Venendrucks im Bereich der unteren Extremitäten, der Beckenvenen und der unteren Hohlvene (→ Abb. 34.16). Diese Druckerhöhung im venösen Schenkel erklärt die Ausbildung von **Krampfadern** im Bereich der unteren Extremitäten, Anal- und Vulvaregion der Schwangeren. Gerät die Patientin in **Rückenlage,** wird der schwere Uterus die **untere Hohlvene** der Patientin noch weiter komprimieren und den Blutrück-

35

PÄDIATRISCHE NOTFÄLLE

Manuel Wilhelm

PÄDIATRISCHE NOTFÄLLE

FALLBEISPIEL

Notfallmeldung

Rettungswagen und Notarzt werden bereits zum zweiten Mal in der gleichen Nacht parallel mit der Meldung „Säugling mit Fieberkrampf" alarmiert.

Situation und Ersteindruck

Die Besatzung des zuerst eintreffenden Rettungswagens findet einen 9 Monate alten Säugling vor. Es sind keine erkennbaren Krampfäquivalente mehr zu erkennen, die fehlende Reaktion des Kindes wird primär als postiktale Schläfrigkeit interpretiert.

Leitsymptome

Bewusstseinsstörung, Krampfanfall.

INHALTSÜBERSICHT

35.1 DAS KIND ALS NOTFALLPATIENT

- Kindernotfälle sind selten, bei richtigem Management aber auch selten lebensbedrohlich.
- Auch beim Kindernotfall sollten bewährte Basismaßnahmen konsequent umgesetzt werden.
- Kindernotfälle sind meistens nicht aufgrund der Komplexität der Notfallsituation eine Herausforderung, sondern eher aufgrund der psychischen Belastung für die Retter.
- Die Mitarbeit der Eltern ist im Notfall unersetzlich, v. a. beim noch ansprechbaren Kind.

35.2 UNTERSUCHUNG UND MONITORING

- Eine rasche Ersteinschätzung gelingt mithilfe des pädiatrischen Beurteilungsdreiecks.
- Die Pulsoxymetrie ist das wichtigste Monitoring beim Kind, das EKG dagegen meistens verzichtbar.
- Die Überprüfung von Mikrozirkulation und Bewusstseinslage sind beim Kind einfach durchführbar und von hoher Aussagekraft.

35.3 INVASIVE MASSNAHMEN

- Im Notfall (und falls verfügbar) sind „gecuffte Tuben" inzwischen bei Kindern in allen Altersklassen zu bevorzugen, v. a. mit „Low-Pressure"-Cuffs.
- Der Umfang des Kleinfingers eines Kindes entspricht i. d. R. dem Außendurchmesser des für dieses Kind geeigneten Tubus, blockbare Tuben eine halbe Nummer kleiner.
- In der Erstversorgung sind intranasale oder rektale Medikamentengabe eine schonende und schmerzfreie Alternative.
- Bei Notwendigkeit für einen intravenösen Zugang, aber schwierigen Bedingungen sollte zügig auf die einfach und sicher durchzuführende Etablierung eines Intraossärzugangs zurückgegriffen werden.

35.4 VERLETZUNGEN IM KINDESALTER

- Schwer verletzte Kinder täuschen den Retter oft durch scheinbar nur geringfügige Beeinträchtigungen über das wahre Ausmaß der Verletzungen.
- Ein verletztes Kind kühlt aufgrund der größeren Körperoberfläche im Vergleich zum Erwachsenen sehr schnell aus, hierdurch wird die Prognose deutlich verschlechtert.
- Auch Kinder mit Verletzungen haben das Recht auf eine suffiziente Analgesie noch am Einsatzort.
- Bei Kindesmisshandlung ist der Täter fast immer ein Elternteil oder eine Bezugsperson.
- Schon geringste Verdachtsfälle oder Auffälligkeiten sind dem Aufnahmearzt in der Klinik persönlich mitzuteilen.

35.5 RESPIRATORISCHE NOTFÄLLE

- Der Pseudokrupp ist eine durch Viren ausgelöste Entzündung des Kehlkopfes mit Stridor, heiserer Stimme und bellendem Husten.
- Ein Kind mit Pseudokrupp ist meistens fieberfrei, der Anfall fast immer nachts.
- Die Epiglottitis ist eine durch Bakterien ausgelöste lebensbedrohliche Entzündung des Kehldeckels beim schwer kranken und fiebernden Kind. Beim vollständig geimpften Kind ist die Epiglottitis sehr unwahrscheinlich.

35.6 PLÖTZLICHER KINDSTOD (SUDDEN INFANT DEATH SYNDROME = SIDS)

- Das SIDS tötet leise und ohne Vorwarnung.
- Es gibt keine einzelne Ursache, sondern eine Vielzahl an Risikofaktoren. Die wichtigsten sind die Bauchlage, Rauchen in der Wohnung sowie eine Überwärmung des Kindes.
- Sofern keine sicheren Todeszeichen bei einem Kleinkind vorliegen, ist unverzüglich eine Reanimation nach ERC-Algorithmus einzuleiten.

35.7 KRAMPFANFALL

- Der Fieberkrampf als häufigster „Gelegenheitskrampf" tritt im Rahmen eines banalen Infekts unvermittelt als generalisierter Krampfanfall mit kurzzeitiger Bewusstlosigkeit auf.
- Der einfache Fieberkrampf dauert nur wenige Minuten und endet spontan.
- Bei prolongierten Krampfanfällen sollte nach aktuellen Empfehlungen eher frühzeitig und konsequent eine Unterbrechung angestrebt werden.
- Nach jedem Fieberkrampf sollte das Kind grundsätzlich in eine Klinik oder zu einem Kinderarzt transportiert werden, da eine lebensbedrohliche Meningitis präklinisch nie sicher ausgeschlossen werden kann.

35.8 INTOXIKATIONEN UND INGESTIONEN IM KINDESALTER

- Die Erstbehandlung der Vergiftung im Kindesalter unterscheidet sich grundsätzlich nicht von der Behandlung Erwachsener.
- Kinder mit Verätzungen leiden stärkste Schmerzen und sind durch Zuschwellen der Luftwege gefährdet.

35.1 Das Kind als Notfallpatient

MERKE

Kinder sind **keine kleinen Erwachsenen** – Säuglinge sind **keine kleinen Kinder.**

Krankheits- und Verletzungsspektrum des Kindesalters, spezielle Gefährdungen und kinderspezifische notfallmedizinische Techniken erfordern vom Rettungsfachpersonal spezielle Kenntnisse und Fertigkeiten. Deshalb hat dieser kinderärztliche Lehrsatz auch in der präklinischen Notfallmedizin seine Gültigkeit.

Kindernotfälle sind **selten.** Nur etwa 2–5 % der Notfallalarmierungen des Rettungsdienstes betreffen Patienten unter 14 Jahren. Die Gründe hierfür sind vielschichtig. Die aktive Teilnahme am Straßenverkehr durch Führen von Kraftfahrzeugen fällt aus. Klassische internistische Notfallerkrankungen (z. B. koronare Herzkrankheit, Myokardinfarkt, Apoplexie etc.) gibt es im Kindesalter oft nur als medizinische Raritäten.

Eine weitere Ursache für die seltene Alarmierung des Rettungsdienstes zu Kindernotfällen liegt in der **einfachen Transportfähigkeit von Kindern** durch Laien in Privatfahrzeugen. Ein Kind lässt sich leichter tragen als ein Erwachsener und es sind fast immer Eltern zugegen, die sich verantwortlich fühlen und aktiv helfen wollen. So werden leider immer noch regelmäßig Kindernotfallpatienten unversorgt in riskanter Fahrt auf dem Rücksitz des elterlichen Pkws und ohne Voranmeldung in die Klinik gebracht, was mit entsprechenden Problemen und Komplikationen verbunden ist.

In der geringen Einsatzhäufigkeit liegt auch eines der besonderen Probleme bei der Versorgung kindlicher Notfallpatienten; Übung und Routine fehlen Rettungsdienstpersonal und Notärzten beim Umgang mit kleinen Menschen in höchster Not. Auch auf die Mitarbeit kleiner Patienten kann verständlicherweise nicht gezählt werden. Hinzu kommt eine in vielen Untersuchungen belegte **besondere psychische Belastung** des Rettungsfachpersonals beim Kindernotfall. Auch bei routinierten Profis steigen Puls und Blutdruck, wenn es um ein Kinderleben geht. Die Ursachen für diese emotionale Sonderrolle von Kindernotfällen im Rettungsdienst sind vielschichtig und berühren auch das Unterbewusstsein der Retter, die verschiedenen Stressfaktoren bei Kindernotfällen ausgesetzt sind (Kindernotfall ist selten, Angst um eigene Kinder, Kinder sind schutzbedürftig, Assoziation eigener Kindheitstraumen, intravenöser Zugang und Intubation sind schwieriger, Dosierungen der Medikamente sind schwer zu merken).

Die im Vergleich zum Erwachsenen **schlechtere Prognose der kindlichen Reanimation** durch die oft vorausgehende lange Hypoxie ist kein Trost für den Rettungsdienst, das Wissen um diese Tatsache schützt jedoch vor nicht angebrachten Schuldvorwürfen oder übertriebenen persönlichen Erwartungen in der Versorgung.

Ruhige und gelassene Helfer retten besser, deshalb lohnt sich eine kritische Analyse des eigenen Verhaltens bei der Notfallalarmierung zu Kindern.

Welche **Notfallsituationen** bedrohen Kinder in unserem Land, mit welchen Einsatzanlässen hat der Rettungsdienst in dieser Altersgruppe besonders zu rechnen? Eine Analyse der Todesursachenstatistik für Deutschland zeigt die besonderen Gefahren für Kinder nach Altersabschnitten gegliedert auf. Im 1. Lebensjahr stehen geburtshilfliche Komplikationen, angeborene Fehlbildungen und der plötzliche Säuglingstod im Vordergrund, auch wenn letzterer seit mehreren Jahren eine rückläufige Häufigkeit zeigt. Der Rettungsdienst wird mit der Versorgung dieser zumeist in Kliniken behandelten Säuglinge nur selten konfrontiert. Dagegen dominiert ab dem 2. Lebensjahr der gewaltsame Tod. **Häusliche Unfälle** im Krabbelalter, **Unfälle im Straßenverkehr, Ertrinken** und **Tötungsdelikte** sind die größten Bedrohungen in der Kinderzeit. Entsprechend setzt sich das Notfallspektrum zusammen, auf das wir im Rettungsdienst gefasst sein müssen.

Mitarbeit der Eltern

MERKE

Wer kranken oder verletzten Kindern hilft, hat immer **drei Patienten:** Kind, Mutter und Vater.

Sich schützend vor das eigene Kind zu stellen, ist ein uralter Instinkt. So reagieren Eltern in der **Ausnahmesituation des Notfalls** oftmals instinktiv und nicht vernunftgesteuert. Dieses muss der Helfer wissen und auf abwehrende und protektive Reaktionen gefasst sein, will er sich dem kleinen Notfallpatienten nähern, Hilfe bringen, eine Sauerstoffmaske vorhalten oder eine Vene punktieren. Das routinierte **Hinausbitten** von Verwandten und Familienangehörigen während der Notfallversorgung ist bei Kindernotfällen i. d. R. **kontraproduktiv,** denn in der Ausnahmesituation gehören die Eltern zum Kind und das ist gut so. Niemand anderes wird unter geschickter psychologischer Anleitung so zuverlässig bei der Versorgung assistieren wie Eltern, denen man in kurzen Worten die Absicht, schnell und gut zu helfen, und die besondere Bedeutung ihrer Mitarbeit erklärt hat (→ Abb. 35.1). Kein Sedativum wird ein Kind so rasch beruhigen wie der tröstende Zuspruch durch die vertraute Bezugsperson. Ob Polytrauma, Asthmaanfall, Reanimation – Eltern und Kind sollten nie grundlos getrennt werden, fast immer ist ein Platz frei, um Mutter oder Vater auch im Rettungswagen mitzunehmen. Aus vielen Gesprächen mit Eltern, deren Kinder in lebensbedrohlichen Situationen rettungsdienstlicher Hilfe bedurften, weiß man: Von besonderer Bedeutung für die Verarbeitung dieses seelischen Maximaltraumas für **Eltern** waren das **Miterleben und die aktive Mitarbeit** bei professionell und umfassend empfundener Rettungsarbeit von Rettungsdienst und Notarzt.

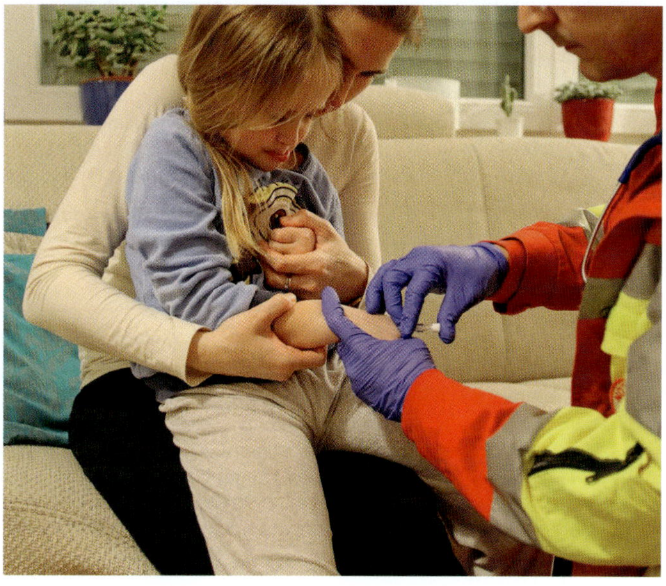

Abb. 35.1 Mithilfe der Mutter bei der Anlage eines Venenzugangs [P109]

Eltern können Infusionsflaschen halten, Sauerstoff anbieten, Decken holen, den Arm zur Venenpunktion festhalten, und schließlich kann man die meisten erkrankten Kleinkinder im Rettungswagen auf dem Arm der sitzenden Mutter schonend für Körper und Seele transportieren. Wichtig ist, **erklärend** auf die Eltern einzuwirken. In der panikbedrohten Notfallsituation können diese oftmals nur sehr **einfache Aufgaben** erfassen, z. B. „Halten Sie diese Flasche ganz fest und beobachten Sie ganz genau, dass Tropfen fallen!" Die psychologische Führung wird wesentlich erleichtert, wenn das Rettungsfachpersonal den verängstigten Eltern das Gefühl besonderer Bedeutung ihrer Mitarbeit für die Rettung ihres Kindes vermittelt: „Sie helfen Ihrem Kind sehr gut mit der Sauerstoffmaske, so bekommt die Kleine viel besser Luft!"

Sorgerecht und Kindeswohl

Im Gegensatz zum mündigen Erwachsenen müssen Entscheidungen für Kinder grundsätzlich von einem oder beiden Sorgeberechtigten

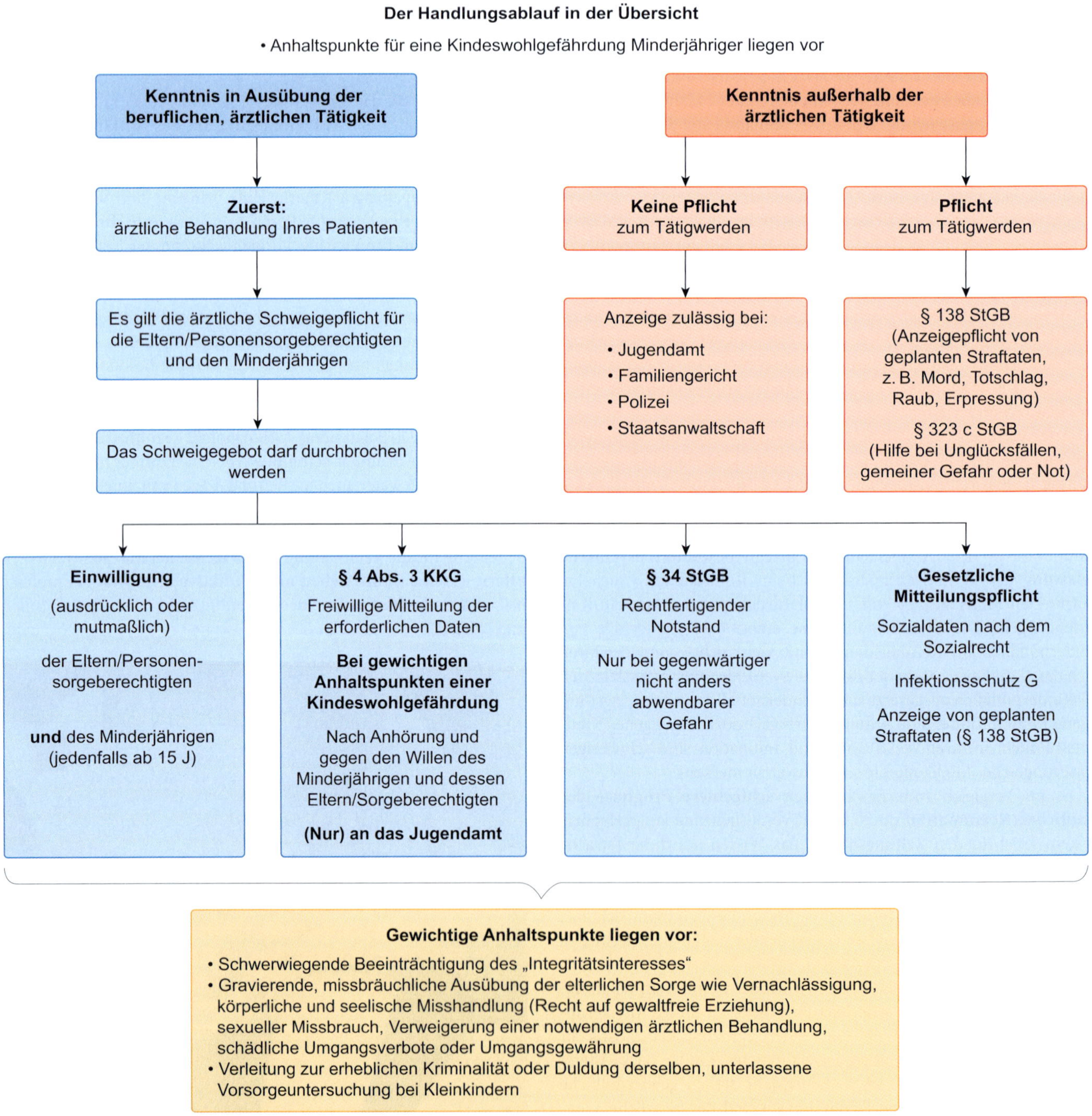

Abb. 35.2 Handlungsablauf bei Kindeswohlgefährdung Minderjähriger (mod. nach Buhr, LÄK Baden-Württemberg) [W908]

getroffen werden, i. d. R. also den Eltern. Für den Rettungsdienst spielen hier vor allem die gesundheitlichen Aspekte der „Personensorge" sowie das Aufenthaltsbestimmungsrecht eine Rolle. Alle medizinischen Maßnahmen sowie jeglicher Transport müssen **grundsätzlich mit den Eltern vorab besprochen** und ein **Einverständnis eingeholt** werden. Schwierig wird die Situation z. B. bei getrennt lebende n Elternpaaren; hier muss gezielt nach dem Sorgerecht gefragt und ggf. auch der nicht anwesende, aber tatsächlich sorgeberechtigte Elternteil zumindest telefonisch adäquat informiert werden.

Zusätzlich besteht auch bei Kindern und Jugendlichen – abhängig von Alter und Entwicklungsstatus – ein **individuelles Selbstbestimmungsrecht.** So darf ein 15-Jähriger durchaus die Anlage eines venösen Zugangs sogar gegen den Willen seiner Eltern verweigern, solange dies nicht vital indiziert ist.

Trotzdem gibt es einen wichtigen Unterschied zum Erwachsenen: Während dieser für sich selbst oder betreute, nicht selbst einwilligungsfähige Angehörige auch Entscheidungen treffen darf, die nicht unbedingt zum gesundheitlichen Wohl beitragen, ist das **Kindeswohl bereits im Grundgesetz verankert** und wird durch den Staat **rechtlich geschützt. Im Falle einer Kindeswohlgefährdung** z. B. durch eine von den Eltern untersagte medizinische Behandlung **ruht das Sorgerecht.** Da es sich im Rettungsdienst in solchen Fällen fast immer um eilige Versorgungen handelt, muss dann **ggf. eine Entscheidung über die Polizei** als befugte (und jederzeit erreichbare) Gefahrenabwehrbehörde in Vertretung von Jugendamt bzw. Familiengericht erwirkt werden (→ Abb. 35.2).

DEFINITION

Eine Kindeswohlgefährdung liegt vor, wenn eine erhebliche Schädigung des körperlichen, geistigen oder seelischen Wohls eines Kindes droht oder bereits eingetreten ist. Sind die Eltern nicht gewillt oder in der Lage, die Gefahr abzuwenden, so hat das Familiengericht die Maßnahmen zu treffen, die zur Abwendung der Gefahr erforderlich sind

Im Bundeskinderschutzgesetz (BKiSchG) wurde zudem die Weitergabe von Informationen durch Angehörige von Heil- und Gesundheitsberufen neu geregelt. Es besteht somit auch für das Rettungsfachpersonal der Anspruch auf eine Beratung z. B. über die bundesweit verfügbare **Kinderschutz-Hotline 0800–1921 000** (https://kinderschutzhotline.de)

Gleichzeitig besteht für Notfallsanitäter *(„Angehörige eines … Heilberufes, der für die Berufsausübung oder die Führung der Berufsbezeichnung eine staatlich geregelte Ausbildung erfordert"*, §4 [1] KKG) immer dann das **Recht zum Bruch der Schweigepflicht** dem Jugendamt gegenüber, wenn *„gewichtige Anhaltspunkte für eine Kindeswohlgefährdung"* (§4 KKG und §8a Abs. 1 SGB VIII) vorliegen. Der auch für Angehörige der Heilberufe neu geschaffene §4 des **Gesetzes zur Kooperation und Information im Kinderschutz (KKG)** ermöglicht und regelt die vom Gesetzgeber für notwendig erachtete Zusammenarbeit der Angehörigen der Heilberufe (hier: Rettungsfachpersonal und Ärzte) mit dem Jugendamt.

Der Polizei oder anderen Behörden gegenüber dürfen **nur** im rechtfertigenden Notstand (§34 StGB) Informationen weitergegeben werden, da im Zweifelsfall das Recht des Kindes auf körperliche Unversehrtheit das höhere Rechtsgut im Vergleich zur Schweigepflicht ist.

35.2 Untersuchung und Monitoring

35.2.1 Ersteinschätzung und körperliche Untersuchung

Auch Kinder dürfen und müssen adäquat untersucht werden. Während jedoch die Lederkleidung eines Motoradfahrers das Rettungsfachpersonal nur selten von einer Ganzkörperuntersuchung abhält, scheinen die Strumpfhose eines Säuglings oder das abwehrende Schreien eines Kleinkindes oft unüberwindbare Hindernisse für eine körperliche Untersuchung des kleinen Notfallpatienten zu sein.

Für den Ersteindruck hat sich das **Pädiatrische Beurteilungsdreieck** (PAT = Pediatric Assessment Triangle) bewährt (→ Abb. 35.3, → Kap. 17.1.13). Dieses ersetzt zwar nicht die gründliche Untersuchung im Verlauf, ermöglicht aber beim pädiatrischen Patienten die schnelle Einschätzung und Unterscheidung zwischen „stabil" – „potenziell kritisch" – „kritisch". Je nach Ersteinschätzung und eventuell direkt notwendigen Maßnahmen kann der Zeitrahmen für Anamnese und körperliche Untersuchung besser abgeschätzt werden.

Prinzipiell unterscheiden sich der nachfolgende Primary Survey nach ABCDE und das Secondary Assessment bei Kindern nicht von der Untersuchung des Erwachsenen (→ Kap. 17.1.4). Allerdings sollten **physiologische Unterschiede** (z. B. des Atemgeräuschs oder des Bewusstseinszustands) und **andere Normwerte** (z. B. für die Herzfrequenz) berücksichtigt werden. Oft ermöglichen ein kurzes Eingehen auf das Kind und das Herstellen einer Vertrauensbasis trotz des zusätzlichen Zeitaufwandes eine schnellere Untersuchung als das gewaltsame Erzwingen.

35.2.2 Monitoring und Normwerte

Das Monitoring von Kindern und Erwachsenen unterscheidet sich beträchtlich, dies liegt vor allem an den unterschiedlichen Krankheitsbildern, aber auch an anatomischen bzw. pathophysiologischen Besonderheiten beim Kind. Da nahezu allen Reanimationen beim Kind eine **kritische Hypoxie** vorausgeht, ist die **Pulsoxymetrie** das wichtigste technische Hilfsmittel zur Überwachung. Gleichzeitig ist diese Überwachung häufig schnell und problemlos bzw. ohne größere Gegenwehr zu etablieren, primär sollten Handgelenk oder Finger versucht werden (→ Abb. 35.4, → Abb. 35.5). Bei wehrigen Kindern ist der Fuß häufig geeigneter, da weitgehend außerhalb der Reichweite und gut durch einen Strumpf zu sichern. Bis ins Grundschulalter sollten flexible Sättigungsbändchen vorgehalten und verwendet werden, da Fingerclips zu häufigen Wackelartefakten führen oder schon aufgrund der Größenverhältnisse keine sichere Ableitung gewährleisten. Unabhängig vom Alter sollte die **Sauerstoffsättigung stabil > 92 %** liegen, lediglich bei kleinen Frühgeborenen oder Kleinkindern mit bestimmten Herzfehlern („normale" Sättigung bei den Eltern erfragen!) sind auch niedrigere Wert bis minimal 80 % erlaubt.

Parallel zur Sauerstoffsättigung wird über die Pulsoxymetrie auch die Herzfrequenz angezeigt. Ungefähre **Anhaltswerte** für den altersentsprechenden Normbereich sind der → Tab. 35.1 zu entnehmen. Die **Herzfrequenz** liefert häufig einen wichtigen Hinweis auf den Kreislaufstatus, da insbesondere bei kleinen Kindern das Herzminutenvolumen fast nur über den Puls reguliert werden kann und nicht wie beim Erwachsenen über den Auswurf des Herzens oder den peripheren Gefäßwiderstand. Eine **Tachykardie und/oder eingeschränkte Pulsvariabilität sind Warnzeichen,** denen beim kranken Kind völlig unvermittelt der Zusammenbruch des Kreislaufs folgen kann.

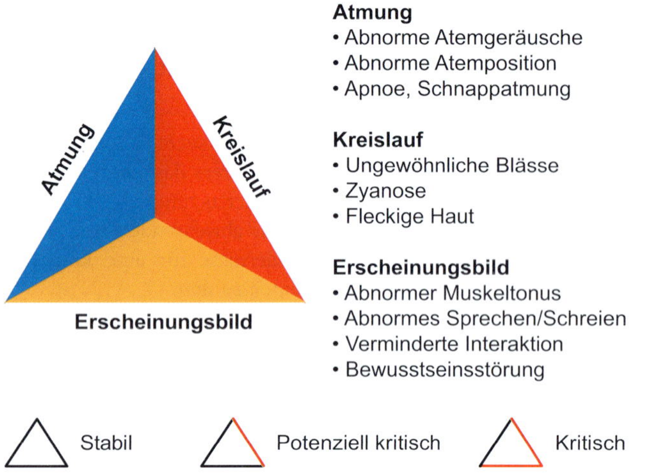

Abb. 35.3 Pädiatrisches Beurteilungsdreieck [L143]

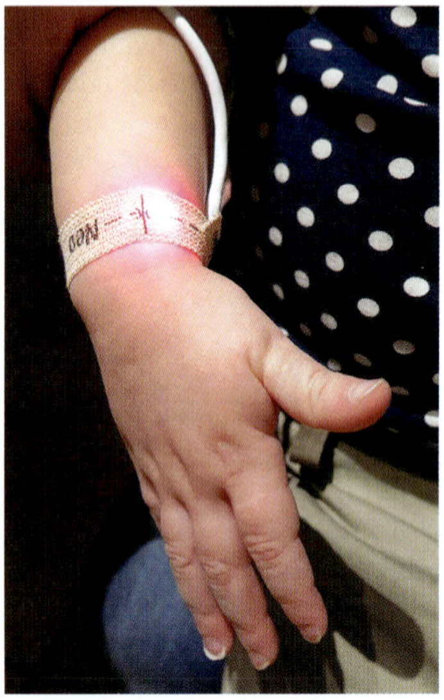

Abb. 35.4 Pulsoxymetrie beim Kleinkind [P109]

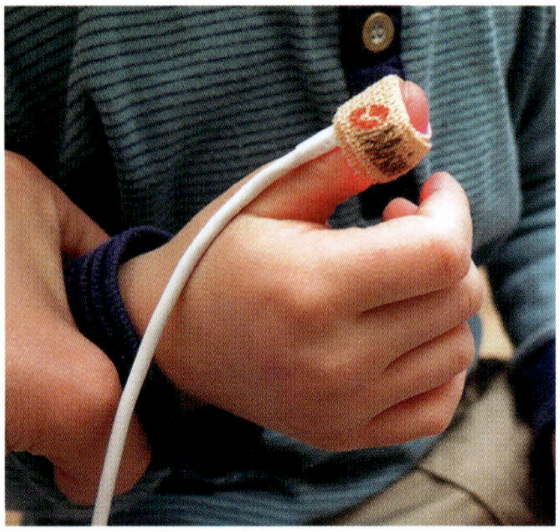

Abb. 35.5 Pulsoxymetrie beim Schulkind [P109]

MERKE

Die **Pulsoxymetrie** ist das wichtigste technische Monitoring beim Kind!

Alter	Herzfrequenz (HF)	Blutdruck (RR, systolisch)
Früh-/Neugeborene	120–180/Min.	50–70 mmHg
Säuglinge	100–140/Min.	70–90 mmHg
Kleinkinder	90–120/Min.	80–100 mmHg
Vorschulkinder	80–100/Min.	80–100 mmHg
Schulkinder	70–90/Min.	90–120 mmHg
Jugendliche	60–80/Min.	100–130 mmHg

Tab. 35.1 Normwerte: Herzfrequenz und Blutdruck bei Kindern

Das beim Erwachsenen meistens unverzichtbare EKG-Monitoring bringt beim Kind selten eine relevante Zusatzinformation, die Herzfrequenz wird auch über die Pulsoxymetrie sicher erfasst. Herzrhythmusstörungen sind selten, Ischämien eine absolute Rarität. Auch ein 12-Kanal-EKG ist somit nur in Ausnahmefällen indiziert (z. B. supraventrikuläre Tachykardie beim Jugendlichen). Stattdessen steigt die Gefahr des zusätzlichen Auskühlens, da im Gegensatz zur Pulsoxymetrie das Kind hierzu zumindest teilweise entkleidet werden muss. Die häufige Gegenwehr mit hierdurch bedingter Verschlechterung des kindlichen Zustands spricht zusätzlich gegen eine routinemäßige EKG-Überwachung.

Wie bereits erwähnt, ist der Blutdruck beim Kind relativ lange stabil, ehe dann im Gegensatz zum Erwachsenen sehr abrupt der Zusammenbruch kommen kann. Dennoch wäre eine **Blutdrucküberwachung** theoretisch wünschenswert, scheitert i. d. R. jedoch bereits an den technischen Voraussetzungen. Selten werden im Rettungsdienst Blutdruckmanschetten in verschiedenen Kindergrößen vorgehalten, die Messung ist aufgrund der grundsätzlich niedrigeren Werte sowohl palpatorisch als auch mit dem Stethoskop schwierig und häufig nur oszillometrisch über einen geeigneten Monitor überhaupt möglich. Je nach gewählter Manschettengröße ist zum Teil mit deutlichen und schwer einzuschätzenden Abweichungen zu rechnen, ohne deren Berücksichtigung nur sehr zurückhaltend Therapieentscheidungen getroffen werden sollten. Auf das Alter bezogene Normwerte finden sich in → Tab. 35.1.

Anstelle der Blutdrucküberwachung bietet sich beim Kind eine regelmäßige Kontrolle der **Rekapillarisierungszeit** an, die am Daumenballen, dem Nagelbett oder auf der Stirn überprüft werden kann. Eine Rekapillarisierungszeit von weniger als 3 Sek. spricht für einen kompensierten Kreislaufzustand, eine Tachykardie und eine Rekapillarisierung innerhalb von 3 oder mehr Sekunden kann hingegen bereits ein deutliches Problem anzeigen. Bei mehr als 5 Sek. liegt unabhängig vom gemessenen Blutdruck i. d. R. ein manifester Schock vor und ein Kreislaufstillstand steht möglicherweise unmittelbar bevor.

Ebenfalls sinnvoll und ein wichtiges Monitoring zum Gesamtzustand des Kindes ist die **Prüfung des kindlichen Bewusstseinszustands.** Auch hier ist die Aussage der Eltern hilfreich und der eigenen Einschätzung häufig überlegen. Mangelnde Kooperation und Kommunikation mit dem aus kindlicher Sicht als beängstigend empfundenen Rettungsfachpersonal sind eher die Regel als eine Seltenheit. Solange das Kind noch mit der Mutter kommuniziert und/oder sich durch diese beruhigen lässt, liegt meistens eine noch kompensierte Gesamtsituation vor. Das anhaltend schreiende oder maximal wehrige Kind ist ebenfalls selten lebensbedrohlich erkrankt, während ein auffallend ruhiges oder nicht mehr adäquat auf (Schmerz-)Reize reagierendes Kind einen Notfall anzeigt. Immer ernst nehmen sollte man elterliche Aussagen wie „… gefällt mir gar nicht“ oder „… ist ganz anders als sonst“, die den ersten auffälligen Messwerten teilweise deutlich vorausgehen können. Behelfsweise können auch bestimmte Scoring-Systeme (z. B. AVPU-Score,

Durchführung der Venenpunktion

Während der Venenpunktion ist die Haut gut nach körperfernwärts zu straffen, um ein Wegrutschen des kleinen Blutgefäßes vor der Punktionskanüle zu verhindern. Anstelle eines herkömmlichen Staubands oder einer Blutdruckmanschette empfiehlt sich eine **Stauung mit der Hand** durch einen weiteren Helfer, hierdurch kann eine zu feste Stauung (und dadurch mangelnder Blutrückfluss) meistens vermieden werden. Gleichzeitig wird so eine sichere Fixierung gewährleistet. Es gilt, langsam in das Gefäß einzustechen und sorgfältig die Rückflusskammer des Systems zu beobachten. Durch das engere Lumen der Kanüle und den geringeren Blutdruck dauert es länger als bei Erwachsenen, bis zurücklaufendes Blut die erfolgreiche Punktion anzeigt. Bei Säuglingen und Kleinkindern finden sich oftmals ausreichend **große Venen in der Kopfhaut.** Diese Punktionsstelle hat den Vorteil, dass die Vene zwischen Haut und Schädelknochen nicht in Weichteilgewebe ausweichen kann und dass im Gegensatz zu den Extremitäten hier relativ sicher an einem vergleichsweise unbeweglichen Körperteil die Infusion fixiert werden kann. Die Angst vor dem „Stich in den Kopf" ist rational völlig unbegründet, die Eltern sollten dennoch vorher sachlich und einfühlsam beruhigt werden. Es handelt sich bei den Kopfhautvenen um ganz normale periphere Gefäße, gerade beim bereits zentralisierten Kind lässt sich hier häufig noch eine geeignete Vene finden. Eine weitere Punktionsstelle peripherer Venen ist die V. saphena magna oberhalb des Innenknöchels. Sie ist oftmals gut zugänglich und nicht durch Unterhautfettgewebe verdeckt.

ACHTUNG! Die **Punktion zentraler Venen** ist im Rettungsdienst bei Kindern **komplikationsträchtig** und **unnötig.**

Gelegentlich kann die **Punktion der V. jugularis externa** eine gute Wahl sein. Dieses Gefäß ist bei Kindern jeden Alters bei Pressen oder Schreien gut zu sehen und liegt dicht unter der Hautoberfläche. Gerade in Problemsituationen ist sie eher leichter zu punktieren: beim Stau vor dem rechten Herzen wie bei der Herz-Lungen-Wiederbelebung, beim schreienden und tobenden Kind, bei der Pressatmung des Kleinkindes mit Asthma oder anderen obstruktiven Atemwegserkrankungen. Durch eine Kopf-tief-Lagerung, Seitdrehung des Kopfes und Stauen der Vene mit dem Zeigefinger kommt die Vene oft zusätzlich hervor. Nachteilig ist die oft schwierige Fixierung des (noch) wachen und dann wehrigen Kindes, im Falle einer Reanimation spricht die zur sicheren Punktion meistens notwendige kurze Unterbrechung der Herz-Druck-Massage ebenfalls eher gegen die Verwendung der V. jugularis externa.

Ist die Venenpunktion geglückt, sollte der Zugang **sicher gegen eine Dislokation geschützt** werden (→ Abb. 35.12). Die meisten i. v. Zugänge für Kinder haben nicht nur einen geringeren Durchmesser, sondern sind auch deutlich kürzer und liegen deshalb nur sehr kurzstreckig innerhalb des Gefäßes. Um Manipulationen direkt am Zugang zu vermeiden, sollten eine mit Kochsalzlösung gefüllte kurze Verlängerungsleitung sowie ein **Dreiwegehahn** angeschlossen werden. Hierdurch kann eine **Zugentlastung** etabliert werden, die Medikamentengabe mit etwas Abstand zum wehrigen Kind erfolgen sowie eine Dislokation durch Verwendung des Zuspritzports am Dreiwegehahn vermieden werden. Zugang und Verlängerungsleitung gehören am besten durch braunes Pflaster sorgfältig gesichert, fertige „Braunülenpflaster" sind hierzu bei kleinen Kindern oft nicht geeignet.

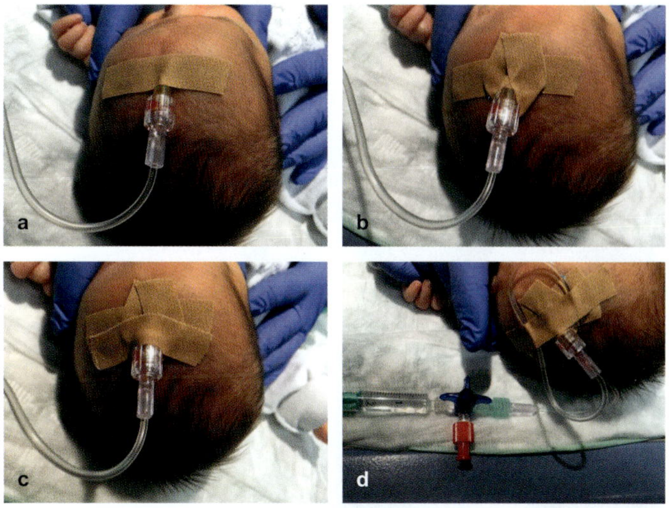

Abb. 35.12 Sichere und schrittweise **(a–d)** Fixierung eines i. v. Zugangs mit Pflasterstreifen [P109]

35.3.3 Intraossärer Zugang

Als Standardmaßnahme bei Kindern mit schwierigen Venenverhältnissen ist die Gabe von Volumen und Medikamenten über einen intraossären Zugang (→ Kap. 20.1.1) etabliert. Die Methode der **Punktion des Knochenmarkraums** für Infusionszwecke ist in der Kinderheilkunde seit vielen Jahren bewährt und hat sich dank moderner Hilfsmittel sowie der einfachen Anwendung mit hoher Erfolgsrate selbst in der Erwachsenenmedizin etabliert. Die Knochenmarkhöhlen sind als Ort der Blutbildung stets stark durchblutet und v. a. an den langen Röhrenknochen der Punktionsnadel gut zugänglich. Bewährt hat sich die **Technik des Einstichs** in den **proximalen Schienbeinknochen.** Dabei hat die Punktion wenigstens zwei Fingerbreit und etwas medial unterhalb des gut tastbaren Oberrands des Schienbeins körperfern des Kniegelenks (Tuberositas tibiae) zu erfolgen. Punktiert man zu hoch, kann die Wachstumsfuge verletzt werden, mit der möglichen Folge einer Wachstumsstörung des punktierten Unterschenkels. Alternative Punktionsstellen sind der distale Femurknochen oder die distale Tibia oberhalb des medialen Fußknöchels (→ Abb. 35.13). In der Reanimationssituation wird ein intraossärer Zugang selbstverständlich ohne zusätzliche Analgesie angelegt, beim noch reagierenden Kind muss parallel eine suffiziente Analgesie z. B. mit Esketamin oder Fentanyl intranasal begonnen werden.

ACHTUNG! Die früher empfohlene Gabe von Lidocain über den Intraossärzugang ist beim Kind inzwischen als obsolet anzusehen. Hierbei kam es schon zu schweren Komplikationen bis hin zur Todesfolge.

Alle **Medikamente** können intraossär injiziert werden. Die Durchflussgeschwindigkeit für eine Volumengabe im Schock ist bei einfachen Tropfinfusionen oftmals nicht ausreichend; der Infusionsbeutel sollte deshalb mit Blutdruckmanschette oder Druckinfusionssystem komprimiert werden.

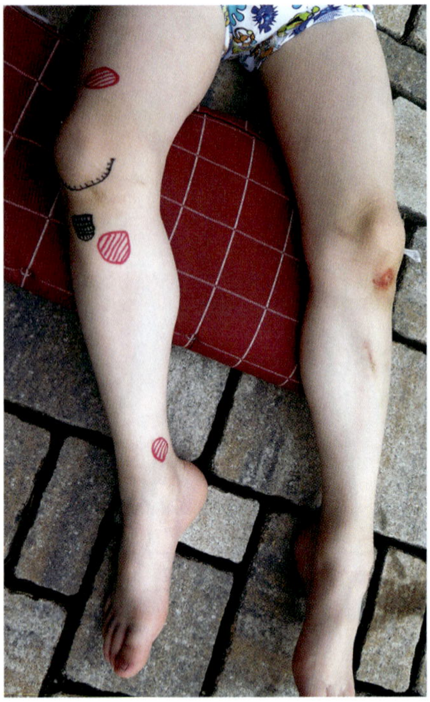

Abb. 35.13 Auswahl von intraossären Punktionsstellen [P109]

Abb. 35.14 Kindliches Trauma [J520-260]

PRAXISTIPP

Alternativ kann zumindest bei Neugeborenen und Säuglingen Volumen „aus der Hand" z. B. mit einer 50-ml-Perfusorspritze verabreicht werden. Dies bindet zwar vorübergehend einen Helfer, hat aber, neben der Infundierung mit adäquatem bzw. kontrolliertem Druck, den Vorteil einer besseren Volumenbilanzierung. So entsprechen z. B. jeweils zwei Perfusor Spritzen mit Vollelektrolytlösung einem Volumenbolus für einen 10 kg schweren Säugling (2× 50 ml = 100 ml = 10 ml/kg).

35.4 Verletzungen im Kindesalter

35.4.1 Polytraumatisiertes Kind

In der Praxis erprobte und klar strukturierte Algorithmen wie z. B. das **PHTLS-System** haben auch in der Kinderversorgung ihre Berechtigung. Die deutlich schlechteren Überlebenschancen polytraumatisierter Kinder ergeben sich aus halbherziger Anwendung der bei Erwachsenen selbstverständlichen Prinzipien, der Unterschätzung der Verletzungsschwere beim kleinen Patienten und aus technischen Schwierigkeiten bei der Durchführung invasiver Maßnahmen am Kind – die Thoraxdrainage beim polytraumatisierten Dreijährigen oder die Anlage großlumiger Venenzugänge beim schwer verletzten Baby werden auch dem Erfahrenen Schwierigkeiten bereiten.

MERKE

Grundsätzlich gelten für die Versorgung schwer verletzter Kinder die gleichen Regeln wie im Erwachsenenalter.

Schwer verletzte Kinder täuschen das Rettungsfachpersonal oft durch scheinbar nur geringfügige Beeinträchtigung über das wahre Ausmaß der Verletzungen (→ Abb. 35.14). Die von Vorerkrankungen unbelasteten kleinen Patienten können z. B. ausgeprägte **Volumenverluste** über längere Zeiträume gut kompensieren. Das Ausmaß ihrer Bedrohung wird dann am Unfallort unterschätzt. Scheinbar geringe Blutverluste (z. B. durch Kopfhautverletzungen) können Kleinkinder jedoch schon in erhebliche Schockgefahr bringen. 200 ml Blutung bei einem Zweijährigen entsprechen in der Relation einem Blutverlust von rund 1,5 l beim Erwachsenen, was in beiden Fällen zu einem manifesten hämorrhagischen Schockzustand führen, beim Kind aber nur eine unwesentliche Blutlache verursachen wird. Bei der **Einschätzung solcher Blutverluste** gilt, wie überhaupt in der Kindertraumatologie, dass man sich durch die kleineren Dimensionen und scheinbare Vitalität des Kindes nicht täuschen lassen darf. Sind die Kompensationsmöglichkeiten des Kreislaufs bei kleinen Unfallpatienten erschöpft, erfolgt der Absturz in den **hämorrhagischen Schock** oft schlagartig und ohne lange Vorwarnung. Nur durch konsequente und gewissenhafte Untersuchung und durch Anwendung der bei Erwachsenen selbstverständlichen Standards kann hier vor der Dekompensation geholfen werden. Bei der **Volumensubstitution** ist aber auch Vorsicht geboten. Die Standarddosis beträgt 20 ml/kg KG Vollelektrolytlösung in den ersten 10 Min. und – wenn notwendig – die Wiederholung derselben Menge in weiteren 10 Min. Eine Gesamtmenge von 40 ml/kg KG Vollelektrolytlösung sollte zumindest initial nur dann überschritten werden, wenn eine persistierende Störung der Mikrozirkulation mit verlängerter Rekapillarisierungszeit vorliegt.

Besondere Beachtung verdienen **Verletzungen der Halswirbelsäule** im Kindesalter. Der Kopf ist im Verhältnis zum Körper bei Kindern größer und schwerer als bei Erwachsenen, und die gebräuchlichen Sicherheitssitze für Kleinkinder stabilisieren oftmals Kopf und Oberkörper überhaupt nicht. Der im Verhältnis zum Körper große und schwere Kopf wird so beim Aufprall besondere Zug- und Scherkräfte an der von zarten Bändern gehaltenen Halswirbelsäule (HWS) wirksam werden lassen. Die grundsätzliche Bewegungseinschränkung der Wirbelsäule von Kindern wird inzwischen zunehmend zurückhaltend gesehen und sollte sich an lokalen Algorithmen orientieren. **Ein relevanter Zeitverlust für die Bewegungseinschränkung der Wirbelsäule ist beim vital bedrohten Kind ebenso kritisch zu hinterfragen wie eine hierfür erforderliche Sedierung;** beim Schädelhirntrauma mit Verdacht auf Hirndruck kann eine Zervikalstütze sogar eine relative Kontraindikation darstellen. Infrage kommt stattdessen die manuelle In-Line-Stabilisation, ggf. die rasche Bewegungseinschränkung der Wirbelsäule in einer Vakuummatratze mit oder ohne zusätzliche Head-Blocks. Lediglich beim hinreichend stabilen Kind sollte bei Vorliegen von klinischen Zeichen der Wirbelsäulenverletzung, eingeschränkter Beurteilbarkeit des kleinen Patienten oder adäquatem Unfallmechanismus eine vollständige Immobilisation durchgeführt werden.

Von größter Wichtigkeit ist auch die durch die relativ **größere Körperoberfläche** und **weniger wirksame Temperaturregulierung** deutlich erhöhte **Auskühlungsgefahr** des verletzten Kindes. Durch Liegen auf dem kalten Straßenasphalt, im Windzug und auch durch den Transport kann durch eine Hypothermie schnell eine zusätzliche Gefährdung des Kindes auftreten.

MERKE

Kinder haben ...
- geringe Sauerstoffreserven,
- geringe Toleranz gegenüber Volumenverlusten,
- keine Wärmeproduktion durch Muskelzittern bei Neugeborenen und Säuglingen!

IM FOKUS

Polytrauma beim Kind

Ursachen (bei Kindern überwiegend)
- Verkehrsunfälle
- Stürze aus großer Höhe

Symptome
- Die Symptome sind abhängig vom individuellen Verletzungsmuster und Verletzungsumfang der betroffenen Körperregionen. Die häufigsten Symptome sind:
  - Schock (Tachykardie, Hypotonie)
  - Starke Schmerzen
  - Bewusstseinsstörungen bis zur Bewusstlosigkeit
  - Dyspnoe
  - Zeichen von Frakturen
  - Anzeichen einer Thorax- oder Abdominalverletzung

Maßnahmen

Monitoring
- SpO_2, Rekapillarisierungszeit, Puls, AF, Temperatur, RR, BZ, EKG
- Bewusstseinszustand (AVPU, GCS)

Basismaßnahmen und Lagerung
- Freimachen und Freihalten der Atemwege
- Ggf. manuelle In-Line-Stabilisation der Halswirbelsäule und zusätzliche Bewegungseinschränkung der Wirbelsäule (z. B. Vakuummatratze)
- Ausreichende Oxygenierung sicherstellen, z. B. initial O_2-Gabe über Maske oder Nasenbrille mit 2–5 l/Min.
- Blutungen stillen.
- Offene Wunden nur steril abdecken, Fremdkörper in Wunde belassen.
- Lagerung je nach Befund (siehe einzelne Krankheitsbilder) und Bewusstseinszustand
- Schienung von Frakturen unter achsengerechtem Längszug
- Umlagerung und Transport unter Schonung der Wirbelsäule
- Wärmeerhalt

Erweiterte Maßnahmen
- Mindestens ein sicherer i. v. Zugang, ggf. intraossäre Infusion
- Medikamentengabe
- Bei ausreichender Erfahrung evtl. Narkoseeinleitung, Intubation und Beatmung

Medikamente und Dosierungsempfehlungen
- **Analgesie**
  - 1 µg/kg KG Fentanyl i. v. (z. B. Kind 10 kg KG = 10 µg Fentanyl)
  - 0,1–0,2 mg/kg KG Piritramid i. v.
  - 0,5–1 mg/kg KG S-Ketamin i. v. oder 2 mg/kg KG intranasal; bei Kindern möglichst vorab Gabe einer Einmaldosis Atropin wegen häufiger Hypersalivation
  - Idealerweise in Kombination mit 0,1 mg/kg KG Midazolam i. v.
  - **Cave:** keine Monoanästhesie (d. h. nur S-Ketamin ohne Midazolam)!
  - Wenn ausreichende Erfahrung, evtl. frühzeitige Narkoseeinleitung und Intubation
- **Volumensubstitution**
  - 20 ml/kg KG Vollelektrolytlösung in 10 Min., bei weiterhin eingeschränkter Mikrozirkulation oder anderen Schockzeichen nochmals 20 ml/kg KG Vollelektrolytlösung in weiteren 10 Min.
- **Medikamente zur Intubation (nur wenn ausreichende Erfahrung!)**
  - Säuglinge:
    - Midazolam 0,1 mg i. v. und Morphin 0,1 mg/kg KG i. v.
  - Kinder:
    - Midazolam 0,1 mg/kg KG i. v., Fentanyl 3 µg/kg KG i. v. oder
    - Midazolam 0,1 mg/kg KG i. v., S-Ketamin 2 mg/kg KG i. v.
    - Falls erforderlich, Relaxierung mit Rocuronium 1 mg/kg KG

35.4.2 Thermische Verletzungen beim Kind

Die rettungsdienstliche Erstversorgung von Kindern mit Verbrennungen oder Verbrühungen (→ Abb. 35.15) unterscheidet sich zunächst nicht grundsätzlich von der bei Erwachsenen (→ Kap. 42.5). Die Wunde selbst sollte lediglich mit einem **trockenen Wundverband** (sterile Kompressen, Mullbinde) versorgt werden. Im Kindesalter sind jedoch einige notwendige Modifikationen in der Therapie zu beachten. Vor allem auf die Gefahr der zusätzlichen Verschlechterung der Prognose durch eine **rasche Auskühlung** ist unbedingt zu achten, nasse Kleidung ist zügig zu entfernen. Kühlung der Verletzungen mit Wasser wird nur in den ersten 10 Min. überhaupt empfohlen und ist somit bei Eintreffen des Rettungsdienstes nur noch selten indiziert.

Wichtigste Maßnahme ist eine ohne Verzögerung begonnene medikamentöse Analgesie. Da es sich gerade bei Verbrühungen in den meisten

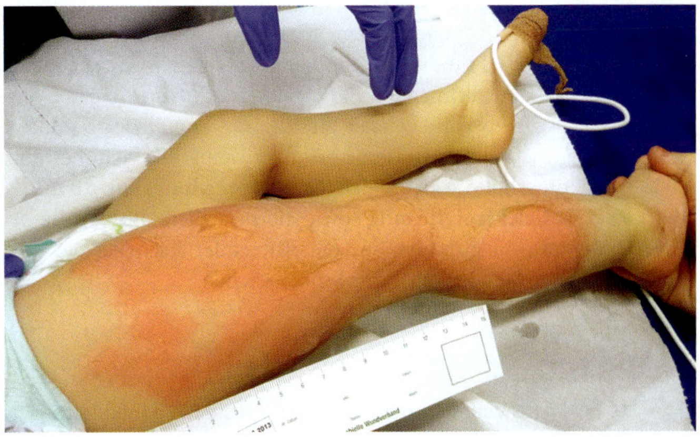

Abb. 35.15 Zweitgradige Verbrühung [P109]

Fällen um Kleinkinder handelt, findet man häufig die ungünstige Kombination von **ausgeprägter Abwehr** und **schwieriger Venensituation** vor. Da die starken Schmerzen dennoch ein rasches Handeln notwendig machen, hat sich die **primär intranasale Verabreichung** z. B. von S-Ketamin (2 mg/kg KG) und Midazolam (0,2–0,3 mg/kg KG) bewährt. Da Midazolam auf der empfindlichen Nasenschleimhaut stark brennt und deshalb zunächst den gegenteiligen Effekt hervorruft, sollte erst das S-Ketamin appliziert werden und mit etwas zeitlicher Verzögerung das Midazolam. Nach Einsetzen der Wirkung kann beim ruhiger werdenden Kind dann mit deutlich höherer Erfolgsquote ein intravenöser oder intraossärer Zugang etabliert werden, bei kurzem Transportweg kann bei suffizienter Analgesie aber ggf. hierauf ganz verzichtet werden.

Da Kinder in besonderem Maße von den Spätfolgen der Verbrennungskrankheit bedroht sind, sollte die klinische Versorgung der Brandverletzungen schon **ab 10 % Körperoberfläche** unabhängig vom Verbrennungsgrad in einer Klinik mit entsprechender Expertise durchgeführt werden. Die vom Rettungsdienst vorzunehmende erste Einschätzung des Ausmaßes der Verbrennungsverletzung gelingt bei Kindern am einfachsten durch die **„Handregel“.**

PRAXISTIPP

„Handregel“

Eine komplette Hand – also Handfläche plus ausgestreckte Finger – des Kindes erfasst ca. 1 % der Körperoberfläche.

Erfahrungsgemäß wird das Ausmaß der Verbrennungsverletzung ohne die Handregel eher über- als unterschätzt. Bei besonderen Risikofaktoren (drittgradige oder großflächige Verletzungen, Kinder unter 1 Jahr, begleitende Rauchgasinhalation) sollte die Weiterversorgung unbedingt in einem auf Kinder spezialisierten **Verbrennungszentrum** erfolgen (Karte und weitere Informationen unter www.verbrennungsmedizin.de, zentrale Vermittlung telefonisch über die Berufsfeuerwehr Hamburg 040-42851-4950). Da es in den meisten Bundesländern nur 1–2 solcher Zentren mit Spezialisierung auf Kinder gibt (→ Tab. 42.6) und die Anfahrtszeiten entsprechend lang sind, empfiehlt sich oft zunächst die erweiterte Erstversorgung im Schockraum einer nahe liegenden geeigneten (Kinder-)Klinik und dann der schonende und schnelle Weitertransport des analgosedierten Kindes mit dem Rettungshubschrauber.

Zu warnen ist vor einer **Übertherapie** des brandverletzten Kindes **mit Infusionslösungen** (z. B. großlumiger Zugang und frei tropfende Infusion). Zu viel Volumen wird neben den pulmonalen und zerebralen Komplikationen (z. B. Lungenödem, Hirnödem) auch noch zu einer Verstärkung des die Brandverletzung komplizierenden Gewebeödems führen. Bei der zu errechnenden Flüssigkeitszufuhr für die erste vom Rettungsdienst zu überbrückenden Stunde sind komplizierte und im Notfall häufig nicht sofort präsente Formeln wenig hilfreich, bewährt hat sich präklinisch die **kontinuierliche Verabreichung von 10 ml/kg KG/h** einer **Vollelektrolytlösung** sowie die zusätzliche **Bolusgabe** bei eingeschränkter Mikrozirkulation, persistierender Tachykardie trotz adäquater Analgesie oder sonstigen Schockzeichen.

MERKE

- **10 ml/kg KG Vollelektrolytlösung** als Infusion in der ersten Stunde
- Zusätzlicher **Volumenbolus** mit 20 ml/kg KG über 10 Min. bei Schockzeichen

Bevorzugt sollte bei Säuglingen und Kleinkindern die abgeschätzte oder berechnete Infusionsmenge über einen **Perfusor** verabreicht und genau bilanziert werden.

IM FOKUS

Thermische Verletzung beim Kind

Ursachen (bei Kindern überwiegend)
- Verbrühung (feuchte Hitze, heiße Flüssigkeiten)
- Verbrennung (trockene Hitze, Flammen)

Symptome
- **Verbrennung Grad I**
  - Hautrötung mit Schmerzen
- **Verbrennung Grad II**
  - Hautrötung mit Schmerzen und oberflächlicher Blasenbildung
  - Hautfarbe blassrosa oder weiß; feuchte, geschwollene Haut mit geplatzten Blasen
- **Verbrennung Grad III**
  - Grauweiße, nekrotisierte und lederartige Hautwunde

Maßnahmen

Monitoring
- SpO_2, Rekapillarisierungszeit, Puls, Temperatur, AF
- Bewusstseinszustand (AVPU)

Basismaßnahmen und Lagerung
- Unterbrechung der Verbrennungsursache
- Entfernen der verbrannten und/oder nassen Kleidung
- Wärmeerhalt
- O_2-Gabe über Maske oder Nasensonde 2–4 l/Min.
- Ermittlung des Verbrennungsausmaßes (Tiefenausmaß, Flächenausmaß mittels Handregel)

Erweiterte Maßnahmen
- Adäquate Analgesie, z. B. mit Midazolam und S-Ketamin
- i. v. Zugang (falls problemlos möglich)
- Gegebenenfalls Narkoseeinleitung, Intubation und Beatmung (nur bei Verletzungen mit Beteiligung des Mund-Rachen-Raums oder zusätzlicher Rauchgasinhalation)
- Sterile Wundabdeckung

Medikamente und Dosierungsempfehlungen
- **Analgesie**
  - 0,1 mg/kg KG Morphin oder Piritramid i. v., ggf. nach 10 Min. wiederholen.
  - 1 mg/kg KG S-Ketamin i. v. oder 2 mg/kg KG S-Ketamin intranasal, Folgegaben mit 0,5 mg/kg KG bis zur Schmerzfreiheit, zusätzlich Midazolam
- Flüssigkeitstherapie mit 10 ml/kg Vollelektrolytlösung in der ersten Stunde
- Gegebenenfalls zusätzlicher Volumenbolus mit 20 ml/kg bei Schockzeichen

35.4.3 Misshandeltes Kind

Ein trauriges Kapitel stellt die mutwillige, nicht selten schwere oder tödliche Verletzung von Kindern dar. Täter ist i. d. R. ein Elternteil oder ein anderes Familienmitglied. Der Tat vorausgegangen ist oftmals ein langer Leidensweg des Kindes. Wichtig ist daher, bei allen im Haushalt erlittenen Verletzungen eines Kindes sicherzugehen, dass **Angaben der Eltern** über die Herkunft und der vorgefundene Befund schlüssig und glaubhaft **übereinstimmen.**

MERKE

Misstrauisch muss der Retter werden, wenn zahlreiche, auch ältere **Blutergüsse, Unterernährung, Verwahrlosungszeichen** oder unlogische Angaben zum Unfallhergang Hinweise auf Misshandlungen geben (→ Abb. 35.16). Auch eine deutlich verzögerte Alarmierung nach einem Trauma oder einer thermischen Verletzung ist häufig ein Hinweis auf eine nicht-akzidentelle Ursache.

Im Zweifelsfall sollten die gemachten **Beobachtungen** immer dem **Aufnahmearzt** in der Klinik **mitgeteilt** werden, damit dieser in Zusammenarbeit mit Jugendamt und ggf. der Polizei (→ Kap. 35.1) eine Überprüfung und Hilfsmaßnahmen für das Kind einleiten kann. An vielen Kliniken existieren inzwischen **Kinderschutzgruppen oder -ambulanzen,** die Misshandlungsvorwürfen gezielt und konsequent, aber mit der nötigen Sensibilität nachgehen.

Auch Kinder **ohne äußere Verletzungszeichen** können **Misshandlungsopfer** sein. Das Hin- und Herschleudern des Kopfes durch Festhalten an den Schultern und Schütteln ist eine häufige Brutalität gegen schreiende Kleinkinder, die auch ohne sichtbaren äußeren Bluterguss oder Fraktur zu schweren Hirnblutungen durch Abriss von Brückenvenen führen kann (→ Abb. 35.17). Der Kindesmisshandlung kann nur Einhalt geboten werden, wenn alle, auch der Rettungsdienst, verdächtige Wahrnehmungen genau protokollieren und als Anwalt und Sprecher des Kindes handeln.

Im Vordergrund der **Maßnahmen** des Rettungsdienstes stehen die Weitergabe verdächtiger Beobachtungen und die Rettung des Kindes durch Transport in die sichere Klinik. Emotionale Äußerungen gegenüber dem mutmaßlichen Täter sind sinnlos und müssen in der rettungsdienstlichen Praxis unterbleiben. Wenn sich Eltern weigern sollten, ihre verletzten Kinder in die Obhut des Rettungsdienstes zu übergeben, obwohl dies offensichtlich notwendig ist, so sind umgehend ein Arzt zur Feststellung der Notwendigkeit und die Polizei zur Durchsetzung weiterer Maßnahmen hinzuzuziehen.

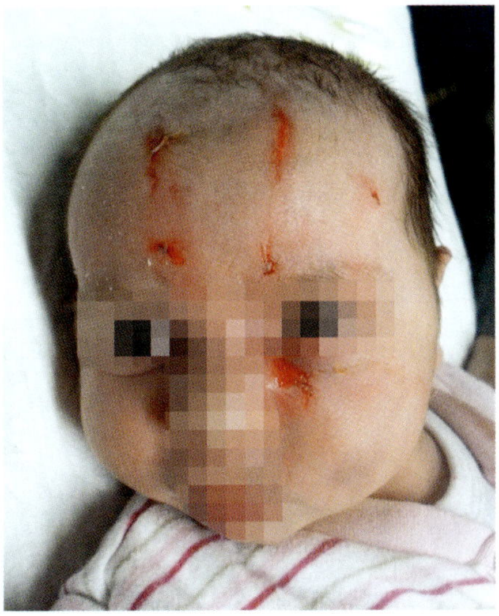

Abb. 35.16 Misshandeltes Kind. Trotz deutlich sichtbarer Spuren von Fingernägeln im Gesicht sei das Kind laut Vater „von der Couch gefallen“. [P109]

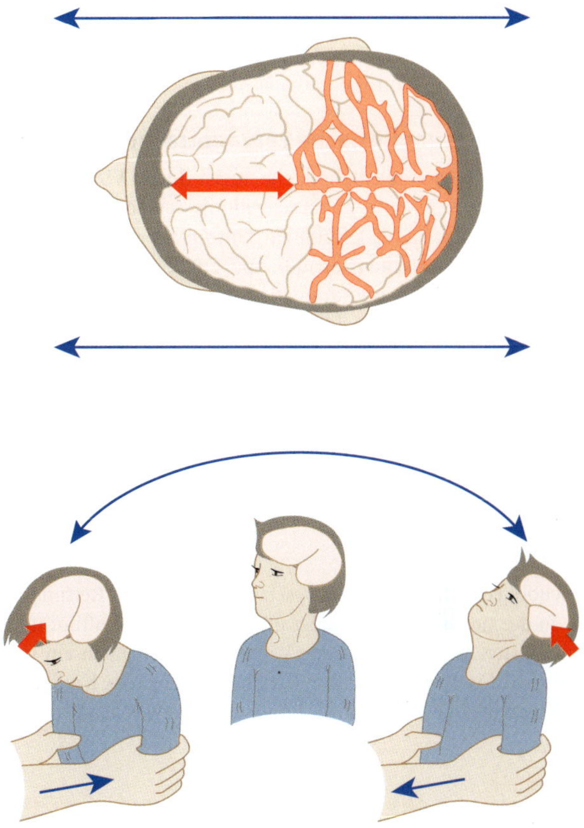

Abb. 35.17 Mechanismus eines Schütteltraumas [L231]

35.5 Respiratorische Notfälle

Während bei Erwachsenen überwiegend Notfälle des Herz-Kreislauf-Systems auftreten, stehen bei Kindern **bedrohliche Störungen der Atmung** im Vordergrund, deren häufigste Ursachen der **Pseudokrupp** (subglottische Laryngotracheitis), ein **Asthmaanfall** und die **Fremdkörperaspiration** sind.

Die Ursachen für diese unterschiedlichen Erkrankungsschwerpunkte sind offensichtlich: Zum einen kommen fast alle Kinder herzgesund zur Welt und die Alterung der Blutgefäße mit Arterienverkalkung braucht Jahrzehnte. Zum anderen sind die Atemwege des Kindes naturgemäß viel kleiner als beim Erwachsenen – eine gleich starke Schleimhautschwellung im Kehlkopf kann das Baby zum Ersticken, den Erwachsenen lediglich zum Räuspern bringen. Fremdkörper, die der Erwachsene problemlos mit seiner Atemmuskelkraft abhustet, können bei Kleinkindern einen ganzen Hauptbronchus blockieren und dadurch die Hälfte der Lungenkapazität lahmlegen. Die Möglichkeiten einer Kompensation eingeschränkter Lungenfunktion durch eine forcierte Atmung sind aufgrund der **schwach ausgeprägten Atemhilfsmuskulatur** gering.

35.5.1 Krupp-Syndrom

Das Krupp-Syndrom umfasst eine Gruppe verschiedener Erkrankungen im Säuglings- und Kleinkindesalter, die eine Verengung der Atemwege im Bereich des Kehlkopfs gemeinsam haben. Für die Notfallmedizin relevante Formen des Krupp-Syndroms sind:

- **Sub**glottische Laryngotracheitis („Pseudokrupp")
- **Supra**glottische Epiglottitis

Pseudokrupp (subglottische Laryngotracheitis)

Ein Pseudokrupp ist eine entzündliche, meist **durch Viren ausgelöste Erkrankung** des Kehlkopfs. Dabei schwillt die Schleimhaut v. a. unterhalb der Stimmritze an. Es kommt zur Luftnot bei der Einatmung mit deutlichem inspiratorischem Stridor und zu dem typischen, bellenden Husten. Trotz des häufig dramatisch wirkenden ersten Eindrucks und entsprechend besorgten Eltern, sollte man sich zunächst darauf beschränken, mithilfe letzterer und einiger weniger Basismaßnahmen die Situation zu stabilisieren. Eine intensive Notfalltherapie im Rettungsdienst ist nur in absoluten Ausnahmefällen erforderlich. Sodann gilt es, durch Befragen der Angehörigen die Diagnose zu sichern und den grundsätzlich **undramatischen Pseudokrupp** von anderen, lebensbedrohlicheren Erkrankungen der Atemwege abzugrenzen.

Symptome

Der Pseudokrupp tritt zum Leidwesen von Eltern und Rettungsdienst i. d. R. in der tiefen Nacht mit langsam zunehmender Luftnot und bellendem Husten auf, bei Aufregung kommt meistens noch ein inspiratorischer Stridor hinzu. Die Eltern berichten häufig, das Kind sei seit 1 oder 2 Tagen leicht erkältet, mit Schnupfen und etwas Husten.

MERKE

Der **Pseudokrupp** ist gekennzeichnet durch **plötzlichen Stridor** und **bellenden Husten** beim fieberfreien Kind (→ Tab. 35.3).

Die Körpertemperatur darf allenfalls gering erhöht sein. Ein „hoch fieberhafter Pseudokrupp" ist zumeist keiner, sondern möglicherweise die seltene, lebensbedrohliche Epiglottitis (s. u.), die niemals verkannt werden darf.

Therapie

Die **Basismaßnahmen** in der Behandlung des Kindes mit Pseudokrupp sind einfach. Zunächst ist die Beruhigung der Eltern wichtig, denn das Kind gehört auf den Arm der dann selbst beruhigend einwirkenden Mutter. **Feuchte kalte Luft** hilft bei der Schleimhautabschwellung im Kehlkopf. Deshalb soll das Kind warm eingepackt und ans geöffnete Fenster gebracht werden, häufig bessert sich die Symptomatik auch schon auf dem Weg durch die frische Luft zum Rettungswagen. Manipulationen wie das Aufsetzen einer Sauerstoffmaske sind beim bewusstseinsklaren Kleinkind mit Pseudokrupp zumeist sinnlos. Der kleine Patient wird sich mit Nachdruck dagegen wehren und bei der Abwehr mehr Sauerstoff verbrauchen als aus der Maske zugeführt wird. Im Zweifelsfall sollte beim Kind vor der Sauerstoffgabe ohnehin immer erst mittels Pulsoxymetrie eine möglicherweise klinisch vermutete Zyanose bestätigt werden.

Erweiterte Maßnahmen zielen auf die Verminderung der entzündlichen Schwellung im Kehlkopfbereich, um hierdurch die Atemnot zu verbessern. Unabhängig vom Schweregrad empfiehlt sich die Verabreichung von **Prednisolon-Zäpfchen** (z. B. Rectodelt®, Infectocortikrupp®), die hoch dosiert ebenso gut wirken wie eine intravenöse Gabe. Die Dosis ist mit 100 mg Prednisolon in allen Altersstufen gleich, unabhängig vom Gewicht sind bei Einmalgabe keine Nebenwirkungen zu erwarten. Zudem sind in Deutschland derzeit keine Präparate mit geringerem Wirkstoffgehalt verfügbar und die meisten Kinder bereits außerhalb des Säuglingsalters. Da die Wirkung von Kortikosteroiden jedoch frühestens nach einer halben Stunde eintritt, sollte die Verabreichung – am besten durch die Eltern – so früh wie möglich erfolgen. Bei mittelschweren und schweren Verläufen (also mit Dyspnoezeichen, Ruhestridor und/oder Zyanose) ist die **Inhalation mit Epinephrin** die Therapie der Wahl (→ Abb. 35.18). Da hierfür zugelassene Fertiginhalte (z. B. InfectoKrupp Inhal®) im Rettungsdienst nur selten vorgehalten werden, kann alternativ auf übliche Adrenalinlösungen (z. B. Suprarenin®) im Off-Label-Use zurückgegriffen werden. Mittels Feuchtinhalation über die vorsichtig vor das Gesicht gehaltene Maske (Flow 4–8 l/Min. O_2) können auch bei kleinen Kindern mehrere Ampullen unverdünntes Epinephrin oder Adrenalin ohne Gefahr vernebelt werden, eine gelegentliche Tachykardie wird selbst bei Herzfrequenzen bis 200/Min. in diesem Alter problemlos und über längere Zeit toleriert. Der Effekt der Inhalation macht sich innerhalb weniger Minuten bemerkbar, bei unzureichender Wirkung kann die Inhalation bedenkenlos wiederholt oder sogar als Dauerinhalation bis in die Klinik fortgesetzt werden. Umgekehrt kann bei rascher Beschwerdebesserung die Inhalation auch vorzeitig bzw. vor Auftreten potenzieller Nebenwirkungen beendet werden.

PRAXISTIPP

Die **Inhalation mit Epinephrin** sowie die frühzeitige rektale Gabe eines **Steroids** sind die zwei wichtigsten medikamentösen Maßnahmen beim Pseudokrupp.

	Pseudokrupp	Epiglottitis
Beginn	Langsam	Schnell
Alter	0,5–4 Jahre	3–7 Jahre
Fieber	Keines oder gering	Hoch
Stimme	Heiser	Kloßig
Husten	Bellend	Kaum bis fehlend
Speichel	Normal	Fließt
Schlucken	Normal	Behindert

Tab. 35.3 Unterscheidung von Epiglottitis und Pseudokrupp

Abb. 35.18 Inhalation [J520-259]

Mit den beschriebenen Maßnahmen wird man fast alle Kinder mit Pseudokrupp so weit stabilisieren können, dass ein Transport in die Klinik ohne Risiko und ohne Eile möglich wird. In extremen Ausnahmefällen aber kann auch eine Pseudokrupp-Erkrankung zu einer lebensbedrohlichen Atemnot führen, die ein invasives Eingreifen zur Sicherung der Atemwege erforderlich macht. **Zeichen der lebensgefährlichen Atemnot** sind grau-zyanotisches Aussehen, eine pulsoxymetrisch gemessene Sättigung < 90 %, schwerer inspiratorischer Stridor und eingetrübtes Bewusstsein.

Gerade bei Pseudokrupp-Patienten gilt, dass eine gekonnte **Maskenbeatmung** der mühsamen und oft mit schweren Folgeschäden verbundenen **Notfallintubation** vorzuziehen ist. Da die Atemwegsverengung beim Pseudokrupp überwiegend unterhalb der Stimmbänder liegt, wird sich bei der Intubation meistens ein weitgehend normales laryngoskopisches Bild ergeben. Erst nach Passieren der Stimmritze trifft man auf das eigentliche Problem, es sollte deshalb primär immer ein kleinerer Tubus (0,5 mm ID < altersentsprechend) sowie die orotracheale Intubation mittels Führungsstab gewählt werden. Aufgrund der Zeitverzögerung durch eine auch beim Pseudokrupp notwendige Narkoseeinleitung sowie den fraglichen Erfolg der präklinischen Intubation ist in dieser Situation jedoch häufig ein **schnellstmöglicher Transport unter Inhalation und Sauerstoffgabe in eine vorinformierte Klinik** mit Kinderanästhesist/-intensivmediziner die beste Wahl!

ACHTUNG! Die **Intubation** von Pseudokrupp-Kindern ist **sehr selten erforderlich** und muss der akut lebensbedrohlichen Ateminsuffizienz mit Zyanose vorbehalten bleiben.

IM FOKUS

Pseudokrupp

Ursachen

- Virale Erkrankung des Kehlkopfs (subglottisch)

Symptome

- Bellender Husten
- Inspiratorischer Stridor
- Kein oder nur geringes Fieber (Temperatur < 38,5 °C)
- Normales, eher blasses Hautkolorit

Maßnahmen

Monitoring

- SpO_2, Rekapillarisierungszeit, AF, Puls, Temperatur
- Bewusstseinszustand (AVPU)

Basismaßnahmen und Lagerung

- Beruhigung von Eltern und Kind
- Kind auf Arm der Mutter in Oberkörperhochlage (z. B. Sitzen auf dem Schoß)
- Feuchte, kalte Luft atmen lassen.

Erweiterte Maßnahmen

- Feuchtverneblung von Epinephrin
- Rektale Verabreichung eines Steroids

Medikamente und Dosierungsempfehlungen

- Prednisolon/Prednison 100 mg rektal (alle Altersklassen)
- Inhalation mit 2–3 ml unverdünntem Epinephrin, ggf. Wiederholung

Epiglottitis

Durch Schutzimpfung der meisten Kleinkinder gegen den Erreger *Haemophilus influenzae* ist die noch vor einigen Jahren gefürchtete Epiglottitis in Deutschland inzwischen eine **Seltenheit.** Dennoch kann sie bei ungeimpften Kindern immer noch auftreten, die Zunahme an „Impfgegnern" sowie von Migranten- und Flüchtlingskindern mit unvollständigem Impfschutz wird eher wieder zu einem Anstieg der Erkrankung führen. Die Epiglottitis führt aus völliger Gesundheit heraus in wenigen Stunden zu **lebensbedrohlicher Luftnot.** Stärkste Einziehungen, Erstickungsangst des kleinen Kindes und im Extremfall Bewusstseinstrübung durch Sauerstoffmangel, grau-zyanotische Hautfarbe, Schnappatmung oder Atemstillstand werden den im Einsatz angetroffenen Erstbefund kennzeichnen. Wichtig ist, eine Epiglottitis im Rettungsdienst zu diagnostizieren und dieses lebensbedrohliche Krankheitsbild nicht mit dem viel harmloseren Pseudokrupp zu verwechseln. Bestimmte Merkmale erleichtern die Unterscheidung dieser mit **Stridor** und **Atemnot** einhergehenden Krankheiten.

MERKE

Bis zum Beweis des Gegenteils sind alle Kinder mit **Stridor, Atemnot und hohem Fieber** als an einer Epiglottitis erkrankt anzusehen. Alle Maßnahmen sind an dem pädiatrischen Maximalnotfall der Epiglottitis auszurichten.

Therapie

Alle Maßnahmen zielen auf die **Aufrechterhaltung der Atmung** und das **schnellstmögliche Erreichen einer geeigneten Zielklinik,** da die einzige kausale Therapie nur dort möglich ist, nämlich eine erregerspezifische Antibiose. Jede Aufregung des Kindes kann die Situation weiter verschärfen, deshalb sollten alle Manipulationen vermieden und Eltern mit Kind ruhig, aber zügig in den Rettungswagen verbracht werden. Niemals darf eine Racheninspektion erfolgen, da dies von einer Verstärkung der Schwellung bis hin zu einem reflektorischen Herzstillstand führen kann.

Die ohnehin bereits stark angeschwollene Epiglottis wird im Liegen nach hinten fallen und im schlimmsten Fall den Atemweg endgültig verlegen. Der Transport sollte deshalb in **sitzender oder leicht nach vorne gebeugter Position** erfolgen, am besten auf dem Schoß der Mutter. Über eine locker vorgehaltene Maske sollte dem Kind Sauerstoff vorgelegt werden. Für den weiteren Verlauf sind die richtige Wahl der Zielklinik sowie die telefonische Vorankündigung entscheidend: Auch in der Klinik wird die Intubation nur einem erfahrenen Anästhesisten oder Kinderintensivmediziner gelingen, bevorzugt in Endoskopiebereitschaft. Eine HNO-Abteilung oder versierte Kinderchirurgie sichern bei unmöglicher Intubation mittels chirurgischen Atemweges die weitere Beatmung des Kindes. Im Idealfall sollte bei Eintreffen des Rettungsdienstes das komplette Team im Schockraum oder auf der Kinderintensivstation bereitstehen, um eine zügige Weiterversorgung mit Einleitung einer Inhalationsnarkose, Etablierung eines venösen Zugangs und der anschließenden Intubation gewährleisten zu können.

Verschlechtert sich die Atmung des Kindes weiter oder tritt eine Bewusstseinstrübung ein, kann man zumeist mit **assistierender Maskenbeatmung** die Zeit bis zum Eintreffen in der Klinik überbrücken. Kinder mit Atemnot sterben i. d. R. nicht am kompletten Zuschwellen ihrer Atemwege, sondern an Erschöpfung der Atemmuskulatur durch langes überanstrengtes Atmen.

ACHTUNG! Bei diesem Ersticken durch Erschöpfung der Atemmuskulatur kann eine die assistierende Maskenbeatmung wirksam und lebensrettend sein und ist einer Intubation im Kruppanfall vorzuziehen.

Da in dieser Situation das Kind bewusstseinsgetrübt ist, wird es die Maske fast immer tolerieren. Von sedierenden Maßnahmen ist abzuraten, da diese den verbleibenden Atemantrieb des Kindes weiter senken können. Eine ruhig und kontrolliert durchgeführte Maskenbeatmung mit Sauerstoff wird in den allermeisten Fällen ausreichen, Kinder mit bedrohlicher Atemnot lebend in die Klinik zu bringen.

Sehr selten wird eine **Intubation** erforderlich sein, diese sollte nur bei schwerer Atemstörung mit nicht mehr tolerabler Sauerstoffsättigung sowie fehlender Möglichkeit des „Scoop and Run" aufgrund längerer Fahrtzeit durchgeführt werden. In diesem Fall sollte unbedingt zunächst eine adäquate Narkose einschließlich Relaxierung eingeleitet werden, da erhaltene Schutzreflexe bzw. eine traumatische Intubation rasch zu einer zusätzlichen Verschlechterung führen und es in dieser Situation ohnehin kein Zurück zur Spontanatmung mehr gibt. Der Tubus sollte mindestens 0,5 mm kleiner als der altersentsprechende Innendurchmesser gewählt werden, es empfiehlt sich die orale Intubation mittels Führungsstab. Wenngleich die Intubation in Koniotomiebereitschaft empfohlen ist, handelt es sich bei letzterer präklinisch um eine Ultima-Ratio-Technik mit allenfalls anekdotischer Erfolgsquote bei Kindern.

IM FOKUS

Epiglottitis

Ursachen

Bakterielle Erkrankung von Kehlkopf und -deckel (supraglottisch)

Symptome

- Kein Husten
- Inspiratorischer Stridor
- Hohes Fieber (Temperatur > 38,5 °C)
- Rotes, fiebriges Hautkolorit
- Eingeschränkte Mikrozirkulation

Maßnahmen

Monitoring

- SpO_2, Rekapillarisierungszeit, AF, Puls Temperatur
- Bewusstseinszustand (AVPU)

Basismaßnahmen und Lagerung

- Minimalinvasives Vorgehen („Scoop and Run")
- Sauerstoffgabe über Maske 6–8 l/Min.
- Kind auf Arm der Mutter in Oberkörperhochlage (z. B. Sitzen auf dem Schoß)

Medikamente und Dosierungsempfehlungen

- Keine Sedierung
- Kein Kortison
- Gegebenenfalls Versuch der Epinephrin-Inhalation über Vernebler
- Antibiotikagabe erst in Klinik

35.5.2 Asthmaanfall

Mit Asthma als chronischer Erkrankung sind das erkrankte Kind und seine Eltern zumeist gut vertraut und haben im betreuenden Kinderarzt ihre medizinische Bezugsperson. So erfolgt die Alarmierung des Rettungsdienstes vielfach erst dann, wenn die bewährte Eigenhilfe mit Inhalationsgerät, Dosieraerosol und Medikamenten versagt hat. Die Anamnese ist meist leicht und eindeutig zu erheben. Die erforderlichen **Basismaßnahmen** und **erweiterten Maßnahmen** sind → Kap. 28.2.3 zu entnehmen.

Es gilt, einige **Besonderheiten** bei Kindern zu beachten. Die effektive Inhalation schnellwirkender bronchialerweiternder Betamimetika im Bedarfsfall sowie eine dauerhafte Kortisoninhalation sind Grundlage der Therapie. Häufig können Kinder mit asthmabedingter Atemnot die üblichen Dosieraerosole jedoch nicht mehr richtig anwenden. Dann muss mit einer Inhalierhilfe oder mit einem Vernebler inhaliert werden, im Rettungsdienst wird man i. d. R. Salbutamol vernebeln. Die Gabe von Prednisolon als Zäpfchen ist möglich, alternativ mit 2 mg/kg KG intravenös, höhere Dosen sind nicht effektiver. Die Wirkung des Kortisons setzt jedoch erst mit einiger Verzögerung ein. Wichtigstes diagnostisches Hilfsmittel ist die **Pulsoxymetrie:** Die Sauerstoffsättigung soll mindestens 92 % betragen, bei geringeren Werten ist die umgehende Sauerstoffgabe über eine Sauerstoffbrille oder das lockere Vorhalten einer Maske notwendig. Im Gegensatz zum älteren Menschen ist beim Kind eine Verminderung des Atemantriebs durch die Sauerstoffgabe nicht zu befürchten, dieser sollte deshalb eher frühzeitig und großzügig verwendet werden.

Bei **Zunahme der respiratorischen Insuffizienz** ist eine Intensivierung der Therapie notwendig; da es sich meistens um Schulkinder handelt und die Venen durch die angestrengte Atmung eher gestaut sind, sollte sich normalerweise zügig ein intravenöser Zugang etablieren lassen. Hierüber kann auch bei Kindern vorsichtig z. B. mit Reproterol als Betamimetikum gearbeitet werden, limitierend ist ggf. eine zunehmende Tachykardie. Alternativ kommt auch die subkutane Verabreichung von Terbutalin oder die intramuskuläre Gabe von Adrenalin infrage, je nachdem welche Medikamente im Rettungsdienstbereich vorgehalten werden. Die Infusion von Theophyllin ist in ihrer Wirksamkeit umstritten und meist der Behandlung in der Klinik vorbehalten.

Bei lebensbedrohlichen Symptomen, wie **Zyanose und Bewusstseinstrübung,** hilft oft als Ultima Ratio vor der komplikationsbelasteten Intubation eine assistierende Maskenbeatmung mit Sauerstoff! Gelegentlich erleichtert eine vorsichtige Sedierung mit Promethazin (Atosil®) oder niedrig dosiertem Morphin die Kooperation und mindert den durch die Atemnot empfundenen Stress, ohne den Atemantrieb zusätzlich zu beeinträchtigen.

Wie bei allen Kindern mit Atemnotzuständen sollen bei der Versorgung und während des Transports **Ruhe und Sicherheit** vermittelt werden. Die Sauerstoffgabe per Maske ist zwar sinnvoll, hat aber bei heftiger Abwehr des Kindes zunächst zu unterbleiben. Das beruhigende Einwirken der Eltern ist bei einem psychisch überlagerten und angstauslösenden Krankheitsbild wie dem Asthmaanfall eine wirksame und nebenwirkungsfreie Therapie.

IM FOKUS

Asthma bronchiale bei Kindern

Ursachen

- Allergisches (extrinsic) Asthma
- Nichtallergisches (intrinsic) Asthma

Symptome

- Orthopnoe (höchste Atemnot), Tachypnoe (beschleunigte Atmung)
- Hustenattacken
- Giemen, Brummen
- Unruhe, Angst
- Zyanose

Maßnahmen

Monitoring

- SpO_2, Rekapillarisierungszeit, AF, Puls, EKG, Temperatur
- Bewusstseinszustand (AVPU, GCS)
- Inspektion Atembewegungen (zunehmende Erschöpfung?)

Basismaßnahmen und Lagerung

- O_2-Gabe über Maske oder Nasensonde 4–6 l/Min.

- Oberkörperhochlagerung (30–90° Drehpunkt Hüfte) oder Kind auf Arm der Mutter in Oberkörperhochlage (z. B. Sitzen auf dem Schoß)

Erweiterte Maßnahmen

- i. v. Zugang (wenn schnell möglich)

Medikamente und Dosierungsempfehlungen

- Schnellwirkendes Betamimetikum per Dosieraerosol mit Inhalierhilfe 2–4-mal/10 Min. oder per Vernebler z. B. mit Salbutamol-Fertiginhalat
- Prednisolon 2 mg/kg KG i. v. oder 100 mg rektal (z. B. Infectocortikrupp®)
- Reproterol 1 µg/kg KG langsam i. v. oder Terbutalin 5 µg/kg KG subkutan

35.5.3 Fremdkörperaspiration

Insbesondere Kleinkinder stecken alles in den Mund, was sie erreichen können und was hineinpasst. Beim Einatmen können Erdnüsse, Legosteine, Plastikspielzeugteile und vieles andere mehr aspiriert werden und den Kehlkopf, die Luftröhre oder Teile des Bronchialbaums ganz oder teilweise verlegen.

Symptome

Das **Leitsymptom** der Fremdkörperaspiration ist der **plötzliche heftige Hustenanfall** ohne vorhergehende Erkältung. Wenn dann noch offensichtlich kleine Gegenstände vom Kind in den Mund gesteckt wurden und ein Stridor oder über einer Lungenseite Giemen zu hören ist, fällt die Verdachtsdiagnose nicht schwer. Auch beim Essen von Nüssen, Paprika oder rohen Karotten treten Aspirationen überproportional häufig auf. Wurde eine kleine und nicht akut bedrohliche Aspiration von der Mutter nicht bemerkt oder vom Arzt übersehen, wird chronischer Husten manchmal erst nach Wochen zur korrekten Diagnose führen. Diese Kinder werden aber in der Regel nicht vom Rettungsdienst gesehen.

Therapie

Die zu ergreifenden **Basismaßnahmen** hängen entscheidend von der gebotenen Symptomatik ab. Nach einem nur kurzen Erstickungsanfall sowie rasch wieder gebessertem Allgemeinzustand ohne persistierenden Husten, Zyanose oder Dyspnoe wurde der Fremdkörper entweder bereits ausgehustet oder aber ist unterhalb der Glottis in der Trachea oder einem Hauptbronchus zum Liegen gekommen. Jegliche Manipulation und die Aufforderung zum Husten sollten unterbleiben, da eine erneute Lageveränderung z. B. mit Verklemmen im Kehlkopf zu einem respiratorischen Notfall führen kann. Es sollte deshalb in Arztbegleitung ein schonender, aber zügiger Transport in die nächste Kinderklinik mit Möglichkeit der bronchoskopischen Fremdkörperextraktion erfolgen.

Beim hustenden Kind ist zunächst die Unterscheidung in effektives und ineffektives Husten wichtig (→ Abb. 35.19). Beim **effektiven Husten** ist der Atemweg i. d. R. nur partiell verlegt, das Kind immer wach, ansprechbar und es liegt eine allenfalls mäßige Dyspnoe ohne Zyanose vor. Empfehlung ist in diesem Fall, das Kind weiter zum Husten zu ermutigen. Über eine vorgehaltene Gesichtsmaske kann Sauerstoff zugeführt werden, mittels Pulsoxymetrie kann die Sättigung überwacht werden. Auch hier ist der eilige Transport mit Notarzt und in Intubationsbereitschaft die sinnvollste Maßnahme, während der gesamten Fahrt muss das Kind engmaschig auf eine drohende respiratorische Erschöpfung oder weitere Zunahme der Obstruktion beobachtet und dann ggf. weitere Maßnahmen ergriffen werden.

Ist das Kind bereits zyanotisch, der Hustenstoß nur noch schwach, liegt bereits eine Bewusstseinsstörung oder Schaukelatmung vor, so spricht man von **ineffektivem Husten.** Hier sollten zügig Versuche zur Fremdkörperentfernung durch eine intrathorakale Druckerhöhung versucht werden. Unabhängig vom Alter sind bis zu **5 kräftige und ruckartige Schläge mit der Hand auf den Rücken** bzw. zwischen die Schulterblätter empfohlen. Insbesondere Säuglinge und Kleinkinder sollten hierzu möglichst in Kopftieflage gebracht werden, z. B. durch Legen auf den Unterarm oder über das eigene Knie (→ Abb. 35.20).

Bei ausbleibender Besserung werden bei Kindern unter einem Jahr 5 Thoraxkompressionen in Rückenlage durchgeführt, diese sind vergleichbar mit der Herzdruckmassage im Rahmen einer Reanimation. Bei größeren Kindern kann, wie beim Erwachsenen, ein **Heimlich-Manöver** erfolgen, hierbei wird das Kind von hinten „umarmt" und eine

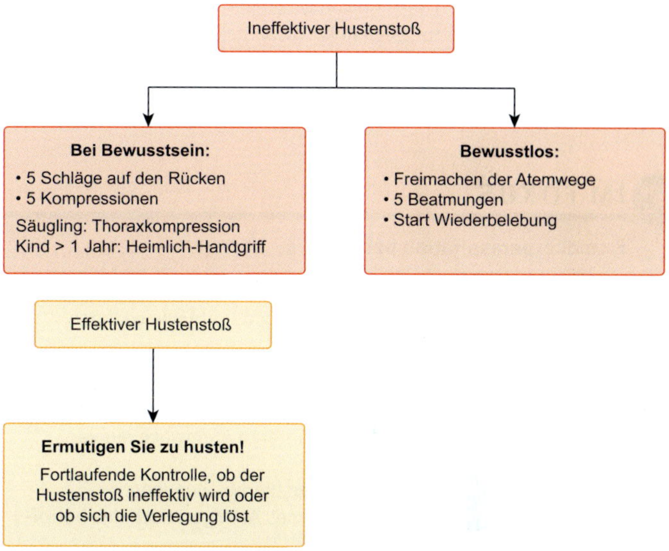

Abb. 35.19 Maßnahmen bei ineffektivem und effektivem Husten [L143]

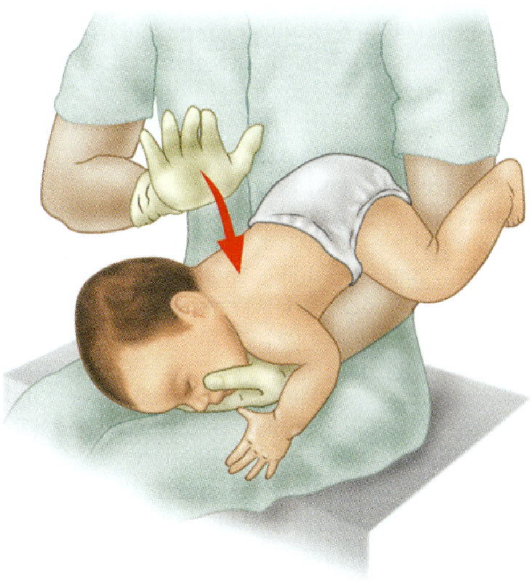

Abb. 35.20 Maßnahme bei Fremdkörperaspiration [L238]

Faust zwischen unterem Brustbeinrand und Nabel platziert. Anschließend wird diese Faust mit der zweiten Hand ruckartig nach innen und oben gezogen. Eine leicht nach vorne gebeugte Haltung des Kindes erleichtert das Herausfallen des Fremdkörpers. Bei Kindern unter 1 Jahr sollte dieses Manöver aufgrund der erhöhten Verletzungsgefahr der Oberbauchorgane nicht durchgeführt werden.

Bei Erfolglosigkeit der vorausgegangenen Maßnahmen oder bewusstlosem Kind ist umgehend eine **Reanimation** gemäß gültiger **ERC-Leitlinie** einzuleiten; im Rahmen der Intubation kann bei sichtbaren Fremdkörpern der Versuch einer Entfernung mittels Magillzange oder starrem Absauger erfolgen. Bei weiterhin unmöglicher Beatmung ist häufig das tiefe Vorschieben des Fremdkörpers mithilfe des Tubus noch eine Möglichkeit, da auch über die nur einseitige Ventilation oft eine suffiziente Beatmung möglich ist.

Nach Sicherstellung der Atmung sollte eine Zielklinik mit Bereitschaft einer starren Bronchoskopie angesteuert werden; diese Möglichkeit muss durch die Rettungsleitstelle vorab geklärt werden, damit bei Eintreffen in der Zielklinik die Bereitschaft des Teams aus Kinderintensivmediziner oder -pulmonologen und Anästhesisten sichergestellt werden kann.

IM FOKUS

Fremdkörperaspiration bei Kindern

Ursachen
- Vollständige oder teilweise Verlegung der Atemwege durch Fremdkörper

Symptome
- Inspiratorischer Stridor bei Teilverlegung der oberen Atemwege
- Giemen bei Teilverlegungen der unteren Atemwege mit verlängerter Ausatmung
- Fehlende oder nachhängende Brustkorbbewegungen
- Abgeschwächtes oder aufgehobenes Atemgeräusch des betroffenen Lungenabschnitts

Maßnahmen

Monitoring
- SpO_2, AF, Rekapillarisierungszeit, Puls
- Bewusstseinszustand (AVPU)

Basismaßnahmen und Lagerung
- O_2-Gabe über Maske oder Nasensonde 4–6 l/Min.
- Kind auf Arm der Mutter in Oberkörperhochlage (z. B. Sitzen auf dem Schoß)
- Bei effektivem Husten: Zum Husten ermutigen, keine Versuche der Fremdkörperentfernung!
- Bei ineffektivem Husten:
  - Bis zu 5 ruckartige Schläge zwischen die Schulterblätter („Backblows“)
  - Bei ausbleibendem Erfolg 5 Thoraxkompressionen in Rückenlage (Kinder < 1 Jahr) oder 5 abdominelle Kompressionen („Heimlich-Manöver“, Kinder > 1 Jahr)

Erweiterte Maßnahmen
- Nur bei drohender Erstickung bzw. bewusstlosem Kind:
  - Laryngoskopie und Fremdkörperentfernung mit der Magillzange (nur oberhalb der Stimmbänder)
  - Endotracheale Intubation und Versuch des Vorschiebens des Fremdkörpers in einen Hauptbronchus

Medikamente und Dosierungsempfehlungen
- Ggf. Narkoseeinleitung

35.6 Plötzlicher Kindstod (Sudden Infant Death Syndrome = SIDS)

Diesem ursächlich immer noch nicht vollständig aufgeklärten Krankheitsbild fallen in Deutschland jährlich bis zu 100 scheinbar gesunde Säuglinge zum Opfer. Wichtige **Risikofaktoren** wie z. B. die Bauchlage oder Rauchen in der Wohnung konnten inzwischen identifiziert werden. Umgekehrt sind **präventive Maßnahmen** wie ausschließliches Stillen während der ersten Monate sowie die zeitgerechte Durchführung der empfohlenen Impfungen als Schutzfaktoren belegt. Die verstärkte Aufklärung junger Eltern über diese Schutz- bzw. Risikofaktoren hat erfreulicherweise zu konstant rückläufigen Fallzahlen geführt, dennoch ist jeder einzelne Kindstod weiterhin ein Drama für die betroffene Familie. Auch für den Rettungsdienst ist das Auffinden eines toten Säuglings häufig eine extreme psychische Belastung, und nicht immer fällt es leicht, den richtigen Mittelweg zwischen der professionellen Begleitung der Familie und den tatsächlich notwendigen Maßnahmen zu finden.

Die typische Alarmierung des Rettungsdienstes erfolgt zu einem Säugling mit Atemstillstand, der von den entsetzten Eltern scheinbar schlafend ohne Lebenszeichen im Bettchen aufgefunden wurde. Das SIDS tötet leise und ohne Vorwarnung, sodass die Eltern das Kind erst auffinden, wenn es sich überraschend nicht zu einer Mahlzeit gemeldet hat. In fast allen Fällen wird der Tod eingetreten sein, nicht selten sind schon sichere Todeszeichen festzustellen.

Maßnahmen

Sofern keine sicheren Todeszeichen vorliegen, muss umgehend eine kardiopulmonale Reanimation nach den üblichen Standards durchgeführt werden. Leider wird die **Reanimation** beim SIDS fast immer erfolglos abgebrochen werden müssen, spätestens nach 15–20 Min. ohne Lebenszeichen sind die Chancen auf ein Überleben verschwindend gering, schwere bleibende Behinderungen bei Wiedererlangen eines Spontankreislaufs im Gegenzug nahezu sicher. Auf keinen Fall sollte bei Vorliegen sicherer Todeszeichen mit einer Reanimation begonnen werden, nur „um etwas zu tun“ oder den Eltern das Gefühl noch vorhandener Hoffnung zu geben. Es kann keinen Trost für Eltern geben, die ihr Kind verloren haben, auf entsprechende Versuche oder sogar gänzlich inadäquate Floskeln wie „… das wird schon wieder“ oder „… ich verstehe genau, was Sie jetzt durchmachen“ sollte deshalb verzichtet werden. Im Vordergrund der Bemühungen des Rettungsdienstes muss die einfühlsame und zurückhaltende Begleitung zusammengebrochener Eltern in ihrer ersten Trauerarbeit stehen.

Der den Tod bescheinigende Notarzt wird sich in einer **gründlichen Leichenschau** davon überzeugen, dass keinerlei äußere Verletzungs- oder Verwahrlosungszeichen am Säugling vorliegen und dass auch die sichtbaren Schleimhäute unverletzt sind. Er wird auf der Todesbescheinigung auch bei einem völlig unversehrten Baby stets „Ungeklärte Todesursache“ ankreuzen und die Polizei bzw. die Staatsanwaltschaft verständigen müssen. Diese rechtlich gebotene Maßnahme muss mit Takt und Fingerspitzengefühl den fassungslos trauernden Eltern vermittelt werden. Der Hinweis, dass schon wegen der Geschwister eine genaue Klärung der Todesursache (mögliche erbliche Krankheit?) zu erfolgen hat und dass auch die Eltern in späteren Jahren Gewissheit wünschen werden, kann die Akzeptanz der unumgänglichen rechtsmedizinischen Obduktion bei den Eltern fördern. Auf keinen Fall sollten – auch bei Anhaltspunkten für einen nicht natürlichen Tod – auch nur geringste Schuldzuweisungen geäußert werden! Die Betreuung der verzweifelten Eltern bei einem plötzlichen Säuglingstod ist eine typische

Indikation für die **Nachforderung professioneller Helfer,** wie Notfallseelsorger oder Kriseninterventionsteams.

In zunehmendem Maße werden bei nachgeborenen **Geschwistern von SIDS-Opfern** im Säuglingsalter **Überwachungsgeräte** zum häuslichen Monitoring von Puls und/oder Atmung verordnet. Die Eltern werden in der Säuglingsreanimation geschult und angewiesen, bei Alarm des Geräts und Bewusstlosigkeit ihres Kindes den Rettungsdienst zu alarmieren. Glücklicherweise handelt es sich in der Mehrzahl der Alarmierungen um Fehleinsätze wegen fehlerhafter Auslösung des Überwachungsgeräts. Auch im Falle eines Fehleinsatzes ist diesen Eltern mit besonderer Rücksicht und Freundlichkeit zu begegnen. Nach dem zurückliegenden Tod eines Säuglings an SIDS haben sie gerade erneut Todesängste um ihr nachgeborenes Baby durchgemacht. Die von vielen Eltern ohne Verordnung privat gekauften „Klingelmatten" hingegen sind nicht geeignet, einen plötzlichen Kindestod zu vermeiden, aber noch weit mehr anfällig für Fehlalarme. Gleichzeitig ist den Eltern oft nicht bewusst, dass nicht der Monitoralarm das Kind rettet, sondern nur die Kenntnis und konsequente Anwendung geeigneter Ersthelfermaßnahmen.

Nicht immer wird der Rettungsdienst erst nach stattgehabtem Kindstod alarmiert, sondern es existieren auch Vorstufen. Früher (bis 1986) wurden diese oft als „Near-Missed-SIDS" oder ALTE („Apparent Life-threatening Event") bezeichnet. 2016 wurde der Begriff ALTE durch die American Academy of Pediatrics durch den Begriff **BRUE** (engl. *brief resolved unexplained event,* unerklärliches flüchtiges Ereignis) ersetzt.

BRUE beschreibt das Auftreten eines plötzlichen, kurzzeitigen Ereignisses bei Kindern unter einem Jahr, das durch Atemnot/Atemstillstand, Hautfarbenveränderung, Verlust des Muskeltonus und evtl. seltsamen Atemgeräuschen einhergeht. Für einen Beobachter (i. d. R. Elternteil) wirkt dies äußerst beängstigend und führt regelhaft zur Alarmierung des Rettungsdienstes. Jedes solcher Ereignisse sollte auch dann zu einer Vorstellung und weiteren Abklärung in der Klinik führen, wenn bei Eintreffen des Rettungsdienstes ein scheinbar vollständig unbeeinträchtigt und vital wirkender Säugling vorgefunden wird.

DEFINITION

Unter BRUE („Brief resolved unexplained event") fasst man plötzliche Veränderungen zusammen von:

- Atmung (unregelmäßig, Apnoe)
- Kolorit (akute Blässe der Zyanose)
- Muskeltonus (hyper- oder hypoton)
- Bewusstsein (Apathie, fehlende Reaktion)

Die Ereignisse dauern i. d. R. < 1 Min. und lassen sich durch Anamnese und Untersuchung **nicht** erklären. Nur sehr selten sind erweiterte Maßnahmen notwendig, gelegentlich wurde bereits eine kurze Laienreanimiation durch die Eltern durchgeführt.

35.7 Krampfanfall

35.7.1 Fieberkrampf

Krampfanfälle, die bei gewissen prädisponierenden Umständen, aber ohne eine anhaltende Funktionsstörung des Gehirns auftreten, nennt man Gelegenheitsanfälle. Die **häufigste Form von Krampfanfällen im Kindesalter** wiederum ist der Gelegenheitskrampf bei Fieber, kurz auch **Fieberkrampf** genannt. Bei dafür empfänglichen Kleinkindern von ca. 6 Monaten bis etwa 5 Jahren kommt es durch den Fieberanstieg im Rahmen eines oft banalen Infekts zu einem generalisierten Krampfanfall mit Bewusstlosigkeit.

Symptome

Der einfache Fieberkrampf dauert per definitionem nur wenige Minuten, läuft **generalisiert tonisch-klonisch** ab und endet spontan ohne weitere Maßnahmen. Selten wird das Kind noch krampfend angetroffen, häufiger ist eine typische postiktale Phase mit (noch) nicht ansprechbarem oder sehr müdem Kind.

DEFINITION

Der Fieberkrampf ist ein Gelegenheitsanfall, der durch einen heftigen Temperaturanstieg (Fieber) ausgelöst wird und nur wenige Minuten anhält. Nicht die Höhe des Fiebers, sondern die Geschwindigkeit des Temperaturanstiegs ist entscheidend für das Auslösen eines Fieberkrampfs.

Therapie

Für den Rettungsdienst bleibt bei einem Kind mit kurz dauerndem, unkompliziertem Fieberkrampf wenig zu tun. Die **Basismaßnahmen** zielen auf die Sicherung der Atemfunktion und die Beruhigung der Eltern, die vor wenigen Minuten Todesängste um ihr Kind ausgestanden haben. Die **erweiterten Maßnahmen** umfassen nicht unbedingt die Anlage eines venösen Zugangs, da die erforderlichen Medikamente viel einfacher oral, intranasal oder rektal verabreicht werden können. Befindet sich das Kind noch im Krampfanfall, kann der kleine Patient eine Rektiole Diazepam erhalten. Ähnlich effektiv und noch einfacher zu verabreichen ist Midazolam intranasal über einen geeigneten Adapter, z. B. über das MAD-System (→ Kap. 20.1.2). Ist der Krampfanfall bereits vorbei, wird auf die Gabe von Benzodiazepinen verzichtet, um den Patienten in der Erschlaffungsphase nicht unnötig zu sedieren. Zur Fiebersenkung kann, wenn nicht bereits durch die Eltern geschehen, ein fiebersenkendes Zäpfchen appliziert werden. Der Sinn dieser Maßnahme ist jedoch umstritten, da Fieberkrämpfe nicht durch das Fieber an sich ausgelöst werden, sondern ihren Ursprung eher in einem schnellen ersten Temperaturanstieg haben. Bei Krampfanfällen mit längerer Dauer, fokalen Zeichen oder wiederholten Krampfereignissen liegt nicht mehr ein einfacher, sondern ein **komplizierter Fieberkrampf** vor. In diesem Fall sollten eher großzügig die Anlage eines venösen Zugangs sowie die Verabreichung von Benzodiazepinen erfolgen, da die Gefahr des Übergangs in einen Status epilepticus besteht.

Ein Fieberkrampf ist zwar der bei Weitem häufigste Grund eines kindlichen Krampfanfalls, jedoch prinzipiell eine **Ausschlussdiagnose.** Insbesondere eine lebensbedrohliche Hirnhautentzündung, aber auch symptomatische Hypoglykämien oder eine Hirnblutung können sich beim Kind primär als Krampfanfall manifestieren. Das Kind sollte deshalb grundsätzlich nach jedem Fieberkrampf zur weiteren Diagnostik in eine Kinderklinik transportiert werden. Ein einmalig ausgeschlossener Herzinfarkt beim Erwachsenen würde auch keinen Retter dazu verleiten, bei erneuten Thoraxschmerzen derselben Person auf eine umgehende Vorstellung in einer Klinik zu verzichten.

35.7.2 Status epilepticus

Auch wenn die Definition des Status epilepticus weiterhin uneinheitlich ist, wurde die bisher angenommene Dauer von mindestens 30 Min. weitgehend verlassen. Da beim Kind persistierende Krampfanfälle nach aktuellem Wissensstand schon nach kürzerer Zeit zu neurologischen Folgeschäden bis hin zum Tod führen können, gelten inzwischen sehr viel engere Zeiträume.

DEFINITION

Jeder Krampfanfall, der länger als 5 Min. andauert, ist ein Status epilepticus.

Man spricht deshalb bei generalisierten tonisch-klonischen Krampfanfällen inzwischen schon nach 5 Min. vom Status epilepticus, bei Absencen oder fokalen Krämpfen wird die Grenze bei 20 Min. gesetzt.

Therapie

Hieraus ergibt sich die Schlussfolgerung, dass kindliche Krampfanfälle frühzeitiger und konsequenter als bisher behandelt werden müssen. **Spätestens nach 5 Min. sollte eine medikamentöse Therapie** eingeleitet werden, bei ausbleibendem Erfolg muss die Therapie in einem Stufenschema eskaliert werden.

Problematisch ist hierbei, dass mindestens die Hälfte der Kinder im Status epilepticus eine neurologische Vorerkrankung aufweist, entweder in Form eines Epilepsie-Syndroms oder angeborener bzw. erworbener struktureller Hirnveränderungen. Viele Kinder sind medikamentös bereits mit diversen Medikamenten vorbehandelt, die sich in ihren Wechsel- und Nebenwirkungen potenziell verstärken und für den Rettungsdienst akut nur schwer einzuschätzen sind. Kinder mit organischen Hirnveränderungen haben nicht selten eine Behinderung mit Einschränkung der neurologischen Beurteilbarkeit, aber auch Auswirkungen insbesondere auf die respiratorische Situation.

Während in der **ersten Phase „klassische" Benzodiazepine** wie Midazolam oral/**intranasal** oder Diazepam **rektal** zum Einsatz kommen können, wird in der **zweiten Phase** des prolongierten Krampfanfalls ein Wechsel von Präparat und Verabreichungsart empfohlen, z. B. auf **Lorazepam oder Clonazepam intravenös.** In der **dritten Phase** des etablierten Status epilepticus wurden bisher traditionell **Phenobarbital,** Phenytoin oder Valproat empfohlen, mit zum Teil erheblichen und oft unverhersehbaren Nebenwirkungen. In Kinder- wie Erwachsenenmedizin setzt sich deshalb zunehmend Levetiracetam (z. B. Keppra®) durch. **Levetiracetam hat eine hohe therapeutische Breite,** kaum Wechselwirkungen mit anderen (Vor-)Medikamenten **und keinerlei atemdepressive Wirkung.**

Sollten die vorgenannten Maßnahmen ohne Erfolg bleiben, lässt sich jeder **therapierefraktäre Status epilepticus** durch Narkoseeinleitung mit **Thiopental** (oder Propofol) zumindest vorübergehend unterdrücken, allerdings wird dies in aller Regel mit dem Risiko der erforderlichen invasiven Atemwegssicherung sowie ggf. Problemen durch die blutdrucksenkende Wirkung beider Medikamente erkauft.

35.7.3 Psychogener Anfall

DEFINITION

„Das allgemeine Kennzeichen der dissoziativen oder Konversionsstörungen besteht in teilweisem oder völligem Verlust der normalen Integration der Erinnerung an die Vergangenheit, des Identitätsbewusstseins, der Wahrnehmung unmittelbarer Empfindungen sowie der Kontrolle von Körperbewegungen." (ICD-10)

Sogenannte psychogene oder **dissoziative Anfälle** sind schwer von einem epileptischen Krampfanfall abzugrenzen und **führen oft zu einer Übertherapie.** Wichtig ist zunächst das Grundverständnis, dass es sich nicht um Simulation oder mutwillige „Show" des Patienten handelt. Vielmehr unterliegt der psychogene Anfall nicht der Kontrolle des Patienten, sondern ist Ausdruck einer unfreiwilligen Reaktion auf eine außergewöhnliche emotionale Belastung. Im Gegensatz zum Krampfanfall liegen jedoch keine epilepsietypischen Entladungen vor, deshalb besteht weder das Risiko von Folgeschäden noch die Notwendigkeit einer medikamentösen Therapie.

Symptome

Psychogene Anfälle können ab dem Schulalter auftreten und häufen sich bei entsprechend prädisponierten Jugendlichen. Bei dem weit größten Anteil der Patienten liegen **psychische Komorbiditäten** vor, z. B. Depressionen oder Angststörungen. Neben der Fremdanamnese kann hier auch die körperliche Untersuchung Hinweise geben (z. B. multiple Ritzverletzungen als Folge von selbstverletzendem Verhalten). Die in → Tab. 35.4 dargestellten Symptome helfen bei der Unterscheidung von psychogenen und epileptischen Anfällen.

Kennzeichnend für einen psychogenen Anfall sind oft dramatische oder emotionale Begleitumstände und eine Anfallsauslösung vor Publikum. Gelegentlich kann es helfen, die Abwehr des Patienten gegen das Öffnen der Augen zu überprüfen. Beim Versuch des Rettungsfachpersonals, den hochgehaltenen Arm des Patienten auf sein Gesicht fallen zu lassen, wird dieser zur Seite neben das Gesicht fallen.

Therapie

Eine medikamentöse Therapie ist angesichts der Ursachen weder sinnvoll noch hilfreich. Viele der betroffenen Kinder sind angesichts wiederkehrender Ereignisse z. T. hohe Dosen an Benzodiazepinen gewöhnt. Eine Eskalation der Medikamente führt im Verlauf eher zur Atemdepression mit Notwendigkeit der Beatmung, aber nicht zum Sistieren des dissoziativen („Krampf"-)Anfalls.

	Psychogen	Epileptisch
Beginn und Ende	Langsam	Abrupt
Augenöffnung	Forcierter Augenschluss	Weit geöffnet
Augenbewegung	Werden weggedreht	Starr oder Flackern
Motorik	Irregulär/asynchron	Rhythmisch
Bewusstsein	Erhalten	Bewusstlos
Modifikation von Anfall und Intensität durch Untersucher	Möglich	Nicht möglich
Medikamentöse Therapie	Oft ineffektiv	Effektiv

Tab. 35.4 Unterscheidung von psychogenen und epileptischen Anfällen

IM FOKUS

Krampfanfall

Ursachen

- Auslöser eines Fieberkrampfes sind meistens banale Virusinfekte. Komplizierte oder afebrile Krampfanfälle haben oft strukturelle Ursachen.

Symptome

- Generalisierte, tonisch-klonische Krampfanfälle
- Bewusstseinsverlust während des Krampfanfalls

Maßnahmen

Monitoring
- SpO_2, Rekapillarisierungszeit, AF, Puls, RR, BZ, EKG, Temperatur
- Bewusstseinszustand (AVPU, GCS)

Basismaßnahmen und Lagerung
- Beim krampfenden Kind Absicherung der Umgebung zur Vermeidung von Verletzungen
- Beim bewusstseinsgeminderten Kind Atemwegssicherung z. B. in der stabilen Seitenlage

Medikamente und Dosierungsempfehlungen
- Krampfdurchbrechung:
  - 5 mg Diazepam-Rektiole im 1. Lebensjahr
  - 10 mg Diazepam-Rektiole ab 2. Lebensjahr und älter
  - Alternativ Midazolam intranasal mit 0,3 mg/kg KG (aufgrund der geringeren Menge immer konzentrierte Form mit 5 mg/ml verwenden!)
  - Bei prolongierten Krampfanfällen oder Status epilepticus frühzeitig Levetiracetam i. v. mit 30 (–60) mg/kg KG
  - Ggf. Fiebersenkung mit Paracetamol- oder Ibuprofen-Zäpfchen in altersentsprechender Dosierung

35.8 Intoxikationen und Ingestionen im Kindesalter

Das Kind erkundet seine Umwelt mit den Händen und mit dem Mund. So wird von Kleinkindern alles in den Mund genommen und heruntergeschluckt, was das Interesse weckt, auch Sicherheitsnadeln, Münzen, Omas Tabletten und Reinigungsmittel. Die Erstbehandlung kindlicher **Intoxikationen (Vergiftungen)** unterscheidet sich nicht grundsätzlich von der bei Erwachsenen und wird i. d. R. nach telefonischer Rücksprache mit einer Vergiftungszentrale durchgeführt. Alternativ kann auch die kostenlose Handy-App des Bundesamts für Risikobewertung (BfR) zu Rate gezogen werden und erlaubt einen schnellen ersten Überblick über notwendige oder nutzlose Maßnahmen. Bei allen spezifischen Gegenmaßnahmen, wenn solche am Notfallort wirklich einmal dringlich indiziert sind, ist besonders auf die **kindgerechte Dosierung von Antidoten** und **Flüssigkeitsmengen** zu achten (über die Vergiftungszentrale zu erfragen), um nicht zusätzlichen Schaden durch Übertherapie im Rettungsdienst zu verursachen.

Ein besonderes Problem in der Kindernotfallmedizin stellen **Verätzungen** von Mund und Rachen, Kehlkopf und Speiseröhre durch Säuren und Laugen dar. In vielen Haushalten findet man eine Anhäufung gefährlichster Desinfektions- und Reinigungsmittel, die schwerste Gewebszerstörungen anrichten können. Zudem enthalten alltägliche Produkte wie Entkalker für Geschirrspül- und Kaffeemaschinen Säurekristalle, die zu außergewöhnlich schweren Verätzungen führen können.

MERKE

Kinder mit **Verätzungen** leiden stärkste Schmerzen und sind gefährdet durch Zuschwellen der Luftwege als Folge der Gewebeschädigung.

Therapie

Die **Basis- und erweiterten Maßnahmen** zu den einzelnen Vergiftungssubstanzen sind im → Kap. 40 nachzulesen. Einige **Besonderheiten** gilt es jedoch bei Verätzungsunfällen durch Verschlucken im Kindesalter zu beachten. So ist das Auslösen von Erbrechen auf jeden Fall zu vermeiden, da dies zu einem erneuten Schleimhautkontakt der verschluckten Säure oder Lauge führen und weitere Schäden auslösen würde. Der gut gemeinte und theoretisch sinnvolle Ratschlag, Kinder mit Verätzungen im Oropharynx oder nach Verschlucken ätzender Substanzen viel trinken zu lassen, ist in der Praxis zumeist undurchführbar. Diese Kinder schreien vor stärksten Schmerzen im Mund und verweigern jede Flüssigkeitsaufnahme. Somit sind in diesen Fällen oftmals die präklinische **Analgosedierung** zur Schmerzbekämpfung und bei ausreichender Übung auch die schonende **endotracheale Intubation** (solange möglich!) zur Sicherung der Atemwege noch am Notfallort angezeigt. Die Erstbehandlung sollte in einer Spezialklinik erfolgen (Hubschraubertransport), in der durch Bronchoskopie und Ösophagoskopie der Schleimhautschaden festgestellt und ggf. noch verbliebene ätzende Kristalle oder Partikel unter endoskopischer Sicht entfernt werden können.

IM FOKUS

Intoxikationen und Ingestionen im Kindesalter

Ursachen
- Exogene Vergiftung (Aufnahme körperfremder Stoffe)

Symptome
- Abhängig von der aufgenommenen Substanz

Maßnahmen

Monitoring
- SpO_2, Rekapillarisierungszeit, AF, Puls, RR, BZ, EKG, Temperatur
- Bewusstseinszustand (AVPU, GCS)

Basismaßnahmen und Lagerung
- Freimachen und Freihalten der Atemwege (ggf. absaugen)
- Entfernen der Reste des Eingenommenen aus dem Mund
- Gegebenenfalls etwas Wasser trinken lassen.

Erweiterte Maßnahmen
- i. v. Zugang (falls erforderlich)
- Asservierung von Mageninhalt, Blut, Tablettenresten, Verpackungen, Spritzen oder Kanülen
- Giftentfernung

Medikamente und Dosierungsempfehlungen
- Siehe spezielle Vergiftungen.

WIEDERHOLUNGSFRAGEN

1. Welches Monitoring sollte beim Kind grundsätzlich durchgeführt werden, was ist eher verzichtbar (→ Kap. 35.2.2)?
2. Mithilfe welcher Daumenregel lässt sich die geeignete Tubusgröße abschätzen (→ Kap. 35.3.1)?
3. Welche Alternativen zur Medikamentenverabreichung gibt es bei schwieriger Venensituation (→ Kap. 35.3.2)?
4. Was ist die wichtigste Maßnahme bei einer schweren Verbrühung (→ Kap. 35.4.2)?
5. Wie unterscheiden sich Pseudokrupp und Epiglottitis (→ Kap. 35.5.1)?

AUFLÖSUNG DES FALLBEISPIELS

Verdachtsdiagnose

Fieberkrampf.

Schlüsselinterventionen

Die erste Beurteilung nach dem ABCDE-Schema ergibt einen freien Atemweg, die Atmung ist tachypnoeisch. Der periphere Puls ist schwach tastbar und leicht tachykard, die Rekapillarisierungszeit liegt bei 3 Sek. Die Temperatur ist mit 37,9 °C nur gering erhöht. Das Kind und die Mutter werden zunächst ohne weitere Maßnahmen in den Rettungswagen gebracht.

Nach 10 Min. trifft der Notarzt ein. Der Säugling reagiert weiterhin nicht auf Ansprache oder Schmerzreize. Die Pulsoxymetrie zeigt eine normwertige SpO_2 mit 99 %, die Herzfrequenz beträgt 152/Min. Auffällig sind bei der Untersuchung lediglich sehr trockene Schleimhäute und tief halonierte Augen. Die SAMPLER-Anamnese ergibt, dass das Kind seit 2–3 Tagen an einer Magen-Darm-Infektion leidet. Außerdem bekomme das Kind einen Betablockersaft zur Behandlung eines „Blutschwämmchens". Die hierauf durchgeführte Blutzuckerkontrolle ergibt einen Wert von 14 mg/dl.

Umgehend wird ein venöser Zugang (24 G) in einer Kopfhautvene etabliert. Nach Gabe von 10 ml Glukose 20 % wird ein vorsichtiger Volumenbolus mit 10 ml/kg einer Vollelektrolytlösung verabreicht. Die Blutzuckerkontrolle ergibt im Verlauf einen Wert von 173 mg/dl, die Rekapillarisierung liegt nun bei weniger als 2 Sek. Der Säugling zeigt während des Transports in die nächste Kinderklinik zwar vereinzelt Spontanmotorik, wird jedoch nicht vollständig wach. Auf die Gabe eines Benzodiazepins wird bei Ausbleiben erneuter Krampfäquivalente verzichtet.

Klinik

Das Kind wird in der Kindernotaufnahme weiter versorgt. Die erste Laboruntersuchung ergibt eine starke Exsikkose mit einem pH von 7,1 sowie deutlich entgleiste Elektrolyte. Trotz problemlosem Flüssigkeitsausgleich in den nächsten Tagen entwickelt der Säugling im Verlauf eine schwere und bleibende Behinderung. Als Ursache bestätigt sich in den weiteren Untersuchungen eine durch den Betablocker in der Symptomatik unterdrückte und über längere Zeit bestehende Unterzuckerung bei Magen-Darm-Infekt. Erst durch den Krampfanfall wurde die Mutter auf den Zustand des Kindes aufmerksam.

Diagnose

Krampfanfall bei Hypoglykämie und Exsikkose unter Betablockermedikation.

WEITERFÜHRENDE LITERATUR

AWMF-Leitlinie Fremdkörperaspiration und Fremdkörperingestion, interdisziplinäre Versorgung von Kindern. www.awmf.org/leitlinien/detail/ll/001-031.html.

AWMF-Leitlinie Thermische Verletzung im Kindesalter. www.awmf.org/leitlinien/detail/ll/006-128.html.

Fuchs A. Pädiatrie pocketcard Set. 10. Aufl. Börm Bruckmeier, 2021.

Humberg A, Herting E. Beatmung von Kindern, Neugeborenen und Frühgeborenen. 1. Aufl. Stuttgart: Thieme, 2016.

Kaufmann J. Pädiatrisches Notfalllineal. 6. Aufl. 2023; www.notfalllineal.de.

Möllmann C, Kretz FJ. Notfallversorgung im Neugeborenen- und Kindesalter. 7. Aufl. Ecomed Medizin, 2021.

Nicolai Th, Hoffmann F. Kindernotfall-ABC. 3. Aufl. Berlin/Wien: Springer, 2019.

Wigger D, Stange M. Medikamente in der Pädiatrie. 6. Aufl. München: Elsevier/Urban & Fischer, 2020.

WAKKA-Stellungnahme zur supraglottischen Atemwegshilfe in der Kindernotfallmedizin. www.bda.de/files/Juni_2016_-_Interdisziplinär_konsentierte_Stellungnahme_-_Atemwegsmanagement_mit_supraglottischen_Atemwegshilfen_in_der_Kindernotfallmedizin_-_Larynxmaske_ist_State-of-the-art.pdf.

36

NEPHROLOGISCHE UND UROLOGISCHE NOTFÄLLE

Stefan Dreesen (36.1), Jürgen Luxem (36.2–36.3)

NEPHROLOGISCHE UND UROLOGISCHE NOTFÄLLE

FALLBEISPIEL

Notfallmeldung

Der Fahrer eines Wohnmobils fordert über Mobiltelefon bei der Polizei Hilfe an. Er habe unsägliche Bauchschmerzen, krümme sich vor Schmerz und könne seine Fahrt auf der Autobahn nicht fortsetzen. Die Polizei informiert die Leitstelle und fordert RTW und NEF an.

Situation und Ersteindruck

Die Besatzung des zuerst eintreffenden Rettungswagens findet einen ca. 60-jährigen, männlichen Patienten in seinem Wohnmobil vor. Der Patient ist sehr unruhig. Er liegt mit angezogenen Beinen auf dem Rücken im Bett seines Wohnmobils und klagt über plötzliche, starke Schmerzen im Bauchbereich und zunehmende Übelkeit.

Leitsymptome

Abdominale Schmerzen, vegetative Symptome.

INHALTSÜBERSICHT

36.1 NIERENINSUFFIZIENZ

- Die Niereninsuffizienz bezeichnet eine Störung der Niere mit eingeschränkter Ausscheidung harnpflichtiger Substanzen. Bei einigen Patienten ist auch die Menge der Urinausscheidung verringert.
- Die Niereninsuffizienz kann akut oder chronisch verlaufen.
- Bei einer terminalen Niereninsuffizienz ist eine Dialyse notwendig, um Wasser und Giftstoffe aus dem Körper zu eliminieren und Wasser-Elektrolythaushalt sowie Säure-Basen-Haushalt auszugleichen.
- Die Ansammlung harnpflichtiger Substanzen im Blut bei fortgeschrittener chronischer Nierenerkrankung bezeichnet man als Urämie.
- Der Dialyseshunt ist eine Vene am Unterarm, die durch die chirurgisch geschaffene Verbindung zu einer Arterie massiv aufgeweitet ist.
- Der Dialyseshunt ist „heilig" und darf nicht punktiert werden. Ideal für alle Punktionen ist die Verwendung des anderen Arms.
- Eine der Hauptgefahren bei versäumten Dialyseterminen ist neben der Überwässerung mit Lungenödem eine lebensbedrohliche Hyperkaliämie.

36.2 ERKRANKUNGEN DES UROGENITALTRAKTS

- Das Einklemmen von Harnsteinen in Niere, Harnleiter, Blase und Harnröhre führt zu einem Aufstau des Urins vor dem Stein.
- Das Hauptsymptom ist der kolikartige Schmerz.
- Eine Schmerzlinderung ist oftmals nur durch die Gabe von Opiaten zu erreichen.
- Vergrößerung der Prostata oder Blasensteine führen zum Unvermögen, die volle Blase zu entleeren.
- Leitsymptom ist der starke Harndrang, ohne urinieren zu können.
- Der Harnverhalt wird akut durch übervolle Blase, Kälte oder Nässe ausgelöst.
- Im Gegensatz zum Harnverhalt ist bei Anurie die Blase nicht gefüllt.
- Zur Erhöhung der Urinproduktion werden Diuretika und kaliumfreie Infusionen verabreicht.
- Das Akute Skrotum umfasst verschiedene Krankheitsbilder, die mit einer schmerzhaften, auf eine Hodensackhälfte (Skrotalhälfte) beschränkten, plötzlich auftretenden Schwellung einhergehen.
- Hauptkrankheitsursachen sind Hodentorsion und Entzündung der Hoden.
- Die Hodentorsion tritt akut bei vorwiegend jungen Patienten auf. In Abgrenzung dazu steht die Entzündung der Hoden, die vornehmlich zwischen dem 25. und 50. Lebensjahr auftritt.
- Das akute Skrotum bedarf einer schnellen klinischen Abklärung.

36.3 VERLETZUNG DES UROGENITALTRAKTS

- Geschlossene Nierenverletzungen machen 90 % aller Verletzungen mit Nierenbeteiligung aus.
- Es werden drei Schweregrade unterschieden: Nierenkontusion, Nierenruptur und Nierenberstung.
- Bei 80 % der Patienten mit Nierenverletzung tritt eine Makrohämaturie auf.
- Eine Katheterisierung der verletzten Harnröhre oder Blase ist kontraindiziert und unbedingt zu unterlassen.
- Die Harnleiter sind in der Muskulatur gut gepolstert, daher sind Verletzungen hier selten.
- Es wird zwischen intra- und extrapelvinen Verletzungen der Harnröhre unterschieden.
- Die Verletzung der Blase ist nach der Nierenverletzung die häufigste Verletzungsform im Urogenitalbereich.
- Bei Verletzung des Blasendachs kann es zum Ausfluss von Urin in die freie Bauchhöhle kommen.

36.1 Niereninsuffizienz

Die Nieren sind die wesentlichen Organe, wenn es um die Regulierung des Wasser-Elektrolyt-Haushalts und des Säure-Basen-Haushalts geht. Sie sind zusammen mit der Leber Schlüsselorgan der Entgiftung des Körpers und steuern über hormonelle Regelkreise u. a. den Blutdruck. Zahlreiche Medikamente und deren Abbauprodukte, aber auch wasserlösliche Giftstoffe, werden über die Niere mit dem Urin ausgeschieden. Man bezeichnet schädliche Stoffe, die über die Niere ausgeschieden werden, als **harnpflichtige Substanzen.**

Kommt es zu einer Funktionsstörung der Niere, bei der die Ausscheidung harnpflichtiger Substanzen nicht mehr in ausreichendem Maße gelingt, liegt eine **Niereninsuffizienz** vor. Messparameter hierbei ist die **glomeruläre Filtrationsrate (GFR).** Die glomeruläre Filtrationsrate ist das pro Zeiteinheit von den Glomeruli der Nieren filtrierte Volumen und entspricht dem Primärharn (ca. 170 l/Tag). Eine Methode, um die GFR zu messen, ist es, die Ausscheidungsrate bestimmter Stoffe (Clearance) zu bestimmen. Hierfür kommen v. a. das im Körper anfallende **Kreatinin** infrage. Dabei ist die **Diurese,** also die Menge der Sekundärharnausscheidung, für die Definition zweitrangig. Eine Niereninsuffizienz kann auch dann vorliegen, wenn normale oder gar zu große Mengen Harn ausgeschieden werden. Nichtsdestotrotz kommt es bei der Niereninsuffizienz häufig auch zu einer verminderten Diurese. Die Niereninsuffizienz kann sowohl einen akuten als auch einen chronischen Verlauf nehmen. Die chronische Niereninsuffizienz wird auch als chronische Nierenerkrankung (engl. chronic kidney disease, CKD) bezeichnet.

36.1.1 Akutes Nierenversagen (ANV)

Den akuten Verlauf der Niereninsuffizienz bezeichnet man als **akutes Nierenversagen (ANV)** (Synonym: akute Nierenschädigung). Das ANV ist eine über Stunden bis Tage akut einsetzende, prinzipiell reversible Verschlechterung der Nierenfunktion mit Abfall der GFR.

DEFINITION

Ein ANV liegt vor, wenn mindestens eins der folgenden Kriterien zutrifft:

- Anstieg des Serumkreatinins um mindestens 0,3 mg/dl (26,5 µmol/l) innerhalb von 48 Std.
- Anstieg des Serumkreatinins auf mindestens das 1,5-Fache eines bekannten oder angenommenen Ausgangswerts innerhalb von 7 Tagen
- Abfall der Urinausscheidung auf weniger als 0,5 ml/kg KG/Std. für mindestens 6 Std.

Die Definition ist für den Rettungsdienst in der Praxis leider kaum anwendbar.

Die Ursache des Nierenversagens kann im Bereich vor, innerhalb oder auch nach der Niere liegen. Man teilt das akute Nierenversagen dementsprechend ein in:

- **Prärenales Nierenversagen:**
  Beim prärenalen Nierenversagen ist die Schädigung den Nieren vorgelagert. Ursachen können alle Zustände sein, die zu einer verminderten Durchblutung der Niere führen, wie z. B.:
  - Dehydratation/Exsikkose
  - Schock
  - Vasodilatation (z. B. Sepsis)
  - Verbrennung
  - Nierenarterienstenose
- **Intrarenales Nierenversagen:**
  Beim intrarenalen Nierenversagen kommt es zur Funktionsstörung des Nierenparenchyms. Ursachen hierfür sind:
  - Rhabdomyolyse (Auflösung quergestreifter Muskulatur, z. B. nach Trauma, langem Liegen, toxisch durch bestimmte Medikamente), u. a. durch Verstopfung der Nierentubuli
  - Hämolyse (Zerfall von Erythrozyten)
  - Medikamentös-toxische Nierenschädigung, z. B. Röntgenkontrastmittel
  - Entzündliche Nierenerkrankungen (Glomerulonephritis, interstitielle Nephritis)
  - Autoimmunerkrankungen (z. B. Vaskulitis)
- **Postrenales Nierenversagen:**
  Hierbei kommt es zur Abflussbehinderung des Harns entlang der ableitenden Harnwege, z. B. bei folgenden Ursachen:
  - Harnleitersteine
  - Tumoren
  - Prostatahypertrophie

Das akute Nierenversagen hat insgesamt einen **typischen, phasenartigen Verlauf:**

1. **Initial- bzw. Schädigungsphase:** Die Klinik ist gekennzeichnet durch das zum Nierenversagen führende Grundleiden (z. B. Schock, Hypotonie, Exsikkose, s. o.), die Nierenfunktion ist noch normal. Dauer dieser Phase: Stunden bis Tage.
2. **Oligo-/anurische Phase** (= Phase des manifesten Nierenversagens) (→ Kap. 36.2.4): Die Nierenfunktion ist beeinträchtigt. Es kommt zur Abnahme oder zum vollständigen Erliegen der Urinausscheidung (**Oligurie** oder **Anurie,** → Tab. 36.1). In der Blutuntersuchung kommt es zum Anstieg bestimmter Markersubstanzen für die Nierenfunktion (Retentionswerte) wie Kreatinin und Harnstoff. Es kann zur Überwässerung mit Bildung von **Ödemen** kommen. Auch das Auftreten eines Lungenödems ist möglich. Durch die Störung des Elektrolythaushalts kommt es insbesondere zum Anstieg von **Kalium,** wodurch die Gefahr von **Herzrhythmusstörungen** besteht. Da auch die Säureausscheidung gestört ist, entsteht häufig eine **metabolische Azidose.** Symptome der Urämie finden sich hingegen nur selten, sie sind eher typisch für die chronische Nierenerkrankung (s. u.). Diese Phase dauert Tage bis Wochen. In dieser Phase kann auch eine **vorübergehende Dialyse** notwendig werden (→ Abb. 36.1), um die akut schädlichen Effekte (Überwässerung, Kaliumanstieg etc.) zu kompensieren und der Niere die nötige Zeit zur Erholung zu verschaffen.
3. **Polyurische Phase (Erholungsphase):** In dieser Phase erholen sich die Tubuluszellen wieder, sind aber zunächst noch nicht zu einer ausreichenden Harnkonzentration in der Lage. Es kommt somit in den ersten Tagen zu einer Polyurie, oft werden 4–5 l Urin pro Tag ausgeschieden.
4. **Regenerationsphase:** Es kommt zu einer vollständigen Erholung mit Normalisierung der Nierenfunktion über Wochen und Monate.

Häufig kommt es auch zu leichten Verläufen mit einem nur vorübergehenden Anstieg der Nierenwerte, die sich spontan oder nach Volumengabe wieder normalisieren. Die genannten Stadien entsprechen dem Vollbild eines ANV.

Bezeichnung	Urinproduktion
Anurie	< 100 ml/24 Std.
Oligurie	100–500 ml/24 Std.
Polyurie	>> 2 000 ml/24 Std.

Tab. 36.1 Fachbegriffe bezüglich Urinproduktion

PRAXISTIPP

Insbesondere bei **älteren Pflegebedürftigen** sieht man häufig – vor allem in der warmen Jahreszeit – eine verringerte, dafür dunkel gefärbte Urinmenge im Katheterbeutel. Eine sehr häufige Ursache hierfür ist eine unzureichende Flüssigkeitszufuhr (prärenales ANV).

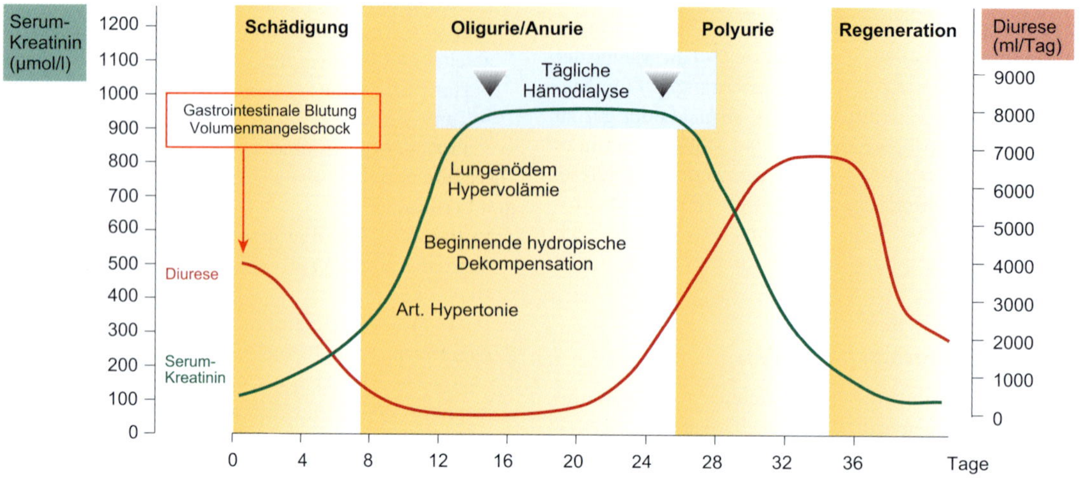

Abb. 36.1 Typischer Verlauf eines akuten Nierenversagens nach gastrointestinaler Blutung mit Volumenmangelschock und intermittierender Dialyse auf der Intensivstation [L157]

36.1.2 Chronische Nierenerkrankung (CKD)

Die englische Bezeichnung für die chronische Niereninsuffizienz lautet Chronic Kidney Disease (CKD), sodass auch im deutschen Sprachgebrauch zunehmend der Begriff „chronische Nierenerkrankung" benutzt wird. Die CKD bezeichnet die **irreversible,** progrediente Abnahme der Nierenfunktion (gemessen an der GFR) über Monate bis Jahre. Endstadium der Erkrankung ist die **terminale CKD,** die unbehandelt zum Tode führt und eine **Nierenersatztherapie** in Form von **Dialyse** oder **Nierentransplantation** erforderlich macht. Die chronische Nierenerkrankung ist Folge verschiedener renaler oder systemischer Erkrankungen, die mit einer chronischen Schädigung der Niere einhergehen. Die zahlenmäßig größte Rolle spielt hierbei der **Diabetes mellitus.**

Die chronische Nierenerkrankung wird in **fünf Stadien** eingeteilt (→ Tab. 36.2).

Bei der chronischen Nierenerkrankung können eine Reihe unterschiedlichster Symptome (→ Abb. 36.2) auftreten:

- **Renale Anämie:** Die Niere stimuliert die Blutbildung durch das Hormon **Erythropoetin** (EPO), dessen Spiegel bei schwerer Nierenschädigung abnimmt.
- **Arterielle Hypertonie:** Die Niere ist durch viele Mechanismen an der Blutdruckregulation beteiligt. Hypertonie (→ Kap. 27.2.7) entsteht u. a. durch Retention von Wasser und Natrium, eine Aktivierung des Renin-Angiotensin-Aldosteron-Systems (RAAS) (→ Abb. 32.16) und verminderte Bildung vasodilatierender Substanzen.
- **Renale Osteopathie:** Durch eine verminderte Vitamin-D-Produktion kommt es zu einer Mineralisierungsstörung des Knochens. Zudem wird durch eine verminderte Phosphatausscheidung die Sekretion des **Parathormons** (PTH) aus den Nebenschilddrüsen stimuliert **(sekundärer Hyperparathyreoidismus).** Parathormon löst Kalzium aus den Knochen und stimuliert den Knochenabbau. Es besteht eine erhöhte Frakturgefahr.
- **Metabolische Azidose** durch verminderte Säureausscheidung
- **Periphere Polyneuropathie** durch Ansammlung harnpflichtiger toxischer Substanzen, die zu Nervenschädigungen führen. Folgen können vermindertes Vibrationsempfinden, Gangstörungen und abgeschwächte Reflexe, aber auch atypisches Schmerzempfinden sein.
- Gerinnungsstörung mit verstärkter Blutungs-/Hämatomneigung durch **Störung der Thrombozytenfunktion** durch im Blut zirkulierende toxische Substanzen. Teilweise auch Schleimhautblutungen oder Petechien.
- Die **Urämie** ist die schwerste Ausprägung der Niereninsuffizienz und entsteht durch die Ansammlung von harnpflichtigen Substanzen im Blut, die verschiedene toxische Wirkungen entfalten. Symptome der Urämie sind neben den zuvor genannten:
  - Urämische **Gastroenteropathie** mit Appetitlosigkeit, Übelkeit, Erbrechen und Diarrhö

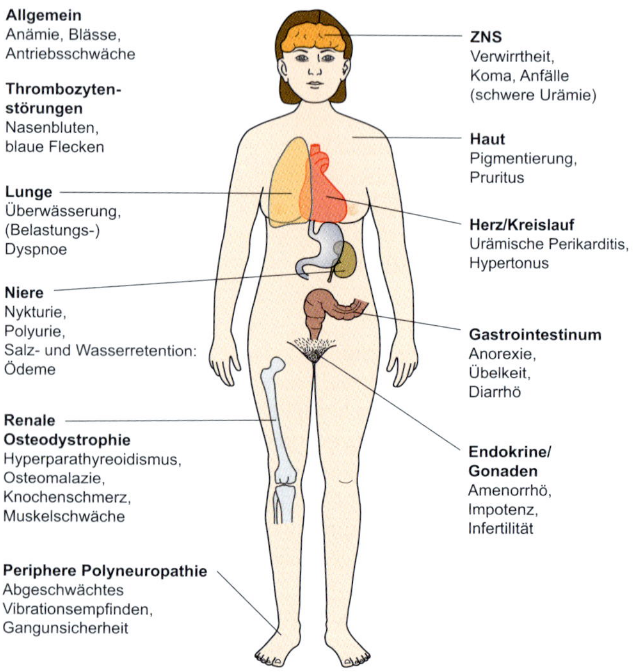

Abb. 36.2 Symptome und klinische Befunde bei chronischer Nierenerkrankung [L143, L157]

Stadium	Bezeichnung	GFR [ml/Min./1,73 m²]	Symptome/Prozedere
1	Nierenschädigung bei normaler Nierenfunktion	≥ 90	Progression verhindern: Optimierung der Therapie von Ursachen/Begleiterkrankungen. Kardiovaskuläres Risiko vermindern. Hypertonie und HPT möglich.
2	Nierenschädigung mit leichter Verminderung der eGFR	60–89	
3a	Nierenschädigung mit mittelschwerer Verminderung der eGFR	45–59	Hypertonie, HPT, Anämie und Azidose möglich. Zusätzlich Diagnose und Therapie von Komplikationen.
3b		30–44	
4	Schwere Verminderung der eGFR	15–29	Urämie möglich. Vorbereitung der Nierenersatztherapie.
5	Terminale Nierenerkrankung (Nierenversagen)	< 15	Urämie. Nierenersatztherapie (Dialyse/Transplantation).

Tab. 36.2 Stadien der chronischen Nierenerkrankung (HPT = Hyperparathyreoidismus, eGFR = erwartete [engl.: estimated] GFR)

- **Foetor uraemicus** (urinartiger Geruch der Ausatemluft)
- Überwässerung mit Zeichen der **dekompensierten Herzinsuffizienz** (→ Kap. 27.2.1), verstärkt durch gesteigerten Eiweißverlust über die Niere
- Urämische **Pleuritis** und/oder **Perikarditis** mit thorakalem Schmerz, Dyspnoe und (im fortgeschrittenen Stadium) Zeichen der Rechtsherzinsuffizienz
- Teils lebensbedrohliche **Herzrhythmusstörungen,** v. a. durch **Hyperkaliämie**
- **Urämische Enzephalopathie** mit Bewusstseinsstörungen bis hin zum **urämischen Koma,** ausgelöst durch zentrale Wirkung von Urämiegiften

36.1.3 Grundlagen zur Dialyse

Die Dialyse ist ein Verfahren der **Nierenersatztherapie.** Sie dient v. a. dazu, die Ausscheidungs- und Entgiftungsfunktion der Nieren zu übernehmen. Mit der Dialyse können Flüssigkeit und harnpflichtige Giftstoffe eliminiert werden, es können dem Körper auch Stoffe zugeführt werden, z. B. Elektrolyte oder Bikarbonat. Die Elektrolyte und der Säure-Basen-Status können so ausgeglichen werden. Eine Dialyse kann vorübergehend notwendig sein, z. B. beim schweren Verlauf eines akuten Nierenversagens (→ Abb. 36.1), sie kann bei der terminalen CKD über Monate bis Jahre überbrückend bis zur Nierentransplantation durchgeführt werden oder wird bei Nichteignung zur Transplantation als permanente Therapie bis zum Lebensende durchgeführt. Prinzipiell stehen zwei Verfahren zur Auswahl, die **extrakorporale Hämodialyse** und die **Pertitonealdialyse.**

Extrakorporale Hämodialyse

Spricht man von „Dialyse", ist i. d. R. dieses Verfahren gemeint. Die Patienten müssen i. d. R. 3-mal pro Woche für mehrere Stunden in entsprechenden Einrichtungen dialysiert werden, sodass die Dialyse einen Großteil der Lebenszeit der Betroffenen beansprucht und die Lebensqualität entsprechend sinkt. Da sie regelmäßig an das Dialysegerät angeschlossen werden müssen und dieses einen hohen Blutfluss benötigt (bis zu 300 ml/Min.), ist ein entsprechend großes und gut punktables Blutgefäß vonnöten, welches künstlich geschaffen wird.

Dieses Blutgefäß ist der **Shunt,** auch als **Cimino-Fistel** oder Cimino-Brescia-Fistel bezeichnet. Hierbei wird gefäßchirurgisch eine Unterarmarterie mit einer Unterarmvene verbunden. Die Vene erweitert sich durch den hohen Druck innerhalb weniger Wochen sehr stark und wird dann für die Dialysesitzungen leicht punktierbar. Der Shunt wird an zwei Stellen punktiert, sodass man einen arteriellen Schenkel vom Körper zum Dialysegerät und einen venösen Schenkel vom Gerät zum Körper leiten kann.

Eine vorübergehende Dialyse oder Hämofiltration kann auch ohne operativ angelegten Shunt erfolgen. Hierfür kommen i. d. R Vorhofkatheter zum Einsatz. Der bekannteste Vertreter ist der **Demers-Katheter,** den es in einer ein- und zweilumigen Ausführung gibt. Im Gegensatz zu einem ZVK durchläuft der Demers-Katheter eine Dacron-Muffe, die unter die Haut implantiert wird und als eine Keimbarriere fungiert. Er kann daher über viele Monate liegen bleiben, z. B. bis zur Einheilung eines operativ angelegten Shunts.

Ebenfalls gebräuchlich sind **Tesio-Katheter**. Hierbei handelt es sich im engeren Sinne um ein zusammengehörendes Paar aus zwei einzelnen Kathetern, welche jedoch beide in das venöse System eingebracht werden. Insbesondere auf Intensivstationen ohne nephrologischen Schwerpunkt finden sich hingegen häufig **Shaldon-Katheter**. Diese sind wie ein dicker ZVK zu implantieren und kommen in der oberen Hohlvene oder im rechten Vorhof zu liegen. Tesio- und Shaldon-Katheter sind für den kurzzeitigen Einsatz über mehrere Tage gedacht.

Mehrlumige Dialysekatheter haben mindestens einen arteriellen und einen venösen Schenkel, die i. d. R rot bzw. blau markiert sind. Diese Farbbezeichnungen haben aber **nichts** mit der Lage des Katheter Lumens im Gefäß zu tun, da sowohl das venöse als auch das arterielle Lumen im venösen System vor bzw. im rechten Vorhof zu liegen kommen. **„Arteriell"** bedeutet in diesem Zusammenhang definitionsgemäß, dass dieses Lumen das Blut vom Herzen weg, also in die Dialysemaschine hineinführt; das **„venöse"** Lumen dient der Rückführung des dialysierten Bluts aus der Maschine in den Körperkreislauf. Weitere Schenkel für Infusionen können zusätzlich vorhanden sein.

Es kann vorkommen, dass man im Einsatz auf Patienten trifft, die einen derartigen Katheter implantiert haben. Sofern keine andere Option vorhanden ist, kann jeder der Dialyseschenkel im Notfall als sehr großlumiger Zugang für die Volumentherapie oder die Transfusion von Blutprodukten verwendet werden. Hierbei müssen allerdings zwei Faktoren zwingend berücksichtigt werden:

1. Um eine Thrombosierung der Katheter zu verhindern, werden sie, sobald sie nicht mehr an das Dialysegerät angeschlossen sind, mit gerinnungshemmenden Substanzen „geblockt". Zum Einsatz kommen i. d. R Heparin oder Citrat, z. B. eine 4%-ige Trinatriumcitrat-Lösung. Auf den Anschlüssen ist i. d. R das jeweilige Volumen des Katheterschenkels aufgedruckt (z. B. „2.1 ml"), damit bei der Injektion des Blocks ausschließlich das Lumen gefüllt wird, die Medikamente aber nicht versehentlich in den Kreislauf injiziert werden. Ein „geblockter" Katheter hat also nicht etwa einen aufgeblasenen Cuff, sondern enthält eine gerinnungshemmende Substanz. Findet man also im Einsatz einen „ruhenden" (nicht angeschlossenen) Katheter vor, muss vor der Injektion oder Infusion dieser Block zunächst aspiriert, also mittels einer Spritze aus dem Lumen entfernt werden.

2. Die Größe des Lumens muss bei Injektion und Infusion immer bedacht werden:
   a) Die Injektion kleiner Volumina, z. B. 1 ml Suprarenin®, verpufft wirkungslos, da sie im Katheter „hängenbleiben" und nicht bis in den Kreislauf gelangen. Hier muss also immer nachgespült oder das Medikament unter einer laufenden Infusion, z. B. mittels 3-Wege-Hahn, zugespritzt werden.
   b) Die Laufgeschwindigkeit von Infusionen muss aufgrund der potenziell hohen Durchflussraten bewusst kontrolliert werden. Eine Infusion anzuhängen und das Infusionssystem einfach komplett aufzudrehen, kann zu einer massiven Volumenbelastung (bis 1 000 ml in 2 Min.) und, bei ungewärmten, kalten Infusionen, ggf. auch zur Auskühlung führen.

PRAXISTIPP

Sehr vereinzelt finden sich auf RTW und/oder NEF **Dialyse-Katheter, z. B. Shaldon-Katheter.** Diese haben gegenüber normalen ZVKs den Vorteil, dass sie sehr großlumig sind und somit entsprechend hohe Flussraten zustande bringen (bis zu 500 ml/Min. je nach Modell). Die Anlage des bleistiftdicken Katheters ist jedoch präklinisch aufwendig und nicht risikoarm. Wegen der im Vergleich zur V. jugularis oder V. subclavia geringeren Komplikationsgefahr ist präklinisch die V. femoralis zu bevorzugen. Es müssen grundsätzlich die insgesamt sehr restriktiven Empfehlungen für die ZVK-Anlage im Rettungsdiensteinsatz berücksichtigt werden.

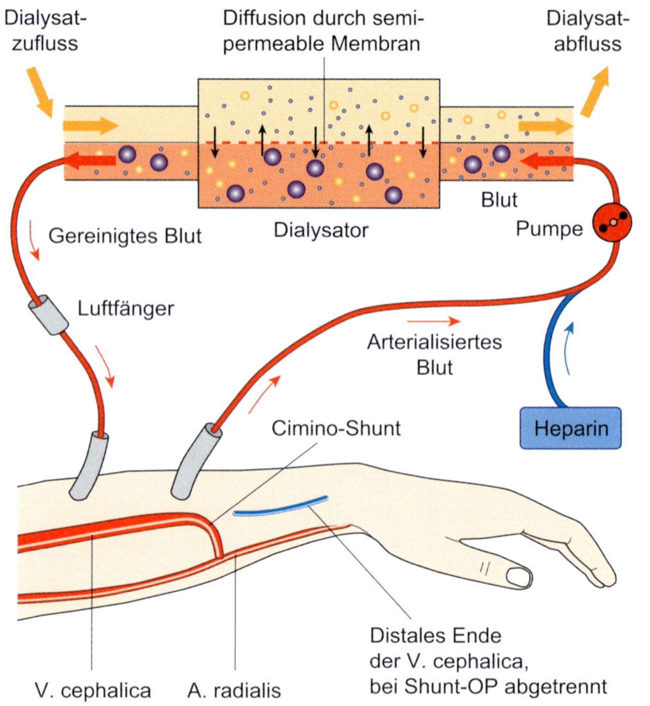

Abb. 36.3 Prinzip der extrakorporalen Hämodialyse [L143, L215]

Bei der Hämodialyse wird das Blut mittels Pumpe an einer semipermeablen Membran vorbeigeleitet, an deren Gegenseite die Dialysatflüssigkeit entgegengesetzt vorbeiströmt.

Die zu eliminierenden Substanzen strömen aufgrund des Konzentrationsgefälles in die Dialysatflüssigkeit und werden mit ihr zusammen entfernt. Zusätzlich kann Wasser abgepresst werden, was bei einer Volumenüberladung durch zu geringe Diurese regelmäßig notwendig ist (→ Abb. 36.3). Damit das Blut in der Maschine nicht gerinnt, wird Heparin oder Citrat zugesetzt. Das gereinigte Blut wird über den venösen Schenkel in den Shunt zurückgeführt.

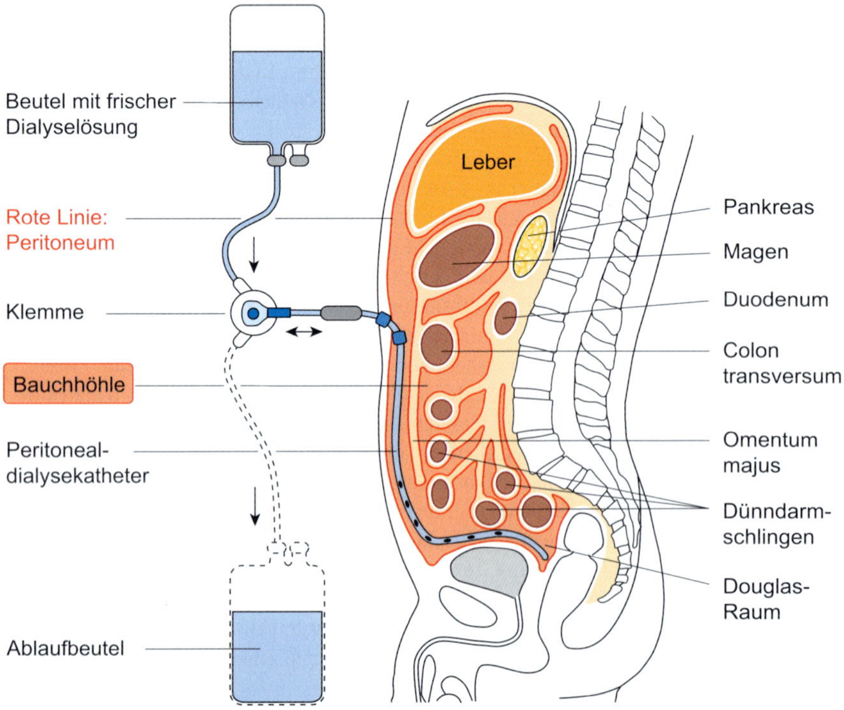

Abb. 36.4 Prinzip der Bauchfelldialyse (Peritonealdialyse) [L143, L190]

Ein ähnliches Verfahren ist die **Hämofiltration.** Hierbei wird jedoch eine andere Technik angewendet. Bei der Hämofiltration wird das Blut an einer Membran mit hoher Wasserdurchlässigkeit vorbeigepresst. Das abgepresste, sog. Ultrafiltrat, dass die zu eliminierenden Substanzen enthält, wird verworfen und durch sterile Elektrolytlösung ersetzt.

Peritonealdialyse

Die Peritonealdialyse (Continuous Ambulatory Peritoneal Dialysis, CAPD) funktioniert grundsätzlich anders als die o. g. extrakorporalen Dialyseverfahren. Sie eignet sich besonders gut für die **Selbstbehandlung zu Hause.** Hierbei ist jedoch die individuelle körperliche und geistige Eignung Grundvoraussetzung. Zudem wird die Peritonealdialyse im Regelfall bei erhaltener Restfunktion der Niere und Urinproduktion angewandt.

Das Peritoneum (Bauchfell) hat eine große Oberfläche (bis zu 2 m^2), ist gut durchblutet und dient bei der Peritonealdialyse als semipermeable Membran. Unter streng sterilen Bedingungen werden bis zu 2 000 ml Dialysat über den Peritonealkatheter in die Bauchhöhle infundiert und dort für 4–8 Std. belassen. Durch Diffusion gehen die zu dialysierenden Substanzen in die Spüllösung über, welche nach Ablauf der Zeit ausgetauscht wird (→ Abb. 36.4). Durch Glukosezusatz kann zudem ein osmotischer Gradient erzeugt werden, der Wasser entzieht (es kann mehr abgelassen werden, als hineingegeben wurde). Der Austausch des Dialysats erfolgt bei einem intermittierenden Verfahren 4- bis 5-mal pro Tag. Das Verfahren ist für die Betroffenen schonender und weniger alltagshinderlich, setzt aber eine hohe Eigenverantwortung voraus. Es gibt jedoch auch Verfahren, die durch den Einsatz technischer Hilfsmittel (z. B. Cycler) ausschließlich nachts kontinuierlich durchgeführt werden können.

Spezielle **Gefahr** bei dieser Art der Dialyse ist eine **Infektion des Kathetersystems,** das sich rasch bis hin zu einer lebensgefährlichen Peritonitis mit paralytischem Ileus und Sepsis entwickeln kann. Ein **trübes Dialysat** ist hierbei ein häufiges Zeichen.

36.1.4 Dialysepflichtiger Patient

Spezielle Gefahren

Der dialysepflichtige Patient leidet an einer **terminalen CKD.** Prinzipiell können bei den Betroffenen also alle Gefahren auftreten, die durch die Nierenerkrankung hervorgerufen werden (s. o.). Dialysepatienten sollten im Rahmen eines Rettungseinsatzes nach Möglichkeit immer in ein Krankenhaus transportiert werden, das über eine nephrologische Abteilung einschließlich der Möglichkeit einer Dialyse verfügt.

Kardiovaskuläre Störungen sind die häufigste Todesursache bei dialysepflichtigen Patienten. Ein Auslassen von ein oder zwei Dialyseterminen kann bereits lebensbedrohlich sein. Daher ist immer gezielt nachzufragen, wann die letzte Dialyse war. Zudem sollte eine Änderung von Nahrungsgewohnheiten registriert werden: Kaliumreiche Mahlzeiten (z. B. Nüsse) können rasch zu einer **Hyperkaliämie** führen. Die Hyperkaliämie kann Muskelschwäche und Parästhesien auslösen, verläuft allerdings klinisch oft lange stumm. Herzrhythmusstörungen können u. U. das erste Symptom sein. Typisch sind hierbei v. a. Bradykardien (→ Kap. 23.5.1), jedoch ist auch Kammerflimmern möglich. Das EKG kann sich bereits vor dem Eintreten von Rhythmusstörungen verändern. Typisch ist eine spitze, überhöhte T-Welle, ähnlich, wie sie auch beim STEMI im Frühstadium auftreten kann (→ Kap. 27.2.5 und → Abb. 36.5). Mit Zunahme des Kaliumspiegels verbreitert sich der QRS-Komplex typischerweise.

ACHTUNG! Um den Kaliumwert nicht zusätzlich zu steigern, ist bei Dialysepatienten **NaCl 0,9 %** als Infusionslösung einer kaliumhaltigen Vollelektrolytlösung vorzuziehen. Die Infusion erfolgt grundsätzlich zurückhaltend, um eine Überwässerung zu vermeiden.

IM FOKUS

Hyperkaliämie bei Dialysepatienten

Im Rettungsdienst durchführbare Maßnahmen

- **β_2-Sympathomimetika** wie Salbutamol (Sultanol®) oder Fenoterol (Berotec®), auch inhalativ angewandt, verschieben Kalium nach intrazellulär. **Im Rettungsdienst Mittel der ersten Wahl!**
- Natriumbikarbonat 8,4 %: 50–100 ml i. v., verschiebt Kalium nach intrazellulär. Es sollte sehr zurückhaltend angewandt werden, da es im Falle einer paravenösen Infusion schwere Nekrosen auslöst und der pH-Wert i. d. R. unbekannt ist.
- Kalziumglukonat 10 %: 10 ml rasch i. v. bei lebensbedrohlichen Rhythmusstörungen, wirkt am Herzen antagonistisch und hebt die Kaliumwirkung für ca. 30 Min. auf.
- Schleifendiuretika erhöhen die Kaliumausscheidung über die Niere, wirken jedoch langsam und sind zudem bei terminaler CKD ohne Restausscheidung wirkungslos.

Im Rettungsdienst nicht durchführbare Maßnahmen

- Insulingabe (+ Glukose, um Hypoglykämie zu vermeiden), da auch Insulin Kalium nach intrazellulär verschiebt, für gewöhnlich im Rettungsdienst nicht verfügbar.
- Austauscherharze (z. B. Resonium®), tauschen im Darm Kalium gegen Kalzium oder Natrium aus, jedoch im Rettungsdienst zu langsamer Wirkungseintritt.

Die **Dialyse** ist im Falle einer dialysepflichtigen Niereninsuffizienz die einzige definitive Therapie zur Kalium-Elimination.

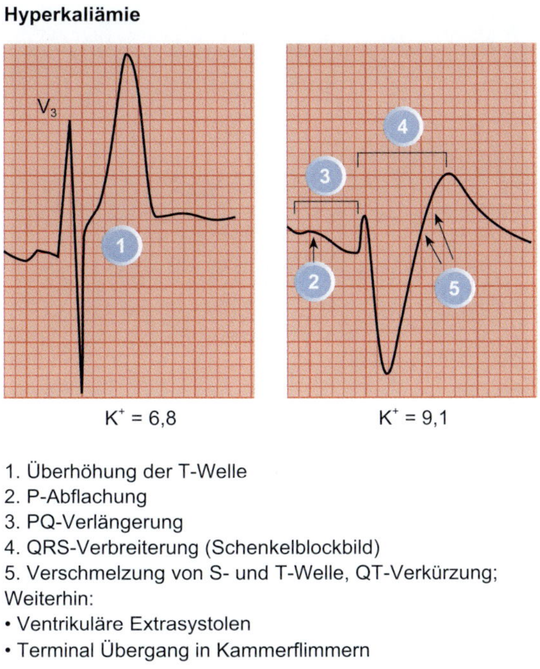

Abb. 36.5 Bei Ernährungsfehlern oder versäumten Dialyseterminen kann es u. a. zu einer lebensbedrohlichen Hyperkaliämie kommen. [L157]

Blutungskomplikationen können zum einen nach einer Dialyse durch die notwendige Antikoagulation während der Dialyse auftreten. Zudem ist bei der fortgeschrittenen Nierenerkrankung auch eine Störung der Thrombozytenfunktion möglich. Eine Shuntverletzung kann zu erheblichen Blutungen führen (s. u.).

Eine **Hypovolämie** kann auftreten, wenn während der Dialyse zu viel Flüssigkeit entzogen wurde. Es kann zur Hypotonie mit Kreislaufkollaps kommen. Hier ist die vorsichtige Gabe von NaCl 0,9 % indiziert, wobei jedoch wegen der Gefahr der Hyperhydratation nicht zu viel infundiert werden sollte.

Bei Notfällen in einer Dialysepraxis sollte immer auch an **maschinenseitige Komplikationen** wie Luftembolie oder Hämolyse gedacht werden.

Besonderheiten durch den Shunt

Shunts sind meistens als sehr große Gefäße unter der Haut sichtbar und zeichnen sich zudem durch ein tastbares **„Schwirren"** und ein **auskultierbares Strömungsgeräusch** aus. Gelegentlich ist noch die Operationsnarbe im Bereich des Shunts sichtbar. Der Shunt ist empfindlich gegenüber zu starker Kompression (Gefahr der **Shuntthrombose**) und sollte aufgrund seiner außerordentlichen Bedeutung für den Patienten prinzipiell im Rettungsdienst keiner Manipulation unterzogen werden. Alle Maßnahmen sollten immer am anderen Arm durchgeführt werden:

- Die **Blutdruckmessung** sollte **immer am Nicht-Shunt-Arm** durchgeführt werden, da es sonst aufgrund der Strömungsphänomene zu Messfehlern kommen kann und der Shunt zudem durch die Kompression gefährdet werden kann.
- Der **i. v. Zugang** sollte ebenfalls nicht am Shunt-Arm gelegt werden, da die Entstehung einer Thrombophlebitis den Shunt gefährden kann. Da im Laufe der Zeit ohnehin die Neuanlage eines Shunts notwendig werden kann, sollten Unterarmvenen auch am anderen Arm geschont werden, eine Handrückenvenenpunktion ist daher, wenn möglich, zu bevorzugen.
- Eine **Blutung** aus dem Shunt erfordert zur Blutstillung eine längere Kompression. Hierbei sollte die **Durchblutung des Shunts** jedoch erhalten bleiben, sodass der Druck des angelegten Druckverbands entsprechend dosiert werden muss. Shunt-Verletzungen sollten immer in einer **Gefäßchirurgie** vorgestellt werden. Bei Nachblutungen aus den Punktionsstellen nach Dialyse hingegen sollte mit dem betreffenden Dialysezentrum Kontakt aufgenommen werden.
- Eine Medikamentengabe in den Shunt ist **nur als Ultima Ratio** bei anders nicht beherrschbarer, akut lebensbedrohlicher Situation gestattet. Infusionen müssen dann ggf. mit einer Druckmanschette versehen werden, da der Shunt ja mit dem arteriellen System kommuniziert.

36.2 Erkrankungen des Urogenitaltrakts

Die Bezeichnung **„Urogenitaltrakt"** steht als Oberbegriff für die Gesamtheit der im Becken und retroperitonealen Raum gelegenen Organe der Harnbereitung (Nieren) und Harnableitung (Harnleiter und Blase) sowie der Genitalorgane (Harnröhre, Scheide, Penis). Obwohl das harnableitende System und die Geschlechtsorgane ganz unterschiedliche Aufgaben erfüllen, werden sie gemeinsam dargestellt, weil sie anatomisch sehr eng verknüpft sind **(Urogenitalsystem)**.

Die Öffnungen des Urogenitaltrakts (Harnröhre bei Mann und Frau, die Vagina bei der Frau) sind für das Eindringen infektiöser Keime besonders anfällig und begünstigen das Auftreten von aufsteigenden Infektionen (z. B. Blasenentzündung). Sie machen den Einsatz des Rettungsdienstes i. d. R. nicht notwendig, da entzündliche Erkrankungen langsam verlaufen und unter hausärztlicher Obhut gut mit Antibiotika therapierbar sind. Andererseits führen Steine oder entzündliche Gerinnsel, die Verlegung, Teilverschluss oder vollständigen Verschluss der Harnröhre und/oder der Harnleiter verursachen, am ehesten zum Einsatz des Rettungsdienstes, da die Symptome kurzfristig auftreten und mit starken Schmerzen verbunden sind.

36.2.1 Akuter Nierenstein (Nephro- und Urolithiasis)

Das **Harnsteinleiden** ist eine **chronische Erkrankung,** deren Ursachen vielfältig und nicht für alle Steinarten vollständig geklärt sind. Die Entstehung von Harnsteinen wird jedoch durch

- die Lebensweise (z. B. eiweißreiche Ernährung),
- Stoffwechselerkrankungen und
- therapeutische Maßnahmen (Einnahme bestimmter Medikamente)

begünstigt. So können Steine z. B. infolge einer Entzündung der Nieren oder der ableitenden Harnwege, aufgrund einer zu engen Harnröhre oder als Folge von Gicht und Zuckerkrankheit entstehen.

Grundprinzip der Harnsteinbildung ist die **Übersättigung bestimmter Stoffe im Urin,** aus denen ein Stein zusammengesetzt ist. Diese Stoffe finden sich im Urin in erhöhter Konzentration. Harnsäure z. B. weist im Urin eine geringe Löslichkeit auf. Bei einem zu hohen Säuregehalt des Urins (sog. Säurestarre bei pH 5) fallen die zuvor gelösten Stoffe aus und bilden Kristalle, die später zu sichtbaren Harnsteinen heranwachsen. Die meisten Harnsteine enthalten Kalzium als Kernbestandteil. Über zwei Drittel (ca. 70 %) der Steine bestehen aus Kalziumoxalat, jeweils rund 10 % aus Magnesiumammoniumphosphat, Kalziumphosphat und Harnsäure (Urate). Auch Mischsteine kommen häufig vor.

Die **Harnsteingröße** reicht von Reiskorn-, Erbsen- und Linsengröße bis zu einer Steingröße, die das ganze Nierenbecken ausfüllen kann (→ Abb. 36.6).

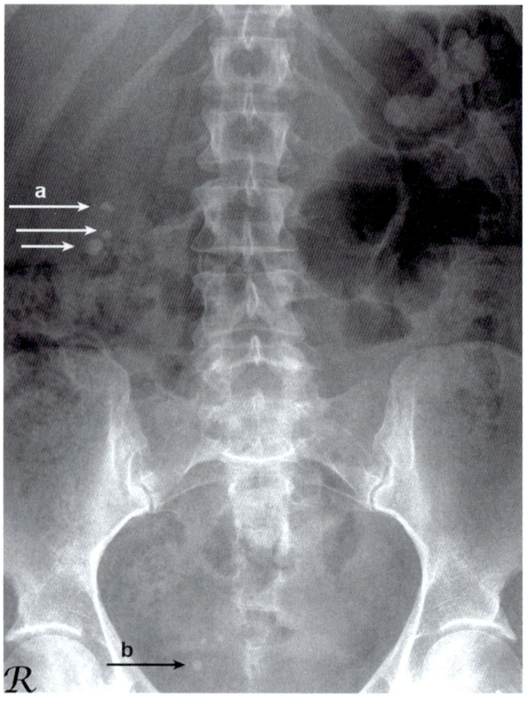

Abb. 36.6 Nierenbeckensteine **(a)** und Harnleiterstein **(b)** [M500]

Symptome

Die Beschwerden des akuten Harnsteins hängen in erster Linie von der Lokalisation und der Größe des Harnsteins im Verhältnis zum Durchmesser des zu durchschreitenden Organsystems ab. Durch Einklemmung von Harnsteinen in Niere, Harnleiter, Blase oder Harnröhre kommt es zu einer Verlegung der ableitenden Harnwege mit Aufstau des Urins vor dem Stein. Durch gesteigerte Kontraktionsbewegungen der glatten Muskulatur der ableitenden Harnwege versucht der Körper, das Hindernis zu überwinden.

Das Hauptsymptom des akuten Harnsteins ist der **kolikartige Schmerz** (wellenförmiger, dumpfer Schmerz) mit Projektion in den Unterbauch, die Leiste, die Genitalregion oder die Innenseite des Oberschenkels, der durch Spasmus und vermehrte Peristaltik der glatten Muskulatur der ableitenden Harnwege, aber auch durch Überdehnung der Nierenkapsel zustande kommt. Zusätzlich kann ein dumpfer, andauernder Flankenschmerz als Resultat der Harnstauung im Nierenbecken beobachtet werden. Dabei können durch den Kolikschmerz Übelkeit und Erbrechen auftreten. Anders als bei anderen abdominellen Beschwerden sind die Patienten typischerweise **sehr unruhig** und suchen Schmerzlinderung durch Bewegung (laufen z. B. hin und her). In 25 % d. F. werden Nieren- und Harnleitersteine von einer **Makrohämaturie,** die oft der Kolik vorausgeht, begleitet.

Blasensteine können dagegen lange Zeit symptomlos bleiben, obwohl sie eine beträchtliche Größe erreichen können. Der Blasenstein manifestiert sich durch den plötzlichen akuten **Harnverhalt,** wenn der Stein sich vor die Harnröhrenmündung legt. Da die Blase durch die Abflussstörung prall mit Urin gefüllt ist, wird der Stein bei einer Veränderung der Körperlage in der Blase umherrollen und die Ausflussöffnung wieder freigeben. Die lageabhängige Symptomatik des akuten Harnverhalts ist diagnostisch beweisend für den Blasenstein. Ein kleines Steinkonkrement kann sich allerdings auch in der Harnröhre festsetzen. Die Symptome sind anschließend lokale Schmerzen, Harnverhalten oder Veränderungen des Harnstrahls.

Therapie

Die **Basismaßnahmen** umfassen die Lagerung des Patienten nach Wunsch, um eine weitgehende Schmerzfreiheit zu erlangen. Anschließend werden abgegangene Steine asserviert. Deren chemische Untersuchung in der Klinik kann dem behandelnden Arzt wertvolle Hinweise darüber geben, wie der Patient in Zukunft (etwa durch Vermeidung bestimmter Nahrungsmittel) eine erneute Steinbildung verhindern kann. Sind die Schmerzen erträglich, wird der Patient nach Maßgabe des Hausarztes oder ärztlichen Notdienstes in die Klinik transportiert. Ist durch Schmerz und Unruhe des Patienten ein Transport nicht möglich, so ist eine Analgesie notwendig.

MERKE

Bei Kolikschmerzen ist eine Schmerzfreiheit für den Patienten ohne Opiate kaum zu erreichen.

Die **erweiterten Maßnahmen** zielen auf die Herstellung der Schmerzfreiheit. Dazu wird zuerst ein venöser Zugang angelegt, über den die medikamentöse Therapie erfolgen kann. Im Vordergrund steht die Gabe von Spasmolytika (z. B. Buscopan®) und peripher wirkender Analgetika (z. B. Novalgin®). Dennoch wird eine Schmerzfreiheit des Patienten meistens nicht ohne Opiate zu erreichen sein. Daher haben sie ihren festen Platz bei starken Kolikschmerzen. Diuretika sind kontraindiziert, weil sie die Harnmenge erhöhen und somit den Harnstau und die Schmerzen verstärken.

MERKE

Eine bestehende Dauermedikation des Patienten mit **Diuretika** (z. B. bei Herzinsuffizienz) muss **sofort abgesetzt** werden, da die zusätzliche Harnproduktion den Kolikschmerz verstärken wird.

IM FOKUS

Akuter Harnstein (Nephro- und Urolithiasis)

Ursachen

- Ernährungsbedingte Faktoren (z. B. mangelnde Flüssigkeitszufuhr sowie erhöhter Konsum von tierischen Eiweißen, Milchprodukten, Alkohol, Kaffee, schwarzem Tee)
- Vorerkrankungen (z. B. häufige Harnwegsinfekte mit Harnstauungen, Stoffwechselerkrankungen wie Diabetes mellitus, Störungen des Harnsäurestoffwechsels, Nebenschilddrüsenerkrankungen mit Störungen des Kalziumstoffwechsels)
- Medikamente (z. B. Vitamin C und D, Analgetika, Diuretika, Abführmittel)

Symptome

- Kolikschmerz mit Projektion in den Unterbauch, die Leiste, die Genitalregion
- Dumpfer, andauernder Flankenschmerz
- Reflektorische vegetative Symptome
  - Tachykardie
  - Hypotonie
  - Schwitzen
  - Übelkeit
  - Erbrechen

Maßnahmen

Monitoring

- AF, SpO_2, Rekapillarisierungszeit, Puls (peripher/zentral), RR, BZ, GCS, EKG, Temperatur

Basismaßnahmen und Lagerung

- Lagerung in leichter Oberkörperhochlage (30–60° Drehpunkt Hüfte) zum Aspirationsschutz und mit angewinkelten Knien (Knierolle), um die Bauchdecke zu entspannen und dadurch Schmerzen zu reduzieren, bzw. bei Blutdruckabfall in flacher Rückenlage und mit Knierolle
- Wärmeerhalt und Beruhigung des Patienten

Erweiterte Maßnahmen

- i. v. Zugang und ggf. Laborblutentnahme

Medikamente und Dosierungsempfehlungen

- Spasmolyse: N-Butylscopolamin (z. B. Buscopan®) 20–40 mg (= 1–2 Ampullen) langsam i. v. (max. 100 mg/24 Std.)
- Analgesie: bei mäßigen Schmerzzuständen Metamizol (z. B. Novalgin®) 1–2,5 g als Kurzinfusion i. v. (max. 10 g/24 Std.) und 25–50 mg Tramadol (Tramal®) i. v., bei schweren Schmerzzuständen Piritramid (z. B. Dipidolor®) 7,5 mg i. v.
- Sedierung: Midazolam (z. B. Dormicum®) 2–3 mg i. v.
- Volumentherapie: restriktiv kristalloide Infusionen (z. B. balancierte Elektrolytlösung) 500 ml i. v.
- Antiemetika: Dimenhydrinat (z. B. Vomex A®) 62 mg (= 1 Ampulle) langsam i. v. oder Metoclopramid (z. B. Paspertin®) 10 mg i. v.

36.2.2 Hämaturie

Blut im Urin (Hämaturie) bezeichnet die erhöhte Ausscheidung von Erythrozyten im Urin. Es wird die **Mikrohämaturie,** bei der das Blut nur mikroskopisch nachzuweisen ist und keine sichtbare Rotfärbung des

Urins vorliegt, von der **Makrohämaturie,** bei der das Blut durch die deutliche Rotfärbung des Urins mit bloßem Auge sichtbar ist, unterschieden.

Die Hämaturie ist ein häufiger Befund. Sie wird durch Erkrankungen oder Verletzungen des Urogenitaltrakts oder durch Blutgerinnungsstörungen verursacht und kann schmerzlos oder schmerzhaft verlaufen.

Makrohämaturie

Die häufigste Ursache einer Makrohämaturie sind Tumoren der Blase, Nieren, Prostata und der ableitenden Harnwege. Sie stellen in den meisten Fällen keinen akut lebensbedrohlichen Zustand dar. Bei

- **Blutungen aus dem oberen Harntrakt** (Niere, Harnleiter und Blase) ist der Urin völlig mit dem Blut vermischt und es finden sich wurmförmige Blutkoagel im Urin, die die Harnleiter verstopfen und schmerzhafte Koliken auslösen können.
- **Blutungen in der Harnröhre** tritt eine Hämaturie gefolgt von gelbem Urin auf.
- **Blutungen distal des Blasenschließmuskels** (M. sphincter externus) erfolgen kontinuierlich tropfend aus der Harnröhre.

Symptome

Das Hauptsymptom der Makrohämaturie ist die Rotverfärbung des Urins. Nach dem Zeitpunkt des Auftretens der Rotverfärbung werden drei Symptome unterschieden:

- **Totale Makrohämaturie:** Der Urin ist während der gesamten Miktion rot gefärbt und die Ursache ist im Bereich des oberen Harntrakts zu suchen.
- **Initiale Makrohämaturie:** Der Urin ist zu Beginn der Miktion rot gefärbt und nimmt in der Folge der Miktion wieder eine gelbe Farbe an. Hier ist die Ursache im Bereich der Harnröhre zu suchen.
- **Terminale Makrohämaturie:** Der Urin ist zu Beginn der Miktion normal gelb gefärbt und verfärbt sich erst zum Ende der Miktion rot. Hier ist die Ursache im Bereich des Blasenhalses zu suchen.

In seltenen Fällen kann die Ursache einer Makrohämaturie eine Störung des Blutgerinnungssystems durch die fehlerhafte Einnahme von blutgerinnungshemmenden Medikamenten (Marcumar®, Plavix®, ASS, NOAK, z. B. Xarelto®) sein. Dann ist die Blutung im Körper nicht nur auf die sichtbare Makrohämaturie beschränkt, sondern findet im gesamten Körper statt. Es besteht die Gefahr einer massiven Blutung in weitere, nicht sichtbare Körperregionen (z. B. Gehirn, Gelenke, Magen-Darm) mit instabilen Kreislaufverhältnissen.

IM FOKUS

Hämaturie

Ursachen

- Schmerzlos
  - Tumoren
  - Nierenzysten
  - Medikamente (z. B. Marcumar®)
- Schmerzhaft
  - Koliken (Steine)
  - Entzündungen
  - Trauma

Symptome

- Sichtbare Blutbeimengungen im Urin (Zeitpunkt unterschiedlich)
- Schmerzhafte Koliken
- Symptome durch Blutverlust oder Schmerzen
  - Tachykardie
  - Hypotonie

Maßnahmen

- Siehe Im-Fokus-Kasten „Akuter Harnstein"
- Bei starken Blutungen mit Kreislaufsymptomatik Schocktherapie

36.2.3 Akuter Harnverhalt (Ischurie)

DEFINITION

Unter einem akuten Harnverhalt (Ischurie) wird das plötzlich auftretende Unvermögen verstanden, die volle Harnblase zu entleeren.

Obwohl die Harnblase bis zur Grenze des Fassungsvermögens schmerzhaft gedehnt sein kann und der Patient quälenden Harndrang verspürt, ist es unmöglich, die Blase spontan zu entleeren (Miktion). Ursache hierfür ist zumeist eine gutartige Vergrößerung der Prostata (benigne Prostatahyperplasie) oder ein Blasenstein.

Der **Blasenstein** verschließt den Blasenausgang oder die Harnröhre, die **Prostatavergrößerung** umschließt die Harnröhre und verengt diese funktionell. Patienten mit Prostatavergrößerung haben daher Probleme, den Urin durch die im Bereich der Prostata verengte Harnröhre zu entleeren. Zum akuten Harnverhalt kommt es, wenn durch eine übervolle Blase, Nässe, Kälte, alkoholische Getränke (v. a. Bier) oder Medikamente (Ephedrin, z. B. Wick MediNait®) der Sympathikotonus der Blase derart gesteigert wird, dass sich die Blasenschließmuskulatur verkrampft und die übrige Blasenmuskulatur, welche die Entleerung der Blase fördert, erschlafft. Dadurch gerät ein zuvor grenzbelasteter Zustand akut außer Kontrolle und eine Blasenentleerung ist nicht mehr möglich. Die plötzliche Unfähigkeit zu urinieren, ist das Schlüsselereignis bei Männern mit Prostataadenom, das sie zum Arzt führt oder den Rettungsdienst alarmieren lässt.

Symptome

Das Leitsymptom bei der Untersuchung dieser Patienten ist der **starke Harndrang, ohne urinieren** zu können. Bei der Palpation der Unterleibsregion wird erkennbar, dass die Blase prall gefüllt und schmerzhaft überdehnt ist. Die Patienten krümmen sich vor Schmerzen und sind unruhig. Oft zeigen sich auch vegetative Symptome wie Übelkeit, Erbrechen, Kaltschweißigkeit, Blässe und Tachykardie.

Therapie

Die einzig richtige Maßnahme beim akuten Harnverhalt ist die sofortige Entlastung der Blase durch einen Blasenkatheter, die fraktioniert durchzuführen ist. Daher bestehen die **Basismaßnahmen** in der Lagerung des Patienten nach Wunsch (z. B. Oberkörperhochlage mit Knierolle) und in der Nachalarmierung des betreuenden Hausarztes oder eines Notarztes, **denn die Katheterisierung der Harnblase** (→ Abb. 36.7 und → Abb. 36.8) **ist im Notfall** bei unklaren anatomischen Verhältnissen **immer eine ärztliche Maßnahme.** Keinesfalls sollte ohne umfangreiche Erfahrung ein selbstständiger Katheterisierungsversuch der Blase unternommen werden.

MERKE

Bei jeder Katheterisierung durch die Harnröhre muss auf ein keimfreies Arbeiten und den Einsatz von sterilen Handschuhen und Desinfektionsmitteln geachtet werden. Ein sauberes Arbeiten ist unumgänglich, um eine Keimverschleppung in die Harnwege zu verhindern.

(1)

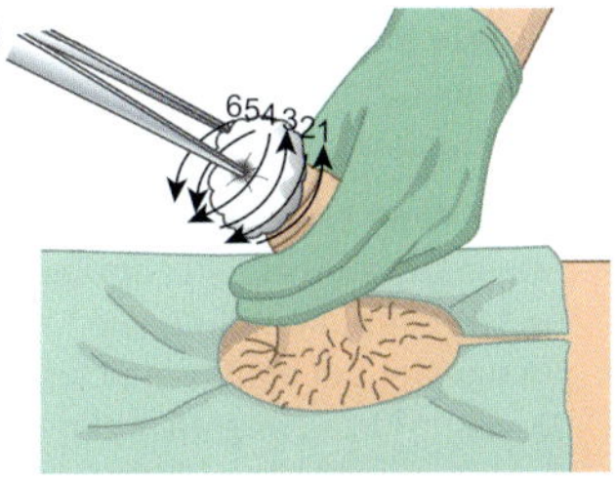

Glans penis desinfizieren.

(2)

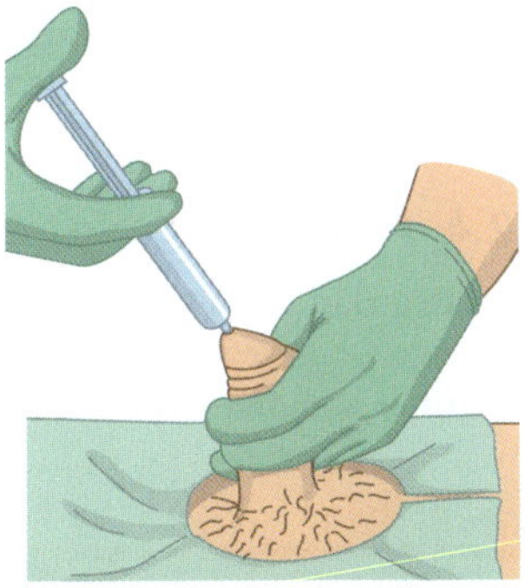

Anästhesierendes Gleitgel vorsichtig auf und in die Harnröhre spritzen.

(3)

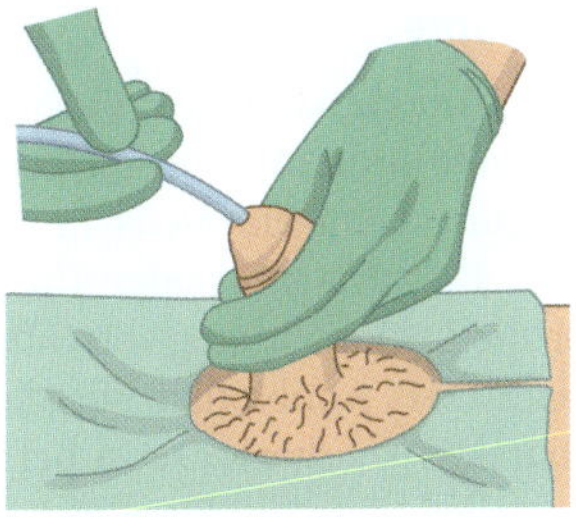

Katheter vorsichtig einführen bei deckenwärts gerichtetem Penis.

(4)

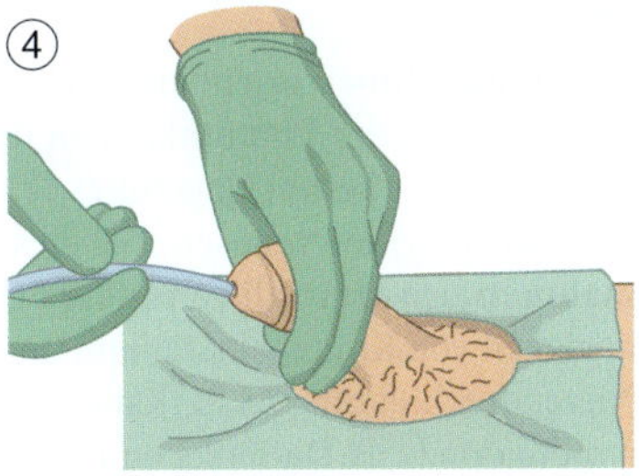

Weiter einführen bei bodenwärts gerichtetem Penis, um die zweite Harnröhrenkrümmung zu überwinden.

(5)

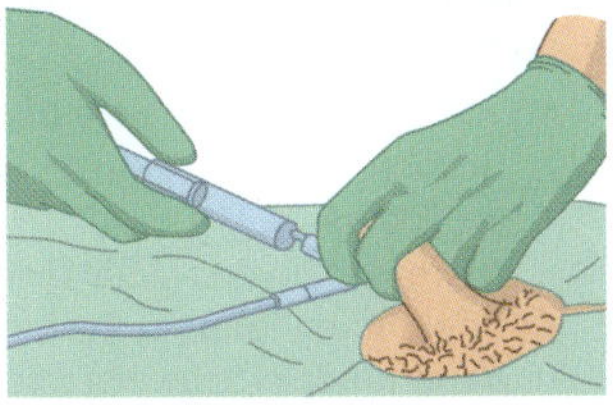

Beim Dauerkatheter Ballon blocken.

Abb. 36.7 Legen eines Dauerkatheters beim Mann
1 Desinfektion
2 Anästhesie der Harnröhre
3 und 4 Einführen des Katheters
5 Blasenverweilkatheter mit Ableitungssystem einbringen und Ballon blocken. [L138]

(1)

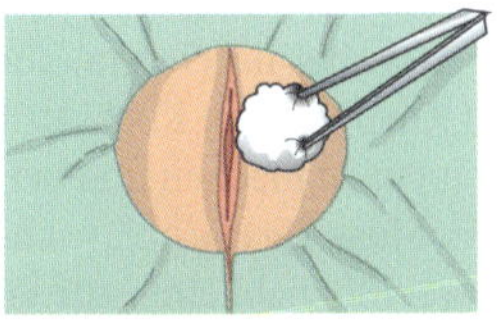

Große Schamlippen mit je einem Tupfer von der Symphyse zum Anus desinfizieren.

(2)

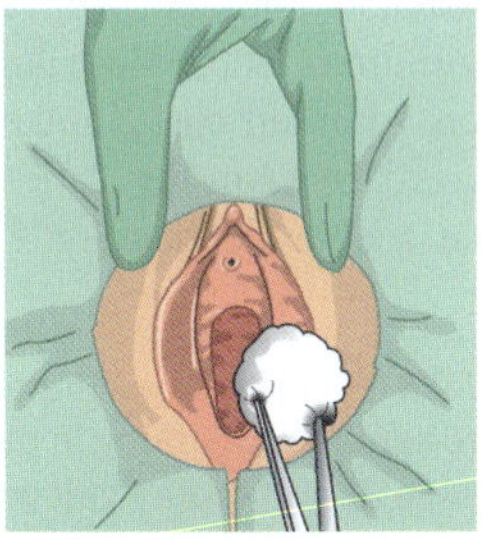

Große Schamlippen mit einer Hand spreizen, dann kleine Schamlippen ...

(3)

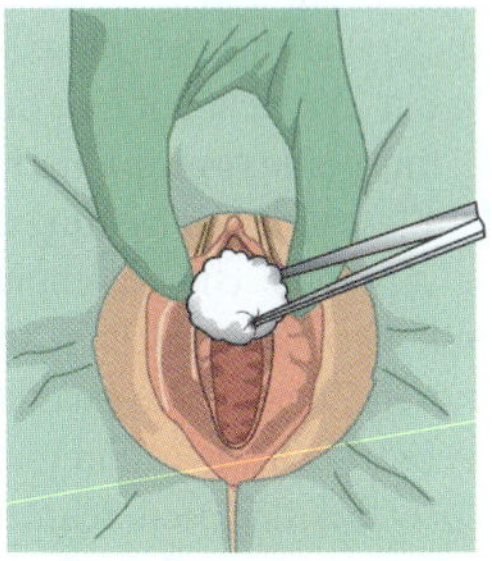

... sowie Harnröhrenöffnung mit je einem Tupfer desinfizieren.

(4)

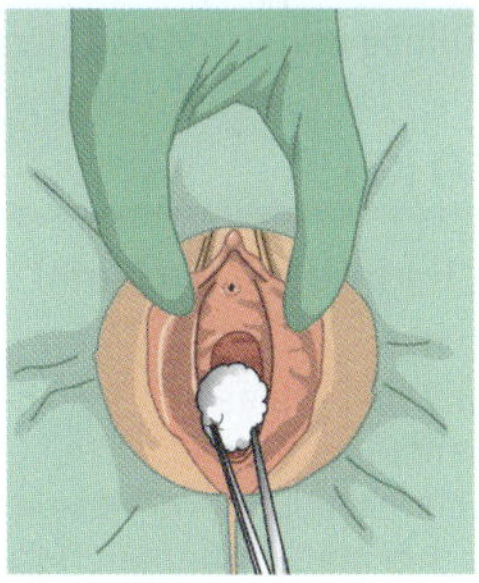

Den sechsten Tupfer vor die Öffnung der Vagina legen.

(5)

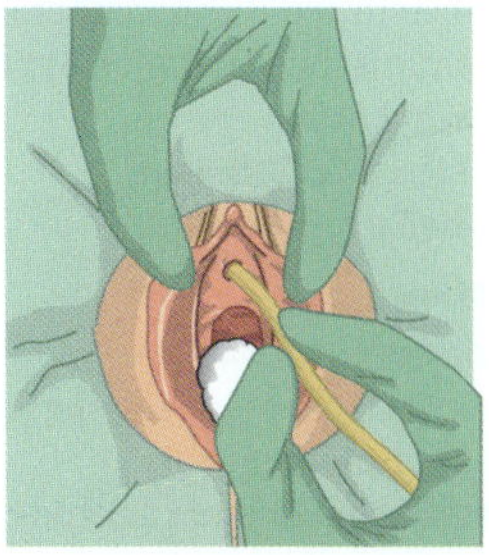

Katheter von der Arbeitsfläche nehmen und in die Blase einführen.

Abb. 36.8 Legen eines Dauerkatheters bei der Frau
1 Desinfektion des äußeren Genitals
2 Spreizen der großen Schamlippen
3 Desinfektion Harnröhrenöffnung
4 Schutz der Vagina mit Tupfer
5 Einführen des Katheters
[L138]

Die **erweiterten Maßnahmen** zielen auf die Entleerung der Harnblase durch den Arzt. Bei liegendem, aber verstopftem Harnblasenkatheter kann durch Anspülen mit Kochsalzlösung versucht werden, diesen wieder durchgängig zu machen und bei Erfolg die Harnblase dann langsam zu entleeren. Muss die Harnblase aber erst katheterisiert werden, stehen dem Arzt zwei Möglichkeiten zur Verfügung:

- die **Katheterisierung mit Urinkatheter** oder
- die suprapubische Blasenpunktion.

Meist lässt sich die Blase mit einem Urinkatheter der Größe CH 14 bis CH 18 entlasten. Grundsätzlich gilt es, den Urinkatheter steril und ohne Gewalt einzuführen. Ist die Blase durch die Einmalkatheterisierung entleert worden, kann auf eine Klinikeinweisung zur weiteren Abklärung verzichtet werden, wenn der Patient eine bekannte Prostatavergrößerung hat, die in laufender hausärztlicher oder urologischer Kontrolle ist.

ACHTUNG! Eine starke Blutung beim Vorschieben des Blasenkatheters hat ihren Ursprung in der Harnröhre. Ursache der Blutung können in der Harnröhre gelegene Widerstände (z. B. Schleimhautfalten, Engen) oder eine Katheterfehlanlage in der Prostataloge (Kapselgewebe nach Prostatektomie) sein.

Ist die Katheterisierung der Blase über die Harnröhre nicht möglich oder besteht der Verdacht auf eine ausgeprägte Entzündung der Prostata (Prostatitis), muss eine **suprapubische Blasenpunktion** erfolgen, die den Harn aus der Blase unter Umgehung der Harnröhre durch die Bauchdecke ableitet. Die suprapubische Blasenpunktion sollte jedoch nach Möglichkeit der Klinik vorbehalten bleiben. In diesem Fall wird nach Anlage eines periphervenösen Zugangs die medikamentöse Therapie durch den **Notarzt** durchgeführt. Zu ihr gehören eine Analgesie mit Metamizol (z. B. Novalgin®) bzw. bei stärksten Schmerzen auch Opiate (z. B. Dipidolor®) in Kombination mit einem Antiemetikum (z. B. Vomex A®) und die Spasmolyse mit Butylscopolamin (z. B. Buscopan®). Diuretika sind kontraindiziert. Die Infusionsmenge sollte möglichst gering gehalten werden, um die Blasenfüllung und damit den Harndrang nicht weiter zu verstärken.

IM FOKUS

Akuter Harnverhalt (Ischurie)

Ursachen

- Prostatahyperplasie
- Blasensteine
- Traumatisch durch Verletzungen der Harnröhre durch z. B. unsachgemäß entfernten Harnblasenkatheter

Symptome

- Quälender Harndrang ohne Miktion
- Prallelastische Blase tastbar
- Reflektorische vegetative Symptome
  - Tachykardie
  - Kaltschweiß, Blässe
  - Übelkeit, Erbrechen

Maßnahmen

Monitoring

- AF, SpO_2, Rekapillarisierungszeit, Puls (peripher), RR, BZ, GCS, EKG, Temperatur

Basismaßnahmen und Lagerung

- Lagerung in leichter Oberkörperhochlage (30–60° Drehpunkt Hüfte) und mit angewinkelten Knien (Knierolle), um die Bauchdecke zu entspannen und dadurch Schmerzen zu reduzieren bzw. bei Blutdruckabfall in flacher Rückenlage und mit Knierolle
- Beruhigung des Patienten

Erweiterte Maßnahmen

- Blasenkatheterisierung
- i. v. Zugang und ggf. Laborblutentnahme

Medikamente und Dosierungsempfehlungen

- Spasmolyse: N-Butylscopolamin (z. B. Buscopan®): 20–40 mg (= 1–2 Ampullen) langsam i. v. (max. 100 mg/24 Std.)
- Analgesie: bei mäßigen Schmerzzuständen Metamizol (z. B. Novalgin®) 1–2,5 g als Kurzinfusion i. v., ggf. bei schweren Schmerzzuständen Piritramid (z. B. Dipidolor®) 7,5 mg i. v.
- Volumentherapie: restriktiv kristalloide Infusionen (z. B. balancierte Elektrolytlösung) 500 ml i. v.
- Antiemetika: Dimenhydrinat (z. B. Vomex A®) 62 mg (= 1 Ampulle) langsam i. v. oder Metoclopramid (z. B. Paspertin®) 10 mg i. v.

36.2.4 Anurie/Oligurie

Vom akuten Harnverhalt ist die Anurie abzugrenzen. Häufig geht einer Anurie eine Oligurie voraus, wobei die **ausgeschiedene Harnmenge** den Begriff bestimmt (→ Tab. 36.1).

MERKE

Im Gegensatz zum Harnverhalt ist bei Anurie die Blase nicht gefüllt

Symptome

Bei der **Anurie** kann der Patient infolge einer **stark verminderten Harnproduktion** nicht ausreichend urinieren. Die Ursache einer Anurie/Oligurie kann einerseits in einer Minderperfusion der Niere bei Schock, Dehydratation oder Thrombosen bestehen oder andererseits durch direkte Einwirkung von Giften, bei einer Sepsis oder durch Medikamente (z. B. Antibiotika) ausgelöst werden (→ Kap. 36.1.1).

Charakteristischerweise ist bei der Palpation der Unterbauchregion festzustellen, dass die Blase wegen der fehlenden Urinproduktion bei der Anurie leer, beim akuten Harnverhalt dagegen prall gefüllt ist.

Therapie

Die **Basismaßnahmen** orientieren sich an den Symptomen und umfassen die Sicherung der Vitalfunktionen und die Lagerung des Patienten in leichter Oberkörperhochlagerung.

Nach Anlage eines venösen Zugangs im Rahmen der **erweiterten Maßnahmen** zielt die medikamentöse Behandlung durch den Notarzt in Abhängigkeit von Krankheitsstadium und Restdiurese auf die Erhöhung der Nierendurchblutung (z. B. Katecholamine) oder die Erhöhung der Urinproduktion (z. B. Diuretika und Gabe von kaliumfreien Infusionen).

IM FOKUS

Anurie/Oligurie

Ursachen

- Minderperfusion der Niere durch:
  - Schock
  - Exsikkose
  - Nierengefäßverschluss (Thrombose, Embolie, Tumor)
  - Infektionen (Sepsis, Pyelonephritis, Pneumonie)
  - Vergiftungen (Schwangerschaftstoxikosen, Antibiotika)

Symptome

- Sistieren der Urinausscheidung
- Oligurie < 500 ml/24 Std.
- Anurie < 100 ml/24 Std.

37

OPHTHALMOLOGISCHE NOTFÄLLE

Jürgen Luxem

FALLBEISPIEL

Notfallmeldung

Die Leitstelle erhält über Notruf die Meldung einer schweren Augenverletzung nach Betriebsunfall. Genaueres lässt sich nicht erfragen, da der Meldende nach Angabe der Unfallstelle sofort wieder auflegt. Der Disponent alarmiert einen Rettungswagen und ein Notarzteinsatzfahrzeug zum Unfallort.

Situation und Ersteindruck

Im Lagereibetrieb einer Einzelhandelskette ist einem Lagerarbeiter eine Eisenstange auf das Auge geschlagen. Der Patient krümmt sich vor stärksten Schmerzen und klagt über ein Fremdkörpergefühl im Auge, und dass er das Auge nicht öffnen könne. Aus dem Auge sickert Blut.

Leitsymptome

Starke Schmerzen, Lidkrampf, Blutung aus dem Auge.

INHALTSÜBERSICHT

37.1 VERÄTZUNG

- Verätzungen können durch Laugen oder Säuren hervorgerufen werden.
- Die wichtigste Basismaßnahme ist das schnelle Spülen des Auges.

37.2 HORNHAUTABSCHÜRFUNG UND VERBLITZUNG

- Hauptsymptome sind die Lichtscheuheit (Photophobie) und das Fremdkörpergefühl im Auge.
- Je nach Auslöser können die Symptome einseitig (Fremdkörper) oder beidseitig (Schneeblindheit) auftreten.

37.3 FREMDKÖRPER

- Fremdkörper, die mit hoher Geschwindigkeit in das Auge geraten, dringen oft tief in das Gewebe ein.
- Die Fremdkörper sind meist mit bloßem Auge nicht zu sehen.
- Bei pflanzlichen Fremdkörpern droht die Gefahr einer mikrobiellen Entzündung. Metallische Fremdkörper können einen Rostring auf der Hornhaut hinterlassen.

37.4 PERFORIERENDE VERLETZUNG

- Perforierend ist eine Verletzung des Auges, wenn die äußere Hülle (Hornhaut, Lederhaut) eröffnet ist.
- Fremdkörper sind im Auge bzw. der Augenhöhle zu belassen.

37.5 AUGAPFELPRELLUNG (AUGENPRELLUNG)

- Bei der Augenprellung ist i. d. R. die äußere Augenhülle nicht beschädigt.
- Je nach Objekt können jedoch Orbitarand- oder -bodenfrakturen auftreten.
- Kleinere Objekte schädigen den Augapfel direkt.

37.6 ROTES AUGE

- Ein rotes Auge kann einseitig oder beidseitig auftreten und geht mit einer verstärkten Durchblutung der Bindehaut einher.
- Ursache sind Infektion, Gefäßprozess oder Glaukom.

37.7 GLAUKOMANFALL

- Ursache ist ein Missverhältnis zwischen Kammerwasserproduktion und -abfluss.
- Der Anstieg des Augeninnendrucks führt innerhalb weniger Minuten zur Kompression des Sehnervs bis hin zu dessen Zerstörung.
- Beim Betasten des Augapfels ist das betroffene Auge steinhart.

37.8 LIDVERLETZUNGEN

- Die Versorgung einer Augenverletzung hat vor Lidverletzungen Vorrang.

37.9 PLÖTZLICHER SEHVERLUST

- Ursachen des plötzlichen Sehverlusts sind vielfältig, z. B. Netzhautablösung, Zentralarterienverschluss, Glaskörperblutung oder Infektion.

Ophthalmologische Notfälle werden als die Krankheiten oder Verletzungen definiert, die innerhalb weniger Stunden eine augenärztliche Versorgung benötigen, um die Funktion des Auges zu erhalten. Grundsätzlich sollte jeder Notfall, bei dem auch nur der Verdacht besteht, dass die Augen beteiligt sind, **baldmöglichst** einem **Augenarzt** vorgestellt werden. Dies sollte auch dann gelten, wenn der Patient selbst keine eindeutigen Beschwerden angibt und die Augen scheinbar nicht betroffen sind.

Die **Mitbeteiligung des Auges** beim **Schädeltrauma** (→ Kap. 37.5 und → Kap. 31.2) im Straßenverkehr ist seit Durchsetzung der Anschnallpflicht immer weiter gesunken. Der Anteil von Augenverletzungen an Arbeitsunfällen ist in den vergangenen Jahren stetig gesunken und liegt mittlerweile bei nur noch 1,9 % (Stand: 2017). Tatsächlich ist ein großer Teil der Augenverletzungen bei gewerblicher und industrieller Arbeit durch entsprechende Vorsichtsmaßnahmen, z. B. das Tragen von Schutzbrillen, vermeidbar.

Hingegen sind die **schweren Verletzungen bei Kindern** im Umgang mit Pfeil und Bogen, Schleuder, Spielpistolen und Knallkörpern schwerer zu verhüten. Leider nehmen auch die Verätzungen durch Tränengaspistolen oder -sprays zu.

Zu bedenken ist, dass eine schwere Augenverletzung zwar das Auge und die Sehkraft unmittelbar bedrohen kann, jedoch praktisch **nie** innerhalb kurzer Zeit zu einer **Lebensgefahr** wird. Die Versorgung von lebensgefährlichen Verletzungen, z. B. Schädel-Hirn-Traumen und stark blutenden Wunden, hat bei polytraumatisierten Patienten Vorrang.

Das breite Spektrum der ophthalmologischen Diagnosen verbirgt sich in der Praxis meist hinter einer kleinen Anzahl von Leitsymptomen. Häufige charakteristische Beschwerden sind eine Rötung (→ Kap. 37.6) und eine Sehverschlechterung (→ Kap. 37.9) eines oder beider Augen. Der Umfang und die Durchführung der Untersuchung der Augen werden in Kap. 17.2.2 erläutert.

Im Folgenden werden die häufigsten augenärztlichen Notfälle dargestellt, wobei nur die Verätzung eine sofortige Therapie erfordert. Daher muss hier die wichtige primäre Versorgung vom Nichtaugenarzt durchgeführt und der verletzte Patient schnellstmöglich in einer Augenklinik weiterbehandelt werden. Alle anderen Notfälle erfordern selbstverständlich ebenfalls baldmöglichst augenärztliche Hilfe.

Grundsätzlich ist anzumerken, dass die Diagnose und Behandlung einer Augenerkrankung, sei sie auf den ersten Blick auch noch so banal, ausschließlich in die Hände des Augenarztes gehören.

37.1 Verätzung

Verätzungen mit chemischen Substanzen sind die Notfälle, die sofortiges geistesgegenwärtiges Handeln erfordern. Sie sollen hier als Erstes genannt werden, da bei diesen Notfällen dem Ersthelfer die entscheidende Bedeutung und Behandlung zukommt, deren richtige Handhabung die Prognose stark beeinflusst.

Die Verätzungen des Auges werden nach Stärke und Tiefe der Verletzung in vier Stadien (nach Reim, → Tab. 37.1) eingeteilt. Die Klassifikation beruht im Wesentlichen auf dem Ausmaß der Schäden an Hornhaut und des Randsaums (lat. Limbus) zwischen Hornhaut (Kornea) und Lederhaut (Sklera). Die Region des Limbus beherbergt die Stammzellen für Epithel und Endothel der Hornhaut und ist damit für die regelmäßige Zellerneuerung der Hornhaut von Bedeutung.

Zahlreiche hauchdünne Blutgefäße im Limbus, das sog. Randschlingennetz, versorgen die randständigen Anteile der Hornhaut mit Blut. Eine Verletzung des Limbus durch Verätzungen kann zu einer Überwachsung der sonst durchsichtigen Hornhaut mit undurchsichtigem Bindegewebe führen. Eine Erblindung des Auges wäre die Folge (→ Abb. 37.1).

Verätzungen können durch Laugen oder Säuren hervorgerufen werden. Verletzungen durch Farben, Lösungs- und Reinigungsmittel, Zement, ungelöschten Kalk, Benzin und Tränengas sollten als solche angesehen und behandelt werden.

Verätzungen durch **Laugen** sind schwerwiegender als Säureverätzungen. Die Hornhaut kann bei hoher Konzentration einer Lauge in weniger als 1 Min. perforieren.

Säuren hingegen verursachen eine Ausfällung von Gewebsproteinen, die wiederum einen Schutz vor weiterer Penetration der Säure darstellen.

Grad	Erstbefund
I	Leichte Erosionen der Hornhaut, Rötung des Auges (Hyperämie)
II	Erosionen der Hornhaut, Durchblutungsstörung (Ischämie) des Limbus (über 30 % des Randsaums), Ödem der Bindehaut, das Epithel nimmt häufig eine hellere gräulich-glasige Farbe an
III	Erosionen der Hornhaut, Durchblutungsstörung (Ischämie) des Limbus (über 50 % des Randsaums), Ödem der Bindehaut
IV	Nekrosebildung, tiefe Durchblutungsstörung (Ischämie) des Limbus (über 75 % des Randsaums), weißlich getrübte Lederhaut, porzellanweiße Verfärbung und Atrophie der Iris, Fibrinexsudat auf der Iris, Schädigung des Augeninneren

Tab. 37.1 Klassifikation von Verätzungen und Verbrennungen der Augen (nach Reim)

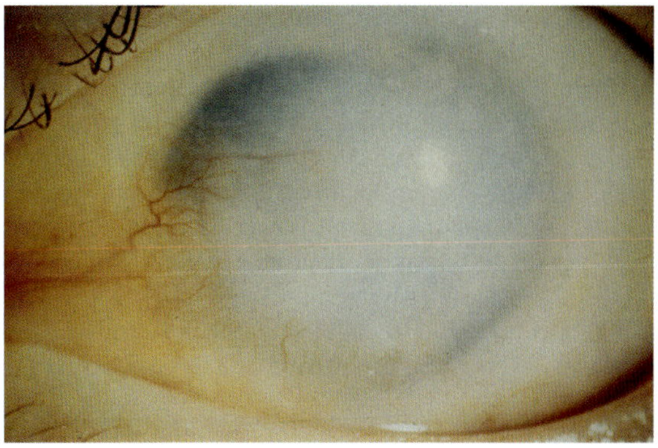

Abb. 37.1 Auge mit durchgetrübter Hornhaut nach Verätzung (Grad 3) [M233]

> **MERKE**
>
> Unabhängig von der Art der chemischen Substanz gilt, dass die Verletzung umso schwerwiegender ist, je konzentrierter der Stoff ist und je länger er auf das Gewebe einwirkt.

Symptome

Die schwerwiegendere **Verätzung durch Laugen** führt zu einer **Kolliquationsnekrose** (Verflüssigungsnekrose) mit enormer Zerstörung des gesamten Augengewebes (z. B. Hornhautperforation). Die für die Verletzung ursächlichen Laugen sind überwiegend:

- Ammoniumhydroxid (NH_4OH)
- Ammoniak (NH_3)
- Gebrannter Kalk (CaO)
- Gelöschter Kalk ($Ca[OH]_2$)
- Natronlauge ($NaOH$)
- Kalilauge (KOH)

Verätzungen durch Säuren führen zu einer **Koagulationsnekrose** (Gerinnungsnekrose), die durch Ausfällung von Eiweißen entsteht und die (relativ) weniger zerstörend wirkt. Die für die Verletzung ursächlichen Säuren sind vorwiegend:

- Salzsäure (HCl)
- Schwefelsäure (H_2SO_4)
- Salpetersäure (HNO_3)
- Ameisensäure (CH_2O_2)
- Essigsäure ($C_2H_4O_2$)
- Trichloressigsäure ($C_2Cl_3O_2H$)

Die Säureverätzung ist typischerweise durch eine Lidschwellung, Lidkrampf, geschwollene Bindehäute bis zum Hornhautödem und Hornhauteintrübung (→ Abb. 37.1) gekennzeichnet.

Therapie

> **MERKE**
>
> **Jede Wartezeit verschlechtert die Prognose.**
>
> Die wichtigste **Basismaßnahme** bei einer Verätzung muss daher heißen: Schnellstens spülen. Wenn keine Augenspüllösung oder Wasser vorhanden ist, kann auch mit Cola, Milch und ähnlichen Flüssigkeiten gespült werden.

Ein **Augenverband** allein **reicht nicht** aus. Mit der Flüssigkeitsmenge sollte dabei nicht sparsam umgegangen werden. Idealerweise sollte dazu Isogutt®-Augenspüllösung oder balancierte Elektrolytlösung benutzt werden, aber im Notfall sind Leitungswasser (Kopf unter den Wasserhahn halten), Limonade oder Bier sicher genauso wirksam, um die ätzende Substanz aus dem Auge herauszuspülen. Die Augen sollten dabei notfalls mit Gewalt (Lidkrampf, s. u. evtl. Gabe von Novesine®-Augentropfen notwendig) offen gehalten und große Mengen Flüssigkeit direkt in die Augen gegossen werden (→ Abb. 37.2).

Jede Sekunde, in der die chemische Substanz länger in den Augen verbleibt, kann die Prognose des Auges deutlich verschlechtern.

MERKE

Keine noch so gute folgende augenärztliche Behandlung kann das **Spülen des Ersthelfers** ersetzen.

Bei Verätzung mit **festen Stoffen,** z. B. dem stark alkalischen ungelöschten Kalk, werden diese trocken, z. B. mit einem Wattestab, aus dem Auge entfernt. Dabei ist das Auge auf etwaige unter dem Oberlid verbliebene Kalkbröckel zu untersuchen. Dazu werden die Wimpern des Oberlids beim Blick nach unten umfasst (→ Abb. 37.3). Das Umstülpen des Oberlids erfolgt anschließend durch Abwärts-Aufwärts-Zug über ein Widerlager (z. B. Streichholz, → Abb. 37.3). Vermutet man einen Fremdkörper in der oberen Umschlagsfalte, die auch durch Umstülpen des Lids nicht einzusehen ist, empfiehlt sich das Auswischen des Oberlids mit einem Wattestäbchen. Dieses bringt die Kalkreste zum Vorschein. Sollte ein **Lidspasmus** das Öffnen der Augen nicht zulassen, kann ein Lokalanästhetikum (z. B. Novesine® 0,4 % Augentropfen) getropft werden. Der Schmerz lässt so nach und das Auge kann geöffnet und gespült werden. Die anschließende augenärztliche Untersuchung bzw. bei schweren Fällen der schnellstmögliche Transport in eine Augenklinik sind unumgänglich.

PRAXISTIPP

Ein Lidspasmus kann mit wenigen Tropfen Novesine® 0,4 % Augentropfen überwunden werden.

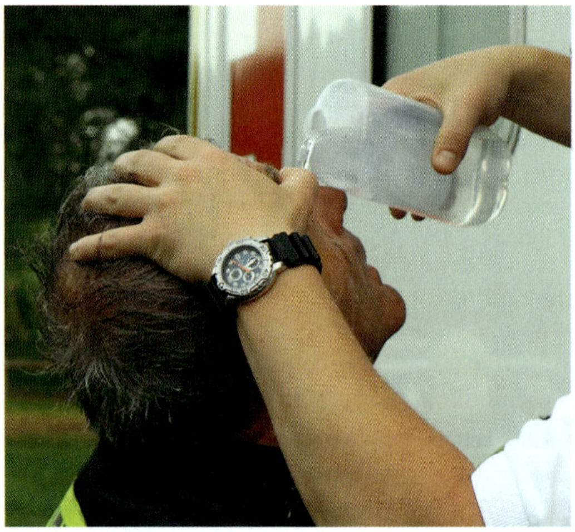

Abb. 37.2 Augenspülung [O429]

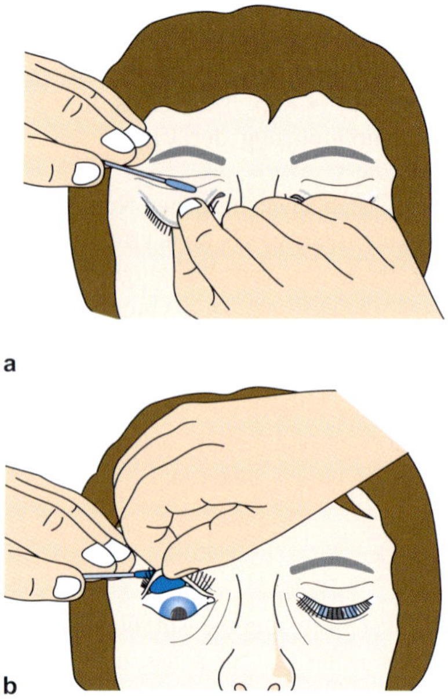

a

b

Abb. 37.3 Untersuchung unter dem Oberlid: **a)** Herunterziehen des Augenlids. **b)** Einfaches Ektropionieren des Oberlids. [L143, L190]

ACHTUNG! Ungelöschter Kalk darf **auf keinen Fall mit Flüssigkeit** in Kontakt geraten. Dadurch würde die Ätzwirkung verstärkt. Durch Oxidationsprozesse entstehen Temperaturen von über 100 °C, die das Auge zusätzlich schädigen würden. Daher wird ungelöschter Kalk trocken, z. B. mit einem Wattestab, aus dem Auge entfernt. Bei einem Blick unter das Oberlid kann auch von dort Kalk durch Ausstreichen entfernt werden.

IM FOKUS

Verätzung des Auges

Ursachen
- Verätzung durch Laugen: Kolliquationsnekrose
- Verätzung durch Säuren: Koagulationsnekrose

Symptome
- Laugenverätzung: meistens durch die völlige Zerstörung und Perforation des Auges gekennzeichnet
- Säureverätzung: Lidschwellung, Lidkrampf, geschwollene Bindehäute, Hornhautödem und Hornhauteintrübung
- Sehverlust

Maßnahmen

Monitoring
- AF, SpO_2, Rekapillarisierungszeit, Puls (peripher), RR

Basismaßnahmen und Lagerung
- Schnellstens Augenspülung mit viel Flüssigkeit direkt ins Auge
- Trockenes Auswischen bei festen Stoffen (z. B. ungelöschter Kalk)
- Bei Lidkrampf Augentropfen Novesine® 0,4 % (Lokalanästhetikum)
- Ektropionieren der Augenlider

Erweiterte Maßnahmen
- i. v. Zugang und Laborblutentnahme
- Vorstellung beim Augenarzt

Medikamente und Dosierungsempfehlungen
- Novesine® 0,4 % Augentropfen

37.2 Hornhautabschürfung und Verblitzung

Hornhautabschürfung und Verblitzung zählen zu den einfachen ophthalmologischen Notfällen. Meist lässt sich in der Anamnese ein Fingernagel oder ein zurückschnellender Ast im Auge, Aussetzung des Auges an erhöhte ultraviolette Strahlung oder das zu lange Tragen von Kontaktlinsen oder ein Schweißen ohne Schutzbrille (auch bei dem, der nur beim Schweißen zuschaut; Schweißbrand) erfragen.

Symptome

Meist 6–8 Std. nach dem Ereignis setzt ein heftiges schmerzhaftes Fremdkörpergefühl ein. Die Patienten kneifen das Auge lichtscheu zusammen und es tränt übermäßig. Oft wird beschrieben, dass etwas ins Auge gekommen ist, mit nachfolgendem Fremdkörpergefühl, Lidkrampf, **Lichtscheuheit** (Photophobie), Schmerzen, geschwollenem Lid, gerötetem Auge und aufgrund der übermäßigen Tränenproduktion mit einer herabgesetzten Sehschärfe.

MERKE

Leitsymptom ist die Abwehrtrias aus Lichtscheu, Lidkrampf und Tränenfluss.

Bei Symptomen aufgrund ultravioletter Strahlen (Schneeblindheit, Sonnenbank, sog. Photokeratitis) und nach Schweißarbeiten treten die Beschwerden des geschädigten Hornhautepithels typischerweise beidseitig bis zu 12 Std. nach der Exposition auf. Bevor die Diagnose Hornhautabschürfung oder Verblitzung gestellt wird, sollte das **Vorhandensein eines Fremdkörpers** ausgeschlossen sein.

Therapie

Eine oberflächliche Abschürfung des Hornhautepithels ist sehr schmerzhaft, darf aber, außer zu diagnostischen Zwecken, **nicht dauerhaft** mit **lokalen Anästhetika** (z. B. Novesine® 0,4 % Augentropfen) behandelt werden. Die Wirkung dieser schmerzstillenden Tropfen verhindert ein Zuheilen der epithelialen Wunde. In einigen Fällen können die beschriebenen Symptome auch ohne vorausgegangenes Trauma auftreten; hier muss an eine Infektion des Auges gedacht werden.

IM FOKUS

Hornhautabschürfung und Verblitzung

Ursachen

- Schweißen ohne Schutzbrille (Verblitzen), ungeschützter Aufenthalt in der Sonne (Schneeblindheit)
- Unsachgemäßes Tragen von Kontaktlinsen
- Oberflächliche Verletzung der Hornhaut (schlagender Ast)

Symptome

- Abwehrtrias (Lichtscheu, Lidkrampf, Tränenfluss)
- Fremdkörpergefühl
- Lidschwellung
- Schmerzen

Maßnahmen

Monitoring

- RR, Puls

Basismaßnahmen und Lagerung

- Anlage eines (doppelseitigen) Augenverbands (→ Abb. 37.4) zur Ruhigstellung

Erweiterte Maßnahmen

- Vorstellung beim Augenarzt

Medikamente und Dosierungsempfehlungen

- Novesine® 0,4 % Augentropfen

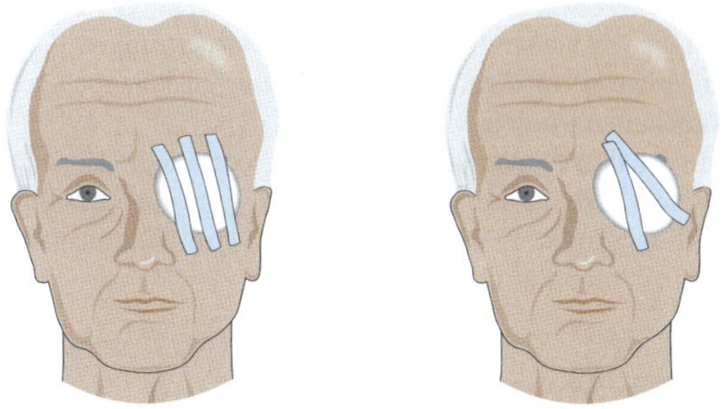

Abb. 37.4 Anlegen eines Augenverbands [L157]

37.3 Fremdkörper

In der Regel werden Fremdkörper, die z. B. durch Wind ins Auge geraten, durch den Tränenfluss ausgespült oder vom Patienten durch Reiben in Richtung Nase aus dem Auge entfernt. Selten bleibt ein **Insektenflügel** unter dem Oberlid hängen. Bei Fremdkörpern, die durch **hohe Geschwindigkeit** in das Auge geraten (Holzhacken, Schwingschleifen, Sägen, Bohren), sieht der Fall oft anders aus. Hier hat der Fremdkörper genug Beschleunigung, um tiefer in das Gewebe einzudringen. In den meisten Fällen sitzt er dann oberflächlich in der Bindehaut oder Hornhaut eingebettet und kann fast immer nur mechanisch unter mikroskopischer Führung entfernt werden. Makroskopisch, also mit bloßem Auge, sind die Fremdkörper oft nicht zu erkennen. Meistens kann der Patient angeben, bei welcher Gelegenheit der Fremdkörper in das Auge gelangt ist. Die **Art des Fremdkörpers** ist insofern wichtig, als metallische Fremdkörper in der Hornhaut einen Rostring hinterlassen können und bei pflanzlichen Fremdkörpern eher das Risiko einer mikrobiellen Entzündung besteht.

Symptome

Die Symptome gleichen denen der **Hornhautabschürfung** (→ Abb. 37.5) und bestehen aus der Abwehrtrias Lichtscheu, Lidspasmus, Tränenträufeln sowie Schmerzen.

Therapie

Die **Basismaßnahme** besteht darin, eine Schutzklappe anzulegen, um eine weitere Schädigung (z. B. Druck auf das Auge) zu vermeiden. Als **Schutzklappe** empfiehlt sich in erster Linie eine Siebklappe aus Kunststoff, die mit Pflasterstreifen auf der Gesichtshaut des Patienten fixiert wird. Ein Mullverband sollte nur dann angewandt werden, wenn eine Begleitverletzung der Lider besteht, die eine starke Blutung verursacht. Bei Fremdkörpern in einem oder in beiden Augen sollten diese

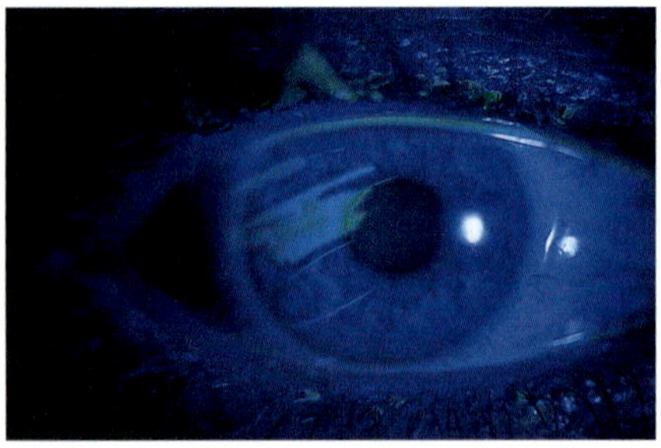

Abb. 37.5 Hornhauterosionen durch Fremdkörper (mit Fluoreszein angefärbt) [E282]

Schutzklappen an beiden Augen angebracht werden, um weitere Augenbewegungen zu vermeiden. Daher sollten zwei Siebklappen auf jedem RTW vorgehalten werden.

Wichtig ist, dass bei Verdacht auf eine Perforation der Hornhaut oder der Lederhaut (Sklera) durch einen Fremdkörper eine **schnelle fachgerechte Versorgung** des Patienten veranlasst wird. Eine Inspektion des Auges sollte dann unterbleiben.

37.4 Perforierende Verletzung

Die Herausforderung bei der perforierenden Augenverletzung (→ Abb. 37.6, → Abb. 37.7) ist nicht unbedingt die Diagnose und operative Versorgung, sondern an die Art von Verletzung zu denken. Perforierend ist eine Verletzung, bei der die **äußere Hülle des Auges** (Hornhaut, Lederhaut) **durch Fremdkörper oder Prellung** durchgreifend **geschädigt** ist. Die Diagnose ist einfach, wenn man einen Patienten versorgen muss, bei dem das Ende eines abgebrochenen Bohrers zwischen den Lidern hervorschaut. Schwieriger wird es, wenn der Patient z. B. eine tiefe Lidverletzung hat und die Bindehaut unterblutet ist oder ein kleiner, scharfer Fremdkörper fraglich in das Auge eingedrungen ist, sodass eine oberflächliche Inspektion des Auges keine weiteren Erkenntnisse bringt.

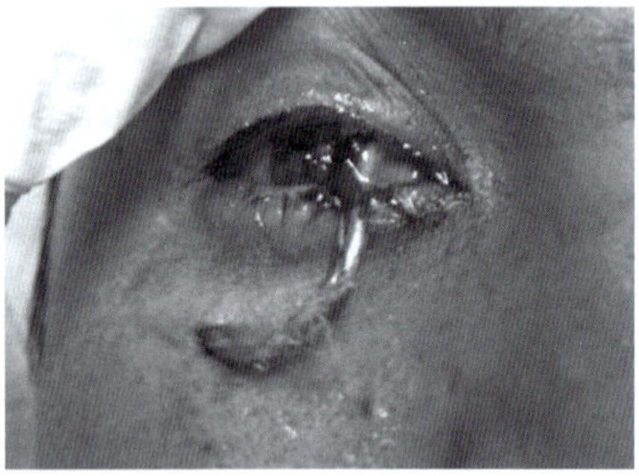

Abb. 37.6 Der lange Nagel penetriert das Auge am seitlichen Hornhautrand, verletzt die Linse und bleibt tief im Auge stecken. Es ist wichtig, radiologisch herauszufinden, ob die Lederhaut hinten durchstochen ist und der Fremdkörper die Orbitawand verletzt hat. [E339-002]

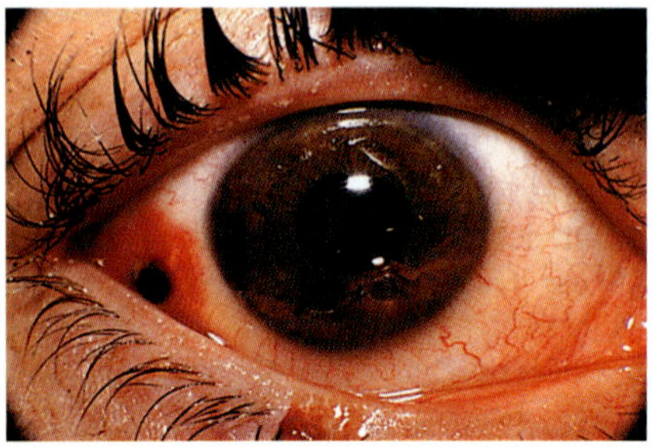

Abb. 37.7 Penetrierende Verletzung durch Glassplitter. Iris und Pupille sind verzogen. Eine Sklerablutung und penetrierende Verletzung der Hornhaut sind zu erkennen. [G040]

Symptome

Die Symptome ähneln denen der Fremdkörperverletzung bzw. Hornhautabschürfung (Abwehrtrias), wobei ein banales Sandkorn unter dem Oberlid u. U. mehr Schmerzen bereiten kann als eine Perforation des Oberlids und der Lederhaut. Die genaue Anamnese dürfte hier aber Aufschluss geben. Eine entrundete oder lichtstarre Pupille weist in diesem Zusammenhang immer auf eine schwere Augenverletzung hin.

Therapie

Die **Basismaßnahmen** reduzieren sich darauf, im Auge oder in der Augenhöhle steckende Fremdkörper zu belassen. Eine Untersuchung sollte unterbleiben und das Auge muss steril abgedeckt werden (Schutzklappenverband mit Augenpolster). Die weitere Inspektion des Befunds erfolgt dann erst in der Augenklinik mit der Spaltlampe, ggf. sogar erst unter dem Operationsmikroskop. Die operative Versorgung der perforierenden Verletzung sollte innerhalb weniger Stunden in Vollnarkose erfolgen.

IM FOKUS

Fremdkörper und perforierende Verletzungen

Ursachen

- Fremdkörper im Auge (Eindringtiefe abhängig von der Eindringgeschwindigkeit)

Symptome

- Abwehrtrias (Lichtscheu, Lidkrampf, Tränenfluss)
- Fremdkörpergefühl
- Lidschwellung
- Schmerzen
- Intraokulare Blutung

Maßnahmen

Monitoring

- AF, SpO_2, Rekapillarisierungszeit, Puls (peripher), RR

Basismaßnahmen und Lagerung

- Fremdkörper in Bulbus belassen (u. U. erforderlich, auf Verband vollständig zu verzichten)
- Keine Inspektion des Auges
- Steriles Abdecken der Augenverletzung
- Anlage eines (doppelseitigen) Augenverbandes zur Ruhigstellung

Erweiterte Maßnahmen

- Lokale Anästhesie
- Vorstellung beim Augenarzt

Medikamente und Dosierungsempfehlungen

- Novesine® 0,4 % Augentropfen

37.5 Augapfelprellung (Augenprellung)

Ein häufiger Notfall ist das stumpfe Trauma des Auges, die Prellung. Obwohl auch hier bei genügend starker Einwirkung eine spontane Ruptur der äußeren Hüllen auftreten kann, geschieht dies jedoch relativ selten. **Typische Ursachen** der Prellung sind Autounfall, Faustschlag oder Sportverletzung. Allein im Schulsport ereignen sich in Deutschland pro Jahr rund 11 000 Unfälle, die zu einer Verletzung der Augen führen. Knapp die Hälfte dieser Augenverletzungen ziehen sich die Schüler bei Ballspielen zu. Fußball liegt mit einem Anteil von rund 14 % weit an der Spitze.

Das Ausmaß der Verletzungen ist von der Art des Objekts abhängig, welches das Trauma verursacht. Größere Objekte wie eine Faust oder ein Tennis- oder Fußball treffen vermehrt den knöchernen Orbitarand, können hier also eher zu knöchernen Verletzungen wie einer Orbitabodenfraktur führen (→ Abb. 37.8). Kleinere Objekte (z. B. Squashball) schädigen das Auge eher direkt. Der Augapfel ist von der temporalen (äußeren) Seite gegenüber einem Trauma am wenigsten geschützt. Bei einer Prellung ist die äußere Hülle an sich zwar nicht beschädigt, jedoch kann die starke Erschütterung oder Quetschung des Augapfels zu Hornhautabschürfung, Blutung in die Vorderkammer, Riss der Iris, Trübung und/oder Luxation der Linse und zu Verletzungen der Ader- und Netzhaut führen.

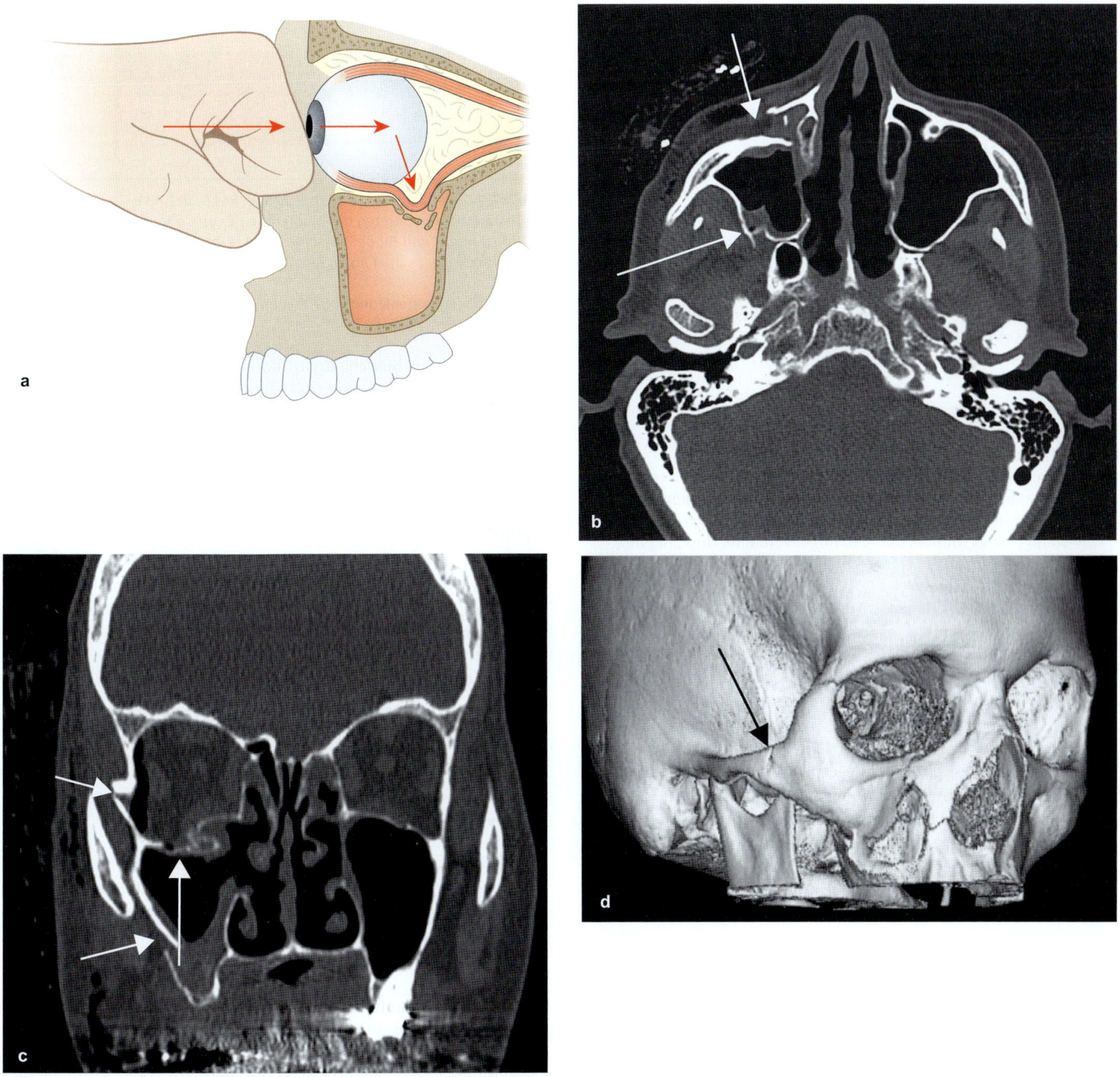

Abb. 37.8 Augenprellung durch Faustschlag und Blow-out-Fraktur [a: L231, b–d: M509]
a) Der Anstieg des intraorbitalen Drucks verursacht eine Fraktur der schmalen Knochenplatte, die den Orbitaboden bildet. Fett und Muskel dringen nach unten in die Kieferhöhle ein.
b) Blow-out-Fraktur, hier Tripoidfraktur: axiale Schicht. Fraktur des Sinus maxillaris (Pfeil).
c) Koronare Schicht, Orbitaboden- und Orbitawandfraktur sowie Fraktur des Sinus maxillaris
d) 3D-Rekonstruktion mit Jochbogenfraktur

Therapie

Die **Basismaßnahme** beschränkt sich auf die Anlage eines Schutzverbands beider Augen und die eventuelle Kühlung des betroffenen Auges mit einem Eisbeutel, denn oftmals sind die Augenlider nach einem Trauma so geschwollen, dass das Auge selbst gar nicht eingesehen werden kann.

Nach der sofortigen Vorstellung beim Augenarzt ist oftmals die Wiedervorstellung bei diesem erforderlich, da bei stark geschwollenen Lidern ein Teil der augenärztlichen Untersuchung auf einen späteren Zeitpunkt verschoben werden muss. Der Augenarzt wird bei Verdacht auf knöcherne Verletzungen Röntgenaufnahmen des Schädels veranlassen (→ Abb. 37.8).

IM FOKUS

Augapfelprellung (Augenprellung)

Ursachen
- Direkte oder indirekte stumpfe Gewalt auf das Auge

Symptome
- Lidschwellung
- Eingeschränkte Bewegungsfähigkeit des Auges (Augenhebung bzw. -senkung)
- Schmerzen
- Doppelbilder

Maßnahmen

Monitoring
- AF, SpO_2, Rekapillarisierungszeit, Puls (peripher), RR

Basismaßnahmen und Lagerung
- Inspektion des Auges wegen Schwellung oft nicht möglich
- Kühlende Kompressen zur Abschwellung
- Anlage eines (doppelseitigen) Augenverbands zur Ruhigstellung

Erweiterte Maßnahmen
- Vorstellung beim Augenarzt

Medikamente und Dosierungsempfehlungen
- Novesine® 0,4 % Augentropfen bei Bedarf

37.6 Rotes Auge

Die Rötung des Auges geht in der Regel unabhängig von der Ursache auf eine Erweiterung der Gefäße der Bindehaut zurück (→ Abb. 37.9). Diese Gefäßerweiterung ist ein sehr unspezifisches Zeichen. Alle Gewebe des Auges bis hin zur Augenhöhle können betroffen sein, die Bindehaut, Hornhaut, Regenbogenhaut/Aderhaut, Linse, Glaskörper, Netzhaut oder der Sehnerv, aber auch die Augenlider, die Tränenwege oder die Augenmuskeln (→ Abb. 37.10).

Die **Ursache** des akut roten Auges fällt im Allgemeinen in eine der folgenden vier Kategorien:
- Infektion mit oder ohne Trauma
- Entzündung mit oder ohne Trauma
- Gefäßprozess
- Akutes Glaukom (→ Kap. 37.7)

Infektionen können einfache virale oder bakterielle Bindehautentzündungen sein, aber auch die Sehkraft und Gesundheit unmittelbar bedrohende Befunde wie Hornhautentzündung, Hornhautulkus, Endophthalmitis oder orbitale Zellulitis hervorrufen. Jede Infektion birgt die Gefahr einer Ansteckung und Übertragung.

Eine **Entzündung** verschiedener okulärer Gewebe kann ebenfalls zum roten Auge führen. Die häufigsten Diagnosen sind Lidrandentzündung, allergische Bindehautentzündung, Entzündung der Lederhaut (Skleritis), Entzündung der Iris/Aderhaut (Iritis, Uveitis), Hornhautabschürfungen und Hornhautfremdkörper.

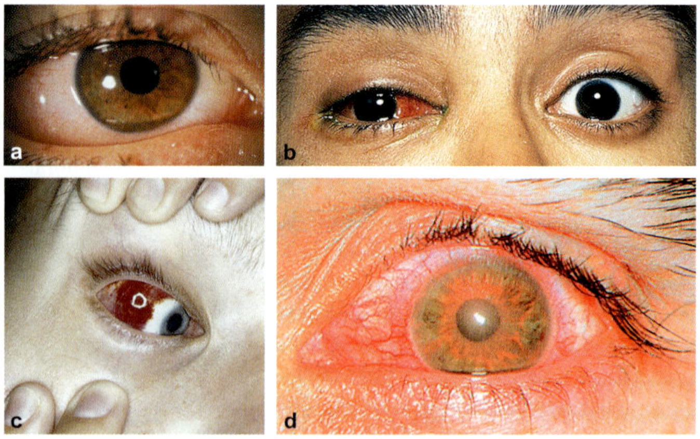

Abb. 37.9 Rotes Auge [a: E847, b: E273, c: R415, d: G881]
a) Verstärktes Hervortreten der Blutgefäße der Bindehaut
b) „Rotes Auge" und Bindehautschwellung rechts
c) Leuchtend rote, scharf abgegrenzte einseitige Einblutung in die Lederhaut (Sklera)
d) Regenbogenhautentzündung (Iritis) mit ziliaren Injektionen

Eine **Bindehautunterblutung** wird durch ein geplatztes Bindehautgefäß hervorgerufen und ist, falls keine tieferen Verletzungen vorhanden sind (z. B. durch Fremdkörper), für das Auge ungefährlich.

Symptome

Ein rotes Auge kann **einseitig** oder **beidseitig** auftreten und geht meist mit einer verstärkten Durchblutung der Bindehaut und einer Lidschwellung und -rötung einher. Oft tritt eine verstärkte Sekretbildung auf, die schleimig, eitrig oder wässrig sein kann.

Therapie

Diagnose und Therapie des roten Auges gehören in die Hände des **Augenarztes.** Eine medikamentöse Vorbehandlung durch den augenärztlich Ungeschulten sollte nicht erfolgen (Ausnahme: Verätzung).

37.7 Glaukomanfall

Der Grüne Star (Glaukom) ist ein Sammelbegriff von Erkrankungen, bei denen eine progressive Zerstörung des Sehnervs mit nachfolgenden Gesichtsfeldausfällen im Vordergrund steht. Die Hauptursache ist eine **Erhöhung des Augeninnendrucks,** der den Sehnerv langsam zerstört. Ursächlich ist ein Missverhältnis zwischen Kammerwasserproduktion und -abfluss.

Beim **Glaukomanfall** (→ Abb. 37.11), der akuten Form des Grünen Stars, steigt der Augeninnendruck aufgrund eines totalen Verschlusses des Abflusses binnen weniger Minuten auf ein Mehrfaches seines Normaldrucks (10–20 mmHg) an. Der Sehnerv und die Sehkraft sind hierbei akut gefährdet. Ursache ist meist eine **Verlegung des Kammerwinkels** an der Basis der Iris (Regenbogenhaut), d. h., bei flacher Vorderkammer liegt die Rückfläche der Iris der Vorderfläche der Linse eng an und **blockiert den Fluss von Kammerwasser** durch die Pupille. Das Kammerwasser staut sich hinter der Iris, die dadurch nach vorne gedrückt wird und den Kammerwinkel blockiert.

38

HNO-NOTFÄLLE

Jürgen Luxem

FALLBEISPIEL

Notfallmeldung

Parallel gehen auf der Leitstelle mehrere Notrufe ein, die übereinstimmend einen Gerüsteinsturz in einer belebten Fußgängerzone melden. Die Leitstelle entsendet entsprechend der Alarm- und Ausrückordnung drei Rettungswagen, zwei Notärzte und den Einsatzleiter Rettungsdienst (ELRD) zum Einsatzort.

Situation und Ersteindruck

Bei Abrissarbeiten an einem Altbau ist in der Fußgängerzone ein Gebäudegerüst komplett über die gesamte Breite umgestürzt. Mitten in den Trümmern steht eine Frau, neben der die Trümmerteile eingeschlagen sind. Sie erscheint äußerlich nicht verletzt, ist jedoch vollkommen verstört. Weitere Personen sind wie durch ein Wunder in der stark frequentierten Fußgängerzone nicht verletzt worden.

Leitsymptom

Verwirrtheit.

INHALTSÜBERSICHT

38.1 AKUTE BLUTUNGEN

- Blutungen aus der Nase werden zwischen Nasenbluten aufgrund lokaler Schädigung der Nasenschleimhaut, z. B. durch örtliche mechanische Einwirkung, und aufgrund systemischer Schädigung, z. B. als Zeichen einer Bluthochdruckerkrankung oder medikamentöser Therapie mit Blutverdünnern, unterschieden.
- Blutungen aus der Mundhöhle betreffen in erster Linie Nachblutungen im Anschluss an die Entfernung der Gaumenmandeln.
- Blutungen aus dem Ohr sind meist geringfügig und treten im Zusammenhang mit Reinigungsversuchen der Ohren auf. Im Zusammenhang mit einem Kopftrauma kann eine Blutung aus einem Ohr auf eine Verletzung der Schädelbasis hinweisen.

38.2 AKUTE LUFTNOT/VERLEGUNG DER OBEREN ATEMWEGE

- Einengungen der oberen Luftwege sind lebensbedrohlich. Hauptursache sind Schleimhautschwellungen, Tumoren oder Fremdkörper.
- Innerhalb kürzester Zeit können die üblichen Maßnahmen der Sicherung der Atemfunktion erschöpft sein.

38.3 AKUTER HÖRVERLUST (HÖRSTURZ, SUDDEN DEAFNESS)

- Der akute Hörverlust tritt meist aus voller Gesundheit, ohne erkennbare Ursache und meist einseitig auf.
- Mögliche Ursachen sind Stress, Durchblutungsstörungen, Infektionen oder Medikamentennebenwirkung.

38.4 TINNITUS

- Der Tinnitus beschreibt Ohrgeräusche, die zusätzlich zu Umgebungsgeräuschen (Schallwellen) wahrgenommen werden.
- Der Tinnitus ist ein Symptom.
- Die Ohrgeräusche werden als Pfeifen, Rauschen, Zischen oder Brummen erlebt.

38.5 AKUTER SCHWINDELANFALL (VERTIGO)

- Der akute Schwindel ist ein häufiges Symptom für Erkrankungen aus dem Fachgebiet HNO, Neurologie oder Innere Medizin.
- Nennenswert ist die Menière-Erkrankung mit der Symptomtrias Drehschwindel, Übelkeit und einseitiges Ohrgeräusch.

38.6 KNALLTRAUMA/EXPLOSIONSTRAUMA

- Das Knalltrauma ist eine zeitlich begrenzte Hörminderung, verursacht durch lautes Geräusch mit einem Schalldruck von unter 2 m/Sek.

Verletzungen und Erkrankungen im Hals-Nasen-Ohren-(HNO-)Bereich können Leben bedrohen. Zwar treten HNO-Notfälle im Vergleich zu sonstigen Notfallsituationen selten auf (2–4 % aller Einsätze im Rettungsdienst), aber durch die im Vordergrund stehenden Symptome der akuten Luftnot und Blutungen sind sie als potenziell lebensbedrohlich anzusehen.

38.1 Akute Blutungen

Stärkere Blutungen im HNO-Bereich treten überwiegend als Blutung aus Nase, Mund oder Weichteilverletzungen, seltener als Blutung aus Ohr oder Tracheostoma auf (zu Blutungen der Hals- und Gesichtsweichteile → Kap. 31.2.7, → Kap. 31.3).

38.1.1 Blutung aus der Nase (Epistaxis)

Epistaxis (griech. epistaxo = darauftröpfeln) beschreibt eine Blutung aus der Nase. Während es sich beim Nasenbluten nicht um einen Notfall handelt, ist das **unstillbare Nasenbluten** durchaus als bedrohlich anzusehen. Bei spontanem und einseitigem Auftreten sind hiervon überwiegend ältere Patienten mit Bluthochdruck oder Patienten mit Defekten der Nasenscheidewand (Septum) betroffen. Blutungsquelle ist i. d. R. das Gefäßnetz unter der vorderen Nasenscheidewand (Locus Kiesselbachi) (→ Abb. 38.1). Aufgrund kleinerer mechanischer Einwirkungen auf die Nase (z. B. Nasenbohren, starkes Schnäuzen) oder traumatisch bedingt, reißt eines der kleinen Gefäße ein und beginnt zu bluten. Als weitere Ursache der Blutung kommt eine bestehende Therapie des Patienten mit gerinnungshemmenden Medikamenten (z. B. Marcumar®, ASS, Eliquis®, Pradaxa®, Xarelto®) in Betracht.

bung in den Innenohrflüssigkeiten oder ein früherer traumatischer Innenohrschaden diskutiert. Besonders betroffen sind Patienten nach psychischen Belastungen, Föhneinbruch, Nikotin- oder Alkoholabusus. Die Anfälle dauern Minuten bis Stunden an und wiederholen sich in Tagen und Wochen.

Therapie

Die **Basismaßnahmen** beschränken sich auf den beruhigenden Zuspruch und die Immobilisierung des Patienten (Bettruhe bzw. Liegendtransport).

Durch die **erweiterten Maßnahmen** sollen die Schwere der Symptome bei einem akuten Anfall auf ein erträgliches Maß reduziert werden. Es erfolgt eine an den Symptomen ausgerichtete medikamentöse Akuttherapie (z. B. Vomex A®). Bei Therapieresistenz erfolgt der Transport zum HNO-Arzt oder in die HNO-Abteilung einer Klinik zur weiteren Diagnostik.

IM FOKUS

Akuter Schwindelanfall

Ursachen
- Störungen im Gleichgewichtssystem (z. B. akuter Drehschwindelanfall mit Übelkeit und Erbrechen, Tinnitus und Schwerhörigkeit: Morbus Menière)
- Augenerkrankungen
- Neurologische Erkrankungen
- Intoxikationen
- Hypertonie

Symptome
- Übelkeit, Erbrechen, Gangunsicherheit und Angstgefühle
- Orientierungsstörung des Körpers im Raum
- Lichtempfindlichkeit

Maßnahmen

Monitoring
- AF, SpO_2, Rekapillarisierungszeit, Puls (peripher/zentral), RR, BZ, GCS, EKG, Temperatur

Basismaßnahmen und Lagerung
- Oberkörperhochlagerung (30° Drehpunkt Hüfte)
- Immobilisierung
- Raum abdunkeln, Augenlider schließen

Erweiterte Maßnahmen
- i. v. Zugang und Laborblutentnahme

Medikamente und Dosierungsempfehlungen
- Antiemetika/Antivertiginosa, z. B. 30–60 mg Vomex A® Sedierung: 5 mg Valium® i. v.

38.6 Knalltrauma/Explosionstrauma

Das **Knalltrauma** ist eine kurz anhaltende Hörminderung, die meist durch ein sehr lautes Schallereignis (z. B. den lauten Mündungsknall einer Schusswaffe) verursacht wird. Jedes Geräusch, das einen Schalldruckpegel übersteigt (Lärm), kann ein Knalltrauma auslösen. Die Geschwindigkeit der Schalldruckwelle beim Mündungsknall liegt bei unter 2 m/Sek. In den ersten Tagen nach dem Knalltrauma erfolgt eine deutliche Besserung der Hörminderung. Eine Entwicklung zur Schwerhörigkeit ist nicht zu erwarten.

Liegt die Geschwindigkeit der Schalldruckwelle jedoch in einem höheren Bereich (> 2 m/Sek.), ist die Verletzung häufig mit einer Zerreißung des Trommelfells und einer Verletzung der Gehörknöchelchen verbunden und wird als **Explosionstrauma** bezeichnet (→ Kap. 15.8.2, → Abb. 38.10), bei der die Entwicklung einer Hörstörung möglich ist. Daher ist jeder Patient nach einem erlittenen Knall- oder Explosionstrauma einem HNO-Arzt vorzustellen. Das Barotrauma des Mittelohrs wird in → Kap. 43.1.4 abgehandelt.

Therapie

Die **Basismaßnahme** umfasst die Abdeckung des betroffenen Ohrs mit einer Mullkompresse, um dem Eindringen von Keimen und Schmutz in den Bereich des Mittelohrs vorzubeugen.

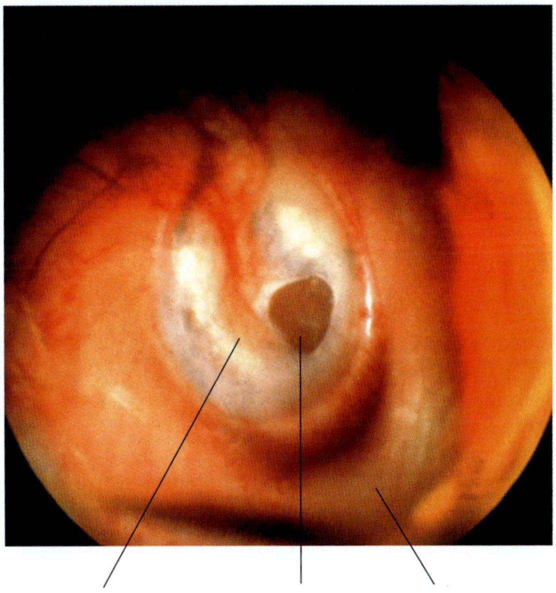

Abb. 38.10 Trommelfellperforation [A300]

WIEDERHOLUNGSFRAGEN

1. Wie wird ein Patient mit Epistaxis gelagert (→ Kap. 38.1.1)?
2. Wann darf ein mit Suprarenin® getränkter Wattebausch nicht angewendet werden (→ Kap. 38.1.1)?
3. Nennen Sie vier Ursachen für eine Stenose der oberen Luftwege (→ Kap. 38.2).
4. Was bedeutet „Sudden Deafness" (→ Kap. 38.3)?

AUFLÖSUNG DES FALLBEISPIELS

Verdachtsdiagnose

Knalltrauma.

Schlüsselinterventionen

Die Patientin wird aus dem Gefahrenbereich in den Rettungswagen gebracht und untersucht. Die ABCDE-Beurteilung ergibt keine Auffälligkeiten. Beim Erheben der SAMPLER-Anamnese stellt das Einsatzteam fest, dass die Patientin schwerhörig ist. Mit einiger Mühe und lauter Stimme ist es nun möglich, die SAMPLER-Anamnese zu erheben. Bis auf eine seit Jahren bestehende Schwerhörigkeit, gibt es keinerlei Auffälligkeiten. Die Patientin ist vollkommen eingestaubt, aber unverletzt. Beide Ohren werden mit Mullkompressen steril abgedeckt. Zur weiteren Untersuchung wird die Patientin in eine HNO-Praxis transportiert.

Klinik

Die Untersuchung durch den HNO-Facharzt ergibt eine einseitige Zerreißung des Trommelfells links. Das Ohr ist verschmutzt und Schmutzteile sind eingedrungen. Das Trommelfell ist eingerissen und in Teilen umgeklappt. Die weitere operative Therapie übernimmt der HNO-Arzt in der Klinik.

Diagnose

Trommelfellruptur links durch Druckwelle.

WEITERFÜHRENDE LITERATUR

Gürkov R. BASICS HNO-Heilkunde. 6. Aufl. München: Elsevier/Urban & Fischer, 2022.

Lenarz T, Boenninghaus H-G. Hals-Nasen-Ohren-Heilkunde. 14. Aufl. Berlin/Wien: Springer, 2012.

39

PSYCHIATRISCHE NOTFÄLLE

Carina Oberließen

FALLBEISPIEL

Notfallmeldung

Die Rettungsleitstelle wird von der besorgten Ehefrau des Patienten alarmiert. Ihr 75-jähriger Ehemann habe vor 2 Tagen das Krankenhaus nach einer Routine-Operation verlassen und irre nun ziellos in der gemeinsamen Wohnung umher, sei aufgebracht, schwitze stark und zittere. Bereits heute Morgen habe sie diese Symptome festgestellt, jetzt in den Abendstunden habe sich der Zustand massiv verschlimmert. Der Disponent entsendet einen RTW zum Notfallort.

Situation und Ersteindruck

Der Patient wirkt somnolent und reagiert nur verzögert und wortarm auf die konkrete Ansprache durch das Rettungsfachpersonal. Eine psychomotorische Erregung ist nicht festzustellen. Beim Versuch einer Erstbeurteilung steht er plötzlich vom Sofa auf und läuft durch das Wohnzimmer, dabei wischt er permanent mit der Hand über seinen Oberschenkel. Bei Nachfrage des Rettungsfachpersonals erschrickt er und beschreibt die kleinen Spinnenlarven, die überall auf seinen Beinen entlanghuschen würden. Auf die Frage, ob er wisse, wo er sei, kann er keine Antwort geben und stellt das Sprechen wieder ein. Als die Ehefrau versucht, ihn zu überzeugen sich wieder hinzusetzen, wird er wütend und beschimpft sie. Es zeigt sich, dass er sie für die häusliche Reinigungskraft hält.

Leitsymptome

Bewusstseinsstörung, Desorientierung, Verwirrtheit, optische Halluzinationen, psychomotorische Erregung.

INHALTSÜBERSICHT

39.1 DER PSYCHIATRISCHE NOTFALL – ERSTKONTAKT UND ÜBERBLICK

- Der psychiatrische Notfall ist durch eine akute, schwerwiegende Störung des Denkens, der Stimmung, des Verhaltens und der sozialen Beziehungen gekennzeichnet.
- Eine Alarmierung erfolgt in vielen Fällen gegen den Willen des Patienten, was eine erhöhte Aggressivität und Störung der Kommunikation zur Folge haben kann. Häufig besteht keine Krankheitseinsicht.
- Es existieren unterschiedliche psychopathologische Symptome, die bei verschiedenen Störungsbildern auftreten und nur syndromorientiert behandelt werden können.
- Auch eine Vielzahl somatischer Symptome kann begleitend erscheinen (Psychosomatik).
- Der Umgang mit psychiatrischen Patienten (Erstkontakt) erfordert neben der Wertschätzung für den Patienten, einem ruhigen und bestimmten Auftreten auch den Ausschluss einer Fremdgefährdung.
- Eine psychiatrische Anamnese enthält Informationen zu Bewusstsein, Orientierung, Aggressivität, Suizidalität, Krankheitseinsicht, Eigen- und Fremdgefährdung, Erregungsniveau, Angst sowie Intoxikation/Entzug. Sie ist oftmals nur durch eine Fremdanamnese oder Verhaltensbeobachtung möglich.

39.2 SYNDROMORIENTIERTE AKUTZUSTÄNDE

- Das Angstsyndrom ist gekennzeichnet durch ein Gefühl der Macht- und Hilflosigkeit, korrelierende physiologische Symptome wie Brustenge, Atemnot oder Tachykardie sind häufig. Basismaßnahme ist ein beruhigendes Gesprächsangebot (Zuwendung). Die Erklärung der physiologischen Symptome in Zusammenhang mit Angst sowie Ablenkung oder Bewegung sind hilfreich.
- Der psychomotorische Erregungszustand ist ein Zustand innerer Unruhe, der nicht adäquat verarbeitet werden kann. Er kann mit Fremdaggression einhergehen. Eine Untersuchung ist in diesem Zustand selten möglich. Der Patient darf auf keinen Fall durch Äußerungen provoziert werden, da die Gewaltbereitschaft hierdurch erhöht werden kann.
- Das Verwirrtheitssyndrom ist durch eine zeitliche, örtliche, personelle oder situative Desorientierung gekennzeichnet, ohne dass eine organische Ursache vorhanden ist (Ausschlussverfahren).

39.3 HIRNORGANISCHES PSYCHOSYNDROM (HOPS)

- Als hirnorganisches Psychosyndrom (HOPS) werden psychopathologische Syndrome bezeichnet, die aufgrund einer krankhaften Veränderung des Gehirns auftreten. Diese kann durch eine direkte Schädigung oder durch systemische Erkrankungen bedingt sein.
- Trotz unterschiedlicher Ursachen sind die erkennbaren Symptome gleich.
- Akute Psychosyndrome sind durch einen plötzlichen Beginn mit Abklingen der Symptomatik nach gewisser Zeit gekennzeichnet, wohingegen chronische Psychosyndrome einen schleichenden Beginn und progredienten Verlauf aufweisen.
- Die rasche Symptomfluktuation ist ein typisches Zeichen eines akuten HOPS.
- Das delirante Syndrom ist gekennzeichnet durch eine mit vegetativen, psychomotorischen Störungen, Halluzinationen einhergehende Verwirrtheit. Leitsymptom ist die Bewusstseinsstörung.
- Die begleitenden vegetativen Störungen der Herz- und Kreislauffunktion können eine vitale Bedrohung darstellen.
- Demenzen sind eine Form des chronischen HOPS und gehen mit der Abnahme von Gedächtnis, Urteilsvermögen, Sprachstörungen sowie Persönlichkeitsveränderungen einher. Eine Bewusstseinsstörung liegt nicht vor.
- Häufiger sind ältere Patienten betroffen, was einen Transport in eine gerontopsychiatrische Klinik notwendig macht.

39.4 DEPRESSION

- Depressionen äußern sich durch eine gedrückte Stimmungslage, gehemmtes Denken und einen verminderten Antrieb. Neben psychischen kann eine Vielzahl somatischer Symptome auftreten.
- Bei depressiven Patienten liegt oftmals Suizidalität vor.

39.5 SUIZIDALITÄT

- Suizidalität bezeichnet alle Denk- und Verhaltensweisen von Menschen, die in Gedanken, durch aktives Handeln oder passives Unterlassen den eigenen Tod anstreben.
- Sie tritt bei vielen psychiatrischen Erkrankungen als begleitendes Symptom auf und ist in ihrer Entstehung multifaktoriell.
- Die Gründe für einen Suizidversuch sind immer individuell.
- Jede Drohung und jeder Suizidversuch sind ernst zu nehmen und bedürfen einer psychiatrischen Behandlung.

39.1 Der psychiatrische Notfall – Erstkontakt und Überblick

Psychiatrische Notfälle im Rettungsdienst nehmen stetig zu und stellen das Rettungsfachpersonal vor große medizinische und menschliche Herausforderungen. Nicht nur Unverständnis oder mangelndes Wissen über entsprechende Symptome psychiatrischer Erkrankungen erschweren den „richtigen" Umgang mit diesen Patienten, sondern auch eine noch immer vorherrschende Befangenheit hinsichtlich des tabuisierten Themas seelischer Erkrankungen in der Gesellschaft verhindern eine angemessene Versorgung.

DEFINITION

Psychiatrische Notfälle zeichnen sich durch akute und schwerwiegende Störungen des **Denkens, Verhaltens** und **Handelns,** der **Stimmung** oder der **sozialen Beziehungen** aus. Durch einen krankheitsbedingten **Realitätsverlust** und **mangelnde Krankheitseinsicht** kann es zu einer erhöhten **Selbst- oder Fremdgefährdung** kommen.

Psychiatrische Notfälle entstehen meist auf Grundlage einer psychiatrischen Erkrankung. Es imponieren im Wesentlichen akute Erregungs- und psychomotorische Unruhezustände sowie selbstschädigendes oder suizidales Verhalten. Häufig wird der Rettungsdienst gegen den Willen des Patienten alarmiert und seinerseits die Behandlung als unsinnig oder sogar bedrohlich empfunden. Daher ist mit einem erhöhten Aggressionspotenzial zu rechnen. Hierin unterscheidet sich der psychiatrische Notfall grundlegend vom klassischen Notfall anderer Fachdisziplinen. Die **mangelnde Einsichtsfähigkeit** und verschiedenste Symptomkomplexe können außerdem dazu führen, dass der Patient den Kontakt zum Rettungsdienst verweigert und eine adäquate Kommunikation erschwert wird. Dadurch entsteht die Schwierigkeit, eine konkrete Anamnese zu erheben bzw. psychopathologische Auffälligkeiten einordnen zu können.

MERKE

Ein psychiatrischer Notfall ist ein Zustand, der einen unmittelbaren Handlungszwang zur Abwendung von Lebensgefahr oder anderen schwerwiegenden Folgen mit sich bringt. Er erfordert eine sofortige, an der akuten Symptomatik orientierte, gezielte Therapie, um eine Gefahr für die Gesundheit des Patienten und evtl. anderer Personen abzuwenden.

PRAXISTIPP

Auch bei fehlendem Realitätsbezug ist es ratsam, den Patienten immer ernst zu nehmen. Zudem sollten seine Beschwerden niemals bagatellisiert werden.

Zur Entstehung psychiatrischer Erkrankungen existieren verschiedenste Erklärungsansätze, eine abschließende Begründung ist noch nicht gefunden. Bislang wird von einem multifaktoriellen Entstehen – bestehend aus genetischer Veranlagung, Stoffwechselstörungen und belastenden Lebensbedingungen – ausgegangen. Sie können in jedem Lebensalter und bei allen Menschen auftreten.

DEFINITION

Psychiatrische Erkrankungen umfassen alle pathologischen Abweichungen vom Erleben oder Verhalten psychisch gesunder Menschen (Norm) und können die Ebenen „Denken", „Fühlen" und „Handeln" beeinflussen.

Auch wenn in den meisten Fällen die körperlichen Vitalfunktionen des Patienten nicht lebensbedrohlich gefährdet sind (Ausnahme: hirnorganische psychische Störungen), tritt durch den engen Zusammenhang von Körper und Psyche eine Vielzahl somatischer Symptome auf, was im Gegensatz zu oben Genanntem die Alarmierung des Rettungsdienstes zur Folge haben kann.

ACHTUNG! Psychiatrische Notfälle werden mit gleicher Professionalität behandelt wie somatische Notfälle, da sie ebenfalls **lebensbedrohliche (hirnorganische) Ursachen** oder **Folgen (Suizidalität)** haben können.

MERKE

Grundsätzlich steht bei psychiatrischen Notfällen die Behandlung bzw. Reduktion syndromorientierter Akutzustände im Vordergrund.

39.1.1 Erstkontakt und Ersteinschätzung

Beim Erstkontakt mit dem Patienten sind das Auftreten und die eigene Grundhaltung des Rettungsfachpersonals von entscheidender Bedeutung. Ein bestimmtes, aber deeskalierendes und wertschätzendes Auftreten sowie das vorsichtige seitliche Nähern und die Ansprache des Patienten in einer ruhigen Stimmlage können den Erstkontakt positiv beeinflussen (→ Kap. 9.2.5). Zuvor muss jedoch abgeschätzt werden, ob der Patient eine akute Gefahr für das Rettungsfachpersonal darstellt. Hier muss zwingend der Eigenschutz beachtet und ggf. Amtshilfe angefordert werden.

PRAXISTIPP

Fortbildungen im Bereich Deeskalation können durch die Vermittlung verbaler oder körperlicher Deeskalationsstrategien für den Umgang mit psychiatrischen Notfallpatienten hilfreich sein.

Um die Fremdgefährdung einschätzen zu können, kann auf bestimmte Verhaltensmerkmale geachtet werden (→ Tab. 39.1). Diese können auf eine potenziell eskalierende Situation hinweisen.

39.1.2 Psychiatrische Anamnese

Die psychiatrische Anamnese kann im Gespräch mit dem Patienten selbst oder durch Dritte (Fremdanamnese) eingeholt werden. Meistens ist eine Einschätzung nur durch eine Verhaltensbeobachtung möglich. Sie sollte Informationen zu folgenden Symptomen beinhalten:

- Bewusstsein (qualitativ/quantitativ)
- Orientierung
- Aggressivität
- Suizidalität
- Krankheitseinsicht
- Eigen- und Fremdgefährdung
- Erregung/Angst
- Intoxikation/Entzug

Verhaltensmerkmal	Beobachtung
Verwirrtheit	Patient erscheint offensichtlich verwirrt und desorientiert. Er ist sich möglicherweise der Zeit, des Ortes und der Personen nicht bewusst; verkennt Personen und Situationen.
Reizbarkeit	Patient ist schnell verärgert oder wütend; er toleriert z. B. nicht die Anwesenheit anderer Personen.
Lärm	Das Verhalten des Patienten ist übermäßig laut oder Krach verursachend, z. B. schlägt er Türen oder schreit beim Sprechen.
Körperliches und/oder verbales Drohen	Patient zeigt durch eine entsprechende Körperhaltung eine deutliche Absicht, das Rettungsfachpersonal oder andere Personen zu bedrohen. Der Patient droht verbal mit mehr als nur einer erhobenen Stimme, die die konkrete Absicht verfolgt, andere Personen zu verängstigen/einzuschüchtern, z. B. durch verbale Angriffe, Beschimpfungen.
Angriff auf Gegenstände	Patient zeigt eine aggressive Handlung gegen Gegenstände, schlägt wahllos auf etwas ein, zerschlägt Fenster, tritt, schlägt um sich oder rammt seinen Kopf gegen Gegenstände.

Tab. 39.1 Einschätzung des Aggressionspotenzials (modifiziert nach Brøset)

ACHTUNG! Erfolgte Suizidversuche, konkrete Suizidabsichten, hochgradige Erregungszustände, Aggressivität und Gewaltbereitschaft, konkrete Fremdtötungsabsichten, schwere Intoxikationen oder ein Delir sind absolute Notarztindikationen.

Bei psychiatrischen Notfallpatienten lassen sich weiterhin **diagnoseunabhängige psychopathologische Symptome** ausmachen (→ Tab. 39.2), deren entsprechende Beurteilung nicht dem Rettungsfachpersonal, sondern fachpsychiatrischem Personal obliegt. Es kann jedoch für eine psychiatrische Anamnese von Vorteil sein, sich einen Überblick über jene zu verschaffen (→ Kap. 9.3.6). Die Abfrage und Einschätzung verschiedener psychopathologischer Symptome ist für die Beurteilung der Einsatzsituation und die Planung des weiteren Vorgehens hilfreich und kann das Verständnis für die Situation des Patienten erleichtern. Eine gute Exploration kann ohne Empathie nicht gelingen. Entscheidend ist es, die richtige Balance zwischen (einfühlender) Nähe und professioneller Distanz zu finden.

DEFINITION

Die allgemeine Psychopathologie ist die Lehre psychiatrischer Erkrankungen und beschäftigt sich mit den Formen eines krankhaft veränderten Bewusstseins, Erinnerungsvermögens und Gefühls- bzw. Seelenlebens.

ACHTUNG! Vor der psychiatrischen Anamnese müssen unmittelbare vitale Bedrohungen oder körperliche Erkrankungen ausgeschlossen werden.

MERKE

Wahnzustände und **Halluzinationen** sind **nicht diskutierbar,** da sie von dem Patienten als real empfunden werden. Eine Überzeugung vom Gegenteil gelingt im akuten Fall nicht und vermindert die Kooperations- und Behandlungsbereitschaft.

Symptom	Erläuterung
Bewusstseinsstörung	Veränderung der Bewusstseinslage entweder quantitativ (Vigilanzminderung) oder qualitativ (Verwirrtheit von Denken und Handeln, Steigerung des Intensitätserlebens von z. B. äußeren Reizen, traumhafte Veränderung des Erlebens)
Orientierungsstörung	Fehlende Kenntnis über zeitliche, räumliche, situative oder personelle Gegebenheiten
Konzentrationsstörung	Beeinträchtigung der Fähigkeit, sich auf durch die Sinne vermittelte Eindrücke zu konzentrieren
Gedächtnisstörung	Verminderung der Befähigung, alte und neue Gedächtnisinhalte wiederzugeben bzw. sich an diese zu erinnern. Geminderte Merkfähigkeit.
Denkstörung	Formal: Störung des Denkablaufs (plötzliches Abreißen des Gedankens, ständiges Wiederholen eines bestimmten Gedankens, verstandene Fragen des Rettungsfachpersonals werden mit anderen Inhalten beantwortet, Wortneuschöpfungen). Inhaltlich: subjektiv feste Überzeugung von einer falschen Beurteilung eines bestehenden Sinnesreizes bzw. der Realität, die im Widerspruch zum Erleben anderer steht (Wahn)
Wahrnehmungsstörung	Falsche Verarbeitung eines Sinnesreizes oder Halluzinationen auf allen Sinnesebenen ohne jeglichen Außenreiz, die dennoch für real gehalten werden (Stimmen hören, Rettungswagen mit Stromstößen, Käfer unter der Haut, Schmecken von vergiftetem Wasser)
Ich-Störung	Entfremdungserlebnisse des eigenen Ichs: Körper(-teile) werden als fremd erlebt, Umgebung erscheint räumlich verändert, eigene Gedanken werden durch andere Personen generiert, gesteuert oder können ohne Aussprache gehört werden.
Affektivitätsstörung	Störung des Gefühlslebens und der Stimmungslage: rascher Wechsel der Stimmung, Gefühllosigkeit, innere Unruhe, übertriebene Gefühlszustände, Insuffizienzgefühle, Deprimiertheit, Störung der Vitalgefühle, Wehklagen, gleichzeitiges Erleben von widersprüchlichen Gefühlen
Antriebsstörung **Psychomotorische Störung**	Verminderte oder gesteigerte Aktivitätsbereitschaft: mangelnde Energie, ausbleibende Motorik, Verstummen **(Mutismus),** motorische Bewegungslosigkeit/Starrezustand **(Stupor),** übermäßiger Rededrang **(Logorrhö),** motorische Unruhe, Umherlaufen, Schreien, abnorme Bewegungen, Angst, Auto- und Fremdaggressivität

Tab. 39.2 Übersicht psychopathologischer Symptome

der Kommunikation des Patienten wird eine depressive Symptomatik jedoch oftmals deutlich. Hier ist ein empathisches Gespräch indiziert sowie ein klinischer Aufenthalt in einer psychiatrischen Klinik meist notwendig. Suizidgedanken und -absichten sind immer abzuklären. Bei dem kleinsten Hinweis auf Selbstgefährdung ist ein Patient sofort in eine psychiatrische Klinik zu bringen.

Die **erweiterten Maßnahmen** zielen nach der Anlage eines venösen Zugangs auf die medikamentöse Therapie. Zur Reduktion psychomotorischer Unruhezustände empfiehlt sich Haloperidol (z. B. Haldol®). Als weitere Medikamente stehen Benzodiazepine (z. B. Valium®) zur Verfügung.

IM FOKUS

Depression

Ursachen

- Genetische Prädisposition
- Dysbalance der Neurotransmittersysteme
- Persönlichkeitsfaktoren
- Belastende Lebensereignisse, Krisen
- Entwicklungsfaktoren, Erziehung
- Soziale Isolation
- Aktuelle oder chronische körperliche Erkrankungen
- Depressionsauslösende Medikamente
- Physikalische Einwirkungen (Lichtentzug)

Symptome

- Verminderter Antrieb
- Affektverflachung
- Negativ-pessimistische Zukunftsvisionen
- Denkhemmung
- Gestörter Schlafrhythmus mit morgendlichem Früherwachen, Albträumen, nächtlichem Grübeln
- Wahnsymptomatik
- Suizidalität
- Selbstzweifel
- Unterschiedliche Vitalstörungen

Maßnahmen

Monitoring

- AF, SpO_2, Rekapillarisierungszeit, Puls (peripher/zentral), RR, BZ, GCS, EKG, Temperatur

Basismaßnahmen und Lagerung

- Überprüfung und Sicherung der Vitalfunktionen

Erweiterte Maßnahmen

- i. v. Zugang und ggf. Laborblutentnahme
- Im Falle von Suizidgedanken und -absichten in jedem Fall Klinikeinweisung

Medikamente und Dosierungsempfehlungen

- Psychomotorische Dämpfung (z. B. 5–10 mg Haldol® i. v., 5 mg Valium® i. v.)

39.5 Suizidalität

Suizidgedanken und Suizidhandlungen werden unter dem wertfreien Überbegriff Suizidalität zusammengefasst:

- **Suizidgedanken** sind dabei alle gedanklichen Vorgänge, in denen sich der Patient mit seinem selbst herbeigeführten Tod auseinandersetzt. Dabei kann es sich um flüchtige Gedanken oder die konkrete Planung des Suizids handeln. Auch wenn auf Suizidgedanken nicht zwingend ein Suizidversuch erfolgt, ist das Risiko erhöht.
- Unter dem Begriff **Suizidhandlungen** werden sowohl **Suizidversuche** als auch der **vollendete Suizid** verstanden. Suizidalität ist keine Erkrankung, sondern wird als Symptom oder Folge einer psychischen Erkrankung gesehen. Ob der Suizid als eine freie Entscheidung sowie als Wunsch nach einem selbstbestimmten Lebensende **(Bilanzsuizid)** gesehen werden kann, ist umstritten.

In Deutschland kommt es jährlich zu etwa 10 000 Suiziden. Da in vielen Fällen eine suizidale Absicht im Todesfall nicht ermittelt werden kann und viele Suizidmethoden nicht als solche erkannt werden (z. B. Unterlassen der Einnahme lebenswichtiger Medikamente), wird von einer Dunkelziffer von ca. 30 % ausgegangen. Auf einen Suizid kommen schätzungsweise zehn Suizidversuche. Hierbei kommt es bei jüngeren (15–30 Jahre), weiblichen Patienten häufiger zu Suizidversuchen, bei männlichen zu vollendeten Suiziden. Vor allem im höheren Lebensalter (> 60 Jahre) wird ein Anstieg der Suizidrate verzeichnet, obwohl auch Suizide bei Kindern möglich sind.

MERKE

Bereits erfolgte Suizidversuche des Patienten, Beziehungsverluste, soziale Isolation, Arbeitslosigkeit, ein Leben in Armut, körperliche und sexuelle Missbrauchserfahrungen sowie Suizidereignisse in der eigenen Familie und dem engen sozialen Umfeld können mögliche Risikofaktoren darstellen.

Auch wenn Suizidalität bei allen Menschen gleichsam auftreten kann, wird sie durch unterschiedlichste Faktoren begünstigt und ist in ihrer Entstehung multifaktoriell. Häufig steht sie im Zusammenhang mit **psychiatrischen Erkrankungen** (v. a. Depressionen, Suchterkrankungen, Borderline-Persönlichkeitsstörung) und **psychosozialen Krisen.**

DEFINITION

Psychosoziale Krisen sind kritische Lebensereignisse, die von einer Person eine erhebliche Anpassungsleistung erfordern und bei denen gewohnte Bewältigungsstrategien versagen.

Suizidalität entwickelt sich kontinuierlich, was bedeutet, dass sich der Patient zunehmend nicht mehr von Suizidgedanken und konkreten Suizidplänen distanzieren kann und unter zunehmendem Handlungsdruck leidet. Die Motivation für Suizidalität kann in vielen verschiedenen Faktoren begründet sein:

- Hoffnungslosigkeit, Perspektivlosigkeit
- Angstzustände
- Nebenwirkung von Medikamenten
- Wahrnehmung der Veränderung der eigenen Persönlichkeit
- Verlust von Autonomie und Selbstbestimmung durch Behandlungen, Zwangsmaßnahmen oder Unterbringung
- Wissen um die Schädigung Dritter
- Psychosoziale Folgen, Stigmatisierung durch das soziale Umfeld aufgrund psychiatrischer Erkrankung
- Überforderung durch Behandlungsmaßnahmen

Die letztendlichen Beweggründe und Auslösesituationen sind dabei ebenso individuell wie der Patient selbst und von strukturellen Bedingungen und dem Erleben des Versagens eigener Bewältigungsmöglichkeiten abhängig (→ Abb. 39.5).

Das **Suizidrisiko** und somit eine hohe Eigengefährdung des Patienten abzuschätzen, gehört zu einer der schwierigsten und verantwortungsvollsten Aufgaben im Rettungsdienst. Aus rechtlichen Gründen obliegt die medizinische Einschätzung dem Notarzt. Gerade bei suizida-

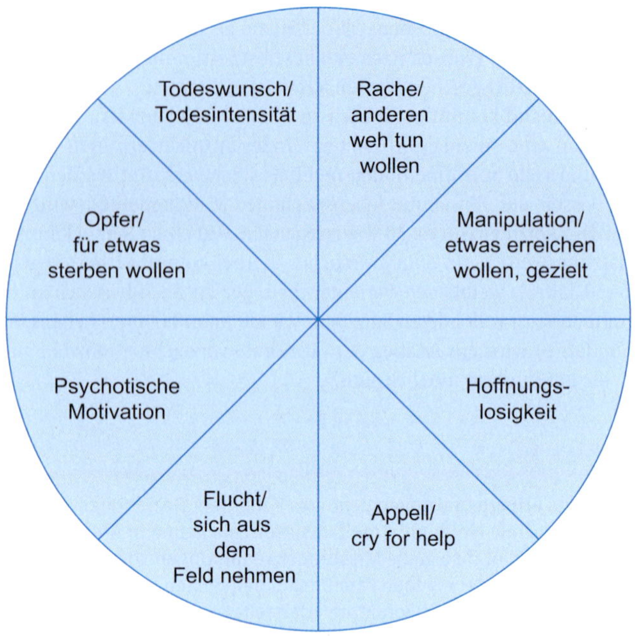

Abb. 39.5 Mögliche Motivation für einen Suizid(-versuch) [L143]

len Patienten geht man davon aus, dass das Denken in Hinblick auf die Fähigkeit, die eigene Situation zu bewerten und die Konsequenzen des Suizidversuchs abzuschätzen, deutlich eingeengt ist. Von daher ist bei jedem Verdacht auf Suizidalität die Untersuchung durch psychiatrisches Fachpersonal zwingend indiziert – notfalls auch durch eine Zwangseinweisung gegen den Willen des Patienten (→ Kap. 57.8.3).

PRAXISTIPP

Hat sich ein Patient zu einem Suizid entschlossen, kann es seinerseits zu einer scheinbaren großen inneren Ruhe oder Gelassenheit kommen, obwohl er im Vorfeld sehr aufgewühlt und verzweifelt war. Dieses Verhalten kann ein Hinweis auf ein erhöhtes Suizidrisiko sein und kann durch eine Fremdanamnese erfragt werden.

MERKE

Jede Suiziddrohung und jeder Suizidversuch müssen ernst genommen werden. Die Wahl der jeweiligen Suizidmethode (z. B. Tablettenintoxikation) entscheidet außerdem nicht zwangsläufig über die Ernsthaftigkeit der Suizidabsicht.

Therapie

Jedem suizidalen Patienten sollte in sehr empathischer Weise begegnet werden – unabhängig davon, ob seine gegenwärtige Situation nachvollzogen werden kann und die eigene Tagesform oder Überforderung mit der Situation das Gespräch möglicherweise beeinträchtigen. Ein erstes Gespräch als **Basismaßnahme** hat grundsätzlich die psychische Stabilisierung und Entlastung zum Ziel. Generell ist eine Suiziddrohung oder eine bereits ausgeführte Handlung als ein letzter Appell an eine menschliche Beziehung zu verstehen.

PRAXISTIPP

Die folgenden Fragen können helfen, etwaige Suizidabsichten des Patienten anzusprechen und deren Ernsthaftigkeit einzuschätzen. Dabei muss davon ausgegangen werden, dass sich das Risiko für eine tatsächliche Suizidhandlung erhöht, je konkreter die Fragen beantwortet werden:

- **Lebensüberdruss** („Denken Sie, dass wenn Sie sich jetzt umbringen würden, wäre es auch nicht so schlimm, würde es keinen interessieren?“)
- **Suizidgedanken** („Denken Sie, dass es besser wäre, tot zu sein?“)
- **Suizidpläne** („Haben Sie sich schon überlegt, wie Sie sich umbringen wollen?“)
- **Suizidvorbereitung** („Haben Sie sich schon die notwendigen Mittel besorgt [z. B. Tabletten]?“)
- **Suizidprobe** („Haben Sie schon einmal an der Stelle auf der Brücke gestanden, an der Sie runterspringen wollten?“)

In vielen Fällen hadern Einsatzkräfte damit, die Ernsthaftigkeit einer Suizidandrohung einzuschätzen zu können. Neben o. g. Fragen kann die NGASR (Nurses Global Assessment of Suicide Risk)-Skala auch für Einsatzkräfte ein hilfreiches Instrument darstellen (→ Tab. 39.3). Sie umfasst 16 Risikofaktoren, die die Einschätzung im Einsatz erleichtern können.

Die **Kooperation mit dem Patienten** ist zwingend notwendig, um möglichst günstige Bedingungen für die Einwilligung einer Krankenhauseinweisung zu schaffen. So sollte der Patient in all seinen Belangen ernst genommen werden, Ungeduld, vorschnelle Ratschläge und Trost, Verurteilungen, Belehrungen, Verallgemeinerungen oder das Herunterspielen der Situation sind zu vermeiden. Vielmehr empfiehlt es sich, den Patienten ernsthaft nach seiner Situation zu fragen und nicht problembehaftete Lebensbereiche zu finden bzw. im Gespräch den Blickwinkel auf vorhandene Ressourcen, die den Patienten bislang am Leben gehalten haben, zu lenken.

Leitfaden zur Gesprächsführung

Gespräche mit suizidalen Patienten können langwierig und schwierig sein. Ein „Patentrezept“ zur Gesprächsführung gibt es nicht. Es kann jedoch hilfreich sein, sich in dem Gespräch an verschiedenen Phasen zu orientieren (→ Tab. 39.4).

PRAXISTIPP

Transparentes Handeln („Ich komme nun ein bisschen näher zu Ihnen“) ist im Falle einer drohenden Suizidhandlung für das Rettungsfachpersonal von großer Bedeutung. Der Patient sollte stets das Gefühl haben, dass er Herr der Lage ist.

Die **erweiterten Maßnahmen** richten sich auf die medikamentöse Entlastung durch Benzodiazepine (z. B. 2,5–5 mg Diazepam® i. v.) bzw. 5–10 mg Haldol® i. v. sowie das Hinzuziehen sozialer Bezugspersonen oder ausgebildeter Fachkräfte (z. B. Notfallseelsorge, KIT-Team etc.) als Unterstützung bei der Gesprächsführung.

Grundsätzlich muss klar sein, dass trotz aller Bemühungen des Rettungsfachpersonals die Möglichkeit des anschließenden Suizids besteht, für den jedoch der Patient die alleinige Entscheidungsverantwortung trägt.

40

TOXIKOLOGISCHE NOTFÄLLE

Thomas Semmel

FALLBEISPIEL

Notfallmeldung

Die Leitstelle entsendet einen Rettungswagen zu einem nahe gelegenen Waldspielplatz. Dort soll sich ein Jugendlicher seltsam verhalten und scheinbar gesundheitliche Probleme haben.

Situation und Ersteindruck

Nachdem die Besatzung an der Einsatzstelle angekommen ist, trifft sie auf eine Gruppe Jugendlicher. Diese führen das Rettungsfachpersonal ganz aufgeregt zu einer Bank am Waldrand. Dort sitzt ein ca. 18 Jahre alter Mann. Auf Ansprache reagiert der Patient desorientiert und hat deutliche Sprachstörungen. Es fallen eine deutliche Rötung seiner Haut sowie maximal weite Pupillen auf.

Leitsymptome

Desorientiertheit, Mydriasis, Hautrötung.

INHALTSÜBERSICHT

40.1 ALLGEMEINE TOXIKOLOGIE

- Gifte können auf unterschiedlichen Wegen (über Magen-Darm, Haut, Lunge und das Blut) in den Körper aufgenommen werden.
- Man unterscheidet akute von chronischen Vergiftungen.
- Als Antidot bezeichnet man Substanzen, die in der Lage sind, die toxischen Wirkungen von Giften abzuschwächen oder gar ganz aufzuheben.
- Es gibt vier Methoden der Entgiftung: Dekontamination, Neutralisation, Elimination und Antidot-Therapie.

40.2 BEURTEILUNG UND BEHANDLUNG

- Das ABCDE-Schema wird auch zur Beurteilung von Patienten mit Vergiftungen angewendet.
- Der Beurteilung der Einsatzstelle kommt bei Vergiftungsnotfällen besondere Beachtung zu. Insbesondere hat die Eigensicherung des Rettungsfachpersonals einen sehr hohen Stellenwert.
- Um eine effektive und schnelle Eigen- oder Fremdanamnese zu erheben, ist die Verwendung des SAMPLER-Schemas sehr hilfreich.
- Vergiftungen sind nicht immer an speziellen Symptomen zu identifizieren. Toxische Syndrome (Toxidrome) fassen einzelne Symptome zusammen. Mithilfe der Toxidrome lassen sich Vergiftungen mit bestimmten Stoffgruppen einfacher identifizieren.
- Bei jeder Vergiftung müssen Faktoren (Giftart und -menge, Giftwirkung, Gifttherapie) berücksichtigt werden, um eine Einschätzung der Gefährlichkeit des Giftstoffs und seiner Wirkung zu erhalten.

40.3 SPEZIELLE TOXIKOLOGIE

- Vergiftungen mit Paracetamol wirken zu Beginn häufig harmlos.
- Vergiftungen mit Benzodiazepinen führen für sich allein selten zu schweren Vergiftungen.
- Vergiftungen durch trizyklische Antidepressiva (TCA) können sehr schnell lebensbedrohlich werden.
- Schwere Vergiftungen mit Betarezeptorenblockern haben eine hohe Mortalitätsrate.
- Vergiftungen mit Cholinesterase-Hemmstoffen werden mit dem Antidot Atropin behandelt.
- Alkoholische Getränke werden illegal mit Methanol gestreckt, was zu schweren Vergiftungen mit tödlichem Ausgang führen kann.
- Während Kinder häufig Pflanzenteile essen und es so zu Vergiftungen kommt, verwenden Jugendliche und junge Erwachsene manche Pflanzen, um Rauschzustände zu erreichen.
- Nach der Aufnahme einer Pilzmahlzeit kommt es nicht selten erst nach einer langen Latenzzeit zu Vergiftungssymptomen.
- Gifttierbisse durch heimische Gifttiere sind in Deutschland selten. In Deutschland vorkommende Giftschlangen sind die Kreuzotter und die Aspisviper.

40.4 DROGENNOTFÄLLE

- Abhängig vom Blutalkoholgehalt verlaufen Alkoholvergiftungen in unterschiedlichen Stadien.
- Opiatvergiftungen zeigen sich häufig mit einer Symptomentrias, bestehend aus Miosis, Atemdepression und Bewusstseinsstörung.
- Carfentanil ist 10 000-mal stärker wirksam als Morphin und verursacht schnell sehr schwere Vergiftungen.
- Die Symptome, die nach der Einnahme von Kokain oder Amphetaminen hervorgerufen werden, sind nahezu identisch.
- Inhalativ aufgenommen verursacht Cannabis nur selten schwere Verläufe.
- Weit mehr als 1 000 Produkte eignen sich zum „Schnüffeln". Hierzu gehören Lösungsmittel wie z. B. Nagellackentferner, aber auch Reinigungsmittel oder Amylnitrit.
- Immer mehr Substanzen mit scheinbar harmlosen Namen wie „Badesalz" tauchen auf, harmlos sind diese aber auf keinen Fall.

Die Toxikologie ist ein Teilgebiet der Pharmakologie. Vielfältig ist die Anzahl der Substanzen, mit denen sich der Mensch vergiften kann. Bei den Medikamenten spricht man von der „therapeutischen Breite" eines Medikaments (→ Kap. 20.2.3). Diese gibt an, ab welcher Dosis ein Medikament zu Nebenwirkungen, im schlimmsten Fall zu toxischen Wirkungen führt. Unabhängig davon, um welche Substanz es sich handelt, die Dosis entscheidet über die Giftigkeit einer Substanz. Wird bei der Aufnahme einer Substanz ein gewisser Wert überschritten, kann die Substanz den Körper schädigen. Dieser Vorgang wird als **Vergiftung (Intoxikation)** bezeichnet.

MERKE

„Alle Dinge sind Gift und nichts ist ohne Giftigkeit. Allein die Dosis macht, dass ein Gift kein Gift ist."
(Paracelsus, 1493–1541)

40.1 Allgemeine Toxikologie

Die Giftstoffe einer oder mehrerer Substanzen führen allein oder in Kombination zu einer Vergiftung des Organismus. Bei **endogenen Vergiftungen** wirken körpereigene Substanzen als Gift. Sie entstehen als Folge von Stoffwechselentgleisungen im Körper. **Exogene Vergiftungen** werden durch die Aufnahme körperfremder Gifte verursacht. Der Schweregrad einer Vergiftung ist abhängig von

- der Giftmenge,
- der Geschwindigkeit der Giftaufnahme,
- der Dauer der Giftexposition,
- der Giftwirkung im Körper (Giftart, Giftigkeit) und
- der Möglichkeit der Giftentfernung aus dem Körper.

40.1.1 Vergiftung

Giftaufnahme

Bei Vergiftungen werden verschiedene **Aufnahmewege** unterschieden (→ Abb. 40.1). Gifte können über Magen oder Darm, die Atemwege oder über die Haut aufgenommen werden. Auf allen drei Wegen gelangen sie ins Blut und können den Körper schädigen als:

- Gasförmige Gifte über die Atemwege
- Fettlösliche Gifte über die Haut und die Schleimhäute
- Ätzende Substanzen über die Haut, die Atemwege, die Schleimhäute und über den Mund
- Arzneimittel über die Atemwege, die Haut, die Schleimhäute, den Mund und das Gefäßsystem
- Bakteriengifte über die Haut, die Schleimhäute und das Gefäßsystem
- Pflanzliche Gifte über die Haut, die Schleimhäute und den Mund
- Tierische Gifte über die Haut, die Schleimhäute und den Mund

Giftexposition

Anhand des zeitlichen Ablaufs von Vergiftungserscheinungen unterscheidet man akute und chronische Vergiftungen. **Akute Vergiftungen** können suizidal (z. B. Einnahme von Arzneimitteln in Selbsttötungsabsicht) oder durch Unfälle (akzidentiell) bedingt sein (z. B. fahrlässiger Umgang mit Haushaltschemikalien). Bei **chronischen Vergiftungen** treten die Vergiftungssymptome erst nach längerer Giftexposition in Erscheinung (z. B. Nebenwirkungen von Medikamenten oder langjährige Giftexposition am Arbeitsplatz).

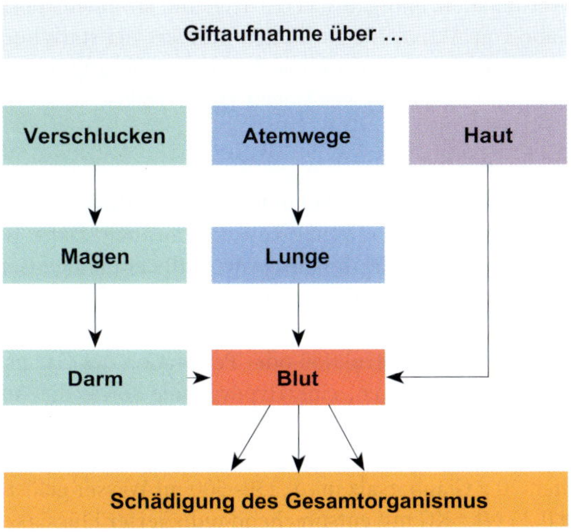

Abb. 40.1 Möglichkeiten der Giftaufnahme [A400]

Giftwirkung

Nach der Aufnahme in den Körper können Gifte den Organismus auf unterschiedliche Weise schädigen:

- **Direkte Schädigung des Körpers (Primärschaden)** durch:
  - **Unmittelbare Giftwirkung** am Zielorgan: direkte und akute Beeinträchtigung von Vitalfunktionen: z. B. Zyanidvergiftung → Blockade der Atmungskette → innere Erstickung
  - **Mittelbare Giftwirkung** am Zielorgan: direkte, aber chronische Beeinträchtigung von Organen: z. B. langjähriger Alkoholabusus → Beeinträchtigung der Leberfunktion → Leberzirrhose
- **Indirekte Schädigung des Körpers (Sekundärschaden)** durch Ausfall von Schutzreflexen und Bewusstseinsstörungen infolge der Gifteinwirkung auf andere Organsysteme: z. B. Überdosierung von Benzodiazepinen → Koma → Verlust der Schutzreflexe → Aspiration bei Erbrechen → Hypoxie → Atemstillstand

40.1.2 Entgiftung

Primäre Gifteliminaton

Unter dem Begriff der primären Gifteliminaton sind alle Maßnahmen zusammengefasst, die zur Verhinderung oder **Verminderung einer Resorption** von toxischen Substanzen aus dem Gastrointestinaltrakt, den Atemwegen oder über die Haut führen sollen. Allerdings bestehen für keines der nachfolgend aufgeführten Verfahren durch klinische Studien gesicherte Erkenntnisse, dass durch deren Anwendung die Prognose eines vergifteten Patienten verbessert wird. Aus diesem Grund muss die Anwendung des jeweiligen Verfahrens sorgfältig abgewogen werden.

Magenspülung

Derzeit gibt es nur wenige Indikationen für eine Magenspülung im Rettungsdienst. Ziel einer Magenspülung ist es bisher, noch im Magen verbliebene, nicht resorbierte Bestandteile einer toxischen Substanz aus dem Körper zu entfernen. Aufgrund der hohen Komplikationsrate und der geringen wissenschaftlichen Evidenz ist die **Indikation** zur Magenspülung **sehr zurückhaltend** zu stellen. Ist bereits mehr als 1 Std. nach der Giftaufnahme vergangen, sollte eine Magenspülung nur noch bei Vergiftungen mit Wirkstoffen, die zu einer Verklumpung neigen (z. B. Carbamazepin) oder Wirkstoffen, die zu einer Verzögerung der Magenentleerung führen (z. B. trizyklische Antidepressiva oder H_1-Antihistaminika der ersten Generation) in Erwägung gezogen werden.

Sollte man sich für die Durchführung einer Magenspülung entscheiden, so muss sie zwingend von darin erfahrenem Personal durchgeführt werden.

Als absolute **Kontraindikationen** für eine Magenspülung gelten beeinträchtigte Schutzreflexe ohne definitive Atemwegssicherung, die Aufnahme von Kohlenwasserstoffen, die Aufnahme ätzender Substanzen, Perforationen im Gastrointestinaltrakt und ein Risiko für gastrointestinale Blutungen.

ACHTUNG! **Keine Magenspülung** bei beeinträchtigten Schutzreflexen ohne definitive Atemwegssicherung oder nach der Aufnahme ätzender Substanzen.

Für die präklinische Magenspülung wird folgendes **Material** benötigt:

- 2 10-l-Eimer (Eimer für Spülflüssigkeit und Auffangbehälter)
- Großlumige Magensonde/-schlauch (Ch 36–40). Beim Erwachsenen „daumendick" oder spezieller Doppellumenschlauch.
- Messbecher zur Einzelportionierung der Spülflüssigkeit
- Trichter zum Aufsetzen auf den Magenschlauch
- Beißkeil oder -ring
- Mindestens 15 l handwarmes, sauberes (Leitungs-)Wasser
- Verschließbarer Asservatbehälter
- Medizinische Kohle
- Eventuell Lidocain-Spray zur Oberflächenanästhesie
- Eventuell 50-ml-Spritze

Bevor die eigentliche Magenspülung durchgeführt wird, muss der **Patient** auf diese Maßnahme **vorbereitet** werden. Hierzu wird er nach Möglichkeit über die geplante Maßnahme aufgeklärt. Falls noch nicht geschehen, sollte der Patient auf jeden Fall vor der Magenspülung einen peripheren-venösen Venenzugang oder ggf. intraossären Zugang erhalten. Möglicherweise muss der Patient vor der Durchführung sediert oder gar narkotisiert (endotracheale Intubation und Beatmung) werden. Der Patient sollte in die **stabile Seitenlage** gebracht werden. Beim nicht intubierten Patienten ist evtl. die Gabe eines Parasympatholytikums vor dem Einlegen des Magenschlauchs notwendig. Ebenso kann eine Oberflächenanästhesie des Mund-Rachen-Raums mit Lidocain-Spray vor dem Einlegen des Magenschlauchs notwendig werden.

Die **Magenspülung** selbst wird folgendermaßen **durchgeführt:** Dem Patienten wird oral der Magenschlauch über die Speiseröhre eingeführt. Der Trichter wird am oberen Ende des Schlauchs angebracht, in den dann mittels des Messgefäßes portionsweise Wasser (300–500 ml handwarmes Wasser bei Erwachsenen, 5 ml/kg KG bei Kindern) eingebracht wird. Dabei ist darauf zu achten, dass der **Trichter** in einer Höhe **über der Magenebene** gehalten wird, damit das Wasser in den Magen fließen kann. Ist die Wasserportion im Magen, wird der Trichter unter das Magenniveau gesenkt und in das bereitgestellte Auffanggefäß gehalten, um den Rückfluss zu starten.

Aus dem ersten **Rückfluss** wird eine Probe in den bereitgestellten Asservatbehälter gefüllt. Sie dient der späteren Analyse. Das Verfahren wird so lange durchgeführt, bis entweder das eingebrachte Wasser klar und ohne erkennbare Verunreinigung zurückläuft oder bis die festgelegte Menge an Spülflüssigkeit verbraucht ist. Hierzu können beim Erwachsenen Flüssigkeitsmengen von 10–20 l, bei Kindern bis zu 5 l notwendig werden.

Im Anschluss wird der Magenschlauch gezogen. Nach erfolgter Spülung wird eine **Magensonde** eingebracht und **Aktivkohle** instilliert. Die Aktivkohle soll Gifte binden und deren Resorption verhindern.

Induziertes Erbrechen

Erbrechen sollte nur innerhalb von 60 Min. nach Aufnahme einer potenziell toxischen Dosis eines Gifts in Erwägung gezogen werden. Eine Reihe von **Kontraindikationen** schränkt diese Maßnahme allerdings ein. Hierzu gehören drohende oder bereits bestehende Bewusstseinsstörungen, Vergiftungen mit Kohlenwasserstoffen, tensidhaltigen Produkten sowie die Aufnahme ätzender Substanzen.

ACHTUNG! Kein induziertes Erbrechen nach Einnahme von ätzenden Substanzen, tensidhaltigen Produkten und Kohlenwasserstoffen!

Das Erbrechen wird durch die Gabe von **Sirup Ipecacuanha** unter strenger Beachtung der Kontraindikationen ausgelöst. Sirup Ipecacuanha wird dazu folgendermaßen **dosiert:**

- Kinder 1–2 Jahre: 10–15 ml
- Kinder 2–3 Jahre: 20 ml
- Kinder > 3 Jahre/Erwachsene: 20–30 ml

Ipecacuanha-Sirup enthält die Alkoloide Cephaelin und Emetin, die beide das Brechzentrum chemisch erregen. Emetin reizt zusätzlich die Schleimhäute im Magen-Darm-Trakt. Nach der Gabe von Ipecacuanha sollten die Patienten reichlich trinken (ca. 10 ml/kg KG). Das Erbrechen wird bei über 90 % der Patienten 15–30 Min. nach Einnahme von Ipecacuanha ausgelöst, hierbei erbrechen die meisten Patienten zwei- bis dreimal innerhalb von 30 Min.

MERKE

Induziertes Erbrechen durch Gabe von **Salzwasser** gilt als **obsolet** und muss wegen der Nebenwirkungen (Verschiebungen im Wasser-Elektrolyt-Haushalt) unterbleiben.

Gabe von Aktivkohle

Aktivkohle wird aus pflanzlichen Materialien hergestellt. Hierzu gehören Torf, Kohle, Holz, Kokosnussschalen und Petroleum. Die Aktivierung erfolgt durch das Erhitzen auf hohe Temperaturen in Gegenwart eines Gases und/oder eines Katalysators. Ergebnis der Aktivierung ist eine **Oberflächenvergrößerung** auf bis zu 1 000 m^2/g.

Aufgrund dieser großen Oberfläche hat die Aktivkohle eine hohe **Bindungskapazität für verschiedene, fettlösliche Substanzen.** Aktivkohle kann bei oralen Vergiftungen appliziert werden, wenn die Giftaufnahme nicht mehr als 1 Std. zurückliegt. Die Aktivkohle sollte in einer Dosierung von 0,5–1,0 g/kg KG oral oder über eine Magensonde appliziert werden. In einigen Fällen kann eine wiederholte Gabe der Aktivkohle sinnvoll sein, insbesondere wenn die Patienten sich mit **Carbamazepin, Theophyllin und Salicylaten vergiftet** haben. Gleiches gilt für Vergiftungen mit **trizyklischen Antidepressiva und H_1-Antihistaminika,** da diese die Magen-Darm-Passage deutlich verlangsamen.

Aktivkohle ist **unwirksam** bei Vergiftungen mit Alkoholen, Glykolen, Schwermetallen, anorganischen Salzen und ätzenden Substanzen.

Die Gabe von Aktivkohle ist **kontraindiziert** bei stark beeinträchtigten Schutzreflexen ohne definitive Atemwegsicherung sowie bei ausgeprägter Funktionsstörung des Magen-Darm-Trakts.

Gabe von Laxanzien

Die Gabe von Laxanzien wird dadurch begründet, dass sie die Elimination der mit dem Gift beladenen Aktivkohle aus dem Darm beschleunigen sollen. Aufgrund der Datenlage wird die einmalige Gabe einer Laxans nur **in Ausnahmefällen** empfohlen.

Kontraindikationen für die Gabe von Laxanzien sind fehlende Darmgeräusche, eine Obstruktion oder Perforation des Darms, schwere Elektrolytverschiebungen, eine Hypovolämie sowie die Aufnahme ätzender Substanzen.

Als Laxans wird beispielsweise **Glaubersalz** verwendet. Erwachsene erhalten 20 g Glaubersalz in ca. 250–500 ml Wasser gelöst. Kinder erhalten 0,25 g/kg KG mit entsprechend reduzierter Flüssigkeitsmenge.

Anterograde Darmspülung

Die Anwendung einer anterograden Darmspülung kann bei Arzneimitteln, die ihren Wirkstoff verzögert freigeben, in Einzelfällen eingesetzt werden. Kontraindikationen sind die Obstruktion oder Perforation des Darms, ein Ileus, die Instabilität des Kreislaufs sowie gefährdete und ungeschützte Atemwege. Zur anterograden Darmspülung wird über eine nasogastrale Sonde Flüssigkeit zugeführt.

Lokale Dekontamination

Die Maßnahmen zur lokalen Dekontamination zielen auf die **Verhinderung der Giftaufnahme** durch Unterbrechung des Kontakts zwischen Patienten und Gift. Sie orientieren sich am Aufnahmeweg des Gifts. Werden Gifte inhaliert, besteht die Dekontaminationsmaßnahme im Verbringen des Patienten aus der toxischen Umgebung an die **frische Luft** (Eigenschutz beachten). Werden Kontaktgifte (z. B. E 605) oder Kampfstoffe (Tabun) über die Haut aufgenommen, so ist bereits vor Ort eine **ausgiebige Reinigung** mit Wasser und Seife durchzuführen.

Asservierung

Zur toxischen Analytik kann eine **Asservierung von Blut** sinnvoll sein. Die Abnahme sollte in einem EDTA-Röhrchen erfolgen. Die Asservierung von Erbrochenem oder anderen körperlichen Flüssigkeiten für eine spätere Analytik erscheint dagegen wenig sinnvoll. Ein klinischer Nutzen hieraus ist fraglich. Lediglich für eine spätere forensische Auswertung können einmal gewonnene Asservate möglicherweise genutzt werden.

Sekundäre Giftelimination

Die sekundäre Giftentfernung findet **in der Klinik** statt. Im Gegensatz zur primären Giftentfernung wird bei der sekundären Giftentfernung mithilfe **intensivmedizinischer Maßnahmen** versucht, Gifte aus dem Körper zu entfernen. Maßnahmen hierfür sind die forcierte Diurese, die Alkalisierung des Harns, die Hämodialyse und -filtration, eine forcierte Ventilation sowie die hyperbare Sauerstofftherapie.

Bei der Anwendung einer **forcierten Diurese** werden größere Mengen von Elektrolytlösungen (6–12 l pro Tag) appliziert. Ziel ist eine beschleunigte renale Entfernung des Gifts. Um eine ausgeglichene Bilanz zu erreichen, ist häufig die zusätzliche Gabe von Schleifendiuretika (z. B. Furosemid) erforderlich.

Bei der **Alkalisierung des Harns** wird der pH-Wert des Urins auf Werte von 7,5–8,5 eingestellt. Dies erfolgt durch die intravenöse Gabe von Natriumhydrogenkarbonat. Die **Hämodialyse oder die Hämofiltration** kommen bei lebensbedrohlichen Vergiftungen mit gut dialysierbaren Substanzen, wie beispielsweise Methanol oder Salicylaten, zum Einsatz.

Durch eine **forcierte Ventilation** können toxische Substanzen über die Atemluft beschleunigt entfernt werden. Bei der forcierten Ventilation werden die Patienten mit Atemminutenvolumina von 120–150 ml/kg KG beatmet. Die **hyperbare Sauerstofftherapie** kommt beispielsweise bei einer Vergiftung mit Kohlenmonoxid zum Einsatz. Die Patienten werden hierzu in einer Überdruckkammer bei einem Umgebungsdruck von ≥ 2 bar mit Sauerstoff versorgt. Diese Maßnahme kann sowohl bei spontan atmenden oder bei maschinell beatmeten Patienten angewendet werden.

40.2 Beurteilung und Behandlung

40.2.1 Allgemeine Beurteilung

Wie in allen Notfallsituationen ist auch bei Vergiftungsnotfällen ein zügiges und systematisches Vorgehen notwendig. Dem Prinzip folgend, zuerst das zu behandeln, was einen Menschen zuerst umbringen kann, stellt die ABCDE-Beurteilung (→ Kap. 17.1.4) ein wichtiges Hilfsmittel zur Beurteilung und Behandlung dar. An erster Stelle steht hierbei die **Beurteilung der Einsatzstelle.** Dieser kommt gerade bei Vergiftungsnotfällen eine besondere Bedeutung zu. Die **Eigensicherung des Rettungsfachpersonals** muss an erster Stelle stehen. Je nach Art der Vergiftung kann es dem Rettungsfachpersonal unmöglich sein, die Einsatzstelle zu betreten, ohne sich selbst in hohem Maße zu gefährden. In Abhängigkeit von der Art des Giftes (z. B. Atemgifte) darf eine Rettung nur durch Fachkräfte, wie beispielsweise durch die Feuerwehr, erfolgen.

ACHTUNG! Hinweise zur **Eigensicherung** bei Vergiftungsnotfällen:
- Notwendige **Schutzbekleidung** tragen!
- Je nach Vergiftung kann die Rettung des Patienten nur durch **Fachpersonal** (z. B. Feuerwehr) mit entsprechender **Schutzausrüstung** (z. B. umluftunabhängiger Atemschutz, Chemieschutzanzug) erfolgen!
- **Keine Mund-zu-Nase-/Mund-zu-Mund-Beatmung** bei unklaren Vergiftungen (z. B. Kontaktgift)!

Bei jedem Verdacht auf eine mutmaßliche Vergiftung müssen daher die folgenden Faktoren berücksichtigt werden, um eine Einschätzung der Gefährlichkeit des Giftstoffs und seiner Wirkung zu erhalten:
- Liegt eine **Gefährdung für das Rettungsfachpersonal** vor? Wenn ja, in welcher Weise und in welchem Umfang? Welche Vorkehrungen sind zu treffen **(Eigensicherung)?**
- Welcher **Art und Menge** ist das aufgenommene Gift?
- **Wie viele Personen** sind betroffen? Müssen umgehend weitere Kräfte zur Versorgung angefordert werden?

In dieser Situation kommt der gezielten Anamneseerhebung eine besondere Bedeutung zu. Die Verwendung des **SAMPLER-Schemas** (→ Kap. 17.1.11) hilft in kurzer Zeit die wichtigsten Informationen über den Patienten zu erhalten. Ist der Patient selbst nicht mehr in der Lage adäquat zu antworten, hilft das SAMPLER-Schema selbstverständlich auch beim Erheben einer Fremdanamnese. Zusätzlich ist bei Vergiftungsnotfällen die Verwendung der nachfolgenden Merkhilfe sehr sinnvoll.

Die 6 „W“ bei Vergiftungsnotfällen

MERKE
- **Wer** hat sich vergiftet?
- **Was** hat sie/er aufgenommen?
- **Wann** wurde es aufgenommen?
- **Wie** wurde es aufgenommen?
- **Wie viel** wurde aufgenommen?
- **Warum** wurde aufgenommen?

Die Frage nach der Person **(Wer?)** ist wichtig, da Kinder und alte Menschen auf Gifte anders reagieren können als junge und gesunde

Erwachsene. In diesem Zusammenhang ist auch die Abschätzung des Körpergewichts im Hinblick auf die Behandlung (z. B. Antidotgabe) von großer Bedeutung. Besteht die Möglichkeit herauszufinden, **was** eingenommen wurde, so ist die Behandlung deutlich einfacher und spezifischer einzuleiten. Der Zeitpunkt der Aufnahme des Giftes **(Wann?)** zeigt auf, wie lange das Gift schon im Körper wirken konnte und ob eine Giftentfernung evtl. noch an der Einsatzstelle Sinn macht. Gifte, die beispielsweise über das Blut (z. B. intravenös) aufgenommen wurden **(Wie?),** wirken häufig viel schneller als z. B. über die Haut aufgenommene Gifte. Die Menge **(Wie viel?)** des Gifts ist oft für die Schwere der Vergiftung verantwortlich. Wurde ein Gift in suizidaler Absicht **(Warum?)** aufgenommen, kann dies zum einen die Glaubwürdigkeit der Aussagen des Patienten sehr stark einschränken und zum anderen ist dies entsprechend zu dokumentieren und bei der Übergabe in der Klinik zu berichten, um der Klinik die Möglichkeit zu geben, die notwendigen Maßnahmen einzuleiten.

40.2.2 Spezielle Beurteilung – Toxische Syndrome (Toxidrome)

Mitunter ist es schwer, eine Vergiftung immer korrekt anhand spezieller Symptome zu identifizieren. Einige Substanzen führen allerdings zu Symptomkonstellationen, die zu einem Syndrom zusammengefasst werden und die Diagnostik erleichtern können. Diese werden als toxische Syndrome, heute häufig als **Toxidrome,** bezeichnet.

Anticholinerges Syndrom

Verursacht wird das anticholinerge Syndrom durch Atropin und Atropinderivate, Nachtschattengewächse (Engelstrompete → Abb. 40.5, Stechapfel, Tollkirsche), trizyklische Antidepressiva, Antihistaminika und Pilztoxine (Fliegen- und Pantherpilz). Die Gifte wirken im Bereich der Synapse und blockieren dort die **Bindungsstellen für das Acetylcholin** (→ Kap. 40.3.5).

Ein anticholinerges Syndrom ist gekennzeichnet durch die **Symptome:**
- Heiße, trockene Haut
- Mundtrockenheit
- Hyperthermie
- Mydriasis
- Sprachstörungen
- Halluzinationen
- Bewusstseinstrübung
- Zerebrale Krämpfe
- Tachykardie/Herzrhythmusstörungen

Cholinerges Syndrom

Das cholinerge Syndrom wird durch **Hemmstoffe der Cholinesterase** verursacht. Hierzu gehören Insektizide vom Organophosphat-Typ wie beispielsweise Parathion (z. B. E 605) oder Carbamate. Aber auch chemische Kampfstoffe wie Sarin, Tabun oder VX führen zu einer Hemmung der Cholinesterase (→ Kap. 40.3.3 und → Kap. 44.3). Weiterhin können Pilztoxine ein cholinerges Syndrom verursachen. Zu den **Symptomen** eines cholinergen Syndroms gehören:
- Bradykardie
- Miosis
- Erbrechen
- Durchfälle
- Bronchorrhö
- Muskelfibrillationen

Sympathomimetisches Syndrom

Unter anderem durch die Aufnahme von Substanzen wie Kokain, Amphetaminen, Theophyllin, Koffein und Monoaminoxidase (MAO)-Hemmer wird ein sympathomimetisches Syndrom verursacht (→ Kap. 40.4.3). Es ist gekennzeichnet durch die **Symptome:**
- Mydriasis
- Schwitzen
- Heiße Haut
- Blässe
- Tremor
- Unruhe- und Angstzustände
- Zittern
- Hypertension
- Tachykardie

Extrapyramidal-motorisches Syndrom

Ein extrapyramidal-motorisches Syndrom kann durch die Aufnahme von **Neuroleptika** verursacht werden. Hierbei handelt es sich häufig um Neuroleptika vom **Phenothiazin-Typ** wie Promethazin (Atosil®). Aber auch eine Überdosierung von häufig unkritisch verwendeten Wirkstoffen wie z. B. Metoclopramid (MCP) kann ein extrapyramidal-motorisches Syndrom hervorrufen (→ Kap. 33.6).

Patienten mit einem extrapyramidal-motorischen Syndrom zeigen die **Symptome:**
- Mimische Starre
- Blickkrämpfe
- Ophisthotonus
- Trismus
- Tremor
- Sprachstörungen

Narkotisches Syndrom

Ursächlich für ein narkotisches Syndrom sind H_1-Antihistaminika, Benzodiazepine (→ Kap. 40.3.1), Opioide (→ Kap. 40.4.2) und Ethanol (→ Kap. 40.4.1). Durch die zentraldämpfenden Eigenschaften dieser Substanzen kommt es zu folgenden **Symptomen:**
- Miosis
- Hypotonie
- Bradykardie
- Hypothermie
- Bewusstseinsstörung bis hin zum Koma
- Atemstörungen bis hin zum Atemstillstand

„China-Restaurant"-Syndrom

Durch die Aufnahme von Speisen mit hohem **Glutamingehalt (Geschmacksverstärker)** kann es noch während oder kurz nach Aufnahme dieser Speisen zu folgenden **Symptomen** kommen:
- Kopfschmerzen
- Tachykardie
- Schweißausbruch
- Taubheitsgefühl in den oberen Extremitäten

Diese Symptome treten allerdings nur bei **disponierten Personen** auf und limitieren sich häufig innerhalb kürzester Zeit von selbst. Dennoch kann das plötzliche Auftreten dieses Syndroms zu einer Alarmierung des Rettungsdienstes führen.

Halluzinogenes Syndrom

Ursächlich für dieses Syndrom ist der Konsum von Cannabis, LSD, Mescalin oder Psilocybin-haltigen Pilzen (→ Kap. 40.3.6).

Ein halluzinogenes Syndrom zeigt die folgenden **Symptome:**
- Halluzinationen
- Derealisation
- Depersonalisierung
- Wahrnehmungsstörungen
- Übelkeit und Erbrechen
- Nystagmus

Serotonerges Syndrom

Dieses Syndrom entsteht bei **Überdosierungen** bzw. **Vergiftungen mit selektiven Serotonin-Wiederaufnahmehemmstoffen (SSRI)** und **Monoaminooxidase (MAO)-B-Hemmern.** Zu den SSRI gehören z. B. die Wirkstoffe Citalopram (Cipramil®) oder Sertralin (Zoloft®), als MAO-B-Hemmer steht der Wirkstoff Tranylcypromin zur Verfügung. Die SSRI-Wirkstoffe und Tranylcypromin (Parnate®) werden zur Behandlung von Depressionen bzw. von Angst- und Zwangsstörungen eingesetzt. Selegilin (Antiparkin®) oder Rasagilin (Azilect®), ebenfalls MAO-B-Hemmer, werden zur Therapie der Parkinson-Erkrankung eingesetzt. Das serotonerge Syndrom zeigt folgende **Symptome:**
- Hyperthermie
- Schwitzen
- Blutdruckschwankungen
- Agitation
- Hyperreflexie
- Tremor
- Muskelzuckungen
- Verwirrtheit
- Krampfanfälle
- Bewusstseinsstörungen

40.2.3 Entzugssyndrome

Im Gegensatz zu den vorerwähnten akuten Vergiftungssyndromen wird das Rettungsfachpersonal immer wieder mit Patienten unter Entzugssymptomen konfrontiert. Der teilweise oder völlige Entzug der Suchtsubstanz **(chronische Vergiftung)** führt zu körperlichen und psychischen Reaktionen, die mit anderen Erkrankungen verwechselt werden können.

MERKE

Das Entzugssyndrom ist ein Abstinenzsyndrom.

Die Art und Ausprägung der Krankheitssymptome sind von der ursprünglich süchtig machenden Substanz und dem Zeitraum der fehlenden Zufuhr abhängig. Das Entzugssyndrom kann in ein Entzugsdelir münden (→ Kap. 39.3.1). In → Tab. 40.1 werden die häufigsten Entzugssyndrome aufgezeigt.

40.2.4 Merkhilfen und Gebote bei Vergiftungen

Neben der **„Fünf-Finger-Regel"** findet man in manchen Arbeiten noch die **„7-A-Regel".** Beide Regeln sind nicht mehr ganz zeitgemäß. Durch das generelle Vorgehen zur Beurteilung und Behandlung nach dem **ABCDE-** und dem **SAMPLER-Schema** (→ Kap. 17.1.4 und → Kap. 17.1.11) sind kaum noch weitere Merkhilfen erforderlich. Der Vollständigkeit halber sollen aber sowohl die „Fünf-Finger-Regel", als auch die „7-A-Regel" hier nicht unerwähnt bleiben.

Bei der **„Fünf-Finger-Regel"** geht es um die Eckpunkte der kompletten Versorgung von Vergiftungspatienten (Elementarhilfe, Giftentfernung, Asservierung, Antidotgabe und Transport). Dies beinhaltet auch die **„7-A-Regel",** diese geht allerdings noch etwas detaillierter auf die einzelnen Punkte ein. Die ersten drei „A" stehen für das ABC-Schema, die **A**namnese und die Gabe von **A**ktivkohle. Es folgen das **A**uslösen von Erbrechen, die **A**ntidotgabe sowie die **A**nalytik. Das letzte „A" steht für **A**usnahme: die Magenspülung. Die Gebote bei Vergiftungen wurden vor über 20 Jahren aufgestellt. Ursprünglich waren es einmal 10 Gebote, von denen aber auch heutzutage nicht mehr alle für die Versorgung von Vergiftungspatienten zeitgemäß sind. Dennoch sollte man sich bei der Versorgung dieser Patienten an die noch immer aktuellen Gebote erinnern.

Nachfolgend die **modifizierten Gebote bei der Versorgung von Vergiftungsnotfällen:**
- Immer an die **Möglichkeit einer Vergiftung** denken!
- **ABCDE-Probleme** erkennen und beseitigen!
- Bei Zwischenfällen **Atemweg und Atmung** den Vorrang geben!
- Nach Möglichkeit die **Ursache der Vergiftung** beseitigen!
- Nach Möglichkeit das **Gift entfernen!**
- Den Vergifteten laufend **beobachten!**
- Die Situation so lange als **ernst beurteilen,** bis das Gegenteil feststeht!
- **Nicht vorzeitig aufgeben!**

Insbesondere das letzte Gebot spiegelt sich auch heute noch in den aktuellen Leitlinien des ERC zur Wiederbelebung in besonderen Umständen wider. Gerade bei **jüngeren Patienten** sollte man sich auf eine **verlängerte Reanimationszeit** einstellen, da das Gift während der Reanimation verstoffwechselt und ausgeschieden werden kann.

Symptome	Ursächliche Substanz
Tachykardie, Hypertonie, Mydriasis, Schwitzen, Unruhe, Rastlosigkeit, Angstzustände, Hyperreflexie, Gänsehaut, Gähnen, Bauchkrämpfe, Tränenfluss, grippeähnliche Symptome, Schlaflosigkeit	Opioide Marihuana
Agitation, Halluzinationen, Verwirrtheit, Desorientiertheit, Krampfanfälle, Hyperreflexie, Bluthochdruck, Tachykardie, Arrhythmien, Dehydrierung	Alkohol Benzodiazepine GHB (Gammahydroxybutyrat)
Verminderte geistige Wachheit, Lethargie, Koma, Blutdruckabfall, verminderte Herzfrequenz	Kokain Amphetamine Phencyclidine
Milde grippeähnliche Symptome, Schlaflosigkeit, Unruhe und Angst	Trizyklische Antidepressiva MAO-Hemmer SSRI

Tab. 40.1 Entzugssyndrome

40.2.5 Antidottherapie

DEFINITION

Mit dem Begriff Antidot bezeichnet man Substanzen, die in der Lage sind, die **toxischen Wirkungen** von Giften **abzuschwächen** oder gar ganz **aufzuheben.**

Spezifische Antidota existieren nur gegen wenige toxische Stoffe (→ Tab. 40.2). Die Wirkungen der Antidota beziehen sich auf eine Verdrängung der Gifte von den entsprechenden Rezeptoren, der Bildung von weniger toxischen Substanzen und der Förderung der körpereigenen Entgiftungsreaktion, der Verringerung der Resorption bei oraler Giftaufnahme sowie der Unterbrechung des enterohepatischen Kreislaufs.

Im Rettungsdienst werden zumindest auf den mit Notärzten besetzten Rettungsmitteln eine Anzahl verschiedener Antidota vorgehalten. 2012 wurde die **„Bremer Liste"** zur Vorhaltung von **Antidota im Rettungsdienst** veröffentlicht. Sie stellt auch noch heute eine Empfehlung zur Mindestausstattung mit Antidota im Rettungsdienst dar. Die dort genannten Antidota basieren auf der Erfahrung von Notärzten und Toxikologen. Die empfohlene **Mindestausstattung** beinhaltet:

- Atropinsulfat 100 mg
- 4-Dimethylaminophenol (4-DMAP)
- Naloxon (Narcanti®)
- Toloniumchlorid (Toluidin-Blau®)
- Aktivkohle

40.2.6 Giftinformationszentralen (Giftnotruf)

In Deutschland existieren derzeit 7 **Giftinformationszentralen** (→ Abb. 40.2). Jede Giftinformationszentrale hat ihre Zuständigkeit für bestimmte Regionen, beispielsweise ist die Giftinformationszentrale in Erfurt zuständig für die Bundesländer Mecklenburg-Vorpommern, Sachsen, Sachsen-Anhalt und Thüringen.

PRAXISTIPP

Die meisten Giftinformationszentralen sind über die **Notrufnummer 19 240 mit der jeweiligen Ortsvorwahl** zu erreichen.

Vergiftung durch	Antidot
Paracetamol	Acetylcystein (Fluimucil-Antidot 20 %®)
Benzodiazepine	Flumazenil (Anexate®), deutlich kürzere Wirkdauer als Benzodiazepine
Trizyklische Antidepressiva (TCA)	Symptomatische Therapie; Natriumhydrogenkarbonat
Betarezeptorenblocker	Glukagon (empirisch-basierte Therapie)
Blausäure (Zyanide)	Hydroxocobalamin (Cyanokit®), 4-DMAP plus Natriumthiosulfat
Digitalis	Digitalis-Antitoxin
Organophosphate	1. Atropin 2. Obidoxim (Toxogonin®)
Methanol und Ethylenglykol	Fomepizol (Fomepizole SERB 5 mg/ml)
Morphin und Derivate (Opiate)	Naloxon: hoher First-pass-Effekt, deutlich kürzere Wirkdauer als Morphinderivate

Tab. 40.2 Antidotwirkungen

Dem Rettungsfachpersonal sollte die zuständige Giftnotrufzentrale inklusive der Notrufnummer bekannt sein. Nicht selten ist es notwendig, die Giftinformationszentrale **direkt von der Einsatzstelle** aus zu kontaktieren. Ein Kontakt über die zuständige Leitstelle ist nicht immer sinnvoll, können doch auf dem Weg über Dritte wertvolle Informationen verloren gehen bzw. wichtige Fragen seitens der Vergiftungsexperten nicht gestellt werden.

Vor dem Anruf bei der Giftinformationszentrale sollte man die wichtigsten **Patientendaten** (Alter, Gewicht, Vitalparameter, Giftart- und -menge, Aufnahmeweg) parat haben. Um die Empfehlungen der Giftexperten nach dem Anruf auch umsetzen zu können, sollten ein Notizblock und ein funktionierender Stift vorhanden sein.

IM FOKUS

Allgemeine Intoxikation

Ursachen

- Endogene Vergiftung (Stoffwechselentgleisungen körpereigener Stoffe)
- Exogene Vergiftung (Aufnahme körperfremder Stoffe)

Schweregrad ist abhängig von

- Giftaufnahme
  - Magen-Darm
  - Atemwege
  - Haut
- Giftexposition
  - Akute Vergiftung
  - Chronische Vergiftung
- Giftwirkung
  - Direkte Schädigung (Primärschaden)
  - Indirekte Schädigung (Sekundärschaden)
- Möglichkeit der primären Giftbindung bzw. -entfernung
  - Gabe von Aktivkohle
  - Primäre Gifteliminaton (Magenspülung, induziertes Erbrechen etc.)

Symptome

- Die Symptome sind abhängig vom aufgenommenen Gift.

Maßnahmen

Basismaßnahmen und Beurteilung

- Beurteilung der Einsatzstelle (Eigensicherung, Patientenanzahl, Nachforderung weiterer Kräfte, Rettung aus dem Gefahrenbereich durch Fachkräfte z. B. Feuerwehr)
- SAMPLER-Anamnese
- 6 „W" bei Vergiftungen
- Toxische Syndrome (Toxidrome) beachten.
- Frühzeitiger Kontakt zur Giftinformationszentrale

Umfassendes Monitoring

- AF, $etCO_2$, SpO_2, Puls (peripher/zentral), RR, BZ, GCS, EKG, Temperatur

Erweiterte Maßnahmen

- i. v. Zugänge nach Venenstatus und ggf. Laborblutentnahme
- Eventuell Antidotgabe

40.3 Spezielle Toxikologie

Die überwiegende Zahl der toxikologischen Notfälle im **Erwachsenenalter** sind **Vergiftungsnotfälle mit Arzneimitteln,** die in suizidaler Absicht eingenommen wurden. Die suizidale Arzneimittelvergiftung ist häufig eine Mischvergiftung durch die Einnahme verschiedener Medikamente in Verbindung mit Alkohol. Akzidentielle Vergiftungen sind im Erwachsenenalter eher selten.

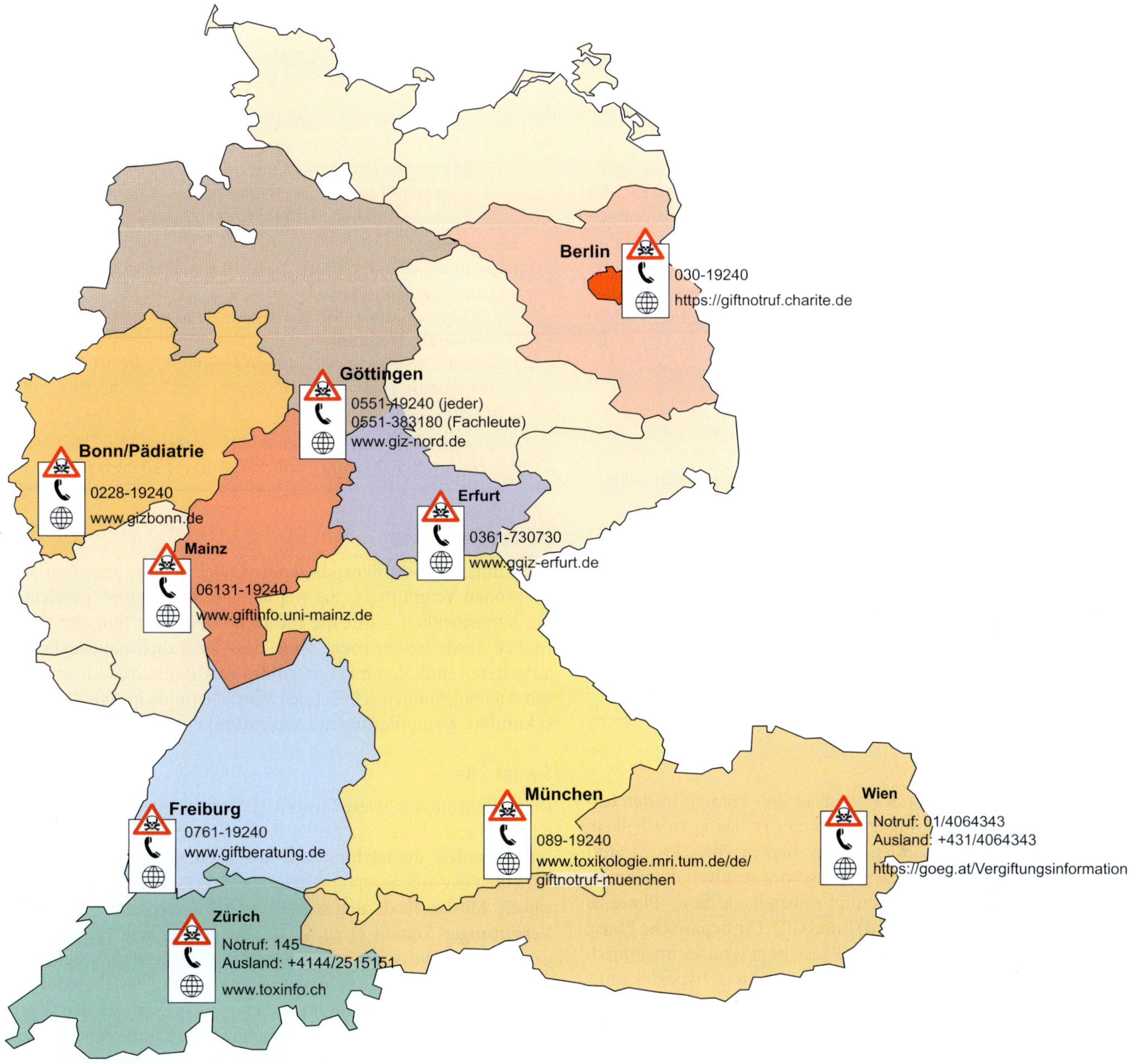

Abb. 40.2 Giftnotrufzentralen (GIZ) in Deutschland (Stand 01/2024) [L143]

Dagegen stehen im **Kindesalter Arzneimittel und Haushaltschemikalien** als Ursachen einer Vergiftung im Vordergrund. Hier überwiegt klar die akzidentelle Aufnahme. **Jugendliche** und junge Erwachsene erleiden Vergiftungen dagegen häufig durch die unkontrollierte **Aufnahme von Alkohol oder Drogen.**

40.3.1 Arzneimittelvergiftungen

Die **Abfragestatistiken der Giftinformationszentralen** geben Aufschluss darüber, welche Arzneistoffe am häufigsten zu Vergiftungen führen. Anhand dieser Statistiken werden die wichtigsten Arzneistoffgruppen dargestellt. Bei Arzneimittelvergiftungen von Erwachsenen und Kindern führen Nichtopioid-Analgetika die Statistiken an.

Nichtopioid-Analgetika

Zu den nichtopioiden Analgetika zählt man Wirkstoffe wie **Paracetamol, Ibuprofen** oder die **Acetylsalicylsäure (ASS,** → Kap. 20.3.1). Insbesondere Vergiftungen mit Paracetamol führen zu lebensbedrohlich bzw. tödlich verlaufenden Vergiftungen.

Giftwirkung

Paracetamol ist in vielen freiverkäuflichen Produkten in flüssiger, Tabletten- oder Kapselform enthalten und wird überwiegend zur Behandlung von Erkältungskrankheiten eingesetzt. Vergiftungen mit Paracetamol entstehen sowohl in suizidaler Absicht als auch akzidentiell. Insbesondere bei Kindern stehen unbeabsichtigte Überdosierungen durch die Eltern im Vordergrund. Für den intravenösen Einsatz liegt Paracetamol als Infusionslösung (Paracetamol B. Braun 10 mg/ml Infusionslösung) vor. Die meisten unerwünschten Ereignisse im Zusammenhang hiermit beruhen auf Dosierungsfehlern, weil das Medikament in Milligramm dosiert, aber in Millilitern verabreicht wird.

Die Giftwirkung von Paracetamol entsteht in der Leber. Bei der Metabolisierung entsteht über das Cytochrom-P-450-Enzymsystem das toxische Stoffwechselprodukt **NABQUI** (N-Acetyl-benzoquinoline). Die **Glutathion**vorräte in der Leber können den toxischen Metaboliten NABQUI zwar entgiften, aber eine Überdosierung von Paracetamol führt rasch zu einer Verminderung der Glutathionvorräte, sodass die Leber nicht mehr in der Lage ist, das toxische Stoffwechselprodukt NAPQI abzubauen. Die Folge ist eine Anhäufung von NABQUI in der Leber, das ohne Abbaumöglichkeit zu **Leberzellnekrosen** führt.

MERKE

Bei einer Überdosierung von Paracetamol ist die Leber nicht mehr in der Lage, das Stoffwechselprodukt NABQUI zu entgiften. Die Folge sind Leberzellnekrosen.

PRAXISTIPP

Um eine relevante Toxizität des Paracetamol zu bewirken, muss die akute Überdosierung ≥ 150 mg/kg KG innerhalb von 24 Std. (ca. 7,5 g bei Erwachsenen) überschreiten.

Symptome

Eine Vergiftung mit Paracetamol verläuft in drei Phasen: In der **Initialphase** (< 24 Std. nach Einnahme) kommt es häufig zu Übelkeit, Erbrechen und Magenbeschwerden. In der zweiten Phase (> 24 Std.) hat der Patient kaum Beschwerden (Phase des relativen Wohlbefindens – **Latenzphase**), allerdings kommt es bereits in dieser Phase zu einem Anstieg der Transaminasen GOT und GPT. Die **hepatische Phase** beginnt 48 Std. nach Aufnahme. Diese Phase ist gekennzeichnet durch Leberversagen mit Ikterus, metabolischer Azidose, Hypoglykämie, hämorrhagischer Diathese und hepatischer Enzephalopathie.

Therapie

Präklinisch steht lediglich eine symptomenorientierte Therapie zur Verfügung. Nur bis etwa 1 Std. nach Einnahme einer Überdosis Paracetamol ist die Gabe von Aktivkohle noch erfolgversprechend. Klinisch kann als Antidot das **Acetylcystein (ACC)** in einer Dosierung von 150 mg/kg KG verabreicht werden. **Acetylcystein führt zu einer vermehrten Synthese von Gluthathion,** das in der Lage ist, den toxischen Metaboliten zu entgiften (s.o.). ACC muss innerhalb von 10 Std. nach Giftaufnahme appliziert werden. Wird ACC erst nach mehr als 15 Std. verabreicht, bleibt die Therapie meist erfolglos.

IM FOKUS

Paracetamolvergiftung

Ursachen
- Suizidale oder akzidentielle Überdosierung von Paracetamol

Symptome
- Ablauf der Vergiftung in drei zeitlichen Phasen:
  - Initialphase (< 24 Std.): gastrointestinale Beschwerden, Übelkeit, Erbrechen
  - Latenzphase (24–48 Std.): keine körperlichen Beschwerden, aber Anstieg der Transaminasen GOT und GPT
  - Hepatische Phase (> 48 Std.): Leberversagen mit Ikterus, metabolischer Azidose, Hypoglykämie, hämorrhagischer Diathese und hepatischer Enzephalopathie

Maßnahmen
- Beurteilung und Behandlung nach dem ABCDE-Schema
- SAMPLER-Anamnese
- Symptomenorientierte Therapie

Umfassendes Monitoring
- AF, $etCO_2$, SpO_2, Puls (peripher/zentral), RR, BZ, GCS, EKG, Temperatur

Antidottherapie
- Eine Antidottherapie ist nur klinisch möglich.
- Acetylcystein (Fluimucil Antidot 20 %) – 150 mg/kg KG

Benzodiazepine

Die Einnahme von Benzodiazepinen alleine führt selten zu schwerwiegenden Vergiftungen. Sie werden als **„Safe Drugs"** bezeichnet. In der Vergangenheit wurde die 100-fache Überschreitung der therapeutischen Dosis beschrieben, ohne dass lebensbedrohliche Symptome aufgetreten sind. Kommt es allerdings zu Mischintoxikationen wie z. B. mit Alkohol, können sehr schnell lebensbedrohliche Situationen durch **sekundäre Komplikationen (Aspiration)** entstehen.

Symptome

Reine Benzodiazepinvergiftungen sind eher selten. Sie besitzen zwar eine geringere Toxizität, dürfen deshalb aber nicht als harmlos angesehen werden. Bei **leichten und mittleren Vergiftungen** können die Patienten folgende Symptome zeigen: eine verwaschene Sprache, Schläfrigkeit, Muskelrelaxierung sowie eine milde Hypotonie. Bei **schweren Vergiftungen** kommt es zu Ataxie, Benommenheit, Lethargie, Atemdepression, Bewusstseinsstörungen bis hin zur Bewusstlosigkeit.

Die Hauptgefahr der Benzodiazepinvergiftung besteht jedoch in der Ausbildung einer **Hypoxie** infolge eines Tonusverlusts der Weichteile im Pharynx (weicher Gaumen, Epiglottis) durch die zentral wirkende Bewusstseinstrübung, die besonders in Kombination mit Alkohol auftritt. Ebenfalls möglich ist eine **„stumme Aspiration"** durch Ausfall der Schutzreflexe (Husten- und Schluckreflex).

Therapie

Die **Basismaßnahmen** umfassen die Sicherung der Vitalfunktionen und werden **erweitert** durch die Antidotbehandlung mit **Anexate® (Flumazenil).** Im Rahmen der Antidotbehandlung ist zu beachten, dass ein mit Benzodiazepinen vorbehandeltes Krampfleiden durch die Gabe von Anexate® zur Auslösung eines Krampfanfalls führen kann, der nicht durch übliche Gabe von Benzodiazepinen durchbrochen werden kann (Status epilepticus, → Kap. 33.6). In diesem Falle ist die Gabe von Barbituraten (Thiopental Inresa 0,5 g) zur Krampfdurchbrechung angezeigt.

Eine Antidotbehandlung mit Anexate® ersetzt jedoch nicht die Maßnahmen der Giftelimination (forcierte Diurese) in der Klinik. Da die Halbwertszeit von Anexate® kürzer ist als die der meisten Benzodiazepine, besteht die Gefahr des **Rebound-Effekts,** d. h., durch den Wirkungsverlust des Antidots Anexate® tritt die toxische Wirkung des

Biogas besteht zu ca. 40–70 Vol.-% aus **Methan,** weitere Bestandteile sind **Kohlendioxid** (25–55 Vol.-%), **Wasserstoff** (0–1 Vol.-%) und **Schwefelwasserstoff** (10–30 000 mg/mm^3 = 7–21 180 ppm). Daneben können noch Ammoniak, Sauerstoff, Stickstoff und Wasserdampf in Biogas enthalten sein. Neben der Gefahr einer Vergiftung besteht bei Einsätzen in und um Biogasanlagen auch eine erhebliche **Explosionsgefahr.**

Eine Freisetzung von Schwefelwasserstoff kommt auch in Schwefelminen, bei der Verarbeitung schwefelhaltiger Erze sowie in der Viskose- und Zellstoffindustrie vor.

Das schwefelhaltige Gas riecht nach faulen Eiern, allerdings geht der Geruchssinn bei höheren Konzentrationen (> 150 ppm) verloren. Schwefelwasserstoff **blockiert** die **Cytochromoxidase** der Atmungskette, die Affinität zum dreiwertigen Eisen der Cytochromoxidase ist jedoch deutlich größer als die des Zyanidions (s. o.).

Symptome

Die Symptome der Schwefelwasserstoff-Vergiftung sind abhängig von der vorherrschenden Konzentration in der Umgebungsluft (→ Tab. 40.7). Die Reizungen der Konjunktiven und der Atemwege entstehen, da es sich bei Schwefelwasserstoff um eine schwache Säure (in wässriger Lösung nur teilweise ionisiert) handelt. Aufgrund eines **extrem schnellen Eindringens** über alle **biologischen Membranen** ist sowohl eine pulmonale als auch transkutane Aufnahme des Schwefelwasserstoffs in den Körper möglich. Für die Schwere einer Vergiftung mit Schwefelwasserstoff ist die Konzentration in der Umgebungsluft ausschlaggebend.

Therapie

Bei Einsätzen dieser Art besteht **höchste Lebensgefahr** für das eingesetzte Personal. Eine Rettung der Betroffenen ist nur durch die Feuerwehr in **besonderer Schutzbekleidung** (Chemieschutzanzüge und umluftunabhängiger Atemschutz) möglich. Die eigentliche Versorgung der Patienten kann erst stattfinden, nachdem sie von der Feuerwehr in einen gut belüfteten Raum gebracht und dort dekontaminiert wurden. Die Therapie erfolgt **symptomenorientiert.** Eine Gabe von 4-Dimethylaminophenol in Verbindung mit Natriumthiosulfat kann in sehr schweren Fällen erwogen werden.

Konzentration von H_2S (ppm)	Symptome
0,02–0,13	Olfaktorische Wahrnehmung „faule Eier"
> 50	Schleimhautreizung (Auge, Atemwege)
> 100	Kehlkopfreizung
> 150	Verlust der Geruchswahrnehmung
250–500	Erregung, Kopfschmerz, Zyanose, Lungenödem (akut)
500–1000	Ataxie, Übelkeit, Schwindel, beginnende Vigilanzstörungen, Tachypnoe
> 1 000	Bewusstseinsverlust, Apnoe, Paralyse des ZNS (Tod innerhalb von Minuten)
5 000	Sofortiger Tod bei Inhalation

ppm = parts per million (z. B. 1 000 ppm H_2S entsprechen 1 416 mg/m^3 Luft)

Tab. 40.7 Symptome der Schwefelwasserstoff-Vergiftung

IM FOKUS

Vergiftung mit Schwefelwasserstoff

Ursachen
- Akzidentielle Aufnahme
- Selten: Aufnahme in suizidaler Absicht

Symptome
- In Abhängigkeit von der Konzentration in der Umgebungsluft u. U. **sofort tödlich**
- Schleimhautreizungen
- Verlust der Geruchswahrnehmung
- Akutes Lungenödem
- Vigilanzstörungen bis hin zum Bewusstseinsverlust
- Tachypnoe bis hin zur Apnoe

Maßnahmen
- Rettung aus dem Gefahrenbereich durch Fachpersonal (Feuerwehr mit Chemieschutzanzug und umluftunabhängigem Atemschutz)
- Beurteilung und Behandlung nach dem ABCDE-Schema
- SAMPLER-Anamnese
- Symptomenorientierte Therapie
- Hoch dosierte O_2-Gabe

Umfassendes Monitoring
- AF, $etCO_2$, SpO_2, Puls (peripher/zentral), RR, BZ, GCS, EKG, Temperatur

Medikamente und Dosierungsempfehlungen
- Eventuell Gabe von 4-Dimethylaminophenol in Verbindung mit Natriumthiosulfat

40.3.3 Vergiftungen mit Cholinesterase-Hemmstoffen

Organophosphate

Organophosphate sind organische Phosphorsäureester oder Alkylphosphate und werden als **Pflanzenschutzmittel (Insektizide)** eingesetzt. Sie können über die Haut (Kontaktgifte), die Atemwege und den Magen-Darm-Trakt aufgenommen werden und wirken als schwer reversible Cholinesterase-Hemmer. Dadurch erfolgt eine endogene Acetylcholinvergiftung.

Das bekannteste Präparat ist **E 605,** es enthält den Wirkstoff **Parathion.** Dieser wurde im Jahr 2002 durch die Europäische Kommission verboten. Ähnliche Wirkungen wie Parathion weisen die **chemischen Kampfstoffe Sarin, Soman, Tabun** und **VX** auf. Sarin hat im Jahr 1995 seine verheerende Wirkung gezeigt, als damit ein Anschlag auf die Tokioter U-Bahn verübt wurde. Damals starben 12 Menschen und 5 500 Menschen wurden durch diesen Nervenkampfstoff verletzt. Insbesondere **Soman** stellt eine große Gefahr dar, da es bereits nach 2 Min. zu einer **irreversiblen** Verbindung zwischen Soman und der Acetylcholinesterase kommt. Organophosphate werden sowohl oral, inhalativ und über die Haut sehr gut aufgenommen. Nach Aufnahme kommt es zu einer schnellen Verteilung in den Geweben und Organen (→ Kap. 44.3).

Symptome

Organophosphate hemmen die Cholinesterase. Durch ihre Aufnahme kommt es zum Auftreten eines **cholinergen Syndroms** (→ Kap. 40.2.2).

Therapie

Bei Vergiftungen mit Organophosphaten steht der **Eigenschutz des Rettungsfachpersonals** im Vordergrund. Ein direkter Kontakt mit den Körpersekreten (z. B. Speichel) ist zwingend zu vermeiden. Die

Patienten sollten in gut belüfteten Räumen behandelt werden, da das Gift auch über die Atemwege aufgenommen werden kann. Die **Dekontamination** der Patienten erfolgt durch Entkleiden und Abwaschen kontaminierter Haut. Danach ist ein Vorgehen nach dem **ABCDE-Schema** zur Beurteilung und Behandlung der Patienten notwendig.

Als Antidot steht präklinisch **Atropin** zur Verfügung. Atropin wirkt als kompetetiver Antagonist und verdrängt Acetylcholin vom muskarinen Rezeptor. Die Blockade am nikotinergen Rezeptor kann von Atropin jedoch nicht aufgehoben werden. Damit bleibt v. a. die **zentrale Atemlähmung** unbeeinflusst. An dieser Stelle setzt die Gabe von Toxogonin® ein. Toxogonin® (Obidoxim) reaktiviert die Cholinesterase, sodass sie wieder ihre physiologische Aufgabe übernehmen kann.

ACHTUNG! **Toxogonin®** darf **nie vor oder anstatt Atropin** verabreicht werden, sondern immer nur zusätzlich.

Die Dosierungsmenge von Atropin orientiert sich an der Rückbildung der Symptome (z. B. deutlich sichtbar an der Verminderung des Speichelflusses).

IM FOKUS

Vergiftung mit Organophosphaten

Ursachen
- Suizidale oder akzidentielle Einnahme von Pflanzenschutzmitteln oder im Rahmen terroristischer Anschläge als chemische Kampfstoffe

Symptome
- Cholinerges Syndrom

Maßnahmen
- Rettung unter Beachtung des Eigenschutzes
- Beurteilung und Behandlung nach dem ABCDE-Schema
- SAMPLER-Anamnese
- Antidotgabe

Umfassendes Monitoring
- AF, $etCO_2$, SpO_2, Puls (peripher/zentral), RR, BZ, GCS, EKG, Temperatur

Antidottherapie
- Atropin:
  - Erwachsene: initial 2–5 mg i. v. alle 10–15 Min. bis zum Rückgang der Bronchialsekretion (in Einzelfällen können bis zu 50 mg Atropin erforderlich werden)
  - Kinder: initial 0,5–2 mg i. v.

Carbamate

Carbamate werden als **Fungizide** (Mittel zur Bekämpfung pflanzenschädigender Pilze), **Herbizide** (Pflanzenvernichtungsmittel = Unkraut), **Insektizide** (Insekten vernichtende Mittel) und **Nematizide** (Mittel zur Abtötung von Fadenwürmern) eingesetzt.

Die Vergiftung mit Carbamaten (Urethane), die ebenso wie die Alkylphosphate als Insektizide eingesetzt werden (→ Abb. 40.4), hat augenscheinlich denselben Symptomverlauf wie die Alkylphosphatvergiftung. Vergiftungen mit Carbamaten verursachen, wie die Organophosphate, ein **cholinerges Syndrom** (→ Kap. 40.2.2). Als Antidot wird Atropin eingesetzt. Der große Unterschied zur vorbenannten Behandlung ist, dass bei Vergiftung mit Carbamaten **niemals Toxogonin®** verabreicht werden darf. Toxogonin® geht in zu hoher Dosierung mit Carbamaten Bindungen ein, welche die Giftwirkung noch verstärken.

Abb. 40.4 Metasystox [M235]

ACHTUNG! Bei Vergiftung mit Carbamaten darf **niemals Toxogonin®** verabreicht werden.

40.3.4 Vergiftungen mit Methanol und Ethylenglykol

Vergiftungen durch Methanol und Ethylenglykol sind selten. Beide zählen zu den toxischen Alkoholen. Vergiftungen mit **Ethylenglykol** kommen häufig akzidentell vor. Es ist beispielsweise in Frostschutzmitteln oder Kühlerflüssigkeit enthalten. **Methanol** findet man in Lösungsmitteln, als Treibstoff für Modellflugzeuge oder in chemischen Laboren.

Der **Methanolvergiftung** liegt i. d. R. eine Verwechslung mit Äthylalkohol (Ethanol) oder die gewollte Einnahme als Ersatzdroge bei Alkoholabusus zugrunde. Methylalkohol (Methanol) wird durch das Enzym Alkoholdehydrogenase über die Zwischenstufe des Formaldehyds zu Ameisensäure oxidiert. Schon 30 ml Methanol können beim Erwachsenen tödlich sein.

MERKE

Methanol ist der „tödliche Bruder" des Ethanols. Methanol ist in jeder Konzentration gefährlich.

Weiterhin kann Methanol auch in selbst hergestellten Schnäpsen enthalten sein. Grund hierfür ist eine fehlerhafte Destillationstechnik. In den letzten Jahren ist es allerdings auch immer wieder zu schweren Vergiftungen durch **„gepanschten" Alkohol** gekommen. Grund hierfür scheint zu sein, dass der vermeintliche Alkohol für den Schwarzmarkt nicht gebrannt, sondern in chemischen Laboren gemischt wird. Die Ursache für eine Vergiftung mit Methanol ist allerdings nicht immer akzidentiell. Nicht selten wird Methanol von Alkoholabhängigen als **Ersatzdroge** missbraucht.

Symptome

Leichte Vergiftungen mit **Ethylenglykol** führen zu Ausfallerscheinungen, wie sie z. B. auch durch die Aufnahme von Ethanol hervorgerufen werden. Größere Mengen verursachen Übelkeit und Erbrechen, teilweise kommt es zu Durchfällen. Sehr schwere Vergiftungen führen bereits in einem frühen Stadium zum Auftreten eines **Hirnödems.** Mit einer Latenzzeit von 12 Std. kommt es bei diesen Patienten zur Tachypnoe und -kardie. Im weiteren Verlauf können Schädigungen der Nieren auftreten.

Die **Methanolvergiftung** läuft in drei Stadien ab. Im **ersten Stadium** kommt es zu einem Rauschzustand, der im Vergleich zu Ethanol eher schwach, aber verlängert auftritt. Am **3.–4. Tag** entwickelt sich eine schwere **metabolische Azidose.** Diese wird hauptsächlich durch die Entstehung der Ameisensäure hervorgerufen. Die **neurotoxischen Wirkungen** beruhen ebenfalls auf den Metaboliten Formaldehyd und der Ameisensäure. Es kommt anfangs zu reversiblen Sehstörungen, die allerdings nach höheren Dosierungen zu einer irreversiblen Schädigung des N. opticus führen können. Daneben treten Übelkeit und Erbrechen, gastrointestinale Beschwerden und Atemlähmung auf. Die letale Dosis für Methanol liegt bei 30–100 ml.

Therapie

Präklinisch stehen eine Beurteilung und Behandlung dieser Patienten nach dem **ABCDE-Schema** im Vordergrund. Als **Antidot** kann in der Klinik der **Wirkstoff Fomepizol** sowohl bei der Vergiftung mit Ethylenglykol als auch bei der Vergiftung mit Methanol eingesetzt werden. Fomepizol hemmt die Alkoholdehydrogenase kompetitiv und kann somit das Entstehen der toxischen Methanol-Metabolite verhindern. Als alternative Behandlung ist die Gabe von Ethanol (oral oder intravenös) möglich. Ethanol ist schwächer wirksam als Fomepizol, häufig schwieriger zu dosieren und auch mit einer höheren Rate an Nebenwirkungen behaftet, aber i. d. R. leichter und schnell verfügbar.

40.3.5 Vergiftungen durch Pflanzen

Vergiftungen durch Pflanzen betreffen sowohl Erwachsene als auch Kinder. Bei **Kindern** steht die akzidentelle Aufnahme im Vordergrund. Nicht selten führen Unachtsamkeiten bei der **Bepflanzung des häuslichen Gartens** bei Kindern zu Vergiftungen. Neben der akzidentiellen Aufnahme von Pflanzen oder Pflanzenbestandteilen spielen bei **Erwachsenen** der Missbrauch, um Rauschzustände zu erreichen, und die Aufnahme von Pflanzenteilen in suizidaler Absicht eine Rolle. Mehr als eine halbe Million Pflanzarten sind bekannt und **jede 10. Pflanze** davon ist **giftig.** In Europa existieren ungefähr 50 Pflanzenfamilien mit giftigen Arten.

Bei Giftpflanzen unterscheidet man in **sehr stark giftige, stark giftige** und **giftige Pflanzen.** An giftigen Stoffen in den Pflanzen unterscheidet man Alkaloide, Triterpen-Glykoside, zyanogene Glykoside und andere Giftstoffe.

Nachtschattengewächse

Zu den Nachtschattengewächsen zählen beispielsweise die **Alraune,** das **Bilsenkraut,** die **Engelstrompete** (→ Abb. 40.5), der **Stechapfel** und die **Tollkirsche.** Die Inhaltsstoffe dieser Pflanzen sind die Alkaloide **Scopolamin** und **Hyoscyamin.** Atropin kommt in diesen Pflanzen nicht direkt vor, vielmehr kann es aus Hyoscyamin entstehen. Die Verteilung von Scopolamin und Hyoscyamin ist in den einzelnen Pflanzen unterschiedlich. Häufig enthalten alle Pflanzenbestandteile die Wirkstoffe. Nicht selten werden Tees aus den getrockneten Pflanzenbestandteilen zubereitet und aufgenommen, um einen Rauschzustand zu erlangen.

Symptome

Die Inhaltsstoffe Hyoscyamin und Scopolamin wirken **parasympatholytisch.** Bei einer Vergiftung durch eine dieser Pflanzen kommt es zu einem **anticholingergen Syndrom** (→ Kap. 40.2.2).

Abb. 40.5 Engelstrompete [M235]

Therapie

Präklinisch steht eine **symptomenorientierte Therapie** im Vordergrund. Sind nach der Aufnahme von Pflanzenbestandteilen (z. B. als Tee) noch keine oder nur leichte Symptome aufgetreten, ist die Gabe von **Aktivkohle** sinnvoll. Sobald erste Symptome aufgetreten sind, ist die Applikation der Aktivkohle kaum noch Erfolg versprechend. Als Antidot steht der Wirkstoff Physostigmin (→ Kap. 20.3.14) zur Verfügung.

Wolfsmilchgewächse

Der Name „Wolfsmilch“ leitet sich vom hautreizenden Milchsaft ab, den Gewächse der Pflanzengruppe *Euphorbiaceae* enthalten. Der Milchsaft hilft den Pflanzen dabei, Wunden wieder zu verschließen. Allerdings reizt der Saft die Haut sowie die Schleimhäute teilweise sehr stark. Viele Kakteen und Sukkulenten, aber auch der Weihnachtsstern, gehören zu den Wolfsmilchgewächsen.

Rizin

Die Rizinusstaude, auch als Wunderbaum bekannt, gehört ebenfalls zu den Wolfsmilchgewächsen und ihr Gift aus den Samen, das **Rizin,** ist eines der stärksten biologischen Gifte. Rizin kann oral, parenteral, inhalativ und dermal aufgenommen werden.

Häufigste Ursache von Vergiftungen mit Rizin ist der Verzehr von Rizinus-Samen. Angaben zur letalen Dosis beim Menschen sind in der Literatur uneinheitlich und schwanken bei oraler Aufnahme zwischen 0,3 und 20 mg/kg KG, was ungefähr 8 Samenkörnern entsprechen würde.

Neben akzidentellen Intoxikationen spielt das Rizin auch **im Rahmen bioterroristischer Anschlagsplanungen** eine Rolle. In London fiel beispielsweise 1978 der bulgarische Schriftsteller Georgi Markow einem tödlichen Anschlag mit einer mit Rizin kontaminierten Regenschirmspitze zum Opfer.

Symptome

Die Wirkung des Giftes tritt mit einer zeitlichen Verzögerung auf, die je nach Aufnahmeweg des Giftes variiert. Auch die Symptomatik ist abhängig vom Aufnahmeweg. Während zu den Leitsymptomen nach **oraler Aufnahme** gastrointestinale Symptome wie Übelkeit, Erbrechen oder Durchfälle gehören, so stehen nach einer **inhalativen Aufnahme** respiratorische Probleme im Vordergrund. Hierzu gehört beispielsweise das Auftreten einer Bronchospastik. Ein starker Schmerz an der Einstichstelle ist charakteristisch für eine **parenterale Aufnahme** des Giftes.

Therapie

Gegen eine Vergiftung mit Rizin existiert bislang kein Antidot. Die Therapie einer Intoxikation mit Rizin kann daher nur symptomorientiert erfolgen. Ohne Behandlung tritt der Tod üblicherweise durch Kreislaufversagen etwa 48 Std. nach der Vergiftung ein.

Liegt die **orale Aufnahme** des Rizins nicht länger als 1 Std. zurück, kann nach strenger Indikationsstellung eine endoskopisch gestützte Giftentfernung in der Klinik erwogen werden. Anschließend kann Aktivkohle instilliert werden, jedoch existieren kaum Hinweise zur Wirksamkeit der Maßnahme. Eine Darmspülung oder die Gabe von Laxanzien wird nicht empfohlen. Die häufigsten Komplikationen bei oraler Rizin-Vergiftung entstehen durch ausgeprägte Flüssigkeits- und Elektrolytverluste, die korrigiert werden können.

Nach **inhalativer Aufnahme** des Rizins können jederzeit Atemprobleme auftreten. Hier steht die symptomatische Behandlung der toxisch bedingten Reizung der Lunge im Vordergrund. Die Therapie umfasst die Gabe von Sauerstoff und ggf. die Beatmung.

Zu einer **parenteralen Aufnahme** des Rizins liegen kaum Daten vor. Da aber von einer vollständigen Verteilung des Gifts im Körper ausgegangen werden muss, ist mit einer komplexen Funktionsstörung aller Organsysteme zu rechnen.

Durch den Umgang mit Rizinussamen und/oder Planzenteilen kann es lokal zu einer **dermalen Aufnahme** von Rizin in den Körper kommen. Solange das Gift über den Hautkontakt nicht im Körper systemisch verteilt wird, ist bei diesem Intoxikationsweg, bei gesunder und unverletzter Haut, nicht mit schwerwiegenden Krankheitsverläufen zu rechnen.

Wild- und Zierpflanzen

Eibe

Die Eibe ist eine Zierpflanze, die häufig in Gärten, auf Friedhöfen oder Parks vorkommt. Der bis zu 20 m hohe **Nadelbaum** trägt ca. 3 cm lange Nadeln. Die Eibe blüht in den Monaten März und April. Der Samen der Eibe ist von einem roten Samenmantel umgeben. Dieser Samenmantel ist allerdings der einzige ungiftige Teil dieser Pflanze. Den höchsten Giftanteil scheinen die **Nadeln** der Eibe zu haben. Vergiftungen mit der Eibe sind häufig auf **suizidale Handlungen bei Jugendlichen** und **Erwachsenen** zurückzuführen. Bei Kindern stehen die akzidentiellen Vergiftungen im Vordergrund. Der Hauptbestandteil des Gifts heißt **Taxin.** Auch das Taxin ist ein Alkaloid. Der Extrakt aus 50–100 Nadeln gilt als potenziell letale Dosis bei Erwachsenen.

Symptome

Erste Symptome treten ungefähr **1 Std. nach der Aufnahme** von Pflanzenbestandteilen auf. Hierzu gehören:

- Mundtrockenheit
- Rotverfärbung der Lippen
- Mydriasis
- Blässe
- Übelkeit
- Koliken
- Durchfälle
- Schwindel

Nachfolgend kommt es zu einer Tachypnoe mit Übergang zu einer flachen, bradypnoeischen Atmung. Es treten tachykarde Herzrhythmusstörungen bis hin zum Kammerflimmern auf.

Therapie

Präklinisch steht eine **symptomenorientierte Therapie** im Vordergrund. Bei einer Vergiftung mit Eiben-Nadeln können eine **Magenentleerung wie auch die Gabe von Aktivkohle** noch Stunden nach Aufnahme der Nadeln sinnvoll sein.

Herbstzeitlose

Die Herbstzeitlose ist eine 20–25 cm hohe Pflanze mit rosa bis violetten Blüten (→ Abb. 40.6). Vergiftungen mit der Herbstzeitlose kommen hauptsächlich akzidentiell vor. In der Vergangenheit ist es immer wieder zu Vergiftungsfällen durch die **Verwechslung mit dem Bärlauch** gekommen. Die Herbstzeitlose zählt zu den sehr stark giftigen Pflanzen. Sie enthält in allen Pflanzenteilen das **Colchicin.** Den höchsten Gehalt an Cholchicin findet man in den Blüten der Pflanze.

Abb. 40.6 Herbstzeitlose [J748-104]

Symptome

Ungefähr 2–6(–14) Std. nach Aufnahme kommt es zu schweren gastrointestinalen Beschwerden mit Übelkeit, Erbrechen und Durchfällen. Die Patienten klagen über ein Kratzen und Brennen im Mund-Rachen-Raum. Weiterhin tritt Fieber auf. In sehr schweren Fällen kommt es nachfolgend zu neurologischen, pulmonalen, kardiovaskulären, hepatischen und hämatologischen Symptomen. Die **potenziell tödliche Dosis** für **Kinder** liegt bei 1–1,5 g Samen. Für **Erwachsene** liegt die potenziell tödliche Dosis bei ca. 5 g Samen bzw. 50–60 g der Blätter der Herbstzeitlosen. Der Tod tritt häufig 3–8 Tage nach Aufnahme der Pflanzenteile auf.

Therapie

Präklinisch steht eine **symptomenorientierte Therapie** im Vordergrund. Bei einer Vergiftung mit der Herbstzeitlose ist eine wiederholte Gabe von Aktivkohle sinnvoll.

Blauer Eisenhut

Der Blaue Eisenhut (→ Abb. 40.7) gilt als die **giftigste Pflanze in Europa.** Sie kommt auf feuchten Wiesen oder an Bachläufen vor. Nicht selten findet man den blauen Eisenhut sogar in Blumensträußen.

Symptome

Neben vielen anderen Wirkstoffen enthalten alle Pflanzenteile das Alkaloid **Aconitin.** Die **tödliche Dosis** für einen Erwachsenen liegt bei 6–8 mg. Nach der Aufnahme kommt es zu Brennen und Kribbeln im Mund. Dieses breitet sich anschließend über die ganze Haut aus.

Der Patient hatte als Einziger davon getrunken, dies sei nun etwa 3 Std. her.
Der von den Zeugen beschriebene Busch wird als Engelstrompete identifiziert. Die ermittelten Symptome passen zu einem anticholinergen Syndrom. Nach Eintreffen des Notarztes erfolgt eine Übergabe, anschließend wird der Patient in die interdisziplinäre Notaufnahme der 15 Min. entfernt liegenden Klinik der Maximalversorgung transportiert.

Diagnose

Anticholinerges Syndrom bei Vergiftung durch Pflanzenbestandteile der Engelstrompete.

WEITERFÜHRENDE LITERATUR

Albrecht K. Intensivtherapie akuter Vergiftungen. Berlin/Wiesbaden: Ullstein Mosby, 1997.
Internetseiten der Giftinformationszentralen in Deutschland.
Roth L, Daunderer M, Kormann K. Giftpflanzen Pflanzengifte. 6. Aufl. Landsberg: ecomed Verlagsgesellschaft, 2012.

41

INFEKTIONSNOTFÄLLE

Sebastian Casu

INFEKTIONSNOTFÄLLE

FALLBEISPIEL

Notfallmeldung
Ein Rettungswagen wird in die Seniorenwohnanlage am Stadtrand alarmiert. Gemeldet wurde durch eine betreuende Pflegekraft der Wohnanlage die unklare Bewusstseinsstörung eines Heimbewohners.

Situation und Ersteindruck
Der Patient liegt in einem Pflegebett und reagiert nicht auf das Eintreffen des Rettungsdienstpersonals. Die Haut des ca. 75 Jahre alten Patienten erscheint warm und trocken. Er wird im Ersteindruck zunächst als potenziell kritisch angesehen.

Leitsymptome
Bewusstseinsstörung.

INHALTSÜBERSICHT

41.1 MIKROBIOLOGISCHE GRUNDLAGEN
- Mikroorganismen werden in Bakterien, Viren, Pilze und Parasiten unterschieden.
- Bakterien sind einzellige Lebewesen, die für den Organismus schädlich sein können, weil sie Giftstoffe (Endo- und Exotoxine) enthalten.
- Viren sind besonders kleine Krankheitserreger, die niemals DNS und gleichzeitig RNS haben.
- Pilze (Myzeten) werden wie Pflanzen und Tiere in einem eigenen Reich zusammengefasst. Es wird unterschieden zwischen Makromyzeten (Speisepilze und ihre giftigen Verwandten) und Mikromyzeten (mikroskopisch kleine Arten).
- Parasiten sind Krankheitserreger, die im oder vom Wirt leben und diesem schaden.

41.2 NOSOKOMIALE INFEKTIONEN
- Nosokomiale Infektionen sind Infektionen, die Patienten im Zusammenhang mit einer medizinischen Maßnahme in medizinischen Einrichtungen unbeabsichtigt erworben haben.
- Resistenzen gegen Antibiotika entwickeln sich auf Grundlage unterschiedlicher Mechanismen und beruhen meist auf der Bildung von Enzymen, die den Wirkmechanismus der jeweiligen Wirkstoffe verhindern.

41.3 SEPSIS
- Die Sepsis ist ein lebensgefährliches Erkrankungsbild.
- Die Sepsis beschreibt eine lebensbedrohliche Organdysfunktion infolge einer generalisierten Immunreaktion nach Infektion. Dies gilt unabhängig davon, ob die Infektion durch Bakterien, Viren oder Pilze verursacht wurde.
- Der septische Schock ist definiert als eine Sepsis, die durch Kreislaufinsuffizienz und metabolische Veränderungen mit einer erhöhten Mortalität einhergeht. Klinisch zu erkennen ist der septische Schock durch eine therapierefraktäre Hypotonie, die den Einsatz von Vasopressoren notwendig macht, um einen arteriellen Mitteldruck ≥ 65 mmHg zu erreichen und gleichzeitig trotz adäquater Infusionstherapie mit einer erhöhten Serumlaktatkonzentration (> 2 mmol/l) einhergeht.
- Die Therapie der Sepsis besteht in der Behandlung der für die Sepsis verantwortlichen Infektion (kausale Therapie) und der Sicherstellung einer ausreichenden Gewebsperfusion.

41.4 HEPATOTROPE VIREN
- Hepatotrope Viren sind Erreger, die eine Leberinfektion auslösen können. Hierzu gehören beispielsweise das Zytomegalievirus (ZMV) oder auch das Epstein-Barr-Virus (EBV).
- Als Hepatitis-Viren werden solche Viren bezeichnet, deren primärer Angriffspunkt die Leberzellen sind.
- Hepatitis A und E werden fäkal-oral übertragen. Die restlichen Hepatitis-Viren B, C und D werden parenteral übertragen.

41.5 HIV UND AIDS
- AIDS beschreibt das Erkrankungsbild, das sich in Form eines schweren Immundefekts auf Grundlage einer HIV-Infektion ausbildet.
- HIV und AIDS können mit unterschiedlichen Erkrankungsbildern vergesellschaftet sein, die durch die ausgelöste Immundefizienz verursacht werden.

41.6 COVID-19
- COVID-19 ist eine durch SARS-CoV-2 ausgelöste Erkrankung, die durch eine Vielzahl von Symptomen in unterschiedlichen Schweregraden gekennzeichnet ist.
- Nach Ansteckung dauert es im Mittel 4–6 Tage, bis erste Krankheitszeichen zu verzeichnen sind.
- Führend stehen für die Alarmierung des Rettungsdienstes meist respiratorische Beschwerden und allgemeine Symptome im Vordergrund, wobei auch Langzeitfolgen der Infektion Grund für das Hinzuziehen von Rettungsfachpersonal sein können.

41.7 HÄMORRHAGISCHES FIEBER
- Das hämorrhagische Fieber (auch virales hämorrhagisches Fieber) beschreibt eine Gruppe ähnlich verlaufender Erkrankungen, die durch eine Infektion mit RNA-Viren entstehen können.
- Bis heute sind vier Familien aus der Gruppe der RNA-Viren bekannt, die ein hämorrhagisches Fieber auslösen.
- Das Ebola-Virus ist ein RNA-Virus und gehört zur Gruppe der Filoviridae.
- Das Marburg-Virus gehört wie das Ebola-Virus zu den Filoviridae.

41.1 Mikrobiologische Grundlagen

Infektiologische Erkrankungen sind alltäglich und können rasch zum Notfall führen. Um die Hintergründe dieser Erkrankungsbilder besser verstehen zu können, bedarf es einiger Grundkenntnisse, die hier in Form von mikrobiologischen Grundlagen vermittelt werden. Die medizinische Mikrobiologie beschäftigt sich mit **Mikroorganismen,** die in **Bakterien, Viren, Pilze und Parasiten** unterschieden werden.

41.1.1 Bakterien

Bakterien sind einzellige Lebewesen, die im Menschen als Krankheitserreger vorkommen können (→ Abb. 41.1). Bakterielle Krankheiterreger sind für den Organismus schädlich, weil sie Giftstoffe enthalten. Diese Giftstoffe können in **Exotoxine** und **Endotoxine** unterschieden werden. Exotoxine sind Giftstoffe, die von Bakterien gebildet und abgesondert werden (z. B. bei Botulismus oder auch Tetanus). Endotoxine sind Bestandteile der bakteriellen Zellmembran und werden bei der Zerstörung der Zellen (Zelllyse) frei.

Einteilungen und Unterscheidungsmerkmale

Man kann die Bakterien nach Form, Färbbarkeit, Sauerstoffbedarf und Lebensort unterscheiden.

Nach ihrer **Form** lassen sich Bakterien in stäbchenförmige Zellen (z. B. *Escherichia coli,* Salmonellen, Shigellen), kugelförmige Zellen (Kokken: z. B. Staphylokokken, Streptokokken) und Schraubenbakterien, die Spirochäten (z. B. *Borrelia burgdorferi, Treponema pallidum*), einteilen (→ Abb. 41.2).

Die häufigste **Färbung** zur Identifikation von Bakterien ist die **Gram-Färbung,** die 1884 von dem Dänen Christian Gram entwickelt wurde. Die meisten Bakterien lassen sich so in **grampositiv** (z. B. Streptokokken, Mykobakterium) oder **gramnegativ** (z. B. Pseudomonas, Enterobacter) unterscheiden, je nachdem, ob sie den Farbstoff annehmen oder nicht.

Nach ihrem **Sauerstoffbedarf** werden die Bakterien in drei Gruppen eingeteilt:

- **Obligat aerobe Bakterien:** benötigen Luftsauerstoff zum Leben.
- **Obligat anaerobe Bakterien:** Leben ist nur bei Sauerstoffausschluss möglich.
- **Fakultativ anaerobe Bakterien:** leben sowohl mit als auch ohne Sauerstoff.

Obligat aerobe Bakterien benötigen Sauerstoff zu Energiegewinnung (aerobe Zellatmung) und können ohne Sauerstoff nicht überleben. **Obligat anaerobe Bakterien** können in Anwesenheit von Sauerstoff dagegen nicht überleben. Schon geringste Mengen von Sauerstoff können anaerobe Bakterien in kürzester Zeit abtöten. Die notwendige Energie gewinnen Anaerobier mittels Gärung oder anaerober Atmung. Der Begriff Atmung wird hier im Sinne von Energiegewinnung gebraucht. Die anaerobe Atmung der anaeroben Bakterien ist eine sehr alte Form der Energiegewinnung, die noch aus einer Zeit stammt, als Sauerstoff in der Atmosphäre nur in Spuren vorhanden war. So ist z. B. das Bakterium *E. coli* in der Lage, unter anaeroben Bedingungen sowohl Gärungen als auch verschiedene Formen der anaeroben Atmung durchzuführen. **Fakultativ anaerobe Bakterien** sind „sauerstofftolerant", d. h., sobald Sauerstoff vorhanden ist, gewinnen sie ihre Energie über aerobe Zellatmung. Unter Sauerstoffausschluss läuft die Energiegewinnung über anaerobe Atmung ab.

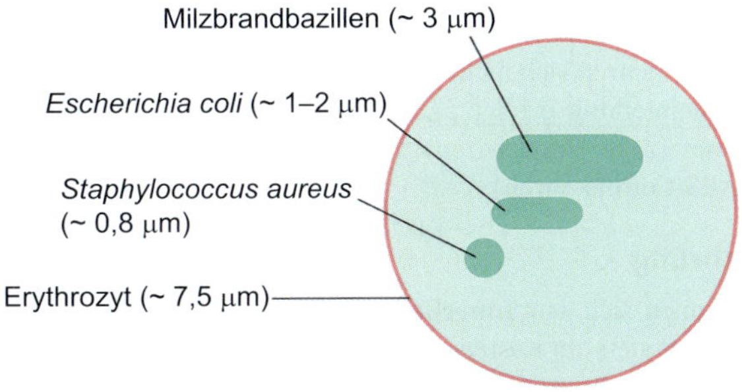

Abb. 41.1 Diverse Bakterien im Größenvergleich mit einem Erythrozyten [L108]

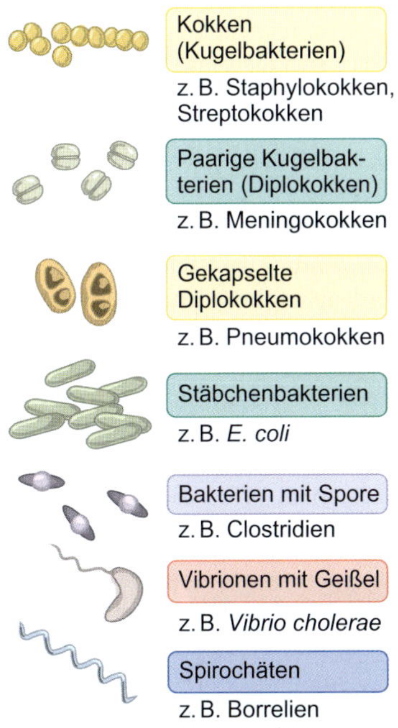

Abb. 41.2 Verschiedene Bakterienformen, die lichtmikroskopisch zu unterscheiden sind [L138]

Entscheidend für die Unterscheidung ist auch der **Lebensort** der Bakterien. Man unterscheidet wirtsungebundene und wirtsgebundene Bakterien. Wirtsungebundene Bakterien, z. B. Saprophyten, kommen überall in der freien Natur vor und leben von der Beseitigung von Tierkadavern und abgestorbenen Pflanzen. Ebenfalls wirtsungebunden ist auch ein Krankheitserreger wie *Clostridium tetani,* der Tetanuserreger (s. u.). **Wirtsgebundene Bakterien** sterben ohne den Kontakt zu ihrem Wirt schnell ab. Man unterscheidet hier:

- **Kommensalen:** Schmarotzer, die ihrem Wirt weder nützlich noch schädlich sind
- **Symbionten** sind dem Wirt nützlich; sie produzieren Nährstoffe oder Vitamine oder helfen bei der Abwehr schädlicher Mikroorganismen.
- **Parasiten** können ihrem Wirt gefährlich werden; die wenigsten Bakterien gehören dieser Gruppe an.

Sporen

Einige Bakterienarten können Dauerformen bilden, die **Sporen.** Diese Sporen ermöglichen den Bakterien ein Überleben bei ungünstigen Umweltbedingungen und machen sie dadurch besonders widerstandsfähig und damit auch besonders gefährlich: Die Sporen widerstehen Hitze, Trockenheit, Desinfektionsmitteln und Chemotherapeutika. Bessern sich die Umweltbedingungen, werden aus den Sporen wieder Bakterien.

Aerobe Sporenbildner werden als **Bazillen** und anaerobe Sporenbildner als **Clostridien** bezeichnet.

Vermehrung

Meist erfolgt die Vermehrung der Bakterien durch **Querteilung.** Durch die entstehende Verdopplung bei jedem Schritt kommt es zu einer rasanten Vermehrung (→ Tab. 41.1). Dabei wird zunächst der DNS-Faden des Bakterienchromosoms verdoppelt. Danach bildet sich eine Querwand, welche die Mutterzelle in zwei gleiche Teile trennt. Jede dieser Tochterzellen erhält einen DNS-Faden. Die Dauer dieser Verdopplung ist unterschiedlich. So dauert sie bei einem Kolibakterium nur 20 Min., während sie beim Tuberkelbakterium 18 Std. dauert.

Zeitverlauf	Anzahl der Keime
Anfangskeim	1
Nach 30 Min.	2
Nach 1 Std.	4
Nach 2 Std.	16
Nach 4 Std.	256
Nach 8 Std.	65 536
Nach 16 Std.	4 294 967 296

Tab. 41.1 Beispiel für einen Keim, der sich alle 30 Min. teilt

Wachstumsbedingungen

Bakterien sind zum Leben und für ihre Vermehrung auf bestimmte Umweltbedingungen angewiesen. Alle Bakterien benötigen zum ungehinderten Wachstum **Feuchtigkeit.** Die ideale **Umgebungstemperatur** ist für die einzelnen Bakterienstämme unterschiedlich und liegt zwischen 10 °C und bis zu über 100 °C. Viele Bakterien können auch tiefgefroren lange Zeit überleben.

Der für Bakterien optimale **pH-Bereich** liegt bei einem Wert von 7. Die meisten Arten jedoch vertragen einen Bereich des pH-Werts von 6–9, einige sogar noch größere Abweichungen.

Bakterienähnliche Erreger

Zu den bakterienähnlichen Erregern gehören Chlamydien, Mykoplasmen und Rickettsien. **Chlamydien** wurden früher aufgrund ihres obligaten Zellparasitismus zu den Viren gerechnet. **Mykoplasmen** sind die kleinsten auf zellfreien Medien züchtbaren Lebewesen, die keine feste Zellwand besitzen und die eine Reihe von atypischen Pneumonien auslösen können. **Rickettsien** rufen Erkrankungen, z. B. das in Kriegszeiten bedeutsame Fleckfieber, hervor. Die Erreger werden von Läusen, Zecken und Milben auf den Menschen übertragen. Die Folge ist ein schweres infektiöses Krankheitsbild mit teils tödlichem Verlauf durch Enzephalitis, Myokarditis oder Pneumonie.

MERKE

Jeder Patient kann potenziell mit verschiedenen Erregern kontaminiert oder infiziert sein, daher ist bei jedem Transport ein **hygienisch einwandfreies Vorgehen** notwendig.

Gattung	Art	Infektion (Beispiele)
Grampositive Erreger		
Staphylokokken (→ Abb. 41.1)	• *Staphylococcus aureus* • *Staphylococcus epidermidis*	• Furunkulose, Osteomyelitis • Entzündungen durch Katheter (z. B. zentraler Venenkatheter)
Streptokokken (→ Abb. 41.2 und → Abb. 41.9)	Streptokokken A und B	Pharyngitis, Scharlach, Harnwegsinfekte, Wundinfektionen
Enterokokken	*Enterococcus faecium*	Endokarditis
Pneumokokken (→ Abb. 41.22)	*Streptococcus pneumoniae*	Pneumonie, Meningitis
Gramnegative Erreger		
Meningokokken (→ Abb. 41.2 und → Abb. 41.10)	*Meningococcus neisseriae*	Meningitis
Escherichia (→ Abb. 41.6)	*E. coli*	Harnwegsinfekte, Wundinfektionen
Proteus	*P. mirabilis*	Harnwegsinfekte, Mittelohrinfektionen
Klebsiellen	*K. pneumoniae*	Harnwegsinfekte, Infektionen des Respirationstrakts
Pseudomonas	*P. aeruginosa*	Hospitalkeim, Harnwegsinfekte, Wundinfektionen
Vibrionen (→ Abb. 41.2)	*Vibrio cholerae*	Cholera

Tab. 41.2 Häufige Erreger und von ihnen ausgelöste Infektionen

Häufige Erreger

Häufige Erreger sind in → Tab. 41.2 dargestellt.

41.1.2 Viren

Viren sind besonders kleine Krankheitserreger, die normale Bakterienfilter passieren und auf Nährboden nicht gezüchtet werden können (→ Abb. 41.3). Sie unterscheiden sich von anderen Erregern außerdem durch fünf Punkte:

1. Viren können nur innerhalb menschlicher, tierischer oder pflanzlicher Zellen leben und sich darin vermehren.
2. Viren können mit den bekannten Antibiotika nicht bekämpft werden.
3. Viren haben niemals DNS und gleichzeitig RNS, sondern nur eine der beiden Nukleinsäuren.
4. Viren haben keine Enzymsysteme, daher können sie keine eigenen Eiweißstoffe aufbauen oder selbst Energie gewinnen.
5. Viren vermehren sich nicht selbst.

Die Vireneinteilung erfolgt nach der vorhandenen **Nukleinsäure** in DNS-Viren (z. B. Herpesviren) oder RNS-Viren (z. B. Masern, HIV- oder SARS-Corona-Viren).

Vermehrung

Viren können sich nur **innerhalb bestimmter lebender Zellen vermehren,** was stets auf Kosten der Wirtszelle geschieht. Die Vermehrung erfolgt in **fünf Schritten:**

1. **Adsorption:** Ein Virus kann nur bestimmte Zellen befallen. Entscheidend hierfür sind bestimmte Schlüssel (Rezeptoren) in der

Zellmembran. In dieser Phase besteht die letzte Möglichkeit des Eingreifens für körpereigene Antikörper.

2. **Penetration:** Durch Verschmelzung der Virushülle mit der Zellmembran gelangt das Virus ins Zellinnere. Dort wird die Nukleinsäure des Virus freigesetzt.

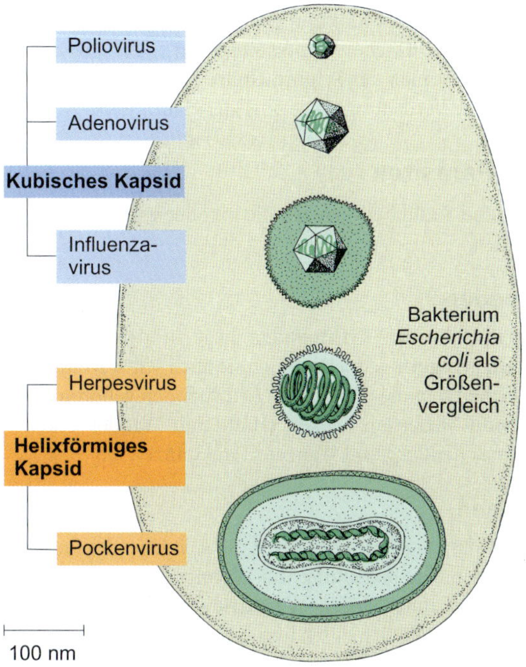

Abb. 41.3 Diverse Viren und Virusformen im Größenvergleich mit einem Escherichia-coli-Bakterium [L190]

3. **Synthese der Virusbestandteile:** Durch die Nukleinsäure des Virus wird die Zelle gezwungen, Virusbestandteile aufzubauen.
4. **Reifung** der neuen Viren: Zusammensetzung des Nukleokapsids, bei manchen Viren erfolgt zusätzlich eine Umhüllung (Envelope).
5. **Ausschleusung** der neuen Viren: Freisetzung der Viren durch Zytolyse sowie durch Ausschleusung aus der lebenden Zelle unter Integration von Zellmembranbestandteilen in den Envelope.

Retroviren (HIV)

Eine Gruppe von Viren ist durch eine pandemische Verbreitung innerhalb der letzten 40 Jahre mit großer Aufmerksamkeit verfolgt worden. Dabei handelt es sich um das humane Immundefizienz-Virus (HIV, → Kap. 41.4). Das HIV gehört zur Gruppe der Retroviren, die als Besonderheit innerhalb des Virusgenoms über eine Enzymaktivität verfügen. Diese **reverse Transkriptase** produziert aus der RNS im Virus eine vermehrungsfähige DNS, die anschließend in den Zellkernen von Wirtszellen in die dortige DNS eingebaut wird (→ Abb. 41.4). Nach einer Phase der klinisch stummen Infektion, die Jahre dauern kann, ohne dass der Betroffene Krankheitszeichen bietet, treten dann an den verschiedenen Organen Erkrankungen auf, das erworbene Immundefizienz-Syndrom, besser bekannt als **AIDS** (Acquired Immunodeficiency Syndrome).

Coronaviren (SARS-CoV-2)

Zur Familie der Coronaviren gehört eine ganze Reihe von unterschiedlichen Krankheitserregern, die bereits seit den 1960er-Jahren bekannt sind. Es handelt sich um einzelsträngige RNA-Viren mit einer Hülle, die an ihrer Oberfläche kranz- oder blütenartige Strukturen aufweisen. Coronaviren sind für einen großen Anteil der typischen Erkältungserkrankungen beim Menschen verantwortlich und können auch Symptome wie z. B. Übelkeit, Erbrechen und Diarrhöen auslösen.

Coronaviren können außerdem für schwerwiegende Atemwegsinfektionen verantwortlich sein. Im Jahr 2002 breitete sich das SARS-CoV-1

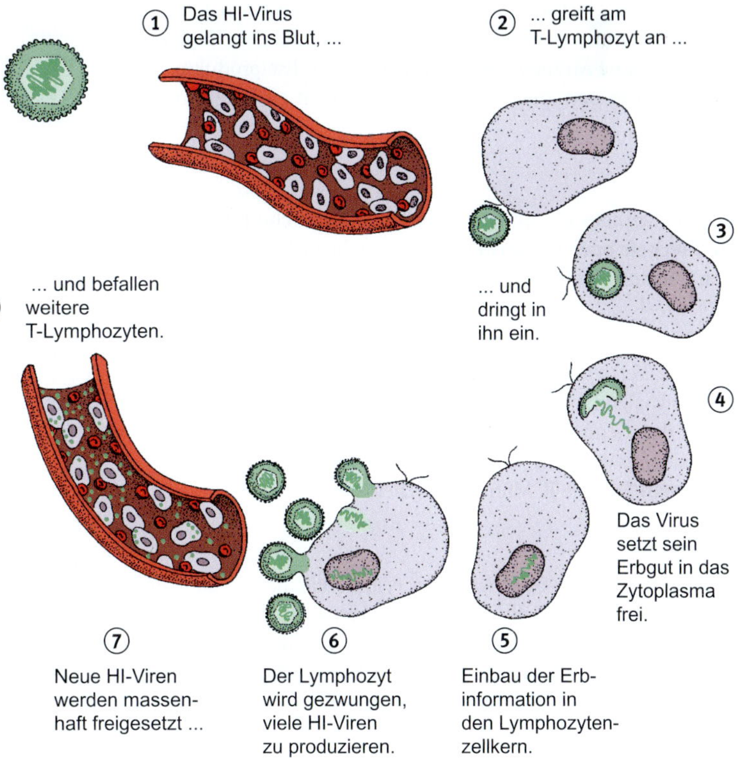

Abb. 41.4 Eindringen in die Wirtszelle, Vermehrung und Ausbreitung von HIV [L190]

aus. Es hatte seinen Ursprung in China, imponierte durch eine schwere atypische Lungenentzündung und forderte nahezu 1 000 Todesfälle durch ein schweres akutes respiratorisches Syndrom (engl. Severe Acute Respiratory Syndrome, SARS).

Maßgebliche Relevanz für den Alltag im Rettungsdienst gewannen Coronaviren jedoch erst durch die SARS-CoV-2-Pandemie, die Ende 2019 ihren Ursprung ebenfalls in China hatte und sich rasch weltweit ausbreitete. Seit Beginn der Pandemie mutierte SARS-CoV-2 in mehrere Varianten. Die Übertragung erfolgt über Aerosol-, Tröpfchen- und Kontaktinfektion, wobei sowohl die Inkubationszeit als auch die Übertragungs- und Mortalitätsrate von der jeweiligen Virusvariante und auch dem Impfstatus des infizierten Patienten abhängig sind. Es hat sich gezeigt, dass SARS-CoV-2 wie viele andere Viren besonders im Herbst und Winter große Erkrankungswellen verursacht, was wohl auch zukünftig einen Anstieg der Fallzahlen zu diesen Jahreszeiten begründet. Obgleich insbesondere für den Rettungsdienst primär respiratorische Infektionen im Vordergrund stehen, handelt es sich bei der resultierenden Erkrankung COVID-19 (→ Kap. 41.6) um eine Multisystemerkrankung, die eine Vielzahl unterschiedlicher Symptome und wiederum unterschiedlichen Schweregrade aufzeigen kann.

41.1.3 Pilze (Fungi)

Pilze (Myzeten) werden wie Pflanzen und Tiere in einem eigenen Reich zusammengefasst. Es sind weltweit ca. 200 000 Arten bekannt. Die Myzeten wachsen entweder unter Ausbildung von Filamenten, dem Myzel, oder sprossen als Einzelzellen, wie die Hefen. Es wird unterschieden zwischen **Makromyzeten** (Speisepilze und ihre giftigen Verwandten) und **Mikromyzeten** (mikroskopisch kleine Arten).

Mit der Nahrung und der Atemluft werden ständig große Mengen der Mikromyzeten aufgenommen. Normalerweise ruft dieser Vorgang keine Symptome hervor. Allerdings können bei empfindlichen Menschen Allergien ausgelöst werden. Bei Resistenzschwäche (z. B. bei Diabetes mellitus) kann es in einigen Fällen zu einer Infektion (Mykose) kommen. Bestimmte Myzeten bilden giftige Stoffwechselprodukte, die Mykotoxine. Davon betroffene Lebensmittel können zu Vergiftungen führen.

Hefen

Sprosspilze haben teilweise für den Menschen **nützliche Eigenschaften (z. B. Bierhefe oder Bäckerhefe),** aber es gibt auch Arten, die dem Menschen schaden. Zu diesen zählen **Candida und Kryptokokkus.**

Candida

Der wichtigste Vertreter dieser Gruppe ist *Candida albicans,* ein Pilz, der in der normalen Flora des Mund-Rachen-Raums, der Verdauungsorgane und des Genitaltrakts vorkommt. Bei Störung der Resistenz kann es zu einer endogenen Mykose kommen. Die betreffende Erkrankung nennt man **Soor** (z. B. Mundsoor, Scheidensoor).

Kryptokokkus

Zu den Vertretern dieser Gruppe zählt *Cryptococcus neoformans,* der eine für den Menschen tödlich verlaufende Erkrankung auslösen kann. Diesen Pilz findet man hauptsächlich im Kot von Vögeln, besonders bei Tauben. Bei abwehrgeschwächten Menschen kann sich der über den Staub eingeatmete Pilz in der Lunge festsetzen.

Schimmelpilze

Schimmelpilze sind **selten pathogen,** aber in der Natur weitverbreitet. Menschen kommen daher häufig mit ihnen in Berührung. Empfindliche Menschen können bei Kontakt mit Schimmelpilzen mit einer Allergie reagieren. Manche Schimmelpilze verursachen Lebensmittelvergiftungen. In der pharmazeutischen Industrie werden Schimmelpilze zur Antibiotikaproduktion genutzt, in der Lebensmittelindustrie werden sie für die Käseherstellung eingesetzt.

Pathogene Formen der Schimmelpilze führen zu Erkrankungen der Atemwege, der Verdauungswege oder der Haut.

41.1.4 Parasiten

Parasiten sind Krankheitserreger, die im oder vom Wirt leben und diesem schaden.

Arthropoden

Die Hauptgefahr der Arthropoden liegt in der **Übertragung von Krankheitserregern,** jedoch können sie auch selbst Krankheiten auslösen **(Allergien).** In die Gruppe der Arthropoden gehören Läuse (Kopf-, Kleider- und Filzläuse), Zecken (Haft- und Wanderzecken), Milben, Flöhe (Menschenfloh) und Wanzen (Hauswanze).

Helminthen

Würmer sind mehrzellige Lebewesen mit weitgehender Entwicklung von Organsystemen. Die Bedeutung von Würmern als Ursachen von Krankheiten wird oft unterschätzt. Wurmerkrankungen treten häufiger bei Kleinkindern auf, die sich durch hygienisch nicht einwandfreien Umgang mit Ausscheidungen und Haustieren leichter als Erwachsene infizieren. Auch in Ländern mit einer noch unterentwickelten Hygiene bzw. nur eingeschränkten Möglichkeiten der Versorgung mit sauberem Trinkwasser spielen Infektionen durch Würmer eine wichtige Rolle. Helminthen sind **parasitäre Würmer.** Sie werden in **drei Gruppen** eingeteilt:

- **Cestoda (Bandwürmer):** Der wichtigste Vertreter ist der Schweinebandwurm, der bis zu 3 m lang werden kann und sich im Dünndarm des Menschen einnistet (→ Abb. 41.5). Die Übertragung erfolgt überwiegend durch infiziertes (finnenhaltiges) Schweinefleisch. Der Rinderbandwurm wird bis zu 10 m lang. Seine Übertragung erfolgt durch den Genuss von finnenhaltigem rohem Rindfleisch (Hack-/Schabefleisch).
- **Nematoda (Fadenwürmer):** Für den Menschen ist insbesondere der Spulwurm von Bedeutung. Er gelangt durch die Infektion mit larvenhaltigen Eiern (mit Gartenerde verschmutzte Hände, verunreinigtes Trinkwasser oder verunreinigtes Gemüse) in den menschlichen Organismus und lebt dann im Dünndarm. Er dringt teilweise bis in die Gallenwege vor. Außerdem bohren sich die Larven durch die Darmwand und gelangen auf dem Blutweg in die Lungen, wo sie schwere Infektionen hervorrufen können.
- **Trematoda (Saugwürmer):** In dieser Gruppe ist der große Leberegel hervorzuheben, der beim Menschen in den Gallengängen und in der Leber vorkommen kann und dort Entzündungen hervorruft.

Protozoen

Protozoen sind tierische Einzeller, die sich mithilfe von Wimpern oder Geißeln fortbewegen und von denen einige beim Menschen zu Infektionen führen können. Einige Protozoen sind **Erreger von tropischen Krankheiten** und werden häufig von Insekten übertragen. Auffällig ist dabei, dass die Insekten als **Zwischenwirte** selbst nicht erkranken und erst der **Endwirt** (z. B. der Mensch) deutliche Krankheitszeichen aufweist.

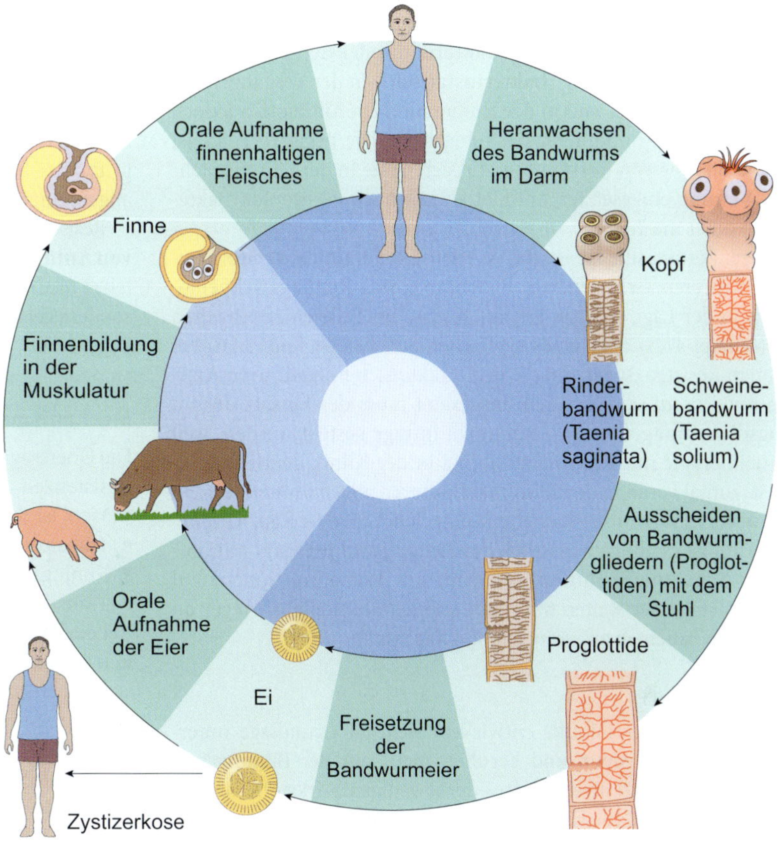

Abb. 41.5 Entwicklungszyklus des Rinder- und Schweine(finnen)bandwurms [L190]

- Eine weitverbreitete, durch Protozoen ausgelöste Krankheit ist die Malaria, deren Erreger, die **Plasmodien,** über Stechmücken (Zwischenwirt) auf den Menschen (Endwirt) übertragen werden.
- **Trypanosomen** verursachen die durch die Tsetse-Fliege übertragene Schlafkrankheit.
- **Amöben** sind Ursache der mit Durchfällen einhergehenden Amöbenruhr. Bei einer Verschleppung der Amöben in den Pfortaderkreislauf können sie auch für Leberabszesse verantwortlich sein.
- Die **Toxoplasmen** verursachen eine besonders in der Schwangerschaft gefürchtete Infektion, die Toxoplasmose, die zu Früh- oder Totgeburten führen kann.

41.2 Nosokomiale Infektionen

DEFINITION

Eine nosokomiale Infektion ist eine Infektion mit lokalen oder systemischen Infektionszeichen als Reaktion auf das Vorhandensein von Erregern oder ihrer Toxine, die im zeitlichen Zusammenhang mit einer stationären oder einer ambulanten medizinischen Maßnahme steht, soweit die Infektion nicht bereits vorher bestand. (IfSG § 2 Nr. 8)

Wesentliche Kriterien dieser Definition sind, dass die Infektion
- im Zuge eines Aufenthalts bzw. einer Behandlung in einer medizinischen Einrichtung auftritt und
- bei Aufnahme in die medizinische Einrichtung noch nicht vorhanden gewesen und sich auch nicht ihrer Inkubationszeit befunden haben darf.

Die Definition der nosokomialen Infektion bedeutet jedoch nicht, dass medizinischen Maßnahmen in der Klinik Ursache für die nosokomiale Infektion sind. Vielmehr gehen nosokomiale Infektionen zumeist auf in medizinischen Einrichtungen häufig vorkommende **besondere Keimspezies** zurück, wenn die häufig erforderliche Antibiotikatherapie zu einer Selektion von Keimen mit einem besonders problematischen Resistenzspektrum gegen diese Antibiotika führt, was die Therapie nosokomialer Infektionen erschwert und das Infektionsrisiko durch Übertragungen dieser Keime erhöht.

Untersuchungen zeigen, dass im Vergleich verschiedener medizinischer Disziplinen insbesondere Intensivpatienten häufig von nosokomialen Infektionen betroffen sind. Harnwegsinfektionen stellen mit hohem Anteil die häufigsten nosokomialen Infektionen dar, gefolgt von Infektionen der unteren Atemwege und Wundinfektionen nach Operationen.

Die meisten nosokomialen Infektionen (71 %) werden durch Bakterien hervorgerufen. Während Viren mit 21 % an zweiter Stelle als Auslöser nosokomialer Infektionen stehen, spielen Pilze (5 %) und Parasiten (3 %) hier in der Häufigkeit meist eine untergeordnete Rolle.

41.2.1 Multiresistente Erreger

Antibiotika haben sich seit Entdeckung des Penicillins zu einem unverzichtbaren Medikament in der Behandlung der Infektionskrankheiten entwickelt. Seither stehen verschiedene antibiotische Substanzen unterschiedlicher Wirkstoffklassen für die Therapie zur Verfügung. Je nach Wirkstoff entfalten Antibiotika ihre Wirkung entweder durch Zerstörung der bakteriellen Zellwand **(bakterizid)** oder durch Hemmung der bakteriellen Vermehrung **(bakteriostatisch).** In der Vergangenheit wurden in der Tiermast und in der Humanmedizin Antibiotika jedoch therapeutisch häufig undifferenziert eingesetzt. Die negative Folge ist die rasche Bildung von Resistenzen, die sich heute in der teilweise fehlenden Wirkung eingesetzter Antibiotika gegen die resistenten Bakterien bemerkbar macht.

Für den Rettungsdienst ist das Wissen über multiresistente Erreger aus mehreren Gründen von Bedeutung. Das Rettungsfachpersonal muss in der Lage sein, zu erkennen, dass im Falle einer schweren Sepsis (→ Kap. 41.3) oder eines septischen Schocks (→ Kap. 32.6) bei bekanntem Resistenzspektrum die evtl. präklinisch mitgeführten Antibiotika unwirksam sein könnten. Insgesamt muss der Einsatz der im Rettungsdienst mitgeführten Antibiotika infrage gestellt werden, weil die Initialtherapie mit Reserveantibiotika in der Klinik deutlich sinnvoller ist, zumal vorab in der Klinik Blutkulturen abgenommen werden sollten, bevor eine Antibiotikatherapie eingeleitet wird (→ Kap. 41.3.2).

Weiterhin ist es obligat, dass sich das Rettungsfachpersonal mit notwendigen **Schutzmaßnahmen** auskennt, um Kontaminationen und damit die Gefahr der weiteren Verbreitung der resistenten Erreger an nachfolgende Patienten zu vermeiden (→ Kap. 16.2).

Resistenzen

Resistenzen gegen Antibiotika entwickeln sich auf Grundlage unterschiedlicher Mechanismen und beruhen meist auf der Bildung von Enzymen, die den Wirkmechanismus der jeweiligen Wirkstoffe verhindern. Eine unsachgemäße Handhabung der Antibiotika wirkt begünstigend auf die Ausbildung solcher Resistenzen. Werden die **Antibiotika zu niedrig dosiert,** reicht der Wirkspiegel nicht aus, um alle Bakterien ausreichend zu bekämpfen.

Durch den Kontakt mit dem antibiotischen Wirkstoff können von den überlebenden Bakterien Strategien entwickelt werden, um sich gegen einen erneuten Angriff mit diesem Antibiotikum zur Wehr zu setzen.

Das gleiche Prinzip gilt für den Einsatz von Antibiotika über einen zu **kurzen Therapiezeitraum.** Wird das Antibiotikapräparat zu früh abgesetzt, könnte ein ähnlicher Überlebensprozess der Bakterien entstehen, wie er am Beispiel der zu niedrigen Dosierung beschrieben wurde. Allerdings gibt es Hinweise, dass Antibiotika eher über einen zu **langen Zeitraum** verschrieben werden und diese Therapien ebenfalls zu Resistenzen führen können. Es wird angenommen, dass Bakterien, die sich beispielsweise im Darm befinden und durch die Therapie nicht absterben, in der Lage sind, Resistenzen zu bilden und sich dann ungehindert vermehren. Hierbei handelt es sich um ein Dilemma, das aufgrund der Vielfalt von Erregern, Infektionen und Infektionsorten keine allgemeingültige Aussage zulässt.

Resistenzen werden aber auch durch den **unsachgemäßen Gebrauch von Antibiotika** in der Tiermast begünstigt. Antibiotische Wirkstoffe geraten in niedrigen Dosierungen nicht nur in das Fleisch, das konsumiert wird, sondern gelangen auch ins Grundwasser und dadurch in den menschlichen Organismus, wodurch abermals Resistenzen begünstigt werden können.

Mechanismen der Resistenzübertragung

Die Übertragung der genetischen Information von Bakterien, die bereits Resistenzen gebildet haben, auf solche, die noch keine Resistenzen vorweisen, ist durch verschiedene Mechanismen möglich (→ Abb. 41.6):

- Transformation
- Konjugation
- Transduktion

Bei der **Transformation** werden durch Bakterien Gene mit Informationen über die jeweilige Resistenz aus der Umgebung aufgenommen. Diese Gene werden durch absterbende (resistente) Zellen freigesetzt. Diese Resistenzgene können dann durch das aufnehmende Bakterium in die eigene DNA eingebaut werden, wobei alle notwendigen Informationen über die Resistenzen übernommen werden.

Befinden sich die Resistenzgene auf einer ringförmigen DNA-Sequenz **(Plasmid),** kann eine Übertragung der Resistenzen von einem resistenten Bakterium auf ein nicht resistentes Bakterium durch **Konjugation** erfolgen. Konjugation beschreibt hierbei den Vorgang der Übertragung eines solchen Plasmidrings von Bakterium zu Bakterium.

Die **Transduktion** beschreibt die Weitergabe von Erbinformationen – also auch von Resistenzgenen – von Zelle zu Zelle durch Viren. Infiziert ein Virus ein Bakterium mit Resistenzen gegen Antibiotika und verfolgt seinen weiteren Vermehrungszyklus, kann nach dem Freiwerden der Viren die Geninformation an neue und bisher nicht resistente Gene übertragen werden.

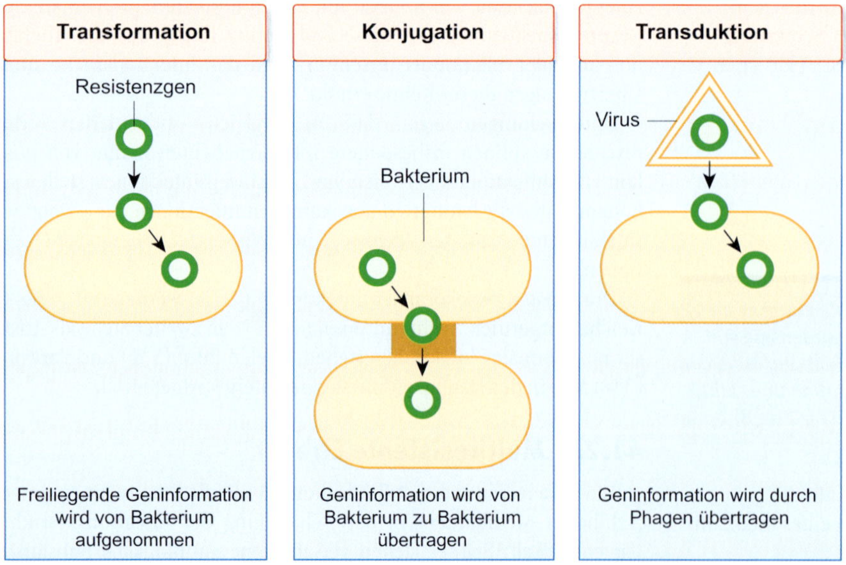

Abb. 41.6 Wege der Übertragung von Resistenzen von Bakterium zu Bakterium [P110, L143]

42

THERMISCHE NOTFÄLLE

Matthias Klausmeier

FALLBEISPIEL

Notfallmeldung

Die Rettungsleitstelle entsendet um 16 Uhr einen Rettungswagen in ein Pflegeheim, das ca. 8 Min. entfernt ist. Dort läge eine ältere Bewohnerin im Bett und sei nicht mehr auskunftsfähig. Das nächstgelegene Krankenhaus der Grund- und Regelversorgung ist vom Pflegeheim aus in ca. 10 Min. zu erreichen. Es ist ein heißer Sommertag bei 32 °C im Schatten.

Situation und Ersteindruck

Auf der Station wird die Besatzung von der diensthabenden Pflegerin empfangen, die sie zu der Patientin in ihr Zimmer führt. Im Bett finden Sie die ältere Patientin liegend vor, die auf Ihr Herantreten nicht reagiert. Sie atmet sichtbar beschleunigt und regelmäßig. Ihre Haut sieht blass, aber trocken aus. Auf lautes Ansprechen reagiert die Dame nicht.

Leitsymptome

Bewusstseinsstörung, Tachypnoe.

INHALTSÜBERSICHT

42.1 WÄRMEREGULATION

- Voraussetzung für die Wärmeausbreitung sind Temperaturdifferenzen.
- Der Wärmetransport kann auf drei verschiedene Arten erfolgen: durch Wärmeleitung, durch Wärmekonvektion oder durch Wärmestrahlung.
- Im menschlichen Körper findet die Wärmeabgabe über drei bzw. vier unterschiedliche Mechanismen statt: Strahlung, Verdunstung und Konduktion/Konvektion.
- Die Körper versucht, die Körperkerntemperatur durch die Mechanismen der Wärmeabgabe, der Wärmeproduktion und Wärmeaufnahme im Gleichgewicht zu halten.

42.2 HYPOTHERMIE

- Als Hypothermie wird das Absinken der Körperkerntemperatur unter 35 °C bezeichnet.
- Bewusstlosigkeit und Kammerflimmern drohen bei Körperkerntemperaturen von unter 28 °C.
- Nur Patienten mit milder Hypothermie dürfen aktiv erwärmt und mobilisiert werden.
- Alle Verfahren zur suffizienten Erwärmung des kritisch unterkühlten Patienten sind der Klinik vorbehalten.

42.3 ERFRIERUNGEN

- Erfrierungen verursachen analog dem Verbrennungstrauma einen lokalen Haut- und Gewebeschaden unterteilt in vier Schweregrade.
- Lebensbedrohliche Komplikation einer Erfrierung ist die häufig begleitende Hypothermie des Patienten, deren Behandlung immer Vorrang hat.
- Erfrierungen werden trocken, steril und locker versorgt, ohne dabei Druck auf die Wunde auszuüben (Gefahr der Nekrosebildung).

42.4 HYPERTHERMIE

- Nicht ausreichende Möglichkeit zur Wärmeabgabe mündet in einen sich selbst erhaltenden Kreislauf (Circulus vitiosus) der Hyperthermie mit Sonnenstich, Hitzekrämpfen, Hitzeerschöpfung und Hitzschlag.
- Die Hitzeerschöpfung entsteht durch eine Kombination aus Hyperthermie und Dehydratation.
- Der anstrengungsinduzierte Hitzschlag führt durch den lebensbedrohlichen Anstieg der Körperkerntemperatur ohne lebensrettende Akutbehandlung innerhalb kürzester Zeit zum Tod.

42.5 VERBRENNUNGSTRAUMA

- Verbrennungen und Verbrühungen sind durch thermische Einflüsse ausgelöste morphologische Schädigungen der Haut.
- Das Ausmaß der Verletzung ist von den Faktoren Temperaturhöhe, Einwirkdauer, Ausmaß und Tiefe der Verbrennung, Begleiterkrankungen (Komorbidität) und der Qualität der medizinischen Versorgung abhängig.
- Zentrale Maßnahmen bei großflächigen tiefgradigen Verbrennungen sind die Analgesie und der Wärmeerhalt.
- Bei Patienten mit einem isolierten Verbrennungstrauma ist für die meist kurze präklinische Versorgungsphase eine übermäßige oder aggressive Infusionstherapie kontraindiziert.
- Wichtigste Einflussfaktoren für das Risiko, an den Folgen einer Verbrennung zu versterben (Mortalitätsrisiko), sind das Verbrennungstrauma, das Lebensalter und ein Inhalationstrauma.

42.6 STROM- UND BLITZUNFÄLLE

- Der elektrische Strom kann thermische Schäden verursachen und erregbare Strukturen im menschlichen Körper reizen (Myokard, Muskulatur, Nervensystem).
- 30 % der Patienten zeigen nach einem Stromunfall initiale EKG-Veränderungen.
- Man unterscheidet den direkten vom indirekten Stromschlag.
- Die Gefahr, auch für den Retter, ist bei indirekten Stromflüssen meist nicht sofort ersichtlich. Der indirekte Stromschlag wirkt durch eine Überspannung in einer Leitung, durch Funkenentladung oder Schrittspannung.
- Im Rahmen von Stromunfällen ist auf den Selbstschutz des Rettungsfachpersonals höchste Aufmerksamkeit zu verwenden. Befindet sich der Patient noch im Gefahrenbereich, ist technische Hilfe anzufordern.
- Erst wenn sichergestellt ist, dass keine Spannung mehr am Stromleiter anliegt, darf sich das Rettungsfachpersonal dem Patienten nähern.
- Das Berühren des Patienten ist vor Abschalten des Stroms verboten.

42.1 Wärmeregulation

Um verschiedene Temperaturen objektiv miteinander vergleichen zu können, ist eine fixe Temperaturskala nötig. Der Abstand zwischen Schmelz- (0 °C) und Siedepunkt (100 °C) des Wassers wird in 100 gleiche Teile geteilt, die jeweils 1 °C entsprechen. Die so geschaffene Temperaturskala ist nach oben und unten offen.

Die meist verwendeten **Temperaturmessgeräte** stellen heute digitale oder Infrarotthermometer dar. Die früher üblichen Quecksilberthermometer sind für den Rettungsdienst aufgrund ihrer langen Messdauer weder geeignet noch generell zugelassen. Geeignet sind dagegen Ohrthermometer oder elektrische Thermometer mit einer unteren Skalengrenze von 20 °C, da sie auch eine schwere Hypothermie sicher erfassen können.

Elektrische Thermometer nutzen elektrische Eigenschaften von Substanzen (z. B. Widerstandsthermometer, Thermoelemente) aus. Ihr Vorteil liegt in der schnellen Reaktion auf Temperaturschwankungen, die bei Flüssigkeitsthermometern nicht gegeben ist.

Wärmeausbreitung

Voraussetzung für die **Wärmeausbreitung** sind Temperaturdifferenzen. Der Wärmetransport kann auf drei verschiedene Arten erfolgen:

- durch Wärmeleitung,
- durch Wärmekonvektion oder
- durch Wärmestrahlung.

Erhitzt man Wasser mittels eines Tauchsieders, geschieht nach der Teilchenvorstellung Folgendes: Die elektrische Energie wird in Wärme umgewandelt. Diese wird dazu benutzt, die Moleküle des Heizstabs verstärkt zu bewegen. Durch Anstoß werden auch die Wasserteilchen zu größeren Bewegungen angeregt, dies bedeutet nichts anderes als einen Anstieg der Temperatur des Wassers. In diesem Fall erfolgt die **Wärmeleitung (Konduktion),** ohne dass die energiegeladenen Teilchen ihren Platz verlassen.

Im Fall der **Wärmekonvektion** sind Entstehungsort der Wärme und Empfänger räumlich getrennt. Die Wärme muss von Teilchen, die als Wärmeträger fungieren, transportiert werden. Eine selbsttätige Konvektion heißt Wärmeströmung (z. B. Meeresströmungen wie der Golfstrom).

Bei der Übertragung der Sonnenwärme auf die Erde können Wärmeleitung und Wärmekonvektion ausgeschlossen werden, da der Raum zwischen den Himmelskörpern praktisch frei von Materie ist. In diesem Fall spricht man von **Wärmestrahlung (Radiation),** da keine Teilchen am Übertragungsvorgang beteiligt sind. Körper mit dunkler Oberfläche absorbieren die Wärmestrahlung stärker als solche mit heller oder glänzender Oberfläche. Sie strahlen auch mehr Wärme ab.

Körpertemperatur

Während manche Lebewesen sich mit ihrer Köpertemperatur der Umgebung anpassen (z. B. Fische, Reptilien etc.), haben Menschen, Säugetiere und Vögel die Eigenschaft unabhängig von aktuellen Wetter- und Klimalagen eine annähernd konstante Körpertemperatur aufrechtzuerhalten. Der Mensch ist zur Erhaltung seiner biologischen Funktionen auf diese Eigenschaft der Aufrechterhaltung (Homöostase) einer stabilen **Körperkerntemperatur (KKT)** von ca. **37 °C** angewiesen. Bei dieser Temperatur herrschen im Körper die optimalen Bedingungen für die maximale Leistungsfähigkeit des menschlichen Stoffwechsels. Deshalb müssen **Wärmeproduktion** und **Wärmeaufnahme** einerseits und die **Wärmeabgabe** andererseits im Gleichgewicht stehen (→ Abb. 42.1).

Durch das gegenseitige Wechselspiel von Wärmeabgabe und Wärmeproduktion wird die Körpertemperatur im Hypothalamus reguliert.

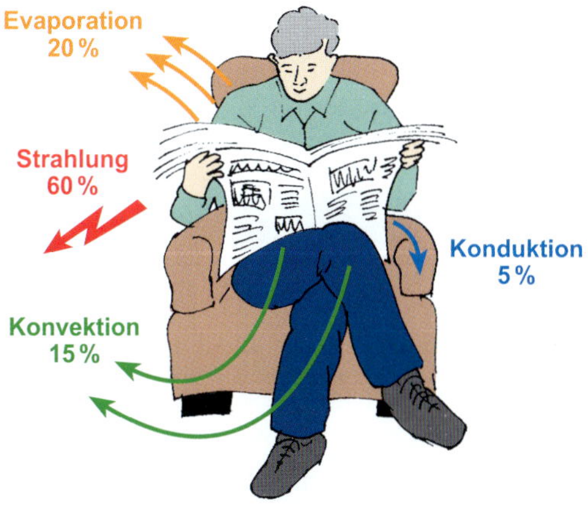

Abb. 42.1 Regelkreis der Wärmeregulation [L190]

Allerdings führen bereits geringe Abweichungen von diesem Sollwert zu charakteristischen körperlichen Veränderungen.

Wärmeabgabe des Körpers

Die Wärmeabgabe des menschlichen Körpers findet über drei bzw. vier unterschiedliche Mechanismen statt: Strahlung, Verdunstung und Konduktion/Konvektion (→ Abb. 42.2).

DEFINITION

Strahlung: Verlust von Wärme aus dem Körper in ein zweites System mit niedriger Temperatur durch die Abgabe von infraroter Strahlung ohne direkten Kontakt.
Verdunstung: Flüssigkeiten, die im Kontakt mit dem Körper verdampfen (z. B. Schweiß), entziehen bei diesem Vorgang dem Körper Wärmeenergie.
Konvektion: Wärmeenergieverlust durch Austausch von Luft über der Körperoberfläche, welche kälter als die Körpertemperatur ist.
Konduktion: Wärmeenergieverlust des Körpers durch Energieabgabe über direkten Kontakt mit einem Medium (z. B. Eiswasser, Sessel), welches kälter als die Körpertemperatur ist.

Der Großteil der körperlichen Wärmeabgabe erfolgt über (Wärmeab-)**Strahlung (Radiation, Infrarotstrahlung,** ca. 60 %). Die Wärmeabgabe mittels **Verdunstung (Evaporation,** ca. 20 %) findet über Wasserdampf in der Ausatemluft und die Verdunstung von Schweiß statt. Der verbleibende Anteil der Körperwärme wird durch Konvektion und Konduktion abgegeben. Die Wärmeabgabe mittels **Konvektion** (ca. 15 %) umfasst die Wärmeleitung über ein bewegtes Medium. Im menschlichen Körper ist dies überwiegend das Blut, welches die Wärme aus dem Körperkern zur Hautoberfläche transportiert, wo die den Körper umgebende Luft die Wärme vom Körper abtransportiert. **Konduktion** (ca. 5 %) dagegen bezeichnet den Wärmeaustausch über den direkten, ruhenden Kontakt zweier Medien, z. B. die Erwärmung des Sessels durch eine auf ihm sitzende Person.

Wärmeproduktion

In **Ruhe** findet die überwiegende **Wärmeproduktion** (ca. 50 %) durch Abwärme der Stoffwechselprozesse in den Brust- und Baucheingeweiden statt. Der Anteil der Skelettmuskulatur und des Gehirns an der Wärmeproduktion liegt bei jeweils 15 %. Bei körperlicher **Aktivität**

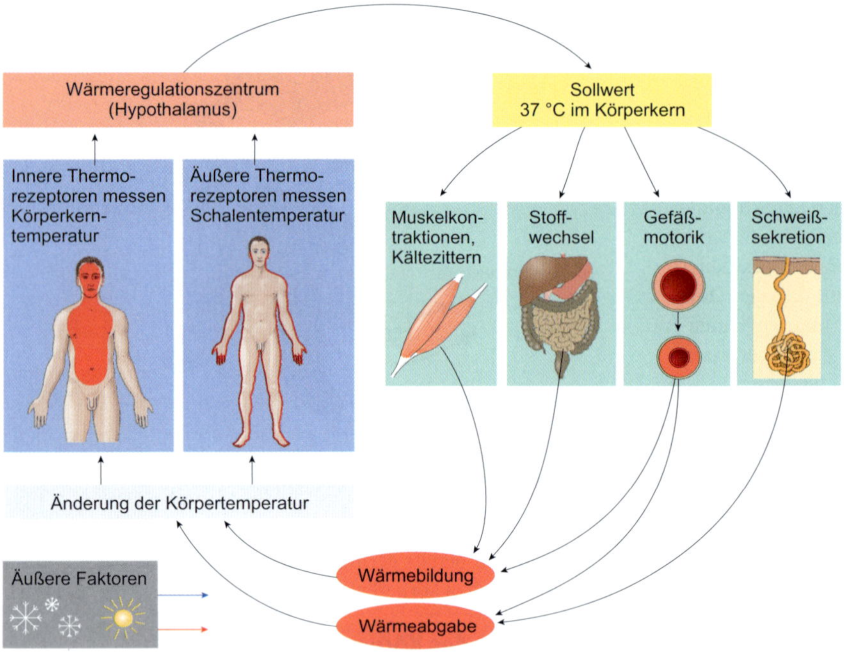

Abb. 42.2 Mechanismen zur Wärmeabgabe des menschlichen Körpers [L190]

kehrt sich das Verhältnis um. Die Muskelarbeit steuert dann ca. 90 % zur Wärmebildung im Körper bei, während die Wärmebildung im Brust- und Bauchraum anteilsmäßig auf ca. 8 % zurückgeht.

Verändert sich die Umgebungsbedingung, in der sich der Körper aufhält (z. B. Winterkälte), muss der Körper die Körpertemperatur erhöhen bzw. die Wärmeabgabe reduzieren, wenn die Körpertemperatur durch äußere Einflüsse (z. B. Frost) abfällt. Die Erhöhung der Körperkerntemperatur **(Wärmebildung)** erfolgt vornehmlich durch die Vermeidung eines weiteren Wärmeverlustes und die zusätzliche Steigerung der Wärmeproduktion, insbesondere über:

- Drosselung der Durchblutung der Körperschale (durch Blutgefäßverengung [Vasokonstriktion] der peripheren Blutgefäße)
- Steigerung der Stoffwechselaktivität durch Hormone
- Körperliche Bewegung und Muskelarbeit
- Verstärkte Tätigkeit der quergestreiften Muskulatur (Muskelzittern)

42.2 Hypothermie

DEFINITION

Als Hypothermie (Unterkühlung) wird das Absinken der Körperkerntemperatur unter 35 °C bezeichnet.

Pathogenese und Pathophysiologie

Die Hypothermie beinhaltet nach dem **Schweizer Klassifizierungssystem** fünf Stadien und wird eingeteilt in eine **milde** (35–32 °C), eine **moderate** (32–28 °C) und eine **schwere** (28–24 °C) Hypothermie (→ Tab. 42.1). Die **schwerste** Form der Hypothermie (< 24 °C) ist durch die Zeichen eines minimalen Kreislaufs **(Vita minima)** oder des klinischen Todes mit Koma, Atem- und Kreislaufstillstand gekennzeichnet. Das fünfte Stadium charakterisiert die **irreversible** Hypothermie, bei der Reanimationsmaßnahmen leider erfolglos verlaufen.

Die Hypothermie ist eine im Rettungsdienst häufiger auftretende Komplikation, da im Zusammenhang mit anderen Erkrankungen und Verletzungen immer wieder Wärmeverluste entstehen können. Die Unterkühlung tritt nicht nur in der kalten Jahreszeit auf (z. B. niedrige Außentemperaturen bei hoher Luftfeuchtigkeit und Wind). Eine Unterkühlung kann sich auch bei sommerlichen Temperaturen (z. B. durchschwitzte Kleidung, zu langer Aufenthalt im Wasser) oder selbst innerhalb geschlossener Räume (z. B. längere Liegezeit hilflos auf kaltem Boden) entwickeln. Die **Entstehung** der Hypothermie hängt dabei wesentlich von der eigentlichen Notfallerkrankung und den klimatischen Umständen, unter denen sie eintritt, ab. Wesentliches Kriterium für den Wärmeverlust ist die Geschwindigkeit der Wärmeabgabe im Verhältnis zur Wärmeproduktion, z. B. während eines Aufenthalts in kalter Umgebung mit unangemessener Kleidung. Nur selten liegt primär eine Störung der Wärmeregulation vor.

Stadium	Schweregrad	Körperkerntemperatur	Klinische Symptomatik
I	Mild	35–32 °C	Bewusstsein klar, Kältezittern
II	Moderat	32–28 °C	Vigilanzminderung (Somnolenz), kein Kältezittern
III	Schwer	28–24 °C	Koma, Spontanatmung vorhanden (Bradypnoe), Bradykardie, Hypotension
IV	Schwerste	< 24 °C	Koma, Atem- und Kreislaufstillstand, ECMO/HLM-Wiedererwärmung noch möglich
V	Irreversibel	< 9 bzw. 13,7°C[1]	Tod durch irreversible Hypothermie, keine Behandlung mehr möglich

[1] Der untere Temperaturgrenzwert, der gemäß des Schweizer-Klassifizierungssystems zur Hypothermie angegeben wird, ist als absoluter Grenzwert in der wissenschaftlichen Literatur nicht sicher definiert.

Tab. 42.1 Schweizer Klassifizierungssystem der Hypothermie (nach Pasquier 2014 und Truhlar 2015)

Ein Absinken der Körperkerntemperatur hat allgemein eine zunehmende **Verlangsamung des Stoffwechsels** zur Folge. Je schneller dabei die Körperkerntemperatur sinkt, umso schneller wird auch der Stoffwechsel reduziert. Diese Tatsache erklärt auch die unterschiedliche Prognose unterkühlter Patienten. Sinkt die Körperkerntemperatur bei Patienten, die z. B. in Eiswasser einbrechen, sehr rasch, ist ihre Prognose generell günstiger als beispielsweise bei eingeklemmten Traumapatienten mit traumatisch-hämorrhagischem Schock, die langsam unterkühlen. Generell scheint die isolierte Hypothermie für die betroffenen Patienten günstiger zu sein als in Kombination mit einem weiteren akuten Notfallereignis.

MERKE

Der Sauerstoffverbrauch reduziert sich pro 1 °C Absenkung der Körperkerntemperatur um ca. 6 %. Bei einer Körperkerntemperatur von 28 °C ist der Sauerstoffverbrauch um 50 % und bei 22 °C sogar um 75 % reduziert.

Insgesamt erhöht die Reduktion des Stoffwechsels die **Ischämietoleranz** der Organe, insbesondere des Gehirns, um ein Vielfaches. Bei 18 °C Körperkerntemperatur ist die Fähigkeit des Gehirns einen Kreislaufstillstand zu überstehen zehnmal höher als unter normaler Körperkerntemperatur.

So wichtig das Erkennen der Unterkühlung auch ist, so selten wird sie erkannt, weil nicht an sie gedacht und im Rettungsdienst zu selten die Temperatur gemessen wird. Es ist daher eine wichtige Aufgabe im Rettungsdienst, eine bereits eingetretene **Unterkühlung zu erkennen** und eine weitere Abkühlung zu vermeiden. Von einer Unterkühlung besonders gefährdet sind Patienten mit Erkrankungen (z. B. reduzierter Allgemeinzustand, Erschöpfung, Alkoholmissbrauch) oder Verletzungen (z. B. Verbrennungen, Schock, Polytrauma), bei denen der Wärmeverlust über die Körperschale größer als die Wärmeproduktion im Körperkern ist.

ACHTUNG! Die **Kombination Polytrauma** und **traumatisch-hämorrhagischer Schock** wird durch eine Hypothermie u. a. aufgrund der pathophysiologischen Veränderungen der Gerinnungskaskade dramatisch verschlechtert und muss unbedingt vermieden werden. Die Trias aus Azidose, Hypothermie und Koagulopathie nach Trauma geht mit einer erhöhten Letalität einher. Eine Reduktion der Körperkerntemperatur um 1 °C reduziert die Aktivität der Gerinnungsproteine um 10 %.

Symptome

Patienten mit einer **milden Hypothermie** (35–32 °C) wehren sich über körpereigene Kompensationsmechanismen aktiv gegen die Unterkühlung. Die auftretenden Symptome sind deshalb durch die **sympathoadrenerge Reaktion** gekennzeichnet. Durch Freisetzung der Katecholamine Adrenalin, Noradrenalin und Dopamin resultieren eine Tachykardie und Vasokonstriktion, die den zentralen Blutdruck erhöhen und die weitere Wärmeabgabe verhindern sollen. Tachypnoe und Hyperventilation sind typische Veränderungen der Atmung. Durch gesteigerte Wärmeproduktion der Skelettmuskulatur entsteht das **Kältezittern** (→ Abb. 42.3). Dadurch kann die Körperkerntemperatur um bis zu 4 °C erhöht werden. Der Sauerstoffverbrauch steigt ebenfalls um das Drei- bis Vierfache an. Auch Veränderungen im ZNS machen sich bemerkbar. Die Patienten sind wach, jedoch zunehmend agitiert und in ihrer Konzentrationsfähigkeit herabgesetzt. Die Hyperthermie kann zusätzlich zu einer Kältediurese zu Ausscheidung größerer Urinmengen führen.

Patienten im Zustand der **moderaten Hypothermie** (32–28 °C) sind kritisch und gekennzeichnet von Symptomen verminderter Stoffwechselaktivitäten. Der Metabolismus kann dabei um bis zu 10 % reduziert sein und Kältezittern und Frieren sind nicht mehr festzustellen. Die Gelenke und Muskeln werden steif. Die Kreislaufparameter sind durch Bradykardie, Hypotonie und Kreislaufzentralisation deutlich rückläufig und Ausdruck der akuten Kreislaufinsuffizienz. Bradypnoe, unregelmäßige Atmung und Hypoventilation kennzeichnen die Ateminsuffizienz. Obwohl der Sauerstoffverbrauch in diesem Stadium deutlich geringer ist, besteht aber letztlich doch eine Hypoxie, da der Sauerstoffverbrauch nicht in der Geschwindigkeit abnimmt wie das reduzierte Angebot bei Ateminsuffizienz. Dieser Aspekt erfordert die konsequente und hoch dosierte Sauerstoffgabe. Durch Abnahme der zerebralen Stoffwechselvorgänge werden die Patienten zunehmend ruhiger und zeigen Bewusstseinsstörungen. Ab Temperaturen ≤ 28 °C tritt eine Bewusstlosigkeit ein. Eine Hypoglykämie kann als Folge des gesteigerten Glukoseverbrauchs in der milden Hypothermie begleitend auftreten. Typische EKG-Veränderungen als Ausdruck von atrialen und ventrikulären Herzrhythmusstörungen können in Form von verlängerten PQ- und QT-Zeiten oder Osborn-Wellen auftreten (→ Abb. 42.4).

MERKE

Die Osborn-Welle zeigt sich im EKG als **J-Punkt-Erhöhung** zu Beginn der ST-Strecke. Sie tritt bei bis zu 80 % der Patienten mit einer KKT von 21–28 °C auf.

Bei **schwerer Hypothermie** (28–24 °C) sind die Patienten bereits tief komatös ohne Schutzreflexe. Die zunehmende Bradypnoe und

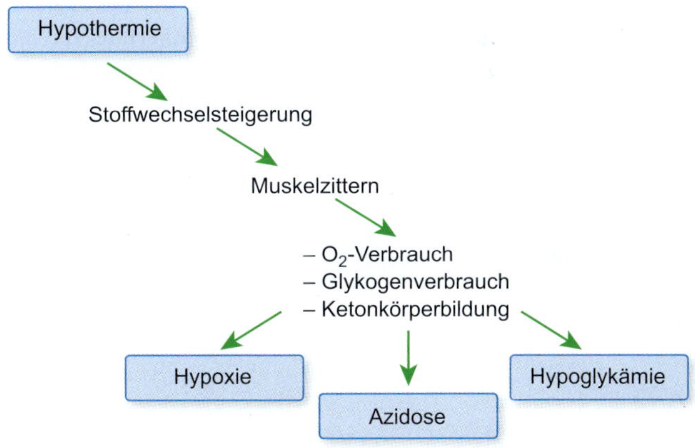

Abb. 42.3 Folgen der Hypothermie [L143]

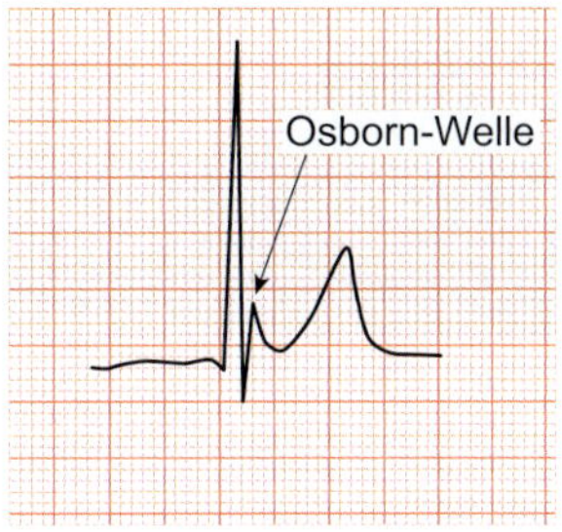

Abb. 42.4 Osborn-Welle im EKG bei moderater Hypothermie [L143]

Hypoventilation verursachen durch die Hypoxie eine respiratorische Azidose. Die Sauerstoffabgabe im Gewebe ist bei Temperaturen um 28 °C beeinträchtigt. Der periphere Puls ist durch die Kreislaufzentralisation nicht mehr tastbar, die zentralen Pulse sind schwach und bradykard. Da es ab diesem Stadium zu allen Arten von **bradykarden Herzrhythmusstörungen** kommen kann, sind die Pulse häufig arrhythmisch. Bei Temperaturen unter 28 °C besteht die Gefahr des ventrikulären Flimmerns (VF). Der Blutdruck ist massiv hypoton und im weiteren Verlauf nicht mehr messbar. Insgesamt sind die Lebenszeichen unterhalb von 27 °C nur noch sehr eingeschränkt **(Vita minima)** feststellbar. Der Organismus bewegt sich auf unterstem Stoffwechselniveau **(Scheintod).** Ein weiteres pathophysiologisches Problem stellt die sich entwickelnde Kälte-Koagulopathie dar, die durch verminderte Aggregation der Thrombozyten die Blutungsneigung verstärkt. Als Folge dieser Blutungsneigung sind beim Kältetod als typische Charakteristika **hämorrhagische Nekrosen an der Magenschleimhaut (sog. Wischnewsky-Flecken)** zu erwarten und für den Rechtsmediziner Hinweis auf einen Tod durch Unterkühlung (→ Abb. 42.5).

Die **schwerste Hypothermie** (< 24 °C) dominiert symptomatisch durch die Zeichen des klinischen Todes mit Koma, weite und lichtstarre Pupillen sowie Atem- und Kreislaufstillstand.

Bei **irreversibler Hypothermie** (< 9 °C bis 13,7 °C) kann auch durch intensive Reanimationsbemühungen keine Wiederbelebung nach Wiedererwärmung mehr erreicht werden. Die Patienten versterben an den Folgen der Hypothermie.

Das **Schweizer Klassifizierungssystem** hat sich in der Praxis sehr gut bewährt, da es neben einer schnellen Beurteilung der Vitalfunktionen auch ohne eine sofortige Temperaturmessung die Einteilung der Patienten nach Schweregrad und Symptomatik ermöglicht (→ Tab. 42.1).

Therapie

Die **Basismaßnahmen** zielen auf die Rettung des unterkühlten Patienten, die Vermeidung weiterer Wärmeverluste und auf die Sicherung der vitalen Funktionen. Patienten mit **milder Hypothermie** sind nicht kritisch und dürfen mobilisiert werden. Das eigenständige Entfernen nasser Kleidung, das Verbringen in einen vorgewärmten Rettungswagen und die Gabe heißer, gezuckerter und alkoholfreier Getränke sind Maßnahmen, die bei diesen Patienten angezeigt sind. Bei **moderater und schwerer Hypothermie** bedarf es einer anderen Behandlungsstrategie. Die schonende Rettung des unterkühlten Patienten muss unter Beachtung von Begleitverletzungen **(Schaufeltrage, Vakuummatratze)** durchgeführt werden, möglichst ohne die Körperlage, in der der Patient vorgefunden wird, zu verändern. Es kann sonst zur Umverteilung von kaltem Blut aus der Peripherie zum Körperkern kommen, wodurch die Körperkerntemperatur weiter absinkt und die Unterkühlung verstärkt wird. Auf diese Weise kann die Körpertemperatur um bis zu 3 °C weiter absinken. Im ungünstigsten Fall kann der rasante Abfall der Körperkerntemperatur reflektorisch einen Herz-Kreislauf-Stillstand auslösen **(Bergungstod, Afterdrop,** → Kap. 52.2.6).

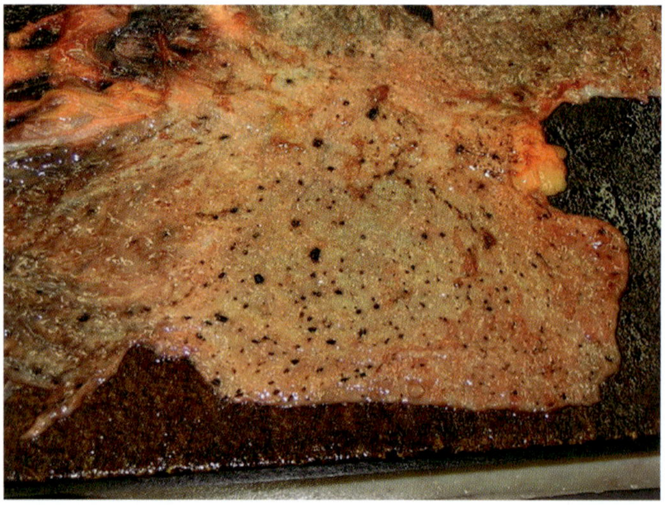

Abb. 42.5 Magenschleimhaut bei Kältetod (typ. Charakteristika – Wischnewsky-Flecken) [M235]

MERKE

Schon geringe **Umlagerungsmanöver** in tiefer Hypothermie können schwerste Herzrhythmusstörungen hervorrufen. Daher ist ein behutsames Vorgehen mit Ganzkörperimmobilisation bei der Rettung und Versorgung geboten.

Nach der Rettung muss der weitere Verlust von Körperwärme vermieden werden. Dazu wird der Patient an einen warmen und windstillen Ort gebracht, wo die nasse Kleidung entfernt wird. Ist das nicht möglich, bleibt der Patient vollständig bekleidet und es wird nur so viel Kleidung entfernt, wie für die Notfallversorgung unbedingt notwendig ist. In jedem Fall wird der Patient in eine luftundurchlässige und isolierende Folie **(Rettungsfolie)** eingewickelt. Die Folie soll möglichst eng am Körper anliegen und den Kopf mit abdecken, um ein weiteres Auskühlen durch Verdunstung zu vermeiden. Der Einsatz der Rettungsfolie ist aber nur dann effektiv, wenn weiterhin niedrige Außentemperaturen bestehen. Liegt der Patient bereits im warmen Rettungswagen, ist die Rettungsfolie nicht zuträglich, weil sie das langsame Erwärmen der Körperschale verhindert.

MERKE

Auch nach der Rettung aus der Kälte muss noch mit einem **weiteren Abfall der Körpertemperatur** von bis zu 3 °C gerechnet werden (Gefahr des Afterdrop).

Es kann jederzeit zu einer Verschlechterung der Vitalfunktionen im Verlauf der Notfallversorgung kommen. Da eine endgültige Erwärmung am Notfallort nicht möglich ist, steht neben der Wärmeerhaltung die **Sicherung der Vitalfunktionen** im Vordergrund. Zur Deckung des gesteigerten Sauerstoffbedarfs ist eine Zufuhr von Sauerstoff über Maske von 10–15 l/Min. unabdingbar. Außerdem müssen bei bewusstseinsgetrübten Patienten die Atemwege gesichert werden. Eine lückenlose Überwachung der Herz-Kreislauf-Funktion durch ein angelegtes EKG und die Messung von Puls und Blutdruck sind notwendig, um die häufig auftretenden Herzrhythmusstörungen zu erkennen. Bei jedem unterkühlten Patienten sollte zusätzlich ein Blutzuckerschnelltest gemacht werden, da eine Hypoglykämie sowohl Ursache als auch Folge der Unterkühlung sein kann.

MERKE

Die **moderate bis schwerste Hypothermie** ist immer Ausdruck eines **kritischen** Patientenzustands.

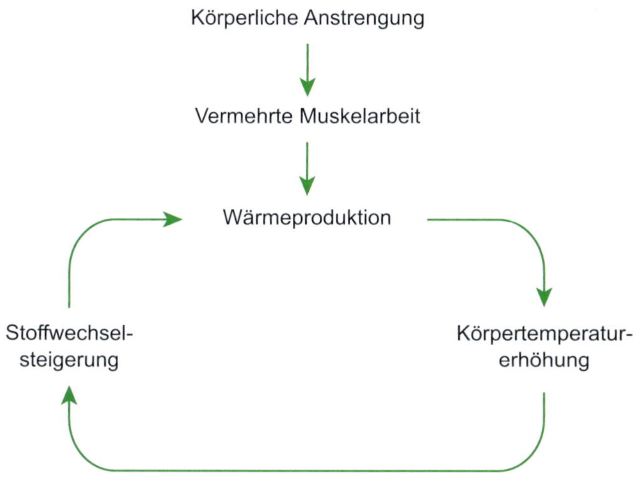

Abb. 42.7 Circulus vitiosus der Hyperthermie [L143]

42.4.1 Sonnenstich

DEFINITION

Der **Sonnenstich** entsteht durch länger andauernde direkte Sonneneinstrahlung auf den unbedeckten Kopf mit Reizung und erhöhter Durchlässigkeit der Hirnhäute.

Pathophysiologie

Der Sonnenstich **(Heliosis, Insolation)** entsteht durch länger andauernde **direkte Sonneneinstrahlung** auf den **ungeschützten Kopf.** Neben der direkten thermischen Einwirkung ist die Infrarotstrahlung (Wärmestrahlung) besonders relevant, da sie durch die Wärmeleitung zu einer Wärmebelastung innerhalb des Schädels führt (→ Abb. 42.8). Als Folge der anhaltenden zerebralen Wärmebelastung resultiert eine lokale Entzündungsreaktion, bei der über Freisetzung von Entzündungsmediatoren die Permeabilität zerebraler Kapillaren und Hirnzellen erhöht wird. Über diesen Pathomechanismus kommt es zu einem erhöhten Einstrom von extrazellulärer Flüssigkeit in die Zellen des Gehirns. Die Folge ist ein Hirnödem, das in seltenen Fällen auch einen lebensbedrohlichen Hirndruck mit Reizung der Hirnhäute und Nackensteifigkeit **(Meningismus)** auslösen kann. Die Körperkerntemperatur erhöht sich dabei i. d. R. nicht. Besonders gefährlich ist die Hitzeeinwirkung auf den unbedeckten Kopf bzw. auf gering behaarte Köpfe von Neugeborenen, Säuglingen, Kleinkindern oder Erwachsenen.

Symptome

Die klinischen Symptome des Sonnenstichs treten typischerweise zeitlich **verzögert zur Sonnenexposition** (z. B. nachts) auf. Bei Säuglingen und Kleinkindern können die Symptome aufgrund der größeren zerebralen Expansionsfähigkeit des Gehirns 4–6 Std. betragen. Zur Symptomatik des Sonnenstichs gehören ein hochroter und heißer Kopf, während der übrige Körper meist normal temperiert ist. Ein Sonnenbrand kann begleitend vorliegen und Hinweis auf eine längere Expositionszeit in der Sonne liefern (→ Abb. 42.9).

PRAXISTIPP

Im Rahmen der Insolation ist die Körperkerntemperatur nicht erhöht.

Die betroffenen Personen beklagen Schwindel, Übelkeit und Erbrechen, heftige Kopfschmerzen und Sehstörungen und Lichtempfindlichkeit. Gelegentlich tritt eine Nackensteifigkeit **(Meningismus)** auf. Infolge der Hirnhautreizung ist die Beweglichkeit der Halswirbelsäule und des Kopfs derart eingeschränkt, dass die Patienten nur unter großen Schmerzen in der Lage sind, das Kinn auf die Brust zu beugen. Die Kreislaufparameter sind meist durch Tachykardie und Normotonie gekennzeichnet. Viele Patienten mit der Diagnose Sonnenstich weisen diese deutlichen, aber nicht lebensbedrohlichen Symptome auf. Selten verursachen schwere Verlaufsformen durch die gesteigerte Durchlässigkeit (Permeabilität) der Hirnhäute ein ausgeprägtes Hirnödem mit akuter Hirndrucksymptomatik. In diesen Fällen zeigen die Patienten eine deutliche Vigilanzminderung bis hin zum Koma, das von tonisch-klonischen Krämpfen begleitet sein kann. Vor allem bei raschem und deutlichem Hirndruckanstieg entwickelt sich in der Folge der **Cushing-Reflex**. Das Ziel ist, eine ausreichende zerebrale Perfusion unter Hirndruck sicherzustellen.

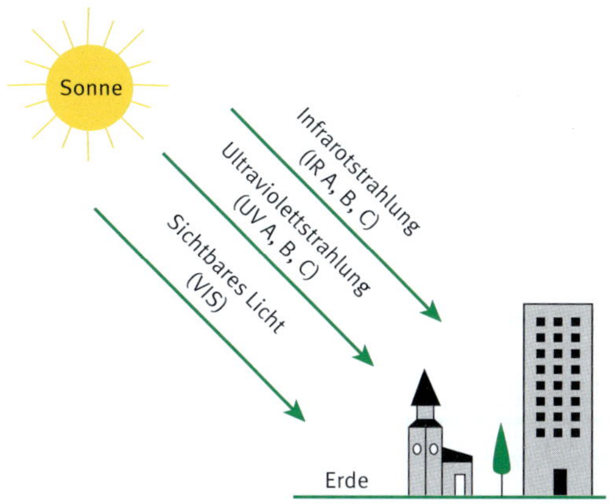

Abb. 42.8 Optische Strahlungsarten der Sonne [P1348, L143]

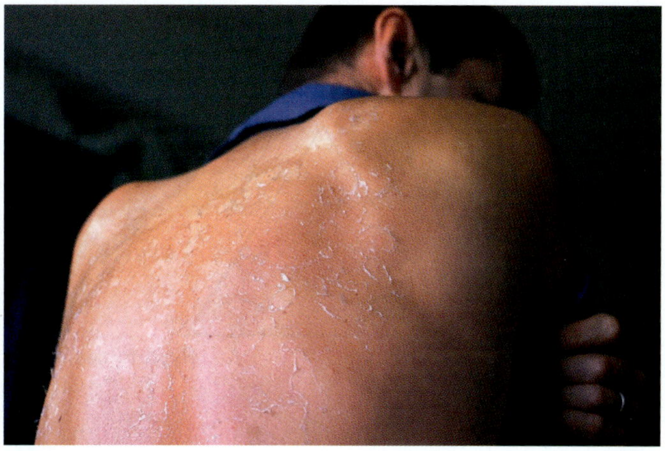

Abb. 42.9 Sonnenbrand als Begleitsymptomatik bei Sonnenstich [J748-157]

Kennzeichen des Cushing-Reflexes sind

- ein Anstieg des systolischen Blutdrucks bei großer Blutdruckamplitude sowie
- ein bradykarder Druckpuls durch Reizung aortaler Barorezeptoren im Sinus caroticus.

Im Vollbild eines lebensbedrohlichen Hirndrucks entwickelt sich die **Cushing-Trias,** die sich durch

- einen bradykarden Druckpuls,
- eine systolische Hypertonie und
- eine Cheyne-Stokes-Atmung präsentiert (→ Abb. 42.10).

Die irreguläre Atmung als Ausdruck einer **medullären Hirndrucksymptomatik** unterstreicht das lebensbedrohliche Ausmaß des Notfalls.

ACHTUNG! Bei einigen Patienten wird der Sonnenstich begleitet von **Komplikationen** wie Alkohol- oder Drogenintoxikation. Die **Beurteilung der Auffindesituation** und die sorgfältige **Initialbeurteilung des Patienten** sind deshalb unbedingt notwendig, um die komplette Problematik des Patienten zu erfassen und nicht vorschnell eine wichtige Differenzialdiagnose zu vergessen!

Therapie

Als **Basismaßnahme** genügt es in leichten Fällen, den Patienten mit erhöhtem Oberkörper in kühler Umgebung (z. B. Schatten) zu lagern. Eine wohltuende Kühlung des Nackens und des Kopfes mit feuchten Tüchern lindert die Beschwerden. Ein peripherer Venenzugang und eine balancierte Vollelektrolytlösung werden appliziert, um dem Patienten Medikamente gegen die Übelkeit und das Erbrechen zu verabreichen und eine evtl. begleitende Dehydrierung zu korrigieren.

Bei Vigilanzminderung, Hirndruckzeichen oder Meningismus ist der Patient als kritisch einzustufen und **erweiterte Maßnahmen** sind durchzuführen. Zur Sicherung eines ausreichenden zerebralen Abflusses wird der Oberkörper 30° erhöht und der Kopf in Mittelstellung gelagert. Bei Bewusstseinsstörung oder Bewusstlosigkeit sind die Atemwege zu sichern und der Patient wird in die stabile Seitenlage gebracht. Bei ausreichender Eigenatmung erhält der Patient Sauerstoff (10–15 l/Min.) über eine Maske. Bei Hypoventilation oder Cheyne-Stokes-Atmung wird der Patient assistiert beatmet. Zur Sicherung der Atemwege und Verhinderung eines weiteren Hirndruckanstiegs wird eine Narkose vorbereitet und durch den Notarzt eingeleitet. Wie bei jedem kritischen Patienten erfolgt ein lückenloses Monitoring (Pulsfrequenz, Blutdruck, Atemfrequenz, EKG, SpO_2, $etCO_2$, BZ, Temperaturmessung) des Patienten.

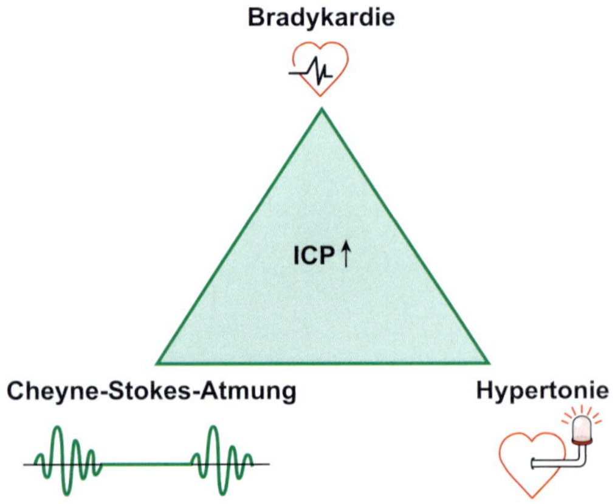

Abb. 42.10 Cushing-Trias [P1348, L143]

IM FOKUS

Sonnenstich

Ursachen

- Länger andauernde direkte Sonneneinstrahlung auf den ungeschützten Kopf
- Körperkerntemperatur **nicht** erhöht

Symptome

Einfacher Verlauf

- Hochroter, heißer Kopf
- Sonnenbrand (Begleitsymptomatik)
- Schwindel, Übelkeit, Erbrechen
- Sehstörungen, Lichtempfindlichkeit
- Kopfschmerzen
- Eventuell Nackensteifigkeit (Meningismus)

Schwerer Verlauf

- Bewusstseinsstörungen bis Bewusstlosigkeit
- Eventuell Pupillendifferenz (Anisokorie)
- Tonisch-klonische Krämpfe
- Cushing-Reflex (systolische Hypertonie)
- Cushing-Trias: Bradykardie (Druckpuls), systolische Hypertonie, unregelmäßige, flache Atmung (Cheyne-Stokes-Atmung)

Diagnostik

Beurteilung der Einsatzstelle: Szene, Sicherheit, Situation

- Ersteindruck: potenziell kritisch – potenziell nicht kritisch
- Initialbeurteilung: ABCDE-Schema
- Entscheidung: kritisch – nicht kritisch

Erweiterte Beurteilung

- SAMPLER-Anamnese
- Fokussierte Untersuchung bei auskunftsfähigen Patienten
- Orientierende Untersuchung bei nicht auskunftsfähigen Patienten
- Vitalzeichen und Messwerte erheben:
  - AF/Min., PF/Min., SpO_2, Rekapillarisierungszeit, Puls (peripher/zentral), RR, BZ, GCS, EKG, Temperatur, ggf. $etCO_2$

Maßnahmen

- Bei erhaltenem Bewusstsein: Oberkörper 30° erhöht
- Kopf in Neutralposition (evtl. HWS-Distraktionsschiene anlegen ohne zerebralvenöse Abflussbehinderung)
- Kühlung von Kopf und Nacken mit feuchten Tüchern
- O_2-Gabe über Maske 8–10 l/Min.
- i. v. Zugang und balancierte Vollelektrolytlösung
- Kritischer Patient: Notarztruf
- Assistierte Beatmung (Ateminsuffizienz, Hypoventilation)
- Durchbrechung des Krampfanfalls

Medikamente und Dosierungsempfehlungen

- Antiemetikum:
  - z. B. Dimenhydrinat 62 mg langsam i. v.
  - z. B. Ondansetron 4 mg langsam i. v. (Off-Label-Use)
- Analgesie NRS ≥ 4: Morphin 2 mg titriert bis max. 10 mg i. v.
- Sedierung: Midazolam 0,025–0,05 mg/kg KG i. v.
- Volumentherapie: balancierte Vollelektrolytlösung 500–1 000 ml

42.4.2 Hitzekrampf

DEFINITION

Der **Hitzekrampf** wird durch starkes Schwitzen bei schwerer körperlicher Arbeit oder sportlicher Aktivität ausgelöst. Die Wasser- und Elektrolytverluste verursachen schmerzhafte Muskelkrämpfe.

Pathophysiologie

Im Vordergrund dieses Krankheitsbildes steht der **Elektrolytmangel** (Salzmangel). Hitzekrämpfe sind sehr schmerzhaft, aber ungefährlich, denn eine Hyperthermie oder ZNS-Beteiligung ist gewöhnlich nicht vorhanden (→ Tab. 42.2). Durch körperliche Arbeit in heißer Umgebung produzieren die Schweißdrüsen des Körpers ein Maximum und scheiden dabei beträchtliche Mengen an Flüssigkeit und Kochsalz aus. Wird der Flüssigkeitsverlust mit elektrolytarmen Getränken (z. B. Tee, Kaffee) gedeckt, so entsteht ein extrazellulärer Flüssigkeits- und Kochsalzmangel **(hypotone Dehydratation;** → Tab. 42.3**)**. Im Gegensatz zur Hitzeerschöpfung führt der Wasser- und Elektrolytverlust zu keiner akuten Kreislaufinsuffizienz mit hypovolämischem Schock. Durch den erhöhten Sympathikotonus wird zusätzlich verstärkt Natrium in die Zelle aufgenommen, wodurch die intrazelluläre Kalziumaktivität erhöht wird. Schmerzhafte, aber ungefährliche Krämpfe der Muskulatur sind die Folge.

PRAXISTIPP

Im Rahmen des Hitzekrampfs ist die Körperkerntemperatur nicht erhöht.

Therapie

Die **Basismaßnahme** besteht in der oralen Zufuhr von ausreichend **kochsalzreichen Getränken.** Kochsalzreiche Getränke werden durch Zugabe von 2 Teelöffeln Salz auf 1 l süßen Tee, Limonade oder Fruchtsaft hergestellt. Mineraldrink-Lösungen erfüllen ebenfalls den gewünschten Zweck. Nur bei starker Beeinträchtigung des Allgemeinbefindens (Übelkeit, Erbrechen, Durchfälle) oder Nichtvorhandensein oraler Trinklösungen kann als **erweiterte Maßnahme** ein peripherer Venenzugang angelegt werden, um 1 000–1 500 ml balancierte Vollelektrolytlösung zu infundieren.

IM FOKUS

Hitzekrampf

Ursachen

- Mangel an Flüssigkeit und Elektrolyten (Kalzium, Magnesium)
- Körperkerntemperatur **nicht** erhöht

Symptome

- Gesteigerte Schweißbildung
- Schmerzhafte Krämpfe in den Extremitäten
- Tachykardie
- Normotonie bis leichte Hypotonie

Diagnostik

Beurteilung der Einsatzstelle: Szene, Sicherheit, Situation

- Ersteindruck: potenziell kritisch – potenziell nicht kritisch
- Initialbeurteilung: ABCDE-Schema
- Entscheidung: kritisch – nicht kritisch

Erweiterte Beurteilung

- SAMPLER-Anamnese
- Fokussierte Untersuchung bei auskunftsfähigen Patienten
- Orientierende Untersuchung bei nicht auskunftsfähigen Patienten
- Vitalzeichen und Messwerte erheben:
  - AF, SpO_2, Rekapillarisierungszeit, Puls (peripher/zentral), RR, BZ, GCS, EKG, Temperatur, ggf. $etCO_2$

Maßnahmen

- Patienten in kühle und schattige Umgebung bringen.
- Flachlagerung mit leicht erhöhtem Oberkörper
- Wunschlage des Patienten respektieren.
- Orale Zufuhr kochsalzhaltiger Getränke
- Gabe von mineralhaltigen Getränken
- O_2-Gabe über Maske oder Nasensonde 6–8 l/Min.
- i. v. Zugang und balancierte Vollelektrolytlösung

Medikamente und Dosierungsempfehlungen

- Analgesie NRS ≥ 4: 2 mg Morphin titriert bis max. 10 mg i. v.
- Antiemetikum:
  - z. B. Dimenhydrinat 62 mg langsam i. v.
  - z. B. Ondansetron 4 mg langsam i. v. (Off-Label-Use)
  - z. B. Granisetron 1–3 mg (10–40 µg/kg KG) i. v. (Off-Label-Use)
- Volumentherapie: balancierte Vollelektrolytlösung 500–1 000 ml

42.4.3 Hitzeerschöpfung

DEFINITION

Der **Hitzeerschöpfung** wird durch starkes Schwitzen bei schwerer körperlicher Arbeit oder sportlicher Aktivität ausgelöst und führt zu einer Verminderung des zirkulierenden intravasalen Volumens durch Wasser- und Elektrolytverlust. Durch ungenügende oder fehlende Flüssigkeitsaufnahme besteht die Gefahr eines hypovolämischen Schocks.

Pathophysiologie

Trotz der eher verharmlosenden Namensgebung ist die Hitzeerschöpfung durch die **Kombination von Hyperthermie** und **hypotoner oder hypertoner Dehydratation** mit **hypovolämischem Schock** ein dramatisches Notfallereignis, das schnell in den Hitzschlag übergehen kann (→ Tab. 42.2). Ursache der Hitzeerschöpfung sind ein Mangel an Körperflüssigkeit, im Wesentlichen an Extrazellularflüssigkeit, und Kochsalzmangel. Verantwortlich ist dafür meistens ein längerer Aufenthalt bei hohen Umgebungstemperaturen oder starke körperliche Belastung bei fehlender Flüssigkeitszufuhr. Auch Patienten mit diuretischer Dauertherapie oder Erbrechen und Durchfall können rasch in diesen Dehydratationszustand geraten. Die Hitzeerschöpfung kann in Hitzeperioden epidemisch auftreten. Nicht hitzeadaptierte Menschen sind dabei häufiger betroffen. Es werden zwei Formen der Hitzeerschöpfung unterschieden.

Symptome der Salzmangel-Hitzeerschöpfung

Die Hitzeerschöpfung mit **hypotoner Dehydratation** ist die leichtere Form und führt zu **Schock** und **zentralnervösen Symptomen** (Bewusstseinsstörungen, Bewusstlosigkeit, Hirnödem, Hirndrucksymptomatik, tonisch-klonische Krämpfe). Sie entsteht, wie die Hitzekrämpfe, durch Substitution der Flüssigkeitsverluste mit salzarmen Getränken (Tee, Kaffee). Kreislaufzentralisation, Blutdruckabfall und Tachykardie kennzeichnen die Kreislaufsituation. Die Patienten sind gelegentlich überhitzt, zeigen Muskelkrämpfe und klagen über Kopfschmerzen und Übelkeit. Die Patienten haben allerdings keinen Durst.

PRAXISTIPP

Im Rahmen der **Salzmangel-Hitzeerschöpfung** ist die Körperkerntemperatur nicht erhöht.

Symptome der Wassermangel-Hitzeerschöpfung

Die Hitzeerschöpfung mit **hypertoner Dehydratation** (→ Tab. 42.3) ist die schwere Form und häufig **Vorläufer eines Hitzschlags** (→ Tab. 42.2). Sie entsteht, wenn die Patienten nicht genügend Wasser trinken können, weil z. B. Wasser nicht vorhanden ist (Wüstenklima) oder sie aufgrund ihres Alters oder bestehender Vorerkrankungen ein gestörtes Durstempfinden haben (pflegebedürftige oder demente Menschen in einem Pflegezentrum). Da im Schweiß der Wasseranteil deutlich höher als der Elektrolytanteil ist, ist das verbleibende Plasmavolumen hyperton. Der Hämatokrit steigt deutlich an. Ferner wird bei lange anhaltendem Schwitzen das Elektrolyt Natrium gegen Kalium ausgetauscht, wodurch eine bedrohliche **Hypokaliämie** mit Herzrhythmusstörungen entstehen kann. Die Symptome sind Schock, Überhitzung, quälender Durst und zentralnervöse Erscheinungen wie Angst, Konfusion oder Delirium.

Durch die Hypovolämie fehlt zusätzlich die Möglichkeit der Schweißbildung **(Anhidrosis).**

PRAXISTIPP

Im Rahmen der **Wassermangel-Hitzeerschöpfung** ist die Körperkerntemperatur **erhöht,** jedoch steigt sie nicht über 40 °C.

MERKE

Bei der **Wassermangel-Hitzeerschöpfung** ist der hypovolämische Schock durch zu geringe oder fehlende Flüssigkeitszufuhr weitaus gravierender als bei der Salzmangel-Hitzeerschöpfung.

ACHTUNG! Die **Wassermangel-Hitzeerschöpfung** mit hypertoner Dehydratation führt nicht rechtzeitig oder unbehandelt zum **klassischen Hitzschlag.**

Therapie

Die **Basismaßnahmen** beziehen sich auf die Stabilisierung der Kreislaufsituation. In **leichteren Fällen** reicht es aus, wenn die Patienten in eine kühlere Umgebung gebracht werden und durch ausreichendes Trinken ihren Wasser- und Elektrolythaushalt wieder normalisieren. Beengende Kleidung wird geöffnet und es wird für körperliche Ruhe und Betreuung gesorgt. Überdies wird eine ausreichende Luftbewegung sichergestellt.

In den **schweren Fällen** kommt es zu starken Elektrolytverschiebungen, die unter stationären Bedingungen im Krankenhaus wieder normalisiert werden müssen. Als **erweiterte Maßnahme** ist die rasche Infusion von 1 000–1 500 ml balancierter Vollelektrolytlösung bereits im Vorfeld der Krankenhausaufnahme angezeigt. Ebenso erhält der Patient Sauerstoff 10–15 l/Min. über eine Sauerstoffmaske. Zur Überwachung des Patienten wird ein fortlaufendes Monitoring (EKG, Blutdruckmessung, Sauerstoffsättigung) durchgeführt. Außerdem wird die Körpertemperatur gemessen und der Blutzuckergehalt bestimmt. Die Patientenlagerung erfolgt bei Bewusstseinsstörung in stabiler Seitenlage, sonst in Flachlagerung mit ggf. angehobenen Beinen.

	Verlust	Extrazelluläre Flüssigkeit	Intrazelluläre Flüssigkeit	Serumnatrium
Hypotone Dehydratation	Na > H_2O	Erniedrigt	Erhöht	Hyponatriämie
Hypertone Dehydratation	Na < H_2O	Erniedrigt	Erniedrigt	Hypernatriämie

Tab. 42.3 Wasser- und elektrolytverschiebung bei Dehydratation

IM FOKUS

Hitzeerschöpfung

Ursachen

- Wasser- und Elektrolytverlust durch starkes Schwitzen mit unzureichender oder fehlender Flüssigkeitszufuhr (hypotone oder hypertone Dehydratation)
- Körperkerntemperatur normal bis erhöht, jedoch **unter 40 °C**

Symptome

Salzmangel-Hitzeerschöpfung mit hypotoner Dehydratation

- Kein Durst
- Kühle, blasse Haut, Kaltschweißigkeit
- Tachykardie, Hypotonie, Zentralisation
- Tachypnoe
- Zyanose der Akren
- Übelkeit, Kopfschmerzen, Muskelkrämpfe
- Bewusstseinsstörungen bis Bewusstlosigkeit
- Meningismus, Pupillendifferenz
- Körperkerntemperatur **nicht** erhöht

Wassermangel-Hitzeerschöpfung mit hypertoner Dehydratation

- Quälender Durst bei Artikulationsmöglichkeit
- Bewusstseinsstörungen bis Bewusstlosigkeit
- Anfangs gerötete, später blasse Haut
- Trockene Haut und Schleimhäute, herabgesetzter Hautturgor
- Tachykardie, Hypotonie, Kreislaufzentralisation
- Herzrhythmusstörungen (Hypokaliämie)
- Fehlende Schweißbildung (Anhidrosis)
- Körperkerntemperatur ist erhöht, jedoch **unter 40 °C**

Diagnostik

Beurteilung der Einsatzstelle: Szene, Sicherheit, Situation

- Ersteindruck: potenziell kritisch – potenziell nicht kritisch
- Initialbeurteilung: ABCDE-Schema
- Entscheidung: kritisch – nicht kritisch

Erweiterte Beurteilung

- SAMPLER-Anamnese
- Fokussierte Untersuchung bei auskunftsfähigen Patienten
- Orientierende Untersuchung bei nicht auskunftsfähigen Patienten
- Vitalzeichen und Messwerte erheben:
  - AF, SpO_2, Rekapillarisierungszeit, Puls (peripher/zentral), RR, BZ, GCS, EKG, Temperatur, ggf. $etCO_2$

Maßnahmen

- Bei erhaltenem Bewusstsein: Flachlagerung in kühler Umgebung
- Bei Bewusstlosigkeit: stabile Seitenlage
- Beengende Kleidung öffnen
- O_2-Gabe über Maske 10–15 l/Min.
- Assistierte Beatmung bei extremer Tachypnoe und Hypoventilation
- Durchbrechung des Krampfanfalls
- i. v. Zugang und balancierte Vollelektrolytlösung; Infusionstherapie ggf. als Druckinfusion
- Vorbereitung der Narkose (RSI)

Medikamente und Dosierungsempfehlungen

- Antiemetikum:
  - z. B. Dimenhydrinat langsam i. v.

nungen besteht deshalb **Schmerzfreiheit.** Das gilt jedoch nicht für Verbrennungen, die durch mehrere Verbrennungsgrade gekennzeichnet sind. Eine **spontane Abheilung** ist bei drittgradigen Verbrennungen **unmöglich.**

Verbrennung/Verbrühung Grad IV

Die Verbrennung vierten Grades ist eine **komplett subdermale Verbrennung mit Beteiligung subdermaler Strukturen** und ein Synonym für die Verkohlung des Wundgebiets. Alle Gewebestrukturen sind zerstört (→ Abb. 42.14). Eine Beteiligung von Knochen, Sehnen und Muskeln ist häufig zu verzeichnen. Eine **Spontanheilung** ist **nicht** mehr **möglich.** Bei Beteiligung von Extremitäten ist eine Rekonstruktion häufig nicht mehr möglich und eine **Amputation** meist notwendig.

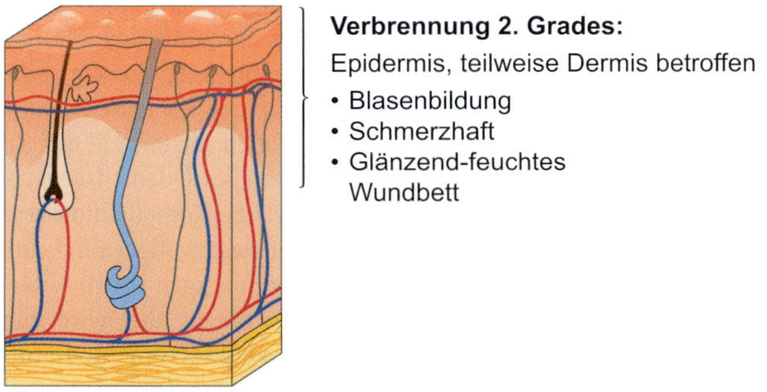

Abb. 42.12 Verbrennung Grad II [L231]

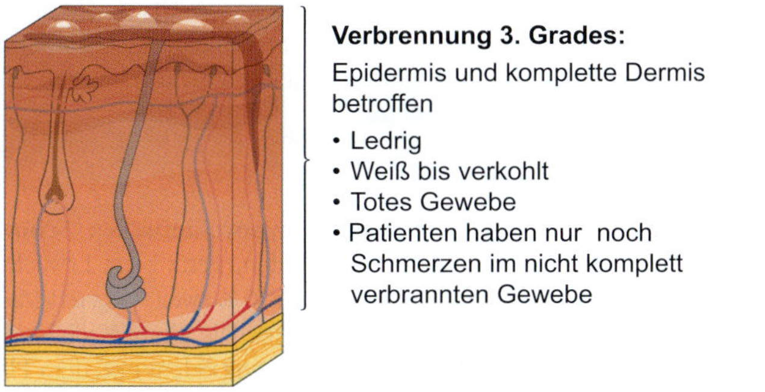

Abb. 42.13 Verbrennung Grad III [L231]

Abb. 42.14 Verbrennung Grad IV [L231]

Ausdehnung der Verbrennung

Die **Flächenausdehnung** der Verbrennung wird durch die Beteiligung des betroffenen Gewebes in **Prozent der Körperoberfläche (% KOF)** definiert. Als Hilfsmittel wird häufig die **Neunerregel** nach Wallace (→ Abb. 42.15) genutzt, die modifiziert auch die anatomischen Proportionen von Kindern berücksichtigt. Gerade die **differenzierten Proportionen bei Kindern** (→ Abb. 42.16, → Abb. 42.17) als auch die Tatsache, dass Verbrennungen nicht immer in zusammenhängenden Körperflächen auftreten, machen die Anwendung der Neunerregel in der Praxis meist schwierig. In diesen Situationen soll deshalb die Ausdehnung der Verbrennung nach der **Handflächenregel** (→ Abb. 42.16) erfolgen.

> **MERKE**
>
> **Handflächenregel**
>
> Sind Körperregionen nur teilweise oder weniger umfangreich (< 15 % KOF) betroffen, so gilt als Faustregel:
> Die **Handfläche** mit den Fingern des Patienten entspricht ca. **1 % der Körperoberfläche.**

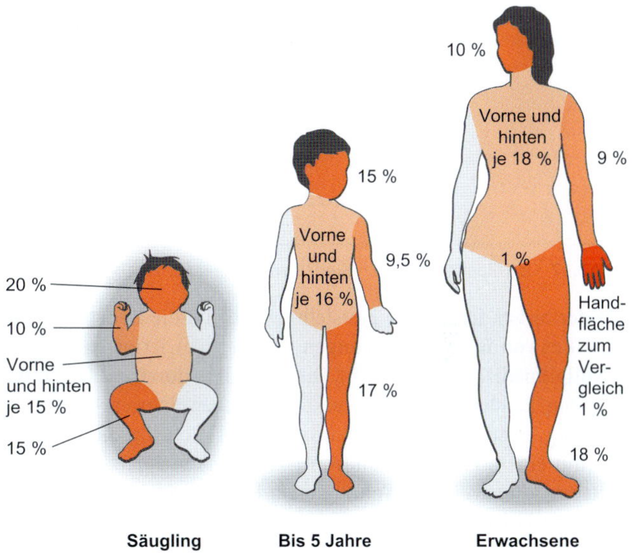

Abb. 42.15 Neunerregel nach Wallace [L108]

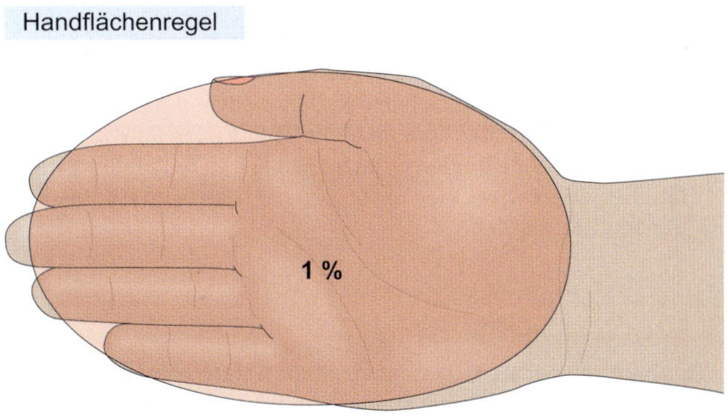

Abb. 42.16 Handflächenregel [L190]

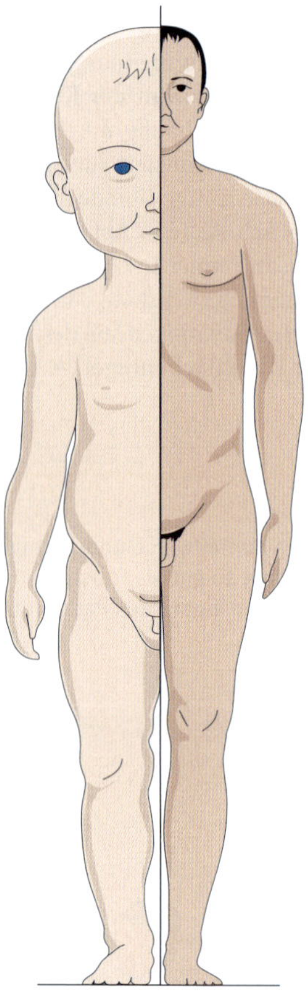

Abb. 42.17 Oberflächenvergleich Kind/Erwachsener [L157]

Trotz der bisher gemachten Feststellungen bleibt die **Beurteilung des Ausmaßes von Brandverletzungen** eine der schwierigsten Aufgaben der Notfallmedizin (→ Tab. 42.5). Dies ist i. d. R. durch die Diskrepanz des ersten Erscheinungsbilds zur tatsächlichen Schwere der Brandverletzung begründet. Der Mitarbeiter des Rettungsdienstes wird meist mit einem Patienten konfrontiert, der nicht zuletzt durch **Ausschüttung körpereigener (endogener) Hormone** (z. B. Endorphine) über einen längeren Zeitraum kaum Schmerzen verspürt und kreislaufstabil (Adrenalin, Noradrenalin) ist. Vor allem die initiale Kreislaufstabilität ist in vielen Fällen bei isoliertem Verbrennungstrauma üblich, da sich der traumatisch-hypovolämische Schock über Stunden entwickelt.

ACHTUNG! Eine **ausgeprägte Schocksymptomatik** mit Kreislaufinsuffizienz ist auch bei schwerem Verbrennungstrauma zu diesem Zeitpunkt unüblich und fordert zwingend den Verdacht auf **thermomechanisches Kombinationstrauma** (z. B. Polytrauma). **Vital gefährdende Begleitverletzungen** haben **Behandlungspriorität.** Die Patienten müssen deshalb in die nächste geeignete Klinik transportiert werden.

MERKE

Es bleibt zu beachten, dass jederzeit die **Gefahr einer Dekompensation** eines scheinbar stabilen Zustands v. a. bei akuten Begleitverletzungen (z. B. Polytrauma) besteht.

42.5.2 Pathophysiologie

Wenn die einwirkende Temperatur am Ort der thermischen Schädigung 50 °C übersteigt, werden abhängig von der tatsächlichen Temperatur und der Einwirkzeit analog dem Tiefengrad der Verbrennung **drei Zonen von innen nach außen** unterschieden. Bei der inneren Zone, die als **Nekrose- oder Koagulationszone** bezeichnet wird, kommt es zu einer irreversiblen Zellschädigung ohne Heilungschance. Diese Zone entsteht als Folge einer drittgradigen Verbrennung. In der mittleren Zone, der **Stasezone,** ist die Gewebeperfusion herabgesetzt. Es finden sich zerstörte als auch intakte Zellen. Diese Zone ist typisch für zweitgradige Verbrennungen. In der äußeren Zone, der **Hyperämiezone,** findet sich eine gesteigerte Gewebeperfusion. Diese Zone entspricht einer erstgradigen Verbrennung.

Volumenverschiebung

Beim Verbrennungstrauma werden Kapillaren in zweierlei Hinsicht geschädigt. Einerseits entsteht die Schädigung als Folge der direkten thermischen Einwirkung selbst, andererseits durch die dadurch resultierende Ausschüttung vasoaktiver Mediatoren (z. B. Prostaglandine, Histamin, Kinine), welche die Permeabilität der Kapillaren deutlich erhöhen. Wasser, Elektrolyte und Eiweiße fließen verstärkt in den Zellzwischenraum und verursachen ein interstitielles Ödem. Diese auch als **Kapillarleck** bezeichnete pathophysiologische Komplikation verursacht einen intravasalen Volumenmangel bei gleichzeitiger Eindickung des Blutes **(Hämokonzentration).** Bei Verbrennungen bis 10 % bleibt der Kapillarschaden lokal begrenzt, darüber hinaus aber wird durch die Freisetzung und Einschwemmung der **vasoaktiven Mediatoren** in das Kreislaufsystem durch Bildung eines generalisierten Verbrennungsödems der gesamte Organismus betroffen. Weiterhin erfolgt über die Verbrennungswunde ein Plasmaverlust nach außen, der den intravasalen Volumenmangel verstärkt. Durch die thermisch bedingte Eiweißdenaturierung sinkt der kolloidosmotische Druck (KOD) im Intravasalraum ab und es werden Endotoxine gebildet, welche die Ausschüttung der vasoaktiven Mediatoren verstärken. Beides führt zu einer **Zunahme des Verbrennungsödems.**

Verbrennungsschock

Mit der Entstehung eines **traumatisch-hypovolämischen Schocks** (Verbrennungsschock) muss gerechnet werden, wenn beim Erwachsenen mehr als 15 % und bei Kindern mehr als 10 % zweit- bis viertgradig verbrannte Körperoberfläche (VKOF) vorliegt. Die **akute Kreislaufinsuffizienz** ist das Resultat aus dem Verbrennungsödem und dem Plasmaverlust über die Verbrennungswunde nach außen. Der Ausstrom von Flüssigkeit in den interstitiellen Raum ist in den ersten 8 Std. am stärksten ausgeprägt und erreicht sein Maximum 12–24 Std. nach dem Verbrennungstrauma. Insgesamt bleibt die Ausströmung (Exsudation) von Flüssigkeit für 48–72 Std. bestehen. Erst dann findet nach und nach eine Restitution der Endothelfunktion mit Resorption und Rückbildung des Ödems statt. Hat sich der traumatisch-hypovolämische Schock manifestiert, entwickeln sich an allen Organsystemen die Folgen einer akuten Minderdurchblutung und Sauerstoffunterversorgung. Der intravasale Verlust von Wasser, Elektrolyten und Eiweißen verursacht neben dem Volumenmangel eine Hämokonzentration des Bluts, bei der es zu einer Verklumpung und Zerstörung von Erythrozyten kommt **(Sludge-Phänomen,** → Abb. 32.7). Weiterhin werden intravasale Gerinnungsprozesse aktiviert, die über den Verbrauch von einzelnen Gerinnungsfaktoren eine **akute Blutgerinnungsstörung** verursachen (Verbrauchskoagulopathie, DIC, → Kap. 32.1.5). Durch die Hypoperfusion der Organe entwickelt sich eine schwere Hypoxie und metabolische Azidose.

selrissen führen. Im Extremfall kann ein Krampf der Atemmuskulatur einen Atemstillstand bewirken. Der **Herzmuskel** ist ebenfalls ein relativ guter Leiter des elektrischen Stroms. Hier entstehen Arrhythmien und Kammerflimmern durch Entkoppelung der elektrischen Reizleitung. Recht gut isoliert sind dagegen Knochen und Nervenbahnen, über die nur ein geringer Teil des Stromflusses geht. Trotzdem kann der direkte Stromfluss durch das Gehirn zu primärer Bewusstlosigkeit und Krämpfen führen.

Stromart und thermische Schädigungen

Die Wärmeentwicklung ist von der **Stromfrequenz** abhängig. Mit Zunahme der Stromfrequenz nimmt die **Wärmeentwicklung** des Stroms zu. Die Schädigung durch Wechselstrom ist daher im Allgemeinen stärker als die des Gleichstroms, v. a. bei längeren Einwirkzeiten. Neben lokalen thermischen Schäden, v. a. im Bereich der Stromein- und Stromaustrittsstellen an der Haut, ist mit großflächigen Verbrennungen oder mit Verkochen von Gewebe zu rechnen. Besonders beim Starkstrom- bzw. Blitzunfall kommt es in der Haut und Muskulatur zur Bildung von Energie in Form von Wärme, die ausreicht, das Gewebe blitzschnell zu kochen.

MERKE

Das Ausmaß der Verletzungen bei Stromunfällen variiert sehr und ist von folgenden Faktoren abhängig:
- Stromart (Gleichstrom, Wechselstrom)
- Kontaktdauer
- Stromstärke
- Kontaktfläche
- Weg des Stroms durch den Körper

Stromspannung

Niederspannungsunfälle

Niederspannungsunfälle machen den Großteil aller Stromunfälle aus und treten bei Stromspannungen unter 1 000 Volt auf. **Niederspannung** kommt als **Haushaltsstrom** (230 V, 50 Hz Wechselstrom) und als Industriestrom (z. B. Straßenbahnleitung mit 500–750 V Gleichstrom) vor. Niederspannungsunfälle ereignen sich meist durch unsachgemäßen Umgang mit Stromleitungen oder elektrischen Geräten. Das Verletzungsbild ergibt sich hauptsächlich aus der direkten elektrischen Wirkung (Herzrhythmusstörungen, Kammerflimmern) des Stroms auf Muskelgewebe und Nerven (→ Abb. 42.18).

Hochspannungsunfälle

Hochspannungsunfälle treten bedeutend seltener auf und setzen Stromspannungen von über 1 000 V voraus. Hochspannung kommt in **Eisenbahnoberleitungen** (15 000 V, Wechselstrom), in **Überlandleitungen, Elektrizitätswerken** oder **Umspannstationen** (bis zu 400 000 V Wechselstrom) vor. Meistens ereignen sich Hochspannungsunfälle im Rahmen von Arbeitsunfällen, Freizeitunfällen (z. B. Paragliding) oder Suizidversuchen durch direkten Kontakt oder Lichtbogenwirkung. Das Verletzungsbild ergibt sich hauptsächlich durch die freiwerdende elektrothermische Wirkung (→ Abb. 42.19). Die beim Lichtbogen entstehende Hitze kann bis zu 10 000 °C erreichen. Zwischen den Ein- und Austrittsstellen des Stroms können schwerwiegende Verkochungen (Verbrennungen Grad IV) mit Zerstörung der Knochen auftreten. Zusätzlich können weitere schwere Verletzungen hervorgerufen werden, wenn die betroffene Person durch den Stromschlag oder Lichtbogen weggeschleudert wird.

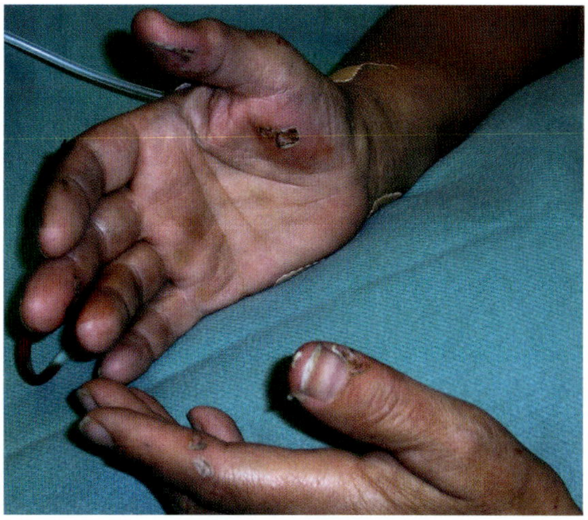

Abb. 42.18 Verbrennung Grad II durch Niederspannungsunfall [M235]

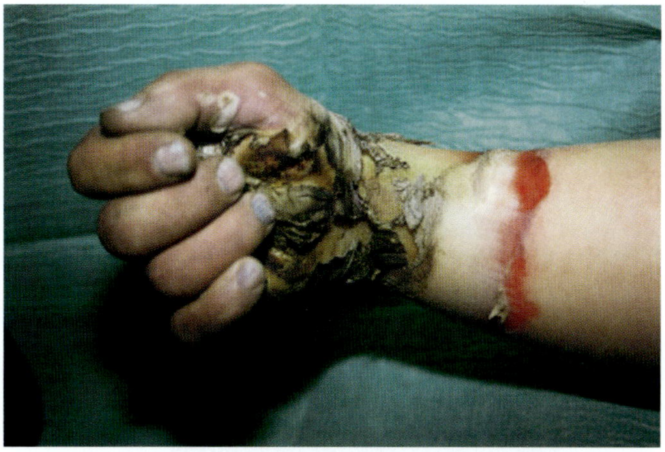

Abb. 42.19 Stromverletzung durch Hochspannungsunfall [G470-002]

ACHTUNG! Gerade bei Hochspannungsunfällen kann ein **schweres Trauma** an Organen und Geweben entstehen. Welche Schädigung genau zwischen den Strommarken entstanden ist, kann präklinisch nicht sicher eingeschätzt werden.

Direkter und indirekter Stromschlag

Bei einem **direkten Stromschlag** (→ Abb. 42.20) wirken innerhalb kurzer Zeit hohe Stromstärken auf den Körper ein, der in diesem Moment in den Stromkreis eingeschaltet ist. Dass bei einer Durchströmung diese Stromstärken überlebt werden, liegt im Wesentlichen am elektrischen Widerstand, den der Körper und die ihm aufliegende Kleidung dem Stromfluss entgegenzusetzen vermögen. Neben dem direkten Stromschlag stellt auch die indirekte Berührung eine Gefahr dar. Der **indirekte Stromschlag** wird durch eine Überspannung in einer Leitung, durch Funkenentladung (→ Abb. 42.21) getroffener Gegenstände sowie durch Schrittspannung (→ Abb. 42.22) bei Einschlag in der Nähe verursacht. Die Verletzungen durch direkte und indirekte Stromschläge können gleich sein.

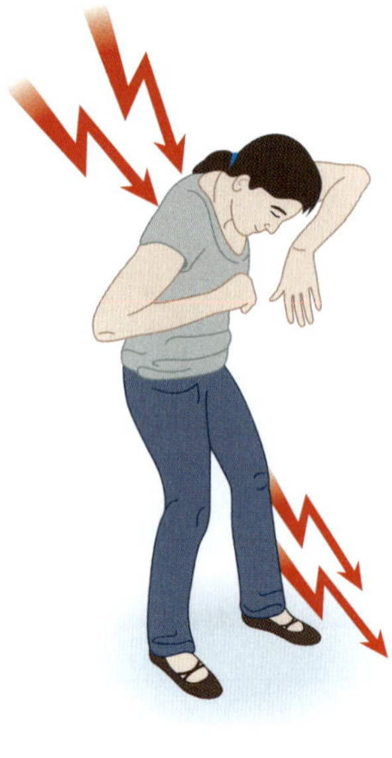

Abb. 42.20 Direkte Stromwirkung [L231]

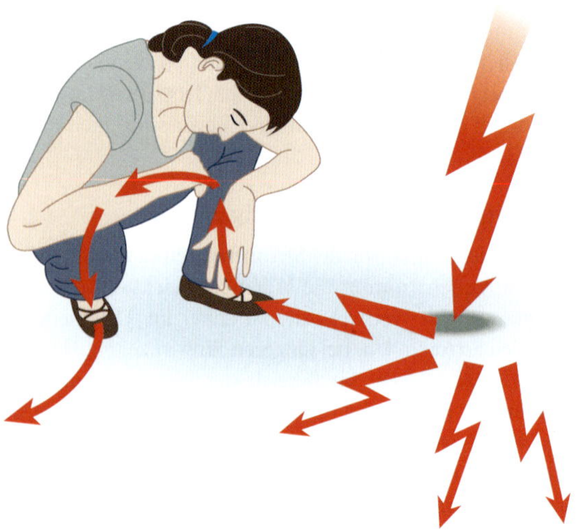

Abb. 42.22 Schrittspannung [L231]

Abb. 42.21 Funkenentladung [L231]

42.6.2 Selbstschutz und Therapie

Im Rahmen von Stromunfällen ist auf den **Selbstschutz** des Rettungsfachpersonals höchste Aufmerksamkeit zu verwenden. Vor jeglichen medizinischen Maßnahmen muss sich das Personal einen Überblick über die **Art des Stroms,** die **Expositionsdauer,** die **Begleitumstände** und den **Schädigungsmechanismus** verschaffen, um nicht selbst in Gefahr zu geraten.

ACHTUNG! Das **Berühren des Patienten** vor Abschaltung des Stroms ist **verboten.**

PRAXISTIPP

Grundsätzlich gilt bei 50 Hz Wechselspannung:

In Luft als isolierendes Medium baut sich die Spannung je 1 cm um 1 Kilovolt (kV) ab. Daraus ergibt sich die Isolationsstrecke. Für den ausreichenden Sicherheitsabstand des Helfers gilt daher die folgende Gleichung:

$$\text{Mindestabstand} = \text{Isolationsstrecke} + 1\,\text{m Sicherheitsabstand}$$

Vor heroischen Rettungsversuchen muss eindringlich gewarnt werden. Befindet sich der Patient noch im Gefahrenbereich, ist unbedingt technische Hilfe anzufordern. **Niederspannungsstromkreise** werden durch **Ausschalten der Hauptsicherung** unterbrochen. **Hochspannungsstromquellen** müssen **durch Fachpersonal** abgeschaltet werden. Erst wenn sichergestellt ist, dass keine Spannung mehr am Stromleiter anliegt, darf sich das Rettungsfachpersonal dem Patienten nähern. In jedem Fall ist **übereiltes Handeln gefährlich** und führt zur Eigengefährdung.

43

TAUCH- UND ERTRINKUNGSNOTFÄLLE

Stefan Dreesen

FALLBEISPIEL

Notfallmeldung

Der RTW wird mittags an einem sonnigen Tag im März zu einem bekannten Erholungssee gerufen. Der Melder zeigt „Ertrinkungsunfall", die Besatzung erfährt jedoch über Funk, dass dort ein Taucher verunglückt sein soll. Der Notarzt sei ebenfalls alarmiert. Die Lufttemperatur beträgt ca. 20 °C, weitere Informationen sind nicht bekannt.

Situation und Ersteindruck

Die Anfahrt erfolgt über den angegebenen Parkplatz, auf dem sich bereits einige Taucher mit Ihren Pkw vor Ort befinden und sich offenbar für einen Tauchgang vorbereiten. Der Patient ist zunächst nicht zu sehen. Auf Nachfrage bei einem der Taucher erfährt die RTW-Besatzung, dass sich der Einstieg in den See etwas weiter hinter einer ca. 50 m entfernten, kioskartigen Holzhütte befinde. Der RTW setzt seinen Weg in diese Richtung fort, als ihm hinter der Hütte bereits ein aufgeregt wirkender junger Mann entgegenkommt.

Neben einem ins Wasser führenden Steg befindet sich auf einer leicht abschüssigen Uferwiese ein schwer atmender Taucher, der von einem anderen Taucher gestützt wird. Im Gras liegt bereits eine Sauerstoffflasche, der Patient atmet über eine Maske Sauerstoff (O_2) mit einem Flow von 15 l/Min. Der Taucheranzug wurde im Oberkörperbereich geöffnet. Auf Nachfrage, was denn passiert sei, berichtet der aufgeregte Ersthelfer, der den Oberkörper des Patienten stützt und ihm die Maske vor das Gesicht hält, dass er mit dem Patienten zusammen auf ca. 25 m Tiefe getaucht sei, als dieser in Panik einen Notaufstieg vollzogen habe. Die Wassertemperatur in dieser Tiefe habe bei 6 °C gelegen und der Kollege habe Probleme mit dem Tarieren gehabt und viel geatmet. Daraufhin sei der Atemregler, den der Patient bislang immer nur im Urlaub getaucht hätte, plötzlich vereist und hätte massiv Luft abgeblasen. Der Patient sei in Panik geraten, habe sein Jacket aufgeblasen, das Blei abgeworfen und sei „an die Oberfläche durchgeschossen". Der Ersthelfer berichtet weiter, er sei dann „sofort hinterher" und habe seinen Kollegen, der an der Wasseroberfläche nicht mehr richtig ansprechbar gewesen sei, ans Ufer gebracht, wo ihm Mittaucher geholfen hätten, ihn an Land zu ziehen und Erste Hilfe zu leisten.

Leitsymptom

Dyspnoe.

INHALTSÜBERSICHT

43.1 TAUCHUNFÄLLE

- Eine zu rasche Dekompression kann durch Ausperlen von Inertgas zur Dekompressionskrankheit (DCS) führen.
- Der Schwimmbad-Blackout ist eine Bewusstlosigkeit durch Sauerstoffmangel, die durch einen fehlenden Atemreiz aufgrund Hyperventilation i. d. R. beim Apnoe-Streckentauchen auftritt.
- Durch einen erhöhten Stickstoffpartialdruck (pN_2) kann ein Tiefenrausch mit Symptomen ähnlich einer Alkoholintoxikation auftreten. Erste Symptome können bei Pressluft ab rund 30 m Tiefe auftreten.
- Bei der Dekompressionskrankheit (DCS) kommt es durch zu rasche Dekompression zum Ausperlen von Inertgas in Blut und Geweben, das zu einer direkten Gewebereizung bzw. -schädigung sowie zu Makro- und Mikroembolien führen kann.
- Das pulmonale Barotrauma (PBT) entsteht durch Überdehnung von Lungengewebe in der Dekompressionsphase, es kann u. a. zum (Spannungs-)Pneumothorax kommen.
- Die arterielle Gasembolie (AGE) ist i. d. R. Folge eines hilusnahen pulmonalen Barotraumas oder einer Dekompressionskrankheit und wird begünstigt durch Vorhandensein eines Rechts-links-Shunts, z. B. persistierendes Foramen ovale (PFO).
- Wichtigste spezifische Maßnahmen beim Tauchunfall sind die Gabe von Sauerstoff in der höchstmöglichen Konzentration sowie die Gabe von Volumen.

43.2 ERTRINKUNGSUNFÄLLE

- Ertrinken setzt immer das Untertauchen in einer Flüssigkeit mit einer Flüssigkeits-Luft-Grenzfläche am Beginn der Atemwege voraus, die ein Luftholen verhindert.
- Man unterscheidet tödliche und nicht tödliche Ertrinkungsunfälle.
- Bei der Immersion bleibt der Kopf über Wasser, bei der Submersion ist das Gesicht von Wasser bedeckt.
- Die Hypothermie ist die häufigste Begleitproblematik bei Ertrinkungsunfällen.
- Hauptziel ist eine adäquate Oxygenierung, ggf. auch eine frühzeitige Intubation.
- Wegen der Gefahr eines verzögert auftretenden ARDS sollte immer ein Transport ins Krankenhaus durchgeführt werden.

43.1 Tauchunfälle

DEFINITION

Ein „Tauchunfall" im Sinne der deutschsprachigen Leitlinie ist ein potenziell lebensbedrohliches oder gesundheitsschädigendes Ereignis, hervorgerufen durch Abfall des Umgebungsdruckes beim Tauchen oder aus sonstiger hyperbarer Atmosphäre (Überdruck) mit und ohne Tauchgerät. (Deutsche Gesellschaft für Tauch- und Überdruckmedizin, 2022)

Nach Schätzungen des **Verbands Deutscher Sporttaucher (VDST)** üben zwischen 300 000 und 600 000 Taucher in Deutschland ihr Hobby ganzjährig aus. Einige Vereinsmitglieder trainieren zudem in Schwimmbädern, sodass auch hier Berührungspunkte zum Rettungsdienst auftreten können. Ausbildung, Ausrüstung und Vorbereitung variieren stark, sodass es immer wieder zu Unfällen kommt. Weitere potenzielle Risikogruppen sind natürlich Personen, die **beruflich bedingt tauchen** oder auf **Druckluftbaustellen** arbeiten. Die letztere Fraktion gehört zwar nicht zu den Tauchunfällen im engeren Sinne, jedoch ergeben sich die meisten Tauchunfälle durch Komplikationen, die mit Druck bzw. Druckveränderungen zu tun haben. Diese Phänomene sind auf Menschen, die in einer Überdruckatmosphäre arbeiten, analog anwendbar. Druckluftbaustellen findet man unter anderem im Tunnel- oder Schachtbau.

MERKE

Der Tauchunfall ist mit ca. 200 schweren Tauchunfällen pro Jahr in Deutschland selten.

Die geschätzte Dunkelziffer mittelschwerer, behandlungsbedürftiger Tauchunfälle liegt im hohen dreistelligen Bereich.
Die Quote tödlicher Tauchunfälle liegt bei ca. 2 pro 1 000 000 Tauchgänge.

43.1.1 Physik der Gase

Das Gewicht, mit dem die Luft der Atmosphäre auf die Erde drückt, bezeichnet man als **Luftdruck.** Eine Luftsäule mit einer Grundfläche von 1 m^2 hat ein Gewicht von 10 t. Bei dieser Art der Veranschaulichung muss man sich allerdings vor Augen führen, dass dieser Druck nicht nur von oben nach unten wirkt, sondern dass es zu einer gleichmäßigen Verteilung des Drucks innerhalb der uns umgebenden Luft kommt. Der Luftdruck wirkt also von allen Seiten auf den Körper. Den Umstand, dass wir hiervon nicht zerquetscht werden, verdanken wir im Wesentlichen zwei Faktoren:

- Erstens besteht der menschliche Körper zum größten Teil aus Flüssigkeit, die durch den uns umgebenden Luftdruck nicht komprimiert werden kann.
- Zweitens herrscht dort, wo luftgefüllte Höhlen vorhanden sind, also beispielsweise im Mittelohr oder in den Nasennebenhöhlen, ein Gegendruck, der dem umgebenden Luftdruck entspricht.

Ändert sich der Umgebungsdruck sehr rasch, so nimmt man die Änderung des Luftdrucks fast immer zuerst als typisches Druckgefühl in den Ohren wahr.

Die SI-Einheit für den Luftdruck ist Pascal (Pa), diese Einheit ist jedoch weder in der Medizin noch beim Tauchen gebräuchlich. In beiden Fällen wird die Einheit **bar** bevorzugt. Der normale Luftdruck auf Meereshöhe beträgt rund 1 bar, was das Rechnen sehr vereinfacht.

MERKE

Der **Luftdruck auf Meereshöhe** beträgt 1 bar.

Nachfolgend werden kurz drei physikalische Gesetzmäßigkeiten vorgestellt, die eine wichtige Rolle beim Verständnis der Pathophysiologie der unterschiedlichen Tauchunfälle spielen.

Boyle-Mariotte-Gesetz

Das Gesetz von Boyle und Mariotte besagt: Bei einer **konstanten Temperatur** ist bei einer fixen Menge eines idealen Gases dessen **Volumen umgekehrt proportional zum Druck.**

Für die praktische Anwendung in der Notfallmedizin kann man diesen Satz vereinfachen in: **Das Produkt aus Druck und Volumen bleibt immer konstant.** Oder als Formel ausgedrückt:

$$p \times V = \text{konstant}$$

Noch deutlicher wird es mit folgendem **Beispiel:** Der Luftdruck auf Meereshöhe beträgt rund 1 bar. Man befüllt nun in dieser Umgebung einen Luftballon mit einem Luftvolumen von einem Liter (1 l). Die Formel hierzu lautet: 1 bar × 1 l = 1 bar × l.

Verdoppelt man nun den Umgebungsdruck auf 2 bar, so halbiert sich das Volumen der Luft in dem Ballon, da das Produkt aus beiden Werten ja immer konstant bleiben muss: 2 bar × 0,5 l = 1 bar × l.

Würde man den Umgebungsdruck hingegen auf 0,5 bar halbieren, so würde der Ballon auf das doppelte Volumen anschwellen: 0,5 bar × 2 l = 1 bar × l.

Das Gasvolumen ändert sich also immer umgekehrt proportional zu seinem Umgebungsdruck (→ Abb. 43.1). Steigt der Umgebungsdruck, wird das Gas zusammengedrückt **(komprimiert),** das Volumen des Gases nimmt also ab; verringert sich der Umgebungsdruck, dehnt sich das Gas aus, es wird somit **dekomprimiert.**

Dalton-Gesetz

Das Gesetz von Dalton besagt, dass der Partialdruck eines Gasgemischs gleich der Partialdrücke der Einzelgase ist, aus denen das Gemisch besteht. Für Tauchunfälle ist jedoch die umgekehrte Betrachtung viel interessanter: Der Partialdruck eines einzelnen Gases ändert sich nämlich proportional zum Gesamtdruck des Gasgemischs. Luft enthält

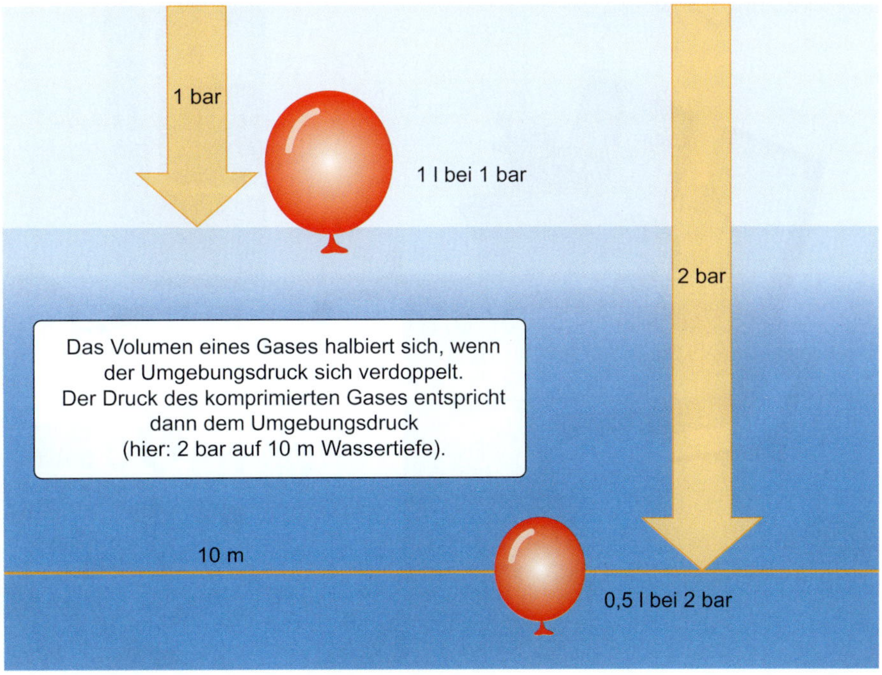

Abb. 43.1 Luftvolumen in verschiedenen Wassertiefen (Druckverhältnissen) [P100, L143]

Gas und Anteil am Gemisch „Luft“	Luft bei 1 bar	Luft bei 2 bar
Stickstoff 78 % (pN_2)	78 % von 1 bar = 0,78 bar	78 % von 2 bar = 1,56 bar
Sauerstoff 21 % (pO_2)	21 % von 1 bar = 0,21 bar	21 % von 2 bar = 0,42 bar
Rest 1 % (pRest)	1 % von 1 bar = 0,01 bar	1 % von 2 bar = 0,02 bar
Gesamt:	0,78 + 0,21 + 0,01 = **1 bar**	1,56 + 0,42 + 0,02 = **2 bar**

Tab. 43.1 Partialdrücke der Einzelgase des Gasgemischs „Luft“

beispielsweise 78 % Stickstoff. Der Partialdruck des Stickstoffs (pN_2) beträgt 78 % des Gesamtdrucks, bei 1 bar Luftdruck also 0,78 bar (→ Tab. 43.1). Verändert sich der Luftdruck, beträgt der Partialdruck des Stickstoffs weiterhin 78 %, jedoch nun eben 78 % des veränderten Luftdrucks. Steht man beispielsweise am Ufer eines Bergsees auf 800 m Höhe, beträgt der Luftdruck dort nur noch rund 0,9 bar, der pN_2 somit 78 % von 0,9 bar = 0,702 bar.

Henry-Gesetz

Das Gesetz von Henry beschreibt das Löslichkeitsverhalten eines Gases in Abhängigkeit von seinem Partialdruck. Konkret bedeutet dies, dass sich ein Gas (z. B. Stickstoff) umso besser in einer Flüssigkeit (z. B. Blutplasma) löst, je höher der Partialdruck des Gases ist. Auf die Tauchphysiologie angewendet bedeutet dies wiederum, dass sich u. a. Stickstoff mit zunehmender Tauchtiefe immer besser im Blutplasma löst. Umgekehrt nimmt die Löslichkeit beim Aufstieg wieder ab, sodass das Gas im Blut ausperlen kann.

Dieses Prinzip macht man sich auch bei der Behandlung von Tauchunfällen in einer **Druckkammer** (→ Abb. 43.2) zunutze. Hierbei wird der Druck in der Kammer erhöht, sodass die Löslichkeit des Gases wieder zunimmt. Der Druck wird danach so langsam reduziert, dass der Körper das überschüssige Gas abatmen kann. In der Regel wird zusätzlich Sauerstoff gegeben, was über die Diffusion entlang eines Konzentrationsgradienten die Auswaschung des schädlichen Gases begünstigt. Eine therapeutische Sauerstoffanwendung unter erhöhtem Umgebungsdruck bezeichnet man als **hyperbare Oxygenierung (HBO).**

43.1.2 Pathophysiologie des Tauchgangs

Der Luftdruck an der Meeresoberfläche beträgt 1 bar. Pro 10 m Wassertiefe erhöht sich der auf dem Körper lastende Druck um 1 weiteres bar. In 10 m Wassertiefe addiert sich also zu dem Luftdruck von 1 bar ein Wasserdruck von 1 bar, sodass der **Umgebungsdruck** insgesamt 2 bar beträgt. Der auf dem Körper lastende Druck verdoppelt sich beim Abtauchen also das erste Mal bei 10 m Tiefe (von 1 auf 2 bar), anschließend erst nach weiteren 20 m, also bei insgesamt 30 m Tiefe (von 2 auf 4 bar) etc. Gemäß dem Gesetz von Boyle und Mariotte halbiert sich das Volumen eines Gases bei der Verdoppelung des Umgebungsdrucks. Die größten druckbedingten Veränderungen der Gasvolumina ergeben sich

Abb. 43.2 Druckkammer: a) Behandlungsplätze für die Behandlung im Sitzen, b) Vorkammer und Hauptkammer (Druckschleuse), c) Leitstand [P100]

also auf den ersten 10 m (→ Abb. 43.3) sodass der oft fälschlicherweise erteilte Ratschlag, „einfach nicht so tief zu tauchen", keineswegs vor druckbedingten Schädigungen schützt.

Tauchgangsphasen

Einen Tauchgang kann man grob in drei Phasen einteilen: **Kompression, Isopression** und **Dekompression.** In jeder Phase kann es zu spezifischen Problemen kommen. Vor dem Tauchgang herrscht in allen luftgefüllten Hohlräumen des Körpers ein Druck von 1 bar.

Kompression (Abtauchen)

Beim Abtauchen nimmt der auf dem Körper lastende Umgebungsdruck zu, das Volumen in allen gas-, bzw. luftgefüllten Höhlen am und im Körper nimmt gemäß dem Gesetz von Boyle und Mariotte ab. Es kann zu **Barotraumen** in folgenden Bereichen kommen:

- **Mittelohr/Trommelfell:** Durch eine Abnahme des Luftvolumens im Mittelohr kommt es zu starken Schmerzen des Trommelfells, da sich dieses immer weiter nach innen wölbt. Abhilfe schafft hier die taucherische Variante des **Valsalva-Manövers,** bei dem man sich die Nase zuhält und gegen die geschlossene Nase ausatmet (→ Abb. 43.4). Hierdurch wird die Eustachi-Röhre **(Tuba auditiva)** geöffnet und Luft kann ins Mittelohr gelangen, wodurch ein Gegendruck erzeugt wird, sodass sich das Trommelfell wieder entspannen kann. Das Valsalva-Manöver wird umgangssprachlich oft als „Druckausgleich" bezeichnet. Voraussetzung hierfür ist, dass die Schleimhäute nicht zu stark geschwollen sind, wie das z. B. bei einer Allergie oder einem grippalen Infekt der Fall sein kann.
- **Innenohr:** Sehr selten kann es auch zu einem Barotrauma des Innenohrs mit Ruptur der Rundfenstermembran kommen. Typische Symptome sind Schwindel, Hörverlust und Tinnitus.
- **Nasennebenhöhlen:** Ähnlich wie im Mittelohr kann Unterdruck in den Nasennebenhöhlen zu Schmerzen führen, wobei es auch zu Blutungen kommen kann. Da die Nasennebenhöhlen mit dem Nasen-Rachen-Raum verbunden sind, werden sie beim Valsalva-Manöver automatisch mitbelüftet.
- **Tauchermaske:** Auch in der Tauchermaske entsteht ein Unterdruck, der im schlimmsten Fall zu Augenschäden führen kann. Aus diesem Grund schließen Tauchermasken immer die Nase mit ein, durch die Luft in die Maske gelangen kann. Hierdurch erfolgt in der Maske der Druckausgleich.
- **Lunge:**
  - Beim **Apnoetauchen** (→ Kap. 43.1.3) kann kein Druckausgleich in der Lunge erfolgen, sodass diese mit zunehmendem Umgebungsdruck komprimiert wird. Ist die Grenze der Komprimierbarkeit erreicht, so kann der nun in der Lunge herrschende Unterdruck zu einem Lungenödem führen, da Flüssigkeit aus den Kapillargefäßen in die Alveolen „gezogen" wird **(Unterdruckbarotrauma).** Beim Apnoetauchen, bei dem Tiefen von weit über 100 m erreicht werden, haben die Apnoetaucher ihren Körper zuvor entsprechend trainiert. So ist z. B. die Elastizität des Zwerchfells deutlich erhöht. Trotzdem kommt es immer wieder zu Unfällen.
  - Beim **Gerätetauchen** gibt der Atemregler Luft mit Umgebungsdruck an den Taucher bei der Einatmung ab, sodass in jeder Tiefe der Druckausgleich automatisch gegeben ist.
- **Zahnfüllungen:** Bestehen in Zahnfüllungen Lufteinschlüsse, so können diese unter Kompression zu Schmerzen führen oder geschädigt werden.

Isopression (Tauchen auf gleichbleibender Tiefe)

In der Phase der Isopression ist der Umgebungsdruck zwar konstant, aber generell erhöht und mit ihm die Löslichkeit der eingeatmeten Gase. Im Falle von Pressluft führt dieses Phänomen mit zunehmender Dauer zu einer **Aufsättigung von Blut und Geweben mit Stickstoff.** Dies begünstigt das Auftreten einer Dekompressions- oder Caisson-Krankheit **(DCS)** (→ Kap. 43.1.4).

Zudem werden die Atemgase mit Erhöhung des Partialdrucks zunehmend reaktionsfreudig, sodass es sowohl zu einer **Stickstoff**- als auch zu einer **Sauerstoffvergiftung** kommen kann. Die Stickstoffvergiftung zeigt sich in Form eines **Tiefenrauschs** (→ Kap. 43.1.4).

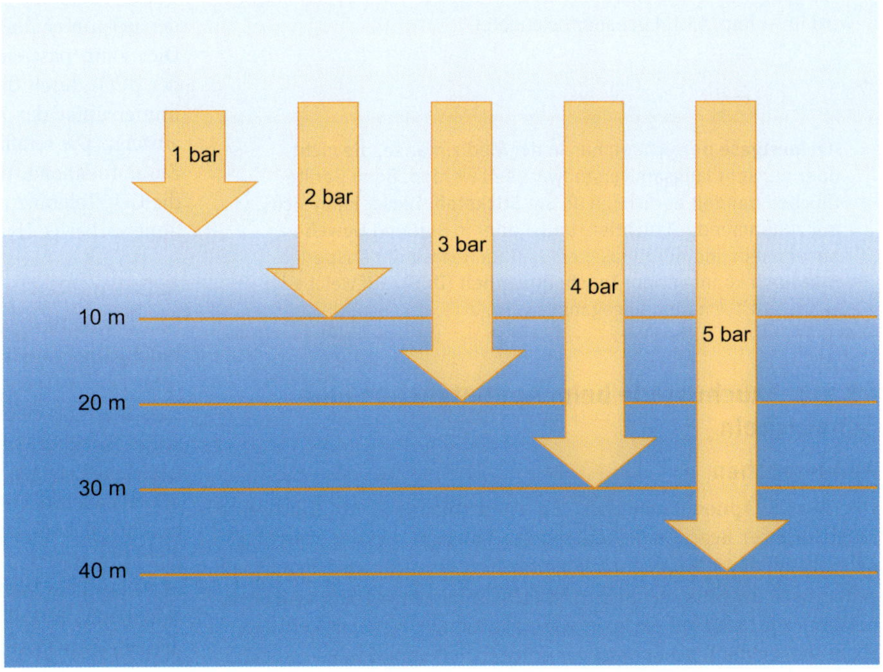

Abb. 43.3 Druckverhältnisse in verschiedenen Wassertiefen [P100, L143]

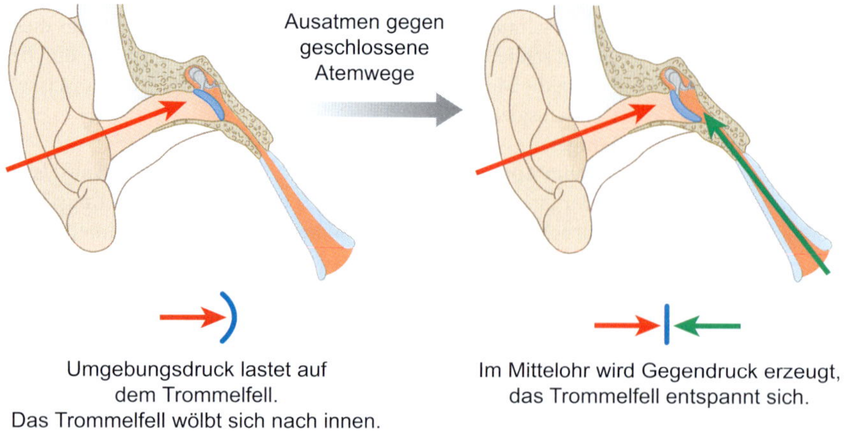

Abb. 43.4 Valsalva-Manöver [P100, L143]

Dekompression (Auftauchen)

Probleme durch Druckveränderungen

In der Dekompressionsphase dehnt sich die Luft wieder aus. Im Magen-Darm-Trakt führt die Zunahme des Gasvolumens u. U. zu Blähungen und Aufstoßen, was theoretisch Erbrechen begünstigen kann, normalerweise aber keine Probleme verursacht.

- Aus **Nasennebenhöhlen und Mittelohr** entweicht die Luft über mit Schleimhaut ausgekleidete Öffnungen. Liegt eine Schleimhautschwellung vor, so kann die Luft u. U. nicht mehr entweichen und zu starken Schmerzen bzw. Verletzungen wie einem **Trommelfellriss (Barotrauma des Mittelohrs)** führen. Auch ein Innenohrbarotrauma ist möglich, jedoch selten. In diesem Zusammenhang kann die Anwendung kurzwirksamer abschwellender Nasentropfen vor dem Tauchgang fatale Auswirkungen haben, wenn nämlich das Abtauchen zwar noch problemlos möglich ist, dann aber die Wirkung der Tropfen unter Wasser nachlässt und die Schleimhäute wieder anschwellen.
- Hinsichtlich der **Lunge** gibt es beim Apnoetauchen zunächst keine Probleme, jedoch besteht beim Gerätetauchen unter bestimmten Bedingungen die Gefahr eines **Pneumothorax.** Diese Problematik wird im → Kap. 43.1.4 genauer beleuchtet.

MERKE

Als **Inertgase** bezeichnet man in der Medizin Gase, die nicht oder nur sehr langsam verstoffwechselt werden. Beim Gerätetauchen handelt es sich i. d. R. um **Stickstoff.** Dieser kann sich mit zunehmender Tauchtiefe und -dauer in Blut und Gewebe ansammeln und bei zu raschem Auftauchen wieder ausperlen. Hierdurch kommt es zur **Taucherkrankheit (DCS),** auf welche im → Kap. 43.1.4 näher eingegangen wird.

43.1.3 Tauchunfälle beim Apnoetauchen und Schnorcheln

Apnoetauchen

Der Begriff **Apnoe** bezeichnet den **Atemstillstand.** Im Tauchsport bezeichnet der Begriff eine Variante des Tauchens, bei der ausschließlich mit einem Atemzug, durch Luftanhalten, getaucht wird. Prinzipiell gehört auch das Streckentauchen im Schwimmbad zum Apnoetauchen, bekannter jedoch sind die sportlich organisierten Tieftauchwettbewerbe, bei denen die Taucher unter verschiedenen Bedingungen versuchen, eine möglichst große Tiefe zu erreichen. Die **Extremsportvariante** geht über die Grenzen normaler körperlicher Belastbarkeit hinaus und erfordert ein extremes Training. Der Weltrekord liegt jenseits der 200-m-Marke. Blackouts und hypoxisch bedingte Krampfanfälle kommen häufig vor.

Schwimmbad-Blackout

Als **Schwimmbad-Blackout** bezeichnet man eine Bewusstlosigkeit, die üblicherweise während des **Streckentauchens** ohne Warnsymptome durch plötzlichen O_2-Mangel des zentralen Nervensystems auftritt. Die Warnsymptome werden dabei von den Betroffenen aktiv im Vorfeld unterdrückt: Bei vielen Menschen besteht der Irrglaube, durch tiefes Ein- und Ausatmen vor dem Tauchgang die Sauerstoffreserven des Körpers auffüllen zu können. Eine gute SpO_2 wird jedoch durch Hyperventilation nicht wesentlich verbessert, allerdings wird vermehrt CO_2 abgeatmet. Da der Atemantrieb im Normalfall primär durch den Kohlendioxid-Partialdruck (pCO_2) im Blut bestimmt wird, führt eine Hyperventilation vor dem Tauchgang tatsächlich dazu, dass die Atemnot unter Wasser erst später einsetzt. Trotzdem wird kontinuierlich weiter Sauerstoff verbraucht. Sinkt die Sauerstoffkonzentration bzw. der pO_2 unter die **Hypoxieschwelle,** kommt es zur Bewusstlosigkeit. Dies kann passieren, ohne dass eine subjektive Dyspnoe auftritt, da der pCO_2 durch die zuvor durchgeführte Hyperventilation u. U. noch immer unter der **Atemreizschwelle** liegt und erst deutlich verzögert ansteigt. Die Grafiken → Abb. 43.5, → Abb. 43.6 verdeutlichen diesen Zusammenhang. Interessant hierbei ist: Bei trainierten Tauchern liegt die CO_2-Toleranz u. U. höher, sodass der Schwimmbad-Blackout auch ohne vorherige Hyperventilation eintreten kann.

Aufstiegs-Blackout (früher: Flachwasser-Ohnmacht)

Eine Bewusstlosigkeit, die während der Auftauchphase eines Apnoe-**Tieftauchgangs** in geringer Wassertiefe durch plötzlichen O_2-Mangel des zentralen Nervensystems auftritt, nennt man **Aufstiegs-Blackout,** eine ältere Bezeichnung hierfür ist „Flachwasser-Ohnmacht". Der Aufstiegs-Blackout tritt i. d. R. ohne vorherige Warnsymptome auf. Beim Abtauchen steigen parallel zum Umgebungsdruck zunächst sowohl der pO_2 als auch der pCO_2. Während des Tauchgangs wird O_2 verbraucht und in CO_2 umgewandelt, sodass der pO_2 irgendwann abfällt, während der pCO_2 weiter steigt. Selbst, wenn der pO_2 unter Druck in der Tiefe noch normale Werte aufweist, kann es durch den Druckverlust beim Aufstieg (z. B. Halbierung des pO_2 beim Aufstieg aus 10 m) zu einem derartigen pO_2-Abfall kommen, dass die Funktion des zentralen Ner-

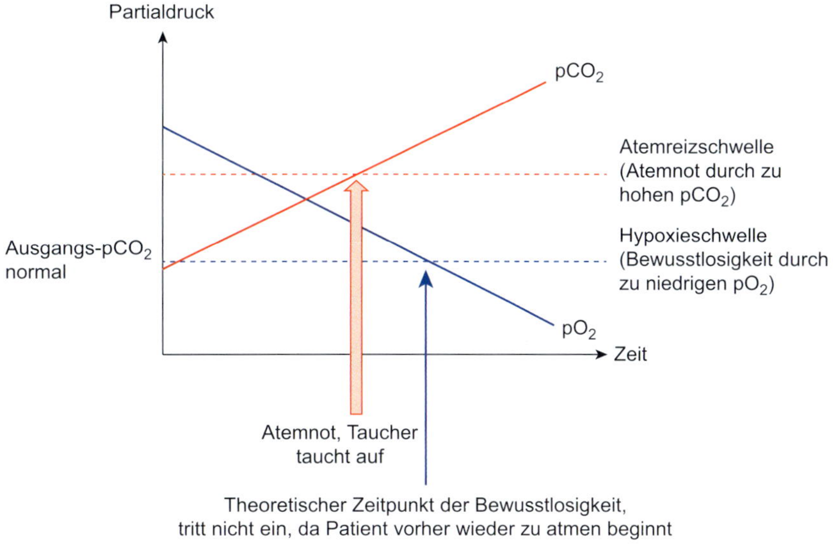

Abb. 43.5 Normaler Verlauf von pO_2 und pCO_2 ohne Hyperventilation (vereinfachtes Schema) [P100, L143]

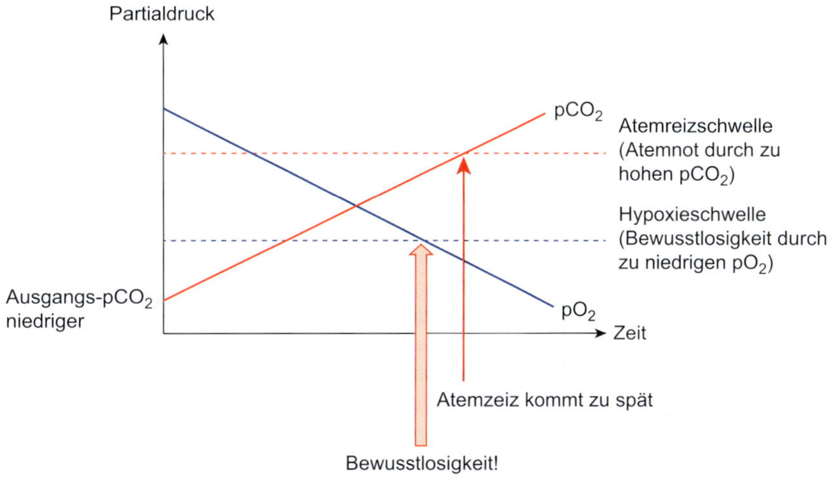

Abb. 43.6 Verlauf von pO_2 und pCO_2 nach Hyperventilation (vereinfachtes Schema). Durch den niedrigeren Ausgangs-pCO_2 setzt der Atemreiz zu spät ein. [P100, L143]

vensystems (ZNS) nicht mehr aufrechterhalten werden kann und es zur Bewusstlosigkeit kommt (→ Abb. 43.7).

Schnorcheln

Beim Schnorcheln wird die Luftversorgung durch eine kurze Röhre zur Wasseroberfläche sichergestellt. Beim Abtauchen wird der Tauchgang zu einem Apnoetauchgang, da man die Luft anhalten muss. Zusätzlich zu den Tauchunfällen, die beim Apnoe-Tauchen auftreten können, gibt es jedoch noch spezifische Besonderheiten:

Schnorchelverlängerung

Die Länge eines Schnorchels überschreitet für gewöhnlich nicht die 35 cm. Verlängert man den Schnorchel, z. B. durch das Anmontieren von Plastikrohren, so nimmt beim Abtauchen der Druck auf den Thorax bzw. die Lungen zu. Da die Atemwege zusammen mit dem Schnorchel allerdings ein offenes System bilden, dessen Ende an der Wasseroberfläche liegt, befindet sich in den Atemwegen immer nur der dort herrschende Druck von 1 bar. Dieser Druckunterschied kann zum einen dazu führen, dass eine **Inspiration nicht mehr möglich** ist, zum anderen kann es durch den Unterdruck in der Lunge zu einem **Lungenödem** kommen. Außerdem wird durch die Schnorchelverlängerung der funktionelle **Totraum** vergrößert, sodass letztendlich eine **Pendelatmung** droht, bei der nur noch die eigene Ausatemluft wiedereingeatmet wird, ohne an frischen Sauerstoff zu gelangen.

Kinder- und Erwachsenenschnorchel

Da Kinder generell ein geringeres Atemzugvolumen haben, ist die Verwendung spezieller Kinderschnorchel mit einem angepassten Innenvolumen nötig. Genau wie bei der Schnorchelverlängerung kann auch die Benutzung eines herkömmlichen Erwachsenenschnorchels durch Kinder zu einer übermäßigen Vergrößerung des funktionellen Totraums führen. Hierdurch kommt es zu einer **Pendelatmung,** bei der die verbrauchte Luft im Schnorchel hin- und hergeschoben wird, ohne dass Frischluft in die Atemwege gelangt. Es drohen Hypoxie und Hyperkapnie.

> **ACHTUNG!** CO_2-Retention beim Schnorcheln
> Wird ein Schnorchel über das vorgesehene Maß hinaus verlängert oder benutzt ein kleines Kind zum Schnorcheln einen Erwachsenenschnorchel, so vergrößert sich der funktionelle Totraum der Atemwege. Es kann zur **CO2-Narkose** durch **Hyperkapnie** kommen.

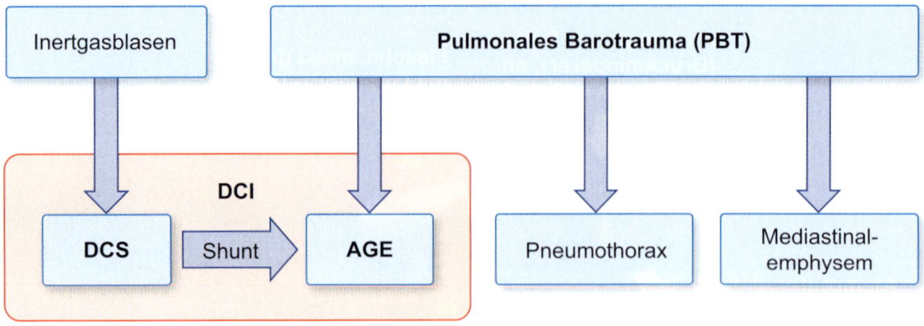

Abb. 43.9 Überblick über die Zusammenhänge bei der DCI [P100, L143]

ACHTUNG! Die Symptome einer DCS treten meist erst zeitverzögert auf. Der Rettungsdienst wird nicht nur direkt am Gewässer, mit einem sichtbaren Bezug zum Tauchgang, mit dem Krankheitsbild der Dekompressionskrankheit konfrontiert, sondern auch nach Rückkehr des Tauchers in sein soziales Umfeld, wenn kein direkter Bezug zum Tauchgang mehr erkennbar ist.

MERKE

In vielen Fällen rufen verletzte Taucher mit DCI nicht an, weil sie Symptome haben; sie rufen an, weil ihre Symptome nicht verschwinden!

IM FOKUS

Mögliche Symptome der DCS

Milde Symptome

- Auffällige Müdigkeit
- Hautjucken („Taucherflöhe"), mit vollständiger oder fast vollständiger Rückbildung innerhalb von 30 Min. nach Einleiten der spezifischen Erste-Hilfe-Maßnahmen

Schwere Symptome

- Hautflecken und -veränderungen
- Schmerzen (z. B. Gelenkschmerzen, „Bends")
- Atembeschwerden
- Neurologische Symptome wie
  - Parästhesien („Ameisenlaufen")
  - Seh-, Hör-, Sprachstörungen
  - Schwindel, Übelkeit
  - Taubheitsgefühl
  - Körperliche Schwäche, Lähmungen, Blasenentleerungsstörungen
  - Bewusstseinsstörungen, Bewusstlosigkeit
- Fortbestehen milder Symptome über 30 Min. trotz Sauerstoff- und Volumengabe

Pulmonales Barotrauma (PBT)

In der Dekompressionsphase dehnt sich das in der Lunge vorhandene Atemgas aus. Kann die Luft nicht entweichen, kommt es zu einer Überdehnung des Lungengewebes, das letztlich zerreißen kann. Insbesondere **zwei Mechanismen** sind hierfür verantwortlich:

- Ein **Stimmritzenkrampf (Laryngospasmus),** der z. B. aus Panik bei einem Notaufstieg und/oder durch Aspiration von Wasser entstehen kann, verhindert die Abatmung von Luft aus der gesamten Lunge. Wird die Dehnbarkeit der Lunge an einer Stelle überschritten, kommt es dort zur Ruptur.
- Bei einem **Lungenemphysem** liegen überblähte, dünnwandige Areale vor, **Emphysembullae** (= „Blasen", → Kap. 28.2.2). In diesen Bullae kann sich Luft im Sinne eines „Air Trappings" verfangen und nicht oder nicht schnell genug entweichen. Hierdurch kann es zur Ruptur der Bulla kommen.

Eine Ruptur der Lunge im Bereich der Pleura führt i. d. R. zu einem **Pneumothorax.** Entsteht dieser bereits in größerer Wassertiefe, so kann die weitere Dekompression beim Aufstieg die Entwicklung eines **Spannungspneumothorax** stark beschleunigen. Auch die Entstehung eines **Mediastinalemphysems** ist möglich. Breitet sich die Luft bis unter die Haut aus, ist ein tastbares **Hautemphysem** praktisch beweisend.

DEFINITION

Das **Barotrauma** (Druckverletzung) ist eine Verletzung, die durch Veränderung des Umgebungsdrucks und dessen Auswirkungen auf die luft- oder gasgefüllten Hohlräume und deren Hülle im Körper verursacht werden. Betroffen sind meist Lunge, Mittelohr oder Nasennebenhöhlen.

Kommt es neben der Verletzung der Lunge ebenfalls zur Ruptur benachbarter Blutgefäße, kann Atemgas in das Blutgefäßsystem eingeschwemmt werden und auf diese Weise zu einer **arteriellen Gasembolie** (AGE, s. u.) führen. Nach einer maximal tiefen Einatmung ist ein PBT auch in flachem Wasser, z. B. bei der Ausbildung im Schwimmbad, denkbar.

Arterielle Gasembolie (AGE)

Bei einer arteriellen Gasembolie gelangt Gas in die Arterien des großen Kreislaufs und kann somit in verschiedenen Arealen zu **akuten Durchblutungsstörungen** führen.

- Durch die **DCS** entstehen Gasblasen zunächst im venösen System. Liegt ein Rechts-links-Shunt vor, z. B. bei einer Verbindung zwischen den Vorhöfen (persistierendes Foramen ovale, PFO), können die Gasblasen unter Umgehung des Lungenkreislaufs direkt in das linke Herz und von dort aus ins arterielle System gelangen. Möglicherweise findet auch beim Gesunden zumindest teilweise eine direkte Passage von Luftbläschen durch den apikalen Lungenkreislauf statt.
- Die zweite Ursache ist **ein pulmonales Barotrauma (PBT)** mit einer Ruptur der Lunge durch Überdehnung, wenn z. B. Luft direkt aus dem verletzten Bereich in die Lungenvenen eingeschwemmt wird. Von hier gelangt sie in den linken Vorhof und somit in den arteriellen Körperkreislauf.

Besonders gefürchtet ist die **zerebrale arterielle Gasembolie (CAGE),** bei der die Blasen hirnzuführende Gefäße verstopfen und auf diese Weise zu einem Apoplex führen können.

Die Symptomatik ist je nach Ort und Ausmaß der Embolie(n) sehr variabel und oft nicht von den Symptomen einer DCS zu unterscheiden.

Allgemeine Maßnahmen beim Tauchunfall

Jede nicht anders hinreichend erklärbare Symptomatik, die **innerhalb von 24 Std. nach einem Tauchgang** auftritt, ist bis zum Beweis des Gegenteils als Tauchunfall zu werten (→ Abb. 43.10). Da die verschiedenen Tauchunfälle zahlreiche Gemeinsamkeiten aufweisen und zudem mehrere verschiedene Ursachen gleichzeitig bzw. an verschiedenen Körperregionen auftreten können, ist es sinnvoll, die Therapie als Gesamtkonzept zu betrachten.

MERKE

Die **Verdachtsdiagnose „Tauchunfall"** ist bei Vorliegen folgender Voraussetzungen wahrscheinlich:

- Es wurde aus einem Tauchgerät unter Wasser geatmet, unabhängig von dem verwendeten Atemgas/der Atemgas-Mischung (eventuell nur ein Atemzug),
  oder
- es wurde aus einer Luftansammlung unter Wasser geatmet (zum Beispiel Wrack oder Höhle)
  oder
- es wurden Apnoe-Tauchgänge durchgeführt (in der Regel mehrere tiefe Tauchgänge)
  und
- es liegen milde und/oder schwere Symptome vor.

ACHTUNG! An den Buddy denken!
Tauchen ist ein Partnersport. Bei jedem Tauchunfall kann daher prinzipiell auch der **Buddy** mitbetroffen sein. Als „Buddy" bezeichnet man den Tauchpartner. Tauchgänge können auch in größeren Gruppen durchgeführt werden.

Die zwei wichtigsten spezifischen Maßnahmen bei allen Tauchunfällen sind **Sauerstoffgabe** und **Volumentherapie.** Durch die Volumengabe wird die Stickstoffkonzentration im Blut schlichtweg verdünnt. Zudem ist beim Tauchen immer von einem latenten Volumenmangel auszugehen. Auch beim Spannungspneumothorax ist Volumen hilfreich, um die durch Mediastinalverschiebung und Kompression der V. cava beeinträchtigte Vorlast zu verbessern. Sauerstoff hingegen hat neben den offensichtlichen Vorteilen im Falle eines Ertrinkungsgeschehens, eines Pneumothorax oder einer Gewebeischämie bei der AGE und beim DCS die Funktion, den Abtransport von Stickstoff zu erleichtern. Es kommt aufgrund der unterschiedlichen Konzentrationen hierbei zu einer Diffusion von Sauerstoff in die Stickstoffbläschen, aus denen im Gegenzug Stickstoff herausdiffundiert.

ACHTUNG! Beim Tauchunfall ist – unabhängig vom zuvor geatmeten Gasgemisch – immer eine **sofortige Sauerstoffgabe mit maximaler Konzentration** indiziert! Auch bei begrenztem O_2-Vorrat soll so lange wie möglich 100 % O_2 geatmet werden unter Inkaufnahme, dass der Transport ggf. mit Luftatmung zu Ende geführt werden muss.

IM FOKUS

Maßnahmen beim Tauchunfall

Monitoring

- AF, SpO_2, Rekapillarisierungszeit, Puls (peripher/zentral), RR, BZ, GCS, EKG, Temperatur

Basismaßnahmen und Lagerung

- Sofern noch nicht erfolgt: Rettung unter Beachtung des Eigenschutzes nach den Prinzipien des Ertrinkungsunfalls (→ Kap. 43.2.4).
- Bewusstseinskontrolle (ansprechen, Orientiertheit prüfen, Pupillenkontrolle)
- „Treat first, what kills first": bei Bewusstlosigkeit bzw. Atemstillstand zunächst vorgehen nach aktuell gültigen Reanimationsleitlinien.
- Ein Ertrinkungsunfall kann allein oder zusätzlich zu einem Tauchunfall vorliegen und muss immer mitbedacht werden.
- Lagerung nach notfallmedizinischen Standards:
  - Flachlagerung anstreben. Nicht gegen den Willen des Patienten. Bei Bewusstlosigkeit stabile Seitenlagerung bzw. flache Rückenlagerung, falls CPR indiziert.
  - Keine Kopftieflagerung!
  - Tauchunfallopfer möglichst wenig bewegen! (**Cave:** Gasblasenmobilisierung, Hypothermie, Verletzung!)
- Sauerstoffgabe mit maximaler Konzentration, z. B. dicht sitzende Maske mit Demand-Ventil, mindestens Inhalationsmaske mit O_2-Reservoir und maximalem Flow
- Bei respiratorischer Insuffizienz und ausreichender Vigilanz mit vollständig erhaltenen Schutzreflexen ist eine nichtinvasive Beatmung bzw. Masken-CPAP der Intubation vorzuziehen, um die neurologische Verlaufsbeurteilung nicht zu verschleiern.
- Für Untersuchung und Monitoring muss der Taucheranzug entfernt werden. Hierbei ist auf den richtigen Wärmehaushalt zu achten: Sowohl Unterkühlung als auch Überwärmung müssen vermieden werden.
  - Taucheranzug entfernen (lassen). Ein bewusstseinsklarer, orientierter Taucher ohne Hinweise auf Verletzungen tut dies am besten selbst bzw. mithilfe des Buddys. Taucheranzug im Notfall aufschneiden.
  - Unfallopfer abtrocknen und in vorgeheizten RTW bringen, ggf. mit Decken versorgen.
- Auskultation, Perkussion. Insbesondere: Hinweis auf (Spannungs-)Pneumothorax?
  - **Cave:** Ein einseitig abgeschwächtes/fehlendes Atemgeräusch kann auch von der Verlegung eines Bronchus herrühren, wie sie bei der Aspiration von Wasser bzw. Mageninhalt auftreten kann! Vor der Entscheidung zur Thoraxdrainage sollten weitere Zeichen eines Spannungspneus evaluiert werden, z. B. zunehmende Schockzeichen bei gleichzeitiger oberer Einflussstauung, Überblähung der betroffenen Seite, Entwicklung eines Hautemphysems etc. Wo vorhanden: Sonografie!
- Orientierende neurologische Untersuchung und Dokumentation:
  - Glasgow Coma Scale
  - Orientiert zu Person, Situation, Zeit und Ort?
  - Prüfung von Motorik und Sensibilität
  - Prüfung der Hirnnerven inkl. Pupillenkontrolle
  - Babinski-Reflex
  - Eine Orientierung kann der VDST-NeuroCheck geben (→ Abb. 43.10).

Erweiterte Maßnahmen

- i. v. Zugang und ggf. Laborblutentnahme
- Nach i. v. Zugang Gabe von 500–1 000 ml balancierte Vollelektrolytlösung in der ersten Stunde. Keine reinen Glukoselösungen verwenden!
  - **Hinweis:** Unfallopfern ohne Gefahr der Bewusstseinstrübung wird als Erste-Hilfe-Maßnahme empfohlen, kohlensäure- und alkoholfreie Getränke zu sich zu nehmen.
- Bei Spannungspneumothorax frühzeitige Entlastung, z. B. mittels Nadeldekompression und/oder Anlage einer Bülau-Drainage, z. B. bei bevorstehendem RTH-Transport (Gefahr: Abnahme des Umgebungsdrucks beim RTH-Aufstieg → Zunahme des Pneus)

NeuroCheck für Taucher

VDST

Name des Verunfallten: ____________________

Datum: ____________ **Name des Untersuchers:** ____________________

Prüfung/Item	Check 1 Uhrzeit: ____:____	Check 2 Uhrzeit: ____:____
1. Bewusstsein *Sprich die Person laut an, rüttele sie ggf. fest an den Schultern.* → Ist die Person wach und ansprechbar?	☐ Ja ☐ Nein	☐ Ja ☐ Nein
Falls nein, weitere Angabe: ☐ Die Person ist schläfrig ☐ Die Person ist nicht erweckbar. (Achtung: Prüfe, ob eine Herz-Lungen-Wiederbelebung erforderlich ist!)		
2. Orientierung → Kann die Person den aktuellen Monat und den Ort korrekt nennen?	☐ Ja ☐ Nein	☐ Ja ☐ Nein
3. Kooperation → Kann die Person zwei Aufgaben korrekt befolgen? *(Aufforderungen: Augen schließen, eine Hand zur Faust ballen)*	☐ Ja ☐ Nein	☐ Ja ☐ Nein
4. Sprache → Kann die Person zwei einfache Gegenstände (z.B. Stift, Uhr, Brille o.a.) korrekt benennen?	☐ Ja ☐ Nein	☐ Ja ☐ Nein
Erscheint die Sprache der Person normal und ist die Aussprache deutlich? *(Fordere sie/ihn auf, einen Satz nachzusprechen. Ist ein Gespräch, bzw. die Verständigung mit der betroffenen Person ungestört möglich?)*	☐ Ja ☐ Nein	☐ Ja ☐ Nein
5. Sehen → Kann die Person normal sehen? ***Falls Nein***, ggf. nähere Beschreibung der Einschränkung des Sehens (z.B. Doppelbilder, Verschwommensehen): ____________________ ____________________	☐ Ja ☐ Nein	☐ Ja ☐ Nein
6. Mimik *Bitte die Person, die Zähne zu zeigen.* → Ist die Beweglichkeit des Gesichtes seitengleich? *(Nein: Das Gesicht/der Mund ist schief oder eine Seite deutlich gelähmt.)*	☐ Ja ☐ Nein	☐ Ja ☐ Nein
7. Motorik *Bitte die Person,* ***beide Arme gleichzeitig*** *für 10 Sekunden nach vorn zu halten.* → Können beide Arme gerade herausgestreckt in dieser Position gehalten werden?	☐ Ja ☐ Nein	☐ Ja ☐ Nein
Falls Nein: Welche Seite kann nicht gehalten werden oder nicht angehoben werden? ☐ Rechter Arm sinkt ab ☐ Linker Arm sinkt ab		

Verband Deutscher Sporttaucher e.V. - NeuroCheck für Taucher V1.0 ©VDST/J.Meyne

Rückseite beachten, bitte wenden!

Abb. 43.10 NeuroCheck für Taucher V1.0 (© VDST/J. Meyne) [W1270]

VDST

Bitte die Person, im Liegen ***einzeln das rechte/das linke Bein*** *5 Sekunden in die Luft zu halten (ca. 45°).* → Können beide Beine einzeln in dieser Position gehalten werden? ☐ Ja ☐ Nein ☐ Ja ☐ Nein

Falls Nein: Welche Seite kann nicht gehalten werden oder nicht angehoben werden?
☐ Rechtes Bein sinkt ab ☐ Linkes Bein sinkt ab

8. Sensibilität

Frage die betroffene Person, ob er/sie irgendwo am Körper Schmerzen, Taubheitsgefühle oder Missempfindungen verspürt. → **Ist die Empfindung normal?** ☐ Ja ☐ Nein ☐ Ja ☐ Nein

Falls „Nein" (Empfindung gestört), bitte weitere Angabe zu Ort und Art der Empfindungsstörung:

____

____

9. Koordination

Bitte die Person, die Augen zu schließen und nacheinander erst mit dem rechten Zeigefinger und dann mit dem linken Zeigefinger auf ihre/seine Nase zu zielen.
→ Ist die Bewegung auf beiden Seiten zielgerichtet und trifft sie/er die Nase? ☐ Ja ☐ Nein ☐ Ja ☐ Nein

Frage die Person nach Schwindel. → **Ist sie frei von Schwindel?** ☐ Ja ☐ Nein ☐ Ja ☐ Nein

10. Gang/Stand

Sichere die betroffene Person hierbei davor, zu stürzen! Prüfe diesen Punkt nur, wenn das Befinden der/des Betroffenen ein Aufstehen erlaubt!
→ Ist die Person in der Lage, mit offenen und mit geschlossenen Augen frei und sicher zu stehen? (Ohne dass er/sie schwankt oder droht zu stürzen?) ☐ Ja ☐ Nein ☐ Ja ☐ Nein

→ Kann die/der Betroffene normal gehen? ☐ Ja ☐ Nein ☐ Ja ☐ Nein

Sonstiges, Bemerkungen:

____

____

____

____

____

____

VDST
www.vdst.de
Medizinische
NOTFALL-HOTLINE
für VDST-Mitglieder
+49 69 800 88 616

Hinweise zur Durchführung des NeuroCheck

- Der Test ist auffällig, wenn bei einem oder mehreren Punkten „Nein" angekreuzt wurde.
- Ein unauffälliges Testergebnis schließt einen Tauchunfall nicht aus. Handele bei Verdacht auf einen Tauchunfall immer entsprechend, auch wenn der Test unauffällig ausfällt!
- Der NeuroCheck soll bei Verdacht auf Tauchunfall keine Verzögerung der Behandlung und der Einleitung der Rettungskette verursachen! (Notruf, HLW, Sauerstoffgabe sind vorrangig). Führe den ersten NeuroCheck am besten mit Beginn oder unmittelbar nach Beginn der Sauerstoffgabe durch.
- Zweck des Tests ist es, neurologische Symptome zu erkennen und zu dokumentieren – sowie deren Verlauf festzuhalten. Wiederhole weitere Checks kurzfristig (z.B. nach 30, 60, 90 min) und dokumentiere sie (Besserung unter Sauerstoffgabe?).
- Die Dokumentation des NeuroCheck verbleibt beim Verunfallten (z.B. dem Rettungsdienst mit Unfallprotokoll mitgeben).
- Die Tests 1-9 werden im Liegen untersucht. Test 10: Lasse die verunfallte Person nur aufstehen, wenn sie/er nur geringfügig betroffen ist und sie/er geh- und stehfähig ist.
- Weitere Informationen zum Vorgehen bei Verdacht auf einen Tauchunfall: VDST Notruf Hotline, Leitlinie Tauchunfall.

Verband Deutscher Sporttaucher e.V. - NeuroCheck für Taucher V1.0 ©VDST/J.Meyne

Abb. 43.10 NeuroCheck für Taucher V1.0 (© VDST/J. Meyne) [W1270] *(Forts.)*

- Im Falle einer Intubation:
  - Immer 100 % Sauerstoff geben.
  - Wenn Pneumothorax vorliegt: Bülau-Drainage durch Notarzt
- Tauchcomputer sicherstellen, enthält u. U. wichtige Informationen zum Tauchgangsverlauf.
- Abwägen, ob der Tauchpartner ebenfalls durch einen tauchmedizinisch erfahrenen Arzt untersucht und ggf. behandelt werden muss.
- Ärztliche Entscheidung, ob Transport in eine Druckkammer indiziert ist:
  - Gegebenenfalls Beratung durch Taucherarzt einer tauchmedizinischen Hotline
  - Schnellstes und schonendstes Transportmittel wählen. Bei RTH-Transport möglichst niedrige Flughöhe einhalten.
- Weitere Behandlung je nach vorliegender Klinik gemäß notfallmedizinischen Standards
- Weitere (z. B. internistische/neurologische) Primärursachen für den Tauchunfall in die differenzialdiagnostischen Erwägungen einbeziehen!
- Patienten auch bei milden Symptomen grundsätzlich ins Krankenhaus bringen zur Verlaufsbeobachtung. Bei Transportverweigerung (nur möglich bei vollständiger Orientiertheit des Patienten) entsprechende ärztliche Aufklärung und Dokumentation.

PRAXISTIPP

Tauchmedizinische Hotlines

- Nationale DAN-Hotline für Deutschland und Österreich: 00800 326 668 783 (00800 DAN NOTRUF) (DAN = Divers Alert Network)
- VDST-Hotline: 0049 69 800 88 616
- Ansprechstelle des Schifffahrtmedizinischen Instituts der Marine: 0049 431 5409 1441
- Taucherhotline von aqua med: 0049 700 348 354 63 (0700-DIVELINE)
- Internationale DAN-Hotline: 0039 06 4211 8685 oder -5685

Aktuelle Druckkammerlisten auf https://www.gtuem.org/33/druckkammern (letzter Zugriff: 01.05.2023)

Immersions-Lungenödem

Das Immersions-Lungenödem (engl. swimming-induced pulmonary edema, SIPE) stellt eine Besonderheit dar und kann sowohl beim Tauchen als auch bei anderen Aktivitäten im Wasser auftreten, bei denen sich ein Großteil des Körpers unter Wasser befindet. Hierbei kommt es vermutlich durch den Wasserdruck zu einer Kompression des venösen Systems mit einer **Erhöhung der kardialen Vorlast.** Als anderer Mechanismus wird eine kältebedingte Vasokonstriktion mit Umverteilung des Blutvolumens nach zentral diskutiert. Insbesondere bei Hypertonikern und Betroffenen mit vorbestehender Herzinsuffizienz kann dies zu einem akuten Lungenödem führen. Denkbar ist auch das Auftreten beispielsweise **bei der Wassergymnastik** (z. B. Reha-Sport bei bereits kardial vorbelasteten Personen). Neben dem sofortigen **Retten aus dem Wasser** gelten die Prinzipien zur Behandlung des kardialen Lungenödems (→ Kap. 27.2.6).

43.2 Ertrinkungsunfälle

43.2.1 Ursachen

Die meisten Ertrinkungsunfälle ereignen sich in heißen Sommermonaten an unbewachten Binnengewässern. 75–80 % der Ertrunkenen sind männlich, was einer erhöhten Risikobereitschaft zugeschrieben wird. Oft gehen Menschen an Stellen baden, die aufgrund Strömung oder anderer Gefahren nicht zum Schwimmen zugelassen sind. Rund die Hälfte der Ertrunkenen sind älter als 50 Jahre, hier spielen vermutlich körperliche Faktoren und Vorerkrankungen die Hauptrolle. Zwischen 2002 und 2022 schwankte die Zahl der jährlichen Ertrinkungsopfer zwischen 299 und 644. Durch Zuwanderung und Schwimmbadschließungen mit Ausfall von Schwimmunterricht in Schulen nimmt die Anzahl der Personen, die nicht sicher schwimmen können, stetig zu.

43.2.2 Definitionen und Begrifflichkeiten

DEFINITION

Als Ertrinken bezeichnet man einen Prozess, der aus einer primären respiratorischen Beeinträchtigung durch Eintauchen und/oder Untertauchen in ein flüssiges Medium resultiert. Diese Definition impliziert, dass eine Flüssigkeits-Luft-Grenzfläche am Beginn des Atemwegs des Betroffenen vorhanden sein muss, die verhindert, dass das Opfer Luft atmen kann. Das Opfer kann nach diesem Prozess (Ertrinkungsunfall) leben oder sterben, es war per Definition auf jeden Fall in einen Ertrinkungsunfall verwickelt. *(ILCOR)*

Ertrinken entsteht infolge von Submersion (Untertauchen) oder Immersion (Eintauchen). **Submersion** bezeichnet nach der aktuellen Definition des ERC einen Zustand, bei dem das Gesicht unter Wasser oder mit Wasser bedeckt ist, während bei der **Immersion** der Kopf über Wasser bleibt und nur der restliche Körper ganz oder teilweise untergetaucht ist. Dies ist z. B. bei Schiffbrüchigen mit einer Rettungsweste der Fall, bei ihnen kommt es vorrangig zur Hypothermie und ggf. der Aspiration schwappenden Wassers.

DEFINITION

Immersion: „Eingetaucht" – der Kopf bleibt über Wasser und nur der restliche Körper ist ganz oder teilweise unter Wasser.
Submersion: „Untergetaucht" – Zustand, bei dem das Gesicht unter Wasser oder mit Wasser bedeckt ist.

Kommt es als Folge des Ertrinkungsunfalls zum Tod, spricht man von einem **tödlichen Ertrinkungsunfall.** Ist die Primärrettung erfolgreich, handelt es sich um einen **nicht tödlichen Ertrinkungsunfall.**

MERKE

Nach einem Ertrinkungsunfall muss jeder Patient wegen der Gefahr eines ertrinkungsbedingten Lungenschadens/ARDS für mindestens 24 Std. im Krankenhaus beobachtet werden.

43.2.3 Pathophysiologie

Ertrinkungsvorgang

Der Ertrinkungsvorgang läuft immer in ähnlicher Reihenfolge ab: Zunächst versuchen die Ertrinkenden, willkürlich den Atem anzuhalten. Es kommt normalerweise zum Verschlucken größerer Mengen Wasser in den Magen. Dann folgt ein **Laryngospasmus,** der die unteren Atemwege verschließt und das Eindringen größerer Wassermengen zunächst verhindert. In ca. 10–15 % d. F. bleibt dieser Laryngospasmus auch noch in tiefer Bewusstlosigkeit erhalten, in allen anderen Fällen löst er sich unter einer zunehmenden Hypoxie und Hyperkapnie mit Ausfall der Schutzreflexe wieder und Wasser kann in die unteren Atemwege eindringen. In der Folge kommt es zusätzlich zur ohnehin schon bestehenden Hypoxie noch zu einer Lungenschädigung, die den Gasaustausch – auch nach erfolgreicher primärer Rettung – weiter erschweren kann.

Ertrinken in Süß- oder Salzwasser

Schon seit geraumer Zeit wird die klinische Bedeutung der Unterscheidung zwischen Süß- und Salzwasserertrinken uneinheitlich bewertet. Daher wird auf die weitere Darstellung an dieser Stelle ausdrücklich verzichtet. Mäßige Elektrolytstörungen sind selten von klinischer Relevanz und bedürfen meist keiner Behandlung. Wichtig ist die **Gemeinsamkeit beider Ertrinkungsarten,** nämlich die **Auswaschung bzw. Inaktivierung von Surfactant.** Fehlt die Surfactantwirkung in den Alveolen, kollabieren diese und können verkleben, es bilden sich **Atelektasen.** Die betroffenen Lungenareale können nicht mehr ausreichend am Gasaustausch teilnehmen, sodass der relative Anteil sauerstoffarmen Bluts, das aus der Lunge zum linken Herzen transportiert wird, zunimmt. Man spricht in diesem Fall von einer **intrapulmonalen Shunt-Bildung.** Die resultierende **Hypoxie** stellt das Hauptproblem bei Ertrinkungsunfällen dar. Im Verlauf kann es außerdem zu einer Pneumonitis (Lungenentzündung durch physikalische Schädigung) bzw. zu einer Pneumonie (Lungenentzündung durch Krankheitserreger) kommen. Die Ausbildung eines ARDS im Verlauf ist eine gefürchtete Komplikation mit hoher Letalität.

> **PRAXISTIPP**
>
> Die Unterscheidung in **Süß- und Salzwasserertrinken** hat für die rettungsdienstliche Praxis **keine Relevanz.** Hauptproblem beider Formen des Ertrinkens sind **Hypoxie und Lungenschädigung** durch Verlust der Surfactantwirkung.

Hypothermie

Wasser hat eine ca. 25-mal höhere Wärmeleitfähigkeit als Luft. Daher ist die Hypothermie eine der **häufigsten Begleiterscheinungen** bei Ertrinkungsopfern. Obwohl die akzidentielle Hypothermie eine eigene Krankheitsentität darstellt, kann die rasche Auskühlung im Falle einer Reanimationspflichtigkeit jedoch auch Vorteile haben. Der Sauerstoffverbrauch der Zellen sinkt um ca. 6 % pro Grad Celsius Abnahme der Körperkerntemperatur. Insbesondere bei Kindern sind, aufgrund der deutlich rascheren Auskühlung im Gegensatz zu Erwachsenen, Einzelfallberichte bekannt, bei denen eine Reanimation noch nach 60 Min. Submersion in Eiswasser (< 5 °C) ohne neurologisches Defizit geglückt ist.

Die Versorgung eines Ertrinkungsopfers muss daher immer auch eine Temperaturmessung beinhalten und die **Prinzipien der Versorgung von Verunfallten mit Hypothermie beachten** (→ Kap. 42.2, → Tab. 42.1). Im Falle einer Reanimation soll eine Wiedererwärmung nicht auf über 34 °C Körperkerntemperatur (KKT) erfolgen, da sich ein zielgerichtetes Temperaturmanagement der primär erfolgreichen Reanimation anschließen soll.

HWS-Verletzung

Eine vielbeachtete Begleitverletzung bei Ertrinkungsunfällen ist das HWS-Trauma, meist unter der Vorstellung eines Kopfsprungs in unbekannte Gewässer. Tatsächlich hat jedoch nur jedes 200. Ertrinkungsopfer auch eine HWS-Beteiligung. Das bedeutet, dass statistisch von allen Ertrinkungsopfern bundesweit jährlich nur bei 2 tatsächlich ein HWS-Trauma vorliegt.

Die **Immobilisation der HWS** ist im Wasser oft schwierig und kann die adäquate Rettung des Unfallopfers verzögern. Bei der Rettung soll generell eine zu starke Flexion oder Extension der HWS vermieden werden, schlecht angebrachte Zervikalstützen können jedoch bei bewusstlosen Patienten zur Atemwegsverlegung führen. Eine HWS-Immobilisation mittels Zervikalstütze ist daher **nicht indiziert, wenn keine Anzeichen für eine schwere Verletzung bestehen oder aufgrund des Unfallhergangs naheliegen.**

> **PRAXISTIPP**
>
> Solange keine Hinweise für einen Sprung in flaches Wasser oder Zeichen einer schweren Verletzung nach Rutschen auf der Wasserrutsche, Wasserski, Kite-Surfing oder Bootsrennen bestehen, sind Vorsichtsmaßnahmen zur Wirbelsäulenimmobilisation nicht notwendig.

Die Koinzidenz zwischen HWS-Trauma und Schädel-Hirn-Trauma (SHT) ist hingegen sehr hoch, sodass bei einer begründeten Entscheidung für die Durchführung einer HWS-Immobilisation auch immer gezielt an ein SHT gedacht werden muss.

43.2.4 Maßnahmen

Die Rettung aus dem Wasser ist i. d. R. Aufgabe von Wasserrettungsorganisationen wie der Deutschen Lebens-Rettungs-Gesellschaft (DLRG), der Wasserwacht oder Spezialkräften der Feuerwehr, im offenen Meer auch die der Deutschen Gesellschaft zur Rettung Schiffbrüchiger (DGzRS). Generell wird in den Reanimationsleitlinien die Bedeutung von Ersthelfern betont, da eine Submersionszeit von < 10 Min. eine gute Prognose hat, eine Submersionzeit von > 25 Min. hingegen mit einem sehr schlechten Outcome vergesellschaftet ist (→ Abb. 43.11).

- Erweitertes Monitoring mit engmaschiger **RR-Messung, Pulsoxymetrie, 12-Kanal-EKG, BZ, Temperatur.** Bei Beatmung zusätzlich **$etCO_2$.**
  - Das Einschalten des QRS-Tons hilft, auch in stressigen Situationen Veränderungen des Herzrhythmus nicht zu übersehen!
  - Eine Sinusbradykardie ist im Falle einer Hypothermie normal und dem verringerten Sauerstoffbedarf geschuldet. Eine medikamentöse Therapie ist dann i. d. R. nicht indiziert.

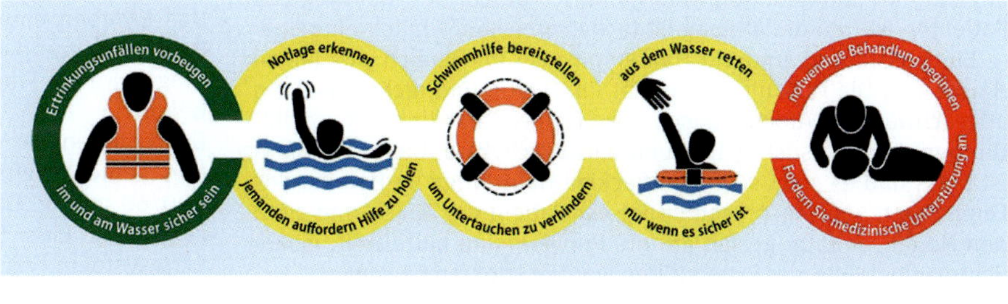

Abb. 43.11 Überlebenskette beim Ertrinkungsunfall [F928-002]

- Bei Bewusstlosigkeit bzw. Atemstillstand Vorgehen nach aktuell gültigen Reanimationsleitlinien. Hierbei folgende Punkte besonders beachten:
  - Abweichend vom Standard **Beginn mit 5 Initialbeatmungen** vor Thoraxkompression
  - **Technisch einwandfreie Thoraxkompressionen,** um Druck auf den gefüllten Magen zu verhindern
  - **Keine Kompression-Only-CPR!** Immer für bestmögliche **Oxygenierung** sorgen!
  - Bei der Beutel-Masken-Beatmung ggf. Sellick-Handgriff (Krikoid-Druck) zur Verhinderung von Regurgitation/weiterer Aspiration
  - Permanente **Absaugbereitschaft!**
  - Wird die Beatmung durch Wasser oder Erbrochenes behindert, Kopf auf die Seite drehen und absaugen.
  - Bei nicht intubierten Patienten nur im Bereich der oberen Atemwege absaugen. Nicht versuchen, Wasser aus den unteren Atemwegen zu entfernen (blinde Absaugung dort aufgrund der Bronchialverzweigung kaum möglich, Wasser wird ohnehin resorbiert, Gefahr des Erbrechens erhöht).
  - Frühzeitig Einlage einer **Magensonde** erwägen, da zum einen die Gefahr der Regurgitation/Aspiration deutlich erhöht ist und zum anderen der prall gefüllte Magen von unten gegen das Zwerchfell drückt, sodass dessen Entlastung die Beatmung deutlich vereinfachen kann.
  - Die **endotracheale Intubation** ist aufgrund des Aspirationsschutzes und der oft vorliegenden Erfordernis hoher Beatmungsdrücke supraglottischen Atemwegshilfen vorzuziehen.
    - **Crush-Intubation (RSI,** Rapid Sequence Induction → Kap. 22.5.1)
    - **PEEP** 5–10 mbar, bei schlechter Oxygenierung Steigerung bis 20 mbar. Bei hohem PEEP unter maschineller Beatmung auf ausreichendes Atemzugvolumen (AZV) achten!
    - **100 % Sauerstoff, bis Pulsoxymetrie verfügbar**
    - **Ziel-SpO_2 von 94–98 %**
  - Die Reanimation des Ertrinkungsopfers wird so lange fortgesetzt, bis sichere Todeszeichen vorliegen oder ein zeitgerechter Transport in eine medizinische Einrichtung nicht mehr möglich ist (z. B. beim Ertrinken auf offener See).
- Bei ausreichender Spontanatmung initial 10–15 l O_2 über Maske mit Reservoir
- Bei schlechter Oxygenierung oder Bewusstseinstrübung **großzügige Indikation zur endotrachealen Intubation durch erfahrenes Personal**
- Immer die Gefahren der **Hypothermie** bedenken (Bergungstod/Afterdrop) (→ Kap. 52.2.6)!
  - Hypotherme Opfer möglichst wenig bewegen!
  - Bei einer Hypothermie unter 30 °C kann die Wirksamkeit von Defibrillation und Medikamentengabe eingeschränkt sein. **Faustregel:** Bis zum Erreichen einer KKT ≥ 30 °C Verzicht auf Medikamentengabe und maximal 3 Defibrillationen. Zwischen 30 und 35 °C Medikamente nur halb so oft geben wie normalerweise.
- Wärmeerhalt bzw. Aufwärmung nach den Prinzipien der Hypothermiebehandlung (vgl. Hypothermie). Nasse Kleidung entfernen!
- **Glasgow Coma Scale** und **neurologischer Basischeck,** ggf. im Verlauf mehrfach wiederholen.
- Monitoring und körperliche Untersuchung können Hinweise auf **Ursachen und Folgen** des Ertrinkungsunfalls liefern!
- **Immer Transport** in ein Krankenhaus mit internistischer Intensivstation (Gefahr sekundärer Lungenschäden innerhalb von Minuten bis Stunden nach dem Ereignis)

WIEDERHOLUNGSFRAGEN

1. Erläutern Sie kurz das Gesetz von Boyle und Mariotte (→ Kap. 43.1.1).
2. Um welchen Faktor hat der auf den Körper einwirkende Umgebungsdruck auf einer Wassertiefe von 10 Metern im Vergleich zur Oberfläche zugenommen (→ Kap. 43.1.1 und → Kap. 43.1.2)?
3. Was versteht man unter Apnoetauchen (→ Kap. 43.1.3)?
4. Welche Krankheitsbilder gehören zur DCI (→ Kap. 43.1.4)?
5. Erläutern Sie Symptome und Gefahren der DCS (→ Kap. 43.1.4).
6. Erläutern Sie den Begriff „pulmonales Barotrauma" (→ Kap. 43.1.4).
7. Nennen Sie Begleiterkrankungen, die Ursache oder Folge eines Ertrinkungsunfalls sein können (→ Kap. 43.2.3).
8. Welche Bedeutung hat im Rettungsdienst die Unterscheidung in Süß- und Salzwasserertrinken (→ Kap. 43.2.3)?
9. Erläutern Sie das Vorgehen bei der Reanimation von Ertrinkungsopfern (→ Kap. 43.2.4).

AUFLÖSUNG DES FALLBEISPIELS

Verdachtsdiagnose

Pulmonales Barotrauma nach Tauchunfall, DCS.

Schlüsselinterventionen

Das Rettungsfachpersonal führt umgehend die Erstbeurteilung des ungefähr 40-jährigen, adipösen Patienten durch. Der Atemweg des Patienten ist frei, die Atmung ist tachypnoeisch. Es fallen eine obere Einflussstauung und ein Hautemphysem im Bereich des linken Halses auf. Die Auskultation ergibt linksseitig und rechtsbasal ein abgeschwächtes Atemgeräusch. Der Thorax wirkt links überbläht. Der periphere Puls ist tastbar und leicht tachykard. Das Hautkolorit ist blass und es zeigt sich eine fleckige Hautrötung im Bereich des Oberkörpers. Auf Ansprache öffnet der Patient die Augen und sieht den Notfallsanitäter gezielt an, die Pupillen sind mittelweit, isokor lichtreagibel. Alle vier Extremitäten werden spontan bewegt.

Der Patient wird schonend auf die Trage umgelagert und zur weiteren Untersuchung und Behandlung unter Fortführung der Sauerstoffinhalation in den RTW verbracht. Nach vorsichtigem Entfernen des sehr eng sitzenden Taucheranzugs mittels Kleiderschere wird der Patient abgetrocknet, um ein weiteres Auskühlen zu verhindern. Das Erheben einer SAMPLER-Anamnese ist nicht möglich, da der Patient aufgrund der massiven Dyspnoe nicht sprechen kann. Allerdings wird die Frage nach Luftnot und Schmerzen durch Kopfnicken bejaht.

Das Erheben der Vitalparameter ergibt eine Atemfrequenz von 28/Min., eine Herzfrequenz von 104/Min. und einen Blutdruck von 100/60 mmHg. Die Sauerstoffsättigung liegt bei 94 % und im EKG zeigt sich eine Sinustachykardie mit vereinzelten ventrikulären Extrasystolen (VES).

Da der Patient eine Rückenlage nicht toleriert, wird er in Linksseitenlage mit leicht erhöhtem Oberkörper gebracht. Die hoch dosierte Sauerstoffgabe wird kontinuierlich fortgeführt. Der Notfallsanitäter legt dem Patienten einen großlumigen intravenösen Zugang und infundiert eine balancierte Vollelektrolytlösung.
Bei weiter fortschreitender Hypotonie entscheidet sich der Notarzt zur Anlage einer Bülau-Drainage in Lokalanästhesie, die zu einer deutlichen klinischen Besserung des Patienten führt. Nach telefonischer, tauchmedizinischer Beratung wird der Patient mit dem nachgeforderten RTH in eine 30 km entfernte Druckkammer mit Möglichkeit einer intensivmedizinischen Versorgung geflogen.

Klinik

In der Klinik kann der Patient stabilisiert werden und überlebt den Vorfall nach 2-wöchiger Intensivbehandlung bei einer verkomplizierenden Pneumonie rechtsbasal letztlich ohne Folgeschäden.

Diagnose

Pulmonales Barotrauma mit Spannungspneumothorax links nach Tauchunfall, DCS.

WEITERFÜHRENDE LITERATUR

Bartmann H. et al. Notfallmanager Tauchunfall. 4., vollst. überarb. Aufl. Stuttgart: Gentner, 2012.

Dreesen S. Zertifizierte Fortbildung Teil 7 – Ertrinkungsunfälle. Die Hypoxie ist das Hauptproblem. Rettungsdienst. 2011; 34: 7. 47–54.

Gesellschaft für Tauch- und Überdruckmedizin (GTÜM e. V.). Verzeichnis der Behandlungs-Druckkammern in Deutschland, Österreich und der Schweiz. https://www.gtuem.org/druckkammern/sh-30.html.

Idris A et al. 2015 revised Utstein-style recommended guidelines for uniform reporting of data from drowning-related resuscitation. An ILCOR advisory statement. Resuscitation. 2017; 118: 147–158.

Klingmann C et al. Moderne Tauchmedizin. 3. vollst. überarbeitete Aufl. Stuttgart: Gentner, 2019.

44

ABC-NOTFÄLLE

Jürgen Luxem

FALLBEISPIEL

Notfallmeldung

Die Rettungsleitstelle alarmiert den Rettungshubschrauber zu einem Betriebsunfall. Am Unfallort sei eine Person bei Abrissarbeiten in einem stillgelegten Kernkraftwerk abgestürzt.

Situation und Ersteindruck

Die Feuerwehr hat unter Selbstschutz (Strahlenschutzanzug) einen Arbeiter aus dem Sicherheitsbereich des Reaktors gerettet. Der Arbeiter ist aus einer Höhe von 4 m von einer Leiter gestürzt. Dabei ist sein Schutzanzug eingerissen. Die Kleidung des Arbeiters wird entfernt. Der Patient wird dem Rettungsfachpersonal übergeben.

Der Patient ist wach und ansprechbar. Er klagt über Schmerzen im linken Bein, das offensichtlich geschlossen frakturiert ist. Der ebenfalls anwesende Strahlenschutzbeauftragte des Werks verneint eine erhöhte Strahlenbelastung des Patienten, kann diese allerdings nicht objektivieren. Der mobile Geigerzähler der Feuerwehr gibt einen Strahlenalarm bei der Untersuchung der Kleidung des Arbeiters, bleibt jedoch stumm bei Untersuchung des entkleideten Patienten.

Leitsymptome

Schmerzen im linken Unterschenkel, radioaktive Kontamination der Kleidung des Patienten.

INHALTSÜBERSICHT

44.1 SCHÄDEN DURCH RADIOAKTIVE STOFFE

- Der menschliche Körper besitzt keinen Erkennungssinn für Radioaktivität.
- Die von radioaktiven Substanzen emittierten α-, β- und γ-Strahlen besitzen die Möglichkeit, den menschlichen Organismus zu durchdringen.
- Damit besteht die Gefahr, wichtige Körperstrukturen (DNS, Keimzellen) zu zerstören.
- Die radioaktive Strahlendosis nimmt mit wachsender Einwirkzeit der Strahlung zu.
- Die Intensität der Strahlung nimmt mit dem Quadrat der Entfernung von der Strahlenquelle ab.

44.2 SCHÄDEN DURCH BIOLOGISCHE STOFFE

- Schäden durch biologische Stoffe können durch Krankheitserreger (Seuchen) oder biologische Kampfmittel (biologische Kampfstoffe) verursacht werden.
- Wenn Schutzmaßnahmen (hygienische Bedingungen) vernachlässigt werden, können bereits örtliche Schäden (Erdbeben, Ausfall der Trinkwasserversorgung) den Ausbruch übertragbarer Krankheiten begünstigen.
- Biologische Stoffe sind Krankheitserreger oder deren Giftstoffe (Toxine).

44.3 SCHÄDEN DURCH CHEMISCHE KAMPFSTOFFE

- Chemische Stoffe wirken i. d. R. direkt und unmittelbar auf den Körper.
- Sie können im Rahmen von Unfällen (Produktionsunfall) oder beabsichtigt (Terroranschlag) auftreten.
- Alle Hautkampfstoffe rufen neben ihrer Giftwirkung auch chemische Verbrennungen der Haut und der Schleimhäute hervor.
- Der Eigenschutz steht im Vordergrund.

44.4 DEKONTAMINATION

- Die Dekontamination zielt auf das Entfernen gefährlicher Verunreinigungen, die Personen gefährden.
- Zu den Basismaßnahmen zählt die Dekontamination der Körperoberfläche in einem dreistufigen Prozess.
- Von der Bekleidung müssen einzelne Kampfstoffspritzer entfernt werden, ansonsten muss die Bekleidung abgelegt werden.
- Die Patienten müssen duschen oder sich abwaschen und neue Kleidung anlegen.

Unter dem Begriff des ABC-Notfalls werden Schädigungen zusammengefasst, die unter Einwirkung

- **A**tomarer (radioaktiver),
- **B**iologischer oder
- **C**hemischer Substanzen

entstehen. Durch schnelle oder nicht aufzuhaltende Ausbreitung oder durch Versagen von Schutzmaßnahmen werden diese Substanzen freigesetzt und gefährden unmittelbar oder mittelbar das Leben oder die Gesundheit sehr vieler Menschen. Der ABC-Notfall kann im Frieden (z. B. bei **Gefahrgutunfällen,** Terroranschlägen) oder bei gewaltsamen Konflikten durch den Einsatz von ABC-Kampfmitteln **(Kernwaffen, biologische oder chemische Kampfstoffe)** eintreten. Als zusätzliche Gefahr wird der Einsatz einer „schmutzigen Bombe" durch Terroristen in Friedenszeiten angesehen. Eine **schmutzige Bombe** ist ein Sprengsatz mit hochgiftigem Material. Dies kann ein chemischer, biologischer oder radioaktiver Stoff sein. In der Regel wird der Begriff „schmutzige Bombe" für nukleare Waffen verwendet.

44.1 Schäden durch radioaktive Stoffe

Immer wieder kommt es zu **Störfällen** in Atomkraftwerken, Arztpraxen oder Krankenhäusern, bei denen Radioaktivität freigesetzt wird oder werden kann. Unfälle mit radioaktiven Strahlen sind **äußerst seltene Ereignisse.** Die wenigsten Mitarbeiter im Rettungsdienst haben deshalb Erfahrung im Umgang mit ionisierender Strahlung und der Behandlung von Strahlenverletzen.

Das **elektromagnetische Spektrum** wird je nach seiner Wellenlänge in verschiedene Bereiche eingeteilt. Radiowellen haben eine sehr große Wellenlänge (im Zentimeter- und Meterbereich) und niedrige Frequenz (75 kHz bis 10 GHz). Das für das menschliche Auge sichtbare Licht bewegt sich im Wellenlängenbereich von 380–780 nm. Bei den Röntgenstrahlen handelt es sich um sehr energiereiche hochfrequente Strahlung.

Durchdringen **Röntgenstrahlen** Materie, werden sie je nach Dichte des durchstrahlten Mediums unterschiedlich stark abgeschwächt. Diesen Umstand macht sich die diagnostische Röntgenuntersuchung zunutze. Knochengewebe verursacht wegen der relativ hohen Dichte eine stärkere Schwächung als Muskel- oder Fettgewebe. Gelangen Röntgenstrahlen nach dem Passieren des Gewebes auf Fotoplatten oder Filme, verursachen kaum abgeschwächte Strahlen eine stärkere Schwärzung als stark geschwächte Strahlen. Knochen erscheinen auf Röntgenbildern daher immer hell. Wenn die stark **ionisierende Wirkung** der Röntgenstrahlen auf den menschlichen Körper trifft, können Schäden in einzelnen Zellen oder Körpergeweben entstehen. Auch einzelne Elektronen können aus Verbindungen herausgeschlagen werden. So besteht durch ionisierende Strahlung die Gefahr von **Gewebeschädigungen** durch Zerstörung chemischer Strukturen (DNA, Proteine etc.), im extremen Fall bis hin zur Entwicklung von Tumorerkrankungen.

44.1.1 Strahlenverbrennung

Das physikalische Universum begegnet uns in zwei Erscheinungsformen – Materie und Energie. Einstein schon formulierte die Formel $E = m \times c^2$, wobei m für die Masse und E für die Energie steht. Die Formel bedeutet, dass die beiden Erscheinungsformen **um**wandelbar und nicht **un**wandelbar sind. Diese Erkenntnis ist Grundlage der Kernenergie, da Strahlung, auch **radioaktive Strahlung (Radioaktivität),** eine **Form der Energie** ist.

MERKE

Strahlung transportiert – ausgehend von einer Strahlenquelle – Energie. Die Energie wird in Form elektromagnetischer Wellen (z. B. Röntgenstrahlung) oder als Teilchenstrom (z. B. Alpha- oder Betastrahlung) transportiert.

Da der menschliche Körper **keinen Erkennungssinn für Radioaktivität** besitzt, ist deren Vorhandensein nicht unmittelbar und sofort zu spüren, sondern nur anhand der Kennzeichnung der Behälter und/oder der Information beteiligter Personen mittelbar zu erkennen, ohne die Strahlung als Bedrohung wahrzunehmen.

Die von radioaktiven Substanzen emittierten α-, β- und γ-Strahlen sind sehr energiereich und besitzen die Möglichkeit, unbelebte und belebte Materie (z. B. den menschlichen Organismus) zu durchdringen. Beim Aufprall der Strahlen auf Atome können Elektronen aus den Schalen geschlagen werden. Werden hierbei Elektronen der äußeren Schalen entfernt, so sind i. d. R. Bindungsbrüche die Folge. Damit besteht die Gefahr, wichtige Körperstrukturen zu zerstören (DNA, Enzyme, Zellbestandteile, Keimzellen).

Die verschiedenen Strahlen besitzen eine unterschiedliche Eindringtiefe in den Körper:

- **α-Strahlen** sind sehr energiereich, haben aber im Körpergewebe nur eine Eindringtiefe von wenigen (ca. 50) µm. Die Abschirmung ist bereits mit einem Blatt Papier möglich.
- **β-Strahlen** sind ebenfalls energiereich und besitzen eine Eindringtiefe ins Körpergewebe von einigen Millimetern (ca. 1 cm). Die Abschirmung ist bereits mit einer Kunststoffplatte möglich.
- **γ-Strahlen** und Röntgenstrahlen sind eine sehr energiereiche elektromagnetische Wellenstrahlung und erreichen das Körperinnere problemlos, da sie das Körpergewebe komplett durchdringen können (Röntgenbild).

α- und β-Strahlen verursachen daher nur stärkere Hautläsionen, während die elektromagnetischen γ-Strahlen eher zu Organschäden führen.

Symptome

Etwa 2–3 Std. nach Strahlenexposition (→ Abb. 44.1) entwickelt sich ein **Früherythem,** das im Wesentlichen durch Kapillardilatationen verursacht wird. Darüber hinaus bilden sich Blasen (→ Abb. 44.2) und oberflächliche bis tiefe Nekrosen. Noch nach einer Latenzzeit von 2–3 Wochen besteht die Möglichkeit, dass sich Symptome ausbilden, die einer thermischen Verbrennung ähneln (Hauterythem).

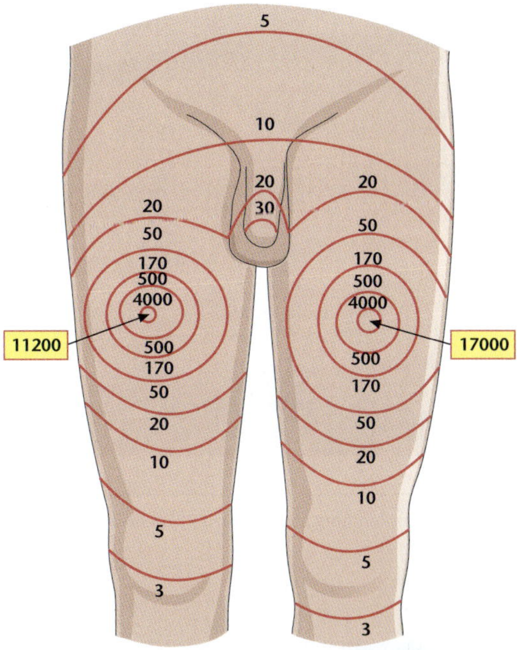

Abb. 44.1 Ausbreitung der Verbrennungswirkung nach Auflage eines lokalen Strahlers (Cäsium-137) in der Hosentasche (Skizze). Zahlenangaben = Energiedosis in Gray (Gy). [L157]

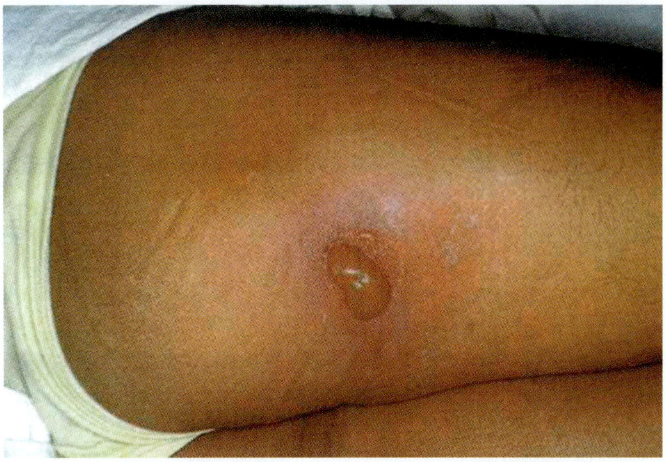

Abb. 44.2 Strahlenverbrennung mit Iridium-192, ein Tag nach Unfall [W272]

Strahlenverbrennungen treten z. T. mit erheblicher zeitlicher Verzögerung auf. Noch nach Monaten können sich **Strahlennekrosen** (→ Abb. 44.3, → Abb. 44.4 und → Abb. 44.5) entwickeln. Weitere Auswirkungen machen sich in Form von Haarausfall und Versagen der Schweiß- und Talgdrüsen der Haut bemerkbar.

Therapie

Die Behandlungsgrundsätze orientieren sich an denen des Verbrennungstraumas (→ Kap. 42.5.3).

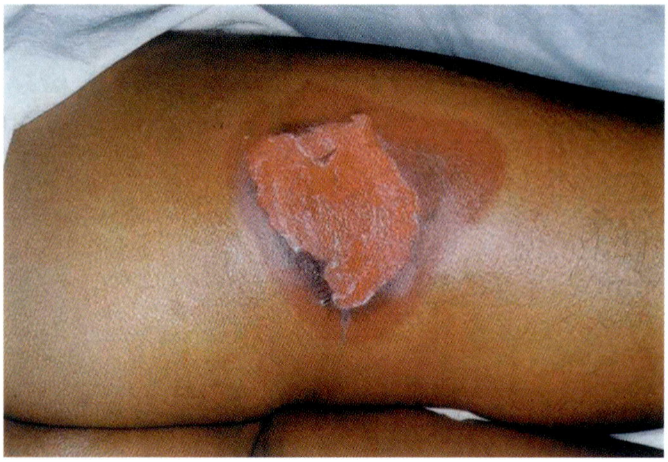

Abb. 44.3 Strahlenverbrennung mit Iridium-192, acht Tage nach Unfall [W272]

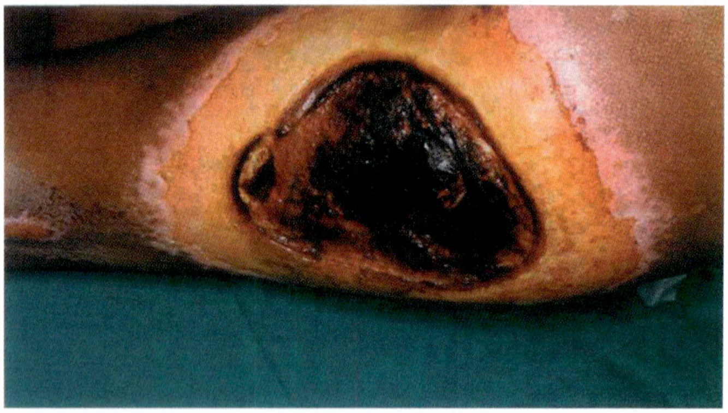

Abb. 44.4 Strahlenverbrennung mit Iridium-192, zwei Monate nach Unfall [W272]

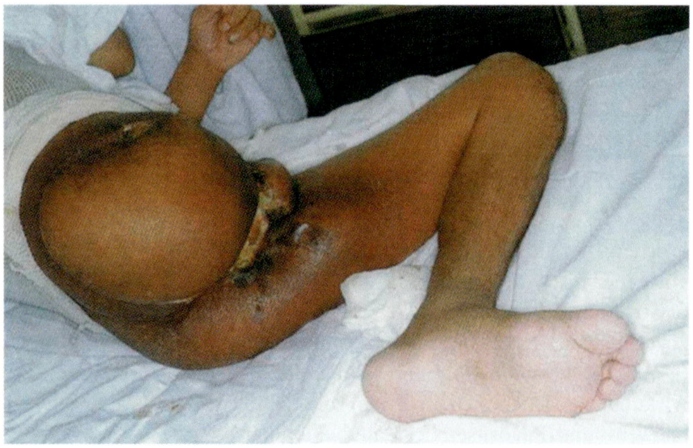

Abb. 44.5 Strahlenverbrennung mit Iridium-192, acht Monate nach Unfall [W272]

44.1.2 Akutes Strahlensyndrom (ASS)

Kriterien, welche die Folgen einer Bestrahlung ausmachen, sind mit denen einer **Intoxikation** vergleichbar. Bei Vergiftungen und Bestrahlungen bestimmen die **Zeitdauer** der Einwirkung und die **Menge** der aufgenommenen Strahlung bzw. des aufgenommenen Gifts die Wirkung. Im Extremfall liegt eine Ganzkörperbestrahlung des Körpergewebes vor. Das daraus resultierende vielfältige Krankheitsbild wird als **akutes Strahlensyndrom** (ASS) bezeichnet. Für die Schwere der Strahlenschäden ist die auf den Körper einwirkende und von diesem absorbierte Energiedosis einer Strahlung ausschlaggebend.

Trotz gleich großer Energieabsorption im Körper kann der Schaden je nach Strahlungsart (Alpha-, Beta- oder Gammastrahlung) verschieden sein, weil die Energie im Körpergewebe verschieden eingelagert wird. α-Strahlen geben ihre Energie konzentriert und räumlich eng begrenzt ab, γ-Strahlen hingegen geben die Energie diffus ins Gewebe ab. Dies spielt vor allem bei niedrigen Dosen und für die Langzeitwirkungen eine Rolle **(Kanzerogenität).**

Für die Beurteilung eines akuten Strahlenschadens ist allein die **Energiedosis** (in Gray) ausschlaggebend. Die **Äquivalentdosis** in Sievert (Sv) ist dagegen vorwiegend ein Maß für die kanzerogene Wirkung (s. o.) und spielt deshalb bei Unfallereignissen, wo nur die akute Strahlenverletzung beurteilt werden muss, keine wesentliche Rolle.

Da jedoch beide Dosisbegriffe immer wieder abwechselnd genannt werden, sei an dieser Stelle auf die Umrechnungsmöglichkeit hingewiesen. Um die Wirkungen verschiedener Strahlenarten miteinander vergleichen zu können, benötigt man einen Bewertungsfaktor – den sog. **Qualitätsfaktor.** Für α-, β- oder γ-Strahlung beträgt der Qualitätsfaktor 1. Nach Multiplikation der Energiedosis (in Gray) mit diesem Faktor erhält man die Äquivalentdosis (in Sievert). **Somit ist die Energiedosis in Gray gleich groß wie die Äquivalentdosis in Sievert.** Da der Qualitätsfaktor als solcher dimensionslos ist, haben Sievert und Gray die gleiche Größenbezeichnung (J/kg).

MERKE

Der Qualitätsfaktor eines Strahlungstyps ist definiert als das Verhältnis des biologischen Schadens, der durch die Absorption von 1 Gy dieser Strahlung erzeugt wird, zu dem biologischen Schaden, der durch 1 Gy Röntgen- oder Gammastrahlen erzeugt wird.

Das Maß der im Gewebe absorbierten Energie ist also das **Gray (Gy).** Schon Energiedosen von über 1 Gy führen zum akuten Strahlensyndrom. Es werden drei Formen unterschieden:

- **Hämatologische Form** bei Energiedosen von 1–6 Gy
- **Gastrointestinale Form** bei Energiedosen von 6–20 Gy
- **Zentralnervöse Form** bei Energiedosen über 20 Gy

Symptome

Bei der **hämatologischen Form** werden sämtliche Knochenmarkzellen zerstört. Ohne Behandlung kann das Opfer an Blutungen oder Infektionen versterben. Bereits nach kurzer Zeit kommt es im Anschluss an die Bestrahlung zu Kopfschmerzen, Speichelfluss und Erbrechen. Die Symptome treten umso schneller auf, je höher die Strahlendosis war. Nach 2–4 Wochen zeigen sich grippeartige Symptome mit Fieber, Unwohlsein, Abgeschlagenheit und Infektionsneigung. Zusätzlich können auch Haarausfall und Hautentzündungen (Radiodermatitis) auftreten. Je nach Schwere des Krankheitsbildes versterben ca. 50 % der Betroffenen an der Knochenmarksdepression.

Bei noch stärkerer Strahlenexposition tritt zusätzlich die **gastrointestinale Form** auf. Die Darminnenfläche wird zerstört, was zu massiver Diarrhö mit Störungen des Wasser- und Elektrolythaushalts führt. Eine zusätzliche Komplikation stellen Infektionen dar, die durch überwuchernde Darmbakterien verursacht werden. Ein Überleben ist heute trotz intensivmedizinischer Maßnahmen kaum möglich. Die Patienten versterben nach 2–3 Wochen.

Die **zentralnervöse Form** bildet sich bei stärkster Bestrahlung aus. Innerhalb von 3 Tagen fällt der Patient nach wechselnden Phasen der Erregung und Apathie mit begleitenden Krämpfen ins Koma und verstirbt.

Therapie

Die **Basismaßnahmen** orientieren sich wie in jedem anderen Fall am Zustand des Betroffenen. Sind nur eine oder wenige Personen betroffen, gelten die Prinzipien der Individualtherapie. Es stehen die Erhaltung und Kontrolle der Vitalfunktionen im Vordergrund. Die Individualtherapie umfasst das Monitoring aus EKG, Pulsoxymetrie, Blutdruck- und Pulsmessung.

Wundversorgungen dienen dazu, weitere Inkorporationen zu vermeiden. Bei kleinen Wunden durch lösliche Radionuklide (z. B. Laborunfall) kann die Wunde mit Wasser oder Kochsalzlösung ausgewaschen werden.

Als **erweiterte Maßnahmen** sind die Anlage eines venösen Zugangs und die symptomatische Therapie gegen Flüssigkeitsverluste, Erbrechen und Schmerzen anzusehen.

Im Anschluss an die Erstversorgung ist der Patient bei hohen radioaktiven Inkorporationen in eine Spezialklinik zu transportieren (z. B. berufsgenossenschaftliche Unfallkliniken mit Spezialabteilung für schwere Verbrennungen oder Strahlenzentrum). Andererseits ist jedes Krankenhaus in der Lage, nach Beratung und Unterstützung der regionalen Strahlenschutz-Zentren die Behandlung einzuleiten.

Bei einem Großschadensereignis sind die Prinzipien der Individualtherapie nicht mehr aufrechtzuerhalten.

IM FOKUS

Strahlensyndrom

Ursachen
- Teil- oder Ganzkörperbestrahlung des Körpergewebes mit radioaktiven Substanzen

Symptome
- Hämatologische Form bei Dosen von 1–6 Gy
- Gastrointestinale Form bei Dosen von 6–20 Gy
- Zentralnervöse Form bei Dosen über 20 Gy

Diagnostik
- Beurteilung der Einsatzstelle (Szene-Sicherheit-Situation)
  - Ersteindruck: potenziell kritisch oder potenziell nicht kritisch
- Initialbeurteilung nach dem ABCDE-Schema
  - Einschätzung: kritisch – nicht kritisch
- **Erweiterte Beurteilung erst, wenn der Patient nicht kritisch ist!**
- Erweiterte Beurteilung:
  - SAMPLE-Anamnese
  - Fokussierte Untersuchung bei auskunftsfähigen Patienten
  - Kraniokaudale Untersuchung bei nicht auskunftsfähigen Patienten
  - Einschätzung der Strahlendosis
  - Beurteilung kritischer Körperregionen (Gesicht, Hände, Füße)
  - Vitalzeichen und Messwerte erheben:
    - AF/Min. auszählen; Puls/Min. auszählen; RR auskultatorisch; weiterhin kontinuierliche Messung (NIBP)
    - 6-Kanal-EKG; SpO_2; $etCO_2$; Blutzuckermessung (BZ-Test)

Therapie
- Unterbrechung der Strahlungsursache, um weitere Inkorporation zu vermeiden
- Entfernen der verstrahlten Kleidung
- Frühzeitiger Wärmeerhalt
- O_2-Gabe über Maske oder Nasensonde 6–8 l/Min.
- Ermittlung des Strahlungsausmaßes
- Lagerung:
  - Bewusstsein erhalten: flache Rückenlage, ggf. Oberkörper erhöht
  - Bewusstlosigkeit: Flachlagerung bei kontinuierlichem Atemwegsmanagement
- Großlumiger peripherer Venenzugang (möglichst in nicht verstrahlten Arealen)
- Laborblutentnahme (lokales Protokoll)
- Balancierte, vorgewärmte Vollelektrolytlösung (VEL)
- Symptomatische Therapie

Medikamente und Dosierungsempfehlungen
- Infusionstherapie, z. B. 500–1 000 ml balancierte Elektrolytlösung i. v.
- Analgesie, z. B. 10 mg Morphium i. v.
- Antiemetikum:
  - z. B. Ondansetron 4 mg langsam i. v./i. o. (Off-Label-Use)
  - z. B. Dimenhydrinat 62 mg langsam i. v./i. o.

44.1.3 Schutz vor Strahlenschäden

Die aufgenommene radioaktive Strahlendosis nimmt mit wachsender Einwirkungszeit der Strahlung zu. Bei gleichbleibender Strahlenbelastung verdoppelt sich die empfangene Strahlendosis mit der Verdopplung der **Einwirkdauer.** Daher ist die Zeit der Strahlenbelastung so kurz wie möglich zu halten.

Da sich die Intensität der Strahlung mit dem Quadrat der Entfernung von der Strahlenquelle verringert, ist größtmöglicher **Abstand** zur Strahlenquelle anzustreben (→ Abb. 44.6).

ACHTUNG! Bei einem nuklearen Unfall ist man umso stärker gefährdet, je näher und länger man sich am Unfallort aufhält.

Den besten Schutz bieten gut abschirmende Materialien wie Blei und Beton unter der Erde, z. B. ein Schutzraum. **Deckung** in Kellern und Schutzräumen ist wirksamer als eine behelfsmäßige Deckung. Aber

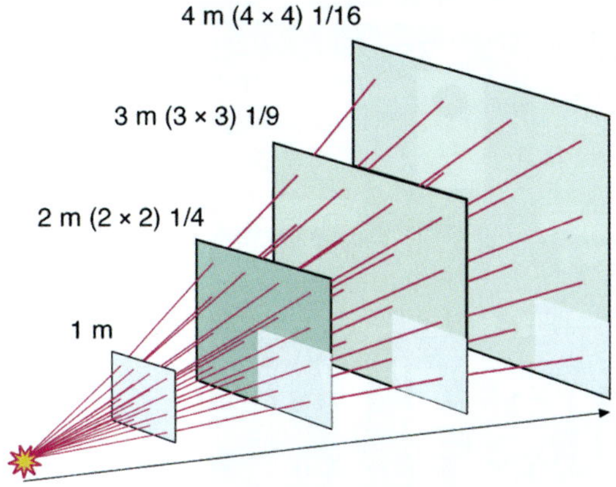

Abb. 44.6 Abstandsgesetz [L108]

selbst eine behelfsmäßige Deckung ist besser als überhaupt keine. Im Keller eines Betonhauses verringert sich die Strahlung auf 1/100 des Werts, den man ungeschützt erhalten würde, in Schutzräumen sogar auf 1/1 000.

MERKE

- Zeit der Strahlenbelastung kurzhalten.
- Abstand von der Strahlenquelle vergrößern.
- Abschirmung von der Strahlung.

Ist es trotz aller Vorsichtsmaßnahmen dennoch zu einer Verunreinigung mit radioaktiven Stoffen gekommen **(Kontamination),** müssen die radioaktiven Verunreinigungen von den betroffenen Personen entfernt werden. Die Entfernung wird **Dekontamination** genannt (→ Kap. 44.4) und dient der Vorbeugung zukünftiger Schäden.

MERKE

Das erste Mittel der Wahl ist nicht die Therapie bereits eingetretener Schäden, sondern die Vorbeugung andernfalls noch möglicher Schäden
durch
- Entfernung von Kleidung und Schmutzresten
- Dekontamination von Wunden mit Kochsalzlösung
- Dekontamination Intakter Haut und Haare unter sauberem Wasser
- Überprüfung des Fortschritts der Dekontamination mit einem Geigerzähler oder anderen geeigneten Methoden

44.1.4 Messgeräte für die Radioaktivität

Das gebräuchlichste Messgerät ist der Geigerzähler (→ Abb. 44.7). Er ist mobil und leicht zu handhaben. Ein **Geigerzähler** und andere Zählgeräte beruhen auf dem **Prinzip der Ionisationskammer:** Radioaktive Strahlen können Außenelektronen von Atomen nicht nur anregen, sondern auch völlig abspalten. Die entsprechenden Teilchen sind dann ionisiert. Normalerweise nichtleitende Luft kann dadurch leitend gemacht werden. Die radioaktiven Strahlen werden durch eine Ionisationskammer geführt; der durch die Ionisierung der Luft hervorgerufene Ionisationsstrom wird als Messgröße für die Stärke der Strahlung verwendet. Die meisten Geräte geben nicht nur optische, sondern auch akustische Signale.

Seit dem Reaktorunfall in Fukushima existieren handliche und günstige Strahlenmessgeräte, die im Zusammenspiel mit der zugehörigen App jedes Smartphone zum smarten Geigerzähler und Dosimeter machen können.

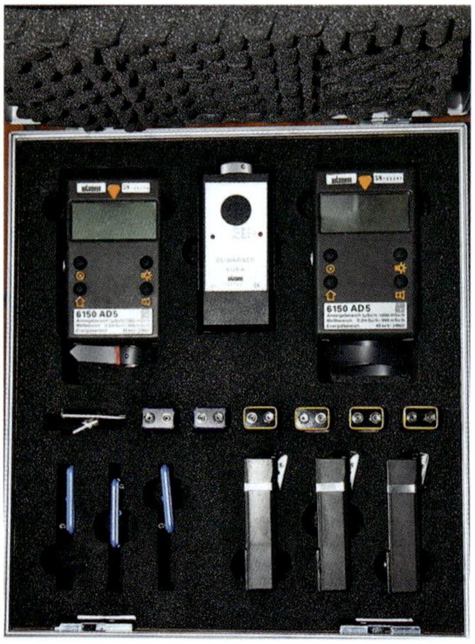

Abb. 44.7 Geigerzähler [O429]

44.2 Schäden durch biologische Stoffe

Schäden durch biologische Stoffe können durch **Krankheitserreger, veränderte Krankheitserreger** oder **biologische Kampfmittel (z. B. bakterielle Kampfstoffe)** verursacht werden. Die Menschheit wurde und wird von Zeit zu Zeit von Infektionskrankheiten durch Ausbreitung von Krankheitserregern heimgesucht. Zu einer biologischen Gefährdung oder Katastrophe wird eine Epidemie jedoch nur dann, wenn die ansteckenden Krankheitserreger zu einer weiten Ausbreitung in der Bevölkerung **und** schweren Verlaufsformen mit vielen Todesfällen führen.

Bei einer **Epidemie** breitet sich die ansteckende Krankheit regional aus und führt zu einer überdurchschnittlich großen Zahl von Erkrankten. Dabei handelt es sich meist um Infektionskrankheiten, welche durch Viren oder Bakterien übertragen werden. Aber auch Pilze, Parasiten und verunreinigtes Wasser oder Lebensmitteln können zu einer Epidemie führen. Breitet sich die Krankheit überregional aus, wird die Epidemie zur **Pandemie**.

MERKE

Epidemien und Pandemien unterscheiden sich allein durch den Umfang der Ausbreitung: Pandemien treten global auf, Epidemien regional.

Epidemien und Pandemien hat es immer wieder gegeben. Deren Auftreten kann sich also auch in Zukunft wiederholen. Hier seien die SARS-CoV-1- und 2- sowie die Influenza-Infektionen genannt.

Influenza-(Grippe)wellen sind meist Epidemien. In der Regel sind die jährlichen Grippeviren (Influenza A und B) in der zeitlichen Abfolge einander ähnlich und das Immunsystem kann sich zumeist dagegen wehren. Daher läuft in den meisten Fällen die Infektion glimpflich ab, weil ein gewisser Schutz vorhanden ist, auch wenn sich das Grippevirus immer wieder minimal verändert. Auch ist eine jährliche, an die umlaufenden Viren adaptierte Schutzimpfung gegen die Influenza möglich.

Alle 30–40 Jahre wandelt sich ein Influenzavirus allerdings durch Mutationen drastisch. In diesem Fall werden der Immunschutz und der Impfschutz versagen. Das menschliche Immunsystem hat dem neuen Erreger wenig entgegenzusetzen. Überträgt sich das neue Virus, mit dem sich das Immunsystem noch nicht auseinandergesetzt hat, auch noch leicht von Mensch zu Mensch, wird die Verbreitung erleichtert und eine Pandemie kann entstehen.

Epidemien können aber auch durch Nachlässigkeit oder Vernachlässigung von Schutzmaßnahmen (z. B. Schutzimpfungen oder hygienischen Bedingungen) innerhalb oder für die Bevölkerung entstehen. So kann z. B. der Ausfall der Trinkwasserversorgung den Ausbruch übertragbarer Krankheiten begünstigen (→ Kap. 16.1 und → Kap. 41.1).

44.2.1 Seuchen

DEFINITION

Eine **Seuche** ist ein unübliches und gehäuftes Auftreten einer Krankheit innerhalb einer Gruppe von Menschen durch biologische Krankheitserreger.

Schon vor „ewigen Zeiten kämpfte der Mensch gegen seine feindliche Umwelt", die auch die für ihn unbekannten Infektionskrankheiten miteinschloss. Diese für ihn „unbekannten Wesen" als Auslöser einer Infektion verwies er in das Reich der Dämonen und Geister, was noch heute an den Redewendungen und Wortbildern in Bezug auf Infektionen festzustellen ist. Von einer Krankheit wird man „befallen" und ist davon „betroffen". Das Fieber „kommt" und „geht" und eine Seuche „bricht aus" wie ein Raubtier aus seinem Käfig.

Cholera, Typhus und die **Pest** waren einige der damaligen „Geißeln der Menschheit", die Millionen von Opfer kosteten. Erst in den letzten 150 Jahren gelang es den Menschen, die mikrobiologischen und infektiologischen Zusammenhänge zu erfassen. Durch Maßnahmen der Gesundheitserziehung, der Hygiene und der medizinischen und pharmazeutischen Forschung gelang es, die meisten Krankheiten zu „besiegen".

Dennoch bedrohen auch in heutiger Zeit Infektionskrankheiten, wie z. B. Ebola, Cholera, COVID-19 oder die Influenza den Menschen, wenn sich die Krankheiten innerhalb kürzester Zeit schnell ausbreiten und die entwickelten Schutzmaßnahmen zur Risikoverminderung (z. B. Impfung, Hygiene) versagen oder nicht beachtet werden.

44.2.2 Biologische Kampfstoffe

Eine zusätzliche Bedrohung besteht nun, wenn Krankheitserreger und deren Giftstoffe (Toxine) gezielt als bakteriologischer Kampfstoffe zum Zweck der **Kriegführung** vorgehalten werden. Das Thema **biologische Kampfstoffe** ist an sich bereits beunruhigend, denn Möglichkeiten natürlich vorkommende Stoffe einzusetzen, gibt es theoretisch viele. Gefährlich wird es aber, wenn diese **natürlichen Stoffe** so **verändert** werden, dass ihre ohnehin vorhandene potenzielle Gefährlichkeit weiter erhöht wird. Als **biologische Kampfmittel** können eingesetzt werden:

- Krankheitserreger
- Giftstoffe (Toxine)
- Infizierte Insekten und Tiere, die Krankheiten übertragen
- Pflanzenschädlinge, die Pflanzen zerstören, das Wachstum beeinflussen oder die Fruchtbildung verhindern

Die Wirkung der biologischen Kampfmittel zielt auf die **Seuchenausbreitung** unter Menschen und Tieren und auf die **Schädigung des Naturbestands** zur Entziehung der Ernährungsgrundlage. Biologische Kampfstoffe können in flüssiger Form und in gefriergetrocknetem, staubförmigem Zustand gelagert werden. Ihre kriegsmäßige Verbreitung ist durch Abwurf in Behältern oder durch Versprühen von Schwebstoffen möglich. Da biologische Kampfmittel durch die Sinnesorgane nicht erkennbar sind und keine unmittelbare Krankheitswirkung entfalten, sind unmittelbare kausale Therapien nicht möglich.

Milzbrand

Als Beispiel eines Krankheitserregers, der in der öffentlichen Diskussion zunehmend an Gewicht gewonnen hat (Milzbrandanschläge 2001 in den USA), wird hier der Milzbranderreger *Bacillus anthracis* vorgestellt. Milzbrand ist in erster Linie eine **Erkrankung des Weideviehs** (Schafe, Rinder). Der Erreger kann über die Haut, die Lunge oder den Darm aufgenommen werden. Der Milzbrandbazillus besitzt die Fähigkeit, sich bei Nahrungsmangel (Blut etc.) in Sporen umzuwandeln, die äußerst robust gegen Umwelteinflüsse sind. Sie können durch Kratzen mit Sporen behafteter Fingernägel an unbekleideten Hautstellen in den Körper eindringen. Am Ort der Infektion entstehen kleine Pusteln, die sich rasch in blauschwarzen Brandschorf, den sog. **Milzbrandkarbunkel,** umwandeln (→ Abb. 44.8). Sie sind mit Eiter gefüllt und werden erst gefährlich bei Anschluss an das Blutgefäßsystem nach 2–3 Tagen durch Kapillarbildung. Eine Infektion kann aber auch durch Einatmen sporenhaltigen Staubs oder Trinken von Milch infizierter Kühe ausgelöst werden.

Der Milzbrandbazillus kann aufgrund einer speziellen Eiweißkapsel wichtige Abwehrmechanismen menschlicher und tierischer Zellen umgehen. Er bildet v. a. bei seiner Zerstörung **Giftstoffe (Exotoxine),** die an die Umgebung abgegeben werden. Diese Giftstoffe schädigen die Blutgefäße bis in die kleinsten Kapillaren, sodass die betroffenen Gefäße für rote Blutkörperchen durchlässig werden. Die Folgen sind Entzündungsreaktionen und Blutungen. Beides äußert sich als blutgetränkte Schwellung des befallenen Gewebes.

Milzbrand wurde bereits im Zweiten Weltkrieg als biologischer Kampfstoff getestet (1941–45, Insel Gruinard). Milzbrand ist **extrem beständig** und kann als trockenes Pulver fast unbegrenzt gespeichert werden. Als B-Waffe ist er genetisch manipuliert und besitzt eine geringe Körnungsgröße, um besser eingeatmet werden zu können. Er kann in gefriergetrocknetem Zustand in den Munitionskartuschen oder als Aerosol mit großen Sprühern verbreitet werden.

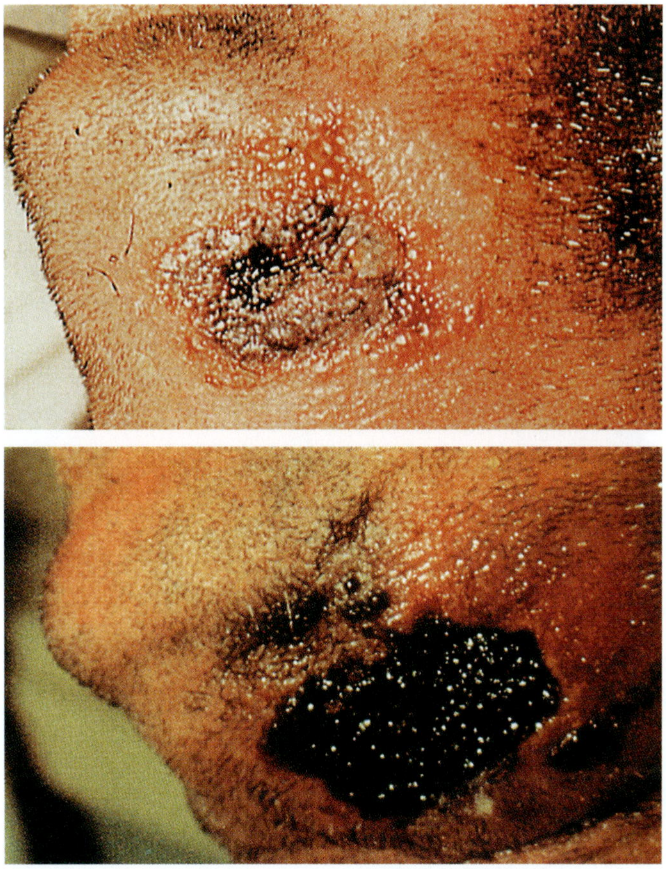

Abb. 44.8 Hautmilzbrand [R172]

Therapie

Die **Basismaßnahmen** gegen biologische Kampfmittel müssen auf eine Aufrechterhaltung der Vitalfunktionen und deren Kontrolle zielen.

Erweiterte Maßnahmen (venöser Zugang, Medikamente) können nur symptomatisch durchgeführt werden. Zur eigentlichen Bekämpfung des biologischen Stoffs bedarf es aber frühzeitiger Informationen zu Art, Zustand und Umfang des Krankheitserregers oder seiner Toxine, die i. d. R. nicht vorliegen, wodurch jeder Therapieansatz nur zeitverzögert in Angriff genommen werden kann.

IM FOKUS

Schäden durch biologische Stoffe

Ursachen
- **Krankheitserreger oder deren Toxine, freigesetzt durch**
  - Seuchen
  - Biologische Kampfstoffe

Symptome
- Werden durch den auslösenden Krankheitserreger oder dessen Toxin bestimmt

Diagnostik
- Beurteilung der Einsatzstelle (Szene-Sicherheit-Situation)
  - Ersteindruck: potenziell kritisch oder potenziell nicht kritisch
- Initialbeurteilung nach dem ABCDE-Schema
  - Einschätzung: kritisch – nicht kritisch
- **Erweiterte Beurteilung erst, wenn der Patient nicht kritisch ist!**
- Erweiterte Beurteilung:
  - SAMPLE-Anamnese
  - Fokussierte Untersuchung bei auskunftsfähigen Patienten
  - Kraniokaudale Untersuchung bei nicht auskunftsfähigen Patienten
  - Einschätzung der Krankheitserreger oder deren Toxine
  - Vitalzeichen und Messwerte erheben:
    - AF/Min. auszählen; Puls/Min. auszählen; RR auskultatorisch; weiterhin kontinuierliche Messung (NIBP)
    - 6-Kanal-EKG; SpO_2; $etCO_2$; Blutzuckermessung (BZ-Test)

Maßnahmen
- Unterbrechung der Aufnahme des auslösenden Krankheitserregers oder dessen Toxin, um weitere Inkorporation zu vermeiden
- Entfernen der verseuchten Kleidung (Dekontamination)
- Frühzeitiger Wärmeerhalt
- O_2-Gabe über Maske oder Nasensonde 6–8 l/Min.
- Ermittlung des Ausmaßes der Verseuchung
- Lagerung:
  - Bewusstsein erhalten: flache Rückenlage, ggf. Oberkörper erhöht
  - Bewusstlosigkeit: Flachlagerung bei kontinuierlichem Atemwegsmanagement
- Großlumiger peripherer Venenzugang
- Laborblutentnahme (lokales Protokoll)
- Balancierte, vorgewärmte Vollelektrolytlösung (VEL)
- Symptomatische Therapie

Medikamente und Dosierungsempfehlungen
- Infusionstherapie, z. B. 500–1 000 ml balancierte Elektrolytlösung i. v.
- Analgesie, z. B. 10 mg Morphium i. v.
- Antiemetikum:
  - z. B. Ondansetron 4 mg langsam i. v./i. o. (Off-Label-Use)
  - z. B. Dimenhydrinat 62 mg langsam i. v./i. o.
- Symptomatische Therapie
- Impfen
- Kausale Therapie (z. B. Antibiose), wenn möglich

44.3 Schäden durch chemische Kampfstoffe

Schäden durch chemische Stoffe können einerseits durch Freisetzung bei Unfällen (z. B. Produktionsunfall oder Transportunfall), andererseits durch beabsichtigte Freisetzung im Rahmen von kriegerischen Auseinandersetzungen oder Terroranschlägen auftreten. **Chemische Kampfstoffe** sind seit der Genfer Konvention von 1925 und der Konferenz von Paris zum Verbot von Chemiewaffen im Jahre 1989 verboten. Dieses Verbot hat jedoch nicht dazu geführt, dass chemische Kampfstoffe nicht mehr produziert oder nicht mehr eingesetzt wurden (Irak 1988, Tokio 1995 und Syrien zwischen 2013–18, russische Dissidenten 2017–20).

Die chemischen Stoffe wirken i. d. R. **direkt und unmittelbar auf den Körper.** Die **vier Hauptklassen** chemischer Kampfstoffe unterscheiden sich nach ihrem Inhalt und ihrem Zielort:
- **Haut**kampfstoffe (Senfgas, Schwefellost)
- **Lungen**kampfstoffe (Phosgen)
- **Blut**kampfstoffe (Zyanide)
- **Nerven**kampfstoffe (Sarin)

Senfgas

Die Klasse der **über die Haut** aufgenommenen chemischen Giftstoffe **(Kontaktgifte)** ist besonders gefährlich, da die Effekte bei ungeschützten Personen, und das wird die Regel sein, erst zeitlich verzögert auftreten. Da die **Dämpfe** aller Hautkampfstoffe **schwerer als Luft** sind, lagern sie sich nicht nur auf der Haut ab, sondern sinken auch tiefer auf den Boden, in U-Bahn-Schächte (Tokio 1995) oder die Kanalisation, was die weitere Verbreitung fördert, und die Beseitigung des Kampfstoffes erschwert. **Senfgas** fällt z. B. sofort durch seinen knoblauch- oder senfartigen, strengen Geruch auf. Es bildet ein reaktives Zwischenprodukt und beschädigt die DNA. Außerdem wird dabei Salzsäure frei, die ebenfalls reizend wirkt. Senfgas schädigt hauptsächlich die Augen, Atemwege und die Haut.

Alle Hautkampfstoffe rufen neben ihrer Giftwirkung auch **chemische Verbrennungen** der Haut und der Schleimhäute hervor, die denen der thermischen Verbrennung der Haut (→ Kap. 42.5) ähnlich sind und in entsprechenden Verbrennungszentren nach Dekontamination (s. u.) behandelt werden müssen.

Phosgen und Chlor

Die ältesten chemischen Kampfmittel zielen auf die Atemphysiologie der **Lunge**. Zu diesen Kampfstoffen gehört **Chlor,** das während des Ersten Weltkriegs (seit 1915) verwendet wurde, aber auch **Phosgen,** das man erstmals 1917 einsetzte. Phosgen ist eigentlich eine Industriechemikalie, die man für die Herstellung bestimmter Kunststoffe verwendet. Der Geruch von Phosgen erinnert an faules Heu. Anders als Senfgas wirkt Phosgen nur durch die Lunge aufgenommen, nicht durch die Haut.

Phosgen ist ein sehr gefährliches Atemgift, das selbst in geringen Konzentrationen tödlich wirkt, indem die Phosgenmoleküle mit den Aminosäuren der Alveolarwände in der Lunge reagieren und den Sauerstoffaustausch verhindern.

Wasserlösliche Substanzen wie Phosgen (oder auch Nitrose Gase) schädigen vor allem die unteren Atemwege, während Chlor vorwiegend die Augen und obere Atemwege angreifet und erst in hohen Konzentrationen bis in die Alveolen vordringt. Dort bildet sich ein toxisches Lungenödem mit Atemnot, grobblasigen Rasselgeräuschen und schaumig-rotem Auswurf aus. Diese Symptome sind denen von Reiz- und Rauchgasintoxikationen gleich.

Zyanide

Blutkampfstoffe wurden bereits im 1. Weltkrieg eingesetzt. In der Gruppe der **Blut**kampfstoffe werden **Blausäure** (Cyanwasserstoff), **Chlorcyan** und **Arsenwasserstoff** zusammengefasst. Die Blausäure und ihre Salze zählen zu wichtigen Industriechemikalien, die auch in der galvanischen Industrie Verwendung finden.

Blausäuregas (Zyklon B) und Chlorcyan schädigen die Sauerstoffaufnahme durch Blockade der Cytochromoxidase innerhalb der zellulären Atmungskette, wodurch es zur inneren Erstickung kommt. Zu Symptomen und Therapie siehe → Kap. 40.3.2.

Arsenwasserstoff führt zu einer Auflösung der roten Blutkörperchen (Erythrozyten) mit nachfolgender Anämie und massiven Nierenschädigungen. Der Urin färbt sich dadurch dunkelrot (Anämie) und es besteht die Gefahr eines akuten Nierenversagens.

Sarin

Die meisten **Nerven**kampfstoffe dieser Substanzgruppe, neben **Sarin** z. B. **VX** oder auch die **Nowitschok**-Kampfstoffe, sind Phosphorverbindungen. Sie alle hemmen das Enzym Acetylcholinesterase, das den Signalstoff Acetylcholin abbaut. **Sarin** ist **farb- und geruchlos,** fällt vor dem Auftreten der ersten Symptome überhaupt nicht auf und ist bereits in kleinsten Mengen tödlich. Sarin wird über den gesamten Körper, insbesondere aber über die Augen, Atemwege und die Haut aufgenommen.

Die Giftwirkung des Sarins beruht auf einem **Eingriff in die Erregungsübertragung der Nervenbahnen** an der motorischen Endplatte, wo der Reiz zwischen zwei Nervenzellen durch **Acetylcholin** übertragen wird. Solange Acetylcholin im synaptischen Spalt vorhanden ist, wird die Empfängerzelle erregt. Normalerweise wird unmittelbar nach seiner Ausschüttung in den synaptischen Spalt das Acetylcholin durch das Enzym **Acetylcholinesterase** gespalten, damit die Erregung beendet wird und die Zelle für die nächste Erregungsübertragung zur Verfügung steht.

In diesem Regelkreis blockiert Sarin die Acetylcholinesterase an allen Synapsen des parasympathischen Nervensystems, an den Acetylcholin-vermittelten Synapsen des Sympathikus sowie an den motorischen Endplatten. Acetylcholin kann in der Folge nicht mehr gespalten (abgebaut) werden (→ Abb. 44.9). Dadurch steigt der Acetylcholinspiegel im synaptischen Spalt und es kommt zu einer Dauererregung aller betroffenen Nervensysteme.

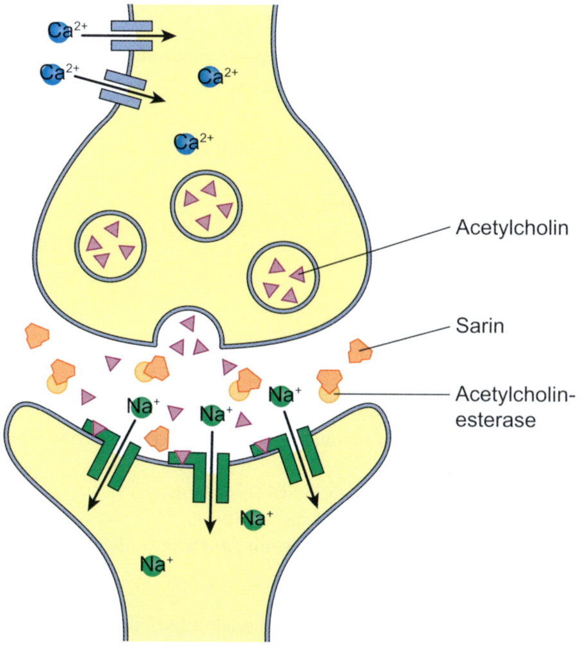

Abb. 44.9 Wirkweise von Sarin [L231]

MERKE

Ähnliche Wirkungen wie die des Sarins zeigen sich auch bei den chemisch verwandten Kampfstoffen **Tabun und VX.**

Da sich Sarin nur sehr langsam wieder von dem blockierten Enzym lösen lässt, ist die Behandlung von Vergiftungen mit derartigen Kampfstoffen außerordentlich schwierig bis unmöglich. So führt Sarin zu einer **inneren Acetylcholinvergiftung** (→ Kap. 40.3.3), deren Symptome denen der Organophosphatvergiftung (z. B. E605) gleichen, wobei Sarin 1 000-fach wirksamer und toxischer ist als E605.

Therapie

Verätzungen des Verdauungs- und des Atemtrakts durch chemische Substanzen sind im Zusammenhang mit Massenschäden nicht selten. Kontraindiziert ist das Auslösen von Erbrechen, denn Säuren und Laugen sollen nur neutralisiert werden. Bei **Kontamination der Körperoberfläche** müssen die Schadstoffe durch Wasser oder andere Flüssigkeiten verdünnt und abgewaschen werden. Das Rettungsfachpersonal kann nicht alle Gefahren der verschiedenen Giftstoffe kennen. Daher ist bei Massenvergiftungen frühzeitig ein erfahrener klinischer Toxikologe an den Unfallort bzw. in die Technische Einsatzleitung (TEL) zu beordern (→ Kap. 46.3.1). Noch vor den Basismaßnahmen steht an erster Stelle der **Selbstschutz** des Rettungsfachpersonals. Die nachfolgenden behelfsmäßigen Entgiftungsmaßnahmen (Dekontamination) sind nur in ABC-Schutzkleidung mit ABC-Schutzmaske (→ Abb. 44.10) möglich.

Abb. 44.10 ABC-Schutzkleidung [O429]

IM FOKUS

Schäden durch chemische Kampfstoffe

Ursachen
- Hautkampfstoffe (Senfgas, Schwefellost)
- Lungenkampfstoffe (Phosgen)
- Blutkampfstoffe (Zyanide)
- Nervenkampfstoffe (Sarin)

Symptome
- Verbrennungen
- Verätzungen
- Lungenödem

Diagnostik
- Beurteilung der Einsatzstelle (Szene-Sicherheit-Situation)
  - Ersteindruck: potenziell kritisch oder potenziell nicht kritisch
- Initialbeurteilung nach dem ABCDE-Schema
  - Einschätzung: kritisch – nicht kritisch
- **Erweiterte Beurteilung erst, wenn der Patient nicht kritisch ist!**
- Erweiterte Beurteilung:
  - SAMPLE-Anamnese
  - Fokussierte Untersuchung bei auskunftsfähigen Patienten
  - Kraniokaudale Untersuchung bei nicht auskunftsfähigen Patienten
  - Einschätzung der chemischen Substanz bzw. Wirkweise des chemischen Stoffes
  - Vitalzeichen und Messwerte erheben:
    - AF/Min. auszählen; Puls/Min. auszählen; RR auskultatorisch; weiterhin kontinuierliche Messung (NIBP)
    - 6-Kanal-EKG; SpO_2; $etCO_2$; Blutzuckermessung (BZ-Test)

Therapie
- Unterbrechung der Kontamination durch die chemischen Substanzen, um weitere Inkorporation zu vermeiden
- Entfernen der verseuchten Kleidung (Dekontamination)
- Frühzeitiger Wärmeerhalt
- O_2-Gabe über Maske oder Nasensonde 6–8 l/Min.
- Ermittlung des Ausmaßes der Verseuchung
- Lagerung:
  - Bewusstsein erhalten: flache Rückenlage, ggf. Oberkörper erhöht
  - Bewusstlosigkeit: Flachlagerung bei kontinuierlichem Atemwegsmanagement
- Großlumiger peripherer Venenzugang
- Laborblutentnahme (lokales Protokoll)
- Balancierte, vorgewärmte Vollelektrolytlösung (VEL)
- Symptomatische Therapie

Medikamente und Dosierungsempfehlungen
- Infusionstherapie, z. B. 500–1 000 ml balancierte Elektrolytlösung i. v.
- Analgesie, z. B. 10 mg Morphium i. v.
- Antiemetikum:
  - z. B. Ondansetron 4 mg langsam i. v./i. o. (Off-Label-Use)
  - z. B. Dimenhydrinat 62 mg langsam i. v./i. o.
- Symptomatische Therapie
- Frühzeitige kausale Therapie (z. B. Antidot), wenn möglich

44.4 Dekontamination

Die Dekontamination (→ Abb. 44.11, → Abb. 44.12) zielt auf das **Entfernen gefährlicher Verunreinigungen,** die Personen gefährden. Die Dekontamination ist aufgrund der Gefährlichkeit der Stoffe oftmals nur von Rettungsfachpersonal in **Schutzkleidung** durchzuführen.

Zur Durchführung der Dekontamination eignen sich Gebäude wie Sporthallen, Hallenbäder oder Schulen mit entsprechenden Kapazitäten an Duscheinrichtungen und Räumen. Hier sind auch die Notfallstationen in der Umgebung kerntechnischer Anlagen geeignet. Die Dekontamination kann aber auch durch **mobil einsetzbare Einheiten (Deko-Züge)** an fast jedem gewünschten Ort durchgeführt werden.

Die **technische Ausstattung** wird sowohl von der Feuerwehr (Deko-Ausstattung) als auch vom Rettungsdienst (medizinisches Gerät) gestellt. Personen werden in einem **dreistufigen Prozess** dekontaminiert:

1. Entfernung der Kleidung (wenn keine Schutzkleidung getragen wurde)
2. Reinigung (Dusche)
3. Neueinkleidung

Vor der **Dekontaminationsstelle (Deko-Platz)** werden die verletzten Personen betreut und durch Ärzte triagiert. Entsprechend der Einstufung in der Triage werden sie der Dekontamination zugewiesen. Die **Dekontamination** nach einem Unfall mit einer chemischen Substanz (z. B. Kampfstoff) erfolgt bei der Haut, indem nach Kampfstoffspritzern gesucht wird. Diese werden abgetupft. Die Tupfer müssen vernichtet werden (Sammelbehälter). Die Haut wird mit Schmierseife entgiftet. Viele hierbei nicht entfernbare Substanzen lassen sich durch vorheriges Lösen in Macrogol 400 (Lutrol®) entfernen. Anschließend wird die Schmierseife abgetupft und auch diese Tupfer werden vernichtet. Hautentgiftungspuder (Macrogol-Puder, z. B. Klean-Prep®) können ggf. aufgetragen werden. Innerhalb des Dekontaminationsplatzes können, soweit es die Kontamination zulässt, medizinische Erstmaßnahmen durchgeführt werden. Betroffene Augen müssen gründlich mit Wasser ausgespült werden. Wenn Isogutt®-Augentropfen vorhanden sind, sollten sie eingeträufelt werden. Bei starken Schmerzen werden Anästhetika-Augentropfen (z. B. Novesine® 0,4 %) appliziert.

Von der Bekleidung müssen einzelne Kampfstoffspritzer entfernt, ansonsten muss die Bekleidung abgelegt werden. Die Patienten müssen duschen oder sich abwaschen und neue Kleidung anlegen. Die benetzte Bekleidung muss beseitigt (z. B. eingegraben) werden. Nachdem die Dekontamination abgeschlossen ist, verlassen die Personen den Absperrbereich und werden an einer Sammelstelle weiter betreut.

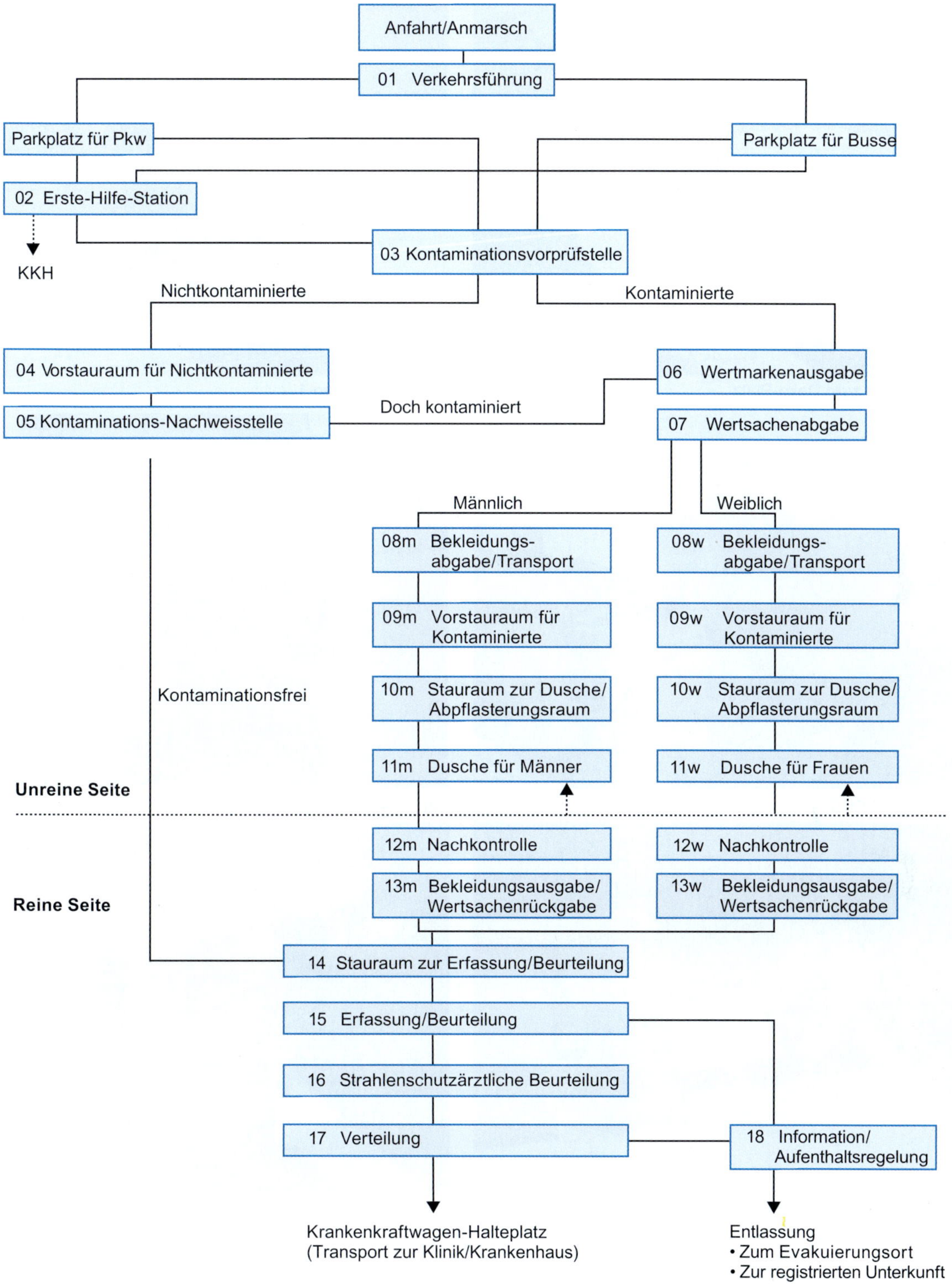

Abb. 44.11 Deko-Konzept [M235]

a) Eingang zum Deko-Platz
b) Vorreinigung 1
c) Vorreinigung 2
d) Duschkabine
e) Verlassen der Duschkabine
f) Entkleidung

Abb. 44.12 Vorgehensweise zur Dekontamination des Einsatzpersonals [M235]

WIEDERHOLUNGSFRAGEN

1. Welche Körperstrukturen werden durch radioaktive Substanzen geschädigt (→ Kap. 44.1.1)?
2. Beschreiben Sie das Abstandsgesetz (→ Kap. 44.1.3).
3. Beschreiben Sie die drei wirkungsvollsten Schutzmaßnahmen gegen radioaktive Strahlung (→ Kap. 44.1.3).
4. Nennen Sie einige biologische Stoffe, die den menschlichen Organismus schädigen können (→ Kap. 44.2).
5. Beschreiben Sie den Vorgang der Dekontamination nach einem chemischen oder radioaktiven Unfall (→ Kap. 44.4).

AUFLÖSUNG DES FALLBEISPIELS

Verdachtsdiagnose

Geschlossene Unterschenkelfraktur links, fragliche Kontamination mit Radioaktivität.

Schlüsselinterventionen

Die Erstbeurteilung nach dem ABCDE-Schema ist unauffällig. Auch die SAMPLER-Anamnese ergibt keine besonderen Auffälligkeiten. Der Notarzt legt einen venösen Verweilzugang in die rechte Ellenbeuge (G 17) und analgosediert den Patienten mit 5 mg Dormicum® und 0,1 mg Fentanyl. Weiterhin werden langsam 500 ml balancierte Elektrolytlösung infundiert. Der frakturierte Unterschenkel wird mit einer Luftkammerschiene stabilisiert, der Patient auf einer Vakuummatratze gelagert und in eine berufsgenossenschaftliche Unfallklinik mit Strahlenschutzzentrum geflogen.

Klinik

Die Unterschenkelfraktur wird operativ versorgt. Hinweise auf eine erhöhte Strahlenbelastung ergeben sich in den Folgeuntersuchungen nicht.

Diagnose

Fraktur des linken Unterschenkels.

WEITERFÜHRENDE LITERATUR

Fabrizio M et al. Persönliche Schutzausrüstung. Heidelberg: Ecomed, 2014.

Schäfer A. Lexikon biologischer und chemischer Kampfstoffe. 3. Aufl. Berlin: Köster, 2016.

Schnedlitz M. Chemische Kampfstoffe: Geschichte, Entwicklung, Einsatz. München: Grin, 2008.

Schnedlitz M. Formen und Wirkungen von störenden chemischen Kampfstoffen. München: Grin, 2017.

45

STERBEN UND TOD IM RETTUNGSDIENST

Claas Buschmann (45.2.3, 45.4, 45.5), Klaus Püschel (45.2.1),
Jürgen Luxem (45.2.2, 45.2.4, 45.3), Angela Hammerl (45.1)

STERBEN UND TOD IM RETTUNGSDIENST

FALLBEISPIEL

Notfallmeldung

Die Leitstelle alarmiert RTW und NEF zu einer Bushaltestelle im Stadtgebiet. Einsatzstichwort: Reanimation.

Situation und Ersteindruck

Der RTW trifft zuerst an der Einsatzstelle ein. Schon aus dem Fahrzeug sieht die RTW-Besatzung, wie anwesende Passanten eine Person reanimieren. Das RTW-Team gibt über Funk umgehend über die laufende Laienreanimation Rückmeldung an die Leitstelle. Bei der Person handelt es sich um eine ca. 80 Jahre alte Frau.

Leitsymptom

Herz-Kreislauf-Stillstand.

INHALTSÜBERSICHT

45.1 SOZIALWISSENSCHAFTLICHE GRUNDLAGEN

- Bestattungsriten sind ein wichtiger Bestandteil des Abschiednehmens.
- Die Art des Abschieds ist dabei maßgeblich geprägt von Glauben und Kultur.
- Gläubige Menschen, gleich welcher Religion sie angehören, können Trost im Glauben finden.
- Kinder begreifen abhängig von ihrem Alter den Tod unterschiedlich.
- Viele Menschen haben Angst vor dem Sterben.
- Das Grundgefühl in allen fünf Phasen nach Kübler-Ross ist Angst.
- Aus der biologischen Perspektive bedeutet Sterben den zunehmenden Verlust von Organfunktionen in der letzten Lebensphase.

45.2 HERAUSFORDERUNGEN IM RETTUNGSDIENST

- Ein trotz Behandlung verstorbener bzw. sterbender Patient bedeutet keinesfalls ein Versagen des Rettungsteams.
- Einsätze bei Patienten am Lebensende führen regelmäßig zu einer Gratwanderung zwischen einer maximalen medizinischen Notfallbehandlung und einer möglicherweise unnötigen, teilweise sogar menschenunwürdigen Verlängerung des Sterbevorgangs.
- Je nach Einsatzsituation kann es sich empfehlen, bei einem erkennbar präfinalen Patienten Angehörige oder andere Bezugspersonen zum Abschiednehmen mit einzubeziehen.
- Die notfallmedizinische Behandlung einer Erkrankung oder Verletzung liegt im Interesse des jeweiligen Patienten, selbst wenn dieser im Einzelfall seine Zustimmung zur Behandlung (temporär) nicht (mehr) geben kann.
- Die formalen und juristischen Anforderungen an eine DNR-Anordnung sind so hoch, dass die Überprüfung einer DNR-Anordnung in einer akuten Notfallsituation schlichtweg unmöglich ist.
- Wer in einer Notlage seinen Möglichkeiten entsprechend versucht zu helfen, hat aus juristischer Sicht keine negativen Konsequenzen zu erwarten.
- Wird dagegen nicht geholfen, können sowohl zivil- wie auch strafrechtlich erhebliche Folgen auf den Nichthelfer zukommen.
- Die Palliativversorgung dient der Unterstützung von Patienten und ihrer Angehörigen bei Eintritt einer unheilbaren und lebensbegrenzenden Erkrankung.
- Das Ziel jeder palliativen Versorgung muss sein, die Lebensqualität des Patienten zu sichern und ihm ein angst- und schmerzfreies Verweilen in vertrauter Umgebung zu ermöglichen.

45.3 ORGANTRANSPLANTATION

- Ein Mensch gilt gemäß Transplantationsgesetz als verstorben, wenn die Ärzte keine Hirnaktivität mehr feststellen können und wenn die Schäden im gesamten Gehirn irreparabel sind.
- Der irreversible Hirnfunktionsausfall (Hirntod) des Organspenders muss von zwei dafür qualifizierten Ärzten unabhängig voneinander festgestellt werden.
- In den Krankenhäusern entscheiden in neun von zehn Fällen die Angehörigen über eine Organspende.
- Findet keine Begleitung, keine richtige Aufklärung der Angehörigen statt, kann sich die Organtransplantation für die Angehörigen traumatisch auswirken.

45.4 TODESFESTSTELLUNG UND LEICHENSCHAU

- Man unterscheidet sichere und unsichere Todeszeichen.
- Sind sichere Todeszeichen nicht erkennbar, muss mit der Reanimation begonnen werden.
- Falls eines der drei sicheren Todeszeichen Leichenflecke, Leichenstarre oder Fäulnis vorliegt, darf der Nicht-Arzt den Tod zwar nicht formal „feststellen" und entsprechend dokumentieren, kann aber als „Vermutungsdiagnose" seine Handlungen der Situation entsprechend anpassen (Unterlassen von Reanimationsversuchen).
- Erst wenn der Tod eines Menschen durch einen Arzt festgestellt wurde, darf der tote Körper auch als Leichnam behandelt werden.
- An die ärztliche Todesfeststellung schließt sich eine ärztliche Leichenschau an. Das Ergebnis der ärztlichen Leichenschau ist in einer endgültigen Todesbescheinigung zu dokumentieren.
- Um eine schnelle Einsatzbereitschaft des Notarztes wiederherzustellen, kann statt einer endgültigen Todesbescheinigung eine vorläufige Todesbescheinigung, ohne eine vorhergehende vollständige Leichenschau, ausgestellt werden.
- Der die vorläufige Todesbescheinigung ausstellende Arzt muss die Person, die die Leichenschau veranlasst hat, darauf hinweisen, unverzüglich einen weiteren Arzt zur Vornahme der vollständigen Leichenschau zu benachrichtigen.
- Ursachen für Scheintodesfälle sind z. B. Vergiftungen und Unterkühlung.

45.5 OBDUKTION

- „Natürliche" Todesfälle werden pathologisch obduziert, falls die Patienten selbst (im Krankenhaus-Behandlungsvertrag) oder die Angehörigen zugestimmt haben.
- „Nicht-natürliche" bzw. „ungewisse" Todesfälle werden rechtsmedizinisch obduziert, wenn Gericht bzw. Staatsanwalt dies anordnen.
- Die rechtsmedizinische Obduktion ist in der Strafprozessordnung (StPO) formal geregelt.
- Bildgebende Verfahren können ergänzend eingesetzt werden.
- Negativbefunde sind genauso wichtig wie Positivbefunde.
- Die Obduktion ist der Goldstandard der notfallmedizinischen Qualitätskontrolle im Todesfall.

ALGORITHMEN UND EINSATZKONZEPTE

Lehr- und Lernziele des Abschnitts H

Der folgende Abschnitt deckt die **Themenbereiche 4 und 5** der Ausbildungs- und Prüfungsordnung für Notfallsanitäterinnen und Notfallsanitäter ab. Demnach sind Auszubildende zu befähigen,

- Versorgungsalgorithmen entsprechend dem aktuellen Stand von Wissenschaft und Technik unter Berücksichtigung sachlicher, personenbezogener und situativer Erfordernisse anzuwenden,
- das eigene Handeln bei besonderen Lagen an aktuellen Einsatzkonzepten auszurichten,
- auf einer Rettungswache nach Verfahrensanweisungen zur Strukturierung und Organisation von Arbeitsabläufen zu handeln,
- ihre Einsatzbereitschaft und die Einsatzbereitschaft der Einsatzmittel des Rettungsdienstes durch tägliche Kontrolle des Materials und der Geräte anhand von Vorschriften und Checklisten sicherzustellen,
- bis zum Eintreffen von Leitungspersonal unter Beachtung der dann zu erwartenden Strukturen und Maßnahmen der Einsatzleitung bei außergewöhnlichen Einsatzlagen wie insbesondere Großschadensfällen, CBNR-Gefahren, terroristischen Gefahren und Katastrophen zu handeln.

Vor diesem Hintergrund werden in **Kapitel 46** zunächst die theoretischen Grundlagen zu verschiedenen Einsatzkonzepten wie die Alarm- und Ausrückeordnung oder die Verwendung von Einsatzstichwörtern behandelt. Diese sind Grundlage der Arbeit innerhalb der Leitstellen, die ebenfalls in diesem Kapitel beleuchtet werden. Die Abarbeitung eines Großschadensereignisses mit allen Facetten von der Führungsorganisation vor Ort über die Sichtung und Registrierung bis zum Einsatzablauf bei einer Katastrophe wird ebenfalls in diesem Kapitel behandelt.

Kapitel 47 behandelt das System und die Vorgehensweise nach SOP (Standard Operation Procedures) bzw. Behandlungsrichtlinien. Diese bilden die Grundlage des Handelns des Rettungsfachpersonals und im Besonderen des Notfallsanitäters. Beschrieben werden die Erstellung, Konzeption, Implementierung und Fortschreibung. Beispielhaft werden abschließend die Algorithmen des Deutschen Berufsverbandes Rettungsdienst e. V. (DBRD) dargestellt, die sich streng am Pyramidenprozess orientieren und eine Handlungsgrundlage bilden können.

Das Thema Strukturierung von Abläufen wird in **Kapitel 48** aufgegriffen. Hier wird beschrieben, wozu Verfahrensanweisungen notwendig sind und wie sie erstellt werden. Anhand der Materialkontrolle wird deren Nutzen deutlich gemacht. Eine Thematik, die zukünftig an Bedeutung gewinnen wird, ist die Telemedizin. Diese wird auch im Rettungsdienst Einzug halten und die Vorgehensweisen beeinflussen. Besonders wichtig ist die Dokumentation im Rettungsdienst. Nur was gut dokumentiert wurde, hält auch einer rechtlichen Überprüfung stand und schützt so den Notfallsanitäter vor rechtlichen Auseinandersetzungen.

Hinweis: Der hier thematisierte Themenbereich 5 der Ausbildungs- und Prüfungsordnung für Notfallsanitäterinnen und Notfallsanitäter enthält außerdem die Bereiche „Luft -, Berg- und Wasserrettungsdienst“. Aus didaktischen Gründen wurden diese Aspekte jedoch Kapitel 52 in Abschnitt I zugeordnet.

46

EINSATZKONZEPTE

Timo Alberding

FALLBEISPIEL

Notfallmeldung

Ein Rettungswagen wird an einem Sonntag im Mai von der Leitstelle zu einem schweren Verkehrsunfall auf einer Landstraße gerufen. Bei der Anfahrt zur Unfallstelle erfährt das RTW-Team von der Rettungsleitstelle, dass es sich bei dem Unfall um einen Reisebus handelt, der gegen einen Baum gefahren ist. Die Leitstelle informiert das RTW-Team darüber, dass es vermutlich das erste Rettungsmittel am Einsatzort sein wird, und bittet um eine erste Rückmeldung, sobald die Einsatzstelle erreicht wurde.

Situation und Ersteindruck

Bei der Einsatzstelle handelt es sich um eine gut ausgebaute Landstraße, die durch eine ländliche Gegend führt. Neben der Straße befinden sich Getreidefelder und Wiesen. Die Wetterlage ist wie folgt: sonnig, ungefähr 20 °C bei leichtem Wind (2–3 Windstärken nach Beaufort aus südlicher Richtung), mit Niederschlag ist in den nächsten Stunden nicht zu rechnen. In einer leichten Kurve nach links steht ein im Frontbereich beschädigter Reisebus vor einer ausgewachsenen Eiche. Auf den ersten Blick ist weder Feuer noch Rauchentwicklung zu erkennen. Das Auslaufen von Betriebsstoffen ist nicht zu beobachten. Die Unfallstelle ist durch Ersthelfer und die Besatzung eines Streifenwagens bereits abgesichert. Die Einsatzstelle ist primär als sicher einzustufen. Das RTW-Team teilt der Leitstelle die erste Lage auf Sicht mit und verlässt mit der nötigen PSA und dem digitalen BOS-Handfunkgerät den Rettungswagen.

Neben dem Reisebus stehen ungefähr 20 Senioren, von denen ungefähr 5 Personen Blut im Gesicht haben und dem RTW-Team hektisch mitteilen, dass noch ca. 20–30 Personen im Bus sitzen, die nicht ohne fremde Hilfe den Bus verlassen können.

Die Türen des Busses sind bereits geöffnet. Das Team betritt den Bus durch die Vordertür. Der Busfahrer ist hinter seinem Steuer mit den Beinen eingeklemmt, aber wach und orientiert. Der Busfahrer teilt mit, dass 42 Fahrgäste im Bus waren, als es zu dem Unfall kam. Der Bus kam laut der Aussage des Busfahrers von der Fahrbahn ab und prallte trotz Vollbremsung mit ca. 40 km/h gegen die ausgewachsene Eiche.

Leitsymptome

Blutung, Trauma, Massenanfall von Verletzten (MANV).

INHALTSÜBERSICHT

46.1 ALARM- UND AUSRÜCKEORDNUNG

- Die Alarm- und Ausrückeordnung (AAO) legt fest, welches Rettungsmittel alarmiert werden soll.
- Zur Einordnung der verschiedenen Einsatzmeldungen verfügen die Rettungsleitstellen über verschiedene Einsatzstichwörter.
- Anhand der AAO erstellen die Rettungsleistellen einen Alarmplan.
- Die Erstellung und Pflege der AAO ist ein wichtiger Aufgabenbereich des Trägers des Rettungsdienstes.
- In Regionalleitstellen kann es durchaus vorkommen, dass für einzelne Gebietskörperschaften trotz gleichem Meldebild unterschiedliche AAO vorliegen.
- Nach dem Eingang des Notrufs in der Rettungsleitstelle entscheidet der Leitstellendisponent, unter welchem Einsatzstichwort dieser Einsatz abgearbeitet werden soll, und alarmiert die benötigten Einsatzkräfte.
- Einsatzstichwörter können sich auch im laufenden Einsatz ändern, wenn sich z. B. der Zustand des Patienten verschlechtert.
- Viele Einsatzstichwörter, die von der Rettungsleitstelle vergeben werden, sind nur für den rettungsdienstlichen Einsatz relevant, z. B. Einsatzstichwörter mit Beteiligung eines Notarztes.
- Das Einsatzstichwort wird nach der strukturierten Notruf-Abfrage vergeben und ist im Anschluss auch für die Abrechnung mit den Kostenträgern wichtig.
- Es ist für das Personal im Rettungsdienst enorm wichtig, die Einsatzstichwörter zu kennen, um bereits auf der Anfahrt zum Einsatzort zu wissen, auf was sich die Besatzung des RTW einstellen muss (z. B. Infektionskrankheiten).
- Damit die Rettungsleitstellen nicht für den Rettungsdienst, die Feuerwehr oder das THW immer eigene Einsatzstichwörter vergeben müssen, werden von den Leitstellen Einsatzstichwörter vergeben, die für alle gelten (z. B. „*TH_Person_klemmt*“).

46.2 STANDARDEINSATZREGELN

- Für die Abwicklung des Einsatzes ist bereits die zuvor getroffene Auswahl des Einsatzstichworts durch den Leitstellendisponenten wichtig. Anhand des Stichworts und der Alarmierungsart erkennt die Besatzung des Rettungsmittels, um was für einen Einsatz es sich handelt.
- Bei der Notfallrettung liegt eine Einsatzlage vor, in der Leib und Leben des Patienten in Gefahr sein können und somit höchste Eile geboten ist.
- Ein Krankentransport ist ein geplanter Transport. Bei diesen Patienten ist keine höchste Eile geboten.
- Der Standardeinsatz erstreckt sich vom Eingang des Notrufs bis zur Abrechnung mit den Kostenträgern.
- Wenn der Notruf, egal ob Notfall oder Krankentransport, auf der Leitstelle eingeht, wird dort ein Einsatzstichwort vergeben und das geeignete Rettungsmittel nach AAO oder der nächsten Fahrzeugstrategie alarmiert.
- Damit die Leitstelle immer genau weiß, in welchem Status sich das Rettungsmittel befindet, wird bei allen Einsätzen der jeweilige Status der Leitstelle über Funk per FMS mitgeteilt.
- In vielen Leitstellenbereichen findet aktuell ein einsatzbezogenes Routing statt, so kann bei Notrufeingang sehr schnell das nächste Fahrzeug geroutet und alarmiert werden. Dadurch kann es passieren, dass nicht das eigentlich zuständige Rettungsmittel, sondern das nächste, geeignete Rettungsmittel in einem Leitstellenbereich alarmiert wird.
- Bei einem Notfall ist die Anfahrt mit Sonder- und Wegerechten indiziert, bei einem Krankentransport wird auf die Verwendung von Sonder- und Wegerechten verzichtet.
- Bei der Anfahrt zu einer Großschadenslage wird die Besatzung des Rettungsmittels bereits über Funk mit den neuesten Informationen über die Einsatzlage und ggf. bereits vorhandene Führungsstruktur versorgt.
- Als erstes Rettungsmittel an der Einsatzstelle hat der Transportführer viele organisatorische Aufgaben zu bewältigen.
- Um eine Großschadenslage besser abarbeiten zu können, kommt der sog. Führungsvorgang/Führungskreis zum Einsatz.
- Die Lagefeststellung wird in allgemeine Lage, eigene Lage und Schadenslage unterteilt.
- Die Lageerkundung wird in Frontalansicht, Befragung von beteiligten Personen, Zugänge prüfen und Rundumsicht auf das Schadensobjekt unterteilt.
- Je nach Aufgabenbereich (technische Rettung oder medizinische Versorgung) muss jeder Bereich für sich eine Beurteilung der Lage und eine Planung durchführen.

- Vor der Versorgung des Patienten muss das Personal des Rettungsmittels die nötige PSA anlegen.
- Je nach der Situation vor Ort wird der Patient entsprechend seiner Erkrankung oder Verletzung durch die Besatzung des Rettungsmittels behandelt und für den Transport vorbereitet.
- Bevor der Patient transportiert wird, ist bei einem Notfall eine aufnehmende Klinik zu suchen. Die Leitstelle wird über die Auswahl der Zielklinik informiert.
- Die Auswahl der Klinik erfolgt in vielen Bereichen mittlerweile über webbasierte Anwendungen wie z. B. IVENA oder IVENA-MANV. Hier kann das Rettungsmittel nahezu in „Echtzeit" freie Bettenkapazitäten erkennen und sich mancherorts auch selber über ein Tablet o. Ä. in der Klinik anmelden. Nachteil dieses Verfahrens ist, dass ggf. mehrere Rettungsmittel zeitnah dieselbe Klinik mit einem zeitkritischen Notfall, z. B. Schlaganfall oder Herzinfarkt, anfahren könnten. Diese Eventualität kann besser verhindert werden, wenn ein Disponent den Klinikvorschlag auswählt.
- Der Patient wird im Rettungsmittel gut gesichert und während der Fahrt nicht nur medizinisch, sondern auch psychosozial versorgt und betreut.
- Nach dem Transport wird in der aufnehmenden Stelle eine Übergabe durchgeführt.
- Die Dokumentation eines Einsatzes erfolgt entweder während des Einsatzes oder direkt im Anschluss nach der Patientenübergabe.
- Bei der Dokumentation gibt es neben analogen auch digitale Dokumentationshilfsmitteln (z. B. Tablet-PC). Bei der Dokumentation einer Großschadenslage kommen noch häufig Patientenanhängekarten zum Einsatz.
- Moderne Dokumentationssysteme haben zusätzlich die Möglichkeit, dem Protokoll Fotos anzuhängen, z. B. von Medikamentenplänen, Ausweispapieren oder letzter Krankenhausentlassungsbriefe.
- Nach jedem Einsatz muss die Einsatzbereitschaft wiederhergestellt werden. Dazu gehört neben der hygienischen Aufbereitung von Flächen oder dem Auffüllen der Notfallkoffer/Notfallrucksäcke auch die Kontrolle der Medizinprodukte, die im Einsatz benutzt wurden.
- Je nach System wird das Protokoll nach dem Einsatz an der Rettungswache zur Abrechnung mit den Kostenträgern bearbeitet oder direkt mittels mobiler Datenerfassung aus dem Einsatzfahrzeug zur Abrechnungsstelle übermittelt.

46.3 GROSSSCHADENSLAGE

- Bei einer Großschadenslage sind viele Menschen und/oder Sachwerte betroffen.
- Diverse Auslöser kommen für eine Großschadenslage in Betracht, z. B. ein Terroranschlag oder eine Massenpanik bei einer Großveranstaltung.
- Die Versorgungsstufen sind für den jeweiligen Rettungsdienstbereich klar definiert.
- Bei einer Großschadenslage gilt es, die für den Rettungsdienst geltenden Qualitätsstandards der Individualmedizin möglichst beizubehalten.
- Im Rahmen einer Großschadenslage obliegt der Leitstelle zunächst die gesamte Alarmierung und das Heranführen der Einsatzkräfte.
- Die Leitstelle übernimmt die Führung nur so lange, bis eine Technische/Örtliche Einsatzleitung installiert ist. Nach Etablierung der entsprechenden Führungs- und Organisationsstrukturen gibt die Leitstelle wesentliche Führungsaufgaben an die Einsatzleitung vor Ort ab.
- In Führungsmodellen einzelner Länder, die für einzelne Fachdienste eine eigene Führung vorsehen, ist ein Gesamteinsatzleiter oder Stab eingesetzt.
- Die Führung erfolgt bei einer Großschadenslage durch den Einsatzleiter der Feuerwehr, den Organisatorischen Leiter Rettungsdienst, den Leitenden Notarzt und verschiedene Abschnittsführer.
- Um die Krankenhäuser nicht zu überfordern, werden vor Ort Versorgungsstrukturen aufgebaut.
- Die sanitätsmäßige Organisation kann nur funktionieren, wenn jede Einsatzkraft die besonderen Organisationsstrukturen kennt und die Vorgaben berücksichtigt.
- Um den Überblick zu behalten, muss jeder Betroffene frühestmöglich eindeutig gekennzeichnet und erfasst werden.
- Die Registrierung mittels Verletztenanhängekarten oder alternativen digitalen Hilfsmitteln wird immer mit einer Hilfeleistung verbunden.
- Die herkömmlichen Funkbetriebskanäle sind meist nicht für eine hohe Kanalbelegung konzipiert und versagen häufig bei steigender Anzahl der Funksprüche.
- Funkdisziplin und die Nutzung von Ausweichkanälen sind zwingend erforderlich.
- Der Leitende Notarzt (LNA) übernimmt im organisierten Rettungsdienst Führungsaufgaben im Rahmen eines rettungsdienstlich ausgerichteten Großschadensfalls.
- Er wird unterstützt durch den Organisatorischen Leiter Rettungsdienst (OrgL) oder eine andere geeignete Rettungsfachkraft. Der Organisatorische Leiter Rettungsdienst (OrgL) wird im Rahmen eines rettungsdienstlich ausgerichteten Großschadensfalls im organisatorisch-taktischen Bereich tätig.
- Die Sichtung führt zur Festlegung von Sichtungskategorien, an denen sich nachfolgende Kräfte orientieren, welchen Betroffenen mit welcher Priorität Hilfe zu leisten ist.
- Sichtung ist immer ein dynamischer Prozess, die Festlegung der Sichtungskategorien wird kontinuierlich überprüft und an die Lage angepasst.
- Internationaler Standard bei der Sichtung sind die Sichtungskategorien (SK1–SK4).

46.4 KATASTROPHE

- Zuständig für den Katastrophenschutz sind die Länder; der Bund beteiligt sich finanziell und materiell im Rahmen des Zivilschutzes.
- Der Katastrophenschutz ist je nach Land in Landesgesetzen über den Brandschutz, die allgemeine Hilfe und den Katastrophenschutz (LBKG) geregelt.
- Eine Katastrophe entwickelt sich oft aus einer Großschadenslage heraus.
- Das Rettungsfachpersonal kann auch im Rahmen einer Katastrophe eingesetzt werden und muss daher auch die dort geltenden Regeln kennen und sicher beherrschen.
- Den Ablauf einer Katastrophe beschreibt man mit den Phasen Isolation, Retten, Wiederherstellen.
- Die rettungsdienstliche Leitungsebene wird in einigen Bundesländern als Technische Einsatzleitung Rettungsdienst bezeichnet.
- Aufgrund der Schadensgröße muss immer eine räumliche und organisatorische Unterteilung der Einsatzstelle angestrebt werden.
- Die Rettungsfachkraft muss grundsätzliche Möglichkeiten und Verfahrensweisen kennen, um diese auch im Einsatzfall unter Stress folgerichtig zu beachten.
- Die Medical Task Force ist ein Einsatzverband, der im Rahmen des Bevölkerungsschutzes in Deutschland zum Einsatz kommt.

46.1 Alarm- und Ausrückeordnung

Wenn in der Rettungsleitstelle (RLST) ein Notruf eingeht, legt die sog. **Alarm- und Ausrückeordnung** (AAO) ganz genau fest, wie und vor allem mit welchen Rettungs- und Einsatzmitteln auf die Einsatzlage reagiert wird. In der AAO sind genaue **Einsatzstichwörter** hinterlegt, die von dem Leitstellendisponenten im sog. Einsatzleitrechner ausgewählt werden müssen. Anhand dieser Information schlägt der Einsatzleitrechner aufgrund der hinterlegten AAO die passenden Fahrzeuge und Einsatzkräfte vor, um gezielt auf die Einsatzlage vor Ort reagieren zu können. Diese Einsatzstichwörter sind i. d. R. auch den anfahrenden Einsatzkräften bekannt, damit die Einsatzkräfte genau wissen, mit was für einer Einsatzlage vor Ort gerechnet werden muss. Der Leitstellendisponent kann sich bei der ersten Einschätzung nur auf die Angaben des Anrufers verlassen. Sollte die Lage vor Ort anders sein als im Einsatzstichwort beschrieben, ist eine **Rückmeldung** (→ Kap. 46.2.5) an die Rettungsleitstelle zu geben.

Jede Rettungsleitstelle verfügt über eine eigene AAO, da nur so auf lokale Besonderheiten (z. B. große Industriegebiete) und gesetzliche Vorgaben (z. B. Hilfsfristen) reagiert werden kann. Gerade im Bereich der technischen Hilfeleistung und der Brandbekämpfung muss bei der Erstellung der AAO darauf geachtet werden, ob eine Berufsfeuerwehr oder freiwillige Einsatzkräfte zur Verfügung stehen.

Innerhalb der Rettungsdienste gibt es viele **regionale Besonderheiten,** die gegen eine bundeseinheitliche AAO sprechen, z. B. Unterschiede bzgl. der

- SOP/SAA.
- Vorhaltung der Fahrzeuge RTW, MZF oder NKTW (NTW).
- Vorhaltung von Gemeindenotfallsanitätern für niederschwellige Einsätze.
- Vorhaltung von Reanimationshilfen.

Die Verwendung eines Einsatzstichworts ist im Rahmen der AAO ein ganz wichtiger Punkt.

MERKE

Der Aufbau der Einsatzstichwörter ist **nicht bundesweit einheitlich.** Deshalb kommt es von Leitstelle zu Leitstelle zu unterschiedlichen Einsatzstichwörtern, obwohl sich vielleicht ein ähnlicher Notfall dahinter versteckt.

In den Einsatzstichwörtern werden viele Abkürzungen benutzt, damit die Einsatzstichwörter kurz und prägnant sind.

PRAXISTIPP

Einsatzstichwörter

- NF = Notfall
- RD = Rettungsdienst
- NA = Notarzt
- MANV = Massenanfall von Verletzten
- KT = Krankentransport
- TH = Technische Hilfeleistung
- F = Feuer

Es gibt nur wenige Ausnahmen, in denen es gestattet ist, von der AAO abzuweichen. Die Einsatzleiter können das i. d. R. vor Ort entscheiden, aber nur dann, wenn diese Entscheidung eine bessere oder schnellere Hilfe beinhaltet.

Um das Ausmaß des Einsatzes genauer definieren zu können, werden für einige Einsatzstichwörter noch passende **Alarmstufen** vergeben. Die Auswahl der Alarmstufe ist abhängig von der jeweiligen Gefährdungsgrundlage und der möglichen Anzahl von Patienten oder Betroffenen, kommt ursprünglich aus dem militärischen Bereich und ist von Region zu Region unterschiedlich definiert. Für den Rettungsdienst sind die Alarmstufen bei einem MANV von großer Bedeutung. In diesem Fall wird z. B. die Anzahl der Patienten und Betroffenen eingestuft.

Je nach Alarmierungssystem, das die Leitstelle benutzt, gibt es unterschiedliche Alarmstufen und verschiedene Definitionen. Ein Brand einer Mülltonne könnte mit der Alarmstufe 1 (Kleinbrand) im Einsatzleitrechner hinterlegt sein. Sollte ein großes Gebäude (Wohnhaus) brennen, kann dann die Alarmstufe 3 (Großbrand) ausgerufen werden.

46.1.1 Erstellung und Pflege der Alarm- und Ausrückeordnung

Jede Leitstelle verfügt über eine eigene AAO. Die **Erstellung** der AAO ist die Aufgabe des Trägers des Rettungsdienstes (Landkreise, kreisfreie Städte). Da jedes Bundesland eigene Gesetze und Vorgaben hat, was den Brandschutz betrifft, sind natürlich auch die AAO zwischen den einzelnen Bundesländern unterschiedlich. Nicht jedes Bundesland verfügt über jeweils ein eigenes Gesetz für den Brandschutz und den Rettungsdienst wie Niedersachsen (Niedersächsisches Brandschutzgesetz und Niedersächsisches Landesrettungsdienstgesetz). Im Freistaat Sachsen gibt es ein Gesetz, das beide Bereiche beinhaltet (Sächsisches Gesetz über den Brandschutz, Rettungsdienst und Katastrophenschutz).

Bei der Erstellung und Pflege der Alarm- und Ausrückeordnung müssen sehr viele verschiedene Faktoren berücksichtigt werden. Im Bereich des Rettungsdienstes gestaltet sich die Erstellung der AAO wesentlich einfacher als für den Brandschutz bzw. die technische Hilfeleistung durch die Feuerwehr oder das THW. Wenn der Landkreis der Träger des Rettungsdienstes ist, betreibt der Landkreis auch eine Leitstelle oder ist Teil einer **Regionalleitstelle.** In diesem Fall sind die Mitarbeiter der Leitstelle für die Erstellung der AAO verantwortlich Den maßgeblichen Rahmen stecken im Vorfeld z. B. in Niedersachsen der Träger des Rettungsdienstes und der ÄLRD ab. Der **Regelrettungsdienst** besteht aus hauptamtlichen Einsatzkräften, die anhand eines **Rettungsmittelbedarfsplans** die verschiedenen Rettungsmittel besetzen und für die Rettungsleitstelle sofort greifbar sind. Erst wenn es sich um eine große Anzahl Patienten oder Betroffene handelt, werden Einheiten alarmiert, die von ehrenamtlichen Kräften besetzt sind. In diesem Fall muss damit gerechnet werden, dass eine gewisse Vorlaufzeit einzuplanen ist, bis die angeforderten Einheiten einsatzbereit sind. Ggf. kann kurzfristig über sogenannte Ü-MANV-Sofort-Komponenten aus einer anderen Gebietskörperschaft zusätzliches Personal und Material der Einsatzstelle zugeführt werden. Diese Ü-MANV-Sofort-Komponenten werden aus der Regelvorhaltung ausgelöst, sie bestehen aus einem NEF und zwei RTW.

PRAXISTIPP

Tagesalarmstärke

Im Rahmen des Brandschutzes und der technischen Hilfeleistung müssen bei der Erstellung der AAO viele verschiedene Faktoren berücksichtigt werden. Ein ganz wichtiger Faktor ist die **Tageszeit.** Viele freiwillige Feuerwehren haben tagsüber Probleme, ihre Fahrzeuge mit der ausreichenden Qualität und Quantität zu besetzen, da viele Mitglieder der freiwilligen Feuerwehr entweder ihren Arbeitsplatz nicht verlassen können oder einen Arbeitgeber außerhalb des Einsatzgebietes haben und deshalb aufgrund der langen Anfahrt im Alarmfall nicht ausrücken können. In einigen Bundesländern sind die Gemeinde- bzw. Ortsbrandmeister für die Erstellung der AAO zuständig. Diese Personen kennen sich in ihrem Einsatzgebiet sehr gut aus und wissen auch, mit wie vielen Einsatzkräften zu den jeweiligen Tageszeiten sie rechnen können.

IM FOKUS

Alarm- und Ausrückeordnung

- Die **AAO** legt anhand von **Einsatzstichwörtern** fest, mit welchen Mitteln auf bestimmte Einsatzlagen reagiert werden soll.
- Einsatzstichwörter bestehen zumeist aus wiederkehrenden **Abkürzungen** (z. B. NF = Notfalleinsatz), die regional verschieden sein können.
- Die AAO trifft Annahmen im Vorfeld und kann somit niemals perfekt sein. Eine zügige und adäquate **Rückmeldung** vom Einsatzort ist für die Leitstelle in vielen Situationen eine große Hilfe, um die eingesetzten Kräfte besser steuern zu können.
- Wichtige Begriffe: **Tagesalarmstärke** (z. B. bei freiwilligen Feuerwehren), **Regelrettungsdienst.**

46.1.2 Verwendung von Einsatzstichwörtern

Wenn ein Notruf in der Rettungsleitstelle (RLST) eingeht, wird dieser Notruf von einem **Leitstellendisponenten** bearbeitet (→ Abb. 46.1):

- In vielen Leitstellen existieren **standardisierte Abfragekataloge,** die es dem Disponenten ermöglichen, über das Telefon viele wichtige Informationen zu erhalten.
- Je nach Informationslage vergibt der Leitstellendisponent ein **Einsatzstichwort** für diesen Einsatz. Sollte der Anrufer beispielsweise ein akutes Koronarsyndrom gemeldet haben, wird der Disponent (je nach regionaler AAO) z. B. das Einsatzstichwort *RD_NF_Thoraxschmerz_NA,* vergeben. In diesem Einsatzstichwort ist klar zu erkennen, dass es sich wegen der Abkürzung *RD_NF* um einen rettungsdienstlichen Notfall handelt. Der Thoraxschmerz beschreibt das Leitsymptom und die Abkürzung *NA,* dass es sich bei diesem Einsatz um eine Notarztindikation handelt. Je nach Leitstelle können diese Abkürzungen unterschiedlich definiert sein.

Abb. 46.1 Leitstellendisponentin nimmt einen Notruf entgegen [O991]

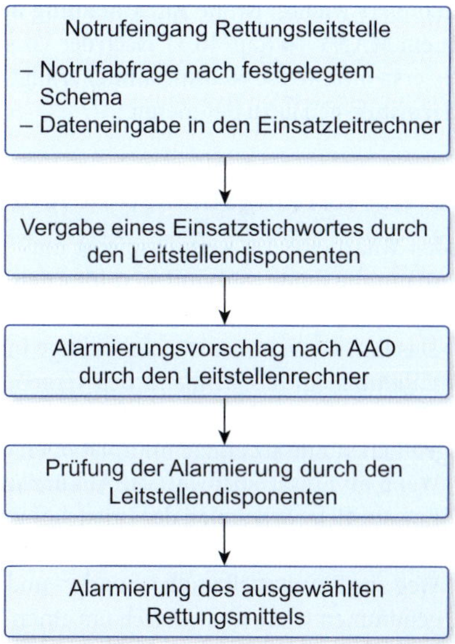

Abb. 46.2 Bearbeitung eines Notrufs in der Leitstelle [L143]

- Der Leitstellendisponent pflegt die erfragten Information mit der Adresse des Einsatzortes in den **Einsatzleitrechner** ein. Im Einsatzleitrechner ist der aktuelle Status der gesamten Rettungsmittel gespeichert. Deshalb schlägt der Einsatzleitrechner dem Leitstellendisponenten dann ein passendes Rettungsmittel vor. Der Leitstellendisponent bestätigt diesen Vorschlag des Einsatzleitrechners und alarmiert die benötigten Einsatzkräfte (→ Abb. 46.2).
  Zudem vergibt der Einsatzsleitrechner automatisch – unabhängig davon, ob es sich um einen Rettungsdienst- oder Feuerwehreinsatz handelt – eine **Einsatznummer.**

MERKE

Die Leitstelle ist ein fester Bestandteil der Rettungskette. Die Leitstellendisponenten müssen zeitnah Entscheidungen treffen, die von weitreichenden taktischen, medizinischen und wirtschaftlichen Folgen geprägt sind. Deshalb gehören Voraussetzungen wie **Belastbarkeit, Stressresistenz,** aber auch **Einfühlungsvermögen** neben den **fachlichen Kompetenzen** aus den Bereichen Rettungsdienst und Feuerwehr zu den Schlüsselkompetenzen eines Leitstellendisponenten.

Im Verlauf eines Einsatzes kann es vorkommen, dass sich das primär vergebene Einsatzstichwort noch einmal ändert. Der Leitstellendisponent kann die Entscheidung zur Vergabe des Einsatzstichworts nur aufgrund der Informationen durch den Notruf treffen. Wenn das erste Rettungsmittel am Einsatzort ist, erfolgt je nach Lage vor Ort eine **Rückmeldung an die Leitstelle.** Ein wichtiger Bestandteil einer Rückmeldung ist dann auch die Nachalarmierung weiterer Kräfte (Notarzt, Feuerwehr und ggf. weitere Rettungsmittel).

PRAXISTIPP

Ein Grund für die Änderung des Einsatzstichwortes ist die Nachalarmierung eines Notarztes, wenn sich der Zustand des Patienten anders darstellt als gemeldet oder sich der Zustand des Patienten im Lauf des Einsatzes verschlechtert.

Besonders wichtig ist die **Rückmeldung an die Rettungsleitstelle bei einem MANV** (→ Kap. 46.3). Nach der Vorsichtung der Patienten durch das ersteintreffende Rettungsmittel erfolgt eine Rückmeldung, um die Alarmstufe genau zu definieren.

46.1.3 Rettungsdienstrelevante Einsatzstichwörter

Jeder Mitarbeiter im Rettungsdienst muss die Einsatzstichwörter kennen, um die damit verbundenen Informationen richtig einschätzen zu können.

Das Einsatzstichwort ist eine wichtige Information für die Besatzung des Rettungsmittels. Anhand des vergebenen Einsatzstichwortes hat die Besatzung des alarmierten Rettungsmittels teilweise schon vor dem eigentlichen Einsatz einige Informationen über die Art des Einsatzes:

- Wenn im Einsatzstichwort die **Abkürzung RD oder NF** (je nach Einsatzstichwortkatalog der Leitstelle) vorkommt, weiß das Team bereits, dass es sich um einen **Notfalleinsatz** handelt. Auf dem Weg zur Einsatzstelle sollen Sonder- und Wegerechte in Anspruch genommen werden, da es sich um einen Patienten handelt, der entweder vital gefährdet ist oder bei dem schwere gesundheitliche Schäden zu befürchten sind.

> **PRAXISTIPP**
>
> In vielen Einsatzstichwortkatalogen der Rettungsleitstellen werden auch Hinweise auf das Leitsymptom oder den Verletzungsmechanismus gegeben.

- Anhand des Einsatzstichworts kann das Rettungsdienstpersonal bereits bei der Anfahrt erkennen, ob es an der Einsatzstelle **besondere Gefahren** gibt. Sollte es sich z. B. um eine Körperverletzung handeln, muss immer damit gerechnet werden, dass es vor Ort noch zu Gewalt kommen kann. Sollte es sich bei dem Einsatz um einen Notfall auf der Straße handeln (Verkehrsunfall), ist diese Information für das anrückende Rettungsdienstteam von großer Bedeutung, da das Team dann die Einsatzstelle besonders absichern muss.
- Sollte die Rettungsleitstelle einen **Infektionstransport** disponieren, muss im Einsatzstichwort ein Hinweis auf diese besondere Einsatzart erfolgen. Ein Beispiel für ein Einsatzstichwort für einen Infektionstransport wäre das Einsatzstichwort *KT_Infekt*. Je nach Art der Infektion und den Übertragungswegen müssen vor dem Einsatz einige Vorkehrungen getroffen werden. Es ist durchaus möglich, das Einsatzfahrzeug abzurüsten, damit nicht alle Medizinprodukte hygienisch aufgearbeitet werden müssen. Ferner muss überlegt werden, ob der Praktikant den Einsatz begleitet. Ein ganz wichtiger Aspekt bei diesem Beispiel für das Einsatzstichwort *KT_Infekt* ist die richtige Auswahl der persönlichen Schutzausrüstung (PSA).

Der Rettungsdienst ist auch für den **qualifizierten Krankentransport** zuständig (→ Kap. 25.3). Entweder hält der Landkreis im Rahmen der Vorhaltung diverse Krankenwagen für den qualifizierten Krankentransport vor oder es wird die Mehrzweckfahrzeugstrategie bevorzugt.

> **PRAXISTIPP**
>
> Bei der Mehrzweckfahrzeugstrategie werden RTW auch für Krankentransporte eingesetzt.

Die Disponierung der qualifizierten Krankentransporte ist eine weitere Aufgabe der Leitstelle. Auch in diesem Fall sind regionale Unterschiede zu berücksichtigen. Im Bereich der Disponierung von Krankentransporten werden Einsatzstichwörter vergeben. Diese beginnen i. d. R. mit der **Abkürzung KT** für Krankentransport. Wenn die Besatzung des alarmierten Rettungsmittels die Abkürzung KT im Einsatzstichwort sieht, weiß sie schon, dass es sich nicht um einen Notfall handelt. Deshalb werden auf der Anfahrt auch keine Sonder- und Wegerechte in Anspruch genommen.

Genau wie bei der Vergabe von Einsatzstichwörtern im Bereich des qualifizierten Krankentransports ist das Stichwort ähnlich gegliedert wie bei einem Notfalleinsatz. Anhand des Einsatzstichworts kann die Besatzung des Rettungsmittels viele Informationen erhalten, die für die Abarbeitung des Einsatzes von großer Bedeutung sind. Ein Beispiel wäre das Einsatzstichwort *KT_Zwang*. Hierbei handelt es sich um eine **Zwangseinweisung** in eine psychiatrische Fachklinik.

> **MERKE**
>
> Je nach Bundesland ist das Vorgehen bei einer Zwangseinweisung unterschiedlich geregelt (→ Kap. 57.8.3).

Das Personal des Rettungsmittels kann überdies anhand des Einsatzstichwortes erkennen, ob der Patient sitzend oder liegend transportiert werden soll oder ob es sich um eine Einweisung ins Krankenhaus oder eine Konsilfahrt handelt. Eine wichtige Information bei der Abarbeitung eines Krankentransports ist der **Zielort.** Es gibt teilweise Einsatzstichwörter wie z. B. *KT_liegend_fern*. Dabei handelt es sich um eine Fernfahrt. Hier ist zu beachten, ob der Sauerstoffvorrat auf dem Fahrzeug ausreicht.

Das Einsatzstichwort ist – neben der Organisation und Abarbeitung des eigentlichen Einsatzes – auch relevant für die **Abrechnung** des Einsatzes. Es ist zu beachten, dass je nach Beauftragung oder regionalen Unterschieden die Abarbeitung unterschiedlich erfolgen kann. Wenn der Leitstellendisponent den Einsatz als Notfall disponiert, wird als Transportmittel ein Rettungswagen eingesetzt. Die Gebühr für einen Rettungswagen ist genau definiert und wird dann als Berechnungsgrundlage für die Abrechnung genutzt. Sollte es sich bei dem Einsatz um einen Krankentransport handeln, wird entweder ein KTW zur Einsatzstelle geschickt oder ein RTW im Rahmen der Mehrzweckfahrzeugstrategie.

> **PRAXISTIPP**
>
> Beim Einsatzstichwort Krankentransport wird, egal welches Fahrzeug den Einsatz übernimmt, ein KTW, der wesentlich günstiger ist als ein Rettungswagen, abgerechnet.

Bei einem **geplanten Krankentransport** wird ein **Transportschein** benötigt. Der Transportschein wird bei einer Einweisung in die Klinik vom Hausarzt oder bei Entlassungen und Konsilen von der Klinik ausgestellt. Der Rettungsdienst muss zur Abrechnung des Krankentransports den Transportschein einreichen, um die anfallende Gebühr erstattet zu bekommen. Es ist durchaus möglich, dass der Transportschein erst nach dem Transport eingereicht wird. Auch hier müssen die regionalen Unterschiede berücksichtigt werden.

MERKE

Wenn der Leitstellendisponent den Einsatz als Notfall disponiert, ist die Vorlage eines Transportscheins nicht notwendig, da es sich um eine akut aufgetretene Erkrankung oder Verletzung handelt und der Patient vorher nicht zum Arzt gehen konnte, um sich einen Transportschein ausstellen zu lassen.

Anhand der Auswahl des Einsatzstichwortes wissen die Mitarbeiter in der Fakturierung (Abrechnungsstelle), welche Gebühr abgerechnet werden muss.

46.1.4 Einsatzstichwörter für die Zusammenarbeit mit anderen Einsatzkräften

In vielen Einsätzen kommt es zur Zusammenarbeit des Rettungsdienstes und der Feuerwehr. In zahlreichen Rettungsdienstbereichen in der Bundesrepublik werden Feuerwehr- und Rettungsdiensteinsätze von der gleichen Leitstelle disponiert. Deshalb werden viele Einsatzlagen mit Einsatzstichwörtern versehen, die sowohl für den Rettungsdienst als auch für die Feuerwehr gelten, z. B. bei einem Verkehrsunfall mit eingeklemmter Person. Wenn eine Person im verunfallten Fahrzeug eingeklemmt ist, wird die Feuerwehr gemäß AAO zur **technischen Rettung** des Patienten alarmiert. Parallel wird auch der Rettungsdienst zur Einsatzstelle entsendet, um sich um die **notfallmedizinische Versorgung** des Patienten zu kümmern

MERKE

Bereits bei der Anfahrt zur Einsatzstelle macht sich die Fahrzeugbesatzung Gedanken über die **Raumordnung** *(Wo parke ich meinen RTW?)* und die **Gefährdungsbeurteilung** *(Tragen mein Kollege und ich die Warnkleidung/Schutzkleidung?)*.

Damit der Disponent nicht mehrere Einsatzstichwörter vergeben muss, werden in diesem Fall Einsatzstichwörter benutzt, die sowohl für den Rettungsdienst als auch für die Feuerwehr gelten. Sollte das Einsatzstichwort *TH_VU_Person_klemmt* verwendet werden, ist somit für jede Einsatzkraft bereits bei der Anfahrt klar, dass bei diesem Einsatz der Rettungsdienst und die Feuerwehr beteiligt sind.

Auch im Bereich der **Brandbekämpfung** kommt es zu einer Zusammenarbeit zwischen dem Rettungsdienst und der Feuerwehr. Sollten sich noch Personen in dem brennenden Haus befinden, werden laut AAO zusätzliche Rettungsmittel zur Einsatzstelle entsendet. Je nach AAO kann es dazu kommen, dass bei einem Brand ein RTW zur Absicherung der Feuerwehrleute entsendet wird. Sollte sich die Brandbekämpfung zeitlich in die Länge ziehen, werden ehrenamtliche Rettungskräfte im Rahmen eines **SEG-Einsatzes** zur Einsatzstelle entsendet, damit der RTW, der im Regelrettungsdienst eingeplant ist, schnell wieder frei werden kann, um anfallende Einsätze übernehmen zu können.

IM FOKUS

Einsatzstichwörter

- Die Leitstelle vergibt die Einsatzstichwörter idealerweise anhand eines **strukturierten Abfrageschemas.**
- Die entsprechende Meldung sollte enthalten:
  - Zielgruppe (z. B. Rettungsdienst)
  - Art des Einsatzes (z. B. Notfall)
  - Meldebild (z. B. Brustschmerz)
  - Zusätzliche Informationen (z. B. mit Notarzt)

  Mögliches Beispiel: **RD_NF_Brustschmerz_NA**
- Bei Krankentransporten wird ein **Transportschein** benötigt.
- Bei Einsatzstichwörtern, die mehrere Einsatzkräfte erfordern, ist von vornherein eine **nachhaltige Zusammenarbeit** (z. B. über die Raumordnung) zu ermöglichen.

46.2 Standardeinsatzregeln

46.2.1 Notfalleinsatz

Wenn der Patient vital gefährdet ist, starke Schmerzen hat oder schwere gesundheitliche Schäden zu befürchten sind, wird der Einsatz als **Notfalleinsatz** disponiert. Dies erlaubt dem Rettungsmittel, auf der Anfahrt die Sonder- und Wegerechte in Anspruch zu nehmen. Notfalleinsätze werden durch einen RTW mit oder ohne NEF abgearbeitet. Nur in besonderen Situationen wie **Großschadenslagen** oder als sog. **First Responder (Ersthelfer)** werden auch KTW zu einem Notfalleinsatz geschickt.

MERKE

Bei einem Notfalleinsatz kommt es darauf an, dass das erste geeignete Rettungsmittel so schnell wie möglich an der Einsatzstelle ist, um die zeitnahe Versorgung des Patienten zu gewährleisten. In jedem Bundesland gibt es genaue Regeln, in welcher Zeit das erste geeignete Rettungsmittel vor Ort sein muss. Diese **Hilfsfristen** sind in den jeweiligen Landesrettungsdienstgesetzen geregelt.

46.2.2 Krankentransport

Im Gegensatz zu einem Notfalleinsatz handelt es sich bei einem **Krankentransport** nicht um einen vital gefährdeten Patienten. Deshalb wird bei einem Krankentransport auf den Gebrauch von Sonder- und Wegerechten verzichtet. Bei geplanten Krankentransporten (Dialyse, Entlassung aus der Klinik) ist es üblich, dass die Einsätze bereits im Vorfeld bei der Rettungsleitstelle bestellt werden. Der Leitstellendisponent nimmt den Auftrag an und kann den Einsatz schon im Vorfeld auf ein bestimmtes Fahrzeug disponieren. So kann gewährleistet werden, dass die Fahrzeuge (i. d. R. KTW) so wenige Leerfahrten wie möglich haben.

Wenn ein Anrufer einen Krankentransport meldet, der nicht im Vorfeld zu planen war (Einweisung ins Krankenhaus), nimmt der Leitstellendisponent den Einsatz an, pflegt die Daten wie bei einem Notfalleinsatz in den **Einsatzleitrechner** ein und vergibt ein passendes Einsatzstichwort. Daraufhin schlägt der Einsatzleitrechner das passende Fahrzeug vor, das diesen Transport am besten übernehmen kann.

Egal, ob es sich um einen Krankentransport oder einen Notfalleinsatz handelt, werden die Einsätze nach demselben Schema abgearbeitet. Nach Eingang des Anrufs in der Leitstelle vergibt der Disponent ein **Einsatzstichwort** und alarmiert das entsprechende Rettungsmittel. Je nach dem örtlich üblichen System erhält die Besatzung die nötigen Informationen über eine Faxdepesche, per SMS oder der Einsatzauftrag wird direkt auf ein Display mit integriertem Navigationsgerät übertragen. Weitere Informationen können bei Bedarf über Funk von der Leitstelle angefordert werden. Das Rettungsmittel nimmt je nach Alarmierung bei der Anfahrt Sonder- und Wegerechte in Anspruch und fährt zur Einsatzstelle. Wenn das Rettungsmittel am Einsatzort angekommen

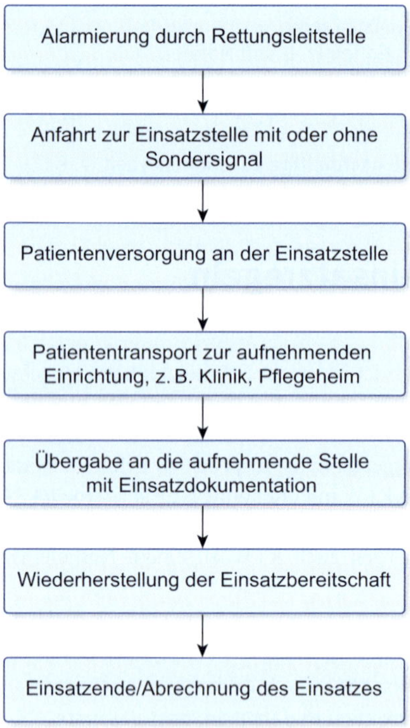

Abb. 46.3 Ablauf eines Standardeinsatzes [L143]

ist, erfolgt die Versorgung des Patienten. Nach der Versorgung am Einsatzort wird der Patient in die aufnehmende Einrichtung (Klinik oder Pflegeheim) transportiert. Dort findet die Übergabe statt. Anschließend muss, wenn noch nicht geschehen, die Dokumentation erfolgen und die Einsatzbereitschaft des Fahrzeugs wiederhergestellt werden. Der Einsatz wird dann mit der Abrechnung des Einsatzes beendet (→ Abb. 46.3).

46.2.3 Eingang des Anrufs und Bearbeitung in der Leitstelle

Auf der Rettungsleitstelle nimmt ein Leitstellendisponent den Notruf oder die Bestellung für einen Krankentransport entgegen und führt die Abfrage nach regionalen Protokollen durch. In besonderen Fällen, wie einer **Reanimation,** führen einige Rettungsleitstellen in Deutschland bereits eine sog. **Telefonreanimation** durch. Hierbei gibt der Leitstellendisponent, der auch über eine rettungsdienstliche Ausbildung verfügt, an, wie der Anrufer **Erste Hilfe** durch eine Herz-Lungen-Wiederbelebung (HLW) leisten kann. Nach der Abfrage vergibt der Leitstellendisponent ein Einsatzstichwort und pflegt dieses in den Einsatzleitrechner ein. Anhand der AAO oder der nächsten Fahrzeugstrategie schlägt der Einsatzleitrechner ein passendes Rettungsmittel vor. Der Leitstellendisponent alarmiert dann das entsprechende Fahrzeug. Durch das Einsatzstichwort und die Art der Alarmierung weiß die Fahrzeugbesatzung, ob es sich um einen Notfall oder einen Krankentransport handelt. Sollte sich im Rahmen der Abfrage herausstellen, dass es sich bei dem Einsatz um eine Großschadenslage handelt, werden dementsprechend viele Einsatzkräfte alarmiert und zur Einsatzstelle geschickt.

Damit der Leitstellendisponent und auch der Leitstellenrechner wissen, welches Rettungsmittel sich im Einsatz befindet oder einsatzbereit auf der Wache ist, müssen die Besatzungen der Rettungsmittel ihren sog. Status per Funkmeldesystem (FMS) an die Rettungsleitstelle übermitteln. In der Regel werden 9 verschiedene Statusziffern benutzt, die eine entsprechende Bedeutung haben (→ Kap. 54.1.5).

PRAXISTIPP

In einigen Rettungsdienstbereichen in Deutschland ist es dem Leitstellendisponenten über **GPS** möglich, zu erkennen, wo sich ein Fahrzeug gerade befindet. So wird ermöglicht, dass freie Rettungsmittel in der Nähe des Notfallortes, die dementsprechend schnell am Einsatzort eintreffen können, erkannt werden. Dies ist von Bedeutung, wenn die sog. **nächste Fahrzeugstrategie** verwendet wird. Dabei wird immer das Rettungsmittel mit der objektiv geringsten Anfahrtszeit alarmiert. Das ist ein großer Vorteil für die Patienten, da die medizinische Versorgung schneller eingeleitet werden kann.

IM FOKUS

Standardeinsatzregeln und Notrufannahme

- Standardeinsatzregeln ermöglichen eine **reproduzierbare** und **optimierte Vorgehensweise** bei bestimmten Meldebildern. Sie sind i. d. R. im **Einsatzleitrechner** hinterlegt.
- Krankentransporte sind z. B. oft nicht dringlich. Hier kann der Einsatz aufgenommen und entsprechend vorgeplant werden.
- Bei Notfallmeldungen müssen zwei Dinge parallel geschehen:
  - Das **bestverfügbare Einsatzmittel** muss so schnell wie möglich zum Patienten geschickt und mit ausreichenden Informationen versorgt werden.
  - Der Patient bzw. Anrufende muss Informationen über mögliche **Erste-Hilfe-Maßnahmen** erhalten (z. B. Telefonreanimation).

46.2.4 Anfahrt zum Einsatzort

Krankentransport

Bei einem Krankentransport wird bei der Übernahme des Einsatzes der *Status 3* per FMS an die Leitstelle übermittelt. Da es sich bei einem Krankentransport nicht um eine zeitkritische Einsatzlage handelt, werden diese Einsätze i. d. R. ohne Gebrauch von Sonder- und Wegerechten abgearbeitet.

Notfalleinsatz

Der Disponent entscheidet aufgrund der Notfallmeldung, ob es sich um einen Notfallpatienten handelt. Wenn es sich um einen Notfalleinsatz handelt, gibt die Leitstelle die Empfehlung, bei der Anfahrt Sonder- und Wegerechte in Anspruch zu nehmen. Sobald die Besatzung des Rettungsmittels auf dem Weg zum Patienten ist, wird der Status Ausfahrt *(Status 3 FMS)* zur Leitstelle übermittelt. Da es sich um einen Notfalleinsatz handelt, muss der schnellste Weg zum Patienten gefahren werden. Es gibt diverse Hilfsmittel wie Straßenkarten, Navigationsgeräte und die Möglichkeit, sich über die Leitstelle führen zu lassen. Der Beifahrer ist für die **Navigation** und die Bedienung des Funkgeräts auf der Anfahrt zum Einsatzort zuständig, damit sich der Fahrer voll und ganz auf die anspruchsvolle **Alarmfahrt** konzentrieren kann. Eine gute **Ortskunde** ist gerade in ländlichen Bereichen von Vorteil.

Anfahrt zu einer Großschadenslage

Wenn sich ein Rettungsmittel auf der Anfahrt zu einer Großschadenslage befindet, ist es enorm wichtig, auf die Anweisungen der Leitstelle entsprechend zu reagieren. Die Leitstelle versorgt die **anrückenden Kräfte** mit neuen **Informationen** und **Anweisungen.** Wenn es sich um eine Großschadenslage handelt, können die Leitstellen, die über einen digitalen BOS-Funk verfügen, dieser Einsatzlage eine eigene Gruppe (Kanal) zuweisen. Damit soll gewährleistet werden, dass alle

48

STRUKTURIERUNG VON ABLÄUFEN

Frank Flake

FALLBEISPIEL

Notfallmeldung

Die Rettungsleitstelle alarmiert einen Rettungswagen und ein Notarzteinsatzfahrzeug mit dem Einsatzstichwort: „Leitersturz aus größerer Höhe."

Situation und Ersteindruck

Der Rettungswagen trifft früher als das NEF an der Einsatzstelle ein. Die RTW-Besatzung wird zu einem Handwerker geführt, der neben einer Leiter liegt. Die Einsatzstelle ist sicher. Der etwa 35-jährige Patient liegt auf dem Rücken. Er ist wach und ansprechbar und klagt über Schmerzen im Rücken und im rechten Fußbereich.

Leitsymptom

Starke Schmerzen.

INHALTSÜBERSICHT

48.1 PROZESSE

- Ein Prozess ist ein definierter Ablauf von Handlungen mit dem Ziel, ein gewünschtes Ergebnis zu erreichen.

48.2 VERFAHRENSANWEISUNGEN

- Verfahrensanweisungen sind häufig als Flussdiagramme dargestellt.
- Mit Verfahrensanweisungen werden alle möglichen Abläufe innerhalb einer Rettungswache beschrieben.

48.3 ABLAUF DER MATERIALKONTROLLE

- Das Unterlassen des Checks und die daraus resultierende mögliche Schädigung eines Patienten wird als grob fahrlässig eingestuft und hat massive rechtliche Folgen.
- Medizingeräte müssen vor jeder Anwendung am Patienten geprüft werden.

48.4 TELEMETRIE UND TELEMEDIZIN

- Unter Telemetrie versteht man die Übertragung von Messwerten von einem definierten Ort, an dem sich die Messgeräte befinden, zu einer räumlich getrennten Stelle.
- Beim Telenotarzt-System wird über eine Kommunikationseinheit an der Einsatzstelle eine Verbindung zu einer Telenotarzt-Zentrale hergestellt.

48.5 DOKUMENTATION

- Das Einsatzprotokoll dient der Kommunikation innerhalb des Rettungsdienstes und mit der weiterbehandelnden Einrichtung, der Abrechnung, der rechtlichen Absicherung und der Forschung.
- Eine zweckmäßige Gliederung für den Einsatzbericht ist das ABCDE-Schema.

48.1 Prozesse

Um in die Strukturierung von Abläufen einzusteigen muss man die Definition eines Prozesses, der in einer Verfahrensanweisung beschrieben wird, erläutern.

DEFINITION

Ein Prozess ist ein standardisiertes System von Tätigkeiten, in das Mittel eingegeben und in Ergebnisse umgewandelt werden. Jeder Prozess muss geplant, gesteuert, überwacht und verbessert werden (→ Kap. 55.1 ff.).

Im Rettungsdienst finden sich sehr viele Prozesse. Beispielhaft sei die Materialkontrolle, also der tägliche Check genannt (→ Kap. 48.3).

48.2 Verfahrensanweisungen

Unter **Verfahrensanweisungen (VA)** wird die Dokumentation eines Verfahrens, also eines Ablaufs, verstanden. Verfahrensanweisungen sind häufig in Form eines Flussdiagramms aufgebaut, können aber auch in Fließtext formuliert sein. Innerhalb von **Qualitätsmanagementsystemen** wird mit Verfahrensanweisungen gearbeitet. Es ist üblich, alle notwendigen Abläufe innerhalb einer Rettungswache (im Besonderen, wenn ein QM-System vorhanden ist) zu beschreiben, zu dokumentieren und damit zu strukturieren. Dies dient vor allem der **Standardisierung von Abläufen** und stellt zum einen sicher, dass alle Mitarbeiter wissen, wie ein Ablauf zu erfolgen hat, und soll zum anderen verhindern, dass jeder Mitarbeiter anders vorgeht.

MERKE

Die Standardisierung von Abläufen soll eine gleichbleibende und vergleichbare Qualität der Dienstleistung gewährleisten.

Verfahrensanweisungen sind zunächst grundsätzlich zu befolgen. Sollte eine VA nicht dem allgemein üblichen Standard entsprechen, ist sie anzupassen. Klassische Verfahrensanweisungen im Rettungsdienst sind z. B.:

- Check des Fahrzeugs und des Materials
- Ablauf der Schichtübergabe
- Umgang mit defektem Material
- Ablauf einer Desinfektion

48.3 Ablauf der Materialkontrolle

Der Check des Materials auf Vollständigkeit und Funktionsfähigkeit ist eine der wichtigsten Maßnahmen vor jedem Dienstbeginn. Das **Unterlassen** des Checks wird arbeitsrechtlich als **grob fahrlässig** eingestuft und kann damit **drastische Konsequenzen des Arbeitgebers** nach sich ziehen. Dies vor allem dann, wenn die Versorgung eines Patienten darunter leidet, z. B. ein Patient mit einem A-Problem (verlegter Atemweg), der nicht abgesaugt werden kann, weil die elektrische Absaugpumpe defekt ist und dieser Defekt aufgrund des Unterlassens des Materialchecks vor Dienstbeginn nicht festgestellt wurde.

Medizinische Geräte müssen laut Medizinproduktegesetz (MPG) sogar vor jeder Anwendung am Patienten überprüft werden. Das ist natürlich in der Praxis kaum möglich. Deshalb bedient man sich eines Tricks: Das Gerät wird vor Dienstbeginn und nach jedem Einsatz gecheckt – nach dem Einsatz ist vor dem Einsatz! Jeder Check sollte dokumentiert werden, z. B. auf dem Einsatzprotokoll. Einige Geräte besitzen auch eine Selbsttestfunktion und die Hersteller schreiben in ihren Gebrauchsanweisungen die Intervalle (meist täglich) dieser Selbsttests vor. Für die Materialüberprüfung sind folgende Dokumente erforderlich:

- **Bestandsliste:** In ihr sind die genauen Mengen (besser Minimum-/Maximum-Mengen) des Materials gelistet.
- **Checkliste:** In ihr wird beschrieben, wie und was zu prüfen ist. Durchgeführte Checks sind i. d. R. darauf zu dokumentieren.
- **Gebrauchsanweisungen** der Hersteller der vorhandenen Medizinprodukte.

IM FOKUS

Verfahrensanweisungen am Beispiel der Materialkontrolle

- **Verfahrensanweisungen (VA)** sind Teil eines Qualitätsmanagementsystems.
- Sie dienen der **Standardisierung** von Abläufen.
- Der Materialcheck kann in Form einer Verfahrensanweisung geregelt sein.
- Dabei kann auf weitere Dokumente verwiesen werden, z. B.:
  - **Bestandsliste**
  - **Checkliste**
  - **Gebrauchsanweisungen**
- Definiert werden sollten hier zudem die **Intervalle,** in denen der Check durchgeführt werden muss:
  - I. d. R. bei Fahrzeugübernahme, nach Gerätetausch und nach jeder Benutzung (um **MPG-Vorschriften** zu erfüllen).

48.4 Telemetrie und Telemedizin

Unter **Telemetrie** versteht man die Übertragung von Messwerten von einem definierten Ort, an dem sich die Messgeräte befinden, zu einer räumlich getrennten Stelle. In unserer digitalen Welt wird zur Datenübertragung i. d. R. GSM/UMTS-Technik genutzt. Diese Technik hält mit der **Telemedizin,** also der Übertragung von medizinischen Messwerten, auch Einzug in die präklinische Notfallmedizin.

MERKE

Telemedizin Worldwide

Die echte Telemedizin ist nicht nur auf die Übertragung von Messwerten begrenzt. Mit ihr lassen sich auch Bilder z. B. über das Internet übertragen oder sie ermöglicht die Konsultation eines Arztes per Videokonferenz. In Regionen, die weit abgelegen von medizinischen Versorgungseinrichtungen liegen, ist dies keine Seltenheit und oftmals die einzige Möglichkeit, medizinische Hilfe zu erhalten.

Die Telemetrie wird in der Präklinik in den USA in vielen Bereichen schon seit langer Zeit genutzt. Allerdings werden hier meist nur EKG an Kliniken bzw. Spezialisten gesendet, um die Kliniken auf den Patienten vorzubereiten oder um das EKG direkt am Einsatzort zu interpretieren und tätig werden zu können.

MERKE

Übertragung von Vitaldaten

Die Übertragung von Vitaldaten über ein EKG-/Monitoring-System ist heute bereits in vielen Geräten integriert (z. B. Corpuls 3, Fa. Stemple). Es reichen eine handelsübliche SIM-Karte und am anderen Ende die Empfangssoftware, um Daten zu übertragen. Da in vielen Bereichen die Netzqualität bei den verschiedenen Anbietern nicht immer optimal ist, kann man sich sog. „Every Where"-SIM-Karten bedienen. Sie integrieren in einer Karte mehrere Netzanbieter und suchen sich automatisiert immer das beste Netz.

Aufgrund der auch in Deutschland zunehmenden **Versorgungsproblematik,** vor allem **im ländlichen Raum,** durch immer weniger Krankenhäuser, Veränderungen im (haus-)ärztlichen Bereitschaftsdienst und der schwieriger werdenden notärztlichen Versorgung gewinnt die Telemedizin zunehmend präklinisch an Bedeutung. Wenn man bedenkt, dass viele notfallmedizinische Erkrankungen oder Verletzungen zeitkritisch sind, wird klar, dass meist nicht auf einen spezialisierten Arzt gewartet werden kann. Sofortiges Handeln ist dann erforderlich. Notfallsanitäter haben aber trotz ihrer sicher guten und fundierten Ausbildung nicht in allen Bereichen ausreichend klinische Erfahrung. Hier greift die Telemedizin mit der Möglichkeit, einen nicht am Einsatzort befindlichen Arzt zu konsultieren und ihm gleichzeitig zur Diagnostik erforderliche Daten zu übermitteln.
Beispiele für telemedizinische Projekte sind:

- **Stroke Angel:** Telemedizinische Datenübertragung von Schlaganfallpatienten aus dem Rettungsdienst in die Zielklinik mit einer Stroke Unit. Dadurch, dass strukturierte Vorabinformationen die Zielklinik erreichen, können Versorgungszeiten in der Klinik verkürzt und Lyseraten erhöht werden. Dies wirkt sich positiv auf das Outcome des Patienten aus. In einigen wenigen Standorten wurde aus dem Projekt bereits eine Regelversorgung. Mittlerweile gibt es analoge Projekte bei der Versorgung des Herzinfarkts (Cardio Angel).
- **Telemedizinisches Rettungsassistenzsystem (TemRas):** Der Name impliziert bereits, dass es sich um ein System zur präklinischen Versorgung handelt. Es ermöglicht eine telemedizinische Unterstützung inner- und außerhalb des Rettungswagens bei praktisch jeder Art von Notfall.
- **Telenotarzt-System:** Beim Telenotarzt-System wird über eine Kommunikationseinheit an der Einsatzstelle eine Verbindung zu einer Telenotarzt-Zentrale hergestellt. Hierüber können neben Monitorvitaldaten auch akustische Töne wie Atem- und Herzgeräusche über ein elektronisches Stethoskop übertragen werden. Eine Sprachverbindung zwischen Rettungsfachpersonal und Telenotarzt wird über ein Headset und per Knopfdruck aufgebaut. Die Übertagung von Bildern bzw. Videos ist mit einem Smartphone oder einer im Rettungswagen verbauten Videokamera ebenfalls möglich (→ Abb. 48.1).
  In der Telenotarzt-Zentrale sitzt ein notfallmedizinisch erfahrener Arzt, der zudem noch auf umfangreiche Informationsquellen zurückgreifen kann. Eine eigens entwickelte Software unterstützt ihn bei der leitliniengerechten Versorgung. Der Telenotarzt gibt somit die Anweisungen zur Versorgung, die der Notfallsanitäter ausführt. Nicht selten ist die Zentrale in einer Klinik untergebracht. Der

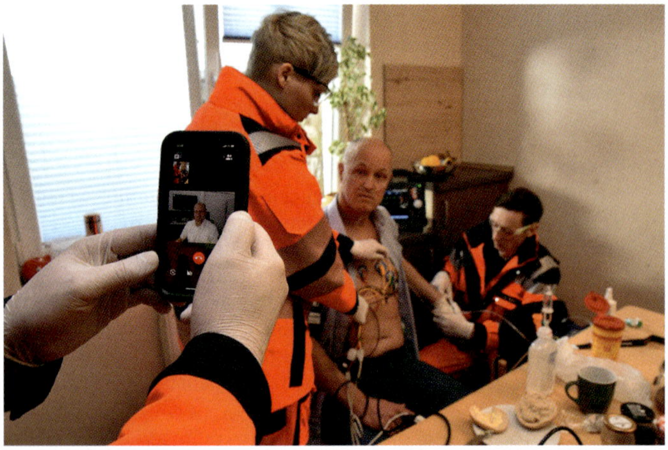

Abb. 48.1 Konsultation des Telenotarztes im Rettungsdiensteinsatz mit Audio-Video-Verbindung über ein Mobiltelefon mit der Corpuls Mission-App. [W1273]

Vorteil ist, dass hier ggf. auch spezialisierte Fachärzte hinzugezogen werden können.

Kommt es zu einem Transport, kann innerhalb des speziell ausgestatteten Rettungswagens über eine Kamera in der Decke des RTW eine Videoübertragung stattfinden. Hierzu ist allerdings die Einwilligung des Patienten erforderlich. Daten werden dazu nicht gespeichert, sondern per Livestream übertragen. Nachteil diese Systems sind, neben den allgemeinen Nachteilen, die enormen Kosten, die zusätzlich zur telemedizinischen Einheit (Monitor) durch den Umbau und die Ausrüstung des RTW entstehen.

Einsatzbereiche

- **Offshorewindparks:** Ein derzeit großes Einsatzfeld ist die Versorgung innerhalb der entstehenden Offshorewindparks in der Nord- und Ostsee. Dieses Einsatzfeld wird sich in den nächsten Jahrzehnten noch weiter ausdehnen. Insbesondere der Arbeitsschutz verlangt eine sichergestellte Versorgung der Arbeitskräfte, die meist Tag und Nacht vor Ort im Einsatz sind. Die Telemedizin bietet hier das geeignete Potenzial.
- **Bergrettung:** Auch hier sind Retter in unwegsamem Gelände oftmals auf sich allein gestellt und haben so die Möglichkeit, im Zweifel telemedizinische Hilfe hinzuzuziehen.
- **Katastrophenschutz:** Bei Inlands- und Auslandseinsätzen zur Absicherung der eigenen Helfer.
- **Einsatz auf Halligen und Inseln:** Auf zahlreichen abgelegenen Inseln gibt es i. d. R. zwar Pflegefachkräfte, aber keine ärztliche Versorgung.
- **Schifffahrt:** Kapitäne verfügen zwar über eine erweiterte Grundausbildung in Medizin, aber bei Weitem nicht über die Kompetenz eines Notfallsanitäters oder Arztes.
- **Ambulante Versorgung chronisch Kranker,** z. B. heimbeatmete Patienten, die in der häuslichen Umgebung versorgt werden müssen.
- **Rettungsdienst:** Neben der Einsatzmöglichkeit im Regelrettungsdienst in Gegenden, in denen kein Notarzt in ausreichender Zeit zur Verfügung steht, ist z. B. auch an einen Einsatz im Rahmen von arztbegleiteten Verlegungstransporten zu denken. Meist werden hier stabile Patienten mit geringer notärztlicher Interventionswahrscheinlichkeit transportiert. Nicht selten werden dazu NEF aus dem Regelrettungsdienst eingesetzt, die dann jedoch für Primäreinsätze nicht mehr zur Verfügung stehen. Dies kann mit einem Telemedizin-System vermieden werden.
- **Übernahme hausärztlicher Tätigkeit:** In einigen Bereichen fehlen bereits heute Hausärzte, um den Notdienst sicherzustellen. Hier kann alternativ speziell geschultes Fachpersonal eingesetzt werden, um diese Lücke zu schließen.

Telemedizin-Systeme

Es drängen zunehmend Anbieter mit ihren Telemedizin-Systemen auf den Markt. Der Einsatz bezieht sich dabei nicht nur auf den ausgebildeten Helfer, sondern, falls nötig, auch auf Ersthelfer. Man denke hier z. B. nur an die vielen Katastrophenschutzhelfer der Hilfsorganisationen oder des THW. Gearbeitet wird nicht mit großen, oft unhandlichen Systemen, sondern mit kleinen, leistungsstarken Monitoren, die umfangreiche Komfortfunktionen bieten (→ Abb. 48.2). Die Anschaffungskosten liegen etwa in Höhe der Kosten für eine konventionelle EKG-/Defibrillator-Einheit. Im telemedizinischen Prozess werden Vitaldaten sowie audiovisuelle Kommunikation in Echtzeit übertragen. Ersthelfer ohne weitere medizinische Kenntnisse können sich durch das Menü führen lassen.

Die telemedizinischen Leitstellen (→ Abb. 48.3) sind an leistungsfähigen Leitstellen oder Kliniken der Maximalversorgung eingerichtet und bieten folgende **Vorteile:**

- Hohe Durchführungsexpertise
- Speziell geschulte Fachärzte als Telekonsil-Operator
- Interdisziplinärer Ansatz

Natürlich gibt es auch **Nachteile** solcher Telemedizin-Systeme:

- Es ist zu bedenken, dass die entstehenden einmaligen und fortlaufenden Kosten auch in die Ausbildung des präklinisch tätigen Personals investiert werden sollten, um deren Handlungskompetenz zu erweitern (was zur Verbesserung der präklinischen Versorgung beitragen würde). Reine Paramedic-Systeme, die in Australien, England oder in den USA bereits etabliert sind, beweisen dies, was aber nicht bedeuten soll, dass diese Systeme per se besser sind.
- Ein weiterer Nachteil sind die hohen Kosten für die Anschaffung eines entsprechenden Systems, die sich auf Dauer nur dann rechnen, wenn notärztliche Kapazitäten eingespart werden könnten.

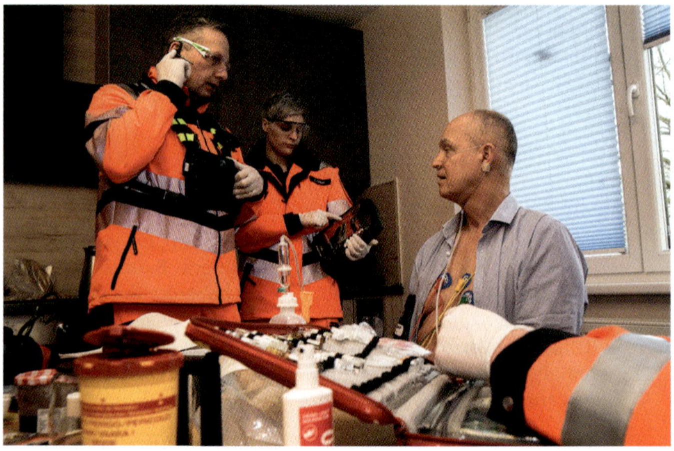

Abb. 48.2 Geschlossene Kommunikation zwischen Notfallsanitäter und Telenotarzt via Bluetooth-Headset im Rettungsdienst-Einsatz. [W1273]

Abb. 48.3 Arbeitsplatz des Telenotarztes mit Übertragung der Vitalparameter, des Audio-Video-Feeds und Dokumentationssystem [W1273]

IM FOKUS

Telemetrie und Telemedizin

- **Telemetrie** = Übertragung von Messwerten
- **Telemedizin** = Übertragung medizinischer Messdaten und weiterer Informationen
- Grundsätzlich gibt es **zwei Arten** von Systemen im Rettungsdienst:
  - Übertragung von Daten, um die **Weiterversorgung** in der Klinik zu optimieren.
  - Übertragung von Daten, um **vor Ort** Hilfe zu erhalten (z. B. durch einen Telenotarzt)
- **Wesentliche Vorteile:**
  - Zeitersparnis
  - Zugriff auf Spezialisten bei speziellen Fragestellungen
- **Wesentliche Nachteile:**
  - Technische Störungen
  - Stellenabbau

48.5 Dokumentation

48.5.1 Allgemeines zu Daten

Unter **Dokumentation** versteht man die Nutzbarmachung von Informationen zur weiteren Verwendung. Ziel der Dokumentation ist es, festgehaltene Informationen (Dokumente) dauerhaft bzw. temporär auffindbar und ggf. nutzbar zu machen.

Qualitätsmerkmale von Dokumentation sind: Vollständigkeit, Übersichtlichkeit, Verständlichkeit, Strukturiertheit, Korrektheit, Nachvollziehbarkeit, Authentizität (z. B. Änderungshistorie), Objektivität.

Die Aufgabe der Dokumentation des ärztlichen und nichtärztlichen Rettungsdienstpersonals hat sich im Lauf der Zeit verändert. Stand zunächst die Pflicht des Arztes zur Dokumentation im Vordergrund, kommen heute weitere Belange, wie die Abrechnung oder Rechtssicherheit, hinzu.

Die Dokumentation stellt heute ein **formales Kommunikationsmittel** zwischen dem Rettungsdienst, dem Träger des Rettungsdienstes, der Klinik und den Kostenträgern dar. Dabei gewinnt sie zunehmend auch Bedeutung im gesundheitsökonomischen Bereich. So steht das Einsatzprotokoll immer mehr im Mittelpunkt der Qualitätssicherung und -verbesserung, indem z. B. anhand des NACA-Scores eine retrospektive Überprüfung des ressourcenschonenden Einsatzes von Notärzten und Rettungsmitteln erfolgen oder der ärztliche Leiter des Rettungsdienst anhand der Dokumentation die Einhaltung und Umsetzung der regionalen Algorithmen (über-)prüfen kann.

Dazu erfüllt sich mit der Dokumentation der gesetzliche Auftrag, der es dem Patienten ermöglicht, jederzeit seine Behandlung und Befunde einsehen zu können (*§ 810* und *§ 630 g BGB*). Aber auch im Rahmen des Schutzes vor haftungsrechtlichen Konsequenzen bis hin zur Beweislastumkehr des ärztlichen und nichtärztlichen Personals bekommt die Dokumentation eine zentrale Bedeutung.

Prinzip der Dokumentation

Gewissenhaft wird vom Rettungsfachpersonal ein **Tatsachenbericht** verfasst: Was ist wann und wo geschehen? Welche Besonderheiten gab es, die festzuhalten sind? Die Befunde und durchgeführten Maßnahmen werden umfassend beschrieben, dabei aber freigehalten von unwesentlichen bzw. überflüssigen Informationen. Ziel muss es sein, Mutmaßungen zu vermeiden, um einen möglichst **objektiven Bericht** zu schaffen, der nachprüfbar ist. Das Rettungsfachpersonal soll sich auf das **Wesentliche** konzentrieren.

MERKE

Je objektiver die Beschreibung, desto mehr lässt man den Weiterbehandelnden die Möglichkeit, eigene Einschätzungen vorzunehmen.

Innerhalb der Dokumentation sollte auch Wert auf die **Grammatik** und somit auf die Lesbarkeit der Informationen gelegt werden. **Fremdwörter** sollten nur verwendet werden, wenn man sie sicher anwenden, also auch richtig schreiben kann. Eine *„Austrocknung"* wirkt professioneller als eine *„Eksicose"*.

Ein zunehmend problematischer werdendes Übel sind **kreative, vermeintlich fachspezifische Abkürzungen.** Die meisten dieser Abkürzungen sind nicht standardisiert, sondern vom Schreiber lediglich frei interpretiert bzw. konstruiert. Dies führt in der Folge für den Patienten ggf. zu nicht ungefährlichen Situationen, wenn der eingewiesene Patient mit Harnwegsinfekt, abgekürzt als HWI, vom Rettungsfachpersonal als Patient mit Herz- oder Hinterwandinfarkt aufgefasst wird. Gängige oder allgemeingültige Abkürzungen finden Sie am Anfang dieses Buches im Abkürzungsverzeichnis.

Erhebung von Daten

Eng mit dem Begriff Dokumentation verbunden ist der Begriff der **Daten.** Im streng wissenschaftlichen Sinne sind Daten nicht interpretierte Elemente, z. B. Patientenname, elektrische Aktivitäten des Herzens, Blutdruck oder ein Symptom.

Daten lassen sich in zwei Bereiche, in **objektive** und **subjektive Daten,** kategorisieren:

- Alle Daten, die mit den fünf Sinnen (Sehen, Hören, Riechen, Schmecken, Tasten) des Untersuchers gesammelt werden, sind **objektive Daten.** Sie können auch von einer anderen Person bei demselben Patienten auf ihre Richtigkeit hin überprüft werden, sind also offenkundig (z. B. Blutdruck, feuchte Haut, Temperatur, EKG).
- **Subjektive Daten** sind jene Daten, die nur von der betroffenen Person selbst angegeben werden oder die aus der Interpretation

von Situationsbeschreibungen des Dokumentierenden gewonnen werden. Der Kommentar: *„Der Patient ist benommen und hat Einstichstellen an den Unterarmen."* ist objektiver als die Aussage: *„Der Patient ist drogensüchtig."*. Der Inhalt des ersten Satzes ist nachprüfbar, der des zweiten nicht sicher zu beweisen.

Im Wesentlichen gibt es **drei Methoden der Datensammlung:** Beobachtung, Befragung und Untersuchung.

Beobachtung ist die vorsätzliche, bewusste Verwendung der fünf Sinne, um Daten zu sammeln. Der Notfallsanitäter stellt sich Fragen wie:

- Wo ist der Unfall passiert? Auf der Straße oder dem Radweg?
- Was genau ist passiert? Ist der Verletzte angefahren worden oder vom Rad gefallen?
- Was für Beschwerden/Verletzungen hat der Verunfallte?
- Was ist auffällig an der Notfallstelle?
- Wie ist die unmittelbare Umgebung des Patienten (Blutflecken am Boden, hektische Angehörige)?

Eine **Befragung** ist die geplante und strukturierte Kommunikation, um bestimmte, für die weitere Untersuchung und Therapie relevante Informationen festzuhalten. Dabei ist auch die Fragetechnik zu beachten. Fragen sollten ruhig, sachlich und in einer für den Patienten verständlichen Ausdrucksweise gestellt werden. Fragen, die nur mit „Ja" oder „Nein" beantwortet werden können, sind zu vermeiden. Besser sind Fragen, bei denen der Patient eine Möglichkeit zur Schilderung hat.

Die **Untersuchung** dient der Ermittlung des Patientenzustands mittels Inspektion, Palpation, Perkussion, Auskultation und Funktionsprüfung (→ Kap. 17).

IM FOKUS

Grundlagen der Dokumentation

- Dokumentation muss Tatsachenbericht sein, d. h. **möglichst objektiv.**
- Fokussierung nur auf das Wesentliche, **klare Schriftsprache** verwenden.
- Wenn **Abkürzungen** verwendet werden, müssen diese auch für Nichtrettungsfachpersonal **nachvollziehbar** sein.
- Subjektive Aspekte müssen als solche gekennzeichnet und ggf. begründet werden.
- **Drei Möglichkeiten** der Datensammlung:
  - **Beobachtung**
  - **Befragung**
  - **Untersuchung**

Das Einsatzprotokoll

Das Einsatzprotokoll dient vorrangig der Dokumentation des Patientenzustands und der vom Rettungsteam getroffenen Maßnahmen vom Einsatzort bis zur Übergabe in der Klinik. **Ziel** der gängigen Einsatzprotokolle ist es, durch ihren didaktischen Aufbau die Kollegen bei der richtigen Dokumentation zu unterstützen.

Vor über 30 Jahren wurde durch die Interdisziplinäre Vereinigung für Intensiv- und Notfallmedizin (DIVI) erstmals versucht, ein überregionales Protokoll für die Dokumentation von Notarzteinsätzen zu etablieren. Trotz aller Bemühungen gibt es auch heute noch eine Vielzahl unterschiedlicher Protokolle. Um trotz der Vielzahl der Protokolle eine Möglichkeit zu schaffen, vergleichbare Daten zu erzeugen, wurde 1996 von Prof. Ahnefeld und Dr. Messelken ein Kerndatensatz entwickelt, der bei jeder Dokumentationsvariante erzeugbar sein soll. Dieser **Minimale Datensatz (MIND)** findet sich derzeit in fast allen gängigen Protokolltypen wieder.

Neben der Heterogenität der Protokolle ist vielerorts auch das Vorgehen bei der Dokumentation sehr unterschiedlich. So werden in einigen Rettungsdienstbereichen für die Dokumentation des Notfalleinsatzes mit und ohne Notarzt immer noch zwei unterschiedliche Notfallprotokolle vorgehalten. In einigen Rettungsdienstbereichen erfolgt dann im Rahmen des Notarzteinsatzes jeweils eine eigene Dokumentation des Notarztes und des Notfallsanitäters.

Bewährt hat sich ein einheitliches Protokoll, z. B. Einsatzprotokoll DIVIDOK® für den Notfalleinsatz mit und ohne Notarzt. Der Notfallsanitäter muss und kann einen Notfall genauso umfangreich dokumentieren wie ein Notarzt. Aus rechtlichen Gründen sollte auch bei einem Notfalleinsatz mit einem Notarzt nur ein **gemeinsam geführtes Protokoll** erstellt werden (→ Abb. 48.4). Der Vorteil liegt in der **Vermeidung von Widersprüchen** und der Reduzierung des zeitlichen Aufwands für die Dokumentation. Diese Zeit kommt dann dem Patienten zugute. Zudem wird die Kommunikation zwischen dem Notfallsanitäter und dem Notarzt bei unterschiedlicher Auffassung gefördert.

Die Dokumentation muss in der aufnehmenden Klinik abgeschlossen werden. Nicht zu vergessen ist die Dokumentation der Übergabe von Wertgegenständen, die man sich ggf. auch vom übernehmenden Notaufnahmepersonal gegenzeichnen lassen sollte. Das Originalprotokoll verbleibt dann beim Patienten in der Klinik und ist dort für die Patientenakte bestimmt. Dass eine nachträgliche Änderung des Protokolldurchschlags nicht erlaubt ist, muss sicherlich nicht weiter beschrieben werden.

Unterschieden wird heute zwischen der handschriftlichen Dokumentation auf Papier und der elektronischen Protokollform. Die handschriftliche papierne Form, etabliert im deutschen Rettungsdienst in Form des DIVI-Protokolls, wird zunehmend durch die Einführung der mobilen elektronischen Datenerfassung abgelöst.

IM FOKUS

Das Einsatzprotokoll

- **Hohe Variabilität** der verwendeten Einsatzprotokolle und Vorgehensweisen beim Ausfüllen.
- Kernkompromiss ist der **„Minimale Datensatz (MIND)"**, der sich inzwischen in allen Protokolltypen wiederfindet.
- Notfallsanitäter sollten ihre Protokolle genauso umfangreich ausfüllen wie Notärzte.
- Bei gemeinsamen Einsätzen bietet sich ein **gemeinsam geführtes Protokoll** an, um Widersprüche und Verwirrungen nach der Übergabe zu vermeiden.
- Übergabe von **Wertgegenständen** dokumentieren und gegenzeichnen lassen!

Mobile elektronische Datenerfassung

Das Interesse an mobilen Dokumentationssystemen im Rettungsdienst nimmt immer mehr zu. Ziel ist die Reduzierung des Dokumentationsaufwands und von Doppelerfassungen. Auch einzelne Bundesländer beschäftigen sich mit dem Thema. So haben beispielsweise Brandenburg und Niedersachsen die Verwendung mobiler Erfassungen sogar empfohlen. Hierdurch ergibt sich dann auch die Möglichkeit zur Refinanzierung solcher Lösungen.

Unterschieden werden sog. **Stift-** und **Tablet-Lösungen:**

Bei den sog. **Stiftlösungen** wird auf besonderen Papierprotokollen mit einem speziellen Stift geschrieben, der das Geschriebene gleichzeitig scannt. Wieder in der Wache angekommen, wird der Stift dann in einer Dockingstation ausgelesen. Anschließend muss der Anwender die

tete DRK zunächst aufgelöst, aber 1948 für den Rettungsdienst und Krankentransport neu aufgestellt. In der **britischen Zone** wurde der Krankentransport den Städten und Landkreisen zugewiesen und von diesen, wie in England, den Feuerwehren übertragen. Die Bundesländer Schleswig-Holstein und Niedersachsen rückten später von der britischen Vorstellung der Organisation des Krankentransports wieder ab. In der **sowjetisch besetzten Zone** wurde der Krankentransport zunächst verstaatlicht, dann allein dem Roten Kreuz übertragen. Somit entstanden zunächst in den beiden deutschen Staaten voneinander unabhängige Rettungsdienstsysteme.

Entwicklung in der Bundesrepublik Deutschland (BRD)

In den **1950er-Jahren** nahm die Zahl der Unfälle in allen Bereichen rapide zu. So zählte man bald 50 000 Unfalltote und 430 000 Schwerverletzte pro Jahr. Der Rettungsdienst arbeitete immer noch nach der alten Taktik „Einladen und möglichst schnell in die Klinik" (scoop and run). Namhafte Professoren deutscher Universitäten lehnten die ärztliche Erstversorgung an der Unfallstelle strikt ab. Dennoch wurde **1950** in **Bochum** ein **betriebsärztlicher Unfallwagen** der Bergbauindustrie in Dienst gestellt. Am 16. Februar 1957 rückte das **„Heidelberger Klinomobil"** zum ersten Mal aus. Mit einem Daimler-Benz-Omnibus (O 320 H) wollte Bauer noch an der Einsatzstelle große Chirurgie betreiben. Man hatte noch nicht erkannt, dass die Sicherung der Vitalfunktionen vor der chirurgischen Definitivversorgung steht. Obwohl sich dieser Operationswagen bald als Fehlentwicklung herausstellen sollte, war die Grundidee von Kirschner verwirklicht.

Ein anderes System war wesentlich effektiver. Am **3. Juni 1957** rückte in **Köln** zum ersten Mal ein moderner **Notarztwagen** aus (→ Abb. 50.1 und → Abb. 50.2). Unter der ärztlichen Leitung von Friedhoff und Hofmann installierte man das neue Kölner System. Der „Notfallarztwagen" (auf der Basis des Ford-Lkw FK 2500) war bereits mit Funk ausgestattet. Grundsätzlich entsprach das System einem NAW heutiger Prägung. Im Einsatzfall übernahm man einen Arzt der chirurgischen Universitätsklinik. Die Tatsache, dass die NAW-Systeme zunächst als Unfallwagen gedacht waren, zeigt sich auch in den Einsatzstatistiken der frühen Jahre. Die Anzahl der chirurgischen Einsätze dominierte; **das Aufkommen internistischer Einsätze** lag bei ca. **14 %!** Durch Köln beeinflusst, entstand **1966** an der Isar der **„Gemeinsame Notarztdienst der Landeshauptstadt und des Landkreises München"**. Mit einem BMW-Funkdienstwagen wurden die Ärzte zum Einsatz gefahren.

Abb. 50.1 NAW Köln 1957: Außenansicht [M237]

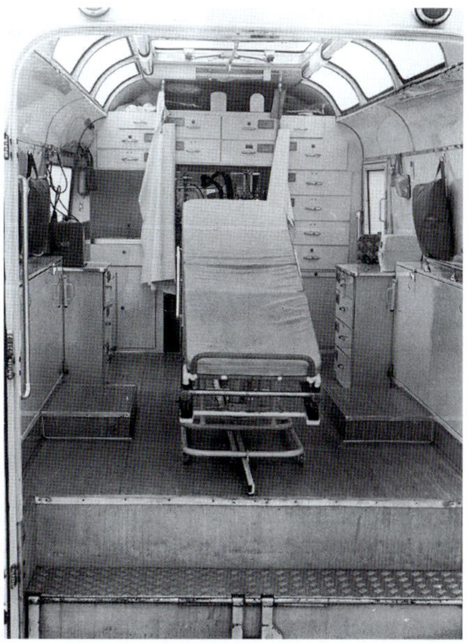

Abb. 50.2 NAW Köln 1957: Innenansicht [M237]

1963 installierte Herzog das „Gummersbacher Modell – Notarztwagen". Die Besatzung bestand aus einem Arzt – aus der Chirurgie kommend – und Krankenpflegern sowie als Fahrer fungierenden Pförtnern der Klinik.

Neben dem Kölner Notarztwagensystem begann am **7. April 1964** der Siegeszug des **Rendezvous-Systems.**

Nach erkannter Unbrauchbarkeit des Klinomobils baute Gögler in Heidelberg ein **Notarzteinsatzfahrzeug-System** (NEF) auf. Mit einem gespendeten VW-Käfer rückten Gögler oder seine Mitarbeiter zum Einsatz aus. Die Versorgung der Patienten fand wie selbstverständlich auf der Straße statt, da der RTW noch nicht erfunden war. Ein VW-Bus war das größte der vorhandenen Fahrzeuge. Im Gefolge der NEF-Entwicklung wurde in Heidelberg ab 1965 der Prototyp eines RTW eingesetzt. Mangels geeigneter deutscher Fahrzeuge (Preis und Stehhöhe) entschloss man sich für den Einsatz des Citroën HY 1500, der liebevoll „Wellblechbomber" genannt wurde.

In den **Großstädten** wurden mehr und mehr **Systeme** aufgebaut. So rückte am 8. Juni 1966 der erste Frankfurter NAW aus. 1969 wagte man in Köln einen Kompromiss zwischen NAW- und NEF-System. Je nach Standort und speziellen örtlichen Einsatzbedingungen wurde entweder mit NAW oder NEF gefahren. Auch diese Kölner Idee bewährte sich. In der Inneren Medizin war bis Mitte der 1960er-Jahre die Zeit für Notfallmedizin noch nicht reif. Erst **1967** wurde die **Versorgung von internistischen Notfallpatienten** in Nordirland und in den USA beschrieben. Heute machen internistische Notfälle den Großteil der Notarzteinsätze in Deutschland aus.

Während für lange Zeit der Einsatz von Notärzten im NAW-System **(Stationssystem)** in der Bundesrepublik vorherrschte, gab es in den letzten Jahren eine nahezu vollständige Verschiebung zugunsten des **Rendezvous-Systems** mit NEF und RTW. Hauptgründe sind die höhere Flexibilität, die zunehmend größeren Einsatzradien der NEF sowie die Kosteneinsparung durch effizientere Fahrzeugdisposition.

Nach einer Befragung der BAND der regionalen Notarzt-Arbeitsgemeinschaften aus 2022 werden in Deutschland ca. 1 300 Notarztstandorte betrieben.

Trotz Einführung modernster Sicherheitstechnologien ist die Anzahl der Getöteten im Straßenverkehr nach wie vor signifikant hoch (→ Abb. 50.3).

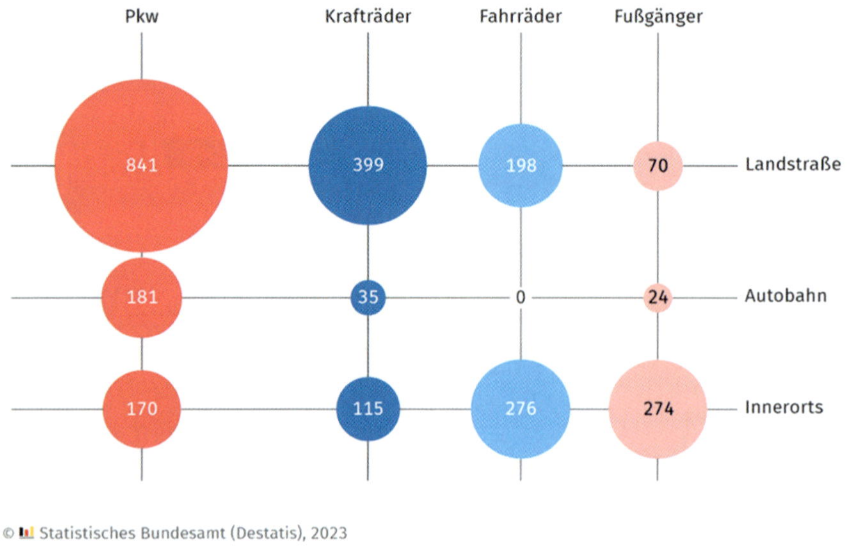

Abb. 50.3 Getötete im Straßenverkehr 2022 nach ausgewählter Verkehrsbeteiligungsart und Ortslagen [W193-016]

Entwicklung in der Deutschen Demokratischen Republik (DDR)

In der sowjetischen Besatzungszone wurde der Rettungsdienst zunächst verstaatlicht, später dem DRK der DDR unterstellt. Lediglich in Ost-Berlin gab es bis zum Ende der DDR eine staatliche Stelle, die für das Rettungswesen zuständig war, das sog. Rettungsamt.

1960 wurde in Magdeburg der erste mit einem Arzt besetzte Rettungswagen in Dienst gestellt. Insbesondere in den Großstädten wurden in den Folgejahren weitere Notarztstandorte gegründet. Hierbei handelte es sich jedoch zumeist um lokale Lösungen, die auf Betreiben einzelner engagierter Ärzte entstanden waren.

Mitte der 1970er-Jahre wurde das Rettungswesen in der gesamten DDR neu strukturiert, es entstand die **Schnelle Medizinische Hilfe** (SMH). **1976** nahm die SMH in zehn Bezirks- und vier Kreisstädten ihren Dienst auf. Unter einer gemeinsamen Leitstelle SMH wurden dabei zusammengefasst:

- der **Notarztdienst** als Dringliche Medizinische Hilfe (DMH),
- der dem heutigen kassenärztlichen Notdienst ähnelnde Dringliche **Hausbesuchsdienst** (DHD),
- in einigen Regionen auch ein Dringlicher **kinderärztlicher Hausbesuchsdienst** (DkHD) sowie
- der **Krankentransport.**

Für Notfalleinsätze (DMH) kamen Fahrzeuge des DDR-Fabrikats Barkas (sog. „SMH 2", ab 1983 in einer Spezialversion als „SMH 3") zum Einsatz, die mit einem **Arzt,** einer **Fachkrankenschwester** (sehr selten Pfleger) sowie einem **Krankentransporteur** besetzt wurden (→ Abb. 50.4). Die Ausbildung des Krankentransporteurs war nicht vergleichbar mit unserer Rettungssanitäterausbildung. Sie war sehr stark auf die **Technik** des Fahrzeugs abgestimmt. Ausgestattet waren die Fahrzeuge der DMH unter anderem mit Intubationsbesteck, Beatmungsbeutel, tragbarer Sauerstoffanlage, Absaugpumpe, EKG-Sichtgerät, tragbarem Defibrillator, Vakuummatratze und pneumatischen Schienen. Die Fahrzeuge des Krankentransports verfügten über keine Sondersignalanlage und wurden bei Notfällen mit einer Rotkreuzflagge gekennzeichnet. Die Leitstellen der SMH konnten in der gesamten DDR über die einheitliche **Notrufnummer 115** erreicht werden.

Abb. 50.4 Einsatzfahrzeuge der SMH in den 1980er-Jahren; von links: SMH 3, SMH 2, Krankentransportwagen [T355]

Besonders in der engen Verzahnung von DMH (Notarztdienst) und dem Dringlichen Hausbesuchsdienst (DHD) war eine der Stärken des Rettungswesens der DDR zu sehen. So war auch der DHD mit Einsatzfahrzeugen ausgestattet, der diensthabende Arzt wurde von einem Krankentransporteur oder einer Krankenschwester begleitet und konnte so den Rettungsdienst bei Bedarf unterstützen. Mit der **Wiedervereinigung 1990** etablierte man in den neuen Bundesländern in kürzester Zeit einen Rettungsdienst nach bundesdeutschem Muster. Viele ehemalige Krankentransporteure wurden zu Rettungssanitätern ausgebildet, später zu Rettungsassistenten weitergebildet.

Entwicklung der Luftrettung

1910 wurde in den **USA** ein **Militärflugzeug** zum Transport eines liegenden Verwundeten gebaut. 1911 brachte Blau im deutschen Militärsanitätsdienst den Einsatz von Flugzeugen im Sinne einer Patientensuche auf dem Schlachtfeld ins Gespräch. Seine Idee stieß allerdings nicht auf große Gegenliebe. Bis in die 1920er-Jahre wurden Ambulanzflugzeuge besonders in Afrika und Asien von den entsprechenden Kolonialmächten eingesetzt. Kurz nach dem Ersten Weltkrieg stand auch in Deutschland das Flugzeug im Interesse des Militärsanitätsdienstes. So existierte eine Anweisung des Reichsamtes für Luft- und Kraftfahrzeugwesen, die das Flugzeug als Mittel der Arztzubringung in bestimmten Fällen und zum Patiententransport empfahl. Dies führte dazu, dass bekannte deutsche Flugzeughersteller in den **1920er-Jahren Sanitätsflugzeuge** auf der Basis von Passagiermaschinen anboten. Auch der Zweite Weltkrieg brachte große und gute Erfahrungen mit dem Lufttransport Verwundeter. So wurden Tausende deutscher Soldaten 1942/43 aus Stalingrad ausgeflogen und vor dem sicheren Tod gerettet.

Erste Erfahrungen mit Drehflüglern zum Transport von Verwundeten machte die US-Armee im Koreakrieg, doch erst der **Vietnamkrieg** konnte dieser Idee zum Durchbruch verhelfen. Mit der gezielten Erstversorgung Verwundeter am Unfallort und dem schnellen Hubschraubertransport in adäquate Versorgungseinrichtungen schufen die amerikanischen Streitkräfte ein Konzept, das bis heute in der Notfallmedizin und insbesondere der Luftrettung Gültigkeit besitzt.

Vor dem Hintergrund dieser Erfahrungen und beeinflusst vor allem durch die hohe Zahl an Verkehrstoten Ende der 1960er-Jahre in **Deutschland,** wurden **1967 erste Versuche** mit **Rettungshubschraubern** (RTH) in Deutschland gestartet. Nach einigen weiteren Versuchen in Mittelfranken und Frankfurt stellte der **ADAC 1970 in München** dauerhaft einen ersten Rettungshubschrauber in Dienst („Christoph 1", bis heute betrieben – die Nummerierung gibt hierbei Aufschluss über die Reihenfolge der Indienststellung).

Bereits ein Jahr später ging am Bundeswehrkrankenhaus Ulm das sog. „Test-Rettungszentrum" in Betrieb; hier stationierte die Bundeswehr einen RTH, der auch dem zivilen Rettungsdienst zur Verfügung stand. In Frankfurt am Main wurde 1972 mit Christoph 2 der erste durch das Bundesinnenministerium beschaffte RTH in Dienst gestellt. Unterstützt wurde dessen Beschaffung durch die Björn-Steiger-Stiftung, aus der kurz darauf die **Deutsche Rettungsflugwacht** (heute DRF Luftrettung) hervorging. Die DRF nahm ihren ersten eigenen RTH 1973 in Stuttgart in Betrieb. Der Großteil der Luftrettungsstationen wird heute von ADAC, DRF Luftrettung und Bundesministerium des Inneren besetzt; die Bundeswehr hat sich 2006 endgültig aus der zivilen Luftrettung zurückgezogen und betreibt Rettungshubschrauber im Rahmen des von ihr unterhaltenen SAR-Dienstes für Luftnotlagen und Notlagen über See. Im Rahmen der „dringenden Nothilfe" (z. B. Unglücksfälle, Naturkatastrophen) erfolgt eine Unterstützung des zivilen Rettungsdienstes.

Im Lauf der Jahre entstand in der Bundesrepublik ein **flächendeckendes Netz an Luftrettungsstationen;** auch in den neuen Bundesländern konnte ein solches Netz nach der Wiedervereinigung binnen weniger Jahre realisiert werden (→ Kap. 52.1).

MERKE

Neue Einsatzanforderungen, steigende Einsatzzahlen sowie die Notwendigkeit einer zeitnahen notärztlichen Versorgung in dünnbesiedelten Gebieten führen noch heute zur Schaffung neuer Luftrettungsstationen – beispielsweise in den Küstenländern zur Versorgung der Offshore-Anlagen oder im Rahmen der Fortschreibung landesspezifischer Luftrettungspläne (beispielhaft in Baden-Württemberg im November 2022).

Insbesondere die Luftrettungsmittel kommen immer häufiger auch **grenzüberschreitend** zum Einsatz; an den Grenzen zu den Niederlanden, Belgien, Luxemburg, der Schweiz, Österreich und Dänemark geht die Zusammenarbeit so weit, dass einige Standorte von vornherein für den Einsatz in den benachbarten Staaten gerüstet sind. Häufig tragen diese RTH die zusätzliche Bezeichnung „Europa" in ihrem Rufnamen, so Christoph Europa 1 (Würselen) oder Christophorus Europa 3 im österreichischen Stuben.

Als Standardmodell in der zivilen Luftrettung etablierte sich nach einigen Versuchen mit anderen Hubschraubermustern die MBB BO 105 C, die lange Zeit den am weitesten verbreiteten RTH-Typ darstellte und mittlerweile durch das Modell EC 135 des Herstellers Eurocopter abgelöst worden ist. Neben der EC 135 kommen heute vor allem Hubschrauber vom Typ BK 117 und als neue Generation Maschinen des Typs **H145** (Airbus Helicopter) in der Primärluftrettung zum Einsatz (→ Abb. 50.5). Diese Hubschrauber sind sehr kompakt konstruiert, um auch auf kleinen Flächen, z. B. Straßenkreuzungen, landen zu können. Ausreichenden Platz zu einer erweiterten Versorgung vital gefährdeter Patienten während des Flugs bieten sie grundsätzlich nicht, sodass i. d. R. die Stabilisierung des Patienten zuvor in einem RTW durchgeführt werden muss (→ Kap. 52.1.1). Seit 2021 werden die H145 sukzessive auf ein Fünfblatt-Rotorsystem umgerüstet – neben einer Steigerung von Leistung und Reichweite kann mehr Last an Bord aufgenommen werden (z. B. zusätzliches Fachpersonal). Hinsichtlich Ausstattung und Anforderungen der RTH („Luftfahrzeuge zum Patiententransport") gilt die DIN EN 13718-2:2020-10 als Standard.

Ergänzt wird das Luftrettungsnetz durch die zunehmende Verbreitung von **Intensivtransporthubschraubern** (ITH), die vorrangig für

Abb. 50.5 Moderner RTH des Typs H145 (Airbus Helicopter). **a)** Von außen, **b)** Innenansicht. [W161-001]

Sekundäreinsätze zur Verfügung stehen, aber zumeist auch bei Primäreinsätzen eingesetzt werden können (→ Kap. 52.1.2). Im Gegensatz zu RTH werden die ITH zunehmend einheitlich mit einem Rufnamen versehen, der aus der Kennung „Christoph“ und der Heimat- bzw. Einsatzregion besteht, z. B. Christoph Hessen, Christoph Westfalen oder Christoph Rheinland. Im Gegensatz zu den meisten RTH ist ein größerer Teil der ITH auch in den Nachtstunden mit größerer Vorlaufzeit einsatzbereit.

Die **Johanniter-Luftrettung** beispielsweise setzt Intensivtransporthubschrauber des Typs **Eurocopter AS 365 N3** von Airbus Helicopters ein – bei einer Höchstgeschwindigkeit von 324 km/h hat dieser Hubschrauber eine Flugkapazität bis zu 3,5 h und kann bestenfalls 800 km ohne Tankstopp zurücklegen. Da der Patient bei diesem Luftrettungsmittel quer zur Flugrichtung positioniert ist, sind umfangreiche medizinische Versorgungsmaßnahmen während des Fluges möglich.

In der Bergrettung hat 2018 das Winschverfahren (Einsatz einer Rettungswinde) das Bergetau-Verfahren als Standardmethode abgelöst. Die in der Bergrettung zum Einsatz kommenden Maschinen wurden technisch umgerüstet und die Einsatzteams geschult.

Nach der Flutkatastrophe im Ahrtal am 14. Juli 2021 in Rheinland-Pfalz und Nordrhein-Westfalen wurde ein größerer Bedarf an Luftrettungsmitteln mit Rettungswinde identifiziert.

Aufgrund des demografischen und strukturellen **Wandels** und dem damit einhergehenden weiteren Besiedlungsrückgang wird eine angemessene und gleichzeitig ökonomische medizinische Versorgung der Bevölkerung gering besiedelter ländlicher Gebiete immer schwieriger. Der Kostendruck auf die Krankenkassen und das gesamte Gesundheitswesen führt zur Zentralisierung von Krankenhäusern und der Planung von spezialisiert-versorgenden Einrichtungen. Diese **Veränderung der Krankenhausinfrastruktur** stellt ebenfalls eine Herausforderung für die präklinische Notfallversorgung dar, da die **Krankenhäuser** das **letzte Glied der Rettungskette** bilden.

Bislang werden **Rettungshubschrauber** in Deutschland nach Landesrecht grundsätzlich **ergänzend zum bodengebundenen Rettungsdienst** genutzt, um schnell einen Notarzt zur Einsatzstelle heranzuführen und Notfallpatienten intensivmedizinisch betreut schnell zu Kliniken zu transportieren. Als neuer Ansatz hierzu hat das **Projekt PrimAIR** wissenschaftlich untersucht, ob eine luftgestützte Primärrettung auch als Alternative zum bodengebundenen Rettungsdienst implementiert werden kann. Luftrettungsmittel könnten dann größere Gebiete abdecken und Patienten vom Notfallort auf direktem Weg in die für sie geeigneten Kliniken transportieren. Im Rahmen des Forschungsprojekts wurde eine Entscheidungs- und Handlungshilfe für Träger des Rettungsdienstes entwickelt.

Das Bundeswirtschaftsministerium hat 2022 die ADAC Luftrettung für das Projekt „Multikopter im Rettungsdienst“ mit dem Innovationspreis Reallabore ausgezeichnet – die Luftrettung soll durch den Einsatz drohnenähnlicher, großräumiger Multikopter nachhaltig und zukunftssicher weiterentwickelt werden.

IM FOKUS

Geschichte des Rettungsdienstes

- Die Geschichte des Rettungsdienstes bzw. der Notfallmedizin ist sehr lang und komplex.
- Sie beginnt anteilig bereits im alten Ägypten und in der Antike und wurde im Verlauf von Mittelalter und Neuzeit stark durch **Probleme des täglichen Lebens** (z. B. Geburtskomplikationen und [Kriegs-]Verletzungen) geprägt.
- Der „Sanitätsdienst“ entstammt daher traditionell auch einer **eher militärischen Organisationsform.**
- Im 20. Jahrhundert wurde der heutige bekannte Rettungsdienst maßgeblich durch Ansätze wie das **Klinomobil** oder das **Rendezvous-System** geprägt.

50.3 Organisationsformen

Der Rettungsdienst ist eine **organisierte** Hilfe, die die Notfallrettung und den Krankentransport beinhaltet. Die **Notfallrettung** umfasst die **Durchführung lebensrettender Maßnahmen** bei **Notfallpatienten** am Notfallort und die Herstellung der Transportfähigkeit sowie die **Beförderung** dieser Personen unter fachgerechter Betreuung in ein **geeignetes Krankenhaus.** Der qualifizierte **Krankentransport** stellt die **Beförderung** von Kranken, Verletzten oder sonstigen hilfsbedürftigen Personen, die keine Notfallpatienten sind, unter **fachgerechter Betreuung** dar. Hierzu gehören auch Infektionstransporte nach IfSG.

DEFINITION

Notfallrettung: (lebensrettende) Erstversorgung und Transport von Notfallpatienten.
Krankentransport: fachgerechte Betreuung von Nicht-Notfallpatienten in normiert ausgestatteten Fahrzeugen.

Der Rettungsdienst in Deutschland ist eine **öffentliche Aufgabe,** die im Bereich sowohl der **Daseinsfürsorge** als auch der **Gefahrenabwehr** anzusiedeln ist. Nach dem Grundgesetz sind die Länder für den Rettungsdienst zuständig. Sie regeln diesen Bereich durch eigene **Rettungsdienstgesetze** (→ Kap. 57). Den Hintergrund für die Organisation des Rettungsdienstes in Deutschland bilden die historischen Rahmenbedingungen, z. B. das Besatzungsrecht, die Mitwirkung von Hilfsorganisationen aufgrund des Subsidiaritätsprinzips und die Zusammenarbeit mit den gesetzlichen Krankenkassen. Stand lange Zeit die Transportleistung im Vordergrund, haben sich die Prioritäten zunehmend verschoben: **Ziel des Rettungsdienstes** ist es heute, unter eingeschränkten medizinischen Bedingungen, mit einer begrenzten Ausstattung an Geräten und Medikamenten, insbesondere eingeschränkten Möglichkeiten einer Diagnostik sowie engen personellen Ressourcen ein breites Spektrum von Notfällen kurzfristig zu analysieren, zu priorisieren und zu versorgen, um so ein Überleben der Patienten zu sichern. Nur eine qualifizierte Behandlung bereits am Notfallort und während des Transports kann die **Überlebenschancen** vital gefährdeter Personen erhöhen und damit häufig auch die stationäre Behandlungsdauer verkürzen, die Invalidität senken und die Lebensqualität steigern.

Der Rettungsdienst ist ein Bestandteil des Gesamtsystems Rettungswesen. Die **Organisation des Rettungswesens** lässt sich am Modell der Rettungskette verdeutlichen (→ Abb. 50.6).

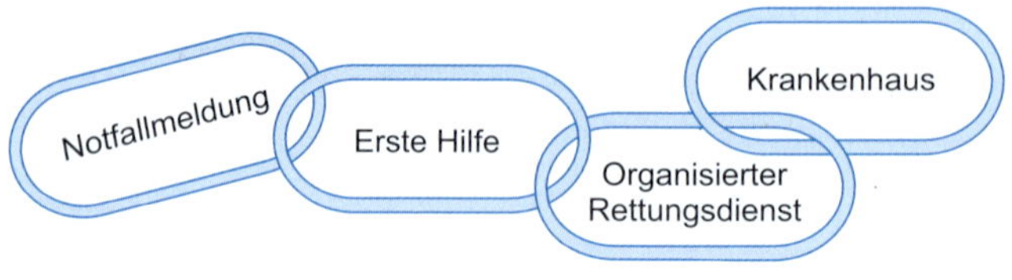

Abb. 50.6 Rettungskette [L143]

MERKE

Zur Gewährleistung einer optimalen Notfallversorgung müssen alle Glieder der Rettungskette (Erste Hilfe, Notfallmeldung, organisierter Rettungsdienst, Krankenhaus) reibungslos ineinandergreifen – das schwächste Glied mindert die Leistungsfähigkeit des Gesamtprozesses!

Es ist weiterhin entscheidend, die Zeit vom Eintritt des Notfalls bis zu einer ersten Versorgung des Patienten durch den **Einsatz von Laienhelfern** zu verkürzen. Laienhelfer sind Menschen, die in unmittelbarer Nähe zum Notfallort und Patienten bereit sind, häufig unter großem persönlichem Einsatz Erste Hilfe zu leisten. Für den Laienhelfer sind die Hilfsmöglichkeiten unter Wahrung des Eigenschutzes beschränkt, doch die eingeleiteten Maßnahmen (vor allem das Absetzen des Notrufs) können im Einzelfall für den Patienten lebensrettend sein. Die Rolle der **Laienhilfe** gewinnt – auch in aktuellen Leitlinien (z. B. Reanimationsleitlinien 2021) – zunehmend an Bedeutung: „Eine Kette ist nur so stark wie ihr schwächstes Glied!" Die Überbrückung des therapiefreien Intervalls rettet aktiv Menschenleben! Daher ist auch für das Rettungsdienst-Personal ein wertschätzender und motivierend-bestärkender Umgang mit Ersthelfern unerlässlich.

Neben der einheitlichen Organisation der betrieblichen Ersten Hilfe in Deutschland (DGUV 1) ist für spezifische Aktivitäten (beispielsweise Führerscheinerwerb, Übungsleiterqualifikation) eine 9 Unterrichtseinheiten umfassende Erste-Hilfe-Schulung vorgeschrieben.

Wichtig für Ersthelfer ist das Erkennen des Bedarfs und der Dringlichkeit einer qualifizierten Hilfe.

PRAXISTIPP

Die persönliche Bestärkung und Motivation von Ersthelfern im Rahmen der Notfallversorgung fördert die Hilfeleistungsmotivation von Laien – positives, anerkennendes Feedback durch Rettungsdienstpersonal wird im Freundes- und Bekanntenkreis geteilt!

Ausgangspunkt für den Einsatz des Rettungsdienstes ist eine **Notfallmeldung (Notruf via Telefon 112),** in der ein Hilfeersuchen bei der Leitstelle eingeht. Die Notruf-App der Bundeländer (NORA) ermöglicht aktuell eine digitale Absetzung ohne Sprachnutzung. Damit die Leitstelle die notwendigen Rettungsmaßnahmen einleiten kann, muss eine Meldung vollständig sein, d. h., sie sollte idealerweise folgende Informationen enthalten:

- **Wo genau ist der Notfallort?** (Dies ist die wichtigste Frage – typischerweise meldet sich die Leitstelle bereits im Rahmen der standardisierten/strukturierten **Notrufabfrage** mit den Worten **„Leitstelle für Feuerwehr und Rettungsdienst – wo genau ist der Notfallort?"**)
- Was genau ist passiert?
- Wie viele Verletzte?
- Welche Art der Verletzung/Erkrankung liegt vor?
- **Optional:** Wer meldet den Notfall? Wie ist die Erreichbarkeit?
- Warten auf Rückfragen (durch die Leitstelle)!

Zur Unterstützung der Laienhilfe gibt es eine Reihe innovativer Projekte.

Über das innovative **Projekt der „Mobilen Retter"** wird bei einer Notfallmeldung in der Leitstelle aus einem Netz an freiwillig registrierten Ersthelfern sofort derjenige Ersthelfer App-basiert alarmiert, der den kürzesten Weg zum Einsatzort hat. Über sein Smartphone wird er zum Patienten gelotst. Damit ist er oft schneller als die Rettungskräfte vor Ort und kann die ansonsten therapiefreie Zeit bis zu deren Eintreffen mit lebensrettenden Maßnahmen überbrücken. Viele Landkreise und kreisfreie Städte setzen mittlerweile auf solche Systeme – statistische Erfassungen zeigen, dass das therapiefreie Intervall nachhaltig reduziert wird. Ähnlich funktioniert das System „Katretter", entwickelt durch das Fraunhofer-Institut.

Seit einigen Jahren entwickeln verschiedene Forscherteams Drohnen, die einen AED transportieren können (sog. AED-Drohnen). Die AED-Drohnen oder **„Defikopter"** sollen im Notfall einen Defibrillator zum Patienten bringen. Mit nur wenigen AED-Drohnen lassen sich große Gebiete abdecken. Einige dieser AED-Drohnen schaffen Geschwindigkeiten um die 100 km/h und haben eine Reichweite von gut 10 km. Da vollautomatische AED-Drohnen im zivilen Luftraum wohl kaum durchsetzbar sind und ein Risiko darstellen können, braucht es für jede AED-Drohne einen Bediener, welcher bei (Absturz-)Gefahr eingreifen kann. Vorstellbar wäre, dass in Zukunft die Leitstellen solche AED-Drohnen überwachen und ggf. manuell lenken.

Die **Leitstelle** beauftragt den organisierten Rettungsdienst mit einem Einsatz und leitet – wenn möglich – den Anrufer zu lebensrettenden Maßnahmen an. Die Entwicklung eines Berufsbildes „Leitstellendisponent" schreitet voran – landesspezifische Konzepte befinden sich in der Konkretisierung.

Aktuell wird über eine Verzahnung der (öffentlichen) Leitstellen mit den Dispositionszentren für den kassenärztlichen Bereitschaftsdienst (Telefon 116 117) diskutiert – die zielgerichtete Zuordnung des (auch zeitlich) erforderlichen medizinischen Unterstützungsbedarfs des Hilfesuchenden würde mit der Bündelung dieser Aufgabe sicher verbessert.

Nach dem **Eintreffen des Rettungsdienstes** übernimmt dieser die **Verantwortung** für den Patienten. Der Rettungsdienst führt zunächst lebensrettende Sofortmaßnahmen durch, um dann nach einer ersten Stabilisierung mit der Einleitung von Basismaßnahmen und erweiterten rettungsdienstlichen Maßnahmen zu beginnen. Schließlich wird der Transport zu einer geeigneten Zielklinik durchgeführt. In der Zielklinik finden in der Notaufnahme eine Übergabe und anschließend die klinische und definitive Versorgung des Patienten statt. Der Rettungsdienst hat gegenüber einem Notfallpatienten drei **Aufgaben:**

- Der Patient muss zunächst unbedingt aus einer möglichen, akuten **Gefahrenzone,** z. B. Feuer, Strom, **gerettet** werden.
- Dann muss der Patient schnellstmöglich medizinisch **(erst-)versorgt** und **stabilisiert** werden.
- Der Patient muss außerdem im Gefühlszustand der Hilflosigkeit und Einsamkeit **psychischen Beistand** erhalten. Es sollte ihm empathisch das Gefühl vermittelt werden, dass er kompetente Hilfe erhält und alles für ihn und in seinem Interesse getan wird.

Diese Aufgaben haben eine **wesentliche Grundforderung** gemeinsam: Alle Aufgaben müssen so bald als möglich, idealerweise **ohne jeglichen zeitlichen Verzug,** nach Notfalleintritt erfüllt werden.

Die Rettungsdienstträger haben die Aufgabe, Leitstellen und Rettungswachen einzurichten, zu unterhalten und zu fördern, soweit die Benutzerentgelte des Rettungsdienstes hierfür nicht ausreichen. Finanziert wird der Rettungsdienst auf Selbstkostenbasis, d. h., die tatsächlich entstehenden Kosten sind die **Grundlage für die Finanzierung** des Rettungsdienstes. Das System der Finanzierung des Rettungsdienstes ist in den einzelnen Ländern verschieden. Gemeinsam ist die Aufteilung in Benutzungsentgelte seitens der Kostenträger, z. B. Krankenkassen, Zuschüsse seitens der Länder bzw. Kommunen und Eigenanteile der Leistungserbringer.

Die **Durchführung des Rettungsdienstes** ist in Deutschland unterschiedlich geregelt. Entweder nehmen die Rettungsdienstträger die

Aufgabe des Rettungsdienstes selbst wahr oder sie delegieren diese an einen, vielerorts auch mehrere Leistungserbringer. Die Durchführung des Rettungsdienstes kann von kommunalen Einrichtungen, wie den Feuerwehren, Hilfsorganisationen (z. B. Deutsches Rotes Kreuz, Johanniter-Unfall-Hilfe, Malteser Hilfsdienst, Arbeiter-Samariter-Bund) sowie privaten Anbietern übernommen werden. Die Beauftragung zur Durchführung ist oft historisch gewachsen. Zunehmend werden diese historisch gewachsenen Gegebenheiten unter Gesichtspunkten der Wirtschaftlichkeit, vorhandenen Ressourcen (im Besonderen Fachpersonal) und Effektivität kritisch hinterfragt.

Die Durchführung des Rettungsdienstes wird für einen variabel definierten Zeitraum (beispielsweise 4–7 Jahre) öffentlich ausgeschrieben. Nach einer solchen Ausschreibung erhält der wirtschaftlichste Anbieter den Auftrag, den Rettungsdienst für die **Ausschreibungsperiode** durchzuführen. Rücksicht auf gewachsene Strukturen oder eine bisher gegebene enge Verzahnung des Rettungsdienstes mit Einheiten des Katastrophenschutzes/SEG wird dabei nicht mehr genommen. Einerseits wechselt im ungünstigsten Fall der Betreiber einer Rettungswache bei jeder Ausschreibungsperiode und eine kontinuierliche Arbeit wird damit deutlich erschwert. Zudem besteht die Gefahr, dass bei einer reinen Preisausschreibung die Qualität leidet. Andererseits gibt es mittlerweile in Deutschland zahlreiche positive Beispiele, wie durch gut gestaltete, transparente Vergabeverfahren mit definierten Qualitätszielen und -parametern (z. B. Ausfallzeiten bei Fahrzeugen und Personal, Hilfsfristen- und Ausrückezeitenerreichung, medizinische Versorgungsqualität bei Tracerdiagnosen etc.) sowohl die Qualität als auch die Wirtschaftlichkeit des jeweiligen Rettungsdienstes systematisch gesteigert wurde und wird. Denn getreu dem Motto „Konkurrenz belebt das Geschäft" wird jeder Leistungserbringer gezwungen, besser zu sein als die Mitbewerber, wenn er weiter im Geschäft bleiben will.

Auf Initiative der vier Hilfsorganisationen (DRK, ASB, JUH und Malteser) hat der deutsche Gesetzgeber im Gesetz gegen Wettbewerbsbeschränkungen eine Bereichsausnahme im Rettungsdienst umgesetzt (§107 Abs. 1 Nr. 4 GWB), die es ermöglicht, rettungsdienstliche Aufträge direkt ohne eine europaweite Ausschreibung an gemeinnützige Organisationen, wie beispielsweise an die vier Hilfsorganisationen zu vergeben. Gegen diese Regelung hatte der größte private Rettungsdienstanbieter in Deutschland und Europa, die Firma Falck, vor dem Europäischen Gerichtshof (EuGH) geklagt. Im März 2019 hat der EuGH allerdings bestätigt, dass eine solche Vergabe („Bereichsausnahme") ohne europaweite Ausschreibung möglich ist, sich jedoch an einem geordneten Vergabeverfahren zu orientieren hat. Die Frage der Zulässigkeit einer solchen Privilegierung und insbesondere dessen konkrete Umsetzung sind allerdings weiterhin umstritten und entsprechend gibt es immer wieder rechtliche Auseinandersetzungen zur Zulässigkeit der Bereichsausnahme, z. B. 2022 in Nordrhein-Westfalen. Der momentan einzige rechtssichere und zuverlässige Weg für die Träger des Rettungsdienstes, Leistungen des Rettungsdienstes und Krankentransportes an interessierte und geeignete Leistungserbringer extern zu vergeben, um für ihren Rettungsdienstbereich die bestmöglichen Leistungserbringer zu finden, ist eine europaweite Ausschreibung nach dem Vergaberecht.

Einen wesentlichen Bestandteil des Rettungsdienstes in Deutschland stellt – auch heute noch – der **Notarztdienst** dar. Der Forderung Kirschners aus den 1930er-Jahren Folge leistend, wonach nicht der Notfallpatient zum Arzt, sondern der Arzt zum Notfallpatienten kommen muss, etablierten sich im Lauf der Jahre zwei Grundformen des Notarztdienstes:

- Beim **Rendezvous-System** wird der Notarzt mit einem speziellen Notarzteinsatzfahrzeug, das i. d. R. an einer Klinik stationiert ist, vom Rettungsassistenten zum Notfallort gebracht. Am Notfallort trifft das NEF-Team dann mit der Besatzung des Rettungswagens zusammen und kann die Patientenversorgung durchführen.
- Beim **Kompakt- oder Stationssystem** wird der Notarzt mit dem RTW, der dann zum NAW wird, und zwei Rettungsassistenten direkt zur Einsatzstelle gefahren. Auch die NAW sind meist an der Klinik stationiert, von der der Notarzt gestellt wird.

Welche dieser beiden Organisationsformen zur Anwendung kommt, ist von vielen unterschiedlichen Faktoren innerhalb des Rettungswachenbereichs abhängig. Rund 87 % aller Notarztsysteme sind als Rendezvous-System organisiert, während der Anteil des Stations- oder Kompaktsystems nur noch knapp 9 % beträgt, die restlichen Systeme werden in Mischformen durchgeführt. Zu beobachten ist dabei eine deutliche Verschiebung zugunsten des Rendezvous-Systems in den letzten Jahren.

Eine Sonderform des Notarztdienstes stellt die **Luftrettung** dar. Neben den Luftrettungsmitteln (RTH) zur Primärrettung etablieren sich zunehmend auch Hubschrauber für den Sekundärtransport (ITH). Diese Entwicklung trägt der immer häufiger notwendig werdenden Verlegung von Intensivpatienten Rechnung, insbesondere über große Entfernungen hinweg. Den wesentlichen Anteil an der Luftrettung haben aber die Primärrettungshubschrauberzentren. Mit ihnen wird eine fast 95%-ige Flächendeckung erreicht. Der Luftrettungsdienst in Deutschland gilt nach internationaler Einschätzung als beispielhaft.

Ungeachtet berufsrechtlicher Reformen (Notfallsanitäter) gilt weiterhin der uneingeschränkte (juristische) Anspruch eines Notfallpatienten auf (not-)ärztliche Versorgung, auch in der Präklinik.

International bewährte **Paramedic-Systeme** (z. B. in England, USA, Kanada und Niederlande) haben sich in Deutschland **nicht durchsetzen** können, da sie gerade auf nicht arztgestützten Rettungsdienstsystemen basieren. Die Ausbildung und die Kompetenzen von Paramedics unterscheiden sich je nach örtlichen Gegebenheiten und setzen **Zertifizierungen nach internationalen Versorgungsstandards** voraus. Beispielsweise dauert die Ausbildung zum Emergency Medical Technician – Paramedic (EMT-P) in den USA zwischen 2 und 4 Jahren. Die Ausbildung teilt sich dabei in die Basisausbildung zum Emergency Medical Technician – Basic (EMT-B), die weitergehende Ausbildung zum Emergency Medical Technician – Intermediate (EMT-I) und die abschließende Ausbildung auf. EMT-P haben oft ein College-Studium mit einem Associate Degree als Associate of Applied Sciences – Paramedic abgeschlossen.

Paramedics sind in ihrer Handlungsweise stark an strukturierte, algorithmisierte Vorgehensweisen gebunden, nach denen sie strikt zu handeln haben. In den USA haben die Paramedics eine durch den jeweiligen Bundesstaat vorgegebene Liste an Standardmaßnahmen, die sie vornehmen dürfen. Es kann dabei auch vorgesehen sein, dass ein Arzt der Maßnahme direkt-kommunikativ (z. B. über Funk) zustimmen muss.

Resultierend aus diesen Erfahrungen hat man in Deutschland die Etablierung von **Algorithmen** (auch: SOP/SAA/BPR) in den veröffentlichten Ausführungsbestimmungen der Bundesländer zum Notfallsanitätergesetz zum obligaten (Ausbildungs-)Bestandteil gemacht und die Zuständigkeit wie die Verantwortung zentral einem ärztlichen Leiter Rettungsdienst zugewiesen.

Eine (telemedizinische bzw. funk- oder telefongestützte) **Abstimmung mit einem (anfahrenden) Notarzt** vor Durchführung einer erweiterten Versorgungsmaßnahme hat man in einigen Regionen ebenfalls fest etabliert. Beispielhaft plant NRW den flächendeckenden Einsatz von Telenotärzten – die notärztliche Ressource soll am Notfallort zielgerichteter eingesetzt und den erweiterten Versorgungskompetenzen des Notfallsanitäters Rechnung getragen werden.

IM FOKUS

Organisationsformen des Rettungsdienstes

- Der Rettungsdienst ist eine **organisierte Hilfe,** die die **Notfallrettung** und den **Krankentransport** beinhaltet und folgende Aufgaben hat:
  - Patientenversorgung
  - Herstellung der Transportfähigkeit und Transport
  - Angemessene Betreuung
- Für eine gute Versorgung ist die **Rettungskette** von zentraler Bedeutung. Insbesondere die **Laienhilfe** findet in den letzten Jahren verstärkte Beachtung.
- Deutschland hat ein **notarztbasiertes System,** das durch Einflüsse aus Paramedic-Systemen ergänzt wird.
- Rendezvous-System vs. Stationssystem

50.4 Finanzierungsformen

Die Vergabe von Rettungsdienstleistungen ist in Deutschland stark durch die landesrechtlichen Besonderheiten der einzelnen Bundesländer geprägt.

Im deutschen Rettungswesen gibt es grundsätzlich zwei rechtlich legitimierte Finanzierungsmodelle – das **Konzessions-** (Baden-Württemberg, Bayern, Hamburg, Berlin, Hessen, Rheinland-Pfalz) und das **Submissionsmodell** (alle anderen Bundesländer).

Jedes Bundesland hat zudem ein Landesgesetz über den Rettungsdienst. Diese enthalten z. T. auch Anforderungen an die Durchführung von Vergabeverfahren.

- Im **Submissionsmodell** erhalten die Leistungserbringer das Entgelt unmittelbar vom Leistungsträger (Kreis oder kreisfreie Stadt bzw. Zweckverband). Dem Europäischen Gerichtshof (EuGH) zufolge findet daher bei Vergabe von Aufträgen über Notfallrettung und Krankentransportleistungen das europäische Vergaberecht Anwendung.
- Im **Konzessionsmodell** erhalten die Leistungserbringer das Entgelt nicht unmittelbar vom Leistungsträger, sondern von den gesetzlichen Krankenkassen. Das Fehlen einer unmittelbaren Vergütung führt nach Ansicht des EuGH dazu, dass Dienstleistungskonzessionen vergeben werden, was zwar keine förmliche Ausschreibung, i. d. R. aber ein wettbewerbsrechtliches und diskriminierungsfreies Verfahren erfordert.

50.5 Einrichtungen und Schnittstellen

Analog der aus der Ersten Hilfe bekannten Rettungskette greifen auch bei den Einrichtungen des Rettungsdienstes die einzelnen Strukturen wie Zahnräder ineinander – beginnend mit dem Eingang der Notfallmeldung in der Leitstelle bis zur nachstationären Rehabilitation und Versorgung des Patienten. Auch hier gilt: „Die Kette ist nur so stark wie das schwächste Glied.“ Abseits von Konkurrenzgedanken oder Kompetenzwirrwarr – alle Einrichtungen müssen im Sinne des betroffenen Patienten **partnerschaftlich-kollegial** und effizient **ohne Reibungs- und Informationsverluste** zusammenarbeiten.

50.5.1 Leitstelle

In den meisten Bundesländern ist für jeden Rettungsdienstbereich eine eigene **Leitstelle** einzurichten. Viele Bundesländer wie auch die Kostenträger favorisieren inzwischen kreisübergreifende **Großleitstellen** (Regionalleitstellen), die kostengünstiger und effektiver arbeiten sollen; so wird das Bundesland Schleswig-Holstein nur noch von sieben Leitstellen abgedeckt, die den Rettungsdienst (sowie Feuerwehr und Katastrophenschutz) in insgesamt zwölf Kreisen und vier kreisfreien Städte koordinieren. Gegner dieser Großleitstellen befürchten einen Verlust an Orts- und Strukturkenntnis, wenn eine Leitstelle mehrere Landkreise versorgt. Gerade vor dem Hintergrund der schrittweise erfolgten Einführung des Digitalfunks (→ Kap. 54.1.6) und der damit verbundenen Investitionen in eine funktechnische Infrastruktur nimmt die Zahl der Befürworter von Regionalleitstellen zu. Häufig wird bei diesen Planungen auch die Polizei miteinbezogen, um Kosten bei der Infrastruktur zu senken („bunte“ Leitstelle) und personelle Schnittstellen – auch im Sinne eines effizienten Informationsflusses – zu optimieren.

Die **Leitstelle** ist – auch bei größeren Einsatzlagen und gemäß DV 100 – das zentrale Lenkungs-, Koordinations- und Informationszentrum des Rettungsdienstes. In Deutschland gibt es 280 Leitstellen (2018). Die Leitstelle stellt den Schnittpunkt zwischen dem Hilfesuchenden (Meldenden) und dem Rettungsdienst dar. Sie ist ständig mit Fachpersonal besetzt – qualifiziert je nach Leitstellentyp; aktuell wird konkret an einem einheitlichen Berufsbild mit einheitlicher Ausbildung und Qualifikation gearbeitet (Fachverband Leitstellen e. V.) – und für Hilfesuchende über die europaweit geltende, einheitliche **Notrufnummer 112** immer erreichbar. Die Leitstelle nimmt die verschiedenen Hilfeersuche entgegen, bewertet diese, entscheidet gemäß geltender **Alarm- und Ausrückeordnung** (festgelegt durch den Träger des Rettungsdienstes nach der regionalen Infrastruktur) über die ihr zugeordneten Rettungsmittel, lenkt und steuert den gesamten Ablauf der Einsätze und Transporte, sucht ggf. ein geeignetes Krankenhaus für den Patienten und informiert das Krankenhaus über Ankunft und Zustand des Notfallpatienten (Voranmeldung). Durch eine Übersicht klinischer Versorgungskapazitäten wie beispielsweise den interdisziplinären **Versorgungsnachweis IVENA eHealth** können die Klinik- und Rettungsdienstträger webbasiert aktuelle **Aufnahme- und Behandlungskapazitäten der Krankenhäuser** abrufen. Dies verbessert – auch zeiteffizient – die überregionale Zusammenarbeit und visualisiert die vorhandenen Ressourcen.

Handelt es sich bei dem Hilfeersuchen bzw. der Meldung um einen Notfall, so wird dieser in Abhängigkeit vom Meldebild als Notfalleinsatz ohne Notarzt oder als Notfalleinsatz mit Notarzt gemäß **Notarztindikationskatalog** (Empfehlung der Bundesärztekammer) durchgeführt. Liegt kein akuter Notfall vor, so werden diese Einsätze als dringliche oder disponible, d. h. planbare, Krankentransporte eingestuft. Die Leitstelle arbeitet mit den Krankenhäusern, dem ärztlichen Notdienst, der Polizei, den Feuerwehren und dem Katastrophenschutz eng zusammen. Eine Integration der Disposition des ärztlichen Notdienstes in den Bereich der öffentlichen Leitstellen wird aktuell diskutiert.

Aufgrund geschichtlicher Entwicklungen in den verschiedenen Bundesländern haben sich auch unterschiedliche **Organisationsformen** der Leitstellen etabliert. So finden sich im Wesentlichen folgende Typen:

- **Rettungsleitstellen,** die ausschließlich nur Einsätze des Rettungsdienstes koordinieren und deren Personal meist nur über rettungsdienstliche Qualifikationen verfügt. Zusätzlich kann über die Rettungsleitstelle auch die „Feuerwehr-Erstalarmierung“ erfolgen.
- **Feuerwehrleitstellen oder Feuerwehreinsatzzentralen** koordinieren und lenken nur die Einsätze der Feuerwehr in einem Versorgungsgebiet. Oftmals werden diese an den Feuerwehrhäusern nur im Bedarfsfall besetzt, der Notruf läuft dann z. B. bei den Polizeidienststellen oder in den Rettungsleitstellen auf, die auch die Erstalarmierung übernehmen. Ebenso wie die reinen Rettungsleitstellen ist auch dieses Modell vor allem im Süden und Südwesten Deutschlands anzutreffen.

- **Integrierte Leitstellen** vereinen in sich beide oben dargestellte Aufgabenbereiche und nehmen meistens darüber hinaus noch Funktionen im Rahmen des Katastrophenschutzes (Erstalarmierung) wahr. Neben den Diensten Brandschutz und Rettungsdienst werden teilweise auch weitere Dienste wie der kassenärztliche Notdienst, Handwerkernotdienste o. Ä. koordiniert. Das Personal muss sowohl Qualifikationen im Bereich des Rettungsdienstes als auch der Feuerwehr besitzen. Auch in Süd- und Südwestdeutschland, wo bisher häufig getrennte Leitstellen für Feuerwehr und Rettungsdienst existiert haben, setzt sich diese Struktur analog zur bundesweiten Entwicklung immer mehr durch. So hat die Landesregierung von Baden-Württemberg angeordnet, dass auch seitens des Rettungsdienstes ausschließlich noch die Notrufnummer 112 „beworben" werden darf und damit die Zusammenlegung von Leitstellen forciert.
- **Kooperative Leitstellen** sind gemeinsam mit der Polizei betriebene integrierte Leitstellen – bei weiterhin bestehender Aufgabenteilung (→ Abb. 50.7).

DEFINITION

Integrierte Leitstelle: Disposition der Einsätze von Feuerwehr, Rettungsdienst und Katastrophenschutz.

Die **technische Ausstattung** einer Leitstelle entspricht i. d. R. dem aktuellen Stand moderner Kommunikationstechnologien und ist vielfach auch für die Bearbeitung von Großschadenslagen als **Führungsstelle** für die **Stabsarbeit** ausgestattet. In allen Leitstellen erfolgt die Einsatzbearbeitung rechnergestützt (→ Kap. 54.3).

Aktuell bietet EmergencyEye® Disponenten die Möglichkeit, per Fernzugriff auf Smartphonefunktionen des Anrufers ohne notwendige Vorinstallationen zurückzugreifen. Nach Zustimmung durch den Anrufenden wird eine datenschutzkonforme Ortung durchgeführt, eine stabile Videoverbindung zum Notfallort aufgebaut und weitere Smartphonefunktionen werden genutzt (beispielsweise „Taschenlampenfunktion" wird aktiviert).

Neben optimalen technischen Ausstattungsmerkmalen kommt gerade der personellen Besetzung in Leitstellen eine erhebliche Bedeutung zu. Als direkter und erster Ansprechpartner für den Betroffenen bietet sich hier, bei entsprechender fachlicher Eignung, eine Möglichkeit, frühzeitig die Einleitung lebensrettender Maßnahmen zu initiieren und den Anrufer behutsam-beruhigend durch das (kurze) Gespräch zu führen. Die Unterstützung des Hilfesuchenden durch telefonische Hinweise zu Sofortmaßnahmen durch die Leitstellenmitarbeiter bis zum Eintreffen der Rettungsmittel etabliert sich in zunehmendem Maße, z. B. in der Anleitung zur Reanimation (Telefonreanimation, vgl. ERC-Guidelines 2021, statistisch nachgewiesene Erhöhung der Überlebensrate). Die Wahl des richtigen Rettungsmittels in Abhängigkeit von der Notfallmeldung erfordert von den Leitstellenmitarbeitern eine **hohe Fachkompetenz und Einsatzerfahrung.** Wird z. B. aufgrund einer falschen Bewertung des Hilfeersuchens durch den Leitstellendisponenten ein höherwertiges Rettungsmittel zu einem einfachen und disponiblen Krankentransport entsandt, entstehen unnötigerweise höhere Kosten und zugleich eine Blockierung dieses Rettungsmittels. Das kann unter Umständen für den nächsten „echten" Notfallpatienten schwerwiegende Folgen haben.

Abb. 50.7 Kooperative Leitstellen sind gemeinsam mit der Polizei betriebene integrierte Leitstellen – bei weiterhin bestehender Aufgabenteilung. [K450]

Optimierungsmöglichkeiten im Bereich der Leitstellen liegen vor allem in der weiteren Verbesserung der (kommunikativen) Kompetenzen des dort eingesetzten Personals, einer zeitgemäßen technischen Ausstattung inklusive Nutzung ausgereifter innovativer Entwicklungen (z. B. Künstliche Intelligenz) und der Verringerung der Gesamtzahl von Leitstellen in Deutschland.

Im Jahre 2014 wurde ein bundesweit vernetzter **Fachverband Leitstellen e. V.** gegründet, der sich auch für die Entwicklung eines einheitlichen Berufsbildes für Leitstellendisponenten engagiert, die pädagogische Qualifikation „Praxisanleiter Leitstelle" initiiert hat und die Einführung technischer Innovationen (z. B. eCall oder GPS-Notruf als automatisierte elektronische Notfallmeldung) fachlich begleitet.

IM FOKUS

Leitstelle

- Leitstellen sind gemäß **Dienstvorschrift 100** das zentrale Lenkungs-, Koordinations- und Informationszentrum des Rettungsdienstes.
- Sie sind über die 112 zu erreichen, nutzen **standardisierte Abfrageschemata** und entsenden Einsatzmittel gemäß der AAO.
- Diese hat unter anderem den **Notarztindikationskatalog** integriert.
- Es können mindestens **drei verschiedenen Leistellentypen** unterschieden werden:
  - Rettungsleitstellen
  - Feuerwehrleitstellen oder Feuerwehreinsatzzentralen
  - Integrierte Leitstellen

50.5.2 Rettungswache

Die **Rettungswachen** sind die Orte, an denen die für die Durchführung des Rettungsdienstes erforderlichen Rettungsmittel und das Personal für den Einsatz bereitgehalten werden. Insgesamt gibt es in Deutschland zurzeit ca. 1 800 Rettungswachen. Sie werden jeweils vom Leistungserbringer unterhalten. Rettungswachen sollten zweckmäßig und funktional gebaut und eingerichtet sein – unter Berücksichtigung aktueller Erkenntnisse des Arbeits- und Gesundheitsschutzes. Die Einrichtung der Rettungswachen erfolgt unter dem Gesichtspunkt, dass die Eintreffzeiten, d. h. die Zeitspanne vom Eingang der Notfallmeldung in der Leitstelle bis zum Eintreffen des Rettungsmittels am Notfallort, so kurz wie möglich gehalten werden bzw. den diesbezüglichen Vorgaben der Landesrettungsdienstgesetze (Hilfsfristen) entsprechen müssen.

51

RETTUNGSDIENSTSYSTEME DER DEUTSCHEN NACHBARLÄNDER, IN GROSSBRITANNIEN UND DEN USA

Christoph Redelsteiner

INHALTSÜBERSICHT

51.1 BELGIEN

- In Belgien kommen systematisch hauptberufliche und ehrenamtliche Kräfte im Rettungsdienst zum Einsatz.
- Neben Sanitätern kommen Notärzte und vereinzelt speziell geschulte Krankenpfleger zum Einsatz.

51.2 DÄNEMARK

- In Dänemark kommen nur hauptberufliche Rettungskräfte zum Einsatz.
- Es gibt die drei Ausbildungsstufen Ambulance-Assistent, Ambulance-Behandler und Paramediziner sowie zusätzlich Notärzte.

51.3 FRANKREICH

- In Frankreich kommen überwiegend hauptberufliche Kräfte, in ländlichen Regionen aber auch ehrenamtliche Kräfte zum Einsatz.
- Neben den Ambulanciers genannten Fahrzeuglenkern kommen auch Pflegekräfte als Rettungsfachkräfte zum Einsatz. Es gibt Pilotprojekte für Paramedics, die Infiermiers genannt werden.
- Es gibt in Frankreich ein gut ausgeprägtes boden- und luftgebundenes Notarztsystem.

51.4 LUXEMBURG

- In Luxemburg gibt es eine nationale Rettungsleitstelle, alle Einheiten sind seit 2018 unter dem institutionellem Dach des „Grossherzoglichen Feuerwehr- und Rettungskorps".
- Neben der Hauptgruppe der Sanitäter kommen in Luxemburg insbesondere Anästhesiepfleger und auch Notärzte zum Einsatz.

51.5 NIEDERLANDE

- Im Rettungsdienst der Niederlande arbeitet nur hauptberufliches Personal.
- Eine Fahrzeugbesatzung besteht üblicherweise aus einem Rettungsfahrer und einem paramedizinischen Beifahrer, der entweder ein Zusatzausbildung zum Fachpfleger Rettungsdienst (= Ambulanceverpleegkundige) oder ein Bachelorstudium zum „Medizinischen Hilfeleister" Fachrichtung Rettungsdienst absolviert hat. Letztgenannter muss nach der Ausbildung ein mehrmonatliches Praktikum ablegen, um danach eigenverantwortlich tätig werden zu dürfen.
- Notärzte werden nur in Ausnahmefällen meist per Rettungshubschrauber eingesetzt. Hiervon gibt es vier Standorte in den Niederlanden und es kommen im Einzelfall Notärzte aus den Nachbarländern zum Einsatz.

51.6 POLEN

- Im Rettungsdienst in Polen arbeitet nur hauptberufliches Personal.
- Eine Fahrzeugbesatzung besteht üblicherweise aus einem Sanitäter und einem Paramedic oder einem speziell geschulten Krankenpfleger.
- Es gibt in Polen ein boden- und luftgebundenes Notarztsystem.

51.7 TSCHECHIEN

- Im Rettungsdienst in Tschechien arbeiten nur hauptberufliche Einsatzkräfte.
- Es kommen in Tschechien vier Berufsgruppen im Rettungsdienst zum Einsatz: Einsatzlenker, Rettungspfleger, Paramedics und Notärzte.

51.8 ÖSTERREICH

- In Österreich kommen systematisch hauptberufliche und ehrenamtliche Kräfte und Mitarbeitende des Freiwilligen Sozialen Jahres zum Einsatz.
- Neben der Hauptgruppe der Rettungssanitäter kommen Notfallsanitäter und in geringem Umfang Notfallsanitäter mit Notfallkompetenz Venenzugang und Notfallsanitäter mit der besonderen Notfallkompetenz Intubation und Beatmung zum Einsatz.
- Österreich verfügt über ein bodengebundenes Notarztsystem und hat zudem die größte Dichte an Rettungshubschraubern weltweit.

51.9 SCHWEIZ

- Der Schweizer Rettungsdienst wird praktisch ausschließlich von hauptberuflichem Personal getragen.
- Neben dem Transportsanitäter kommen sog. diplomierte Rettungssanitäter zum Einsatz.
- Auf den RTH und in einigen wenigen bodengebundenen Rettungsdiensten kommen auch Notärzte zum Einsatz.

51.10 GROSSBRITANNIEN

- Im staatlichen Rettungsdienst in Großbritannien kommen nur hauptberufliche Kräfte zum Einsatz.
- Es gibt folgende Qualifikationsstufen: Patient Transport Service Drivers, Ambulance Attendants, Emergency Care Assistents, Paramedics, Critical Care Paramedics und Paramedic Practitioners.
- Das Rettungsdienstsystem Großbritanniens ist ein reines Paramedic-System. Auch auf den RTHs werden überwiegend Paramedics eingesetzt.

51.11 USA

- Es gibt in den USA kein einheitliches Rettungsdienstsystem. Je nach Bundesstaat unterscheiden sich die Systeme teilweise extrem.
- Grundsätzlich sind alle Rettungsdienstsysteme der USA Paramedic-Systeme in denen der Einsatz von Ärzten am Einsatzort die Ausnahme, z. B. auf einigen wenigen Hubschraubern, darstellt. Ärzte sind aber in der Systemaufsicht und Evaluation aktiv.
- Die zahlenmäßig stärkste Mitarbeitergruppe im Rettungswesen der USA sind die Emergency Medical Responders.
- Auf den Rettungswagen kommen neben Emergency Medical Technicians – Ambulance (EMT-A), Advanced EMTs und Paramedics zum Einsatz. Zunehmend werden Community Paramedics als Single Responder für subakute Einsätze verwendet.

In diesem Kapitel werden die Rettungsdienstsysteme der an Deutschland angrenzenden Länder, Großbritanniens und den USA vorgestellt. Innerhalb der meisten der beschriebenen Länder ist der Rettungsdienst von großen regionalen oder lokalen Unterschieden geprägt.

Einleitend wird jeweils ein Überblick mit allgemeinen Informationen, die z. B. rechtliche Hintergründe und die Finanzierung umfasst, gegeben. Ein Abschnitt erklärt die Ausbildung und die Personalsituation. Außerdem werden für jedes Land besondere Aspekte der Einsatzlogistik dargestellt. Beispielhaft wird zudem je Land dargestellt, welches Einsatzmittel bei einem Asthmaanfall entsandt werden würde und abschließend eine kurze Darstellung etwaiger Stärken und Schwächen des jeweiligen Systems.

51.1 Belgien

Das Königreich Belgien ist eine parlamentarische Demokratie mit Niederländisch, Französisch und Deutsch als Amtssprachen. Es leben rund 11 Mio. Einwohner auf 30 528 km^2 (364 Einwohner/km^2) in Belgien.

51.1.1 Allgemeines

Die Vorhaltung des Rettungsdienstes in Belgien ist von der jeweiligen Gemeinde oder Region abhängig, es gibt keine Vorgaben für wie viele Einwohner ein Rettungsmittel vorhanden sein muss. Der Rettungsdienst Eupen hat z. B. für 20 000 Einwohner ein am Krankenhaus stationiertes NEF und einen RTW, deckt aber noch die Nachbargemeinde Raeren mit 10 000 Einwohnern zusammen mit dem Roten Kreuz Kemlis ab.

Eine landesweite Registrierung des Rettungsfachpersonals ist nicht vorhanden, es gibt aber in den einzelnen Gemeinden Einsatzpläne, in denen das lokale Personal quantifiziert wird. Aktuell werden offiziell ca. 10 000 Sanitäter, die in den Bereichen Feuerwehr, private Rettungsdienste, Krankenhausrettungsdienste und Militär tätig sind, gezählt. Die wesentlichen gesetzlichen Grundlagen für den Rettungsdienst in Belgien sind in einem königlichen Erlass festgehalten. Finanziert wird der Rettungsdienst in erster Linie von den lokalen Gemeinden und kommunalen Gebietskörperschaften, durch Spenden und zu einem kleinen Anteil auch vom Staat. Ein Teil der Kosten eines Rettungsdiensteinsatzes ist vom Patienten per Rechnung direkt selbst zu bezahlen, der andere Teil wird von der Sozialversicherung abgegolten. In Summe sind die Erlöse des Rettungsdienstes nicht kostendeckend – entsprechend wird in Belgien versucht, die Finanzierung des Rettungswesens auf eine andere und zumindest kostendeckende Weise sicherzustellen.

51.1.2 Ausbildung und Personal

In Belgien werden als Rettungsdienstmitarbeiter hauptberufliche und ehrenamtliche Kräfte eingesetzt. **Sanitäter** erhalten mindestens eine 120 Stunden (häufig auch 240 Stunden) umfassende Grundausbildung und absolvieren danach ein mindestens 40 Stunden umfassendes Praktikum im Rettungsdienst, im Krankenhaus oder auf einem NEF. Die Sanitäter dürfen keine erweiterten Maßnahmen durchführen, eine allfällige Delegation von invasiven Maßnahmen könnte durch einen anwesenden Arzt erfolgen, wäre aber dann von ihm zu verantworten. Auf einigen Fahrzeugen (Paramedisch Interventie Team, PIT) sind **Krankenpfleger** als Paramedics mit einem speziellen Zusatzzertifikat tätig, die einige Medikamente geben dürfen und auch eine Intubation durchführen können. Auf den NEF sind Krankenpfleger zusammen mit **Notärzten** tätig. Dies sind häufig Fachärzte für Innere Medizin (mit Zusatzausbildung Notfallmedizin). Pro Jahr sind von den Sanitätern insgesamt 24 Stunden gesetzliche Fortbildung zu erbringen, davon 8 Stunden inkl. Prüfung im Bereich der Reanimation von Babys, Kindern und Erwachsenen. Die Rettungsdienstschule, Ecole Provinciale d'Aide Médicale Urgente' (EPAMU) legt zentral die Inhalte von 12 weiteren Stunden fest, die verbleibenden 4 Stunden können frei gewählt werden. Alle 5 Jahre muss die Sanitäterprüfung völlig neu abgelegt und bestanden werden, um weiterhin als Sanitäter tätig sein zu dürfen.

51.1.3 Aspekte der Einsatzlogistik

Die Rufnummer des Rettungsdienstes ist die 112 und wird in der jeweiligen Provinz zentral entgegengenommen. Die Rufnummer 105 ist eigentlich für den Krankenwagen gedacht, wird jedoch noch immer für Notfälle verwendet. Auch die Rufnummer 100 führt ebenfalls zu Feuerwehr und Rettungsdienst und wird in zwei Regionen bereits einfach auf die 112 geroutet. Die sog. „Zentralisten" führen eine Anleitung zur Herz-Lungen-Wiederbelebung nach Protokoll durch und auch allgemeine Erste-Hilfe-Anweisungen werden, entsprechend der individuellen Erfahrung und Qualifikation des Leitstellendisponenten, angeleitet. Der Disponent muss mindestens 5 Jahre auf einem RTW oder NEF gefahren sein, um in der Leitstelle arbeiten zu dürfen.

Im dicht besiedelten Norden muss der Rettungsdienst innerhalb von 12 Min., im ländlichen Süden innerhalb von 18 Min. beim Patienten sein. Die Ausrückzeit darf maximal 3 Min. betragen. Die durchschnittliche Eintreffzeit liegt im Norden bei 8, im Süden bei 12 Min. Als Rettungsmittel kommen ähnliche Fahrzeuge wie in Deutschland analog der EN 1789 zum Einsatz. Landesweit stehen in Belgien zwei Rettungshubschrauber zur Verfügung. Eine gemeinsame aktuelle landesweite Statistik der Rettungsorganisationen, die alle Rettungsmittel und Einsätze beinhaltet, wird nicht geführt.

Ein Patient mit schwerem Asthmaanfall würde sich an den Rettungsdienst via 112 wenden, RTW und NEF würden als Rettungsmittel eingesetzt werden.

Stärken des Belgischen Rettungsdienstes sind die relativ raschen Eintreffzeiten und die geringen Kosten für die Patienten. Herausforderungen sind die föderale Struktur, schlechte Finanzierungsgrundlage und die geringe Ausbildung der Sanitäter, die über keine Notfallkompetenzen verfügen. Diese Probleme versucht man durch vereinzelten Einsatz von Pflegekräften und durch eine höhere Dichte von Notarztmitteln auszugleichen.

IM FOKUS

Belgien

- **Allgemeines:**
  - Vorhaltung durch Gemeinde oder Region
  - RTW und NEF vorhanden
- **Ausbildung und Personal:**
  - Sanitäter: 120–240 Stunden Ausbildung, zusätzlich mind. 40 Stunden Praktikum im Rettungsdienst; keine erweiterten Maßnahmen; neue Prüfung alle 5 Jahre
  - „Paramedisch Interventie Team", PIT: Krankenpflege mit Zusatzausbildung; erweiterte Maßnahmen
  - NEF: Krankenpflege und Arzt, meist Internist mit Zusatzausbildung
- **Einsatzlogistik:**
  - 112 für Notfälle, 105 für Krankenwagenanforderungen
  - „Zentralisten" führen tCPR nach Protokoll durch.
  - Hilfsfrist beträgt 12–18 Min.

51.2 Dänemark

Das Königreich Dänemark ist eine parlamentarische Demokratie. Es leben ohne Berücksichtigung von Grönland und den Färöer-Inseln rund 5,7 Mio. Einwohner auf 43 094 km^2 (130 Einwohner/km^2) in Dänemark (→ Abb. 51.1).

51.2.1 Allgemeines

In Dänemark gibt es keine Vorgaben für wie viele Einwohner ein Rettungsmittel vorhanden sein muss. Die grundsätzlichen Aspekte der Anforderungen an den Rettungsdienst, der Organisation des Rettungsdienstes und der Ausbildung des Rettungsdienstpersonals sind landesweit gesetzlich geregelt. Finanziert wird der Rettungsdienst aus Steuermitteln ohne Verwendung von Spenden. Der Rettungsdienst unterliegt öffentlichen Ausschreibungen und wird von privaten Unter-

Abb. 51.1 Intensivtransportfahrzeug der Firma Falck, Dänemark [W925]

nehmen (Falck, Responce, Samsø Redningskorps, SAF Helicopteres/Uni FLY AS) und öffentlichen Einrichtungen bzw. kommunalen Gebietskörperschaften (Hovedstadens Beredskab, Ambulance Syd) durchgeführt.

51.2.2 Ausbildung und Personal

Insgesamt gibt es in Dänemark rund 3 000 aktive berufliche Rettungsdienstmitarbeiter. In Dänemark wird die Tätigkeit in der modernen und präklinischen Notfallmedizin als eine professionelle und berufliche Aufgabe gesehen, dessen Niveau von ehrenamtlichen Mitarbeitern nicht systematisch erreicht werden kann, weshalb in Dänemark keine ehrenamtlichen Kräfte im professionellen Rettungsdienst zum Einsatz kommen.

Die Ausbildung zum Ambulancebehandler ist staatlich definiert und zum 1.1.2019 reformiert worden.

Sie dauert nun 4 Jahre und 7 Monate und besteht aus verschiedenen Unterrichtsblöcken an einer Rettungsdienstschule (insgesamt 17 Monate) und Praktikumsphasen bei einem Leistungserbringer im Rettungsdienst.

Die Ausbildung wurde beträchtlich erweitert, insbesondere bezüglich Fächern wie Physiologie, Krankheitslehre, Pharmakologie, Kommunikation, Psychologie und Sozialkunde. Die Ausbildung schließt mit einer staatlichen Prüfung auf Gesellenniveau ab. Gleichzeitig ermächtigt sie den Ambulancebehandler zum eigenverantwortlichen Arbeiten mit gesundheitsfachlichen Aufgaben im Bereich des Rettungsdienstes (Autorisation).

Ambulancebehandler dürfen selbstständig Medizinpräparate wie Furosemid, Nitrospray, Fentanyl, Adrenalin, Glukose, Benzodiazepine, Salbutamol, Heparin, Infusionen u. a. anwenden. Diagnostische Maßnahmen wie die Bestimmung von Blutwerten mit POCT Apparatur gehören gleichfalls zur Ausbildung und später auch zum beruflichen Kompetenzbereich.

Neben den Ambulancebehandlern gibt es in Dänemark rund 600 **Paramediziner,** die aktuell höchste Ausbildungsstufe für Rettungsdienstpersonal in Dänemark. Um zur Ausbildung zugelassen zu werden, sind 3 Jahre Berufserfahrung als Ambulancebehandler erforderlich, ebenso muss eine Eignungsprüfung bestanden werden. Die theoretische Ausbildung dauert 6 Wochen, danach müssen 6 Wochen Praktikum im Rettungsdienst, auf einer Intensivstation und einem NEF absolviert werden. Die Ausbildung beinhaltet erweiterte medizinische Kompetenzen wie die Anwendung von Amiodaron, das Anlegen einer Larynxmaske (in einer Region videolaryngoskopische Intubation bei Reanimation) und externe Schrittmachertherapie bei Bradykardie. Ebenso dürfen nach Konsultation mit einem Arzt Patienten vor Ort belassen werden. Je nach Region müssen pro Jahr 5–8 Tage Pflichtfortbildung absolviert werden.

Verschiedene Initiativen arbeiten für einen Bachelor- oder Masterstudiengang zum Paramediziner, um geeigneten Mitarbeitern selbstständige Forschung in ihrem Fachbereich und eine akademische Karriere zu ermöglichen sowie das Wissen im Bereich der präklinischen Notfallmedizin weiter zu verbessern.

Seit 2018 ist die Berufsbezeichnung „Ambulancebehandler" staatlich autorisiert, auf der gleichen Rechtsgrundlage wie die von Krankenschwestern oder Ärzten. Das bedeutet, dass der Ambulancebehandler in seinem Berufsfeld eigenverantwortlich arbeitet. Die Notärzte im Dänischen Rettungsdienst befinden sich im letzten Ausbildungsjahr zum Facharzt für Anästhesie oder sind bereits Fachärzte. An die bodengebundenen Notärzte werden zusätzliche spezielle Anforderungen gestellt, z. B. das Curriculum für Notärzte der Dänischen Gesellschaft für Anästhesiologie und Intensivmedizin und Kurse wie ALS, EPLS, ATLS. Für die Ärzte im landesweiten Flug- bzw. Luftrettungsdienst weitere zusätzliche und erhöhte Anforderungen, beispielsweise eine medizinische Einsatzleiterausbildung. Ein Teil der Ärzte, die im Rettungsdienst als Notarzt arbeiten, hat zusätzlich zu diesen Anforderungen, die prähospitale Ausbildung der Skandinavischen Gesellschaft für Anästhesiologie und Intensivmedizin (SSAI), die berufsbegleitend 2 Jahre dauert, absolviert.

51.2.3 Aspekte der Einsatzlogistik

Der Notruf 112 wird an eine der drei Leitstellen der Polizei geleitet. Dort werden Adresse und Personaldaten erhoben und der Grund des Anrufs ermittelt. Notrufe, die den Rettungsdienst betreffen, werden an einen medizinischen Mitarbeiter der zuständigen Rettungsleitstelle weitervermittelt. Dieser bekommt mit Durchstellung des Anrufs von der Polizei die dort schon erhobenen Informationen automatisch in seinen Einsatzleitrechner eingespeist. Die Leitstellen benutzen halbschematisierte Erste-Hilfe-Anweisungen, die von erfahrenen Sanitätern oder Krankenschwestern am Telefon gegeben werden. In den Leitstellen ist den überwiegenden Teil eines Tages ein erfahrener Arzt zugänglich, teilweise auch um die Uhr.

Im Rettungsdienst kommen Krankentransportwagen für sitzende Krankentransporte, KTW, RTW und Pkw, mit denen Notärzte oder Paramediziner im Rendezvous-System aktiviert werden, zum Einsatz. Die vier Rettungshubschrauber sind neben dem Piloten mit einem Paramediziner und einem Notarzt besetzt. Zusätzlich werden in den Regionen Intensivtransportbusse, RTW für Interhospitaltransporte von Intensivpatienten und spezielle Einsatzmittel für Neugeborene und Kleinkinder sowie RTW für schwer adipöse Patienten vorgehalten.

In zunehmendem Grad bedient man sich in dünn besiedelten Gebieten geschulter Ersthelfer. Diese können außer Reanimationsmaßnahmen mit AED auch in speziellen Situationen wie anaphylaktischem Schock oder Hypoglykämie in begrenztem Umfang Medizinpräparate anwenden.

Landesweit gibt es in Dänemark ca. 10 000 „Hjerteløbere". Es sind Laien, die in den Basismaßnahmen der Reanimation ausgebildet sind und im Falle eines Herzstillstands per SMS alarmiert werden. Sie werden von der Leitstelle zum nächsten öffentlichen automatischen Defibrillator dirigiert und mit diesem zum Patienten. Durch diese einzigartige flächendeckende Unterstützung des organisierten Rettungsdienstes wird die Zeit ohne Maßnahmen und Intervention bei einem Herzkreislaufstillstand insgesamt deutlich verkürzt. Unter anderem deshalb weist Dänemark mittlerweile eine der höchster Erfolgs- bzw. Wiederbelebungsraten bei präklinischen Herzkreislaufstillständen in Europa, ja sogar auf der Welt auf.

Stärken des Dänischen Rettungsdienstes sind das hohe fachliche Niveau und die Qualitätssicherung durch interne und externe Supervision, die landesweit einheitliche und staatlich kontrollierte Ausbildung, verbunden mit einheitlichen Standards für prähospitale Diagnostik und Therapie sowie die fast optimale Unterstützung des organisierten Rettungsdienstes durch ein flächendeckendes, systematisches Ersthelfer- und First-Responder-System

IM FOKUS

Dänemark

- **Allgemeines:**
  - Landeseinheitliche Regelungen
  - Steuerliche Finanzierung, Durchführung durch Privatunternehmen und öffentliche Institutionen
- **Ausbildung und Personal:**
  - Ausbildung zum „Ambulancebehandler" dauert 4 Jahre und 7 Monate; umfangreiche und eigenverantwortliche Kompetenzen
  - Weiterqualifizierung zum „Paramediziner" nach 3 Jahren Tätigkeit als Ambulancebehandler möglich
  - Notärzte sind Anästhesisten.
- **Aspekte der Einsatzlogistik:**
  - Zentrale Rufnummer: 112
  - Drei Polizeileitstellen, die Daten aufnehmen und weitervermitteln

51.3 Frankreich

Frankreich ist eine zentralistische demokratische Republik. Ohne die Überseegebiete leben in Frankreich rund 66,1 Mio. Einwohner auf etwa 668 763 km^2 (99 Einwohner/km^2).

51.3.1 Allgemeines

Der Rettungsdienst in Frankreich ist zentral organisiert und wird ausschließlich vom Staat über Steuereinnahmen finanziert. Die Patienten zahlen nicht für den Einsatz, die Kosten werden von der Krankenkasse übernommen. Der Rettungsdienst wird primär von der staatlichen Einrichtung **Service d'Aide Médicale Urgente** (SAMU) durchgeführt, insbesondere in ländlichen Regionen ergänzt durch Einheiten der Feuerwehr (→ Abb. 51.2, → Abb. 51.3). Jede der 101 gebietskörperschaftlichen Verwaltungseinheiten Frankreichs (Départements) ist eine SAMU-Region, die über lokale Untereinheiten namens **Service Mobile d'Urgence et de Réanimation** (SMUR) verfügt. Von diesen werden RTW, NEF, NAW,

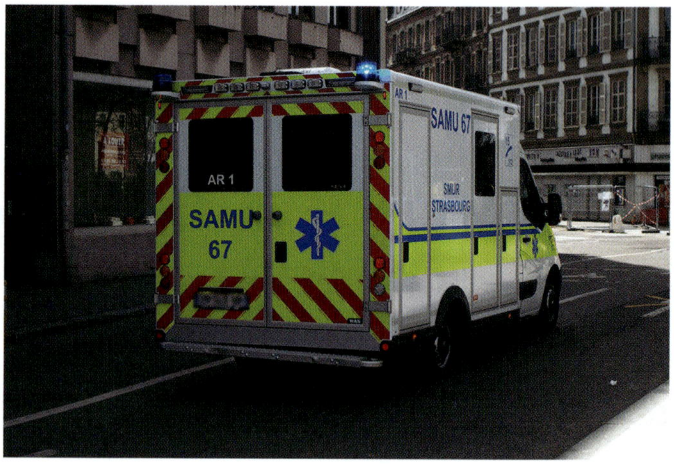

Abb. 51.2 RTW SAMU Service d'Aide Médicale Urgente des Departments 67 Straßburg [K404]

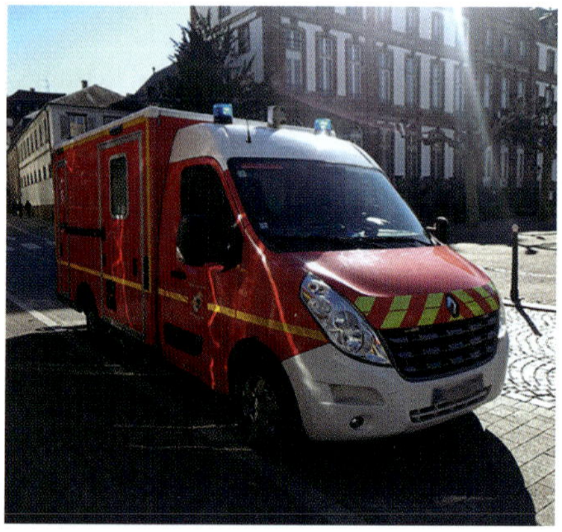

Abb. 51.3 Sapeurs-pompiers (Feuerwehr) RTW Straßburg des Service départemental d'incendie et de secours du Bas-Rhin [K404]

RTH oder wie in Paris auch Motorräder eingesetzt. Der Krankentransport wird von privaten Unternehmen durchgeführt. Der Staat schreibt Hilfsfristen vor, die in manchen Regionen schwerer zu erreichen sind.

51.3.2 Ausbildung und Personal

Im Bereich der Feuerwehr gibt es insbesondere auf dem Land zahlreiche ehrenamtliche Kräfte. Im staatlichen Rettungsdienst gibt es nur haupt- oder nebenberufliches Personal, aber keine ehrenamtlichen Kräfte.

Vielfach kommt im Französischen Rettungsdienst ein **Ambulancier** zum Einsatz, der nur eine kurze Erste-Hilfe-Ausbildung hat. Er assistiert bei Reanimationen und darf Medikamente unter Aufsicht der Krankenpfleger/-schwestern vorbereiten. Diese **Krankenpfleger/schwestern im Rettungsdienst** dürfen venöse Zugänge legen, Medikamente verabreichen, EKGs ableiten und zur telemedizinischen Diagnostik weiterleiten und mit der Zusatzausbildung in Anästhesie auch präklinisch und eigenverantwortlich intubieren und Vollnarkosen überwachen.

In Frankreich werden neben dem rettungsdienstlichen Pflegepersonal und den Ambulancier auch Notärzte eingesetzt. Seit 2017 ist die Ausbildung der Notärzte eine eigenständige Facharztausbildung, die „Diplôme d'Etudes Spécialisées de Médecine d' Urgence" genannt wird und insgesamt 4 Jahre dauert. Im ersten Jahr werden 6 Monate in der Notaufnahme und 6 Monate auf einer Station, die Patienten der Notaufnahme aufnimmt, absolviert. Danach folgen 6 Monate im Rettungs-

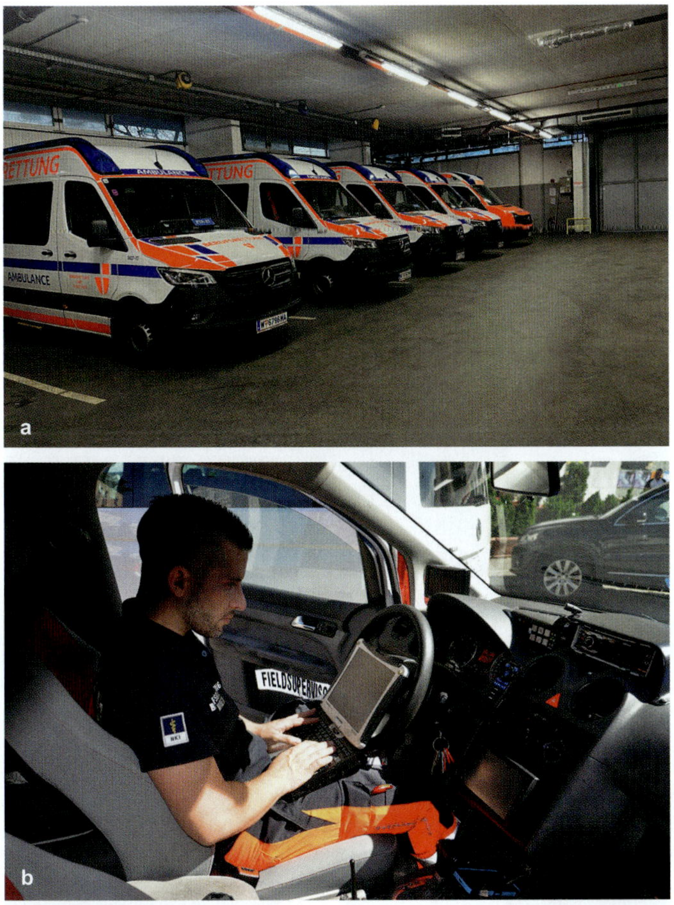

Abb. 51.10 Kommunale Berufsrettung Wien: **a)** RTWs der Berufsrettung Wien. **b)** Feldsupervisor. [P098]

Die zweite Ausbildungsstufe, **Notfallsanitäter,** absolviert darauf aufbauend 160 Stunden theoretische Ausbildung und 320 Stunden Praktikum. Schließlich können Notfallsanitäter sog. Notfallkompetenzen erwerben und nach weiteren 40 Stunden bestimmte vom Chefarzt der jeweiligen Organisation freigegebene Medikamente verabreichen. Für die **Notfallkompetenz „Venenzugang"** sind weitere 50 Stunden Theorie und Praxis erforderlich. In der höchsten fachlichen Ausbildungsstufe sind Sanitäter der **„besonderen Notfallkompetenz Intubation und Beatmung"** nach zusätzlichen 30 Stunden Theorie und 80 Stunden Krankenhauspraktikum sowie der Einzelermächtigung des Chefarztes ihrer Organisation bei insgesamt 1 600 Stunden theoretischer und praktischer Ausbildung angelangt. Per Gesetz müssen Sanitäter 16 Stunden Fortbildung in 2 Jahren nachweisen und sich für den Einsatz des AED und ggf. der Intubation neu zertifizieren.

Das Österreichische Sanitätergesetz wurde im Jahr 2023 einer Evaluation unterzogen werden, entsprechende gesetzliche Anpassungen sind zu erwarten.

In der Praxis finden sich aktuell noch teilweise kuriose Bedingungen. Formal sind Mitarbeiter in der Arzneimittelkompetenz geschult, die Medikamentenliste des Chefarztes wird aber nicht wirksam, da auf den Rettungsmitteln die entsprechende Medikation nicht vorhanden ist. Es muss erst der Notarzt angefordert werden, um die Applikation durchzuführen. Mitarbeitern, die in einem Bundesland bei der Organisation A alle Notfallkompetenzen durchführen, wird, wenn sie im Nachbarbundesland bei der „Schwesterorganisation" A oder der Organisation B ehrenamtlich tätig sind, (rechtswidrigerweise) „untersagt", diese Kompetenzen einzusetzen.

Der Terminus „Rettungswagen" wird in Österreich, mit Ausnahme von Wien, nicht gemäß CEN 1789 verwendet. Ein „Rettungswagen" ist mancherorts ein Krankenwagen oder Notfall-KTW mit zwei (oft unerfahrenen, zivildienstleistenden) Rettungssanitätern, andernorts ein echter RTW mit einem Rettungs- und einem Notfallsanitäter unterschiedlicher Kompetenzstufen. Welche Mitarbeiter auf welchen Rettungsmitteln eingesetzt werden können, liegt in der Regelungskompetenz der Länder, wird aber in den einzelnen Landesrettungsgesetzen nicht festgeschrieben.

Notärzte müssen in Österreich über die Berechtigung zur selbstständigen Berufsausübung verfügen bzw. über eine Facharztanerkennung, zumindest aber zwei vollendete Turnusjahre (vergleichbar Arzt im Praktikum in Deutschland) haben und eine 80-stündige Ausbildung absolvieren. Kommt ein Notarzt auf einem Rettungsmittel zum Einsatz, so muss ihm ein Notfallsanitäter assistieren bzw. den Transport durch den Notarzt begleiten. Notärztliche Assistenz fällt nicht in den Kompetenzrahmen von Rettungssanitätern.

51.8.3 Aspekte der Einsatzlogistik

Der Euronotruf 112 geht zum nächstgelegenen Landespolizeikommando. Die Rufnummer des Rettungsdienstes ist 144 und wird in der Mehrzahl der Bundesländer in eine landesweite Rettungsleitstelle geschaltet. Anrufe werden strukturiert abgefragt und Sofortmaßnahmenhinweise meist nach dem System des **Advanced Medical Priority Dispatch** (AMPDS) gegeben. Es gibt keine nationalen Vorgaben in Bezug auf Eintreffzeiten. Zusätzlich ist mit Ende 2019 in allen Bundesländern die telefonische Gesundheitsberatung 1450 geschalten. Sie ist beispielsweise in Niederösterreich und Vorarlberg Teil der Rettungsleitstelle. Die notfallmedizinische Versorgung wird bei Sichtflugbedingungen wesentlich von einem Netz an RTH sichergestellt. Der Automobilclub ÖAMTC verfügt über 17 Ganzjahres- und 6 Winterstandorte. Des Weiteren werden insbesondere in Fremdenverkehrsgebieten zusätzliche 21 RTH von 7 anderen Betreibern gestellt. Im Bundesland Tirol sind in der Winterzeit insgesamt 15 RTH in Betrieb. Die ÖAMTC Hubschrauber Christophorus 2 (Krems), 14 (Niederöblarn), 17 (St. Michael in der Obersteiermark) stehen auch nachts für Primäreinsätze zur Verfügung.

Stärken des österreichischen Rettungsdienstes sind die überregionale Einsatzsteuerung durch Bundeslandleitstellen in vielen Regionen und die Umsetzung des Sanitätergesetzes durch den Einsatz von Notfallsanitätern mit Intubationskompetenz in Wien und Graz. Durch die stark ehrenamtliche Struktur stehen bei Katastrophenfällen ausreichend Helfer mit rettungsdienstlicher Grunderfahrung zur Verfügung. In manchen Regionen werden Rettungsdienstmitarbeiter in der Freizeit als „First Responder" eingesetzt. Dies reduziert die Eintreffzeiten signifikant. Seit 2003 gibt es an der Donau-Universität in Krems ein Masterstudienprogramm für Rettungsdienstmanager, 2022 wurde der 13. Jahrgang gestartet. 2018 graduierten an der Fachhochschule St. Pölten die ersten Studierenden mit einem Bachelor in Gesundheits- und Krankenpflege die zusätzlich auch die Ausbildung zum Notfallsanitäter absolviert haben. Diese „RettungspflegerInnen" haben auch die ERC-, AMLS- und PHTLS-Kurse als Teil ihres Studiums absolviert. Ein entsprechendes Pilotprojekt des Bundeslandes Niederösterreich setzt Notfallsanitäter mit Krankenpflegeausbildung als „Acute Community Nurses" ein. Diese Single Responder fahren Einsätze, die keinen Transport ins Krankenhaus erwarten lassen, sie wechseln Sonden, Katheter vor Ort und sind bei Notfalleinsätzen als First Responder mit einer erweiterten Medikamentenliste aktiv. Diese können Sozialarbeiter des Akutteams Niederösterreich rund um die Uhr bei psychosozialen Notlagen oder z. B. zur Einleitung eines Casemanagement beiziehen.

Mit Beschluss der Landesgesundheitsreferenten aus dem Jahr 2014 soll ein Masterstudium Paramedic entwickelt werden, um das Notarztsystem zu ergänzen.

Die zunehmend geringer werdende Zahl an Hausärzten verlagert Patientenanliegen, die früher durch Visiten bedient wurden, in den Bereich des Notarzt- und Rettungsdienstes. Weitere Schwächen des Systems sind die Besetzung von RTW mit gering ausgebildeten Rettungssanitätern – in einem Bundesland sogar zwei junge Zivildienstleistende – und die schleppende Umsetzung der Ausbildungsstufen für Notfallsanitäter mit Arzneimittel-, Venen- und Intubationskompetenz.

Ein Asthmapatient sollte sich an den Rettungsdienst via 144 wenden. In manchen Regionen würde die (ggf. den Hausarzt als) First Responder alarmieren, RTW und NEF würden als Rettungsmittel eingesetzt werden.

IM FOKUS

Österreich

- **Allgemeines:**
  - RD ist Aufgabe der Gemeinde bzw. ggf. des Bundeslandes, daher große regionale Unterschiede
- **Ausbildung und Personal:**
  - Rettungssanitäter: 260 Stunden Ausbildung
  - Notfallsanitäter: 480–1 600 Stunden Ausbildung
  - Notfallsanitäter können sich durch Fortbildungen weitere Kompetenzen erarbeiten, z. B. „Venenzugang" oder „Intubation"; „Notfallsanitäter NKA, NKV, NKI".
  - Notärzte: Berufserfahrung und 80-stündige zusätzliche Ausbildung
- **Einsatzlogistik:**
  - Notrufnummern 144 und 112
  - Advanced Medical Priority Dispatch (AMPDS) als Abfragestruktur

51.9 Schweiz

Die Schweiz ist eine föderale demokratische Republik mit Deutsch, Französisch, Italienisch, und Rätoromanisch als Amtssprachen. Es leben rund 8.7 Mio. Einwohner auf 41 285 km^2 (211 Einwohner/km^2) in der Schweiz.

51.9.1 Allgemeines

In der Schweiz haben die Kantone (Gebietskörperschaften ähnlich den Bundesländern) eine extrem hohe Autonomie. Sie sind für das Gesundheitswesen und damit auch für das Rettungswesen verantwortlich. Die Umsetzung wird teilweise an Bezirke oder Gemeinden delegiert. Als Dienstleister sind Krankenhäuser, privatwirtschaftliche Organisationen, kantonale oder kommunale Organisationen im Einsatz (→ Abb. 51.11 bis → Abb. 51.16). Wesentlicher Leistungserbringer im Flugrettungsdienst ist die gemeinnützige Stiftung Rega (Schweizerische Rettungsflugwacht), die von 14 RTH-Basen aus jährlich rund 14 000 Einsätze absolviert. Die Air Zermatt und Air Glacier sind im Kanton Wallis im Flugrettungsdienst tätig sowie die Alpine Air Ambulance in den Kantonen Aarau und Bern und im Fürstentum Liechtenstein (→ Abb. 51.17).

Die Finanzierung erfolgt überwiegend durch die Einsatzerlöse. In manchen Kantonen beteiligen sich die Gebietskörperschaften an den Kosten, in anderen Regionen muss sich der Rettungsdienst ausschließlich über die Einnahmen finanzieren. Durch die Krankengrundversicherung werden maximal 50 % der Kosten bis zu einem

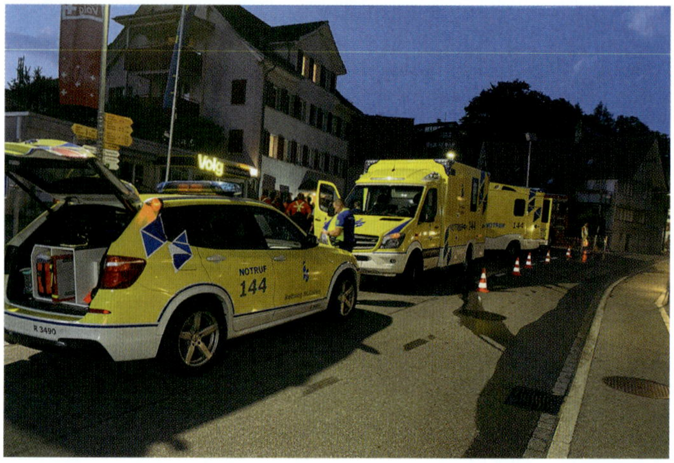

Abb. 51.11 Rettungswagen der Rettung St. Gallen [W929]

Abb. 51.12 Höhenrettung der Rettung St. Gallen [W929]

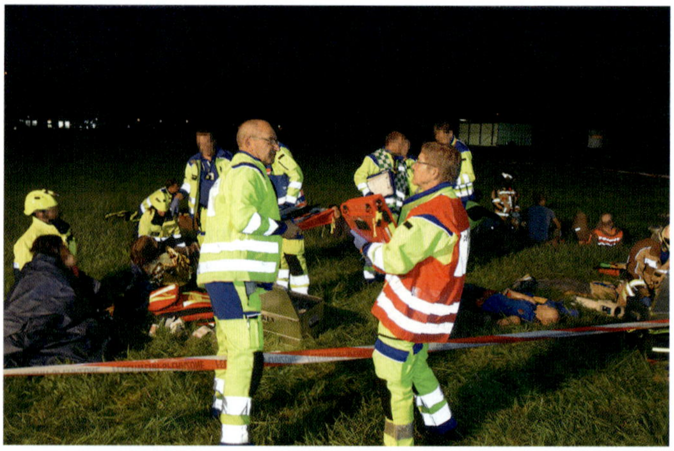

Abb. 51.13 MANV-Übung der Rettung St. Gallen [W929]

jährlichen Höchstbetrag von 5 000 CHF getragen. Wenn eine betriebliche Unfallversicherung besteht, werden die Kosten für Unfälle voll übernommen.

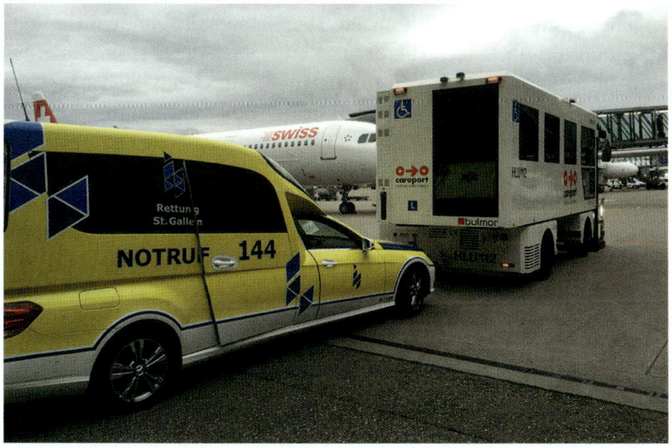

Abb. 51.14 KTW bei der Patientenübernahme am Flughafen [W929]

Abb. 51.15 Rettungsleitstelle 144 des Kantons Genf [P098]

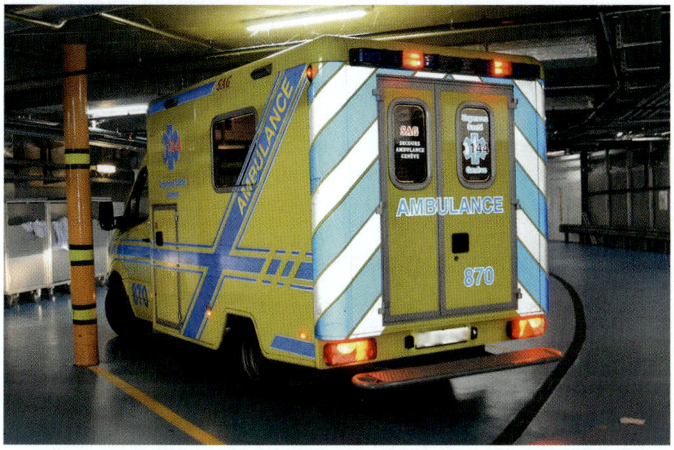

Abb. 51.16 RTW am Universitätsklinikum Genf [P098]

Abb. 51.17 Zentrale des Rettungsdienstes Aarau mit Fahrzeughalle [P098]

Nationale oder kantonale Vorgaben über die Zahl der Rettungsmittel in Bezug auf Einwohner oder Fläche existieren nicht. Einige Kantone übernehmen die Richtlinie des Interverbands für Rettungswesen (IVR), wonach 90 % der Patienten innerhalb von 15 Min. erreicht werden sollen.

51.9.2 Ausbildung und Personal

Der Schweizer Rettungsdienst wird praktisch ausschließlich von hauptberuflichem Personal getragen. Hauptsächlich kommen diplomierte Rettungssanitäter, die an höheren Fachschulen eine dreijährige Ausbildung durchlaufen haben, zum Einsatz. In der Mehrzahl der Kantone können einjährig ausgebildete Transportsanitäter mit eidgenössischer Berufsprüfung ebenfalls Teil des Teams sein.

Rettungssanitäter legen selbstständig venöse Zugänge, verabreichen Infusionen und nach einer schriftlichen und mündlichen Prüfung auch Medikamente im Rahmen einer schriftlichen Vorabdelegation. In den meisten Systemen beinhaltet dies auch Schmerzmittel, die unter das Betäubungsmittelgesetz fallen. Die Intubation mit Larynx-Tubus/-maske ist Standard, die endotracheale Intubation durch Sanitäter nur in einigen Regionen Teil der Kompetenzen. Insbesondere in den ländlichen Gebieten der Romandie (Jura, Neuchâtel) sind außerdem diplomierte Krankenpfleger, oftmals mit Zusatzausbildung Anästhesie im Einsatz. Für Pflegepersonal umfasst die Ausbildung zum Rettungssanitäter 2 Jahre.

Es gibt eine Pflicht zur Registrierung von Ausbildungsabschlüssen. Diese Registrierung im Nationalen Register der Gesundheitsberufe NAREG umfasst alle Diplome von Schweizer Ausbildungen und die Anerkennung ausländischer Abschlüsse für die nicht universitären Gesundheitsberufe. Es wird vom Schweizerischen Roten Kreuz im Auftrag der Gesundheitsdirektoren geführt. Damit werden aber nur die Ausbildungsabschlüsse erfasst. Die Kantone kennen unterschiedlich ausgestaltete Bewilligungsverfahren für diplomierte Rettungssanitäter. Die genaue Zahl der aktiven Rettungssanitäter ist nicht bekannt, die Zahl der Diplome ist genau erfasst. Von 1977 bis Ende 2021 wurden 4 249 Rettungssanitäter (65 % Männer, 35 % Frauen) ausgebildet sowie 635 ausländische Ausbildungsabschlüsse anerkannt. Derzeit ist das Verhältnis von Männern und Frauen bei den Diplomen bzw. in der Ausbildung jeweils fast 50 : 50.

In einem freiwilligen System zur Qualitätssicherung, das von fast 90 % der Rettungsdienste umgesetzt wird, ist eine Fortbildungspflicht von 40 Stunden pro Jahr vorgesehen.

Auf den RTH und in einigen bodengebundenen Rettungsdiensten kommen auch Notärzte zum Einsatz. Sie benötigen den Fähigkeitsausweis der Schweizerischen Gesellschaft für Notfall- und Rettungsmedizin (SGNOR). Voraussetzungen dafür sind 3 Jahre klinische Tätigkeit, davon 1 Jahr Anästhesie, 1 Jahr Innere oder Chirurgie, 3 Monate Notfall- und 3 Monate Intensivstationstätigkeit. Des Weiteren müssen die Kurse ACLS und PALS sowie 50 Einsätze an einer anerkannten Weiterbildungsstätte absolviert werden. Abschließend erfolgt ein viertägiger Notarztkurs inklusive Prüfung. Der Befähigungsausweis ist 5 Jahre gültig und wird mit Nachweis der Fortbildung verlängert. Die Befähigungsausweise der SGNOR (Notarzt/klinische Notfallmedizin) sind keine Facharztausbildungen, aber durch den Ärzteverband anerkannte Notarztbezeichnungen.

51.9.3 Aspekte der Einsatzlogistik

Unter der Notrufnummer 144 kann in der ganzen Schweiz der Rettungsdienst erreicht werden. Die Rufnummer 112 wird auf den Polizeinotruf 117 weitergeleitet.

Anrufe unter 144 werden in den meisten Regionen mit einem standardisierten elektronischen Abfragesystem bearbeitet. Die Schweiz hat international eine der niedrigsten Notfalleinsatzraten. Bezogen auf die Einwohnerzahl werden nur für 5,4 % der Bevölkerung im Jahr Einsätze erforderlich. Das sind jährlich rund 470 000 Einsätze, Tendenz stark steigend.

Stärken des Schweizer Rettungssystems sind die hohe Personalqualifikation, das gute Image des Berufes „Diplom-Rettungssanitäter“ in der Bevölkerung und im Gesundheitswesen und das flächendeckende RTH-System. Verbesserungsfähig sind u. a. die Finanzierungsformen und die Vereinheitlichung zwischen benachbarten Rettungsdiensten. Die Vorgehensweise beispielsweise bei Asthmapatienten wäre kantonal und regional stark unterschiedlich. Je nach Region würde ein RTW, mancherorts zusätzlich mit notärztlicher Unterstützung zum Einsatz kommen.

IM FOKUS

Schweiz

- **Allgemeines:**
  - Gesundheitsversorgung ist kantonsabhängig.
  - Nur ein Teil der Kosten wird durch die Krankenversicherung getragen.
- **Ausbildung und Personal:**
  - Transportsanitäter: einjährige Ausbildung
  - „Diplomierter Rettungssanitäter“: dreijährige Ausbildung; weitreichende Kompetenzen
  - „Dipl. Rettungssanitäter“ mit verkürzter Ausbildung, wenn Grundbildung Dipl. Pflegefachkraft
  - Notärzte: Fähigkeitsausweis der Schweizerischen Gesellschaft für Notfall- und Rettungsmedizin (SGNOR)
- **Einsatzlogistik:**
  - Notrufnummern: 144 und 112
  - Standardisiertes Abfragesystem

51.10 Großbritannien

Das Vereinigtes Königreich Großbritannien und Nordirland ist eine parlamentarische Demokratie. Es leben rund 63,7 Mio. Einwohner auf 244 820 km^2 (260 Einwohner/km^2), davon 53,5 Mio. in England (130 395 km^2, 410 Einwohner/km^2).

51.10.1 Allgemeines

Der **National Health Service** (NHS) ist der staatliche Gesundheitsdienst und der wesentliche, öffentliche und aus Steuermitteln finanzierte operative Dienstleister im Bereich Krankenhäuser, Rettungsdienste und anderer Gesundheitseinrichtungen. Der NHS untersteht dem Gesundheitsministerium. Die Struktur und Aufgaben des Rettungsdienstes sind in entsprechenden Verordnungen beschrieben. Ebenso gibt es genaue gesetzliche Vorgaben in Bezug auf Eintreffzeiten und Monitoring von notfallmedizinischen Erfolgsparametern.

Insgesamt gibt es derzeit zehn Rettungsdienstregionen (NHS Ambulance Trusts) in England und je eine in Schottland, Wales und Nordirland. Diese Rettungsdienste führen Notfallrettung im staatlichen Auftrag durch und benutzen private Unternehmen, wie z. B. die Johanniter (St. Johns Ambulance) oder Rotes Kreuz als Subunternehmer. Krankentransport wird vergeben über öffentliche Ausschreibungen und die NHS Ambulance Trusts sind im Wettbewerb mit privaten Anbietern um diese Dienste durchzuführen. Der Krankentransport wird Patient Transport Service genannt, die Fahrzeuge verfügen zumeist nicht über Blaulicht und sind i. d. R. in der Lage, mehrere liegende bzw. sitzende Patienten aufzunehmen.

Die Leistungen des NHS sind im Bereich des Rettungsdienstes und Krankentransports für Steuerzahler in Großbritannien zurzeit kostenlos. Ausbildung, Ausrüstung und medizinische Behandlungsstandards sind in einem hohen Ausmaß identisch.

Im Unterschied zum finanzierten staatlichen bodengebundenen Rettungsdienst werden die insgesamt 39 RTH in sehr geringem Ausmaß vom NHS finanziert, dieses stellt das medizinische Fachpersonal. Sie finanzieren sich meist über Spenden und Werbemaßnahmen. Der britische Thronfolger Prinz William arbeitet bis Ende 2017 als Pilot für East Anglian Air Ambulance und verhalf dem RTH-System zu besonderer Aufmerksamkeit. Im Bereich Küsten- und Seenotrettung wurde der Search-and-Rescue-Dienst (SAR) vom Militär an private Betreiber übergeben. Seit 2016 wird diese Aufgabe von 22 Hubschraubern in 10 SAR-Standorten ausgeführt.

Um die Chance einer erfolgreichen Wiederbelebung bei Herz-Kreislauf-Stillstand zu erhöhen, versuchen die NHS Ambulance Trusts seit einigen Jahren vor allem in ländlichen Gegenden freiwillige Mitarbeiter (Angehörige von Gesundheitsfachberufen oder interessierte Nachbarschaftshelfer) als erste Versorgungswelle (Community First Responders) einzubinden. In London und im Süden des Landes wurde das mittlerweile via App auf jeden Freiwilligen bzw. Laienhelfer, der in CPR ausgebildet wurde und dazu bereit ist, ausgedehnt. Ursprünglich war dem der erfolglose flächendeckende Versuch vorausgegangen, die Feuerwehren, die aufgrund der geringen Einsätze und hohen Kosten unter öffentlichen Druck geraten waren, für diese Aufgabe einzubinden. Die Personalvertretung der Feuerwehr verhinderte jedoch eine entsprechende Aufgabenausweitung in manchen Teilen des Landes. Mittlerweile sind Feuerwehren stärker im Rettungsdienst aktiv, in Staffordshire unterhalten sie sogar einige Notfallkrankenwagen.

51.10.2 Ausbildung und Personal

Im Einsatzdienst gibt es folgende Mitarbeitergruppen:

- **Patient Transport Services Drivers** (Lenker Krankenwagen, 2 Wochen Ausbildung)
- Ambulance Care Assistant/**Ambulance Attendant**/Ambulance Technician (Sanitäter im Krankentransport, 3–4 Wochen Ausbildung)
- **Emergency Care Assistant/Emergency Care Support Worker (ECSW)** (Lenker Rettungswagen, 9 Wochen Ausbildung, die 3–4 Wochen Fahrtraining beinhaltet)

- **Emergency Medical Technician (EMT)** (vergleichbar dem Deutschen Rettungssanitäter). Zirka 8 Wochen Ausbildung, dann berufsbegleitend weitere einjährige Ausbildung. Vielerorts vom ECA/ECSW ersetzt.
- **Paramedic** (Notfallsanitäter, 3 Jahre, meist Bachelorausbildung, die ab 2021 für die Registrierung Voraussetzung ist)
- **Critical Care Paramedic**/HEMS Paramedic (ca. 1 Jahr Zusatzausbildung, berufsbegleitend, Masterlevel, oft Hubschrauberparamedic, in manchen Rettungsdiensten auch auf bodengebundenen Critical Care Units)
- **Paramedic Practitioners/Senior Paramedic/Community Paramedic** (offiziell Specialist Paramedic in Urgent and Emergency Care). Paramedic mit besonderen Kompetenzen im Bereich der Primärversorgung, der Patientenuntersuchung und Diagnostik, 1–2 Jahre Zusatzausbildung (ebenfalls berufsbegleitend, MSc-Level, mancherorts bereits ein Masterprogramm). Diese versorgen weniger dringliche, aber medizinisch bzw. psychosozial komplexere Einsätze. So werden „Daueranrufer" oder chronisch kranke Patienten betreut, an die lokalen staatlichen Gesundheitszentren weitergeleitet und Behandlungspläne abgesprochen oder koordiniert. Nach einer Gesetzesanpassung 2017 können Paramedics mit entsprechender Zusatzausbildung auf MSc-Level bestimmte Medikamente verschreiben.

Paramedics sind beim Health and Care Professions Council (HCPC) registriert. Diese staatliche Einrichtung führt ein Standesregister aller Psychologen, Sozialarbeiter und Gesundheitsfachberufe (außer Pflege). Diese Berufsgruppen verpflichten sich, einen ethischen Kodex einzuhalten, der auch konstante Weiterbildung zur Aufgabe macht. Bürger können sich dort über Mitarbeiter beschweren, der HCPC führt dann Vermittlungsverfahren und Mediationen durch bzw. leitet ggf. auch ein Verfahren gegen die betreffenden Fachkräfte ein. Pro Jahr werden einigen Paramedics die Registrierung vorübergehend oder vollständig entzogen. Bisherige Gründe dafür waren z. B. Alkohol- bzw. Drogenkonsum, Anfertigen und Posten von Einsatzfotos ohne Erlaubnis, Patienten mit Herzinfarkt ohne weitere Untersuchung und Behandlung zum Fahrzeug und in die Notaufnahme gehen zu lassen, körperliche und psychiatrische Erkrankungen, die mit der Berufsausübung nicht vereinbar sind, Unterlassung einer systematischen Patientenuntersuchung bzw. sexuelle Belästigung von Patientinnen bzw. Kolleginnen.

Der überwiegende Teil des Rettungsdienstes wird derzeit durch ECA/ECSW/Technicians und Paramedics sichergestellt (→ Abb. 51.18 bis → Abb. 51.23). Paramedics führen notfallmedizinische Maßnahmen wie EKG-Diagnose, Medikamentengabe oder die Atemwegssicherung mittels Intubation selbstständig durch. Mit Zusatzausbildung dürfen Paramedics auch Rezepte ausstellen. Die medizinischen Maßnahmen werden von Clinical Officers, langjährigen erfahrenen Paramedics, überwacht und ausgewertet und von einem Medizinischen Direktor kontrolliert. Neu ist die Möglichkeit, sich zum Consultant Paramedic mit dem Schwerpunkt Systemaufsicht weiter zu qualifizieren. Das erfordert ein Doktorat mit Schwerpunkt Forschung und klinische Analysen mit bis zu 6 Jahren Studium zum Doctor of Philosophy (PhD).

Auch die Mehrzahl der Rettungshubschrauber wird von medizinischer Seite durch Paramedics besetzt. Der RTH im Großraum London (wie auch einige andere RTHs) ist allerdings mit einem speziell geschulten **notfallmedizinischen Facharzt** besetzt. Dieses RTH-Team wird aus qualitativen Gründen extrem kleingehalten und besteht aus sechs Ärzten und acht Paramedics, die sich gemeinsam mit den Piloten die Dienste teilen. Der RTH London (London 8,6 Millionen Einwohner) behandelt pro Jahr rund 1 800 Patienten und versucht auch auf experimenteller Ebene Maßnahmen der Klinik in die Präklinik zu verlagern,

Abb. 51.18 Fahrrad-Paramedic des London Ambulance Service [P098]

Abb. 51.19 Motorrad-Paramedic des Scottish Ambulance Service [P098]

z. B. Thorakotomien zur internen Herzdruckmassage oder endovaskuläre Stentgrafts (Resuscitative Endovascular Balloon Occlusion of the Aorta, REBOA) bei Beckenblutungen. Bei entsprechender Indikation gehört eine Blut- und/oder Plasmatransfusion zum Standardverfahren der London Air Ambulance. Die Überlebensrate von Patienten nach traumatischem Herz-Kreislauf-Stillstand ist mit 7,5 % international hoch und hat auch mit der Tatsache zu tun, dass dieser RTH nur drei fixe Kliniken zur Hospitalisation seiner Patienten benützt, sämtliche Schnittstellen daher fest eingespielt sind. Kann der RTH nicht fliegen, oder ist der Einsatzort innerhalb ca. einer Meile des RTH-Standorts, so rückt das Team mit einem NEF aus.

Insgesamt hat das Gesundheitswesen in Großbritannien einen enormen Personalmangel in den meisten Berufsgruppen. Es fehlt an Ärzten und mittlerweile auch an Rettungsfachpersonal. Die Krise des Gesundheitssystems war einer der Auslöser für den Brexit. Die unterschiedliche Gesundheitsbereiche kämpfen um das Personal und viele Paramedics werden Es wird versucht, Paramedics aus Neuseeland, Australien und

Abb. 51.20 Standardisierte Einsatztasche für Fahrrad-/Motorrad-Paramedics in UK [O1101]

Polen abzuwerben, gleichzeitig werben Allgemeinmediziner und Krankenhäuser in den Kommunen Paramedics verstärkt in ihre Bereiche ab, um Hausbesuche durchzuführen oder um ihre Versorgung sicherstellen zu können.

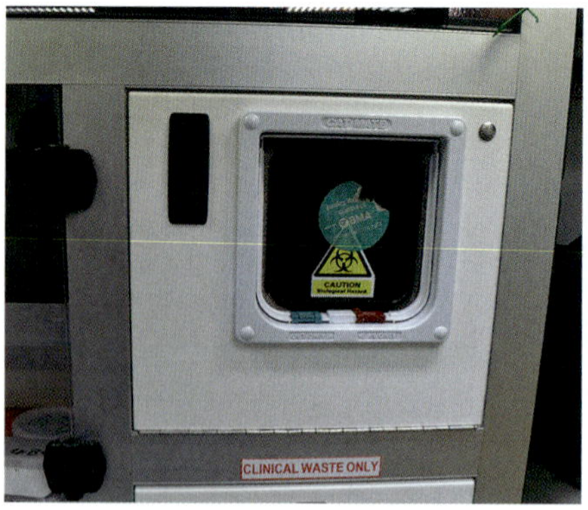

Abb. 51.22 Abwurf für Materialien mit Biogefährdung RTW South East Coast Ambulance Service [O1101]

51.10.3 Aspekte der Einsatzlogistik

Rettungsdienst, Feuerwehr und Polizei sind unter der gemeinsamen Rufnummer 999, auf die auch die 112 geschaltet ist, erreichbar. Daneben gibt es das telefonische und Online-Eingangsportal in den NHS (NHS111, when it's not urgent) für Anfragen oder Maßnahmen im Bereich von nicht dringlichen medizinischen Problemen oder pflegerischem, sozialarbeiterischem oder anderem fachlichen Rat, z. B. zu Schwangerschaft, Psychiatrie oder zum Ausstellen von Rezepten. Diese Hotline ist eng mit dem Rettungsdienst verbunden, meist bietet der Rettungsdienst selbst diese Dienste an und kann darüber auch Termine bei Allgemeinmedizinern und in der klinischen Notfallaufnahme bestätigen. Die hohe Einsatzfrequenz im Rettungsdienst hat zu einer zeitlichen Ausdehnung der Hilfsfristen bei weniger dringlichen Einsätzen geführt. Kategorie 1, lebensbedrohliche Einsätze, müssen in durchschnittlich 7 Min., 90 % in 15 Min. erreicht werden. Potenziell ernsthafte Notfälle, die eine rasche Untersuchung, ggf. Behandlung und Transport bedürfen, müssen in 90 % der Fälle innerhalb von 40 Min. (18 Min. im Durchschnitt) erreicht werden. Akute Einsätze, die Behandlung, evtl. Transport oder Weiterleitung an ein anderes Hilfesystem brauchen, müssen in 90 % der Fälle in 2 Std. bedient werden, als unverbindlicher Durchschnittswert gilt 1 Std. Kategorie 4 sind nicht akute Einsätze, bei denen eine Untersuchung notwendig ist, evtl. ein Transport. Davon müssen 90 % innerhalb von 3 Std. bedient werden. Innerhalb der Rettungsdienste werden auch die Fälle gemessen, bei denen Patienten über das Telefon (Hear & Treat)

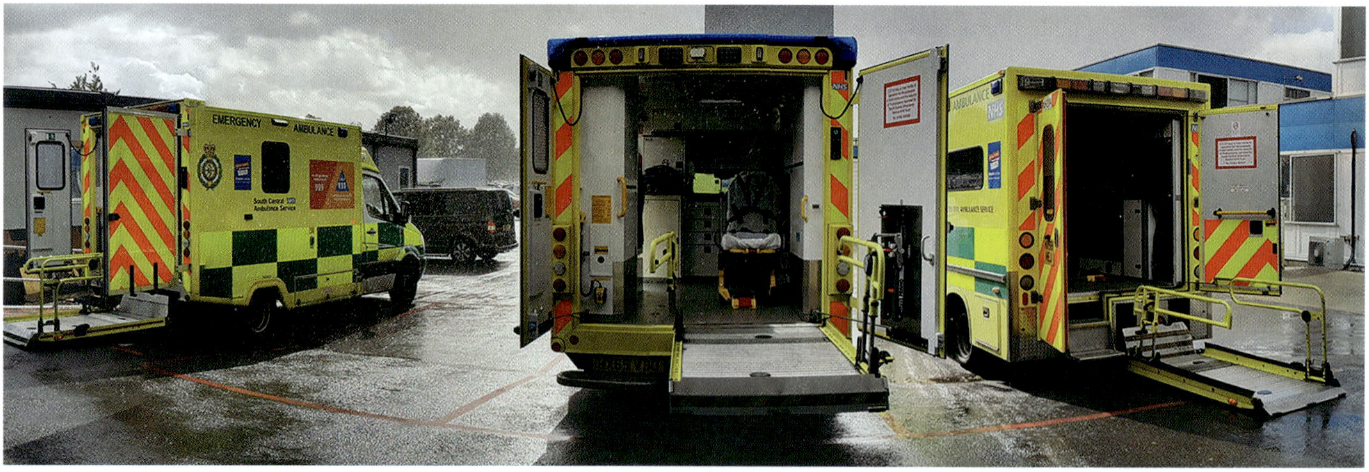

Abb. 51.21 RTW des South Central Coast Ambulance Services UK [W1269]

Abb. 51.23 Einsatzfahrzeug eines „Paramedic Practitioners“: Gemeindenotfallsanitäter des South East Coast Ambulance Service [O1101]

oder vor Ort (See & Treat) behandelt wurden, aber nicht transportiert wurden. Paramedics, wie andere Gesundheitskräfte, haben Zutritt zu den Gesundheitsdaten oder „Summary Care Record“ (SCR) der einzelnen Patienten und sind verpflichtet, entsprechende Einträge vorzunehmen.

Patienten mit Asthmaanfall beispielsweise werden am Telefon nach Schweregrad kategorisiert und je nach Stufe an einen unmittelbar erreichbaren Hausarzt oder Hausärztlichen Notdienst weitergeleitet, in mittleren Fällen wird ein Paramedic mit Pkw als Soloeinsatz entsandt, in schwereren Fällen wird gleichzeitig ein RTW mit Paramedic entsandt.

Jeder der einzelnen NHS-Trusts in Großbritannien hat rund um die Uhr ein Hazardous Area Response Team (HART) im Einsatz. Dieses Team, bestehend aus speziellen Paramedics mit besonderer Ausrüstung für Atemschutz oder Strahlenschutz, wird bei Sondereinsätzen eingesetzt, um auch unmittelbar im Gefahrenbereich notfallmedizinische Hilfe zu leisten. Das Einsatzspektrum umfasst z. B. Einsätze in Schächten oder Höhlen, bei Gebäudeeinstürzen, bei chemischen und biologischen Gefahren, Strahlenunfällen, Explosionen oder bei Schusswaffengebrauch.

Stärken des britischen Rettungsdienstes sind die national einheitlichen Vorgaben im Bereich Ausbildung, medizinische Versorgung, Kennzahlen, Berufsregistrierung, das gute Image und attraktive Karriere und Ausbildungsmöglichkeiten für die Mitarbeiter. Herausforderungen sind die stetig steigende Einsatzlast mit einer Vielzahl nicht indizierter Einsätze, insbesondere im Bereich von Notlagen im sozialen oder pflegerischem Bereich, mancherorts lange Übergabezeiten von Patienten in Krankenhäusern, bedingt durch deren Überlastung und Personalmangel. 2022 hat einer von zehn Transporten ins Krankenhaus zu einer Wartezeit von mehr als 1 Std. bis zur Übergabe geführt. Regelmäßig sind insbesondere in urbanen Bereichen keine freien Rettungsmittel verfügbar. Im Januar 2023 streikte das Rettungsfachpersonal zusammen mit anderen Gesundheitsberufen für höhere Gehälter.

Patienten mit Asthmaanfall würden am Telefon nach Schweregrad kategorisiert und je nach Stufe an einen unmittelbar erreichbaren Hausarzt weitergeleitet, in mittleren Fällen würde ein Paramedic mit Pkw als Soloeinsatz entsandt, in schwereren Fällen würde gleichzeitig ein RTW mit Paramedic entsandt.

IM FOKUS

Großbritannien

- **Allgemeines:**
  - Staatliches Gesundheitssystem, kostenfreie Versorgung
  - Hoher Grad an Standardisierung
- **Ausbildung und Personal:**
  - Sehr viele rettungsdienstliche Qualifikationen, von zweiwöchig ausgebildeten Patient Transport Services Drivers bis hin zum Paramedic Practitioner auf Masterniveau
  - Notärzte auf RTH, teilweise mit hoher Spezialisierung und sehr weitreichenden invasiven Techniken
- **Einsatzlogistik:**
  - Notrufnummern: 999 und 112
  - Kategorisierung nach Schweregrad
  - Große Probleme mit Personalmangel

51.11 USA

Die Vereinigten Staaten von Amerika sind eine präsidiale parlamentarische Demokratie. Es leben rund 328,6 Mio. Einwohner auf 26 675 km^2 (34 Einwohner/km^2).

51.11.1 Allgemeines

Die USA weisen extrem hohe Unterschiede in Bezug auf Einwohnerdichte, kulturelle, geografische und klimatische Bedingungen auf. Der Rettungsdienst wird in den einzelnen Bundesstaaten von einer Aufsichtsbehörde überwacht, die Mindestanforderungen in Bezug auf Ausstattung und Personal kontrolliert. In Kalifornien fallen diese Kompetenzen z. B. jedoch in die Hoheit des einzelnen Landkreises (County) (→ Abb. 51.24). In den meisten Regionen wird der Rettungsdienst landkreisweit organisiert und untersteht entweder diesem, der Kreisfeuerwehr, ist an ein Krankenhaus gebunden oder an einen privatwirtschaftlichen Rettungsdienst ausgelagert (→ Abb. 51.25, → Abb. 51.26). In dünn besiedelten Gebieten aber auch in einzelnen Bundesstaaten, zum Beispiel New Jersey oder Virginia sind ehrenamtliche Sanitäter noch zahlreich in „Rescue Squads" aktiv. Diese sind oft als gemeinnüt-

Abb. 51.24 Falck Community Assessment and Transport Team (CATT) im Alameda County, besetzt mit Sanitätern und Sozialarbeitern, Kalifornien [W925-002, W1279]

Abb. 51.25 Trauma Star RTH des Rettungsdienstes im Landkreis Monroe County, Florida Keys [P098]

Abb. 51.26 RTW USA Key West Fire Department [P098]

zige Vereine lokal aktiv, das Einsatzfahrzeug wird mancherorts nur im Alarmfall über einen Bereitschaftsdienst besetzt.

Mischsysteme aller Art sind häufig, so kann z. B. die Verpflichtung, im Notfall einen Paramedic zu entsenden, über den kreiseigenen Rettungsdienst oder ein Krankenhaus abgedeckt und für den Patienten kostenfrei sein. Der Abtransport erfolgt dann über einen privaten Rettungsdienst und muss vom Betroffenen oder seiner Versicherung bezahlt werden.

Die Idee, Sanitäter mit ärztlichen, notfallmedizinischen Kompetenzen auszustatten, entstand, als in der Zeit des Vietnamkriegs im Rahmen einer Studie festgestellt wurde, dass die Chance, eine schwere Verletzung im Krieg zu überleben, höher sei als bei einem Verkehrsunfall auf den Straßen der USA. Dr. Peter Safar, der in Pittsburgh arbeitende österreichische Pionier der Anästhesie und Entdecker der Herz-Lungen-Wiederbelebung und Mund-zu-Mund-Beatmung, versuchte Mitte der 1960er-Jahre seine ärztlichen Kollegen und die lokale Feuerwehr zu einem Rettungsdienst mit notfallmedizinischer Ausrichtung zu bewegen. Er stieß jedoch auf wenig Interesse und so begann Safar langzeitarbeitslose schwarze Bürger in der Durchführung notfallmedizinischer Maßnahmen wie der Schaffung venöser Zugänge, EKG-Diagnose oder Intubation zu schulen. Er bezeichnete die Absolventen seiner Freedom-House-Project-Initiative als Paramedics.

Das Projekt war regional sehr erfolgreich und führte zu weiteren Pilotprojekten z. B. in Miami, Baltimore und Chicago. Die Verbreitung in den US-amerikanischen Bundesstaaten begann erst, nachdem ein Hollywood-Produzent auf der Suche nach Ideen für eine Feuerwehrfernsehserie auf Jim Page, einen der ersten Paramedics von Los Angeles traf. Dieser konnte ihn dazu überreden, eine Serie über die neue notfallmedizinische Berufsgruppe zu schreiben. Die Serie „Emergency" prägte eine ganze Generation von Kindern in den 1960er- und 1970er-Jahren, die plötzlich nicht mehr nur Pilot, Krankenpfleger oder Feuerwehrmann/-frau werden wollten, sondern davon träumten, Paramedic zu werden. Emergency war unter dem Titel „Notruf California" vor einigen Jahren auch auf deutschen Fernsehkanälen zu sehen.

Die Bürger der USA stellten jedoch schnell fest, dass ihre lokalen Retter primär mit Trage ausgestattet waren, Patienten lediglich rasch einluden und in die Klinik fuhren, und Infusionen, Schmerzmittelgabe oder EKG-Diagnostik nur in der Fernsehserie „Realität" waren. Der daraus resultierende Druck der Bürger führte zu einer raschen

Verbreitung der neuen Berufsgruppe. Jim Page wurde später Jurist mit Schwerpunkt Rettungsdienst und gründete die Fachzeitschrift Journal of Emergency Medical Service (JEMS), die viele nationale und internationale Innovationen im Rettungsdienst einleitete. Die Bekanntheit und Beliebtheit der TV-Serie führt zu einem hohen Image des Berufes Paramedic.

51.11.2 Ausbildung und Personal

Für die Ausbildung im Rettungsdienst gibt es keine nationalen Vorschriften, sondern ein Rahmencurriculum des Verkehrsministeriums. Die einzelnen Bundesstaaten halten dieses Curriculum als Mindeststandard ein. Das bedeutet jedoch nicht, dass eine in einem Bundesstaat erworbene Ausbildung in einem anderen automatisch anerkannt wird. Meist sind ergänzende Schulungen oder Prüfungen erforderlich. Eine freiwillige nationale Registrierung bei der National Registry of Emergency Medical Technicians inkl. Prüfung für Rettungsfachpersonal erleichtert die berufliche Mobilität zwischen den Bundesstaaten und ist bei vielen Arbeitgebern Einstellungsvoraussetzung.

Die zahlenmäßig stärkste Mitarbeitergruppe im Rettungswesen sind die **Emergency Medical Responders (EMR),** früher auch **First Responder** genannt. Die Ausbildung beträgt in den meisten Bundesstaaten etwa 60 Stunden und wird von Feuerwehrleuten und Polizisten absolviert. Sie schult in den Basismaßnahmen wie Reanimation, AED-Anwendung und Blutstillung, berechtigt aber nicht in allen Bundesstaaten auf einem Rettungswagen tätig zu sein.

Die Mindestausbildungsstufe, um Dienst auf einem Rettungswagen versehen zu dürfen, ist meist der **Emergency Medical Technician** – Ambulance (EMT-A) oder auch EMT-Basic genannt. Er absolviert mindestens 120 Stunden theoretische Ausbildung – in den meisten Bundesstaaten 180 Stunden – plus Praktikum mit Schwerpunkt lebensrettende Basismaßnahmen und AED-Anwendung.

Ein **Advanced EMT, mancherorts auch noch EMT-Intermediate genannt,** verfügt zusätzlich über 200–500 Stunden theoretische Ausbildung und darf einen venösen und intraossären Zugang legen, Glukose und wenige andere Medikamente verabreichen sowie einen supraglottischen Atemweg setzen und CPAP verwenden.

Höchste Ausbildungsstufe ist der **Paramedic,** der auch endotracheale Intubationen durchführen, venöse Zugänge auch via Punktion der V. jugularis externa schaffen sowie Medikamente verschiedenster Art auf den unterschiedlichsten Zugangswegen verabreichen darf. Weitere Maßnahmen sind das Legen einer Magensonde, Krikotomie und die Dekompression eines Spannungspneumothorax, zunehmend auch die Intubation mittels „Rapid Sequence Induction". Nur in wenigen Regionen wie Seattle oder King County werden auch Maßnahmen wie Thoraxdrainage standardmäßig durchgeführt. Die Ausbildungsdauer für Paramedics dauert je nach Bundesstaat zwischen 1 (Kalifornien) und 3 Jahren (Hawaii). Der Gesundheitsfachberuf Paramedic ist seit den 1970er-Jahren ein integraler Bestandteil des Gesundheitssystems der USA.

Ursprünglich war die Aufgabe des Paramedics, die Erstuntersuchung von verletzten oder erkrankten Patienten im Akut- oder Notfall sowie lebensrettende Maßnahmen oder erste Versorgungsaufgaben durchzuführen und Patienten in das nächste geeignete Krankenhaus zu transportieren. Diese Kernaufgabe ist bis heute bedeutsam. Im Lauf der Jahrzehnte wurde jedoch evident, dass diese Profession eine entscheidende Verbesserung des Outcomes nach Verkehrsunfällen, Herz-Kreislauf-Stillstand oder Herzinfarkt bewirkte. In den letzten Jahren sind bedeutende Erfolge in der verbesserten präklinischen Schlaganfallversorgung erzielt worden.

In den letzten Jahren und bedingt durch eine noch breiter angelegte Ausbildung, meist mit Universitätsabschlüssen, hat sich der Tätigkeitsbereich erweitert, um die steigenden Gesundheitsbedürfnisse der Bevölkerung erfüllen zu können. So sind Paramedics mittlerweile z. B. auch für den Hochrisikotransfer von Intensivpatienten zwischen Kliniken (Critical Care Paramedics), für Primärversorgung in sehr ländlichen Gebieten (Community Paramedics), für postoperative Nachbetreuung von Patienten im privaten Kontext aktiv. Sie arbeiten dabei mit Fachärzten für Notfallmedizin und Krankenpflegern auch im klinischen Bereich, insbesondere in Notaufnahmen zusammen. Ebenso gibt es spezielle „CARE" oder „Community Response" Teams, wo Paramedics mit klinischen Sozialarbeitern Menschen mit psychosozialen Krisen oder bei Obdachlosigkeit versorgen.

Zusätzlich engagieren sich Paramedics erfolgreich als Initiatoren und Aktivisten im Bereich sozialer Veränderung und Prävention mit Schwerpunkt Verletzungsvorbeugung, Alkohol- oder Drogenmissbrauch. In vielen Bundesstaaten bestehen zahlreiche Kriterien, um eine i. d. R. zeitlich befristete Lizenz als Paramedic verlängert zu bekommen (z. B. die Ableistung von mehr als 80 Arbeitsstunden pro Monat, die Absolvierung von 100 Stunden anerkannter Fortbildung in 2 Jahren, die Fachkursnachweise **Advanced Cardiac Life Support – Reanimation** [ACLS], **International Trauma Life Support** [ITLS] oder **Prehospital Trauma Life Support** [PHTLS] oder **Emergency Pediatric Care** [EPC] oder **Pediatric Advanced Life Support** [PALS] und deren regelmäßige Auffrischung). Zahlreiche Systeme fordern zusätzlich eine Rezertifizierungsprüfung nach 2 Jahren und eine Mindestanzahl invasiver Maßnahmen, um seine Lizenz aufrechterhalten zu können.

Insbesondere auf Rettungshubschraubern kommen neben einem Paramedic auch Krankenpfleger zum Einsatz. Diese haben eine dreijährige Bachelorausbildung, müssen aber zumindest den EMT-Kurs absolvieren, um präklinisch tätig zu sein. Die Aufgabenteilung dieser Registered Nurse ist üblicherweise die Fallführung von Patienten bei Intensivverlegungen, der Paramedic übernimmt meist die Fallführung bei unversorgten Patienten im Rahmen von Primäreinsätzen. Zahlreiche dieser Systeme führen auch Blutkonserven bzw. Plasma im Einsatz mit.

Notärzte sind in den USA als Fachärzte für Notfallmedizin primär in den klinischen Notaufnahmen und vereinzelt auf Rettungshubschraubern tätig, als medizinische Direktoren gelegentlich mit einem Feldsupervisor überwachend vor Ort und vor allem auf strategisch-planerischer Ebene aktiv. Das Verhältnis zwischen Paramedics und Fachärzten für Notfallmedizin ist durchgängig konkurrenzfrei, kollegial und kooperativ. Formal verfügen Paramedics in den meisten Bundesstaaten nicht über eine eigenständige Lizenz zur Ausübung der Notfallmedizin. Sie sind im Dienst den schriftlichen Anweisungen des medizinischen Direktors unterstellt, arbeiten also formal unter dessen Lizenz. Mancherorts werden Paramedics daher auch als „Augen, Ohren und Hände" eines Facharztes für Notfallmedizin bezeichnet.

51.11.3 Aspekte der Einsatzlogistik

Die Rufnummer für Feuerwehr, Polizei und Emergency Medical Services (EMS) ist 911. Die Leitstellen sind üblicherweise auf der Ebene der kreisfreien Städte oder Landkreise angesiedelt. Der Einsatz eines Abfrage- bzw. Beratungssystems, wie z. B. Advanced Medical Priority Dispatch (AMPDS), ist in 90 % der 200 größten US-Städte Standard.

Von besonderer Bedeutung für den Rettungsdienst in den USA ist die Strategie, First Responder einzusetzen, die fast in der ganzen Nation verbreitet sind. In vielen Regionen werden bei Verdacht auf Herz-Kreislauf-Stillstand oder anderen höchst akuten Notfällen das nächstgelegene Feuerwehr- und Polizeifahrzeug zusätzlich zum RTW disponiert. Das sichert nicht nur in urbanen, sondern auch in vielen ländlichen Gebieten sehr rasche Eintreffzeiten beim Patienten. Die Dichte an Feuerwehrstationen ist in den USA traditionell hoch, da die Höhe der Brandschutzversicherung von der Einstufung der Leistungsfähigkeit der lokalen Feuerwehr, insbesondere deren Eintreffzeiten abhängt. Die Bürger haben daher traditionell ein hohes Interesse, ihre Feuerwehren zu unterstützen.

In Regionen, in denen Feuerwehren und Polizei den Rettungsdienst motiviert und aktiv unterstützen, z. B. in Seattle, sind Überlebensraten nach beobachtetem Herz-Kreislauf-Stillstand (initialer Rhythmus Kammerflimmern) zwischen 21 und 56 % möglich.

Die Zahl der RTH in den USA hat sich von 150 im Jahr 1986 auf nunmehr knapp unter 960 Stützpunkte mit 1 111 RTH vervielfacht. In dünn besiedelten Bundesstaaten wie Nevada oder Montana sind weite Regionen außerhalb eines 15-Minuten-Einsatzgebiets eines RTH. Insbesondere in urbanen Gebieten gibt es aber Doppelstrukturen, die Konkurrenzsituation führt auch dazu, dass Flüge nachts und unter erschwerten Bedingungen durchgeführt werden. Die Unfallstatistik ist verglichen mit der normalen Luftfahrt um 0,7 Vorfälle höher: Es gibt zwei tödliche Flugunfälle pro 100 000 Flugstunden. Logistisch und sicherheitsmäßig stellt der RTH-Dienst des Bundesstaats Maryland eine Besonderheit dar: Er wird von der Polizei des Bundesstaats gestellt und ist mit Piloten und einem Paramedic, der auch Polizist und bewaffnet ist, durchgeführt. Diese 11 RTH werden für Polizei-, vorrangig aber für Rettungsdiensteinsätze verwendet und betreuen rund 5,8 Mio. Einwohner auf 31 133 km^2 (180 Einwohner/km^2) und fliegen pro Jahr von zehn Standorten aus knapp über 5 000 Einsätze.

Schwächen des Rettungssystems in den USA sind das Fehlen einer verpflichtenden Krankenversicherung für die Bürger. Die Kosten für einen medizinischen Notfall inkl. Rettungsdiensteinsatz, Behandlung in der Notaufnahme, Operation und Intensivstation belaufen sich rasch auf einen hohen sechsstelligen Eurobetrag und können den Betroffenen und sein unmittelbares Umfeld rasch in den wirtschaftlichen Bankrott treiben. Die präklinische und klinische Akutversorgung ist in den USA gesetzlich verankert, ein Unterlassen der Hilfeleistung ist verboten. Im Notfall wird nicht nach der Kreditkarte gefragt. Nach Stabilisierung der Vitalfunktionen in der Notaufnahme oder Intensivstation ergibt sich jedoch die Kostenfrage. Ein weiteres Problem ist die teilweise schlechte Versorgung in Gebieten mit geringer Siedlungsdichte und hoher Armut. Anfahrtszeiten von bis zu 40 Min. und Transportzeiten in die Klinik von bis zu 2 Std. sind in dünn besiedelten Regionen möglich. Insbesondere die medizinische Versorgung in den formal exterritorialen Gebieten, in denen Indianer (Native Americans) heute leben, ist verbesserungsbedürftig und steht in starkem Kontrast zur internationalen Spitzenmedizin in den urbanen Gebieten. Wie in vielen anderen westlichen Ländern steigen die Einsatzzahlen, in manchen Regionen um bis zu 15 % jährlich, gleichzeitig ist es schwieriger, berufliche und ehrenamtliche Sanitäter zu finden. Neben hohen Einsatzzahlen ist Drogenmissbrauch eine besondere Belastung für den Rettungsdienst. Pro Jahr sterben ca. 110 000 Menschen an einer Überdosis, überwiegend an Medikamenten, die ihnen initial zur Schmerzbekämpfung verschrieben wurden. Mittlerweile befindet sich in vielen öffentlichen AEDs Naloxon als Nasenspray um Opioid-Überdosierungen zu behandeln. Rund 45.000 Menschen versterben pro Jahr in den USA nach einem Verkehrsunfall.

Besondere Stärke des EMS in den USA ist das meist starke Engagement der vom operativen Rettungsdienst meist unabhängigen externen **Medical Directors.** Diese medizinischen Leiter sind für die präklinischen Versorgungsstandards und die Auswertung der Einsatzdokumentation verantwortlich und sorgen in niederfrequenten Systemen dafür, dass die manuellen Kompetenzen der Paramedics durch klinische Praktika auf dem aktuellen Stand bleiben. Sie arbeiten eng mit Feldsupervisoren zusammen. In Pittsburgh gibt es ein NEF das mit Feldsupervisoren und Fachärzten für Notfallmedizin in Ausbildung besetzt wird und auch Trainings- und Forschungsaufgaben erfüllt.

Feldsupervisoren sind sehr erfahrene Paramedics, die meist eine Führungskräfteausbildung auf Collegeniveau haben und rund um die Uhr unmittelbar von der Leitstelle einsetzbar sind. Sie haben meist einen erweiterten medizinischen Kompetenzrahmen. Ihre Hauptaufgabe ist die kollegiale Betreuung und Überwachung der Kollegen im Einsatz.

Die Unterstützung findet partnerschaftlich statt. Der Supervisor ist Coach und nicht „Besserwisser“ und daher im System akzeptiert und anerkannt. Bei mehreren Verletzten übernimmt er die Funktion eines Einsatzleiters. Ein weiteres Qualitätsmerkmal ist **Medical Control,** die medizinische Beratungsstelle des Rettungsdienstes. Möchte das Einsatzteam die schriftlichen medizinischen Handlungsanweisungen verlassen, so wird mit einem Facharzt für Notfallmedizin Rücksprache gehalten. Das sichert auch bei komplexen Einsätzen eine distanzierte Meinung. Der ärztliche Kollege kann mit geringerem (Zeit-)Druck Informationen, andere Meinungen zu alternativen Vorgehensweisen einholen bzw. recherchieren oder Dosierungen für selten verwendete Medikamente überprüfen.

Hohen Stellenwert nimmt die Einsatzdokumentation ein. Sie muss vollständig ausgefüllt und in den meisten Systemen vom aufnehmenden Arzt gegengezeichnet werden. Kopien der Einsatzdokumentation werden in vielen Systemen nicht nur der Patientenakte beigefügt, sondern auch an den Feldsupervisor und den medizinischen Direktor weitergeleitet. In einigen Landkreisen oder Bundesstaaten werden sie auch an die Rettungsdienstbehörde zur Auswertung übermittelt und bilden so die Grundlage für die Weiterentwicklung des Rettungssystems. Manche Rettungssysteme werten EDV-gestützt Einsatzdiagnosen praktisch in Echtzeit aus, um z. B: grippe-, drogen- oder umweltbedingte Erkrankungswellen rasch zu erkennen und besser darauf reagieren zu können.

Viele weltweit übernommene Komponenten des Rettungswesens haben ihre Wurzeln in den USA: das First-Responder-System, die Anruferberatung via AMPDS, das Mitarbeiterbetreuungssystem Critical Incident Stress Management, Kursformate wie ACLS, PHTLS, PALS oder Einsatzstrategien wie dynamische Fahrzeugvorhaltung und Triagesysteme wie START.

Ein Asthmapatient sollte sich in den USA an den Notruf 911 wenden, der einen RTW mit einem Advanced EMT oder Paramedic entsenden würde.

IM FOKUS

USA

- **Allgemeines:**
  - Sehr unterschiedliche Ausprägung, da Land sehr weitläufig und unterschiedliche besiedelt
  - Privatwirtschaftliche Orientierung
- **Ausbildung und Personal:**
  - Paramedicbasiertes System mit einer Vielzahl von Qualifizierungen
  - Starker Fokus auf zertifizierte Kurssysteme mit regelmäßigen Rezertifizierungsprüfungen
  - Notfallmediziner vor allem klinisch tätig
- **Einsatzlogistik:**
  - Notrufnummer: 911
  - Advanced Medical Priority Dispatch (AMPDS) ist in 90 % der 200 größten US-Städte als Abfrageschema der Standard

WIEDERHOLUNGSFRAGEN

1. Welche Berufsgruppen des Gesundheitswesens kommen in den Nachbarländern Deutschlands zum Einsatz (→ Kap. 51)?
2. Was sind die Kennzeichen des Rettungsdienstsystems von Belgien (→ Kap. 51.1)?
3. Welche Qualifikationsstufen kommen im Rettungsdienst von Dänemark zum Einsatz (→ Kap. 51.2)?
4. Was sind die Besonderheiten des Rettungsdienstsystems von Frankreich (→ Kap. 51.3)?
5. Was sind die Stärken des französischen Rettungsdienstsystems (→ Kap. 51.3)?
6. Wie ist der Rettungsdienst in Luxemburg organisiert (→ Kap. 51.4)?
7. Welche Besonderheiten weist das Rettungsdienstsystem der Niederlande auf und wo liegen die Stärken dieses Systems (→ Kap. 51.5)?
8. Was zeichnet das polnische Rettungsdienstsystem aus (→ Kap. 51.6)?
9. Welche Qualifikationsstufen kommen im Rettungsdienst in Tschechien zum Einsatz und was sind die Vorteile des Systems (→ Kap. 51.7)?
10. Was sind die Besonderheiten des österreichischen Rettungsdienstsystems (→ Kap. 51.8)?
11. Welche Qualifikationsstufen kommen in Österreich zum Einsatz und wodurch unterscheiden sie sich (→ Kap. 51.8)?
12. Was ist typisch für das Schweizer Rettungsdienstsystem und welche Stärken weist das System auf (→ Kap. 51.9)?
13. Welches Grundsatzsystem kommt im Rettungsdienst Großbritanniens zur Anwendung (→ Kap. 51.10)?
14. Was sind die Stärken des Rettungsdienstsystems von Großbritannien (→ Kap. 51.10)?
15. Welche Qualifikationsstufen kommen in Großbritannien zum Einsatz (→ Kap. 51.10)?
16. Was zeichnet das Rettungsdienstsystem der USA aus (→ Kap. 51.11)?
17. Welche Rolle spielen Ärzte in den Rettungsdienstsystemen der USA (→ Kap. 51.11)?
18. Welche Standards rettungsdienstlicher Versorgung, die heute weltweit gelten, gehen auf die Rettungsdienstsysteme der USA zurück (→ Kap. 51.11)?

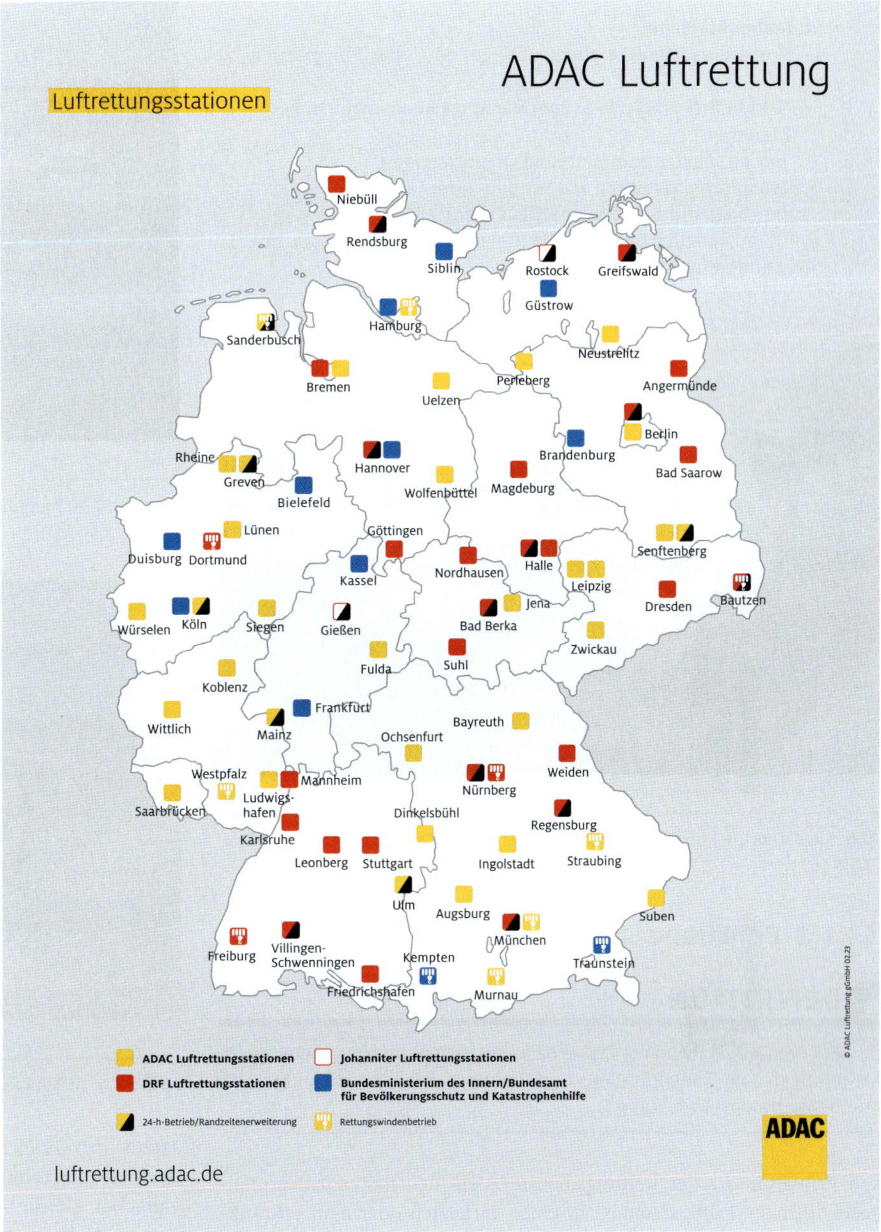

Abb. 52.2 Die Einsatzradien decken nahezu das gesamte Bundesgebiet ab. [W161-001]

Die **Aufgaben des Luftrettungsdienstes** umfassen verschiedene Bereiche:

- **Primäreinsatz:** notärztliche Akutversorgung von Notfallpatienten, ggf. mit anschließendem Transport unter fachgerechter Betreuung in die nächstgelegene geeignete Klinik zur weiteren medizinischen Versorgung
- **Sekundäreinsatz:** Verlegung von Notfall- und/oder Intensivpatienten von einer Behandlungseinrichtung in eine andere, meist weiterführende Behandlungseinrichtung unter lückenloser Aufrechterhaltung der angezeigten intensivmedizinischen Versorgung
- **Tertiärtransport:** Transport von Blutkomponenten und Organtransplantaten
- **Technische Rettung:** Spezialverfahren wie Winden- oder Tau-Prozeduren im Gebirge, über Wasserflächen oder im unwegsamen Gelände zur technischen Unterstützung des Notarzt-Zugriffs und ggf. der Patienten-Evakuierung

IM FOKUS

Luftrettung

- RTH-Stationen sind so verteilt, dass die sie umgebenden **Radien von etwa 50–70 km,** die binnen 15 Min. erreicht werden können, auf der Landkarte weitgehend lückenlos abdecken.
- **Besatzung:**
  - Pilot
  - Notfallsanitäter
  - Notarzt

- **Aufgabenbereiche:**
  - Primäreinsätze als Notarztzubringer und/oder Transportmittel
  - Sekundäreinsätze, v. a. zum Transport intensivpflichtiger Patienten
  - Tertiäreinsätze zum Blut- und Organtransport
  - Technische Verfahren wie Winden- oder Tau-Operationen
- Luftrettungsmittel haben **spezifische Vorteile** (Geschwindigkeit) und **spezifische Nachteile** (beengter Raum, Transporthöhe, Landemöglichkeit erforderlich).

Abb. 52.3 Das Cockpit eines RTH, rechts der Pilot, links der HEMS-TC/HHO-TC [W161-001]

Abb. 52.4 Außenlandung an einer Unfallstelle auf der Autobahn [W161-001, K444]

Abb. 52.5 Außenlandung auf einem Feldweg [W161-001]

52.1.1 Primäreinsätze

DEFINITION

Ein Primäreinsatz ist ein Einsatz zur ersten Versorgung am Notfallort und ggf. zum Transport eines Notfallpatienten in eine geeignete Behandlungseinrichtung.

Ein Primäreinsatz des Rettungsdienstes stellt den Erstzugriff notfallmedizinischen Fachpersonals auf einen verletzten oder akut erkrankten Patienten dar. Er dient der initialen Stabilisierung und Versorgung und ggf. auch dem Transport eines Notfallpatienten in eine geeignete Behandlungseinrichtung. In der Regel wird der RTH heute wie ein notarztbesetztes Rettungsmittel disponiert und gleicht v. a. in der Fläche oft die fehlende Besetzung von Notarztstandorten aus. Das Gros der Primäreinsätze arztbesetzter Luftfahrzeuge stellen daher „ganz normale" Notarzteinsätze dar, die neben den klassischen Einsätzen in Wohnungen oder auf Straßen auch innerhalb eines Krankenhauses oder einer Rehabilitationseinrichtung erforderlich werden können (→ Abb. 52.4). Ihre Ausstattung und technischen Möglichkeiten qualifizieren Luftrettungsmittel, spätestens bei Ausstattung mit einer Rettungswinde und in Zusammenarbeit mit Spezialkräften der Bergwacht, aber auch für medizinisch und technisch komplexe Einsatzlagen, auch abseits befestigter Straßen (→ Abb. 52.5). Sie operieren daher zum Teil auch weit jenseits ihres eigentlichen Einsatzradius.

Der Disposition eines RTH erfolgt grundsätzlich unter den gleichen Gesichtspunkten wie die eines bodengebundenen notarztbesetzten Rettungsmittels. Die potenzielle **strategische Bedeutung eines RTH-Einsatzes** im Vergleich zu einem NAW oder NEF liegt in der **Verkürzung des therapiefreien, des arztfreien und ggf. des präklinischen Intervalls** bei gleicher Wegstrecke. Bis zur dreifachen Entfernung vom Einsatzort kann man dem RTH einen Zeitvorteil gegenüber einem bodengebundenen Rettungsmittel unterstellen. Dies bedeutet, dass ein 60 km vom Notfallort stationierter RTH in etwa dieselbe Zugriffszeit wie ein aus 20 km Entfernung anfahrendes NEF realisiert. Ob dieser messbare Zeitvorteil in Einzelfall dann auch medizinisch derart relevant ist, dass er den Einsatz des ungleich teureren RTH rechtfertigt, sei dahingestellt. Unstrittig aber dürfte sein, dass bei Erkrankungen oder Verletzungen, die einen Transport in eine weit entfernte Zielklinik erfordern, die primäre Disposition, aber auch die Nachforderung eines RTH zu erwägen ist.

Einsatztaktik bei Primäreinsätzen

Die **Disposition** der RTH obliegt den zuständigen Integrierten Leitstellen, ggf. auch im Verbund mit bodengebundenen Kräften. Die RTH-Besatzung bleibt während des Einsatzes über Funk in ständigem Kontakt mit der Integrierten Leitstelle. Werden Spezialverfahren wie die Windenrettung durchgeführt, wird dieser Kontakt ggf. zeitweise über den Einsatzleiter Bergrettung aufrechterhalten.

MERKE

Die Disposition des RTH obliegt der zuständigen Integrierten Leitstelle. Zu jedem Einsatz eines RTH wird grundsätzlich auch ein RTW zur Unterstützung, als Versorgungsraum und ggf. als Transportmittel disponiert.

Primäreinsatz ohne Transport im RTH

Kriterium der Einsatzbeschreibung **Primäreinsatz ohne Transport** ist die Versorgung des Patienten durch den Arzt des RTH an der Notfallstelle ohne anschließenden Transport im RTH. Es bestehen **zwei Möglichkeiten** der Versorgung eines Patienten:

1. RTW und RTH werden gemeinsam zu einem Notfallort alarmiert. Nach der unmittelbar am Notfallort erfolgten ärztlichen Behandlung wird der Patient ohne Begleitung des Hubschraubernotarztes mit dem RTW in die Klinik transportiert. Der RTH ist mit seinem Arzt ab Einsatzstelle wieder einsatzbereit.
2. RTW und RTH werden gemeinsam zu einem Notfallort alarmiert. Nach der unmittelbar am Notfallort erfolgten ärztlichen Behandlung wird der Patient in Begleitung des Hubschraubernotarztes im RTW in die Klinik transportiert. Der RTH fliegt nicht einsatzbereit (ohne Arzt) ebenfalls in die Klinik, um den Hubschraubernotarzt im Anschluss wieder aufzunehmen. Erst dann ist der RTH wieder für einen Folgeeinsatz bereit.

Primärtransport

RTW und RTH werden gemeinsam zur Notfallstelle entsandt. Nach der unmittelbar erfolgten ärztlichen Behandlung wird der Patient im RTH mit Arztbegleitung in eine geeignete Klinik transportiert.

IM FOKUS

Primäreinsätze in der Luftrettung

- Ein **Primäreinsatz** ist ein Einsatz zur ersten Versorgung und ggf. zum Transport eines Notfallpatienten in eine geeignete Behandlungseinrichtung.
- So kann idealerweise das **therapiefreie und das arztfreie, ggf. auch das präklinische Intervall** verkürzt werden.
- Die Disposition erfolgt über die zuständige Integrierte Leitstelle.
- Mögliche Transportmodalitäten sind:
  - **Luft**transport
  - **Bodengebundener** Transport **mit NA** des RTH
  - **Bodengebundener** Transport **ohne NA** des RTH

52.1.2 Sekundäreinsätze

DEFINITION

Ein **Sekundäreinsatz** ist ein Einsatz zur Verlegung von Patienten aus einem Krankenhaus heraus in eine andere medizinische Versorgungseinrichtung.

Beim Sekundäreinsatz des RTH (→ Abb. 52.6) wird auf Patienten zugegriffen, die sich bereits in einer Klinik befinden und von dort verlegt werden sollen, in der Regel in eine höherwertige Behandlungseinrichtung. Idealerweise ist das Krankheitsbild bzw. Verletzungsmuster bei Übernahme durch die Hubschrauberbesatzung genau bekannt, die **Vitalfunktionen** wurden bereits ausreichend **stabilisiert,** die Befunde inkl. Arztbrief sind vorbereitet und die Zielklinik ist informiert und aufnahmebereit. Die übernehmende RTH-Besatzung ist aber gut beraten, jeden dieser Punkte vor der Übernahme nochmals ausgesprochen kritisch zu hinterfragen. Sekundärverlegungen finden meist statt, um Patienten Interventionen, diagnostischen Maßnahmen oder Therapieformen zuzuführen, die am verlegenden Krankenhaus (zeitweise) nicht durchführbar bzw. verfügbar sind (z. B. Mangel an Intensivbetten, erforderliche Bypass-OP etc.). Indikation für einen Lufttransport ist der schonende, zeitsparende Transport über weite Strecken. Operativ ist der RTH oder ITH aber v. a. in der Fläche oftmals schlicht das einzige Rettungsmittel, das innerhalb eines vernünftigen Zeitrahmens einen entsprechend qualifizierten Arzt für die Transportbegleitung zur Verfügung stellen kann.

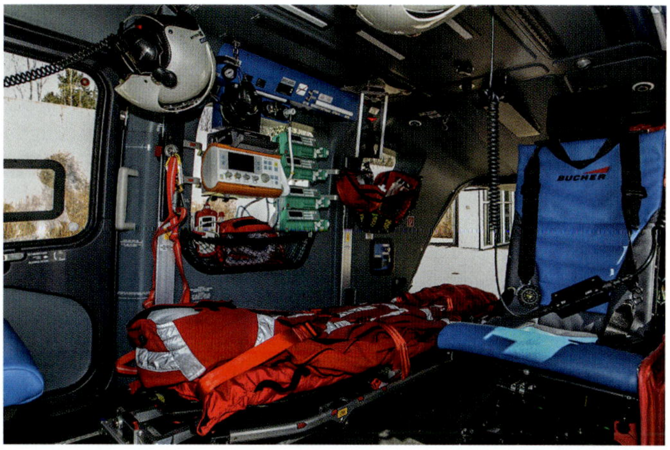

Abb. 52.6 Inneneinrichtung einer RTH-Kabine [W161-001]

Die Querverwendung eines RTH für einen **Interhospitaltransfer** sollte eine Einzelfallentscheidung bleiben. Das RTH-Netz stellt zwar aufgrund der großen Zahl an Standorten i. d. R. die einfachste und schnellste Möglichkeit dar, einen schwer beeinträchtigten Patienten arztbegleitet über weite Strecken zu verlegen. Durch die Bindung des RTH an den oftmals sehr zeitaufwendigen **Intensivtransport** aber steht er während dieses Zeitraums nicht für seine eigentlichen Aufgaben im Rahmen der Primärrettung zur Verfügung. Gerade in ländlichen Gebieten kann darunter die flächendeckende notärztliche Versorgung leiden. Für Intensivtransporte stehen daher grundsätzlich, in geringerer Anzahl, aber ebenfalls flächendeckend, **Intensivtransporthubschrauber** (ITH) zur Verfügung. Sie bieten deutlich mehr Platz und auch die medizinisch-technische Ausstattung (z. B. Sauerstoffvorrat, Stromversorgung etc.) geht über die des RTH hinaus. Zudem wird auf einen Patienten zugegriffen, der sich bereits in ärztlicher Betreuung befindet, weswegen an die Zugriffszeit nicht derselbe Maßstab angelegt werden sollte wie beim Primäreinsatz. Der ITH ist daher für die arztbegleitete Verlegung intensivpflichtiger Patienten gegenüber dem RTH bevorzugt heranzuziehen.

Einsatzplanung und Durchführung von Sekundäreinsätzen

Vor der Übernahme eines **Sekundäreinsatzes** durch ein Luftrettungsmittel sind verschiedene Überlegungen hilfreich. So steht im Mittelpunkt der Bemühungen stets der betroffene Patient, für den auch der eine Verlegung lediglich begleitende Arzt die volle ärztliche Verantwortung übernimmt. Was dem Patienten hilft, ist zu tun, was ihm nicht hilft oder gar schadet, ist zu unterlassen. Vor einer **patientengerechten Durchführung** des Sekundärtransports kommt daher die gewissenhafte ärztliche Hinterfragung der Transportindikation (Frage 1: „Transport indiziert?"), gefolgt von der Evaluation des Patientenzustands (Frage 2: „Patient transportfähig?" und Frage 3: „Patient **luft**transportfähig?") vor dem Hintergrund der medizintechnischen und logistischen Möglichkeiten des fraglichen Rettungsmittels (Frage 4: „RTH, ITH oder ITW?") und der Klärung des Transportziels (Frage 5: „Welche Klinik nimmt auf?"), am besten noch vor Abflug von der Luftrettungsstation im Rahmen eines telefonischen Arzt-Arzt-Gesprächs.

Wichtige Inhalte eines **Arzt-Arzt Gesprächs** sind somit:
- Krankenverlauf/Verletzungsmuster?
- Aktueller Patientenzustand (stabil, instabil)?
- Zugänge (ausreichend)?
- Körpergewicht und Größe des Patienten?
- Problemkeim?
- Aufnehmende Zielklinik?
- Name des annehmenden Arztes in der Zielklinik?

Ist der Patient offensichtlich nach gängigen Kriterien nicht transportfähig, so ist gemeinsam mit dem Kollegen vor Ort das weitere Vorgehen zu besprechen. Zeigt sich, dass die abgebende Klinik offenbar mit dem Patienten überfordert ist, sollte im Sinne des Patienten die Entscheidung zum Transport grundsätzlich großzügig erwogen werden.

Ist der Patient aus Sicht des RTH-Arztes unzureichend versorgt, z. B. mit Zugängen oder invasiver Blutdruckmessung, kann und sollte die abgebende Klinik die Zeit bis zur Ankunft des RTH nutzen, um nachzuarbeiten.

Das **Körpergewicht** und v. a. der **Körperumfang** können limitierende Faktoren für einen Lufttransport sein, im Zweifel ist dies direkt mit dem Piloten zu besprechen. Dasselbe gilt für **Problemkeime,** die das Luftrettungsmittel durch anschließend evtl. erforderliche Desinfektionsmaßnahmen inadäquat lange aus dem Verkehr ziehen könnten. Im Zweifel sind hier entsprechende Handbücher und organisationsinterne Maßgaben und Ansprechpartner zu Rate zu ziehen und gemeinsam zu entscheiden.

Zur gewissenhaften Vorbereitung eines patientengerechten Sekundärtransports im Rahmen eines Arzt-Arzt-Gesprächs gehört es auch, sämtliche gewonnenen Informationen vor dem Hintergrund der **medizintechnischen** (Beatmungsgerät, Anzahl der Spritzenpumpen, evtl. Zusatzgeräte) und **logistischen Voraussetzungen** (Größe) des eigenen Rettungsmittels zu hinterfragen und ggf. konstruktiv zu diskutieren, ob ein medizintechnisch-räumliches Upgrade (ITH, ITW) erforderlich sein könnte, um den Transport sicher durchführen zu können.

Keineswegs ist es die Aufgabe des Hubschrauberarztes, für die Aufnahme des Patienten in der weiterbehandelnden Klinik zu sorgen. Die **garantierte Aufnahme** muss im Vorfeld durch den verlegenden Krankenhausarzt abgeklärt werden. Bewährt hat es sich, noch vor Abflug das genaue Ziel im Zielkrankenhaus und den Namen des aufnehmenden Kollegen zu kennen.

Bei der Übernahme des Patienten sind noch einmal seine Identität und sämtliche erhobenen **Befunde** auf Vollständigkeit zu überprüfen.

MERKE

Folgende **Qualitätsfaktoren** für Sekundäreinsätze in der Luftrettung sind zu beachten:
- Medizinische Indikationsstellung
- Einsatzplanung (Pilot und medizinische Besatzung)
- Meteorologische Abklärung (z. B. Nebel, Eisregen)
- Ausrüstungskomponenten
- Transportmittelbezogene Aspekte (Auswahl des Transportmittels)
- Patientengerechte Durchführung
- Bodenbezogene Komponenten (Landeplatz)

Auswahl des Transportmittels

Die Auswahl des Transportmittels ist für die **Effektivität eines Sekundäreinsatzes** von besonderer Bedeutung. Ein Patiententransport sollte sicher, schnell und schonend erfolgen. Daher werden oft schon bei kürzeren Entfernungen arztbesetzte Hubschrauber eingesetzt. Ein eventueller **Zeitvorteil** kann zwar schnell verloren gehen, wenn der Hubschrauber z. B. nicht direkt am Krankenhaus landen kann und ein Zwischentransport mit dem RTW erforderlich wird (wobei einschränkend an dieser Stelle betont werden muss, dass Zeit im Sekundärtransport in aller Regel nicht auf dem Transport, sondern durch ineffektive innerklinische Entscheidungsstrukturen verloren geht). Die beiden wichtigsten Determinanten eines effektiven Sekundärtransports aber, Sicherheit (Stichwort „Beherrschung von Komplikationen") und Schonung (Stichwort „Transporttrauma"), dürften im arztbesetzten Luftrettungsmittel gegeben sein.

Insgesamt sollte insbesondere im Sekundärtransport die Sicherheit an erster Stelle stehen.

Für **Mittelstreckentransporte** (100–600 km) ist der Intensivtransporthubschrauber (ITH) meist das Transportmittel der Wahl. Zwar erreicht das Flugzeug gegenüber dem Hubschrauber eine wesentlich größere Reisegeschwindigkeit, jedoch sind An- und Abflugphasen so zeitraubend, dass bei Entfernungen bis 600 km keine nennenswerte Zeitersparnis erzielt werden kann. Dieser Umstand kommt besonders dann zum Tragen, wenn die Entfernung zwischen Flugplatz und Krankenhaus groß ist und der Transport von dort in die Klinik mit einem RTW oder NAW erfolgen muss. In diesen Fällen sollte der ITH eingesetzt werden, zumal dieser im Gegensatz zum Flugzeug von Verkehrsflugplätzen unabhängig ist.

Für **Langstreckentransporte** (über 600 km) bleibt das Flächenflugzeug das Transportmittel der Wahl. Ein Flugzeugtransport kann mit Ambulanzflugzeugen (AFZ) oder Linienmaschinen durchgeführt werden. In Linienflugzeugen dürfen allerdings keine Notfallpatienten oder Patienten mit ansteckenden Krankheiten transportiert werden. Daher werden solche Transporte mit speziell ausgerüsteten Ambulanzflugzeugen verschiedener Träger durchgeführt.

Intensivtransporthubschrauber

Technische Neuerungen und Entwicklung im Bereich der mobilen medizinischen Ausstattung erlauben mittlerweile den Transport von auch schwerstkranken Patienten unter lückenloser Weiterführung der maximalen intensivmedizinischen Therapie. Entsprechend hoch sind aber auch die Anforderungen an Kompetenz und Erfahrung des betreuenden Personals.

Nachstehende Erkrankungen stellen eine **Indikation zum Einsatz** eines als ITW oder ITH ausgerüsteten Transportmittels dar:
- Beatmungspatienten mit Herz-Kreislauf-, Lungen- bzw. Multiorganversagen in internistische oder anästhesiologisch-intensivmedizinische Zentren
- Beatmungspatienten zur Diagnostik oder operativen Therapie in chirurgische, neurochirurgische oder herzchirurgische Zentren
- Spezielle Traumapatienten (z. B. Schwerbrandverletzte in Schwerbrandverletztenzentren)
- Neugeborene in neonatologische Zentren
- Sonstige intensivpflichtige Patienten

IM FOKUS

Sekundäreinsätze in der Luftrettung

- Arztbesetzte Hubschrauber werden im Idealfall für **Mittelstreckentransporte** bis 600 km genutzt, um einen relevanten Zeitvorteil gegenüber dem Flugzeug zu realisieren.
- **Langstreckentransporte** über 600 km erfolgen idealerweise mit **Flächenflugzeugen.**
- Wenn möglich, ist für Sekundärtransporte unter 600 km ein **ITH** zu nutzen, um die Entnahme des RTH aus dem Primärrettungssystem zu vermeiden.
- Das **Patientengewicht** kann limitierend sein.
- Vor Transportbeginn sind besondere Aspekte zu klären, z. B.:
  - Garantierte Übernahme des Patienten in Zielklinik
  - Landeplatz (ggf. Zwischentransport mit RTW)
  - Wetterverhältnisse auf gesamter Strecke

52.1.3 Rettungshubschrauber

Ausrüstung des Rettungshubschraubers

In Deutschland werden unterschiedliche **Hubschraubermuster** im Luftrettungsdienst eingesetzt. Diese Modelle müssen grundsätzlich über zwei Turbinen verfügen. Die **European Aviation Safety Agency** (EASA) legt umfassende Vorgaben sowohl zur Hubschrauberausstattung als auch zur Technik (in den sog. EU-OPS) fest. Rechtliche Grundlagen finden sich auch u. a. in der EN 13718. Die Normvorgabe EN 13718–2 2008 beinhaltet folgende Aspekte:

- Anforderungen an medizinische Geräte, die in Luftfahrzeugen zum Patiententransport verwendet werden
- Operationelle und technische Anforderungen an Luftfahrzeuge zum Patiententransport (z. B. Abmessungen)

MERKE

Die konkrete Ausrüstung eines RTH kann, abhängig von der konzeptionellen Anforderung (vornehmlich Primär- oder Intensivtransporthubschrauber), durchaus variieren. Die festgelegten Normen dürfen jedoch nicht unterschritten werden.

In Deutschland sind in der **Primärrettung** folgende **Hubschraubertypen** im Einsatz:

- Airbus Helicopter BK 117 (eingesetzt von ADAC-Luftrettung, DRF)
- Airbus Helicopter H 135 (ehemals Eurocopter EC 135, eingesetzt von ADAC-Luftrettung, DRF, BMI)
- Airbus Helicopter EC 145 (ehemals Eurocopter EC 145, eingesetzt von ADAC-Luftrettung, DRF)
- Airbus Helicopter H 145 (ehemals Eurocopter EC 145 T2, eingesetzt von ADAC-Luftrettung, DRF)

Die angeführten Hubschraubertypen werden durch die ADAC-Luftrettung (ADAC), die DRF Luftrettung (DRF) sowie das Bundesministerium des Innern (BMI) gestellt; daneben sind mittlerweile weitere Betreiber wie z. B. die Johanniter Luftrettung in der deutschen Luftrettung aktiv.

Unter **Dual-Use** wird die auch konzeptionelle Nutzung eines RTH sowohl für Primär- als auch für Sekundäreinsätze verstanden.

Für **Intensivtransporthubschrauber** wird i. d. R. auf Hubschraubermuster der Bauart EC 145 und H 145 zurückgegriffen.

Prinzipiell ist zwischen **zwei Grundkomponenten der Ausstattung** eines RTH zu unterscheiden:

- Die Anforderungen an die **stationäre Ausstattung** sind durch DIN EN 13718–1 und DIN EN 13718–2 vorgegeben. Insbesondere betrifft dies die Sauerstoffanlage, technische Einrichtungen zur Beleuchtung und die Vorrichtungen zur Transportsicherung für das medizinische Material.
- Die **mobile Ausstattung** des RTH umfasst vor allem die Notfallrucksäcke. Ihre Ausstattung orientiert sich an den entsprechenden bodengebundenen präklinischen Pendants. Weiterhin gehören zur mobilen Ausstattung ein tragbares EKG-Gerät mit Defibrillator, ein Beatmungsgerät und eine Absaugeinheit.

Auch grundsätzlich mobile Ausrüstung ist während des Transports in speziellen Halterungen und Vorrichtungen zu sichern.

MERKE

Die Mindestanforderungen an die medizinische Ausstattung von RTH und ITH sind durch entsprechende Normvorgaben nahezu identisch. Die konkrete Ausstattung kann trotzdem, abhängig von der konzeptionellen Anforderung (vornehmlich Primär- oder vornehmlich Sekundäreinsätze), variieren. Die festgelegten Normen dürfen nicht unterschritten werden.

Grundsätzlich ist die Ausstattung eines RTH/ITH auf die komplette Versorgung und den Transport eines kritisch kranken bzw. verletzten Patienten ausgelegt. Ihre medizinische Ausstattung lässt sich daher mit der eines bodengebundenen NAW vergleichen, sie beinhaltet grundsätzlich:

- Notfallrucksack-System
- Mobile Überwachungsgeräte (EKG mit Defibrillator, Pulsoxymeter, Kapnometer, Geräte/Module zur nichtinvasiven und invasiven Blutdruckmessung)
- Mobile und stationäre Sauerstoffgeräte und -anschlüsse
- Mobiles Beatmungsgerät
- Mobiles Absauggerät
- Spineboard und/oder Schaufeltrage
- Vakuummatratze
- Thoraxdrainageset
- Material zur Immobilisierung (z. B. Stifneck®, Schienen, elastische Binden etc.)
- Krankentrage oder Fahrtrage
- Videolaryngoskop
- CO-Messgerät
- Sonografiegerät
- Im ITH zusätzlich BGA-Messgerät

MERKE

Nach wie vor sind die von den verschiedenen Rettungsmitteln verwendeten Systeme vielfach nicht kompatibel bzw. austauschbar. Dies führt oft zu grundsätzlich vermeidbarem Umlagern und „Umkabeln".

Der ITH bietet als Spezialist für den **Interhospitaltransfer** kritisch kranker Patienten in der Regel mehr Platz und eine gegenüber dem RTH erweiterte intensivmedizinische Ausstattung, sodass eine idealerweise bereits im Klinikum erfolgte Stabilisierung und Versorgung während des Fluges adäquat weitergeführt werden können. So verfügt er über einen größeren Sauerstoffvorrat und in aller Regel (Hubschrauber-Muster-abhängig) über eine 230-V-Bord-Stromversorgung während des Fluges. Es ist auch möglich, Früh- und Neugeborene mit einem **Inkubator** luftgebunden zu transportieren. Ein Inkubatortransport wird dann erforderlich, wenn Früh- oder Neugeborene sekundär in eine pädiatrische Spezialklinik verlegt werden müssen. Dazu wird der Hubschrauber mit einem Inkubator aufgerüstet, der auf einem Tragengestell montiert ist oder der auf der Trage fixiert werden kann. Solche Transporte werden i. d. R. von einem Team aus Kinderarzt und Kinderkrankenpflegekraft begleitet. Auch Spezialtransporte von Patienten mit **mobiler Lungen- und Kreislaufunterstützung** oder anderen Ersatz- und Unterstützungssystemen (z. B. ECMO, IABP etc.) können luftgebunden durchgeführt werden.

Rettungswinde und Rettungstau

Bei **fehlender Landemöglichkeit** am Patienten, z. B. **im unwegsamen, steilen, felsigen oder bewaldeten Gelände, aber auch über Wasserflächen,** kann eine Rettungswinde zum Einsatz kommen. Einzelne RTH an entsprechenden, oft gebirgsnahen, Standorten verfügen über ein solches Spezialgerät, das stets fest an der mit entsprechendem „Windebeschlag" vorgerüsteten Maschine montiert ist. Die Technik ermöglicht es, Notarzt und Helfer direkt, idealerweise ohne vorheriges Absetzen auf den Boden, zum Patienten zu bringen und so das therapie- und arztfreie Intervall deutlich zu verkürzen. Wurde die Transportfähigkeit hergestellt und ist ein terrestrischer Abtransport nicht möglich oder sinnvoll, wird die Windenevakuierung vorbereitet: Der Patient wird in einen speziellen Luftrettungssack verpackt, die Maschine fliegt an, parallel dazu wird bereits der Windenhaken herabgelassen. Sobald die Maschine im Schwebeflug über dem Patienten „steht", wird der Patient zusammen mit dem begleitenden Luftretter eingeklinkt, aufgewincht und entweder im Flug oder am Zwischenlandeplatz verladen (→ Abb. 52.7).

Die Vorhaltung des Spezialverfahrens „Windenrettung" erfordert nicht nur die entsprechende Technik, sondern umfangreiche Schulungen und regelmäßiges Training in Simulation und Echtflug. Hierbei etabliert sich zunehmend eine Kombination aus Schulung im geschützten Raum des BW-ZSA (→ Kap. 52.2.5) der Bergwacht Bayern in Bad Tölz und Echtflug-Training (→ Abb. 52.8).

Traditionell erfolgt Windenrettung im **„4-Mann-Konzept"**, ein Bordtechniker, der als HHO-TC (Helicopter Hoist Operator – Technical Crew) die Winde bedient, ist als vierter Mann bei jedem Einsatz dabei. In aller Regel ist für dieses Konzept ein geräumiges und leistungsstarkes Hubschrauber-Muster vom Kaliber einer H145 notwendig. Es mag an Windeneinsatz-starken Luftrettungsstandorten im Gebirge seine Berechtigung haben, verursacht aber im Vergleich zu seiner Alternative, dem **„3-Mann-Konzept"**, hohe Kosten. Letzteres wird zunehmend in der Fläche realisiert, es ist auch mit einer H135 möglich und der HEMS-TC (Helicopter Emergency Medical Service – Technical Crew, der Notfallsanitäter) bleibt im Windeneinsatz an Bord und bedient als HHO-TC die Rettungswinde.

Grundsätzlich hat sich im Windeneinsatz die Zusammenarbeit mit unterstützenden, in der Windenrettung erfahrenen Organisationen wie v. a. der Bergwacht, bewährt. Im Gebirge sorgt sie am Boden für die Sicherung gegen Absturz, im unwegsamen Gelände übernimmt sie im 3-Mann-Konzept die Unterstützung des Notarztes bei der Patientenversorgung und Evakuierung. Zudem hält der Einsatzleiter Berg- und Höhlenrettung den lückenlosen Kontakt zur ILS auch dann aufrecht, wenn die Hubschrauber-Crew nicht kontaktiert werden kann (z. B. während des Winch-Vorgangs).

Lediglich der Vollständigkeit halber sei an dieser Stelle auch die kostengünstigere, z. B. in Österreich übliche Taubergung erwähnt, bei der ein Seil mit fixer Länge unter dem Hubschrauber abgebracht wird.

Wasserrettung

Erfolgreiche echte Rettungen akut Ertrinkender aus dem Wasser sind mit dem Hubschrauber aufgrund der hohen Dynamik des Geschehens bei gleichzeitig zwar kurzer, aber letztendlich doch zu langer Vorlaufzeit

Abb. 52.7 Evakuierung aus unwegsamem, alpinem Gelände mittels Rettungswinde [W161-001]

Abb. 52.8 Windentraining im BW-ZSA in Bad Tölz [W161-001]

selten und ohne Rettungswinde kaum möglich. Befindet sich der Betroffene in einem Boot (z. B. an einem Wehr in einer Wasserwalze) oder klammert er sich im Wasser irgendwo fest, können sie aber die einzige Option darstellen und relativ dramatisch verlaufen. Die Windenrettung aus dem Wasser ist ein Spezialverfahren, das über die am Hubschrauber voll etablierte Rettungswinde hinaus spezielle Kenntnisse, Fertigkeiten und Ausrüstung (Brüggemann-Schlinge, Trockenanzug, Schwimmweste, Sicherungsmöglichkeiten etc.) erfordert und regelmäßig intensiv trainiert werden muss (→ Abb. 52.9). Wann ein Primärzugriff durch die Hubschrauber-Crew erforderlich ist und wann das Eintreffen von mit den Besonderheiten der Wasser-Winden-Rettung besser vertrauter Spezialkräfte abgewartet werden kann oder muss, bleibt eine Einzelfallentscheidung der Hubschrauber-Crew.

Werden vermisste Personen unter der Wasseroberfläche vermutet, kann ein Hubschrauber durch seine erhöhte Position und die Möglichkeit, in kurzer Zeit große Flächen abzusuchen, eine große Unterstützung darstellen.

PRAXISTIPP

Der Downwash eines Hubschraubers kann für Rettungskräfte und Patienten im Wasser extrem unangenehm und auch gefährlich sein.

Aufgaben des Notfallsanitäters Luftrettungsdienst

Der Notfallsanitäter eines RTH wird nicht nur im Rahmen der **Einsatzdurchführung aktiv,** er ist auch für die **Vollständigkeit und Einsatzbereitschaft** der **medizinisch-technischen Ausrüstung** sowie für einen **reibungslosen Stationsbetrieb** verantwortlich. Um im Hubschrauber beförderte Patienten, die medizinische Hilfe benötigen, versorgen und den Piloten während des Einsatzes unterstützen zu können, muss seit 1998 eine Zusatzqualifikation zum Helicopter Emergency Medical Service – Technical Crew (HEMS-TC) nach EU-OPS absolviert werden.

Nach einer Alarmierung begibt sich der Notfallsanitäter sofort zum RTH und sichert die bereits durch den Piloten eingeleitete **Startphase** ab. Nach der Trennung vom externen Anlassgerät überprüft er den sicheren Verschluss sämtlicher Klappen (Tankdeckel etc.) und Türen und steigt ein. Sein Platz befindet sich in Flugrichtung links neben dem Piloten, der, sofern eine Flugsicherung vorhanden ist, von dieser über Funk die Startfreigabe erbittet. Bei Einsätzen außerhalb des Zuständigkeitsbereichs der Heimat-ILS ist es Aufgabe des HEMS-TC, sich dort ab- und kurz darauf bei der anfordernden ILS wieder anzumelden. Diese teilt nochmals den genauen Einsatzort und den Funkrufnamen des Ansprechpartners vor Ort mit. Während des Flugs orientiert sich der HEMS-TC durch Mitverfolgung des Kurses auf der Flugkarte über Kurs und aktuelle Position **(Flugphase).** Der Pilot navigiert parallel dazu mit seiner eigenen Luftfahrtkarte der **International Civil Aviation Organisation** (ICAO) oder dem **Flight Management System** (FMS), das Satellitennavigationssystem und elektronische Kartendarstellung beinhaltet.

Abb. 52.9 Windeneinsatz zur Rettung eines Ertrinkenden [W161-001]

Rechtzeitig vor Eintreffen am Einsatzort spricht der HEMS-TC die Einsatzkräfte vor Ort nochmals an bzw. informiert die Rettungsleitstelle über die bevorstehende Landung. Landeplätze werden durch den Piloten festgelegt. Er hat aus der Luft die beste Übersicht und im Umgang mit dem Hubschrauber die Verantwortung. In der **Landephase** gilt es für die gesamte Besatzung, das Umfeld des vom Piloten bestimmten Landeplatzes genau zu beobachten, um eventuelle Hindernisse frühzeitig zu erkennen.

Nach der Landung verlässt der Notarzt die Maschine und eilt zur Einsatzstelle. Der HEMS-TC sichert die unmittelbare Umgebung des RTH gegen Unbefugte ab, bis die Rotoren zum Stillstand gekommen sind. Anschließend eilt er ebenfalls zur Einsatzstelle. Ist der RTH mit einem zusätzlichen Piloten oder HHO-TC besetzt, übernimmt dieser die Sicherheitsaufgaben und der Notfallsanitäter verlässt gleichzeitig mit dem Notarzt den RTH in Richtung Einsatzstelle.

Muss der Patient mit dem RTH transportiert werden, können Notfallsanitäter und Pilot gemeinsam die **Transportvorbereitungen** treffen. Sind alle Vorbereitungen getroffen, wird der Patient auf die RTH-Trage umgelagert, gesichert und bei den meisten Hubschraubermodellen durch die Hecktür in den Helikopter geschoben. Hierbei ist den Anweisungen der Crew genau zu folgen und insbesondere auf die venösen Zugänge und die zur Patientenüberwachung notwendigen Apparaturen zu achten. Keinesfalls darf eigenmächtig an unbekannten Apparaturen manipuliert werden. Ansprechbare Patienten werden vor Beginn des Flugs über die Besonderheiten und Verständigungsmöglichkeiten an Bord informiert, um ihnen die Angst zu nehmen. Alle Patienten, auch bewusstlose und narkotisierte, erhalten während des Flugs einen Gehörschutz. Sind die Flugbedingungen eingeschränkt, erfolgt eine kurze Absprache im Team, ob der HEMS-TC auf dem Co-Piloten-Sitz oder im Patientenversorgungsraum besser zur Sicherheit aller Beteiligten beitragen kann. Im Normalfall ist sein Platz während eines Patiententransports der Patientenversorgungsraum, er übernimmt während des Flugs zusammen mit dem Notarzt die weitere Überwachung und Betreuung des Patienten und wickelt den Funkverkehr mit der Rettungsleitstelle ab.

Nach dem Einsatz erfolgt die **Einsatznachbereitung.** Hierzu gehören Aufrüstung und Reinigung des RTH, Einsatzdokumentation und Protokollführung.

Sicherheitsregeln für den Umgang mit dem Rettungshubschrauber

Luftrettungseinsätze werden in der Regel sofort, ohne die in der zivilen Luftfahrt ansonsten übliche navigatorische Vorbereitung, angetreten. Sie führen die Crew zu Notfallorten in ihr bis dahin oft unbekanntes Gelände mit einer Vielzahl von natürlichen und künstlichen Hindernissen (Wohn-, Wald- und Berggebiete, verkehrsträchtige Straßen etc.). Meteorologische Bedingungen können weitere Einschränkungen darstellen. Beim rettungsdienstlichen Einsatz von Luftfahrtzeugen sind daher verschiedene sicherheitsrelevante Aspekte zu berücksichtigen.

Wetterbedingungen

Ein Luftrettungsmittel ist den Witterungseinflüssen unmittelbar ausgesetzt. Werden sie so extrem, dass sich die Sicherheit der Beteiligten nicht mehr gewährleisten lässt, so werden Einsatzflüge abgesagt bzw. abgebrochen. Die Grenzen der für einen Einsatzflug gerade noch verantwortbaren meteorologischen Bedingungen hängen von der Tageszeit ab, nachts werden sie deutlich enger gefasst als tagsüber.

Auf Grundlage von kontinuierlich deutschlandweit erfassten Wetterdaten kann der Pilot noch vor dem Start am Standort entscheiden, ob ein Einsatz mit dem Hubschrauber bei der aktuellen Wetterlage durchführbar ist. Entscheidende Risikodeterminanten sind hierbei **Sichtweite** und **Wolkenuntergrenze,** auch dichter Nebel, Gewitter und gefrierender Regen können Ausschlusskriterien für einen Einsatzflug sein. Schneefall und „normaler", auch sehr starker Regen hingegen spielen für die Risikoabschätzung kaum eine Rolle.

MERKE

Dichter Nebel, Gewitter und gefrierender Regen sind in der Regel Ausschlusskriterien für einen Hubschraubereinsatz!

Der **unbekannte Einsatz- und Landeort** ist ein nicht zu unterschätzendes **Risiko.** Nicht die Zielfindung oder der Überflug bergen das fliegerische Risiko, sondern die Zeit ab Verlassen der Sicherheitshöhe unter Instrumenten- oder Sichtflugbedingungen. Dies gilt grundsätzlich gleichermaßen für eine Außenlandung am Unfall- bzw. Einsatzort wie für einen (Krankenhaus-)Landeplatz.

Ist das ersteintreffende Rettungsmittel der RTW, sollte sich dieser von oben gut sichtbar, also wenn möglich nicht unter Bäumen oder Gebäudeteilen wie Vordächern o. Ä., platzieren. Eine Lagemeldung an den RTH kann hilfreich sein, insbesondere wenn an der Einsatzstelle nur schlecht sichtbare Hindernisse wie Strom- oder Telefonleitungen, aber auch gemähtes Gras, lockerer Schnee, feine Steinchen, Split und Sand die Landung gefährden könnten. Wenn verfügbar, sollten Außenlandeplätze durch Kräfte der Feuerwehr vorbereitet und abgesichert, nachts auch ausgeleuchtet werden, wobei zu beachten ist, dass der Boden und einzelne große Hindernisse, aber nicht der anfliegende Hubschrauber angestrahlt wird. Nähert sich ein nachtflugtauglicher Hubschrauber unter NVIS muss der Landeplatz nicht ausgeleuchtet werden, die Markierung einer möglichen Landestelle mit einem Blaulicht-Fahrzeug genügt. Es ist zu empfehlen, sich über diese Details mit der Crew bereits während des Anflugs zu verständigen. Grundsätzlich gilt: Die letzte Entscheidung über Landeplatz und -modalitäten trifft der Pilot.

PRAXISTIPP

Unterstützen Sie den anfliegenden Hubschrauber, soweit es die Ressourcen vor Ort zulassen. Weisen Sie die Hubschrauberbesatzung über Funk auf mögliche Gefahren hin. Geben Sie, wenn nötig, eine Lagemeldung ab und platzieren Sie Ihren Rettungswagen gut sichtbar. Lassen Sie Außenlandeplätze nachts durch Kräfte der Feuerwehr entsprechend vorbereiten und sichern.

ACHTUNG!
Verhalten bei der Annäherung des RTH (→ Abb. 52.10)

- Vor der Annäherung an den Hubschrauber in sicherer Entfernung warten, Sichtkontakt zum Piloten aufnehmen (sitzt in Flugrichtung rechts) und auf einladendes Handzeichen warten.
- Nach Möglichkeit keine Annäherung an den Hubschrauber, solange die Rotoren laufen. Falls doch erforderlich: nur von vorn nach Aufforderung, nicht laufen, keine Gegenstände über den Kopf halten, Hände unten halten. Unbedingt Visier/Augenschutz und Gehörschutz!
- Niemals von hinten an den Hubschrauber annähern, der schnell drehende Heckrotor ist kaum zu sehen.
- Bei laufendem Rotor begrenzt das Heckleitwerk den Arbeitsbereich beim Be- und Entladen, hinter dem Heckleitwerk besteht Lebensgefahr durch den Heckrotor.
- Wer auf die andere Seite des RTH will: immer vorn um den Hubschrauber herumgehen und dabei nichts anfassen (Messsensoren an der Front sind sehr heiß).
- Lose Bekleidungsstücke wie Mützen, Schals und Brillen bei Annäherung an den Hubschrauber festhalten.
- Im schrägen Gelände auf unterschiedlichen Abstand des Rotors zum Boden achten. Immer zur Talseite aus dem Hubschrauber aussteigen bzw. von der Talseite an diesen herangehen.

52.1.4 Ambulanzflugzeug

Ambulanzflugzeuge werden zum einen für den weltweiten Intensiv- und Krankentransport, zum anderen für den schonenden Interhospitaltransfer von Intensivpatienten über weite Strecken (> 600 km) eingesetzt (→ Abb. 52.11, → Abb. 52.12). Für diese Maschinen gilt die DIN 13230, die Teile 5 und 6 regeln den Patiententransport in Luftfahrzeugen und die Anforderungen an für den Patiententransport eingesetzte Linienluftfahrzeuge.

Immer häufiger werden intensivpflichtige Patienten von Krankenhaus zu Krankenhaus auch länderübergreifend, und damit über sehr große Entfernungen, transportiert. War dies traditionell v. a. im Rahmen von Repatriierungsflügen erforderlich, lehrte uns die Coronapandemie, dass es auch in entwickelten Ländern heute zu Versorgungsengpässen kommen kann und somit das Gesundheitssystem grundsätzlich länderübergreifend gedacht werden muss. Ambulanzflugzeuge sind ein unverzichtbarer Teil dieses Netzwerks. Bei der Auswahl des Flugzeugtyps ist es aus medizinischer Sicht erforderlich, dass das Flugzeug über ausreichende Innenmaße verfügt, d. h., der Intensivpatient muss von allen Seiten her zugänglich sein und die Innenhöhe der Kabine muss ein Arbeiten im Stehen erlauben.

Ein solches Raumangebot weisen nur großräumigere Flugzeuge wie z. B. die Bombardier Challenger CL 605 auf. Diese wird u. a. von der Schweizerischen Rettungsflugwacht (Rega) eingesetzt und bietet neben dem großzügigen Platzangebot auch eine höhere Reichweite als z. B. ein Learjet 35. Unumgänglich bei allen eingesetzten Flugzeugtypen ist das auch in der DIN aufgeführte sichere Einbringen der Patiententrage in das Flugzeug. Dies funktioniert in den meisten Fällen über speziell hierfür hergestellte und zugelassene Rampensysteme.

Ausrüstung

An die **medizinische Ausrüstung im Ambulanzflugzeug** werden folgende Anforderungen gestellt:

- **Atmung/Beatmung:**
  - Pulsoxymetrie
  - Kapnometrie
  - Intensivrespirator mit gegenüber dem Notfallbeatmungsgerät erweiterten Möglichkeiten
  - Blutgasanalysegerät (pH, pCo_2, pO_2)
- **Herz-Kreislauf:**
  - EKG-Monitor und 12-Kanal-EKG
  - Transkutaner Schrittmacher
  - Blutdruckmessung nicht-invasiv und invasiv
  - Spritzen- und Infusionspumpen

als vielmehr um Abläufe geht. In diesem Rahmen ist ein interprofessioneller Ansatz, der dem Vorgehen in der Realität entspricht, unabdingbar.

Simulationsbasierte Teamtrainings sind eine innovative, in der Erwachsenenbildung mittlerweile gut etablierte, effektive Methode, um Handlungsabläufe zu trainieren. Ziel im Luftrettungsdienst ist es, über Wiederholung im geschützten Raum inkl. videounterstütztem Feedback die erforderlichen Technical Skills und Non-Technical Skills aus- und fortzubilden (→ Abb. 52.15 und → Abb. 52.16). Durch die Berücksichtigung des speziellen Umfelds Hubschrauber werden auch gezielt sog. Aeromedical Decisions und ihre Auswirkungen auf Patienten und Crew besprochen und trainiert (Aeromedical Crew Resource Management, ACRM). Nachgewiesene Effekte sind Verbesserungen im Bereich

- der medizinischen Kompetenz,
- der Fehlervermeidung und des Fehlermanagements,
- des Notfallmanagements,
- des Teamverhaltens und
- **der Sicherheitskultur insgesamt.**

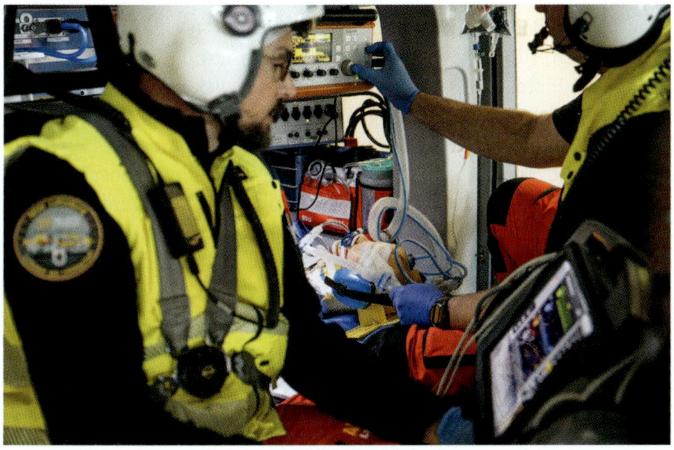

Abb. 52.15 Simulatorbasiertes strategisches Simulationstraining [K445]

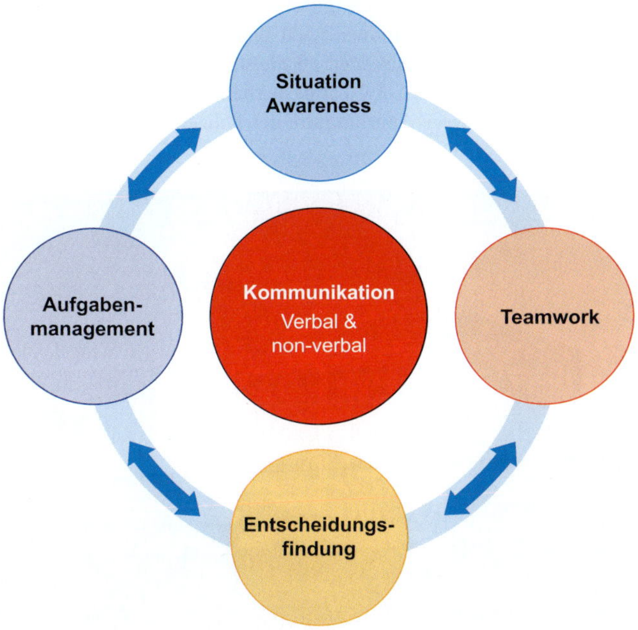

Abb. 52.16 Die Dimensionen des Crew Ressource Management (CRM) [O988, L143]

Crew- bzw. Team Resource Management (CRM/TRM-Training)

Das **CRM-Training** der medizinischen Hubschrauber-Crew wird in der Regel jährlich, zusammen mit den Piloten, durch einen externen CRM-Trainer durchgeführt, der als Diplom-Psychologe vom Luftfahrt-Bundesamt (LBA) zugelassen ist (→ Kap. 11.3.2). Bei der eintägigen Fortbildung werden alle auf der jeweiligen Luftrettungsstation tätigen HEMS-TC trainiert. Das CRM-Training sollte so aufgebaut sein, dass sich innerhalb von 3 Jahren alle vorgeschriebenen Lerninhalte wiederholen (→ Abb. 52.17).

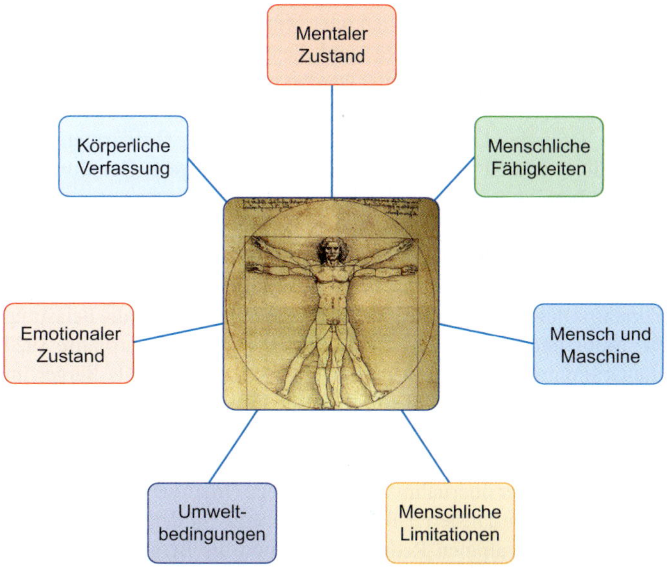

Abb. 52.17 CRM/TRM: Einflüsse auf die Performance [P097, L143, J787]

IM FOKUS

Ausbildung in der Luftrettung

- Notfallsanitäter gehört auch juristisch zur Besatzung: **HEMS-TC**
- Ausbildung nach **EU-OPS/JAR-OPS 3**
- **Notarzt** gehört formal nicht zur Besatzung, sondern ist **„medizinische Begleitperson",** daher formal keine spezielle Ausbildung nötig
- Notärzte müssen da facto über **große notfallmedizinische Expertise** verfügen, insbesondere in der Trauma- und Kinderversorgung
- Ausbildung zum HEMS-TC umfasst u. a.:
  - Luftfahrtrecht
  - Navigation
  - Meterologie
- Ein spezieller Fokus wird zudem auf **CRM- bzw. TRM-Training** gelegt.

52.2 Bergrettung

Bergrettung ist die Rettung im Gebirge und im unwegsamen Gelände. Sie ist dort erforderlich, wo Straßenrettungsdienste und Feuerwehren auf dem Weg zum Patienten und bei seiner Evakuierung technisch an ihre Grenzen stoßen. Bergrettung in Deutschland erfolgt, abgesehen von administrativen hauptamtlichen Kräften, praktisch ausschließlich ehrenamtlich.

52.2.1 Geschichte der Bergrettung

Für unsere Vorfahren bedeutete das Gebirge lange Zeit v. a. Arbeit unter erheblichem Risiko, in der Freizeit blieb man im Tal. Erst im letzten Drittel des 19. Jahrhunderts wurden die Berge zunehmend auch als Ort der Erholung und leider zum Teil auch als „Abenteuerspielplatz" entdeckt. Immer mehr Besucher aus gebirgsfernen Gegenden, vor allem aus Großstädten wie Wien oder München, strömten nun v. a. an den Wochenenden in die Berge und die Zahl der Verunglückten und Erkrankten, die von dort gerettet werden mussten, stieg deutlich an.

Zunächst erfolgte die Rettung Verunglückter als spontan organisierte, heroische Einzelaktion durch Bergführer, Gendarmen oder Freiwillige. Schnell jedoch wurde klar, dass die rasche Zunahme der Zahl an Bergbesuchern und damit der Unfallzahlen eine systematische Lösung in Form eines organisierten Bergrettungsdienstes erfordert. Es entstanden spezialisierte alpine Rettungsdienste der Alpenvereine und ein „Gebirgsunfalldienst" des Roten Kreuzes. Mit der weiteren Zunahme des alpinen Tourismus stieg auch in den Bergen die Belastung für Natur und Umwelt. Ein Meilenstein war daraufhin im Jahre 1920 die Gründung der ersten deutschen Bergwacht durch Fritz Berger im Münchner Hofbräuhaus. Sie erfolgte auf Initiative von Alpenvereinssektionen und Wandervereinen, gedacht war dieser Zusammenschluss ursprünglich als „Sitten- und Naturschutzwacht". Bereits Mitte der 1920er-Jahre aber übernahm auch diese neue Organisation zunehmend Aufgaben als spezialisierter Bergrettungsdienst. In den folgenden Jahren wurden die alpinen Rettungsstellen und die Bergwacht zu **einer** Institution unter dem Dach des **Alpenvereins** zusammengeführt.

Als der Alpenverein nach 1945 als nationalsozialistische Organisation verboten wurde, fand das bayerische „Bergwacht-Original" innerhalb des Bayerischen Roten Kreuzes (BRK), einer Körperschaft des öffentlichen Rechts, als eigenständige Unter-Organisation „Bergwacht Bayern" eine neue Heimat. Die Bergwachten der übrigen Bundesländer wurden organisatorisch als Gliederung in die jeweiligen DRK-Landeverbände integriert. Eine organisatorische Ausnahme stellt die 1922 gegründete Bergwacht Schwarzwald dar, die nach dem zweiten Weltkrieg mit Genehmigung der Militärregierung erneut als eigenständige Organisation gegründet wurde (→ Abb. 52.18). Sie agiert bis heute als rechtlich selbstständiger eingetragener Verein.

Abb. 52.18 Die Logos der drei deutschen Bergrettungs-Organisationen Bergwacht Bayern, Bergwacht im DRK und Bergwacht Schwarzwald [W928, W263, W1268]

52.2.2 Nationale und internationale Strukturen in der Bergrettung

Bergretter in Deutschland absolvieren pro Jahr ca. 12 000 Einsätze, 9 000 davon im Gebirgs- und Mittelgebirgs-Bundesland Bayern. Die Bergwacht Bayern ist aufgrund ihrer Größe und Komplexität unterhalb der Bergwacht-Landesebene, unabhängig von den BRK-Kreisverbänden, in sieben Regionen organisiert. Ihre 109 Bereitschaften mit ca. 3 500 ehrenamtlichen „Aktiven Einsatzkräften" (AEK) versehen ihren Dienst in Alarmbereitschaft und Vorsorgedienst auf der Grundlage öffentlich-rechtlicher Verträge mit den Zweckverbänden für Rettungsdienst und Feuerwehralarmierung (ZRF).

Die ca. dreijährige Ausbildung zur AEK der Bergwacht Bayern besteht aus den fünf Bereichen **Sommerrettung, Winterrettung, Luftrettung, Notfallmedizin und Naturschutz.** Die Grundausbildung erfolgt weitgehend dezentral in den Bereitschaften. Weiterführende Aus- und Fortbildungen auf Landesebene werden im Zentrum für Sicherheit und Ausbildung (BW-ZSA) in Bad Tölz konzipiert und durchgeführt (→ Abb. 52.19).

Zu seinen Aufgaben gehören die Standardisierung von Rettungsverfahren, die Erstellung von Lehrmitteln, die Entwicklung und Erprobung von Rettungstechniken und -geräten und das Thema Arbeitsschutz für die gesamte Bergwacht Bayern und darüber hinaus. Den Kern des weltweit einzigartigen Zentrums bildet die Simulationsanlage für luftunterstütze Einsatzverfahren. Hubschrauberzellen werden dreidimensional in einer 60 m langen, 25 m breiten und 20 m hohen Halle bewegt und erlauben die Simulation aller nur erdenklichen Szenarien, insbesondere unter Einsatz der Rettungswinde. Hierzu ist die Halle mit Kletterwänden, einer Seilbahn, einem Haus, einem Pool zur Simulation von Wasserrettungsverfahren und einer Höhlenrettungsstrecke ausgestattet. Auch Bäume zum Training der Gleitschirmfliegerrettung sind vorhanden. In einem Bergwetterraum kann bei −20 °C und Schneesturm die notfallmedizinische Versorgung, zusammen mit technischen Rettungsverfahren, selbst unter extremsten Bedingungen getestet und trainiert werden (→ Abb. 52.20, → Abb. 52.21). Auch ein voll ausgestatteter medizinischer Übungs-„Schockraum" ist verfügbar.
Alljährlich kommen, neben den Einsatzkräften der Bergwacht Bayern, viele befreundete Organisationen nach Bad Tölz, um von diesen einzigartigen Trainingsmöglichkeiten zu profitieren. Darunter sind Bergwacht-Einsatzkräfte der DRK-Landesverbände und der Bergwacht Schwarzwald ebenso wie Spezialkräfte der Polizei, der Feuerwehr und

Abb. 52.19 Das Bergwacht-Zentrum für Sicherheit und Ausbildung in Bad Tölz (BW-ZSA) (© Bergwacht Bayern) [W928]

Abb. 52.20 Die Simulation des Einsatzes der Rettungswinde zur Seilbahn-Evakuierung im BW-ZSA (© Bergwacht Bayern) [W928]

Abb. 52.21 Training komplexer Einsatzszenarien im Bergwetterraum im BW-ZSA (© Bergwacht Bayern) [W928]

der Wasserrettung sowie die Besatzungen von Einsatzhubschraubern und Organisationen der Gefahrenabwehr aus dem In- und Ausland. Betreiber des BW-ZSA ist die von der Bergwacht Bayern 2012 gegründete gemeinnützige Stiftung Bergwacht.

In Österreich wird die Bergrettung durch den österreichischen Bergrettungsdienst als landesweit unabhängige Rettungsorganisation durchgeführt.

In Südtirol stellt der Bergrettungsdienst im Alpenverein Südtirol, in Italien das Corpo Nazionale Soccorso Alpino e Speleologico (C. N. S. A. S) und in Frankreich überwiegend die Alpine Gendarmerie, den Bergrettungsdienst sicher. In der Schweiz ist die Stiftung Alpine Rettung Schweiz (ARS) landesweit federführend, Träger sind die Schweizerische Rettungsflugwacht (REGA) und der Schweizer Alpen-Club (SAC).

Im Himalaya (Nepal) befindet sich die organisierte Bergrettung noch im Aufbau, die Expeditionen oder Bergsteigergruppen sind selbst dafür verantwortlich, für den Notfall potenziellen ihrer Kunden eine medizinische Infrastruktur vorzuhalten.

In den Anden und in Nordamerika existieren lokale Bergrettungsgruppen, jedoch keine überregionale Organisation.

International organisiert sind die bedeutenden Bergrettungsorganisationen in der „International Commission of Alpine Rescue" (ICAR, www.alpine-rescue.org), einer unabhängigen internationalen Organisation, deren Ziel die weltweite Vernetzung der Bergretter ist. Verschiedene Kommissionen, z. B. die Medizinische Kommission (MED COM), publizieren regelmäßig international beachtete Leitlinien, die jedem Bergretter zur Verfügung gestellt werden. Die Bergwacht Bayern ist Gründungsmitglied der ICAR.

52.2.3 Notfallort Gebirge

Unfälle abseits befahrbarer Straßen sind für den Rettungsdienst mit besonderen Herausforderungen verbunden. Dies beginnt bereits mit den eingeschränkten Möglichkeiten zum Absetzen eines adäquaten Notrufs, wobei sich hier v. a. im weitgehend erschlossenen deutschen Alpenraum durch das Mobiltelefon deutliche Verbesserungen ergeben haben. Die Kehrseite der Medaille ist leider eine mittlerweile erkennbar gesunkene Hemmschwelle, sich auch mit unzureichender Ausrüstung und Erfahrung in exponiertes Terrain zu wagen. Auch die Lokalisierung des Patienten im Gelände ist oft alles andere als trivial, Wetter und Dunkelheit erschweren die Situation für alle Beteiligten. Diese besonderen Herausforderungen erfordern eine **spezielle Ausbildung, eine gute körperliche Verfassung und eine Ausrüstung,** die nicht nur auf medizinische, sondern auch auf technische Herausforderungen eine Antwort erlaubt, inkl. erweiterter Möglichkeiten zur Kommunikation. Die zu bewältigenden Probleme betreffen nicht nur den Abtransport, sie beginnen bei Einsatzplanung und Zugriff auf den Patienten und enden erst mit Evakuierung des letzten Retters und Bergung des kompletten Materials.

> **ACHTUNG!** An erster Stelle steht auch am Berg die Sicherheit der Retter, die manchmal auch den Einsatzabbruch gebietet, wohl wissend, dass dies für den Patienten im Extremfall den Tod bedeuten kann (z. B. bei hoher Lawinengefahr, niedrigen Temperaturen oder starkem Schneefall).

Insgesamt wird der Bergwacht-Winter in Deutschland heute von Ski-, Snowboard- und Rodelunfällen dominiert, im Sommer gesellen sich zu den Wander-, Bergsteiger- und Kletterunfällen zunehmend verunglückte Mountainbiker, v. a. an entsprechenden Schwerpunkten wie Bikeparks. Auffällig ist, dass E-Bikes heute viele Radfahrer in alpines

Gelände bringen, das sie bei der anschließenden Abfahrt oft nicht mehr beherrschen.

Als Organisation mit Sicherheitsaufgaben im Rahmen der Gefahrenabwehr ist die Bergwacht auch Teil des Katastrophenschutzes. Mit ihren Geländefahrzeugen und ihrer Ausrüstung und Kompetenz zur auch hubschrauberunterstützten Arbeit im unwegsamen Gelände leistet die Bergwacht v. a. in der Akutphase von Sonderlagen und Katastrophenfällen wertvolle Hilfe (→ Abb. 52.22, → Abb. 52.23).

Beispiele aus der jüngeren Vergangenheit sind die Hochwasserkatastrophe 2013 in Deggendorf, lokale Starkniederschlagsereignisse im Wettersteingebirge oder Waldbrände in den Mittelgebirgen und im Alpenraum. Bei der Katastrophe im Ahrtal 2022 waren Bergwacht-Einsatzkräfte u. a. als Luftretter maßgeblich in Evakuierungsmaßnahmen und Versorgung der Bevölkerung bei weitgehend zerstörter Infrastruktur eingebunden.

Auch der Straßenrettungsdienst greift im Rahmen vieler kleinerer Einsätze im unwegsamen Gelände Tag für Tag auf die Unterstützung der Bergwacht zurück.

Das **Wetter** ist gerade für den Bergwacht-Einsatz im eigentlichen Sinne von entscheidender Bedeutung. Da der Weg von der Autotür zum Verletzten im unwegsamen Gelände mitunter lang und beschwerlich sein kann, stellen Witterungseinflüsse wie Nebel, Regen und Schneefall oft eine erhebliche Beeinträchtigung bis hin zur Bedrohung für alle Beteiligten dar. Zudem erschweren sie oftmals Hubschraubereinsätze oder machen sie sogar unmöglich, was gerade unter widrigen Bedingungen oftmals langwierige terrestrische Aktionen mit hohen Ansprüchen an Material und Personal zur Folge hat. Grundsätzlich vergleichbare Einsatzsituationen unterscheiden sich daher im Ablauf mitunter erheblich:

Im optimalen Fall erreicht die Unfallmeldung über Mobiltelefon direkt nach dem Unfallgeschehen die Rettungsleitstelle. Der Einsatzleiter Bergrettung verifiziert erforderliche Details zum Geschehen und stimmt den Einsatz der Rettungsmittel mit der Leitstelle ab. Ein Rettungs- oder Einsatzhubschrauber nimmt Einsatzkräfte der Bergwacht auf und erreicht in kurzer Zeit den Verletzten. Der Notarzt versorgt ihn und er wird ohne weiteren größeren Personaleinsatz abtransportiert.

Es gibt aber am Berg auch immer wieder Notfälle, bei denen lange Zeit vergeht, bis die Meldung eintrifft und das Rettungsteam den Notfallort nur unter größter Anstrengung und Gefahren erreicht. Besonders dramatische Situationen für Verunfallte entstehen mitunter, wenn Bergsteiger allein unterwegs sind und im Funkloch des Mobilfunknetzes verunglücken oder die einbrechende Dunkelheit die Rettungsarbeiten erschwert bzw. schlechtes Wetter deren Abbruch erzwingt.

Ein Patient in den Bergen muss situationsgerecht versorgt werden, er soll grundsätzlich die Medizin bekommen, die er braucht, ohne ihn oder die Retter durch unnötig verlängerten Aufenthalt im Gefahrenbereich zusätzlich zu gefährden (→ Abb. 52.24).

Bei **großen objektiven Gefahren** wie Absturz-, Steinschlag- oder Lawinengefahr muss der Verletzte oft ohne jegliche Versorgung aus dem Gefahrenbereich gebracht werden. Der Klassiker ist die **Kapprettung,** bei der ein nach Sturz im Seil hängender Kletterer mit der Hubschrauber-Rettungswinde evakuiert wird. Dieses Spezialverfahren, bei dem der Hubschrauber zeitweise „gefesselt" ist und die Fixierung des zu Rettenden am Fels zum richtigen Zeitpunkt mit einer Kappschere durchtrennt werden muss, stellt höchste Anforderungen an das gesamte Team.

Manchmal ist es hingegen möglich und erforderlich, auch im unwegsamen Gelände alle notfallmedizinischen Möglichkeiten auszuschöpfen, um das Leben des Patienten zu retten. Die Entscheidung, den Patienten ohne vorherige Versorgung zu evakuieren (Scoop and Run) oder am Notfallort eine vollständige Versorgung durchzuführen (Stay and Play) stellt hohe Anforderungen an medizinisches Repertoire und Entscheidungskompetenz der Verantwortlichen.

Abb. 52.22 Bergrettungsfahrzeug (© Bergwacht Bayern) [W928]

Abb. 52.23 Luftretter der Bergwacht Bayern im Einsatz (© Bergwacht Bayern) [W928]

Abb. 52.24 Bergwacht-Notärztin im Einsatz (© Bergwacht Bayern) [W928]

Zentral für die Entscheidung bezüglich des erforderlichen Umfangs der Versorgung sind die Abwägung der objektiven Gefahren der Umgebung gegen das Verletzungsmuster und die Verletzungsschwere des Unfallopfers. Die **Erstuntersuchung** (Primary Survey) ist dabei der Schlüssel zum strategischen Einsatzerfolg. Hier werden lebensbedrohliche Verletzungen erkannt, eingeordnet und ggf. bereits präliminär versorgt. Diese Ersteinschätzung bestimmt, neben der Beurteilung der Situation, Ablauf und Dringlichkeit der weiteren Behandlung sowie Evakuierung. Der Ablauf des Primary Survey ist streng nach dem ABCDE-Schema durchstrukturiert und vergleichbar mit dem auch sonst im Rettungsdienst üblichen Vorgehen. Er ist auch in der Bergrettung an einschlägige Formate wie Advanced Trauma Life Support (ATLS) oder Prehospital Trauma Life Support (PHTLS) angelehnt und folgt streng dem Prinzip „Treat first what kills first." Deswegen wurde in letzter Zeit das traditionelle Schema zu einem „C-ABCDE" modifiziert, um zu betonen, dass gerade in einer Umgebung mit eingeschränkten Ressourcen das „Stop-the Bleeding" maximale Aufmerksamkeit verdient.

IM FOKUS

Bergrettung und Notfallort Gebirge

- Die Bergwacht verzeichnet aufgrund einer zunehmenden Zahl an Erholungssuchenden und Freizeitsportlern seit Jahren, insbesondere im Sommer, eine kontinuierliche Zunahme der Einsatzzahlen.
- Bergrettungseinsätze werden oft nachts, in entlegenem, unwegsamem Gelände, unter Absturzgefahr und bei schlechter **Witterung** erforderlich.
- Bergrettung erfordert laufendes Risikomanagement und ein hohes Maß an Eigenverantwortung der eingesetzten Kräfte.
- Im **Winter dominieren Ski-**Unfälle, meist auf Pisten.
- Im **Sommer** sind v. a. **Wanderer, Bergsteiger und Radfahrer** zu versorgen.
- Die **Einsatztaktik** ist für den Einsatzerfolg entscheidend.
- Der **Erstuntersuchung** kommt eine große Bedeutung zu, hier werden die entscheidenden Weichen für Versorgung und Evakuierung gestellt.

52.2.4 Besonderheiten der Bergrettung und notwendige Ausrüstung

Bei einem medizinischen Notfall abseits befahrbarer Straßen kommt dem **Ersthelfer („Bergkamerad")** die entscheidende Bedeutung zu. Er ist für den Betroffenen oft die einzige Möglichkeit, erste und zeitversetzt auch professionelle Hilfe zu bekommen. Seine Aufgaben sind die Ersteinschätzung der medizinischen und strategischen Situation, die Meldung des Unfalls, die Abwendung akuter Gefahren, die Lagerung und die medizinische Erstversorgung. Effektive Kameradenhilfe ist am Berg der wichtigste Garant des Einsatzerfolgs, auch wenn diese Situation, gerade für den Laienhelfer und Freund, eine enorme Herausforderung und Belastung darstellt. Bergkameraden sollten grundsätzlich in Erster Hilfe ausgebildet sein und eine Rucksackapotheke mit Dingen mitführen, die sie auch bereit und in der Lage sind, anzuwenden. Das wichtigste Prinzip ist „Only use what you know how to use." Im Zweifel müssen (z. B. im Falle von Medikamenten) klare und detaillierte Anweisungen für den Gebrauch beigefügt sein.

Eine besondere Verantwortung für begleitende Bergkameraden stellt der **Lawinenunfall mit Verschütteten** dar. Diese Verantwortung beginnt bereits bei der kompetenten Tourenplanung. So müssen fundierte Kenntnisse zur Einschätzung der Lawinengefahr, auch mithilfe des Lawinenlageberichts, vorhanden sein und persönliche Notfallausrüstung wie Schaufel, Sonde, LVS (Lawinen-Verschütteten-Such)-Gerät und Lawinen-Airbag müssen einsatzbereit mitgeführt werden und bedient werden können. Kommt es trotz aller Vorsicht zu einer Lawinenverschüttung, in aller Regel durch eine Schneebrettlawine, sind die Ersthelfer oft die Einzigen, die durch gezieltes und v. a. rasches Auffinden des Verschütteten ein Überleben zumindest ermöglichen, professionelle Helfer kommen bei einem Zeitfenster von 20–30 Min. für gute Aussicht auf Erfolg meist zu spät. Wichtig ist, dass das richtige Verhalten nach einer Lawinenverschüttung **vor** der Skitour gelernt und regelmäßig trainiert wurde. Auch für die eingesetzten Rettungskräfte gehören ein **Lawinen-Airbag,** ein **LVS-Gerät,** eine **Lawinenschaufel** und eine **Lawinensonde** zur persönlichen Ausrüstung. Dies gilt auch für Hubschrauber-Notärzte, die auf das Lawinenfeld gebracht werden.

Meldung des Unfalls

Meist werden Bergunfälle heute über Mobiltelefon gemeldet. Der Melder muss den Unfallort beschreiben, auf Erkennungsmerkmale (z. B. Kleidung oder markante Geländeformationen) hinweisen und auch nach Absetzen des Notrufs unbedingt weiterhin telefonisch als Ansprechpartner zur Verfügung stehen. Die **Übertragung der GPS (Globales Positionsbestimmungssystem)-Daten** an die Rettungsleitstellen ist vielerorts Standard und wird von verschiedenen Notfall-Apps ermöglicht. Dennoch ist die Lokalisation regelmäßig eine Herausforderung. Ist der Einsatz eines Mobiltelefons nicht möglich, sollte der beste und sicherste Bergsteiger der Gruppe mit den besten Ortskenntnissen absteigen, um den Notruf abzusetzen.

Beim Eingang der Notfallmeldung alarmiert die Integrierte Leitstelle über Funkmeldeempfänger primär den für das Einsatzgebiet zuständigen und ortskundigen **Einsatzleiter Berg- und Höhlenrettung (ELBR).** Dieser entscheidet über die Alarmierung der geeigneten Rettungsmittel und den weiteren Einsatzablauf, der je nach Einsatzort und -größe auch internationale Zusammenarbeit erfordern kann (→ Abb. 52.25). Wurden aufgrund des Meldebildes bereits parallel zum ELBR weitere Rettungsmittel alarmiert (z. B. ein RTH), unterstehen auch diese der Einsatzführung des ELBR, inkl. ggf. eines

Abb. 52.25 Einsatzfahrzeug des Einsatzleiters Bergrettung (© Bergwacht Bayern) [W928]

Einsatzabbruchs. Es ist die originäre Aufgabe des ELBR, zusätzlich zu den aus der Straßenrettung bekannten medizinischen Erfordernissen insbesondere auch die Gefährdungen durch Gelände und Witterung sowie die technischen Anforderungen eines Bergrettungseinsatzes im Blick zu behalten.

Die Kommunikation erfolgt mittlerweile auch in der Bergrettung über **Digitalfunk.** Für die Zusammenarbeit mit den Einsatzhubschraubern stehen gesonderte Gruppen zur Verfügung. Das Funknetz ist grundsätzlich auch im Alpenraum sehr gut ausgebaut. Durch Abschattung und einzelne Versorgungslücken kommt es bei Einsätzen dennoch immer wieder zu funktechnischen Problemen, die mitberücksichtigt werden müssen.

Man unterscheidet in der Bergrettung zwischen der terrestrischen, also bodengebundenen, und der Luftrettung. Häufig erfolgt die Bergrettung als Kombination von beidem.

Terrestrische Rettung

Ackja

Im Winter wird für terrestrische Einsätze, insbesondere auf Skipisten, traditionell ein **Rettungsschlitten (Ackja)** verwendet (→ Abb. 52.26). Für Einsätze außerhalb der Pisten kann dieser auch zerlegt und dann von mehreren Personen getragen werden.

Motorschlitten

In schneesicheren Gebieten ist der Motorschlitten mit Nachläufer ein Standardtransportmittel auf Loipen und Skipisten, soweit die Steilheit des Geländes dies erlaubt (→ Abb. 52.27). Auch auf schneebedeckten Fortstraßen ist er gut und sicher einsetzbar. Im unwegsamen Gelände abseits präformierter Wege stößt er aber schnell an seine Grenzen.

ATV (All Terrain Vehicle, „Quad“)

Das All Terrain Vehicle (ATV) ist sehr flexibel einsetzbar (→ Abb. 52.28). Es kann, je nach Jahreszeit, mit Rädern oder Ketten ausgestattet werden und ist, spätestens zusammen mit einem Nachläufer-Schlitten oder -wagen als „Anhänger“, in vielen Situationen das geradezu perfekte Fahrzeug, um Patienten aus dem Gelände zu evakuieren. Es ist im Gegensatz zum Motorschlitten nicht auf Schnee als Unterlage angewiesen und kann mit Ketten auch auf der Skipiste sicher eingesetzt werden.

Abb. 52.27 Motorschlitten (© Bergwacht Bayern) [W928]

Abb. 52.26 Abfahrt mit dem Ackja (© Bergwacht Bayern) [W928]

Abb. 52.28 ATV im Gelände (**a**) und im Schnee (**b**) (© Bergwacht Bayern) [W928]

Gebirgstrage

Dieses wannenartige Transportgerät findet v. a. in der Sommerrettung Verwendung (→ Abb. 52.29). Die Tragen sind meist teilbar und so leichter zu transportieren. Im steilen Gelände oder auf Schneefeldern können sie ähnlich wie Schlitten verwendet und durch Seile in der Falllinie abgelassen werden. Zusätzlich ist es möglich, ein Rad in der Mitte und Holme an beiden Seiten zu montieren.

Bergesack

Der Bergesack mit eingelegter Vakuummatratze wird sowohl in der terrestrischen als auch in der Luftrettung im Sommer und im Winter als **Universal-Patiententransportmittel** eingesetzt. Er wärmt und schützt den Patienten während der Evakuierung (→ Abb. 52.30). Ergänzt durch entsprechende Aufhängesysteme werden Bergesäcke auch im Rahmen von Winden- oder Tau-Bergeeinsätzen mit dem Hubschrauber verwendet.

Canyon- und Höhlenrettung

Canyon- und Höhlenrettung ist Spezialeinsatzkräften der Bergwacht mit spezieller Ausrüstung vorbehalten (→ Abb. 52.31). Je nach Einsatzgröße und erforderlicher Ortskenntnis werden, v. a. bei Höhlenrettungen, weitere Kräfte und Organisationen aus dem Bereich der Höhlenforscher in den Einsatzablauf integriert.

Abb. 52.30 Patient, „verpackt" im Luftrettungssack (© Bergwacht Bayern) [W928]

Abb. 52.29 Gebirgstrage zerlegt (**a**) und im Einsatz (**b**) (© Bergwacht Bayern) [W928]

Abb. 52.31 Gewässerüberquerung im Rahmen einer Canyon-Rettung (© Bergwacht Bayern) [W928]

Seilbahnrettung

Die Rettung aus **Seil-** oder **Bergbahnen** erfolgt entweder luftgestützt durch Hubschrauber mit Rettungswinde oder, wenn ein Hubschraubereinsatz nicht möglich oder sinnvoll ist, durch terrestrische Spezialtechniken, bei denen die Fahrgäste der Sessel- oder Gondelbahn per Seil auf den Boden verbracht werden (→ Abb. 52.32).

Baumrettung

Regelmäßig kommt es im Rahmen von Unfällen mit Gleitschirm, Fallschirm oder (selten) Flugdrachen dazu, dass Fluggerät und Pilot in einem Baum hängen bleiben (→ Abb. 52.33). Diese grundsätzlich instabile Situation erfordert große Sachkenntnis, gute Vorbereitung und geeignete Ausrüstung, um das Problem für alle Beteiligten sicher zu lösen. Solche Einsätze werden in aller Regel terrestrisch durchgeführt, um nicht durch den Downwash des Hubschrauber-Rotors den Absturz eines nicht gesicherten Piloten zu verursachen. Zudem besteht beim Einsatz der Hubschrauber-Rettungswinde die Gefahr des Verhängens des Windenhakens in den Ästen. Eine Luftrettungsaktion im Sinne der Kappbergung eines im Baum hängenden Fluggerät-Piloten sollte nur in absoluten Einzelfällen (z. B. unzugängliches, steiles Gelände, nicht terrestrisch erreichbarer Baumbereich, Zeitdruck durch Verletzungsmuster und -schwere, beginnende Dunkelheit oder drohende Wetterverschlechterung etc.) erwogen werden, wohl wissend, dass eine solche Aktion für den zu Bergenden, aber auch für Retter und Hubschrauber ein hohes Risiko darstellt. Es bleibt in jeder Hinsicht eine Einzelfallenscheidung, die maßgeblich durch die fliegerische Crew zu treffen ist.

Abb. 52.32 Terrestrische Seilbahnrettung aus einem Sessellift (© Bergwacht Bayern) [W928]

Abb. 52.33 Zustieg bei einer Baumrettung (© Bergwacht Bayern) [W928]

Luftrettung

Für die luftunterstützte Bergrettung werden oft Hubschrauber benötigt, die über die Möglichkeit zu einer Bergung mit **Fixtau** oder **Rettungswinde,** inkl. der für diese Verfahren in ggf. großer Höhe erforderlichen Leistung, verfügen (→ Abb. 52.34, → Abb. 52.35).

Häufig kann die Maschine auch in den Bergen direkt an der Unfallstelle landen und der Patient eingeladen werden. Ein Alternative zu dieser sichersten Form der Evakuierung ist der **Schwebeflug,** eine mehr oder weniger instabile und daher gerade in Bodennähe risikoreiche Flugsituation, in der der Pilot die Aktivitäten der Crew oft nicht gut überblicken kann. Dieses Verfahren sollte daher vermieden oder zumindest angestützt durchgeführt werden.

Abb. 52.34 Einsatz der Rettungswinde (© Bergwacht Bayern) [W928]

Abb. 52.35 Vorbereitung des Fixtau-Einsatzes (© Bergwacht Bayern) [W928]

Einsätze mit der Rettungswinde, v. a. in Österreich auch häufig mit dem Fixtau, zählen zu den Standardverfahren in der Gebirgsluftrettung. Beide Methoden erlauben sowohl das Absetzen der Retter in unwegsames Gelände als auch die Evakuierung von Retter und Patient. Beim sog. **Longline-Verfahren** wird mit Fixtaulängen von 200 m und mehr gearbeitet, um Verletzte auch aus tiefen Schluchten oder überhängenden Wänden zu bergen. Bei hoher Gefährdung des Verletzten durch objektive Gefahren, bei exponierter Lage des Notfalls und grenzwertigen Wetterverhältnissen kommt die sog. **Kapprettung** (→ Kap. 52.2.3) zum Einsatz.

IM FOKUS

Strategien und Ausrüstung bei der Bergrettung

- Der **„Kameradenrettung“** kommt große Bedeutung zu. Bergsteiger und -wanderer sollten entsprechend geschult sein.
  - Der erfahrenste und beste Bergsteiger der Gruppe sollte die **Meldung** absetzen (Geländebeschreibung muss exakt sein!).
- **Terrestrische Rettung** (Bergesack, Ackja, Gebirgstrage etc.) vs. **Luftrettung** (z. B. Rettungswinde, Fixtau etc.)
- Persönlich Ausrüstung bei **Skitouren abseits gesicherter Pisten:**
  - Lawinen-Airbag
  - LVS-Gerät (muss bedient werden können!)
  - Lawinenschaufel
  - Lawinensonde
- **Besondere Situationen:**
  - Canyon-Rettung
  - Seilbahnrettung
  - Baumrettung

52.2.5 Ausbildung und Anforderungen

Die Ausbildung eines Bergretters ist weder international noch national einheitlich. Sie folgt in aller Regel den konkreten Anforderungen, die sein Einsatzgebiet an ihn stellt. Im Folgenden dient die **Bergwacht Bayern** mit ihren, zum Teil hochalpinen, rund 9 000 Einsätzen pro Jahr, 1 800 davon mit Luftunterstützung, als Beispiel für eine der drei bereits erwähnten Bergrettungs-Organisationseinheiten in Deutschland. Auch die Bergwacht Bayern absolviert die meisten ihrer Einsätze im unwegsamen Gelände des sog. Mischgebiets. Insgesamt überwiegt im alpinen Bergrettungseinsatz die technische Komponente rund um Fragen von Zugriff und Evakuierung, während im Mischgebiet die Notfallmedizin an einem Ort im Vordergrund steht, an dem man logistisch nicht „aus den Vollen schöpfen“ kann. Im Gegensatz zum „Straßenretter“ muss der **Bergretter** sowohl medizinisch als auch bergsteigerisch-technisch versiert sein und er muss improvisieren können.

Bayerische Bergretter beginnen nach bestandenem Eignungstest in einer der 109 örtlichen Bergwacht-Bereitschaften ihre Ausbildung als Bergwacht-**Anwärter.** Dort erhalten sie eine **bergsteigerische Grundausbildung** für Sommer (Klettern, Bergsteigen) und Winter (Skifahren, Lawinenkunde). Zudem absolvieren sie eine **bergrettungstechnische Ausbildung** (Sicherungsmethoden, Gefahrenabschätzung, Einsatztaktik und Kommunikation). Es folgen **Lehrgänge** zu Sommer- und Winterrettung, Notfallmedizin und Hubschrauberrettung, zum Teil im BW-ZSA. Nach Bestehen der entsprechenden Prüfungen wird der Bergwacht-Anwärter zur Aktiven Einsatzkraft (AEK). Je nach Motivation und (beruflichen) Spezialkenntnissen und Ausbildungen kann nun eine Weiterbildung zur Spezial-Einsatzkraft wie z. B. Bergwacht-Rettungssanitäter, Cayoning-Retter, Höhlenretter, Hundeführer, Bergwacht-Notarzt, Einsatzleiter oder Mitarbeiter in der Psychosozialen Notfallversorgung (PSNV) erfolgen (https://www.bergwacht-bayern.de/fileadmin/Downloads/Ausbildungskatalog_web_Einzelseite_2021.pdf).

Auch die Spezialeinsatzkräfte der Bergwacht sind in Deutschland ausnahmslos ehrenamtlich tätig.

Bergwacht-Notarzt

Grundsätzlich folgt die Notarztindikation auch im unwegsamen Gelände den aus der „Straßen-Rettung" bekannten Kriterien, auch wenn immer wieder gelände- und witterungsbedingt Abstriche zu machen sind. Oft ist es sinnvoll, wenn der Einsatzleiter einen Bergwacht-Notarzt dazu alarmiert. Diese Spezialeinsatzkraft ist in Bayern, wie seine Bergwacht-Kameraden auch, **ehrenamtlich** tätig, sein Einsatz erfolgt sozusagen als „Institutsnotarzt" der Bergwacht Bayern. Die Vorteile gegenüber dem „Straßen-Kollegen" sind seine **Bergwacht-Ausbildung** und seine **größere Erfahrung mit Patienten und Situationen im unwegsamen Gelände.** Auch als medizinischer Fachberater der Einsatzleitung bei größeren Lagen, die entsprechende medizinische, aber auch persönliche Ausrüstung und die Möglichkeit, ihn windengestützt einsetzen zu können, erfordern, kann der Bergwacht-Notarzt aktiv werden. Als ehrenamtliche Einsatzkraft der Bergwacht Bayern kann er, wenn erforderlich, auch länger vor Ort bleiben und unterstützen als der „Straßen-Notarzt" aus der rettungsdienstlichen Vorhaltung.

Über die Tätigkeit eines aktiven Notarztes als Bergwacht-Notarzt, der die Bergwacht-Ausbildung durchlaufen hat und die entsprechende körperliche Fitness aufweist, hinaus bietet die Bergwacht Bayern im BW-ZSA das international anerkannte Ausbildungsformat des Bergrettungs-Notarztes „Diploma in Mountain Medicine" (DIMM) und die weiterführenden Aufbaulehrgänge „Diploma in Mountain Emergency Medicine", „Diploma in Expedition and Wilderness Medicine" und das „Diploma in Mountain Emergency Doctor" an.

IM FOKUS

Ausbildung in der Bergwacht Bayern

- **Aktive Einsatzkraft (AEK):**
  - Bergsteigerische und bergrettungstechnische Grundausbildung
  - Lehrgänge in Sommerrettung, Winterrettung, Notfallmedizin, Kommunikation, Luftrettung, Naturschutz
- **Im Verlauf weitere Qualifikationen möglich:**
  - Rettungssanitäter
  - Ausbilder
  - Hundeführer
  - Einsatzleiter
- **Notärzte** können
  - nach der Ausbildung zur AEK als Bergwacht-Notarzt tätig werden und
  - spezielle **Weiterbildungen** absolvieren, z. B. das international anerkannte „Diploma in Mountain Medicine" (DIMM).

52.2.6 Typische Verletzungen und medizinische Notfälle abseits der Straße

Lawinennotfall

Personen, die von einer Lawine erfasst werden, erleiden oftmals schwere Verletzungen durch Kollisionen mit Bäumen oder Felsen und durch das Gewicht des oft nassen Schnees. Zudem sind sie von einer Verlegung der Atemwege durch Schnee oder von einer **Behinderung der Atemmechanik** durch die sie oftmals geradezu einmauernden Schneemassen bedroht. In den beiden letzten Fällen kommt es rasch zum Ersticken des Betreffenden. Bleibt ein schneefreier Raum um das Gesicht **(sog. Atemhöhle),** ist ein Überleben für eine gewisse Zeit möglich, da die Atmung grundsätzlich möglich ist und die zunehmende Hypothermie den Sauerstoffverbrauch zudem verringert.

Die Dauer der Verschüttung ist prognostisch von größter Bedeutung (→ Abb. 52.36). Während der ersten 15–20 Min. nach dem Lawinenabgang überleben ca. 90 % der komplett Verschütteten, danach sinkt die Überlebenswahrscheinlichkeit schnell ab, nach 30 Min. sind fast 70 % der Verschütteten tot. Dies unterstreicht die immense Bedeutung der sofortigen Kameradenhilfe nach einem Lawinenunglück mit komplett Verschütteten (→ Kap. 42.2).

Grundsätzlich benötigen alle Patienten, die aus einer Lawine gerettet werden, Sauerstoff, ggf. die sofortige Beatmung bzw. eine Reanimationsbehandlung und einen Kälteschutz. Ein Monitoring mit EKG und, wenn möglich, die Bestimmung der Körperkerntemperatur (im äußeren Gehörgang oder im unteren Drittel der Speiseröhre) sind hilfreich.

Ein venöser Zugang ist nur sinnvoll, wenn dies ohne großflächiges Entkleiden des Patienten möglich ist. Die Gabe von Medikamenten wie **Epinephrin** oder **Vasopressin** in den Stadien III und IV der Hypothermie (unter 28 °C) ist **nicht empfohlen,** da sie nicht sicher wirken und durch repetitive Gaben die Gefahr der Akkumulation bis hin zur toxischen Dosierung besteht. Auch Defibrillationen sollten bei einer Körperkerntemperatur unter 30 °C maximal 3× versucht werden, danach erfolgt die, ggf. auch intermittierende, Basisreanimation (besser die kontinuierliche mittels mechanischer Reanimationshilfe) bis zur erfolgreichen Evakuierung und Wiedererwärmung mithilfe einer extrakorporalen Zirkulation (ECLS).

Ein Lawinenunfall stellt an die Rettungsmannschaften **hohe Anforderungen** hinsichtlich Einsatztaktik und Logistik. Bei allen Entscheidungen muss das Ziel der schnellen Rettung des Verletzten gegen das Risiko des Rettungsteams (Nachlawine, Kälte, Wetterbedingungen) abgewogen werden. Schwierig ist oft auch die Abwägung, ob sich die vorhandenen Kräfte der Reanimation eines bereits Gefundenen oder der Suche nach dem nächsten noch Vermissten widmen sollten. Bergretter, Bergwacht-Notärzte und Hundeführer **(Docs and Dogs)** müssen so schnell wie möglich zum Einsatzort gebracht werden (→ Abb. 52.37).

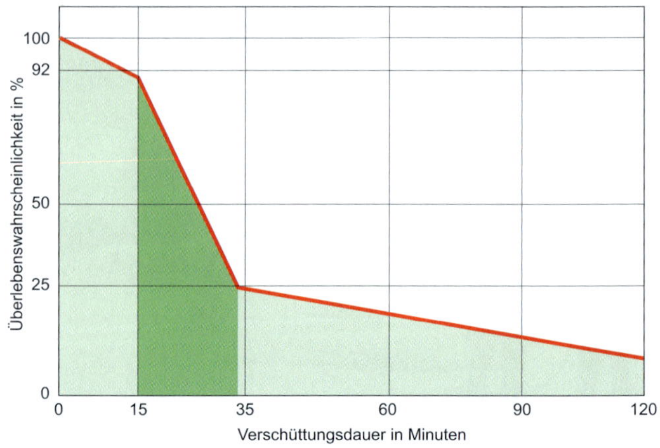

Abb. 52.36 Überlebenschancen nach einem Lawinenunglück [P096, L231]

Abb. 52.37 Lawinensuchhund der Bergwacht Bayern im Einsatz (© Bergwacht Bayern) [W928]

Der Bergwacht-Notarzt oder der für die medizinische Versorgung zuständige Bergretter sollte bei der Freilegung eines Patienten vor Ort sein, um die Prognose abzuschätzen und das weitere Prozedere festzulegen. Prognostisch wichtig ist, ob eine Atemhöhle vorhanden war und die Atemwege frei oder blockiert waren. Unnötige Bewegungen des Verletzten sollten vermieden werden, um kein kaltes peripheres Blut mit dem zentralen wärmeren Blut zu vermischen (Gefahr des sog. Afterdrop). Eine Pulsoxymetrie ist aufgrund der Zentralisierung des Kreislaufs häufig nicht möglich. Ein Notfall-EKG sollte abgeleitet werden, um Arrhythmien oder Kammerflimmern während und nach der Bergung des Patienten frühzeitig zu erkennen. Das prophylaktische Anbringen von Defibrillations-Paddles ist bei schwer hypothermen und/oder bewusstlosen Patienten obligat.

Maßnahmen bei Verschüttung ≤ 60 Min. und Kerntemperatur > 30 °C

Es zählt jede Minute! Erste Maßnahmen sind die rasche Sicherung der Atemwege und die Reanimation bei Atem- oder Kreislaufstillstand mit Herz-Lungen-Belebung. Ein weiteres Auskühlen sollte verhindert werden. Bei ausbleibendem Erfolg der Reanimation kann der Arzt den Tod feststellen.

Maßnahmen bei Verschüttung > 60 Min. und Kerntemperatur ≤ 30 °C

Der Verschüttete wird schonend geborgen. Überflüssige Körperbewegungen sind wegen der Durchmischungsgefahr von kaltem und warmem Blut zu vermeiden. Bei Vorhandensein einer Atemhöhle und freien Atemwegen Wiederbelebung („No one is dead until warm and dead"). Der Patient sollte in ein Krankenhaus mit der Möglichkeit der **extrakorporalen Wiedererwärmung** (Herz-Lungen-Maschine oder Membranoxygenierung) gebracht werden, am besten durch Lufttransport und unter Verwendung eines Geräts zur externen Herzdruckmassage (z. B. Lucas). Steht eindeutig fest, dass die Atemwege blockiert waren (z. B. durch Mund und Nase luftdicht abschließende Schneemassen), kann die Wiederbelebung durch den Notarzt abgebrochen werden.

MERKE

Überblick über Maßnahmen bei Lawinenverschüttung

- Bergrettung alarmieren
- Sofortige Suche mit LVS-Gerät und nach Ortung sofortiges Ausgraben durch Kameraden
- Atemwege und Brustkorb freilegen
- Auf Atemwege und Atemhöhle achten
- Rasche Bergung bei Verschüttungsdauer ≤ 60 Min.
- Schonende Bergung bei Verschüttungsdauer > 60 Min.
- Reanimation bei Kreislaufstillstand, Verzicht nur bei Verschüttungsdauer > 60 Min. und blockierten Atemwegen
- Wärmeerhalt
- Andere Maßnahmen nach Notwendigkeit
- Lückenlose Überwachung und Dokumentation

Ermüdung und Erschöpfung

Wird ein Organismus über einen längeren Zeitraum hinweg stark beansprucht, kommt es zur muskulären und geistigen **Ermüdung.** Das Überschreiten der eigenen Leistungsgrenze in Kombination mit Energie- und Flüssigkeitsmangel, Kälte und Nässe (mit der Folge einer Unterkühlung oder örtlichen Erfrierung) führt zu einem raschen Abfall der Leistungsfähigkeit, die Folge ist Erschöpfung. Im **Erschöpfungszustand** mobilisiert der Körper die letzten Reserven, er befindet sich in einer maximalen Stresssituation. Körpereigene Hormone wie Adrenalin oder Kortison haben eine wichtige Funktion für das Überleben in einer derartigen körperlichen Stressphase.

Bergungstod

Dieser Begriff ist nicht genau definiert. Es gibt im Wesentlichen Fallberichte, jedoch keine gesicherten Daten. Als **Ursachen des Bergungstods** kommen infrage:

- **Kammerflimmern:** nach längerer Kälteeinwirkung beim Bewegen des Verletzten Vermischung des kalten Bluts der Körperschale mit warmem Kernblut und dadurch Kammerflimmern mit Kreislaufstillstand
- **Hypovolämie:** bei der Bergung wiederauftretende starke Blutungen in gequetschte Extremitäten mit letalem Blutverlust
- **Kreislaufzusammenbruch:** In Stresssituation halten die Hormone Adrenalin und Kortison lebenswichtige Funktionen aufrecht. Während und nach der Rettung fehlt der Stress, es kann zum Kreislaufzusammenbruch kommen.
- **Versacken des Blutes bei Lagewechsel:** Die Rettung eines unterkühlten Patienten muss schonend und unter Beachtung von Begleitverletzungen durchgeführt werden, möglichst ohne die Körperlage, in der der Patient vorgefunden wurde, zu verändern. Wird der Verunglückte in eine aufrechte Position gebracht, kann dies zu einem Versacken des Blutes in die Beine und zu einem Absinken der Körperkerntemperatur führen. Im ungünstigsten Fall kann der rasante Abfall der Körperkerntemperatur (um bis zu 3 °C) einen hypothermen Herz-Kreislauf-Stillstand auslösen (sog. **Afterdrop,** → Kap. 42.2).

Erfrierung und Unterkühlung

→ Kap. 42.2 und → Kap. 42.3

Hängetrauma

Bei längerem Hängen im Seil, vor allem bei unzureichender Kletterausrüstung, kommt es zu einem **Pooling** des Blutes in den Beinen. Anders als lange Zeit angenommen, ist es wohl nicht die Schwerkraft allein, die zusammen mit einer Dilatation der venösen Kapazitätsgefäße den Zusammenbruch der kardialen Vorlast verursacht. Vielmehr führt wohl ein neurokardiogener Reflex zu Bradykardie und Weitstellung der Blutgefäße. Die Folge ist ein Abfall von Herzzeitvolumen und Blutdruck. Durch Hängen im Gurt und die damit meist assoziierte vertikale Position des Körpers erfolgt, wohl aufgrund einer unzureichenden Durchblutung des Gehirns, oft völlig unerwartet und perakut ein Bewusstseinsverlust, der oft schnell in eine Reanimationssituation mündet.

Bewusstlose Hängende werden nach der Rettung in stabile Seitenlagerung gebracht. Bei Bewusstlosigkeit und Atemstillstand erfolgt die Beatmung, bei Pulslosigkeit die kardiopulmonale Reanimation. Die früher häufig vertretende Meinung, dass die aufrechte Körperhaltung des Absturzopfers während der Rettung einzuhalten und der Gerettete mit erhöhtem Oberkörper sitzend zu lagern ist, lässt sich anhand der Literatur nicht bestätigen. Sollte eine umgehende Rettung nicht möglich sein, kann man versuchen, die Beine bereits im Hängen so weit als möglich zu bewegen und der Hängende sollte bis zur Rettung in eine so weit als möglich horizontale Lage gebracht werden (meist aber ist dies nicht möglich und diese eher akademische Option muss in aller Regel vor der schnellen, definitiven Rettung zurückstehen).

Rotationstrauma

Beim Aufnehmen eines Bergesacks mit der Rettungswinde eines Hubschraubers kann der Bergesack durch den Downwash beginnen, zu rotieren. Dabei können enorme Beschleunigungskräfte von bis zu 15 G im Kopf- und Beinbereich wirken, was die Blutzirkulation stark beeinträchtigen und Blut mit hohem Druck in Kopf und Beine verlagern kann. Hinweise auf ein stattgehabtes signifikantes **Rotationstrauma** sind:

- Ablauf des Windenvorgangs
- Schwindel und Übelkeit
- Einblutungen im Gesicht, insbesondere in den Augen, und ins Gewebe der Füße
- Schockzeichen
- Bewusstseinsstörung bis zur Bewusstlosigkeit

MERKE

Bei Hinweisen auf ein Rotationstrauma erfolgt lückenloses Monitoring und symptomatische Therapie.

Höhenerkrankungen

In den letzten Jahrzehnten hat sich die Zahl derjenigen, die in großen Höhen Abenteuer, Reiz und Herausforderung suchen, drastisch erhöht. Vielen wurde zu spät bewusst, dass hierbei uneingeschränkt der Grundsatz gilt: „If I want the ultimate thrill, I've got to be willing to pay the ultimate price." Etwa ein Drittel der Bergsteiger, die versuchen, einen Achttausender zu bezwingen, bezahlt diesen Versuch mit dem Leben (Berghold und Schaffert 2009).

Die Gefahren der Höhe sind Kälte, trockene Luft, UV-Strahlung und vor allem „Sauerstoffmangel". Letzterer bedeutet nicht, dass in großer Höhe die Sauerstoffkonzentration in der Umgebungsluft nicht weiterhin 21 % betragen würde. Er bedeutet, dass aufgrund des niedrigen Luftdrucks der Sauerstoffpartialdruck und damit der Gradient über der Luft-Blut-Schranke der Lunge, der die treibende Kraft für die Oxygenierung des Blutes darstellt, abnimmt. Je langsamer eine **Höhenanpassung** verläuft, umso mehr Zeit hat der Organismus, sich auf diese veränderten Bedingungen einzustellen. Der **Sauerstoffmangel** führt nicht nur zu den verschiedenen Formen der **Höhenkrankheit,** er trägt auch zu **Kälteschäden** bei (lokale Erfrierungen, Thrombosen und Thromboembolien). Als **Organic-Brain-Syndrom** wird eine „Gehirnerschöpfung" durch Sauerstoffmangel in größeren Höhen beschrieben. Sie wird aufgrund der dann deutlich eingeschränkten Entscheidungskompetenz des Betroffenen für eine sehr hohe Unfallrate verantwortlich gemacht.

MERKE

Für Todesfälle von Bergsteigern in über 7 000 m Höhe gibt es vier Ursachen **(„4 Hypos"):**

- Hypoxie
- Hypothermie
- Hypoglykämie
- Hypohydratation

Die wichtigsten **Formen** der Höhenerkrankung sind:

- Akute Höhenerkrankung (Acute Mountain Sickness, AMS)
- Höhenlungenödem (High Altitude Pulmonary Edema, HAPE)
- Höhenhirnödem (High Altitude Cerebrale Edema, HACE)

Von entscheidender Bedeutung zur **Vermeidung** dieser beschriebenen Erkrankungen ist die strikte Beachtung folgender Grundsätze:

- Beginn einer Tour nur bei vollständiger Gesundheit und Leistungsfähigkeit
- Ausreichende Flüssigkeitsaufnahme und Ernährung während der Tour
- Langsamer Höhengewinn, vorsichtige und langsame Adaption an die Höhe
- Reflektierte und selbstkritische Überwachung des eigenen Zustands
- Reflektierte und kritische Beobachtung der Tour-Kameraden und „Speaking Up" beim geringsten Zweifel

ACHTUNG! Beim Auftreten von Symptomen wie Kopfschmerzen, Leistungsreduktion, Erhöhung der Herzfrequenz in Ruhe, Appetitlosigkeit, nächtliche Atempausen und unruhiger Schlaf, Übelkeit und Erbrechen sowie Schwindel und Gleichgewichtsstörungen ist zum sofortigen Abstieg mit bergerfahrener Begleitung zu raten. Dringend abzuraten ist von einer prophylaktischen medikamentösen Unterstützung der Höhenanpassung. Im Notfall aber kann z. B. Dexamethason gute Dienste leisten und den sofortigen Abstieg des Höhenkranken unterstützen.

IM FOKUS

Pathophysiologie der wichtigsten Notfallbilder in der Bergrettung

- **Lawinennotfall:** Mehrfachverletzung bis hin zum Polytrauma, Asphyxie und Hypothermie
- **Bergungstod** durch Afterdrop: hypothermes Kammerflimmern und Hypovolämie
- **Hängetrauma:** wohl Pooling des Blutes zusammen mit einem neurokardiogenen Reflex, Lagerung in der Horizontalen nach Rettung unproblematisch

- **Rotationstrauma:** Umverteilung des Blutes durch Beschleunigungskräfte in Kopf und Beine
- **Höhenassoziierte Erkrankungen:** Kälte, trockene Luft, erhöhte UV-Strahlung und Sauerstoffmangel; Lungen- und Hirnödem möglich

52.3 Wasserrettung

52.3.1 Geschichte der Wasserrettung

Bereits seit dem **Ende des 19. Jahrhunderts** gibt es Wasserrettungsstrukturen in Deutschland. Die anfänglichen Wasserrettungsbestrebungen des Roten Kreuzes wurden durch die Gründung des Arbeiter-Samariter-Bundes (ASB) und der Deutschen Lebens-Rettungs-Gesellschaft (DLRG) verstärkt. Anlass für die Gründung der DLRG war ein Seebrückenunglück auf Rügen im Sommer 1912. Heute wird die Wasserrettung vorrangig durch die DLRG und die Wasserwacht sichergestellt. Alle beteiligten Organisationen leisten ihre Arbeit nahezu ausschließlich ehrenamtlich. Die **Wasserrettung** ist in Deutschland in den jeweiligen Landesrettungsdienstgesetzen erfasst, jedoch nicht einheitlich geregelt. Ebenso ist die Finanzierung ausgesprochen unterschiedlich, sodass die Verfügbarkeit von formal aufgestellten Wasserrettungseinheiten länderspezifisch variiert.

52.3.2 Organisationen der Wasserrettung

Deutsche Lebens-Rettungs-Gesellschaft

Die **DLRG** besetzt mit ihren etwa 2 000 örtlichen Gliederungen und 1,3 Mio. Mitgliedern und Förderern unzählige Wasserrettungsstationen im Binnenland und an der Küste. Damit ist die DLRG die **größte freiwillige Wasserrettungsorganisation** der Welt. Aufgaben des Verbands sind unter anderem die Vorbeugung von Ertrinkungsunfällen, die Ausbildung von Schwimmern und Rettungsschwimmern, der Katastrophenschutz und die Gefahrenabwehr. In vielen Bereichen werden für die Wasserrettung ausgerüstete Schnelleinsatzgruppen (SEG) vorgehalten.

Wasserwacht

Als Gemeinschaft im Deutschen Roten Kreuz verfolgt die **Wasserwacht** vorrangig die Ziele der Wasserrettung. Darüber hinaus bestehen oft eine enge Verbindung und Zusammenarbeit mit anderen Fachgruppen des DRK. Die Mitglieder der Wasserwacht besetzen Wasserrettungsstationen, leisten SEG-Einsätze und engagieren sich in der Ausbildung.

Arbeiter-Samariter-Bund (ASB)

Die Wasserrettung wird vom **ASB** als satzungsgemäße Aufgabe wahrgenommen. In diesem Rahmen betreibt der ASB, vor allem im Binnenland, einige Wasserrettungsstationen und bildet Rettungsschwimmer aus.

Deutsche Gesellschaft zur Rettung Schiffbrüchiger (DGzRS)

Die **Deutsche Gesellschaft zur Rettung Schiffbrüchiger** (DGzRS) versieht den **maritimen Such- und Rettungsdienst** (SAR, Search and Rescue) auf der Basis von Vereinbarungen mit der Bundesrepublik Deutschland. Dabei finanziert sich die Organisation größtenteils selbst, vor allem aus Spenden. Zur Erfüllung ihrer Aufgaben verfügt die DGzRS über 60 Seenotrettungsboote und -kreuzer, die teilweise hauptamtlich, meist jedoch ehrenamtlich besetzt werden. Koordiniert werden die Einsätze über die **Seenotleitstelle** (Maritime Rescue Coordination Centre, MRCC) in Bremen.

Weitere Organisationen

Neben den genannten Organisationen sind regelhaft auch die Feuerwehren in die Wasserrettung im Sinne der Gefahrenabwehr eingebunden. Außerdem werden bei der Bundesanstalt Technisches Hilfswerk (THW) **Fachgruppen Wassergefahren** vorgehalten, die unter anderem Pontonbrücken bauen und Lasttransporte durchführen können. Der Freiwillige Seenot-Dienst (FSD) ist ein Verein, in dem Freizeitskipper mit ihren Privatbooten Hilfe leisten.

52.3.3 Strukturen der Wasserrettung

Schnelleinsatzgruppen (SEG)

Die **Schnelleinsatzgruppen Wasserrettung** sind die Haupteinheiten des mobilen Wasserrettungsdienstes und verfügen unter anderem oft über geländegängige Fahrzeuge, über Boote und über Ausrüstung für Tauchgänge unter schwierigen Einsatzbedingungen. Oft ist eine Sprechverbindung zwischen dem Einsatztaucher und dem Signalmann vorhanden. Je nach Fahrzeugkonzept können sich die Einsatztaucher bereits während der Anfahrt zum Einsatzort umziehen. Regional unterschiedlich ist die Ausrüstung mit Spezialmaterial, wie Hebesäcke, Beleuchtung und Strömungsrettungsausrüstung.

Katastrophenschutz

Ein großer Teil der Lagen in Deutschland, die zum Ausrufen des Katastrophenfalls geführt haben, waren in den letzten Jahren wasserassoziiert. Gerade bei Überschwemmungen kommt es schnell zur Beeinträchtigung und Zerstörung der Infrastruktur und zum Einschließen von ganzen Dörfern oder Stadtteilen. Katastrophenschutz-Wasserrettungszüge umfassen sowohl Boots- als auch Einsatztauchgruppen sowie Führungskomponenten. Teilweise sind die Züge um weitere Unterstützungseinheiten, wie Logistik- oder Strömungsrettertrupps ergänzt.

Wasserrettungsstationen

An zahlreichen Seen, Fließgewässern und Stränden werden vor allem in den Sommermonaten Wasserrettungsstationen besetzt. Je nach Einsatzgebiet und -aufgaben werden neben Motorrettungsbooten auch Einsatzfahrzeuge und Tauchausrüstung vorgehalten. Teilweise sind die Wasserrettungsstationen direkt an die örtlichen Leitstellen angebunden und werden von diesen zu Wassernotfällen und als First Responder zur Unterstützung des Rettungsdienstes alarmiert. Besonders an Nord- und Ostsee gibt es zertifizierte Strände, an denen anhand eines sog. Risk Assessments die Ausrüstung und personelle Besetzung geprüft wurde.

IM FOKUS

Wasserrettung im Überblick

- Die Wasserrettung ist **nicht bundeseinheitlich geregelt** und wird in den Landesrettungsdienstgesetzen erfasst.
- **Beteiligte:**
  - **Wasserwacht:** Teil des DRK
  - **DLRG:** größte Wasserrettungsorganisation
  - **ASB:** vor allem im Binnenland
  - **DGzRS:** Rettung bei Schiffsunglücken
  - **THW:** Hilfe bei z. B. Überschwemmungen
  - **FSD:** freiwilliger Zusammenschluss privater Skipper

- SEG Wasserrettung verfügt oft auch über **Taucher** und spezielle Fahrzeuge.
- Im **Katastrophenschutz** treten häufig wasserassoziierte Problemstellungen auf.

52.3.4 Besonderheiten der Wasserrettung

Notfälle, mit denen der **Wasserrettungsdienst** konfrontiert wird, ereignen sich nicht nur im oder auf dem Wasser, sondern zu einem relevanten Anteil am Strand oder auf der Liegewiese. Im Wasser kommen Badeunfälle und Ertrinken sowie der Badetod vor. Der Badetod ist formal ein Tod aus natürlicher Ursache, der zufälligerweise im Wasser eintritt (z. B. Myokardinfarkt). Auf dem Wasser handelt es sich vor allem um wassersportbedingte, oft chirurgische Notfälle. Dazu zählen z. B. Dyspnoe nach dem flachen Auftreffen auf die Wasseroberfläche bis hin zu Luxationen und Frakturen durch den Zusammenprall von Wassersportlern und Wassersportgeräten. Außerhalb des Wassers kommt die gesamte Bandbreite der Notfallmedizin zum Tragen. Häufig sind Hitzeschäden durch Sonneneinstrahlung zu versorgen. Dabei sind die Differenzialdiagnosen Sonnenstich, Hitzeerschöpfung und Hitzschlag wichtig (→ Kap. 42.4).

Ertrinken

Besonders anspruchsvoll ist das schnelle und korrekte **Erkennen von Notlagen im Wasser** (→ Kap. 43.2). Ein Ertrinkender kann i. d. R. nicht auf sich aufmerksam machen. Winken und Hilferufe sind (entgegen verbreiteter Meinung) meist nicht zu erwarten, da der Ertrinkende seine verbleibende Kraft darauf verwenden muss, Mund und Nase über Wasser zu halten und atmen zu können. Für „Luxusfunktionen", wie Schreien oder das Heben der Arme über das Wasser fehlt die Kraft. In den meisten Fällen bleiben nur 1–2 Min., um einen Ertrinkenden zu retten, bevor er untergeht. Das Ertrinken verläuft oft in Phasen, wobei sich die Phasen I und II anfangs mehrfach abwechseln können (→ Abb. 52.38). Letztlich ist das Ausmaß des Sauerstoffmangels entscheidend für den weiteren Verlauf. Kann die **Rettung vor einem Kreislaufstillstand** erfolgen, ist die Prognose gut.

MERKE

Phasen des Ertrinkens
- Phase I: Luftschnappen vor dem Untertauchen
- Phase II: Atemanhalten nach dem Untertauchen
- Phase III: extremer Atemanreiz durch CO_2-Anstieg mit Einatmen unter Wasser und Aspiration
- Phase IV: Laryngospasmus und ggf. hypoxische Krämpfe
- Phase V: Schnappatmung

Einsatztaktik und Führung

Bei Einsätzen der Wasserrettung gibt es, je nach Landesrettungsdienstgesetz, i. d. R. einen Einsatzleiter Wasserrettung, Abschnittsleiter Wasser oder eine ähnliche Führungsposition, die für die Führung des Wasserrettungseinsatzes verantwortlich ist. Die tatsächlichen Befugnisse und Unterstellungen unterscheiden sich, je nach Landesrecht.

Für die Kommunikation ist wichtig, dass allen Beteiligten die Kommunikationswege bekannt sind, damit bei einem Sucherfolg der Rettungsdienst schnellstmöglich den Patienten erreichen kann. Bei der Angabe von Standorten sind unmissverständliche Angaben essenziell. Auf dem Wasser ist eine Orientierung anhand von Straßennamen kaum möglich, sodass es wichtig ist, in der Kommunikation **eindeutige Richtungen und Standorte** anzugeben. Bei Fließgewässern ist die Bezeichnung des Ufers immer in Fließrichtung zu formulieren (z. B. Flusskilometer x, x, rechtes Ufer). Besonders bei Lagen in Fließgewässern gibt es eine große Dynamik, die ggf. Anpassungen des Standorts erforderlich machen. Ansonsten ist auch die Angabe von Himmelsrich-

Abb. 52.38 Phasen des Ertrinkens [L231]

tungen zielführend (z. B. nördliches Ufer). Dabei sollte auch der Landrettungsdienst Ortskenntnis haben, an welchen Stellen Boote anlegen oder anlanden können, um Patienten zu übergeben. Die Entscheidung, ob das Anlegen/Anlanden möglich ist, trifft der verantwortliche Bootsführer.

Häufige Einsatzszenarien sind, neben medizinischen Hilfeleistungen, Sucheinsätze oder technische Hilfeleistungen. Gerade bei **Sucheinsätzen** nach mutmaßlich Ertrunkenen ist die Zeit der limitierende Faktor. Aus diesem Grund ist bei Wasserrettungseinsätzen eine große Anzahl an Sucheinheiten erforderlich. Diese werden bereits während der Anfahrt auf das Suchgebiet verteilt. Aus diesem Grund werden die Wasserrettungseinheiten häufig nicht an einem zentralen Rettungsmittelhalteplatz zusammengezogen. Bei strömenden Gewässern müssen, unter Berücksichtigung der Strömungsgeschwindigkeit, ein Erwartungs- und ein Maximalabschnitt definiert werden, um die Suche möglichst effizient durchführen zu können.

Je nach Lage legt der Einsatzleiter oder Taucheinsatzführer das Suchmuster fest. Typische Suchmuster sind die **Suchkette** (→ Abb. 52.39) oder die **zirkulare Suche mit Teilkreisen („Fächersuche")** (→ Abb. 52.40). Eine Suchkette kann, je nach Gewässer durch Einsatztaucher, Rettungsschwimmer/Schnorcheltaucher oder Boote gebildet werden. Mit der Fächersuche kann, beispielsweise bei stark unterschiedlichem Untergrund, der eine Kettensuche nicht zulässt, ein Gebiet mit Einsatztauchern abgesucht werden. Hierbei wird der Einsatztaucher durch den Signalmann mithilfe von Leinen-Zug-Zeichen in die jeweilige Richtung dirigiert. Die Einsatztaucher werden dann an mehreren Stellen parallel eingesetzt. Wenn Kräfte im Wasser sind, muss sichergestellt sein, dass an diesen Stellen keine Gefahr durch einen gleichzeitigen Bootseinsatz besteht.

Zur Absicherung der Kräfte an der Einsatzstelle wird bei Fließgewässern eine Ober- und Unterstromsicherung installiert. Meist durch entsprechend positionierte Motorrettungsboote, die an der direkten Suche nicht beteiligt sind, wird sichergestellt, dass die Einsatzkräfte durch Treibgut oder andere Wasserfahrzeuge nicht gefährdet werden.

IM FOKUS

Notfälle in der Wasserrettung
- **Im Wasser:**
  - Ertrinken
    - Ertrinkende können i. d. R. nicht auf sich aufmerksam machen.
    - **Erschöpfung, Aspiration** und **Laryngospasmus** als zentrale Probleme
    - Wenn Rettung vor Kreislaufstillstand: gute Prognose
  - Badeunfälle (z. B. beim Wassersport)
  - Badetod (natürlicher Tod im Wasser)
- **Notfälle können auch an Land stattfinden, z. B.:**
  - Hitzeschäden
  - Herz-Kreislauf-Probleme
- **Einsatztaktische Besonderheiten:**
  - Bei Fließgewässern: Bezeichnung des Ufers immer in Fließrichtung; Ober- und Unterstromsicherung
  - „Suchmuster" wird durch Einsatzleiter festgelegt.

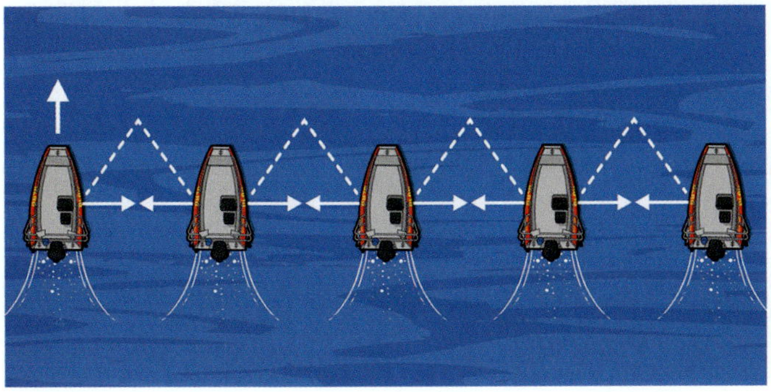

Abb. 52.39 Suchkette mit Booten [W927-001]

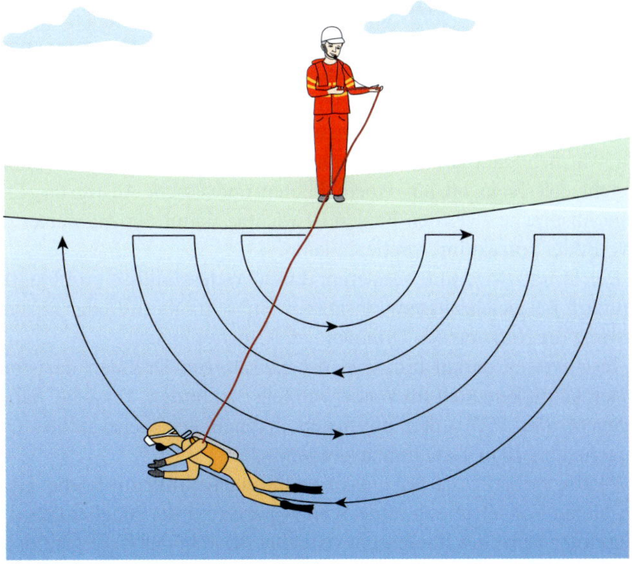

Abb. 52.40 Zirkulare Suche mit Teilkreisen („Fächersuche") [L143]

Besondere Rettungstechniken

Strömungsrettung

Als ein **Spezialgebiet** der Wasserrettung hat sich die **Strömungsrettung** etabliert. Die entsprechend geschulten Einsatzkräfte sind in der Lage, sich auch in schnell strömenden Flüssen und in Wildwasser sicher zu bewegen und Personen zu retten. Außerdem können Strömungsretter Patienten mithilfe seilgestützter Techniken horizontal und vertikal transportieren und z. B. aus Schluchten evakuieren.

Luftgestützte Wasserrettung

In Zusammenarbeit mit der Bundespolizei werden ausgewählte Wasserretter für den Einsatz in der **luftgestützten Wasserrettung** geschult. Die Aufgaben umfassen dabei unter anderem die Rettung von Personen aus hochwasserführenden Flüssen und die Evakuierung von Personen auf Hausdächern. Ferner können die Einsatzkräfte, z. B. am Windenseil oder am langen Seil von Hubschraubern hängend, treibende Personen aus dem Wasser retten.

Hubschrauber können schnell große Bereiche absuchen, vor allem wenn sie über eine Wärmebildkamera verfügen.

Technische Unterstützung

In den letzten Jahren werden zunehmend **Drohnen** (UAV – unmanned aerial vehicles) als Einsatzunterstützungsmittel in der Wasserrettung genutzt (→ Abb. 52.41). Sie bieten die Möglichkeit größere Flächen schnell und effektiv abzusuchen und können hochauflösende Bilder mit Wärmebildaufnahmen kombinieren. Bei professionellen Drohnen besteht das Team oft aus einem Piloten und einem Auswerter. Eine enge Absprache zwischen Beiden ist wichtig, damit der Auswerter die Live-Bilder korrekt interpretieren kann.

Der Einsatz wird unter anderem durch Wettereinflüsse und Flugzeit limitiert. Bei gleichzeitigem Einsatz von Hubschraubern an der Einsatzstelle ist die Nutzung von Drohnen i. d. R. nicht möglich.

Tests weisen darauf hin, dass der Einsatz von Drohnen dazu beitragen kann, Personen im Wasser schneller zu finden. Versuche haben ergeben, dass UAV unter optimalen Bedingungen Gegenstände und Personen bis 10 m Tiefe finden können.

Relativ verbreitet ist der Einsatz von **Sonartechnik** zur Suche. Hierbei bieten vor allem sog. Side-Scan-Sonargeräte die Möglichkeit, bei langsamer Fahrt des Bootes, ein virtuelles 3D-Bild des Untergrunds zu erhalten, auf dem Gegenstände und Personen gut erkennbar sind.

Noch nicht flächendeckend eingesetzt, aber in intensiver Erprobung befindlich sind **Unterwasserdrohnen** (ROUV – remotely operated underwater vehicles). Diese können, mit Kameras, Licht und ggf. Sonar ausgestattet, auch bei Lagen zum Einsatz kommen, bei denen ein Einsatz von Tauchern beispielsweise aus Sicherheitsgründen nicht vertretbar ist. Hierzu zählen unter anderem Einsätze an Wehren, im Bereich von Walzen und bei starker Strömung sowie in überfluteten Gebäuden. Werden bei der Sonarsuche vom Boot aus mehrere mögliche Fundstellen identifiziert, können diese durch ROUV schnell optisch aufgeklärt werden, sodass Pendeltauchgänge der Einsatztaucher vermieden werden können (→ Abb. 52.42).

Ein Taucheinsatz, egal ob per Einsatztaucher oder ROUV, kann durch die Nutzung eines Unterwassernavigationssystem unterstützt werden (→ Abb. 52.43). Hierbei werden 3–4 Referenzbojen gesetzt, deren Position mittels GPS ermittelt wird. Hierüber kann, mittels Ultraschalltriangulation die Position des Tauchers oder des ROUV georeferenziert bestimmt werden. Dies ermöglicht eine genaue Navigation unter Wasser. Beispielsweise bei einer Fächersuche kann so sichergestellt werden, dass nicht versehentlich ein Bereich im Suchgebiet ausgelassen wurde.

Achsengerechte Wasserrettung

Unfälle mit V. a. **Wirbelsäulenverletzung** ereignen sich vor allem bei Kopfsprüngen in flache Gewässer oder bei unterschätzter Tiefe und unter Alkoholeinfluss bei jungen Patienten (Durchschnittsalter < 30 Jahre). In nahezu allen Fällen liegt die Verletzung im Bereich der Halswirbelsäule (→ Kap. 43.2.3). Die Rettung dieser Patienten stellt eine besondere Herausforderung dar. Sofern der Patient bei Bewusstsein ist und kein relevantes A-, B- oder C-Problem hat, sollte eine **achsengerechte Rettung** erfolgen. Dabei eignen sich Immobilisationsmittel mit Auftrieb wie z. B. ein Spineboard deutlich besser als eine Schaufeltrage. Zusätzlicher Auftrieb und Stabilisierung sind durch Schwimmkörper wie Gurtretter zu erreichen. **Voraussetzungen** sind jedoch ruhiges Wasser und geschultes Personal. Das Anlegen eines HWS-Stützkragens ist auch im Wasser möglich und anzustreben (→ Kap. 43.2.4). Wasserrettungskräfte sollten, falls vor Ort, bei der achsengerechten Rettung eingebunden und auf deren Erfahrung zurückgegriffen werden (→ Abb. 52.44).

Eigenschutz

Stehende, vor allem aber fließende Gewässer bergen häufig auch unsichtbare Gefahren. Sind beim Eintreffen des Rettungsdienstes keine Wasserrettungskräfte anwesend, sollte ein Rettungsversuch vorrangig vom Ufer aus erfolgen. Ein schwimmerischer Einsatz sollte aufgrund einer potenziellen Selbstgefährdung nur von guten Schwimmern und unter strenger **Beachtung des Eigenschutzes** unternommen werden. Dabei können die Vakuummatratze und das Spineboard ggf. als Auftriebsmittel benutzt werden. Falls ein Sprung ins Wasser erfolgen muss, sollte der **Paketsprung** gewählt werden, um ein tiefes Eintauchen zu vermeiden (→ Abb. 52.45).

Bei unklarer Lage, z. B. fraglich vermisstem (weiterem) Patienten, sind niederschwellig und frühzeitig Wasserrettungskräfte nachzufordern. Bei stehenden Gewässern ist teilweise schon in Tiefen von unter 2 m mit einer Sprungschicht zu rechnen, in der sich die Wassertemperatur innerhalb weniger Zentimeter um mehrere Grad abkühlt. Dies kann durch Sympathikusaktivierung zu kardialen Problemen führen.

Abb. 52.41 Einsatz von Drohnen in der Wasserrettung [W927-001]

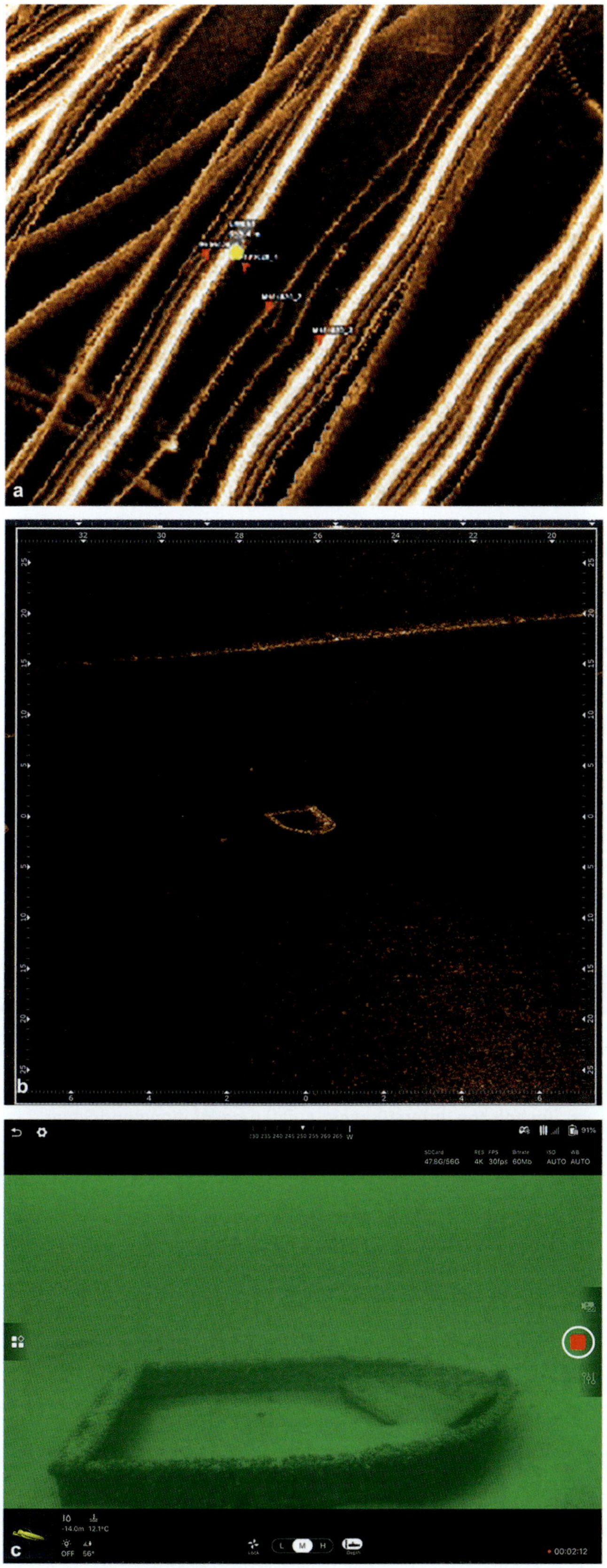

Abb. 52.42 Gesunkenes Boot in der Darstellung per **a)** Sonarbild mit gesetzten Markierungen, **b)** Side-Scan-Sonar und **c)** Kamera eines ROUV [W927]

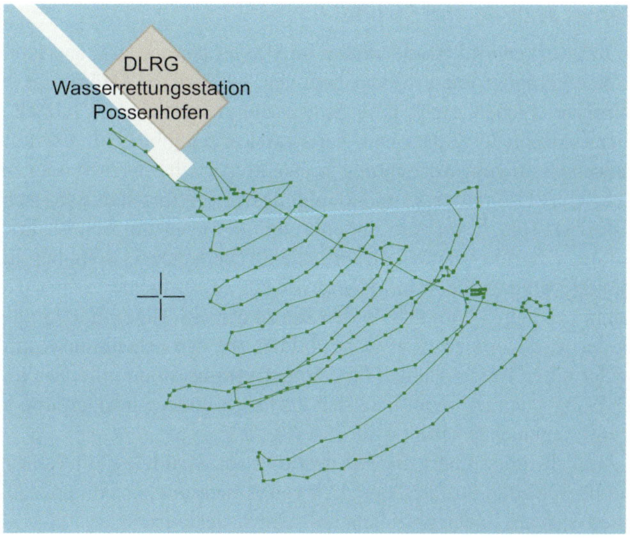

Abb. 52.43 Darstellung eines Tauchgangs mittels Unterwassernavigation [W927, L231]

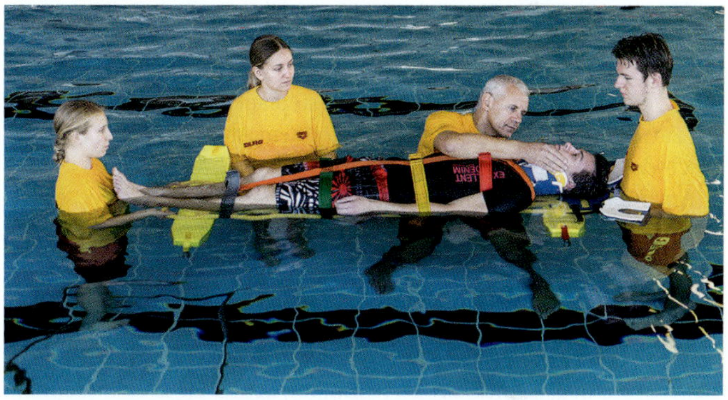

Abb. 52.44 Ein Patient wird achsengerecht gerettet. Zusätzlich zum HWS-Stützkragen erfolgt eine manuelle Inline-Stabilisierung, bis die endgültige Kopffixierung am Spineboard etabliert ist. [O986]

Abb. 52.45 Der Paketsprung verhindert ein zu tiefes Eintauchen beim Sprung in ein Gewässer. [W927]

Wehre, Walzen und Strudel

An **Bauwerken und Hindernissen im Wasser** können sich, auch wenn sie sich komplett unter Wasser befinden, **gefährliche Strömungsverhältnisse** ergeben. Auch gute Schwimmer kommen dort schnell in lebensbedrohliche Situationen. Vor **Kraftwerken** gibt es oft eine automatische Reinigungsvorrichtung (z. B. automatischer Rechen oder sog. „Leerschuss"). Kraftwerke und Reinigungsvorrichtungen müssen sicher deaktiviert sein, bevor eine Annäherung im Wasser möglich ist. Informationen darüber haben die örtlichen Feuerwehren, Betreiber und Wasserrettungskräfte. Von **Wehren** ist ein ausreichender Sicherheitsabstand zu halten, um nicht in den Sog zu geraten. Hinter horizontalen Hindernissen können sich Walzen bilden, die den Schwimmer immer wieder unter Wasser ziehen. Eine **Selbstrettung** ist am unteren Punkt der Walze möglich, wenn man sich dort vom Boden abstoßen und am Grund wegtauchen kann (→ Abb. 52.46).

Ähnlich funktioniert die Selbstrettung aus **Strudeln.** Ein Schwimmer im Sog eines Strudels kann sich von diesem mit nach unten ziehen lassen, sich am Boden abstoßen und seitlich wegtauchen.

Strömungen

Gerade an **Flüssen** wird die Strömung oft unterschätzt und stellt eine tödliche Gefahr dar. Wenn Schwimmer von der Strömung mitgerissen und in die Fahrrinne gezogen werden, endet die Situation häufig tödlich. Falls eine Rettung aus einem strömenden Gewässer angestrebt wird, ist die Strömung beim Anschwimmen einzuberechnen. Der Retter muss seinen schwimmerischen Einsatz so planen, dass der Patient auf ihn zutreibt. Es ist nahezu aussichtslos, einem Abtreibenden hinterherzuschwimmen.

Am **Meer** sind die Strömungen für Ungeübte nur schwer einzuschätzen. Besonders tückisch sind die sog. **Rip-Strömungen,** die einen Schwimmer schnell in Richtung offene See ziehen und für Ungeübte nur schwer zu erkennen sind. Auch **Unterströmungen** werden oft unterschätzt und bringen Schwimmer schnell in eine gefährliche Lage.

Keinesfalls sollte gegen eine Strömung angeschwommen, sondern versucht werden, seitlich aus der Strömung heraus zu schwimmen. Ein **Rettungsversuch** ist nur mit ausreichender **Eigensicherung** denkbar.

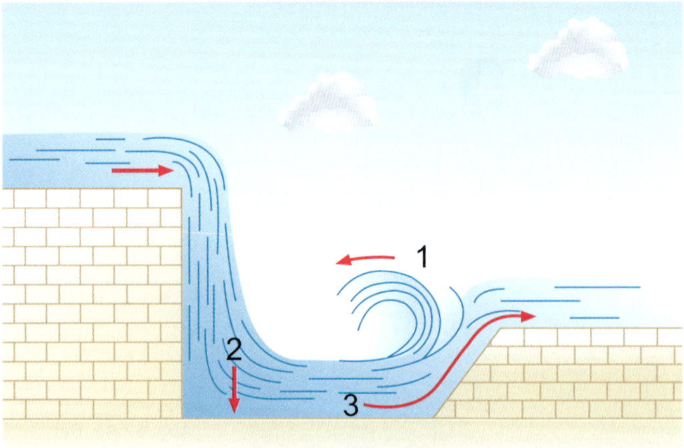

Abb. 52.46 Selbstrettung aus Walzen: 1 Schwung ausnutzen, 2 mit der Walze absinken, 3 flusswärts wegtauchen [W927]

Umklammerungen und Befreiungsgriffe

Da ein **Ertrinkender oft panisch reagiert** und nach allem greift, was er erreichen kann, muss der Retter **Abstand halten,** um eine Umklammerung zu verhindern. Bei schwimmerischem Einsatz empfiehlt sich die Annäherung von hinten. Ein direkter Körperkontakt sollte, wann immer möglich, vermieden werden. Mitgeführte Auftriebsmittel oder lange Gegenstände (z. B. auch ein Ast) können dem Ertrinkenden gereicht werden, sodass er sich daran festhalten kann, ohne eine Gefahr für den Retter darzustellen.

Falls der Patient den Retter ergreifen kann, wird er sich i. d. R. an diesen klammern und so unter Umständen am Schwimmen hindern. In diesen Fällen muss sich der Retter zuerst selbst befreien. Zu diesem Zweck gibt es **Befreiungsgriffe,** mit denen der Patient direkt in eine für den Retter kontrollierbare Haltung überführt wird. Diese werden in Rettungsschwimmkursen vermittelt. **Grundsätzlich gilt:** kleinmachen und abtauchen. Der Retter sollte die Schultern anziehen und versuchen selbst abzutauchen. Der Patient wird dann in vielen Fällen loslassen, um nicht aktiv unter Wasser gezogen zu werden.

Patiententransport über das Wasser

Der Patiententransport über das Wasser ist eine besondere Herausforderung für alle Beteiligten. Falls der Patient nicht bodengebunden erreicht werden kann und ein bootsgestütztes Zubringen des Rettungsdienstes erforderlich ist, sollte bereits während der Anfahrt der **Übernahmepunkt** abgeklärt werden, sofern es keine festen Absprachen mit den Wasserrettungskräften gibt. Aufgrund der mitunter langen Transferzeiten muss das komplette Material für die Notfallversorgung bereits vom ersteintreffenden Fahrzeug mitgenommen werden. Beim Transport eines Patienten mit dem Boot ist dieser mit den trageneigenen Gurtsystemen zu fixieren. Dadurch werden zusätzliche Verletzungen durch das Herunterfallen von der Trage bei Kurvenfahrten oder Wellenschlag verhindert. Sofern das Motorrettungsboot über eine **Tragenfixierung** verfügt, ist diese zu nutzen.

IM FOKUS

Techniken in der Wasserrettung

- **Luftgestützte Wasserrettung:** z. B. bei der Evakuierung von Hausdächern hilfreich
- **Technische Unterstützung:** Aufklärungsdrohnen und Sonar sind verbreitet, Unterwasserdrohnen und -navigationssysteme sind in Erprobung.
- **Achsengerechte Wasserrettung:** Problem ist HWS-Verletzung nach Kopfsprung; Spineboard ist schwimmfähig.
- **Eigensicherung:** Hauptprobleme sind Strömungen, Wehre, Walzen, Strudel und Umklammerungen des Patienten.
- **Befreiungsgriffe:** Erster Bestandteil der Befreiungstechnik ist, selbst abzutauchen.
- **Patiententransport über das Wasser:** Von großer Bedeutung ist frühe Klärung des Übernahmepunktes mit Landrettungsmitteln.

52.3.5 Ausbildung und Anforderungen

Das **Deutsche Rettungsschwimmabzeichen Silber mit Erste-Hilfe-Kurs** ist die **Grundvoraussetzung** für die Mitwirkung im Wasserrettungsdienst. Die Einsatzkräfte verfügen nahezu alle zusätzlich über eine **sanitätsdienstliche Ausbildung** und in vielen Fällen über die **Fachausbildung Wasserrettungsdienst** als weiterführende Grundausbildung. **Einsatztaucher** sind sehr erfahrene Taucher mit umfangreicher

Spezialausbildung, die auch unter anspruchsvollen Bedingungen einsatzfähig sind. Die **Bootsführer** sind geschult, ihre Motorrettungsboote auch unter Bedingungen sicher steuern zu können, bei denen das Führen von Sportbooten gefährlich oder nahezu unmöglich ist (→ Abb. 52.47). Da der Bootsführer die Verantwortung für Boot und Besatzung trägt, hat er an Bord Weisungsbefugnis bezüglich der Sicherheit des Bootes und der Besatzung.

Wasserrettungskräfte können bei Rettungsdiensteinsätzen oftmals für Assistenzaufgaben herangezogen werden. Nicht selten sind die zu erreichenden Einsatzstellen für den Rettungsdienst nur schwer zugänglich oder nur per Boot zu erreichen. In diesen Fällen ist eine enge Zusammenarbeit mit den Wasserrettungskräften unerlässlich. Der Einsatzverantwortliche für den Rettungsdiensteinsatz sollte sich eng mit den Führungskräften der Wasserrettungsorganisationen, die i. d. R. über eine Gruppen- oder Zugführerqualifikation verfügen, abstimmen und deren Spezialwissen nutzen.

Abb. 52.47 Einsatz eines Motorrettungsbootes in der Brandungsrettung unter schwierigen Bedingungen [W927]

WIEDERHOLUNGSFRAGEN

1. Welche Aufgabe hat die Luftrettung im deutschen Rettungsdienst (→ Kap. 52.1)?
2. Entstehen Kosten für jemanden, der die Luftrettung anfordert (→ Kap. 52.1)?
3. Welche Vorteile weist ein Luftrettungsmittel gegenüber einem bodengebundenen Rettungsmittel auf (→ Kap. 52.1)?
4. Nennen Sie die disponierende Stelle der Luftrettung (→ Kap. 52.1).
5. Welche Hubschraubermodelle werden in Deutschland in der Luftrettung eingesetzt (→ Kap. 52.1.3)?
6. Nennen Sie die Mindestbesatzung eines Rettungshubschraubers (→ Kap. 52.1.3).
7. Wie viel Monitoring kann im Ambulanzflugzeug zum Einsatz kommen (→ Kap. 52.1.4)?
8. Welche Punkte sind bei der Einsatzgrobplanung eines Ambulanzflugs zu beachten (→ Kap. 52.1.4)?
9. Über welche besonderen Qualifikationen sollten Rettungsdienstmitarbeiter verfügen, die in der Luftrettung tätig sind (→ Kap. 52.1.6)?
10. Welche Vorteile hat die teamorientierte Ausbildung für die Luftrettung (→ Kap. 52.1.6)?
11. Was waren die wesentlichen Meilensteine der Geschichte der Bergrettung (→ Kap. 52.2.1)?
12. Wer ist in Deutschland für die Bergrettung zuständig und wie ist die Bergrettung in Deutschland organisiert (→ Kap. 52.2.2)?
13. Wer ist außerhalb Deutschlands für die Bergrettung zuständig und wie ist die Bergrettung in anderen Ländern organisiert (→ Kap. 52.2.2)?
14. Was sind die Besonderheiten von Notfällen im Gebirge und was ist entsprechend bei Einsätzen der Bergrettung zu beachten (→ Kap. 52.2.3)?
15. Welche Formen der Rettung werden in der Bergrettung unterschieden (→ Kap. 52.2.4)?
16. Was sind typische Rettungsgeräte und -techniken in der Bergrettung (→ Kap. 52.2.4)?
17. Welche Qualifikationsanforderungen für die Bergrettung in Deutschland gibt es (→ Kap. 52.2.5)?
18. Was sind typische Notfälle und Erkrankungen im Gebirge und wie sollte damit umgegangen werden (→ Kap. 52.2.6)?
19. Seit wann gibt es eine organisierte Wasserrettung in Deutschland und wann wurde die DLRG gegründet (→ Kap. 52.3)?
20. Welche Leistungserbringer in der Wasserrettung gibt es in Deutschland (→ Kap. 52.3.2)?
21. Was sind die Besonderheiten von Notfällen an und im Wasser (→ Kap. 52.3.4)?
22. Welche Eigenschutzmaßahmen sind bei der Wasserrettung zu beachten und warum (→ Kap. 52.3.4)?
23. Welchen Vorteil bietet der Paketsprung für den Retter (→ Kap. 52.3.4)?
24. In welchen Fällen sollte eine achsengerechte Wasserrettung erfolgen und welche Hilfsmittel sind dabei zu bevorzugen (→ Kap. 52.3.4)?
25. Welche baulichen Einrichtungen und Verhältnisse im Wasser sind für den Retter besonders gefährlich (→ Kap. 52.3.4)?

WEITERFÜHRENDE LITERATUR

Bartmann H, Muth C-M. Notfallmanager Tauchunfall. 4. Aufl. Stuttgart: Gentner, 2012.

Berghold F., Brugger H. Alpin- und Höhenmedizin. Wien: Springer, 2015.

Teilnehmerbroschüre Rettungsschwimmen. 3. Aufl. 2012.

Durner G, Römer A. Erste Hilfe Bergrettung. München: Bergverlag Rother, 2002.

Freudig T, Martin A. Bergrettung: Lehrbuch der Bergwacht. Bergwacht Bayern, 1995.

Gesellschaft für Tauch- und Überdruckmedizin. Leitlinie Tauchunfall. gtuem.org/198/tauchmedizin/leitlinie-tauchunfall.

Jüttner B, Bartmann H. Hyperbare Sauerstofftherapie (HBO) – Das Ziel bei CO-Vergiftungen und schweren Tauchunfällen. BRANDSchutz Deutsche Feuerwehr-Zeitung. 2014; 12: 931–935.

Klingmann Ch, Tetzlaff K. Moderne Tauchmedizin. 2. Aufl. Stuttgart: Gentner, 2012.

Künneth T, Vorderauer A, Fischer P. Taschenbuch für Wasserretter. 5., überarbeitete Aufl. Heidelberg: ecomed, 2019.

Lischke V, Berner A et al. Medizinisches Simulationstraining luftgestützter Bergrettungseinsätze (MedSim.BW-ZSA). Notfall und Rettungsmedizin. 2014; 1: 46–52.

Lück T, Kvasnicka V, Lück A. Unterwasserdrohnen in der Wasserrettung. Unfallchirurg. 2021; 124: 977–983.

Piepho T, Ehrmann U, Werner C, Muth C-M. Sauerstofftherapie nach Tauchunfall. Der Anästhesist. 2007; 56(1): 44–52.

Rall M. Human Factors und CRM: Eine Einführung, in Simulation in der Medizin. In: Pierre M St, Breuer G. Grundlegende Konzepte – Klinische Anwendung. Berlin: Springer, 2013. S. 135–153.

Rall M, Gaba D M. Patient Simulation. In: Miller R D. Miller's Anesthesia. 7. Aufl. Philadelphia: Elsevier, Churchill Livingston, 2009. S. 151–192.

Rieke B, Küpper Th, Muth C-M. Moderne Reisemedizin. 2. Aufl. Stuttgart: Gentner, 2013.

53

FAHRZEUGE

Achim Thamm

FALLBEISPIEL

Die Rettungsleitstelle alarmiert ein Rettungsdienstteam zu einem pädiatrischen Notfall an einem Freitagabend um 23:07 Uhr. Die Anfahrt zur Einsatzstelle führt durch ein Wohngebiet mit einer Ampelkreuzung. Der Fahrer des Einsatzfahrzeugs fährt – aufgrund der vorangeschrittenen Zeit und der lokalen Situation – nur mit blauem Blinklicht ohne Einsatzhorn mit 60 km/h in die für ihn auf Rot stehende Ampelkreuzung ein und kollidiert mit einem anderen Fahrzeug aus dem durch Grünlicht vorfahrtsberechtigten Querverkehr. Wer hat Schuld? Nach dem Durcharbeiten des folgenden Kapitels wird sich die Schuldfrage klären.

INHALTSÜBERSICHT

53.1 DIN FÜR RETTUNGSMITTEL

- Rettungsmittel, deren Ausstattung und Ausrüstung sowie wichtige Begriffe des Rettungswesens werden national in Deutschland per DIN-Normen oder als deutsche Ausgabe einer unveränderten Europäischen Norm per DIN EN definiert. Die DIN EN 1789 steht für die Krankenkraftfahrzeuge (Krkw) vom Typ A1 und A2, Typ B und Typ C.
- Durch die DIN EN 1865 werden die Anforderungen an Krankentragen und andere Krankentransportmittel im Krankenkraftwagen gestellt.
- Notarzteinsatzfahrzeug (DIN 75079) und Notfall-Arztkoffer (DIN 13 232) bzw. Notfall-Arztkoffer Säugling-Kleinkinder (DIN 13 233) unterliegen keiner EN.
- Die medizinische Ausstattung Rettungstransporthubschrauber unterliegt der DIN EN 13 718 (bzw. DIN 13 230).

53.2 DAS RETTUNGSMITTEL ALS ARBEITSPLATZ

- Einsatzspektrum und Einsatzgebiete erfordern spezielle Anforderungen an ein Einsatzfahrzeug.
- Das primär zu transportierende Notfallequipment muss schnell und einfach zugänglich sein.
- Beim Tragen niemals rückwärtsgehen, nur an den herausgezogenen Holmen anfassen und nur auf Kommando arbeiten.
- Patienten sollten bei längeren Transportwegen nicht auf dem Spineboard gelagert werden, da ein Dekubitus entstehen kann.
- Patienten und Material sind beim Ein- und Ausladen entsprechend vor dem Herunterfallen zu sichern.

53.3 FAHRZEUGTECHNIK

- Fahrzeuglenker haben sich vor Antritt einer Fahrt bzw. bei Dienstbeginn, über die Verkehrs- und Betriebssicherheit des Fahrzeugs zu versichern.

53.4 FAHRTECHNISCHE AUSBILDUNG

- Einsatzfahrten stehen in einem ständigen Interessenkonflikt zwischen zügigem und sicherem Ankommen an der Einsatzstelle unter Berücksichtigung der Fahrphysik.
- Anhalteweg (ergibt sich aus Reaktions- und Bremsweg), spezielle Straßen-, Sicht- und Witterungsverhältnisse sowie plötzlich auftretende Mängel am Einsatzfahrzeug erfordern entsprechende fahrtechnische Kenntnisse und Verhaltensweisen bei Einsatzfahrten.
- Präventionsarbeit zur Unfallverhütung beginnt bereits bei einer adäquaten Notrufabfrage sowie einer guten Ortskenntnis im primären Einsatzgebiet.
- Der gefährlichste Platz in einem Krankenkraftfahrzeug ist der Patientenraum.
- Persönliche Emotionen oder Zeitdruck lösen Stresssituationen aus, welche sich negativ auf das Verhalten im Straßenverkehr auswirken. Stress ist bei Einsatzfahrten noch ungleich höher.
- Kollisionen mit Personen, Fahrzeugen, Tieren und Gegenständen sind zu vermeiden. Ebenso ist eine große Achtsamkeit des Fahrers erforderlich beim Befahren von Straßenbahnschienen, Bahnübergängen und Fußgängerzonen, da sie potenzielle Gefahrenbereiche darstellen.
- Ein unsanfter Transport ist für den Patienten eine zusätzliche körperliche und seelische Belastung. Nicht jeder Notfallpatient bedarf eines Transports unter Inanspruchnahme von Sondersignal in die Klinik.
- § 35 (5a) StVO befreit Fahrzeuge des Rettungsdienstes in besonderen Notfällen von den Verkehrsvorschriften.
- Der Einsatz von Sondersignal wird bei der Anfahrt zur Einsatzstelle durch die Leitstelle angeordnet, beim Patiententransport durch das Rettungsteam vor Ort informiert.
- § 34 StVO regelt das Verhalten bei einem Unfall.
- Neben einem voll funktionsfähigen Einsatzfahrzeug muss sich vorausschauend, zielorientiert und vorschriftmäßig im Straßenverkehr verhalten werden.
- Sondersignale sind zweckmäßig einzusetzen.

53.1 DIN für Rettungsmittel

Normen bieten nicht nur Sicherheit in allen Bereichen des täglichen Lebens, sondern berücksichtigen auch eine nachhaltige Entwicklung im Gesundheits-, Arbeits- und Umweltschutz für den Anwender. Der Begriff „Rettungsmittel“ umfasst **Krankenkraftwagen (Krkw), Notarzteinsatzfahrzeuge (NEF)** und Sonderfahrzeuge (Wasserrettung und Fahrzeuge für schwieriges Gelände). An jedes Rettungsmittel werden hohe Anforderungen in den Sicherheits- und Qualitätsstandards sowie deren Ausstattungen und Überprüfungen gestellt, welche in Normen wie **ISO-Norm, DIN EN** und **DIN NARK** geregelt werden. Der **DIN-Normenausschuss Rettungsdienst und Krankenhaus (NARK)** vertritt die Normensinteressen Deutschlands in rettungsdienstlichen Systemen, Krankenhäusern und der Medizintechnik in **europäischen (CEN)** und **internationalen (ISO)** Gremien. Er überprüft zugleich die Funktionalität und Praxistauglichkeit von rettungsdienstlichen Systemen, zu denen u. a. die Konstruktionsanforderungen für einen technischen und medizinischen Mindeststandard und die Arbeitsplatzsicherheit von Einsatzfahrzeugen gehören.

DEFINITION

DIN, EN, NARK und ISO

- Das **Deutsche Institut für Normung e. V. (DIN)** bildet eine unabhängige Plattform für **Normung** sowie Standardisierung in Deutschland und der ganzen Welt. Dokumente die Anforderungen an Produkte, Dienstleistungen oder Verfahren festlegen, werden als eine Norm bezeichnet.

- Die **Europäischen Normen (EN)** werden von einem der drei europäischen Komitees für Standardisierung, Europäisches Komitee für Normung CEN, Europäisches Komitee für elektronische Normung CENELEC und dem Europäischen Institut für Telekommunikationsnormen ETSI, als Regeln in Kraft gesetzt.
- Präklinisch und innerklinisch ist der **DIN-Normenausschuss Rettungsdienst und Krankenhaus (NARK)** an der aktuellen wissenschaftlichen und technischen Standardisierung in der Notfallmedizin maßgeblich beteiligt. Diese Norm regelt die medizinisch-technische Ausrüstung von Land-, Wasser- und Luftrettungsfahrzeugen und stellt dadurch eine sichere Behandlung und Transport von Patienten und Notfallpatienten sicher. Auf **internationaler (ISO)** und europäischer (CEN) Ebene vertritt er die deutschen Normungsinteressen für rettungsdienstliche Systeme, Krankenhaus und Medizintechnik.
- Die **Internationale Organisation für Normung (ISO)** bringt Mitglieder aus 163 nationalen Normungsgremien zusammen, um aus unterschiedlichen Expertisen, internationale Standards zu entwickeln.

Die Normen sind ein unverzichtbares Dokument, um einen sicheren und rechtssicheren Betrieb von Rettungsmitteln und medizinischen Geräten zu gewährleisten und setzen sich aus der Struktur der jeweiligen DIN EN ISO XXXX (Nummer) : XXXX (aktuelle Jahreszahl) zusammen.

DEFINITION

Bei einem **Patienten** handelt es sich um eine Person, deren Zustand den Einsatz geschulten Personals für medizinische Versorgung und/oder einen geeigneten Transport erfordert.
Befindet sich eine Person infolge von Erkrankung, Verletzung oder sonstigen Umständen in unmittelbarer oder zu erwartender Lebensgefahr, die eine sofortige Notfallversorgung, Überwachung oder einen zügigen Transport in eine weiterführende medizinische Einrichtung bedarf, handelt es sich um einen **Notfallpatienten**.

Für die klassischen **Krankenkraftwagen** (Krkw) bestehen europaweite gültige Normen. Sie werden entsprechend der Kategorien **Patient** und **Notfallpatient** definiert und in der europäischen Norm **DIN EN 1789** in drei Fahrzeugkategorien A, B und C unterschieden (→ Tab. 53.1).

Für Notarzteinsatzfahrzeuge (NEF) gibt es keine spezifische europäische Norm, für sie gilt die Norm DIN 75079. Weitere rettungsdienstlich relevante Normen sind die DIN EN 1865, die die Anforderungen an Krankentragen und andere Krankentransportmittel im Krkw definiert sowie die DIN EN 13718 für Patiententransportmittel in der Luft, zu Wasser und in schwierigem Gelände. Jede DIN-Normung für Rettungsmittel ist ein umfangreiches Anforderungsdokument, welches sich kontinuierlich in einem Überarbeitungsprozess u. a. zu Neuerungen an elektrische Anlagen, kraftunterstützende Beladesysteme, Geräuschpegel im Patienten- sowie Fahrerraum befindet. Bei Neuanschaffungen von Einsatzfahrzeugen gilt immer die jeweils gültige Fassung.

Krankenkraftwagen DIN EN 1789

Nach gesetzlichen Bestimmungen sind **Krkw** Arbeitsfahrzeuge, die einem höheren Benutzungsrisiko ausgesetzt sind und den Anforderungen, der **Norm DIN EN 1789** entsprechen. Krkw werden zum Transport, Überwachung und der Behandlung Patienten eingesetzt. Sie werden in drei Fahrzeugkategorien (**A1** und **A2, B** und **C**) unterschieden. Die DIN-Norm stellt gemeinsam mit dem **DIN-NARK** und der **DIN-ISO** eine Handreichung zum ordnungsgemäßen Betrieb von Krkw sicher. Die DIN EN 1789 gilt für alle **Krkw** (→ Tab. 53.1), die mindestens eine Person liegend auf einer Krankentrage transportieren können. In ihr werden u. a. Anforderungen an ein Basisfahrzeug (Karosserie), Anordnung und Menge der Sitze, den Ausbau, elektrische Anforderungen, das optische Warnsystem, die akustische Warnanlage (Einsatzhorn), Rückfahrsysteme, Ausbeleuchtung, Notausstiege (Türen und Fenster), die Größe des Patientenraums und des Einladebereichs, sowie die medizinische Ausrüstung festgelegt. Bei jedem Grundfahrzeug sind ein **Antiblockiersystem** (ABS) für die **Bremsanlage** und

Fahrzeugkategorie	Fahrzeugtyp und -aufbau	Beschreibung	Med. Ausstattung (Auszüge der DIN EN 1789)
Typ A1 und A2: Patient Transport Ambulance (PTA)	Minivan, Combi oder Kleintransporter als Kasten- oder Kofferaufbau bis 3,5 t	Diese Fahrzeuge sind für den Transport eines (Typ A1) oder mehrerer Patienten (Typ A2), liegend auf einer Krankentrage oder sitzend auf einem Krankensessel, geeignet.	Hilfsmittel zum Patiententransport (Trage, Tragesessel, Tragetuch), tragbare Sauerstoffinhalationseinheit, manuelles tragbares Absauggerät, Infusionshalterung, Defibrillator (AED), Verbandmaterial, Stauraum für persönliche Schutzausrüstung, Rettungs- und Schutzausrüstung
Typ B: Emergency Ambulance (EA) Notfallkrankenwagen	Kleintransporter als Kasten- oder Kofferaufbau bis 3,5 t	Neben einem liegenden oder sitzenden Transport sind die Fahrzeuge für eine Erstversorgung und die Überwachung von Patienten ausgerichtet. Er sollte nicht mit regional eingesetzten **„Mehrzweckfahrzeugen"** verwechselt werden, die nach DIN EN 1789 nicht existieren.	Fahrtrage, Tragestuhl, Schaufeltrage, Vakuummatratze, Schienungsmaterial inkl. Halskrausen, Sauerstoffanlage im Fahrzeug und tragbare Sauerstoffinhalationseinheit, Beatmungsbeutel, elektrische Absaugeinheit, RR-Manschette, Pulsoximeter, Infusionen und Zubehör wie Wärmebox für Infusionen, EKG-Defibrillationseinheit (mind. AED mit 3-Pol-EKG), tragbare Notfallausrüstung
Typ C: mobile Intensiv Care Unit (MICU), Rettungs-/Intensivtransportwagen	Transporter als Kasten- oder Kofferaufbau ab 3,5 t Bei Intensivtransportwagen kommen auch 7,49-Tonner mit Laderampe zum Einsatz. Teils können diese dann auch zusätzlich als Sonderfahrzeug (Schwerlast-RTW) eingesetzt werden.	Fahrzeuge, die für den Transport, die erweiterte Behandlung und die Überwachung von Patienten ausgestattet sind Die medizinische Ausstattung bei Intensivtransportwagen kann im Vergleich zum normalen RTW durch zusätzliche Materialien wie z. B. Blutgasanalysegerät, Druckluftflaschen, weiteren Spritzenpumpen/Infusomaten ergänzt werden	Entspricht grundlegend dem Typ B, jedoch mit erweitertem medizinischem Equipment für die Versorgung von Erwachsenen und Kindern (u. a. externer Herzschrittmacher, Infusomat und Spritzenpumpe, automatisches Beatmungsgerät, spezielle Notfallmedikamente, Kapnometrie, Kindernotfall-Equipment)

Tab. 53.1 Krankenkraftwagen nach DIN EN 1789

eine **Beschleunigung** von 0 auf 80 km/h innerhalb von 35 Sek. (bei einem innerhalb des zulässigen Gesamtgewichts beladenen Fahrzeug) festgeschrieben. Außerdem wird in ihr ein Augenmerk auf die **aktive** und **passive** Sicherheit von Patienten und Personal gelegt. So sind ausnahmslos alle Personen und Gegenstände, die sich im Krkw befinden, so zu sichern, dass sie sich nicht zu einem zehnfachen Geschoss ihres Eigengewichts (10 G) verwandeln. Hierdurch ergibt sich, dass alle Geräte und sonstige Gegenstände so zu befestigen sind, dass keine Verlagerung von mehr als 150 mm in jede Richtung stattfinden kann. Weitere normative Verweise an Werkstoffanforderungen bezüglich des Brandschutzes, der Reinigung und Desinfektion, der Rutschfestigkeit bei Nässe (Boden Patientenraum) oder Verweise an die Anforderungen des **ergonomischen Freiraums der Arbeitsplätze Fahrersitz und Patientenraum** sind entsprechend zu berücksichtigen.

Notarzteinsatzfahrzeug (NEF) DIN 75079

NEF werden im **Rendezvous-System** eingesetzt, dabei wird der Notarzt parallel zum RTW oder nachträglich (Anforderung des RTW) dem Einsatzort zugeführt. Mit einem NEF kann kein Patiententransport vorgenommen werden; es handelt sich bei diesen Fahrzeugen um speziell ausgerüstete Pkws (DIN 75079). Die medizinische Ausstattung besteht u. a. aus EKG-Monitor-Defibrillationseinheit inkl. Schrittmacher, automatischer Blutdruckmessung, Pulsoxymetrie (SpO_2), ggf. Kohlenmonoxid-Messung (CO_2), Kapnografie ($etCO_2$), elektrisch-mobiler Absaugeinheit, Beatmungsgerät, Notfall-Equipment für Säuglinge, Kinder (DIN 13233) und Erwachsene (DIN 13232), inkl. Medikamenten, Wärmefach für Infusionen und mechanischer Reanimationshilfe.

Rettungstransporthubschrauber (RTH) DIN EN 13230–10 für Luftrettungsmittel

Das Einsatzspektrum von RTH ist vielfältig. Sie können als **primäres** Rettungsmittel für einen schnellen und schonenden Transport von Notfallpatienten oder, wenn kein bodengebundenes NEF zur Verfügung steht, als Notarztzubringer eingesetzt werden. Im Rahmen von **Sekundäraufträgen** werden die RTH meist für Verlegungen eingesetzt, wenn die Entfernung der Kliniken zueinander einen zeitgerechten Transport mit einem bodengebundenen Rettungsmittel nicht zulässt oder z. B. das besondere Schwingungsverhalten des RTH für den Patienten von Vorteil ist (z. B. Wirbelsäulenverletzungen). Meist werden diese Transporte durch größere Intensivtransporthubschrauber (ITH), die seit den 1990er-Jahren vorgehalten werden, durchgeführt. Sie verfügen im Vergleich zu einem RTH über ein erweitertes medizinisches Equipment. Außerdem können RTH und ITH für **sonstige** Einsätze wie z. B. Organtransporte, Suchflüge und dergleichen eingesetzt werden.

Neben den Normen für Rettungsmittel gibt es auch eine DIN für **Notfallkoffer.** So beschreibt die DIN 13 232 die Ausstattung des Notfall-Arztkoffers, die DIN 13 233 die Ausstattung des Notfall-Arztkoffers für Säuglinge und Kleinkinder.

IM FOKUS

DIN-Normen von Rettungsmitteln

- Rettungsmittel sind **deutschland- bzw. EU-weit genormt.** Die Normen verlangen einen spezifischen Aufbau bzw. eine konkrete Mindestausstattung.
- Krankenkraftwagen – **DIN EN 1789:**
  - Typen A1/A2, B und C
  - Ein RTW entspricht Typ C.
- Anforderungen an Krankentragen und andere Krankentransportmittel im Krankenkraftwagen – **DIN EN 1865:**
  - Auflistung von Mindestausstattung und Sicherheitsaspekten
- Notarzteinsatzfahrzeug (NEF) – **DIN 75079**
  - Nach DIN kein Patiententransport im NEF möglich
- Rettungstransporthubschrauber (RTH) – **DIN EN 13230–10**

53.2 Das Rettungsmittel als Arbeitsplatz

Im Fokus eines sicheren Arbeitsplatzes stehen die Ergonomie und Sicherheit des Einsatzpersonals sowie der Patienten. Zudem fördern Hygiene- und Desinfektionsmaßnahmen weitere Aspekte eines sicheren Arbeitsplatzes (siehe hierzu auch → Kap. 16.1 und → Kap. 16.2).

Dies stellt auch besondere Herausforderungen an die Fahrzeug- und Ausbaufirmen mit deren individuellen **Fahrzeugkonzepten** für Einsatzfahrzeuge des Rettungs- und Krankentransportdienstes. Die Entscheidung der beschaffenden Stelle wird durch verschiedene Faktoren bestimmt:

- Betriebswirtschaftliche Gesichtspunkte
- Einsatzgebiet: Großstadt, Kleinstadt, ländlicher Bereich, Gebirge, Küste etc.
- Auswahl der medizinisch-technischen Anforderungen
- Einsatzschwerpunkte: überwiegend Primärnotfälle oder überwiegend Krankenbeförderungen

Fahrgestell

Bei Krkw der Fahrzeugkategorien Typ A1, A2 und B handelt es sich meist um Fahrzeuge wie z. B. Personenkraftwagen-Combis, Kleinbusse oder Kleintransporter als Kastenvariationen, letztere auch als Kofferaufbauten möglich. Die Fahrzeugkategorie Typ C kann aus Kastenvariationen oder Grundfahrzeugchassis für Kofferaufbauten, die auch als Wechselkoffer angeboten werden können, bestehen. Um eine möglichst hohe Nutzungslast bei Typ-C-Fahrzeugen im Patientenraum zu erreichen, sind Frontantriebfahrzeuge zu bevorzugen. Situativ können auch Fahrzeuge mit Allradantrieb erforderlich sein.

Fahrzeugkabine

Die Fahrzeugkabine besteht meist aus der Standardkabine als Zweisitzer, welche aber auch als Dreisitzer oder Doppelkabine je Hersteller bestellt werden kann. Um die Arbeit als Fahrzeuglenker zu erleichtern, gibt es viele Highlights die seitens der Fahrzeugindustrie in den Fahrzeugen als Assistenzsysteme verbaut werden können. Hierzu zählen u. a. Seitenwind-Assistenten, aktiven Brems- und Abstandsassistenten, Spurhalte-Assistenten, Navigationsgeräte und Keyless-Start. Im Fahrerraum der Einsatzfahrzeuge befinden sich neben den Bedienelementen der Sondersignalanlage auch die der Funkanlage, die jeweils mit individuellen Zusatzfunktionen wie z. B. Außenlautsprecher oder Funkmeldesystem ausgestattet sind (→ Abb. 53.1).

Gemäß StVO sind auch die gängigen **Sicherheitsausrüstungen** in allen Einsatzfahrzeugen (Kraftfahrzeugverbandkasten, Warndreieck und Warnweste) mitzuführen. Insofern kein eigener Schutzhelm oder Feuerwehrlederhandschuhe durch den Arbeitgeber zur Verfügung gestellt werden, sind diese in den Einsatzfahrzeugen vorhanden. Im Fahrzeuginneren befindet sich meist eine Zusatzleselampe auf der Beifahrerseite, um bei schlechten Lichtverhältnissen die Einsatzdaten notieren oder die Straßenkarten lesen zu können. Damit in der Dunkelheit die Einsatzstelle bei schlecht oder nicht beleuchteten Hausnummernschildern aufgefunden wird, verfügen die Einsatzfahrzeuge über

Abb. 53.1 Übersicht Fahrerkabine eines Rettungswagens [M842]

leistungsstarke **Handlampen.** Weitere notwendige Unterlagen, wie z. B. spezielle Anfahrtsskizzen (z. B. Firmen), Stadtpläne, Patientendokumentation, Funkkanalübersichtsplan der Nachbarkreise, Krankenhauslagepläne und die Tankkarte befinden sich ebenfalls im Fahrerraum.

Patientenraum

Neben einem schnell zugänglichen und transportablen Notfallequipment, bestehend aus

- **Notfallrucksäcken** (Notfallkoffer),
- **Absaugeinheit,**
- **EKG mit Defibrillationseinheit** und
- **Beatmungsgerät** für die Versorgung des Patienten vor Ort,

wird auch weiteres **Material** (z. B. Beatmungsbeutel, Medikamente) im Rettungsmittel für die Versorgung, üblicherweise in beschrifteten Schubläden und Schränken, vorgehalten. Zweckmäßig befindet sich im Patientenraum von Rettungsmitteln der Notfallrettung ein **Thermobehältnis** als **Wärme- und Kühlfach.**

Alle notwendigen Bedienelemente, Kommunikationsmittel und Halterungen müssen im Führerhaus und Patientenraum so angeordnet sein, dass diese in einem angeschnallten Zustand während der Fahrt erreichbar und bedient werden können.

Ein Rettungsmittel, das vermehrt zur **Krankenbeförderung** eingesetzt wird, sollte z. B. über einen Tragestuhl verfügen (→ Abb. 53.2)

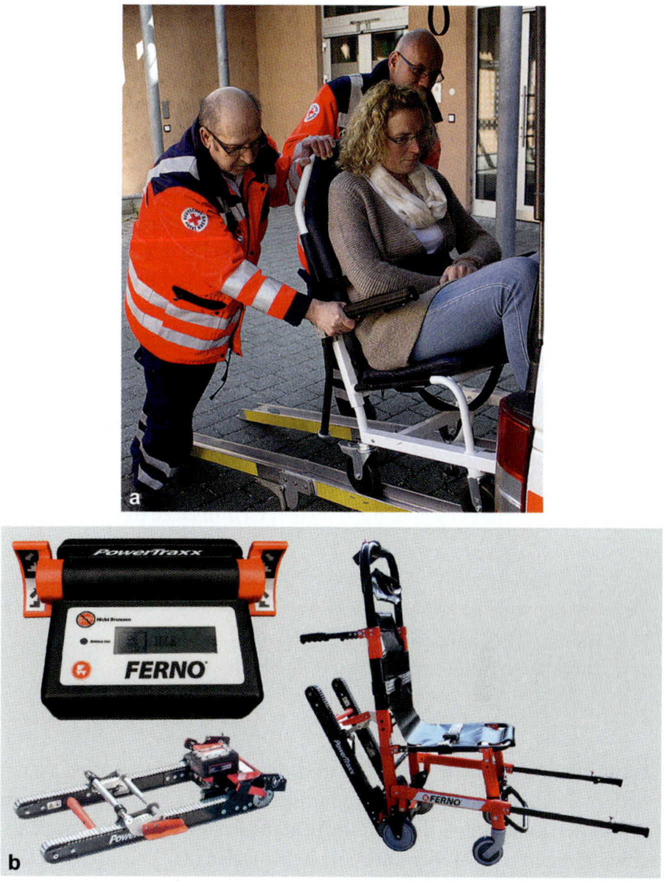

Abb. 53.2 **a)** Patientin auf einem Tragesessel beim Be- bzw. Entladen aus einem KTW mit Rampe. **b)** EZ Glide® Treppentragstuhl 59 TPH PowerTraxx™ mit elektrischem Motor, zur Arbeitserleichterung und schonenden Transportes von Patienten. [a: O985; b: V1026]

DIN EN 1865 Anforderungen an Krankentragen und andere Krankentransportmittel im Krankenkraftwagen

Die Europäische Norm 1865 beinhaltet genaue Anforderungen an Krankentragen und andere Krankentransportmittel (→ Tab. 53.2).

Des Weiteren macht die Norm ausführliche und detaillierte Angaben bezüglich Materials, Abmessungen und Gewichten sowie Produkteigenschaften, die bei Vorliegen einer entsprechenden Konformitätsbescheinigung des Herstellers aus Sicht des Kunden als erfüllt betrachtet werden sollten.

Am einfachsten ist das **Be- und Entladen** einer Roll-In-Trage (z. B. Power-Pro XT) mit dem batteriebetriebenen Hydrauliksystem (→ Abb. 53.3). Hierbei wird die Trage auf eine Vorrichtung des Rettungsmittels geschoben, dass Fahrgestell der Trage wird über einen Knopfdruck runter oder raufgefahren. Beim Entladen wird, nachdem das Fahrgestell

Rettungsmittel	Anforderungen an die Rettungsmittel
• Haupttrage und Fahrgestell • Tragetuch • Schaufeltrage • Vakuummatratze und Pumpe • Rettungsbrett (Spineboard) • Klappbarer Treppentragstuhl (Evac Chair) • Nicht klappbarer Tragesessel	• Die Beförderung von Patienten muss sicher und schonend sein. • Ein Verrutschen im Fahrzeug muss auch bei schlechten Transportbedingungen unmöglich sein. • Tragegriffe müssen auch in ausgezogener Stellung arretiert werden können. • Scharfe Kanten oder Verformungen, die am Menschen oder Material Schäden verursachen könnten, dürfen nicht vorhanden sein. • Für alle transportierten Patienten muss ein entsprechendes Rückhaltesystem mit Schnellverschluss vorgehalten werden, welches ihn hält und gleichzeitig die Behandlung während der Fahrt zulässt. • Die Sitz- oder Liegefläche muss antimikrobiell, abwaschbar, wasserfest und ölbeständig sein.

Tab. 53.2 Begriffsdefinitionen, Beschreibungen und Anforderungen für Rettungsmittel

runtergefahren wurde, durch einen weiteren Knopfdruck entriegelt und die Trage kann frei bewegt werden. Wird die Trage in den RTW beladen, fährt man die Trage auf die Vorrichtung, bis dieser Kontakt zu dieser hat, anschließend wird das Fahrgestell per Knopfdruck nach oben gefahren, danach kann je nach Hersteller die Trage ohne weitere Entriegelung in den RTW eingeschoben werden. Ältere Systeme sind mit der neueren Tragen-Technologie nicht kompatibel. Hierbei wird die Trage nur auf das heruntergeschwenkte und herausgezogene Trageblech des Rettungsmittels geschoben, der Fahrgestellhebel der Trage entrastet (Fahrgestell kann einfahren) und die Trage eingeschoben. Danach wird die Trage mit Tragegestell und Trageblech des Krankenraums in den Krankenraum geschoben. Mithilfe der Hydraulik oder Elektrik kann das Tragegestell des Krankenraums hochgefahren und in verschiedene Positionen gebracht werden. Werden herkömmliche DIN-Tragen verwendet oder ist die Roll-in-Trage vom Fahrgestell getrennt, muss die Trage zunächst auf das Trageblech des Krankenraums gestellt werden. Hierzu wird die Trage mit zwei oder vier Personen an das Trageblech getragen. Auch hierbei gelten die üblichen **Grundsätze des Tragens:**

MERKE

- Niemals rückwärtsgehen.
- Nur an den herausgezogenen Holmen anfassen.
- Auf Kommando arbeiten.

Damit Notfallpatienten schonend und der Situation angepasst transportiert werden können, verfügen mindestens alle Krankenkraftwagen (Krkw) der Kategorie C über ein **luftunterstütztes Fahrwerk,** welches Schwingungen von Straßenunebenheiten ausgleicht.

In den letzten Jahren haben sich im Rettungs- und Krankentransportdienst manuelle sowie elektrisch unterstütze Tragestühle (→ Abb. 53.2) und Roll-in-Tragen (Krankentragen) (→ Abb. 53.3) etabliert. Mit Letzteren lassen sich neben einer liegenden Position weitere Patientenlagerungsmöglichkeiten realisieren, z. B. Knierolle, Reklination des Kopfes (Jackson-Position), Oberkörperhochlagerung und die Beinhochlagerung (Schocklage). Zwar entfällt die eigentliche Tragearbeit, aber es ist zu berücksichtigen, dass sich Schwingungen durch Unebenheiten auf Wegen oder Straßen negativ auf den Patientenzustand auswirken können (z. B. Wirbelsäulentrauma). Die Patientensicherheit bei einem Transport ist durch **Sicherheitsgurte** (Schulter-, Thorax-, Beckengurt sowie untere Extremitätengurte) und seitliche **Halterungen** gewährleistet.

Medizinisches Equipment (z. B. EKG-Halterung, Sauerstoffeinheit) kann an den Roll-in-Tragesystemen individuell mit vom jeweiligen Hersteller vorgesehenen Originaladaptern oder Geräteplatten (z. B. Pac-Rac-Geräteplatte der Firma Ferno) außerhalb des Fahrzeugs für einen Transport befestigt werden. Viele Roll-in-Tragesysteme verfügen bereits über einen Infusionsflaschenhalter. Durch diese Zusätze behält das Rettungsdienstpersonal die Hände für wichtige Arbeiten frei.

Sicherheitsgurte

Die Anwendung von **Sicherheitsgurten** sollte standardmäßig durchgeführt werden. Grundsätzlich ist der Patient mit einem Sicherheitsgurt in Brusthöhe und Oberschenkelhöhe ausreichend zu sichern, ebenso sollten Schultergurte angewendet werden, um bei einer Notbremsung oder einem Aufprall auf ein Hindernis zu verhindern, dass der Patient zusätzliche Verletzungen erleidet. Eine zusätzliche Fixierung im Beckenbereich rundet die effektive Sicherung eines Patienten ab.

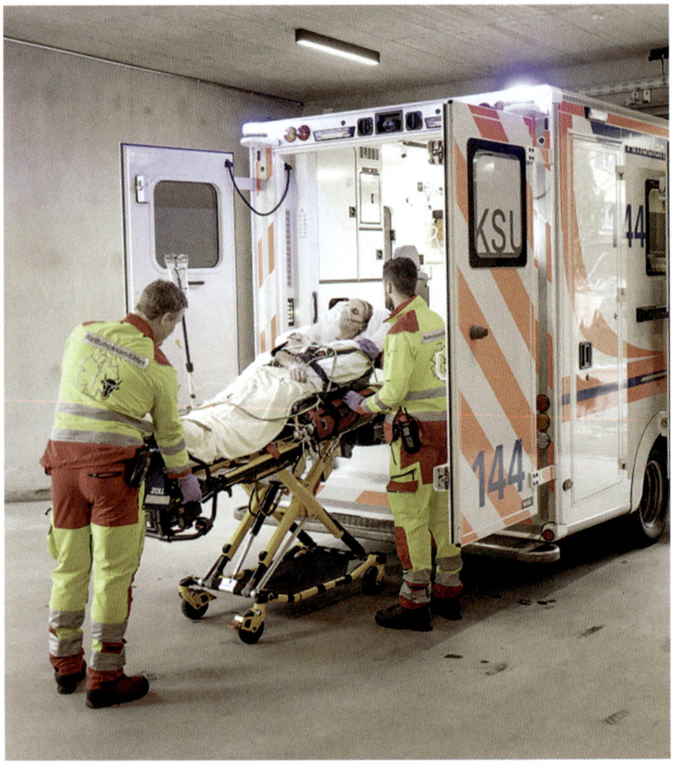

Abb. 53.3 Be- und Entladen einer elektrischen Roll-in-Trage [K446]

Infusionen

Häufig wird bereits präklinisch bei Patienten eine **Infusionstherapie** durchgeführt. Beim Einladen in den Krkw kann die Infusion für die Zeit des Einladens kurz abgestellt werden oder an vorhandenen Infusionsstangen der Trage aufgehangen werden. Grundsätzlich ist eine Infusionsflasche bzw. ein Infusionsbeutel so auf der Trage zu lagern, dass diese bzw. dieser nicht herunterfallen kann. Nach dem Einladen wird sie bzw. er an den dafür vorgesehenen Infusionshaken an der Decke des RTW eingehängt. Zusätzliche Klettverschlüsse verhindern, dass die Infusionsflasche bei Schwingungen, die durch Straßenunebenheiten entstehen, herunterfällt.

Spritzenpumpe und Infusomat

Spritzenpumpen und Infusomaten sind von den gängigen Herstellern nach DIN EN 1789 und 13718–1 geprüft. Sie werden universell in den boden- und luftgebundenen Rettungsmitteln eingesetzt, wenn Medikamente oder Infusionen bei intensivpflichtigen- oder Notfallpatienten über einen längeren Zeitraum injiziert bzw. infundiert werden (→ Abb. 53.4). Die Geräte sind sowohl stationär als auch durch einen vorhandenen Akku mobil verwendbar, spezielle Halterungen in den Rettungsmitteln bzw. an Tragen ermöglichen einen sicheren Transport. Datenbanken in den Geräten ermöglichen, dass gängige Medikamente oder Infusionsraten durch standardisierte Eingaben direkt aus einem Menü gestartet werden können, alternativ ist eine manuelle Eingabe oder Bolusgabe möglich.

EKG-Monitor

An die gängigen mobilen **EKG-Monitore** zur Überwachung von Patienten werden in der präklinischen Versorgung von Patienten bzw. Notfallpatienten verschiedene Ansprüche gestellt. Sie können neben den

54

FUNK- UND KOMMUNIKATIONSMITTEL

Klaus Lindner

INHALTSÜBERSICHT

54.1 FUNKTECHNISCHE AUSBILDUNG

PHYSIKALISCHE GRUNDLAGEN

- Funktechnik ist die drahtlose Übermittlung von Signalen mittels Radiowellen.
- Die Bandbreite ist entscheidend für die Menge der Signale, wobei eine hohe Bandbreite zum Verlust von Kanälen führt.

FUNKVERKEHRSARTEN DES ANALOGEN BOS-FUNKS

- Analoge Verkehrsarten sind Wechsel- und Gegenverkehr, bedingter Gegenverkehr, Relaisverkehr und Richtungsverkehr.
- Digitale Verkehrsarten sind Trunked Mode Operation (TMO) und Direct Mode Operation (DMO).

DURCHFÜHRUNG DES SPRECHFUNKVERKEHRS

- Sprechfunkverkehr ist durch Verhaltensregeln organisiert.

FUNKALARMIERUNG (FME)

- Analoge oder digitale Funkalarmierung sind in der nicht-polizeilichen Gefahrenabwehr weit verbreitet.

FUNKMELDESYSTEM (FMS)

- FMS wird im analogen sowie digitalen BOS-Funk genutzt.

54.2 KOMMUNIKATIONSMITTEL

FUNKGERÄTE UND FUNKMELDEEMPFÄNGER

- Vielzahl erhältlicher Endgeräte mit ähnlichem Funktionsumfang

GSM-TECHNIK, HANDYS, SMARTPHONES

- Umfangreiche Anwendungsarten und Möglichkeiten
- Applikationen unterstützen auf Smartphones die tägliche Arbeit.

MOBILE COMPUTER, TABLETS

- Datenerfassung bereits im Einsatz durch den Einsatz von Tablet-Anwendungen
- Informationsgewinnung

KARTEN- UND NAVIGATIONSSYSTEME

- GPS-Anwendungen unterstützen die tägliche Arbeit.
- Navigations- und Ortungssysteme helfen Leitstellen und Fahrzeugen bei der Zusammenarbeit.
- Dienstplanung, Einsatzübersichten und Kommunikation zwischen Rettungswachen und Leitstellen

54.3 LEITSTELLE

RECHNERARCHITEKTUR IN LEITSTELLEN

- Redundante Serverräume und Systeme

SOFTWARE IN LEITSTELLEN

- Spezielle Softwarelösungen für die unterschiedlichsten Aufgaben

DIGITALE KARTENINFORMATIONS- UND ORTUNGSSYSTEME

- Objektübersichten, Visualisierung von Anfahrtsmöglichkeiten

DIGITALE TELEFONTECHNIK IN LEITSTELLEN

- Erfassung der Rufnummern identifiziert sowohl den Anrufer als auch Objekte.
- Automatisierung von Abläufen durch Anrufererkennung

DIGITALE TEXTNACHRICHTEN

- Entlastung der Tele- und Funkkommunikationskanäle

SONSTIGE KOMMUNIKATIONSSYSTEME IN LEITSTELLEN

- Brandmeldeanlagen und Defibrillatorenhalterungen in öffentlichen Gebäuden

EDV-GESTÜTZTE ABRECHNUNG VON EINSÄTZEN

- Datenerfassung für die Abrechnung mit dem Kostenträger, meist Krankenkasse

STÖRUNGEN IM EDV-LEITSTELLENSYSTEM

- Redundante Auslegung von Hardware in Leitstellen schafft Ausfallsicherheit.

54.4 EDV-EINSATZ AN DIENSTSTELLEN

- Dienstplanung, Qualitätssicherung und Einsatzdatenübersicht
- Möglichkeiten der Warenbestellung, Dokumentation und Information

54.5 DATENSCHUTZ

- Gesetzliche Vorschriften regeln den Schutz des Einzelnen beim Umgang mit persönlichen Daten.

54.1 Funktechnische Ausbildung

Im Berufsalltag des Notfallsanitäters kommen diverse Kommunikationsmittel zum Einsatz. Kommunikationsverbindungen zur Leitstelle und anderen werden sowohl über drahtgebundene als auch über drahtlose Anbindungen realisiert. Auf den Rettungsfahrzeugen sind zumeist Funkanbindungen verbaut – umgangssprachlich „Sprechfunk" genannt. Da dieses Kommunikationsmittel auch für die zeitkritische Kommunikation mit der Leitstelle genutzt wird, sollte der Notfallsanitäter im praktischen Umgang damit vertraut und geübt sein. Ebenfalls ist es notwendig, grundlegende Kenntnisse über die technischen Gegebenheiten zu erlangen.

In diesem Kapitel wird der Funkverkehr der nicht-polizeilichen Gefahrenabwehr dargestellt. Diesem Funkverkehr unterliegen Rettungsdienste, Feuerwehren und Organisationen des Katastrophenschutzes. Häufig wird der Funkverkehr der nicht-polizeilichen Gefahrenabwehr unter dem Begriff **BOS-Funk** zusammengefasst.

BOS steht dabei als Kürzel für **Behörden und Organisationen mit Sicherheitsaufgaben.** Welche Organisationen regional in die jeweilige konkrete Schadensabwehr eingebunden sind, ist unterschiedlich (→ Kap. 50.1.1). Teilweise übernimmt die Kommune den Rettungsdienst selbst, entweder direkt als Durchführer oder angebunden an die örtlichen Feuerwehren. Eine andere Form ist die öffentliche Vergabe des Rettungsdienstes an andere Organisationen nach einem Ausschreibungsverfahren. Geregelt wird das Vorhandensein eines Rettungsdienstes durch die öffentliche Daseinsfürsorge des Staates, die ihren Ursprung bereits im Grundgesetz findet.

QUALITÄTSMANAGEMENT UND RECHT

Lehr- und Lernziele des Abschnitts J

Der folgende Abschnitt deckt den **Themenbereich 6** der Ausbildungs- und Prüfungsordnung für Notfallsanitäterinnen und Notfallsanitäter ab. Demnach sind Auszubildende zu befähigen,

- das eigene Handeln an den rechtlichen Rahmenbedingungen des Rettungsdienstes einschließlich der für seine Organisation und Durchführung relevanten Vorschriften der Landesrettungsdienstgesetze sowie des Katastrophenschutzes auszurichten,
- bei der medizinischen Behandlung die rechtlichen Rahmenbedingungen zu berücksichtigen,
- das eigene Handeln an relevanten Rechtsvorschriften aus dem Straf- und Zivilrecht, aus dem Straßenverkehrsrecht sowie aus anderen einschlägigen Rechtsgebieten, insbesondere dem Arbeits- und Arbeitsschutzrecht, auszurichten,
- das eigene Handeln an Qualitätsmanagement- und Dokumentationssystemen im Rettungsdienst auszurichten.

Vor diesem Hintergrund werden in **Kapitel 55** zunächst die Grundlagen von Qualitätsmanagementsystemen beschrieben und in einen Zusammenhang mit der täglichen Arbeit gebracht. Wie Qualität überhaupt definiert wird und was bei der Umsetzung zu beachten ist, wird ebenfalls aufgeführt. Dies schafft die Grundlage für die wirtschaftlichen und ökologischen Rahmenbedingungen eines effektiven und effizienten Rettungsdienstes. Hierzu zählen neben Aspekten des Umweltschutzes auch die des Arbeitsschutzes. Die Berechnung von Einsatz- und Vorhaltekosten sowie notwendige Wirtschaftlichkeitsanalysen schließen das Kapitel ab.

Kapitel 56 behandelt das System und die Grundlagen unseres Rechtsstaates. Sein Aufbau und die Rechte und Pflichten der Bürger werden hier beschrieben. Im Besonderen werden die Verfassung und auch die Demokratie als eine der wichtigsten Säulen unseres Zusammenlebens behandelt.

Das Thema Recht wird in **Kapitel 57** aufgegriffen. Auch wenn es als letztes Kapitel in diesem Buch steht, so könnte es auch am Anfang stehen. Neben den rechtlichen Grundlagen werden auch die rechtlichen Besonderheiten des Rettungsfachpersonals beschrieben. Die rechtlichen Stellungen mitsamt ihren Pflichten und Kompetenzen, die sich daraus ergeben, werden eingehend erläutert. Die strafrechtlichen Verantwortlichkeiten werden benannt und Schadensersatzansprüche, die sich daraus ergeben, hergeleitet. Ebenso finden sich hier die wichtigen rechtlichen Grundlagen des Straßenverkehrs-, Arzneimittel- und Medizinprodukterechts. Weitere Rechtsfragen wie die Transportverweigerung, die Patientenverfügung und vieles mehr werden beschrieben und gilt es zu beachten.

55

QUALITÄTSMANAGEMENT UND WIRTSCHAFTLICHKEIT IM RETTUNGSDIENST

Frank Flake

SZENARIO

Während der Schichtübergabe wird ein RTW zu einem internistischen Notfall alarmiert. Die Besatzung des RTW rückt, ohne die Ausrüstung vollständig überprüft zu haben, zu dem Notfall aus. Die Einsatzstelle liegt ca. 4 km von der Rettungswache entfernt. Da es sich um ein sehr erfahrendes RTW-Team handelt, weiß das Team genau, was an der Einsatzstelle zu tun ist.

Beim Patienten angekommen, untersucht der Teamleiter zunächst den Patienten, während der Kollege ein EKG ableiten möchte. Dabei entdeckt er, dass keine EKG-Elektroden in der Tasche am EKG-Gerät vorhanden sind, und so muss er zunächst ins Fahrzeug zurück, um welche zu holen.

Nachdem das EKG angeschlossen ist, zeigen sich dort ST-Streckenhebungen in den Ableitungen II, III und aVF. Die Sauerstoffsättigung zeigt einen Wert von 87 %. Der Patient erhält eine Sauerstoffmaske, um ihm Sauerstoff zu applizieren. Leider wird erst jetzt festgestellt, dass die Sauerstoffflasche leer ist und nochmals zum Fahrzeug gegangen werden muss, um eine Ersatzflasche zu holen.

INHALTSÜBERSICHT

55.1 ALLGEMEINE GRUNDLAGEN ZUM QUALITÄTSMANAGEMENT

- Qualität ist die Gesamtheit der Merkmale einer Einheit bezüglich ihrer Eignung, festgelegte und vorausgesetzte Erfordernisse zu erfüllen. Hierbei spielt die Übereinstimmung zwischen den eigenen organisationsbezogenen Ansprüchen und Möglichkeiten ebenso eine wesentliche Rolle wie die stillschweigend vorausgesetzten bzw. offen ausgesprochenen Erwartungen der Kunden und Leistungspartner.
- Innerhalb eines Qualitätsmanagementsystems gibt es feststehende Begriffe.

55.2 QUALITÄTSMERKMALE UND QUALITATIVE ERFORDERNISSE IN DER PRÄKLINISCHEN VERSORGUNG

- Qualität im Rettungsdienst wird definiert durch Sicherstellung, Zugänglichkeit, menschliche Betreuung, Angemessenheit, zeitgerechtes, gleichmäßiges und kosteneffektives Handeln und verbessertes Patienten-Outcome (Redelsteiner 2010: 967). Rettungsdienstgesetze auf Länderebene geben entsprechende Anforderungen vor, z. B. Qualifikation der Fahrzeugbesatzungen, unterschieden nach Transport- und Einsatzarten, oder sog. Hilfsfristen, also der Zeitraum zwischen Einsatzannahme und Eintreffen am Einsatzort.

55.3 QUALITÄTSMANAGEMENTSYSTEME

- Zum Qualitätsmanagement zählen alle Maßnahmen zur Erzielung und Verbesserung einer Mindestqualität.
- Die vier Ebenen des Qualitätsmanagementsystems nach DIN ISO 9001 sind: Verantwortung der Leitung, Ressourcenmanagement, Dienstleistungserstellung sowie Messung, Analyse und Verbesserung.

55.4 UMSETZUNG VON QUALITÄTSMANAGEMENT IN DER PRAXIS

- In Qualitätszirkeln werden Struktur-, Prozess- und Ergebnisqualität analysiert.
- Ein Problemlösungszyklus besteht aus Planen, Tun, Prüfen und Handeln (PDCA-Zyklus).

55.5 WIRTSCHAFTLICHE UND ÖKOLOGISCHE RAHMENBEDINGUNGEN

- Arbeitsschutz bedeutet Prävention und Erhaltung der Arbeitskraft.
- Die Menge an vorgehaltenen Fahrzeugen und dazugehörigem Personal ist genau definiert und unterliegt klaren Regeln.
- Kosten des Rettungsdienstes unterliegen auch dem Gebot der Wirtschaftlichkeit, da es sich um Kosten der Gesamtheit (Krankenkassenbeiträge) handelt.

55.1 Allgemeine Grundlagen zum Qualitätsmanagement

Qualität ist die Gesamtheit der Merkmale einer Einheit bezüglich ihrer Eignung, festgelegte und vorausgesetzte Erfordernisse zu erfüllen. Hierbei spielt die Übereinstimmung zwischen den eigenen organisationsbezogenen Ansprüchen und Möglichkeiten ebenso eine wesentliche Rolle wie die stillschweigend vorausgesetzten bzw. offen ausgesprochenen Erwartungen der Kunden und Leistungspartner.

Das heißt, ein Patient im Rettungsdienst erwartet stillschweigend, dass das eingesetzte Rettungsdienstpersonal die erforderliche Qualifikation besitzt, um (ihm) sach- und fachgerechte Hilfe (Betreuung, Versorgung, Transport) zukommen zu lassen. Er erwartet jedoch ebenso eine adäquate Bedienschnelligkeit – und er wird sich sehr wohl nachdrücklich zu Wort melden, wenn diese (z. T. gesetzliche) Anforderung nicht erfüllt wird.

Die Qualität eines bekannten Gegenstands des täglichen Gebrauchs lässt sich relativ einfach definieren: Von einer 5-ml-Spritze erwarten wir z. B., dass 5 ml Flüssigkeit darin Platz finden, dass sie steril verpackt ist, einen Luer-Konus zum Aufsetzen einer Nadel besitzt, der Spritzenstempel beweglich ist, die Markierungen tatsächlich der Anzahl der Milliliter entsprechen und dass die Spritze transparent ist. Gesetzliche Regelungen, Prüf- und Kontrollsysteme der Hersteller sorgen dafür, dass die wesentlichen Merkmale und Eigenschaften einer Spritze gewahrt bleiben.

DEFINITION

Qualität ist laut der internationalen Norm DIN EN ISO 8402 definiert als Grad in dem ein Satz inhärenter Merkmale Anforderungen erfüllt.

Die Qualität von Produkten zu definieren und zu überprüfen, ist relativ einfach. Im Dienstleistungsbereich, z. B. auch im Rettungsdienst, ist dies wesentlich schwieriger. Je nach Position würde die Antwort auf die Frage *„Was ist Qualität im Rettungsdienst?“* unterschiedlich aussehen.

So würde z. B. ein Patient darunter rasche, kompetente und freundliche Hilfe verstehen, ein Notfallsanitäter ein sauberes Fahrzeug, eine korrekte Patientenversorgung, einen klar definierten Rahmen zum Einsatz lebensrettender Maßnahmen und Kompetenz statt Notkompetenz. Ein Vertreter der Kostenträger würde sparsamsten Einsatz der zur Verfügung gestellten Mittel und eine Reduktion der Krankenhausbehandlungsdauer nennen. Alle diese Kriterien beschreiben wesentliche Qualitätsmerkmale, die aus unterschiedlichen **Blickwinkeln** wahrgenommen werden.

Qualitätsmanagement geht davon aus, dass jeder Mitarbeiter in einem System, egal welche Stellung er einnimmt, seine Arbeit engagiert verrichten will, wenn ihm dazu die entsprechenden Rahmenbedingungen zur Verfügung gestellt werden. Fehler in den betrieblichen Abläufen sind in den allermeisten Fällen nicht auf menschliches Versagen eines Einzelnen zurückzuführen, sondern Ausdruck einer Systemschwäche, eines Fehlers in der Ablauforganisation, die verbessert werden muss.

55.1.1 Begrifflichkeiten

Innerhalb eines Qualitätsmanagementsystems gibt es feststehende Begriffe, die man kennen sollte, um ein solches System auch „leben" zu können. Diese werden in der DIN ISO 8402 beschrieben (→ Tab. 55.1).

PRAXISTIPP

Die Liste der Begrifflichkeiten in → Tab. 55.1 erhebt keinen Anspruch auf Vollständigkeit: Es gibt sicher einige spezielle Begriffe mehr, die man sich einprägen sollte, wenn man am Aufbau und an der Pflege von QM-Systemen beteiligt ist.

MERKE

Kunde als Begriff im Qualitätsmanagementsystem

Unter dem Begriff Kunden versteht man im Rettungsdienst hauptsächlich den Patienten. Es gibt aber noch einige Kundengruppen mehr. Hierzu gehören z. B. Notärzte, Krankenhäuser, Altenheime, Leitstellen, Rettungsdienstträger. Auch hier ist es Ziel, innerhalb dieser Kundengruppen ein hohes Maß an Zufriedenheit mit der Dienstleistung Rettungsdienst herzustellen.

IM FOKUS

Grundlagen des Qualitätsmanagements

- „Qualität ist die Gesamtheit der Merkmale einer Einheit bezüglich ihrer Eignung, festgelegte und vorausgesetzte Erfordernisse zu erfüllen."

Begriff	Erläuterung
Audit	Systematische und unabhängige Untersuchung, um festzustellen, ob die qualitätsbezogenen Tätigkeiten und die damit zusammenhängenden Ergebnisse den geplanten Anordnungen entsprechen und ob diese Anordnungen wirkungsvoll verwirklicht und geeignet sind, die Ziele zu erreichen
Arbeitsanweisung (AA)	Dokumentation eines Arbeitsgangs (heute häufig durch Prozessbeschreibungen abgelöst)
Datenschutz	Schutz persönlicher oder firmeneigener Daten vor dem Zugriff Dritter; in der EU mittlerweile durch die Datenschutz-Grundverordnung (DSGVO) geregelt. Diese sieht strenge Regeln im Umgang vor allem mit persönlichen Daten vor.
Dienstleistung	Die durch Tätigkeiten an der Schnittstelle zwischen Lieferant und Kunde sowie durch den Lieferanten intern erbrachten Ergebnisse zur Erfüllung der Erfordernisse des Kunden
Dokumentenlenkung	Führen von Listen aktueller Dokumente, um zu verhindern, dass veraltete, nicht mehr gültige Dokumente und Formulare genutzt werden
Kalibrierung	Ermitteln der systematischen Messabweichungen einer Messeinrichtung ohne Veränderung der Messeinrichtung
Korrekturmaßnahme	Tätigkeit, ausgeführt zur Beseitigung der Ursachen eines vorhandenen Fehlers, Mangels oder einer anderen unerwünschten Situation, um deren Wiederkehr vorzubeugen
Kunde	Empfänger eines Produkts, das von einem Lieferanten bereitgestellt wurde
Lieferant	Organisation, welche dem Kunden ein Produkt bereitstellt
Nachweis	Eine Information, deren Richtigkeit bewiesen werden kann, basierend auf Tatsachen, gewonnen durch Beobachtung, Messung, Untersuchung oder durch andere Ermittlungsverfahren
Prozess	Satz von in Wechselbeziehungen stehenden Mitteln und Tätigkeiten, die Eingaben in Ergebnisse umgestalten
Prozessbeschreibung	In Ihr werden Abläufe verbindlich festgelegt und beschrieben, ersetzt Arbeits- und Verfahrensanweisungen
Qualität	Grad, in dem ein Satz inhärenter Merkmale Anforderungen erfüllt
Qualitätsmanagement (QM)	Alle Tätigkeiten der Gesamtführungsaufgabe, welche die Qualitätspolitik, Ziele und Verantwortungen festlegen sowie diese durch Mittel wie Qualitätsplanung, Qualitätslenkung, Qualitätssicherung und Qualitätsverbesserung im Rahmen des Qualitätsmanagementsystems verwirklichen
Qualitätsbeauftragter (QB)	Von der Geschäftsleitung des Lieferanten bestimmte Person zum Aufbau und zur Pflege des Qualitätsmanagementsystems
Qualitätsmanagementsystem	Organisationsstruktur, Verantwortlichkeiten, Verfahren, Prozesse und erforderlichen Mittel für die Verwirklichung des Qualitätsmanagements
Qualitätsmanagementhandbuch (QMH)	Auch Qualitätssicherungshandbuch (QSH): Dokument, in dem die Qualitätspolitik dargelegt und das Qualitätsmanagementsystem einer Organisation beschrieben werden
Qualitätspolitik	Umfassende Absichten und Zielsetzungen einer Organisation zur Qualität, wie sie durch die oberste Leitung formell ausgedrückt werden
Qualitätsziel	Von der Unternehmensleitung festgelegte Ziele des Qualitätsmanagements
Verfahrensanweisung	Dokumentation eines Verfahrens (Ablaufs); heute häufig durch Prozessbeschreibungen abgelöst

Tab. 55.1 Häufige Begrifflichkeiten innerhalb eines Qualitätsmanagementsystems

- Diese **Beschreibung** funktioniert bei Waren sehr gut, ist aber **bei Dienstleistungen etwas schwieriger,** da diese aus unterschiedlichen **Blickwinkeln** wahrgenommen werden (Patienten, Vorgesetzte etc.).
- Es gibt innerhalb eines **Qualitätsmanagementsystems** zahlreiche Begriffe, die schrittweise verinnerlicht werden sollten, um sich innerhalb dieses Systems zurechtzufinden.
- Beispiele: **Dokumentenlenkung, Kunde, Audit** oder **Prozess.**

55.1.2 Nutzen von Qualitätsmanagement im Rettungsdienst

Der **Nutzen** von QM im Rettungsdienst liegt vor allem in der einheitlichen und guten **Steuerbarkeit von Rettungswachen** oder noch größeren Einheiten und der **Sicherstellung einer einheitlichen Qualität.** Abläufe müssen auch bei Personalwechsel gesichert sein. Im Fokus steht die Einhaltung von **gesetzlichen Vorgaben.** Diese nehmen immer mehr zu und müssen überwacht werden. Insbesondere sensible Bereiche wie der Umgang mit Medizinprodukten, Arzneimitteln, Hygiene, Desinfektion und Arbeitsschutz gilt es zu strukturieren, um Gesetze und Verordnungen einhalten zu können. In letzter Konsequenz geht es immer um die **Sicherheit von Patienten und Mitarbeitern.** Mit einem Zertifikat kann man dann das Erreichte nach außen sichtbar machen. Meist ist der Nachweis eines QM-Systems die Grundlage, um sich an rettungsdienstlichen Ausschreibungen zu beteiligen.

Ein **Qualitätsmanagementsystem** bietet die Möglichkeit, an der ständigen Verbesserung dieser wichtigsten Elemente der präklinischen Versorgung zu arbeiten. Es legt Ziele, Prioritäten und Verantwortlichkeiten fest und plant, sichert und lenkt mit verschiedenen Mitteln.

MERKE

Qualitätsmanagement ist somit der Überbegriff für alle erforderlichen Maßnahmen zur Erzielung einer definierten Mindestqualität und zu deren ständiger Verbesserung.

55.1.3 Instrumente des Qualitätsmanagements

Unter **Instrumenten** im Rahmen eines QM-Systems versteht man Techniken und Methoden, die zur Lösung von Problemen aber auch zu deren Verständnis eingesetzt werden. Ebenso dienen sie dazu, die im QM beschriebenen Ziele zu erreichen. Hierzu zählt als wichtigstes Instrument der PDCA-Zyklus (→ Kap. 55.4). Weitere Instrumente sind z. B. Mitarbeiter- und Patientenbefragungen, Beschwerde- und Risikomanagement, Organigramme, Checklisten sowie Verfahrensanweisungen und Dokumentationen.

55.2 Qualitätsmerkmale und qualitative Erfordernisse in der präklinischen Versorgung

DEFINITION

Qualität im Rettungsdienst wird definiert durch Sicherstellung, Zugänglichkeit, menschliche Betreuung, Angemessenheit, zeitgerechtes, gleichmäßiges und kosteneffektives Handeln und verbessertes Patienten-Outcome (Redelsteiner 2010: 967).

Rettungsdienstgesetze auf Länderebene geben entsprechende Anforderungen vor, z. B. Qualifikation der Fahrzeugbesatzungen, unterschieden nach Transport- und Einsatzarten, oder sog. Hilfsfristen, also der Zeitraum zwischen Einsatzannahme und Eintreffen am Einsatzort.

Leider differieren die o. g. Regelungen in Deutschland von Bundesland zu Bundesland, sodass nicht von einem einheitlichen nationalen Standard gesprochen werden kann.

Folgende Merkmale bestimmen die festgelegten und vorausgesetzten Erfordernisse der präklinischen Versorgung und dienen der Definition von Qualität im Rettungsdienst (→ Abb. 55.1):

- **Sicherstellung:** Der Rettungsdienst muss einschließlich lokal vorhandener, spezieller, untereinander vernetzter Dienste (Wasserwacht, Bergwacht, Höhlenrettung etc.) installiert sein.
- **Zugänglichkeit:** Der Rettungsdienst muss über zeitgemäße Alarmierungsmöglichkeiten (Telefon, Fax etc.) erreichbar sein. Das Wählen einer einheitlichen Notrufnummer muss dem Hilfesuchenden den Zugang zum für ihn nächstgelegenen und nächstgeeigneten Rettungsmittel sichern.
- **Menschliche, anteilnehmende Betreuung:** Die Versorgung und Betreuung der Patienten muss menschlich, anteilnehmend und einfühlsam erbracht werden. Dies kann z. B. über regelmäßige Patientenbefragungen herausgefunden werden.
- **Angemessenheit:** Der Patient muss jeweils die seiner spezifischen Situation angemessene Versorgung erhalten. Es muss also einerseits wissenschaftlich belegte und weithin anerkannte gemeinsame Versorgungsrichtlinien geben, andererseits muss entsprechend ausgebildetes Personal vorhanden sein, das in der Lage ist, nach diesen Versorgungsstandards zu handeln. Die Angemessenheit der Versorgung kann z. B. bereits durch eine notfallmedizinische Abfrage in der Leitstelle, durch Sofortmaßnahmenhinweise am Telefon und durch konsequente statistische Analyse der Einsatzprotokolle optimiert werden.
- **Zeitgerechtes Handeln:** Die Intervention des Rettungsdienstes muss zeitgerecht erfolgen. Hier gibt es klare Vorgaben durch wissenschaftliche Studien. Um tatsächlich Leben retten zu können, müssen Erstmaßnahmen bei einer Wiederbelebung innerhalb von 3–5 Minuten erfolgen. Die Auswertung der Einsatzdokumentation unter diesen Gesichtspunkten gibt Auskunft über den Erfüllungsgrad dieses Qualitätskriteriums.
- **Gleichmäßigkeit:** Der Patient in einem Dorf mit 500 Einwohnern hat den gleichen Anspruch auf eine zeitgerechte und kompetente notfallmedizinische Versorgung wie der Einwohner einer Großstadt. Eine konsequente Analyse der Einsatzdokumentation gibt über „weiße Flecken“ auf der notfallmedizinischen Landkarte Auskunft und ist Grundlage für Veränderungen in den Einsatzstrategien, z. B. der Einführung von First-Responder-Gruppen durch Ortsvereine von Hilfsorganisationen oder Ortsfeuerwehren.
- **Kosteneffektivität:** Das Rettungssystem muss so strukturiert sein, dass mit den vorhandenen finanziellen Mitteln die für die Bürger beste notfallmedizinische Versorgung erzielt wird (Maximum-Prinzip).
- **Besseres Patienten-Outcome:** Durch das Vorhandensein eines Rettungssystems müssen messbar mehr Patienten überleben. Es muss messbar bewiesen werden, dass es zu einer Reduktion der Verweildauer im Krankenhaus kommt. Schmerzen, Not und Leiden müssen für die Patienten und deren Angehörige reduziert werden.

IM FOKUS

Qualitätsmanagement im Rettungsdienst

- Ziele des QM im Rettungsdienst ist die **Steuerung von Prozessen** gemäß gesetzlichen Bestimmungen und infolgedessen die Erhöhung der **Patienten- und Mitarbeitersicherheit.**

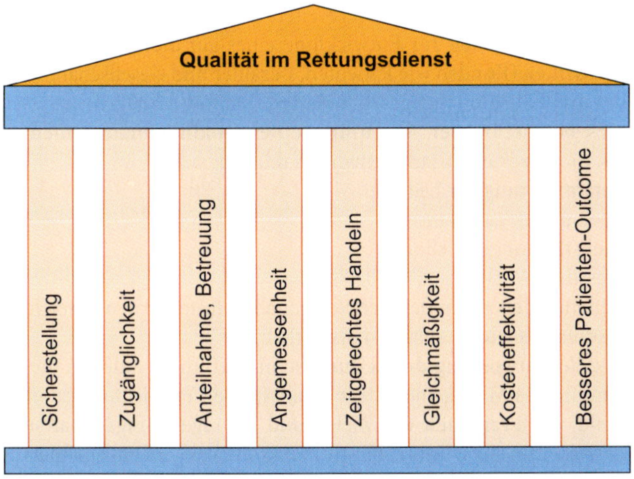

Abb. 55.1 Qualitätsmerkmale im Rettungsdienst [P098, L143]

- Ein Qualitätsmanagementsystem kann dies z. B. über Regelungen in wichtigen Bereichen wie Umgang mit Medizinprodukten und Arzneimitteln, den Hygiene- und Desinfektionsvorschriften und dem Arbeitsschutz leisten.
- Wichtigstes Instrument hierfür ist der sog. **PDCA-Zyklus:**
  - **P**lan
  - **D**o
  - **C**heck
  - **A**ct

55.2.1 Auswirkungen auf die Strukturqualität

Mit **Strukturqualität** ist die Schaffung eines Rahmens gemeint, der einen geordneten Betriebsablauf ermöglicht. Sie bezieht sich somit auf die **Aufbau- und Ablauforganisation.** Ein QM-System hat immer auch Einfluss auf die Struktur. Hierzu zählen ganz praktische Dinge wie bauliche Aspekte einer Rettungswache oder deren Einrichtung (Inventar). Auch hierfür gibt es i. d. R. gesetzliche Rahmenbedingungen, die einzuhalten sind. Ebenso zählen dazu die Qualifikation des Personals sowie die materielle Ausstattung von Mitarbeitern und Fahrzeugen. Letztlich müssen Strukturen so gestaltet sein, dass sie dazu geeignet sind, die gewünschten Ergebnisse zu erzielen.

55.2.2 Auswirkungen auf die Prozessqualität

Bei der **Prozessqualität** geht es um die eigentliche Analyse des Betriebes und seiner Abläufe. Unter einem **Prozess** versteht man immer wiederkehrende Abläufe und Verfahren. Hier ist besonders wichtig, dass alle Räder ineinandergreifen, ohne dass es zu Verlusten an den Schnittstellen kommt. Unterschieden werden **Kern- und Unterstützungsprozesse:**

- **Kernprozesse** betreffen die Dienstleistung an sich. In diesem Fall ist z. B. die Durchführung eines Krankentransports oder eines Rettungseinsatzes ein Kernprozess. Damit sie fehlerfrei ablaufen, müssen sie genau definiert werden. Funktionieren diese Prozesse nicht, hat dies umgehend Einfluss auf die Qualität der eigentlichen Dienstleistung.
- Zu den **Unterstützungsprozessen** zählen z. B. die Management- oder Führungsprozesse. Werden beispielsweise im Rahmen der Informationsweitergabe im Führungsprozess Fehler durch unvollständige oder gänzlich ausbleibende Weitergabe von Informationen begangen, hat auch dies Auswirkungen auf die Dienstleistungsqualität.

55.2.3 Auswirkungen auf die Ergebnisqualität

Ergebnisqualität bezeichnet auf Basis der oben beschriebenen Strukturen und der folgenden Prozesse das daraus folgende Ergebnis. Leider ist die **Ergebnisqualität im Rettungsdienst** nicht genau nachweisbar, da sie nicht gemessen wird bzw. gemessen werden kann. Bei Vorhandensein von Behandlungsrichtlinien (Algorithmen) kann man deren Anwendung ggf. mit der Auswertung der Einsatzprotokolle messen. Wie oft ist z. B. bei der Diagnose Herzinfarkt ein 12-Kanal-EKG abgeleitet worden? Ebenso lässt sich häufig der Erreichungsgrad der Hilfsfrist messen. Dies führt dann bei Unterschreiten einer gewissen Norm zu Auswirkungen auf den Bedarfsplan.

IM FOKUS

Unterschiedliche „Qualitäten"

Strukturqualität:
- „Wie sind Grundbedingungen für das QM-System?"
- „Welche Ressourcen stehen zur Verfügung?"
- „Welche Rahmenbedingungen existieren?"

Prozessqualität:
- „Wie sind die Abläufe in den Rettungswachen?"
- „Kommt es zu Verlusten an Schnittstellen?"
- „Was sind Kern- und was Unterstützungsprozesse?"

Ergebnisqualität:
- „Wie sehen die Ergebnisse aus?"
- „Stimmen sie mit meinen Erwartungen überein?"
- **Hier schwierig:** Ergebnisse im Rettungsdienst nicht genau messbar.

55.3 Qualitätsmanagementsysteme

Während bis vor einigen Jahren ausschließlich die **DIN EN ISO 9000 ff.** für die Integration in den Rettungsdienst infrage kam, gibt es nunmehr auch alternative Systeme oder Add-ons, die man in ein bestehendes System integrieren kann. Diese sollen hier kurz beschrieben werden, wobei aufgrund der hohen Umsetzungsdichte der ISO 9000 ff. derzeit noch die größte Bedeutung zukommt (→ Abb. 55.2 und → Abb. 55.3).

Abb. 55.2 Praktische QM-Arbeit [M234]

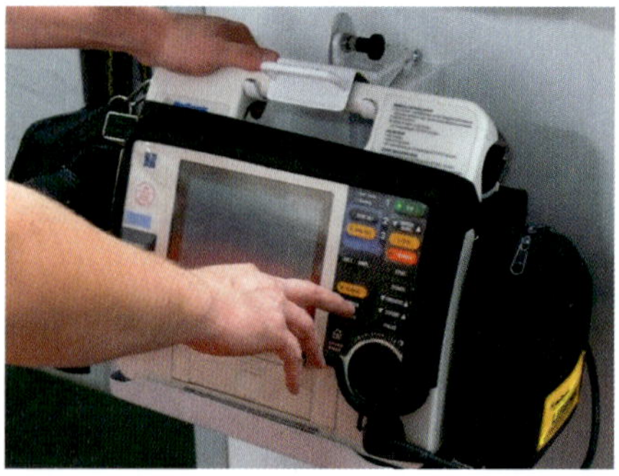

Abb. 55.3 MPG-Check [M839]

55.3.1 ISO 9001 ff.

Als Hilfsmittel zur Strukturierung der Qualitätsbemühungen bietet sich die **Internationale Standardisierungs-Organisation-Norm (ISO) 9001** an.

In den Normen werden die Erfordernisse eines Qualitätsmanagementsystems in allgemeiner, also nicht branchenspezifischer Form beschrieben. Ein Schwerpunkt der Norm ist die **Organisation des Betriebs** in den Bereichen der Zuständigkeit, Abwicklung betrieblicher Abläufe, Ereignisrückverfolgung und Vertragssicherung.

Für den Punkt **Korrektur** und **Vorbeugungsmaßnahmen** wird festgelegt, wie Fehler abgearbeitet, korrigiert, reduziert und ggf. völlig vermieden werden können. Ein Qualitätsmanagementhandbuch, das den Kunden zur Einsicht zur Verfügung gestellt wird, beschreibt die Organisation des Qualitätsmanagementsystems. Bei einem Zertifizierungsaudit wird das Qualitätsmanagementsystem von unabhängiger Stelle begutachtet (Audit). Bestätigt das Audit (Soll-Ist-Vergleiche vor Ort) die vollständige Übereinstimmung mit den Forderungen der Norm, wird ein Zertifikat verliehen. Es ist nur für einen bestimmten Zeitraum (ISO 9001:2015: 3 Jahre) gültig.

Die weltweit am weitesten verbreitete Norm ist die **ISO 9001:2015**. Sie bietet ein Modell zur Entwicklung eines auf die Bedürfnisse aller Interessenten (Kunden wie Patienten, Bezahler und Gesellschaft, Mitarbeiter und Führung) maßgeschneiderten Qualitätsmanagementsystems an. Es beschreibt **vier Abschnitte eines Qualitätsmanagementsystems,** die integriert zusammenwirken müssen:

- Verantwortung der Leitung
- Ressourcenmanagement
- Dienstleistungserstellung
- Messung, Analyse und Verbesserung

Das Ineinanderwirken der vier Normenabschnitte für den Bereich Rettungsdienst ist aus → Abb. 55.4 ersichtlich.

Die **Verantwortung der Leitung** beinhaltet unter anderem die Verpflichtung des Managements zur Qualität, die Verpflichtung zu einem Leitbild, das Erarbeiten von Zielen und die regelmäßige Analyse der Zielerreichung, die Überwachung der Anforderung an ein Qualitätsmanagementsystem und die Regelung der internen Kommunikation.

Ressourcenmanagement beschreibt Anforderungen an die Mittel, die zur Erbringung der Dienstleistung vorhanden sein müssen. Das Personal muss geschult sein, es muss regelmäßig bedarfsgerecht weitergebildet werden. Die Ausrüstung und Arbeitsumgebung müssen so gestaltet sein, dass die Dienstleistung auch wirklich sinnvoll erbracht werden kann.

Unter dem Begriff **Leistungserstellungsprozess** (Originalbegriff der Norm: „Realisierungsprozesse") versteht man die Abfolge jener Abläufe, die erforderlich sind, um rettungsdienstliche Leistungen koordiniert und aufeinander abgestimmt zu erbringen (→ Abb. 55.5).

Der Kern jedes Qualitätsmanagementsystems ist die kontinuierliche Verbesserung. Der Normabschnitt **Messung, Analyse und Verbesserung** erklärt, wie innerbetriebliche Abläufe analysiert werden sollten, gibt Hinweise zur Datenanalyse und fordert die regelmäßige Analyse der Kundenzufriedenheit. Die ständige Verbesserung beinhaltet auch

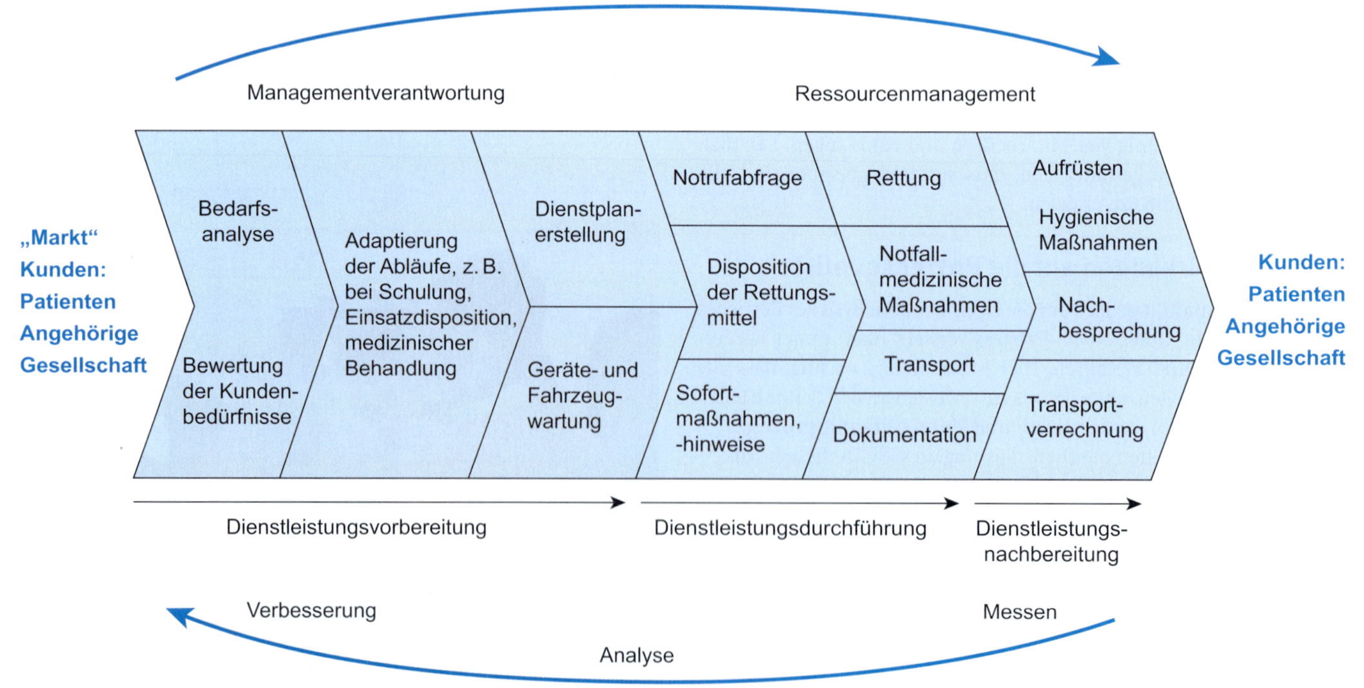

Abb. 55.4 Prozessmodell im Rettungsdienst [P098, L143]

56

GRUNDLAGEN STAATLICHER ORDNUNG

Frank Flake

INHALTSÜBERSICHT

56.1 GRUNDLAGEN DES STAATES

- Ein Staat besteht aus einem Staatsgebiet, einem Staatsvolk und einer Staatsgewalt.
- Als Verfassung bezeichnet man die Gesamtheit der Regeln über die Staatsform.
- Die Verfassung Deutschlands ist das Grundgesetz, ein elementarer Bestandteil des Grundgesetzes sind die Menschenrechte.
- Der Staat schützt Leben, Freiheit und Eigentum.
- Der Staat stellt den inneren Frieden sicher.
- Der Staat fördert Wirtschaft, Wissenschaft und Kunst.
- Der Staat schützt sein Volk gegen Übergriffe von außen.

56.2 GRUNDRECHTE DER BÜRGER

- Der Bürger besitzt Rechte der Unverletzlichkeit, z. B. des Lebens und Eigentums.
- Der Bürger besitzt Gleichheitsrechte.
- Der Bürger besitzt Freiheits- und soziale Rechte.

56.3 PFLICHTEN DER BÜRGER

- Der Bürger hat die Pflicht, Steuern zu bezahlen und Ehrenämter z. B. als Schöffe zu übernehmen.
- Der Bürger hat eine Nothilfe- und Wehrpflicht (im Spannungs- oder Verteidigungsfall).
- Der Bürger hat eine Anzeige- und Zeugnispflicht.

56.4 DEUTSCHLAND ALS FÖDERATIVER STAAT

- Deutschland ist ein Bund eigenständiger Länder, die in gewissen Bereichen eine teilweise weitgehende Autonomie besitzen. Dies wirkt sich auch auf den Rettungsdienst aus, z. B. bei der Umsetzung von Gesetzen. Alle Länder zusammen bilden die Republik.
- Die Außenpolitik, die Verteidigungspolitik sowie die Geldpolitik sind Angelegenheiten des Bundes.
- Der Staat hat die Pflicht, allen Bürgern ein menschenwürdiges Dasein zu ermöglichen.

56.5 DEUTSCHLAND ALS PARLAMENTARISCHE DEMOKRATIE

- Das Wesentliche einer Demokratie ist, dass das Volk der Träger der Staatsgewalt ist.
- Es werden allgemeine, unmittelbare, gleiche, freie und geheime Wahlen durchgeführt.
- Im Grundgesetz ist die Gewaltenteilung festgelegt.
- Die drei Gewalten der Bundesrepublik sind Legislative (gesetzgebende Gewalt), Exekutive (vollziehende Gewalt) und Judikative (richterliche Gewalt).

56.6 DIE VERFASSUNGSORGANE IN DEUTSCHLAND

- Der Bundestag ist als Vertretung des deutschen Volkes in der Gesetzgebung das höchste, letztendlich entscheidende Organ und repräsentiert das Volk bei der Ausübung der Staatshoheit.
- Der Bundesrat wirkt als Vertretung der Länder an der Gesetzgebung und Verwaltung des Bundes mit. Er muss Gesetzesvorlagen des Bundestages, die unmittelbar die Interessen der Länder betreffen, zustimmen.
- Der Bundespräsident hat weitgehend repräsentative Aufgaben und übt als neutrale Kraft und Hüter der Verfassung eine ausgleichende Wirkung aus.
- Die Bundesregierung übt die vollziehende Gewalt aus, soweit dies nicht dem Bundesrat oder Bundespräsidenten vorbehalten ist. Sie besteht aus dem Bundeskanzler und den Bundesministern und erledigt alle staatlichen und politischen Geschäfte.
- Der Bundeskanzler steht der Bundesregierung vor. Er bestimmt die Richtlinien der Politik und trägt dafür die Verantwortung. Er ist allein dem Bundestag gegenüber verantwortlich.

56.1 Grundlagen des Staates

Auf der Erde gibt es zurzeit mehr als 190 selbstständige Staaten. Obwohl diese Staaten in ihrer Gesellschafts- und Wirtschaftsform z. T. erheblich differieren, sind allen drei Merkmale gemeinsam, die jeden Staat charakterisieren.

Ein Staat braucht ein Land, das **Staatsgebiet.** Ein Staat braucht Menschen, das **Staatsvolk.** Das Staatsvolk setzt sich grundsätzlich aus allen Bewohnern (unabhängig von ihrer Nationalität, Sprache oder Kultur) zusammen, die innerhalb der Staatsgrenzen ihren festen Wohnsitz haben (→ Abb. 56.1). Ein Staatsvolk mit gemeinsamer Abstammung, Sprache und Kultur bezeichnet man als Nation, einen solchen Staat als Nationalstaat. Ein Staat braucht die Macht, die **Staatsgewalt** (politische Macht). Die Staatsgewalt ist für das Leben in der Gemeinschaft unentbehrlich, denn ohne sie lässt sich eine allgemeingültige Ordnung nicht herstellen. Um die Ordnung innerhalb eines Staates zu gewährleisten, hat der Staat das Recht, seinen Bürgern Pflichten aufzuerlegen und das Funktionieren des Staates durch Gesetze zu regeln.

In demokratischen Staaten wie Deutschland wird diese Staatsgewalt im Namen des Volkes ausgeübt, d. h., das Staatsvolk in seiner Gesamtheit hat das Recht, sich Gesetze zu geben und diese durch gewählte Volksvertreter ausüben zu lassen. Die Verteilung und Handhabung dieser Aufgabe (Staatsmacht) wird in einer Verfassung festgelegt. Die Verfassung Deutschlands ist das Grundgesetz (GG).

Abb. 56.1 Der Mensch ist kein Einzelgänger, sondern ein soziales Wesen, das zu seinem Wohlbefinden die Gemeinschaft mit anderen braucht. [J787]

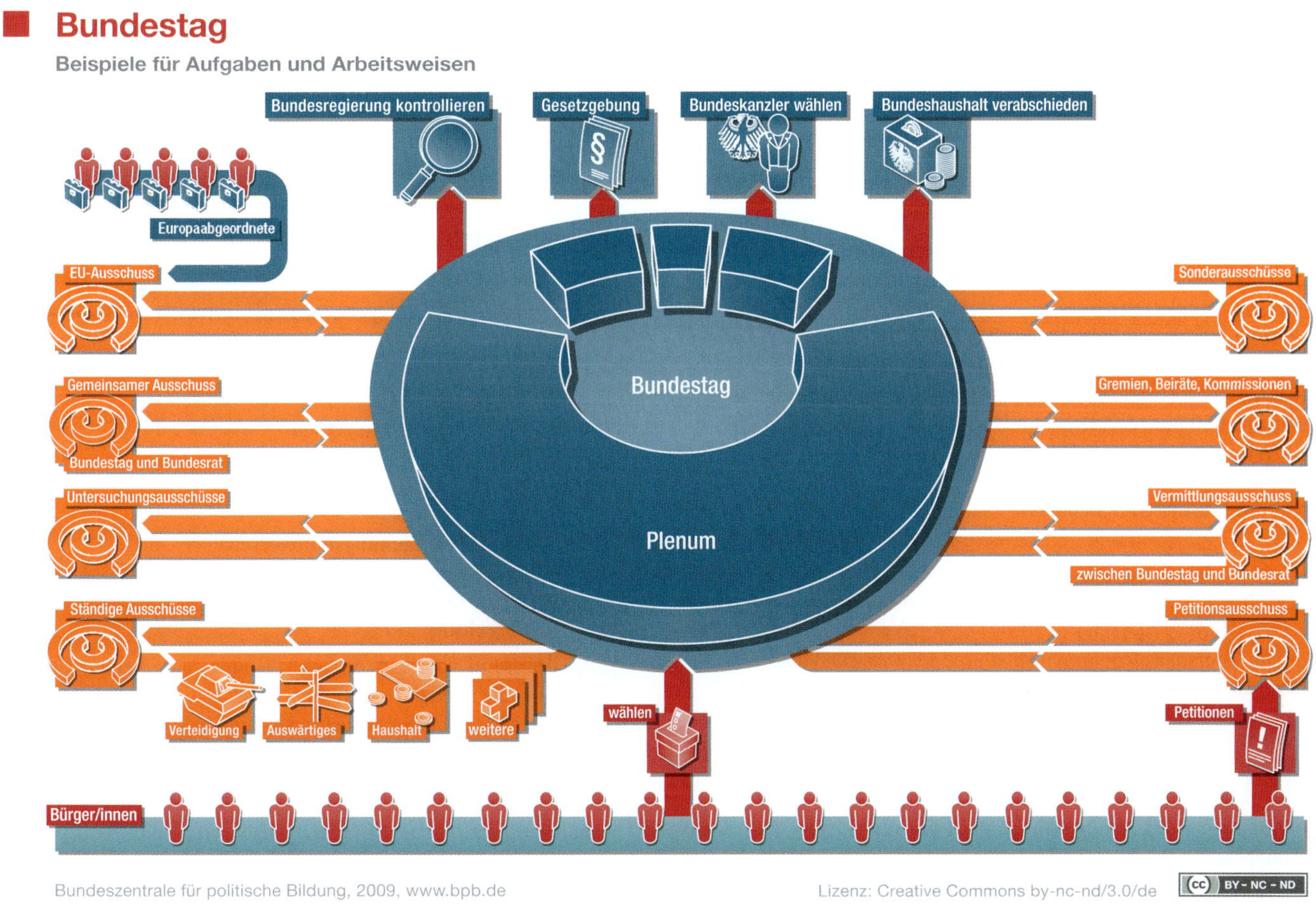

Abb. 56.3 Bundestag – Beispiele für Aufgaben und Arbeitsweisen [W859]

Abb. 56.4 Der Plenarsaal des Deutschen Bundestags im Reichstagsgebäude in Berlin. Der Bundestag ist das oberste Staatsorgan, das sich aus gewählten Vertretern des Volkes, den Abgeordneten, zusammensetzt. [J787]

IM FOKUS

Demokratieformen und Wahlen

- Deutschland ist eine **parlamentarische Demokratie,** d. h., der Volkswille soll über das Parlament durchgesetzt werden.
- Daneben existieren auch **Präsidialdemokratien** (z. B. in den USA). Hier soll der Volkswille über das Präsidentenamt durchgesetzt werden.
- Die **freiheitlich-demokratischen Grundordnung** ist eine Ordnung, die unter Ausschluss jeglicher Gewalt und Willkürherrschaft eine rechtsstaatliche Herrschaftsordnung darstellt.
- Dies setzt **regelmäßige, unabhängige, freie und geheime Wahlen** voraus.

56.5.2 Staatsgewalt

Die politische Macht der Regierenden ist durch die Verfassung und durch die nachrangigen Gesetze begrenzt und festgelegt. Insbesondere bestimmte, in der Verfassung aufgezählte Grundrechte sind unverzichtbar. Sie können lediglich durch Gesetze in vorher festgelegtem Umfang eingeschränkt werden. So ist z. B. das im GG festgelegte Grundrecht der persönlichen Freiheit *(Art. 2 GG)* durch die Einführung des Wehrpflichtgesetzes eingeschränkt worden.

Allerdings müssen Gesetze immer in Übereinstimmung mit der Verfassung stehen. Widerspricht ein einzelnes Gesetz aus irgendeinem Grund der Verfassung, so kann es vom **Bundesverfassungsgericht** für nichtig erklärt werden.

56.5.3 Gewaltenteilung

Die Staatsgewalt in einem demokratischen Staat wie Deutschland ist organisatorisch und personell auf verschiedene **Organe** aufgeteilt:

- Gesetzgebende Gewalt oder **Legislative:** Bundestag unter Beteiligung des Bundesrates
- Vollziehende Gewalt oder **Exekutive:** Bundesregierung und Verwaltungsbehörden von Bund und Ländern
- Richterliche Gewalt oder **Judikative:** unabhängige, selbstständige, neutrale und nur nach Recht und Gesetz entscheidende Gerichte

Die **Dreiteilung der Gewalten** soll die Zusammenballung staatlicher Macht in einer Hand verhindern. Die Verfassung Deutschlands bejaht den Grundsatz der Gewaltenteilung.

MERKE

Art. 20, Abs. 2 GG lautet:
„Alle Staatsgewalt geht vom Volke aus. Sie wird vom Volke in Wahlen und Abstimmungen und durch besondere Organe der Gesetzgebung, der vollziehenden Gewalt und der Rechtsprechung ausgeübt."

Die Parlamente des Bundes (Bundestag) und der Länder (Landtage) beschließen Gesetze. Die Bundesregierung und die Bundesbehörden sowie die Regierungen der Länder und die Landesbehörden führen die Gesetze durch konkrete Maßnahmen, z. B. den Erlass entsprechender Verordnungen, aus. Verbrechen werden abgeurteilt, und bei Streitigkeiten wird von unabhängigen Richtern Recht gesprochen, d. h. von Richtern, die auf Lebenszeit ernannt sind und von keiner Regierung und keinem Parlament bei ihrer Urteilsfindung beeinflusst werden. Sie sind nur dem Gesetz verpflichtet.

Zwischen den Einrichtungen der drei Teilgewalten bestehen gegenseitige Kontrollen und bestimmte Verbindungen. So wirken z. B. Bundestag und Bundesrat nicht nur bei der Gesetzgebung, sondern auch bei der Verwaltung (Haushaltsplan) und Rechtspflege (Amnestie) mit. Auch innerhalb der Organe bestehen Kontrollmöglichkeiten. Der Bundestag kann Untersuchungsausschüsse einsetzen. Die Regierung wird von der Opposition kontrolliert. Die Verwaltung steht unter der Kontrolle des Rechnungshofes. Der Bürger kann gegen Verwaltungsakte vor dem Verwaltungsgericht klagen (z. B. gegen die Entziehung der Fahrerlaubnis). Die Richter sind unabhängig und nur dem Gesetz unterworfen.

Alle Staatsorgane dürfen nur handeln und in dem Rahmen tätig werden, in dem sie durch ordnungsgemäß zustande gekommene Gesetze dazu ermächtigt worden sind. Alle hoheitlichen Handlungen können auf dem Prozesswege angefochten werden. Den Bürger belastende Gesetze dürfen nicht mit rückwirkender Kraft versehen werden. So darf die Enteignung eines Grundstücks nach dem Enteignungsrecht nur mit voller Entschädigung und bei zwingendem öffentlichem Interesse, etwa beim Straßenbau, vollzogen werden. Der Betroffene kann die Enteignungsverfügung vor dem Gericht anfechten.

56.5.4 Gesetzgebende Gewalt

Die gesetzgebende Gewalt, die **Legislative,** wird in den Artikeln 70–82 GG geregelt. Das GG definiert die Gesetzgebungskompetenz grundsätzlich als Aufgabe der Bundesländer, soweit nicht ausdrücklich der Bund für zuständig erklärt ist. Diese Zuständigkeit ist durch *Art. 70 GG* festgelegt. Man unterscheidet drei verschiedene Gesetzgebungsformen.

Gesetzgebungsformen

Ausschließliche Gesetzgebung

Die **ausschließliche Gesetzgebung** wird in *Art. 73 GG* bestimmt. Sie bedeutet, dass ausschließlich der Bund für die Gestaltung dieser Gesetze infrage kommt. In diesen Bereich fallen z. B.:

- Auswärtige Angelegenheiten
- Währungs-, Geld- und Münzwesen
- Passwesen
- Regelung der Staatsangehörigkeit im Bund
- Verteidigung des Staates
- Arzneimittel- und Betäubungsmittelgesetze
- Luftverkehr

Ländergesetzgebung

Solange der Bund von seinem Gesetzgebungsrecht keinen Gebrauch macht, haben die Länder die Befugnis, Gesetze zu erlassen *(Art. 74 GG).* Das Recht der Länder erlischt, wenn der Bund Gesetze erlässt. In diesen Bereich fallen:

- Öffentliche Fürsorge
- Arbeitsrecht
- Umweltschutz
- Rettungsdienstgesetze

Rahmengesetzgebung

Bei der **Rahmengesetzgebung** legt der Bund in einem näher definierten Umfang Rahmenvorschriften fest, die von den Ländern durch eigene Gesetze ausgefüllt werden, wie:

- Melde- und Ausweiswesen
- Landesbeamtengesetze
- Hochschulrahmengesetz

Gesetzgebung

Hauptorgan der Gesetzgebung ist der Bundestag. Das Recht der **Gesetzesinitiative** liegt jedoch bei Bundesregierung, Bundesrat und Mitgliedern des Bundestages.

Die Bundesregierung leitet ihre **Gesetzesvorlagen** dem Bundesrat zu, der innerhalb von 6 Wochen Stellung nehmen kann. Der Entwurf geht dann wieder der Bundesregierung zu, die ihrerseits eine Stellungnahme zu den Änderungswünschen des Bundesrates abgibt. Schließlich wird der Gesetzesentwurf dem Bundestag zugeleitet. Dieser berät den Vorschlag in drei Lesungen und stimmt anschließend zu oder lehnt diesen ab. Nach der **Gesetzesannahme** durch den Bundestag wird er dem Bundesrat zugeleitet. Hier richtet sich die Tätigkeit des Bundesrats danach, ob es sich um ein Einspruchsgesetz oder ein Zustimmungsgesetz handelt:

- Bei **Einspruchsgesetzen** gilt als Zustimmung, wenn der Bundesrat innerhalb von 2 Wochen keinen Einspruch erhebt.
- **Zustimmungsgesetze,** z. B. verfassungsändernde Gesetze oder Gesetze zum föderativen Aufbau der Bundesrepublik, bedürfen der ausdrücklichen Zustimmung des Bundesrats.

57

RECHTLICHE RAHMENBEDINGUNGEN DES RETTUNGSDIENSTES

Dennis Lentz

SZENARIO

Der an einer Landrettungswache stationierte Rettungswagen, besetzt mit einem Notfallsanitäter und einem Rettungssanitäter, erhält von der Leitstelle den Einsatzauftrag, mit Sondersignal zu einem Patienten mit Atemnot zu fahren.
Dort eingetroffen, erfährt die RTW-Besatzung von einem Angehörigen, dass der Patient von einer Wespe gestochen worden sei. Der etwa 75-jährige Patient ist inzwischen somnolent und hat eine deutliche Dyspnoe.
Nach Ausführung der indizierten Basismaßnahmen legt der Notfallsanitäter in jede Ellenbeuge je einen großlumigen Zugang und infundiert jeweils 500 ml balancierte Vollelektrolytlösung als Druckinfusion. Weiterhin verabreicht der Notfallsanitäter 0,5 mg Suprarenin® i. m. (Adrenalin), 4 mg Fenistil® (Dimetinden) und 250 mg Solu-Decortin H® (Prednisolon). Beide Maßnahmen führt der Notfallsanitäter durch, obwohl es einen einschlägigen ärztlich vorgegebenen und verantworteten Maßnahmenkatalog bzw. Standard Operation Procedures (SOPs) i. S. d. *§ 4 Abs. 2 Nr. 2 c) NotSanG* im konkreten Rettungsdienstbereich nicht gibt, weil der zuständige Ärztliche Leiter Rettungsdienst davon nichts hält.
Als der Notarzt aufgrund der Entfernung des Notarztstandorts zum Einsatzort wie erwartet ca. 18 Minuten nach dem RTW eintrifft, ist der Patient wieder wacher, sein Blutdruck mit einem diastolischen Wert von 70 mmHg wieder messbar.
Der Notarzt freut sich jedoch nicht über den verbesserten Zustand des Patienten, sondern behauptet verärgert, die RTW-Besatzung habe heilkundliche Maßnahmen ausgeführt, die ausschließlich Ärzten vorbehalten seien, sich daher rechtswidrig verhalten und strafbar gemacht. Ist die Behauptung des Notarztes richtig?

INHALTSÜBERSICHT

57.1 ALLGEMEINE RECHTLICHE GRUNDLAGEN

- In den meisten Bundesländern müssen Rettungsdienstfahrzeuge in der Notfallrettung mit mindestens je einem Rettungsassistenten/Notfallsanitäter und Rettungssanitäter, im qualifizierten Krankentransport mit mindestens je einem Rettungssanitäter und Rettungshelfer besetzt sein.

57.2 AUSBILDUNG DES RETTUNGSDIENSTPERSONALS

- Rettungshelfer, Rettungssanitäter, Rettungsassistenten und Notfallsanitäter sind Rettungsfachpersonal. Die im Rettungsdienst tätigen Ärzte bezeichnet man als Notärzte.

57.3 TÄTIGKEIT DES RETTUNGSFACHPERSONALS

- Rettungsfachpersonal kann hauptberuflich, nebenberuflich, ehrenamtlich oder freiwillig im Rahmen eines sozialen Jahres oder des Bundesfreiwilligendienstes tätig sein.
- Hauptpflichten des Rettungsfachpersonals sind die Versorgung, Betreuung und der Transport von Patienten.
- Wichtige Nebenpflichten des Rettungsfachpersonals sind Fortbildungs-, Dokumentations- und Schweigepflicht.
- Rettungsfachpersonal darf nichtinvasive medizinische Maßnahmen eigenständig durchführen. In Notkompetenzsituationen dürfen Rettungssanitäter, Rettungsassistenten und Notfallsanitäter auch bestimmte invasive heilkundliche Maßnahmen eigenständig durchführen. Notfallsanitäter dürfen bestimmte invasive heilkundliche Maßnahmen auch außerhalb von Notkompetenzsituationen eigenständig durchführen.

57.4 STRAFRECHTLICHE VERANTWORTUNG

- Rettungsfachpersonal hat gegenüber Patienten eine Garantenstellung. Aus dieser Garantenstellung ergibt sich die Garantenpflicht des Rettungsfachpersonals. Rettungsfachpersonal kann sich aufgrund dieser Garantenpflicht auch durch Unterlassen einer Tötung oder Körperverletzung strafbar machen.
- Unterlassene Hilfeleistung nach *§ 323c StGB* ist für jedermann strafbar. Hieraus ergibt sich die allgemeine Hilfeleistungspflicht.
- Rettungsfachpersonal unterliegt der Schweigepflicht. Eine Informationsweitergabe ist nicht strafbar, wenn eine Einwilligung des Betroffenen vorliegt oder eine gesetzliche Ausnahme, wie z. B. ein rechtfertigender Notstand im Fall eines Kindesmissbrauchs.
- Rettungsfachpersonal ist nicht berechtigt, Patienten gegen ihren Willen festzuhalten, sondern nur die Polizei.

57.5 SCHADENSERSATZHAFTUNG

- In der Notfallrettung haften nur die Rettungsdienstträger gegenüber geschädigten Patienten unmittelbar (Amtshaftung). Im Fall von mittlerer und grober Fahrlässigkeit sowie Vorsatz kann Rettungsfachpersonal vom Arbeitgeber in Regress genommen werden.
- Für die Schadensersatzhaftung gilt ein objektiver Verschuldensmaßstab. Zu den wichtigsten Sorgfaltspflichten gehören die fachgerechte Untersuchung, Versorgung und Überwachung der Patienten sowie die fachgerechte Reinigung und Desinfektion der Rettungsdienstfahrzeuge.
- Unter bestimmten Voraussetzungen kann es im Schadensersatzrecht eine Beweislastumkehr zulasten des Rettungsfachpersonals geben.

57.6 STRASSENVERKEHRSRECHT

- Auch im Rettungsdienst sind grundsätzlich sämtliche Verkehrsregeln und Verkehrszeichen zu beachten. Patienten und medizinische Geräte sind in Rettungsdienstfahrzeugen besonders sorgfältig zu sichern.
- Die Sonderrechte des Rettungsdienstes sind in *§ 35 StVO* geregelt.
- Das Wegerecht des Rettungsdienstes ist in *§ 38 StVO* geregelt. Die Inanspruchnahme des Wegerechts erfordert den Einsatz von blauem Blinklicht zusammen mit dem Einsatzhorn.

57.7 ARZNEIMITTEL-, BETÄUBUNGSMITTEL- UND MEDIZINPRODUKTERECHT

- Arzneimittel sind grundsätzlich apotheken- und verschreibungspflichtig. Hiervon abweichend dürfen apotheken- und verschreibungspflichtige Arzneimittel durch den Rettungsdienst an Notfallpatienten verabreicht werden.
- Einzelne im Rettungsdienst gebräuchliche Arzneimittel unterliegen den strengen Vorschriften des Betäubungsmittelrechts.
- Beim Umgang mit Medizinprodukten ist das Medizinprodukterecht zu beachten. Bestimmte medizinische Geräte dürfen nur nach spezieller Einweisung in den konkreten Gerätetyp und die konkrete Softwareversion durch zur Einweisung berechtigte Personen angewendet werden.

57.8 WEITERE RECHTSFRAGEN

- Eine rechtswirksame Behandlungs- oder Transportverweigerung erfordert eine eindringliche und schonungslose Aufklärung des Patienten über die Risiken dieser Verweigerung. Die Aufklärung ist im Einzelnen zu dokumentieren und vom Patienten unterschreiben zu lassen.
- Die Gewahrsamnahme einer Person zum Schutz des Betroffenen oder der Allgemeinheit ist Aufgabe der Polizei.
- Eine zwangsweise Unterbringung von Personen darf nur bei Vorliegen einer akuten Selbst- oder Fremdgefährdung durchgeführt werden.
- Eine Patientenverfügung ist zwar auch in der Notfallrettung rechtlich verbindlich, in der Praxis dennoch unbeachtlich, sodass stets mit lebensrettenden Maßnahmen zu beginnen ist.
- Die Todesfeststellung ist eine ärztliche Aufgabe. Wenn sichere Todeszeichen vorliegen, darf Rettungsfachpersonal auch ohne ärztliche Todesfeststellung von lebensrettenden Maßnahmen absehen.
- Bei (Verdacht auf) Kindesmisshandlung ist ein Verstoß gegen die Schweigepflicht aufgrund rechtfertigenden Notstands nicht strafbar.
- Die Behinderung des Rettungsdienstes durch Gewalt oder Drohung mit Gewalt während eines Einsatzes ist strafbar.
- Bei einem Massenanfall an Verletzten sind die ersteintreffenden Rettungskräfte verpflichtet, sich zunächst einen Überblick zu verschaffen, Rückmeldung an die Leitstelle zu geben sowie vorübergehend die Einsatzleitung zu übernehmen.
- Der Katastrophenschutz ist nicht Teil des Rettungsdienstes. Die Bundesländer sind für die Organisation des Katastrophenschutzes zuständig.
- Ersthelfergruppen sind weder organisatorisch noch rechtlich Teil des Rettungsdienstes.
- Bei der Ableistung von Sanitätsdiensten gelten die Rechtsvorschriften für den Rettungsdienst weitgehend entsprechend.

57.1 Allgemeine rechtliche Grundlagen

Zur Vermeidung von straf-, haftungs-, berufs- und arbeitsrechtlichen Risiken kommen Rettungsdienstmitarbeiter nicht umhin, die rechtlichen Grundlagen des Rettungsdienstes zu kennen. Diese werden als **„Rettungsdienstrecht“** bezeichnet. Das Rettungsdienstrecht umfasst alle Rechtsvorschriften, die für Organisation, Durchführung und Finanzierung des Rettungsdienstes, für die Aus- und Fortbildung sowie für die Tätigkeit des Rettungsdienstpersonals wichtig sind.

Auf den Abdruck von Gesetzesvorschriften wird in diesem Kapitel weitgehend verzichtet, da diese heute stets mit aktuellstem Stand im Internet abrufbar sind. Bundesrechtliche Gesetze sind unter www.gesetze-im-internet.de kostenfrei einsehbar. Auch sämtliche Bundesländer haben inzwischen ähnliche Internet-Gesetzesportale.

Der öffentliche Rettungsdienst ist in Deutschland ein wesentlicher Bestandteil des Gesundheitssystems. Als Teil der durch den Staat zu gewährleistenden Daseinsvorsorge stellt er eine **öffentliche Aufgabe der Gesundheitsvorsorge und (gesundheitlichen) Gefahrenabwehr** dar.

Aus dem Grundgesetz ergibt sich, dass die Bundesländer die **Gesetzgebungskompetenz** für die Organisation des Rettungsdienstes haben. Diese erlassen Landesrettungsdienstgesetze (→ Tab. 57.1), Verordnungen, Landesrettungsdienstpläne und Verwaltungsvorschriften, sog. (Rund-)Erlasse.

Die Umsetzung dieser landesrechtlichen Rettungsdienstvorschriften ist mit Ausnahme der Luftrettung (→ Kap. 52.1) eine Aufgabe der **kommunalen Selbstverwaltung. Träger des Rettungsdienstes** sind daher – außer in Baden-Württemberg – Landkreise, kreisfreie Städte oder sog.

Bundesland	Genaue Gesetzesbezeichnung
Baden-Württemberg	Gesetz über den Rettungsdienst (Rettungsdienstgesetz – RDG) vom 8.2.2010, zuletzt geändert durch Gesetz vom 12.6.2018
Bayern	Bayerisches Rettungsdienstgesetz (BayRDG) vom 22. Juli 2008, zuletzt geändert durch Gesetz vom 9.12.2022
Berlin	Gesetz über den Rettungsdienst für das Land Berlin (Rettungsdienstgesetz – RDG) vom 8.7.1993, zuletzt geändert durch Gesetz vom 23.1.2023
Brandenburg	Gesetz über den Rettungsdienst im Land Brandenburg (Brandenburgisches Rettungsdienstgesetz – BbgRettG) vom 14.7.2008, zuletzt geändert durch Gesetz vom 19.6.2019
Bremen	Bremisches Hilfeleistungsgesetz (BremHilfeG) vom 21.6.2016, zuletzt geändert durch Gesetz vom 22.9.2022
Hamburg	Hamburgisches Rettungsdienstgesetz (HmbRDG) vom 30.10.2019, zuletzt geändert durch Gesetz vom 12.6.2020
Hessen	Hessisches Rettungsdienstgesetz (HRDG) vom 16.12.2010, zuletzt geändert durch Gesetz vom 9.12.2022
Mecklenburg-Vorpommern	Rettungsdienstgesetz Mecklenburg-Vorpommern (RDG M-V) vom 9.2.2015, zuletzt geändert durch Gesetz vom 16.5.2018
Niedersachsen	Niedersächsisches Rettungsdienstgesetz (NRettDG) in der Fassung vom 2.10.2007, zuletzt geändert durch Gesetz vom 29.6.2022
Nordrhein-Westfalen	Gesetz über den Rettungsdienst sowie die Notfallrettung und den Krankentransport durch Unternehmer (Rettungsgesetz NRW – RettG NRW) vom 24.11.1992, zuletzt geändert durch Gesetz vom 17.12.2015
Rheinland-Pfalz	Landesgesetz über den Rettungsdienst sowie den Notfall- und Krankentransport (Rettungsdienstgesetz – RettDG) in der Fassung vom 22.4.1991, zuletzt geändert durch Gesetz vom 11.2.2020
Saarland	Saarländisches Rettungsdienstgesetz (SRettG) vom 11.11.2020
Sachsen	Sächsisches Gesetz über den Brandschutz, Rettungsdienst und Katastrophenschutz (SächsBRKG) vom 24.6.2004, zuletzt geändert durch Gesetz vom 25.6.2019
Sachsen-Anhalt	Rettungsdienstgesetz des Landes Sachsen-Anhalt (RettDG LSA) vom 18.12.2012, zuletzt geändert durch Gesetz vom 15.12.2021
Schleswig-Holstein	Schleswig-Holsteinisches Rettungsdienstgesetz (SHRDG) vom 28.3.2017, zuletzt geändert durch Gesetz vom 6.11.2020
Thüringen	Thüringer Rettungsdienstgesetz (ThürRettG) vom 16.7.2008, zuletzt geändert durch Gesetz vom 7.12.2022

Tab. 57.1 Rettungsdienstgesetze der Bundesländer

Zweckverbände, die mehrere Gebietskörperschaften umfassen. Die Rettungsdienstträger sind verpflichtet, die flächendeckende, bedarfs- und fachgerechte Versorgung der Bevölkerung mit Leistungen der Notfallrettung einschließlich einer notärztlichen Versorgung und des qualifizierten Krankentransports sicherzustellen. In der Notfallrettung sind dabei vorgegebene **Hilfsfristen** einzuhalten, die je nach Bundesland 8–15 Minuten betragen. In manchen Bundesländern ist auch für den qualifizierten Krankentransport eine maximale **Wartezeit** vorgegeben, z. B. in Rheinland-Pfalz von maximal 40 Minuten für dringliche Krankentransporte.

MERKE

Von besonderer Bedeutung für das Rettungsfachpersonal sind die landesrechtlichen Regelungen, die die **fachliche Mindestqualifikation der Fahrzeugbesatzungen** vorschreiben. Inzwischen ist in den meisten Bundesländern vorgeschrieben, dass bodengebundene Rettungsdienstfahrzeuge in der Notfallrettung (RTW/NAW/ITW) mit mindestens je einem Notfallsanitäter und Rettungssanitäter, im qualifizierten Krankentransport mit mindestens je einem Rettungssanitäter und Rettungshelfer besetzt sein müssen (→ Tab. 57.2).

Bundesland	Krankentransport (KTW)		Notfallrettung (RTW/NAW)		NEF
	Fahrer	Beifahrer	Fahrer	Beifahrer	Fahrer
Baden-Württemberg	g. P.	RettSan	RettSan	NotSan(/RettAss[1])	RettAss/NotSan
Bayern	g. P.	RettSan	g. P.[2]/RettSan	NotSan[3]	RettSan
Berlin	San60[3]	RettSan	RettSan	RettAss[4]/NotSan	RettAss
Brandenburg	RettSan	RettSan	RettSan	NotSan[5]	RettAss/NotSan
Bremen	RettHelf	RettSan	RettSan	RettAss/NotSan	RettAss
Hamburg	RettSan	RettSan	RettSan	NotSan[6]	NotSan[6]
Hessen	San48[7]	RettSan	RettSan/NotSan i. A.[8]	RettAss[9]/NotSan/NotSan i. A.[10]	RettSan[11]/RettAss/NotSan
Mecklenburg-Vorpommern	RettSan	RettSan	RettSan/NotSan i. A.	RettAss[12]/NotSan	RettAss[12]/NotSan
Niedersachsen	g. P.	RettSan	g. P.	NotSan[13]	RettAss
Nordrhein-Westfalen	RettHelf NRW[14]	RettSan	RettSan/RettAss i. P.	RettAss[15]/NotSan	RettAss[15]/NotSan
Rheinland-Pfalz	RettHelf Rh.-Pf.[16]	RettSan	RettSan	NotSan[17]	NotSan[17]
Saarland	San[18]	RettSan	RettSan	RettAss/NotSan[19]	RettAss/NotSan
Sachsen	RettHelf	RettSan	RettSan	RettAss[20]/NotSan	RettAss/NotSan
Sachsen-Anhalt	RettSan	RettAss[21]/NotSan	RettSan	RettAss[21]/NotSan	RettAss/NotSan[22]
Schleswig-Holstein	RettSan	RettSan-E[23]/NotSan i. A.[24]	RettSan-E[23]/NotSan i. A.[24]	NotSan[25]	RettAss/NotSan
Thüringen	g. P.	g. P.[26]	RettSan/RettAss	NotSan[27]	NotSan[27]

1 Befristet bis zum 31.12.2020, bei Vorliegen besonderer Gründe im Einzelfall bis spätestens zum 31.12.2025.
2 Längstens bis einschließlich 31.12.2025.
3 Längstens bis einschließlich 31.12.2023 konnten auch RettAss eingesetzt werden.
3 Sanitätsausbildung mit mind. 60 Std.
4 Befristet bis 30.9.2029.
5 Befristet bis zum 31.12.2020 konnten auch RettAss eingesetzt werden.
6 Befristet bis zum 31.12.2023 durften auch RettAss eingesetzt werden.
7 Sanitätsausbildung mit mind. 48 Std. (Lehrgangsinhalt ist im Einzelnen vorgegeben).
8 Mindestens im zweiten Ausbildungsjahr an Lehrrettungswachen, wenn das Fahrzeug mit einem NotSan besetzt ist.
9 Befristet bis zum 31.12.2024.
10 Mindestes im dritten Ausbildungsjahr an Lehrrettungswachen, wenn das Fahrzeug mit einem NotSan besetzt ist.
11 Mit mindestens zwei Jahren nachgewiesener Berufserfahrung in der Notfallrettung.
12 Befristet bis zum 30.4.2025.
13 Befristet bis zum 31.12.2023 konnten auch RettAss eingesetzt werden.
14 RettHelf Nordrhein-Westfalen: 80 Std. theoretische Ausbildung und 80 Std. Rettungswachenpraktikum (keine klinisch-praktische Ausbildung).
15 Befristet bis zum 31.12.2026.
16 RettHelf Rheinland-Pfalz: 80 Std. theoretische Ausbildung, 80 Std. klinisch-praktische Ausbildung und 100 Std. Rettungswachenpraktikum.
17 Befristet bis zum 31.12.2023 durften auch RettAss eingesetzt werden.
18 Zumindest „eine abgeschlossene Sanitätsausbildung" (ohne nähere Stundenangaben).
19 Befristet bis zum 31.12.2023 konnten auch RettAss eingesetzt werden.
20 Befristet bis zum 31.12.2023 konnten auch RettAss eingesetzt werden.
21 Befristet bis zum 31.5.2029.
22 Notarzteinsatzfahrzeuge (NEF) sollen mit Personen, die die Ausbildung zum Notfallsanitäter abgeschlossen haben, besetzt werden.
23 RettSan mit Einsatzerfahrung, d. h. mit mind. 100 Einsätzen in der Notfallrettung nach Abschluss der Ausbildung.
24 NotSan in Ausbildung, der die ersten 18 Monate seiner Ausbildung in Vollzeitform bereits absolviert hat.
25 Befristet bis zum 31.12.2023 konnten auch RettAss eingesetzt werden.
26 Bis 30.6.2009 „sollte" nach dem früheren Thüringer Rettungsdienstgesetz (ThürRettG) mindestens ein RettAss den Patienten betreuen. Die aktuelle Regelung ist damit im Vergleich zur früheren eine qualitative Verschlechterung.
27 Befristet bis zum 31.12.2023 durften auch RettAss eingesetzt werden.

g. P. = geeignete Person: Die landesrechtlichen Vorschriften enthalten keine konkreten Vorgaben zur Qualifikation.
i. A. = in Ausbildung, mindestens gleichwertiger Bildungsstand wie RettSan.
i. P. = im Praktikum
k. R. = keine Regelung: Es existiert keine landesrechtliche Regelung.

Tab. 57.2 Mindestqualifikation der Fahrzeugbesatzungen

Ehrenamtliche Mitarbeiter

Die rechtliche Stellung von Ehrenamtlichen ergibt sich aus den einschlägigen Rechtsvorschriften, aus der **Satzung** der jeweiligen Hilfsorganisation, in der das Mitgliedschaftsverhältnis geregelt ist, und aus **Dienstanweisungen.** Verstoßen ehrenamtliche Mitarbeiter gegen die Satzung, dienstliche Weisungen oder gesetzliche Bestimmungen, können sie von der Rettungsdiensttätigkeit oder in schwerwiegenden Fällen aus der Hilfsorganisation ausgeschlossen werden.

Leistende eines Freiwilligen Sozialen Jahres

Seit ca. 20 Jahren bieten die Hilfsorganisationen auch im Rettungsdienst Stellen für **Freiwillige zur Leistung eines Freiwilligen Sozialen Jahres** (FSJ) an. Die rechtliche Stellung der Freiwilligen ergibt sich aus dem **Gesetz zur Förderung von Jugendfreiwilligendiensten (Jugendfreiwilligendienstegesetz, JFDG).**

Vor Beginn des Freiwilligen Sozialen Jahres ist zwischen dem Freiwilligen und dem Träger des Freiwilligen Sozialen Jahres eine schriftliche Vereinbarung zu schließen, die u. a. nähere Angaben über den konkreten Freiwilligendienst enthalten muss *(§ 11 Abs. 1 JFDG).* Das Freiwillige Soziale Jahr dauert im Inland normalerweise 12 Monate und kann um bis zu 6 Monate verlängert werden *(§ 5 Abs. 1 JFDG).* Die Freiwilligen erhalten ein angemessenes Taschengeld sowie unentgeltliche Unterkunft, Verpflegung und Arbeitskleidung oder entsprechende Geldersatzleistungen *(§ 2 Abs. 1 Nr. 4* und *§ 11 Abs. 1 Nr. 6 JFDG).* Das Freiwillige Soziale Jahr muss zwingend pädagogisch begleitet werden *(§ 5 Abs. 2 JFDG),* u. a. durch Seminare – zusätzlich zur rettungsdienstlichen Ausbildung. Es ist möglich , einen Jugendfreiwilligendienst auch kombiniert im In- und Ausland zu leisten *(§ 7 JFDG),* z. B. 12 Monate im deutschen Rettungsdienst und anschließend 3–6 Monate in der (medizinischen) Entwicklungshilfe.

Bei Missachtung von dienstlichen Pflichten kann das Dienstverhältnis vom Träger unter denselben Voraussetzungen wie ein Arbeitsverhältnis aus wichtigem Grund außerordentlich (fristlos) gekündigt werden.

Freiwillige können sich nach Beendigung ihres Dienstes ein **qualifiziertes Zeugnis** über Art und Dauer ihres Dienstes sowie über ihre Leistungen und Führung im Dienst erteilen lassen *(§ 11 Abs. 4 JFDG).* In dieses sind berufsqualifizierende Merkmale des Freiwilligendienstes aufzunehmen. In Anbetracht der verantwortungsvollen Tätigkeit im Rettungsdienst ist es jedem Freiwilligen zu empfehlen, von dieser Möglichkeit Gebrauch zu machen, um im weiteren Berufsleben ggf. davon zu profitieren.

Leistende eines Bundesfreiwilligendienstes

Der **Bundesfreiwilligendienst** (BFD) wurde im Juli 2011 eingeführt. Dieser soll die bestehenden Freiwilligendienste (Freiwilliges Soziales Jahr, Freiwilliges Ökologisches Jahr) ergänzen und die Folgen der kurzfristigen Abschaffung des Zivildienstes zumindest teilweise kompensieren.

Die Einzelheiten des Bundesfreiwilligendienstes sind im **Gesetz über den Bundesfreiwilligendienst (Bundesfreiwilligendienstgesetz, BFDG)** geregelt. Von staatlicher Seite aus ist das Bundesamt für Familie und zivilgesellschaftliche Aufgaben (BAFzA) für die Verwaltung des Bundesfreiwilligendienstes zuständig.

Der Bundesfreiwilligendienst kann nur in anerkannten Einsatzstellen geleistet werden *(§ 6 Abs. 1 u. 2 BFDG).*

Der Bundesfreiwilligendienst dauert i. d. R. 12 Monate, mindestens jedoch 6 und höchstens 18 Monate, in Ausnahmefällen 24 Monate *(§ 3 Abs. 2 BFDG).* Einer der Unterschiede zum Freiwilligen Sozialen Jahr ist, dass es für den Bundesfreiwilligendienst keine Altersgrenze nach oben gibt. Der Bundesfreiwilligendienst ist grundsätzlich vergleichbar einer Vollzeitbeschäftigung zu leisten *(§ 2 Nr. 2 BFDG).* Bei Freiwilligen, die älter als 27 Jahre sind, ist auch eine Ableistung in Teilzeit von mehr als 20 Wochenstunden möglich.

Vor Beginn des Dienstes ist zwischen der Bundesrepublik Deutschland und dem Freiwilligen auf gemeinsamen Vorschlag des Freiwilligen und der Einsatzstelle eine schriftliche Vereinbarung abzuschließen, deren Mindestbestandteile gesetzlich vorgegeben sind *(§ 8 Abs. 1 BFDG).* Die gegenseitigen Rechte und Pflichten der Einsatzstelle und des Freiwilligen ergeben sich aus dem BFDG, den allgemeinen Gesetzen und aus dieser Vereinbarung.

In der Regel wir eine Probezeit von 6 Wochen vereinbart. Bei Verstoß gegen dienstliche Pflichten kann das Freiwilligendienstverhältnis unter denselben Voraussetzungen wie ein Arbeitsverhältnis aus wichtigem Grund außerordentlich (fristlos) gekündigt werden.

Der Bundesfreiwilligendienst ist als freiwilliges Engagement ein unentgeltlicher Dienst. Freiwillige erhalten ein angemessenes Taschengeld sowie ggf., je nach Einsatzstelle, unentgeltliche Unterkunft, Verpflegung und Arbeitskleidung oder entsprechende Geldersatzleistungen *(§ 2 Nr. 4 BFDG).*

Der Bundesfreiwilligendienst ist zwingend pädagogisch zu begleiten *(§ 4 BFDG).*

Nach dem Abschluss des Dienstes stellt die Einsatzstelle dem Freiwilligen eine Bescheinigung über den geleisteten Dienst aus *(§ 11 Abs. 1 BFDG).* Außerdem hat der Freiwillige ein qualifiziertes Zeugnis über Art und Dauer des Dienstes sowie über seine Leistungen und Führung während des Dienstes zu erhalten, in das auch die berufsqualifizierenden Merkmale des Dienstes aufzunehmen sind *(§ 11 Abs. 2 BFDG).*

Weitere Informationen zum Bundesfreiwilligendienst finden sich u. a. auf der offiziellen Webseite des Bundes (www.bundesfreiwilligendienst.de) und auf den Webseiten der Hilfsorganisationen.

IM FOKUS

Rechtliche Stellung der Mitarbeiter im Rettungsdienst

- Rettungsfachpersonal kann **hauptberuflich, nebenberuflich, ehrenamtlich** oder **freiwillig** (z. B. im Rahmen eins FSJ oder Bundesfreiwilligendienstes) tätig sein.
- Die rechtliche Stellung der Mitarbeiter ist grundsätzlich die gleiche. Einzelne Ausnahmen bestehen bei Beamten und Ehrenamtlichen.
- Für Beamte gilt das **Beamtenrecht** des jeweiligen Bundeslandes.
- Für Ehrenamtliche ergibt sich deren spezielle rechtliche Stellung aus der **Satzung** der jeweiligen Hilfsorganisation.
- Für FSJler gilt speziell das **Jugendfreiwilligengesetz.**
- Für BFDler gilt speziell das **Bundesfreiwilligendienstgesetz.**

57.3.2 Pflichten des Rettungsfachpersonals

Alle Rettungsdienstmitarbeiter sind verpflichtet, Patienten entsprechend ihrer jeweiligen **Qualifikation** nach aktuellen rettungsdienstlichen und (notfall-)medizinischen Standards und Erkenntnissen, ggf. in Zusammenarbeit mit einem Notarzt, bestmöglich zu untersuchen, zu versorgen, zu betreuen und zu transportieren. Dabei haben sie sämtliche gesetzlichen, vertraglichen und dienstlichen Vorgaben zu beachten.

Rettungsdienstmitarbeiter müssen alle generellen und individuellen **Dienstanweisungen** befolgen. **Generell weisungsbefugt** ist der Vorgesetzte, z. B. für Schichteinteilung, Reinigungspläne, Desinfektionsvorgaben

u. Ä. **Im Einsatzfall** ist die Leitstelle für die Einsatzdisposition **organisatorisch** und der Notarzt **medizinisch weisungsbefugt.** Ist kein Notarzt zugegen, ist der höchstqualifizierte Mitarbeiter des Rettungsfachpersonals, der sich am Einsatzort befindet, den anderen Rettungsdienstmitarbeitern medizinisch weisungsbefugt.

Allerdings bestehen diese Weisungsbefugnisse nur in den Grenzen des jeweiligen Dienstverhältnisses (z. B. des Arbeitsvertrages) und des höherrangigen Rechts (Gesetze, sonstige Rechtsvorschriften, Tarifvertrag und Betriebsvereinbarungen). Dienstanweisungen dürfen insbesondere nicht straf- oder öffentlich-rechtlichen Bestimmungen (z. B. der strafrechtlich sanktionierten Garanten- und allgemeinen Hilfeleistungspflicht oder den landesrechtlichen Rettungsdienstvorschriften) zuwiderlaufen. Dienstanweisungen, die diese Grenzen überschreiten, sind rechtswidrig. **Rechtswidrige Dienstanweisungen** sind unwirksam und müssen – im Gegensatz zu rechtmäßigen Dienstanweisungen – nicht befolgt werden. Um straf- und haftungsrechtliche Risiken zu vermeiden, sollten sie auch grundsätzlich nicht beachtet werden. Allerdings trägt derjenige, der sich weigert, eine (vermeintlich) rechtswidrige Weisung zu befolgen, das Risiko, das diese auch tatsächlich rechtswidrig ist. Ist dies nicht der Fall, liegt eine (unrechtmäßige) Arbeitsverweigerung vor, die ggf. arbeitsrechtlich sanktioniert werden kann, z. B. mit einer Ermahnung, Abmahnung oder Kündigung des Arbeitsverhältnisses.

Wer eine medizinische Maßnahme anordnet (z. B. ein Notarzt oder ein Notfallsanitäter), hat stets die Verantwortung für die richtige Anordnung **(Anordnungsverantwortung),** also dass die (Verdachts-)Diagnose stimmt und die angeordnete Maßnahme indiziert ist. Dagegen ist derjenige, der die Maßnahme durchführt (z. B. ein Notfallsanitäter bei ärztlicher Anordnung oder ein Rettungssanitäter bei Anordnung durch einen Notfallsanitäter), für deren sorgfältige und fachgerechte Durchführung verantwortlich **(Durchführungsführungsverantwortung oder Ausführungsverantwortung).** Zur Vermeidung eines **Übernahmeverschuldens** (→ Kap. 57.4.1 und → Kap. 57.5.2) muss daher derjenige, der eine Maßnahme durchführen soll, dem Anordnenden ungefragt mitteilen, wenn er die Durchführung nicht sicher beherrscht oder über das dazu nötige Fachwissen (auch hinsichtlich von möglichen Komplikationen) nicht verfügt **(Übernahmeverantwortung).**

Fortbildungspflichten des Rettungsfachpersonals ergeben sich nicht nur aus den jeweiligen Dienstverhältnissen, z. B. für haupt- und nebenberufliche Mitarbeiter aus dem Arbeitsvertrag und für Ehrenamtliche aus dem ehrenamtlichen Dienstverhältnis, sondern auch aus den Rettungsdienstvorschriften der meisten Bundesländer. Meist umfasst die Fortbildungspflicht, unabhängig von der konkreten Qualifikation, **30 Stunden pro Jahr.** In den ersten Bundesländern (Berlin und Schleswig-Holstein sowie – nur für NotSan – in Sachsen) wurde die Fortbildungspflicht auf 40 Stunden pro Jahr ausgedehnt. Wird die Fortbildungspflicht missachtet, kann dies straf-, haftungs- und arbeitsrechtliche Konsequenzen nach sich ziehen.

PRAXISTIPP

Jede Teilnahme an einer Fortbildung stets schriftlich bestätigen lassen, um die Einhaltung der Fortbildungspflicht lückenlos belegen zu können.

Darüber hinaus sind in den Rettungsdienstgesetzen der meisten Bundesländer spezielle **Datenschutz- und/oder Dokumentationspflichten** geregelt, die vom Rettungsfachpersonal zu beachten sind. Die Pflicht zur **Dokumentation** der Untersuchung, der Versorgung und des Transports eines Patienten ergibt sich als **Nebenpflicht** auch aus dem Rechtsverhältnis zum Patienten und ist seit 2013 ausdrücklich im Patientenrechtegesetz *(§ 630 f. BGB)* geregelt. Wird das Rettungsfachpersonal ohne Notarzt tätig, hat es die Dokumentation des Einsatzes (→ Kap. 48.5) selbstständig und unaufgefordert anzufertigen. Um späteren Streitigkeiten vorzubeugen, empfiehlt sich, insbesondere bei bewusstlosen, alkoholisierten, dementen und sonst hilflosen Patienten, zusätzlich die Übergabe von Wertsachen der Patienten (z. B. Geldbeutel, Ausweise, Krankenversicherungskarte/elektronische Gesundheitskarte [eGK], Uhr/Schmuck, Brille, Zahn- oder sonstige Prothesen) an die weiterbehandelnde Einrichtung im **Einsatzprotokoll** zu vermerken. Eine unvollständige, mangelhafte oder unterlassene Dokumentation kann für das Rettungsfachpersonal u. a. haftungsrechtliche Konsequenzen bis hin zu einer Beweislastumkehr haben (→ Kap. 57.5.3).

PRAXISTIPP

Die Übergabe von Wertsachen des Patienten an die weiterbehandelnde Einrichtung stets im Einsatzprotokoll vermerken und von einem Mitarbeiter der weiterbehandelnden Einrichtung bestätigen lassen, insbesondere bei bewusstlosen, alkoholisierten, dementen oder sonst hilflosen Patienten.

Weiterhin besteht die dienstliche **Nebenpflicht,** in Rettungsdienstfahrzeugen und im Einsatz nicht zu rauchen. Das Rettungsfachpersonal darf während des Dienstes oder der Dienstbereitschaft weder den Dienst oder die Dienstbereitschaft beeinträchtigende Mittel (z. B. Alkohol, Drogen, bestimmte Medikamente) zu sich nehmen noch den Dienst unter der Wirkung solcher Mittel antreten.

Ferner muss sich die Fahrzeugbesatzung bei jedem Schichtbeginn von der **Fahrtüchtigkeit** des Rettungsdienstfahrzeugs (z. B. Bremsen, Bereifung, lichttechnische Einrichtungen) sowie der **Vollständigkeit** und **Funktionsfähigkeit** der Ausrüstung und Ausstattung, insbesondere der Rettungs- und Transportgeräte sowie des Rettungsmaterials, überzeugen. Die fachgerechte Reinigung und Desinfektion der Rettungsdienstfahrzeuge und medizinischen Geräte (→ Kap. 16.1.5) gehört ebenfalls zu den wichtigen Pflichten des Rettungsfachpersonals.

Auf die Schweigepflicht und die sich aus dem Medizinprodukterecht ergebenden Pflichten wird gesondert eingegangen (→ Kap. 57.4.3 und → Kap. 57.7.3), ebenso auf die Garanten- und allgemeine Hilfeleistungspflicht des Rettungsfachpersonals (→ Kap. 57.4.1 und → Kap. 57.4.2).

IM FOKUS

Pflichten des Rettungsfachpersonals

- Die Pflichten des Rettungsfachpersonals ergeben sich aus den gesetzlichen Vorschriften, dem Arbeitsvertrag, schriftlichen Dienstanweisungen und den Weisungen von Vorgesetzten.
- **Generell weisungsbefugt** ist der Vorgesetzte, **organisatorisch** weisungsbefugt ist die Leitstelle, **medizinisch** weisungsbefugt ist der Notarzt.
- Rechtswidrige Dienstanweisungen sind unwirksam und müssen nicht befolgt werden.
- Bei medizinischen Weisungen sind die Begriffe **„Anordnungsverantwortung"**, **„Durchführungsverantwortung"** und **„Übernahmeverantwortung"** sehr wichtig.
- Weitere Pflichten (Dokumentationspflicht, Fortbildungspflicht, Schweigepflicht etc.) sind gesetzlich geregelt.

57.3.3 Kompetenzen des Rettungsfachpersonals

In der täglichen Einsatzpraxis, insbesondere in ländlichen Gebieten, kommt es regelmäßig – in den Einsatzbereichen mancher Rettungswachen aufgrund der Entfernung zum nächstgelegenen Notarztstandort immer – vor, dass das Rettungsfachpersonal deutlich früher am Einsatzort ist als ein Notarzt. Daher ist es wichtig zu wissen, welche medizinischen Maßnahmen das Rettungsfachpersonal ohne Anwesenheit eines Arztes und ohne konkrete Anordnung durch einen Arzt **eigenverantwortlich** und **eigenständig** durchführen darf, d. h. welche Befugnisse bzw. Kompetenzen das Rettungsfachpersonal hat.

Kompetenzen des gesamten Rettungsfachpersonals

Heute ist allgemein anerkannt, dass das Rettungsfachpersonal sämtliche medizinischen Maßnahmen eigenständig durchführen darf, die **nichtinvasiv** sind, d. h. nicht in die Körperintegrität des Patienten eingreifen. Hierzu zählen z. B. die fachgerechte Lagerung des Patienten, die Wundversorgung, die Ruhigstellung von Frakturen, die Durchführung von Basismaßnahmen der Reanimation (Herzdruckmassage, Beatmung mit Beatmungsbeutel, Sauerstoffgabe), die (nichtinvasive) Erhebung und Überwachung der Vitalparameter sowie das nur minimalinvasive Stechen zur Blutzuckermessung. Darüber hinaus darf das Rettungsfachpersonal – ebenso wie Laien, organisierte Ersthelfer und Sanitätspersonal – auch die Defibrillation mit automatisierten externen Defibrillatoren (AED) durchführen; denn bei AED entscheiden nicht die anwendenden Personen, sondern eine vorprogrammierte Elektronik eigenständig über die Indikation zur Defibrillation.

Allgemeine Voraussetzungen heilkundlicher Maßnahmen

Die Durchführung invasiver medizinischer Maßnahmen ist auch bei Durchführung durch Rettungsfachpersonal oder (Not-)Ärzte grundsätzlich als **Körperverletzung** strafbar (hierzu noch ausführlicher → Kap. 57.4.1). Diese Strafbarkeit entfällt bei Vorliegen folgender allgemeiner Voraussetzungen (§ 228 StGB, siehe auch §§ 630d und 630e BGB):

- Die konkrete Maßnahme ist medizinisch indiziert.
- Der Patient wurde, soweit er ansprechbar ist, über die konkrete Maßnahme situationsangemessen aufgeklärt.
- Eine ausdrückliche oder mutmaßliche Einwilligung des Patienten in die konkrete Maßnahme liegt vor.
- Die konkrete Maßnahme wird fachgerecht durchgeführt.

Das Vorliegen einer **mutmaßlichen Einwilligung** (hierzu noch ausführlicher → Kap. 57.4.1) kann bei bewusstlosen Patienten in Lebensgefahr, insbesondere bei reanimationspflichtigen oder polytraumatisierten Patienten, unproblematisch angenommen werden, soweit es keine konkreten Anhaltspunkte gibt, die dagegen sprechen (zum Sonderfall einer Patientenverfügung → Kap. 57.8.4). Dagegen ist bei ansprechbaren Patienten für eine wirksame Einwilligung grundsätzlich eine **situationsangemessene Aufklärung** (hierzu noch ausführlicher → Kap. 57.4.1) über die geplante Maßnahme (z. B. bei Venenpunktion oder Schmerzmittelgabe) erforderlich, zumindest jedoch deren Ankündigung einschließlich des Hinweises, dass man kein Arzt ist.

§ 2a NotSanG Eigenverantwortliche Durchführung heilkundlicher Maßnahmen durch Notfallsanitäterinnen und Notfallsanitäter

Bis zum Eintreffen der Notärztin oder des Notarztes oder bis zum Beginn einer weiteren ärztlichen, auch teleärztlichen, Versorgung dürfen Notfallsanitäterinnen und Notfallsanitäter heilkundliche Maßnahmen, einschließlich heilkundlicher Maßnahmen invasiver oder medikamentöser Art, dann eigenverantwortlich durchführen, wenn

1. *sie diese Maßnahmen in ihrer Ausbildung erlernt haben und beherrschen und*
2. *die Maßnahmen jeweils erforderlich sind, um Lebensgefahr oder wesentliche Folgeschäden von der Patientin oder dem Patienten abzuwenden.*

Tab. 57.6 § 2a NotSanG

Eigenverantwortliche Durchführung heilkundlicher Maßnahmen der Erstversorgung durch Notfallsanitäter

Allerdings war vor dem 4.3.2021 nicht ausdrücklich gesetzlich geregelt, zu welchen **invasiven medizinischen Maßnahmen** (hierunter fällt z. B. die Venenpunktion, die Medikamentenapplikation – unabhängig vom Applikationsweg –, die Intubation, aber auch die Koniotomie, das Legen einer Thoraxdrainage oder eines zentralen Venenkatheters) Notfallsanitäter befugt sind. Denn im NotSanG waren vor dem 24.2.2021 lediglich die Ausbildungsziele geregelt *(vgl. § 4 Abs. 2 Nr. 1 c) NotSanG,* → Tab. 57.4).

Nach kontroversen Diskussionen wurde dann der neue *§ 2a NotSanG* (→ Tab. 57.6) am 28.1.2021 als Minimalkonsens vom Deutschen Bundestag beschlossen. Dieser ist am 4.3.2021 in Kraft getreten und wurde durch Gesetzesänderung vom 19.07.2023 ergänzt:

Mit dem neuen **§ 2a NotSanG** regelt der Gesetzgeber endlich ausdrücklich, dass keine unerlaubte Ausübung der Heilkunde und damit kein Verstoß gegen die Strafvorschrift des *§ 5 Heilpraktikergesetz* **(HeilprG)** vorliegt, wenn Notfallsanitäter bei Vorliegen der genannten Voraussetzungen **invasive heilkundliche oder medikamentöse Maßnahmen** durchführen. Durch diese Ausnahme vom Heilpraktikergesetz soll für Notfallsanitäter **Rechtssicherheit** geschaffen werden und ein Rückgriff auf den rechtfertigenden Notstand nach *§ 34 StGB* nicht mehr erforderlich sein. Nach dieser neuen Regelung ist Notfallsanitätern nun die **eigenverantwortliche Durchführung heilkundlicher Maßnahmen,** auch invasiver oder medikamentöser Art, ausdrücklich gestattet, wenn folgende **Voraussetzungen** vorliegen:

- Die Maßnahmen wurden in der Ausbildung erlernt.
- Die Maßnahmen werden beherrscht.
- Die Maßnahmen sind jeweils erforderlich, um Lebensgefahr oder wesentliche Folgeschäden von der Patientin oder dem Patienten abzuwenden.
- Bis zum Eintreffen der Notärztin oder des Notarztes oder bis zum Beginn einer weiteren ärztlichen, auch teleärztlichen, Versorgung.

Nach der Gesetzesbegründung wird eine Maßnahme nach den allgemeinen Maßstäben beruflicher Bildung **beherrscht,** wenn sie **auf der Basis sicheren theoretischen Wissens praktisch sicher angewendet** werden kann. Zudem zählt hiernach im Falle der eigenverantwortlichen Heilkundeausübung zu einem sicheren Wissen auch, **mögliche Kontraindikationen** der geplanten Maßnahme zu durchdenken. Dabei geht die Gesetzesbegründung davon aus, dass Notfallsanitäter die Beherrschung der anzuwendenden Maßnahmen in der Regel mit dem Bestehen der staatlichen Prüfung nachgewiesen haben und durch die Neuregelung hierfür kein anderer Maßstab gilt. In der Gesetzesbegründung nicht ausdrücklich genannt wird, dass zu einem Beherrschen nach allgemeiner Rechtsauffassung grundsätzlich auch der fachgerechte Umgang mit **möglichen Komplikationen** der jeweils konkreten Maßnahme gehört.

Hinsichtlich der Voraussetzungen **„Lebensgefahr“** und **„wesentlichen Folgeschäden“** handelt es sich um dieselben Begriffe wie in *§ 4 Abs. 1 c) NotSanG* (→ Tab. 57.4), auch wenn dort minimal anders von „lebensgefährlichem Zustand“ gesprochen wird. Maßstab für das Vorliegen dieser Voraussetzungen ist stets, wie sich die Einsatzsituation im Augenblick der Durchführung der invasiven medizinischen Maßnahme darstellt, sog.

ex-ante-Betrachtung. Es ist also unerheblich, wenn sich im Nachhinein, z. B. nach Vorliegen einer endgültigen ärztlichen Diagnose, herausstellen sollte, dass doch keine Lebensgefahr vorgelegen hat oder keine schweren Folgeschäden gedroht haben, soweit dies für den Notfallsanitäter im Augenblick der Maßnahmendurchführung nicht erkennbar war.

Aus der Alternative „bis zum Eintreffen der Notärztin oder des Notarztes **oder** bis zum Beginn einer weiteren ärztlichen, auch telеärztlichen, Versorgung" (Hervorhebung vom Autor) ergibt sich, dass eine Nachforderung eines Notarztes nicht zwingend erforderlich ist, damit eine invasive heilkundliche oder medikamentöse Maßnahme nach dem neuen *§ 2a NotSanG* zulässig ist. Eine weitere ärztliche Versorgung kann auch durch einen Krankenhausarzt nach einem Transport dorthin erfolgen. Auf jeden Fall muss jedoch eine weitere ärztliche Behandlung stattfinden. Hieraus ergibt sich, dass es sich bei den nach *§ 2a NotSanG* erlaubten invasiven heilkundlichen Maßnahmen um Maßnahmen der Erstverorgung handelt, auch wenn dies in *§ 2a NotSanG* – anders als in *§ 4 Abs. 1 c) NotSanG* – nicht ausdrücklich erwähnt wird.

Ob es dem Gesetzgeber tatsächlich gelungen ist, für Notfallsanitäter die beabsichtigte Rechtssicherheit zu schaffen, wird in der Fachwelt unterschiedlich gesehen. Dies wird sich daher erst mit der Zeit und nach Vorliegen erster Rechtsprechung zum *§ 2a NotSanG* herausstellen. Nach der hier vertretenen Auffassung schafft die neue Regelung jedenfalls insoweit Rechtssicherheit, dass bei Vorliegen der genannten Voraussetzungen kein Verstoß gegen das Heilpraktikergesetz vorliegt. Außerdem ist es bei neuen Rechtsvorschriften nicht außergewöhnlich, dass sich Details dieser, z. B. die genauen (Randbereiche der) Voraussetzungen und der genaue Anwendungsbereich, erst mit der Zeit klären.

Ein wesentlicher **Kritikpunkt** des *§ 2a NotSanG* in seiner Fassung bis Juli 2023 war, dass nicht ausdrücklich geregelt wurde, dass auch Maßnahmen gegen starke Schmerzen, insbesondere die **Schmerzmittelgabe,** zu den möglichen invasiven heilkundlichen Maßnahmen von Notfallsanitätern gehören. Im Rahmen des Gesetzgebungsverfahrens 2021/2022 wurde ein entsprechender Vorschlag zur ausdrücklichen Klarstellung leider nicht aufgegriffen. Daher gab es hierzu unterschiedliche Auffassungen. Ausgehend vom Wortlaut könnte man eher annehmen, dass „wesentliche Folgeschäden" keine zwangsläufige Folge jeglicher starker Schmerzen sind. Allerdings lässt sich die Gesetzesbegründung so verstehen, dass bei starken Schmerzen auch eine Schmerzmittelgabe nach *§ 2a NotSanG* zulässig sein soll. Von letzterem gingen neben dem Autor auch maßgebliche Behörden wie das Bayerische Staatsministerium des Innern, für Integration und Sport als oberste Rettungsdienstaufsichtsbehörde Bayerns aus. Durch eine Ergänzung des *§ 2a NotSanG* um *„oder medikamentöser"* im Juli 2023 hat der Gesetzgeber jetzt ausdrücklich klargestellt, dass auch die Medikamentengabe durch Notfallsanitäter von dieser Vorschrift erfasst wird.

Nach der Gesetzesbegründung versperrt der neue *§ 2a NotSanG* den Anwendungsbereich des Rechtfertigenden Notstandes nach *§ 34 StGB* zum Entfallen einer Strafbarkeit wegen einer unerlaubten Heilkundeausübung nach dem Heilpraktikergesetz nicht, wobei für Notfallsanitäter aufgrund des neuen *§ 2a NotSanG* ein Rückgriff auf diese Vorschrift jedoch nur noch in besonderen Ausnahmefällen in Betracht kommen soll. Daher werden Notfallsanitäter im folgenden Abschnitt nicht ausdrücklich erwähnt.

Notkompetenz von Rettungsassistenten und Rettungssanitätern

Für Rettungsassistenten, Rettungssanitäter und Rettungshelfer ändert sich durch den neuen *§ 2a NotSanG* nichts, da dieser nur für Notfallsanitäter gilt.

> **MERKE**
>
> Bis heute ist **nicht ausdrücklich** gesetzlich geregelt, zu welchen **invasiven** medizinischen Maßnahmen Rettungsassistenten, Rettungssanitäter und Rettungshelfer befugt sind. Für Rettungsassistenten ergibt sich diesbezüglich nichts Konkretes aus dem Rettungsassistentengesetz. Denn im RettAssG waren lediglich die Ausbildungsziele angehender Rettungsassistenten ausdrücklich geregelt *(§ 3 RettAssG).*

Deshalb könnte man annehmen, dass die eigenverantwortliche Durchführung invasiver medizinischer Maßnahmen durch Rettungsassistenten, Rettungssanitäter und Rettungshelfer grundsätzlich als unerlaubte Ausübung der Heilkunde strafbar wäre *(§ 5 Heilpraktikergesetz).* Doch bereits vor dem Inkrafttreten des NotSanG überwog unter den auf Rettungsdienstrecht spezialisierten Juristen bei Weitem die Auffassung, dass das **Heilpraktikergesetz (HeilprG)** aus den verschiedensten Gründen keine Anwendung findet, **wenn** Rettungsfachpersonal bis zum Eintreffen eines (Not-)Arztes (oder, falls im Einzelfall in absehbarer Zeit kein Notarzt verfügbar ist, bis zum Erreichen eines Krankenhauses) **überbrückend** invasive Maßnahmen durchführt, die ohne das konkrete Risiko einer Verschlechterung des Patientenzustands nicht aufschiebbar sind. Jedoch gibt es zur Unanwendbarkeit des HeilprG auf die Tätigkeit des Rettungsfachpersonals noch keine (höchst-)richterliche strafrechtliche Rechtsprechung. Daher sollte Rettungsfachpersonal – abgesehen von der neuen Regelung des *§ 2a NotSanG* für Notfallsanitäter – sicherheitshalber von der grundsätzlichen Anwendbarkeit des HeilprG ausgehen, bis diese Frage (höchst-)richterlich entschieden oder eindeutig gesetzlich geregelt ist.

Im Falle der Anwendbarkeit wäre die eigenverantwortliche Durchführung invasiver Maßnahmen durch Rettungssanitäter, Rettungsassistenten und Notfallsanitäter zwar grundsätzlich wegen unerlaubter Ausübung der Heilkunde strafbar *(§ 5 HeilprG),* jedoch **bei Vorliegen der nachfolgend genannten Voraussetzungen** aufgrund **rechtfertigenden Notstands** *(§ 34 StGB)* gerechtfertigt und damit im Ergebnis ebenfalls straffrei. Diese Rechtsauffassung findet sich nun auch in der Gesetzesbegründung zum Notfallsanitätergesetz (Bundestagsdrucksache 17/11689, S. 21, zu *§ 4 Abs. 2 Nr. 1 c) NotSanG).* Als erstes Bundesland regelt Thüringen dies seit Sommer 2018 ausdrücklich (zur Thüringer Regelung nachfolgend noch ausführlicher).

Daher besteht – unabhängig von der rechtlichen Begründung im Detail – Einigkeit, dass **Rettungssanitäter, Rettungsassistenten und Notfallsanitäter** unter den folgenden Voraussetzungen bestimmte invasive medizinische, d. h. heilkundliche Maßnahmen eigenverantwortlich und eigenständig durchführen dürfen (sog. **Notkompetenz**):

- (Not-)Ärztliche Hilfe ist trotz An- oder Nachforderung nicht oder nicht rechtzeitig verfügbar oder erreichbar.
- Die konkrete Maßnahme ist zur unmittelbaren Abwehr von Gefahren für das Leben des Patienten oder von wesentlichen Folgeschäden dringend erforderlich.
- Das gleiche Ziel kann allein durch weniger invasive Maßnahmen, z. B. Basismaßnahmen, nicht ebenso sicher erreicht werden.
- Die Durchführung der konkreten Maßnahme, die damit verbundenen Gefahren und möglicherweise auftretenden Komplikationen werden grundsätzlich sicher beherrscht.

Liegen die genannten Voraussetzungen vor, sind Notfallsanitäter und Rettungsassistenten (wegen der deutlich kürzeren Ausbildungsdauer jedoch nicht Rettungssanitäter und Rettungshelfer) aufgrund ihrer Garanten- und allgemeinen Hilfeleistungspflicht (→ Kap. 57.4.1 und → Kap. 57.4.2) sogar dazu verpflichtet, die indizierten invasiven Maßnahmen zu ergreifen.

57.4.3 Schweigepflicht

Zweck der Schweigepflicht ist es, den **persönlichen Lebens- und Geheimbereich des Einzelnen zu schützen.** Durch die Schweigepflicht soll das besondere Vertrauensverhältnis zwischen Patienten einerseits sowie (Not-)Ärzten und/oder Rettungsfachpersonal andererseits geschützt werden. Patienten sollen keine Bedenken haben, auch persönlichste Dinge, über die keiner gerne spricht (z. B. Suchterkrankungen, psychiatrische oder infektiöse Erkrankungen, berufliche oder private Probleme), deren Kenntnis zu einer effektiven Behandlung jedoch oftmals unabdingbar ist, den sie behandelnden Personen anzuvertrauen.

Die Schweigepflicht ergibt sich als **Nebenpflicht** aus dem jeweiligen Dienstverhältnis, für Beamte aus dem Beamtenrecht. Daneben ist sie in den Rettungsdienstgesetzen mancher Bundesländer festgeschrieben, für (Not-)Ärzte zusätzlich im ärztlichen Berufsrecht. Die Verletzung der Schweigepflicht wird als Verletzung von Privatgeheimnissen nach *§ 203 Abs. 1 bzw. 4 StGB* mit Freiheitsstrafe bis zu einem Jahr bestraft, unter den besonderen Voraussetzungen des *§ 203 Abs. 6 StGB* mit Freiheitsstrafe bis zu 2 Jahren (→ Tab. 57.9).

Der Schweigepflicht im Rettungsdienst unterliegen nicht nur Ärzte, Notfallsanitäter und Rettungsassistenten, die zur Führung einer Berufsbezeichnung berechtigt sind *(§ 203 Abs. 1 StGB)*, sondern, unabhängig von ihrer Qualifikation oder ihres rechtlichen Status, **alle im Rettungs- oder Sanitätsdienst tätigen Personen,** auch Auszubildende und Praktikanten. Für die persönliche Anwendbarkeit der Schweigepflicht kommt es nicht darauf an, ob gerade ein Arzt zugegen ist, sondern nur, ob die im Rettungsdienst tätigen Personen, die nicht als Notfallsanitäter oder Rettungsassistent qualifiziert sind, sog. mitwirkende Personen (bis 2018: **berufsmäßig tätige Gehilfen**) sind *(§ 203 Abs. 4 StGB)*. Mitwirkende Person in diesem Sinne ist, wer bei der Berufsausübung schweigepflichtiger Personen (z. B. Ärzte, Notfallsanitäter, Rettungsassistenten) hilft, ohne dass dies der Erwerbs- oder Hauptberuf sein muss. Das trifft grundsätzlich auf alle notfallmedizinisch oder sanitätsdienstlich ausgebildeten Personen zu, die in dieser Eigenschaft tätig werden, auch auf organisierte Ersthelfer.

Unter den Begriff des **fremden Geheimnisses** fallen die Inanspruchnahme des Rettungsdienstes durch den Patienten, alle Informationen über dessen Gesundheitszustand (z. B. Vorerkrankungen, Symptome, Diagnose, Therapie, Prognose), seine personenbezogenen Daten (z. B. Name, Anschrift, Geburtsdatum, Krankenversicherung) und das Transportziel, darüber hinaus sämtliche Informationen aus dem Lebensbereich des Patienten, etwa über dessen persönliche, familiäre, finanzielle und berufliche Angelegenheiten. Unbedeutend ist, ob das Rettungsfachpersonal von diesen Informationen durch ausdrückliche Mitteilung des Patienten oder anderweitig, etwa durch Umschauen in der Wohnung oder am Arbeitsplatz des Patienten, Kenntnis erlangt hat.

> **ACHTUNG!** Sämtliche personenbezogenen Daten des Patienten, Informationen über dessen Gesundheitszustand und alle sonstigen, im Einsatz erlangten Informationen fallen unter die Schweigepflicht, auch bereits die Inanspruchnahme des Rettungsdienstes!

Ausnahmsweise fallen Anlass, Ort und Zeit eines Einsatzes nicht unter die Schweigepflicht, wenn dieser im **öffentlichen Bereich** stattgefunden hat (z. B. bei Unfällen) und daher ohnehin bekannt ist.

Die Schweigepflicht besteht über den Tod der Patienten hinaus (§ 203 Abs. 5 StGB). Sie gilt gegenüber jedermann, grundsätzlich auch gegenüber Angehörigen (Ausnahme: gesetzliche Vertreter/Erziehungsberechtigte, solange ein Kind oder Jugendlicher noch nicht selbst einwilligungsfähig ist, oder Betreuer von einwilligungsunfähigen Patienten), Polizei, Staatsanwaltschaft und nicht am konkreten Einsatz beteiligten Kollegen und Ärzten. Dazu ein Beispiel:

FALLBEISPIEL

Schweigepflicht

Ein Notfallsanitäter wird von seiner Großmutter gefragt, ob die Gerüchte stimmen, dass Frau Maier ins Krankenhaus eingeliefert wurde. Der Notfallsanitäter, der an dem entsprechenden Einsatz beteiligt war, bejaht dies durch Kopfnicken. Allein dadurch hat er sich einer Verletzung der Schweigepflicht strafbar gemacht *(§ 203 Abs. 1 StGB)*.

Die Weitergabe eines fremden Geheimnisses ist nicht strafbar, wenn sie mit der ausdrücklichen, sich aus den Umständen ergebenden oder mutmaßlichen **Einwilligung** eines Patienten geschieht oder wenn eine gesetzliche Pflicht zur Weitergabe (z. B. nach dem Infektionsschutzgesetz [IfSG], → Kap. 16.1.2, oder nach *§ 138 StGB*, Anzeige bevorstehender Verbrechen) besteht. Eine Einwilligung des Patienten aus den Umständen ergibt sich z. B., wenn er der für ihn offensichtlichen Weitergabe seiner persönlichen Daten zu Weiterbehandlungs- oder Abrechnungszwecken nicht widerspricht. Sofern es keine gegenteiligen Anhaltspunkte gibt, kann bei **bewusstlosen Patienten** eine **mutmaß-**

§ 203 StGB Verletzung von Privatgeheimnissen

(1) Wer unbefugt ein fremdes Geheimnis, namentlich ein zum persönlichen Lebensbereich gehörendes Geheimnis oder ein Betriebs- oder Geschäftsgeheimnis, offenbart, das ihm als [...] Arzt, Zahnarzt, Tierarzt, Apotheker oder Angehörigen **eines anderen Heilberufs, der für die Berufsausübung oder die Führung der Berufsbezeichnung eine staatlich geregelte Ausbildung erfordert,** *[...] anvertraut worden oder sonst bekannt geworden ist, wird mit Freiheitsstrafe bis zu einem Jahr oder mit Geldstrafe bestraft.*
(2) [...]
(3) [...]
(4) Mit Freiheitsstrafe bis zu einem Jahr oder Geldstrafe wird bestraft, wer unbefugt ein fremdes Geheimnis offenbart, das ihm bei der Ausübung oder bei Gelegenheit seiner Tätigkeit **als mitwirkende Person** *[...] bekannt geworden ist. [...]*
(5) Die Absätze 1 bis 4 sind auch anzuwenden, wenn der Täter das fremde Geheimnis nach dem Tod des Betroffenen unbefugt offenbart.
(6) Handelt der Täter gegen Entgelt oder in der Absicht, sich oder einen anderen zu bereichern oder einen anderen zu schädigen, so ist die Strafe Freiheitsstrafe bis zu zwei Jahren oder Geldstrafe.
(Hervorhebungen vom Autor)

Tab. 57.9 § 203 StGB Verletzung von Privatgeheimnissen

liche Einwilligung zur Benachrichtigung von nahen Angehörigen angenommen werden. Dasselbe gilt für die Hinzuziehung der **Polizei,** wenn dies im Interesse des Patienten als Geschädigten eines Unfalls oder einer Straftat geschieht.

Eine Weitergabe von erlangten Informationen kann außerdem wegen **rechtfertigenden Notstands** straffrei sein *(§ 34 StGB),* wenn das Interesse an einer Weitergabe das Geheimhaltungsinteresse des Patienten wesentlich überwiegt. Dies ist z. B. der Fall, wenn die Informationsweitergabe zur Abwendung von ernstlichen Gefahren für Gesundheit oder Leben anderer Personen erfolgt, etwa bei (Verdacht auf) **Kindesmisshandlung,** auf Misshandlung von sonstigen schutzbedürftigen Personen, **häusliche Gewalt** oder beim Führen von Fahrzeugen im Straßenverkehr durch Personen, die dazu gesundheitlich nicht (mehr) in der Lage sind und dadurch andere Verkehrsteilnehmer ernsthaft gefährden. Auch ist dies der Fall bei Hinzuziehung der Polizei oder sonstiger Dritter (z. B. Feuerwehr) zu einem Einsatz zum Schutz des Rettungsdienstpersonals.

IM FOKUS

Schweigepflicht

- Die Schweigepflicht dient dem Schutz des persönlichen Lebens- und Geheimbereichs des Einzelnen.
- In manchen Bundesländern ist sie in den **Rettungsdienstgesetzen** festgelegt und sie ergibt sich bei Notärzten aus dem ärztlichen Berufsrecht.
- Sie gilt für **Ärzte, Notfallsanitäter, Rettungsassistenten** sowie für **alle anderen im Rettungs- und Sanitätsdienst tätigen Personen.**
- Sie gilt über den Tod hinaus und gegenüber jedermann (inkl. Angehörigen).
- In besonderen Situationen **(„rechtfertigender Notstand")** kann die Schweigepflicht straffrei missachtet werden.

57.4.4 Sonstige relevante Strafvorschriften

Nötigung und Freiheitberaubung

Wenn Rettungsdienstpersonal einen Patienten gegen seinen Willen festhält, transportiert und/oder fixiert, macht es sich einer **Nötigung** *(§ 240 StGB),* möglicherweise einer **Freiheitsberaubung** *(§ 239 StGB)* strafbar. Die gewaltsame Durchsetzung einer **Zwangseinweisung** (→ Kap. 57.8.3) und die **Gewahrsamnahme** (→ Kap. 57.8.2) zum Schutz eines Patienten oder der Allgemeinheit ist der **Polizei** vorbehalten.

Ausnahmsweise ist eine Gewaltanwendung zur Abwendung einer akuten Gesundheits- oder Lebensgefahr durch das Rettungsdienstpersonal wegen **rechtfertigenden Notstands** *(§ 34 StGB)* straffrei, z. B. wenn ein alkoholisierter Patient auf eine befahrene Straße oder ein Suizidgefährdeter im Winter mit leichter Bekleidung in den Wald laufen will. In diesen Fällen ist das Rettungsdienstpersonal aufgrund seiner Garantenpflicht (→ Kap. 57.4.1) und der allgemeinen Hilfeleistungspflicht (→ Kap. 57.4.2) – soweit zumutbar (Eigenschutz!) – sogar zum Eingreifen verpflichtet. Ist ein Eingreifen nicht zumutbar, muss zumindest die Polizei informiert werden.

Notwehr durch Rettungsdienstpersonal

Wird Rettungsdienstpersonal von Patienten oder Dritten tätlich angegriffen, darf es stets **Notwehr** üben *(§ 32 StGB),* soweit die konkrete Ausübung im Einzelfall verhältnismäßig ist.

Verletzung des höchstpersönlichen Lebensbereichs durch Foto- oder Videoaufnahmen

Wer den höchstpersönlichen Lebensbereich einer anderen Person, z. B. eines Patienten, durch das unbefugte Herstellen, Übertragen, Gebrauchen oder Zugänglichmachen von **Foto- oder Videoaufnahmen** verletzt, haftet nicht nur auf Schadensersatz, sondern macht sich auch strafbar *(§ 201a Abs. 1 Nr. 1 StGB).* Gleiches gilt, wer die Hilflosigkeit einer anderen Person fotografiert oder filmt und dadurch deren höchstpersönlichen Lebensbereich verletzt *(§ 201a Abs. 1 Nr. 2 StGB).* Dies gilt grundsätzlich auch für Foto- und Videoaufnahmen, die zu (vorgeschobenen) Ausbildungszwecken gefertigt werden.

Urkundenfälschung

Das Unterschreiben von **Transportscheinen** (offizielle Bezeichnung: „Verordnung einer Krankenbeförderung") ist – wie bei allen ärztlichen Verordnungen – ausschließlich Ärzten vorbehalten. Bei Manipulationen an Transportscheinen ohne oder gegen den Willen des zuständigen Arztes, etwa wenn Rettungsfachpersonal diese selbst mit Stempel oder Unterschrift versieht oder nachträglich ein anderes Beförderungsmittel ankreuzt, kann wegen **Urkundenfälschung** eine Freiheitsstrafe bis zu 5 Jahren verhängt werden *(§ 267 StGB).*

ACHTUNG! Manipulationen an Transportscheinen sind als Urkundenfälschung strafbar.

57.5 Schadensersatzhaftung

DEFINITION

Unter **Schadensersatzhaftung** versteht man das finanzielle Einstehen müssen für einen entstandenen Schaden, z. B. für einen vorübergehenden oder dauerhaften Gesundheitsschaden oder/und einen Folgeschaden wie Einkommenseinbußen.

57.5.1 Haftungsrechtliche Grundlagen

Haftung des rettungsdienstlichen Leistungserbringers

Wenn Rettungsfachpersonal fahrlässig oder vorsätzlich seine dienstlichen Pflichten (z. B. durch unzureichende, fehlerhafte oder unterlassene Untersuchung oder Versorgung des Patienten, Missachtung von oder Verstöße gegen Dienstanweisungen oder gesetzlichen Vorschriften) verletzt und dem Patienten dadurch ein (gesundheitlicher) Schaden oder Folgeschaden entsteht, muss hierfür grundsätzlich der **rettungsdienstliche Leistungserbringer** (z. B. eine Hilfsorganisation oder ein gewerbliches Rettungsdienstunternehmen) aufkommen, für den das Rettungsfachpersonal tätig ist. Grundlage dieser Haftung ist das Rechtsverhältnis, das mit der Übernahme der Versorgung und des Transports eines Patienten durch das Rettungsfachpersonal zwischen dem Leistungserbringer und dem Patienten entsteht – unerheblich, ob der Patient geschäftsfähig ist oder nicht.

Der **Schadensersatz** besteht regelmäßig in einer Geldleistung als finanzielle Kompensation für die entstandenen Schäden, bei erlittenen Schmerzen oder Beeinträchtigungen des Wohlbefindens zusätzlich in einem Schmerzensgeld. Er kann heute – in Abhängigkeit vom Einzelfall – durchaus einen sechs- bis siebenstelligen Betrag erreichen.

Nach den **Grundsätzen der Arbeitnehmerhaftung** kann die Hilfsorganisation bzw. das Rettungsdienstunternehmen ihren Mitarbeiter, der den Schaden verursacht hat, bei Vorsatz und grober Fahrlässigkeit im Regelfall vollständig und bei mittlerer Fahrlässigkeit – je nach den Umständen des Einzelfalls – teilweise in Regress nehmen (Fahrlässigkeit und Vorsatz → Kap. 57.5.2). In einigen Tarifverträgen ist die Regressmöglichkeit des Arbeitgebers auf grobe Fahrlässigkeit beschränkt.

Persönliche Haftung des Rettungsdienstmitarbeiters

Daneben kommt eine **unmittelbare persönliche Haftung des Rettungsdienstmitarbeiters** gegenüber dem Patienten wegen unerlaubter Handlung (*§§ 823 ff. BGB)* in Betracht, insbesondere wenn er den Patienten vorsätzlich oder fahrlässig an Leben, Gesundheit, Freiheit oder Eigentum geschädigt hat. Da das Rettungsfachpersonal gegenüber den Patienten eine **Garantenpflicht** (→ Kap. 57.4.1) inne hat, kann die schädigende Handlung auch durch Unterlassen geschehen, z. B. durch unzureichende oder unterlassene Untersuchung, Versorgung oder Überwachung eines Patienten.

Hat der Mitarbeiter den Schaden mit leichtester Fahrlässigkeit verursacht, kann er nach den **Grundsätzen der Arbeitnehmerhaftung** von der Hilfsorganisation bzw. dem Rettungsdienstunternehmen eine vollständige Freistellung von seiner unmittelbaren Haftung gegenüber dem Patienten verlangen, bei normaler Fahrlässigkeit – je nach den Umständen des Einzelfalls – eine teilweise. Hat der Mitarbeiter grob fahrlässig oder vorsätzlich gehandelt, muss er im Regelfall den vollständigen Schadensersatz selbst leisten, ohne Freistellung verlangen zu können.

Eine **Berufshaftpflichtversicherung** schützt vor solchen Schadensersatzansprüchen. Daher ist ein solcher Versicherungsschutz dringend zu empfehlen.

Besonderheiten für Beamte und Ehrenamtliche

Für Beamte und ehrenamtliche Mitarbeiter bestehen haftungsrechtliche Privilegien:

- **Beamte,** etwa einer im Rettungsdienst tätigen Berufsfeuerwehr, sind haftungsrechtlich privilegiert. Für (gesundheitliche) Schäden, die sie bei Dritten verursachen, haftet den Dritten gegenüber nur ihr Dienstherr unmittelbar (Amtshaftung gemäß *§ 839 BGB* i. V. m. *Art. 34 GG).* Bei Vorsatz und grober Fahrlässigkeit können Beamte jedoch von ihrem Dienstherrn in Regress genommen werden *(Art. 34 S. 2 GG).*
- **Ehrenamtliche** erhalten für ihre Rettungsdiensttätigkeit keine Arbeitsvergütung, sondern allenfalls eine Aufwandsentschädigung. Daher erscheint es nach der hier vertretenen Auffassung sachgerecht, ihre Schadensersatzhaftung – im Unterschied zu der von angestellten Mitarbeitern – auf grobe Fahrlässigkeit zu beschränken: Im Fall einer unmittelbaren persönlichen Inanspruchnahme durch einen Geschädigten haben Ehrenamtliche bei mittlerer Fahrlässigkeit einen vollständigen Freistellungsanspruch gegenüber ihrer Hilfsorganisation. Die Hilfsorganisation kann im Fall einer unmittelbaren Inanspruchnahme durch einen Geschädigten ehrenamtliche Mitarbeiter nicht bereits bei mittlerer, sondern erst bei grober Fahrlässigkeit in Regress nehmen.

Amtshaftung

Inzwischen hat die haftungsrechtliche Rechtsprechung für Bayern, Berlin, Niedersachsen, Nordrhein-Westfalen, Mecklenburg-Vorpommern, Rheinland-Pfalz, Sachsen, Schleswig-Holstein und Thüringen entschieden, dass wegen der öffentlich-rechtlichen Trägerschaft des Rettungsdienstes in diesen Bundesländern (in Bayern die Rettungszweckverbände, in den anderen Bundesländern grundsätzlich die Kreise und kreisfreien Städte, in Thüringen für den Notarztdienst die Kassenärztliche Vereinigung) zumindest in der Notfallrettung **keine unmittelbare persönliche Schadensersatzhaftung des einzelnen Mitarbeiters** gegenüber Patienten oder Dritten besteht. Dies gilt unabhängig vom rechtlichen Status des einzelnen Mitarbeiters (z. B. haupt-, ehrenamtlich oder Freiwilliger im Rahmen eines sozialen Jahres oder des Bundesfreiwilligendienstes). Vielmehr haftet nur der Träger des Rettungsdienstes dem Patienten oder Dritten gegenüber nach **Amtshaftungsgrundsätzen** unmittelbar *(§ 839 BGB* i. V. m. *Art. 34 GG).* Dies gilt auch dann, wenn der Rettungsdienstträger mit der Durchführung der Notfallrettung eine Hilfsorganisation oder ein gewerbliches Rettungsdienstunternehmen beauftragt hat. Das Rettungsdienstpersonal kann jedoch in Regress genommen werden, wenn es grob fahrlässig oder vorsätzlich gehandelt hat.

In der juristischen Literatur wird die **Amtshaftung in der Notfallrettung** inzwischen als **Regelfall** angesehen. Allerdings ist dies für die anderen Bundesländer noch nicht höchstrichterlich entschieden. So wurde dies für Baden-Württemberg vom Bundesgerichtshof hinsichtlich der Notfallrettung noch ausdrücklich offen gelassen, dagegen für die Lenkungstätigkeit der Rettungsleitstelle bejaht.

MERKE

Verletzt sich Rettungsdienstpersonal untereinander (z. B. Nadelstich beim Kollegen oder Verletzung des Beifahrers bei einem Verkehrsunfall), so sind gegenseitige Schadensersatzansprüche nach den Vorschriften der gesetzlichen Unfallversicherung (SGB VII) ausgeschlossen. Stattdessen hat der Geschädigte Ansprüche gegenüber der gesetzlichen Unfallversicherung.

Einsicht in die Patientenakte

Jeder Patient – falls dieser verstorben ist, dessen Erben und ggf. nächste Angehörige – hat grundsätzlich einen Anspruch auf Einsicht in die rettungsdienstliche Patientenakte, unabhängig davon, ob diese in Papierform oder elektronisch geführt wird. Dies galt bereits zuvor nach allgemeinen Rechtsvorschriften und wurde im Jahr 2013 durch das Patientenrechtegesetz ausdrücklich geregelt *(§ 630 g BGB).* Im Rettungsdienst besteht die Patientenakte regelmäßig aus dem Einsatzprotokoll, aus Protokollausdrucken von medizinischen Geräten wie EKG/Defibrillator sowie aus den Abrechnungsunterlagen.

Gegen Kostenerstattung kann der Patient auch eine elektronische Abschrift seiner Patientenakte verlangen.

IM FOKUS

Zivilrechtliche Haftung

- Wenn eine Pflichtverletzung zu einem Schaden führt, hat der Geschädigte einen Anspruch auf Schadensersatz. Hierbei handelt es sich um eine **zivilrechtliche Regelung.**
- In der Notfallrettung besteht grundsätzlich eine **Amtshaftung,** d. h. weder der **rettungsdienstliche Leistungserbringer** (Arbeitgeber bzw. Träger des Rettungsdienstes) noch der einzelne **Arbeitnehmer** haften direkt gegenüber einem geschädigten Patienten, sondern ausschließlich der Rettungsdienstträger.

- Nach den Grundsätzen der **Arbeitnehmerhaftung** kann der Arbeitgeber den Mitarbeiter bei Vorsatz und grober Fahrlässigkeit vollständig, bei mittlerer Fahrlässigkeit teilweise, in Regress nehmen.
- Patienten haben Anspruch auf **Einsicht in die rettungsdienstliche Patientenakte.**

57.5.2 Vorsatz und Fahrlässigkeit

Vorsätzlich handelt nicht nur, wer mit Absicht seine Pflichten bzw. das Leben, die Gesundheit oder sonstige Rechtsgüter (z. B. Eigentum, Ehre, Geheimbereich) des Patienten verletzt, sondern auch, wer deren Verletzung im Rahmen einer Handlung oder eines Unterlassens für möglich hält und billigend in Kauf nimmt.

Normale bzw. mittlere Fahrlässigkeit liegt vor, wenn die für die konkrete Tätigkeit erforderliche Sorgfalt außer Acht gelassen wird, ohne dass ein besonders schwerer Vorwurf zu machen ist.

Leichteste Fahrlässigkeit ist gegeben, wenn kleinere Unachtsamkeiten oder Nachlässigkeiten geschehen, die wegen der menschlichen Unzulänglichkeit jedem noch so aufmerksamen und sorgfältigen Mitarbeiter passieren können.

Dagegen handelt **grob fahrlässig,** wer die für die konkrete Tätigkeit erforderliche Sorgfalt in besonders schwerem Maße verletzt, schon einfachste, ganz naheliegende Überlegungen nicht anstellt und das außer Acht lässt, was unter den gegebenen Umständen jedem hätte einleuchten müssen. **Beispiele für grobe Fahrlässigkeit** sind:

- Betreuung und Überwachung des Patienten während der Fahrt durch den weniger qualifizierten Mitarbeiter
- Benutzung von medizinischen Geräten ohne die erforderliche Ausbildung oder ohne die erforderliche zusätzliche Einweisung
- Fortbildungspflichten seit Jahren nicht oder nur unzureichend erfüllt
- Verstöße gegen Hygiene-/Desinfektionsvorschriften oder sonstige Dienstanweisungen
- Rückwärtsfahren ohne Einweiser mit Krankenkraftwagen, die nicht mit einer Rückfahrkamera ausgestattet sind

MERKE

Zur Beurteilung des Fahrlässigkeitsgrades kommt es immer auf den konkreten Einzelfall an.

Für die Schadensersatzhaftung gilt grundsätzlich ein **objektiver Sorgfaltsmaßstab.** Die **erforderliche Sorgfalt** richtet sich **nicht** nach den individuellen Kenntnissen und Fähigkeiten des einzelnen Rettungsdienstmitarbeiters, sondern nach den Kenntnissen und Fähigkeiten, die ein Mitarbeiter der jeweiligen **Qualifikationsstufe** (z. B. Notfallsanitäter, Rettungsassistent oder Rettungssanitäter) mit aktueller Fortbildung aufweisen muss. Sie ergibt sich aus den aktuellen rettungsdienstlichen und (notfall-)medizinischen Standards und Erkenntnissen, aus Dienstanweisungen und gesetzlichen Vorschriften. Erforderlich ist das Maß an Umsicht und Sorgfalt, das nach der Beurteilung eines besonnenen und gewissenhaften Rettungsdienstmitarbeiters der jeweiligen Qualifikationsstufe in der konkreten Situation anzuwenden ist.

Zu den wichtigen Sorgfaltspflichten des Rettungsfachpersonals gehört die **fachgerechte** Untersuchung, Versorgung und Überwachung der Patienten entsprechend den aktuellen notfallmedizinischen Standards und Erkenntnissen, die **fachgerechte** Reinigung und Desinfektion der Rettungsdienstfahrzeuge und der medizinischen Geräte (→ Kap. 16.1.5) sowie die Beachtung des Medizinprodukterechts (→ Kap. 57.7.3).

Zudem zählt hierzu die **fachgerechte und ordnungsgemäße** Sicherung der anvertrauten Patienten mit Sicherheitsgurten während des Transports. Dies gilt sowohl für den Transport der Patienten mit Tragestuhl, Tragetuch, Schaufeltrage oder Spineboard durch (enge) Treppenhäuser oder unwegsames Gelände zum Rettungsdienstfahrzeug als auch für den Transport mit dem Fahrzeug. Die Rechtsprechung verlangt hierbei stets **äußerste** Sorgfalt, und zwar auch bei schwierigen Bedingungen, wie z. B. nassem oder unebenem Untergrund oder stark schwergewichtigen Patienten. Zum fachgerechten Transport eines liegenden Patienten mit einem Tragetuch sind mindestens drei Personen erforderlich. Gegebenenfalls muss zur Trageunterstützung ein weiteres Rettungsdienstfahrzeug oder bei zu engem Treppenhaus und/oder schwergewichtigem Patienten die Feuerwehr (Drehleiter) nachgefordert werden.

Selbstverständlich hat das Rettungsdienstpersonal alle straßenverkehrsrechtlichen Vorgaben (→ Kap. 57.6) zu beachten, um seinen Sorgfaltspflichten zu genügen.

Für die anzuwendende Sorgfalt macht es keinen Unterschied, ob jemand haupt-, nebenberuflich, ehrenamtlich, als Beamter, als Freiwilliger im Rahmen eines sozialen Jahres oder des Bundesfreiwilligendienstes im Rettungsdienst tätig ist.

Besondere Beachtung verdient das **Übernahmeverschulden.** Wegen Übernahmeverschuldens haftet ein Mitarbeiter für Schäden, wenn er sich für eine Tätigkeit in der Notfallrettung, im Krankentransport oder Sanitätsdienst einteilen lässt oder eine einzelne medizinische Maßnahme durchführt, ohne die dazu erforderlichen Kenntnisse, Fähigkeiten und Erfahrungen zu besitzen.

57.5.3 Beweisrechtliche Besonderheiten

In Schadensersatzprozessen hat im Normalfall jede Prozesspartei (z. B. ein geschädigter Patient oder dessen Erben) die Umstände (z. B. fehlerhafte Behandlung durch den Rettungsdienst) zu beweisen, aus denen sich zu ihren Gunsten günstige Rechtsfolgen (z. B. Schadensersatzansprüche) ergeben.

Allerdings ist vielen Rettungsdienstmitarbeitern unbekannt, dass es in Prozessen wegen fehlerhafter oder unterlassener Behandlung **Beweiserleichterungen** oder sogar eine **Beweislastumkehr zugunsten des geschädigten Patienten** bzw. dessen Erben geben kann. Dies ist bei unzureichender oder unterlassener Aufklärung der Patienten (→ Kap. 57.4.1), bei lückenhafter, mangelhafter oder unterbliebener Dokumentation (→ Kap. 48.5), bei Verstößen gegen anerkannte Reinigungs- und Desinfektionsstandards für Rettungsdienstfahrzeuge und medizinische Geräte (→ Kap. 16.1.3), bei Befunderhebungs- und groben Behandlungsfehlern sowie bei Übernahmeverschulden der Fall.

Ein **Befunderhebungsfehler** liegt vor, wenn ein Patient trotz Indikation nicht oder nur unzureichend untersucht wird und nicht alle diagnostischen Möglichkeiten ausgeschöpft werden.

FALLBEISPIEL

Befunderhebungsfehler

1. Bei einem bewusstlosen Patienten führt das Rettungsfachpersonal dessen Zustand (allein) auf übermäßigen Alkoholkonsum zurück. Eine – bei jedem bewusstlosen Patienten indizierte – Blutzuckermessung führt es jedoch nicht durch. Deshalb erkennt es eine Hypoglykämie (Unterzucker) und die daraus resultierende Lebensgefahr nicht.

2. Eine Notfallpatientin klagt über Rücken- und/oder Bauchschmerzen und allgemeines Unwohlsein. Das Rettungsfachpersonal unterlässt es, differenzialdiagnostisch, zum Ausschluss eines Herzinfarkts, u. a. ein (12-Kanal-)EKG zu schreiben sowie weitere Infarktdiagnostik zu betreiben, sondern stellt die fehlerhafte Arbeitsdiagnose Rückenbeschwerden bzw. unklare Bauchbeschwerden/Magen-Darm-Infekt. Tatsächlich hat die Patientin jedoch einen Herzinfarkt erlitten.

Ein **grober Behandlungsfehler** wird von der Rechtsprechung angenommen, wenn bei der Patientenversorgung oder der Rettungsmitteldisposition der Leitstelle eindeutig gegen bewährte medizinische Behandlungsregeln bzw. sonstige fachliche Standards (z. B. keine strukturierte Notrufabfrage) oder gesicherte medizinische Erkenntnisse verstoßen wurde und wenn der Fehler aus objektiv medizinischer bzw. fachlicher Sicht nicht mehr verständlich ist, da er schlechterdings nicht unterlaufen darf.

FALLBEISPIEL

Grober Behandlungsfehler

1. Bei einem Verkehrsunfall wurde ein Patient vom Rettungsdienst aus einem schwer beschädigten Fahrzeug ohne Anlegen eines Stifnecks® und ohne Anwendung von KED®-System/Spineboard/Schaufeltrage herausgezerrt sowie ohne Vakuummatratze transportiert, obwohl aufgrund der Fahrzeugbeschädigungen von einer Wirbelsäulenverletzung ausgegangen werden musste und keine Indikation für eine sog. Crashrettung bestand.
2. Bei einem Notfallpatienten wurden (im konkreten Urteil nach vorangegangenem Krampfanfall) weder unverzüglich noch vor dem Transport die Vitalfunktionen sowie die Reaktionslage sorgfältig überprüft und es wurde keine körperliche Untersuchung durchführt.
3. Zu einem Patienten mit massiver Atemnot während eines Asthmaanfalls entsandte die Leitstelle lediglich einen RTW und nicht gleichzeitig einen Notarzt. Der Patient erlitt dadurch massive Gesundheitsschäden und wurde schwerstpflegebedürftig. Für die Einordnung als grober Behandlungsfehler ist es nach dem Gericht unerheblich, dass das standardisierte Abfragesystem der Leitstelle den Fall nicht als Notarztindikation einstufte.

Weiterhin kommt es im Falle eines Übernahmeverschuldens (→ Kap. 57.4.1 und → Kap. 57.5.2) zu einer Beweislastumkehr.

Bei einer **Beweislastumkehr** muss nicht der Patient beweisen, dass er vom Rettungsdienst aufgrund einer fehlerhaften Versorgung einen (gesundheitlichen) Schaden oder Folgeschaden (z. B. eine Infektion oder eine Querschnittslähmung oder einen Hypoxieschaden) erlitten hat, sondern der Rettungsdienstmitarbeiter muss nachweisen, dass der Patient den Schaden **nicht** aufgrund fehlerhafter Behandlung (z. B. nicht aufgrund eines Verstoßes gegen anerkannte Reinigungs- und Desinfektionsstandards für Fahrzeug und medizinische Geräte) erlitten hat. Dies wird ihm selten gelingen.

MERKE

Bei unzureichender oder unterlassener Aufklärung, bei lückenhafter, mangelhafter oder unterbliebener Dokumentation, bei Verstößen gegen anerkannte Reinigungs- und Desinfektionsstandards sowie bei Befunderhebungs- und groben Behandlungsfehlern sowie bei Übernahmeverschulden kann es zugunsten des geschädigten Patienten Beweiserleichterungen bis hin zur Beweislastumkehr geben!

An diesen von der Rechtsprechung entwickelten beweisrechtlichen Besonderheiten hat sich durch das sog. **Patientenrechtegesetz** *(§§ 630a–630h BGB)* nichts geändert. Vielmehr wurden diese nun erstmals gesetzlich geregelt.

IM FOKUS

Vorsatz, Fahrlässigkeit, beweisrechtliche Besonderheiten

- Mit **Vorsatz** handelt, wer seine Pflichten oder das Leben, die Gesundheit oder sonstige Rechtsgüter eines Anderen absichtlich verletzt oder deren Verletzung für möglich hält und billigend in Kauf nimmt.
- **Leichteste Fahrlässigkeit** kann auch dem aufmerksamsten und sorgfältigsten Menschen passieren.
- **Mittlere Fahrlässigkeit** liegt vor, wenn die erforderliche (objektive) Sorgfalt außer Acht gelassen wird.
- **Grobe Fahrlässigkeit** liegt vor, wenn die erforderliche (objektive) Sorgfalt in besonders schwerem Maße verletzt wird.
- In Schadensersatzprozessen kann es unter Umständen zu einer **Beweislastumkehr** zugunsten des Geschädigten kommen.

57.6 Straßenverkehrsrecht

Das für den Rettungsdienst relevante Straßenverkehrsrecht ist im **Straßenverkehrsgesetz** (StVG), der **Straßenverkehrs-Ordnung** (StVO), der **Straßenverkehrs-Zulassungs-Ordnung** (StVZO), der **Fahrerlaubnis-Verordnung** (FeV) sowie dem **Personenbeförderungsgesetz** (PBefG) geregelt.

57.6.1 Grundlagen

Im Normalfall gelten auch für den Rettungsdienst **sämtliche Verkehrsregeln und Verkehrszeichen** der StVO, z. B. Geschwindigkeitsbeschränkungen, sowie die Vorschriften zur technisch zulässigen Gesamtmasse, Anschnall- und Ladungssicherungspflichten.

Auch sitzende und liegende Patienten sowie Angehörige sind stets anzuschnallen (Ausnahme: Eine Verletzung erlaubt dies nicht). Säuglinge und (Klein-)Kinder dürfen nur auf einer Trage mit speziellen Kinderrückhaltesystemen transportiert werden, da die Sicherheitsgurte der gewöhnlichen Tragen, Tragestühle und Fahrzeugsitze nicht für sie ausgelegt sind.

Medizinische Geräte, Gepäck oder Gehhilfen der Patienten (Ladung) sind so zu verstauen oder zu sichern, dass im Fall einer plötzlichen Bremsung niemand durch umherfliegende Ladung zu Schaden kommen kann. Ist keine ordnungsgemäße Sicherung des Patientengepäcks möglich, so muss das Rettungsfachpersonal dessen Mitnahme verweigern.

Rettungsdienstfahrzeuge dürfen nur von Personen gesteuert werden, die für das jeweilige Fahrzeug die erforderliche **Fahrerlaubnis** besitzen. Mit Rettungsdienstfahrzeugen dürfen nur so viele Personen befördert werden, wie Sitz- und Liegeplätze in der Zulassungsbescheinigung Teil I (bis 28.2.2007 „Fahrzeugschein“) ausgewiesen sind.

Wer diese straßenverkehrsrechtlichen Vorschriften missachtet, handelt (grob) fahrlässig und haftet für entstandene Schäden. Ein bestehender Versicherungsschutz geht möglicherweise – zumindest zum Teil – verloren.

Im Einsatzfall kann es für den Rettungsdienst erforderlich sein, den Einsatzort oder ein Krankenhaus schneller zu erreichen, als es der normale Verkehrsfluss sowie die Verkehrsregeln und -zeichen ermöglichen. Dem hat der Gesetzgeber durch die Vorschriften zu **Sonderrechten** (→ Kap. 57.6.2) und **Wegerecht** (→ Kap. 57.6.3) Rechnung getragen. Auch wenn beide Rechte in der Praxis oft gemeinsam gebraucht werden, ist in rechtlicher Hinsicht zwischen ihnen zu unterscheiden.

57.6.2 Sonderrechte

Grundlagen

Die **Sonderrechte des Rettungsdienstes** sind in *§ 35 Abs. 5a und 8*, die der Feuerwehr und des Katastrophenschutzes in *§ 35 Abs. 1 und 8 StVO* geregelt (→ Tab. 57.10).

Wenn höchste Eile geboten ist, um Menschenleben zu retten oder schwere gesundheitliche Schäden abzuwenden, sind Fahrzeuge des Rettungsdienstes von den Vorschriften der StVO **befreit** *(§ 35 Abs. 5a StVO)*. Diese dürfen dann z. B. die zulässige Höchstgeschwindigkeit überschreiten, trotz roter Ampelzeichen weiterfahren, rechts überholen, links bzw. auf der Gegenfahrbahn fahren, entgegen einem Fahrverbot oder einer Einbahnstraße fahren, Grünflächen, Feld- und Forstwege befahren, im Halte- bzw. Parkverbot halten und parken.

MERKE

Sonderrechte des Rettungsdienstes bestehen im Straßenverkehr, wenn höchste Eile geboten ist, um Menschenleben zu retten oder schwere gesundheitliche Schäden abzuwenden.

Allerdings gewährt *§ 35 Abs. 5a StVO* Rettungsdienstfahrzeugen **keine Vorrechte, insbesondere keine Vorfahrt, gegenüber dem restlichen Verkehr.** Der restliche Verkehr ist nach *§ 35 StVO* nicht verpflichtet, freie Bahn zu schaffen. Auch bei **Sonderrechtsfahrten** müssen Zeichen und Weisungen eines Polizeibeamten beachtet werden *(§ 36 StVO)*.

Die Inanspruchnahme von Sonderrechten setzt nicht voraus, dass blaues Blinklicht und Einsatzhorn verwendet werden. Dennoch sollten diese i. d. R. gebraucht werden (anders z. B. zur Nachtzeit auf freier Straße), um anderen Verkehrsteilnehmern die Inanspruchnahme von Sonderrechten anzuzeigen und diese zu erhöhter Vorsicht anzuhalten.

Sonderrechte werden **nur** in den Grenzen des *§ 35 Abs. 8 StVO* (→ Tab. 57.10) gewährt. Diese sehr juristisch formulierte Vorschrift besagt, dass Sonderrechte jeweils **nur so weit im Einzelfall erforderlich** und **nur** unter **Beachtung größtmöglicher Sorgfalt** in Anspruch genommen werden dürfen. Daher muss ein Sonderrechtsfahrer auf einer Einsatzfahrt vor **jeder einzelnen** Abweichung von den Vorschriften der StVO prüfen, ob diese erforderlich ist. Je weiter sich ein Sonderrechtsfahrer über die sonst geltenden Verkehrsregeln hinwegsetzt, desto vorsichtiger muss er fahren.

§ 35 StVO Sonderrechte

(1) Von den Vorschriften dieser Verordnung sind die Bundeswehr, die Bundespolizei, **die Feuerwehr, der Katastrophenschutz,** *die Polizei und der Zolldienst befreit, soweit das zur Erfüllung hoheitlicher Aufgaben dringend geboten ist. [...]*
(5a) **Fahrzeuge des Rettungsdienstes** *sind von den Vorschriften dieser Verordnung befreit, wenn höchste Eile geboten ist, um Menschenleben zu retten oder schwere gesundheitliche Schäden abzuwenden. [...]*
(8) Die Sonderrechte dürfen nur unter gebührender Berücksichtigung der öffentlichen Sicherheit und Ordnung ausgeübt werden.
(Hervorhebungen vom Autor)

Tab. 57.10 § 35 StVO Sonderrechte

Ein Sonderrechtsfahrer darf nicht darauf vertrauen, sondern **muss sich** davon **überzeugen,** dass ihn alle anderen Verkehrsteilnehmer wahrgenommen und sich auf seine Fahrabsicht eingestellt haben. Er darf **keinesfalls** in eine unübersichtliche Verkehrslage hineinfahren, ohne rechtzeitig anhalten zu können. Insbesondere aus nicht vorfahrtsberechtigten Straßen heraus und über rote Ampeln in Kreuzungen hinein darf ein Sonderrechtsfahrer bei unübersichtlicher Verkehrslage (z. B. bei Sichtbehinderung durch Bebauung oder Lkw oder Bus, bei mehrspurigen Fahrbahnen oder bei vielbefahrenen Kreuzungen) nur mit Schrittgeschwindigkeit und jederzeitiger Möglichkeit zum vollständigen Anhalten fahren. Falls erforderlich, muss er das Fahrzeug fast zum Stillstand abbremsen, sich zuerst einen hinreichenden Überblick über die Verkehrslage verschaffen und ggf. vorsichtig in die unübersichtliche Verkehrslage „hineintasten".

Bei Fahrten mit Sonderrechten dürfen zu keiner Zeit **andere Verkehrsteilnehmer** wie Autofahrer, Fahrradfahrer oder Fußgänger gefährdet oder gar geschädigt werden. Wer diese Grenzen des *§ 35 Abs. 8 StVO* überschreitet, verhält sich (grob) fahrlässig und begeht eine Ordnungswidrigkeit *(§ 49 Abs. 4 Nr. 2 StVO)*. Im Falle eines Unfalls führt dies zumindest zu einer teilweisen Haftung.

Außerdem befreit *§ 35 Abs. 5a* StVO nur von den Vorschriften der StVO, nicht aber von strafrechtlichen Vorschriften. Auch bei Sonderrechtsfahrten kann man sich wegen Sachbeschädigung, Körperverletzung, Tötung, Nötigung oder Straßenverkehrsgefährdung strafbar machen. Eine **Straßenverkehrsgefährdung** *(§ 315c StGB)* begeht z. B., wer an unübersichtlichen Stellen, an Straßenkreuzungen und Straßeneinmündungen zu schnell fährt und dadurch Gesundheit oder Leben eines anderen Menschen gefährdet. Das Fahren unter dem Einfluss von Stoffen, die die Fahrtüchtigkeit beeinträchtigen (z. B. Alkohol, Drogen, bestimmte Medikamente), gestattet *§ 35 StVO* nicht.

MERKE

Sonderrechte werden nur in den engen Grenzen des *§ 35 Abs. 8 StVO* gewährt und befreien nicht von strafrechtlichen Vorschriften.

Wer Sonderrechte zu Unrecht ausübt, verstößt nicht gegen *§ 35 StVO*, sondern gegen jede einzelne Verkehrsvorschrift, die missachtet wird. Er begeht entsprechende bußgeldbewehrte Ordnungswidrigkeiten und haftet möglicherweise im Falle eines Unfalls.

Einzelfragen

Sonderrechte werden nach dem Wortlaut des *§ 35 Abs. 5a StVO* nur **Fahrzeugen des Rettungsdienstes** gewährt. Deshalb stehen haupt- oder ehrenamtlichen Mitarbeitern des Rettungsdienstes, die aufgrund einer Alarmierung in der Freizeit mit **Privat**fahrzeugen zur Rettungswache oder zum Fahrzeugstandort einer Schnelleinsatzgruppe (→ Kap. 50.8) fahren, **keine** Sonderrechte zu. Auch in Ersthelfergruppen organisierten Ersthelfern (→ Kap. 57.8.10), die zu Erstversorgungen im Rahmen eines Ersthelfersystems (→ Kap. 50.8) fahren, stehen aus diesem Grund **keine** Sonderrechte zu. Etwas anderes gilt aufgrund des unterschiedlichen Wortlauts in *§ 35 Abs. 1 StVO* („die Feuerwehr" und nicht

„Fahrzeuge der Feuerwehr") ausschließlich für Privatfahrzeuge der **Feuerwehrmitglieder.**

Auch Fahrzeuge des Katastrophenschutzes oder sonstige (Sanitäts-) Fahrzeuge der Hilfsorganisationen werden nicht zu „Fahrzeugen des Rettungsdienstes" im Sinne des *§ 35 Abs. 5a StVO,* wenn sie von der Leitstelle ausnahmsweise zu Erstversorgungen bei Notfalleinsätzen eingesetzt werden. Bedienen sich organisierte Ersthelfer bei ihren Erstversorgungen solcher Fahrzeuge, stehen ihnen daher ebenfalls **nie** Sonderrechte zu, selbst wenn diese Fahrzeuge als Bestandteil einer Schnelleinsatzgruppe oder Katastrophenschutzeinheit zulässigerweise mit blauem Blinklicht und Sondersignalanlage ausgestattet sind. Denn organisierte Ersthelfersysteme ersetzen weder den Rettungsdienst noch sind sie Bestandteil desselben (→ Kap. 57.8.10).

Vereinzelt wird zwar vertreten, dass auch organisierten Ersthelfern, die keine Feuerwehrmitglieder sind, Sonderrechte zustehen würden. Aufgrund des eindeutigen Gesetzeswortlauts sind diese Äußerungen jedoch sehr bedenklich und kaum haltbar. Es fällt nämlich allein in die Zuständigkeit des Gesetzgebers, im Rahmen einer Gesetzesänderung auch organisierten Ersthelfern der Hilfsorganisationen Sonderrechte einzuräumen. Daher ist diesen aus verkehrs-, haftungs- und versicherungsrechtlichen Gründen derzeit dringend davon abzuraten, auf Anfahrten zu Erstversorgungen Sonderrechte in Anspruch zu nehmen.

Abweichend vom vorangehend Dargestellten stehen **in Bayern** Einsatzfahrzeugen von Ersthelfergruppen der Feuerwehr und der im Rettungsdienst tätigen Hilfsorganisationen bei Vorliegen weiterer, im Einzelnen festgelegter Voraussetzungen dieselben Sonderrechte zu wie Fahrzeugen des Rettungsdienstes. Rechtsgrundlage hierfür ist eine zeitlich befristete, jederzeit widerrufbare Allgemeinverfügung des Bayerischen Staatsministeriums des Innern, für Sport und Integration (vom 29.10.2021, Aktenzeichen: C4-3612-26-4, zuvor vom 21.6.2018, Aktenzeichen: C4-3612-26-4), die auf Grundlage des *§ 46 Abs. 2 S. 1 StVO* (Ausnahmegenehmigung) erlassen wurde.

Rechtfertigender Notstand

Im Einzelfall kann das Begehen von Verkehrsordnungswidrigkeiten (z. B. Durchfahren roter Ampeln, Geschwindigkeitsüberschreitungen) trotz nicht zustehender Sonderrechte **wegen rechtfertigenden Notstands** nach *§ 16 Ordnungswidrigkeitengesetz* (OWiG) dennoch nicht rechtswidrig sein, z. B. für organisierte Ersthelfer oder Mitglieder von Schnelleinsatzgruppen (SEG).

Die Rechtswidrigkeit entfällt jedoch **nur** dann, wenn bereits eine **gegenwärtige, konkrete** Gefahr für Gesundheit oder Leben eines Patienten besteht, die **nicht anders abwendbar** ist. Dies ist z. B. der Fall, wenn ein Rettungsdienstmitarbeiter in der Freizeit alarmiert wird, um ein zusätzliches Rettungsdienstfahrzeug zur Durchführung eines **bereits anliegenden** Notfalleinsatzes zu besetzen, oder wenn organisierte Ersthelfer zu Erstversorgungen bei **akut lebensbedrohlichen Notfällen** (also nur bei einer Notarztindikation, nicht bei einer alleinigen RTW-Indikation) alarmiert werden.

Dagegen entfällt die Rechtswidrigkeit von Verkehrsordnungswidrigkeiten **nicht** bei (vorsorglichen) **Alarmierungen** zur Nachbesetzung von Rettungsmitteln oder zu SEG-(Betreuungs-)Einsätzen von Schnelleinsatzgruppen, wenn (noch) keine **gegenwärtigen, konkreten** Gesundheits- oder Lebensgefahren von Patienten bekannt sind.

Damit die hauptamtlichen und/oder ehrenamtlichen Mitarbeiter bei einer Alarmierung in der Freizeit unterscheiden können, ob ein Fall des rechtfertigenden Notstands *(§ 16 OWiG)* vorliegt oder nicht, muss die Leitstelle sie bei der Alarmierung **zwingend** entsprechend informieren. Dies hat je nach Alarmierungssystem z. B. mit einer entsprechenden Durchsage oder mit einem entsprechenden Alarmierungstext zu geschehen. Erschreckenderweise beachten dies immer noch nicht alle Leitstellendisponenten und setzen sich sowie die alarmierten Haupt- und/oder Ehrenamtlichen dadurch unnötigen rechtlichen Risiken aus. Denn **die Rechtsprechung ist beim Prüfen, ob die Voraussetzungen des rechtfertigenden Notstands** *(§ 16 OWiG)* **tatsächlich vorgelegen haben, insbesondere im Fall von Verkehrsordnungswidrigkeiten und Verkehrsunfällen, sehr streng.**

Weiterhin ist zu beachten, dass die Rechtsprechung für Abweichungen von den Vorschriften der StVO aufgrund eines rechtfertigenden Notstands (bei *§ 16 OWiG*) noch **deutlich strengere Sorgfaltspflichten** aufgestellt hat als bei Sonderrechtsfahrten. Es kommen mit **Privat**fahrzeugen – wenn überhaupt – nur mäßige Geschwindigkeitsüberschreitungen in Betracht. Zudem ist die Zeitersparnis durch Geschwindigkeitsüberschreitungen bei einsatzortnah alarmierten organisierten Ersthelfern meist gering. Daher sind Geschwindigkeitsüberschreitungen dieser Ersthelfer häufig nicht erforderlich und stehen dann außer Verhältnis zu den damit verbundenen Gefahren. Mangels Verhältnismäßigkeit sind sie **nicht** gemäß *§ 16 OWiG* zulässig.

ACHTUNG! Auf keinen Fall dürfen bei der Inanspruchnahme eines rechtfertigenden Notstands andere Verkehrsteilnehmer gefährdet oder geschädigt werden.

Vor Strafverfolgung (z. B. wegen Nötigung, Straßenverkehrsgefährdung, Körperverletzung, Tötung) schützt *§ 16 OWiG* nicht.

IM FOKUS

Sonderrechte im Straßenverkehr

- Die Nutzung von Sonderrechten ist in *§ 35 StVO* geregelt.
- Fahrzeuge des Rettungsdienstes dürfen Sonderrechte in Anspruch nehmen, „wenn höchste Eile geboten ist, um Menschenleben zu retten oder schwere gesundheitliche Schäden abzuwenden".
- Sonderrechte beinhalten **nicht automatisch auch ein Wegerecht** (insb. keine Vorfahrt).
- Die Nutzung von Sonderrechten befreit nicht von der Pflicht zur **Rücksichtnahme** gegenüber anderen Verkehrsteilnehmern.
- In einzelnen Situationen können Verkehrsregeln auch ohne Inanspruchnahme von Sonderrechten übertreten werden („rechtfertigender Notstand").

57.6.3 Wegerecht

Das **Wegerecht des Rettungsdienstes** ist in *§ 38 Abs. 1 StVO* geregelt (→ Tab. 57.11).

MERKE

Blaues Blinklicht zusammen mit dem Einsatzhorn darf nur verwendet werden, wenn höchste Eile geboten ist, um Menschenleben zu retten oder schwere gesundheitliche Schäden abzuwenden.

Wird blaues Blinklicht zusammen mit dem Einsatzhorn verwendet, haben die übrigen Verkehrsteilnehmer einem Einsatzfahrzeug ohne Rücksicht auf die geltenden Verkehrsregeln **sofort Vorrang zu gewähren** („… sofort freie Bahn zu schaffen"). Sie müssen auf ihren eigenen

§ 38 StVO Blaues Blinklicht und gelbes Blinklicht

(1) **Blaues Blinklicht zusammen mit dem Einsatzhorn** *darf nur verwendet werden,* **wenn höchste Eile geboten ist, um Menschenleben zu retten oder schwere gesundheitliche Schäden abzuwenden,** *eine Gefahr für die öffentliche Sicherheit oder Ordnung abzuwenden, flüchtige Personen zu verfolgen oder bedeutende Sachwerte zu erhalten.*
Es ordnet an: „Alle übrigen Verkehrsteilnehmer haben sofort freie Bahn zu schaffen."
(2) **Blaues Blinklicht allein** *darf nur von den damit ausgerüsteten Fahrzeugen und nur zur Warnung an Unfall- oder sonstigen Einsatzstellen, bei Einsatzfahrten oder bei der Begleitung von Fahrzeugen oder von geschlossenen Verbänden verwendet werden.*
(3) **Gelbes Blinklicht** *warnt vor Gefahren. Es kann ortsfest oder von Fahrzeugen aus verwendet werden. Die Verwendung von Fahrzeugen aus ist nur zulässig, um vor Arbeits- oder Unfallstellen, vor ungewöhnlich langsam fahrenden Fahrzeugen oder vor Fahrzeugen mit ungewöhnlicher Breite oder Länge oder mit ungewöhnlich breiter oder langer Ladung zu warnen.*
(Hervorhebungen vom Autor)

Tab. 57.11 § 38 StVO Blaues Blinklicht und gelbes Blinklicht

Vorrang verzichten. Allerdings wird dadurch **kein Vorrangrecht** des Einsatzfahrzeugs begründet. Ein Einsatzfahrzeug darf sich über fremden Vorrang daher nur hinwegsetzen, wenn der übrige Verkehr erkennbar auf seinen eigenen Vorrang verzichtet.

MERKE

Das Fahren mit blauem Blinklicht und Einsatzhorn begründet nach *§ 38 Abs. 1 StVO* weder ein Vorrangrecht noch Sonderrechte.

Voraussetzung für das Bestehen eines Wegerechts in einer konkreten Verkehrssituation ist das **rechtzeitige** Einschalten von blauem Blinklicht **und** Einsatzhorn. Was rechtzeitig ist, hängt von der jeweiligen Verkehrssituation ab. Die übrigen Verkehrsteilnehmer müssen stets ausreichend Zeit haben, um wahrzunehmen, aus welcher Richtung das Einsatzfahrzeug kommt, um dann entsprechend reagieren zu können. Nach einem obergerichtlichen Urteil dürfte das Einschalten von blauem Blinklicht **und** Einsatzhorn 10 Sekunden vor der Einfahrt in einen Kreuzungsbereich (Überqueren der Haltelinie) trotz roter Ampel jedenfalls i. d. R. rechtzeitig sein. Beim Durchfahren von Kreuzungen müssen blaues Blinklicht **und** Einsatzhorn bis zum **vollständigen** Verlassen des Kreuzungsbereichs eingeschaltet bleiben; ansonsten dürfen die übrigen Verkehrsteilnehmer annehmen, dass der Fahrer des Einsatzfahrzeuges kein Wegerecht mehr in Anspruch nehmen will.

Allein das Fahren mit blauem Blinklicht und Einsatzhorn befreit **nicht** von den Vorschriften der StVO, sondern nur die gleichzeitige rechtmäßige Inanspruchnahme von Sonderrechten nach *§ 35 StVO.* Liegen allein die Voraussetzungen des *§ 38 Abs. 1 StVO,* nicht aber die des *§ 35 Abs. 5a StVO* vor (kein Fahrzeug des Rettungsdienstes, sondern z. B. ein Privatfahrzeug eines organisierten Ersthelfers mit behördlich genehmigter Sondersignalanlage oder ein Fahrzeug des Katastrophenschutzes oder einer Hilfsorganisation, das zu einer Erstversorgung eingesetzt wird), bestehen keine Sonderrechte. **Wegerechtsfahrzeuge** bleiben dann an alle Verkehrsregeln gebunden, außer es liegen im Einzelfall die engen Voraussetzungen des rechtfertigenden Notstands (*§ 16 OWiG,* → Kap. 57.6.2) vor. Die für Sonderrechtsfahrten dargestellten strengen Sorgfaltspflichten gelten ebenso für alleinige Wegerechtsfahrten.

Nach *§ 38 Abs. 2 StVO* (→ Tab. 57.11) darf **blaues Blinklicht allein,** d. h. ohne Einsatzhorn, nur zur **Absicherung** an Einsatzstellen oder auf Einsatzfahrten verwendet werden. Allerdings besteht auf Einsatzfahrten dann **kein** Wegerecht, auch wenn aufmerksame Verkehrsteilnehmer in der Praxis dennoch häufig freiwillig freie Bahn schaffen. Nach der Rechtsprechung muss der übrige Verkehr bei alleinigem Gebrauch von blauem Blinklicht nicht damit rechnen, dass eine rote Ampel überfahren oder sonst eine Verkehrsregel missachtet wird.

MERKE

Nur blaues Blinklicht zusammen mit dem Einsatzhorn gewährt ein Wegerecht.

Wer ohne das Vorliegen der Voraussetzungen des *§ 38 StVO* blaues Blinklicht zusammen mit dem Einsatzhorn oder allein verwendet, begeht eine bußgeldbewehrte **Ordnungswidrigkeit** *(§ 49 Abs. 3 Nr. 3 StVO).* Dies gilt ebenso für andere Verkehrsteilnehmer, die trotz blauem Blinklicht und Einsatzhorn nicht sofort freie Bahn schaffen.

Blaues Blinklicht und Einsatzhorn **(Sondersignalanlagen)** dürfen an Privatfahrzeugen nur nach behördlicher Genehmigung installiert oder in diesen mitgeführt werden.

Gelbes Blinklicht darf an Privat- oder Vereinsfahrzeugen nur zur Absicherung einer Notfallstelle verwendet werden (*§ 38 Abs. 3 StVO,* → Tab. 57.11). Gelbes Blinklicht und/oder Warnblinker dürfen daher auch von organisierten Ersthelfern nicht auf der Anfahrt zu einer Erstversorgung gebraucht werden.

IM FOKUS

Wegerecht im Straßenverkehr
- Das **Wegerecht des Rettungsdienstes** ist in *§ 38 Abs. 1 StVO* geregelt.
- Dieses besteht nur, wenn **höchste Eile** geboten ist, **um Menschenleben zu retten** oder **schwere gesundheitliche Schäden abzuwenden.**
- **Blaues Blinklicht und Einsatzhorn** ordnen für andere Verkehrsteilnehmer an, dass dem Rettungsfahrzeug **sofort freie Bahn zu schaffen** ist.
- Die Ingebrauchnahme des Wegerechts erfordert stets die Kombination von **Signalhorn** und **blauem Blinklicht.**
- Wegerecht bedeutet **kein „Vorrangrecht"**, d. h., andere Verkehrsteilnehmer müssen zwar auf ihren Vorrang verzichten, dieser geht aber nicht automatisch auf das Rettungsfahrzeug über.

57.6.4 Fahrerlaubnis zur Fahrgastbeförderung

Wer einen Krankenkraftwagen führt, der zu einem **privaten Krankentransport- oder Rettungsdienstunternehmen** gehört, bedarf neben der allgemeinen Fahrerlaubnis einer zusätzlichen **Fahrerlaubnis zur Fahrgastbeförderung** *(§ 48 Abs. 1 FeV).* Diese ist zu erteilen, wenn u. a. folgende Voraussetzungen erfüllt sind *(§ 48 Abs. 4 FeV):*
- Vorliegen der Fahrerlaubnis für die Klasse B seit mindestens einem Jahr
- Vorliegen eines tadellosen Führungszeugnisses
- Vollendung des 19. Lebensjahres
- Geistige und körperliche Eignung
- Ausreichendes Sehvermögen
- Nachweis über Teilnahme an einer Schulung in Erster Hilfe
- Nachweis der erforderlichen Ortskenntnisse bei Tätigkeit in Ortschaften ab 50 000 Einwohnern

Die Erlaubnis wird für die Dauer von nicht mehr als 5 Jahren erteilt und auf Antrag jeweils bis zu 5 Jahre verlängert *(§ 48 Abs. 5 FeV).*

Dieser zusätzlichen Fahrerlaubnis zur Fahrgastbeförderung bedarf es **nicht** für Krankenkraftwagen der Bundeswehr, Bundespolizei, Polizei, des Katastrophenschutzes – wenn sie für dessen Zweck verwendet werden – sowie für Krankenkraftwagen der Feuerwehren und der nach Landesrecht anerkannten Rettungsdienste *(§ 48 Abs. 2 FeV).*

57.6.5 Sonderfahrberechtigung für Einsatzfahrzeuge

Seit der Änderung des Fahrerlaubnisrechts im Jahr 1999 dürfen Inhaber einer neuen Pkw-Fahrerlaubnis (Klasse B) nur noch Fahrzeuge mit einer zulässigen Gesamtmasse von bis zu 3,5 t – statt früher von bis zu 7,5 t – fahren. Allerdings weisen zahlreiche Einsatzfahrzeuge der Feuerwehren, der Rettungsdienste, des Technischen Hilfswerks und des Katastrophenschutzes mindestens eine zulässige Gesamtmasse im Bereich zwischen 3,5 und 7,5 t auf, z. B. viele Rettungswagen, Notarztwagen und Intensivtransportwagen. Da der zusätzliche Erwerb einer Lkw-Fahrerlaubnis (Klasse C1 bzw. C) allein für ehrenamtliche Zwecke unverhältnismäßig hohe Kosten verursachte, gab es bei den vorgenannten Organisationen im ehrenamtlichen Bereich einen Fahrermangel.

Um diesem Missstand zu begegnen, wurde vom Bundesgesetzgeber im Jahr 2009 eine sog. **Sonderfahrberechtigung für Einsatzfahrzeuge** bis zu 4,75 t geschaffen, die sog. **„kleine" Sonderfahrberechtigung.** Diese Regelung wurde im Jahr 2011 auf Einsatzfahrzeuge von bis zu 7,5 t ausgedehnt, sog. **„große" Sonderfahrberechtigung.** Umgangssprachlich ist für diese Sonderfahrberechtigungen auch die Bezeichnung „**Feuerwehrführerschein**" gebräuchlich.

Heute können Angehörigen der freiwilligen Feuerwehren, der nach Landesrecht anerkannten Rettungsdienste, des Technischen Hilfswerkes und sonstiger Einheiten des Katastrophenschutzes, die ihre Tätigkeit ehrenamtlich ausüben, **für ihre ehrenamtliche Aufgabenerfüllung** Fahrberechtigungen zum Führen von Einsatzfahrzeugen (einschließlich Fahrzeugkombinationen mit Anhänger) bis zu einer zulässigen Gesamtmasse von 4,75 oder 7,5 t erteilt werden *(§ 2 Abs. 10a u. 16 StVG),* wenn sie

- mindestens seit 2 Jahren eine Fahrerlaubnis der Klasse B besitzen,
- in das Führen von Einsatzfahrzeugen bis zu einer zulässigen Gesamtmasse von 4,75 oder 7,5 t eingewiesen worden sind und
- in einer praktischen Prüfung ihre Befähigung nachgewiesen haben.

Einweisung und praktische Prüfung können die Organisationen selbst durchführen.

Die Einzelheiten zur Erteilung der Sonderfahrberechtigungen sind von den Bundesländern zu regeln und können sich daher im Detail unterscheiden. Zwingend zu berücksichtigen sind beim Erlass der Ausführungsvorschriften jedoch die unterschiedlichen Massenklassen von bis zu 4,75 und bis zu 7,5 t *(vgl. § 2 Abs. 10a StVG),* d. h., an die Erteilung einer Sonderfahrberechtigung für Einsatzfahrzeuge von bis zu 7,5 t sind hinsichtlich Einweisung und praktischer Prüfung höhere Anforderungen zu stellen als an die für Einsatzfahrzeuge von bis zu 4,75 t. Allerdings haben bis heute nicht alle Bundesländer von der Möglichkeit zur Einführung dieser Sonderfahrberechtigungen für Einsatzfahrzeuge Gebrauch gemacht und sich z. T. sogar bewusst dagegen entschieden (z. B. Sachsen-Anhalt).

Die Sonderfahrberechtigungen gelten nur innerhalb der Bundesrepublik Deutschland. Sie sind **ausschließlich auf eine ehrenamtliche,** d. h. auf eine nicht auf Verdienstерzielung gerichtete **Tätigkeit bei den vorgenannten Organisationen** zu Einsatz-, Übungs- und Ausbildungszwecken sowie für Fahrten zur Sicherung der Einsatzbereitschaft **beschränkt** (vgl. *§ 2 Abs. 10a S. 3 StVG).* Privat- und Vereinsfahrten (z. B. Verpflegungseinkäufe während einer Rettungsdienstschicht oder der Transport eines Verkaufsstands für eine Festveranstaltung) oder Fahrten im Rahmen von sanitätsdienstlichen Betreuungen von Veranstaltungen können damit nicht rechtmäßig durchgeführt werden.

IM FOKUS

Fahrerlaubnis und Sonderfahrberechtigung

- Auch im Rettungsdienst müssen alle Fahrzeugführer eine **gültige Fahrerlaubnis,** zumeist mindestens der Klasse C1, vorweisen können.
- Mitarbeiter privater Krankentransport- und/oder Rettungsdienstunternehmen benötigen Personenbeförderungsscheine, die als **„Fahrerlaubnis zur Fahrgastbeförderung"** bezeichnet werden.
- In einigen Bundesländern gibt es zur Erfüllung ehrenamtlicher Tätigkeiten im Rettungsdienst oder Katastrophenschutz **Sonderfahrberechtigungen für Einsatzfahrzeuge bis zu 4,75 t bzw. 7,5 t.** Hauptvoraussetzung ist ein Führerschein der Klasse B.

57.7 Arzneimittel-, Betäubungsmittel- und Medizinprodukterecht

Im heutigen Rettungsdienst sind Arzneimittel, Betäubungsmittel und Medizinprodukte zur fachgerechten Versorgung und Behandlung von Notfallpatienten unverzichtbar.

57.7.1 Arzneimittelrecht

Zweck des Arzneimittelrechts ist es, im Interesse einer ordnungsgemäßen Arzneimittelversorgung von Mensch und Tier für die Sicherheit im Verkehr mit Arzneimitteln, insbesondere für die Qualität, Wirksamkeit und Unbedenklichkeit der Arzneimittel zu sorgen (vgl. *§ 1* **Arzneimittelgesetz, AMG**).

Arzneimittel sind daher grundsätzlich **apotheken- und verschreibungspflichtig.** Apothekenpflichtige Arzneimittel dürfen grundsätzlich nur von Apotheken an Endverbraucher abgegeben werden, verschreibungspflichtige Arzneimittel nur aufgrund zusätzlicher ärztlicher Verschreibung (vgl. *§§ 43, 48 AMG).*

Hiervon abweichend dürfen die nach Landesrecht bestimmten Träger und Durchführenden des Rettungsdienstes von Krankenhausapotheken mit Arzneimitteln beliefert werden (vgl. u. a. *§ 14 Abs. 8 Apothekengesetz).* Diese Arzneimittel dürfen nur Notfallpatienten verabreicht werden.

Die Verabreichung von **apotheken- und verschreibungspflichtigen Arzneimitteln** an Notfallpatienten durch den Notarzt oder Rettungsfachpersonal ist keine Abgabe im arzneimittelrechtlichen Sinne. Es bedarf hierfür also keiner vorherigen ärztlichen Verschreibung. Dies gilt unabhängig davon, ob Rettungsfachpersonal Arzneimittel in Anwesenheit eines Notarztes im Rahmen ärztlicher Delegation, ohne Anwesenheit eines Notarztes im Rahmen der Durchführung von medizinischen Maßnahmen zur Erstversorgung (i. S. d. *§§ 2a und 4 Abs. 2 Nr. 1 c) NotSanG)* oder im Rahmen der eigenständigen Durchführung von heilkundlichen Maßnahmen nach ärztlicher Vorab-Delegation (i. S. d. *§ 4 Abs. 2 Nr. 2 NotSanG)* verabreicht. Ansonsten darf Rettungsfachpersonal apotheken- und verschreibungspflichtige Arzneimittel jedoch **nicht** an Dritte abgeben. Eine Abgabe von z. B. Acetylsalicylsäure-Tabletten (Aspirin®-Tabletten) durch

Rettungsfachpersonal an Nichtnotfallpatienten zur Kopfschmerzlinderung im Rahmen eines Sanitätsdienstes ist daher nicht zulässig.

57.7.2 Betäubungsmittelrecht

Für die im Rettungsdienst gebräuchlichen **Betäubungsmittel** (BtM) gilt neben den arzneimittelrechtlichen Vorschriften zusätzlich das Betäubungsmittelrecht: das **Betäubungsmittelgesetz** (BtMG) und die **Betäubungsmittel-Verschreibungsverordnung** (BtMVV).

Hiernach dürfen Betäubungsmittel grundsätzlich nur von Ärzten verabreicht werden und nur, wenn ihre Anwendung begründet ist *(§ 13 Abs. 1 S. 1 BtMG)*. Das ist insbesondere dann nicht der Fall, wenn der beabsichtigte Zweck, z. B. eine Schmerzlinderung, anderweitig erreicht werden kann *(§ 13 Abs. 1 S. 2 BtMG)*. Die in diesem Sinne unbegründete Verabreichung sowie die Verabreichung durch einen Nichtarzt sind strafbar *(§ 29 Abs. 1 Nr. 6 b) BtMG)*.

Ob eine Strafbarkeit von Notfallsanitätern nach *§ 29 Abs. 1 Nr. 6 b) BtMG* wegen der (intravenösen) Verabreichung von Betäubungsmitteln (z. B. von Fentanyl oder Morphin) durch einen Nichtarzt unter dem Gesichtspunkt des rechtfertigenden Notstands gemäß *§ 34 StGB* entfällt, wenn Notfallsanitäter indizierte Betäubungsmittel im Rahmen der eigenverantwortlichen Durchführung heilkundlicher Maßnahmen zur Erstversorgung (i. S. d. *§§ 2a und 4 Abs. 2 Nr. 1 c) NotSanG*) oder im Rahmen der eigenständigen Durchführung von heilkundlichen Maßnahmen nach ärztlicher Vorab-Delegation (i. S. d. *§ 4 Abs. 2 Nr. 2 c) NotSanG*) verabreichen, wurde bisher **nicht gerichtlich entschieden** und war der juristischen Literatur bis Sommer 2023 umstritten. Nach der hier und auch von einigen maßgeblichen Behörden (z. B. vom Bayerischen Staatsministerium des Inneren, für Sport und Integration) vertretenen Auffassung war *§ 34 StGB* auch in dieser Konstellation anwendbar, mit der Folge, dass bei Vorliegen der Voraussetzungen des *§ 34 StGB* eine Strafbarkeit wegen des Verstoßes gegen das Betäubungsmittelgesetz entfallen ist.
Durch Gesetz vom 19.07.2023 wurde das BtMG um einen neuen *§ 13 Abs. 1b* ergänzt (→ Tab. 57.12). In diesem ist jetzt ausdrücklich geregelt, dass Notfallsanitäter Patienten ohne vorherige ärztliche Anordnung – gemeint ist damit ohne vorherige ärztliche Delegation im konkreten Einzelfall – dem BtMG unterliegende Schmerzmittel im Rahmen einer heilkundlichen Maßnahme verabreichen dürfen. Dafür müssen im jeweiligen Einzelfall die in *§ 13 Abs. 1b BtMG* aufgeführten Voraussetzungen erfüllt sein:

- Die Notfallsanitäter müssen nach standardisierten ärztlichen Vorgaben (z.B. sog. SOPs) handeln,
- ein Eintreffen eines Arztes kann nicht abgewartet werden und
- die Verabreichung ist zur Abwendung von Gefahren für die Gesundheit oder zur Beseitigung oder Linderung erheblicher Beschwerden erforderlich.

Liegen die Voraussetzungen des neuen § 13 Abs. 1b Satz 1 BtMG nicht vor, ist eine Verabreichung von Betäubungsmitteln durch einen Notfallsanitäter strafbar *(§ 29 Abs. 1 Nr. 6b BtMG)*.

In den Einrichtungen des Rettungsdienstes sind der Verbleib und der **Bestand von Betäubungsmitteln lückenlos nachzuweisen** *(§ 1 Abs. 3 Nr. 5 BtMVV)*. Details hierzu sind in den *§§ 13* und *14 BtMVV* geregelt. Unter anderem ist jeder Verbleib unverzüglich nach jeder Bestandsveränderung, d. h. nach jedem Einsatz, auf einem amtlichen Formblatt zu erfassen *(§ 13 Abs. 1 BtMVV)*. Wurde ein Betäubungsmittel durch einen Notfallsanitäter gemäß *§ 13 Abs. 1b BtMG* verabreicht, muss dieser den Verbleib dokumentieren, ansonsten der (Not-)Arzt *(§ 6 BtMVV)*.

Die Versorgung von Einrichtungen des Rettungsdienstes mit Betäubungsmitteln ist in *§ 6 i. V. m. § 2 Abs. 4 BtMVV* im Einzelnen geregelt.

Aufgrund der erhöhten Diebstahlsgefahr sind Betäubungsmittel stets gesondert **verschlossen und besonders gesichert** auf Rettungswachen und in Rettungsdienstfahrzeugen aufzubewahren.

§ 13 Abs. 1b Betäubungsmittelgesetz (BtMG)

(1b) Abweichend von Absatz 1 dürfen die in Anlage III bezeichneten Betäubungsmittel durch Notfallsanitäter im Sinne des Notfallsanitätergesetzes ohne vorherige ärztliche Anordnung im Rahmen einer heilkundlichen Maßnahme verabreicht werden, wenn diese nach standardisierten ärztlichen Vorgaben handeln, ein Eintreffen eines Arztes nicht abgewartet werden kann und die Verabreichung zur Abwendung von Gefahren für die Gesundheit oder zur Beseitigung oder Linderung erheblicher Beschwerden erforderlich ist. Die standardisierten ärztlichen Vorgaben müssen
1. den handelnden Notfallsanitätern in Textform vorliegen,
2. Regelungen zu Art und Weise der Verabreichung enthalten und
3. Festlegungen darüber treffen, in welchen Fällen das Eintreffen eines Arztes nicht abgewartet werden kann.

Tab. 57.12 § 13 Abs. 1 Betäubungsmittelgesetz (BtMG)

IM FOKUS

Arzneimittel- und Betäubungsmittelrecht
- Der Umgang mit Arzneimitteln wird u. a. durch das **Arzneimittelgesetz (AMG)** geregelt.
- Apothekenpflichtige Arzneimittel dürfen nur von Apotheken an Endverbraucher abgegeben werden *(§ 43 AMG)*, verschreibungspflichtige Arzneimittel nur nach zusätzlicher ärztlicher Verschreibung *(§ 48 AMG)*.
- Eine Abgabe von z. B. Kopfschmerztabletten durch Rettungsfachpersonal an Nichtnotfallpatienten zur Kopfschmerzlinderung im Rahmen eines Sanitätsdienstes ist daher nicht zulässig.
- Der Umgang mit Betäubungsmitteln wird durch das **Betäubungsmittelgesetz (BtMG)** und die **Betäubungsmittel-Verschreibungsverordnung (BtMVV)** geregelt.
- Betäubungsmittel dürfen grundsätzlich nur von Ärzten verabreicht werden, bei Vorliegen der Voraussetzungen des *§ 13 Abs. 1b BtMG* auch von Notfallsanitätern.
- Sie müssen gesichert gelagert werden.
- Ihr Bestand muss lückenlos nachvollziehbar sein **(BTM-Buch).**

57.7.3 Medizinprodukterecht

Das **Medizinprodukterecht** regelt u. a. die rechtlichen Rahmenbedingungen für den Einsatz von medizinischen Geräten sowie sonstigen medizinischen Produkten und Geräten. Zweck des Medizinprodukterechts ist es, die Sicherheit, Eignung und Leistung der Medizinprodukte sicherzustellen sowie bei der Anwendung von Medizinprodukten für die Gesundheit und den erforderlichen Schutz der Patienten, Anwender und Dritter zu sorgen. Die Teile des Medizinprodukterechts, die für das Rettungsdienstpersonal wichtig sind, finden sich in der in Deutschland unmittelbar geltenden **EU-Verordnung 2017/745** des Europäischen Parlaments und des Rats vom 5. April 2017 **über Medizinprodukte** (Kurzbezeichnung: Medical Device Regulation – MDR) bzw. **europäische Medizinprodukte-Verordnung,** im **Medizinprodukterecht-Durchführungsgesetz** (MPDG), in der **Medizinprodukte-Betreiberverordnung** (MPBetreibV) und in der **Medizinprodukte-Anwendermelde- und Informationsverordnung** (MPAMIV).

Die MDR und die zur Umsetzung neu erlassenen deutschen Rechtsvorschriften, das neue MPDG und die neue MPAMIV sowie die angepasste MPBetreibV, sind am 26. Mai 2021 in Kraft getreten. Zuvor galten neben der früheren MPBetreibV das Medizinproduktegesetz (MPG) sowie die Medizinprodukte-Sicherheitsplanverordnung (MPSV).

DEFINITION

Medizinprodukte sind, neben allen medizinischen Geräten (z. B. EKG-Gerät, Defibrillator, externer Herzschrittmacher, Beatmungsgerät, Sauerstoffeinheit, Absauggerät, Spritzenpumpe, Säuglingsinkubator, Kapnometer, Pulsoxymeter, Blutzuckermessgerät, Thermometer, Blutdruckmessgerät, Säuglingsinkubator), sämtliche sonstigen Produkte und Materialien, die zur Diagnose, Verhütung, Überwachung, Vorhersage, Prognose, Behandlung oder Linderung von Krankheiten sowie zur Diagnose, Überwachung, Behandlung, Linderung von oder Kompensierung von Verletzungen oder Behinderungen bestimmt sind (z. B. medizinische Verbrauchsmaterialien, Stifneck®, KED®-System, Spineboard, Schaufeltrage, Vakuummatratze) und keine Arzneimittel sind (vgl. *Art. 2 Nr. 1 MDR*).

Sämtliche Medizinprodukte dürfen nur von Personen angewendet werden, die dafür die erforderliche Ausbildung oder Kenntnis und Erfahrung haben *(§ 4 Abs. 2 MPBetreibV).* Hiervon ist bei ausgebildetem Rettungsdienstpersonal i. d. R. auszugehen. Vor der ersten Anwendung ist dennoch eine Einweisung in die ordnungsgemäße Handhabung jedes Medizinprodukts erforderlich, sofern das Medizinprodukt nicht selbsterklärend ist oder eine Einweisung nicht bereits in ein baugleiches Medizinprodukt erfolgt ist *(§ 2 Abs. 3 MPBetreibV).*

Für die rechtmäßige Anwendung bestimmter Medizinprodukte, z. B. für Defibrillator, externen Herzschrittmacher, Beatmungsgerät, Spritzenpumpe und Säuglingsinkubator, ist zusätzlich eine **spezielle Einweisung** in deren sachgerechte Handhabung durch den Hersteller oder durch eine vom Hersteller eingewiesene Person **(Medizinproduktebeauftragter)** zwingende Voraussetzung *(§ 10 Abs. 2 MPBetreibV).* Diese Einweisung hat stets für den konkreten Gerätetyp und die konkrete Softwareversion zu erfolgen. Sie muss in einem sog. Medizinproduktebuch **dokumentiert** werden *(§ 12 Abs. 2 Nr. 3 MPBetreibV).* Ohne diese zusätzliche Einweisung ist weder das Rettungsfachpersonal noch ein (Not-)Arzt befugt, solche Geräte zu bedienen.

MERKE

Bestimmte medizinische Geräte dürfen nur nach spezieller Einweisung in den konkreten Gerätetyp und die konkrete Softwareversion durch zur Einweisung berechtigte Personen angewendet werden.

Medizinprodukte dürfen nur für ihren eigentlichen, vom Hersteller festgelegten Zweck angewendet werden *(§ 4 Abs. 1 MPBetreibV).* Bei ihrer Anwendung und Instandhaltung müssen Gebrauchsanweisungen sowie sonstige beigefügte sicherheitsbezogene Informationen und Instandhaltungshinweise, die allgemein anerkannten Regeln der Technik sowie Arbeitsschutz- und Unfallverhütungsvorschriften beachtet werden *(vgl. § 4 Abs. 1 und Abs. 6 MPBetreibV).*

Es ist verboten, Medizinprodukte (z. B. Venenverweilkanülen oder Spritzen) zu verwenden, die Mängel aufweisen oder deren Verwendungsdatum abgelaufen ist *(§ 11 S. 1 und § 12 Nr. 2 MPDG).*

MERKE

Der Gebrauch von abgelaufenen oder mangelhaften Medizinprodukten ist verboten.

Soweit es der Zustand des Patienten erlaubt, muss sich Rettungsfachpersonal vor jedem Gebrauch eines Medizinprodukts, zumindest aber bei jedem Dienstbeginn sowie nach jeder Anwendung und Instandhaltung, von dessen **Funktionsfähigkeit** und **ordnungsgemäßem Zustand** überzeugen *(§ 4 Abs. 6 MPBetreibV).*

Die **Instandhaltung** (Wartung, Inspektion, Instandsetzung) und Aufbereitung von Medizinprodukten darf nur von Personen durchgeführt werden, die auch speziell hierfür – und nicht nur für die Anwendung – die erforderliche Ausbildung oder Kenntnis und Erfahrung haben *(§ 7 Abs. 2 und § 8 Abs. 7 MPBetreibV).*

Bei Defibrillatoren, externen Herzschrittmachern, Beatmungsgeräten, Spritzenpumpen und Säuglingsinkubatoren müssen in angemessenen Fristen, spätestens alle zwei Jahre, **sicherheitstechnische Kontrollen** (STK) durchgeführt werden *(§ 11 MPBetreibV).*

Besonders in Schnelleinsatzgruppen (SEG) und Katastrophenschutzeinheiten wird immer wieder vernachlässigt, dass für bestimmte Medizinprodukte (z. B. Geräte zur Bestimmung der Körpertemperatur, nichtinvasive Blutdruckmessgeräte und für andere Medizinprodukte, für die es der Hersteller vorgeschrieben hat) innerhalb gesetzlich vorgegebener Fristen **messtechnische Kontrollen** (MTK) zu veranlassen sind *(§ 14 MPBetreibV).*

Funktionsstörungen oder Ausfälle von Medizinprodukten, sog. Vorkommnisse, müssen **unverzüglich** an das Bundesinstitut für Arzneimittel und Medizinprodukte (BfArM) gemeldet werden, wenn das aufgetretene Problem unmittelbar oder mittelbar zum Tod oder zu einer erheblichen Verschlechterung des Gesundheitszustands eines Patienten, eines Anwenders oder einer anderen Person geführt hat, geführt haben könnte oder führen könnte *(§ 3 i. V. m. § 2 MPAMIV).* Das Formular für eine solche Meldung ist unter www.bfarm.de abrufbar.

Rettungsdienste mit regelmäßig mehr als 20 Beschäftigten haben als zentralen Ansprechpartner und Koordinator für Themen der Medizinproduktesicherheit eine sachkundige und zuverlässige Perons als **Beauftragten für Medizinproduktesicherheit** zu bestellen *(§ 6 MPBetreibV).* Auf der Internetseite ist eine Funktions-E-Mail-Adresse dieses bekanntzumachen *(§ 6 Abs. 4 MPBetreibV).*

Verstöße gegen das Medizinprodukterecht werden als Ordnungswidrigkeiten mit Geldbußen oder als Straftaten mit Geldstrafen oder Freiheitsstrafen bis zu 5 Jahren geahndet. Auch können sie zu weiteren straf- und haftungsrechtlichen Konsequenzen führen, wenn dadurch Patienten zu Schaden kommen (→ Kap. 57.4.1 und → Kap. 57.5.2). Aufgrund häufiger Missachtungen des Medizinprodukterechts in der Vergangenheit haben die zuständigen Behörden angekündigt, die Einhaltung des Medizinprodukterechts zukünftig überhaupt bzw. strenger überwachen zu wollen.

Das Medizinprodukterecht unterscheidet zwischen Pflichten, denen die Betreiber, und Pflichten, denen die Anwender eines Medizinprodukts nachkommen müssen.

Betreiberpflichten

DEFINITION

Betreiber eines Medizinprodukts ist jede natürliche oder juristische Person, die für den Betrieb der Gesundheitseinrichtung verantwortlich ist, in der das Medizinprodukt durch dessen Beschäftigte betrieben oder angewendet wird *(§ 2 Abs. 2 MPBetreibV)*. Hierbei wird unter Gesundheitseinrichtung jede Einrichtung, Stelle oder Institution (also z. B. der Rettungsdienst), einschließlich Rehabilitations- und Pflegeeinrichtungen, verstanden, in der Medizinprodukte durch medizinisches Personal, Personen der Pflegeberufe oder sonstige dazu befugte Personen berufsmäßig betrieben oder angewendet werden *(§ 2 Abs. 4 MPBetreibV)*.

Die Betreiberpflichten werden bei den meisten Rettungsdiensten jedoch nicht vom Betreiber (Inhaber bzw. Geschäftsführer, Vereinsvorstand oder Behördenleiter als gesetzlicher Vertreter des Betreibers) selbst wahrgenommen, sondern im Auftrag des Betreibers von einer durch diesen Betreiber bestellten und dafür besonders ausgebildeten Person, dem **Medizinproduktebeauftragten.**

Die wichtigsten **Betreiberpflichten** sind:

- Mit der **Anwendung** von Medizinprodukten dürfen nur Mitarbeiter beauftragt werden, die für die jeweiligen Medizinprodukte die erforderliche Ausbildung oder Kenntnis und Erfahrung haben sowie in die Anwendung eingewiesen sind *(§ 4 Abs. 5 MBetreibV)*.
- Einweisung der Anwender in die Medizinprodukte und Dokumentation dieser Einweisungen *(vgl. § 4 Abs. 3 MPBetreibV)*.
- Aufbewahrung der Gebrauchsanweisungen und der dem Gerät beigefügten (Sicherheits-)Hinweise so, dass jeder Anwender diese während seiner Dienstzeit einsehen kann *(§ 4 Abs. 7 MPBetreibV)*.
- Führen von Medizinproduktebüchern für fast alle (es gibt einzelne Ausnahmen) energetisch betriebenen Medizingeräte und für diejenigen, die messtechnischen Kontrollen unterliegen *(§ 12 MPBetreibV)*.
- Führen eines Bestandsverzeichnisses für alle energetisch betriebenen Medizingeräte *(§ 13 MPBetreibV)*.
- Durchführung bzw. Veranlassung der Geräteinspektionen in den vom Hersteller vorgeschriebenen Intervallen.
- Durchführung bzw. Veranlassung der sicherheits- oder messtechnischen Kontrollen innerhalb der vorgeschriebenen Fristen.
- Mit der **Instandhaltung** (Wartung, Inspektion, Instandsetzung und Aufbereitung) von Medizinprodukten dürfen nur Personen und Betriebe beauftragt werden, die hierfür u. a. die erforderliche Sachkenntnis haben *(§ 7 Abs. 2 und § 8 Abs. 4 MPBetreibV)*.
- **Unverzügliche** Meldung von Funktionsstörungen oder Ausfällen von Medizinprodukten an das Bundesinstitut für Arzneimittel und Medizinprodukte, wenn das aufgetretene Problem unmittelbar oder mittelbar zum Tod oder zu einer erheblichen Verschlechterung des Gesundheitszustands eines Patienten, eines Anwenders oder einer anderen Person geführt hat, geführt haben könnte oder führen könnte *(§ 3 i. V. m. § 2 MPAMIV)*.

Anwenderpflichten

DEFINITION

Anwender eines Medizinprodukts ist, wer es am Patienten einsetzt *(Art. 2 Nr. 37 MDR, § 2 Abs. 3 MPBetreibV)*.

Im Rettungsdienst sind also das Rettungsfachpersonal und Notärzte Anwender.

Die wichtigsten **Anwenderpflichten** sind:

- Sämtliche Medizinprodukte dürfen nur angewendet werden, wenn die Anwendung sicher beherrscht wird. Falls hierfür erforderlich, muss sich der Anwender um eine (Wiederholungs-)Einweisung kümmern.
- Defibrillatoren, externe Herzschrittmacher, Beatmungsgeräte, Spritzenpumpen und Säuglingsinkubatoren dürfen nur angewendet werden, wenn eine Einweisung in den konkreten Gerätetyp und die konkrete Softwareversion durch eine dazu berechtigte Person (z. B. Medizinproduktebeauftragter) erfolgt ist.
- Medizinprodukte sind stets gemäß den Vorschriften der Gebrauchsanweisung, den sonstigen sicherheitsbezogenen Informationen und den Instandhaltungshinweisen anzuwenden und instand zu halten, unter sorgfältiger Beachtung der allgemein anerkannten Regeln der Technik sowie der Arbeitsschutz- und Unfallverhütungsvorschriften.
- Zu jedem Dienstbeginn, vor jeder Anwendung – soweit es der Zustand des Patienten erlaubt –, nach jeder Anwendung und nach jeder Instandhaltung eines medizinischen Geräts sind dessen ordnungsgemäßer Zustand und Funktionsfähigkeit überprüfen.
- Abgelaufene Medizinprodukte dürfen nicht mehr angewendet werden.
- Ein medizinisches Gerät, dessen Frist für die nächste sicherheits- oder messtechnische Kontrolle abgelaufen ist, darf nicht mehr gebraucht werden!
- Werden Mängel oder Funktionsstörungen festgestellt oder besteht ein Verdacht hierauf, ist das Gerät **sofort** außer Betrieb zu nehmen und deutlich als defekt zu kennzeichnen. Gerät keinesfalls mehr anwenden!
- Mängel und Funktionsstörungen sind umgehend dem Vorgesetzten und dem innerbetrieblichen Geräteverantwortlichen (z. B. Medizinproduktebeauftragter) mitzuteilen.
- **Unverzügliche** Meldung von Funktionsstörungen oder Ausfällen von Medizinprodukten an das Bundesinstitut für Arzneimittel und Medizinprodukte, wenn das aufgetretene Problem unmittelbar oder mittelbar zum Tod oder zu einer erheblichen Verschlechterung des Gesundheitszustands eines Patienten, eines Anwenders oder einer anderen Person geführt hat, geführt haben könnte oder führen könnte (diese Pflicht gilt für Betreiber und Anwender).
- Die **Instandhaltung** (Wartung, Inspektion, Instandsetzung) und Aufbereitung von Medizinprodukten darf nur von Anwendern übernommen werden, die vom Betreiber damit beauftragt wurden und auch für die Instandhaltung – und nicht nur für die Anwendung – die erforderliche Ausbildung oder Kenntnis und Erfahrung haben.

IM FOKUS

Medizinprodukterecht

- **Grundlagen**
  - Das **Medizinprodukterecht** regelt den Umgang mit Medizinprodukten.
  - Das Ziel ist es, Eignung, Sicherheit und Leistung der verwendeten Medizinprodukte sicherzustellen.
  - Geregelt wird das Medizinprodukterecht in mehreren Gesetzen und Verordnungen:
    - EU-VERORDNUNG 2017/745 des Europäischen Parlaments und des Rates vom 5. April 2017 über Medizinprodukte (Kurzbezeichnung: Medical Device Regulation = MDR bzw. europäische Medizinprodukteverordnung)
    - Medizinprodukterecht-Durchführungsgesetz (MPDG)
    - Medizinprodukte-Betreiberverordnung (MPBetreibV)

Lentz D. Unwirksame Transportverweigerung, Fall 6.9. In: Flake F, Runggaldier K (Hrsg.). 50 neue Fälle Rettungsdienst. München: Elsevier/Urban Fischer, 2009.
Lentz D. Weisungsbefugnis der Rettungsleitstelle und Doppeltransport, Fall 6.7. In: Flake F, Runggaldier K (Hrsg.). 50 neue Fälle Rettungsdienst. München: Elsevier/Urban Fischer, 2009.
Lentz D. Patientenrechtegesetz – Bedeutung für den Rettungsdienst. retten! 2014; 3(2): 78–81.
Lissel P. Rechtsfragen im Rettungswesen. 3. A. Stuttgart: Richard Boorberg Verlag, 2014.
Müller D. Einsatzfahrten, Checklisten zu Rechtmäßigkeit und Rechtsfolgen. 6. A. Stuttgart: Richard Boorberg Verlag, 2022.
Tries R. Strafrechtliche Probleme im Rettungsdienst. 5. A. Edewecht: Stumpf + Kossendey, 2022.

ANHANG

MUSTER-ALGORITHMEN ZUR UMSETZUNG DES PYRAMIDENPROZESSES IM RAHMEN DES NotSanG

Die folgenden Algorithmen wurden vom Deutschen Berufsverband Rettungsdienst e.V. (DBRD) entwickelt. Sie bilden insbesondere die invasiven Maßnahmen und Medikamente ab, die Gegenstand des Pyramidenprozesses sind. Die Algorithmen sind nach Auffassung der Herausgeber nur nach ausdrücklicher Freigabe des jeweiligen Ärztlichen Leiters Rettungsdienst regelhaft umsetzbar. Voraussetzung ist zudem eine umfassende Schulung im jeweiligen Rettungsdienstbereich und eine Anpassung an die lokalen Gegebenheiten. Die Algorithmen ersetzen nicht die individuelle Beurteilung in der Einsatzsituation.

Entscheidungsfindung Erforderlichkeit Notarzt (NotSan)

Deutscher Berufsverband Rettungsdienst e. V. (DBRD)

Primäre Alarmierung ohne Notarzt

↓

ABCDE-Herangehensweise und Patientenbeurteilung
(gemäß § 4 Absatz 2 Nr. 1 Buchstabe b NotSanG)

↓

NEIN	JA	**1. Konkrete akute vitale Bedrohung nach Einschätzung des NotSan erwartbar?**
NEIN	JA	**2. Gefährdeter Atemweg, der nicht gesichert werden kann? Z. B.:** • Anhaltend fehlende Schutzreflexe • Schwere anhaltende und therapierefraktäre Vigilanzminderung (GCS ≤ 8) • Trauma des Halses mit Hinweisen für Atemwegsbedrohung (z. B. Heiserkeit, Engegefühl im Hals, kloßige Sprache) • Anhaltender Krampfanfall, der nicht durch NotSan-Medikation durchbrochen werden kann
NEIN	JA	**3. Akute lebensbedrohliche oder zunehmend lebensbedrohliche Atemnot?** (**Kombination** aus allen drei Feldern erforderlich) **Atemnot** + **Zusätzlich mindestens ein Zeichen:** • Atemfrequenz ≥ 25/Minute • Tachykardie ≥ 110/Minute • Sprechdyspnoe (kann keinen Satz in einem Atemzug sprechen) + **Zusätzlich mindestens ein Zeichen:** • Neue Desorientiertheit • Zunehmende Vigilanzminderung • Erschöpfungszustand der Atempumpe/Kraftlosigkeit • Zyanose trotz O_2-Gabe • Silent Lung • Bradykardie • Hypotension
NEIN	JA	**4. Anhaltende Leitsymptome/medizinische Probleme in Kombination mit dem Patientenzustand weisen auf unmittelbaren lebensbedrohlichen Zustand hin?** Beispiele für **Leitsymptom/medizinisches Problem:** • Akutes Koronarsyndrom (ACS) • Unkontrollierte lebensbedrohliche Blutung • Bewusstlosigkeit • Einklemmung + Beispiele für **klinische Anzeichen:** • Hypoxieanzeichen (siehe 3.) • Schwere Hypoperfusion (z. B. Hypoperfusion mit Bewusstseinsstörung, Verwirrtheit, Unruhe, Angst)
NEIN	JA	**5. Unmittelbar einsetzende Geburt?**
NEIN	JA	**6. Besondere Therapien vor Ort oder während des Transports erforderlich, die Notarztfertigkeiten erfordern?** (z. B. Thoraxdrainage, Thorakotomie, Narkose, spezielle Rhythmustherapie)
NEIN	JA	**7. Versorgungs-/Transportablehnung durch den Patienten trotz akuter Lebensgefahr?**
NEIN	JA	**8. Entscheidung durch NotSan, dass ein Notarzt benötigt wird?**

JA → **Versorgung durch NotSan → Nachforderung Notarzt**
Erwäge zügigen Transport, wenn andere ärztliche Hilfe dadurch schneller zu erreichen ist!

NEIN → **Versorgung durch NotSan**

Entscheidung über die Beförderung von Patienten

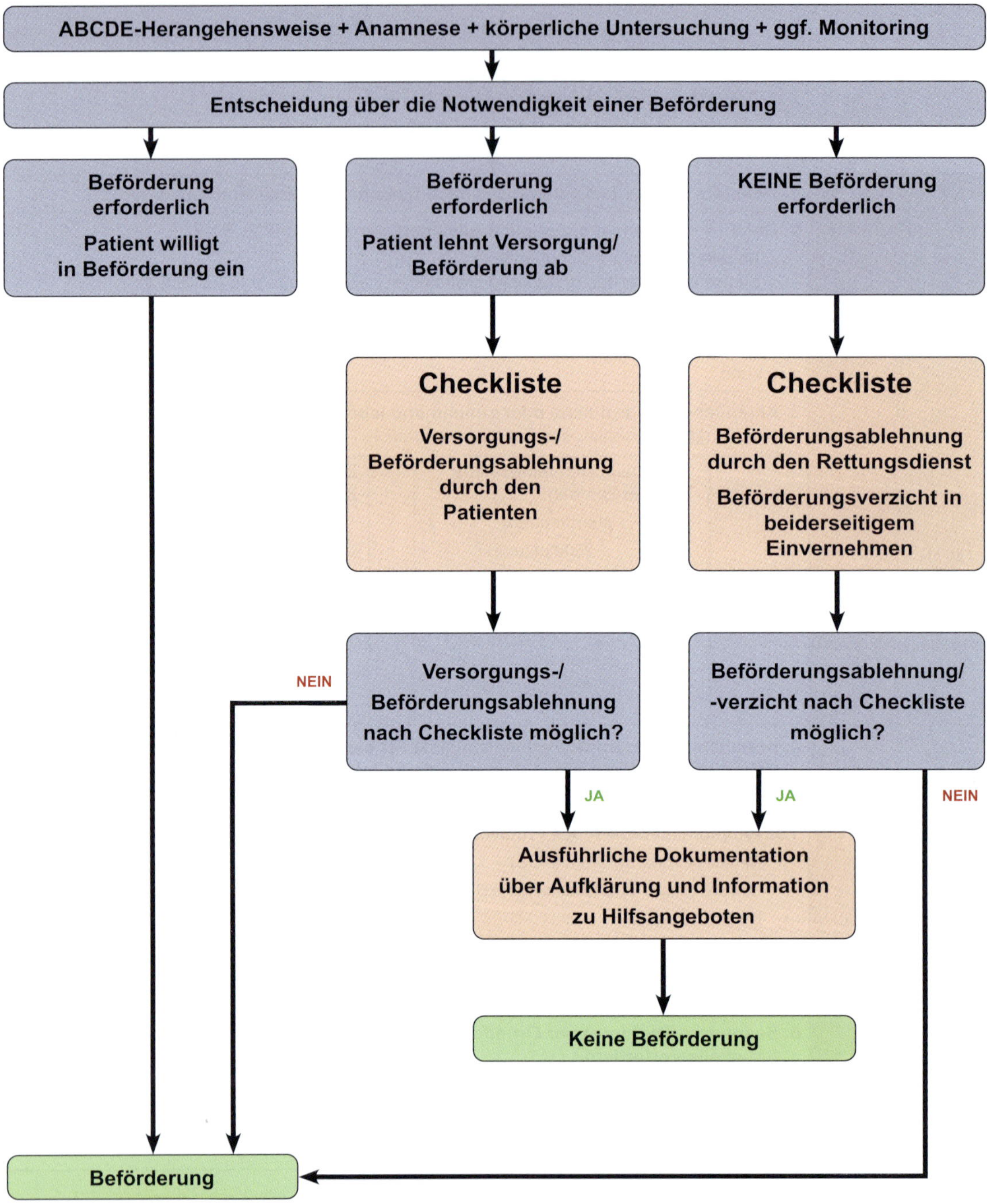

Deutscher Berufsverband Rettungsdienst e. V. (DBRD)

In Anlehnung an die Algorithmen für den Rettungsdienst im Land Schleswig-Holstein, Version 5.0.0

Checkliste: Versorgungs-/Beförderungsablehnung durch Patienten

Wird eine der Fragen Nr. 1–16 mit **JA** beantwortet, ist die Nachforderung eines Notarztes dringend empfohlen!

NEIN	JA	1	Ist der Patient < 18 Jahren und nicht rechtlich (Gesundheit/Aufenthalt) betreut?
NEIN	JA	2	Hinweise auf vorliegende oder drohende Hilflosigkeit?
NEIN	JA	3	Hinweise auf Schlaftrunkenheit/-wandel?
NEIN	JA	4	Hinweise auf Drogenintoxikation oder ausgeprägten/beeinträchtigenden Medikamenteneinfluss?
NEIN	JA	5	Hinweise auf Fieberdelirium?
NEIN	JA	6	Hinweise auf neu aufgetretene Desorientierung?
NEIN	JA	7	Bestehende retrograde Amnesie?
NEIN	JA	8	Z. n. zerebralem Krampfanfall in Zusammenhang mit dem aktuellen Einsatz?
NEIN	JA	9	Hinweise auf Bewusstseinsstörungen unter Hypo-/Hyperglykämie?
NEIN	JA	10	Bestehende starke Schmerzzustände?
NEIN	JA	11	Hinweise auf höchstgradige psychische oder körperliche Erschöpfung?
NEIN	JA	12	Direkt zuvor bestehende Bewusstlosigkeit?
NEIN	JA	13	Hinweise auf Suizidalität?
NEIN	JA	14	Hinweise auf Fremdgefährdung?
NEIN	JA	15	Akute oder drohende Lebensgefahr? Drohende schwere Gesundheitsschäden?
NEIN	JA	16	Bedenken/Zweifel seitens des Notfallsanitäters?

JA → **Notarztnachforderung** → **Entscheidung durch Notarzt** → **Versorgung/Beförderung ggf. unter Zwang**

NEIN →

- Umfangreiche Aufklärung über mögliche gesundheitliche, ggf. auch tödliche Folgen der Versorgungs-/Beförderungsverweigerung und Information über Hilfsangebote (Hausarzt …) sowie Aufklärung, jederzeit erneut den Notruf (112) wählen zu können
- Versuch der Information von Angehörigen/Hausarzt zur Sicherstellung der weiteren Betreuung
- Ausführliche schriftliche Dokumentation des Gesprächs mit:
  - Erhobenen Befunden und getroffenen Einschätzungen
  - Benannter akuter oder drohender Gefährdung
  - Empfohlenen Verhaltensweisen
  - Einschätzung des Einwilligungszustands (z. B. vollständig wach, adäquate Orientiertheit zu Ort, Zeit, Person und Situation, gegenwärtig einwilligungsfähig und nicht verwirrt, gang- und standsicher)
  - Empfehlung der zügigen Weiterbehandlung (z. B. Hausarzt umgehend aufsuchen)
  - Möglichst Betreuungsübernahme durch beispielsweise Angehörige
  - Verantwortungsübernahme aller möglichen Folgen durch den Patienten
- Unterschrift des Patienten im Verweigerungsabschnitt des Beförderungsprotokolls
- Bei Unterschriftsverweigerung eigene Dokumentation möglichst unter Zeugen
- Möglichst Zeugen (Name, Funktion, Unterschrift) notieren

In Anlehnung an die Algorithmen für den Rettungsdienst im Land Schleswig-Holstein, Version 5.0.0

Deutscher Berufsverband Rettungsdienst e. V. (DBRD)

Checkliste: Beförderungsverzicht/Ablehnung durch NotSan

Wird eine der Fragen Nr. 1–18 mit **JA** beantwortet, ist eine Beförderungsablehnung durch den Notfallsanitäter nicht anzuraten!
Wird eine der Fragen Nr. 1–18 mit **JA** beantwortet, ist ein Beförderungsverzicht in beiderseitigem Einvernehmen nicht anzuraten!

NEIN	JA	1	Ist der Patient < 18 Jahren?
NEIN	JA	2	Gesetzlicher Betreuer (Gesundheit/Aufenthalt) nicht anwesend/nicht erreichbar?
NEIN	JA	3	Hinweise auf vorliegende oder drohende Hilflosigkeit?
NEIN	JA	4	Hinweise auf Einschränkung der Einwilligungsfähigkeit?
NEIN	JA	5	Fehlende/unklare Weiterbetreuung?
NEIN	JA	6	Bedarf des Transportmittels KTW (z. B. liegende/schonende Beförderung, O_2-Gabe)?
NEIN	JA	7	Vorliegen einer gültigen ärztlichen Einweisung?
NEIN	JA	8	Strukturierte Untersuchung/Anamnese war nicht durchführbar?
NEIN	JA	9	Vorliegendes neu aufgetretenes ABCDE-Problem?
NEIN	JA	10	Objektivierbare, akute schwere Erkrankung/akute schwere Verletzung?
NEIN	JA	11	Situation nicht als Bagatellverletzung/-erkrankung eingeschätzt?
NEIN	JA	12	Hinweise auf relevante Hypo-/Hyperglykämie?
NEIN	JA	13	Bestehende starke Schmerzzustände (NRS > 4) oder erfolgte Analgesie?
NEIN	JA	14	Verschlechterung des Gesundheitszustands zu erwarten?
NEIN	JA	15	Hinweise auf Drogenintoxikation oder ausgeprägten/beeinträchtigenden Medikamenteneinfluss?
NEIN	JA	16	Akute oder drohende Lebensgefahr? Drohende schwere Gesundheitsschäden?
NEIN	JA	17	Bedenken/Zweifel seitens des Notfallsanitäters?
NEIN	JA	18	Notfallmedizinische Behandlung nach Algorithmen dieser Sammlung erfolgt?

- Der Notfallsanitäter muss eine Aufklärung des Patienten über die aus der Anamnese und Untersuchung erfolgte Einschätzung sicherstellen!
- Ausführliche schriftliche Dokumentation mit:
  - Untersuchungsergebnissen, Einschätzungen, Maßnahmen
  - Einschätzung des Einwilligungszustands (z. B. vollständig wach, adäquate Orientiertheit zu Ort, Zeit, Person und Situation, gegenwärtig einwilligungsfähig und nicht verwirrt, gang- und standsicher)
  - Möglichst Betreuungsübernahme durch beispielsweise Angehörige oder Pflegedienst
  - Darlegung der Hilfsangebote (z. B. Hausarztbesuch, Kassenärztlicher Notdienst (116 117), Transport mit Taxi, Mietwagen oder ÖPNV)
  - Aufklärung darüber, jederzeit den Notruf (112) bei Verschlechterung wieder anrufen zu können
  - Patientenzustand beim Verlassen der Einsatzstelle

Die Beförderungsablehnung durch Notfallsanitäter geschieht in deren Eigenverantwortung! Es sollte immer versucht werden, einen Beförderungsverzicht in beiderseitigem Einvernehmen zu erreichen und zu dokumentieren. Eine Beförderungsablehnung durch Notfallsanitäter sollte durch deeskalierende Kommunikation vermieden werden. Diese Checkliste soll dabei für Handlungssicherheit sorgen.

In Anlehnung an die Algorithmen für den Rettungsdienst im Land Schleswig-Holstein, Version 5.0.0

Deutscher Berufsverband Rettungsdienst e. V. (DBRD)

Medikamentenapplikation

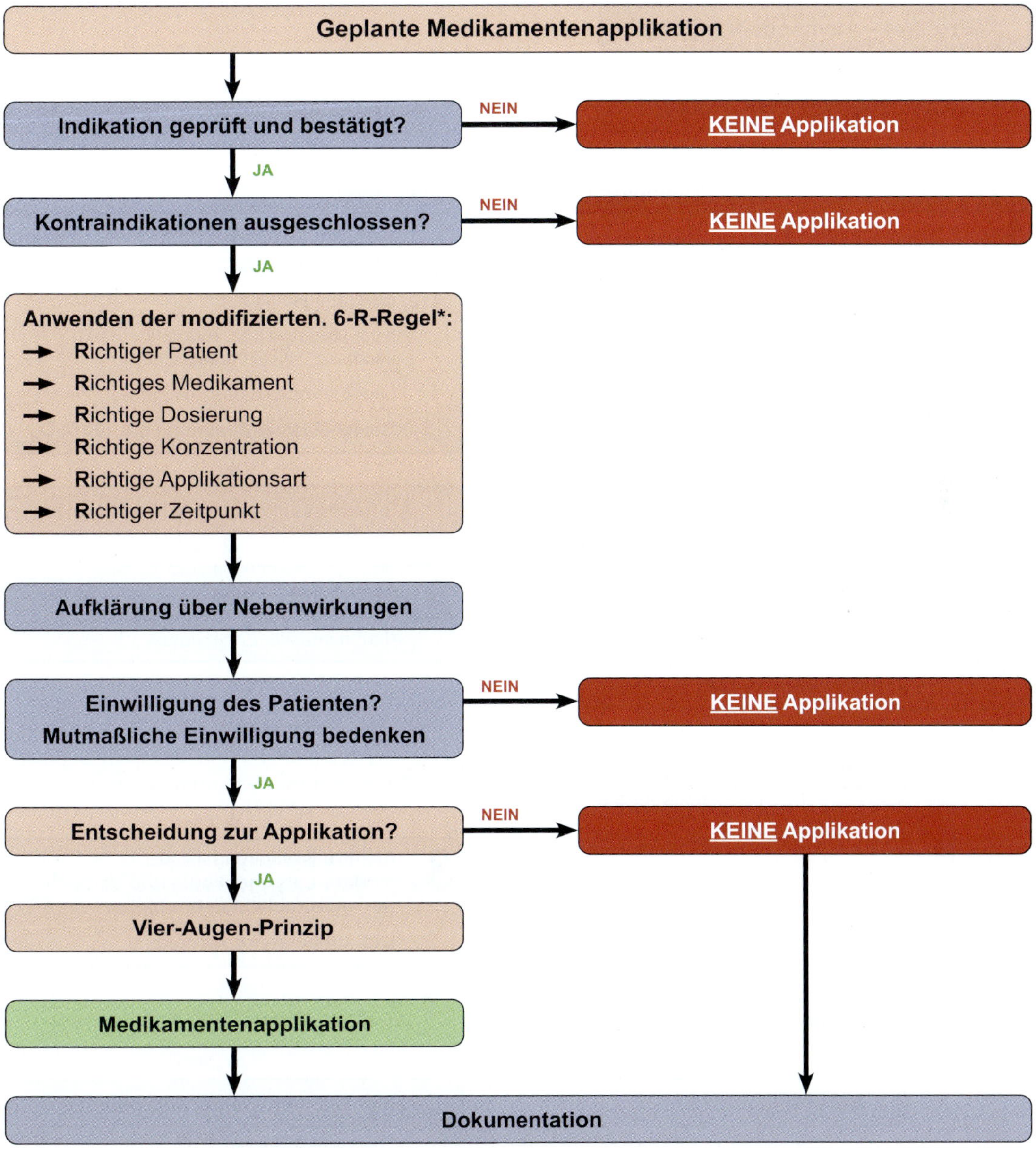

Entscheidung gegen die Applikation bei:
- Fehlender Einwilligung
- Auffälligkeiten („NEIN“) bei der modifizierten 6-R-Regel
- Unsicherheit

* Die modifizierte 6-R-Regel bezieht sich auf die bekannte 8-R-Regel im Umgang mit Arzneimitteln. Sie wurde in diesem Algorithmus allerdings auf die Anwendbarkeit im Einsatz angepasst.

Deutscher Berufsverband Rettungsdienst e. V. (DBRD)

Eskalierendes Atemwegsmanagement

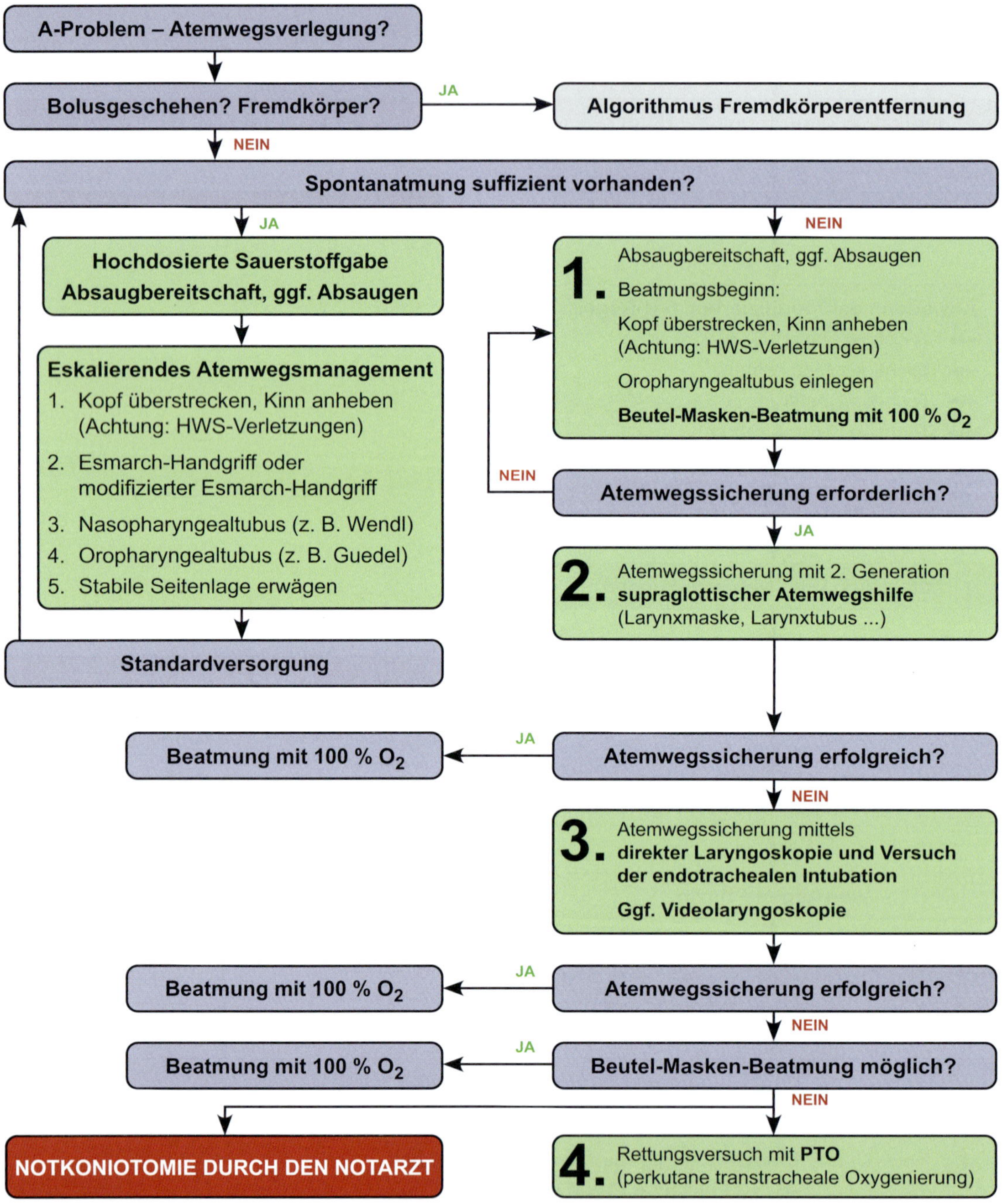

Kontinuierliche Überwachung von Atemweg und Atmung/Beatmung **IMMER** mittels:

Kapnografie ($etCO_2$)

Pulsoximetrie (SpO_2)

Cuffdruckkontrolle (intermittierend)

Deutscher Berufsverband Rettungsdienst e. V. (DBRD)

Atemwegsnotfälle bei Trachealkanülenträgern – Dislokation

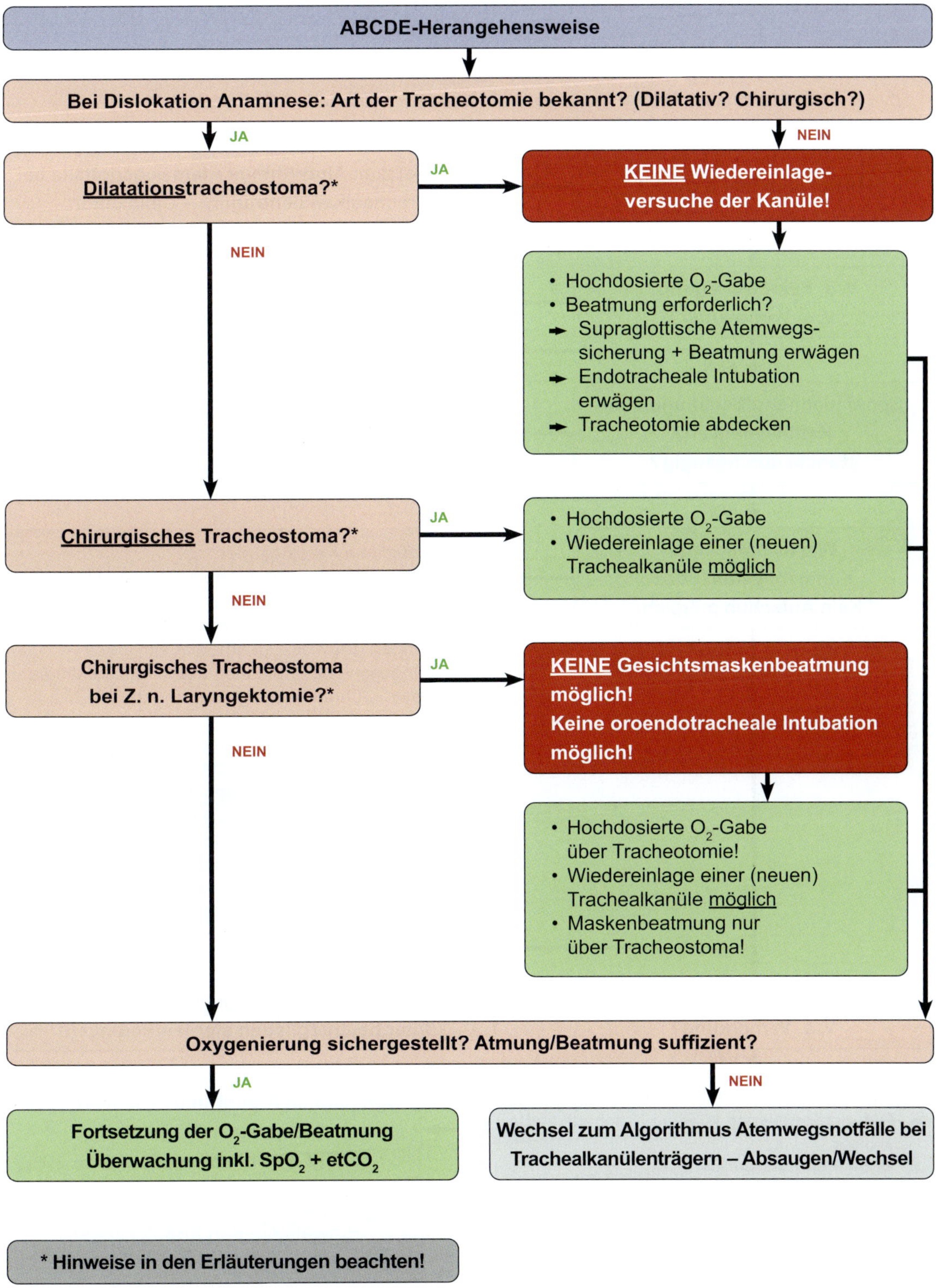

Atemwegsnotfälle bei Trachealkanülenträgern – Absaugen/Wechsel

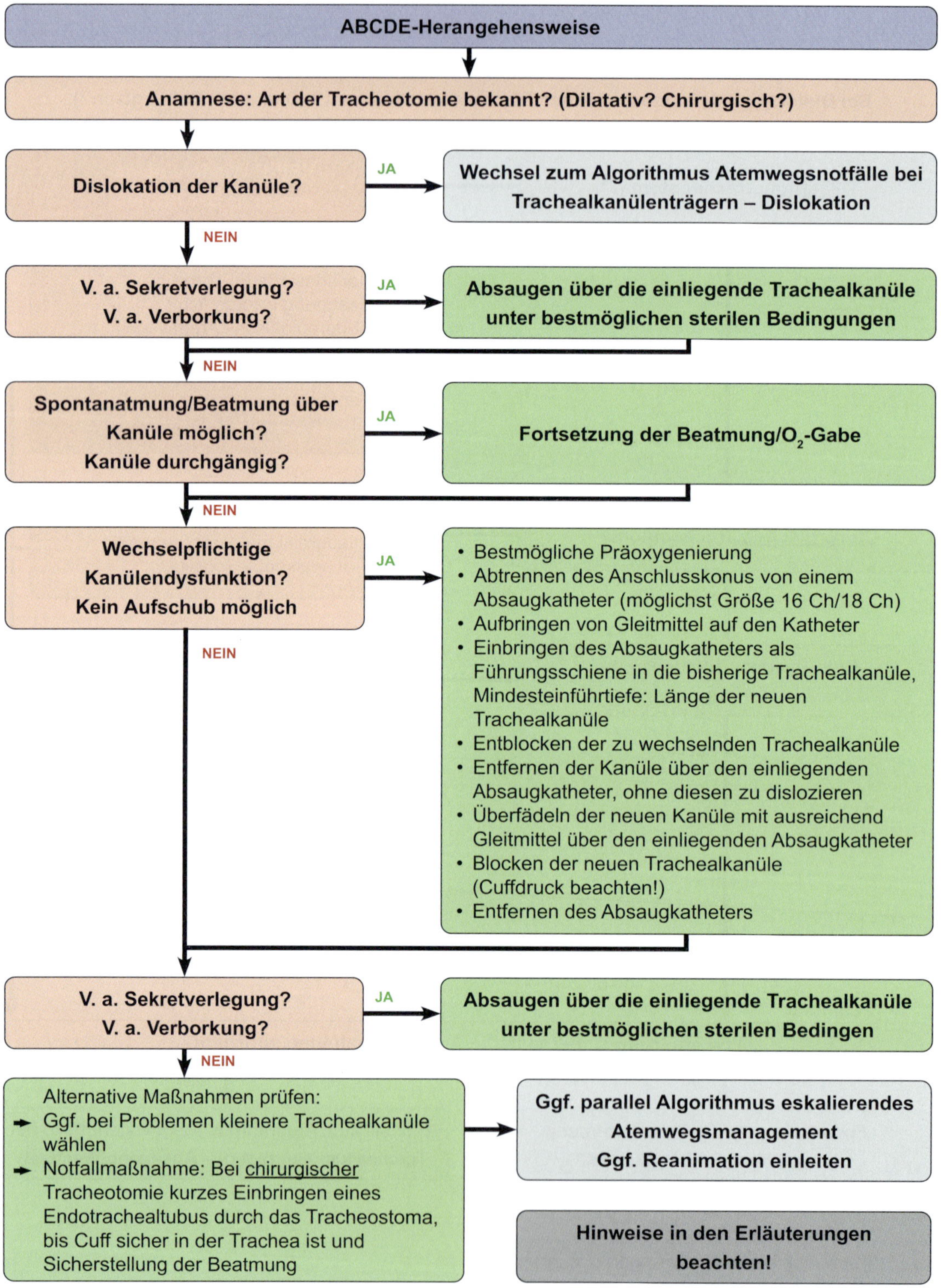

Deutscher Berufsverband Rettungsdienst e. V. (DBRD)

Entlastungspunktion – Spannungspneumothorax

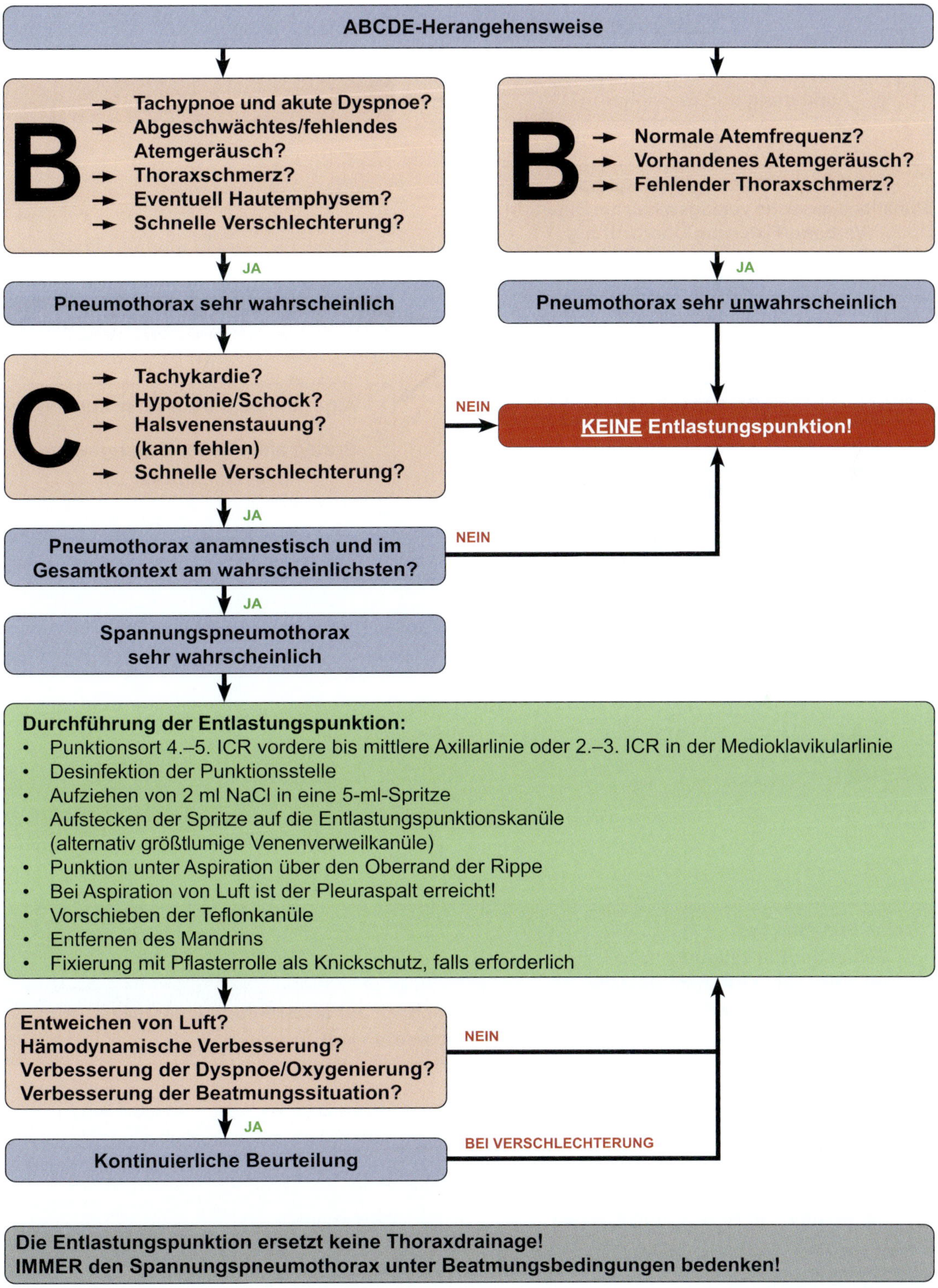

Deutscher Berufsverband Rettungsdienst e. V. (DBRD)

S3-Leitlinie Schwerverletztenversorgung 2016

i.v. Zugang

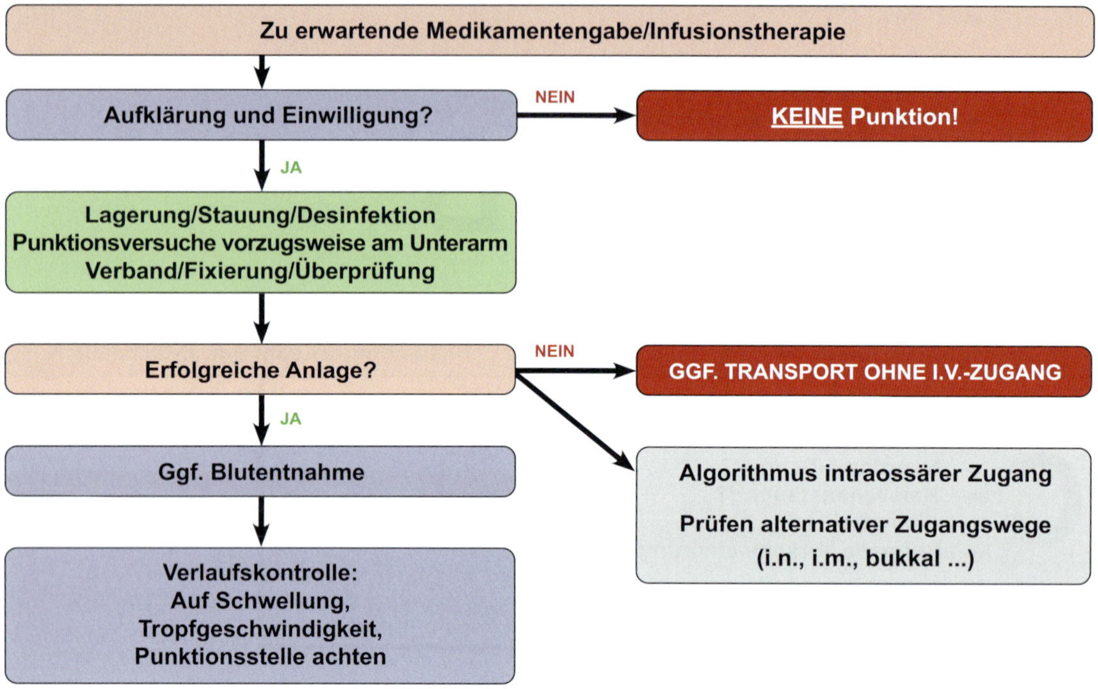

Keine Punktion bei:

- Fehlender Einwilligung
- Infektion an der Punktionsstelle
- Verletzung an der Extremität mit Ausweichmöglichkeit auf andere Punktionsstelle
- Dialyseshunt in der Extremität, an der punktiert werden soll

Aufklärung über:

- Fehllage
- Entzündung
- Verletzung von Nerven und Arterien

Der Umfang der Aufklärung richtet sich nach der Dringlichkeit der Maßnahme!

Deutscher Berufsverband Rettungsdienst e. V. (DBRD)

Intraossärer Zugang – Erwachsener

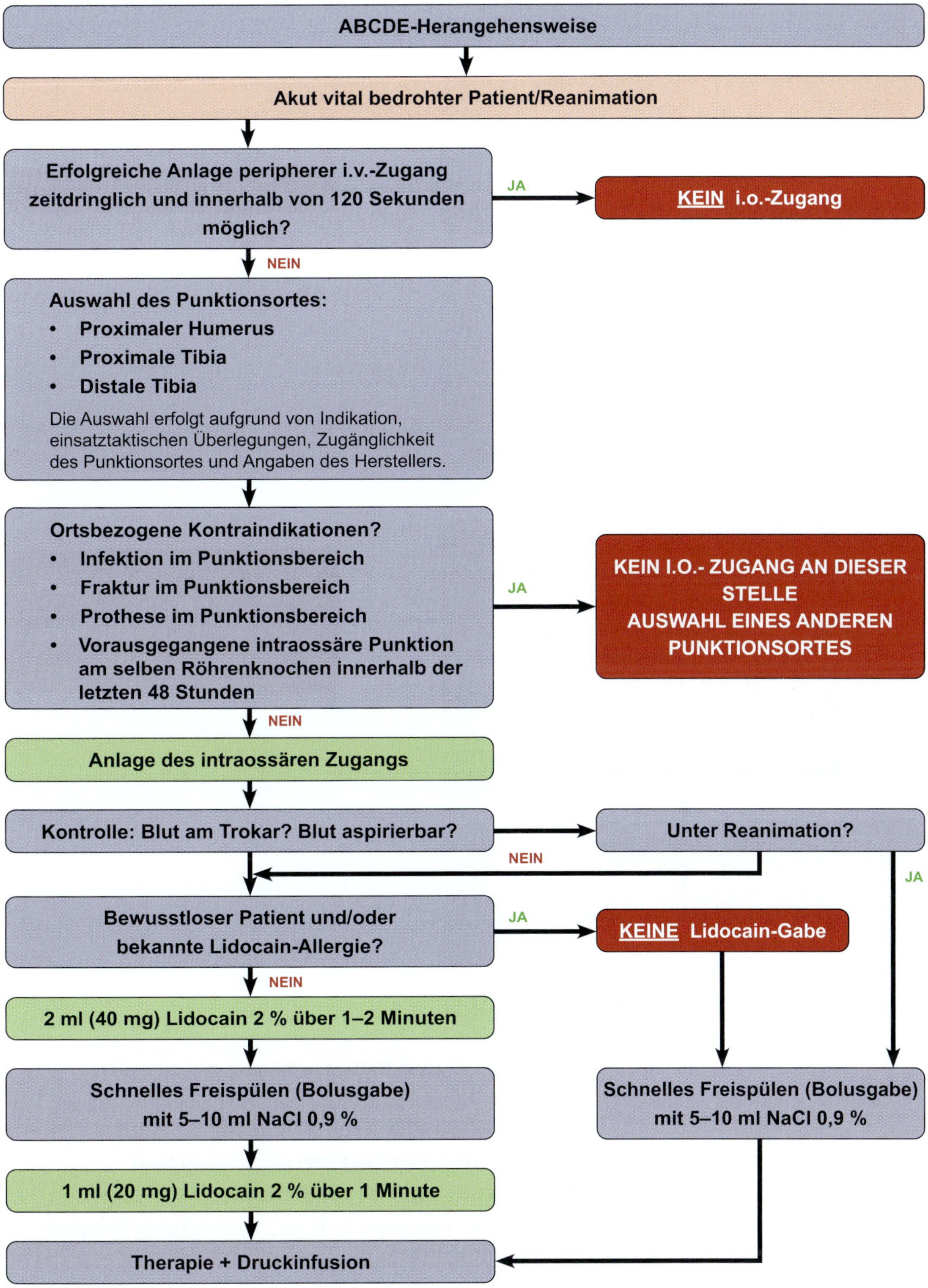

Deutscher Berufsverband Rettungsdienst e. V. (DBRD)

Intraossärer Zugang – Kind

ABCDE-Herangehensweise

↓

Akut vital bedrohtes Kind/Reanimation

↓

Erfolgreiche Anlage peripherer i.v.-Zugang zeitdringlich und innerhalb von 60 Sekunden möglich?

- JA → **KEIN i.o.-Zugang**
- NEIN ↓

Auswahl des Punktionsortes:

- **Proximaler Humerus (Jugendliche)**
- **Distales Femur**
- **Proximale Tibia**
- **Distale Tibia**

Die Auswahl erfolgt aufgrund von Indikation, einsatztaktischen Überlegungen und Zugänglichkeit des Punktionsortes!

↓

Ortsbezogene Kontraindikationen?

- **Infektion im Punktionsbereich**
- **Fraktur im Punktionsbereich**
- **Prothese im Punktionsbereich**
- **Vorausgegangene intraossäre Punktion am selben Röhrenknochen innerhalb der letzten 48 Stunden**

- JA → **KEIN i.o.-Zugang AN DIESER STELLE AUSWAHL EINES ANDEREN PUNKTIONSORTES**
- NEIN ↓

Anlage des intraossären Zugangs

↓

Kontrolle: Blut am Trokar? Blut aspirierbar?

↓

Schnelles Freispülen (Bolusgabe) mit 2–5 ml NaCl 0,9 %

↓

Therapie + Druckinfusion

Die Indikation zum i.o.-Zugang bei pädiatrischen Patienten ist sehr eng zu stellen!

Insbesondere bei wachen pädiatrischen Patienten außerhalb von Reanimationen ist die Indikation kritisch zu prüfen!

Die Gabe von Lidocain ist bei pädiatrischen Patienten nicht empfohlen!

Auf potenziell bedrohliche Folgen ist hinzuweisen!

Bei wachen pädiatrischen Patienten kann eine Analgesie (z. B. i.n.) nach lokalem Protokoll erwogen werden.

Deutscher Berufsverband Rettungsdienst e. V. (DBRD)

ACS – Algorithmus Morphin + Antiemetika

Therapie des ACS: MONA
- **Algorithmus Morphin + Antiemetika**
- Angepasste O_2-Gabe
- Algorithmus Glyceroltrinitrat-Spray
- Algorithmus ASS + Heparin
- Algorithmen Diazepam/Midazolam
- Algorithmus Metoprolol
- Monitoring + Defibrillationsbereitschaft

↓

Schmerzstärke nach NRS ≤ 4? — JA → **KEINE Morphin-Gabe**

↓ NEIN

Morphin-Unverträglichkeit? — JA → **KEINE Morphin-Gabe**

↓ NEIN

Respiratorische Insuffizienz? Schwere COPD? — JA → **KEINE Morphin-Gabe**

↓ NEIN

Vigilanzminderung (GCS < 13)? — JA → **KEINE Morphin-Gabe**

↓ NEIN

Anlage i.v.-Zugang + laufende kristalloide Infusion
Am Patienten bereithalten: Beatmungsbeutel + Maske, Guedel-Tubus, supraglottische Atemwegssicherung, Absaugbereitschaft

↓

Morphin aufziehen und beschriften: 10 mg Morphin/10 ml NaCl 0,9 %

↓

IMMER O_2-Gabe + SpO_2-Überwachung vor Morphin-Medikation

↓

Langsame Gabe von 2 mg (= 2 ml) Morphin i.v. bis maximal 10 mg Gesamtdosis wiederholen

↓

Alle 2 Minuten: Schmerzstärke NRS < 4 gebessert? — JA → **KEINE weitere Morphin-Gabe**
NEIN → zurück zu „Langsame Gabe von 2 mg (= 2 ml) Morphin i.v.“

↓

Opiatassoziierte Übelkeit gut erträglich? — JA → **KEINE Begleitmedikation mit Antiemetikum**

↓ NEIN

Gabe eines Antiemetikums i.v.

Dokumentation und Austragen im BtM-Buch!

ESC-Leitlinie ACS 2023, ERC-Leitlinie 2021

Deutscher Berufsverband Rettungsdienst e. V. (DBRD)

ACS – Algorithmus Glyceroltrinitrat-Spray

Therapie des ACS: MONA
- Algorithmus Morphin + Antiemetika
- Angepasste O_2-Gabe
- **Algorithmus Glyceroltrinitrat-Spray**
- Algorithmus ASS + Heparin
- Algorithmen Diazepam/Midazolam
- Algorithmus Metoprolol
- Monitoring + Defibrillationsbereitschaft

↓

Lagerung nach Kreislaufsituation, RR-Messung, EKG*, SpO_2

↓

PDE-5-Inhibitoren in den letzten 48 h?** (Medikamente zur Behandlung der erektilen Dysfunktion und der pulmonalen arteriellen Hypertonie)
- JA → **KEIN Glyceroltrinitrat-Spray**
- NEIN ↓

RR_{sys} < 100 mmHg?
- JA → **KEIN Glyceroltrinitrat-Spray** → Engmaschige RR-Kontrolle, i.v.-Zugang
- NEIN ↓

0,4–1,2 mg Glyceroltrinitrat-Spray nach RR dosiert sublingual Zielwert: RR_{sys} < 140 mmHg

↓

Engmaschige RR-Kontrolle, i.v.-Zugang

↓

Besserung der Beschwerden nach 3–5 Minuten?
- JA → **KEIN Glyceroltrinitrat-Spray**
- NEIN ↓

RR_{sys} < 100 mmHg?
- JA → **KEIN Glyceroltrinitrat-Spray**
- NEIN ↓

0,4–0,8 mg Glyceroltrinitrat-Spray nach RR dosiert sublingual Zielwert: RR_{sys} < 140 mmHg

*** V. a. STEMI mit inferioren Infarktzeichen:**
Bei ST-Streckenhebungen in den Extremitätenableitungen II, III und aVF: Besonders bei Bradykardie vorsichtige Nitratgabe mit 0,4 mg je Einzelgabe, dann weiter dosiert nach Blutdruck!

**** PDE-5-Inhibitoren:** Werden nicht nur zur Behandlung der erektilen Dysfunktion, sondern auch zur Behandlung der pulmonalen arteriellen Hypertonie eingesetzt. Derzeit sind folgende Präparate verfügbar: Viagra®, Cialis®, Levitra®, Sildeagil®, Silnerton®, Sildenafil Hennig®, Sildenafil medac, Sildenafil- neuraxpharm, Tadalafil Hennig®, Tadalafil-neuraxpharm® sowie weitere Generikahersteller für Tadalafil, Tarketin®, Revatio® und Adcirca®

Wilkinson-Stokes, M, Betson J, Sawyer S. Emerg Med J, 2023; 40:108–113; Adverse events from nitrate administration during right ventricular myocardial infarction: a systematic review and meta-analysis

Deutscher Berufsverband Rettungsdienst e. V. (DBRD)

ACS – Algorithmus Acetylsalicylsäure + Heparin

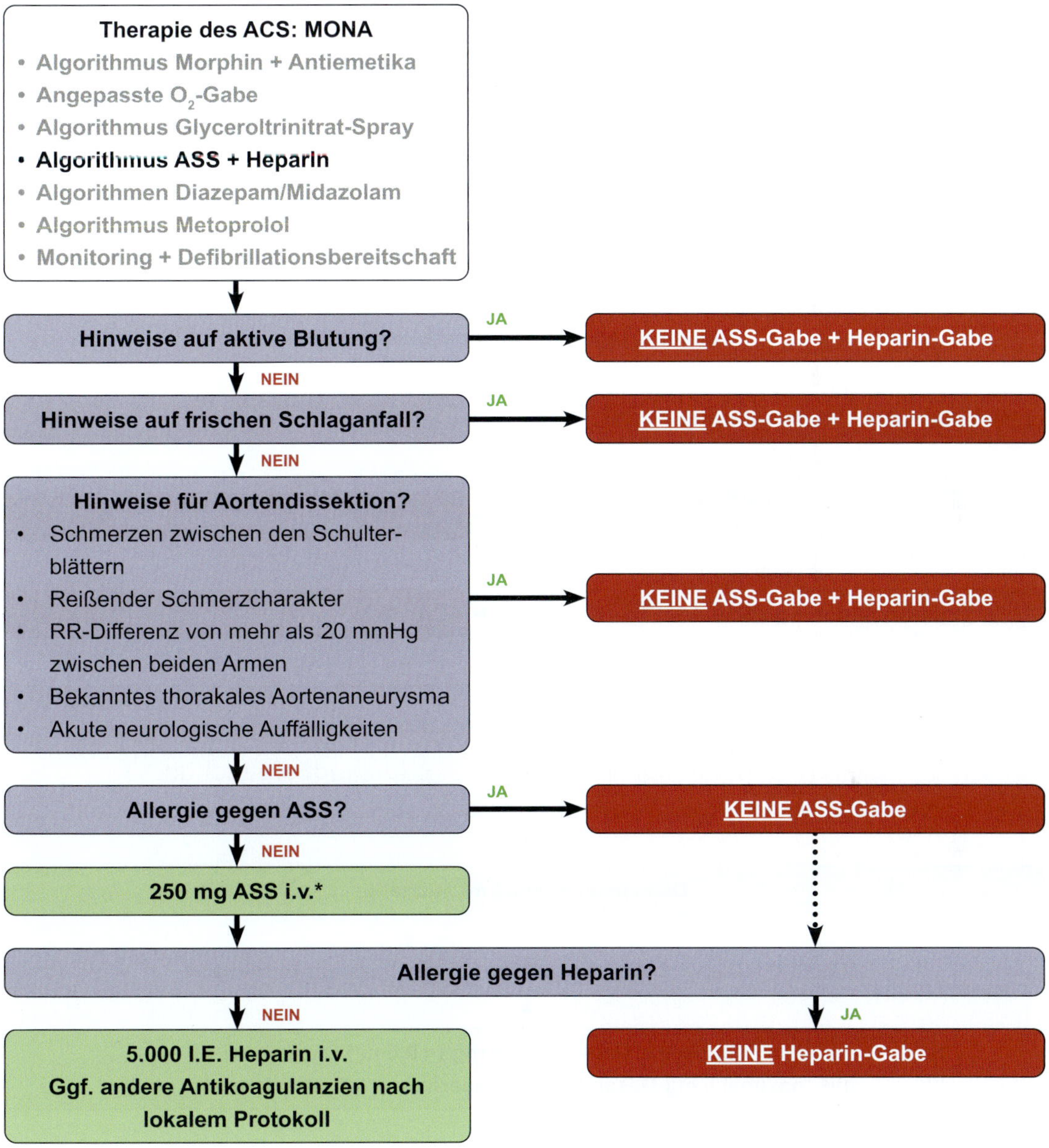

ESC-Leitlinie ACS 2023, ERC-Leitlinie 2021

Deutscher Berufsverband Rettungsdienst e. V. (DBRD)

ACS – Algorithmus Diazepam

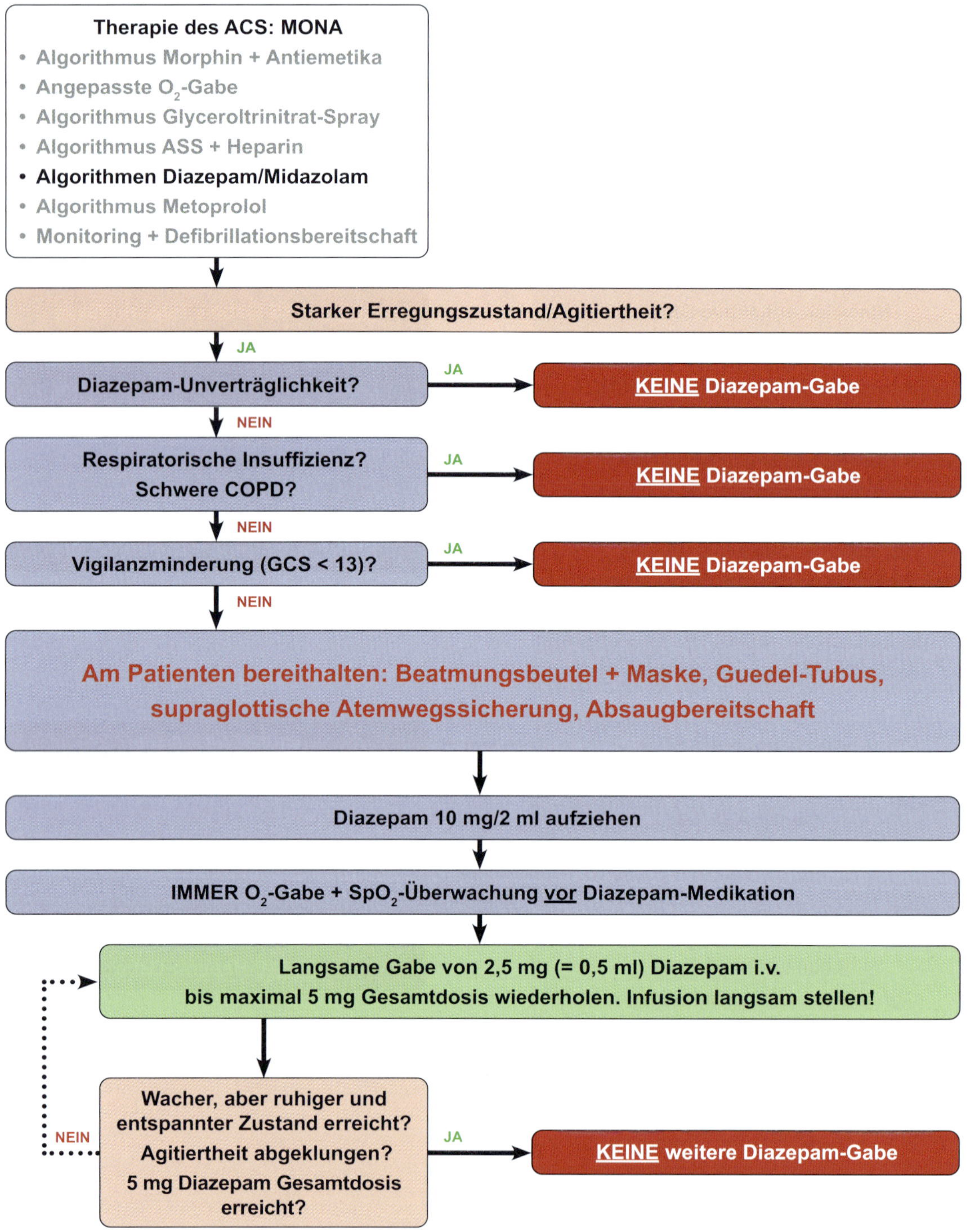

ESC-Leitlinie ACS 2023, ERC-Leitlinie 2021

ACS – Algorithmus Midazolam

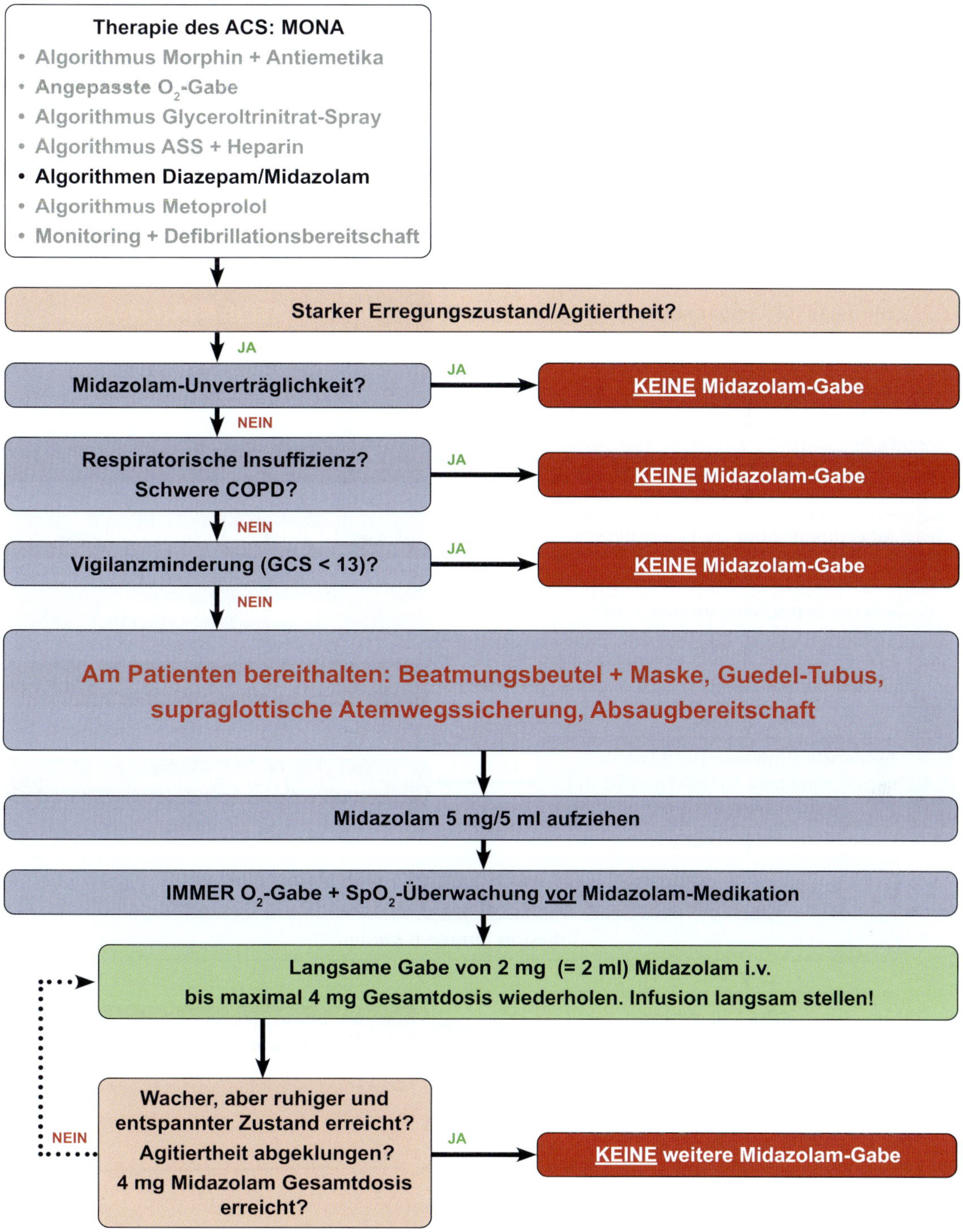

ESC-Leitlinie ACS 2023, ERC-Leitlinie 2021

Deutscher Berufsverband Rettungsdienst e. V. (DBRD)

ACS – Algorithmus Metoprolol

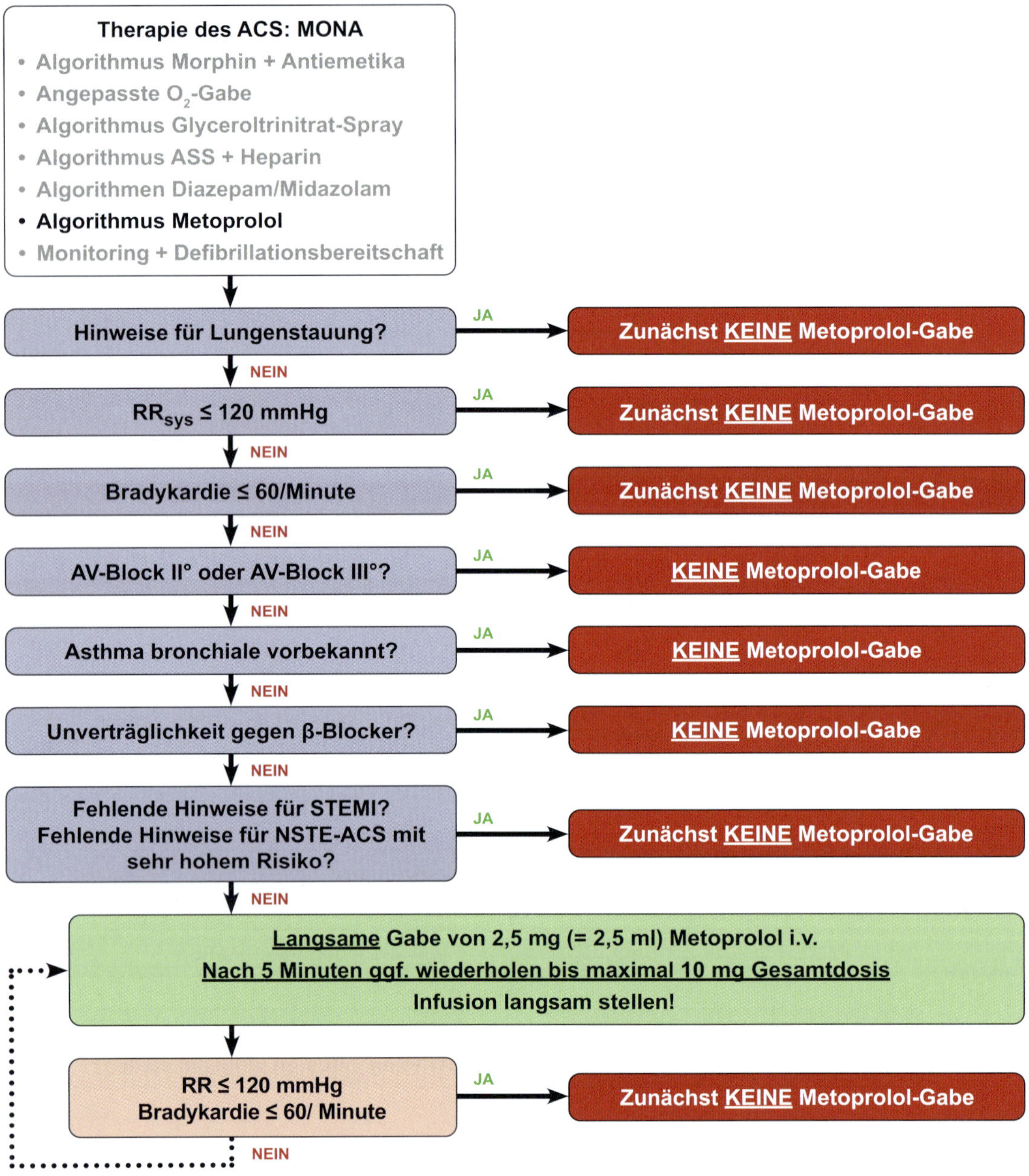

ESC-Leitlinie ACS 2023, ERC-Leitlinie 2021

Deutscher Berufsverband Rettungsdienst e. V. (DBRD)

Transthorakale Schrittmachertherapie

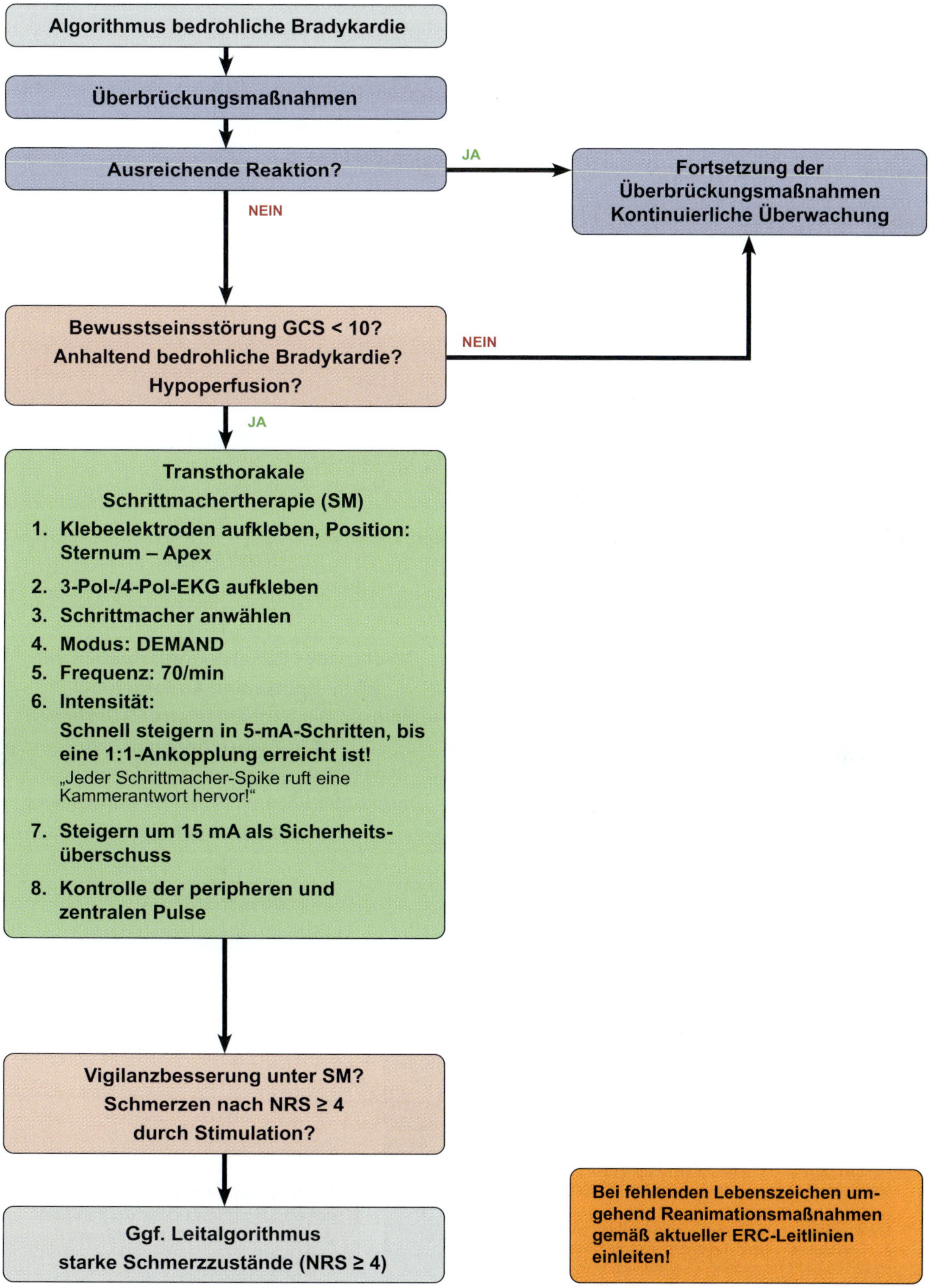

Nach ERC-Leitlinie 2021 und ERC-ALS-Anwendermanual

Deutscher Berufsverband Rettungsdienst e. V. (DBRD)

Tachykarde Herzrhythmusstörungen

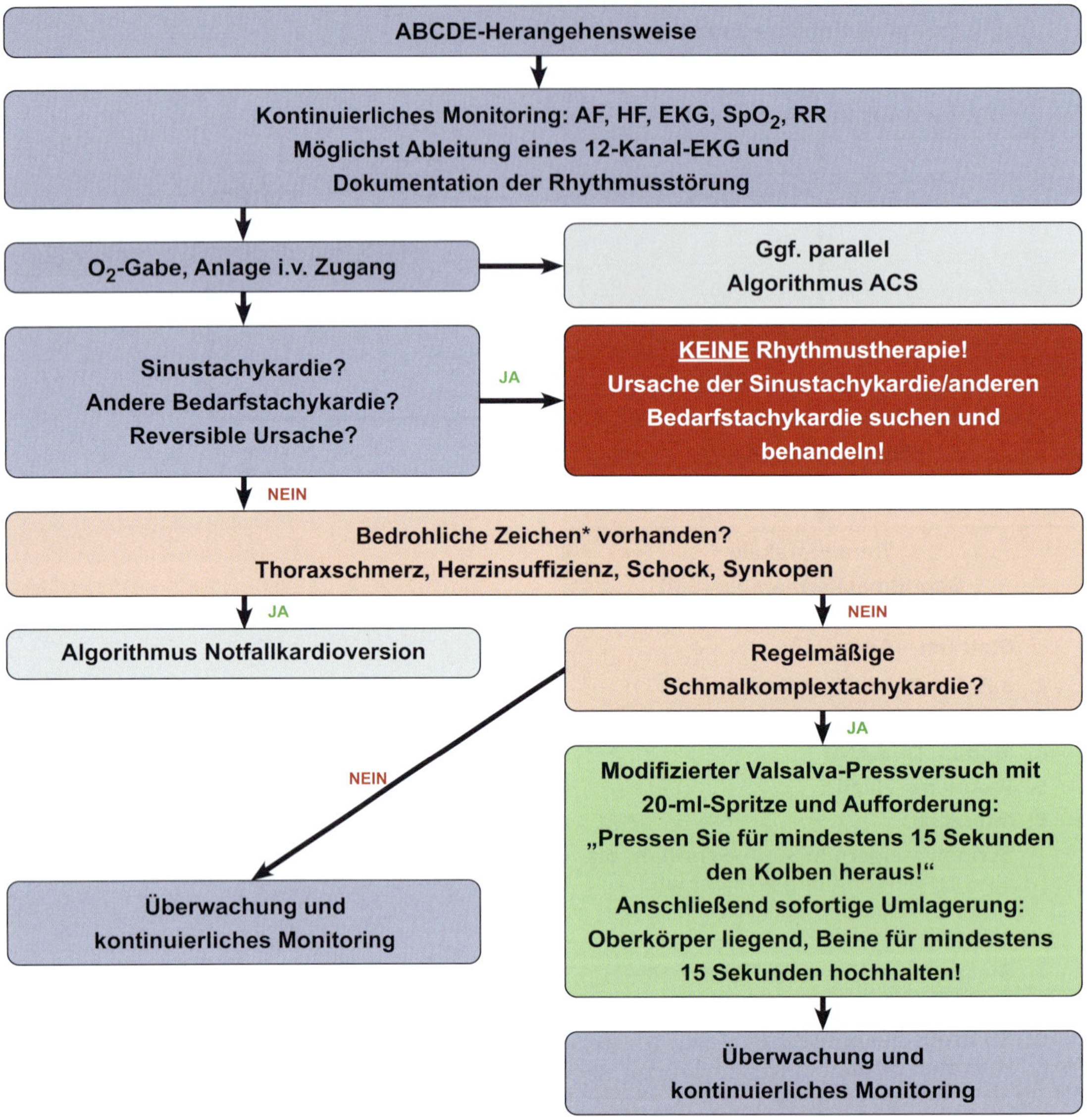

*** Bedrohliche Zeichen:**
Entscheidend ist der klinische Eindruck eines schwerkranken und instabilen Patienten!

Bedrohliche Zeichen (gemäß ERC-Leitlinie 2021):

- Schock (Blässe, Schwitzen, kalte/klamme Extremitäten, Bewusstseinseinschränkungen, Hypotonie (RR_{sys} < 90 mmHg)
- Synkope (Bewusstseinsverlust als Folge des reduzierten zerebralen Blutflusses)
- Herzversagen (in der Akutphase: Lungenödem (Linksherzversagen) und/oder erhöhter jugularvenöser Druck und Leberstauung (Rechtsherzversagen))
- Myokardischämiezeichen (Thoraxschmerz (Angina pectoris), aber auch schmerzfrei und nur durch isolierte Veränderungen im 12-Kanal-EKG erkennbar (stumme Ischämie))

Bei fehlenden Lebenszeichen umgehend Reanimationsmaßnahmen gemäß aktueller ERC-Leitlinien einleiten!

Nach ERC-Leitlinie 2021 und ERC-ALS-Anwendermanual

Deutscher Berufsverband Rettungsdienst e. V. (DBRD)

Notfallkardioversion

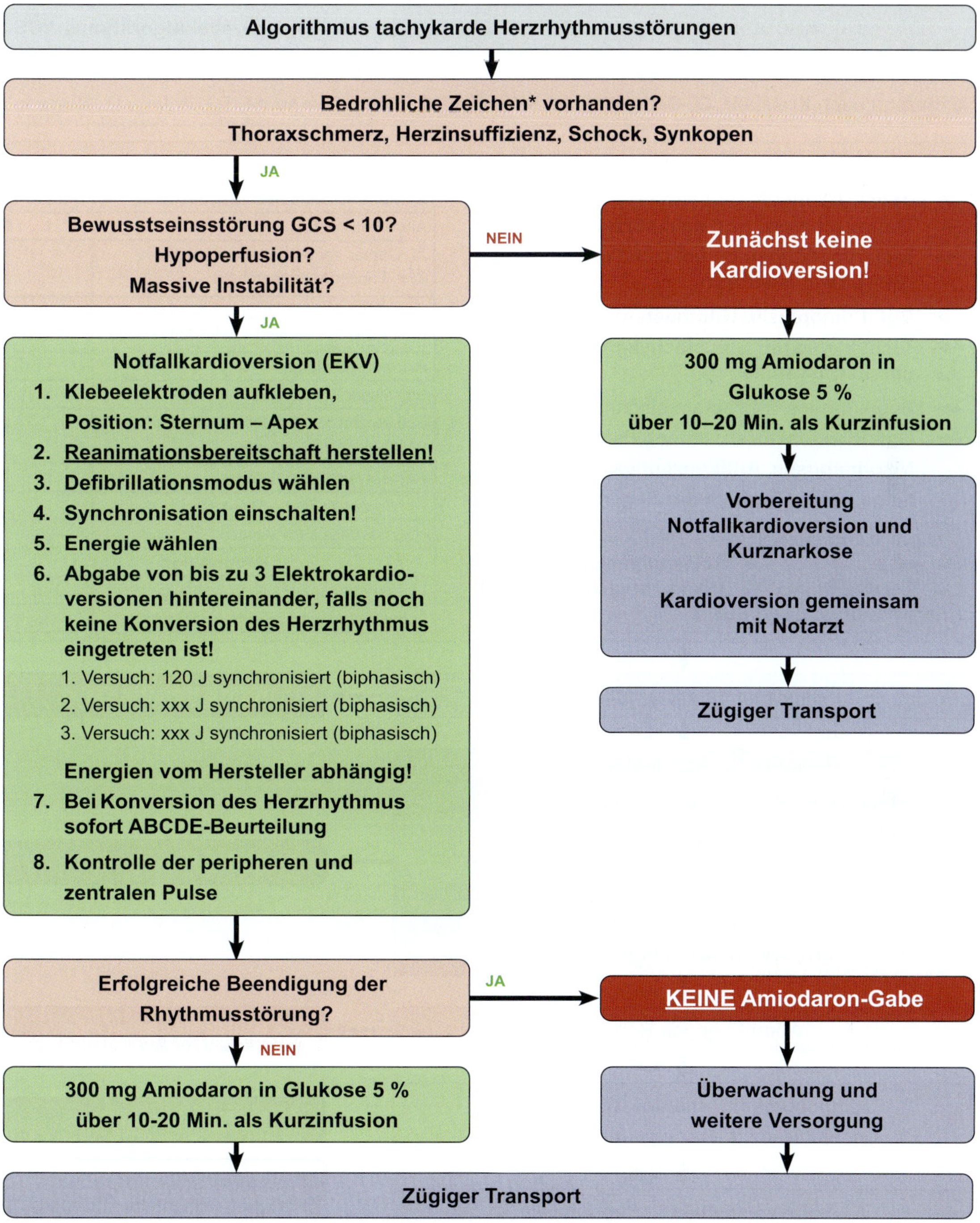

* **Bedrohliche Zeichen:**
Entscheidend ist der klinische Eindruck eines schwerkranken und instabilen Patienten!

Nach ERC-Leitlinie 2021 und ERC-ALS-Anwendermanual

Deutscher Berufsverband Rettungsdienst e. V. (DBRD)

Leitsymptom Dyspnoe/Schock – V. a. Lungenembolie – Erwachsener

ABCDE-Herangehensweise → (Ggf. parallel Algorithmus ACS)

↓

Lagerung nach Kreislauf, O_2-Gabe 15 l/min, RR, HF, EKG, SpO_2, 12-Kanal-EKG, Anlage i.v.-Zugang

Differenzialdiagnose V. a. Lungenembolie bei:

- Akuter Dyspnoe
- Thoraxschmerz, ggf. atemabhängig
- Tachypnoe/Dyspnoe bei meist unauffälligem Auskultationsbefund
- Ggf. Hämoptysen (Bluthusten)
- Tachykardie (oft Sinustachykardie), ggf. Extrasystolie
- Begleitendes C-Problem bis zum Schock
- Ggf. Risikofaktoren: Immobilisation, Nikotinabusus, Antikonzeptiva (Pille), lange Reise, Thrombosezeichen vorliegend

Abgrenzung suchen zu:
- ACS
- Aortendissektion
- Pneumothorax
- Hämorrhagischer Schock

Entscheidung begründen!

Vereinfachter Revidierter Genfer Score

Symptome/Anamnese/Beobachtung	Punkte
Alter > 65 Jahre	1
Z. n. tiefer Venenthrombose oder Z. n. Lungenarterienembolie	1
Z. n. OP innerhalb des letzten Monats Z. n. Fraktur innerhalb des letzten Monats	1
Aktives Krebsleiden	1
Einseitiger Beinschmerz	1
Schmerzen bei Palpation der Beine und/oder Beinschwellung	1
Hämoptysen (Bluthusten)	1
Herzfrequenz 75–94/Minute	1
Herzfrequenz ≥ 95/Minute	2
Beurteilung	
Lungenarterienembolie unwahrscheinlich	0–1
Lungenarterienembolie wahrscheinlich	≥ 2

↓

Hinweise für aktive Blutung? – JA → **KEINE Heparin-Gabe**

↓ NEIN

Hinweise für Aortendissektion?

- Schmerzen zwischen den Schulterblättern
- Reißender Schmerzcharakter
- RR-Differenz von mehr als 20 mmHg zwischen beiden Armen
- Bekanntes thorakales Aortenaneurysma
- Akute neurologische Auffälligkeiten

JA → **KEINE Heparin-Gabe**

↓ NEIN

Allergie gegen Heparin? – JA → **KEINE Heparin-Gabe**

↓ NEIN

Lungenembolie anamnestisch und im Gesamtkontext eher unwahrscheinlich? – JA → **KEINE Heparin-Gabe**

↓ NEIN

Gabe von 5.000 I.E. Heparin i.v.

Bei Hypoperfusion Gabe von 500 ml kristalloider Infusion, ggf. Wiederholung

Erwäge Notfallsonografie:
Hinweise für Rechtsherzbelastung?

Thrombolysetherapie durch Notarzt: Nur im schweren Schock/ Reanimation

ESC-Leitlinie Lungenarterienembolie 2019

Deutscher Berufsverband Rettungsdienst e. V. (DBRD)

Leitalgorithmus kardiales Lungenödem

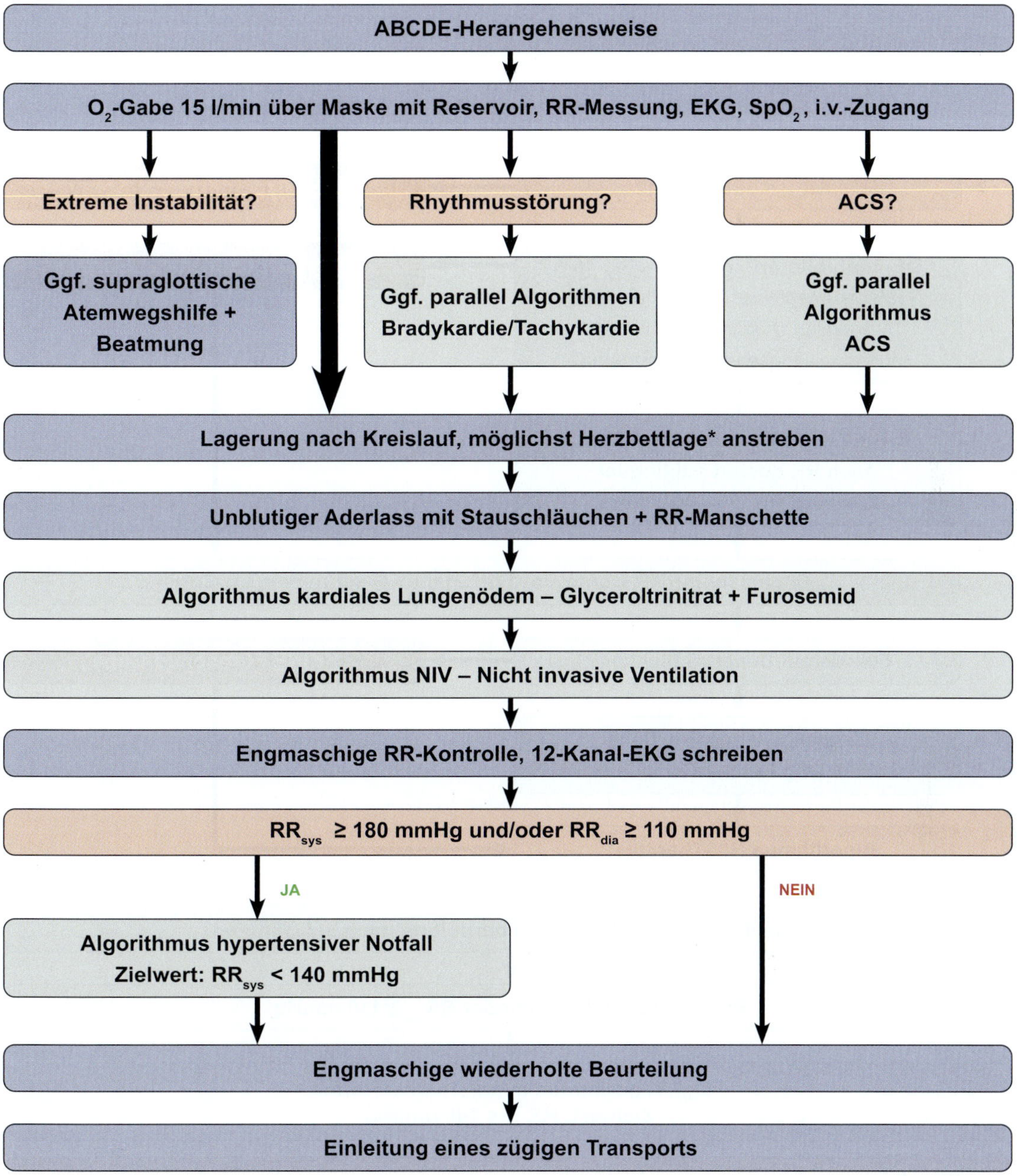

* Herzbettlage: Oberkörper hoch und Beine tief lagern

ESH-Leitlinie Herzinsuffizienz 2021

Deutscher Berufsverband Rettungsdienst e. V. (DBRD)

Kardiales Lungenödem – Glyceroltrinitrat + Furosemid

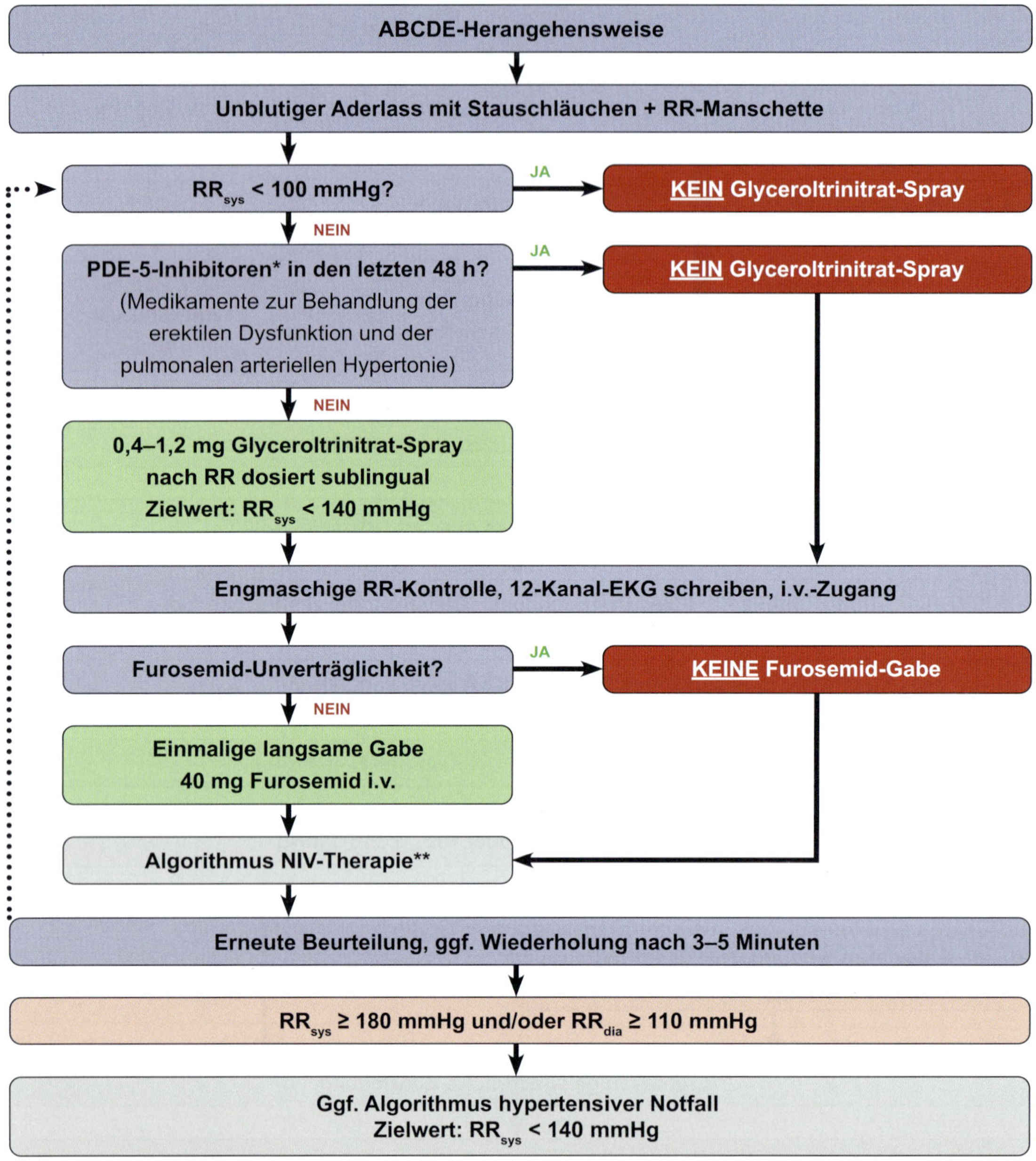

*** PDE-5-Inhibitoren:**
Werden nicht nur zur Behandlung der erektilen Dysfunktion, sondern auch zur Behandlung der pulmonalen arteriellen Hypertonie eingesetzt. Derzeit sind folgende Präparate verfügbar: Viagra®, Cialis®, Levitra®, Sildeagil®, Silnerton®, Sildenafil Hennig®, Sildenafil medac, Sildenafil-neuraxpharm, Tadalafil Hennig®, Tadalafil-neuraxpharm® sowie weitere Generikahersteller für Tadalafil, Tarketin®, Revatio® und Adcirca®

**** Die NIV-Therapie soll durch die medikamentöse Therapie nicht verzögert werden!**

ESC-Leitlinie Herzinsuffizienz 2021; ESH-Leitlinie Hypertension 2023; Fachinformation Nitrolingual

Deutscher Berufsverband Rettungsdienst e. V. (DBRD)

NIV – Nicht invasive Ventilation

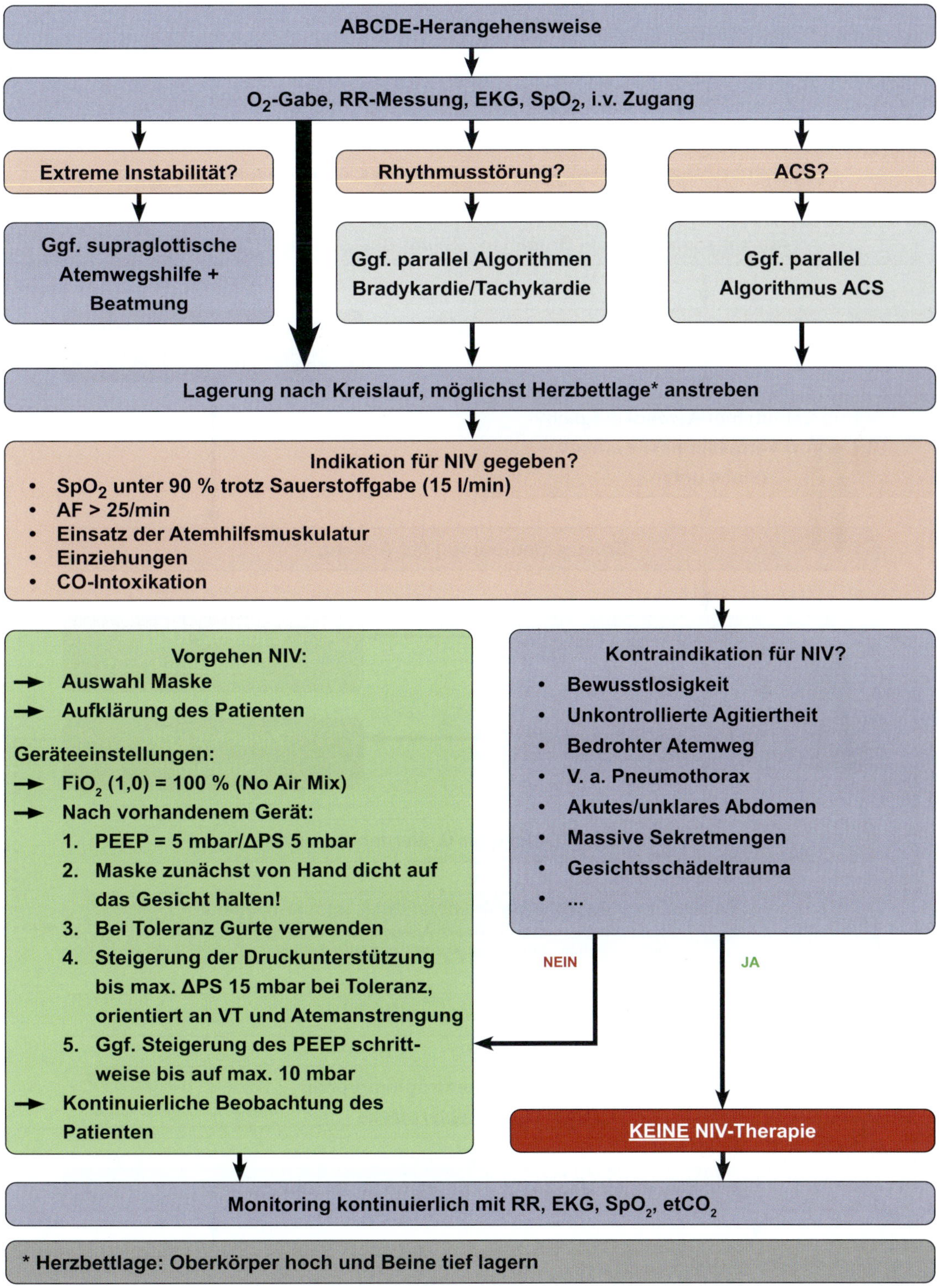

Deutscher Berufsverband Rettungsdienst e. V. (DBRD)

Bronchoobstruktion – Erwachsener

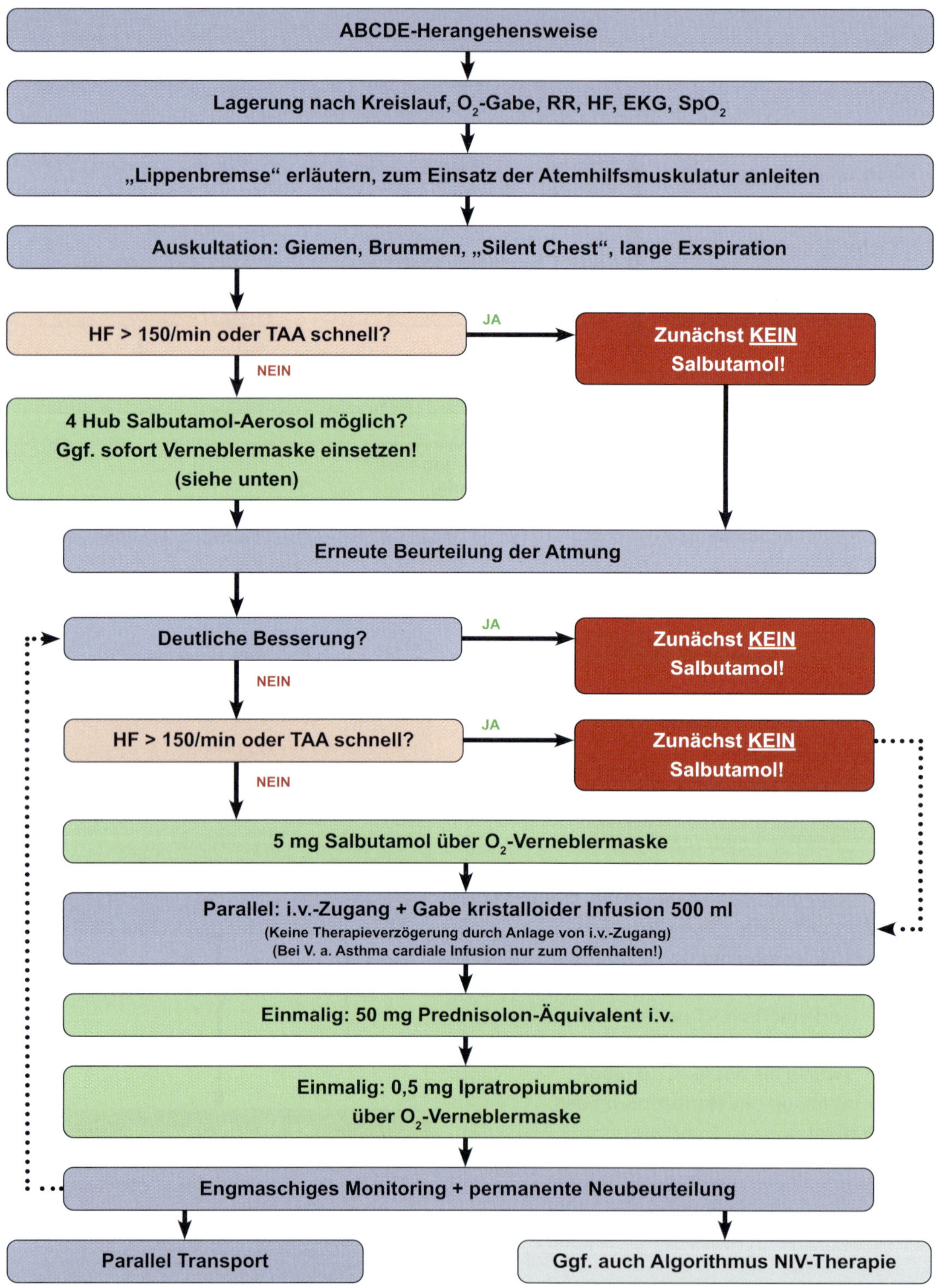

ERC-Leitlinie 2021; Nationale AWMF-Versorgungsleitlinie Asthma Erwachsener; Global Strategy for Asthma Management and Prevention 2023

Deutscher Berufsverband Rettungsdienst e. V. (DBRD)

Anaphylaxie – Erwachsener

ABCDE-Herangehensweise

↓

Akuter Beginn? Allergie bekannt?

Stadium I: Hautreaktion

- Juckreiz
- Hautreaktion
- → (Quaddeln, Rötung, Angioödem ...)
- Flush
- Abdominelle Beschwerden
- → (z. B. krampfartige Bauchschmerzen, Erbrechen)

↓

Allergenexposition wenn möglich beenden!

↓ (weiter zu i.v.-Zugang)

Stadium II + III: Zusätzliche ABCD-Probleme

Atemwegsstörung	z. B. Schwellung, Heiserkeit, Stridor, Sprechen erschwert
Belüftungsstörung	z. B. Tachypnoe, Keuchen, Erschöpfung, Bronchospasmus, Zyanose, SpO_2 < 92 %
Circulation-Störung	z. B. feuchte, kühle Haut, Kreislaufreaktion mit Anstieg der HF um 20/min oder Abfall RR um 20 mmHg
Defizite neurologisch	Vigilanzminderung, Schläfrigkeit, Verwirrtheit

↓

Allergenexposition wenn möglich beenden!

↓

O_2-Gabe 15 l/min, Lagerung nach Kreislauf

↓

Adrenalin 1:1.000
0,5 mg i.m. (0,5 ml) (Oberschenkel)

↓

Bei Stridor/ Bronchospastik: **4 mg Adrenalin pur mit O_2 vernebeln** → **Ggf. parallel Algorithmus Bronchoobstruktion**

↓

i.v.-Zugang + 500–1.000 ml kristalloide Infusionslösung

↓

Kontinuierliches Monitoring: AF, HF, EKG, SpO_2, RR

↓

Einmalgabe:

- **250 mg Prednisolon-Äquivalent i.v.**
- **0,05 mg/kg KG Clemastin oder 0,1 mg/kg KG Dimetinden (H_1-Blocker) i.v.**
- **200 mg Cimetidin oder andere H_2-Blocker i.v.**

↓

Wenn nach 5 Minuten keine Besserung: Wiederholung Adrenalin 1:1.000 0,5 mg i.m. (0,5 ml) (Oberschenkel) (→ zurück zu Adrenalin 1:1.000)

Kein Adrenalin in Stadium I
Adrenalingabe erst ab Stadium II

Nach ERC-Leitlinie 2021; AWMF-S2k-Leitlinie Akuttherapie und Management der Anaphylaxie 2021 – Update 2021 der Deutschen Gesellschaft für Allergologie und klinische Immunologie (DGAKI)

Fremdkörperentfernung – Erwachsener

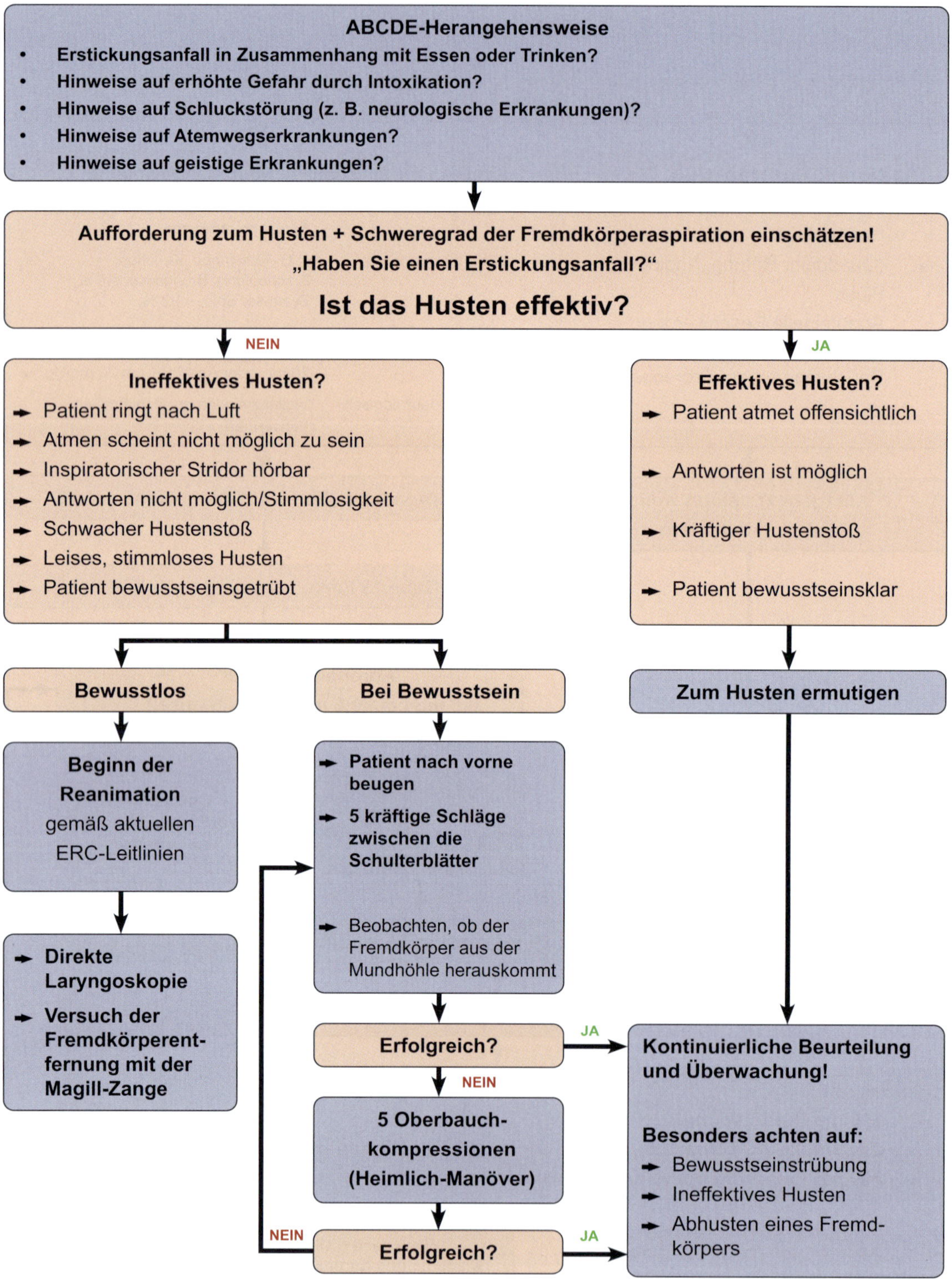

ERC-Leitlinie 2021

Deutscher Berufsverband Rettungsdienst e. V. (DBRD)

Hypoglykämie

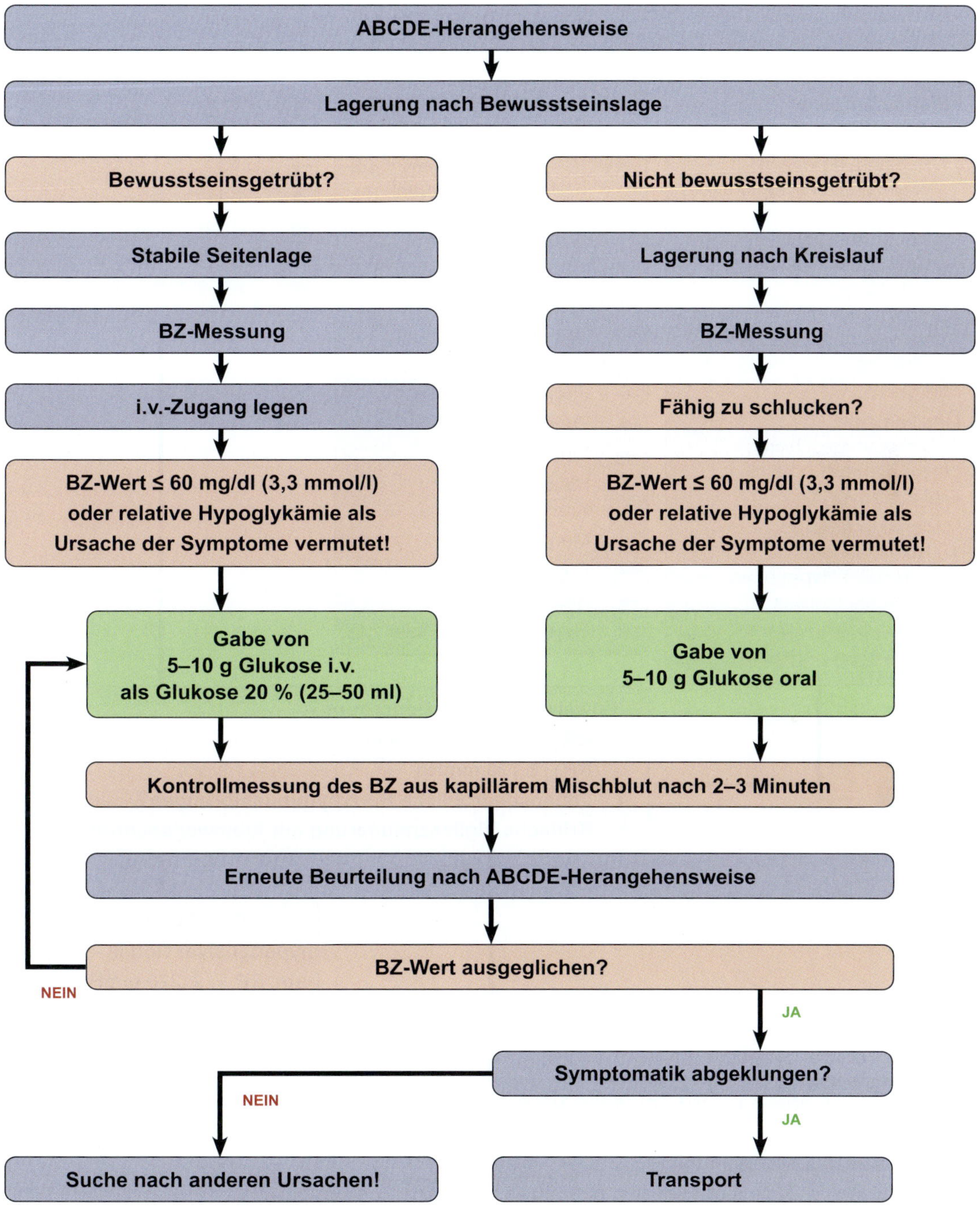

S3-Leitlinie Therapie des Typ-1-Diabetes 2023-AWMF 057-013

Deutscher Berufsverband Rettungsdienst e. V. (DBRD)

V. a. Schlaganfall

ABCDE-Herangehensweise

Pflichtanamnese:

Symptome
- Beginn eingrenzen
- Wann zuletzt symptomfrei?
- Zeitlicher Verlauf
- Neuer Schwindel?
- Gleichgewichtsstörung?
- Sehstörungen?
- Kopfschmerz?
- Vernichtungskopfschmerz?
- Übelkeit?

Allergien
Medikamente
Patientenvorgeschichte
Letzte Mahlzeit
Ereignis zuvor
Risikofaktoren
- Nikotinabusus
- Arterieller Hypertonus
- Diabetes mellitus ...

Telefonnummer der Angehörigen notieren!

Fokussierte Untersuchung:

→ **BE-FAST**-Untersuchung

Balance: Gleichgewichtsstörung, Gangunsicherheit, Schwindel
Eyes: Sehstörungen
Face: Zähne zeigen
Arm: Armhalteversuch
Speech: Sprechvermögen
Time: Verlauf

→ Finger-Nase-Versuch
→ Zungenbiss?
→ Einnässen?
→ Hinweise auf Krampfanfall?
→ Meningismus
→ Pupillenstatus
→ Blickabweichung?
→ Glasgow Coma Scale

Messwerte:

→ **BZ-Messung**
→ EKG
→ SpO_2
→ 12-Kanal-EKG
→ RR-Messung
→ Temperatur

Hinweise auf vitale Bedrohung?
- **RR_{sys} ≥ 220 mmHg oder RR_{dia} ≥ 120 mmHg**
- **Lebensbedrohliche Herzrhythmusstörungen?**
- **Kritische Vigilanzminderung mit Atemwegsbedrohung?**

JA → **Ggf. Algorithmus hypertensiver Notfall – Urapidil ab: RR_{sys} ≥ 220 mmHg oder RR_{dia} ≥ 120 mmHg**

NEIN →

Versorgung OHNE Notarzt + Transport zur nächsten Stroke Unit

→ Angepasste Sauerstoffgabe
→ Oberkörperhochlagerung
→ Anlage i.v. Zugang und Infusion von 500 ml kristalloider Infusionslösung
→ Hypoglykämie ≤ 60 mg/dl (3,3 mmol/l) ausgleichen (Zielwert BZ: 70–200 mg/dl bzw. 4–11 mmol/l)
→ Transport mit Sonderrechten unter Voranmeldung

Ziel: Versorgungszeit < 25 Minuten + präklinische Zeit < 60 Minuten

DGN-Leitlinie Akuttherapie des ischämischen Schlaganfalls – Version 2021

Deutscher Berufsverband Rettungsdienst e. V. (DBRD)

Krampfanfall – Erwachsener

ABCDE-Herangehensweise

↓

Lagerung nach Bewusstseinslage

↓

Andauernder Krampfanfall?

- NEIN → **Ggf. stabile Seitenlage** → weiter zu: BZ-Messung, EKG, SpO_2, i.v.-Zugang
- JA ↓

Schutz vor Verletzungen

↓

Auswahl Zugangsweg: i.n., bukkal, i.m. oder i.v.

Linker Pfad:

Alternativer Applikationsweg möglich und situativ günstiger?

↓

Midazolam (5 mg/ml):
Erwachsener < 40 kg KG: 5 mg
Erwachsener > 40 kg KG: 10 mg
- **intranasal** über Mucosal Atomization Device
- **bukkale** Zubereitung (in die Wangentasche)
- **intramuskulär** lateraler Oberschenkel

Ggf. 1 x wiederholen, falls Anfall andauert

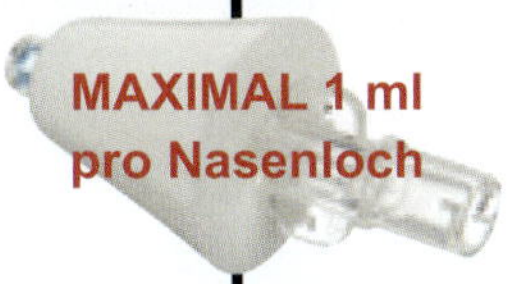

↓

Aspirationsschutz
Ggf. stabile Seitenlage

Rechter Pfad:

i.v.-Zugang möglich und Applikation situativ günstiger?

↓

Anlage i.v.-Zugang

↓

Midazolam (1 mg/ml) für i.v.-Zugang:
Erwachsener < 40 kg KG: 5 mg langsam i.v.
Erwachsener > 40 kg KG: 10 mg langsam i.v.

↓

Falls andauernder Krampfanfall nach 5 Minuten

↓

Midazolam (1 mg/ml) für i.v.-Zugang:
Erwachsener < 40 kg KG: 5 mg langsam i.v.
Erwachsener > 40 kg KG: 10 mg langsam i.v.

↓

Aspirationsschutz
Ggf. stabile Seitenlage

↓

BZ-Messung, EKG, SpO_2, i.v.-Zugang – falls noch nicht geschehen

↓

Ggf. Algorithmus Hypoglykämie

↓

Ursachensuche: Schlaganfall, SHT, Alkoholentzug, Intoxikation ...

DGN-Clinical-Pathway Status epilepticus 2021

Starker Erregungszustand – Erwachsener

Starker Erregungszustand
- Psychischer Ausnahmezustand
- Aggressivität
- Hyperventilation/Hyperventilationstetanie
- Agitiertheit

Starker Erregungszustand/Agitiertheit?
- NEIN → **KEINE Gabe von Sedativa**
- JA ↓

Diazepam-/Lorazepam-Unverträglichkeit?
- JA → **KEINE Gabe von Sedativa**
- NEIN ↓

Respiratorische Insuffizienz? Schwere COPD?
- JA → **KEINE Gabe von Sedativa**
- NEIN ↓

Vigilanzminderung (GCS < 14)?
- JA → **KEINE Gabe von Sedativa**
- NEIN ↓

IMMER O_2-Gabe + SpO_2-Überwachung vor Medikation
Ggf. Anlage eines i.v.-Zugangs + laufende kristalloide Infusion
Am Patienten bereithalten: Beatmungsbeutel + Maske, Guedel-Tubus, supraglottische Atemwegshilfe, Absaugbereitschaft

↓

Orale/bukkale/nasale Gabe situativ möglich und sinnvoll?
- NEIN → Langsame Gabe von Diazepam i.v. (siehe unten)
- JA ↓

Orale/bukkale Gabe von 1 mg Lorazepam (Tavor® Expidet)
ODER nasale Gabe von 10 mg Midazolam über MAD

↓

Wacher, aber ruhiger und entspannter Zustand erreicht? Agitiertheit abgeklungen?
- JA → **KEINE Gabe von Sedativa**
- NEIN ↓

Langsame Gabe von 2,5 mg (= 0,5 ml) Diazepam i.v.
bis maximal 5 mg Gesamtdosis wiederholen
Alternativ: Langsame Gabe von 2 mg Midazolam (= 2 ml) bis maximal 4 mg Gesamtdosis wiederholen
Infusion langsam stellen!

↓

Wacher, aber ruhiger und entspannter Zustand erreicht? Agitiertheit abgeklungen?
- JA → **KEINE Gabe von Sedativa**
- NEIN → zurück zur langsamen Gabe (Diazepam/Midazolam i.v.)

Sedierte Patienten sollten im Verlauf einen i.v. Zugang erhalten. Die Sedierung sollte immer als letzte Therapieoption angewandt werden! Meist sind Beruhigung und Betreuung und ggf. Rückatmung erfolgreiche Maßnahmen.

S2k-Leitlinie Notfallpsychiatrie 2019 – Deutsche Gesellschaft fur Psychiatrie und Psychotherapie, Psychosomatik und Nervenheilkunde (DGPPN)

Deutscher Berufsverband Rettungsdienst e. V. (DBRD)

Sepsis

ABCDE-Herangehensweise

↓

SAMPLER-Anamnese, fokussierte Untersuchung und Monitoring

↓

V. a. Infektion z. B. gestützt durch:
- Fieber > 38,0 °C (nicht zwingend), ggf. < 36,0 °C
- Husten, Auswurf
- Grippale Symptome
- Hauterscheinungen (z. B. Petechien, Erysipel, Wunden)
- Beschwerden einer Gastroenteritis (z. B. Erbrechen, Diarrhö)
- Hinweise auf Harnwegsinfekt (z. B. typischer Geruch, Katheterurin auffällig aussehend)
- Anamnestische Hinweise (z. B. bekannte Infektion, Immunsuppression)

Im Gesamtkontext wird eine **Infektion** vermutet! An eine mögliche **Sepsis** denken!

↓

qSOFA (**q**uick **S**epsis-related **O**rgan **F**ailure **A**ssessment)

Atemfrequenz	≥ 22/min	1 Punkt
Systolischer Blutdruck	≤ 100 mmHg	1 Punkt
Akute Vigilanzminderung	GCS < 15	1 Punkt

→ qSOFA-Score nur **1** Punkt → **Standardversorgung** **Regelmäßige Neubeurteilung**

↓

qSOFA-Score **2 oder 3** Punkte

↓

Sepsis wahrscheinlichste Verdachtsdiagnose? Keine andere und bessere Erklärung?

NEIN → **Standardversorgung** **Regelmäßige Neubeurteilung** → Ggf. Wechsel zu Algorithmus:
- → ACS
- → Bedrohliche Bradykardie
- → Bedrohliche Tachykardie
- → Spannungspneumothorax
- → Anaphylaxie
- → Bewusstseinsstörung/Hypoglykämie
- → …

JA ↓

V. a. Sepsis

↓

Standardversorgung
i.v.-Zugang + 30 ml/kg KG kristalloide Lösung als zügige Infusion bei bestehender Hypotonie mit RR_{sys} < 100 mmHg

↓

Kontinuierliches Monitoring: AF, HF, EKG, SpO_2, RR (→ zurück zur Standardversorgung)

↓

Zügiger Transport
Priorisierung der Übergabe!

KLARE ÜBERGABE DES SEPSISVERDACHTS

An eine SEPSIS denken!

S3-Leitlinie Sepsis – Prävention, Therapie und Nachsorge 2020 – Deutsche Sepsisgesellschaft

V. a. drohende Addison-Krise – akute Nebenniereninsuffizienz

ABCDE-Herangehensweise

↓

SAMPLER-Anamnese, fokussierte Untersuchung und Monitoring

↓

Bekannte Nebenniereninsuffizienz – Morbus Addison

- Vorliegender nationaler oder europäischer Notfallausweis
- Patient berichtet von bekanntem Morbus Addison oder Hypophyseninsuffizienz

↓

Verdachtsdiagnose akute/drohende Nebenniereninsuffizienz bei starker Belastung?

Beispielsweise drohend bei:

- Schwerer Infektion – Sepsis
- Schwerer Gastroenteritis
- Verkehrsunfall
- Schock

Klinische Hinweise:

- Hypoglykämie
- Erniedrigter Blutdruck
- Benommenheit

↓

Versorgung nach rettungsdienstlichem Standard inklusive i.v.-Zugang
Versorgung des akuten Notfallbildes

↓

Versorgungsempfehlungen gemäß Notfallausweis durchführen

↓

1.000 ml balancierte Vollelektrolytlösung, ggf. wiederholen

↓

25 mg Prednisolon i.v.
oder 100 mg Prednison oder Prednisolon rektal
oder Notfallampulle des Patienten (100 mg Hydrocortison i.v. oder i.m.)

↓

Einleitung des Transports – Übergabe mit Hinweis auf Morbus Addison/ Nebenniereninsuffizienz

Bevorstehende Geburt – Transportentscheidung

ABCDE-Herangehensweise

↓

Bevorstehende oder einsetzende Geburt?

Bevorstehende Geburt

- **Wehentätigkeit > 2 Minuten**
- Vorzeitiger Blasensprung + Wehen

↓

Versorgung nach rettungsdienstlichem Standard

- Ggf. i.v.-Zugang
- Mutterpass einsehen und mitnehmen
- Lagerung in bequemer Position
- ▸ **Bei vorzeitigem Blasensprung ausschließlich liegende Position**
- Vorsicht: Vena-cava-Kompressionssyndrom
- ▸ **Lagerung in Linksseitenlage anstreben**

↓

Geburtshilfliche Notfallanamnese:

- Anzahl der vorangegangenen Schwangerschaften und Geburten
- Schwangerschaftsverlauf
- Zeitgerechte und normale Kindsentwicklung
- Geburtshilfliche Symptomatik (Schmerzen, Blutung, Wehentätigkeit, (vorzeitiger) Blasensprung, Fruchtwasserfarbe)
- Geburtsmodus vorangegangener Geburten (Spontangeburt, Kaiserschnitt ...)
- Komplikationen vorangegangener Geburten
- Geburtshilfliche/gynäkologische Voroperationen

↓

Notfalltransport in den Kreißsaal

Einsetzende Geburt

- **Regelmäßige Wehen < 2 Minuten**
- Presswehen, Pressdrang
- Abdominelle Schmerzen
- Vorangehender Kindskopf in der Vulva sichtbar
- Klaffen des Anus
- Ggf. Blutabgang
- Ggf. Flüssigkeitsabgang

↓

Versorgung nach rettungsdienstlichem Standard

- Immer i.v.-Zugang
- Mutterpass einsehen und mitnehmen

↓

Informationen aus dem Mutterpass:

- Placenta praevia

Kindslage im Mutterpass nachschauen:

- **BEL = Beckenendlage?**
- ▸ **Keine Geburt vor Ort möglich**
- **QL = Querlage?**
- ▸ **Keine Geburt vor Ort möglich**

JA → **Notfalltransport in den Kreißsaal Notarztnachforderung!**

NEIN ↓

Informationen aus dem Mutterpass:

- **SL = Schädellage**
- ▸ **Geburt vor Ort möglich**

↓

Kein Transport – Geburt vor Ort

↓

Algorithmus einsetzende Geburt

Deutscher Berufsverband Rettungsdienst e. V. (DBRD)

Einsetzende Geburt

Einsetzende Geburt

- **Regelmäßige Wehen < 2 Minuten**
- Presswehen, Pressdrang
- Abdominelle Schmerzen
- Vorangehender Kindskopf in der Vulva sichtbar
- Klaffen des Anus
- Ggf. Blutabgang
- Ggf. Flüssigkeitsabgang, Blasensprung

↓

- IMMER Anlage i.v.-Zugang
- Ruhige Umgebung schaffen
- Ausreichende Raumtemperatur sicherstellen
- Gebärende und deren Partner beruhigen
- Gebärende nicht mehr laufen lassen
- Lagerung ggf. in Rückenlage mit leicht erhöhtem Oberkörper und angewinkelten, gespreizten Beinen
- Vorsicht: Vena-cava-Kompressionssyndrom
- Lagerung in Linksseitenlage anstreben
- Sterile Unterlage vorlegen (z. B. Brandwundenverbandtuch)
- Abnabelung vorbereiten: 2 Nabelklemmen, 1 sterile Schere/Skalpell, sterile Kompressen

↓

GEBURT – Geburtsfortschritt beobachten – **NICHT EINGREIFEN!**

1. **Geburt des führenden Kindsteils (meist Kopf!)**
   - Dammschutz und Führung bei Durchgleiten des Kopfes
   - Nach Entwicklung des Kopfes sofortiger Ausschluss einer Umschlingung der Nabelschnur um den Kopf
2. **Geburt des kindlichen Körpers**
   - Vordere Schulter unter Senkung des Kopfes entwickeln, bis die Oberarmmitte sichtbar ist
   - Hintere Schulter unter Anheben des Kopfes **OHNE** Zug entwickeln

Nicht am Kind ziehen!

↓

Abnabelung

- Abnabelung erst nach 1 Minute (bei akuter Bedrohung sofort!)
- Ca. 20 cm vom Kind entfernt zwei Nabelklemmen im Abstand von 3 cm setzen und zwischen den Nabelklemmen durchtrennen
- Abtrocknen des Kindes und Wärmeerhalt mit Tüchern
- Uhrzeit notieren*
- APGAR nach 1 Minute, 5 Minuten und 10 Minuten erheben
- Nachgeburt nicht abwarten – Mutter + Kind (+ ggf. Plazenta) in die nächstgelegene Geburtsklinik transportieren

↓

Algorithmus Neugeborenenversorgung direkt nach der Geburt

↓

Transport

* **Geburtszeitpunkt:**
Als Geburtszeitpunkt gilt die Zeit, zu der das Kind vollständig und lebend aus dem Mutterleib ausgetreten ist.

Deutscher Berufsverband Rettungsdienst e. V. (DBRD)

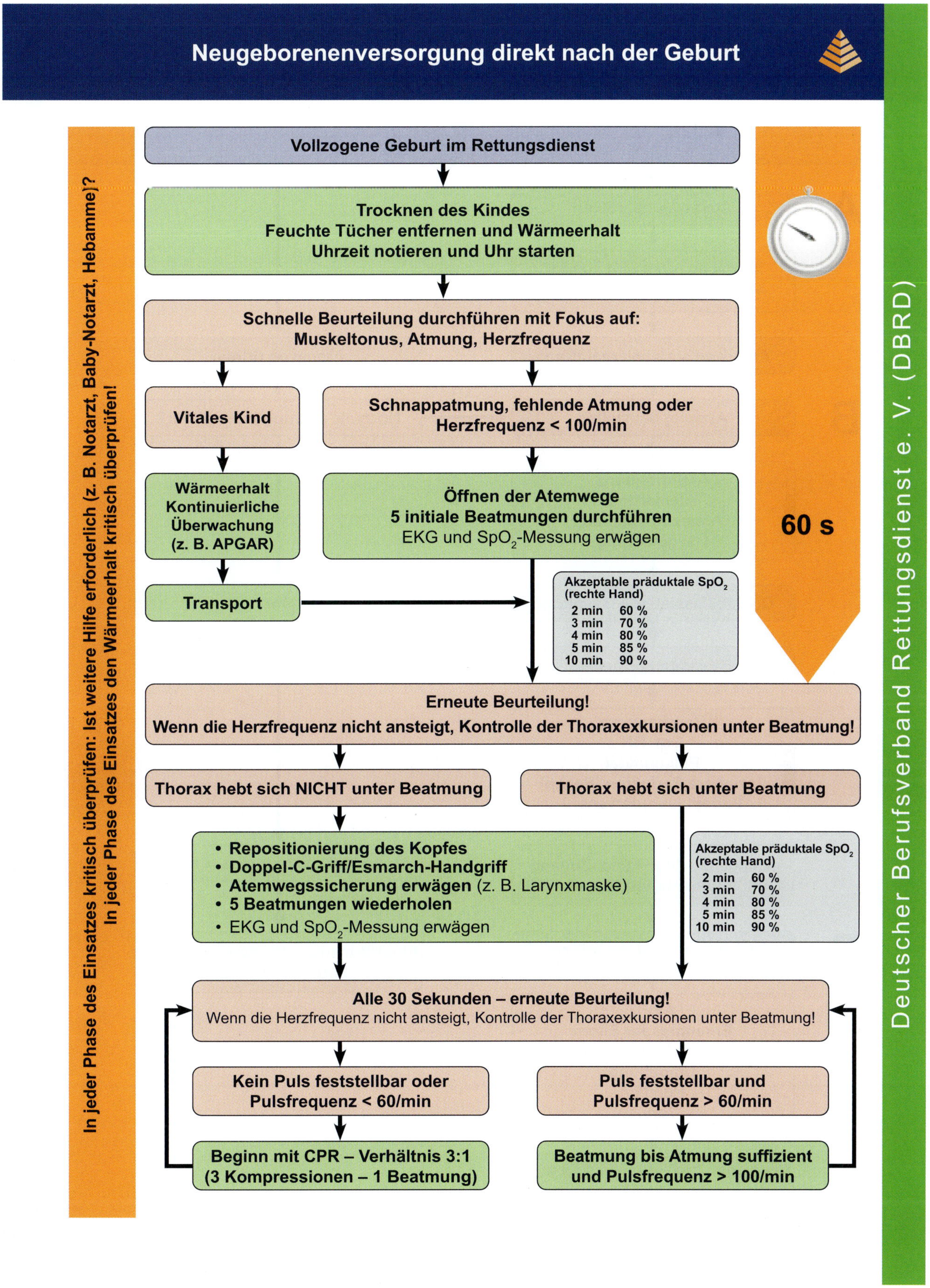
Neugeborenenversorgung direkt nach der Geburt
In jeder Phase des Einsatzes kritisch überprüfen: Ist weitere Hilfe erforderlich (z. B. Notarzt, Baby-Notarzt, Hebamme)?
In jeder Phase des Einsatzes den Wärmeerhalt kritisch überprüfen!
Vollzogene Geburt im Rettungsdienst
Trocknen des Kindes
Feuchte Tücher entfernen und Wärmeerhalt
Uhrzeit notieren und Uhr starten
Schnelle Beurteilung durchführen mit Fokus auf:
Muskeltonus, Atmung, Herzfrequenz
Vitales Kind
Schnappatmung, fehlende Atmung oder Herzfrequenz < 100/min
Wärmeerhalt
Kontinuierliche Überwachung
(z. B. APGAR)
Öffnen der Atemwege
5 initiale Beatmungen durchführen
EKG und SpO_2-Messung erwägen
Transport
Akzeptable präduktale SpO_2 (rechte Hand)
2 min 60 %
3 min 70 %
4 min 80 %
5 min 85 %
10 min 90 %
60 s
Erneute Beurteilung!
Wenn die Herzfrequenz nicht ansteigt, Kontrolle der Thoraxexkursionen unter Beatmung!
Thorax hebt sich NICHT unter Beatmung
Thorax hebt sich unter Beatmung
• Repositionierung des Kopfes
• Doppel-C-Griff/Esmarch-Handgriff
• Atemwegssicherung erwägen (z. B. Larynxmaske)
• 5 Beatmungen wiederholen
• EKG und SpO_2-Messung erwägen
Akzeptable präduktale SpO_2 (rechte Hand)
2 min 60 %
3 min 70 %
4 min 80 %
5 min 85 %
10 min 90 %
Alle 30 Sekunden – erneute Beurteilung!
Wenn die Herzfrequenz nicht ansteigt, Kontrolle der Thoraxexkursionen unter Beatmung!
Kein Puls feststellbar oder Pulsfrequenz < 60/min
Puls feststellbar und Pulsfrequenz > 60/min
Beginn mit CPR – Verhältnis 3:1
(3 Kompressionen – 1 Beatmung)
Beatmung bis Atmung suffizient und Pulsfrequenz > 100/min
Deutscher Berufsverband Rettungsdienst e. V. (DBRD)

Erkennen des kritisch kranken Kindes

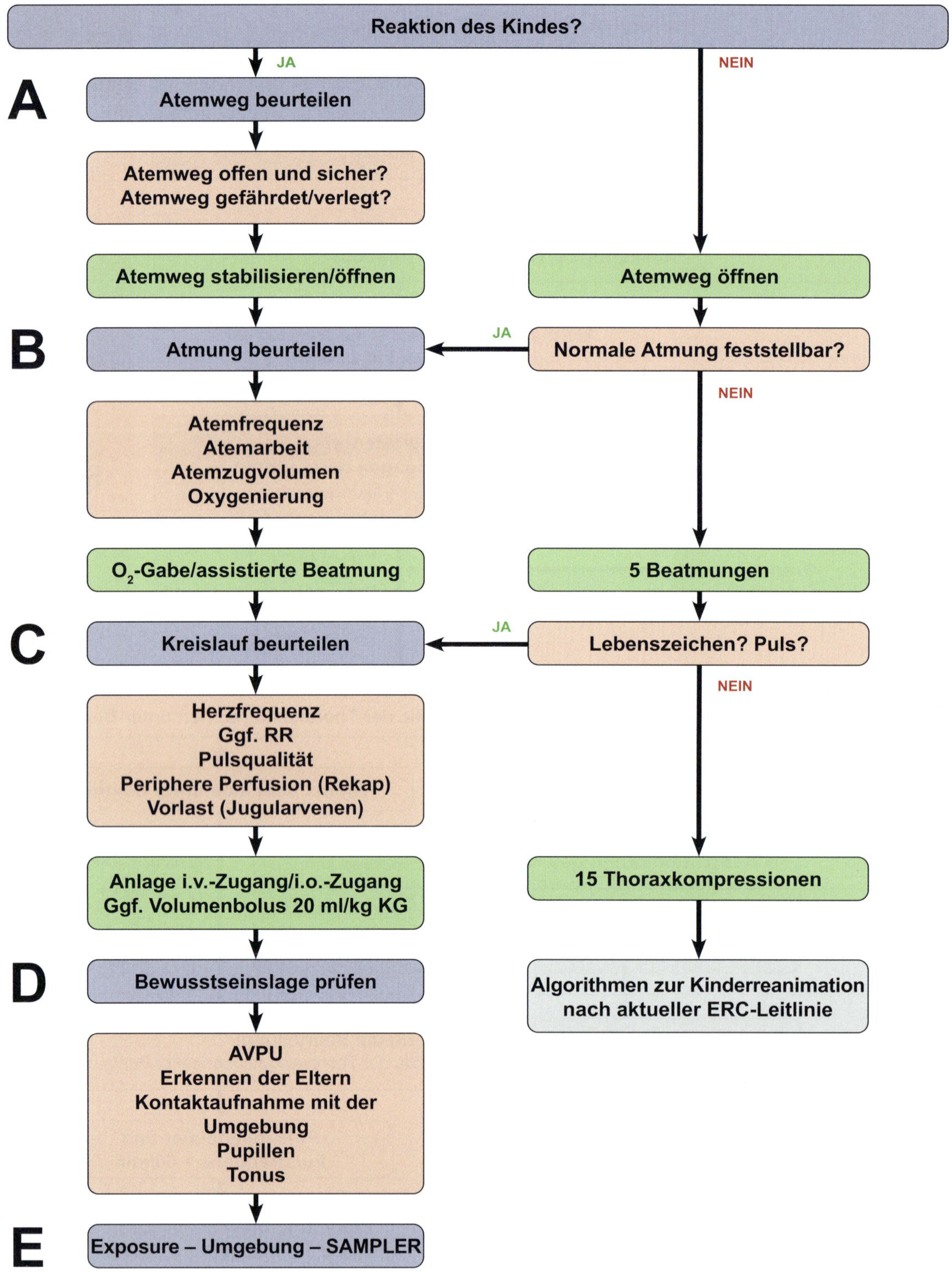

Nach ERC-EPALS-Anwendermanual

Deutscher Berufsverband Rettungsdienst e. V. (DBRD)

Dyspnoe – Kind

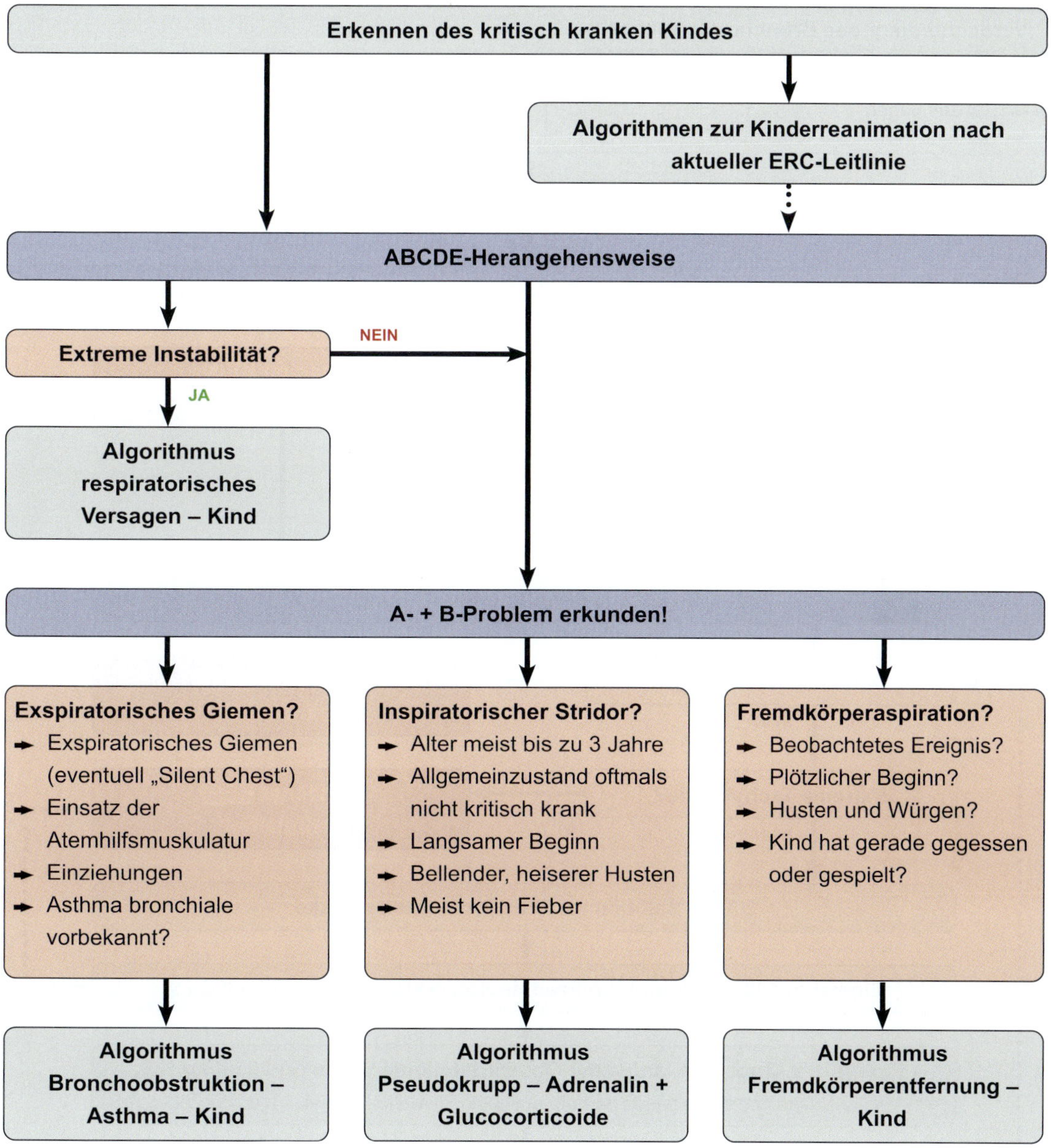

Bronchoobstruktion – Asthma – Kind

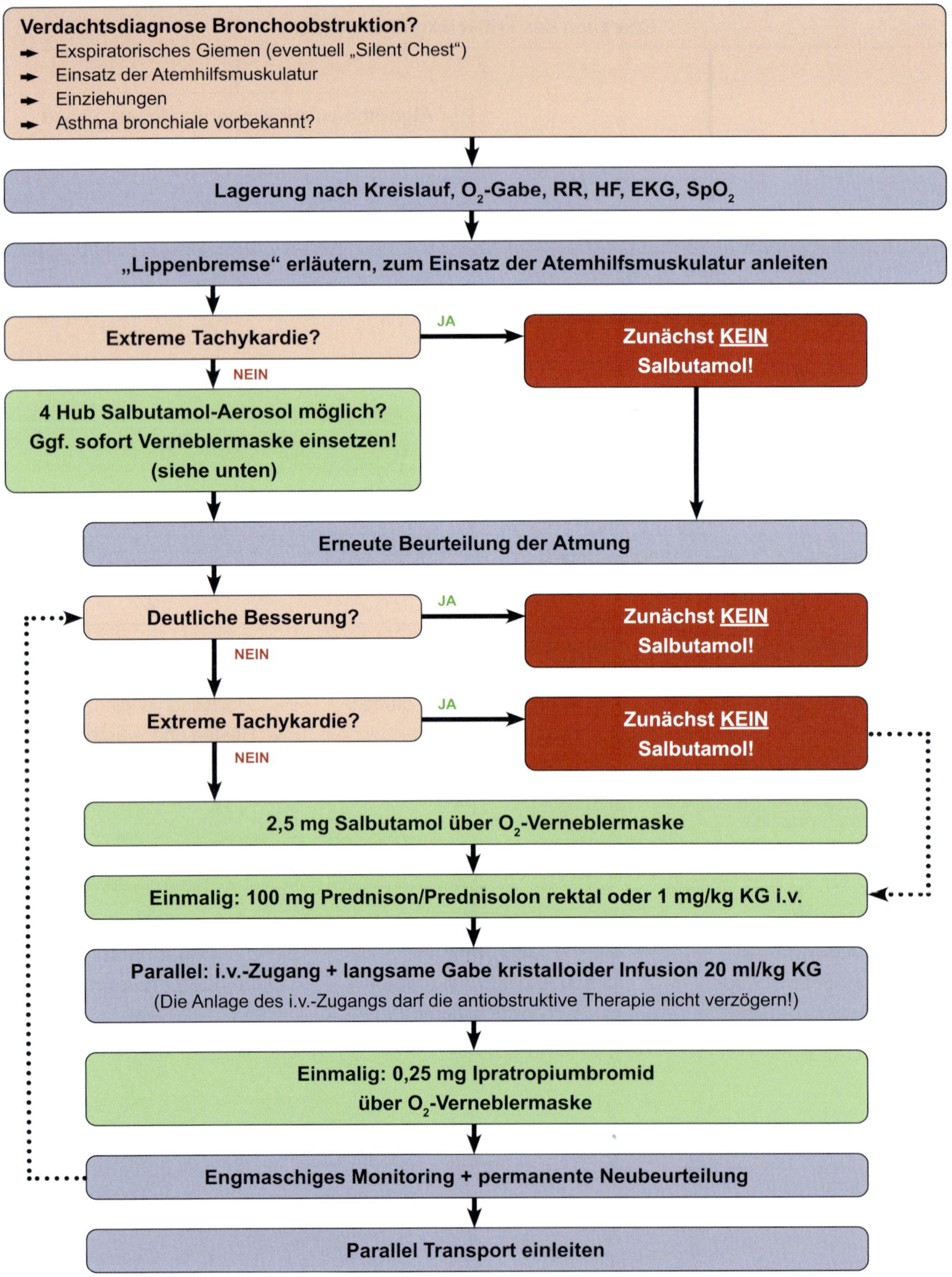

ERC-Leitlinie 2021; Nationale AWMF-Versorgungsleitlinie Asthma Kind; Global Strategy for Asthma Management and Prevention 2023

Deutscher Berufsverband Rettungsdienst e. V. (DBRD)

Pseudokrupp – Adrenalin + Glucocorticoide

Verdachtsdiagnose akuter Pseudokrupp-Anfall?

- Kindliche Dyspnoe
- Alter meist bis zu 3 Jahre
- Allgemeinzustand oftmals nicht kritisch krank
- Langsamer Beginn
- Bellender, heiserer Husten
- Inspiratorischer Stridor
- Meist kein Fieber

↓ JA

O_2-Gabe 8–15 l/min, EKG, HF, RR, SpO_2 – Ziel > 92 %

↓

Anfeuchten der Atemluft
Sitzende Lagerung

↓

4 mg/4 ml Adrenalin (1:1000 = pur)
über Kinder-Verneblermaske mit Sauerstoff vernebeln

↓

100 mg Prednison/Prednisolon als Zäpfchen

↓

Einleitung des Transports

PD Dr. Christoph Grüber, Kinderzentrum, Klinikum Frankfurt (Oder), PD Dr. Michael Barker, Klinik für Pädiatrische Pneumologie, HELIOS-Klinikum Emil von Behring, Berlin, CME 2010 · 7(1): 45–53 · DOI: 10.1007/s11298-010-0893-8 · © Springer-Verlag 2011
Prof. Dr. J. Riedler, Abteilung für Kinder- und Jugendheilkunde, Kardinal Schwarzenberg'sches Krankenhaus, Schwarzach/Österreich
Monatsschrift Kinderheilkunde 2011 · 159: 938–947
Atemwegsinfektionen – 3. Auflage 2013, Therapieempfehlungen der Arzneimittelkommission der deutschen Ärzteschaft

Deutscher Berufsverband Rettungsdienst e. V. (DBRD)

Fremdkörperentfernung – Kind

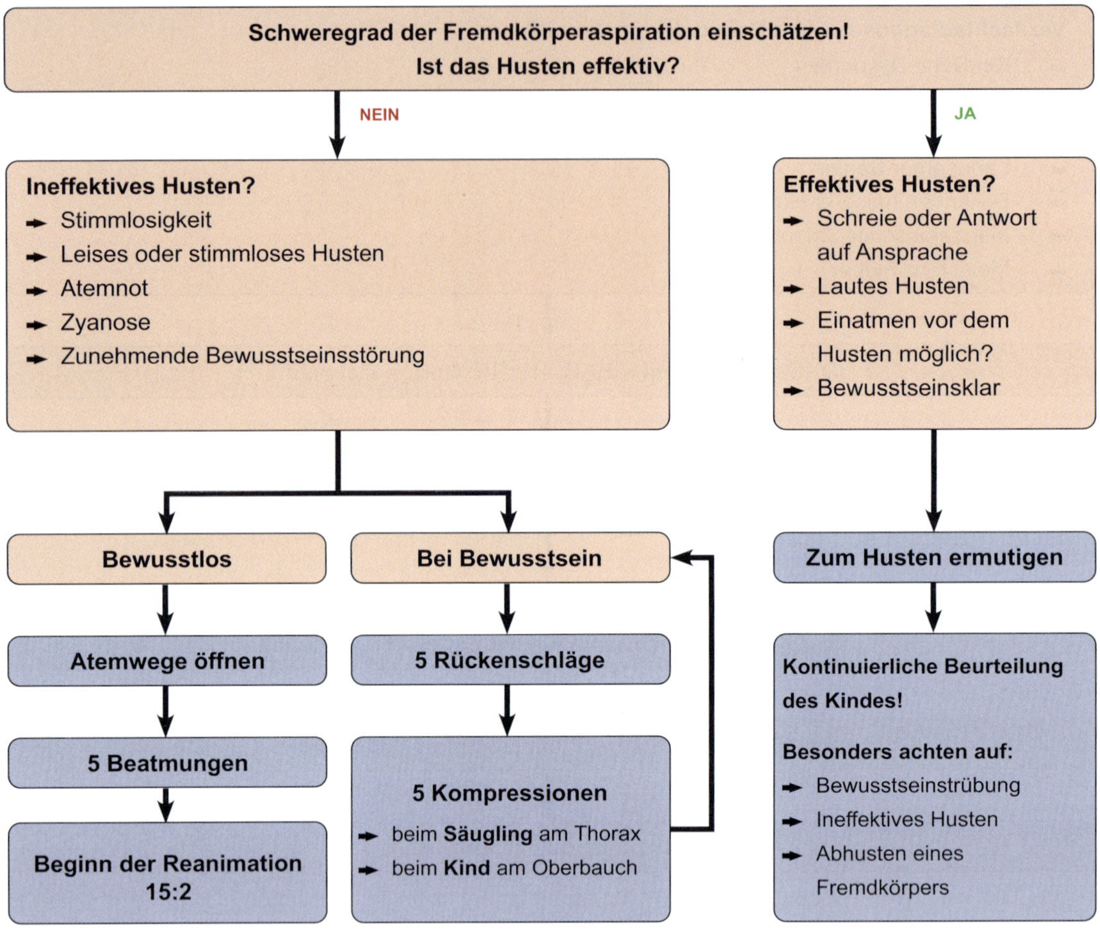

Nach ERC-EPALS-Anwendermanual

Respiratorisches Versagen – Kind

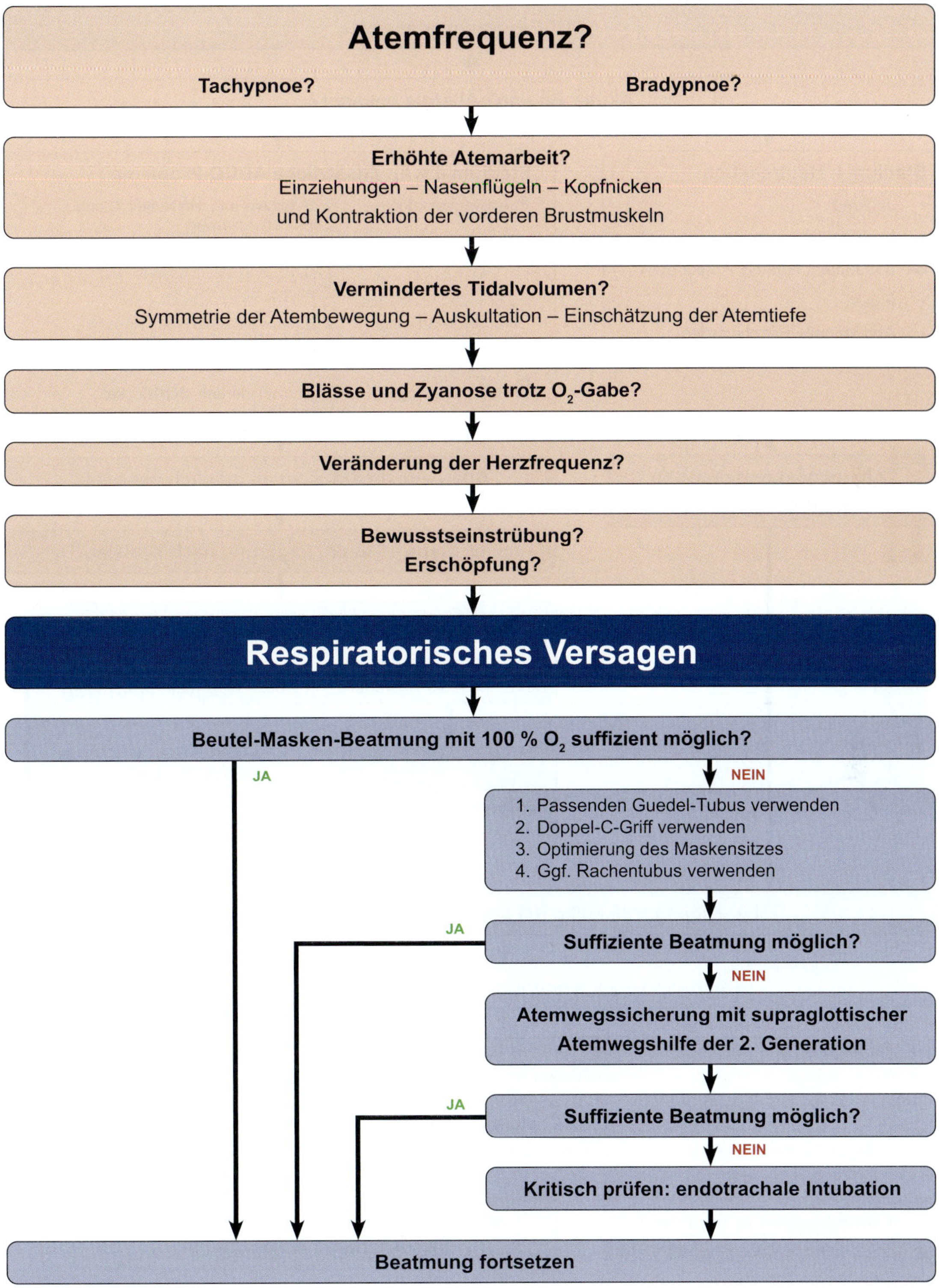

Nach ERC-EPALS-Anwendermanual

Deutscher Berufsverband Rettungsdienst e. V. (DBRD)

Anaphylaxie – Kind

ABCDE-Herangehensweise

↓

Akuter Beginn? Allergie bekannt?

↓

Stadium I: Hautreaktion

- Juckreiz
- Hautreaktion
- → (Quaddeln, Rötung, Angioödem …)
- Flush
- Abdominelle Beschwerden

↓

Allergenexposition wenn möglich beenden!

↓ (weiter zu i.v.-Zugang)

Stadium II + III: Zusätzliche ABCD-Probleme

Atemwegsstörung	z. B. Schwellung, Heiserkeit, Stridor, Sprechen erschwert
Belüftungsstörung	z. B. Tachypnoe, Keuchen, Erschöpfung, Bronchospasmus, Zyanose, SpO_2 < 92 %
Circulation-Störung	z. B. feuchte, kühle Haut, Kreislaufreaktion mit Anstieg der HF um 20/min oder Abfall RR um 20 mmHg
Defizite neurologisch	Vigilanzminderung, Schläfrigkeit, Verwirrtheit

↓

Allergenexposition wenn möglich beenden!

↓

O_2-Gabe 15 l/min, Lagerung nach Kreislauf

↓

Adrenalin i.m. in den Oberschenkel:

Kind > 12 J.:	Adrenalin 1:1.000	0,5 mg i.m.	(0,5 ml)
Kind 6–12 J.:	Adrenalin 1:1.000	0,3 mg i.m.	(0,3 ml)
Kind < 6 J.:	Adrenalin 1:1.000	0,15 mg i.m.	(0,15 ml)

↓

Bei Stridor/ Bronchospastik: 4 mg Adrenalin pur mit O_2 vernebeln → Ggf. parallel Algorithmus Bronchoobstruktion

↓

i.v.-Zugang + 20 ml/kg KG kristalloide Infusionslösung

↓

Kontinuierliches Monitoring: AF, HF, EKG, SpO_2, RR

↓

Einmalgabe i.v.:

Kind > 12 J.:	40 mg Prednisolon + 2,0 mg Clemastin
Kind 6–12 J.:	20 mg Prednisolon + 1,5 mg Clemastin
Kind < 6 J.:	10 mg Prednisolon + 1,0 mg Clemastin

Prednison/Prednisolon kann bei fehlendem i.v.-Zugang bei Kleinkindern auch rektal (50–100 mg) appliziert werden!

Kein Adrenalin in Stadium I
Adrenalingabe erst ab Stadium II

Wenn nach 5 Minuten keine Besserung: Wiederholung Adrenalin i.m. (→ zurück zu Adrenalin i.m.)

Nach ERC-Leitlinie 2021; AWMF-S2k-Leitlinie Akuttherapie und Management der Anaphylaxie 2021 – Update 2021 der Deutschen Gesellschaft für Allergologie und klinische Immunologie (DGAKI)

Deutscher Berufsverband Rettungsdienst e. V. (DBRD)

Leitsymptom Bewusstseinsstörung V.a. Hypoglykämie Kind

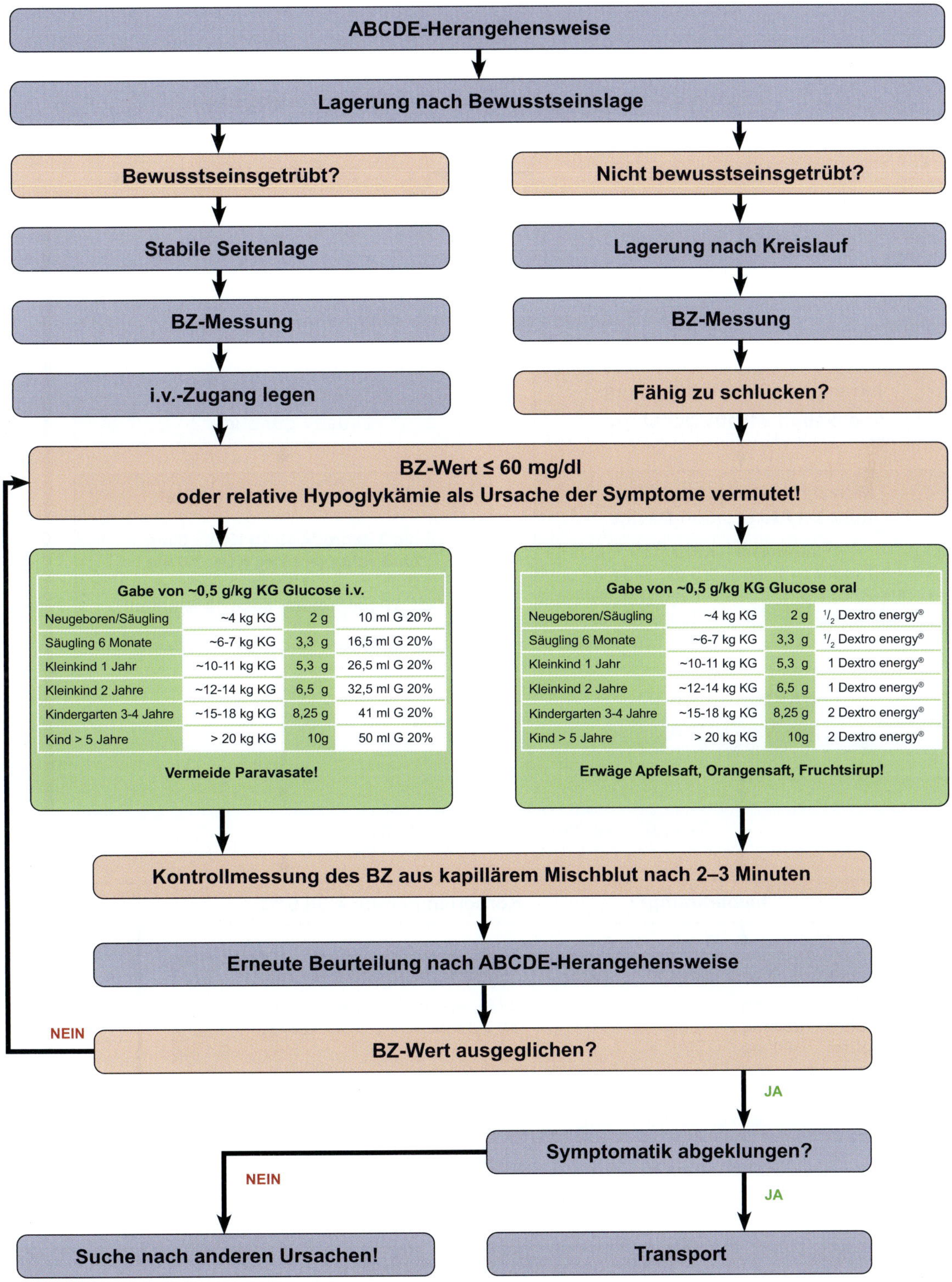

S3-Leitlinie Therapie des Typ-1-Diabetes 2023-AWMF 057-013

Deutscher Berufsverband Rettungsdienst e. V. (DBRD)

Krampfanfall – Kind

ABCDE-Herangehensweise

↓

Lagerung nach Bewusstseinslage, Schutz vor Verletzungen

↓

Andauernder Krampfanfall? – NEIN → Ggf. stabile Seitenlage → BZ-Messung, EKG, SpO_2, i.v.-Zugang – falls noch nicht geschehen

↓ JA

Schutz vor Verletzungen

↓

Auswahl Zugangsweg: intranasal oder rektal

↓

Intranasale Gabe möglich und Applikation situativ günstiger?

↓

Midazolam (5 mg/1 ml) über Mucosal Atomization Device

Intranasal – KIND:

- < 10 kg KG (< 1 Jahr): 2,5 mg (0,5 ml)
- 10–20 kg KG: 5 mg (1,0 ml)
- > 20 kg KG: 10 mg (2,0 ml)

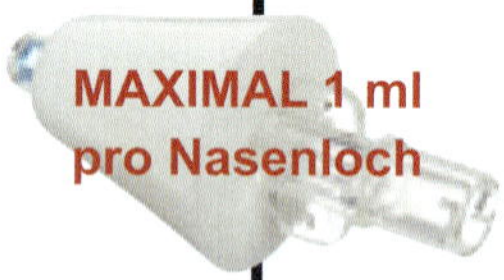

Rektale Applikation situativ günstiger?

↓

Gabe von Diazepam rektal:

bis 3 Jahre (< 15 kg KG): 5 mg
ab 3 Jahre (> 15 kg KG): 10 mg

Ggf. Wiederholung nach 10 Minuten!

↓

Aspirationsschutz, ggf. stabile Seitenlage

↓

Fieberkrampf? Körpertemperatur > 38,5 °C – NEIN → BZ-Messung, EKG, SpO_2, i.v.-Zugang – falls noch nicht geschehen

↓ JA

Paracetamol-Suppositorium oder Ibuprofen-Suppositorium

Paracetamol-Suppositorium		Ibuprofen-Suppositorium	
bis 1 Jahr:	125 mg	3 Monate bis 2 Jahre:	60 mg
1–6 Jahre:	250 mg	ab 2 Jahre:	125 mg
> 6 Jahre:	500 mg		

↓

BZ-Messung, EKG, SpO_2, i.v.-Zugang – falls noch nicht geschehen

↓

Ggf. Algorithmus Hypoglykämie

↓

Ursachensuche: SHT, Intoxikation …

S1-Leitlinie 2021 – Fieberkrämpfe im Kindesalter – Gesellschaft für Neuropädiatrie (GNP); Fachinfo Ben-u-ron 125, 250, 500 mg

Deutscher Berufsverband Rettungsdienst e. V. (DBRD)

Entscheidungsfindung bei Traumapatienten

Beurteilung der Einsatzstelle (Szene, Sicherheit, Situation)

↓

C – 15–30 Sekunden Ersteindruck + bedrohliche Blutung stoppen
„wahrscheinlich kritisch“ oder „eher unkritisch“

↓

Atemweg beurteilen und freimachen – Ggf. HWS-Immobilisation

↓

Belüftung beurteilen + sicherstellen – O_2-Gabe, Beatmung

↓

Circulation (Kreislauf beurteilen + sicherstellen) – Blutungen kontrollieren, i.v.-Zugang

↓

Disability (neurologische Defizite beurteilen) – Pupillen + GCS

↓

Entkleiden + Umgebung – Wärmeerhalt

↓

Entscheidung „kritisch“ oder „nicht kritisch“

↓

Bei kritischen Patienten → Transportpriorität

↓

2. Untersuchungsgang mit exakten und kompletten Vitalwerten

↓

SAMPLER-Anamnese

(**S**ymptome • **A**llergien • **M**edikamente • **P**ersönliche Geschichte • **L**etzte Nahrungsaufnahme • **E**reignis • **R**isikofaktoren)

S3-Leitlinie Schwerverletztenversorgung 2022 AWMF-Nr. 187-023

Deutscher Berufsverband Rettungsdienst e. V. (DBRD)

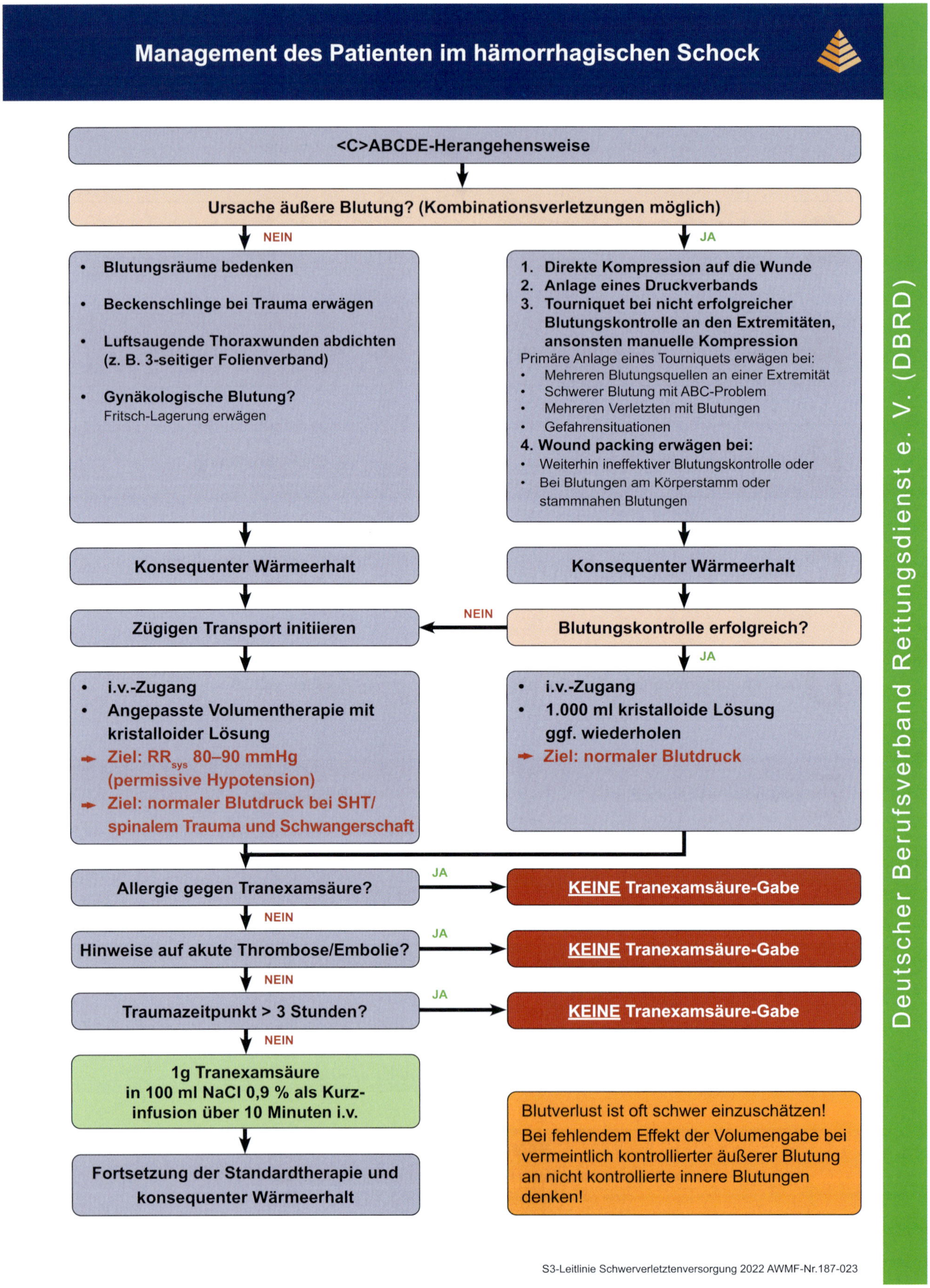

S3-Leitlinie Schwerverletztenversorgung 2022 AWMF-Nr.187-023

Management massiver äußerer Blutungen – Hämostatika

Massive äußere Blutung?

↓ JA

1. **Direkte Kompression auf die Wunde**
2. **Anlage eines Druckverbands**
3. **Tourniquet bei nicht erfolgreicher Blutungskontrolle an Extremitäten, ansonsten manuelle Kompression**

Primäre Anlage eines Tourniquets bei:

- Mehreren Blutungsquellen an einer Extremität
- Schwerer Blutung mit ABC-Problem
- Mehreren Verletzten mit Blutungen
- Gefahrensituation

↓

Bei:

- **Nicht kontrollierbaren Blutungen trotz angelegtem Tourniquet**
- **Stammnahen Blutungen (z. B. Axilla, Leiste), die für das Tourniquet nicht zugänglich sind**
- **Massiven Blutungen am Körperstamm**

↓

4. **Wound packing mit hämostatischen Verbandsstoffen:**

- Wundhöhle komplett mittels des hämostatischen Verbandsstoffs austamponieren
- Nach kompletter Tamponade direkten Druck auf die austamponierte Wunde ausüben (Dauer des Drucks gemäß Herstellerangabe – meist zwischen 1–3 Minuten)
- Druckverband über der austamponierten Wunde anlegen

↓

Einleitung des zügigen Transports in geeignete Klinik

Grundsätzlich gilt:
Herstellerempfehlungen insbesondere bezüglich der Kompressionsdauer beachten!
Niemals den Transport durch langwierige Blutungskontrollmaßnahmen verzögern!
Bewegungen vermeiden, um erfolgte Blutstillung nicht zu verschlechtern!
„The first clot is the best clot!“

Permissive Hypotension bei nicht kontrollierbaren Blutungen

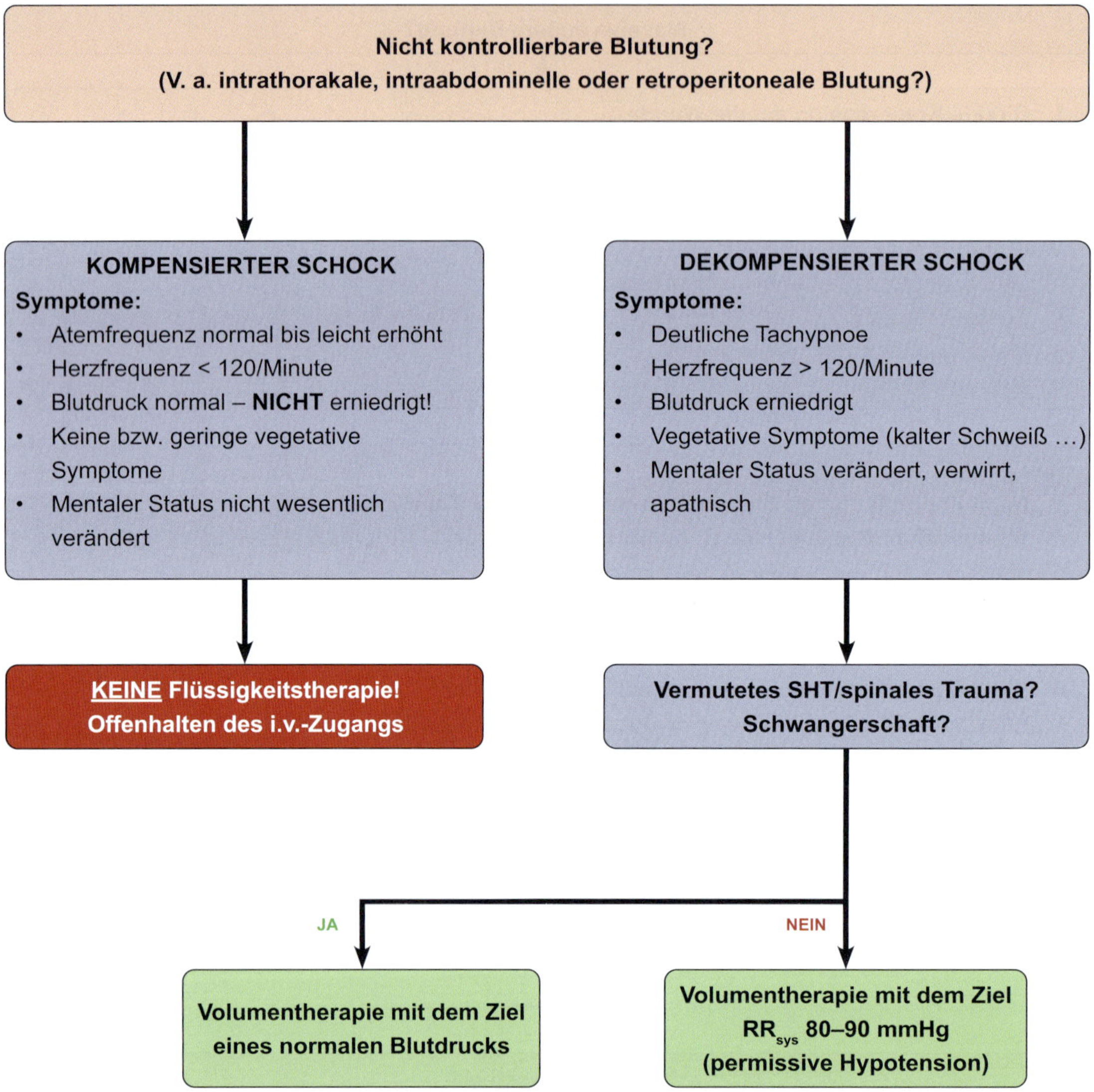

Deutscher Berufsverband Rettungsdienst e. V. (DBRD)

S3-Leitlinie Schwerverletztenversorgung 2022 AWMF-Nr.187-023

Leitsymptom Verbrennung/Verbrühung – Erwachsener

Externe Kühlung beenden! ABCDE-Herangehensweise

↓

Einschätzung mit Fokus auf Verbrennung/Verbrühung:

Grad 1	**Grad 2**	**Grad 3**
Rötung/Schwellung	+ Blasenbildung	+ Nekrose Grau-weißlich fleckige, ledrige Haut, ggf. Verkohlung (Grad 4) tiefgehende Schädigung
Mäßige Schmerzen	Starke Schmerzen	wenig/keine Schmerzen

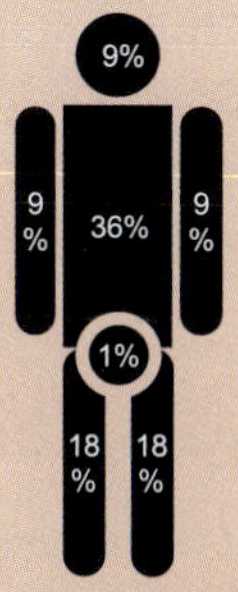

V. a. Inhalationstrauma:

A Verbrennung des Gesichts, versengte Gesichts- und Nasenbehaarung, Ruß im Gesicht oder im Sputum

B Atemwegsobstruktion (Stridor, Ödem, oropharyngeale Schleimhautschädigung)

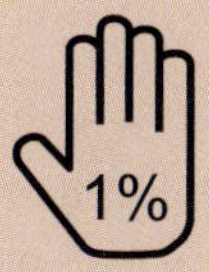

Feststellen der Ursache: Flamme, Verbrühung, Stromunfall, chemischer Stoff

Ausmaß einschätzen: Neuner-Regel nach Wallace, Handflächenregel

↓

Lagerung nach Kreislauf, O_2-Gabe 15 l/min, RR, HF, EKG, SpO_2, SpCO wenn möglich, Anlage i.v.-Zugang

↓

Hinweise für akutes A-Problem? – JA → **Parallel Algorithmus Atemwegsmanagement** (→ Zeitnahe sterile Wundabdeckung)

↓ NEIN

Hinweise für akutes B-Problem? – JA → **Parallel Algorithmus Bronchoobstruktion** (→ Zeitnahe sterile Wundabdeckung)

↓ NEIN

Hinweise auf relevante CO-Intoxikation? – JA → **Parallel Algorithmus NIV – Nicht invasive Ventilation** (→ Zeitnahe sterile Wundabdeckung)

↓ NEIN

Zeitnahe sterile Wundabdeckung mit nicht haftendem Verbandmaterial

↓

Konsequenter Wärmeerhalt

↓

Infusionstherapie 500 (– 1.000) ml mit balancierter VEL

↓

Schmerzen NRS ≥ 4? – JA → **Parallel Algorithmus Schmerzen bei Trauma**

↓ NEIN

Zügiger Transport

> **Verbrennung erklärt in der Frühphase keinen Schock!**
> **➡ Begleitverletzungen suchen!**
> **Ggf. parallele Cyanid-Intoxikation bedenken!**

In Anlehnung an S2k-Leitlinie 2021 – Behandlung thermischer Verletzungen des Erwachsenen – Deutsche Gesellschaft für Verbrennungsmedizin (DGV)

Deutscher Berufsverband Rettungsdienst e. V. (DBRD)

Leitsymptom Verbrennung/Verbrühung – Kind

Externe Kühlung beenden! ABCDE-Herangehensweise

↓

Einschätzung mit Fokus auf Verbrennung/Verbrühung:

Grad 1	**Grad 2**	**Grad 3**
Rötung/Schwellung	+ Blasenbildung	+ Nekrose Grau-weißlich fleckige, ledrige Haut, ggf. Verkohlung (Grad 4) tiefgehende Schädigung
Mäßige Schmerzen	Starke Schmerzen	wenig/keine Schmerzen

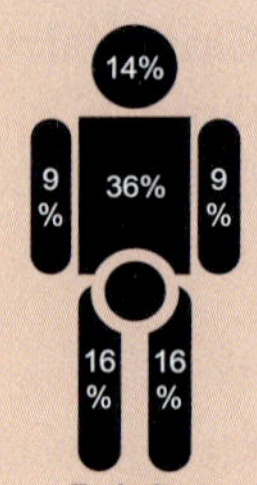

5 Jahre

V. a. Inhalationstrauma:

A Verbrennung des Gesichts, versengte Gesichts- und Nasenbehaarung, Ruß im Gesicht oder im Sputum

B Atemwegsobstruktion (Stridor, Ödem, oropharyngeale Schleimhautschädigung)

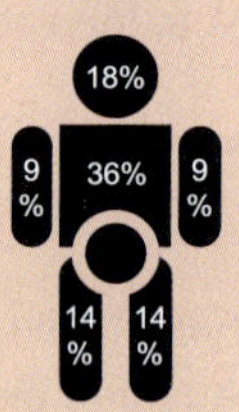

Säugling

Ursache ergründen: Flamme, Verbrühung, Stromunfall, chemischer Stoff

Ausmaß einschätzen: Neuner-Regel nach Wallace, Handflächenregel

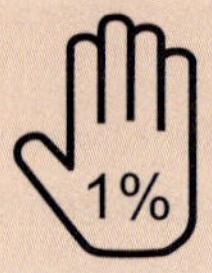

↓

Lagerung nach Kreislauf, O_2-Gabe 15 l/min, RR, HF, EKG, SpO_2, SpCO wenn möglich, Anlage i.v.-Zugang

↓

Hinweise für akutes A-Problem? — JA → **Parallel Algorithmus Atemwegsmanagement**

↓ NEIN

Hinweise für akutes B-Problem? — JA → **Parallel Algorithmus Bronchoobstruktion**

↓ NEIN

Hinweise auf relevante CO-Intoxikation? — JA → **Parallel Algorithmus NIV – Nicht invasive Ventilation**

↓ NEIN

Zeitnahe sterile Wundabdeckung mit nicht haftendem Verbandmaterial

↓

Konsequenter Wärmeerhalt

↓

Infusionstherapie 10 ml/kg KG (maximal 500 ml) mit balancierter VEL

Verbrennung erklärt in der Frühphase keinen Schock!

→ Begleitverletzungen suchen!

Ggf. parallele Cyanid-Intoxikation bedenken!

↓

Schmerzen NRS ≥ 4? — JA → **Parallel Algorithmus Schmerzen bei Trauma**

↓ NEIN

Zügiger Transport

In Anlehnung an S2k-Leitlinie 2021 – Behandlung thermischer Verletzungen des Kindesalters – Deutsche Gesellschaft für Verbrennungsmedizin (DGV)

Traumatischer Schmerz – Kind < 30 kg KG INTRAVENÖS

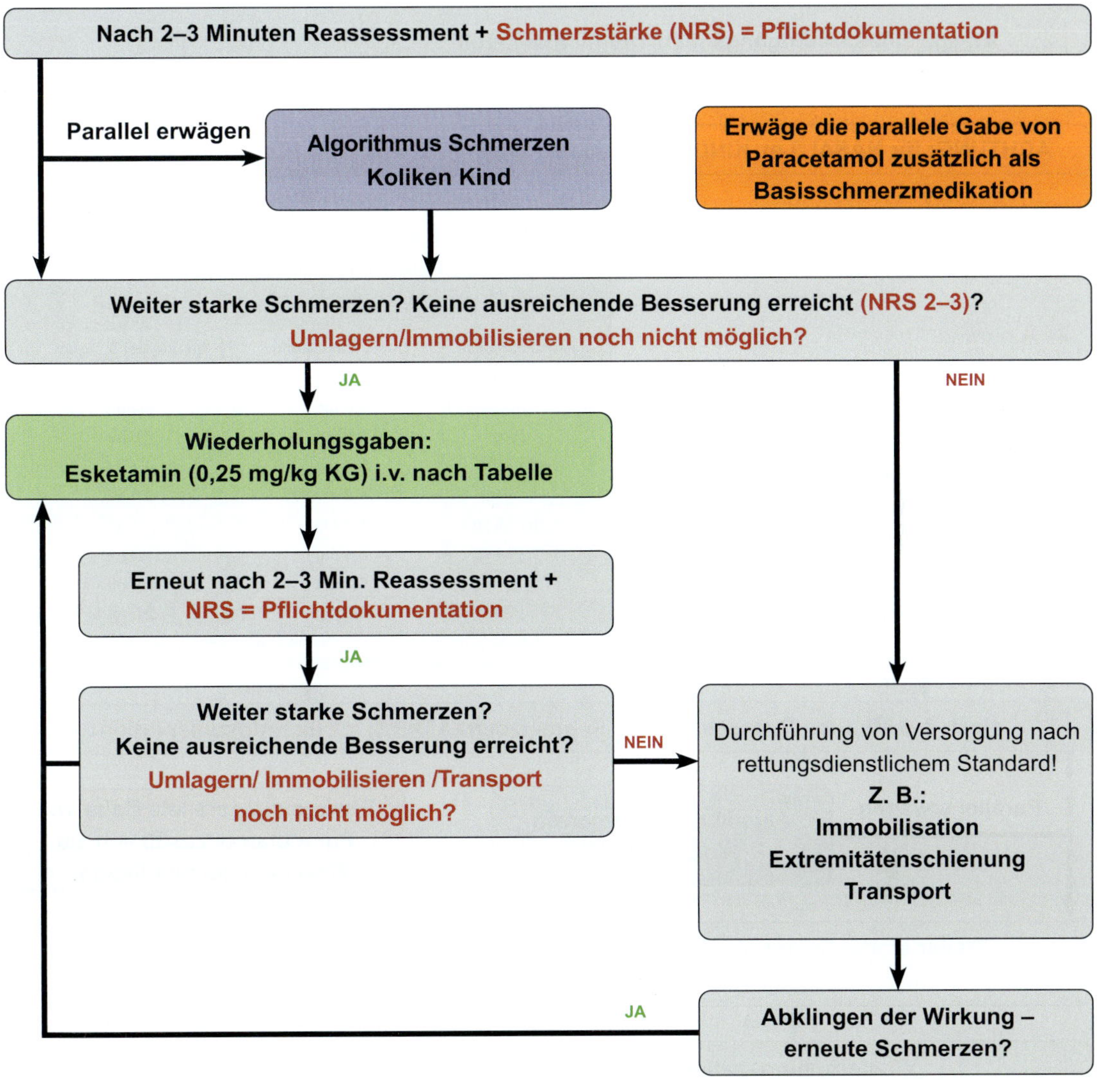

Erwäge auch die Vernebelung von Esketamin 25 mg/1 ml Dosis nach Wirkung über eine sauerstoffbetriebene Verneblermaske!
Beim Abklingen von Beschwerden oder beim Auftreten von überschießender Wirkung Vernebelung unterbrechen/ abbrechen!

Deutscher Berufsverband Rettungsdienst e. V. (DBRD)

Traumatischer Schmerz – Kind < 30 kg KG NASAL/i.m.

Anlage eines i.v.-Zugangs nicht möglich/sinnvoll!
Intranasale Gabe erforderlich mit MAD®-Adapter!

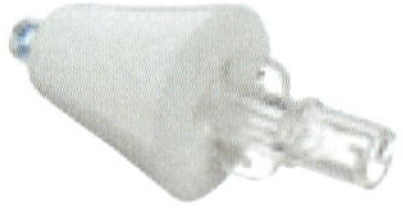

ACHTUNG: für NASAL/i.m. KIND Esketamin 25 mg/5 ml (5 mg/1 ml) Brechampullen nutzen!

STÄNDIGE KONTROLLE BIS ZUR ÜBERGABE!

- Atemweg
- Belüftung
- Circulation

- Ggf. Esmarch-Handgriff

Ständige Bereitschaft:
- zur Absaugung
- zur Beatmung

Gabe von Esketamin (0,5 mg/kg KG) i.n./i.m.
mit Feindosierspritze aufziehen!
Achtung: Esketamin 5 mg/1 ml nutzen!

Körpergewicht	Dosis Esketamin	Menge bei 5 mg/ml
~ 3 kg	1,5 mg	0,3 ml
~ 4 kg	2,0 mg	0,4 ml
~ 5 kg	2,5 mg	0,5 ml
~ 6 - 7 kg	3,4 mg	0,7 ml
~ 8 - 9 kg	4,3 mg	0,9 ml
~ 10 - 11 kg	5,3 mg	1,1 ml
~ 12 - 14 kg	6,5 mg	1,3 ml
~ 15 - 18 kg	8,3 mg	1,7 ml
~ 19 - 30 kg	10,0 mg	2,0 ml
> 30 kg	Siehe Erwachsenen-Tabelle	

JA / NEIN

Nach 2–3 Minuten Reassessment + Schmerzstärke (NRS) = Pflichtdokumentation

Parallel erwägen → **Algorithmus Schmerzen Koliken Kind**

Erwäge die parallele Gabe von Paracetamol zusätzlich als Basisschmerzmedikation

Weiter starke Schmerzen? Keine ausreichende Besserung erreicht (NRS 2–3)?
Umlagern/Immobilisieren noch nicht möglich?

JA ↓

Wiederholungsgaben:
Esketamin (0,25 mg/kg KG) i.n./i.m. nach Tabelle

Erneut nach 2–3 Min. Reassessment +
NRS = Pflichtdokumentation

JA ↓

Weiter starke Schmerzen?
Keine ausreichende Besserung erreicht?
Umlagern/ Immobilisieren /Transport noch nicht möglich?

JA → Wiederholungsgaben

NEIN ↓

Durchführung von Versorgung nach rettungsdienstlichem Standard!
Z. B.: Immobilisation
Extremitätenschienung
Transport

Abklingen der Wirkung – erneute Schmerzen?

JA → Wiederholungsgaben

Deutscher Berufsverband Rettungsdienst e. V. (DBRD)

Leitsymptom sonstige Schmerzen/Koliken – Kind

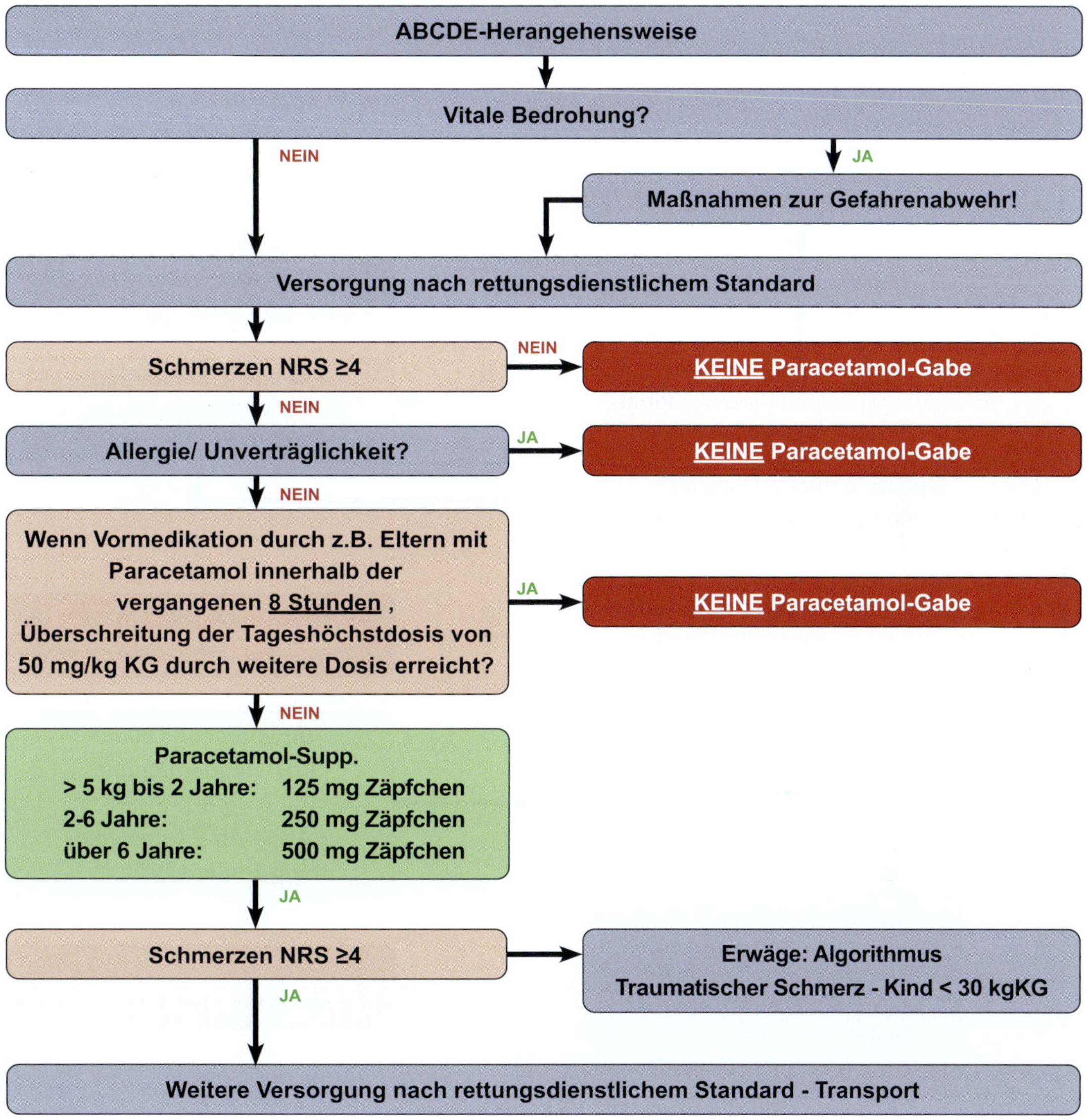

Deutscher Berufsverband Rettungsdienst e. V. (DBRD)

Massive Übelkeit/Erbrechen – Antiemetikum

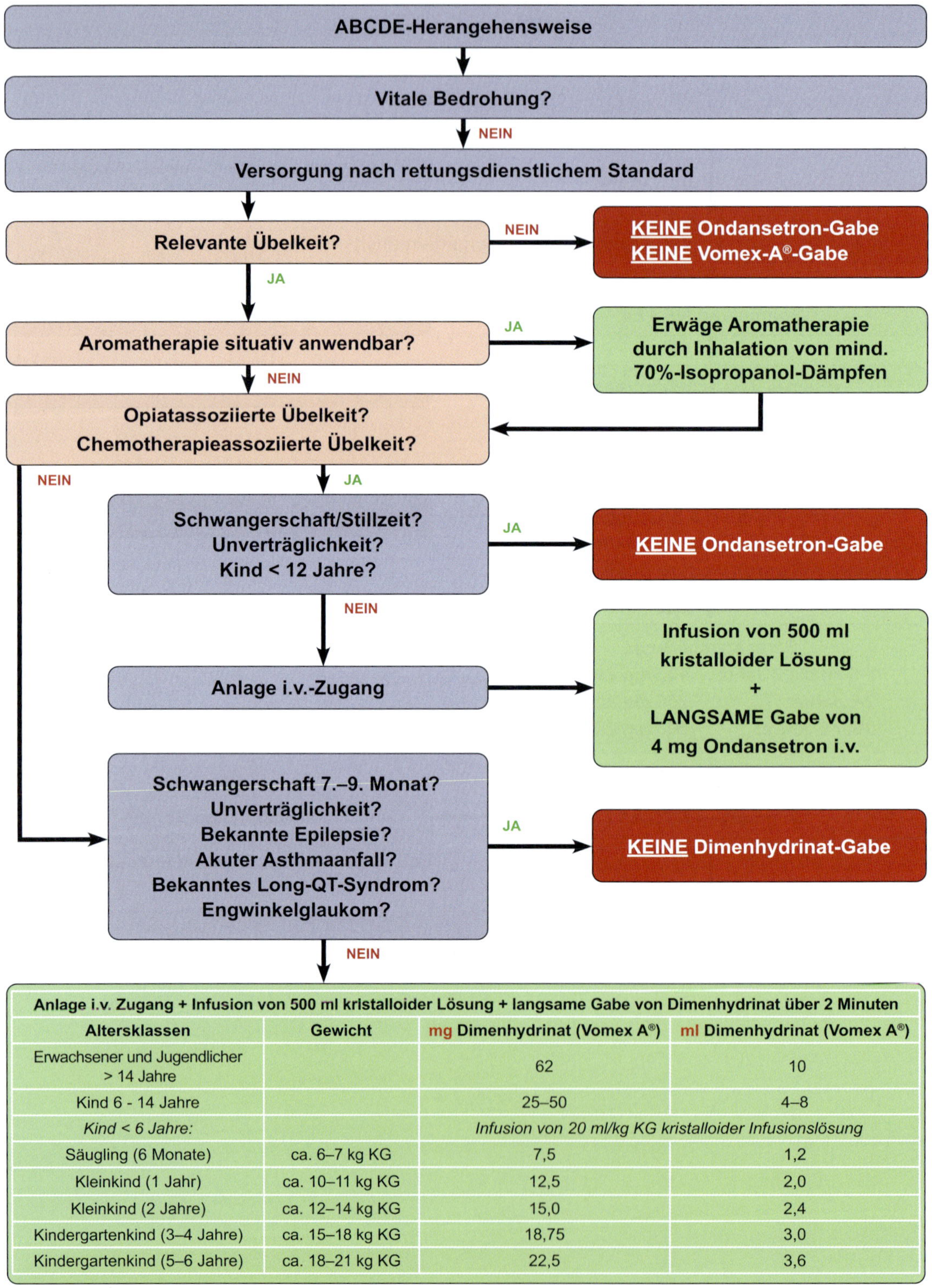

Anlage i.v. Zugang + Infusion von 500 ml kristalloider Lösung + langsame Gabe von Dimenhydrinat über 2 Minuten

Altersklassen	Gewicht	mg Dimenhydrinat (Vomex A®)	ml Dimenhydrinat (Vomex A®)
Erwachsener und Jugendlicher > 14 Jahre		62	10
Kind 6 - 14 Jahre		25–50	4–8
Kind < 6 Jahre:		*Infusion von 20 ml/kg KG kristalloider Infusionslösung*	
Säugling (6 Monate)	ca. 6–7 kg KG	7,5	1,2
Kleinkind (1 Jahr)	ca. 10–11 kg KG	12,5	2,0
Kleinkind (2 Jahre)	ca. 12–14 kg KG	15,0	2,4
Kindergartenkind (3–4 Jahre)	ca. 15–18 kg KG	18,75	3,0
Kindergartenkind (5–6 Jahre)	ca. 18–21 kg KG	22,5	3,6

Deutscher Berufsverband Rettungsdienst e. V. (DBRD)

Opiatintoxikation – Naloxon

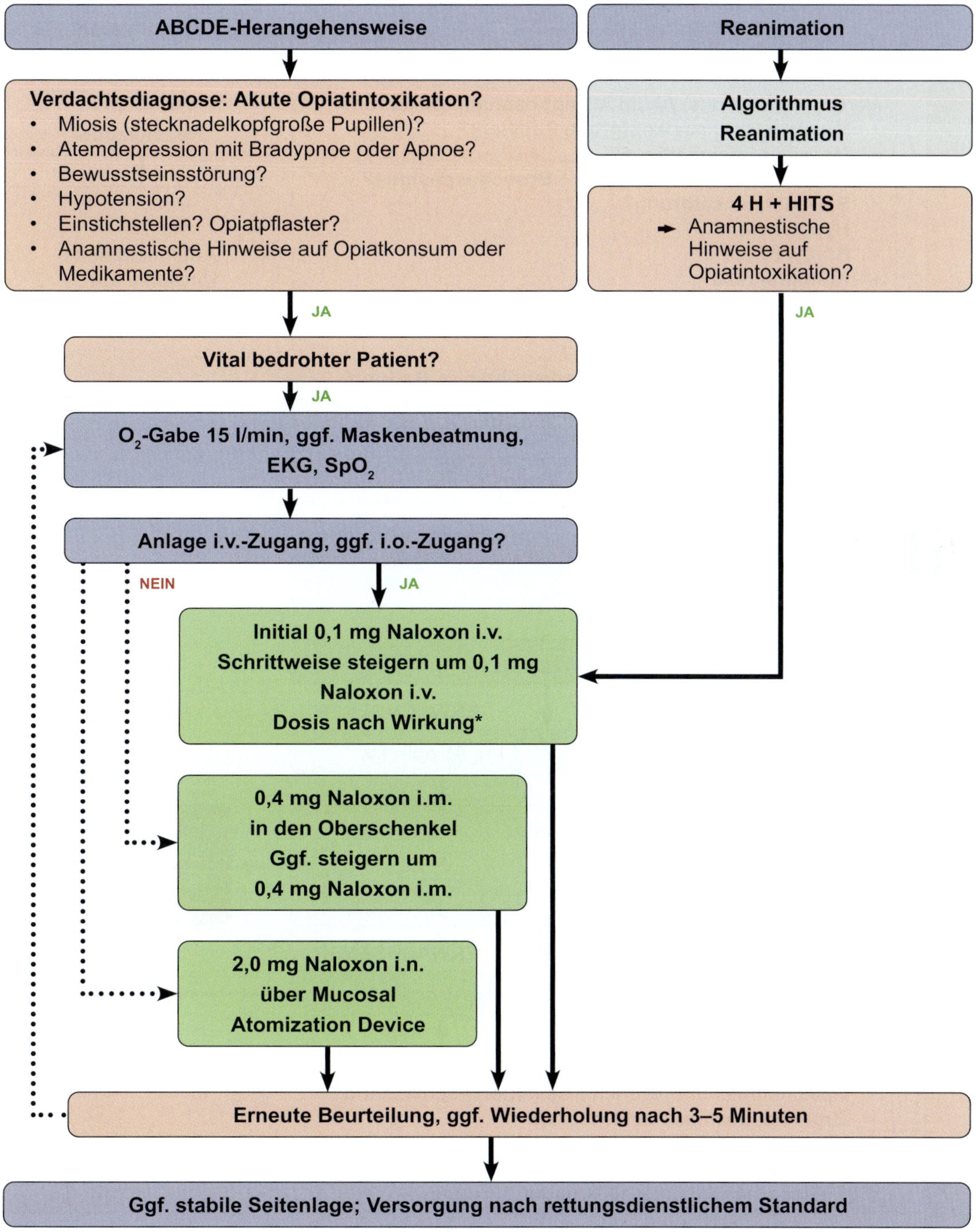

* Außerhalb von Reanimationssituationen sollte Naloxon zur besseren Dosierbarkeit bei i.v. Gabe auf insgesamt 10 ml Gesamtlösung verdünnt und schrittweise appliziert werden.

ERC-Leitlinie 2021

Deutscher Berufsverband Rettungsdienst e. V. (DBRD)

Alkylphosphatintoxikation – Atropin

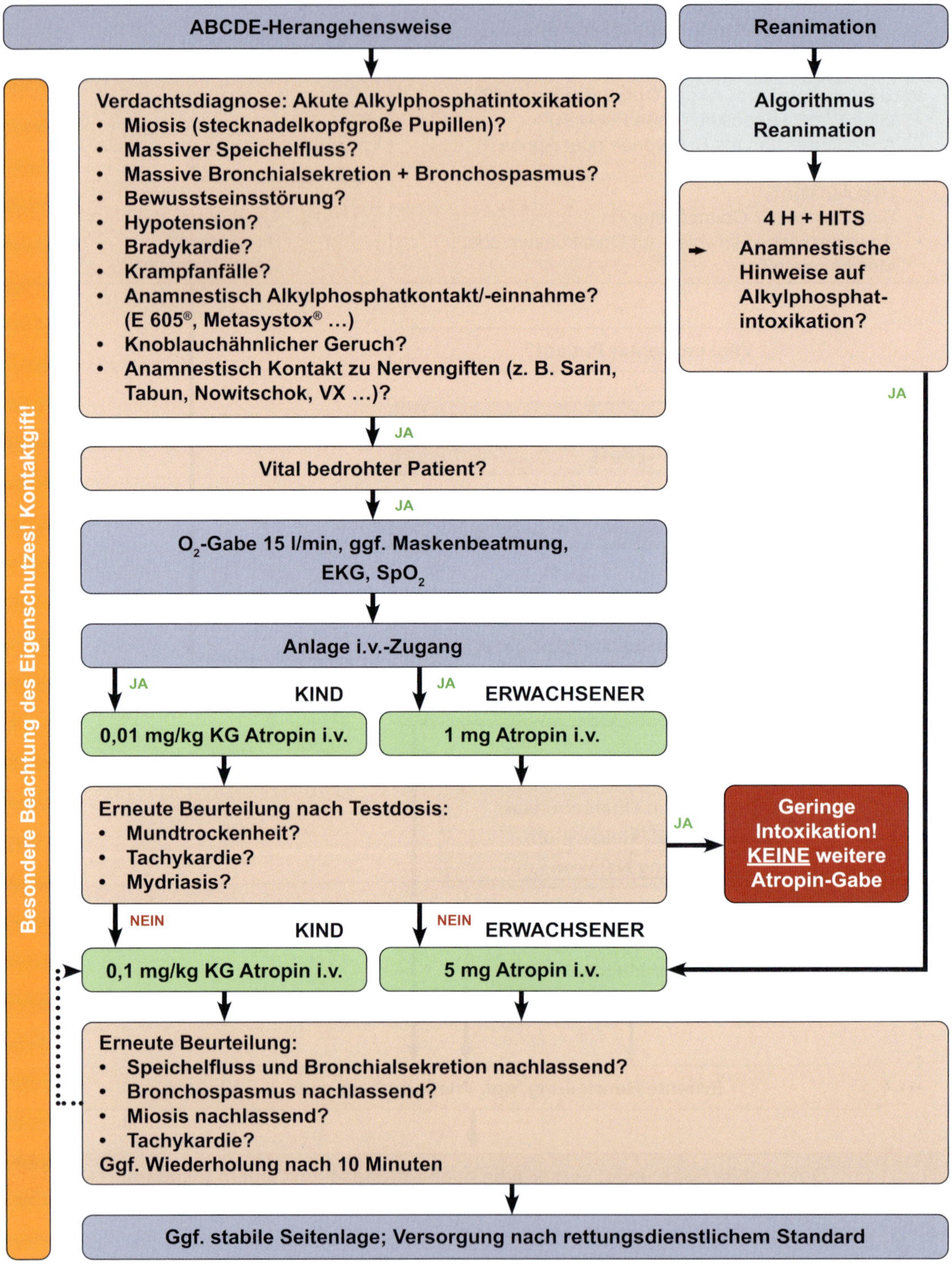

Karow-Lang, Pharmakologie/Toxikologie
Klaus Albrecht, Intensivtherapie bei akuten Vergiftungen

Transport/Versorgung invasiv heimbeatmeter Patienten

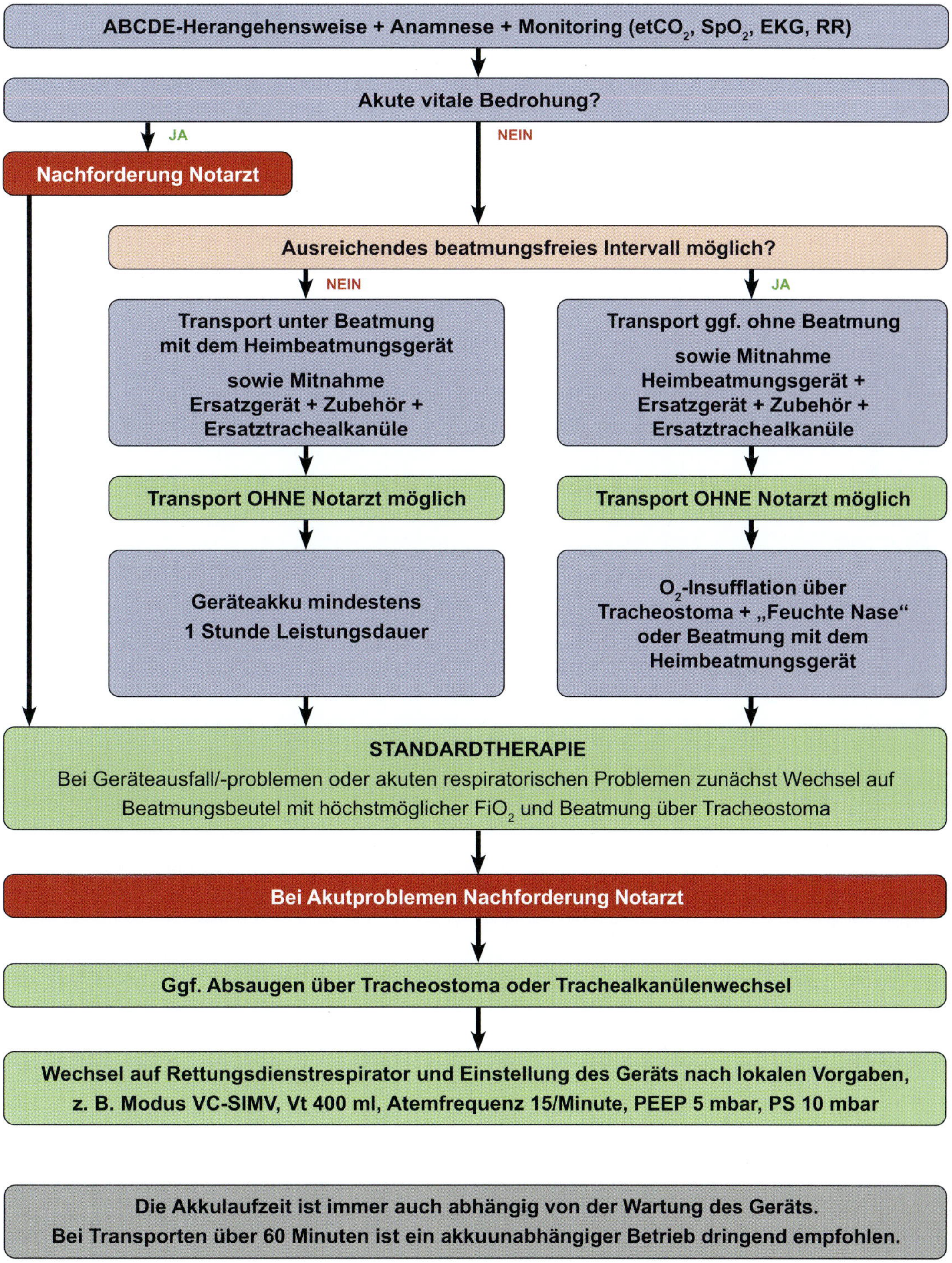

Deutscher Berufsverband Rettungsdienst e. V. (DBRD)

SACHREGISTER

T

Plus im Web

J. Luxem K. Runggaldier H. Karutz F. Flake (Hrsg.)

Notfallsanitäter Heute

8. Auflage

E-Book inklusive

Update als Beilage:
Reanimationskapitel
mit Leitlinien 2025

ELSEVIER

Urban & Fischer

Elsevier GmbH, Bernhard-Wicki-Str. 5, 80636 München, Deutschland
Wir freuen uns über Ihr Feedback und Ihre Anregungen an kundendienst@elsevier.com

ISBN 978-3-437-46212-2 eISBN 978-3-437-05478-5

Aus Gründen der Barrierefreiheit sind die Bilder in elektronischen Ausgaben dieses Buches mit Alt-Text-Beschreibungen (Alternativ-Text) versehen, die von Elsevier bereitgestellt werden. Mehr Informationen erhalten Sie unter https://www.elsevier.com/about/accessibility.

Bücher und Zeitschriften, die von Elsevier veröffentlicht werden, entsprechen den geltenden Produktsicherheitsanforderungen. Für etwaige Bedenken oder Fragen zur Produktsicherheit wenden Sie sich bitte an unseren autorisierten Vertreter, Elsevier B.V., product-safety@elsevier.com.

Elsevier nimmt eine neutrale Position in Bezug auf territoriale Meinungsverschiedenheiten oder Zuständigkeitsansprüche in seinen veröffentlichten Inhalten ein, einschließlich Landkarten und institutionellen Zugehörigkeiten.

8. Auflage 2024, Nachdruck 2026

Wichtiger Hinweis: Die medizinischen Wissenschaften unterliegen einem sehr schnellen Wissenszuwachs. Der stetige Wandel von Methoden, Wirkstoffen und Erkenntnissen ist allen an diesem Werk Beteiligten bewusst. Sowohl der Verlag als auch die Autorinnen und Autoren und alle, die an der Entstehung dieses Werkes beteiligt waren, haben große Sorgfalt darauf verwandt, dass die Angaben zu Methoden, Anweisungen, Produkten, Anwendungen oder Konzepten dem aktuellen Wissensstand zum Zeitpunkt der Fertigstellung des Werkes entsprechen.
Der Verlag kann jedoch keine Gewähr für Angaben zu Dosierung und Applikationsformen übernehmen. Es sollte stets eine unabhängige und sorgfältige Überprüfung von Diagnosen und Arzneimitteldosierungen sowie möglicher Kontraindikationen erfolgen. Jede Dosierung oder Applikation liegt in der Verantwortung der Anwenderin oder des Anwenders. Die Elsevier GmbH, die Autorinnen und Autoren und alle, die an der Entstehung des Werkes mitgewirkt haben, können keinerlei Haftung in Bezug auf jegliche Verletzung und/oder Schäden an Personen oder Eigentum, im Rahmen von Produkthaftung, Fahrlässigkeit oder anderweitig übernehmen.

Obwohl alle Werbemittel mit ethischen (medizinischen) Standards übereinstimmen, stellt die Erwähnung in dieser Publikation keine Garantie oder Anerkennung der Qualität oder des Wertes dieses Produkts oder der Aussagen der Herstellerfirmen dar.
Für die Vollständigkeit und Auswahl der aufgeführten Medikamente übernimmt der Verlag keine Gewähr.
Geschützte Warennamen (Warenzeichen) werden in der Regel besonders kenntlich gemacht (®). Aus dem Fehlen eines solchen Hinweises kann jedoch nicht automatisch geschlossen werden, dass es sich um einen freien Warennamen handelt.
Bibliografische Information der Deutschen Nationalbibliothek
Die Deutsche Nationalbibliothek verzeichnet diese Publikation in der Deutschen Nationalbibliografie; detaillierte bibliografische Daten sind im Internet über https://www.dnb.de abrufbar.

26 27 28 29 30 5 4 3 2 1

In ihren Veröffentlichungen verfolgt die Elsevier GmbH das Ziel, genderneutrale Formulierungen für Personengruppen zu verwenden. Um jedoch den Textfluss nicht zu stören sowie die gestalterische Freiheit nicht einzuschränken, wurden bisweilen Kompromisse eingegangen. Selbstverständlich sind **immer alle Geschlechter** gemeint.

Planung: Katharina Frank; Anna-Marie Salaja
Projektmanagement: Anke Drescher; Julia Stängle
Redaktion: Sigrid Schäfer, Sindelfingen; Dr. Nikola Schmidt, Berlin
Bildredaktion und Rechteklärung: Katja Sieger-Schauer
Herstellung: Hildegard Graf, Germering
Satz: STRAIVE, Puducherry/Indien
Druck und Bindung: EGEDSA, Sabadell (Barcelona)/Spanien
Umschlaggestaltung: Sanitäterin Vorderseite © Carsten Dammann, Hamburg, www.carstendammann.com, Vorderseite rechts © iStock.com/gorodenkoff, Rettungswagen Rückseite © Tobias Seeliger – stock.adobe.com, Hubschrauber Rückseite © DRF Stiftung Luftrettung gemeinnützige AG, Filderstadt, und SpieszDesign, Neu-Ulm

Aktuelle Informationen finden Sie im Internet unter **www.elsevier.de**

ABBILDUNGS- UND TABELLENVERZEICHNIS

Der Verweis auf die jeweilige Abbildungs- und Tabellenquelle befindet sich bei allen Abbildungen und Tabellen im Werk am Ende des Legendentextes in eckigen Klammern.

F781-056 Papaspyrou H. Basismaßnahmen zur Wiederbelebung Erwachsener. Notfall Rettungsmed (2025). https://doi.org/10.1007/s10049-025-01645-x.

F781-057 Paal P. Erweiterte lebensrettende Maßnahmen für Erwachsene. Notfall Rettungsmed (2025). https://doi.org/10.1007/s10049-025-01646-w.

F781-060 Wagner M, Schäfer S, Rüdiger M. Reanimation und Versorgung des Neugeborenen nach der Geburt. Notfall Rettungsmed (2025). https://doi.org/10.1007/s10049-025-01649-7.

F781-64 Markel F, Habicht S. Lebenserhaltende Maßnahmen bei Kindern. Notfall Rettungsmed (2025). https://doi.org/10.1007/s10049-025-01652-y.

L143 Heike Hübner, Berlin.

L231 Stefan Dangl, München.

V405 Stryker GmbH & Co KG, Duisburg.

V672 ZOLL Medical Corporation, ZOLL Medical Deutschland GmbH, Köln.

V703 GS Elektromedizinische Geräte G. Stemple GmbH, Kaufering.

23

REANIMATION UND PERIARREST-SITUATIONEN

Maximilian Rhiem

FALLBEISPIEL

Notfallmeldung

Über die Rettungsleitstelle werden RTW und NEF zeitgleich zu einer gerade leblos vorgefundenen Person in einem gut situierten Wohnviertel am Stadtrand alarmiert.

Situation und Ersteindruck

Die Besatzung des ersteintreffenden RTW findet einen im Flur eines Wohnhauses liegenden ca. 65 Jahre alten Patienten vor. Der leblos am Boden liegende Patient wird von zwei jüngeren Männern wiederbelebt. Die an der Tür wartende Ehefrau berichtet von einem plötzlichen Brustschmerz und einer Luftnotattacke ihres Mannes mit anschließendem Kollaps im Flur, woraufhin sie den Notruf abgesetzt und zwei im angrenzenden Garten arbeitende Nachbarn zu Hilfe gerufen habe. Diese hätten unverzüglich mit der Einleitung der BLS-Maßnahmen begonnen. Bei weiterhin fehlender Atmung und nicht tastbarem Karotispuls übernimmt das Rettungsfachpersonal die Reanimation.

Leitsymptome

Herz-Kreislauf-Stillstand, Reanimation.

INHALTSÜBERSICHT

23.1 EINFÜHRUNG IN DIE REANIMATION

- Die Reanimation stellt ein relativ häufiges Notfallbild im präklinischen Alltag dar.
- Gezielte Abläufe und regelmäßiges Training erleichtern das Vorgehen in einer solchen Notfallsituation.
- Es gibt klare Handlungsempfehlungen (Leitlinien) zum Vorgehen bei der Reanimation.
- Die Leitlinien werden alle 5 Jahre überabeitet und in Europa durch das European Resuscitation Council (ERC) publiziert.
- Das amerikanische Pendant zum ERC ist die American Heart Association (AHA).

23.2 BASISMASSNAHMEN DER REANIMATION (BLS)

- BLS (Basic Life Support) wird bei der Diagnose Herz-Kreislauf-Stillstand eingeleitet.
- Verschiedene Ursachen können einen Kreislaufstillstand auslösen.
- Bei der Reanimation geht man nach dem ABC-Schema vor.
- Bei der Ein-Helfer- und Zwei-Helfer-Methode stehen Thoraxkompression und Ventilation im Verhältnis 30 : 2.
- Die Anwendung von automatisierten externen Defibrillatoren (AED) durch Laien kann die Zeit bis zur ersten Schockabgabe verkürzen.

23.3 ERWEITERTE MASSNAHMEN DER REANIMATION (ALS)

- ALS (Advanced Life Support) wird nach Eintreffen von professionellem notfallmedizinischem Personal durchgeführt.
- Zu den erweiterten Maßnahmen zählen unter anderem die Anlage eines intravenösen oder intraossären Zugangs, die Medikamentengabe, das erweiterte Airwaymanagement und die gezielte Elektrotherapie.
- Die vier bei der Reanimation zu erkennenden EKG-Rhythmen sind: Asystolie, pulslose elektrische Aktivität (PEA), Kammerflimmern (VF) und pulslose ventrikuläre Tachykardie (pVT).
- Die elektrische Defibrillation wird bei Kammerflimmern und pulsloser ventrikulärer Tachykardie eingesetzt.

23.4 ERC-ALGORITHMUS ZUR REANIMATION IM ÜBERBLICK

- Standardisierte Behandlungsschemata (Algorithmen) erleichtern die zielgerichtete Therapie.
- Reanimationsmaßnahmen werden international nach ihrer Wirksamkeit klassifiziert.
- Bei Kammerflimmern und pulsloser ventrikulärer Tachykardie steht die Defibrillation im Vordergrund.
- Bei Asystolie und PEA wird neben den Basismaßnahmen eine frühzeitige Medikamentengabe empfohlen.
- Die Suche nach dem Auslöser des Herz-Kreislauf-Stillstands und dessen Therapie ist für das Outcome des Patienten mitentscheidend.
- Bei einigen Krankheitsbildern ist eine Modifikation bzw. Abweichung von der Standardreanimation angezeigt.

23.5 THERAPIE LEBENSBEDROHLICHER HERZRHYTHMUSSTÖRUNGEN (PERIARREST-ARRHYTHMIEN)

- Bradykarde Rhythmusstörungen können den Einsatz eines Herzschrittmachers erforderlich machen.
- Tachykarde Herzrhythmusstörungen werden in ventrikuläre und supraventrikuläre Rhythmen unterteilt.
- Die Therapie der Tachykardien kann elektrisch oder medikamentös erfolgen.

23.6 REANIMATION IM KINDESALTER

- Beim Öffnen der Atemwege dürfen Weichteilpolster am Zungengrund nicht komprimiert werden.
- Das Atemzugvolumen reicht aus, wenn sich der Brustkorb hebt und senkt.
- Die Tubusgröße kann anhand des Nasenlochs oder des Kleinfingergrundglieds des Patienten abgeschätzt werden.
- Bei Kleinkindern wird für die Thoraxkompression mit einer Frequenz 100- bis 120-mal pro Minute auf die untere Sternumhälfte gedrückt.
- Thoraxkompression: Beatmung wird in der Zwei-Helfer-Technik im Verhältnis 15 : 2 durchgeführt.
- Notfallmedikamente sind Sauerstoff und Adrenalin.
- Die Volumengabe wird auf das Körpergewicht abgestimmt: 10 ml/kg KG.

23.7 UMGANG MIT NEUGEBORENEN UND NEW BORN LIFE SUPPORT (NLS)

- Neugeborenen-Basismaßnahmen werden bei einer Herzfrequenz < 100/Min., inadäquater Atmung oder reduziertem Grundtonus eingesetzt: Abnabelung, Abtrocknen, Einstufen nach Apgar-Schema und ggf. Beatmung.
- Bei der Beatmung ist auf ein angepasstes Tidalvolumen (VT) zu achten.
- Die Thoraxkompression wird beim Neugeborenen bei einer Herzfrequenz < 60/Min. angewendet.
- Die Kompressionsfrequenz beträgt 120-mal pro Minute, die Die Tiefe ⅓ des anterior-posterioren Thoraxdurchmessers. Das Verhältnis Thoraxkompression zu Beatmung beträgt 3 : 1.
- Bei Neugeborenen gelten andere Blutzuckergrenzwerte als beim Erwachsenen.

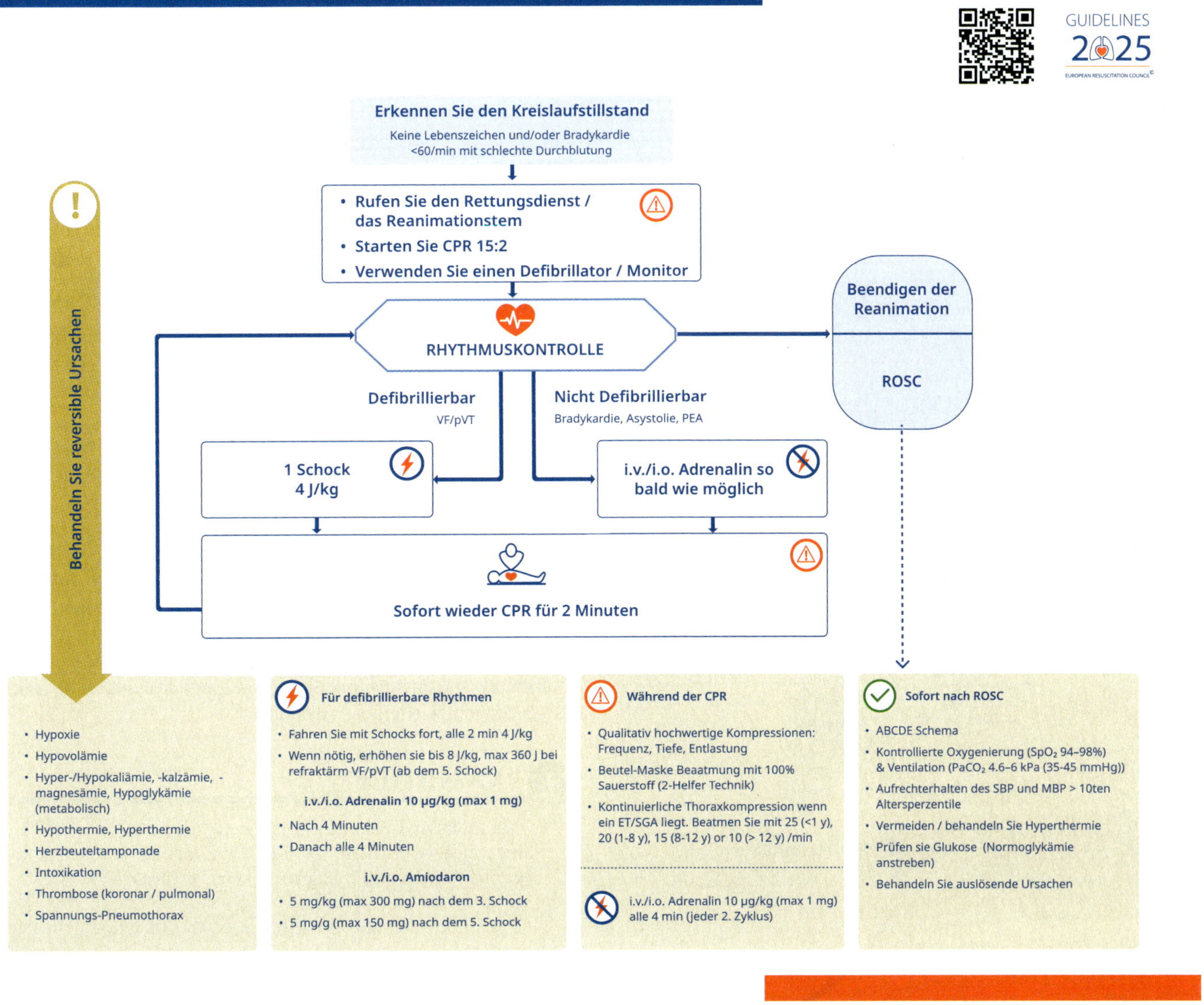

Abb. 23.15 EPALS-Algorithmus © German Resuscitation Council (GRC) und European Resuscitation Council (ERC) 2025. [F781–064]

des aus dem Kehlkopf. Hier muss vor Transportbeginn unter allen Umständen eine absolut zuverlässige Tubusfixierung herbeigeführt werden.

In der Notfallsituation bieten **Tuben mit Cuff** (Microcuff®) den entscheidenden Vorteil, dass sie eine zu gering gewählte Größe und auch höhere Atemwegsdrücke kompensieren können. Der Cuff-Druck ist allerdings zwingend zu messen und sollte 25 cmH_2O nicht überschreiten. Ebenfalls ist ein Führungsstab zu verwenden (cave: Weichteilläsionen). Ist ein PEEP-Ventil vorhanden, so sollte die Beatmung mit einem PEEP von 5–8 cmH_2O stattfinden. Eine größenangepasste Kapnografie ist zwingend zu verwenden. Nach Intubation oder mit dicht sitzendem SGA erfolgt die Beatmung asynchron zur Thoraxkompression mit einer Frequenz von

- < 1 Jahr → 25/min
- > 1 Jahr → 20/min
- > 8 Jahre → 15/min
- > 12 Jahre → 10/min

ACHTUNG! Das Entfernen bzw. Absaugen von Fremdkörpern muss vorsichtig geschehen, da es u. U. zu einem reflektorischen Laryngospasmus und/oder zu einer vagalen Reaktion mit einsetzender Bradykardie oder Asystolie kommen kann.

Elektrotherapie

Die **Defibrillation** spielt bei der präklinischen Reanimation von Kindern im Gegensatz zum Einsatz bei Erwachsenen aus oben beschriebenen Gründen nur eine sehr untergeordnete Rolle. Pulslos aufgefundene Kinder haben überwiegend eine Asystolie. **Kammerflimmern** ist allenfalls bei seltenen angeborenen Herzfehlern oder Fehlbildungen im Reizleitungssystem, bei Elektrounfällen, Elektrolytentgleisungen oder bei tiefer Unterkühlung, z. B. bei Ertrinkungsunfällen, zu erwarten. Auch nach Sportunfällen mit stumpfem Thoraxtrauma kann Kammerflimmern auftreten.

Die zu applizierende Energie richtet sich nach dem Körpergewicht. Alle Defibrillationen werden mit einer Energie von 4 J/kg KG monophasisch oder biphasisch durchgeführt. Für ein 10 kg schweres

Kleinkind beträgt also die Maximalenergie 40 Joule. Es sollten spezielle Defibrillationselektroden für Kinder zur Anwendung kommen. Bei Kindern < 25kg wird eine anterior-posterior Position empfohlen, darüber antero-lateral (→ Abb. 23.16).

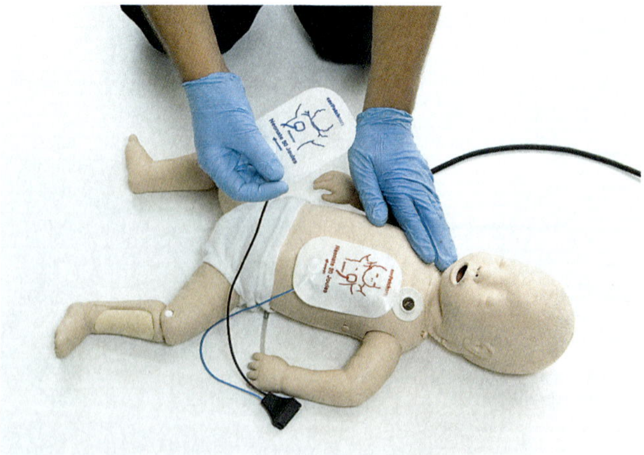

a) Anbringen der anterioren (präkordialen) Elektrode

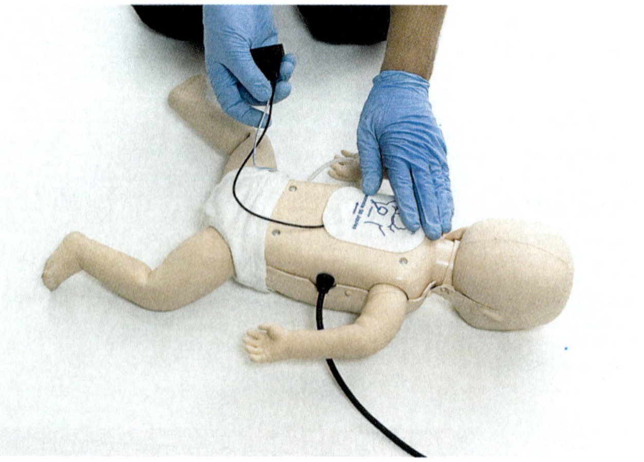

b) Anbringen der posterioren Elektrode am Rücken zwischen den Schulterblättern des Säuglings

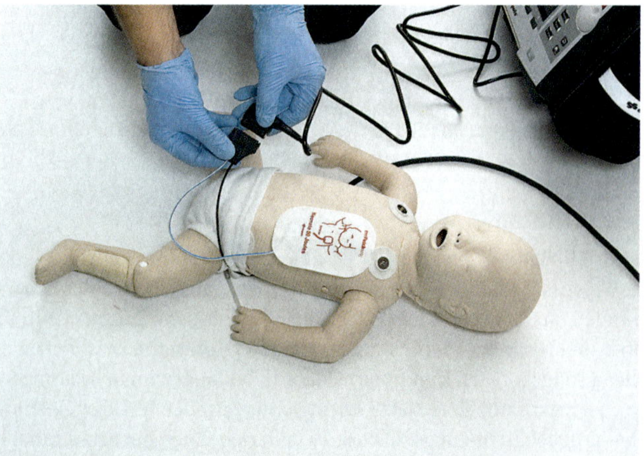

c) Anschließen der Elektroden an den Defibrillator

Abb. 23.16 Position der Klebeelektroden zur Defibrillation des Säuglings [J747]

MERKE

Die Defibrillationsenergie im Kindesalter entspricht 4 J/kg KG bi- und monophasisch.
Bei therapierefraktärem Kammerflimmern (> 5 Defibrillationen) kann eine Eskalation bis zur 8 J/kg KG erwogen werden.

ACHTUNG! Bei einer Hypothermie als Ursache eines Herz-Kreislaufstillstands wird die Vorgehensweise analog zum Erwachsenen modifiziert.

Medikamente

Das wichtigste Notfallmedikament ist **Sauerstoff.** So früh wie möglich soll bei der Reanimation im Kindesalter mit hohen Sauerstoffkonzentrationen beatmet werden. Bei allen beatmeten Patienten ist auf das notwendige Monitoring durch Kapnografie zu achten.

Analog zum Erwachsenen sollte nach zwei frustranen Versuchen, einen i.v.-Zugang zu etablieren, auf die Anlage eines intraossären Zugangs gewechselt werden.

Die am häufigsten vorgefundenen Herzrhythmen bei Kindern mit Kreislaufstillstand sind die Asystolie, die elektromechanische Entkopplung oder eine Bradykardie. Mittel der Wahl ist hierbei **Adrenalin.** Die Dosis beträgt 0,01 mg/kg KG i. v./i. o. Die Standardampulle Adrenalin enthält 1 mg/ml, die übliche 1 : 10-Verdünnung 0,1 mg/ml, also erhält ein Kind unter Reanimationsbedingungen 0,1 ml/kg KG dieser Verdünnung (maximale Einmalgabe von 1 mg). Die Adrenalingabe soll alle 3–5 Minuten wiederholt werden.

PRAXISTIPP

1 Ampulle Adrenalin (1 mg/ml) in 100 ml NaCl verdünnen. Dies entspricht dann 10 µg/ml (= 0,01 mg/ml). Pro Kilogramm Körpergewicht wird also 1 ml dieser Lösung verabreicht.
Oder:
1 Ampulle Adrenalin (1 mg/ml) auf 10 ml verdünnen. Dies entspricht 0,1 mg/ml. Hiervon werden dann mittels Drei-Wege-Hahn je 0,1 ml/kg KG in eine 1-ml-Spritze abgenommen und appliziert. Bei einem z. B. 8 kg schweren Kind entspricht dies 0,8 ml.

Im seltenen Falle eines persistierenden Kammerflimmerns wird Amiodaron in einer Dosis von 5 mg/kg KG als einmalige Bolusgabe nach dem dritten erfolglosen Schock appliziert. Diese kann nach der fünften erfolglosen Defibrillation wiederholt werden.

Analog zur CPR im Erwachsenenalter steht hier Lidocain als Alternative zu Amiodaron mit einem Erstbolus von 1 mg/kg nach der dritten erfolglosen Schockabgabe und einer weiteren kontinuierlichen Infusion von 20–50 µg/kg/Min. nach der fünften erfolglosen Schockabgabe zur Verfügung. Andere Notfallmedikamente spielen bei der kardiopulmonalen Reanimation im Kindesalter praktisch keine Rolle.

ACHTUNG! Die Maximaldosierungen der bei der Reanimation applizierten Medikamentenboli überschreiten niemals die der Erwachsenenreanimation.

Als **Volumenersatz** wird ein initialer Bolus von 10 ml/kg KG Vollelektrolytlösung empfohlen. Diese Infusionslösungen eignen sich auch als

Träger- und Verdünnungssubstanz für Medikamente. Bei vorliegendem Volumenmangel, z.B. aufgrund eines distributiven Schocks, kann es notwendig sein, mehrfach Volumenboli zu applizieren.

ACHTUNG! Gerade bei Kindern muss im Rettungsdienst genau auf die zu infundierende Menge geachtet werden. Hierbei muss auch die applizierte Flüssigkeitsmenge der Medikamentengaben miteinbezogen werden.

IM FOKUS

Reanimation im Kindesalter – erweiterte Maßnahmen

- **Beatmung:**
  - Sauerstoffgabe
  - Tubusgröße/SGA-Größe bestimmen (z. B. Smartphone-App, „Kinderlineal“ oder „Infoflip“)
  - Gegebenenfalls auf präklinische Intubation verzichten
- **Elektrotherapie:**
  - Elektrodenposition passend wählen
  - 4 J/kg KG verwenden
- **Medikamententherapie:**
  - Wichtigstes Medikament ist Sauerstoff
  - Adrenalin: 0,01 mg/kg KG i. v./i. o.
  - Amiodaron: 5 mg/kg KG i. v./i. o.

23.6.3 Abbruch von Reanimationsmaßnahmen

Die Entscheidung, eine nicht selten in Gegenwart der Eltern begonnene Reanimation bei Kindern abzubrechen, fällt jedem Helfer schwer. Ein Transport in die Klinik unter Reanimationsbedingungen sollte bei aussichtsloser Situation nicht erfolgen, nur um die mögliche Konfrontation mit den Eltern zu umgehen.

MERKE

Der Transport durch den Rettungsdienst weckt falsche Hoffnungen bei den Eltern und hat zu unterbleiben, außer es liegt eine Hypothermie oder eine sonstige nur in der Klinik behandelbare Situation vor.

Die Todesursache im Kindesalter sollte auch bei einem völlig unversehrten Baby stets als „ungeklärt“ angesehen werden. Das heißt, dass die Einleitung einer kriminalpolizeilichen Untersuchung nicht umgangen werden kann und die **Polizei** verständigt werden muss.

Mit dem Tod eines Kindes werden die Eltern selbst zu Notfallpatienten, die Hilfe brauchen. Die Eltern sollten die Möglichkeit zum Abschiednehmen haben. Diese Gelegenheit ist ihnen unbedingt einzuräumen. Die Anwesenheit von Teammitgliedern mag dabei erwünscht sein; wenn nicht, werden die Eltern mit ihrem toten Kind allein gelassen. Oftmals wird der Rettungsdienst schon aus Zeitgründen, aber auch aus Mangel an Kenntnis der familiären Umstände mit dieser Situation überfordert sein. Hier empfiehlt sich die Verständigung eines Notfallseelsorgers, Kriseninterventionsteams und/oder die Kontaktaufnahme mit dem Haus- oder Kinderarzt, da diese oftmals eher in der Lage sind, den benötigten Beistand für die Eltern zu leisten (→ Kap. 35.6) und über das eigentliche Einsatzgeschehen hinweg bei den Eltern verbleiben können.

23.7 Umgang mit Neugeborenen und Newborn Life Support (NLS)

Als Neugeborene gelten alle Kinder nach der Geburt **bis zum Alter von 4 Wochen.** Zum Umgang mit Neugeborenen gibt es ebenfalls Leitlinien, die unter dem Begriff **Newborn Life Support (NLS)** zusammengefasst werden. Diese beziehen sich allerdings nur auf das Neugeborene im unmittelbaren Rahmen der Geburt.

Nur ca. 5–10 % aller Neugeborenen bedürfen einer Unterstützung. In den allermeisten Fällen sind eine Stimulation oder erste Entfaltungsbeatmungen die einzig zu ergreifenden Maßnahmen, um den Kreislauf des Kindes anzuregen. Nur bei 0,03–0,12 % der Neugeborenen muss mit einer Thoraxkompression begonnen werden. Zwingend notwendig ist das frühe Abtrocknen und Wärmen (Tücher, Folien) des Neugeborenen. Dies dient neben der Verhinderung eines Wärmeverlusts auch der taktilen Stimulation. Die Abnabelung sollte beim gesund erscheinenden Neugeborenen wenn möglich erst nach 60 Sek. erfolgen. Zwingend einzuleitende Wiederbelebungsmaßnahmen wie z. B. die Beatmung sollten hierdurch allerdings nicht verzögert werden. Im Notfall erfolgt die Abnabelung früher.

ACHTUNG! Der Wärmeerhalt bzw. die Wärmung des Neugeborenen hat einen sehr hohen Stellenwert in der initialen Versorgung. Die **Umgebungstemperatur** bei der Versorgung Neugeborener sollte zwischen 23–25 °C, die **Körpertemperatur** des Neugeborenen sollte bei 36,5–37,5 °C liegen.

PRAXISTIPP

Den RTW bei der Versorgung von Neugeborenen und Säuglingen immer vorheizen.

Eine Zyanose und eine verlängerte kapilläre Füllungszeit (CRT) sind in den ersten Minuten als normal anzusehen. Nicht selten erreichen Neugeborene erst nach 10–20 Minuten einen SpO_2 von 95 %. Eine suffiziente Spontanatmung tritt nach ca. 30 Sekunden ein. Diese kann aber am Anfang noch unregelmäßig sein.

Der Retter muss sich ein Gesamtbild von dem Neugeborenen machen. Hierzu gehören die wesentlichen Vitalfunktionen wie Aussehen, Herzfrequenz, Grundtonus (= Bewegung), Atemfrequenz und ggf. Reflexe. Dies wird auch **Apgar-Schema** genannt (→ Tab. 34.1).

Die initiale Beurteilung kann in drei unterschiedliche Stufen und Schweregrade der Intervention eingeteilt werden (→ Tab. 23.8).

I	Keine Beeinträchtigung	• Lebhafte Atmung/Schreien, vitaler Grundtonus, Bewegungen gut • Herzfrequenz > 100/Min. → abtrocknen, Übergabe an Mutter
II	Mäßige Einschränkung	• Inadäquate Atmung/Apnoe, normaler oder reduzierter Grundtonus • Herzfrequenz < 100/Min. → abtrocknen, Entfaltungsbeatmungen und ggf. Thoraxkompression
III	Schwere Beeinträchtigung	• Inadäquate Atmung, schlaffer Grundtonus • Schwer tastbare Pulse, keine Perfusion → Vorgehen nach NLS-Algorithmus (→ Abb. 23.17)

Tab. 23.8 Initiale Beurteilung und Vorgehen beim Neugeborenen

23.7.1 Erstmaßnahmen bei einem asphyktischen Neugeborenen und NLS

Die Erstversorgung des Neugeborenen lässt sich am einfachsten in Blöcke von 30–60 Sekunden einteilen (→ Tab. 23.9).

Beim Freimachen der Atemwege gelten dieselben Prinzipien wie beim Säugling („Schnüffelstellung", → Abb. 23.12).

Eine **Absaugung** erfolgt nur bei sichtbarer Atemwegsverlegung durch Mekonium (Neugeborenenstuhl, „Kindspech") oder sonstigem Sekret. Bei V. a. Mekoniumaspiration kann bei avitalen Neugeborenen eine Absaugung unter Laryngoskopie erfolgen. Dies bleibt auch hier dem **erfahrenen Anwender** vorbehalten. Nebenwirkungen einer Absaugung sind Hypoxie und eine zusätzliche, durch Vagusreizung induzierte Bradykardie. Deshalb sollte das Absaugmanöver maximal fünf Sekunden dauern.

Muss das Neugeborene nach initialer Beurteilung beatmet werden, wird eine **Baby-Beatmungsmaske** mit angeschlossenem Beatmungsbeutel und Reservoir und in typischer Weise aufgesetzt. Der Reiz des Maskendrucks auf die sensible Gesichtshaut genügt häufig bei vielen schlaffen, zyanotischen Neugeborenen, um tiefe Atemzüge auszulösen und in wenigen Sekunden eine rosa Hautfarbe und kräftige, normofrequente Herzschläge zu erzeugen. Wenn möglich, wird für die Beatmung von Neugeborenen ein Kinderbeutel (450–500 ml Volumen) inkl. eines PEEP-Ventils verwendet. Die Atemhübe werden über 2–3 Sekunden mit einem Inflationsdruck von 30 cmH_2O und einem PEEP von mindestens 6 cmH_2O verabreicht. Das Atemhubvolumen reicht aus, sobald Thoraxexkursionen beim Kind sichtbar sind. Die initialen Inflationsbeatmungen erfolgen mit einer FiO_2 von 0,21 (Raumluft) und sollten effektiv sein.

Geburt (Zeit notieren, Stoppuhr anstellen) • Abnabelung wenn möglich erst nach 60 Sek. • Trocknung des Neugeborenen • Nasse Tücher entfernen • Stimulation **Beurteilung** • Atmung • Grundtonus • Herzfrequenz	30 Sek.
Schnappatmung oder Apnoe • Freimachen der Atemwege • 5 Entfaltungsbeatmungen • Gegebenenfalls SpO_2-Monitoring	30–60 Sek.
Reassessment Wenn kein Herzfrequenzanstieg: Suche nach Thoraxbewegung	30 Sek.
Keine Thoraxbewegung? • Verbesserte Kopfposition • Zwei-Helfer-Atemwegsmanagement oder alternative Atemwegshilfmittel erwägen • Entfaltungsbeatmungen wiederholen • Suche nach Reaktion • SpO_2-Monitoring	30 Sek.
Reassessment Wenn kein Herzfrequenzanstieg: Suche nach Thoraxbewegung	30 Sek.
Thoraxbewegung vorhanden? Bei HF < 60/Min.: beginnen mit Thoraxkompression → 3 : 1	30 Sek.
Alle 30 Sekunden: • Beurteilung der Herfrequenz (< 60/Min.?) • Zugang i. v./i. o. und Medikamente erwägen	

Tab. 23.9 Ablaufschema NLS nach Geburt

Ist nach 30 Sekunden kein Erfolg eingetreten, wird das Kind mit Maske und Beutel mit einer Frequenz von 30 Hub/Min. beatmet. Sollten Thoraxkompressionen notwendig sein, wird die FiO_2 für die Reanimation auf 1,0 (100 % Sauerstoff) gesteigert. Der Stress der Situation darf keinesfalls zu kräftigem Drücken auf den Beutel verleiten.

MERKE

- Das normale Atemzugvolumen eines Neugeborenen liegt bei 20–40 ml, die Atemfrequenz bei 40/Min.
- Die Initialbeatmungen werden über 2–3 Sekunden mit einem Inflationsdruck von 25–30 cm H_2O und einem PEEP mindestens von 6 cmH_2O abgegeben.

Entscheidend ist nun, ob das Neugeborene auf die Maßnahme innerhalb von 30 Sekunden reagiert, d. h., ob die Hautfarbe rosig wird, kräftige Spontanatmung einsetzt und die Herzfrequenz auf Werte > 100 ansteigt.

- Ist dies der Fall, konnte das Rettungsfachpersonal den zugrunde liegenden Sauerstoffmangelzustand überwinden helfen und die Beatmung kann ausgesetzt werden. Das Kind wird sodann unter genauer Beobachtung und ggf. erneuter Maskenbeatmung in die voralarmierte Kinderklinik gebracht. Dort sollte der applizierte Sauerstoff dann so weit wie möglich reduziert werden, um eine toxische Auswirkung auf das Neugeborene zu vermeiden.
- Ist der Patient nach 30 Sekunden Maskenbeatmung weiterhin bradykard mit einer Herzfrequenz < 60, muss mit der Thoraxkompression begonnen werden.

PRAXISTIPP

Zur Beurteilung der Herzfrequenz kann die Pulstastung an der Nabelschnur erfolgen. Sicherer ist es, die Herztöne zu auskultieren.

ACHTUNG! Die Thoraxkompression wird bei Neugeborenen auch dann angewendet, wenn Eigenaktionen des Herzens zwar vorhanden, aber zu langsam sind, um einen adäquaten Kreislauf zu sichern.

Bei der **Thoraxkompression bei Neugeborenen** wird der Zangengriff verwendet und die Kompression auf den kindlichen Brustkorb mit den Daumen ausgeführt (→ Abb. 23.13). Die Frequenz bei der Neugeborenenreanimation ist mit 120-mal pro Minute schneller als die im PLS-Bereich. Die Drucktiefe beträgt ⅓ der Brustkorbhöhe. Der **Sauerstoffbedarf** von Neugeborenen ist sehr viel höher als der von Erwachsenen. Das Verhältnis von Beatmung zu Thoraxkompression wird daher zugunsten der Beatmung verschoben. Der Rhythmus bei Durchführung der Zwei-Helfer-Methode beträgt 3 : 1.

Nach 30 Sekunden Thoraxkompression und fortgeführter interponierter Maskenbeatmung wird die Herzfrequenz erneut kontrolliert. Nicht selten führt die Thoraxkompression bereits zum Einsetzen einer ausreichenden Spontanzirkulation, sodass nach dem initialen Schub weitere Maßnahmen nicht mehr nötig sind oder nur noch assistierend weiterbeatmet werden muss.

Weitergehende Maßnahmen beim Neugeborenen mit Atem- und Herz-Kreislauf-Stillstand (Asphyxie) sollten durch den hierin geschulten **Anwender** erfolgen. Die Intubation des reanimationspflichtigen Neu- oder Frühgeborenen, die Venenkatheterisierung (hierzu kann die Nabelschnurvene genutzt werden) und die differenzierte Pharmakotherapie von Neugeborenennotfällen können nicht von jedem

Notfallsanitäter und auch nicht von jedem Notarzt in der Praxis so trainiert werden, dass bei derart extrem seltenen Notfallsituationen die weiterführenden Fertigkeiten beherrscht werden. Der **Rettungsdienst** ist im Regelfall gut beraten, die oben aufgeführten **Basismaßnahmen konsequent durchzuführen** und das Baby unter Fortsetzung von Wärmeschutz, Maskenbeatmung mit Sauerstoff und Thoraxkompression schnell in eine vorinformierte Kinderklinik zu bringen.

Fühlt sich das Rettungsteam hinreichend sicher in der praktischen Durchführung der weiterführenden Maßnahmen, so wird man nach 2 Minuten erfolgloser Maskenbeatmung die Indikation zur **endotrachealen Intubation oder zum Einsatz alternativer Atemwegshilfen** stellen und diese atraumatisch und schnell platzieren.

MERKE

Ein Intubationsversuch soll nicht länger als 20 Sekunden dauern. Der Tubus-ID für reife NG beträgt 3,5–4,0 mm (i. d. R. ungecufft), für Frühgeborene 2,5–3,0 mm.

PRAXISTIPP

Es empfiehlt sich, das Baby vor der Intubation an den **EKG-Monitor** anzuschließen, um die Reaktion der Herzfrequenz auf den Intubationsversuch akustisch permanent zu registrieren und ggf. bei deutlichem Absinken der Herzfrequenz abzubrechen und zur Maskenbeatmung zurückzukehren.

Zur weiteren Beatmung empfiehlt sich die Beutelbeatmung mit Sauerstoffanschluss, Reservoir und PEEP-Ventil oder aber ein mit speziell für diese Altersklasse einstellbares Beatmungsgerät.

Die Anlage eines stabilen **i.v.- oder i.o.-Zugangs** erfolgt erst relativ spät im Verlauf der Reanimation. Zu bevorzugende Punktionsvarianten sind die intraossäre Punktion und der Nabelvenenkatheter. Wird eine Medikamentengabe überhaupt erforderlich, so ist

- entweder eine schnelle Behebung des O_2-Defizits nicht gelungen oder
- es hat bei der Geburt schon einen schweren Sauerstoffmangel gegeben oder
- es liegen Erkrankungen, Fehlbildungen oder Komplikationen vor, die die bis hierher erfolglose primäre Reanimation bewirken.

Die **medikamentöse Reanimation** des asphyktischen Neugeborenen beruht auf denselben Prinzipien wie beim Erwachsenen: Adrenalin und Volumen.

- **Adrenalin** ist indiziert, wenn nach 30 Sekunden CPR die Herzfrequenz < 60 bleibt oder wenn eine Asystolie vorliegt. Die Initialdosis von Adrenalin (Suprarenin®) beträgt 10–30 µg/kg KG (0,01–0,03 mg/kg KG) (→ Kap. 23.6.2).
- Volumen kann als Vollelektrolytlösung 10 ml/kg KG über 5–10 Minuten gegeben werden.

Wichtig ist die Kenntnis der Normalwerte des **Blutzuckers** beim Neugeborenen: Erst < 40 mg/dl spricht man von einer Hypoglykämie. Bei Werten > 40 mg/dl, die beim Erwachsenen sehr wohl therapiepflichtig wären, darf im Rahmen der Neugeborenenreanimation keinesfalls unnötig hochprozentige Glukoselösung gegeben werden.

Ein Sonderfall ist die **Atemdepression** von Neugeborenen i. v. drogenabhängiger Mütter. Hier wird mit Naloxon (Narcanti®) 0,1 mg/kg KG i. v., i. m. oder s. c. behandelt. Allerdings kann die Naloxongabe bei solchen Kindern auch einen akuten Drogenentzug mit Krampfanfällen auslösen. Im Zweifelsfall wird man wie bei erwachsenen Drogenkonsumenten mit Atemdepression beatmen und das Kind ohne vollständige Opioidantagonisierung in die Klinik transportieren.

IM FOKUS

Reanimation von Neugeborenen

- **Abtrocknen** (Stimulation) und **Initialbeatmungen** können bereits helfen → Reassessment
- **Thoraxkompressionen:**
  - Zwei-Finger-Methode oder Zangengriff
  - Frequenz: 120/Min.; Drucktiefe: ⅓ des Brustkorbs
  - Bei zwei Helfern: 3 Kompressionen, dann 1 Beatmung
- **Beatmung:**
  - Intubationsversuch: < 20 Sek.
  - Tubus-ID für reife NG beträgt 3,5–4,0 mm, für Frühgeborene 2,5–3,0 mm
  - PEEP-Ventil verwenden
- **Medikamententherapie:**
  - Intraossärer Zugang oder Nabelvenenkatheter als Zugangsweg möglich
  - Adrenalin 0,01–0,03 mg/kg KG

23.7.2 Ursachen für eine Reanimation von Neugeborenen

Reanimationspflichtige Störungen der Vitalfunktionen beim Neugeborenen wird man im Rettungsdiensteinsatz in drei Situationen erwarten müssen:

1. Reif zum Termin geborene Kinder mit geburtshilflichen Komplikationen, z. B. einer strangulierenden Nabelschnurumschlingung
2. Frühgeborene mit durch Lungenunreife bedingten Atemstörungen
3. Säuglinge mit schweren angeborenen Fehlbildungen, z. B. von Herz oder Zentralnervensystem

Die beiden letztgenannten Notfallsituationen erfordern oftmals spezielle Kenntnisse und Fertigkeiten, die von entsprechend spezialisierten Kinderärzten nach mehrjähriger Weiterbildung und intensivmedizinischer Praxis geleistet werden können. Für das Rettungsfachpersonal bleibt es auch bei diesen Extremfällen bei der Anwendung der Richtlinien für das Vorgehen bei normalen Neugeborenen (→ Abb. 23.17).

23.8 Maßnahmen in der Postreanimationsphase

Ein Wiederkehren des Spontankreislaufs (ROSC, Return of Spontaneous Circulation) kann durch verschiedene **Parameter** festgestellt werden:

- Bietet das EKG während der regulären Kontrolle einen mit Auswurf vereinbaren Rhythmus, so ist eine **zentrale Pulskontrolle** angezeigt. Ist ein Puls zu tasten, so ist die Thoraxkompression zu unterlassen und die Postreanimationsmaßnahmen müssen unverzüglich begonnen werden.
- Weitere Zeichen eines ROSC sind: das Mit- und Gegenatmen bei der Beatmung, Bewegungen und der spontane schnelle Anstieg des $etCO_2$-Wertes.

In der unmittelbaren Postreanimationsphase gilt es, den Gesamtzustand des Patienten zu beurteilen (ggf. zu stabilisieren) und ihn für den Transport vorzubereiten. Wie immer ist ein Abarbeiten nach dem ABCDE-Schema hilfreich (→ Kap. 17.1.4):

- Das zur Sicherung des **Atemwegs** benutzte Hilfsmittel (LT, LMA, Endotrachealtubus) sollte, falls noch nicht geschehen, erneut auf seine korrekte Lage hin überprüft und endgültig fixiert werden.

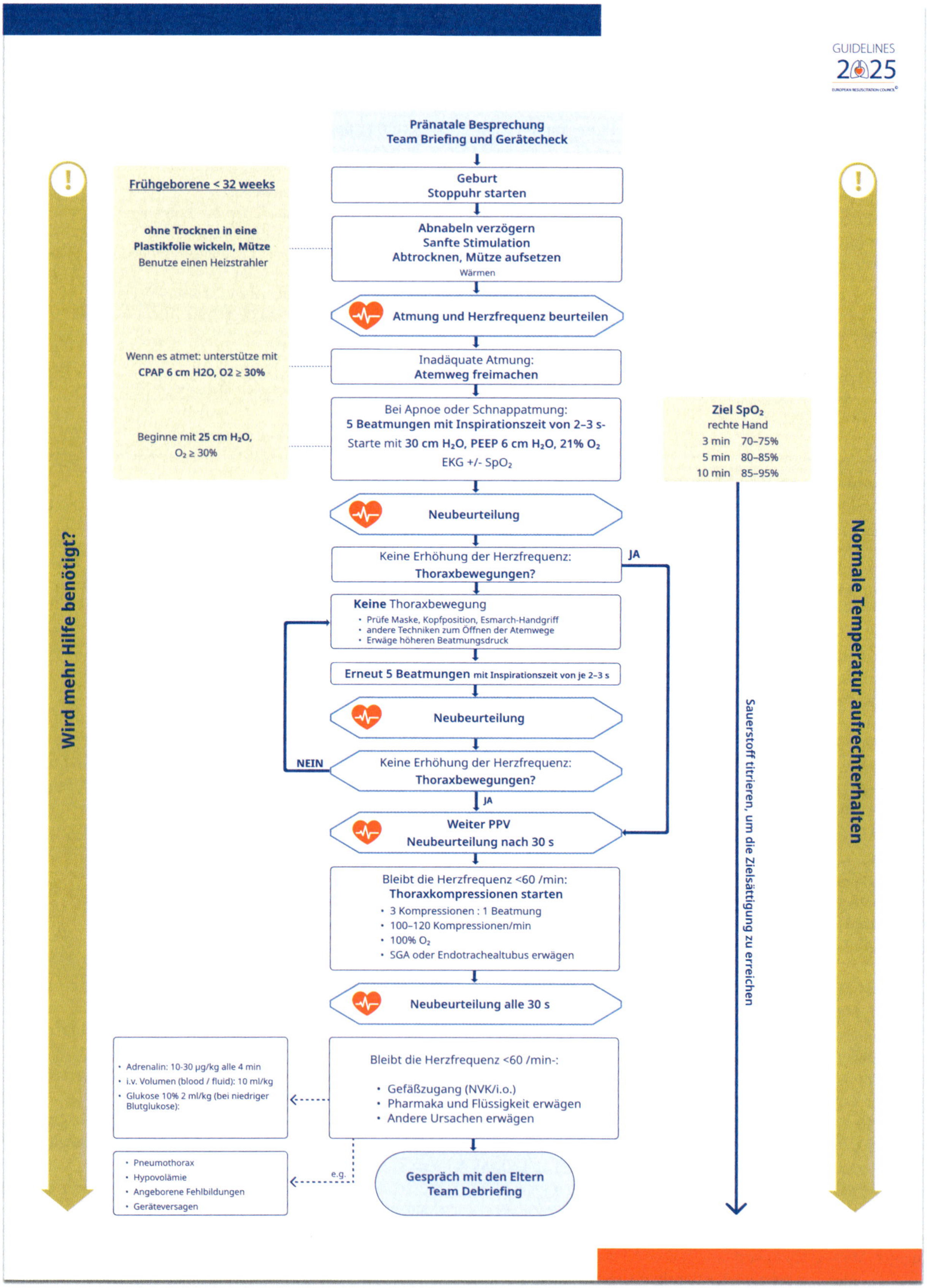

Abb. 23.17 NLS-Algorithmus © German Resuscitation Council (GRC) und European Resuscitation Council (ERC) 2025. [F781–060]

Eine Kapnografie ist obligat, die Ventilationseinstellung, egal ob mit Respirator oder Beatmungsbeutel, sollte an die $etCO_2$-Werte angepasst sein.
Eine Sauerstoffsättigung über 94 % ist anzustreben. Dazu kann eine Beatmung mit 100 % Sauerstoff notwendig sein. Keinesfalls sollte eine Zyanose über einen längeren Zeitraum bestehen bleiben.
Bei gegen den Tubus und die Beatmung pressenden Patienten ist es sinnvoll, eine milde Sedierung, z. B. durch Benzodiazepine, einzuleiten und somit die Beatmungssituation für den Patienten stressfreier zu gestalten.

- Eine regelmäßige **Kreislaufkontrolle** (Puls, RR) sowie das Ableiten eines **12-Kanal-EKG** zur Detektion von eventuellen Myokardischämien kann parallel zur Sicherung der Zugänge stattfinden. Eine zusätzliche kontinuierliche Vasopressortherapie mit Noradrenalin (0,01–1,0 µg/kg/Min.) oder inotrope Unterstützung mit Adrenalin (0,01–0,5 µg/kg/Min.) kann ebenfalls nötig sein, um den Kreislauf des Patienten zu erhalten. Bei Zeichen eines kardiogenen Schocks (Low Output) kann **Dobutamin** (2–20 µg/kg KG/Min.) mit Noradrenalin kombiniert werden.
- Der **Bewusstseinszustand** (Glasgow Coma Scale) und die Pupillen (Größe, Form, Reaktion auf Licht) sollten eingeschätzt und eine **Blutzuckerkontrolle,** falls noch nicht geschehen, durchgeführt werden.
- Das Temperaturmanagement beschränkt sich auf die Vermeidung einer Hyperthermie (> 37,5 °C).

Im präklinischen Setting sollte v. a. der zügige Transport nach Wiederherstellung des Herzkreislaufs priorisiert werden. Oftmals haben lang reanimierte Patienten schon durch die Liegezeit mit freiem Oberkörper auf kaltem Boden eine Körperkerntemperatur < 35 °C. Als **kontraproduktiv** für den neurologischen Status nach Reanimation ist eine Hyperthermie > 37,5 °C anzusehen. Eine **Ausnahme bei der Tolerierung einer deutlichen Hypothermie** stellen hierbei lediglich ein Z. n. Reanimation durch Trauma und die fulminante Sepsis dar, bei der eine ohnehin schlechte Gerinnungssituation durch die Hypothermie weiter negativ beeinflusst würde.

Der Weg zum Rettungsmittel sollte ohne Verlust von Zugang oder Tubus möglich sein. Aufgrund des benötigten Equipments kann es notwendig sein, eine Tragehilfe über die Rettungsstelle anzufordern bzw. umstehende Personen oder Nachbarn zur Unterstützung aufzufordern.

Eine möglichst lückenlose **Dokumentation** aller Befunde, therapeutischen Maßnahmen und Besonderheiten während der präklinischen Betreuung liefert dem weiterbehandelnden Team in der passenden Zielklinik ein umfassendes Bild und sorgt somit auch für eine optimale Weiterbehandlung des Patienten.

IM FOKUS

Postreanimationsbehandlung

- Sobald **ROSC** erreicht: **ABCDE-Assessment** durchführen:
  - **A:** Atemwegssicherung prüfen und Fixierung anbringen
  - **B:** Beatmung optimieren, Spontanatmung vorhanden? Ziel: SpO_2 94–98 %, $etCO_2$ 35–45 mmHg
  - **C:** Analyse Puls, RR, EKG; ggf. Kreislaufunterstützung durchführen und Arrhythmien behandeln; Ziel: RR_{sys} > 100 mmHg oder MAP > 60–65 mmHg, bei Kindern altersentsprechender Normwert
  - **D:** Diagnostik (z. B. Pupillenstatus, BZ) durchführen und ggf. Sedierung vornehmen
  - **E:** Körperliche Untersuchung und verbliebene reversible Ursachen prüfen, Temperaturkontrolle: idealerweise < 37,5 °C
- **Zügiger Transport** mit Voranmeldung

23.9 Unterschiede der AHA- und ERC-Empfehlungen zur Reanimation

Wie beschrieben beruhen die Leitlinien der AHA und des ERC auf einem gemeinsamen Konsens (ILCOR-CoSTR). Im Detail betrachtet gibt es einige Abweichungen in den Vorgehensweisen und Algorithmen beider Gesellschaften. Alle hier aufzuführen, würde das Maß des Kapitels deutlich überschreiten. Auch hierbei gibt es kein richtig oder falsch. Grob umrissen befasst sich die **ERC Leitlinie** etwas umfänglicher mit Periarrest-Umständen, d. h., Notfallbilder erkennen und, wenn möglich, schon vor Eintritt eines Herz-Kreislauf-Stillstands zu beheben. Die **AHA-Leitlinie** bezieht sich vornehmlich auf den Bereich Reanimation (Advanced Cardiac Life Support, ACLS) und geht nur kurz auf besondere Umstände (z. B. das ACS) ein.

Die für den Notfallsanitäter wesentlichen Unterschiede in der AHA-Vorgehensweise im Vergleich zu oben beschriebenen ERC-Empfehlungen sind v. a. das Auslassen der fünf Initialbeatmungen bei der Kinderreanimation und die Verabreichung der Medikamente schon nach dem zweiten Schock. Anstelle der Hs und HITS (→ Tab. 23.2) werden die 5 Hs und 5 Ts als reversible Ursachen aufgelistet (→ Tab. 23.10). Hieran lässt sich erkennen, dass die Aussagen unter dem Strich gesehen nicht wesentlich differieren.

• Hypoxie • Hypothermie/Hyperthermie • Hypo-/Hyperkaliämie • Hydrogen-Ion (metabolische Azidose) • Hypovolämie	• Tamponade (kardial) • Toxine • Thromboembolisches Geschehen (kardial) • Thromboembolisches Geschehen (pulmonal) • Tension Pneumothorax (Spannungspneumothorax)

Tab. 23.10 Potenziell reversible Ursachen der Reanimation: 5 Hs und 5 Ts (AHA)

WIEDERHOLUNGSFRAGEN

1. Was sind Algorithmen (→ Kap. 23.1)?
2. Was wird unter BLS verstanden (→ Kap. 23.2)?
3. Welche Ursachen für einen Kreislaufstillstand gibt es (→ Kap. 23.2.1)?
4. Nach welchem Schema gehen Sie bei einem Kreislaufstillstand vor (→ Kap. 23.2.2)?
5. Wann werden die Reanimationsmaßnahmen abgebrochen (→ Kap. 23.2.4)?
6. Welche Maßnahmen zählen zu den erweiterten Maßnahmen der Reanimation (→ Kap. 23.3)?
7. Nennen Sie die bei einem Kreislaufstillstand möglichen EKG-Bilder (→ Kap. 23.3.1).
8. Erläutern Sie die Algorithmen für Kammerflimmern und Asystolie (→ Kap. 23.3.1).
9. Erläutern Sie den Ablauf der Defibrillation (→ Kap. 23.3.1).
10. Nennen Sie die wesentlichen Medikamente, die bei einer Reanimation eingesetzt werden. Wie werden diese dosiert? Wann und wie verabreicht? (→ Kap. 23.3.3)
11. Wann kommt es im Rettungsdienst zum Einsatz eines Herzschrittmachers (→ Kap. 23.5.1)?
12. Nennen Sie schrittmacherpflichtige Erkrankungen (→ Kap. 23.5.1).
13. Erläutern Sie die Therapie bei instabilen Breitkomplextachykardien (→ Kap. 23.5.2).
14. Wie lässt sich die korrekte Tubusgröße für Kinder ermitteln (→ Kap. 23.6.2)?
15. Was ist bei der Beatmung von Neugeborenen zu beachten (→ Kap. 23.7.1)?
16. Wodurch kommt es zu reanimationspflichtigen Störungen bei Neugeborenen (→ Kap. 23.7.2)?

AUFLÖSUNG DES FALLBEISPIELS

Verdachtsdiagnose

Reanimation bei thromboembolischem Ereignis

Schlüsselinterventionen

Die Besatzung des RTW beginnt unverzüglich mit den wichtigen Basismaßnahmen der Reanimation. Parallel zu den ersten Thoraxkompressionen werden das EKG gestartet und die Defi-Pads aufgeklebt. Zügig wird eine erste Rhythmusanalyse getätigt und bei vorliegendem Kammerflimmern eine erste Defibrillation mit vorgegebener Energie und unter Beachtung der allgemeinen Sicherheitsmaßnahmen abgegeben. Während des Eintreffen des NEFs wird eine Larynxmaske Gr. 5 platziert, über den sich der Patient ohne Leckage beatmen lässt. Der Seitenhelfer wird abgelöst und durch den Notarzt ein großlumiger Gefäßzugang etabliert. Nach zwei weiteren Defibrillationen und kontinuierlich durchgeführter Thoraxkompression mit einer Frequenz von 100/Min. und synchronisierter Beatmung wird 1 mg Adrenalin in einer 1 : 10-Verdünnung appliziert, gefolgt von 300 mg Amiodaron. Eine Fremdanamnese durch die Ehefrau ergibt außer einem bekannten arteriellen Hypertonus, behandelt mit einem ACE-Hemmer und einem Betablocker, keine weiteren Vorerkrankungen. Das Abarbeiten der 4 Hs und HITS zeigt ebenfalls keine weiteren Anhaltspunkte zur Ursache der Reanimation. Nach der vierten Defibrillation springt der Rhythmus des Patienten um in eine Sinusbradykardie. Die angeschlossene Kapnografie zeigt einen spontanen Anstieg, ein Puls ist tastbar. Parallel zur Sicherung der Zugänge und Anpassung der Beatmung wird ein 12-Kanal-EKG abgeleitet, das in den Vorderwandableitungen (V_2–V_4) typische ST-Streckenhebungen über 0,2 mV zeigt. Bei V. a. auf ein thromboembolisches Ereignis verabreicht der Notarzt die Antikoagulanzien nach Standard und der Patient wird für einen zügigen Transport vorbereitet.

Nach telemetrischer Übermittlung des EKGs wird der Patient unter Reanimationsbereitschaft und in Ermangelung weiterer Inotropika unter andauernder Adrenalin-Infusion über einen Perfusor zur Stabilisierung der Hämodynamik in die nächstgelegene Klinik mit 24-Stunden-Herzkatheterbereitschaft verbracht.

Klinik

Der Transport in die Klinik erfolgt ohne weitere Zwischenfälle und der Patient wird ohne Umwege in das Katheterlabor gebracht. Die dort durchgeführte PCI zeigt einen langstreckigen Verschluss des linksseitigen großen Koronargefäßes sowie weitere kurzstreckige Stenosen der beiden anderen Hauptäste.

Diese werden aufgedehnt und mittels Stents versorgt. Nach insgesamt zweiwöchigem Klinikaufenthalt kann der Patient in eine kardiologische Frühreha verlegt werden.

Diagnose

Herz-Kreislauf-Stillstand bei Myokardinfarkt.

WEITERFÜHRENDE LITERATUR

2025 American Heart Association Guidelines. https://cpr.heart.org/en/resuscitation-science/cpr-and-ecc-guidelines (letzter Zugriff 18.11.2025).

2025 Deutscher Rat für Wiederbelebung – German Resuscitation Council e.V. (GRC) (Hrsg.).

Baldi E, Wnent J, Caputo ML et al. European Resuscitation Council Guidelines 2025 Epidemiology in Resuscitation. Resuscitation. 2025 Oct;215 Suppl 1:110733. doi: 10.1016/j.resuscitation.2025.110733.

Damjanovic et al. eCPR bei prähospitalem therapierefraktärem Herz-Kreislauf-Stillstand. Notfall Rettungsmed. 2019; 22:124–135.

Hinkelbein J, Adler C, Schmitz J, Kerkhoff S, Böttiger BW. Kardiopulmonale Reanimation: Aussichtslose Situationen erkennen. Deutsches Ärzteblatt. 2021; 116(22): 1112–1114.

Hogeveen M, Monnelly V, Binkhorst M et al. European Resuscitation Council Guidelines 2025 Newborn Resuscitation and Support of Transition of Infants at Birth. Resuscitation. 2025 Oct;215 Suppl 1:110766. doi: 10.1016/j.resuscitation.2025.110766.

Lott C, Karageorgos V, Abelairas-Gomez C et al. European Resuscitation Council Guidelines 2025 Special Circumstances in Resuscitation. Resuscitation. 2025 Oct;215 Suppl 1:110753. doi: 10.1016/j.resuscitation.2025.110753.

Magnet I, Poppe M. Extrakorporale Reanimation – Kriterien, Bedingungen, Outcome. Ein Reality-Check. Med Klin Intensivmed Notfmed 2022; 117(3):325–332.

Michels G et al. Empfehlungen zur extrakorporalen kardiopulmonalen Reanimation (eCPR): Konsensuspapier der DGIIN, DGK, DGTHG, DGfK, DGNI, DGAI, DIVI und GRC. Anästh Intensivmed 2019; 60:84–93.

Die wichtigsten Krankheitsbilder in der Notfallmedizin

Plus im Web

plus-im-web.de

Ihre PIN

Luxem, ISBN: 46212

Bitte beachten Sie, dass das Buch nicht mehr zurückgegeben werden kann, sobald die PIN freigelegt ist.

Weitere Informationen finden Sie im Hilfebereich unter **support.elsevier.de**

Dieses Buch kann mehr!

Mit dem Plus im Web können Sie

- mit exklusiven Zusatzinhalten zu dem Buch arbeiten,
- auf viele weitere unterschiedliche Themengebiete zugreifen.

Ihr Zugang zum Angebot:

1. Wenn Sie links die Beschichtung freirubbeln, finden Sie darunter Ihre individuelle PIN.
2. Gehen Sie im Internet auf **www.plus-im-web.de**, dort können Sie sich registrieren.
3. Schalten Sie anschließend mit der PIN das Online-Angebot frei.
4. Der Zugang zu den Online-Inhalten zum Buch wird ab Eingabe der zugehörigen PIN nach Maßgabe der Nutzungsbedingungen gewährt. Alle Informationen und Nutzungsbedingungen können bei der Registrierung eingesehen werden. Um Zugang zum Elsevier-Online-Angebot zu erhalten, müssen Sie den Nutzungsbedingungen zustimmen.

Wichtiger Hinweis:

Zugang zu allen digitalen Inhalten und Materialien erhält der Käufer ausschließlich für den eigenen privaten Gebrauch.

Der Zugang darf nicht gemeinsam genutzt, verkauft oder anderweitig weitergegeben werden. Die Weitergabe jeglicher Zugangsdaten an Dritte ist nicht gestattet. Bei Missbrauch wird der Zugang zu allen Inhalten sofort und ohne weitere Ankündigung gesperrt.

Ausführliche Informationen zu AGBs und Datenschutzrichtlinien sind online über die Ziel-URL abrufbar. Diese müssen anerkannt werden, um die digitalen Inhalte nutzen zu können.

Das Angebot ist freibleibend und gilt für die Lebensdauer der angebotenen digitalen Lösung.

Nutzung durch Bibliotheken, Institute und Lehreinrichtungen ist nicht erlaubt. Informationen zu institutionellen Lösungen erhalten Sie unter **www.elsevier.de**

+piw_210x270_4C_20190409